spañol-Alemán: Contenido y estructura

das las *entradas* están ordenadas
abéticamente y se destac

transcripción fonética indi
palabras.

s cifras arábigas voladas di
erentes escritas de igual manera (*homógrafos*).

tilde sustituye en los ejemplos ilustrativos y
odismos a la entrada anterior.

indica la *forma femenina* de los sustantivos y los
jetivos.

s indicaciones de los *plurales irregurlares*, de
formas irregulares de los verbos y de las
rmas de gradación irregulares se encuentran
nediatamente después de la entrada.

s *cifras romanas* indican las distintas partes de la
ación.

s *cifras arábigas* señalan las distintas acepciones.

dicaciones de significado, así como *sujetos* y
mplementos típicos llevan a la traducción correcta.

dicaciones de estilo y de *registro* indican el nivel
güístico y la actitud del hablante.

dicaciones de uso regional muestran el *uso* y el
gnificado del Español de *España* y de *América*.

A B C D E F G H I J K L M N O P Q R S T U V W X Y Z

Basiswörterbuch

Spanisch – Deutsch
Deutsch – Spanisch

Neubearbeitung 2010

PONS GmbH
Stuttgart

PONS Basiswörterbuch
Spanisch

Bearbeitet von: M. Carmen Almendros de la Rosa

Entwickelt auf der Basis des PONS Basiswörterbuchs Spanisch,
ISBN 978-3-12-517449-8

1. Auflage 2010 (1,01 – 2010)

PONS Produktinfos und Shop: www.pons.de
E-Mail: info@pons.de
PONS Sprachenportal: www.pons.eu

Projektleitung: Antje Pesch
Sprachdatenverarbeitung: Dr. Jan-Philipp Söhn
Einbandgestaltung: Tanja Heller, Petra Hazer, Stuttgart
Logoentwurf: Erwin Poell, Heidelberg
Logoüberarbeitung: Sabine Redlin, Ludwigsburg
Satz: Dörr + Schiller GmbH, Stuttgart
Druck: CPI books – Clausen & Bosse, Leck
Printed in Germany

ISBN 978-3-12-517473-3

Inhaltsverzeichnis

Seite

Índice

Página

Vorwort

Mit dem *Basiswörterbuch Spanisch* reagiert der Verlag PONS GmbH auf die Veränderungen in der modernen, globalisierten Welt. Die immer stärker werdende Internationalisierung ermöglicht dem Einzelnen ein hohes Maß an Mobilität, Flexibilität und Kontakten; im beruflichen Kontext wird dies – neben Gewandtheit und ausgeprägter Kommunikationsfähigkeit – von ihm sogar gefordert. Viele Menschen sind meist nicht mehr nur ausnahmsweise mit ausländischen Freunden oder Geschäftskollegen in Kontakt, sondern regelmäßig und oft. Reisen ins Ausland sind für sie ebenso eine Selbstverständlichkeit wie Kooperationen mit Firmen in spanischsprachigen Ländern. Zur erfolgreichen Gestaltung ihrer privaten und geschäftlichen Kontakte will das vorliegende Wörterbuch beitragen: Leicht unterzubringen, dabei mit reichhaltigem und anspruchsvollem Wortschatz, ist es ein praktischer Begleiter sowohl auf Reisen als auch bei der geschäftlichen Kommunikation.

Die einzelnen Wörterbucheinträge sind, entsprechend dem handlichen Format, relativ knapp abgefasst. Dank der klaren Eintragsstruktur hat man immer einen guten Überblick über die verschiedenen Bedeutungen des Stichworts und die Kontexte, in denen es typischerweise verwendet wird, und findet rasch die gesuchte Übersetzung.

In dem umfangreichen Mittelteil dagegen finden sich – auf mehr als 50 Seiten – ausführliche Informationen und Hinweise, zum Beispiel interkulturelle Tipps und thematisch geordnete Formulierungshilfen. Sie gehen über das rein Sprachliche hinaus und bieten viele wissenswerte und praktische Informationen zu den spanischsprachigen Ländern.

Die beiden Wörterbuchhälften und der nützliche Mittelteil ergänzen sich gegenseitig im besten Sinn. Zusammen ergeben sie ein praktisches und handliches Wörterbuch, das die wesentlichen Informationen enthält und seinem Benutzer nicht nur in sprachlicher Hinsicht Sicherheit im Kontakt mit dem Ausland und einen souveränen Auftritt auf dem internationalen Parkett ermöglicht.

Stuttgart, im Juni 2010

PONS GmbH
Wörterbuch-Redaktion

Prólogo

El diccionario *Basiswörterbuch Spanisch* de la editorial PONS GmbH es la justa reacción a los cambios en un mundo moderno y globalizado. La creciente internacionalización nos permite un alto grado de movilidad y flexibilidad; también nos exige continuamente entablar nuevos contactos. Esto es en un contexto profesional, junto con las aptitudes necesarias unidas a una gran capacidad de comunicación, casi indispensable. En la actualidad ya no es una excepción estar en contacto permanente con amigos, socios o colegas fuera del país, más bien supone la normalidad. Los viajes al extranjero son una cosa tan natural como entablar negocios con empresas de países de habla alemana. El presente diccionario pretende contribuir al éxito en sus relaciones personales y profesionales: en un formato cómodo y fácil de transportar, abarca un vocabulario amplio y adecuado hasta para el más exigente; es un práctico compañero tanto en los viajes privados como en la comunicación de los viajes de negocios.

Las entradas del diccionario, de acuerdo a su formato práctico, son concisas y breves. Gracias a una estructura clara es fácil mantener una visión general de todos y cada uno de los significados de una misma palabra en sus diferentes contextos para encontrar rápidamente la traducción deseada. Por otro lado, en el extenso anexo de la parte central, en más de 50 páginas, se encuentran informaciones detalladas, indicaciones y advertencias, tales como consejos interculturales y expresiones útiles ordenadas por temas de interés. Todas estas indicaciones van mucho más allá de lo puramente lingüístico para ofrecer información práctica y muy interesante acerca de los países de habla alemana.

Ambas mitades del diccionario así como el anexo central se complementan perfectamente entre sí. Todas las partes conforman conjuntamente un diccionario práctico y de fácil manejo que contiene la información fundamental que, no sólo en un sentido lingüístico, permitirá a su usuario moverse con seguridad en el extranjero y gozar de una magnífica puesta en es escena en el foro internacional.

Stuttgart, junio de 2010

PONS GmbH
Redacción Diccionarios

Verwendete Lautschriftzeichen
Símbolos fonéticos utilizados

Die deutsche Phonetik
La fonética alemana

[ː]	Abend	['aːbənd]
[ʔ]	Einöde	['aɪnʔøːdə]
[ø]	eintönig	['aɪntøːnɪç]
[ɑ]	digital	[digi'tɑːl]
[ɛ]	Aspekt	[as'pɛkt]
[ã]	engagieren	[ãga'ʒiːrən]
[ɑ̃]	Engagement	[ãgaʒə'mɑ̃ː]
[ç]	Mädchen	['mɛːtçən]
[ə]	Made	['maːdə]
[ɛ̃]	Mannequin	['manəkɛ̃ː]
[ɪ]	Diktatur	[dɪkta'tuːɐ]
[ʒ]	Manege	[ma'neːʒə]
[ŋ]	mangels	['maŋəls]
[ɔ]	Mailbox	['mɛɪlbɔks]
[o̯]	Foyer	[fo̯a'jeː]
[œ]	erörtern	[ɛɐ'œrtɐn]
[õ]	Bon	[bõː]
[ɔ̃]	Annonce	[a'nɔ̃sə]
[ɐ]	Party	['paːɐti]
[ʃ]	Schnee	[ʃneː]
[θ]	Thriller	['θrɪlɐ]
[u̯]	Ecuador	[eku̯a'doːɐ]
[ʊ]	Bau	[baʊ]
[x]	Bauch	[baʊx]
[ʏ]	Olympiade	[olʏm'pjaːdə]
[dʒ]	Jet	[dʒɛt]

Die spanische Phonetik
La fonética española

Halbvokale bzw. Halbkonsonanten

Zeichen	Beispiele	Kommentare
[i̯]	baile, ho**y**, desprecié**i**s	Tritt in den Diphthongen **ai, ei, oi** bzw. **ay, ey, oy** und als letztes Element in Triphthongen auf.
[j]	b**i**eldo, aprec**i**áis	Wenn **i** als erstes Element in Diphthongen oder Triphthongen gesprochen wird.
[u̯]	**au**tobús, ca**u**sa	Tritt in den Diphthongen **au, eu, ou** auf.
[w]	b**u**eno, c**u**erda	Wenn **u** als erstes Element in Diphthongen oder Triphthongen gesprochen wird.

Konsonanten

Zeichen	Beispiele	Kommentare
[p]	**p**alo	
[b]	**v**ivir, ham**b**re	Verschlusslaut. Gesprochen im absoluten Anlaut nach Pause und im Inlaut nach vorausgehendem Nasal.
[β]	o**b**jeto, pue**b**lo	Reibelaut. Gesprochen wenn es sich nicht im absoluten Anlaut oder hinter **m, n** befindet.
[m]	ma**m**á, co**n**vivir	Jedes nicht wortauslautende **m** und **n** vor [p], [b].
[ɱ]	e**n**fermo, i**n**fante	Jedes **n**, das sich vor **f** befindet.
[n]	**n**o, a**n**tes	
[n̟]	o**n**ce, co**n**cie**n**cia	**n** in Verbindung mit darauf folgendem [θ].
[n̪]	co**n**de, a**n**tes	Dentalisiertes **n.** Steht in Verbindung mit folgendem [t] oder [d].
[ŋ]	fi**n**ca, le**n**gua, e**n**jambre	Bei silbenauslautendem **n** in Verbindung mit folgendem velaren Konsonant.
[ɲ]	ni**ñ**a	**ñ** im Silbenanlaut und silbenauslautendes **n** vor palatalem Konsonant.
[f]	ca**f**é	
[k]	**k**ilo, **c**osa, **q**ue, a**c**tor	Tritt in den Gruppen **c + a, o, u** und **qu + e, i** auf und bei silbenauslautendem **c**.
[g]	**g**arra, **gu**itarra,	Verschlusslaut. Tritt im absoluten Anlaut oder im Inlaut mit vorausgehendem Nasal in den Gruppen **g + a, o, u** und **gu + e, i** auf.
[x]	a**j**o, **G**éminis	Entspricht **j** und den Gruppen **g + e, i**.

Zeichen	Beispiele	Kommentare
[ɣ]	peli**g**ro, barri**g**a	Reibelaut. Tritt in den Gruppen **g + a, o, u** und **gu + e, i** auf, wenn es nicht im absoluten Anlaut steht oder auf **n** folgt.
[t]	**t**ar**t**a, **t**odo	Verschlusslaut. Entspricht **d**, wenn es sich im absoluten Anlaut oder nach **n** oder **l** befindet.
[d]	**d**onde, pel**d**año	Verschlusslaut. Entspricht **d**, wenn es sich im absoluten Anlaut oder nach **n** oder **l** befindet.
[ð]	de**d**o, escu**d**o	Reibelaut. Entspricht **d**, wenn es sich nicht im absoluten Anlaut oder nach **n** oder **l** befindet.
[θ]	**c**inco, **z**ar**z**a, cru**z**	Tritt in den Gruppen **c + e, i** und **z + a, o, u** auf und im Auslaut.
[l]	**l**a, sa**l**	
[l̪]	ca**l**cetín, du**l**ce	Interdentales **l.** Steht in Verbindung mit folgendem [θ].
[l̪]	a**l**to, sue**l**do	Dentales **l.** Steht in Verbindung mit folgendem [t] oder [d].
[ʎ]	**ll**uvia marti**ll**o	Entspricht **ll** und silbenauslautendem **l** vor palatalem Konsonant.
[s]	a**s**í, co**s**er	
[r]	ca**r**o, ing**r**ato	Entspricht dem Schriftzeichen **r**, wenn es am Wortanfang steht oder aber auf **n, l, s** folgt.
[rr]	**r**eo, Is**r**ael	Entspricht -**rr**- und **r**- am Wortanfang oder -**r**- am Silbenanfang nach **n, l, s**.
[ʧ]	**ch**ino	
[ɟ]	**hi**erro, **y**unque, co**y**ote	Palataler Reibelaut. Gesprochen, wenn **y, hi** im Silbenanlaut – außer wenn **n, l** vorausgehen – oder im Anlaut einer schwachbetonten Silbe stehen.
[ʤ]	**j**azz, **G**iga	Palatale Affrikata. Wie Englisch gentleman, jump.
[ʃ]	**sh**ock	Wie Englisch **sh**ock, **sh**ow.

Abkürzungen und Symbole
Abreviaturas y símbolos

|	zusammengesetztes, trennbares Verb	verbo con prefijo separable	
*	Partizip ohne ge-	participio sin ge-	*
≈	entspricht etwa	equivale a	≈
–	Sprecherwechsel	cambio de interlocutores	–
a.	auch	también	
Abk.	Abkürzung	abreviatura	*abr*
abw	abwertend	peyorativo	
adj	Adjektiv	adjetivo	*adj*
ADMIN	Verwaltung	administración	ADMIN
adv	Adverb	adverbio	*adv*
AERO	Luftfahrt	aeronáutica	AERO
AGR	Landwirtschaft	agricultura	AGR
akk	Akkusativ	acusativo	*akk*
ALT	alte Schreibung	ortografía antigua	
Am	Lateinamerikanismus	americanismo	*Am*
	Zentralamerika	América Central	AmC
	Südamerika	América del Sur	AmS
ANAT	Anatomie	anatomía	ANAT
ARCHIT	Architektur	arquitectura	
Arg	Argentinien	República Argentina	*Arg*
	Slang	argot	*argot*
	Architektur	arquitectura	ARQUIT
art best	bestimmter Artikel	artículo determinado	*art det*
	Kunst(geschichte)	(historia del) arte	ARTE
art unbest	unbestimmter Artikel	artículo indeterminado	*art indet*
ASTR	Astrologie, Astronomie	astrología, astronomía	ASTR
AUTO	Auto und Verkehr	automóvil y tráfico	AUTO
aux	Hilfsverb	verbo auxiliar	*aux*
BERGB	Bergbau	minería	
BIOL	Biologie	biología	BIOL
BOT	Botanik	botánica	BOT

CHEM	Chemie	química	
	Film	cinematografía	CINE
COM	Handel	comercio	COM
	Komparativ	comparativo	*compar*
	Konjunktion	conjunción	*conj*
CSur	Cono Sur (Argentinien, Chile, Paraguay, Uruguay)	Cono Sur (República Argentina, Chile, Paraguay, Uruguay)	*CSur*
dat	Dativ	dativo	*dat*
	Sport	deporte	DEP
	Ökologie	ecología	ECOL
	Wirtschaft	economía	ECON
EISENB	Eisenbahn	ferrocarril	
ELEK	Elektrotechnik	electrotecnia	ELEC
	gehoben, literarisch	elevado, literario	*elev*
	Schulwesen	enseñanza	ENS
etw	etwas	algo	
EU	Europäische Union	Unión Europea	
f	Femininum	femenino	*f*
fam	umgangssprachlich	familiar	*fam*
	Eisenbahn	ferrocarril	FERRO
fig	übertragen, figurativ	sentido figurado	*fig*
FILM	Film	cinematografía	
	Philosophie	filosofía	FILOS
FIN	Finanzen, Börse	finanzas, bolsa	FIN
	Physik	física	FÍS
FOTO	Fotografie	fotografía	FOTO
GASTR	Gastronomie	gastronomía	GASTR
geh	gehoben, literarisch	elevado, literario	
gen	Genitiv	genitivo	*gen*
GEO	Geographie, Geologie	geografía, geología	GEO
HIST	Geschichte	historia	HIST
imp	Imperfekt	imperfecto	*imp*
	Indikativ	indicativo	*ind*
inf	Infinitiv	infinitivo	*inf*
INFOR	Informatik	informática, ordenadores	INFOR
interj	Interjektion	interjección	*interj*

inv	invariabel, unveränderlich	invariable	*inv*
iron	ironisch	irónico	*irón*
irr	unregelmäßig	irregular	*irr*
jd	jemand	alguien (nominativo)	
jdm	jemandem	alguien (dativo)	
jdn	jemanden	alguien (acusativo)	
jds	jemandes	alguien (genitivo)	
JUR	Jura, Recht	jurisdicción, derecho	JUR
kompar	Komparativ	comparativo	
konj	Konjunktion	conjunción	
KUNST	Kunst(geschichte)	(historia del) arte	
LING	Linguistik, Grammatik	lingüística, gramática	LING
LIT	Literatur(wissenschaft)	(ciencia de la) literatura	LIT
	Wendung	locución	*loc*
m	Maskulinum	masculino	*m*
MAm	Mittelamerika	América Central	
MATH	Mathematik	matemáticas	MAT
MED	Medizin	medicina	MED
METEO	Meteorologie	meteorología	METEO
Mex	Mexico	México, Méjico	*Méx*
mf	Maskulinum und Femininum	masculino y femenino	*mf*
MIL	Militär	fuerzas armadas	MIL
	Bergbau	minería	MIN
MUS	Musik	música	MÚS
NAUT	Nautik, Seefahrt	náutica, navegación	NÁUT
nom	Nominativ	nominativo	*nom*
nordd	norddeutsch	Alemania del Norte	
nt	Neutrum	neutro	*nt*
o	oder	o	
ÖKOL	Ökologie	ecología	
Österr	Österreich	Austria	
part	Partikel	partícula	
	abwertend	peyorativo	*pey*
PHILOS	Philosophie	filosofía	
PHYS	Physik	física	

pl	Plural	plural	*pl*
POL	Politik	política	POL
pp	Partizip Perfekt	participio pasado	*pp*
	Publizistik, Presse	prensa, periodismo	PREN
präp	Präposition	preposición	*prep*
präs	Präsens	presente	*pres*
	‚Pretérito'	pretérito indefinido	*pret*
pron dem	Demonstrativpronomen	pronombre demostrativo	*pron dem*
pron indef	Indefinitpronomen	pronombre indefinido	*pron indef*
pron inter	Interrogativpronomen	pronombre interrogativo	*pron inter*
pron pers	Personalpronomen	pronombre personal	*pron pers*
pron poss	Possessivpronomen	pronombre posesivo	*pron pos*
pron refl	Reflexivpronomen	pronombre reflexivo	*pron refl*
pron rel	Relativpronomen	pronombre relativo	*pron rel*
prov	Sprichwort	proverbio	*prov*
PSYCH	Psychologie	psicología	PSICO
PUBL	Publizistik, Presse	prensa, periodismo	
	Chemie	química	QUÍM
®	eingetragenes Warenzeichen	marca registrada	
RADIO	Rundfunk	radio	RADIO
reg	regional	regional	*reg*
REL	Religion	religión	REL
RR	reformierte Schreibung	ortografía nueva	
s.	siehe	véase	
SAm	Südamerika	América del Sur	
SCH	Schulwesen	enseñanza	
sg	Singular	singular	*sg*
sl	Slang	argot	
SPORT	Sport	deporte	
subj	‚Subjuntivo'	subjuntivo	*subj*
südd	süddeutsch	Alemania del Sur	
superl	Superlativ	superlativo	*superl*
	auch	también	*t.*
	Stierkampfkunst	tauromaquia	TAUR
	Theater	teatro	TEAT
TECH	Technik	técnica	TÉC

TEL	Telekommunikation	telecomunicación	TEL
THEAT	Theater	teatro	
	Typografie	tipografía	TIPO
TV	Fernsehen	televisión	TV
TYPO	Typografie	tipografía	
Ud.	Sie (Singular)	Usted	*Ud.*
	Europäische Union	Unión Europea	UE
UNIV	Universität	universidad	UNIV
	siehe	véase	*v.*
vi	intransitives Verb	verbo intransitivo	*vi*
	unpersönliches Verb	verbo impersonal	*vimpers*
vr	reflexives Verb	verbo reflexivo	*vr*
vt	transitives Verb	verbo transitivo	*vt*
vulg	vulgär	vulgar	*vulg*
vunpers	unpersönliches Verb	verbo impersonal	
Wend	Wendung	locución	
WIRTSCH	Wirtschaft	economía	
ZAm	Zentralamerika	América Central	
ZOOL	Zoologie	zoología	ZOOL

A

A, a [a] *f* A, a *nt*

a [a] *prep* ① (*dirección*) zu +*dat;* **ir ~ Barcelona/Suiza** nach Barcelona/in die Schweiz fahren; **llegar ~ Madrid** in Madrid ankommen; **ir ~ la escuela** in die Schule gehen ② (*posición*) an +*dat;* **estar sentado ~ la mesa** am Tisch sitzen; **~ la derecha** rechts ③ (*distancia*): **~ 10 kilómetros de aquí** 10 Kilometer von hier ④ (*tiempo*) um +*akk;* (*hasta*) bis; **~ las tres** um drei (Uhr) ⑤ (*modo*): **~ pie** zu Fuß; **~ oscuras** im Dunkeln ⑥ (*complemento (in)directo*): **he visto ~ tu hermano** ich habe deinen Bruder gesehen

abad(esa) [a'βa^{ð}, aβa'ðesa] *m(f)* Abt *m*, Äbtissin *f*

abajo [a'βaxo] *adv* ① (*movimiento*) hinunter; **de arriba ~** von oben nach unten ② (*estado*) unten; **hacia ~** nach unten

abandonar [aβan̩do'nar] *vt* ① verlassen; (*desamparar*) im Stich lassen; **niño abandonado** Findelkind *nt* ② (*renunciar*) aufgeben

abandono [aβan̩'dono] *m* Verlassen *nt;* (*renuncia*) Verzicht *m;* (*descuido*) Vernachlässigung *f*

abanicar(se) [aβani'kar(se)] <c → qu> *vt, vr* (sich) (Luft) zufächeln +*dat*

abanico [aβa'niko] *m* Fächer *m*

abaratar [aβara'tar] **I.** *vt* verbilligen; **~ costes** Kosten senken **II.** *vr:* **~se** billiger werden

abarcar [aβar'kar] <c → qu> *vt* umfassen

abarrotar [aβarro'tar] *vt* überfüllen (*de* mit +*dat*)

abastecer(se) [aβaste'θer(se)] *irr como crecer vt, vr* (sich) versorgen

abasto [a'βasto] *m:* **dar ~** ausreichen

abatido, -a [aβa'tiðo] *adj* niedergeschlagen

abatir [aβa'tir] **I.** *vt* (*muro*) niederreißen; (*humillar*) demütigen **II.** *vr:* **~se** sich stürzen (*sobre* auf +*akk*); (*desanimarse*) den Mut verlieren

abdicación [aβðika'θjon] *f* Abdankung *f;* **~ al trono** Thronverzicht *m*

abdicar [aβði'kar] <c → qu> *vt* abdanken

abdomen [aβ'ðomen] *m* Unterleib *m*

abdominal [aβðomi'nal] **I.** *adj* Bauch-; **dolor ~** Bauchschmerzen **II.** *m* Bauchmuskelübung *f*

abecé [aβe'θe] *m* Abc *nt*

abecedario [aβeθe'ðarjo] *m* Alphabet *nt*

abedul [aβe'ðul] *m* Birke *f*

abeja [a'βexa] *f* Biene *f*

abejorro [aβe'xorro] *m* Hummel *f*

aberrante [aβe'rran̩te] *adj* abwegig; (*disparatado*) unsinnig

abertura [aβer'tura] *f* Öffnung *f*

abeto [a'βeto] *m* Tanne *f;* **~ rojo** Fichte *f*

abierto, -a [a'βjerto] *adj* offen

abismal [aβis'mal] *adj* gewaltig

abismo [a'βismo] *m* Abgrund *m;* (*diferencia*) Kluft *f*

abjurar [aβxu'rar] *vi, vt* abschwören (*de* +*dat*)

ablandarse [aβlan̩'darse] *vr* sich erweichen lassen

abnegación [aβneɣa'θjon] *f:* **con ~** selbstlos

abnegado, -a [aβne'ɣaðo] *adj* selbstlos

abofetear [aβofete'ar] *vt* ohrfeigen

abogacía [aβoɣa'θia] *f:* **ejercer la ~** als Anwalt tätig sein

abogado, -a [aβo'ɣaðo] *m, f* (Rechts)anwalt, -wältin *m, f;* **~ defensor** (Straf)verteidiger *m*

abogar [aβo'ɣar] <g → gu> *vi* sich einsetzen (*por/en favor de* für +*akk*)

abolición [aβoli'θjon] *f* Abschaffung *f*

abolir [aβo'lir] *irr vt* abschaffen

abollar [aβo'ʎar] *vt* verbeulen

abombar(se) [aβom'bar(se)] *vt, vr* (sich) wölben

abominable [aβomi'naβle] *adj* abscheulich

abonado, -a [aβo'naðo] *m, f* Abonnent(in) *m(f)*

abonar [aβo'nar] *vt* ❶ (*pagar*) bezahlen; ~ **en cuenta** gutschreiben ❷ (*terreno*) düngen ❸ PREN abonnieren

abono [a'βono] *m* ❶ TEAT, PREN Abonnement *nt* ❷ (*para transporte público*) Zeitkarte *f;* ~ **mensual** Monatskarte *f;* **sacar un** ~ eine Dauerkarte kaufen ❸ (*fertilizante*) Dünger *m;* ~ **químico** Kunstdünger *m*

abordar [aβor'ðar] **I.** *vt* rammen; (*persona*) ansprechen; (*tema*) anschneiden **II.** *vi* NÁUT anlegen

aborigen [aβo'rixen] *mf* Ureinwohner(in) *m(f)*

aborrecer [aβorre'θer] *irr como crecer vt* verabscheuen

abortar [aβor'tar] **I.** *vi* ❶ (*provocado*) abtreiben ❷ (*espontáneo*) eine Fehlgeburt haben ❸ (*fracasar*) scheitern **II.** *vt* (*hacer fracasar*) vereiteln

aborto [a'βorto] *m* Abtreibung *f;* (*espontáneo*) Fehlgeburt *f*

abotonar [aβoto'nar] *vt* zuknöpfen

abrasar [aβra'sar] **I.** *vi* (*sol*) brennen; (*comida*) heiß sein **II.** *vt* ❶ (*quemar*) verbrennen ❷ (*dolor*) brennen (in +*dat*)

abrazar(se) [aβra'θar(se)] <z → c> *vt, vr* (sich) umarmen

abrazo [a'βraθo] *m* Umarmung *f;* **dar un ~ a alguien** jdn umarmen; **un (fuerte)** ~ (*en cartas*) liebe Grüße

abreacción [aβrrea$^{\gamma}$'θjon] *f* PSICO Abreaktion *f*

abrebotellas [aβreβo'teʎas] *m inv* Flaschenöffner *m*

abrecartas [aβre'kartas] *m inv* Brieföffner *m*

abrelatas [aβre'latas] *m inv* Dosenöffner *m*

abreviar [aβre'βjar] *vt* (ver)kürzen

abreviatura [aβreβja'tura] *f* Abkürzung *f*

abridor [aβri'ðor] *m* Öffner *m*

abrigado, -a [aβri'ɣaðo] *adj:* **estar ~** warm angezogen sein

abrigarse [aβri'ɣarse] <g → gu> *vr* sich warm anziehen

abrigo [a'βriɣo] *m* Mantel *m*

abril [a'βril] *m* April *m; v.t.* **marzo**

abrir [a'βrir] *irr* **I.** *vt* (*algo cerrado*) öffnen; (*libro*) aufschlagen; (*grifo*) aufdrehen **II.** *vi*: **en un ~ y cerrar de ojos** im Nu **III.** *vr:* **~se** sich (er)öffnen

abrochar [aβro'ʧar] *vt*: **abróchense los cinturones (de seguridad)** legen Sie die Sicherheitsgurte an

abrumador(a) [aβruma'ðor] *adj* überwältigend

abrupto, -a [a'βrupto] *adj* ❶ (*camino, abismo*) steil ❷ (*carácter*) schroff

absentismo [aβsen̪'tismo] *m:* ~ **laboral** Fehlen *nt* (am Arbeitsplatz)

absolución [aβsolu'θjon] *f* ❶ JUR Freispruch *m;* ~ **por falta de pruebas** Freispruch mangels Beweisen ❷ REL Absolution *f*

absolutamente [aβsoluta'men̪te] *adv* absolut; (*completamente*) völlig; (*negación*) strikt; ~ **nada** überhaupt nichts

absoluto, -a [aβso'luto] *adj:* **en ~** keineswegs; **nada en ~** gar nichts

absolver [aβsol'βer] *irr como volver vt* JUR freisprechen; REL lossprechen

absorber [aβsor'βer] *vt* ❶ (*t. fig*) aufsaugen; (*cautivar*) fesseln; ~ **la atención de alguien** jds Aufmerksamkeit beanspruchen ❷ (*empresa*) aufkaufen

absorto, -a [aβ'sorto] *adj* versunken (*en* in +*akk*)

abstención [a$^{\beta}$sten̪'θjon] *f* (Stimm)enthaltung *f*

abstenerse [a$^{\beta}$ste'nerse] *irr como tener vr*: ~ **de votar** sich der Stimme enthalten

abstinencia [a$^{\beta}$sti'nen̪θja] *f* Enthaltsamkeit *f;* (*de alcohol*) Abstinenz *f*

abstinente [a$^{\beta}$sti'nen̪te] *adj* enthaltsam

abstracción [a$^{\beta}$stra$^{\gamma}$'θjon] *f* Abstraktion *f*

abstracto, -a [a$^{\beta}$s'trakto] *adj* abstrakt
abstraer [a$^{\beta}$stra'er] *irr como traer* **I.** *vt* abstrahieren **II.** *vr*: **~se en algo** sich in etw vertiefen
absurdo, -a [aβ'surðo] *adj* absurd
abuchear [aβuʧe'ar] *vt* ausbuhen
abuelo, -a [a'βwelo] *m, f* Großvater, -mutter *m, f;* **los ~s** die Großeltern
abulense [aβu'lense] *adj* aus Ávila
abultar [aβuḷ'tar] *vi* viel Raum einnehmen
abundancia [aβuṇ'daṇθja] *f* Fülle *f;* **en ~** in Hülle und Fülle
abundante [aβuṇ'daṇte] *adj* reichlich
abundar [aβuṇ'dar] *vi* reichlich vorhanden sein
aburrido, -a [aβu'rriðo] *adj* (*ser*) langweilig; (*estar*) überdrüssig (*de +gen*)
aburrimiento [aβurri'mjeṇto] *m* Langeweile *f*
aburrir(se) [aβu'rrir(se)] *vt, vr* (sich) langweilen
abusar [aβu'sar] *vi* ❶ (*usar indebidamente*) missbrauchen (*de +akk*) ❷ (*aprovecharse*) ausnutzen (*de +akk*); **~ de una mujer** eine Frau vergewaltigen
abuso [a'βuso] *m* Missbrauch *m;* **~ de autoridad** Amtsmissbrauch *m;* **~ deshonesto** Unzucht *f*
acá [a'ka] *adv* hier; **¡ven ~!** komm her!
acabado, -a [aka'βaðo] *adj* fertig
acabar [aka'βar] **I.** *vi* ❶ (*terminar*) enden (*en* mit *+dat*); **~ bien** gut ausgehen ❷ (*una acción*): **el libro acaba de publicarse** das Buch ist soeben erschienen ❸ (*agotar*): **este niño ~á conmigo** dieses Kind macht mich noch völlig fertig ❹ (*finalmente*): **~ás por comprenderlo** du wirst es schließlich einsehen **II.** *vt* beenden; (*consumir*) aufbrauchen **III.** *vr:* **~se** enden; **la mantequilla se ha acabado** die Butter ist alle; **¡se acabó!** und damit basta!
academia [aka'ðemja] *f* Akademie *f;* (*colegio*) (Privat)schule *f*
académico, -a [aka'ðemiko] *adj* akademisch
acaecer [akae'θer] *irr como crecer vi* sich ereignen
acallar [aka'ʎar] *vt* zum Schweigen bringen
acalorado, -a [akalo'raðo] *adj* hitzig
acalorarse [akalo'rarse] *vr*: **se acalora por nada** er/sie regt sich wegen Nichtigkeiten auf
acampar [akam'par] *vi* campen
acantilado [akaṇti'laðo] *m* Steilküste *f*
acaparar [akapa'rar] *vt*: **~ todas las miradas** alle Blicke auf sich ziehen
acariciar [akari'θjar] *vt* streicheln; (*idea, plan*) hegen
acarrear [akarre'ar] *vt* transportieren; (*ocasionar*) verursachen
acaso [a'kaso] *adv* vielleicht; **¿está ~ enfermo?** ist er etwa krank?; **por si ~** (*en caso de*) falls; (*en todo caso*) vorsichtshalber
acatar [aka'tar] *vt* achten; (*obedecer*) befolgen
acatarrarse [akata'rrarse] *vr* sich erkälten
acceder [a$^{\gamma}$θe'ðer] *vi* ❶ (*consentir*) einwilligen (*a* in *+akk*); **~ a una petición** einer Bitte entsprechen ❷ (*tener acceso*) Zugang haben (*a* zu *+dat*) ❸ (*ascender*) aufsteigen; **~ a la presidencia** den Vorsitz übernehmen
accesible [a$^{\gamma}$θe'siβle] *adj* zugänglich; (*precios*) erschwinglich
accésit [a$^{\gamma}$'θesi^{t}] *m inv* Trostpreis *m*
acceso [a$^{\gamma}$'θeso] *m* Zugang *m* (*a* zu *+dat*); **de fácil ~** leicht zugänglich; **libre ~** freier Zutritt
accesorio [a$^{\gamma}$θe'sorjo] *m* ❶ (*de vestidos*) Accessoire *nt* ❷ *pl* (*de máquinas*) Zubehör *nt*
accidentado, -a [a$^{\gamma}$θiðeṇ'taðo] *m, f* Verunglückte(r) *f(m)*
accidental [a$^{\gamma}$θiðeṇ'tal] *adj* zufällig
accidentarse [a$^{\gamma}$θiðeṇ'tarse] *vr* verunglücken
accidente [a$^{\gamma}$θi'ðeṇte] *m* ❶ (*suceso desgraciado*) Unfall *m;* **~ de circulación**

A

Verkehrsunfall *m;* **sufrir un ~** einen Unfall haben; **por ~** zufällig ❷ MED: **~ cerebrovascular** Schlaganfall *m*

accidentógeno, -a [aᵞθiðeṇ'toxeno] *adj* unfallanfällig

acción [aᵞ'θjon] *f* ❶ (*acto t.* LIT) Handlung *f;* POL Aktion *f;* **¡~!** CINE Aufnahme! ❷ FIN Aktie *f*

accionar [aᵞθjo'nar] *vt* betätigen

accionista [aᵞθjo'nista] *mf* Aktionär(in) *m(f)*

acechar [aθe'ʧar] *vt* belauern

acecho [a'θeʧo] *m:* **estar al ~** auf der Lauer liegen

aceite [a'θei̯te] *m* Öl *nt*

aceitoso, -a [aθei̯'toso] *adj* ölig

aceituna [aθei̯'tuna] *f* Olive *f*

acelerador [aθelera'ðor] *m* Gaspedal *nt;* **pisar el ~** Gas geben

acelerar [aθele'rar] **I.** *vi* beschleunigen; AUTO Gas geben; **¡no aceleres tanto!** gib nicht so viel Gas! **II.** *vt* beschleunigen; **~ el paso** schneller gehen

acelga [a'θelɣa] *f* Mangold *m*

acento [a'θeṇto] *m* ❶ (*prosódico*) Betonung *f* ❷ (*signo*) Akzent *m;* **hablar alemán sin ~** akzentfrei Deutsch sprechen

acentuación [aθeṇtwa'θjon] *f* Betonung *f;* (*ortográfica*) Akzentsetzung *f*

acentuado, -a [aθeṇtu'aðo] *adj* ❶ (*al pronunciar*) betont; (*al escribir*) mit Akzent ❷ (*marcado*) ausgeprägt

acentuar [aθeṇtu'ar] <*1. pres* acentúo> **I.** *vt* ❶ (*al pronunciar*) betonen; (*al escribir*) einen Akzent setzen (auf +*akk*) ❷ (*resaltar*) hervorheben **II.** *vr:* **~se** AM sich verschlimmern

acepción [aθeβ'θjon] *f* Bedeutung *f*

aceptable [aθep'taβle] *adj* annehmbar

aceptación [aθepta'θjon] *f* Zustimmung *f;* **tener ~** Beifall finden

aceptado [aθep'taðo] *interj* AM einverstanden

aceptar [aθep'tar] *vt* annehmen

acequia [a'θekja] *f* Bewässerungsgraben *m*

acera [a'θera] *f* Bürgersteig *m;* **ser de la ~ de enfrente** (*fam*) vom anderen Ufer sein

acerca [a'θerka] *prep:* **~ de** (*sobre*) über +*akk*

acercamiento [aθerka'mjeṇto] *m* Annäherung *f* (*a* an +*akk*)

acercar [aθer'kar] <c → qu> **I.** *vt* ❶ (*poner más cerca*) näher bringen (*a* +*dat*); **acerca la silla a la mesa** rück den Stuhl an den Tisch ❷ (*traer*) (her)bringen ❸ (*fam: llevar*) bringen (*a* zu +*dat*) **II.** *vr:* **~se** sich nähern (*a* +*dat*); (*ir*) vorbeischauen (*a* bei +*dat*)

acero [a'θero] *m* Stahl *m*

acertado, -a [aθer'taðo] *adj* richtig; (*atinado*) treffend

acertar [aθer'tar] <e → ie> **I.** *vi* ❶ (*dar*) treffen ❷ (*hacer con acierto*) das Richtige tun ❸ (*por casualidad*): **~ a hacer algo** zufällig etw tun ❹ (*conseguir*): **no acerté a encontrar la respuesta** es gelang mir nicht die Lösung zu finden ❺ (*encontrar*) finden (*con* +*akk*) **II.** *vt* treffen; (*encontrar*) finden; (*adivinar*) erraten

acertijo [aθer'tixo] *m* Rätsel *nt*

acervo [a'θerβo] *m:* **~ cultural** Kulturgut *nt;* **~ genético** BIOL Genpool *m,* Gesamtbestand der Gene

acetona [aθe'tona] *f* Aceton *nt*

achacoso, -a [aʧa'koso] *adj* anfällig; **estar ~** kränkeln

achaque [a'ʧake] *m* Beschwerde *f*

achicar [aʧi'kar] <c → qu> **I.** *vt* verkleinern; (*intimidar*) einschüchtern **II.** *vr:* **~se** kleiner werden

achicharrar [aʧiʧa'rrar] **I.** *vt* verbrennen; **estoy achicharrado** ich komme um vor Hitze **II.** *vr:* **~se** anbrennen; (*persona*) vor Hitze umkommen

achicoria [aʧi'korja] *f* Zichorie *f*

achinado, -a [aʧi'naðo] *adj:* **ojos ~s** Schlitzaugen *ntpl*; CSUR pöbelhaft

achís [a'ʧis] *interj* hatschi

acholar [aʧo'lar] **I.** *vt* CHIL, PERÚ ❶ (*avergonzar*) beschämen ❷ (*amila-*

nar) einschüchtern **II.** *vr:* **~se** (ARG, CHIL, PERÚ: *acobardarse*) verzagen
achuchón [atʃu'tʃon] *m* (*fam*) heftige Umarmung *f;* (*achaque*) (leichtes) Unwohlsein *nt*
achucutado, -a [atʃuku'taðo] *adj* AM niedergeschlagen
achumarse [atʃu'marse] *vr* AM sich betrinken
acicalarse [aθika'larse] *vr* sich herausputzen
acidez [aθi'ðeθ] *f* Säure *f;* ~ **de estómago** Sodbrennen *nt*
ácido[1] ['aθiðo] *m* QUÍM Säure *f*
ácido, -a[2] ['aθiðo] *adj* sauer; (*mordaz*) bissig
acierto [a'θjerto] *m* Treffer *m*
aclamar [akla'mar] *vt* zujubeln *+dat;* POL durch Zuruf wählen
aclaración [aklara'θjon] *f* Erklärung *f;* (*de un crimen*) Aufklärung *f*
aclarar [akla'rar] **I.** *vt* ❶ (*hacer más claro*) aufhellen ❷ (*explicar*) erklären ❸ (*crimen, secreto*) aufklären **II.** *vr:* **~se** (*fam*) klarkommen **III.** *vimpers:* **está aclarando** es heitert auf
aclimatar(se) [aklima'tar(se)] *vt, vr* (sich) (ein)gewöhnen
acné [aɣ'ne] *m o f* Akne *f*
acobardar [akoβar'ðar] **I.** *vt* Angst einjagen *+dat;* (*con palabras*) einschüchtern; **le acobarda el fuego** er hat Angst vor Feuer **II.** *vr:* **~se** den Mut verlieren (*ante/frente a* angesichts *+gen*); (*intimidarse*) sich einschüchtern lassen
acogedor(a) [akoxe'ðor] *adj* freundlich
acoger [ako'xer] <g → j> *vt* aufnehmen; (*recibir*) empfangen
acogida [ako'xiða] *f* Aufnahme *f;* (*recibimiento*) Empfang *m;* **el proyecto no tuvo una buena** ~ das Projekt fand keinen Beifall
acojonado, -a [akoxo'naðo] *adj* (*vulg*) verängstigt; (*acobardado*) feige
acojonante [akoxo'nan̪te] *adj* (*vulg*) geil *fam*
acojonar [akoxo'nar] **I.** *vt* (*vulg*) Angst einjagen *+dat* **II.** *vr:* **~se** (*vulg*) Schiss kriegen *fam*
acometer [akome'ter] *vi, vt* angreifen
acomodado, -a [akomo'ðaðo] *adj* wohlhabend
acomodador(a) [akomoða'ðor] *m(f)* Platzanweiser(in) *m(f)*
acomodar(se) [akomo'ðar(se)] *vt, vr* (sich) anpassen
acomodo [ako'moðo] *m* ❶ (*adaptación*) Anpassung *f* (*a* an *+akk*) ❷ (*alojamiento*) Unterkunft *f*
acompañado, -a [akompa'ɲaðo] *adj:* **bien/mal** ~ in guter/schlechter Begleitung
acompañante [akompa'ɲan̪te] *mf* Begleiter(in) *m(f)*
acompañar [akompa'ɲar] *vt* ❶ *t.* MÚS begleiten; ~ **a alguien a casa** jdn nach Hause begleiten; **te acompaño en el sentimiento** herzliches Beileid ❷ (*hacer compañía*) Gesellschaft leisten *+dat*
acompasado, -a [akompa'saðo] *adj* MÚS rhythmisch; (*pausado*) ruhig
acomplejado, -a [akomple'xaðo] *adj* voller Komplexe
acomplejar [akomple'xar] **I.** *vt* Komplexe verursachen *+dat* **II.** *vr:* **~se** Komplexe bekommen
acondicionado, -a [akon̪diθjo'naðo] *adj:* **bien/mal** ~ in gutem/schlechtem Zustand; **la habitación tiene aire** ~ das Zimmer hat eine Klimaanlage
acondicionar [akon̪diθjo'nar] *vt* herrichten; (*climatizar*) klimatisieren
acongojar [akoŋgo'xar] *vt* bekümmern
aconsejable [akonse'xaβle] *adj* ratsam
aconsejar [akonse'xar] *vt* beraten; ~ **algo a alguien** jdm etw raten
acontecer [akon̪te'θer] *irr como crecer vi* sich ereignen
acontecimiento [akon̪teθi'mjen̪to] *m* Ereignis *nt*
acopio [ako'pjo] *m* Vorrat *m;* **hacer** ~

de algo einen Vorrat an etw *dat* anlegen; **hacer ~ de paciencia** sich mit Geduld wappnen

acoplar(se) [ako'plar(se)] *vt, vr* (sich) anpassen

acoquinar(se) [akoki'nar(se)] *vt, vr* (sich) einschüchtern (lassen)

acorazar [akora'θar] <z → c> *vt* panzern; **cámara acorazada** Panzerschrank *m*

acordar [akor'ðar] <o → ue> **I.** *vt* vereinbaren; (*decidir*) beschließen **II.** *vr:* **~se** sich erinnern (*de* an *+akk*); **¡acuérdate de decírselo!** denk daran es ihm/ihr zu sagen!

acorde [a'korðe] *adj* übereinstimmend

acordeón [akorðe'on] *m* Akkordeon *nt*

acorralar [akorra'lar] *vt* einpferchen; (*cercar*) einkreisen; (*con preguntas*) in die Enge treiben

acortar [akor'tar] **I.** *vt* (ab)kürzen **II.** *vr:* **~se** kürzer werden

acosar [ako'sar] *vt* ① (*perseguir*) hetzen ② (*asediar*) bedrängen; **~ a alguien a preguntas** jdn mit Fragen bombardieren

acoso [a'koso] *m* Verfolgung *f*

acostar [akos'tar] <o → ue> **I.** *vt* ins Bett bringen **II.** *vr:* **~se** ① (*descansar*) sich hinlegen; (*ir a la cama*) ins Bett gehen; **estar acostado** im Bett sein; **~se con alguien** mit jdm schlafen ② AMC, MÉX entbinden

acostumbrado, -a [akostum'braðo] *adj* gewohnt; **mal ~** verwöhnt

acostumbrar [akostum'brar] **I.** *vi*: **~ a hacer algo** gewöhnlich etw tun; **como se acostumbra a decir** wie man zu sagen pflegt **II.** *vt*: **~ a alguien a hacer algo** jdn daran gewöhnen etw zu tun **III.** *vr:* **~se** sich *dat* angewöhnen (*a +akk*); (*no extrañar*) sich gewöhnen (*a* an *+akk*)

acotación [akota'θjon] *f* Randbemerkung *f;* TEAT Bühnenanweisung *f*

acrecentar [akreθen'tar] <e → ie> *vt* vermehren

acreditado, -a [akreði'taðo] *adj* angesehen

acreditar [akreði'tar] **I.** *vt* bestätigen; (*dar reputación*) Ansehen verleihen *+dat* **II.** *vr:* **~se** Ansehen erwerben

acreedor(a) [akre(e)'ðor] *m(f)* Gläubiger(in) *m(f)*

acribillar [akriβi'ʎar] *vt:* **~ a alguien a preguntas** jdn mit Fragen überhäufen

acrílico, -a [a'kriliko] *adj:* **fibra acrílica** Acryl *nt*

acrobacia [akro'βaθja] *f* Akrobatik *f*

acróbata [a'kroβata] *mf* Akrobat(in) *m(f)*

acrónimo [a'kronimo] *m* Akronym *nt*

acta ['akta] *f* ① (*de una reunión*) Protokoll *nt;* **levantar ~ de algo** etw protokollieren; **hacer constar en ~** zu Protokoll geben ② (*certificado*) Urkunde *f* ③ JUR Akte *f*

actitud [akti'tu^{ð}] *f* Haltung *f;* (*disposición*) Einstellung *f*

activamente [aktiβa'mente] *adv* tatkräftig

activar [akti'βar] *vt* ① (*avivar*) beleben ② (*acelerar*) beschleunigen; **~ la digestión** die Verdauung fördern ③ QUÍM, FÍS, INFOR aktivieren; **~ una bomba** eine Bombe zünden

actividad [aktiβi'ða^{ð}] *f* Tätigkeit *f;* (*ocupación*) Beschäftigung *f;* **~ profesional** Beruf *m;* **volcán en ~** aktiver Vulkan

activo[1] [ak'tiβo] *m* Aktiva *ntpl*

activo, -a[2] [ak'tiβo] *adj* aktiv; (*sustancia, medicamento*) wirksam

acto ['akto] *m* ① (*acción*) Handlung *f;* **~ sexual** Geschlechtsakt *m;* **en el ~** auf der Stelle ② (*ceremonia*) Festakt *m* ③ TEAT Akt *m*

actor, actriz [ak'tor, ak'triθ] *m, f* Schauspieler(in) *m(f);* **~ de cine** Filmschauspieler *m;* **primer ~** Hauptdarsteller *m*

actuación [aktwa'θjon] *f* Handeln *nt;* TEAT, MÚS Auftritt *m;* **~ en directo** Liveauftritt *m*

actual [aktu'al] *adj* aktuell

actualidad [aktwaliðaᵈ] *f* ❶ (*presente*) Gegenwart *f;* **en la ~** heutzutage ❷ (*cualidad*) Aktualität *f;* **de ~** aktuell; **estar de ~** modern sein

actualizar [aktwali'θar] <z → c> *vt* aktualisieren

actualmente [aktwal'meṇte] *adv* zur Zeit

actuar [aktu'ar] <*1. pres* actúo> *vi* ❶ (*obrar, hacer*) handeln ❷ (*tener efecto*) wirken (*sobre* auf *+akk*) ❸ TEAT auftreten ❹ JUR auftreten (*de/como* als *+nom*); **~ contra alguien** gegen jdn vorgehen

acuarela [akwa'rela] *f* Aquarell *nt*

acuario [a'kwarjo] *m* Aquarium *nt*

Acuario [a'kwarjo] *m inv* ASTR Wassermann *m*

acuático, -a [a'kwatiko] *adj* Wasser-; **ave acuática** Wasservogel *m*

acuchillar [akuʧi'ʎar] *vt* niederstechen; (*matar*) erstechen

acuciante [aku'θjaṇte] *adj* dringend

acudir [aku'ðir] *vi* ❶ (*ir*) sich einfinden (*a* in *+dat, a* bei *+dat*); **~ a una cita** zu einem Rendezvous gehen; **~ al trabajo** zur Arbeit gehen; **~ a las urnas** wählen gehen ❷ (*corriendo*) herbeieilen; **~ en socorro (de alguien)** (jdm) zu Hilfe eilen

acueducto [akwe'ðukto] *m* Aquädukt *m o nt*

acuerdo [a'kwerðo] *m* ❶ (*convenio*) Vereinbarung *f;* **llegar a un ~** sich einigen ❷ (*político*) Abkommen *nt* ❸ (*decisión*) Beschluss *m* ❹ (*conformidad*) Übereinstimmung *f;* **de ~** einverstanden; **ponerse de ~** sich einigen

acumular [akumu'lar] *vt* anhäufen; ELEC speichern

acunar [aku'nar] *vt* wiegen

acuñar [aku'ɲar] *vt* prägen

acupuntura [akupuṇ'tura] *f* Akupunktur *f*

acuracidad [akuraθi'ðaᵈ] *f* Akkuratheit *f*

acurrucarse [akurru'karse] <c → qu> *vr* sich (zusammen)kauern; **~ en un sillón** sich in einen Sessel kuscheln

acusación [akusa'θjon] *f* Beschuldigung *f;* JUR Anklage *f*

acusado, -a [aku'saðo] *m, f* Angeklagte(r) *f(m)*

acusar [aku'sar] *vt* ❶ (*culpar*) beschuldigen; **le acusan de asesinato** er wird des Mordes beschuldigt ❷ (*en juicio*) anklagen ❸ **~ recibo de un pedido** einen Auftrag bestätigen

acusativo [akusa'tiβo] *m* Akkusativ *m*

acuse [a'kuse] *m:* **~ de recibo** Empfangsbestätigung *f*

acústica [a'kustika] *f* Akustik *f*

acústico, -a [a'kustiko] *adj* akustisch

adaptable [aðap'taβle] *adj* anpassungsfähig

adaptación [aðapta'θjon] *f* ❶ (*acomodación*) Anpassung *f* (*a* an *+akk*) ❷ LIT, MÚS, TEAT Bearbeitung *f;* **la ~ de una obra de teatro al cine** die Verfilmung eines Theaterstückes

adaptador [aðapta'ðor] *m* Adapter *m*

adaptar [aðap'tar] **I.** *vt* ❶ (*acomodar*) anpassen (*a* an *+akk, a +dat*) ❷ (*ajustar*) einpassen; **~ algo a algo** etw auf etw abstimmen ❸ LIT, MÚS bearbeiten (*a* für *+akk*) **II.** *vr:* **~se** sich anpassen (*a +dat, a* an *+akk*)

adecentar [aðeθeṇ'tar] **I.** *vt* herrichten **II.** *vr:* **~se** sich zurechtmachen

adecuado, -a [aðe'kwaðo] *adj* angemessen; (*apto*) geeignet

adecuar(se) [aðe'kwar(se)] *vt, vr* (sich) anpassen (*a* an *+akk*)

a. de (J)C. ['aṇtes ðe (xesu)'kristo] *abr de* **antes de (Jesu)cristo** v. Chr.

adelantado, -a [aðelaṇ'taðo] *adj:* **estar muy ~** weit fortgeschritten sein; **por ~** im Voraus

adelantamiento [aðelaṇta'mjeṇto] *m:* **realizar un ~** überholen

adelantar [aðelaṇ'tar] **I.** *vi* ❶ (*reloj*) vorgehen ❷ (*progresar*) vorwärtskommen; **no adelanto nada** ich mache keine Fortschritte ❸ (*coche*) überholen **II.** *vt* ❶ (*avanzar*) vorrücken; **~ unos**

pasos ein paar Schritte vorgehen ❷ (*coche*) überholen ❸ (*reloj*) vorstellen ❹ (*viaje*) vorverlegen ❺ (*idea*) vorwegnehmen ❻ (*paga*) vorstrecken ❼ (*loc*): **¿qué adelantas con esto?** was bringt dir das? **III.** *vr:* **~se** früher eintreffen; (*aventajar*) zuvorkommen; (*reloj*) vorgehen

adelante [aðe'lan̩te] *adv* vor(wärts); **¡~!** herein!; **de hoy en ~** von heute an; **sacar una familia ~** eine Familie durchbringen; **seguir ~** weitergehen; **véase más ~** siehe unten

adelanto [aðe'lan̩to] *m* Fortschritt *m;* (*anticipo*) Vorschuss *m*

adelgazar [aðelɣa'θar] <z → c> *vi, vt* abnehmen

ademán [aðe'man] *m* ❶ (*gesto*) Gebärde *f;* **hacer ~ de salir** sich anschicken zu gehen ❷ (*actitud*) Haltung *f;* **en ~ de** bereit zu

además [aðe'mas] *adv* außerdem

adentrarse [aðen̩'trarse] *vr* hineingehen (*en* in +*akk*)

adentro [a'ðen̩tro] *adv* ❶ (*lugar*) darin ❷ (*lugar y movimiento*) hinein; **mar ~** seewärts

adentros [a'ðen̩tros] *m pl*: **para sus ~** innerlich

adepto, -a [a'ðepto] *m, f* Mitglied *nt*

aderezar [aðere'θar] <z → c> *vt* würzen

adeudar [aðeu̯'ðar] **I.** *vt* ❶ (*deber*) schulden ❷ (*cargar*) belasten; **~ una cantidad en cuenta** ein Konto mit einem Betrag belasten **II.** *vr:* **~se** sich verschulden

adherir [aðe'rir] *irr como sentir* **I.** *vt* (auf)kleben (*a* auf +*akk*) **II.** *vr:* **~se** haften (*a* an +*dat*); (*a una opinión*) zustimmen (*a* +*dat*); (*a un partido*) beitreten (*a* +*dat*)

adhesivo [aðe'siβo] *m* Aufkleber *m*

adicción [aðiˠ'θjon] *f* Sucht *f;* **~ a las drogas** Drogenabhängigkeit *f*

adición [aði'θjon] *f* Addition *f*

adicional [aðiθjo'nal] *adj* zusätzlich

adicto, -a [a'ðikto] *adj:* **~ a las drogas** drogensüchtig

adiestrar [aðjes'trar] *vt* ❶ (*personas*) schulen (*en* in +*dat, para* für +*akk*) ❷ (*animales*) abrichten (*para* zu +*dat*); (*para el circo*) dressieren

adinerado, -a [aðine'raðo] *adj* vermögend

adiós [a'ðjos] *interj* auf Wiedersehen

aditivo [aði'tiβo] *m* Zusatzstoff *m*

adivinanza [aðiβi'nan̩θa] *f* Rätsel *nt*

adivinar [aðiβi'nar] *vt* ❶ (*el futuro*) wahrsagen ❷ (*conjeturar*) raten; (*acertar*) erraten; **¡adivina cuántos años tengo!** rat mal, wie alt ich bin! ❸ (*vislumbrar*) erahnen

adjetivo [aðxe'tiβo] *m* Adjektiv *nt*

adjudicar [aðxuði'kar] <c → qu> **I.** *vt* ❶ (*premio*) verleihen; (*beca*) vergeben ❷ (*en una subasta*) zuschlagen **II.** *vr:* **~se** sich *dat* aneignen; (*victoria*) erringen

adjuntar [aðxun̩'tar] *vt* beilegen

adjunto, -a [að'xun̩to] *adj* beiliegend

administración [aðministra'θjon] *f* Verwaltung *f;* (*órgano*) Behörde *f*

administrador(a) [aðministra'ðor] *m(f)* Verwalter(in) *m(f);* **~ de webs** Netzadministrator *m*

administrar [aðminis'trar] *vt* ❶ (*dirigir, cuidar*) verwalten; **~ justicia** Recht sprechen ❷ (*racionar*) einteilen; (*suministrar*) verteilen ❸ (*medicamentos*) verabreichen

administrativo, -a [aðministra'tiβo] **I.** *adj* Verwaltungs-; **gastos ~s** Verwaltungskosten *pl* **II.** *m, f* Verwaltungsangestellte(r) *f(m)*

admirable [aðmi'raβle] *adj* bewundernswert

admiración [aðmira'θjon] *f* Bewunderung *f;* (*asombro*) Verwunderung *f;* (*signo*) Ausrufezeichen *nt*

admirado, -a [aðmi'raðo] *adj:* **me quedé admirada de tus conocimientos** ich war erstaunt über deine Kenntnisse

A

admirador(a) [aðmira'ðor] *m(f)* Bewunderer, -in *m, f*
admirar [aðmi'rar] **I.** *vt* bewundern; (*asombrar*) verwundern **II.** *vr:* **~se** sich wundern (*de* über +*akk*)
admisible [aðmi'siβle] *adj* zulässig
admisión [aðmi'sjon] *f* ❶ (*en una asociación*) Aufnahme *f* (*en* in +*akk*); UNIV Zulassung *f* (*en* zu +*dat*) ❷ TÉC Zufuhr *f*
admitir [aðmi'tir] *vt* ❶ (*en una asociación, club*) aufnehmen (*en* in +*akk*) ❷ (*reconocer*) zugeben ❸ (*permitir*) zulassen
ADN [aðe'ene] *m abr de* **ácido desoxirribonucleico** DNS *f*
adobar [aðo'βar] *vt* marinieren; (*con sal*) pökeln
adobe [a'ðoβe] *f* Luftziegel *m*
adolecer [aðole'θer] *irr como crecer vi* erkranken (*de* an +*dat*)
adolescencia [aðoles'θeṇθja] *f* Jugend *f*
adolescente [aðoles'θeṇte] *mf* Jugendliche(r) *f(m)*
adonde [a'ðoṇde] *adv* (*relativo*) wohin
adónde [a'ðoṇde] *adv* (*interrogativo*) wohin
adopción [aðoβ'θjon] *f* ❶ (*de niños*) Adoption *f* ❷ (*de nacionalidad/religión*) Annahme *f* ❸ (*de medidas*) Ergreifen *nt*
adoptar [aðop'tar] *vt* ❶ (*niño*) adoptieren ❷ (*nacionalidad*) annehmen ❸ (*medida*) ergreifen; (*acuerdo*) fassen
adoptivo, -a [aðop'tiβo] *adj* Adoptiv-; **hijo ~** Adoptivkind *nt;* (*cosas*) Wahl-; **patria adoptiva** Wahlheimat *f*
adoquín [aðo'kin] *m* Pflasterstein *m*
adorable [aðo'raβle] *adj* entzückend
adorar [aðo'rar] *vt* anbeten
adormecer [aðorme'θer] *irr como crecer* **I.** *vt* ❶ (*personas*) einschläfern ❷ (*dolor*) stillen **II.** *vr:* **~se** einschlafen
adormilarse [aðormi'larse] *vr* einnicken
adornar(se) [aðor'nar(se)] *vt, vr* (sich) schmücken (*con* mit +*dat*)
adorno [a'ðorno] *m* Schmuck *m*
adosado, -a [aðo'saðo] *adj:* **casa adosada** Reihenhaus *nt*
adquirir [aðki'rir] *irr vt* erlangen; (*comprar*) erwerben
adquisición [aðkisi'θjon] *f* Erwerb *m;* (*de una empresa*) Übernahme *f*
adquisitivo, -a [aðkisi'tiβo] *adj:* **poder ~** Kaufkraft *f*
adrede [a'ðreðe] *adv* absichtlich
adrenalina [aðrena'lina] *f* Adrenalin *nt*
Adriático [a'ðrjatiko] *m* Adria *f*
adscribir [a^ðskri'βir] *irr como escribir vt* zuschreiben
aduana [a'ðwana] *f* Zoll *m*
adulador(a) [aðula'ðor] *m(f)* Schmeichler(in) *m(f)*
adular [aðu'lar] *vt* schmeicheln +*dat*
adulterar [aðuḷte'rar] *vt* verfälschen; (*bebidas*) panschen
adulterio [aðuḷ'terjo] *m* Ehebruch *m*
adúltero, -a [a'ðuḷtero] *m, f* Ehebrecher(in) *m(f)*
adulto, -a [a'ðuḷto] *m, f* Erwachsene(r) *f(m)*
adverbial [aðβer'βjal] *adj* adverbial
adverbio [að'βerβjo] *m* Adverb *nt*
adversario, -a [aðβer'sarjo] *m, f* Gegner(in) *m(f)*
adversidad [aðβersi'ða^ð] *f* Widrigkeit *f;* (*desgracia*) Unglück *nt*
advertencia [aðβer'teṇθja] *f* Warnung *f;* (*indicación*) Hinweis *m*
advertir [aðβer'tir] *irr como sentir vt* hinweisen (auf +*akk*)
adviento [að'βjeṇto] *m* Advent *m*
adyacente [aðʝa'θeṇte] *adj* angrenzend
aéreo, -a [a'ereo] *adj:* **compañía aérea** Fluggesellschaft *f;* **por vía aérea** per Luftpost
aeróbic [ae'roβi^k] *m* Aerobic *nt*
aerolínea [aero'linea] *f* Fluggesellschaft *f;* **~ de bajo coste** Billigfluggesellschaft *f*, Low-Cost-Fluggesellschaft *f*
aeropuerto [aero'pwerto] *m* Flughafen *m*
afable [a'faβle] *adj* umgänglich (*con/para con* gegenüber +*dat*)

afamado, -a [afa'maðo] *adj* berühmt
afán [a'fan] *m* Eifer *m;* (*ambición*) Streben *nt* (*de* nach *+dat*); **~ de lucro** Gewinnstreben *nt*
afanar [afa'nar] **I.** *vi* schwer arbeiten **II.** *vt* (*fam*) klauen **III.** *vr:* **~se** sich abmühen
afección [afe^{ɣ}'θjon] *f* Leiden *nt*
afectar [afek'tar] **I.** *vt* ① (*aparentar*) vortäuschen ② (*atañer*) betreffen ③ (*dañar*) schädigen ④ (*impresionar*) nahegehen *+dat* **II.** *vr:* **~se** AM sich anstecken
afectivo, -a [afek'tiβo] *adj* sensibel; (*cariñoso*) liebevoll
afecto [a'fekto] *m* Zuneigung *f*
afectuoso, -a [afektu'oso] *adj* liebevoll; (*cordial*) herzlich; **afectuosamente** mit freundlichen Grüßen
afeitar(se) [afei̯'tar(se)] *vt, vr* (sich) rasieren
aferrar(se) [afe'rrar(se)] *vt, vr* (sich) fest halten (*a* an *+dat*)
afgano, -a [af'ɣano] *adj* afghanisch
afianzarse [afjaṇ'θarse] <z → c> *vr* sich behaupten
afiche [a'fiʧe] *m* CSUR Plakat *nt*
afición [afi'θjon] *f* Vorliebe *f*
aficionado, -a [afiθjo'naðo] **I.** *adj* ① (*no profesional*) Hobby-; **jardinero ~** Hobbygärtner *m* ② (*que siente afición*): **ser ~ a la arquitectura** sich für Architektur begeistern **II.** *m, f* ① (*amante*) Liebhaber(in) *m(f);* DEP Fan *m;* **~ a la ópera** Opernliebhaber *m* ② (*no profesional*) Amateur(in) *m(f)*
aficionar [afiθjo'nar] **I.** *vt*: **~ a alguien a algo** bei jdm besonderes Interesse für etw wecken **II.** *vr*: **~se a algo** (*acostumbrarse*) sich *dat* etw angewöhnen; (*prendarse*) etw gerne tun
afilado, -a [afi'laðo] *adj* ① (*nariz*) spitz; (*cara*) schmal ② (*mordaz*) bissig; **lengua afilada** (*fig*) spitze Zunge
afilalápices [afila'lapiθes] *m inv* Bleistiftspitzer *m*
afilar [afi'lar] *vt* schärfen; (*lápiz*) (an)spitzen
afiliación [afilja'θjon] *f* ① (*acto*) Beitritt *m* (*a* zu *+dat*) ② (*pertenencia*) Mitgliedschaft *f;* **~ política** Parteimitgliedschaft *f*
afiliado, -a [afi'ljaðo] *m, f* Mitglied *nt;* **~ a un sindicato** Gewerkschaftsmitglied *nt*
afiliarse [afi'ljarse] *vr* beitreten (*a +dat*)
afín [a'fin] *adj* verwandt
afinar [afi'nar] **I.** *vi* richtig singen; (*tocando*) richtig spielen **II.** *vt* MÚS stimmen
afincarse [afiŋ'karse] <c → qu> *vr* sich niederlassen (*en* in *+dat*)
afinidad [afini'ða^{d}] *f* Ähnlichkeit *f*
afirmación [afirma'θjon] *f* Bejahung *f;* (*aseveración*) Behauptung *f*
afirmar [afir'mar] **I.** *vt* ① bejahen; (*dar por cierto*) bestätigen; **~ con la cabeza** zustimmend nicken ② (*aseverar*) behaupten **II.** *vr:* **~se** sich bestätigen; (*ratificarse*) bestätigen (*en +akk*)
afirmativamente [afirmatiβa'meṇte] *adv*: **responder ~** ja sagen
afirmativo, -a [afirma'tiβo] *adj* bejahend; **en caso ~** gegebenenfalls
aflicción [afli^{ɣ}'θjon] *f* Kummer *m* (*por* über *+akk*)
afligir [afli'xir] <g → j> **I.** *vt* (*atormentar*) quälen **II.** *vr:* **~se** betrübt sein (*con/por/de* über *+akk*)
afligirse [afli'xirse] <g → j> *vr* betrübt sein (*con/por/de* über *+akk*)
aflojar [aflo'xar] **I.** *vi* nachlassen **II.** *vt* lockern; (*velocidad*) drosseln; **~ el paso** langsamer gehen **III.** *vr:* **~se** sich lockern
aflorar [aflo'rar] *vi* zutage treten
afluencia [a'flweṇθja] *f* Andrang *m*
afluente [a'flweṇte] *m* Nebenfluss *m*
afonía [afo'nia] *f* Heiserkeit *f*
afónico, -a [a'foniko] *adj* heiser
aforo [a'foro] *m* ① (*de una cantidad*) Messung *f* ② (*en un estadio*) Kapazität *f;* **la sala tiene un ~ de 300 personas** der Saal fasst 300 Personen
afortunadamente [afortunaða'meṇte]

adv glücklicherweise, zum Glück

afortunado, -a [afortu'naðo] *adj* glücklich; **¡qué afortunada eres!** hast du ein Glück!

afrenta [a'fren̩ta] *f* Schande *f;* **hacer ~ a alguien** jdn beleidigen

afrentar [afren̩'tar] **I.** *vt* beleidigen **II.** *vr:* **~se** sich schämen (*de/por* für *+akk*)

África ['afrika] *f* Afrika *nt*

africano, -a [afri'kano] *adj* afrikanisch

afrodisiaco [afroði'sjako] *m*, **afrodisíaco** [afroði'siako] *m* Aphrodisiakum *nt*

afrontar [afron̩'tar] *vt*: **~ un problema** ein Problem in Angriff nehmen

afuera [a'fwera] *adv* ❶ (*estado*) draußen; **la parte de ~** der äußere Teil ❷ (*movimiento*) hinaus; **¡~!** (*fam*) raus!

afueras [a'fweras] *f pl* Umgebung *f;* **~ de la ciudad** Stadtrand *m*

agachar [aɣa'ʧar] **I.** *vt* beugen **II.** *vr:* **~se** sich bücken; AM nachgeben

agalla [a'ɣaʎa] *f* Kieme *f;* **tener ~s** (*fig*) Mut haben

agarrada [aɣa'rraða] *f* (*fam*): **tener una ~** Krach haben

agarrado, -a [aɣa'rraðo] *adj* geizig

agarrador [aɣarra'ðor] *m* Griff *m*

agarrar [aɣa'rrar] **I.** *vt* (*asir*) packen (*de/por* an *+dat*); (*tomar*) nehmen **II.** *vr:* **~se** ❶ (*asirse*) sich fest halten (*a* an *+dat*) ❷ (AM: *coger*) ergreifen

agasajar [aɣasa'xar] *vt* reichlich beschenken

agencia [a'xen̩θja] *f* Agentur *f;* **~ inmobiliaria** Immobilienbüro *nt;* **~ de publicidad** Werbeagentur *f;* **~ de transportes** Spedition *f;* **Agencia Tributaria** Finanzamt *nt;* **~ de viajes** Reisebüro *nt;* **~ de viaje compartido** Mitfahrzentrale *f*

agenciar(se) [axen̩'θjar(se)] *vt, vr* (sich *dat*) beschaffen

agenda [a'xen̩da] *f* Terminkalender *m;* **~ de bolsillo** Taschenkalender *m;* **tener una ~ apretada** einen vollen Terminkalender haben

agente [a'xen̩te] *mf* ❶ (*representante*) Vertreter(in) *m(f);* **~ de bolsa** Börsenmakler *m* ❷ (*funcionario*): **~ judicial** Gerichtsvollzieher(in) *m(f);* **~ de policía** Polizist(in) *m(f)* ❸ (*espía*) Agent(in) *m(f)*

ágil ['axil] *adj* flink; (*hábil*) geschickt

agilidad [axili'ða^ð] *f* ❶ (*física*) Flinkheit *f* ❷ (*mental*) (geistige) Agilität *f* ❸ (*habilidad*) Geschick *nt*

agitado, -a [axi'taðo] *adj* hektisch

agitar [axi'tar] **I.** *vt* ❶ (*mover*) hin und her bewegen ❷ (*intranquilizar*) in Unruhe versetzen ❸ (*sublevar*) aufhetzen **II.** *vr:* **~se** ❶ (*moverse*) sich hin und her bewegen ❷ (*excitarse*) sich aufregen

aglomeración [aɣlomera'θjon] *f:* **~ de gente** Menschenauflauf *m*

agobiado, -a [aɣo'βjaðo] *adj* ❶ (*espalda*) gebeugt; **estoy ~ de deudas** ich bin hoch verschuldet ❷ (*cansado*) erschöpft

agobiante [aɣo'βjan̩te] *adj* mühsam; (*persona*) aufdringlich; (*calor*) drückend

agobiar [aɣo'βjar] **I.** *vt* ❶ (*abrumar*) bedrücken; **¡no me agobies!** lass mich in Ruhe! ❷ (*de trabajo*) überhäufen (*de* mit *+dat*) **II.** *vr:* **~se** sich überarbeiten; (*angustiarse*) deprimiert sein (*con/por* wegen *+gen/dat*)

agobio [a'ɣoβjo] *m* Überlastung *f;* (*cansancio*) Erschöpfung *f*

agonía [aɣo'nia] *f* Todeskampf *m;* (*angustia*) Kummer *m*

agonizar [aɣoni'θar] <z → c> *vi* im Sterben liegen

agosto [a'ɣosto] *m* August *m; v.t.* **marzo**

agotado, -a [aɣo'taðo] *adj* (*libro*) vergriffen

agotamiento [aɣota'mjen̩to] *m* Erschöpfung *f*

agotar [aɣo'tar] **I.** *vt* (*existencias*) aufbrauchen; (*mercancía*) ausverkaufen **II.** *vr:* **~se** (*mercancía*) ausgehen;

(*fuerzas, tema*) sich erschöpfen

agraciado, -a [aɣra'θjaðo] *adj* ❶ (*bien parecido*) gut aussehend ❷ (*afortunado*) begünstigt (*por* von +*dat*); **salir ~ en la lotería** in der Lotterie gewinnen

agradable [aɣra'ðaβle] *adj* ❶ angenehm; (*lugar*) gemütlich; **~ al paladar** wohlschmeckend; **es ~ a la vista** das ist ein schöner Anblick ❷ (*persona*) freundlich (*con/para con* zu +*dat*)

agradar [aɣra'ðar] *vi* gefallen +*dat*

agradecer [aɣraðe'θer] *irr como crecer vt* danken (für +*akk*)

agradecido, -a [aɣraðe'θiðo] *adj* dankbar (*por* für +*akk*); **le estoy sumamente ~** ich bin Ihnen unendlich dankbar

agradecimiento [aɣraðeθi'mjen̪to] *m* Dank *m* (*por* für +*akk*)

agrado [a'ɣraðo] *m* ❶ (*afabilidad*) Freundlichkeit *f* ❷ (*complacencia*) Wohlgefallen *nt;* **esto no es de mi ~** das gefällt mir nicht

agrandar(se) [aɣran̪'dar(se)] *vt, vr* (sich) vergrößern

agrario, -a [a'ɣrarjo] *adj* landwirtschaftlich

agravamiento [aɣraβa'mjen̪to] *m* ❶ MED Verschlimmerung *f* ❷ (*recrudecimiento*) Verschärfung *f*

agravar(se) [aɣra'βar(se)] *vt, vr* (sich) verschlimmern

agraviar [aɣra'βjar] *vt* beleidigen

agravio [a'ɣraβjo] *m* ❶ (*ofensa*) Beleidigung *f* ❷ JUR Beeinträchtigung *f;* **~ material** materieller Schaden

agredir [aɣre'ðir] *vt* angreifen

agregado, -a [aɣre'ɣaðo] *m, f*: **~ comercial** Handelsattaché *m*

agregar [aɣre'ɣar] <g → gu> **I.** *vt* hinzufügen (*a* +*dat*) **II.** *vr:* **~se** sich anschließen

agresión [aɣre'sjon] *f* Angriff *m*

agresividad [aɣresiβi'ða^{ð}] *f* Aggressivität *f*

agresivo, -a [aɣre'siβo] *adj* aggressiv

agreste [a'ɣreste] *adj* ländlich; (*vegetación*) wild

agriarse [a'ɣrjarse] *vr* sauer werden

agrícola [a'ɣrikola] *adj* landwirtschaftlich; **cooperativa ~** Agrargenossenschaft *f*

agricultor(a) [aɣrikul̪'tor] *m(f)* Bauer, Bäuerin *m, f*

agricultura [aɣrikul̪'tura] *f* Landwirtschaft *f*

agridulce [aɣri'ðul̪θe] *adj* süß-sauer

agrietar [aɣrje'tar] **I.** *vt* rissig machen **II.** *vr:* **~se** rissig werden

agrio, -a ['aɣrjo] *adj* sauer

agrónomo, -a [a'ɣronomo] *m, f* Diplomlandwirt(in) *m(f)*

agropecuario, -a [aɣrope'kwarjo] *adj* Agrar-; **industria agropecuaria** Agrarindustrie *f*

agroturismo [aɣrotu'rismo] *m* Land-Tourismus *m*

agrupación [aɣrupa'θjon] *f* Gruppe *f;* (*asociación*) Verein *m*

agrupar(se) [aɣru'par(se)] *vt, vr* (sich) gruppieren

agua ['aɣwa] *f* ❶ (*líquido*) Wasser *nt;* **~ dentífrica** Mundwasser *nt;* **~ con gas** kohlensäurehaltiges Wasser; **~ del grifo** Leitungswasser *nt;* **~ nieve** Schneeregen *m;* **~ potable** Trinkwasser *nt;* **~s residuales** Abwässer *ntpl* ❷ *pl* (*mar, río*) Gewässer *nt;* **~s interiores** Binnengewässer *nt* ❸ *pl*: **~s menores** Urin *m*

aguacate [aɣwa'kate] *m* Avocado *f*

aguacero [aɣwa'θero] *m* Platzregen *m*

aguado, -a [a'ɣwaðo] *adj* verwässert; (*fruta*) wäss(e)rig

aguafiestas [aɣwa'fjestas] *mf inv* Spielverderber(in) *m(f)*

aguafuerte [aɣwa'fwerte] *m* Radierung *f;* **grabar al ~** radieren

aguanieve [aɣwa'njeβe] *f* Schneeregen *m*

aguantar [aɣwan̪'tar] **I.** *vt* ❶ (*sostener, durar*) halten ❷ (*soportar*) ertragen; **no aguanto más** mir reicht's; **no poder ~ a alguien** jdn nicht ausstehen

können ❸ (*contener*) zurückhalten; **~ la risa** sich *dat* das Lachen verkneifen **II.** *vr:* **~se** ❶ (*contenerse*) sich beherrschen ❷ (*soportar*) es aushalten

aguante [a'ɣwan̩te] *m:* **tener mucho ~** ein dickes Fell haben *fam*

aguar [a'ɣwar] <gu → gü> **I.** *vt* verwässern; (*frustrar*) verderben **II.** *vr:* **~se** ins Wasser fallen *fam*

aguardar [aɣwar'ðar] **I.** *vt* warten; **~ unos días** einige Tage warten; **~ algo/a alguien** auf etw/jdn warten **II.** *vr:* **~se** (ab)warten

aguardiente [aɣwar'ðjen̩te] *m* Schnaps *m*

aguarrás [aɣwa'rras] *m* Terpentin *nt*

agudeza [aɣu'ðeθa] *f* ❶ (*del cuchillo*) Schärfe *f;* **~ visual** Sehschärfe *f* ❷ (*perspicacia*) Scharfsinn *m* ❸ (*ingenio*) Witz *m*

agudizar(se) [aɣuði'θar(se)] <z → c> *vt, vr* (sich) (ver)schärfen

agudo, -a [a'ɣuðo] *adj* spitz; (*ingenioso*) geistreich; (*sonido*) hoch

agüero [a'ɣwero] *m:* **de mal ~** Unheil verkündend; **ser de buen ~** Glück bringen

aguijón [aɣi'xon] *m* Stachel *m*

águila ['aɣila] *f* Adler *m*

aguinaldo [aɣi'nal̩do] *m* ≈Weihnachtsgeld *nt*

aguja [a'ɣuxa] *f* Nadel *f;* (*del reloj*) Zeiger *m*

agujerear [aɣuxere'ar] *vt* durchlöchern

agujero [aɣu'xero] *m* Loch *nt;* **~ de ozono** Ozonloch *nt*

agujetas [aɣu'xetas] *f pl* Muskelkater *m*

aguzar [aɣu'θar] <z → c> *vt:* **~ los sentidos** die Sinne schärfen

ahí [a'i] **I.** *adv* ❶ (*lugar*) dort; **me voy por ~** ich gehe kurz spazieren ❷ (*loc*): **por ~, por ~** ungefähr; **¡~ es nada!** nicht schlecht! **II.** *conj:* **de ~ que** *+ind/subj* deshalb

ahijado, -a [ai'xaðo] *m, f* Patenkind *nt*

ahínco [a'iŋko] *m* Eifer *m*

ahogado, -a [ao'ɣaðo] *adj:* **estar ~ de trabajo** mit Arbeit überhäuft sein

ahogar [ao'ɣar] <g → gu> **I.** *vt* (*en el agua*) ertränken; (*estrangular*) erwürgen; (*asfixiar*) ersticken; (*angustiar*) bedrücken **II.** *vr:* **~se** ❶ (*en el agua*) ertrinken ❷ (*asfixiarse*) ersticken; **~se de calor** vor Hitze umkommen

ahondar [aon̩'dar] *vi* sich intensiv beschäftigen (*en* mit *+dat*)

ahora [a'ora] *adv* jetzt; (*dentro de un momento*) gleich; **~ bien** allerdings; **de ~ en adelante** von nun an; **hasta ~** bisher; **por ~** einstweilen; **¡~ (lo entiendo)!** jetzt begreife ich es!; **¡ven ~ mismo!** komm sofort!; **¿y ~ qué?** was nun?

ahorcarse [aor'karse] <c → qu> *vr* sich erhängen

ahorrador(a) [aorra'ðor] *adj* sparsam

ahorrar [ao'rrar] **I.** *vt* (ein)sparen **II.** *vr:* **~se** sich *dat* (er)sparen

ahorrativo, -a [aorra'tiβo] *adj* sparsam

ahorro [a'orro] *m* Sparen *nt;* (*cantidad*) Ersparte(s) *nt*

ahumado, -a [au'maðo] *adj* (*color*) rauchfarben; (*cristal*) getönt

ahumar [au'mar] *vt* räuchern

ahuyentar [auɟen̩'tar] *vt* verscheuchen

airar [ai̯'rar] *irr* **I.** *vt* erzürnen **II.** *vr:* **~se** zornig werden

aire ['ai̯re] *m* ❶ (*atmósfera*) Luft *f;* **~ acondicionado** Klimaanlage *f;* **al ~ libre** unter freiem Himmel; **¡~!** verschwinde! ❷ (*viento*) Wind *m;* **hoy hace ~** heute ist es windig ❸ (*aspecto*) Aussehen *nt;* **darse ~s de grandeza** großtun; **¡tiene unos ~s!** der/die macht immer ein Getue!

airear [ai̯re'ar] **I.** *vt* lüften **II.** *vr:* **~se** an die (frische) Luft gehen

airoso, -a [ai̯'roso] *adj:* **salir ~ de algo** bei etw *dat* gut abschneiden

aislado, -a [ai̯s'laðo] *adj* einzeln

aislamiento [ai̯sla'mjen̩to] *m* ❶ *t.* TÉC Isolation *f;* **~ acústico** Schalldämmung *f* ❷ (*retiro*) Abgeschiedenheit *f*

aislante [ai̯s'lan̩te] *adj:* **cinta ~** Isolier-

band *nt*
aislar(se) [ais'lar(se)] *vt, vr* (sich) isolieren
ajedrez [axe'ðreθ] *m* Schach(spiel) *nt*
ajeno, -a [a'xeno] *adj* ❶ (*de otro*) fremd ❷ *ser* (*impropio*) untypisch ❸ *estar* (*ignorante*) unwissend
ajetreo [axe'treo] *m* Hetzerei *f*
ají [a'xi] *m* AMS, ANT ❶ (*arbusto*) Pfefferstrauch *m* ❷ (*pimentón*) Paprika *m;* (*de las Indias*) Cayennepfeffer *m*
ajillo [a'xiʎo] *m:* **al ~** mit gehacktem Knoblauch und Petersilie gebraten
ajo ['axo] *m* Knoblauch *m*
ajuar [a'xwar] *m* Aussteuer *f*
ajustable [axus'taβle] *adj* verstellbar
ajustado, -a [axus'taðo] *adj* (*ropa*) eng (anliegend); (*adecuado*) angemessen
ajustar [axus'tar] **I.** *vi* genau passen **II.** *vt* ❶ (*adaptar*) anpassen (*a* an *+akk*) ❷ TÉC einstellen ❸ (*acordar*) vereinbaren; **~ cuentas** abrechnen **III.** *vr:* **~se** ❶ (*ponerse de acuerdo*) übereinkommen ❷ (*adaptarse*) sich anpassen (*a* an *+akk*); **no ~se al tema** vom Thema abschweifen
ajuste [a'xuste] *m:* **~ de cuentas** Abrechnung *f*
ajusticiar [axusti'θjar] *vt* hinrichten
al [al] = **a + el** *v.* **a**
ala ['ala] *f* Flügel *m;* **~ del sombrero** Hutkrempe *f;* **ahuecar el ~** sich auf die Socken machen; **estar tocado del ~** (*fam*) einen Dachschaden haben
Alá [a'la] *m* Allah *m*
alabanza [ala'βanθa] *f* Lob *nt*
alabar [ala'βar] **I.** *vt* loben (*por* für *+akk*) **II.** *vr:* **~se** prahlen (*de* mit *+dat*)
alabastro [ala'βastro] *m* Alabaster *m*
alacena [ala'θena] *f* Speiseschrank *m*
alacrán [ala'kran] *m* Skorpion *m*
alambique [alam'bike] *m* Destillierkolben *m*
alambrada [alam'braða] *f* (Stacheldraht)zaun *m*
alambre [a'lambre] *m* Draht *m*
alameda [ala'meða] *f* Pappelwald *m*
álamo ['alamo] *m* Pappel *f*
alarde [a'larðe] *m* Prahlerei *f*
alardear [alarðe'ar] *vi:* **~ de algo** mit etw *dat* angeben
alargado, -a [alar'ɣaðo] *adj* länglich
alargar [alar'ɣar] <g → gu> **I.** *vt* ❶ (*la extensión*) verlängern; **~ la mano** die Hand hinhalten ❷ (*la duración*) ausdehnen ❸ (*retardar*) verzögern **II.** *vr:* **~se** länger werden; (*retardarse*) sich verzögern
alarido [ala'riðo] *m* Geschrei *nt*
alarma [a'larma] *f* Alarm *m;* **falsa ~** blinder Alarm; **dar la ~** Alarm geben; **~ social** Unruhe in der Bevölkerung
alarmar [alar'mar] **I.** *vt* ❶ (*dar la alarma*) alarmieren ❷ (*inquietar*) beunruhigen; **noticia alarmante** Schreckensnachricht *f* **II.** *vr:* **~se** unruhig werden
alarmista [alar'mista] *mf* Schwarzseher(in) *m(f)*
alavés, -esa [ala'βes] *adj* aus Álava
alba ['alβa] *f* Morgendämmerung *f;* **al rayar el ~** bei Tagesanbruch
albacea [alβa'θea] *mf* Testamentsvollstrecker(in) *m(f)*
albaceteño, -a [alβaθe'teɲo] *adj* aus Albacete
albahaca [al'βaka] *f* Basilikum *nt*
albanés, -esa [alβa'nes] *adj* albanisch
Albania [al'βanja] *f* Albanien *nt*
albañil [alβa'ɲil] *mf* Maurer(in) *m(f)*
albarán [alβa'ran] *m* Lieferschein *m*
albaricoque [alβari'koke] *m* Aprikose *f*
albedrío [alβe'ðrio] *m:* **libre ~** freier Wille
albergar [alβer'ɣar] <g → gu> **I.** *vt* beherbergen **II.** *vr:* **~se** absteigen
albergue [al'βerɣe] *m:* **~ juvenil** Jugendherberge *f;* **~ de montaña** Berghütte *f*
albino, -a [al'βino] *m, f* Albino *m*
albóndiga [al'βondiɣa] *f* Fleischkloß *m*
albornoz [alβor'noθ] *m* Bademantel *m*
alborotado, -a [alβoro'taðo] *adj* aufgeregt
alborotar [alβoro'tar] **I.** *vi* lärmen; (*niños*) toben **II.** *vt* ❶ (*excitar*) erregen

❷ (*desordenar*) durcheinanderbringen **III.** *vr:* **~se** sich aufregen

alboroto [alβo'roto] *m* Krach *m*

alborozo [alβo'roθo] *m* Freude *f*

albufera [alβu'fera] *f* Lagune *f*

álbum ['alβun] *m* <álbum(e)s> Album *nt*

albur [al'βur] *m* Weißfisch *m*

alcachofa [alka'ʧofa] *f* Artischocke *f*

alcahuete, -a [alka'wete] *m, f* Kuppler(in) *m(f)*

alcalde(sa) [al'kal̪de] *m(f)* (Ober)bürgermeister(in) *m(f)*

alcaldía [alkal̪'dia] *f* Bürgermeisteramt *nt*

alcalino, -a [alka'lino] *adj* alkalisch

alcance [al'kan̪θe] *m* ❶ (*distancia*) Reichweite *f;* **de ~ limitado** von geringer Reichweite; **al ~ de la mano** in Reichweite ❷ (*importancia*) Tragweite *f;* **de mucho/poco ~** bedeutend/unbedeutend

alcanfor [alkaɱ'for] *m* Kampfer *m*

alcantarilla [alkan̪ta'riʎa] *f* Abwasserkanal *m;* (*sumidero*) Gully *m o nt*

alcantarillado [alkan̪tari'ʎaðo] *m* Kanalisationssystem *nt*

alcanzar [alkan̪'θar] <z → c> **I.** *vi* reichen (*a/hasta* bis (zu) +*dat, para* für +*akk*) **II.** *vt* einholen; (*llegar*) erreichen; (*entender*) verstehen

alcaparra [alka'parra] *f* Kaper *f*

alcatraz [alka'traθ] *m* ❶ ZOOL Basstölpel *m* ❷ BOT Aronstab *m*

alcázar [al'kaθar] *m* Festung *f*

alce ['al̪θe] *m* Elch *m*

alcoba [al'koβa] *f* Schlafzimmer *nt*

alcohol [al'kol] *m* Alkohol *m;* **~ de quemar** Brennspiritus *m;* **bebida sin ~** alkoholfreies Getränk

alcohólico, -a [al'koliko/alko'oliko] *adj* alkoholisch

alcoholismo [alko(o)'lismo] *m sin pl* Alkoholismus *m*

alcoholizar [alko(o)li'θar] <z → c> **I.** *vt* alkoholisieren **II.** *vr:* **~se** zum Alkoholiker werden

alcornoque [alkor'noke] *m* ❶ BOT Korkeiche *f* ❷ (*persona*): (**pedazo de**) ~ Dummkopf *m*

alcurnia [al'kurnja] *f:* **de ~** von Adel

aldea [al̪'dea] *f* Dorf *nt*

aldeano, -a [al̪de'ano] *m, f* Dorfbewohner(in) *m(f)*

ale ['ale] *interj* auf

aleación [alea'θjon] *f* Legierung *f*

aleatorio, -a [alea'torjo] *adj* zufällig

aleatorización [aleatoriθa'θjon] *f* (*en estadística*) zufällige Zuordnung *f*

alegación [aleɣa'θjon] *f* ❶ JUR: **~ de culpabilidad** Schuldigsprechung *f* ❷ *pl* (*objeciones*) Einwände *mpl*

alegar [ale'ɣar] <g → gu> **I.** *vt* vorbringen **II.** *vi* AM streiten

alegoría [aleɣo'ria] *f* Allegorie *f*

alegrar [ale'ɣrar] **I.** *vt* erfreuen **II.** *vr:* **~se** sich freuen (*de/con* über +*akk*)

alegre [a'leɣre] *adj* fröhlich; (*divertido*) lustig; **estar ~** (*fam*) einen Schwips haben

alegría [ale'ɣria] *f* Freude *f;* **llevarse una gran ~** sich sehr freuen

alejar [ale'xar] **I.** *vt* ❶ (*distanciar*) entfernen (*de* von +*dat*) ❷ (*ahuyentar*) vertreiben (*de* aus +*dat*) **II.** *vr:* **~se** sich entfernen (*de* von +*dat*)

alelar(se) [ale'lar(se)] *vt, vr* verblöden

aleluya [ale'luɟa] *interj* halleluja

alemán, -ana [ale'man] *adj* deutsch

Alemania [ale'manja] *f* Deutschland *nt;* **República Federal de ~** Bundesrepublik *f* Deutschland

alentar [alen̪'tar] <e → ie> **I.** *vt* ermutigen **II.** *vr:* **~se** Mut fassen

alergia [a'lerxia] *f* Allergie *f* (*a* gegen +*akk*); **~ al polen** Heuschnupfen *m*

alérgico, -a [a'lerxiko] *adj* allergisch (*a* gegen +*akk*)

alerta [a'lerta] **I.** *adj* wachsam **II.** *f* Alarm *m;* **dar la ~** Alarm schlagen; **~ por vibración** TEL Vibrationsalarm *m*

aleta [a'leta] *f* Flosse *f;* ANAT Nasenflügel *m*

alevosía [aleβo'sia] *f:* **con ~** hinterlistig
alfabético, -a [alfa'βetiko] *adj* alphabetisch; **estar por orden ~** alphabetisch geordnet sein
alfabetizar [alfaβeti'θar] <z → c> *vt* alphabetisieren
alfabeto [alfa'βeto] *m* Alphabet *nt*
alfalfa [al'falfa] *f* Luzerne *f*
alfarería [alfare'ria] *f* Töpferei *f;* (*oficio*) Töpferhandwerk *nt*
alfarero, -a [alfa'rero] *m, f* Töpfer(in) *m(f)*
alférez [al'fereθ] *m* Leutnant *m*
alfil [al'fil] *m* (*en ajedrez*) Läufer *m*
alfiler [alfi'ler] *m* (An)stecknadel *f*
alfombra [al'fombra] *f* Teppich *m*
alfombrado [alfom'braðo] *m* AM Teppichboden *m*
alforja [al'forxa] *f* (Sattel)tasche *f*
alga ['alɣa] *f* Alge *f*
algarabía [alɣara'βia] *f* Geschrei *nt*
álgebra ['alxeβra] *f* Algebra *f*
álgido, -a ['alxiðo] *adj:* **fiebre álgida** Schüttelfrost *m;* **el período ~ del Barroco** die Blütezeit des Barocks
algo ['alɣo] **I.** *pron indef* etwas; **~ es ~** besser das als nichts; **¿quieres ~?** möchtest du (et)was? **II.** *adv* ein bisschen; **~ así como** ungefähr
algodón [alɣo'ðon] *m* Baumwolle *f;* (*cosmético*) Watte *f*
alguacil [alɣwa'θil] *m* Gemeindediener *m*
alguien ['alɣjen] *pron indef* jemand
algún [al'ɣun] *adj v.* **alguno I.**
alguno, -a [al'ɣuno] **I.** *adj* <algún> ❶ (*antepuesto: indef*) irgendein; **¿alguna pregunta?** irgendwelche Fragen?; **de alguna manera** irgendwie; **en algún sitio** irgendwo; **alguna vez** gelegentlich; **algún día** eines Tages ❷ (*postpuesto: ninguno*) kein(e); **en sitio ~** nirgendwo; **persona alguna** niemand **II.** *pron indef* jemand
aliado, -a [ali'aðo] **I.** *adj* verbündet; POL alliiert **II.** *m, f:* **los ~s** die Alliierten
alianza [ali'aṇθa] *f* ❶ (*pacto*) Bündnis *nt;* **~ Atlántica** Atlantikpakt *m* ❷ (*anillo*) Ehering *m*
aliarse [ali'arse] <*1. pres* se alío> *vr* sich verbünden
alias ['aljas] *adv* alias
alicaído, -a [alika'iðo] *adj* deprimiert
alicantino, -a [alikaṇ'tino] *adj* aus Alicante
alicates [ali'kates] *m pl* Greifzange *f;* **~ universales** Kombizange *f*
aliciente [ali'θjeṇte] *m* Anreiz *m*
aliento [a'ljeṇto] *m* ❶ (*respiración*) Atem *m;* **mal ~** Mundgeruch *m;* **sin ~** außer Atem; **cobrar ~** wieder zu Atem kommen ❷ (*vaho*) Hauch *m* ❸ (*ánimo*) Mut *m;* **dar ~ a alguien** jdm Mut einflößen
aligerar [alixe'rar] **I.** *vi* sich beeilen **II.** *vt* ❶ (*cargas*) erleichtern ❷ (*aliviar*) lindern ❸ (*acelerar*) beschleunigen; **~ el paso** schneller gehen
alimaña [ali'maɲa] *f* Raubzeug *nt*
alimentación [alimeṇta'θjon] *f* Ernährung *f*
alimentar [alimeṇ'tar] **I.** *vi* nahrhaft sein **II.** *vt* ❶ ernähren; (*aprovisionar*) verpflegen; **~ el odio** den Hass schüren ❷ (*animales*) füttern **III.** *vr:* **~se** sich ernähren (*de* von +*dat*)
alimenticio, -a [alimeṇ'tiθjo] *adj:* **pensión alimenticia** Unterhalt *m;* **productos ~s** Nahrungsmittel *ntpl*
alimento [ali'meṇto] *m* ❶ (*sustancia*) Nahrung *f;* **los ~s** die Nahrungsmittel; **~ básico** Grundnahrungsmittel *nt* ❷ (*alimentación*) Ernährung *f;* **de mucho/poco ~** sehr/wenig nahrhaft
alinear [aline'ar] **I.** *vt* ❶ (*poner en línea*) (in Reih und Glied) aufstellen ❷ **país no alineado** blockfreies Land **II.** *vr:* **~se** ❶ (*ponerse en fila*) sich (in Reih und Glied) aufstellen; (*estar en fila*) in einer Reihe stehen ❷ POL sich anschließen (*con* +*dat*)
aliñar [ali'ɲar] *vt* würzen; (*ensalada*) anmachen
aliño [a'liɲo] *m* Zubereitung *f;* (*para*

ensalada) Dressing *nt*
alioli [ali'oli] *m* Knoblauchölsoße *f*
alisar [ali'sar] *vt* glätten
aliso [a'liso] *m* Erle *f*
alistarse [alis'tarse] *vr* sich einschreiben; MIL sich (freiwillig) melden
aliteración [alitera'θjon] *f* Alliteration *f*
aliviar [ali'βjar] **I.** *vt* leichter machen; (*persona*) entlasten; (*dolor*) mildern **II.** *vr:* **~se** sich erholen; (*dolor*) nachlassen
alivio [a'liβjo] *m* ❶ (*aligeramiento*) Erleichterung *f* ❷ (*de una enfermedad*) Besserung *f* ❸ (*loc*): **vestir de ~** Trauer tragen
allá [a'ʎa] *adv* ❶ (*lugar*) dort; **el más ~** REL das Jenseits ❷ (*dirección*) dorthin; **ponte más ~** stelle dich weiter weg ❸ (*tiempo*) damals; **~ por el año 64** um das Jahr 64 herum ❹ (*loc*): **¡~ tú!** (*fam*) das ist deine Sache!
allanamiento [aʎana'mjento] *m:* **~ de morada** Hausfriedensbruch *m*
allegado, -a [aʎe'ɣaðo] *m, f* Verwandte(r) *f(m)*
allende [a'ʎende] *adv* jenseits; **~ las montañas** jenseits der Berge
allí [a'ʎi] *adv* ❶ (*lugar*) dort; **~ cerca, por ~** dort in der Nähe; **¡~ viene!** da kommt er/sie! ❷ (*dirección*) dorthin; **hasta ~** bis dahin
alma ['alma] *f* Seele *f;* **me llega al ~** das geht mir sehr nahe
almacén [alma'θen] *m* Lager *nt;* **grandes almacenes** Kaufhaus *nt*
almacenaje [almaθe'naxe] *m*, **almacenamiento** [almaθena'mjento] *m* (Ein)lagerung *f;* INFOR Speicherung *f*
almacenar [almaθe'nar] *vt* ❶ (*mercancías*) (ein)lagern ❷ INFOR speichern; **~ en disco duro** auf der Festplatte (ab)speichern
almeja [al'mexa] *f* Venusmuschel *f*
almendra [al'mendra] *f* Mandel *f;* **~s garapiñadas** gebrannte Mandeln
almendro [al'mendro] *m* Mandelbaum *m*
almeriense [alme'rjense] *adj* aus Almería
almíbar [al'miβar] *m* Sirup *m*
almidón [almi'ðon] *m* Stärke *f;* (*alimento*) Stärkemehl *nt*
almidonar [almiðo'nar] *vt* stärken
almirante [almi'rante] *m* Admiral *m*
almirez [almi'reθ] *m* Mörser *m*
almizcle [al'miθkle] *m* Moschus *m*
almohada [almo'aða] *f* (Kopf)kissen *nt;* **consultar algo con la ~** (*fam*) etw überschlafen
almohadilla [almoa'ðiʎa] *f:* **~ de tinta** Stempelkissen *nt*
almorranas [almo'rranas] *f pl* Hämorrhoiden *fpl*
almorzar [almor'θar] *irr como forzar vi, vt* zu Mittag essen
almuerzo [al'mwerθo] *m* Mittagessen *nt*
alocado, -a [alo'kaðo] *adj* verrückt
alojamiento [aloxa'mjento] *m* Unterkunft *f;* (*acción*) Unterbringung *f*
alojar [alo'xar] **I.** *vt* beherbergen; (*procurar alojamiento*) unterbringen **II.** *vr:* **~se** unterkommen
alondra [a'londra] *f* Lerche *f*
alopecia [alo'peθja] *f* Haarausfall *m*
alpaca [al'paka] *f* Alpaka *nt*
alpargata [alpar'ɣata] *f* ≈Espadrille *f*
Alpes ['alpes] *m pl* Alpen *pl*
alpinismo [alpi'nismo] *m* Bergsteigen *nt*
alpinista [alpi'nista] *mf* Bergsteiger(in) *m(f)*
alpino, -a [al'pino] *adj* Alpen-; **club ~** Alpenverein *m*
alpiste [al'piste] *m* Vogelfutter *nt*
alquilar [alki'lar] **I.** *vt* (*dejar*) vermieten; (*tomar en alquiler*) mieten **II.** *vr:* **~se: se alquila** zu vermieten
alquiler [alki'ler] *m* Miete *f*
alquimia [al'kimja] *f* Alchimie *f*
alquimista [alki'mista] *mf* Alchimist(in) *m(f)*
alquitrán [alki'tran] *m* Teer *m*
alrededor [alreðe'ðor] *adv* ringsherum; **~ de** (*aproximadamente*) um
alrededores [alreðe'ðores] *m pl* Umge-

bung *f*

Alsacia [al'saθja] *f* Elsass *nt;* **~-Lorena** Elsass-Lothringen *nt*

alta ['al̦ta] *f* ❶ (*documento*) Entlassungsschein *m;* **dar el ~** gesundschreiben; **dar de ~ del hospital** aus dem Krankenhaus entlassen ❷ (*inscripción*) Anmeldung *f;* (*ingreso*) Beitritt *m;* **darse de ~ en (el registro de) una ciudad** sich beim Einwohnermeldeamt anmelden

altamente [al̦ta'men̦te] *adv:* **~ cualificado** hoch qualifiziert

altanero, -a [al̦ta'nero] *adj* überheblich

altar [al̦'tar] *m* Altar *m*

altavoz [al̦ta'βoθ] *m* Lautsprecher *m*

alteración [al̦tera'θjon] *f* (Ver)änderung *f;* (*adulteración*) Verfälschung *f*

alterado, -a [al̦te'raðo] *adj* durcheinander

alterar(se) [al̦te'rar(se)] *vt, vr* (sich) ändern; (*irritar*) (sich) aufregen

altercado [al̦ter'kaðo] *m* Auseinandersetzung *f*

alternar [al̦ter'nar] I. *vi* ❶ (*turnarse*) sich abwechseln (*en* bei *+dat*) ❷ (*tratar*): **~ con alguien** mit jdm verkehren ❸ (*en un club nocturno*) animieren II. *vt* abwechseln; **~ el trabajo con la diversión** abwechselnd arbeiten und frei haben III. *vr:* **~se** sich abwechseln (*en* bei *+dat*)

alternativa [al̦terna'tiβa] *f* ❶ (*opción*) Alternative *f;* **no le queda otra ~ que...** er/sie hat keine andere Wahl als ... ❷ TAUR Zulassung *f* als Matador

alternativo, -a [al̦terna'tiβo] *adj* alternativ

alterne [al̦'terne] *m:* **chica de ~** Animierdame *f;* **bar de ~** Animierlokal *nt*

alterno, -a [al̦'terno] *adj:* **en días ~s** jeden zweiten Tag

alteza [al̦'teθa] *f:* **Su Alteza Real** Ihre Königliche Hoheit

altibajos [al̦ti'βaxos] *m pl* ❶ (*de un terreno*) Unebenheiten *fpl* ❷ (*cambios*) Auf und Ab *nt;* **es una persona con muchos ~** seine/ihre Stimmung ändert sich ständig

altiplanicie [al̦tipla'niθje] *f,* **altiplano** [al̦ti'plano] *m* Hochebene *f*

altitud [al̦ti'tu^ð] *f* Höhe *f*

altivo, -a [al̦'tiβo] *adj* überheblich

alto[1] ['al̦to] I. *interj* halt II. *m* ❶ (*descanso*) Pause *f;* **~ el fuego** Waffenstillstand *m* ❷ (*altura*) Höhe *f;* **medir 8 metros de ~** 8 Meter hoch sein III. *adv* ❶ (*en voz alta*) laut ❷ (*en un lugar elevado*) hoch ❸ (*loc*): **pasar una pregunta por ~** eine Frage übergehen; **por todo lo ~** prächtig

alto, -a[2] ['al̦to] *adj* ❶ (*en general*) hoch; **hablar en voz alta** laut sprechen ❷ (*ser viviente*) groß ❸ (*en la parte superior*) obere(r, s); **clase alta** Oberschicht *f* ❹ (GEO: *territorio*) Hoch-; (*río*) Ober-; **la alta montaña** das Hochgebirge; **el ~ Rin** der Oberrhein ❺ (*tiempo*) spät; **a altas horas de la noche** spätabends

altoparlante [al̦topar'lan̦te] *m* AM Lautsprecher *m*

altramuz [al̦tra'muθ] *m* Lupine *f*

altruista [al̦tru'ista] *adj* selbstlos

altura [al̦'tura] *f* Höhe *f;* (*estatura*) Größe *f*

alubia [a'luβja] *f* Bohne *f*

alucinación [aluθina'θjon] *f* Halluzination *f*

alucinante [aluθi'nan̦te] *adj* (*fam*) klasse; (*increíble*) unglaublich

alucinar [aluθi'nar] I. *vi* (*fam*) ❶ (*hablando*) halluzinieren; **¡tú alucinas!** (*fig*) red doch kein Unsinn!; **~ en colores** (*argot*) total ausflippen ❷ (*quedar fascinado*) verblüfft sein II. *vt* (*fam*) ❶ blenden; (*cautivar*) fesseln ❷ (*entusiasmar*) begeistern

alud [a'lu^ð] *m* Lawine *f*

aludir [alu'ðir] *vi* (*referirse*) anspielen (*a* auf *+akk*); **darse por aludido** sich betroffen fühlen; **no darse por aludido** sich *dat* nichts anmerken lassen

alumbrado [alum'braðo] *m:* **~ público**

Straßenbeleuchtung *f*

alumbrar [alum'brar] **I.** *vi* leuchten; (*parir*) entbinden **II.** *vt* ❶ (*iluminar*) beleuchten ❷ (*parir*) zur Welt bringen

aluminio [alu'minjo] *m* Aluminium *nt*

alumnado [alum'naðo] *m* Schülerschaft *f;* (*de universidad*) Studentenschaft *f*

alumno, -a [a'lumno] *m, f* Schüler(in) *m(f);* (*de universidad*) Student(in) *m(f)*

alusión [alu'sjon] *f* ❶ (*insinuación*) Anspielung *f* (*a* auf +*akk*); **hacer una ~ a algo** etw andeuten ❷ (*mención*) Erwähnung *f* (*a* +*gen*)

aluvión [alu'βjon] *m:* **tierra de ~** Schwemmland *nt*

alza ['al̦θa] *f:* **ir en ~** steigen

alzamiento [al̦θa'mjen̦to] *m* Aufstand *m*

alzar [al̦'θar] <z → c> **I.** *vt* ❶ (*levantar*) heben; (*precio*) erhöhen; (*puño, voz*) erheben; **~ pelo** AMC, MÉX Angst haben ❷ (*poner vertical*) aufrichten ❸ (*sostener*) hochhalten **II.** *vr:* **~se** ❶ (*levantarse, destacar*) sich erheben ❷ (AM: *sublevarse*) sich auflehnen ❸ (AM: *robar*) stehlen; **~se con la pasta** (*fam*) mit der Kohle durchbrennen

ama ['ama] *f* Herrin *f;* (*propietaria*) Besitzerin *f;* **~ de casa** Hausfrau *f*

amabilidad [amaβili'ðaᵈ] *f* Freundlichkeit *f*

amable [a'maβle] *adj* freundlich

amaestrar [amaes'trar] *vt* (*animales*) abrichten; (*para el circo*) dressieren

amago [a'maɣo] *m* Drohung *f;* (*indicio*) Anzeichen *nt* (*de* für +*akk*)

amainar [amai̯'nar] *vi* nachlassen

amalgama [amal'ɣama] *f* Amalgam *nt*

amamantar [amaman̦'tar] *vt* (*bebé*) stillen; (*cachorro*) säugen

amanecer [amane'θer] **I.** *vimpers* dämmern **II.** *vi irr como crecer* aufwachen **III.** *m* Tagesanbruch *m;* **al ~** bei Tagesanbruch

amanecida [amane'θiða] *f* AM Tagesanbruch *m*

amanerado, -a [amane'raðo] *adj* (*persona*) geziert; (*estilo*) gekünstelt

amansar [aman'sar] **I.** *vt* zähmen; (*sosegar*) besänftigen **II.** *vr:* **~se** zahm werden

amante [a'man̦te] *mf* Liebhaber(in) *m(f)*

amañar [ama'ɲar] *vt* deichseln *fam*; (*resultado*) fälschen

amapola [ama'pola] *f* Klatschmohn *m*

amar [a'mar] *vt* lieben

amargar [amar'ɣar] <g → gu> **I.** *vt* verbittern; **~ la vida a alguien** jdm das Leben schwer machen **II.** *vi* bitter schmecken **III.** *vr:* **~se** verbittert werden

amargo, -a [a'marɣo] *adj* bitter

amargura [amar'ɣura] *f* Verbitterung *f*

amarillento, -a [amari'ʎen̦to] *adj* vergilbt

amarillo, -a [ama'riʎo] *adj* gelb

amarradero [amarra'ðero] *m* Anlegeplatz *m*

amarrar [ama'rrar] **I.** *vt* festbinden (*a* an +*dat*); NÁUT vertäuen **II.** *vr:* **~se** AM heiraten

amasar [ama'sar] *vt* kneten

amateur [ama'ter] <amateurs> *mf* Amateur(in) *m(f)*

amatista [ama'tista] *f* Amethyst *m*

amazona [ama'θona] *f* Amazone *f*

ámbar ['ambar] *m* Bernstein *m*

ambición [ambi'θjon] *f* Ehrgeiz *m*

ambicioso, -a [ambi'θjoso] *adj* ehrgeizig

ambientador [ambjen̦ta'ðor] *m* Raumspray *m o nt*

ambientar [ambjen̦'tar] **I.** *vt* ansiedeln; **la novela está ambientada en Lima** der Roman spielt in Lima **II.** *vr:* **~se** sich eingewöhnen (*en* in +*dat*)

ambiente [am'bjen̦te] *m* ❶ (*aire*) Luft *f* ❷ (*medio*) Milieu *nt;* **medio ~** Umwelt *f* ❸ (*social*) Kreis *m* ❹ (*atmósfera*) Stimmung *f;* **dar ~** Stimmung machen

ambigüedad [ambiɣwe'ðaᵈ] *f* Mehrdeutigkeit *f*

ambiguo, -a [am'biɣwo] *adj* mehrdeutig

ámbito ['ambito] *m* ❶ (*contorno*) Umkreis *m* ❷ (*espacio*) Bereich *m;* **en el ~ nacional** auf nationaler Ebene

ambivalente [ambiβa'leṇte] *adj* ambivalent

ambos, -as ['ambos] *adj* beide

ambulancia [ambu'laṇθja] *f* Krankenwagen *m*

ambulante [ambu'laṇte] *adj:* **circo ~** Wanderzirkus *m;* **vendedor ~** Hausierer *m;* **venta ~** fahrendes Gewerbe

ambulatorio [ambula'torjo] *m* Ambulanz *f*

ameba [a'meβa] *f* Amöbe *f*

amedrentar [ameðreṇ'tar] **I.** *vt* einschüchtern; (*intimidar*) Angst machen +*dat* **II.** *vr:* **~se** sich erschrecken

amén [a'men] **I.** *m* Amen *nt;* **decir ~ a todo** zu allem ja und amen sagen **II.** *prep*: **~ de** außer +*dat*

amenaza [ame'naθa] *f* (Be)drohung *f*

amenazar [amena'θar] <z → c> **I.** *vt* bedrohen **II.** *vi, vt*: **amenaza tormenta** ein Gewitter droht

amenizar [ameni'θar] <z → c> *vt* unterhalten

ameno, -a [a'meno] *adj* ❶ angenehm; (*paisaje*) lieblich ❷ (*entretenido*) unterhaltsam

América [a'merika] *f* Amerika *nt;* **~ Central** Mittelamerika *nt;* **~ Latina** Lateinamerika *nt*

americana [ameri'kana] *f* Sakko *m o nt*

americanismo [amerika'nismo] *m* Lateinamerikanismus *m*

americano, -a [ameri'kano] *adj* (süd)amerikanisch

amerindio, -a [ame'riṇdjo] *adj* indianisch

ametralladora [ametraʎa'ðora] *f* Maschinengewehr *nt*

amigable [ami'ɣaβle] *adj* freund(schaft)lich

amígdala [a'miɣðala] *f* Mandel *f*

amigo, -a [a'miɣo] *m, f* Freund(in) *m(f)*

amiguete [ami'ɣete] *m* (*fam*) Kumpel *m*

aminorar [amino'rar] **I.** *vi* nachlassen **II.** *vt* verringern; **~ el paso** den Schritt verlangsamen

amistad [amis'ta^{ð}] *f* Freundschaft *f*

amistoso, -a [amis'toso] *adj* freund(schaft)lich; **partido ~** Freundschaftsspiel *nt*

amnesia [am'nesja] *f* Gedächtnisverlust *m*

amnistía [amnis'tia] *f* Amnestie *f*

amo ['amo] *m* Hausherr *m;* (*propietario*) Besitzer *m;* (*patrón*) Arbeitgeber *m*

amodorrarse [amoðo'rrarse] *vr* schläfrig werden

amolarse [amo'larse] <o → ue> *vr* (*vulg: críticas*) hinunterschlucken *fam;* **¡que se amuele!** zum Teufel mit ihm/ihr! *fam*

amoldarse [amoḷ'darse] *vr* sich anpassen (*a* +*dat*)

amonestar [amones'tar] **I.** *vt* ermahnen; (*reprender*) verwarnen **II.** *vr:* **~se** das Aufgebot bestellen

amoníaco [amo'niako] *m* Ammoniak *nt*

amontonar [amoṇto'nar] **I.** *vt* ❶ (*tierra, heno*) aufhäufen; (*periódicos, cajas*) stapeln ❷ (*conocimientos, dinero*) anhäufen **II.** *vr:* **~se** ❶ (*cosas*) sich häufen ❷ (*personas*) sich drängen

amontonarse [amoṇto'narse] *vr* sich häufen

amor [a'mor] *m* Liebe *f;* **~ al prójimo** Nächstenliebe *f;* **~ propio** Ehrgefühl *nt;* **¡~ mío!** mein Liebling!; **hacer el ~ con alguien** (*fam*) mit jdm schlafen; **por ~ al arte** umsonst

amoratado, -a [amora'taðo] *adj* dunkelviolett; **un ojo ~** ein blaues Auge; **tengo los labios ~s de frío** meine Lippen sind blau vor Kälte

amordazar [amorða'θar] <z → c> *vt* knebeln

amorfo, -a [a'morfo] *adj* formlos

amorío(s) [amo'rio(s)] *m* (*pl*) (*pey*) Affäre *f*

amoroso, -a [amo'roso] *adj* Liebes-; **carta amorosa** Liebesbrief *m;* (*cariñoso*) liebevoll (*con/para con* zu +*dat*)
amortiguador [amortiɣwa'ðor] *m* Stoßdämpfer *m*
amortiguar [amorti'ɣwar] <gu → gü> *vt* dämpfen
amortización [amortiθa'θjon] *f* Tilgung *f;* (*fiscal*) Abschreibung *f*
amortizar [amorti'θar] <z → c> *vt* tilgen; (*fiscalmente*) abschreiben; (*inversión*) amortisieren
amotinar [amoti'nar] I. *vt* aufhetzen II. *vr:* **~se** sich auflehnen
amparar [ampa'rar] I. *vt* (be)schützen (*contra/de* vor +*dat*); **~ a alguien** jdm Schutz gewähren II. *vr:* **~se** sich schützen (*contra/de* vor +*dat*)
amparo [am'paro] *m* Schutz *m;* (*refugio*) Zuflucht *f*
amperio [am'perjo] *m* Ampere *nt*
ampliación [amplja'θjon] *f* Vergrößerung *f;* (*de conocimientos*) Erweiterung *f*
ampliar [ampli'ar] <*1. pres* amplío> *vt* vergrößern; (*conocimientos*) erweitern
amplificador [amplifika'ðor] *m* Verstärker *m*
amplio, -a ['ampljo] *adj* geräumig; (*informe*) ausführlich; **en un sentido más ~** im weiteren Sinne
amplitud [ampli'tu^ð] *f* Umfang *m*
ampolla [am'poʎa] *f* Blase *f;* (*para inyecciones*) Ampulle *f*
amputar [ampu'tar] *vt* amputieren
amueblar [amwe'βlar] *vt* möblieren
amuleto [amu'leto] *m* Amulett *nt*
amurallar [amura'ʎar] *vt* mit einer Mauer umgeben
anabolizante [anaβoli'θan̦te] *m* Anabolikum *nt*
anacardo [ana'karðo] *m* Cashewnuss *f*
anagrama [ana'ɣrama] *m* Anagramm *nt*
anal [a'nal] *adj* anal
anales [a'nales] *m pl* ❶ HIST Annalen *pl* ❷ (*de una universidad/sociedad*) Jahrbuch *nt*
analfa [a'nalfa] *mf* (*fam*) Analphabet(in) *m(f)*
analfabetismo [analfaβe'tismo] *m sin pl* (*estado*) Analphabetismus *m*
analfabeto, -a [analfa'βeto] *m, f* Analphabet(in) *m(f)*
analgésico [anal'xesiko] *m* Schmerzmittel *nt*
análisis [a'nalisis] *m inv* Analyse *f*
analítico, -a [ana'litiko] *adj* analytisch
analizar [anali'θar] <z → c> *vt* analysieren
analogía [analo'xia] *f* Analogie *f*
análogo, -a [a'naloɣo] *adj* analog
ananá(s) [ana'na(s)] *m* AM Ananas *f*
anaranjado, -a [anaraŋ'xaðo] *adj* orange
anarquía [anar'kia] *f* Anarchie *f*
anarquismo [anar'kismo] *m* Anarchismus *m*
anarquista [anar'kista] *mf* Anarchist(in) *m(f)*
anatomía [anato'mia] *f* Anatomie *f*
anca ['aŋka] *f:* **~s de rana** Froschschenkel *m pl*
ancestral [an̦θes'tral] *adj* Ahnen-
ancho[1] ['antʃo] *m* Breite *f*
ancho, -a[2] ['antʃo] *adj* breit; (*vestidos*) weit; **a lo ~** der Breite nach; **estar a sus anchas** ganz in seinem Element sein
anchoa [an'tʃoa] *f* Anschovis *f*
anchura [an'tʃura] *f* Breite *f;* (*de un vestido*) Weite *f*
ancianidad [an̦θjani'ða^ð] *f* Alter *nt*
anciano, -a [an̦'θjano] I. *adj* alt II. *m, f* Alte(r) *f(m)*
ancla ['aŋkla] *f* Anker *m;* **echar ~s** vor Anker gehen; **levar ~s** den Anker lichten
andadas [an̦'daðas] *f pl*: **volver a las ~** in alte Gewohnheiten verfallen
Andalucía [an̦dalu'θia] *f* Andalusien *nt*
andaluz(a) [an̦da'luθ] *adj* andalusisch
andamiaje [an̦da'mjaxe] *m,* **andamio**

[aṇ'damjo] *m* (Bau)gerüst *nt*
andanza [aṇ'daṇθa] *f* Abenteuer *nt*
andar [aṇ'dar] *irr vi* ❶ (*caminar*) (zu Fuß) gehen; ~ **de prisa** schnell gehen; ~ **detrás de algo** hinter etw *dat* her sein ❷ (*estar*): ~ **atareado** sehr beschäftigt sein; ~ **mal de dinero** schlecht bei Kasse sein ❸ (*loc*): ~ **con cuidado** sich vorsehen; ~ **con rodeos** Umschweife machen; **no andes en mi escritorio** wühl nicht auf meinem Schreibtisch herum
andén [aṇ'den] *m* Bahnsteig *m*
Andes ['aṇdes] *m pl* Anden *pl*
andinismo [aṇdi'nismo] *m* AM Bergsteigen *nt*
andino, -a [aṇ'dino] *adj* Anden-; **vegetación andina** andine Vegetation
andorrano, -a [aṇdo'rrano] *adj* andorranisch
andrajo [aṇ'draxo] *m* Fetzen *m*
andrajoso, -a [aṇdra'xoso] *adj* zerlumpt
anécdota [a'neɣðota] *f* Anekdote *f*
anemia [a'nemja] *f* Blutarmut *f*
anémona [a'nemona] *f* Anemone *f*
anestesia [anes'tesja] *f* Betäubung *f*
anestesiar [aneste'sjar] *vt* betäuben
anestésico [anes'tesiko] *m* Betäubungsmittel *nt*
anexión [aneʸ'sjon] *f* Annexion *f*
anexo, -a [a'neʸso] *adj* angebaut; (*a cartas*) beiliegend
anfibio [aɱ'fiβjo] *m* Amphibie *f*
anfiteatro [aɱfite'atro] *m* Amphitheater *nt*
anfitrión, -ona [aɱfi'trjon] *m, f* Gastgeber(in) *m(f)*
ánfora ['aɱfora] *f* Amphore *f*
ángel ['aŋxel] *m* Engel *m;* ~ **de la guarda** Schutzengel *m*
angelical [aŋxeli'kal] *adj* engelhaft; **rostro** ~ Engelsgesicht *nt*
angina [aŋ'xina] *f:* ~ **de pecho** Angina pectoris *f;* ~**s** Angina *f*
anglicismo [aŋgli'θismo] *m* Anglizismus *m*
angosto, -a [aŋ'gosto] *adj* eng
anguila [aŋ'gila] *f* Aal *m*
angula [aŋ'gula] *f* Glasaal *m*
angular [aŋgu'lar] *adj* Winkel-; **forma** ~ Winkelform *f*
ángulo ['aŋgulo] *m* ❶ MAT Winkel *m;* ~ **recto** rechter Winkel; **en** ~ winkelförmig ❷ (*arista*) Kante *f*
angustia [aŋ'gustja] *f* ❶ (*aprieto*) Beklemmung *f* ❷ (*temor*) Angst *f;* ~ **vital** Lebensangst *f*
angustiarse [aŋgus'tjarse] *vr* beklommen sein; (*atemorizarse*) sich ängstigen
angustioso, -a [aŋgus'tjoso] *adj* angstvoll; (*inquietante*) beängstigend
anhelar [ane'lar] *vt* sich sehnen (nach +*dat*)
anhelo [a'nelo] *m* Sehnsucht *f* (*de* nach +*dat*)
anidar [ani'ðar] *vi* nisten; (*morar*) wohnen
anilla [a'niʎa] *f* Ring *m*
anillo [a'niʎo] *m* Ring *m;* ~ **de boda** Ehering *m;* **como ~ al dedo** wie gerufen
ánima ['anima] *f* (*alma*) Seele *f*
animación [anima'θjon] *f* Belebung *f;* (*viveza*) Lebhaftigkeit *f*
animado, -a [ani'maðo] *adj* fröhlich; (*lugar*) belebt; (*actividad*) lebhaft
animal [ani'mal] **I.** *adj* tierisch **II.** *m* Tier *nt;* (*pey*) Rohling *m*
animalada [anima'laða] *f* (*fam*) Barbarei *f*
animar [ani'mar] **I.** *vt* ❶ (*infundir vida*) beleben; (*dar ánimo*) animieren ❷ (*alentar*) ermutigen ❸ (*persona triste*) aufmuntern **II.** *vr:* **~se** ❶ (*cobrar vida*) sich beleben ❷ (*atreverse*) Mut fassen ❸ (*decidirse*) sich entschließen; **¿te animas?** machst du mit? ❹ (*alegrarse*) in Stimmung kommen
ánimo ['animo] *m* ❶ (*espíritu*) Gemüt *nt;* **no estoy con ~s de...** ich bin nicht in der Verfassung zu ... ❷ (*energía*) Kraft *f;* (*valor*) Mut *m;* **¡~!** Kopf hoch!;

cobrar ~ Mut fassen; **dar ~** Mut einflößen ❸ (*intención*) Absicht *f* (*de* zu +*dat*); **con ~ de...** in der Absicht zu ...; **sin ~ de lucro** gemeinnützig

aniñado, -a [ani'ɲaðo] *adj* kindlich; (*pey*) kindisch

aniquilar [aniki'lar] *vt* vernichten

anís [a'nis] <anises> *m* Anis *m*

aniversario [aniβer'sarjo] *m* Jahrestag *m;* **~ de bodas** Hochzeitstag *m;* **~ de muerte** Todestag *m*

ano ['ano] *m* After *m*

anoche [a'notʃe] *adv* (*al atardecer*) gestern Abend; (*entrada la noche*) gestern Nacht; **~ no pude dormir** letzte Nacht konnte ich nicht schlafen

anochecer [anotʃe'θer] **I.** *vimpers irr como crecer*: **anochece** es wird dunkel **II.** *m:* **al ~** bei Einbruch der Dunkelheit

anodino, -a [ano'ðino] *adj* fade

anomalía [anoma'lia] *f* Anomalie *f*

anonadar [anona'ðar] *vt* verblüffen

anonimato [anoni'mato] *m* Anonymität *f*

anónimo, -a [a'nonimo] *adj* anonym; **sociedad anónima** Aktiengesellschaft *f*

anorexia *f sin pl* MED Appetitlosigkeit *f*, Anorexie *f*

anormal [anor'mal] *adj* anormal

anotación [anota'θjon] *f* Eintragung *f;* (*nota*) Notiz *f*

anotar [ano'tar] *vt* notieren; (*en un registro*) eintragen

anquilosar [aŋkilo'sar] **I.** *vt* versteifen **II.** *vr:* **~se** steif werden

ansia ['ansja] *f* Unruhe *f;* (*afán*) Sehnsucht *f* (*de* nach +*dat*); **~ de poder** Machthunger *m*

ansiar [an'sjar] <*1. pres* ansío> *vt* sich sehnen (nach +*dat*)

ansiedad [ansje'ðaᵈ] *f* Angst *f*

ansioso, -a [an'sjoso] *adj* sehnsuchtsvoll

antagónico, -a [an̪ta'ɣoniko] *adj* ❶ (*opuesto*) gegensätzlich ❷ (*rival*) gegnerisch

antagonista [an̪taɣo'nista] *mf* Gegner(in) *m(f)*

antaño [an̪'taɲo] *adv* früher

antártico, -a [an̪'tartiko] *adj:* **polo ~** Südpol *m;* **Océano Glacial Antártico** Südpolarmeer *nt*

Antártida [an̪'tartiða] *f* Antarktis *f*

ante ['an̪te] **I.** *m* Wildleder *nt* **II.** *prep* ❶ (*posición*) vor +*dat* ❷ (*con movimiento*) vor +*akk* ❸ (*en vista de*) angesichts +*gen* ❹ (*en comparación con*) neben +*dat*

anteanoche [an̪tea'notʃe] *adv* vorgestern Abend

anteayer [an̪tea'ɟer] *adv* vorgestern

antebrazo [an̪te'βraθo] *m* Unterarm *m*

antecedente [an̪teθe'ðen̪te] *m:* **~s penales** Vorstrafe *f*

anteceder [an̪teθe'ðer] *vt v.* **preceder**

antecesor(a) [an̪teθe'sor] *m(f)* Vorgänger(in) *m(f)*

antelación [an̪tela'θjon] *f:* **con ~** im Voraus

antemano [an̪te'mano] *adv*: **de ~** im Voraus

antena [an̪'tena] *f* Antenne *f;* ZOOL Fühler *m*

antepasado, -a [an̪tepa'saðo] *m, f* Vorfahr(e), -in *m, f*

antepenúltimo, -a [an̪tepe'nul̪timo] *adj* vorvorletzte(r, s)

anteponer [an̪tepo'ner] *irr como poner vt*: **~ algo a algo** etw vor etw stellen

anteproyecto [an̪tepro'ɟekto] *m* Vorentwurf *m*

anterior [an̪te'rjor] **I.** *adj* vorige(r, s) **II.** *prep*: **~ a** vor +*dat*

anterioridad [an̪terjori'ðaᵈ] *prep*: **con ~ a** vor +*dat*

anteriormente [an̪terjor'men̪te] *adv* vorher

antes ['an̪tes] **I.** *adv* ❶ vorher; (*antiguamente*) früher; **poco ~** kurz vorher; **cuanto ~** so schnell wie möglich; **~ de nada** zuerst; **~ que nada** vor allem ❷ (*comparativo*) lieber **II.** *prep*: **~ de** vor +*dat* **III.** *conj* be-

vor; ~ (**de**) **que llegues** bevor du kommst

antibiótico [an̪ti'βjotiko] *m* Antibiotikum *nt*

anticiclón [an̪tiθi'klon] *m* Hoch(druckgebiet) *nt*

anticipación [an̪tiθipa'θjon] *f* ❶ (*de una fecha*) Vorverlegung *f* ❷ (*de un suceso*) Vorwegnahme *f* ❸ (*a la acción de otro*) Vorgriff *m* (*de* auf +*akk*) ❹ (*loc*): **con** ~ (*pago*) im Voraus

anticipadamente [an̪tiθipaða'men̪te] *adv* im Voraus; **jubilar** ~ **a alguien** jdn vorzeitig in den Ruhestand versetzen

anticipado, -a [an̪tiθi'paðo] *adj*: **pagar por** ~ im Voraus (be)zahlen

anticipar [an̪tiθi'par] **I.** *vt* vorverlegen; (*dinero*) vorstrecken **II.** *vr*: **~se a alguien** jdm zuvorkommen

anticipo [an̪ti'θipo] *m* Vorschuss *m*

anticonceptivo, -a [an̪tikon̪θep'tiβo] *adj*: **píldora anticonceptiva** Antibabypille *f*

anticonstitucional [an̪tiko^{n}stituθjo'nal] *adj* verfassungswidrig

anticuado, -a [an̪ti'kwaðo] *adj* veraltet

anticuario, -a [an̪ti'kwarjo] *m, f* Antiquitätenhändler(in) *m(f)*

anticuerpo [an̪ti'kwerpo] *m* Antikörper *m*

antídoto [an̪'tiðoto] *m* Gegengift *nt*

antifaz [an̪ti'faθ] *m* Augenmaske *f*

antiguamente [an̪tiɣwa'men̪te] *adv* früher

antigüedad [an̪tiɣwe'ða^{ð}] *f* Altertum *nt;* (*objeto*) Antiquität *f;* (*en una empresa*) Betriebszugehörigkeit *f*

antiguo, -a [an̪'tiɣwo] <antiquísimo> *adj* alt; (*anticuado*) überholt; (*de la antigüedad*) antik

antiinflamatorio, -a [an̪ti(i)ɱflama'torjo] *adj* entzündungshemmend

antílope [an̪'tilope] *m* Antilope *f*

antinatural [an̪tinatu'ral] *adj* unnatürlich

antipatía [an̪tipa'tia] *f* Abneigung *f* (*a/contra/hacia* gegen +*akk*)

antipático, -a [an̪ti'patiko] *adj* unsympathisch

antirreglamentario, -a [an̪tirreɣlamen̪'tarjo] *adj* regelwidrig

antisemita [an̪tise'mita] *adj* antisemitisch

antisemitismo [an̪tisemi'tismo] *m* Antisemitismus *m*

antisocial [an̪tiso'θjal] *adj* unsozial

antítesis [an̪'titesis] *f inv* Antithese *f*

antojarse [an̪to'xarse] *vimpers*: **se me antojó un helado** ich bekam Lust auf ein Eis

antojo [an̪'toxo] *m* ❶ (*capricho*) Laune *f* ❷ **tener ~s** Gelüste haben ❸ (*mancha*) Muttermal *nt*

antología [an̪tolo'xia] *f* Anthologie *f*

antorcha [an̪'tortʃa] *f* Fackel *f*

antro ['an̪tro] *m* (*pey*): **un** ~ **de corrupción** eine Lasterhöhle

antropología [an̪tropolo'xia] *f* Anthropologie *f*

antropólogo, -a [an̪tro'poloɣo] *m, f* Anthropologe, -in *m, f*

anual [anu'al] *adj* ❶ (*que dura un año*) Jahres-; **abono** ~ Jahresabonnement *nt* ❷ (*que sucede cada año*) jährlich, Jahres-; **informe** ~ Jahresbericht *m*

anualmente [anwal'men̪te] *adv* jährlich

anuario [anu'arjo] *m* Jahrbuch *nt*

anudar(se) [anu'ðar(se)] *vt, vr* (sich) verknoten

anulación [anula'θjon] *f* Aufhebung *f;* (*de una sentencia*) Annullierung *f;* (*de un contrato*) Auflösung *f;* (*de un pedido*) Stornierung *f*

anular [anu'lar] *vt* (*ley*) aufheben; (*sentencia*) annullieren; (*contrato*) auflösen; (*pedido*) stornieren; (*subscripción*) kündigen

anunciar [anun̪'θjar] *vt* bekannt geben

anuncio [a'nun̪θjo] *m* ❶ Bekanntgabe *f* ❷ (*publicidad*) (Werbe)spot *m;* (*en un periódico*) Anzeige *f;* ~ **por palabras** Kleinanzeigen *fpl*

anverso [am'berso] *m* Vorderseite *f*

anzuelo [an̪'θwelo] *m* Angelhaken *m;*

morder el ~ anbeißen

añadidura [aɲaði'ðura] *f:* **por** ~ außerdem

añadir [aɲa'ðir] *vt* hinzufügen; **a esto hay que** ~ **que...** hinzu kommt, dass ...

añejo, -a [a'ɲexo] *adj* alt; (*vino*) gealtert

añicos [a'ɲikos] *m pl* Scherben *fpl*; **hacer algo** ~ etw zertrümmern

año ['aɲo] *m* Jahr *nt;* ~ **bisiesto** Schaltjahr *nt;* ~ **natural** Kalenderjahr *nt;* **los ~s 60** die 60er Jahre; **en el** ~ **1960** (im Jahre) 1960; **cumplir ~s** Geburtstag haben; **¿cuántos ~s tienes?** wie alt bist du?

añoranza [aɲo'ran̪θa] *f* Sehnsucht *f*

añorar [aɲo'rar] *vt* sich sehnen (nach +*dat*)

aorta [a'orta] *f* Hauptschlagader *f*

apabullante [apaβu'ʎan̪te] *adj* überwältigend

apacible [apa'θiβle] *adj* ruhig

apaciguar(se) [apaθi'ɣwar(se)] <gu → gü> *vt, vr* (sich) beruhigen

apadrinar [apaðri'nar] *vt* (*en un bautizo*) Pate stehen (bei +*dat*); (*en una boda*) Trauzeuge sein (bei +*dat*)

apagar [apa'ɣar] <g → gu> **I.** *vt* (*luz*) ausmachen; (*fuego*) löschen **II.** *vr:* **~se** ausgehen

apagón [apa'ɣon] *m* Stromausfall *m*

apalabrar [apala'βrar] *vt* verabreden

apañarse [apa'ɲarse] *vr* sich geschickt anstellen

aparato [apa'rato] *m* Apparat *m*

aparatoso, -a [apara'toso] *adj:* **un accidente** ~ ein spektakulärer Unfall

aparcamiento [aparka'mjen̪to] *m* Parkplatz *m;* ~ **disuasorio** Park-and-ride-Parkplatz *m*

aparcar [apar'kar] <c → qu> *vt* parken

aparear(se) [apare'ar(se)] *vt, vr* (sich) paaren

aparecer(se) [apare'θer(se)] *irr como crecer vi, vr* erscheinen

aparejador(a) [aparexa'ðor] *m(f)* Bauführer(in) *m(f)*

aparentar [aparen̪'tar] *vt:* ~ **estar enfermo** sich krank stellen

aparente [apa'ren̪te] *adj* ❶ (*que parece y no es*) scheinbar ❷ (*perceptible a la vista*) sichtbar

aparición [apari'θjon] *f* Erscheinen *nt;* (*visión*) Erscheinung *f*

apariencia [apa'rjen̪θja] *f* ❶ (*aspecto*) Aussehen *nt* ❷ (*signos*) (An)schein *m;* **en** ~ dem Anschein nach; **guardar las ~s** den Schein wahren

apartado[1] [apar'taðo] *m:* ~ **de Correos** Postfach *nt*

apartado, -a[2] [apar'taðo] *adj* abgelegen

apartamento [aparta'men̪to] *m* Wohnung *f*

apartar [apar'tar] **I.** *vt* trennen; (*de un cargo*) entfernen; (*la vista*) abwenden **II.** *vr:* **~se** sich trennen; (*de un camino*) abweichen; **¡apártate!** geh aus dem Weg!

aparte [a'parte] **I.** *adv* beiseite **II.** *prep* ❶ (*separado*): **él estaba** ~ **del grupo** er war abseits der Gruppe ❷ (*además de*): ~ **de** abgesehen von +*dat* **III.** *adj* separat; **en un plato** ~ auf einem extra Teller

apasionado, -a [apasjo'naðo] *adj* leidenschaftlich

apasionante [apasjo'nan̪te] *adj* spannend

apasionar(se) [apasjo'nar(se)] *vt, vr* (sich) begeistern

apatía [apa'tia] *f* Teilnahmslosigkeit *f*

apático, -a [a'patiko] *adj* apathisch

apátrida [a'patriða] *adj* staatenlos

apearse [ape'arse] *vr* aussteigen

apechugar [apetʃu'ɣar] <g → gu> *vi:* ~ **con las consecuencias** die Konsequenzen tragen

apedrear [apeðre'ar] **I.** *vimpers* hageln **II.** *vt* mit Steinen bewerfen; (*lapidar*) steinigen

apegado, -a [ape'ɣaðo] *adj:* **estar** ~ **a alguien** an jdm hängen

apego [a'peɣo] *m* Zuneigung *f*

apelación [apela'θjon] *f* Berufung *f*

apelar [ape'lar] *vi* Berufung einlegen
apellidarse [apeʎi'ðarse] *vr* (mit Familiennamen) heißen
apellido [ape'ʎiðo] *m* Nachname *m*
apelmazar(se) [apelma'θar(se)] <z → c> *vt, vr* hart werden
apelotonar(se) [apeloto'nar(se)] *vt, vr* verklumpen
apenarse [ape'narse] *vr* sich grämen; AM sich schämen
apenas [a'penas] **I.** *adv* ❶ kaum; **~ había nadie** es war kaum jemand da ❷ (*tan sólo*) erst; (*escasamente*) knapp; **~ hace una hora** vor knapp einer Stunde **II.** *conj* kaum
apéndice [a'peṇdiθe] *m* Anhang *m*
apendicitis [apeṇdi'θitis] *f inv* Blinddarmentzündung *f*
aperitivo [aperi'tiβo] *m* Aperitif *m;* (*comida*) Appetithappen *m*
apertura [aper'tura] *f* Eröffnung *f*
apestar [apes'tar] **I.** *vi* stinken **II.** *vr:* **~se** AM sich anstecken
apestoso, -a [apes'toso] *adj* stinkend; (*fastidioso*) lästig
apetecer [apete'θer] *irr como crecer vi* Lust haben
apetito [ape'tito] *m* Appetit *m;* **~ sexual** Fleischeslust *f*
apetitoso, -a [apeti'toso] *adj* appetitlich
apiadarse [apja'ðarse] *vr* bemitleiden (*de +akk*)
ápice ['apiθe] *m:* **no ceder un ~** keinen Zollbreit nachgeben; **no entender un ~** nicht das Geringste verstehen
apicultor(a) [apikuḷ'tor] *m(f)* Imker(in) *m(f)*
apicultura [apikuḷ'tura] *f* Bienenzucht *f*
apilar(se) [api'lar(se)] *vt, vr* (sich) stapeln
apiñarse [api'ɲarse] *vr* sich drängen
apio ['apjo] *m* Sellerie *m o f*
apisonadora [apisona'ðora] *f* Straßenwalze *f*
aplacar [apla'kar] <c → qu> **I.** *vt* lindern **II.** *vr:* **~se** sich beruhigen
aplanar [apla'nar] **I.** *vt* ebnen **II.** *vr:* **~se** den Mut verlieren
aplastar [aplas'tar] *vt* zerquetschen; (*derrotar*) (vernichtend) schlagen
aplaudir [aplau̯'ðir] *vi* applaudieren
aplauso [a'plau̯so] *m* Applaus *m*
aplazamiento [aplaθa'mjeṇto] *m* Verlegung *f*
aplazar [apla'θar] <z → c> *vt* verlegen; (*viaje*) verschieben; AM durchfallen lassen
aplicación [aplika'θjon] *f* Anwendung *f*
aplicado, -a [apli'kaðo] *adj* fleißig
aplicar [apli'kar] <c → qu> **I.** *vt* auftragen; (*venda*) anlegen; (*método*) anwenden (*a* auf *+akk*) **II.** *vr:* **~se** sich bemühen
aplique [a'plike] *m* ❶ (*lámpara*) Wandleuchte *f* ❷ INFOR Applet *nt*, Minianwendung *f*
aplomo [a'plomo] *m* Selbstsicherheit *f;* **perder el ~** die Fassung verlieren
apocar [apo'kar] <c → qu> **I.** *vt* einschüchtern **II.** *vr:* **~se** verzagen
apodarse [apo'ðarse] *vr* (*tener el sobrenombre*) den Beinamen ... haben; (*el apodo*) den Spitznamen ... haben
apoderado, -a [apoðe'raðo] *m, f* Bevollmächtige(r) *f(m)*
apoderar [apoðe'rar] **I.** *vt* bevollmächtigen **II.** *vr:* **~se** sich bemächtigen (*de +gen*)
apodo [a'poðo] *m* Spitzname *m*
apogeo [apo'xeo] *m* Gipfel *m*
apolillarse [apoli'ʎarse] *vr* von Motten zerfressen werden
apolítico, -a [apo'litiko] *adj* unpolitisch
apología [apolo'xia] *f* Verteidigung *f*
apoplejía [apople'xia] *f* Schlaganfall *m*
aportación [aporta'θjon] *f* Beitrag *m*
aportar [apor'tar] *vt* beitragen
aposento [apo'seṇto] *m* Unterkunft *f*
aposición [aposi'θjon] *f* Apposition *f*
apósito [a'posito] *m* Wundverband *m;* (*adhesivo*) Heftpflaster *nt*
aposta [a'posta] *adv* absichtlich
apostar [apos'tar] <o → ue> **I.** *vi* setzen (*por* auf *+akk*) **II.** *vt, vr:* **~se** wetten (um *+akk*); **¿qué apostamos?** worum

wetten wir?

a posteriori [a poste'rjori] *adv* nachträglich

apostilla [apos'tiʎa] *f* Randbemerkung *f*

apóstol [a'postol] *m* Apostel *m*

apóstrofo [a'postrofo] *m* Apostroph *m*

apoteósico, -a [apote'osiko] *adj* enorm; **éxito** ~ Riesenerfolg *m*

apoyacabezas [apoɟaka'βeθas] *m* Kopfstütze *f*

apoyar [apo'ɟar] **I.** *vt* stützen (*en* auf +*akk*); (*contra*) lehnen (*en* an +*akk*); (*patrocinar*) unterstützen **II.** *vr:* **~se** **1** sich stützen (*en* auf +*akk*); (*contra*) sich lehnen (*en/contra* gegen +*akk*); **~se con la mano** sich mit der Hand abstützen **2** (*fundarse*) beruhen (*en* auf +*dat*)

apoyo [a'poɟo] *m* Halt *m;* (*soporte*) Stütze *f;* (*respaldo*) Unterstützung *f*

apreciable [apre'θjaβle] *adj* beträchtlich; (*digno de estima*) schätzenswert

apreciación [apreθja'θjon] *f* Bewertung *f;* (*juicio*) Einschätzung *f*

apreciado, -a [apre'θjaðo] *adj:* **~s Sres.:** sehr geehrte Herren,

apreciar [apre'θjar] *vt* (ab)schätzen; (*captar*) wahrnehmen

aprecio [a'preθjo] *m* Zuneigung *f*

aprehensión [apre(e)n'sjon] *f* **1** (*acción de coger*) Ergreifung *f* **2** (*percepción*) Wahrnehmung *f;* (*comprensión*) Begreifen *nt*

apremiante [apre'mjan̩te] *adj* dringend

apremiar [apre'mjar] *vi:* **el tiempo apremia** die Zeit drängt

aprender [apren̩'der] *vt* lernen; ~ **a leer** lesen lernen; ~ **de memoria** auswendig lernen

aprendiz(a) [apren̩'diθ] *m(f)* Lehrling *m*

aprendizaje [apren̩di'θaxe] *m* (Er)lernen *nt;* (*formación profesional*) Lehre *f*

aprensión [apren'sjon] *f* **1** (*recelo*) Bedenken *ntpl*; **me da ~ decírtelo** ich traue mich nicht es dir zu sagen **2** (*asco*) Ekel *m;* **he cogido ~ a la leche** ich finde Milch ek(e)lig **3** (*temor*) Befürchtung *f;* (*impresión*) Gefühl *nt* **4** (*figuración*) Einbildung *f;* **son aprensiones suyas** er/sie bildet sich *dat* das nur ein

aprensivo, -a [apren'siβo] *adj* überängstlich

apresar [apre'sar] *vt* packen; (*delincuente*) verhaften

apresurado, -a [apresu'raðo] *adj* übereilt

apresurarse [apresu'rarse] *vr* sich beeilen; **¡no te apresures!** lass dir nur Zeit!

apretado, -a [apre'taðo] *adj* fest sitzend; (*vestido*) eng

apretar [apre'tar] <e → ie> **I.** *vi* **1** (*calor*) drückender werden **2** (*vestido*) eng sitzen **3** (*deudas, problemas*) schwer lasten (*a* auf +*dat*) **4** (*loc*): **este profesor aprieta mucho en los exámenes** dieser Lehrer stellt sehr schwierige Prüfungen **II.** *vt* drücken; (*acosar*) bedrängen **III.** *vr:* **~se**: **~se el cinturón** den Gürtel enger schnallen

aprieto [a'prjeto] *m* Bedrängnis *f;* ~ **económico** finanzieller Engpass; **estar en un ~** in der Klemme sein

a priori [a pri'ori] *adv* von vorn(e)herein

aprisa [a'prisa] *adv* schnell

aprisionar [aprisjo'nar] *vt:* **quedarse aprisionado en el barro** im Lehm festsitzen

aprobación [aproβa'θjon] *f:* **encontrar la ~ de alguien** jds Zustimmung finden

aprobado [apro'βaðo] *m:* **he sacado un ~ en mates** ich habe die Matheprüfung bestanden

aprobar [apro'βar] <o → ue> **I.** *vt* billigen; (*proyecto*) genehmigen; (*moción*) annehmen; (*examen*) bestehen (lassen) **II.** *vi* bestehen

apropiación [apropja'θjon] *f:* ~ **indebida** Unterschlagung *f*

apropiado, -a [apro'pjaðoa] *adj* angebracht

apropiarse [apro'pjarse] *vr* sich *dat* aneignen (*de +akk*)
aprovechable [aproβe'ʧaβle] *adj* brauchbar
aprovechamiento [aproβeʧa'mjen̪to] *m* Nutzung *f;* (*de una idea/residuos*) Verwertung *f*
aprovechar [aproβe'ʧar] **I.** *vi* von Nutzen sein; **¡que aproveche!** guten Appetit! **II.** *vt, vr:* ~(**se**) (aus)nutzen
aprovisionar [aproβisjo'nar] *vt* versorgen
aproximado, -a [apro^{ɣ}si'maðo] *adj* ungefähr
aproximarse [apro^{ɣ}si'marse] *vr* sich nähern (*a +dat*)
aptitud [apti'tu^{ð}] *f* Eignung *f* (*para* für *+akk, para* zu *+dat*); ~ **para el servicio militar** Wehrdiensttauglichkeit *f*
apto, -a ['apto] *adj* geeignet
apuesta [a'pwesta] *f* Wette *f*
apuesto, -a [a'pwesto] *adj* gut aussehend
apuntador(a) [apun̪ta'ðor] *m(f)* Souffleur, Souffleuse *m, f*
apuntar [apun̪'tar] **I.** *vt* ❶ (*con un arma*) zielen (*a* auf *+akk*); **¡apunten!** legt an! ❷ (*con el dedo*) zeigen (*a* auf *+akk*) ❸ (*anotar*) notieren ❹ (*inscribir*) anmelden (*en* in *+dat*) **II.** *vr:* **~se** sich anmelden
apunte [a'pun̪te] *m* Notiz *f;* **tomar ~s** mitschreiben
apuñalar [apuɲa'lar] *vt* erstechen
apurado, -a [apu'raðo] *adj:* ~ **de dinero** knapp bei Kasse; **verse** ~ in der Klemme sitzen; **estar** ~ es eilig haben
apurar [apu'rar] **I.** *vt* ❶ austrinken; (*plato*) leer essen ❷ (*paciencia*) erschöpfen; ~ **todos los medios** nichts unversucht lassen ❸ (*angustiar*) quälen ❹ AM drängen **II.** *vr:* **~se: ¡no te apures por eso!** mach dir deswegen keine Sorgen!; **¡no te apures!** es eilt nicht!
apuro [a'puro] *m* ❶ Bedrängnis *f;* (*dificultad*) Schwierigkeit *f;* **estar en un ~** in der Patsche sitzen; **poner en ~** in Verlegenheit bringen ❷ (*estrechez*) finanzielle Notlage *f;* **sufrir grandes ~s** große Not leiden ❸ (*vergüenza*) Scham *f* ❹ AM Eile *f*
aquel, -ella [a'kel] **I.** *adj* <aquellos, -as> diese(r, s) **II.** *pron dem v.* **aquél, aquélla, aquello**
aquél, aquélla, aquello [a'kel, a'keʎa, a'keʎo] *pron dem* <aquéllos, -as> diese(r, s), der/die/das dort; **¿qué es aquello?** was ist das (dort)?; **oye, ¿qué hay de aquello?** und, wie steht's damit?
aquí [a'ki] *adv* ❶ (*de lugar*) hier(her); **éste de ~** der hier ❷ (*de tiempo*): **de ~ en adelante** von nun an; **hasta ~** bis jetzt
Aquisgrán [akis'ɣran] *m* Aachen *nt*
ara ['ara] *m* AM Papagei *m*
árabe ['araβe] *adj* arabisch
Arabia [a'raβja] *f* Arabien *nt;* ~ **Saudita** Saudi-Arabien *nt*
arábigo, -a [a'raβiɣo] *adj* arabisch
arado [a'raðo] *m* Pflug *m*
Aragón [ara'ɣon] *m* Aragonien *nt*
aragonés, -esa [araɣo'nes] *adj* aragonisch
arancel [aran̪'θel] *m* Tarif *m*
arándano [a'ran̪dano] *m* Heidelbeere *f*
araña [a'raɲa] *f* Spinne *f;* **tela de ~** Spinnennetz *nt*
arañar(se) [ara'ɲar(se)] *vi, vt, vr* (sich) *dat* (zer)kratzen
arañazo [ara'ɲaθo] *m* Kratzer *m*
arar [a'rar] *vt* pflügen
arbitraje [arβi'traxe] *m* ❶ (*juicio*) Schiedsspruch *m* ❷ (*de una disputa*) Schlichtung *f*
arbitrariedad [arβitrarje'ða^{ð}] *f* ❶ (*cualidad*) Willkür *f* ❷ (*acción*) Willkürmaßnahme *f*
arbitrario, -a [arβi'trarjo] *adj* willkürlich
árbitro, -a ['arβitro] *m, f* Schiedsrichter(in) *m(f)*
árbol ['arβol] *m* Baum *m;* ~ **genealógico** Stammbaum *m*
arboleda [arβo'leða] *f* Baumgruppe *f*

arbusto [ar'busto] *m* Strauch *m*
arca ['arka] *f* Truhe *f;* **las ~s del estado** die Staatskasse
arcada [ar'kaða] *f* Brechreiz *m*
arcaico, -a [ar'kai̯ko] *adj* veraltet
arcén [ar'θen] *m* Rand(streifen) *m*
archipiélago [artʃi'pjelaɣo] *m:* **el ~ canario** die Kanarischen Inseln
archivador [artʃiβa'ðor] *m* (Akten)ordner *m*
archivar [artʃi'βar] *vt* abheften; INFOR speichern
archivo [ar'tʃiβo] *m* Archiv *nt;* INFOR Datei *f*
arcilla [ar'θiʎa] *f* Ton *m*
arco ['arko] *m* Bogen *m;* **~ iris** Regenbogen *m*
arcón [ar'kon] *m* große Truhe *f*
arder [ar'ðer] *vi* brennen; **~ con fuerza** lodern; **~ sin llama** glimmen
ardid [ar'ðiᵈ] *m* List *f*
ardilla [ar'ðiʎa] *f* Eichhörnchen *nt*
ardor [ar'ðor] *m* Hitze *f;* **~ de estómago** Sodbrennen
arduo, -a ['arðwo] *adj* mühsam
área ['area] *f* Fläche *f;* **~ de castigo** Strafraum *m*
arena [a'rena] *f* Sand *m;* **~s movedizas** Treibsand *m*
arenal [are'nal] *m* Sandfläche *f*
arenque [a'reŋke] *m* Hering *m*
arete [a'rete] *m* Ohrring *m*
argamasa [arɣa'masa] *f* Mörtel *m*
Argel [ar'xel] *m* Algier *nt*
Argelia [ar'xelja] *f* Algerien *nt*
argelino, -a [arxe'lino] *adj* algerisch
Argentina [arxen̩'tina] *f* Argentinien *nt*
argentino, -a [arxen̩'tino] *adj* argentinisch
argolla [ar'ɣoʎa] *f* Ring *m*
argot [ar'ɣoᵗ] <argots> *m* Jargon *m*
argucia [ar'ɣuθja] *f* Spitzfindigkeit *f*
argüir [arɣu'ir] *irr como huir* **I.** *vt* anführen (*como* als +*akk*) **II.** *vi* argumentieren
argumentación [arɣumen̩ta'θjon] *f* Argumentation *f*
argumentar [arɣumen̩'tar] **I.** *vt* begründen **II.** *vi* argumentieren
argumento [arɣu'men̩to] *m* Argument *nt;* TEAT Handlung *f;* (AM: *discusión*) Diskussion *f*
aria ['arja] *f* Arie *f*
aridez [ari'ðeθ] *f* Trockenheit *f*
árido, -a ['ariðo] *adj* karg
Aries ['arjes] *m inv* ASTR Widder *m*
arisco, -a [a'risko] *adj* widerspenstig
aristocracia [aristo'kraθja] *f* Aristokratie *f*
aristócrata [aris'tokrata] *mf* Aristokrat(in) *m(f)*
aristocrático, -a [aristo'kratiko] *adj* aristokratisch
aritmética [ariᵈ'metika] *f* Arithmetik *f*
arlequín [arle'kin] *m* Harlekin *m*
arma ['arma] *f* Waffe *f;* **~ blanca** Stichwaffe *f;* **~ de fuego** Schusswaffe *f;* **~ homicida** Tatwaffe *f*
armado, -a [ar'maðo] *adj* ausgestattet (*de* mit +*dat*)
armador(a) [arma'ðor] *m(f)* Reeder(in) *m(f)*
armadura [arma'ðura] *f* (Ritter)rüstung *f*
armamento [arma'men̩to] *m* Aufrüstung *f*
armar [ar'mar] **I.** *vt* bewaffnen; (*embarcación*) ausrüsten; (*fam*) anzetteln; **~la** Krach schlagen **II.** *vr:* **~se** sich bewaffnen; (*de paciencia*) sich wappnen; **se va a ~ la gorda** (*fam*) es wird einen Riesenkrach geben
armario [ar'marjo] *m* Schrank *m;* **~ empotrado** Einbauschrank *m*
armazón [arma'θon] *m o f* ❶ (*armadura*) Gestell *nt* ❷ (*esqueleto*) Skelett *nt*
Armenia [ar'menja] *f* Armenien *nt*
armenio, -a [ar'menjo] *adj* armenisch
armiño [ar'miɲo] *m* Hermelin *nt*
armisticio [armis'tiθjo] *m* Waffenstillstand *m*
armonía [armo'nia] *f* Harmonie *f;* **falta de ~** Missstimmung *f*
armónica [ar'monika] *f* Mundharmonika *f*

armónico, -a [ar'moniko] *adj* harmonisch
armonioso, -a [armo'njoso] *adj* wohlklingend
armonizar [armoni'θar] <z → c> *vi, vt* harmoni(si)eren
árnica ['arnika] *f* Arnika *f*
aro ['aro] *m* Ring *m*
aroma [a'roma] *m* Duft *m;* (*sabor*) Aroma *nt*
aromático, -a [aro'matiko] *adj* duftend
arpa ['arpa] *f* Harfe *f*
arpón [ar'pon] *m* Harpune *f*
arquear(se) [arke'ar(se)] *vt, vr* (sich) biegen
arqueología [arkeolo'xia] *f* Archäologie *f*
arqueológico, -a *adj* archäologisch
arqueólogo, -a [arke'oloɣo] *m, f* Archäologe, -in *m, f*
arquero, -a [ar'kero] *m, f* ❶ (*con arco*) Bogenschütze, -in *m, f* ❷ (*portero*) Torwart, -frau *m, f*
arquetipo [arke'tipo] *m* Archetypus *m*
arquitecto, -a [arki'tekto] *m, f* Architekt(in) *m(f)*
arquitectónico, -a [arkitek'toniko] *adj* architektonisch
arquitectura [arkitek'tura] *f* Architektur *f*
arrabal [arra'βal] *m* Vorstadt *f*
arraigar [arrai̯'ɣar] <g → gu> **I.** *vi, vr:* **~se** Wurzeln schlagen **II.** *vi* zur festen Gewohnheit werden (*en* bei +*dat*)
arrancar [arraŋ'kar] <c → qu> **I.** *vi* starten **II.** *vt* ❶ (*plantas*) (her)ausreißen ❷ (*pegatina*) abreißen ❸ (*con violencia*) entreißen ❹ (*muela*) ziehen ❺ (*loc*): **~ una promesa a alguien** jdm ein Versprechen abringen
arranque [a'rraŋke] *m* ❶ Energie *f;* (*decisión*) Initiative *f;* **tomar ~** Anlauf nehmen ❷ (*arrebato*) Anwandlung *f* ❸ INFOR Start *m*
arrastrado, -a [arras'traðo] *adj:* **una vida arrastrada** ein Hundeleben
arrastrar [arras'trar] **I.** *vt* ❶ schleifen; (*remolcar*) schleppen ❷ (*acarrear*) nach sich *dat* ziehen ❸ (*arrebatar*) mitreißen **II.** *vr:* **~se** kriechen
arrastre [a'rrastre] *m:* **estar para el ~** (*fam*) völlig erledigt sein
arre ['arre] *interj* hü
arrear [arre'ar] *vt* antreiben
arrebatar [arreβatar] **I.** *vt* entreißen; (*extasiar*) bezaubern **II.** *vr:* **~se** wütend werden (*por* auf/über +*akk*)
arrebato [arre'βato] *m* Anfall *m;* **~ de cólera** Zornausbruch *m*
arreciar [arre'θjar] *vi* stärker werden
arrecife [arre'θife] *m* Riff *nt*
arreglado, -a [arre'ɣlaðo] *adj* ordentlich; (*cuidado*) gepflegt
arreglar [arre'ɣlar] **I.** *vt* in Ordnung bringen; (*reparar*) reparieren **II.** *vr:* **~se** sich zurechtmachen; **¿cómo te has arreglado para convencerle?** wie hast du es geschafft ihn zu überreden?
arreglo [a'rreɣlo] *m* ❶ (*ajuste*) Regelung *f;* **con ~ a lo convenido** gemäß der Vereinbarung ❷ (*reparación*) Reparatur *f*
arremangar(se) [arremaŋ'gar(se)] <g → gu> *vt, vr* hochkrempeln
arremeter [arreme'ter] *vi* anstürmen; (*despotricar*) wettern
arrendador(a) [arren̪da'ðor] *m(f)* Vermieter(in) *m(f)*
arrendamiento [arren̪da'mjen̪to] *m* ❶ (*arriendo*) Miete *f;* (*de un terreno/negocio*) Pacht *f;* **~ financiero** Leasingvertrag *m* ❷ (*contrato*) Mietvertrag *m;* (*de un terreno/negocio*) Pachtvertrag *m*
arrendar [arren̪'dar] <e → ie> *vt* (ver)mieten; (*negocio*) (ver)pachten
arrendatario, -a [arren̪da'tarjo] *m, f* Mieter(in) *m(f)*
arrepentido, -a [arrepen̪'tiðo] *adj* reuevoll
arrepentimiento [arrepen̪ti'mjen̪to] *m* Reue *f*
arrepentirse [arrepen̪'tirse] *irr como sentir vr:* **~ de algo** etw bereuen
arrestar [arres'tar] *vt* festnehmen
arresto [a'rresto] *m* Festnahme *f;* **~ do-**

miciliario Hausarrest *m*

arriba [a'rriβa] *adv* oben; **más ~** weiter oben; **de ~ abajo** von oben nach unten; **¡manos ~!** Hände hoch!

arribar [arri'βar] *vi* einlaufen

arribista [arri'βista] *mf* Emporkömmling *m*

arriesgado, -a [arrjes'ɣaðo] *adj* riskant

arriesgar [arrjes'ɣar] <g → gu> **I.** *vt* aufs Spiel setzen **II.** *vr:* **~se** sich einer Gefahr aussetzen

arrimar [arri'mar] **I.** *vt* heranrücken; **~ el hombro** zupacken **II.** *vr:* **~se** nähertreten; AM in wilder Ehe leben

arrinconar [arriŋko'nar] **I.** *vt* ❶ (*un objeto*) in die Ecke stellen ❷ (*dinero*) beiseitelegen ❸ (*acosar*) in die Enge treiben **II.** *vr:* **~se** sich zurückziehen

arroba [a'rroβa] *f* Klammeraffe *m*

arrocero, -a [arro'θero] *adj* Reis-; **campos ~s** Reisfelder *ntpl*

arrodillarse [arroði'ʎarse] *vr* (sich) niederknien

arrogancia [arro'ɣan̪θja] *f* Arroganz *f*

arrogante [arro'ɣan̪te] *adj* arrogant

arrojar [arro'xar] **I.** *vt* werfen; **~ beneficios** Gewinne abwerfen **II.** *vr:* **~se** sich stürzen; **~se al agua** ins Wasser springen

arrojo [a'rroxo] *m* Verwegenheit *f*

arrollador(a) [arroʎa'ðor] *adj* überwältigend

arrollar [arro'ʎar] *vt* ❶ (*enrollar*) aufwickeln ❷ (*atropellar*) überfahren

arropar(se) [arro'par(se)] *vt, vr* (sich) zudecken

arroyo [a'rroɟo] *m* Bach *m*

arroz [a'rroθ] *m* Reis *m;* **~ con leche** Milchreis *m*

arrozal [arro'θal] *m* Reisfeld *nt*

arruga [a'rruɣa] *f* Falte *f;* **~ en la frente** Stirnfalte *f*

arrugar [arru'ɣar] <g → gu> **I.** *vt* zerknittern; **~ la frente** die Stirn runzeln; **~ la nariz** die Nase rümpfen **II.** *vr:* **~se** knittern

arruinar(se) [arrwi'nar(se)] *vt, vr* (sich) ruinieren

arrullar [arru'ʎar] **I.** *vt* in den Schlaf wiegen **II.** *vi* gurren **III.** *vr:* **~se** turteln

arsenal [arse'nal] *m* ❶ (*de municiones*) (Waffen)arsenal *nt* ❷ NÁUT Werft *f*

arsénico [ar'seniko] *m* Arsen *nt*

arte ['arte] *m o f* ❶ (*t. pintura*) Kunst *f;* **~ culinario** Kochkunst *f* ❷ (*habilidad*) Geschick *nt* ❸ (*maña*) Trick *m;* **como por ~ de magia** wie durch Hexerei

artefacto [arte'fakto] *m:* **~ explosivo** Sprengkörper *m*

arteria [ar'terja] *f* Arterie *f*

arterio(e)sclerosis [arterjo(e)skle'rosis] *f inv* Arteriosklerose *f*

artesanía [artesa'nia] *f* ❶ (*arte*) Handwerkskunst *f* ❷ (*obra*) Kunsthandwerk *nt;* **jarrón de ~** in Handarbeit hergestellte Vase

artesano, -a [arte'sano] *m, f* Handwerker(in) *m(f)*

ártico, -a ['artiko] *adj* arktisch; **polo ~** Nordpol *m*

articulación [artikula'θjon] *f* Gelenk *nt*

articulado, -a [artiku'laðo] *adj* ❶ (*con articulación*) gelenkig ❷ (*lenguaje*) artikuliert

artículo [ar'tikulo] *m* Artikel *m*

artífice [ar'tifiθe] *mf* ❶ (*autor*) Urheber(in) *m(f)* ❷ (*artista*) Künstler(in) *m(f)*

artificial [artifi'θjal] *adj* ❶ künstlich; **seda ~** Kunstseide *f* ❷ (*falso*) gekünstelt

artimaña [arti'maɲa] *f* List *f*

artista [ar'tista] *mf* Künstler(in) *m(f)*

artístico, -a [ar'tistiko] *adj* künstlerisch; (*hecho con arte*) kunstvoll

artritis [ar'tritis] *f inv* Arthritis *f*

artrosis [ar'trosis] *f inv* Arthrose *f*

arzobispo [arθo'βispo] *m* Erzbischof *m*

as [as] *m* Ass *nt*

asa ['asa] *f* Henkel *m*

asado [a'saðo] *m* Braten *m*

asalariado, -a [asala'rjaðo] *m, f* Lohnempfänger(in) *m(f)*

asaltar [asal̪'tar] *vt* stürmen; (*a una per-*

sona) überfallen; **me asaltó el pánico** ich geriet in Panik

asalto [a'sal̪to] *m* Sturm(angriff) *m;* (*a alguien*) Überfall *m;* (*boxeo*) Runde *f*

asamblea [asam'blea] *f* Versammlung *f;* ~ **general** Hauptversammlung *f;* ~ **plenaria** Vollversammlung *f;* ~ **de trabajadores** Betriebsversammlung *f*

asar [a'sar] *vt* braten; **cochinillo asado** Spanferkel *nt;* ~ **a fuego lento** schmoren; ~ **a la parrilla** grillen

ascendencia [asθen̪'den̪θja] *f* ❶ (*antepasados*) Vorfahren *mpl* ❷ (*procedencia*) Herkunft *f*

ascendente [asθen̪'den̪te] **I.** *adj:* **en orden** ~ in aufsteigender Reihenfolge **II.** *m* Aszendent *m*

ascender [asθen̪'der] <e → ie> *vi* (auf)steigen; COM sich belaufen (*a* auf +*akk*)

ascendiente [asθen̪'djen̪te] *mf* Vorfahr(e), -in *m, f*

ascensión [asθen'sjon] *f* ❶ (*a una montaña*) Aufstieg *m* ❷ (*de Cristo*) Himmelfahrt *f;* **el día de la Ascensión** der Himmelfahrtstag

ascenso [as'θenso] *m* ❶ DEP Aufstieg *m;* **el ~ a primera** der Aufstieg in die erste Liga ❷ (*promoción*) Beförderung *f*

ascensor [asθen'sor] *m* Aufzug *m*

asco ['asko] *m* Ekel *m*

ascua ['askwa] *f* Glut *f*

aseado, -a [ase'aðo] *adj* sauber

asearse [ase'arse] *vr* sich zurechtmachen

asediar [ase'djar] *vt* belagern

asedio [a'sedjo] *m* Belagerung *f*

asegurado, -a [aseɣu'raðo] *m, f* Versicherungsnehmer(in) *m(f)*

asegurador(a) [aseɣura'ðor] *m(f)* Versicherungsgeber(in) *m(f)*

asegurar [aseɣu'rar] **I.** *vt* versichern; (*garantizar*) zusichern; (*concertar un seguro*) versichern **II.** *vr:* **~se** sich absichern

asemejarse [aseme'xarse] *vr* ähneln (*a* +*dat*)

asentarse [asen̪'tarse] <e → ie> *vr* sich niederlassen

asentir [asen̪'tir] *irr como sentir vi* zustimmen (*a* +*dat*); ~ **con la cabeza** nicken

aseo [a'seo] *m:* ~ **personal** Körperpflege *f;* (**cuarto de**) ~ Badezimmer *nt*

aséptico, -a [a'septiko] *adj* keimfrei

asequible [ase'kiβle] *adj* erschwinglich; **no** ~ unerschwinglich

asesinar [asesi'nar] *vt* ermorden

asesinato [asesi'nato] *m* Mord *m*

asesino, -a [ase'sino] *m, f* Mörder(in) *m(f);* ~ (**a sueldo**) Killer *m*

asesor(a) [ase'sor] *m(f)* Berater(in) *m(f)*

asesorar(se) [aseso'rar(se)] *vt, vr* (sich) beraten

asesoría [aseso'ria] *f* Beratungsstelle *f*

asestar [ases'tar] *vt:* ~ **un tiro a alguien** einen Schuss auf jdn abgeben

aseverar [aseβe'rar] *vt* behaupten

asfalto [as'fal̪to] *m* Asphalt *m*

asfixia [as'fiʸsja] *f* Ersticken *nt*

asfixiante [asfiʸ'sjan̪te] *adj* erstickend; **una atmósfera** ~ stickige Luft; **hace un calor** ~ es ist erstickend heiß

asfixiar(se) [asfiʸ'sjar(se)] *vt, vr* ersticken

así [a'si] **I.** *adv* ❶ (*de modo*) so; ~ ~ einigermaßen; ~ **o asá** so oder so; ~ **y todo** trotz allem; **¡~ es!** ja, genau! ❷ (*de cantidad*): ~ **de grande** so groß **II.** *adj* solch; **un sueldo** ~ solch ein Gehalt

Asia ['asja] *f* Asien *nt;* ~ **Menor** Kleinasien *nt*

asiático, -a [a'sjatiko] *adj* asiatisch

asiduo, -a [a'siðwo] *adj* häufig

asiento [a'sjen̪to] *m* Sitz *m;* **tomar** ~ Platz nehmen

asignación [asiɣna'θjon] *f* ❶ (*de un trabajo*) Zuweisung *f* (*a* zu +*dat*); ~ **de recursos** Mittelzuweisung *f* ❷ (*de una fecha/un sueldo*) Festsetzung *f* ❸ INFOR Zuordnung *f* (*a* zu +*dat*); ~ **de una tecla** Tastenbelegung *f*

asignar [asiɣ'nar] *vt* zuweisen

asignatura [asiɣna'tura] *f* Fach *nt*

asilado, -a [asi'laðo] *m, f* Asylant(in) *m(f)*

asilo [a'silo] *m* Asyl *nt;* (*de ancianos*) Altenheim *nt*

asimetría [asime'tria] *f* Asymmetrie *f*

asimétrico, -a [asi'metriko] *adj* asymmetrisch

asimilar [asimi'lar] *vt* gleichstellen (*a* mit +*dat*); (*conocimientos*) aufnehmen

asimismo [asi'mismo] *adv* auch

asir [a'sir] *irr* **I.** *vt* fassen; (*con fuerza*) packen **II.** *vr:* **~se** sich fest halten (*a* an +*dat*)

asistencia [asis'teṇθja] *f* ❶ (*ayuda*) Hilfe *f;* ~ **médica** ärztliche Betreuung; ~ **social** Sozialarbeit *f* ❷ (*presencia*) Anwesenheit *f*

asistenta [asis'teṇta] *f* Haushaltshilfe *f*

asistente[1] [asis'teṇte] *mf* Teilnehmer(in) *m(f)* ❷ DEP Linienrichter(in) *m(f)*

asistente[2] [asis'teṇte] *m* INFOR: ~ **personal digital** PDA *m,* persönlicher digitaler Assistent *m*

asistido, -a [asis'tiðo] *adj:* ~ **por ordenador** computergestützt; **dirección asistida** Servolenkung *f;* **respiración asistida** künstliche Beatmung

asistir [asis'tir] **I.** *vi* teilnehmen (*a* an +*dat*) **II.** *vt* helfen +*dat*

asma ['asma] *m* Asthma *nt*

asno ['asno] *m* Esel *m*

asociación [asoθja'θjon] *f* Vereinigung *f;* (*mental*) Assoziation *f;* ~ **de ideas** Gedankenassoziation *f*

asociar [aso'θjar] **I.** *vt* assoziieren **II.** *vr:* **~se** sich zusammenschließen

asolar [aso'lar] <o → ue> *vt* verwüsten

asomar [aso'mar] **I.** *vt* zeigen; (*parte del cuerpo*) hinausstrecken **II.** *vi* auftauchen **III.** *vr:* **~se** sich zeigen

asombrar [asom'brar] **I.** *vt* in Erstaunen versetzen **II.** *vr:* **~se** sich wundern (*de* über +*akk*)

asombro [a'sombro] *m* Staunen *nt*

asombroso, -a [asom'broso] *adj* erstaunlich

asomo [a'somo] *m* Spur *f;* **no pienso en ello ni por** ~ ich denke nicht im Entferntesten daran

asonancia [aso'naṇθja] *f* Assonanz *f*

aspa ['aspa] *f* ❶ (*figura*) Kreuz *nt;* **marcar con un** ~ ankreuzen ❷ (*de molino*) Flügel *m*

aspecto *m* ❶ (*apariencia*) Erscheinung *f;* (*de una persona*) Aussehen *nt* ❷ (*punto de vista*) Gesichtspunkt *m*

áspero, -a ['aspero] *adj* rau; (*sabor*) bitter

aspiración [aspira'θjon] *f:* **tener grandes aspiraciones** hoch hinauswollen

aspiradora [aspira'ðora] *f* Staubsauger *m*

aspirante [aspi'raṇte] *mf* Anwärter(in) *m(f)*

aspirar [aspi'rar] *vt* ❶ (*inspirar*) einatmen ❷ (*aspirador*) saugen ❸ (*pretender*) streben (*a* nach +*dat*); ~ **a mucho en la vida** im Leben hoch hinauswollen

aspirina® [aspi'rina] *f* Aspirin® *nt*

asquear [aske'ar] **I.** *vt* anwidern; (*fastidiar*) anöden *fam* **II.** *vi* Ekel empfinden

asquerosidad [askerosi'ða[ð]] *f* Schweinerei *f*

asqueroso, -a [aske'roso] *adj* ekelhaft

asta ['asta] *f* Fahnenstange *f;* (*cuerno*) Horn *nt*

asterisco [aste'risko] *m* Sternchen *nt*

astilla [as'tiʎa] *f* Splitter *m*

astillero [asti'ʎero] *m* (Schiffs)werft *f*

astro ['astro] *m* Stern *m*

astrología [astrolo'xia] *f* Astrologie *f*

astrólogo, -a [as'troloɣo] *m, f* Astrologe, -in *m, f*

astronauta [astro'nau̯ta] *mf* Astronaut(in) *m(f)*

astronomía [astrono'mia] *f* Astronomie *f*

astrónomo, -a [as'tronomo] *m, f* Astronom(in) *m(f)*

astucia [as'tuθja] *f* Schläue *f*

asturiano, -a [astu'rjano] *adj* asturisch

Asturias [as'turjas] *f* Asturien *nt;* **el Príncipe de** ~ der spanische Kronprinz

astuto, -a [as'tuto] *adj* schlau

asumir [asu'mir] *vt* übernehmen
asunto [a'sun̪to] *m* Angelegenheit *f*
asustadizo, -a [asusta'ðiθo] *adj* schreckhaft
asustar [asus'tar] **I.** *vt* erschrecken; (*atemorizar*) Angst machen +*dat* **II.** *vr:* **~se** sich erschrecken; (*tener miedo*) Angst bekommen; **no te asustes** (hab) keine Angst
atacar [ata'kar] <c → qu> *vi, vt* angreifen
atajo [a'taxo] *m* Abkürzung *f*
atalaya [ata'laɟa] *f* Wach(t)turm *m*
atañer [ata'ɲer] <*3. pret* atañó> *vimpers* angehen; **eso no te atañe** das geht dich nichts an
ataque [a'take] *m* ❶ (*embestida*) Angriff *m;* **~ por sorpresa** Überraschungsangriff *m* ❷ MED Anfall *m;* **~ al corazón** Herzinfarkt *m*
atar [a'tar] *vt* ❶ (*sujetar*) festbinden (*a* an +*dat*); (*juntar*) zusammenbinden; (*a un cautivo*) fesseln; **~ las manos a la espalda** die Hände hinter dem Rücken zusammenbinden; **~ al perro** den Hund an die Leine legen; **~ corto a alguien** jdn kurz halten; **estar atado de pies y manos** an Händen und Füßen gefesselt sein ❷ (*cerrar*) zubinden; (*un paquete*) verschnüren ❸ (*comprometer*): **esta profesión ata mucho** dieser Beruf beansprucht einen sehr
atardecer [atarðe'θer] *m:* **al ~** bei Einbruch der Dunkelheit
atascar(se) [atas'kar(se)] <c → qu> *vt, vr* verstopfen; (*mecanismo*) blockieren
atasco [a'tasko] *m* Verstopfung *f;* (*de un mecanismo*) Blockierung *f;* (*de tráfico*) (Verkehrs)stau *m*
ataúd [ata'u^ð] *m* Sarg *m*
ateísmo [ate'ismo] *m* Atheismus *m*
atemorizar(se) [atemori'θar(se)] <z → c> *vt, vr* (sich) ängstigen
Atenas [a'tenas] *f* Athen *nt*
atención [aten̪'θjon] *f* ❶ (*vigilancia*) Aufmerksamkeit *f;* **~ médica** ärztliche Betreuung; **falta de ~** Unaufmerksamkeit *f;* **¡~, por favor!** Achtung, Achtung!; **estamos llamando la ~** wir fallen auf ❷ (*cartas*): **a la ~ de...** zu Händen von ...
atender [aten̪'der] <e → ie> *vt* ❶ (*escuchar*) zuhören +*dat* ❷ (*cuidar*) sich kümmern (*a* um +*akk*) ❸ (*despachar*) bedienen; **¿le atienden?** werden Sie schon bedient?
atenerse [ate'nerse] *irr como tener vr* sich halten (*a* an +*akk*)
atentado [aten̪'taðo] *m* Attentat *nt* (*contra* auf +*akk*); **~ suicida** Selbstmordattentat *nt,* Selbstmordanschlag *m;* **~ terrorista** Terroranschlag *m*
atentamente [aten̪ta'men̪te] *adv:* (**muy**) **~** mit freundlichen Grüßen
atentar [aten̪'tar] *vi* ein Attentat verüben (*contra* auf +*akk*)
atento, -a [a'ten̪to] *adj* aufmerksam
atenuar [atenu'ar] <*1. pres* (me) atenúo> **I.** *vt* abschwächen **II.** *vr:* **~se** schwächer werden
ateo, -a [a'teo] *m, f* Atheist(in) *m(f)*
aterrador(a) [aterra'ðor] *adj:* **noticias ~as** Schreckensnachrichten *fpl*
aterrar [ate'rrar] **I.** *vt* (*atemorizar*) Angst machen +*dat;* (*sobresaltar*) erschrecken **II.** *vr:* **~se** (*sobresaltarse*) (sich) erschrecken
aterrizaje [aterri'θaxe] *f* Landung *f;* **~ forzoso** Notlandung *f*
aterrizar [aterri'θar] <z → c> *vi* landen
aterrorizar [aterrori'θar] <z → c> **I.** *vt* terrorisieren; (*causar terror*) Angst einjagen +*dat;* **me aterroriza volar** ich habe schreckliche Angst vor dem Fliegen **II.** *vr:* **~se** Angst bekommen; (*sobresaltarse*) sich erschrecken
atestado [ates'taðo] *m:* **~** (**policial**) (Polizei)protokoll *nt*
atestiguar [atesti'ɣwar] <gu → gü> *vt* bezeugen
atiborrar(se) [atiβo'rrar(se)] *vt, vr* (sich) vollstopfen
ático ['atiko] *m* Dachwohnung *f*
atinar [ati'nar] **I.** *vi* erraten; (*al disparar*) ins Schwarze treffen **II.** *vt* finden

atípico, -a [a'tipiko] *adj* untypisch

atisbo [a'tisβo] *m:* **un ~ de esperanza** ein Fünkchen Hoffnung

atizar [ati'θar] <z → c> *vt* schüren; (*bofetada*) verpassen; **¡atiza!** Donnerwetter!

atlántico, -a [a^{ð}'lan̪tiko] *adj* atlantisch

Atlántico [a^{ð}'lan̪tiko] *m* Atlantik *m*

atlas ['a^{ð}las] *m* Atlas *m*

atleta [a^{ð}'leta] *mf* (Leicht)athlet(in) *m(f)*

atlético, -a [a^{ð}'letiko] *adj* athletisch

atletismo [a^{ð}le'tismo] *m* Leichtathletik *f*

atmósfera [a^{ð}'mosfera] *f* Atmosphäre *f*

atolladero [atoʎa'ðero] *m:* **sacar a alguien de un ~** jdm aus der Patsche helfen

atolondrado, -a [atolon̪'draðo] *adj* töricht

atómico, -a [a'tomiko] *adj* atomar

átomo ['atomo] *m* Atom *nt*

atónito, -a [a'tonito] *adj* verblüfft

átono, -a ['atono] *adj* unbetont

atontado, -a [aton̪'taðo] *adj* dumm

atontar [aton̪'tar] **I.** *vt* ❶ (*aturdir*) betäuben ❷ (*pasmar*) verblüffen **II.** *vr:* **~se** ❶ (*pasmarse*) verblüfft sein ❷ (*entontecer*) verdummen

atormentar(se) [atormen̪'tar(se)] *vt, vr* (sich) (ab)quälen

atornillador [atorniʎa'ðor] *m* Schraubenzieher *m*

atornillar [atorni'ʎar] *vt* festschrauben

atosigar [atosi'ɣar] <g → gu> **I.** *vt* belästigen **II.** *vr:* **~se: no te atosigues** immer mit der Ruhe

atracadero [atraka'ðero] *m* Pier *m o f*

atracador(a) [atraka'ðor] *m(f)* Straßenräuber(in) *m(f)*

atracar [atra'kar] <c → qu> **I.** *vi* NÁUT anlegen **II.** *vt* NÁUT festmachen; (*asaltar*) überfallen

atracción [atra^{ɣ}'θjon] *f* ❶ *t.* FÍS Anziehungskraft *f* ❷ (*circense*) Attraktion *f* ❸ *pl*: **parque de atracciones** Vergnügungspark *m*

atraco [a'trako] *m* (Raub)überfall *m* (*a* auf +*akk*); **~ a un banco** Banküberfall *m;* **~ a mano armada** bewaffneter Überfall

atractivo, -a [atrak'tiβo] *adj* attraktiv

atraer [atra'er] *irr como traer* **I.** *vt* anziehen **II.** *vr:* **~se** für sich gewinnen

atragantarse [atraɣan̪'tarse] *vr* sich verschlucken

atrancar [atraŋ'kar] <c → qu> **I.** *vt* verriegeln **II.** *vr:* **~se** verstopfen

atrapar [atra'par] *vt* (ein)fangen; (*ladrón*) fassen

atrás [a'tras] *adv* ❶ (*hacia detrás*) nach hinten; **¡~!** zurück(treten)! ❷ (*detrás*) hinten; **quedarse ~** zurückbleiben ❸ (*de tiempo*): **años ~** vor Jahren

atrasado, -a [atra'saðo] *adj* zurückgeblieben

atrasar [atra'sar] **I.** *vt* verschieben; (*progreso*) hemmen **II.** *vr:* **~se** zurückbleiben, sich verspäten

atraso [a'traso] *m* Zeitrückstand *m;* (*de un tren*) Verspätung *f;* (*de un país*) Rückständigkeit *f*

atravesar [atraβe'sar] <e → ie> *vt* überqueren

atreverse [atre'βerse] *vr*: **~ a hacer algo** sich trauen etw zu tun; **¡no te atreverás!** du wirst dich hüten!

atrevido, -a [atre'βiðo] *adj* kühn

atribuir(se) [atriβu'ir(se)] *irr como huir vt, vr* (sich) zuschreiben

atributo [atri'βuto] *m* Eigenschaft *f*

atril [a'tril] *m* Notenständer *m*

atrio ['atrjo] *m* Atrium *nt*

atrocidad [atroθi'ða^{ð}] *f* Gräueltat *f;* **¡no digas ~es!** red doch keinen Unsinn!

atropellar [atrope'ʎar] *vt*: **por poco me atropellan** beinahe wäre ich überfahren worden

atropello [atro'peʎo] *m* ❶ (*colisión*) Zusammenstoß *m;* (*accidente*) Verkehrsunfall *m* ❷ (*empujón*) Schubs *m* ❸ (*loc*): **¡esto es un ~!** das ist ein Unding!

atroz [a'troθ] *adj* grausam

atufar [atu'far] **I.** *vt* (*marear*) benebeln **II.** *vr:* **~se** ❶ (*marearse*) benommen

sein ❷ (*enfadarse*) sich ärgern

atún [a'tun] *m* Thunfisch *m*

aturdido, **-a** [atur'ðiðo] *adj* verblüfft

aturdir [atur'ðir] **I.** *vt* ❶ (*los sentidos*) betäuben ❷ (*pasmar*) verblüffen **II.** *vr:* **~se** ❶ (*los sentidos*) benommen sein ❷ (*por una desgracia*) bestürzt sein

atusarse [atu'sarse] *vr* sich herausputzen

audacia [au̯'ðaθja] *f* Kühnheit *f*

audaz [au̯'ðaθ] *adj* kühn

audición [au̯ði'θjon] *f* ❶ (*acción*) Hören *nt* ❷ (*facultad*) Gehör *nt* ❸ (*concierto*) Konzert *nt;* **pasar una ~** (*actor*) vorsprechen; (*instrumentista*) vorspielen; (*cantante*) vorsingen

audiencia [au̯'ðjen̦θja] *f* ❶ TEL Zuhörerschaft *f;* **nivel de ~** Einschaltquote *f* ❷ POL Audienz *f* ❸ JUR Anhörung *f*

audífono [au̯'ðifono] *m* Hörgerät *nt*

audioguía [au̯ðjo'gia] *f* Audioführer *m*

auditivo, **-a** [au̯ði'tiβo] *adj* Gehör-; **conducto ~** Gehörgang *m*

auditorio [au̯ði'torjo] *m* ❶ (*público*) Zuhörerschaft *f* ❷ (*sala*) (Konzert)saal *m*

auge ['au̯xe] *m* Blütezeit *f*

augurar [au̯ɣu'rar] *vt* voraussagen

augurio [au̯'ɣurjo] *m* Vorzeichen *nt*

aula ['au̯la] *f* Klassenzimmer *nt;* (*de universidad*) Hörsaal *m;* **~ magna** Audimax *nt*

aullar [au̯'ʎar] *irr vi* heulen

aumentar [au̯men̦'tar] **I.** *vi* zunehmen **II.** *vt* steigern; (*de extensión*) vergrößern

aumento [au̯'men̦to] *m* Zunahme *f;* (*de valor*) Steigerung *f*

aun [au̯n] **I.** *adv* ❶ (*hasta*) sogar ❷ (*loc*): **~ así** (aber) trotzdem; **ni ~** nicht einmal **II.** *conj*: **~ cuando** selbst wenn

aún [a'un] *adv* (*todavía*) (immer) noch; **~ no** noch nicht

aunar [au̯'nar] *irr como aullar* **I.** *vt* verein(ige)n **II.** *vr:* **~se** sich zusammentun

aunque ['au̯ŋke] *conj* auch wenn; (*adversativa*) aber

aúpa [a'upa] *interj* auf, hoch; **ser de ~** gefährlich sein

aupar [au̯'par] *irr como aullar vt* hochheben

aura ['au̯ra] *f* Aura *f*

aureola [au̯re'ola] *f* Heiligenschein *m*

auricular [au̯riku'lar] *m* ❶ TEL (Telefon)hörer *m;* **colgar el ~** den Hörer auflegen ❷ (*de música*) Kopfhörer *m*

aurora [au̯'rora] *f* Morgenröte *f*

auscultar [au̯skul̦'tar] *vt* abhorchen

ausencia [au̯'sen̦θja] *f* Abwesenheit *f*

ausentarse [au̯sen̦'tarse] *vr* weggehen

ausente [au̯'sen̦te] *adj* abwesend; **estar ~** nicht da sein

auspiciar [au̯spi'θjar] *vt* voraussagen

austeridad [au̯steri'ðaᵒ] *f* ❶ (*de las costumbres*) Strenge *f* ❷ (*del modo de vida*) Enthaltsamkeit *f*

austero, **-a** [au̯s'tero] *adj* enthaltsam

austral [au̯s'tral] *adj* südlich, Süd-

Australia [au̯s'tralja] *f* Australien *nt*

australiano, **-a** [au̯stra'ljano] *adj* australisch

Austria ['au̯strja] *f* Österreich *nt*

austriaco, **-a** [au̯s'trjako], **austríaco**, **-a** [au̯s'triako] *adj* österreichisch

autenticidad [au̯ten̦tiθi'ðaᵒ] *f* Echtheit *f*

auténtico, **-a** [au̯'ten̦tiko] *adj* echt; **un ~ fracaso** ein glatter Fehlschlag

autista [au̯'tista] *mf* Autist(in) *m(f)*

autobiografía [au̯toβjoɣra'fia] *f* Autobiografie *f*

autobús [au̯to'βus] *m* (Omni)bus *m*

autocar [au̯to'kar] <autocares> *m* (Reise)bus *m*

autocarril [au̯toka'rril] *m* AM Schnellstraße *f*

autochoque [au̯to'ʧoke] *m* (Auto)skooter *m*

autóctono, **-a** [au̯'toktono] *adj* einheimisch

autodefensa [au̯toðe'fensa] *f* Selbstverteidigung *f*

autodominio [au̯toðo'minjo] *m* Selbstbeherrschung *f*

autoescuela [au̯toes'kwela] *f* Fahrschule *f*

auto(e)stop [au̯to(e)s'top] *m:* **hacer ~** trampen

auto(e)stopista [au̯toesto'pista] *mf* Anhalter(in) *m(f)*

autógrafo [au̯'toɣrafo] *m* Autogramm *nt*

autolavado [au̯tola'βaðo] *m:* **túnel de ~** Waschstraße *f*

automático, -a [au̯to'matiko] *adj* automatisch

automatizar [au̯tomati'θar] <z → c> *vt* automatisieren

auto(móvil) [au̯to'(moβil)] *m* Auto *nt;* **~ de carreras** Rennwagen *m;* **~ eléctrico** Elektroauto *nt*

automovilismo [au̯tomoβi'lismo] *m* Rennsport *m*

automovilista [au̯tomoβi'lista] *mf* Autofahrer(in) *m(f)*

autonomía [au̯tono'mia] *f* Autonomie *f;* (*de una persona*) Unabhängigkeit *f*

autonómico, -a [au̯to'nomiko] *adj:* **política autonómica** Regionalpolitik *f*

autónomo, -a [au̯'tonomo] *adj* autonom; (*trabajador*) selb(st)ständig; **trabajar de ~** selb(st)ständig arbeiten

autopista [au̯to'pista] *f* Autobahn *f;* **~ de peaje** gebührenpflichtige Autobahn

autopsia [au̯'toβsja] *f* Autopsie *f*

autor(a) [au̯'tor] *m(f)* Autor(in) *m(f);* **derechos de ~** Urheberrechte *ntpl*

autoridad [au̯tori'ða^ð] *f* Autorität *f;* **~ del estado** Staatsgewalt *f;* **~ judicial** richterliche Gewalt; **~ de los padres** elterliche Autorität

autoritario, -a [au̯tori'tarjo] *adj* autoritär

autorización [au̯toriθa'θjon] *f* Erlaubnis *f*

autorizado, -a [au̯tori'θaðo] *adj* befugt

autorizar [au̯tori'θar] <z → c> *vt* genehmigen; (*facultar*) ermächtigen

autoservicio [au̯toser'βiθjo] *m* Selbstbedienung *f*

autovía [au̯to'βia] *f* Schnellstraße *f*

auxiliar¹ [au̯ʸsi'ljar] *mf:* **~ técnico sanitario** medizinisch-technischer Assistent *m;* **~ de vuelo** Steward, Stewardess *m, f*

auxiliar² [au̯ʸsi'ljar] *m* Hilfsverb *nt*

auxilio [au̯ʸ'siljo] *m* Hilfe *f;* **primeros ~s** erste Hilfe; **pedir ~** um Hilfe rufen

avalancha [aβa'lanʧa] *f* Lawine *f*

avance [a'βan̪θe] *m:* **~ informativo** Nachrichtenüberblick *m*

avanzado, -a [aβan̪'θaðo] *adj* fortgeschritten

avanzar [aβan̪'θar] <z → c> *vi* vorankommen; **no ~ nada** keine Fortschritte machen

avaricia [aβa'riθja] *f* Habgier *f*

avaricioso, -a [aβari'θjoso] *adj* habgierig

avaro, -a [a'βaro] *adj* geizig

avatares [aβa'tares] *m pl*: **los ~ de la vida** die Wechselfälle des Lebens

ave ['aβe] *f* Vogel *m;* **~s de corral** Geflügel *nt;* **~ de paso** Zugvogel *m*

AVE ['aβe] *m abr de* **Alta Velocidad Española** ≈ICE *m*

avecinarse [aβeθi'narse] *vr* bevorstehen

avellana [aβe'ʎana] *f* Haselnuss *f*

avemaría [aβema'ria] *f* ❶ (*oración*) Ave-Maria *nt* ❷ (*loc*): **al ~** bei Einbruch der Nacht

avena [a'βena] *f* Hafer *m*

avenida [aβe'niða] *f* Allee *f*

avenido, -a [aβe'niðo] *adj:* **una pareja mal avenida** ein unglückliches Paar

avenirse [aβe'nirse] *irr como venir vr* sich einigen (*en* über +*akk*)

aventajado, -a [aβen̪ta'xaðo] *adj* (*alumno*) hervorragend; **de estatura aventajada** hochgewachsen

aventajar [aβen̪ta'xar] *vt* übertreffen (*en* an +*dat*)

aventar [aβen̪'tar] <e → ie> **I.** *vt* ❶ (*echar aire a algo*) belüften ❷ (*dispersar el viento*) fortwehen **II.** *vr:* **~se** (*fam: pirárselas*) abhauen

aventura [aβen̪'tura] *f* Abenteuer *nt;* (*amorosa*) (Liebes)affäre *f*

aventurar(se) [aβen̪tu'rar(se)] *vt, vr* (sich) wagen

aventurero, -a [aβen̪tu'rero] *adj:* **espíritu ~** Abenteuerlust *f*

avergonzado, -a [aβerɣon̪'θaðo] *adj:*

sentirse ~ sich schämen
avergonzar [aβerɣon̩'θar] *irr* I. *vt* beschämen II. *vr:* **~se** sich schämen (*de/por* wegen +*gen/dat*)
avería [aβe'ria] *f* Panne *f*
averiar [aβeri'ar] <*1. pres* averío> I. *vt* beschädigen II. *vr:* **~se** ❶ AUTO eine Panne haben ❷ TÉC gestört sein
averiguar [aβeri'ɣwar] <gu → gü> *vt* ermitteln
aversión [aβer'sjon] *f* Abneigung *f*
avestruz [aβes'truθ] *m* Strauß *m*
aviación [aβja'θjon] *f* Luftfahrt *f*
aviador(a) [aβja'ðor] *m(f)* Flieger(in) *m(f)*
aviar [aβi'ar] <*1. pres* avío> I. *vt* herrichten; (*apresurar*) sich beeilen II. *vr:* **~se** sich zurechtmachen
avicultura [aβikul̩'tura] *f* Geflügelzucht *f*
avidez [aβi'ðeθ] *f* Gier *f*
ávido, -a ['aβiðo] *adj* ❶ (*ansioso*) gierig (*de* nach +*dat*) ❷ (*codicioso*) habgierig
avilés, -esa [aβi'les] *adj* aus Ávila
avinagrarse [aβina'ɣrarse] *vr* sauer werden
avión [aβi'on] *m* Flugzeug *nt;* **por ~** per Luftpost
avioneta [aβjo'neta] *f* Sportflugzeug *nt*
avisar [aβi'sar] *vt* ❶ (*dar noticia*) benachrichtigen; **llegar sin ~** unangemeldet kommen ❷ (*poner sobre aviso*) warnen
aviso [a'βiso] *m* ❶ (*notificación*) Benachrichtigung *f;* **sin previo ~** unangemeldet ❷ (*advertencia*) Warnung *f;* **~ de bomba** Bombendrohung *f;* **estar sobre ~** auf der Hut sein; **poner sobre ~** warnen
avispa [a'βispa] *f* Wespe *f*
avispado, -a [aβis'paðo] *adj* aufgeweckt
avistar [aβis'tar] *vt* sichten
avivar [aβi'βar] *vt:* **~ el paso** den Schritt beschleunigen
avizor [aβi'θor] *adj:* **estar ojo ~** auf der Hut sein
axila [aʸ'sila] *f* Achsel(höhle) *f*
axioma [aʸ'sjoma] *m* Axiom *nt*
ay [ai̯] *interj* ❶ (*de dolor*) autsch ❷ (*de pena*) ach ❸ (*de miedo*) oh, mein Gott ❹ (*de sorpresa*) oh; **¡~, qué divertido!** ach, wie lustig! ❺ (*de amenaza*) wehe
ayer [a'ɟer] *adv* gestern
ayote [a'ɟote] *m* AMC, MÉX, **ayotli** [a'ɟoᵈli] *m* AMC Kürbis *m*
ayuda [a'ɟuða] *f* Hilfe *f;* **~ en línea** INFOR Online-Hilfe *f*
ayudante [aɟu'ðan̩te] *mf* Helfer(in) *m(f)*
ayudar [aɟu'ðar] I. *vt* helfen +*dat;* **¿le puedo ~ en algo?** kann ich Ihnen behilflich sein? II. *vr:* **~se** einander helfen; (*valerse de*) sich bedienen
ayunar [aɟu'nar] *vi* fasten
ayunas [a'ɟunas] *adv:* **en ~** nüchtern
ayuno [a'ɟuno] *m* Fasten *nt*
ayuntamiento [aɟun̩ta'mjen̩to] *m* Gemeinderat *m;* (*edificio*) Rathaus *nt*
azabache [aθa'βatʃe] *m:* **ojos de ~** pechschwarze Augen
azada [a'θaða] *f* Hacke *f*
azafata [aθa'fata] *f* Stewardess *f;* **~ de congresos** (Messe)hostess *f*
azafrán [aθa'fran] *m* Safran *m*
azahar [a'θar] *m* Orangenblüte *f*
azalea [aθa'lea] *f* Azalee *f*
azar [a'θar] *m* Zufall *m;* **juegos de ~** Glücksspiele *ntpl*; **al ~** aufs Geratewohl
Azerbaiyán [aθerβa'ɟan] *m* Aserbaidschan *nt*
Azores [a'θores] *f pl* Azoren *pl*
azotaina [aθo'tai̯na] *f* Tracht *f* Prügel; **dar una ~** übers Knie legen
azotar [aθo'tar] *vt* auspeitschen; (*con la mano*) verprügeln; (*producir daños*) verwüsten; **una epidemia azota la región** eine Seuche wütet in der Region
azote [a'θote] *m* Klaps *m* auf den Po
azotea [aθo'tea] *f* Dachterrasse *f;* **estar mal de la ~** (*fam*) einen Dachschaden haben
azteca [aθ'teka] *mf* Azteke, -in *m, f*
azúcar [a'θukar] *m* Zucker *m;* **tener el**

~ **muy alto** einen sehr hohen Blutzuckerspiegel haben

azucarero [aθuka'rero] *m* Zuckerdose *f*

azucena [aθu'θena] *f* Lilie *f*

azufre [a'θufre] *m* Schwefel *m*

azul [a'θul] *adj* blau; ~ **celeste** himmelblau; ~ **verdoso** blaugrün

azulado, -a [aθu'laðo] *adj* bläulich

azulejo [aθu'lexo] *m* Kachel *f*

azulgrana [aθul'ɣrana] *adj:* **el equipo** ~ der F.C. Barcelona

azuzar [aθu'θar] <z → c> *vt* aufhetzen

B

B, b [be] *f* B, b *nt*
babero [ba'βero] *m* Lätzchen *nt*
bable ['baβle] *m asturischer Dialekt*
babosa [ba'βosa] *f* Nacktschnecke *f*
babosear [baβose'ar] **I.** *vt* begeifern **II.** *vi* (*fam*) faseln
baboso, -a [ba'βoso] *adj* schleimig
baca ['baka] *f* (Dach)gepäckträger *m*
bacalao [baka'lao] *m* Kabeljau *m;* MÚS Techno *m*
bachata [ba'tʃata] *f* AM Party *f*
bache ['batʃe] *m* Schlagloch *nt*
bachillerato [batʃiʎe'rato] *m* Abitur *nt*
bacilo [ba'θilo] *m* Bazillus *m*
bacteria [bak'terja] *f* Bakterie *f*
Baden-Wurtemberg ['baðem 'burtemberɣ] *m* Baden-Württemberg *nt*
bádminton ['baðmin̪ton] *m* Badminton *nt*
bafle ['bafle] *m* Lautsprecher *m*
bagaje [ba'ɣaxe] *m:* **~ intelectual** (*fig*) Wissen *nt*
bagatela [baɣa'tela] *f* Kleinigkeit *f*
bahía [ba'ia] *f* (Meeres)bucht *f*
bailador(a) [bai̯la'ðor] *m(f)* Tänzer(in) *m(f)*
bailar [bai̯'lar] **I.** *vi* tanzen; (*objetos*) wackeln **II.** *vt* tanzen
bailarín, -ina [bai̯la'rin] *m, f* (Ballett)tänzer(in) *m(f)*
baile ['bai̯le] *m* Tanz *m*
baja ['baxa] *f* ❶ (*disminución*) Rückgang *m;* **darse de ~** sich krankmelden; (*definitivamente*) kündigen ❷ (*cese de trabajo: temporal*): **~ maternal/paternal** Elternzeit *f*
bajada [ba'xaða] *f* Abstieg *m;* **~ de tipos** Zinssenkung *f*
bajar [ba'xar] **I.** *vi* hinuntergehen; (*del coche*) (aus)steigen; (*disminuir*) abnehmen **II.** *vt* (*coger*) herunterholen; (*escaleras*) heruntergehen; (*precios, voz*) senken **III.** *vr:* **~se** (aus)steigen
bajo[1] ['baxo] **I.** *m* Bass *m;* (*piso*) Erdgeschoss *nt* **II.** *adv* niedrig; (*voz*) leise **III.** *prep* ❶ (*colocar debajo*) unter +*akk* ❷ (*por debajo de*) unter +*dat*, **~ llave** unter Verschluss; **~ la lluvia** im Regen; **~ fianza** gegen Kaution
bajo, -a[2] ['baxo] <más bajo *o* inferior, bajísimo> *adj* ❶ (*estar*) tief (liegend); (*ser*) klein(gewachsen) ❷ (*voz*) leise
bala ['bala] *f* (Gewehr)kugel *f;* **como una ~** blitzschnell
balance [ba'lan̪θe] *m* Bilanz *f*
balancearse [balan̪θe'arse] *vr* schaukeln
balanza [ba'lan̪θa] *f* Waage *f;* COM Bilanz *f*
balar [ba'lar] *vi* blöken
balazo [ba'laθo] *m* (Ein)schuss *m*
balbucir [balβu'θir] *vi, vt* stammeln
Balcanes [bal'kanes] *m pl* Balkan *m*
balcón [bal'kon] *m* Balkon *m*
balda ['bal̪da] *f* Regalbrett *nt*
baldado, -a [bal̪'daðo] *adj* erschöpft
balde ['bal̪de] *m:* **obtener algo de ~** etw umsonst bekommen
baldío, -a [bal̪'dio] *adj* brach; (*inútil*) zwecklos
baldosa [bal̪'dosa] *f* Fliese *f*
baldosín [bal̪do'sin] *m* Kachel *f*
balear [bale'ar] **I.** *vt, vr* AM (aufeinander) schießen **II.** *adj* balearisch
Baleares [bale'ares] *f pl*: **las islas ~** die Balearen
ballena [ba'ʎena] *f* Wal *m*
ballet [ba'le] <ballets> *m* Ballett *nt*
balneario [balne'arjo] *m* Kurort *m*
balompié [balom'pje] *m* Fußball *m*
balón [ba'lon] *m* Ball(on) *m*
baloncesto [balon̪'θesto] *m* Basketball *m*
balonmano [balon'mano] *m* Handball *m*
balsa ['balsa] *f* Fähre *f;* (*plataforma*) Floß *nt*
bálsamo ['balsamo] *m* Balsam *m*
báltico, -a ['bal̪tiko] *adj* baltisch; **el mar ~** die Ostsee
baluarte [ba'lwarte] *m* Schutzwall *m*

bambú [bam'bu] *m* Bambus *m*

banal [ba'nal] *adj* banal

banalidad [banali'ðaᶞ] *f* Banalität *f*

banalizar [banali'θar] <z → c> *vt* banalisieren

banana [ba'nana] *f* AM Banane *f*

banca ['baŋka] *f* FIN Bankwesen *nt;* ~ **telefónica** Telefonbanking *nt*

bancario, -a [baŋ'karjo] *adj* Bank-; **cuenta bancaria** Bankkonto *nt*

bancarrota [baŋka'rrota] *f* Bankrott *m*

banco ['baŋko] *m* ❶ (*asiento*) (Sitz)bank *f* ❷ TÉC Werkbank *f* ❸ FIN Bank *f;* ~ **emisor** Notenbank *f* ❹ INFOR: ~ **de datos** Datenbank *f*

banda ['ban̪da] *f* ❶ Band *nt;* (*franja*) Streifen *m* ❷ (*pandilla*) Bande *f;* ~ **terrorista** Terrororganisation *f* ❸ (*de música*) Band *f* ❹ (*loc*): ~ **sonora** Soundtrack *m*

bandada [ban̪'daða] *f* Schwarm *m*

bandeja [ban̪'dexa] *f* Tablett *nt*

bandera [ban̪'dera] *f* Fahne *f*

bandido, -a [ban̪'diðo] *m, f* Gauner(in) *m(f)*

bando ['ban̪do] *m* Bekanntmachung *f*

banquero, -a [baŋ'kero] *m, f* Bankier *m*

banqueta [baŋ'keta] *f* Hocker *m*

banquete [baŋ'kete] *m* Festessen *nt*

banquillo [baŋ'kiʎo] *m* (Anklage)bank *f*

bañadera [baɲa'ðera] *f* AM Badewanne *f*

bañador [baɲa'ðor] *m* (*mujer*) Badeanzug *m;* (*hombre*) Badehose *f*

bañar(se) [ba'ɲar(se)] *vt, vr* (sich) baden

bañera [ba'ɲera] *f* Badewanne *f*

bañista [ba'ɲista] *mf* Badende(r) *f(m)*

baño ['baɲo] *m* Bad(ezimmer) *nt;* **ir al** ~ auf die Toilette gehen

bar [bar] *m* Kneipe *f*

baraja [ba'raxa] *f* Kartenspiel *nt*

barajar [bara'xar] *vt* (*los naipes*) mischen; (*varias posibilidades*) in Betracht ziehen; AM verhindern

barandilla [baran̪'diʎa] *f* Geländer *nt;* (*pasamanos*) Handlauf *m*

barato, -a [ba'rato] *adj* billig

barba ['barβa] *f* Bart *m;* **dejarse** ~ sich *dat* einen Bart wachsen lassen; **por** ~ pro Nase

barbacoa [barβa'koa] *f* (Brat)rost *m*

barbaridad [barβari'ðaᶞ] *f:* **¡qué ~!** wie schrecklich!

barbarie [bar'βarje] *f* Barbarei *f*

bárbaro, -a ['barβaro] *adj* grausam; (*fam*) toll; HIST barbarisch

barbería [barβe'ria] *f* Herrensalon *m*

barbilla [bar'βiʎa] *f* Kinn *nt*

barbo ['barβo] *m* Barbe *f*

barbudo, -a [bar'βuðo] *adj* bärtig

barca ['barka] *f* (Fischer)boot *nt*

barcelonés, -esa [barθelo'nes] *adj* aus Barcelona

barco ['barko] *m* Schiff *nt;* ~ **cisterna** Tanker *m*

baremo [ba'remo] *m* Kriterienkatalog *m*

barniz [bar'niθ] *m* ❶ (*laca*) Lack *m;* (*para madera*) Firnis *m* ❷ (*para loza*) Glasur *f*

barnizar [barni'θar] <z → c> *vt* lackieren

barómetro [ba'rometro] *m* Barometer *nt*

barón, -onesa [ba'ron] *m, f* Baron(in) *m(f)*

barquero, -a [bar'kero] *m, f* Fährmann, -frau *m, f*

barquillo [bar'kiʎo] *m* (Eis)waffel *f*

barra ['barra] *f* ❶ (*pieza larga*) Stange *f;* ~ **de labios** Lippenstift *m* ❷ (*de pan*) Baguette *f o nt* ❸ (*en un bar*) Theke *f;* ~ **americana** intimes Nachtlokal ❹ INFOR: ~ **de navegación** Navigationsleiste *f*

barraca [ba'rraka] *f* Baracke *f;* AM Kaserne *f*

barranco [ba'rraŋko] *m* Abgrund *m*

barrenar [barre'nar] *vt* (durch)bohren

barrendero, -a [barren̪'dero] *m, f* Straßenkehrer(in) *m(f)*

barreño [ba'rreɲo] *m* Waschtrog *m*

barrer [ba'rrer] *vt* kehren

barrera [ba'rrera] *f* Schranke *f;* (*valla*) Absperrung *f*

barriada [ba'rrjaða] *f* (Elends)viertel *nt*

barricada [barri'kaða] *f* Barrikade *f*

barriga [ba'rriɣa] *f* Bauch *m;* **rascarse la ~** faulenzen

barril [ba'rril] *m* Fass *nt;* **cerveza de ~** Fassbier *nt*

barrio ['barrjo] *m* (Stadt)viertel *nt;* **~ chino** Rotlichtviertel *nt;* **~ comercial** Einkaufsviertel *nt;* **irse al otro ~** (*fam fig*) abkratzen

barrizal [barri'θal] *m* Sumpf *m*

barro ['barro] *m* Schlamm *m*

barroco [ba'rroko] *m* Barock *m o nt*

barrote [ba'rrote] *m* (Eisen)stange *f;* **entre ~s** (*fam*) hinter Gittern

bártulos ['bartulos] *m pl* (Sieben)sachen *fpl*

barullo [ba'ruʎo] *m* (*fam*) Durcheinander *nt*

basarse [ba'sarse] *vr* basieren (*en* auf +*dat*)

báscula ['baskula] *f* (Schnell)waage *f*

base ['base] *f* Grundlage *f;* **~ de datos** Datenbank *f*

básico, -a ['basiko] *adj* grundlegend

Basilea [basi'lea] *f* Basel *nt*

basílica [ba'silika] *f* Basilika *f*

bastante [bas'tan̩te] **I.** *adj* genügend **II.** *adv* genug; (*considerablemente*) ziemlich

bastar [bas'tar] *vi* genügen; **¡basta!** genug!

bastardo, -a [bas'tarðo] *adj* unehelich; BOT hybrid

bastidor [basti'ðor] *m:* **entre ~es** hinter den Kulissen

bastilla [bas'tiʎa] *f* Saum *m*

basto, -a ['basto] *adj* grob; (*vulgar*) vulgär

bastón [bas'ton] *m* Spazierstock *m*

bastoncillo [baston̩'θiʎo] *m:* **~s de algodón** Wattestäbchen *ntpl*

bastos ['bastos] *m pl*: **as de ~** ≈Kreuzass *nt*

basura [ba'sura] *f* Abfall *m;* **echar algo a la ~** etw wegwerfen

basurero [basu'rero] *m* Mülldeponie *f;* (*recipiente*) Mülleimer *m*

bata ['bata] *f* Kittel *m*

batacazo [bata'kaθo] *m* Bums *m fam;* (*caída*) Sturz *m;* CSUR Glückstreffer *m*

batalla [ba'taʎa] *f* Schlacht *f*

batallón [bata'ʎon] *m* Bataillon *nt*

batata [ba'tata] *f* ❶ BOT Batate *f;* (*tubérculo*) Süßkartoffel *f* ❷ (CSUR: *susto*) Schreck(en) *m* ❸ AM: **~ de la pierna** Wade *f*

bate ['bate] *m:* **~ de béisbol** Baseballschläger *m*

batería [bate'ria] *f* ❶ *t.* TÉC Batterie *f;* **~ de cocina** (Koch)topf-Set *nt;* **aparcar en ~** quer parken ❷ MÚS Schlagzeug *nt*

batida [ba'tiða] *f* Treibjagd *f*

batido [ba'tiðo] *m* Mixgetränk *nt*

batidora [bati'ðora] *f* Mixer *m*

batín [ba'tin] *m* Morgenrock *m*

batir [ba'tir] *vt* schlagen; **~ palmas** (Beifall) klatschen; **~ un récord** einen Rekord brechen

baúl [ba'ul] *m* Truhe *f;* AM Kofferraum *m*

bautismal [bau̯tis'mal] *adj:* **pila ~** Taufbecken *nt*

bautismo [bau̯'tismo] *m* Taufe *f*

bautizar [bau̯ti'θar] <z → c> *vt* taufen

bautizo [bau̯'tiθo] *m* Taufe *f*

bávaro, -a ['baβaro] *adj* bay(e)risch

Baviera [ba'βjera] *f* Bayern *nt*

baya ['baɟa] *f* Beere *f*

bayeta [ba'ɟeta] *f* Scheuerlappen *m*

baza ['baθa] *f* ❶ (*naipes*) Stich *m;* **meter ~** (*fam*) sich einmischen (*en* in +*akk*) ❷ (*provecho*) Nutzen *m;* **sacar ~ de algo** seinen Vorteil aus etw *dat* ziehen

bazar [ba'θar] *m* Basar *m*

bazo ['baθo] *m* Milz *f*

be [be] **I.** *interj* mäh! **II.** *f* B *nt*

beata [be'ata] *f* Laienschwester *f*

beatificar [beatifi'kar] <c → qu> *vt* selig sprechen

beato, -a [be'ato] **I.** *adj* ❶ (*elev: feliz*) glücklich ❷ (*beatificado*) selig **II.** *m, f*

(*persona beatificada*) Selige(r) *f(m)*
bebe, -a ['beβe] *m, f* AM Baby *nt*
bebé [be'βe] *m* Baby *nt*
bebedor(a) [beβe'ðor] *m(f)* Trinker(in) *m(f)*
beber(se) [be'βer(se)] *vi, vt, vr* trinken
bebida [be'βiða] *f* Getränk *nt;* **darse a la ~** dem Alkohol verfallen
bebido, -a [be'βiðo] *adj* angetrunken
beca ['beka] *f* Stipendium *nt;* **conceder una ~ a alguien** jdm ein Stipendium gewähren
becar [be'kar] <c → qu> *vt* ein Stipendium gewähren +*dat*
becario, -a [be'karjo] *m, f* Stipendiat(in) *m(f)*
becerro, -a [be'θerro] *m, f* Kalb *nt*
bechamel [betʃa'mel] *f* Béchamelsoße *f*
bedel(a) [be'ðel] *m(f)* Hausmeister(in) *m(f)*
beduino, -a [be'ðwino] *m, f* Beduine, -in *m, f*
begonia [be'ɣonja] *f* Begonie *f*
beicon ['bei̯kon] *m* Schinkenspeck *m*
beige [bei̯s] *adj* beige
béisbol ['beisβol] *m* Baseball *m*
belén [be'len] *m* (Weihnachts)krippe *f*
Belén [be'len] *m* Bethlehem *nt*
belga ['belɣa] *adj* belgisch
Bélgica ['belxika] *f* Belgien *nt*
Belgrado [bel'ɣraðo] *m* Belgrad *nt*
belicista [beli'θista] *adj* kriegshetzerisch
bélico, -a ['beliko] *adj* kriegerisch
beligerante [belixe'ran̩te] *adj:* **actitud ~** aggressive Haltung
belleza [be'ʎeθa] *f* Schönheit *f*
bello, -a ['beʎo] *adj* schön
bellota [be'ʎota] *f* Eichel *f*
bembo, -a ['bembo] *adj* AM dumm
bencina [ben̩'θina] *f* Benzin *nt*
bendecir [ben̩de'θir] *irr como decir vt* segnen; **~ la mesa** das Tischgebet sprechen
bendición [ben̩di'θjon] *f* Segnung *f*
bendito, -a [ben̩'dito] *adj* gesegnet; (*santo*) heilig
benefactor(a) [benefak'tor] *m(f)* Wohltäter(in) *m(f)*
beneficencia [benefi'θen̩θja] *f* Wohlfahrtspflege *f*
beneficiar [benefi'θjar] **I.** *vt* zustatten kommen +*dat* **II.** *vr:* **~se** Nutzen ziehen (*de/con* aus +*dat*)
beneficiario, -a [benefi'θjarjo] *m, f* Nutznießer(in) *m(f)*
beneficio [bene'fiθjo] *m* ❶ (*provecho*) Nutzen *m;* **a ~ de** zugunsten +*gen* ❷ FIN Gewinn *m*
beneficioso, -a [benefi'θjoso] *adj* vorteilhaft
benéfico, -a [be'nefiko] *adj* wohltätig
beneplácito [bene'plaθito] *m* Zustimmung *f*
benévolo, -a [be'neβolo] *adj* wohlgesinnt
bengala [beŋ'gala] *f* Leuchtrakete *f*
benigno, -a [be'niɣno] *adj* gütig (*con* zu +*dat*); (*clima*) mild
benjamín[1] [beŋxa'min] *m* Pikkolo *m*
benjamín, -ina[2] [beŋxa'min] *m, f* (*de un grupo*) Jüngste(r) *f(m)*
beodo, -a [be'oðo] *adj* betrunken
berberecho [berβe'retʃo] *m* Herzmuschel *f*
bereber [bere'βer] *adj* berberisch
berenjena [bereŋ'xena] *f* Aubergine *f*
Berlín [ber'lin] *m* Berlin *nt*
berlinés, -esa [berli'nes] *adj* berlinerisch
Berna ['berna] *f* Bern *nt*
berrear [berre'ar] *vi* brüllen; (*llorar*) plärren
berrinche [be'rrintʃe] *m* (*fam*) Geplärre *nt*
berro ['berro] *m* (Brunnen)kresse *f*
berza ['berθa] *f* Kohl *m*
besar(se) [be'sar(se)] *vt, vr* (sich) küssen
beso ['beso] *m* Kuss *m*
bestia[1] ['bestja] *adj* brutal
bestia[2] ['bestja] *f* Tier *nt;* (*salvaje*) Bestie *f*
bestial [bes'tjal] *adj* bestialisch
bestialidad [bestjali'ða^{ð}] *f* ❶ (*cualidad*) Bestialität *f* ❷ (*crueldad*) Gräueltat *f*
besugo [be'suɣo] *m* Brasse *f;* (*fam*)

Schwachkopf *m*

besuquear [besuke'ar] *vt* (ab)küssen

betún [be'tun] *m* Schuhcreme *f*

bianual [bianu'al] *adj* halbjährlich

biberón [biβe'ron] *m* (Saug)flasche *f*

Biblia ['biβlja] *f* Bibel *f*

bíblico, -a ['biβliko] *adj* biblisch

bibliografía [biβljoɣra'fia] *f* Bibliographie *f*

biblioteca [biβljo'teka] *f* Bücherei *f*

bibliotecario, -a [biβljote'karjo] *m, f* Bibliothekar(in) *m(f)*

bicarbonato [bikarβo'nato] *m* Bikarbonat *nt;* ~ **sódico** Natron *nt*

bíceps ['biθeβs] *m inv* Bizeps *m*

bicho ['bitʃo] *m* ① (*animal*) (kleines) Tier *nt* ② (*persona*): ~ **raro** komischer Kauz; **mal** ~ Aas *nt* ③ *pl* (*insectos*) Ungeziefer *nt*

bici ['biθi] *f* (*fam*) *abr de* **bicicleta** Rad *nt*

bicicleta [biθi'kleta] *f* Fahrrad *nt;* ~ **de carreras** Rennrad *nt;* ~ **estática** Hometrainer *m;* ~ **de montaña** Mountainbike *nt*

bicisenda [biθi'seṇda] *f* ARG Fahrradweg *m*

bidé [bi'ðe] <bidés> *m* Bidet *nt*

bidón [bi'ðon] *m* Kanister *m*

bieldo ['bjeḷdo] *m* Heugabel *f*

Bielorrusia [bjelo'rrusja] *f* Weißrussland *nt*

bien ['bjen] **I.** *m* Wohl *nt;* (*bondad moral*) Gute(s) *nt;* (*provecho*) Nutzen *m;* ECON Gut *nt* **II.** *adv* ① gut; (*correctamente*) richtig; **ahora** ~ also; **y** ~ nun; **estar** ~ **de salud** gesund sein; **te está** ~ das geschieht dir recht ② (*con gusto*) wohl; (*agradable*) schön ③ (*seguramente*) sicher ④ (*muy*) sehr ⑤ (*asentimiento*) einverstanden; **¡está ~!** in Ordnung! **III.** *conj:* **~... ~...** entweder ... oder ... **IV.** *interj* prima!

bienestar [bjenes'tar] *m* Wohlstand *m;* **estado del** ~ Wohlfahrtsstaat *m*

bienhechor(a) [bjene'tʃor] *m(f)* Wohltäter(in) *m(f)*

bienintencionado, -a [bjeniṇteṇθjo'naðo] *adj* gut gemeint

bienvenida [bjembe'niða] *f:* **dar la ~ a alguien** jdn willkommen heißen

bienvenido, -a [bjembe'niðo] *interj* willkommen!

bife ['bife] *m* AM Steak *nt;* (*sopapo*) Ohrfeige *f*

bifurcación [bifurka'θjon] *f* Abzweigung *f*

bigamia [bi'ɣamja] *f* Doppelehe *f*

bigote [bi'ɣote] *m* Schnurrbart *m*

bigudí [biɣu'ði] *m* Lockenwickler *m*

bikini [bi'kini] *m* Bikini *m*

bilis ['bilis] *f inv* Galle *f*

billar [bi'ʎar] *m* Billard(spiel) *nt;* ~ **americano** Pool(billard) *nt*

billete [bi'ʎete] *m* ① (*pasaje*) Fahrschein *m;* ~ **de ida y vuelta** Rückfahrkarte *f;* **sacar un** ~ eine Fahrkarte lösen ② (*entrada*) Eintrittskarte *f* ③ FIN (Geld)schein *m*

billetera [biʎe'tera] *f,* **billetero** [biʎe'tero] *m* Brieftasche *f*

billón [bi'ʎon] *m* Billion *f*

bingo ['biŋgo] *m* Bingo *nt*

binoculares [binoku'lares] *m pl* Fernglas *nt*

binóculo [bi'nokulo] *m* Kneifer *m*

biodegradable [bioðeɣra'ðaβle] *adj* biologisch abbaubar

biografía [bjoɣra'fia] *f* Biografie *f*

biógrafo, -a [bi'oɣrafo] *m, f* Biograf(in) *m(f)*

biología [biolo'xia] *f* Biologie *f*

biólogo, -a [bi'oloɣo] *m, f* Biologe, -in *m, f*

biopsia [bi'oβsja] *f* Biopsie *f*

bioquímica [bio'kimika] *f* Biochemie *f*

biosfera [bios'fera] *f* Biosphäre *f*

biosistema [biosis'tema] *m* Biosystem *nt*

bipartidismo [biparti'ðismo] *m* Zweiparteiensystem *nt*

biplano [bi'plano] *m* Doppeldecker *m*

biquini [bi'kini] *m* Bikini *m*

birlar [bir'lar] *vt* (*fam*) wegschnappen

birra ['birra] *f* (*argot*) Bier *nt*

birria ['birrja] *f* Plunder *m*
biruje [bi'ruxe] *m* AM, **biruji** [bi'ruxi] *m* eisiger Wind *m*
bis [bis] *interj* noch einmal!
bisabuelo, -a [bisa'βwelo] *m, f* Urgroßvater, -mutter *m, f*
bisagra [bi'saɣra] *f* Scharnier *nt*
biscote [bis'kote] *m* Zwieback *m*
bisexual [biseʸ'swal] *adj* bisexuell
bisiesto [bi'sjesto] *adj:* **año ~** Schaltjahr *nt*
bisílabo, -a [bi'silaβo] *adj* zweisilbig
bisnes ['bisnes] *m inv* (*argot: negocio no muy claro*) (undurchsichtiges) Geschäft *nt*
bisnieto, -a [bis'njeto] *m, f* Urenkel(in) *m(f)*
bisonte [bi'sonte] *m* Bison *m*
bistec [bis'te] <bistecs> *m* (Beef)steak *nt*
bisturí [bistu'ri] *m* Skalpell *nt*
bisutería [bisute'ria] *f* Modeschmuck *m*
bizco, -a ['biθko] *adj* schielend
bizcocho [biθ'kotʃo] **I.** *adj* MÉX feige **II.** *m* Biskuit *m o nt*
Bizkaia [biθ'kaɟa] *f* Biskaya *f*
blanca ['blaŋka] *f:* **estar sin ~** (*fam*) kein Geld haben
blanco¹ ['blaŋko] *m:* **película en ~ y negro** Schwarzweißfilm *m;* **cheque en ~** Blankoscheck *m;* **tener la mente en ~** ein Blackout haben; **dar en el ~** ins Schwarze treffen; **pasar la noche en ~** eine schlaflose Nacht verbringen
blanco, -a² ['blaŋko] *adj* weiß; (*tez*) bleich
blando, -a ['blando] *adj* weich; (*carácter*) nachsichtig
blasfemar [blasfe'mar] *vi* lästern
blasfemia [blas'femja] *f* Gotteslästerung *f*
blasfemo, -a [blas'femo] **I.** *adj* gotteslästerlich **II.** *m, f* Gotteslästerer, -in *m, f*
bledo ['bleðo] *m:* **(no) me importa un ~** das ist mir völlig schnuppe *fam*
blindar [blin'dar] *vt* panzern
bloc [blok] <blocs> *m* (Schreib)block *m*
blofear [blofe'ar] *vi* AM bluffen
bloque ['bloke] *m* Block *m;* **~ de viviendas** Wohnblock *m*
bloquear [bloke'ar] **I.** *vt* (ver)sperren; DEP blocken **II.** *vr:* **~se** blockieren
bloqueo [blo'keo] *m* Sperre *f;* **~ comercial** Handelsembargo *nt*
bluetooth® [blu'tuθ] *m* INFOR, TEL Bluetooth® *m o nt*
blusa ['blusa] *f* Bluse *f*
bluyín [blu'jin] <bluyines> *m* Bluejeans *f*
boa ['boa] *f* Boa *f*
bobada [bo'βaða] *f* Dummheit *f;* **decir ~s** albernes Zeug reden
bobina [bo'βina] *f* Rolle *f*
bobo, -a ['boβo] *adj* albern
boca ['boka] *f* Mund *m;* (*de animal*) Maul *nt*
bocacalle [boka'kaʎe] *f* Seitenstraße *f*
bocadillo [boka'ðiʎo] *m* belegtes Brötchen *nt*
bocado [bo'kaðo] *m* Bissen *m*
bocajarro [boka'xarro] *adv*: **a ~** (*tiro*) aus nächster Nähe
bocanada [boka'naða] *f* Rauchwolke *f*
boceras [bo'θeras] *mf inv* Schwätzer(in) *m(f)*
boceto [bo'θeto] *m* Skizze *f*
boche ['botʃe] *m* AM (*fam*) Abfuhr *f*
bochorno [bo'tʃorno] *m* Schwüle *f*
bochornoso, -a [botʃor'noso] *adj* schwül; (*vergonzoso*) beschämend
bocina [bo'θina] *f* Hupe *f;* **tocar la ~** hupen
bocio ['boθjo] *m* Kropf *m*
boda ['boða] *f* Hochzeit *f*
bodega [bo'ðeɣa] *f* Weinkeller *m*
bodrio ['boðrjo] *m* (*pey*) Schund *m*
BOE ['boe] *m abr de* **Boletín Oficial del Estado** ≈Bundesgesetzblatt *nt*
bofetada [bofe'taða] *f* Ohrfeige *f;* **dar una ~ a alguien** jdn ohrfeigen
bofia ['bofja] *f* (*vulg*) Bullen *m pl fam*
boga ['boɣa] *f:* **esta canción está en ~** dieses Lied ist in

bogavante [boɣa'βan̪te] *m* Hummer *m*
bogotano, -a [boɣo'tano] *adj* aus Bogotá
Bohemia [bo'emja] *f* Böhmen *nt*
boicot [boi̯'ko⁽ᵗ⁾] <boicots> *m* Boykott *m*
boicotear [boi̯kote'ar] *vt* boykottieren
boina ['boi̯na] *f* Baskenmütze *f*
bol [bol] *m* Schale *f*
bola ['bola] *f* Kugel *f;* (*fam*) Lüge *f;* **no dar pie con ~** überhaupt nicht zurechtkommen
bolado [bo'laðo] *m* AM Angelegenheit *f*
bolchevique [bolʧe'βike] *adj* bolschewistisch
boleadoras [bolea'ðoras] *f pl* AMS Bola *f*
bolera [bo'lera] *f* Kegelbahn *f*
bolero [bo'lero] *m* Bolero *m*
boleta [bo'leta] *f* AM Stimmzettel *m*
boletería [bolete'ria] *f* AM Schalter *m*
boletín [bole'tin] *m* Bulletin *nt;* **~ informativo** Mitteilungsblatt *nt;* (*informe*) Bericht *m;* INFOR: **~ electrónico** Newsletter *m*
boleto [bo'leto] *m* AM Eintrittskarte *f;* (*billete*) Fahrschein *m*
boliche [bo'liʧe] *m* AM Krämerladen *m* mit Ausschank
bólido ['boliðo] *m* Rennwagen *m*
bolígrafo [bo'liɣrafo] *m* Kugelschreiber *m*
bolillo [bo'liʎo] *m* Klöppel *m;* AM kleines Weißbrot *nt*
Bolivia [bo'liβja] *f* Bolivien *nt*
boliviano, -a [boli'βjano] *adj* bolivianisch
bollería [boʎe'ria] *f* Feinbäckerei *f*
bollicao® [boʎi'kao] *m* (*bollo*) *mit Schokolade gefülltes, langes Milchbrötchen*; (*argot: chica muy guapa y jovencita*) Mädchen *nt* zum Vernaschen
bollo ['boʎo] *m* Brötchen *nt;* (*chichón*) Beule *f*
bolo ['bolo] *m* Kegel *m*
bolsa ['bolsa] *f* ❶ (*saco*) Beutel *m;* **~ de basura** Abfalltüte *f* ❷ (*bolso*) (Trage)tasche *f* ❸ FIN Börse *f;* **~ de trabajo** Stellenvermittlung *f*
bolsillo [bol'siʎo] *m* Tasche *f;* **edición de ~** Taschenausgabe *f*
bolso ['bolso] *m* Tasche *f*
bomba ['bomba] *f* ❶ Bombe *f;* **~ de mano** Handgranate *f;* **a prueba de ~s** (*fig*) bombensicher ❷ TÉC Pumpe *f*
bombacha [bom'baʧa] *f* CSUR Unterhose *f*
bombardear [bombarðe'ar] *vt* bombardieren
bombardeo [bombar'ðeo] *m:* **~ aéreo** Luftangriff *m*
bombazo [bom'baθo] *m* (*fam*) Knüller *m*
bombear [bombe'ar] *vt* pumpen
bombero, -a [bom'bero] *m, f* Feuerwehrmann, Feuerwehrfrau *m, f*
bomberos [bom'beros] *m pl* Feuerwehr *f*
bombilla [bom'biʎa] *f* Glühbirne *f*
bombín [bom'bin] *m* Luftpumpe *f*
bombo ['bombo] *m* große Trommel *f*
bombón [bom'bon] *m* Praline *f*
bombona [bom'bona] *f* Gasflasche *f*
bonachón, -ona [bona'ʧon] *adj* gutmütig
bonaerense [bonae'rense] *adj* aus Buenos Aires
bondad [bon̪'daᵈ] *f* Güte *f;* (*amabilidad*) Freundlichkeit *f*
bondadoso, -a [bon̪da'ðoso] *adj* gütig
bonificación [bonifika'θjon] *f* Gutschrift *f*
bonificar [bonifi'kar] <c → qu> *vt* gutschreiben
bonito¹ [bo'nito] **I.** *m* ZOOL Bonito *m* **II.** *adv* AM gut
bonito, -a² [bo'nito] *adj* hübsch
bono ['bono] *m* Gutschein *m*
bonsái [bon'sai̯] <bonsais> *m* Bonsai *m*
boñiga [bo'ɲiɣa] *f* Mist *m*
boquerón [boke'ron] *m* *Art Sardelle*
boquete [bo'kete] *m* enge Öffnung *f*
boquiabierto, -a [bokja'βjerto] *adj:* **dejar a alguien ~** jdn verblüffen
boquilla [bo'kiʎa] *f* Mundstück *nt;* **decir**

algo de ~ etw unverbindlich sagen

borbónico, -a [bor'βoniko] *adj* bourbonisch

borda ['borða] *f*: **motor fuera (de) ~** Außenbordmotor *m;* **echar algo por la ~** etw über Bord werfen

bordar [bor'ðar] *vt* (be)sticken; (*ejecutar con primor*) hervorragend ausführen

borde ['borðe] *m* Rand *m;* (*de mesa*) Kante *f*

bordear [borðe'ar] **I.** *vt* ❶ (*ir por el borde*) entlanggehen; (*en coche*) entlangfahren ❷ (*aproximarse a un estado*) sich nähern *+dat* **II.** *vi* NÁUT kreuzen

bordillo [bor'ðiʎo] *m* Bordstein *m*

bordo ['borðo] *m* Bord *m*

boreal [bore'al] *adj* nördlich, Nord-

borrachera [borra'tʃera] *f* Rausch *m*

borracho, -a [bo'rratʃo] *adj* (*ser*) trunksüchtig; (*estar*) betrunken

borrador [borra'ðor] *m* Konzept *nt*

borrar [bo'rrar] **I.** *vt* ausradieren; (*tachar*) (durch)streichen; INFOR löschen **II.** *vr:* **~se** austreten (*de* aus *+dat*)

borrasca [bo'rraska] *f* Gewitter *nt*

borrascoso, -a [borras'koso] *adj* stürmisch

borrego, -a [bo'rreɣo] *m, f* (ein- bis zweijähriges) Lamm *nt;* (*persona*) Schafskopf *m*

borrón [bo'rron] *m:* **~ y cuenta nueva** Schwamm drüber

borroso, -a [bo'rroso] *adj* verschwommen

Bósforo ['bosforo] *m* Bosporus *m*

Bosnia ['bosnja] *f* Bosnien *nt*

Bosnia-Herzegovina ['bosnja (x)erθeɣo'βina] *f* Bosnien-Herzegowina *nt*

bosnio, -a ['bosnjo] *adj* bosnisch

bosque ['boske] *m* Wald *m*

bosquejo [bos'kexo] *m* Skizze *f*

bostezar [boste'θar] <z → c> *vi* gähnen

bostezo [bos'teθo] *m* Gähnen *nt*

bota ['bota] *f* Stiefel *m;* (*especie de botella*) *lederne Weinflasche*

botador(a) [bota'ðor] *adj* AM verschwenderisch

botánica [bo'tanika] *f* Botanik *f*

botar [bo'tar] **I.** *vi* aufprallen; (*persona*) hüpfen; **está que bota** er/sie tobt vor Wut **II.** *vt* ❶ (*la pelota*) prellen ❷ AM wegwerfen

bote ['bote] *m* ❶ (*golpe*) Stoß *m* ❷ (*salto*) Sprung *m* ❸ (*de pelota*) Aufprall *m* ❹ (*vasija*) Dose *f;* **chupar del ~** (*fam*) absahnen; **tener a alguien en el ~** (*fam*) jdn in der Tasche haben ❺ NÁUT Boot *nt;* **~ salvavidas** Rettungsboot *nt*

botella [bo'teʎa] *f* Flasche *f*

botija [bo'tixa] *f* (Ton)krug *m*

botín [bo'tin] *m* Schnürstiefel *m;* MIL (Kriegs)beute *f*

botiquín [boti'kin] *m* Hausapotheke *f*

botón [bo'ton] *m* Knopf *m*

boutique [bu'ti[k]] *f* Boutique *f*

bóveda ['boβeða] *f* Gewölbe *nt;* (*cripta*) Krypta *f*

bovino, -a [bo'βino] *adj* Rind(er)-; **locura bovina** Rinderwahnsinn *m*

box [bo[y]s] *m* Box *f;* AM Boxkampf *m*

boxear [bo[y]se'ar] *vi* boxen

boxeo [bo[y]'seo] *m* Boxkampf *m*

boya ['boɟa] *f* Boje *f*

boyante [bo'ɟan̩te] *adj:* **el negocio va ~** das Geschäft floriert

boy scout ['boi̯ es'kau[t]] <boy scouts> *mf* Pfadfinder(in) *m(f)*

bozal [bo'θal] *m* Maulkorb *m*

bracero [bra'θero] *m* Tagelöhner *m;* (*peón*) Hilfsarbeiter *m*

braga ['braɣa] *f* Schlüpfer *m*

bragueta [bra'ɣeta] *f* Hosenschlitz *m*

braille ['brai̯le] *m* Brailleschrift *f*

bramar [bra'mar] *vi* brüllen; (*ciervo*) röhren; **está que brama** er/sie tobt vor Wut

Brandeburgo [bran̩de'βurɣo] *m* Brandenburg *nt*

brandy ['bran̩di] *m* Weinbrand *m*

branquia ['braŋkja] *f* Kieme *f*

brasa ['brasa] *f* Glut *f;* **a la ~** gegrillt

brasero [bra'sero] *m* Kohlenbecken *nt*
Brasil [bra'sil] *m:* (**el**) ~ Brasilien *nt*
brasileño, -a [brasi'leɲo] *adj* brasilianisch
bravío, -a [bra'βio] *adj* ❶ (*animal: salvaje*) wild; (*sin domar*) ungezähmt ❷ (*planta*) wild (wachsend)
bravo[1] ['braβo] *interj* bravo!
bravo, -a[2] ['braβo] *adj* tapfer; (*salvaje*) wild; (*persona*) wütend; AM scharf
brazalete [braθa'lete] *m* Armband *nt*
brazo ['braθo] *m* Arm *m*
brea ['brea] *f* Teer *m*
brebaje [bre'βaxe] *m* Gesöff *nt*
brecha ['bretʃa] *f:* **estar en la ~** (sehr) engagiert sein
brécol(es) ['brekol(es)] *m* (*pl*) Brokkoli *pl*
bregar [bre'ɣar] <g → gu> *vi* (*reñir*) sich streiten (*con* mit +*dat*); (*luchar*) kämpfen (*con* gegen +*akk*); (*trabajar duro*) sich abrackern
breque ['breke] *m* AM Bremse *f;* **apretar el ~** (*fig*) sich bemühen; (*vagón*) Gepäckwagen *m*
Bretaña [bre'taɲa] *f* Bretagne *f;* **Gran ~** Großbritannien *nt*
breva ['breβa] *f* Feige *f;* AM Kautabak *m*
breve ['breβe] *adj* ❶ (*de duración*) kurz; **en ~** in Kürze ❷ (*de extensión*) knapp; **ser ~** sich kurzfassen
brevedad [breβe'ðaᵈ] *f* Kürze *f;* **a la mayor ~ posible** baldmöglichst
bribón, -ona [bri'βon] *m, f* Schurke, -in *m, f*
bricolaje [briko'laxe] *m* Basteln *nt*
brida [bri'ða] *f* Zaum *m*
brigada [bri'ɣaða] *f* Brigade *f*
brillante [bri'ʎan̪te] *m* Brillant *m*
brillantina [briʎan̪'tina] *f* (Haar)pomade *f*
brillar [bri'ʎar] *vi* glänzen
brillo ['briʎo] *m* Glanz *m*
brincar [briŋ'kar] <c → qu> *vi* hüpfen; **~ de alegría** außer sich *dat* vor Freude sein
brinco ['briŋko] *m* Sprung *m;* **dar ~s** springen; **de un ~** mit einem Satz
brindar [brin̪'dar] **I.** *vi:* **~ por alguien** auf jdn anstoßen **II.** *vt* (an)bieten; TAUR widmen **III.** *vr:* **~se** sich anbieten
brindis ['brin̪dis] *m inv* Zutrinken *nt;* **echar un ~** einen Toast ausbringen
brío ['brio] *m* Energie *f*
brisa ['brisa] *f* Brise *f*
británico, -a [bri'taniko] *adj* britisch
brizna ['briθna] *f* Fädchen *nt;* BOT Faser *f;* AM Sprühregen *m*
brocha ['brotʃa] *f* (Maler)pinsel *m*
broche ['brotʃe] *m* Druckknopf *m;* (*de adorno*) Anstecknadel *f*
brocheta [bro'tʃeta] *f* (Brat)spieß *m*
broma ['broma] *f* Scherz *m;* **~s aparte...** Spaß beiseite ...
bromear [brome'ar] *vi* spaßen
bromista [bro'mista] *adj* witzig
bronca ['broŋka] *f* Streit *m*
bronce ['bron̪θe] *m* Bronze *f*
bronceado, -a [bron̪θe'aðo] *adj* bronzefarbig; (*piel*) (sonnen)gebräunt
bronceador [bron̪θea'ðor] *m* Sonnenschutzmittel *nt*
broncearse [bron̪θe'arse] *vr* sich bräunen
bronco, -a ['broŋko] *adj* heiser; AM wild
bronquio ['broŋkjo] *m* Bronchie *f*
bronquitis [broŋ'kitis] *f inv* Bronchitis *f*
broqueta [bro'keta] *f* (Brat)spieß *m*
brotar [bro'tar] *vi* knospen
brote ['brote] *m* Knospe *f;* (*comienzo*) Aufkeimen *nt;* (*erupción*) Ausbruch *m*
bruces ['bruθes] *adv:* **caer de ~** auf die Nase fallen
bruja ['bruxa] *f* Hexe *f*
brujería [bruxe'ria] *f* Hexerei *f*
brujo ['bruxo] *m* Hexenmeister *m*
brújula ['bruxula] *f* Kompass *m*
bruma ['bruma] *f* leichter Nebel *m*
brumoso, -a [bru'moso] *adj* neblig
brusco, -a ['brusko] *adj* schroff
Bruselas [bru'selas] *f pl* Brüssel *nt*
brutal [bru'tal] *adj* ❶ (*violento*) brutal ❷ (*desconsiderado*) schonungslos ❸ (*fam: enorme*) ungeheuerlich
brutalidad [brutali'ðaᵈ] *f* Brutalität *f*
bruto[1] ['bruto] *adj:* **diamante en ~** Roh-

diamant *m;* (*peso*) brutto

bruto, -a[2] ['bruto] *adj* brutal

bucear [buθe'ar] *vi* tauchen

buche ['butʃe] *m* Kropf *m*

budismo [bu'ðismo] *m* Buddhismus *m*

budista [bu'ðista] *mf* Buddhist(in) *m(f)*

buen [bwen] *adj v.* **bueno**

buenaventura [bwenaβeṇ'tura] *f* ① (*suerte*) Glück *nt* ② (*adivinación*) Wahrsagung *f*

buenazo, -a [bwe'naθo] *m, f* herzensguter Mensch *m*

bueno[1] ['bweno] *interj* na gut!

bueno, -a[2] ['bweno] *adj* <mejor *o* más bueno, el mejor *o* buenísimo> (*delante de un sustantivo masculino: buen*) ① gut; (*tiempo*) schön; **~s días** guten Morgen; **hace ~** es ist schönes Wetter ② (*apropiado*) geeignet ③ (*fácil*) leicht ④ (*honesto*) anständig ⑤ (*sano*) gesund ⑥ (*fam*) attraktiv; **está buenísima** sie sieht klasse aus ⑦ (*bastante*) beträchtlich

buey [bwei̯] *m* Ochse *m*

búfalo ['bufalo] *m* Büffel *m*

bufanda [bu'faṇda] *f* Schal *m*

bufar [bu'far] *vi* ① schnauben; (*gato*) fauchen; **está que bufa** er/sie ist außer sich*dat* ② AM stinken

bufé [bu'fe] *m* Büfett *nt*

bufete [bu'fete] *m* (Rechts)anwaltskanzlei *f*

bufido [bu'fiðo] *m* (Wut)schnauben *nt;* (*exabrupto*) Rüffel *m*

bufón, -ona [bu'fon] *m, f* Narr *m*

buhardilla [bwar'ðiʎa] *f* Dachboden *m*

búho ['buo] *m* Uhu *m*

buitre ['bwitre] *m* (Aas)geier *m*

bujía [bu'xia] *f* (Zünd)kerze *f*

bula ['bula] *f* (päpstliche) Bulle

bulbo ['bulβo] *m* (Blumen)zwiebel *f*

Bulgaria [bul'ɣarja] *f* Bulgarien *nt*

búlgaro, -a ['bulɣaro] *adj* bulgarisch

bulimia [bu'limja] *f* Bulimie *f*

bulla ['buʎa] *f* Gedränge *nt;* AM Schlägerei *f*

bullicio [bu'ʎiθjo] *m* Lärm *m*

bullicioso, -a [buʎiθjoso] *adj* laut

bullir [bu'ʎir] <3. *pret* bulló> *vi* ① kochen; (*borbotar*) sprudeln ② (*agitarse*) sich tummeln

bulto ['bul̩to] *m* ① (*tamaño*) Umfang *m* ② (*importancia*) Bedeutung *f;* **un error de ~** ein bedeutender Fehler ③ (*fardo*) Bündel *nt;* (*paquete*) Gepäckstück *nt* ④ MED Geschwulst *f* ⑤ (*loc*): **a ~** ungefähr; **escurrir el ~** (*fam*) sich verdrücken

bumerán [bume'ran] *m* Bumerang *m;* **efecto ~** Bumerangeffekt *m*

bungalow [buŋga'lo] *m* Bungalow *m*

búnker ['bunker] *m* Bunker *m*

buñuelo [bu'ɲwelo] *m:* **~ de viento** Windbeutel *m*

buque ['buke] *m* Schiff *nt;* **~ de pasajeros** Passagierdampfer *m*

burbuja [bur'βuxa] *f* (Luft)blase *f*

burbujear [burβuxe'ar] *vi* sprudeln

burdel [bur'ðel] *m* Bordell *nt*

Burdeos [bur'ðeos] *m* Bordeaux *nt*

burdo, -a ['burðo] *adj* grob; (*excusa*) plump

burgués, -esa [bur'ɣes] *m, f* Bürger(in) *m(f);* (*pey*) Spießer(in) *m(f)*

burguesía [burɣe'sia] *f* Bürgertum *nt*

burla ['burla] *f* Spott *m;* (*broma*) Scherz *m*

burlar [bur'lar] **I.** *vt* verspotten **II.** *vr:* **~se** Spaß machen

burlón, -ona [bur'lon] *adj* spöttisch

burocracia [buro'kraθja] *f* Bürokratie *f*

burócrata [bu'rokrata] *mf* Bürokrat(in) *m(f)*

burocrático, -a [buro'kratiko] *adj* bürokratisch

burrada [bu'rraða] *f* (*fam*): **decir ~s** dummes Zeug reden

burro[1] ['burro] *m* (Säge)bock *m*

burro, -a[2] ['burro] **I.** *adj* dumm; (*obstinado*) stur **II.** *m, f* ① ZOOL Esel(in) *m(f);* **~ de carga** (*t. fig*) Packesel *m* ② (*persona tonta*) Trottel *m*

bursátil [bur'satil] *adj* Börsen-; **agente ~** Börsenmakler *m*

bus [bus] *m* Bus *m*

busca ['buska] *f* Suche *f;* **en ~ de alguien** auf der Suche nach jdm

buscar [bus'kar] <c → qu> *vi, vt* suchen; **ir a ~** (ab)holen; **él se la ha buscado** er hat es nicht anders gewollt

buscavidas [buska'βiðas] *mf inv* Lebenskünstler(in) *m(f)*

búsqueda ['buskeða] *f* Suche *f*

busto ['busto] *m* Büste *f;* ANAT Oberkörper *m*

butaca [bu'taka] *f* Parkettsitz *m*

butano [bu'tano] *m* Butan(gas) *nt*

butifarra [buti'farra] *f* *Presswurst*

buzo ['buθo] *m* Taucher *m*

buzón [bu'θon] *m* Briefkasten *m;* **~ (electrónico)** Mailbox *f*

buzonfia [bu'θoɱfja] *f* INFOR (*fam*) Spam *nt*

byte [bai̯t] *m* INFOR Byte *nt*

C

C, c [θe] *f* C, c *nt*

C/ ['kaʎe] *abr de* **calle** Str.

cabalgar [kaβal'ɣar] <g → gu> *vi, vt* reiten

caballero [kaβa'ʎero] *m* Herr *m;* (*galán*) Gentleman *m;* HIST Ritter *m*

caballo [ka'βaʎo] *m* Pferd *nt;* **a ~** zu Pferde, (*argot*) Heroin *nt*

cabaña [ka'βaɲa] *f* Hütte *f*

cabaré [kaβa're] *m* Kabarett *nt*

cabecear [kaβeθe'ar] *vi* den Kopf schütteln; (*dormitar*) einnicken

cabecera [kaβe'θera] *f:* **médico de ~** Hausarzt *m*

cabecilla [kaβe'θiʎa] *mf* Anführer(in) *m(f)*

cabello [ka'βeʎo] *m* Haar(e) *nt(pl)*

caber [ka'βer] *irr vi* ❶ (hinein)passen (*en* in +*akk*); **no ~ en sí de...** außer sich *dat* sein vor ... ❷ (*pasar*) durchgehen ❸ **no cabe duda** es steht außer Zweifel

cabeza[1] [ka'βeθa] *f* Kopf *m;* **de ~** kopfüber; **se me va la ~** mir wird schwindelig; **traer de ~** Kummer machen

cabeza[2] [ka'βeθa] *m:* **~ de familia** Familienoberhaupt *nt;* **~ rapada** Skinhead *m*

cabezada [kaβe'θaða] *f:* **dar [*o* echar] una ~** (*fam*) ein Nickerchen machen

cabezón, -ona [kaβe'θon] *m, f* Dickkopf *m*

cabida [ka'βiða] *f* Fassungsvermögen *nt*

cabina [ka'βina] *f* Kabine *f*

cable ['kaβle] *m* ❶ ELEC Kabel *nt* ❷ INFOR: **~ USB** USB-Kabel *nt*

cabo ['kaβo] *m* ❶ (*extremo*) Ende *nt;* **al fin y al ~** letzten Endes; **llevar a ~** vollbringen ❷ GEO Kap *nt;* **Ciudad del Cabo** Kapstadt *nt* ❸ (*loc*): **al ~ de** nach +*dat*

cabra ['kaβra] *f* Ziege *f;* **~ montés** Steinbock *m*

cabrear [kaβre'ar] **I.** *vt* (*fam*) wütend machen **II.** *vr:* **~se** wütend sein

cabrón, -ona [ka'βron] *m, f* (*vulg pey*) Arschloch *nt*

caca ['kaka] *f* (*fam*) ❶ (*lenguaje infantil*) Aa *nt* ❷ (*chapuza*) Mist *m*

cacahuete [kaka'wete] *m* Erdnuss *f*

cacao [ka'kao] *m* Kakao *m*

cacerola [kaθe'rola] *f* (flacher) Kochtopf *m*

cachear [kaʧe'ar] *vt* durchsuchen

cachete [ka'ʧete] *m* Klaps *m*

cachimba [ka'ʧimba] *f* AM Pfeife *f*

cachondearse [kaʧoṇde'arse] *vr* (*vulg*) verarschen (*de* +*akk*)

cachondeo [kaʧoṇ'deo] *m* Heidenspaß *m;* (*vulg*) Spott *m*

cachondo, -a [ka'ʧoṇdo] *adj* (*vulg*) geil *fam* (*fam*) witzig

cachorro, -a [ka'ʧorro] **I.** *adj* AM verächtlich **II.** *m, f* Welpe *m*

caco ['kako] *m* (*argot*) Langfinger *m*

cacto ['kakto] *m* Kaktus *m*

cada ['kaða] *adj* jede(r, s); **~ uno/una** jeder/jede; **~ hora** stündlich; **¿~ cuánto?** wie oft?

cadáver [ka'ðaβer] *m* Leiche *f*

cadena [ka'ðena] *f* ❶ (*t. fig*) Kette *f;* **~ de luces** (*adorno*) Lichterkette *f;* **~ perpetua** lebenslängliche Gefängnisstrafe; **trabajo en ~** Fließbandarbeit *f* ❷ (*sucesión*) Serie *f;* **reacción en ~** Kettenreaktion *f* ❸ RADIO, TV Programm *nt* ❹ ECOL: **~ de reciclado** Recyclingkette *f*

cadera [ka'ðera] *f* Hüfte *f*

caducar [kaðu'kar] <c → qu> *vi* ungültig werden; (*producto*) verfallen

caducidad [kaðuθi'ða(ð)] *f:* **fecha de ~** Haltbarkeitsdatum *nt*

caduco, -a [ka'ðuko] *adj* ❶ (*personas*) altersschwach ❷ (*perecedero*) vergänglich

caer [ka'er] *irr* **I.** *vi* (herunter)fallen; **estar al ~** (*fam*) kurz bevorstehen **II.** *vr:* **~se** stürzen; (*pelo*) ausfallen; **~se de sueño** todmüde sein

café [ka'fe] *m* Kaffee *m;* ~ **con leche** Milchkaffee *m;* ~ **solo** Espresso *m*
cafeína [kafe'ina] *f* Koffein *nt*
cafetera [kafe'tera] *f* Kaffeekanne *f;* ~ **eléctrica** Kaffeemaschine *f*
cafetería [kafete'ria] *f* Café *nt*
cagar [ka'ɣar] <g → gu> (*vulg*) **I.** *vi* scheißen **II.** *vt* versauen *fam* **III.** *vr:* **~se** Schiss haben *fam*
caída [ka'iða] *f* Fall *m*, Sturz *m*
Cairo ['kai̯ro] *m:* **El** ~ Kairo *nt*
caja ['kaxa] *f* ❶ (*recipiente*) Kasten *m;* (*de madera*) (Holz)kiste *f;* ~ **fuerte** Tresor *m;* ~ **de herramientas** Werkzeugkasten *m* ❷ AUTO: ~ **de cambios** Getriebe *nt* ❸ FIN Kasse *f*
cajero, -a [ka'xero] *m, f* Kassierer(in) *m(f);* ~ **automático** Geldautomat *m*
cajón [ka'xon] *m* (große) Kiste *f;* (*deslizante*) Schublade *f*
cake [kei̯^{k}] *m* AM Kuchen *m*
cal [kal] *f* Kalk *m*
calabacín [kalaβa'θin] *m* Zucchini *f*
calabaza [kala'βaθa] *f* Kürbis *m;* **dar ~s a alguien** (*fam*) jdm einen Korb geben
calabozo [kala'βoθo] *m* Kerker *m*
calada [ka'laða] *f* (*fam*) Zug *m;* **¿me das una ~?** lässt du mich mal ziehen?
calamar [kala'mar] *m* Tintenfisch *m*
calambre [ka'lambre] *m* (Muskel)krampf *m*
calamidad [kalami'ða^{ð}] *f* Katastrophe *f;* (*miseria*) Not *f;* (*fam*) Niete *f*
calarse [ka'larse] *vr* nass werden; (*motor*) absaufen *fam*
calavera [kala'βera] *f* Totenkopf *m*
calcar [kal'kar] <c → qu> *vt* abpausen
calcetín [kal̦θe'tin] *m* Socke *f*
calcinarse [kal̦θi'narse] *vr* verbrennen
calcio ['kal̦θjo] *m* Kalzium *nt*
calculadora [kalkula'ðora] *f* Rechenmaschine *f*
calcular [kalku'lar] **I.** *vi* rechnen **II.** *vt* berechnen; (*de antemano*) kalkulieren; (*aproximadamente*) (ab)schätzen
cálculo ['kalkulo] *m* Berechnung *f; t.* ECON Kalkulation *f;* MED Stein *m*
caldera [kal̦'dera] *f* Kessel *m*
calderilla [kal̦de'riʎa] *f* Kleingeld *nt*
caldo ['kal̦do] *m* Brühe *f*
calefacción [kalefa^{y}'θjon] *f* Heizung *f*
calendario [kalen̦'darjo] *m* Kalender *m*
calentador [kalen̦ta'ðor] *m* Heizgerät *nt*
calentamiento [kalen̦ta'mjen̦to] *m* ❶ (*caldeamiento*) Erwärmen *nt*, Erhitzen *nt* ❷ DEP Aufwärmen *nt*
calentar [kalen̦'tar] <e → ie> **I.** *vi* wärmen **II.** *vt* ❶ (er)wärmen; (*con calefacción*) heizen; ~ **agua** Wasser heiß machen ❷ (*enfadar*) aufregen ❸ (*vulg*) aufgeilen *fam* **III.** *vr:* **~se** sich (er)wärmen; (*enfadarse*) sich aufregen; DEP sich warm machen
calibre [ka'liβre] *m* Kaliber(maß) *nt*
calidad [kali'ða^{ð}] *f* Qualität *f;* **de primera** ~ erstklassig; **en ~ de** als
cálido, -a ['kaliðo] *adj* warm
caliente [ka'ljen̦te] *adj* heiß; **poner(se)** ~ (*vulg*) (sich) aufgeilen *fam*
calificación [kalifika'θjon] *f* Bezeichnung *f;* (*cualificación*) Qualifizierung *f;* (*nota*) Note *f*
calificar [kalifi'kar] <c → qu> *vt* bezeichnen; (*evaluar*) beurteilen; ENS benoten
California [kali'fornja] *f* Kalifornien *nt*
caligrafía [kaliɣra'fia] *f* Kalligraphie *f*
callado, -a [ka'ʎaðo] *adj* (*estar*) schweigend; (*ser*) schweigsam
callar(se) [ka'ʎar(se)] *vi, vr* schweigen
calle ['kaʎe] *f* Straße *f;* ~ **peatonal** Fußgängerzone *f*
callejón [kaʎe'xon] *m* Gasse *f;* ~ **sin salida** Sackgasse *f*
callo ['kaʎo] *m* Hornhaut *f;* **dar el** ~ (*fam*) schuften
calma ['kalma] *f* Gelassenheit *f*
calmante [kal'man̦te] *m* Beruhigungsmittel *nt;* (*analgésico*) Schmerzmittel *nt*
calmar [kal'mar] **I.** *vi* (*viento*) abflauen **II.** *vt* beruhigen; (*dolor*) stillen **III.** *vr:* **~se** sich beruhigen; (*dolor*) nachlassen
caló [ka'lo] *m* Zigeunersprache *f*
calor [ka'lor] *m* Wärme *f;* (*clima*) Hitze *f;*

~ **sofocante** Schwüle *f*

caloría [kalo'ria] *f* Kalorie *f;* **bajo en ~s** kalorienarm

calumnia [ka'lumnja] *f* Verleumdung *f*

caluroso, -a [kalu'roso] *adj* heiß

calva ['kalβa] *f* Glatze *f*

calvario [kal'βarjo] *m* REL Kreuzweg *m*

calvo, -a ['kalβo] *adj* kahlköpfig; **estar ~** eine Glatze haben

calzada [kal̪'θaða] *f* (gepflasterte) Straße *f*

calzado [kal̪'θaðo] *m* Schuhe *mpl*

calzarse [kal̪'θarse] <z → c> *vr* (*zapatos*) (sich *dat*) anziehen

calzón [kal̪'θon] *m* AM Hose *f*

calzoncillo(s) [kal̪θon̪'θiʎo(s)] *m* (*pl*) Herrenunterhose *f*

cama ['kama] *f* Bett *nt*

camaleón [kamale'on] *m* Chamäleon *nt*

cámara ['kamara] *f* ❶ FOTO Kamera *f* ❷ POL: **Cámara Alta** Oberhaus *nt;* **Cámara Baja** Abgeordnetenhaus *nt* ❸ ~ **frigorífica** Kühlhaus *nt*

camaradería [kamaraðe'ria] *f* Kameradschaft *f*

camarero, -a [kama'rero] *m, f* Bedienung *f;* **¡~!** Herr Ober!

camarón [kama'ron] *m* Garnele *f*

camarote [kama'rote] *m* Kabine *f*

cambiante [kam'bjan̪te] *adj* wechselhaft; (*pey*) launisch

cambiar [kam'bjar] **I.** *vi* (sich) (ver)ändern; ~ **de casa** umziehen **II.** *vt* ❶ austauschen; (*algo comprado*) umtauschen; ~ **el chip** (*argot*) umdenken; ~ **dinero** Geld wechseln ❷ (*variar*) (ver)ändern; ~ **algo de lugar** etw umstellen **III.** *vr* ❶ sich verwandeln (*en* in +*akk*) ❷ (*de ropa*) sich umziehen; (*de casa*) umziehen

cambio ['kambjo] *m* ❶ (*alteración*) (Ver)änderung *f;* ~ **climático** Klimaveränderung *f;* ~ **de domicilio** Wohnungswechsel *m;* **en ~** stattdessen ❷ (*sustitución*) Auswechs(e)lung *f;* ~ **de aceite** Ölwechsel *m* ❸ (*intercambio*) Wandel *m;* **Libre ~** COM Freihandel *m;* **a ~ de algo** für etw ❹ (*en un comercio*) Umtausch *m* ❺ FIN (Wechsel)kurs *m;* **al ~ del día** zum Tageskurs ❻ (*suelto*) Kleingeld *nt* ❼ ~ **de marchas** Gangschaltung *f*

Camboya [kam'boɟa] *f* Kambodscha *nt*

camelia [ka'melja] *f* Kamelie *f*

camello, -a [ka'meʎo] *m, f* Kamel *nt;* (*argot*) Pusher(in) *m(f)*

Camerún [kame'run] *m* Kamerun *nt*

camilla [ka'miʎa] *f* Krankenbahre *f*

caminar [kami'nar] *vi* (zu Fuß) gehen

caminata [kami'nata] *f* (beschwerlicher) langer Fußmarsch *m*

camino [ka'mino] *m* Weg *m;* **a medio ~** halbwegs; (*distancia*) Strecke *f*

camión [ka'mjon] *m* Laster *m*, Lkw *m;* ~ **de la basura** Müllwagen *m*

camionero, -a [kamjo'nero] *m, f* Lastwagenfahrer(in) *m(f)*

camioneta [kamjo'neta] *f:* ~ **de reparto** Lieferwagen *m;* AM Bus *m*

camisa [ka'misa] *f* (Ober)hemd *nt;* ~ **de fuerza** Zwangsjacke *f*

camiseta [kami'seta] *f* T-Shirt *nt;* (*interior*) Unterhemd *nt;* DEP Trikot *nt*

camisón [kami'son] *m* Nachthemd *nt*

camote [ka'mote] *m* AM Süßkartoffel *f;* (*molestia*) Nervtöter *m*

campamento [kampa'men̪to] *m* Lager *nt;* ~ **de veraneo** Ferienlager *nt*

campana [kam'pana] *f* Glocke *f*

campanario [kampa'narjo] *m* Glockenturm *m*

campante [kam'pan̪te] *adj* (*fam*): **quedarse tan ~** sich nicht erschüttern lassen

campaña [kam'paɲa] *f:* **tienda de ~** Zelt *nt;* ~ **antitabaco** Antiraucherkampagne *f;* ~ **electoral** Wahlkampf *m*

campar [kam'par] *vi* lagern

campeón, -ona [kampe'on] *m, f* Sieger(in) *m(f);* DEP Meister(in) *m(f)*

campeonato [kampeo'nato] *m* Meisterschaft *f;* **de ~** (*fam*) mordsmäßig

campesino, -a [kampe'sino] *m, f* Bauer, Bäuerin *m, f*

camping ['kampiŋ] *m* Campingplatz *m;* **hacer ~** zelten

campo ['kampo] *m* ❶ Land *nt;* (*de cultivo*) Acker *m*, Feld *nt;* **gente del ~** Landbevölkerung *f;* **ir al ~** ins Grüne fahren ❷ (*terreno*) Feld *nt;* DEP (Sport)platz *m* ❸ *t.* MIL Lager *nt*, Camp *nt*

camuflaje [kamu'flaxe] *m* Tarnung *f*

cana ['kana] *f* graues Haar *nt*

Canadá [kana'ða] *m:* (**el**) **~** Kanada *nt*

canadiense *adj* kanadisch

canal [ka'nal] *m o f* ❶ (*cauce artificial*) Kanal *m* ❷ (GEO: *paso natural*) Meerenge *f;* **el Canal de la Mancha** der Ärmelkanal ❸ TV Sender *m;* **~ de televisión** Fernsehsender *m*

canalizar [kanali'θar] <z → c> *vt* kanalisieren

canalla [ka'naʎa] *mf* (*pey*) Schurke, -in *m, f*

canalón [kana'lon] *m* Dachrinne *f*

Canarias [ka'narjas] *f pl:* **las Islas ~** die Kanarischen Inseln

canario, -a[1] [ka'narjo] *adj* kanarisch

canario[2] [ka'narjo] *m* Kanarienvogel *m*

canasta [ka'nasta] *f* Korb *m*

cancelar [kaṇθe'lar] *vt* ❶ **~ una cita** eine Verabredung absagen ❷ (*rescindir*) aufheben ❸ (*una cuenta*) löschen

cáncer ['kaṇθer] *m* MED Krebs *m*

Cáncer ['kaṇθer] *m inv* ASTR Krebs *m*

canceroso, -a [kaṇθe'roso] *adj* krebs(art)ig; MED kanzerös; **tumor ~** Krebsgeschwulst *f*

cancha ['kantʃa] *f* Sportplatz *m;* (AM: *hipódromo*) Pferderennbahn *f;* (AM: *espacio*) Platz *m*

canciller [kaṇθi'ʎer] *mf* (Bundes)kanzler(in) *m(f);* AM Außenminister(in) *m(f)*

canción [kaṇ'θjon] *f* Lied *nt;* **~ popular** Volkslied *nt*

candado [kaṇ'daðo] *m* Vorhängeschloss *nt*

candelabro [kaṇde'laβro] *m* Kerzenleuchter *m*

candidato, -a [kaṇdi'ðato] *m, f* Bewerber(in) *m(f);* POL Kandidat(in) *m(f);* **~ al título** DEP Titelanwärter *m*

cándido, -a ['kaṇdiðo] *adj* blütenweiß; (*inocente*) unschuldig; (*ingenuo*) naiv

candil [kaṇ'dil] *m* Öllampe *f;* AM Kerzenleuchter *m*

canela [ka'nela] *f* Zimt *m*

canelón [kane'lon] *m* Dachrinne *f*

cangrejo [kaŋ'grexo] *m* Krebs *m;* **~ de mar** Krabbe *f;* **~ de río** Flusskrebs *m*

canguro[1] [kaŋ'guro] *m* Känguru *nt*

canguro[2] [kaŋ'guro] *mf* (*fam*) Babysitter(in) *m(f)*

caníbal [ka'niβal] *mf* Kannibale, -in *m, f*

canica [ka'nika] *f* Murmel *f*

canjear [kaŋxe'ar] *vt* einlösen

canoa [ka'noa] *f* Kanu *nt*

cansado, -a [kan'saðo] *adj* ❶ *estar* (*fatigado*) müde ❷ *estar* (*harto*) überdrüssig (*de +gen*) ❸ *ser* (*fatigoso*) ermüdend

cansancio [kan'saṇθjo] *m* Müdigkeit *f*

cansar [kan'sar] **I.** *vi* anstrengend sein; (*hastiar*) langweilig werden **II.** *vt* müde machen; (*hastiar*) langweilen **III.** *vr:* **~se** müde werden; **~se de algo** etw *gen* überdrüssig werden

Cantabria [kaṇ'taβrja] *f* Kantabrien *nt*

cantábrico, -a [kaṇ'taβriko] *adj:* **el Mar Cantábrico** das Kantabrische Meer

cantante [kaṇ'taṇte] *mf* Sänger(in) *m(f)*

cantar [kaṇ'tar] *vi, vt* singen

cántaro ['kaṇtaro] *m* (Henkel)krug *m;* **está lloviendo a ~s** es gießt in Strömen

cantera [kaṇ'tera] *f* Steinbruch *m*

cantidad [kaṇti'ða^ð] **I.** *f* Menge *f;* (*suma de dinero*) Betrag *m* **II.** *adv* (*fam*) sehr viel

cantina [kaṇ'tina] *f* Kantine *f*

canto ['kaṇto] *m* ❶ Singen *nt;* (*canción*) Gesang *m;* **~ de los pájaros** Vogelgesang *m;* **estudia ~** er/sie studiert Gesang ❷ **poner de ~** hochkant stellen

caña ['kaɲa] *f* ❶ Rohr *nt;* (*tallo de ce-*

real) Halm *m;* ~ **de azúcar** Zuckerrohr *nt* ❷ (*de pescar*) Angel(rute) *f* ❸ (*de cerveza*) Glas *nt* gezapftes Bier

cáñamo ['kaɲamo] *m* Hanf *m*

cañería [kaɲe'ria] *f* Rohrleitung *f;* ~ **del agua** Wasserleitung *f*

caño ['kaɲo] *m* Röhre *f;* (*de la fuente*) Ausflussrohr *nt*

cañón [ka'ɲon] *m* Kanone *f*

caoba [ka'oβa] *f* Mahagoni(holz) *nt*

caos ['kaos] *m* Chaos *nt*

caótico, **-a** [ka'otiko] *adj* chaotisch

capa ['kapa] *f* Cape *nt;* ~ **aislante** Isolierschicht *f;* ~ **de nieve** Schneedecke *f;* ~ **de ozono** Ozonschicht *f*

capacidad [kapaθi'ðaᵈ] *f* Fassungsvermögen *nt;* (*aptitud*) Fähigkeit *f*

capacitado, **-a** [kapaθi'taðo] *adj* qualifiziert

capataz [kapa'taθ] *m* Vorarbeiter *m*

capaz [ka'paθ] *adj* fähig; AM vielleicht

capilla [ka'piʎa] *f* Kapelle *f;* ~ **ardiente** Aufbahrung *f*

capital[1] [kapi'tal] **I.** *adj* wesentlich, Haupt-; **asunto** ~ Hauptpunkt *m;* **letra** ~ AM Großbuchstabe *m;* **pena** ~ Todesstrafe *f* **II.** *m* Kapital *nt*

capital[2] [kapi'tal] *f* Hauptstadt *f;* (*gran ciudad*) Großstadt *f*

capitalismo [kapita'lismo] *m* Kapitalismus *m*

capitalista [kapita'lista] *mf* Kapitalist(in) *m(f)*

capitán [kapi'tan] *m* (Mannschafts)kapitän *m*

capitular [kapitu'lar] *vi* kapitulieren

capítulo [ka'pitulo] *m* Kapitel *nt*

capricho [ka'pritʃo] *m* Laune *f;* **darse un** ~ sich *dat* etwas gönnen

caprichoso, **-a** [kapri'tʃoso] *adj* (*pey*) launenhaft

Capricornio [kapri'kornjo] *m inv* ASTR Steinbock *m*

cápsula ['kaβsula] *f t.* ANAT Kapsel *f;* BOT Hülse *f*

captar [kap'tar] *vt* sammeln; (*capital*) aufbringen; (*percibir*) wahrnehmen; (*comprender*) begreifen

captura [kap'tura] *f* ❶ (*apresamiento*) Ergreifung *f* ❷ (*detención*) Festnahme *f* ❸ INFOR: ~ **de datos** Datenerfassung *f;* ~ **de datos móvil** mobile Datenerfassung

capullo [ka'puʎo] *m* ❶ BOT Knospe *f* ❷ ZOOL Kokon *m;* **salir del** ~ ausschlüpfen ❸ (*fam*) Vorhaut *f* ❹ (*vulg*) Arschloch *nt*

cara ['kara] **I.** *f* ❶ (*rostro*) Gesicht *nt;* ~ **a** ~ von Angesicht zu Angesicht; (**no**) **dar la** ~ (nicht) zu etwas stehen; **echar en** ~ vorwerfen ❷ (*expresión*) Miene *f* ❸ (*aspecto*) Aussehen *nt;* **tener buena/mala** ~ (*fam*) gut/schlecht aussehen ❹ (*lado*) Seite *f* ❺ (*fam*): **¡qué ~!** was für eine Frechheit!; **tener mucha** ~ unverschämt sein **II.** *prep* (*en dirección a*): (**de**) ~ **a** gegenüber; **de** ~ **al futuro** in Hinblick auf die Zukunft **III.** *conj*: **de** ~ **a** +*inf* um ... zu +*inf*

caracol [kara'kol] *m* Schnecke *f*

caracola [kara'kola] *f* Meeresschnecke *f*

carácter [ka'rakter] <caracteres> *m* Charakter *m;* (*índole*) Art *f;* **con** ~ **de** als

característica [karakte'ristika] *f* Eigenschaft *f*

característico, **-a** [karakte'ristiko] *adj* charakteristisch; **rasgo** ~ Merkmal *nt*

caracterizar [karakteri'θar] <z → c> **I.** *vt* charakterisieren; TEAT darstellen **II.** *vr:* **~se** sich auszeichnen

caramba [ka'ramba] *interj* (*fam*): **¡(qué) ~!** Donnerwetter!

caramelo [kara'melo] *m* Bonbon *m o nt*

caraqueño, **-a** [kara'keɲo] *adj* aus Caracas

carátula [ka'ratula] *f* Plattencover *nt*

caravana [kara'βana] *f* Karawane *f;* (*embotellamiento*) Stau *m;* (*remolque*) Wohnwagen *m*

carbón [kar'βon] *m* Kohle *f*

carbonato [karβo'nato] *m* QUÍM Karbonat *nt*

carbono [kar'βono] *m* Kohlenstoff *m;* **dióxido de ~** Kohlendioxyd *nt*
carburador [karβura'ðor] *m* Vergaser *m*
carburante [karβu'ran̪te] *m* Treibstoff *m*
carcajada [karka'xaða] *f:* **reírse a ~s** lauthals lachen
cárcel ['karθel] *f* Gefängnis *nt*
carcelero, -a [karθe'lero] *m, f* Gefängniswärter(in) *m(f)*
carcoma [kar'koma] *f* Holzwurm *m*
cardenal [karðe'nal] *m* Kardinal *m;* (*hematoma*) blauer Fleck *m*
cardiaco, -a [kar'ðjako] *adj,* **cardíaco, -a** [kar'ðiako] *adj* Herz-; **ataque ~** Herzanfall *m;* **paro ~** Herzstillstand *m*
cardinal [karði'nal] *adj:* **los cuatro puntos ~es** die vier Himmelsrichtungen; **número ~** Kardinalzahl *f*
cardiólogo, -a [kar'ðjoloɣo] *m, f* Herzspezialist(in) *m(f)*
carecer [kare'θer] *irr como crecer vi:* **carece de importancia** es ist belanglos
carencia [ka'ren̪θja] *f* ❶ (*falta*) Fehlen *nt* (*de* von *+dat*) ❷ (*t.* ECON, MED: *escasez*) Mangel *m* (*de* an *+dat*)
carente [ka'ren̪te] *adj:* **~ de interés** uninteressant
careo [ka'reo] *m t.* JUR Konfrontation *f*
careta [ka'reta] *f* Maske *f*
carga ['karɣa] *f* Beladung *f;* (*cargamento*) (Trag)last *f;* **animal de ~** Lasttier *nt;* **buque de ~** Frachter *m*
cargado, -a [kar'ɣaðo] *adj* beladen; (*lleno*) voll; **~ de problemas** problembeladen; **la batería está cargada** die Batterie ist geladen; **un ambiente ~** (*fig*) eine geladene Stimmung; **un café muy ~** ein sehr starker Kaffee
cargamento [karɣa'men̪to] *m* Ladung *f,* Fracht *f*
cargar [kar'ɣar] <g → gu> **I.** *vi* ❶ (*llevar*) tragen (*con +akk*) ❷ FIN: **~ en cuenta** das Konto belasten **II.** *vt* ❶ (*para el transporte*) (be)laden ❷ (*achacar*) belasten **III.** *vr:* **~se** ❶ (*llenarse*) sich füllen ❷ (*fam: romper*) kaputtmachen; **¡te la vas a ~!** (*fig*) das wird dir noch leidtun! ❸ (*fam: matar*) umbringen
cargo ['karɣo] *m* Amt *nt,* Posten *m;* **~ a cuenta** Lastschrift *f;* **~ de conciencia** Gewissensbisse *mpl*
Caribe [ka'riβe] *m:* **el (Mar) ~** die Karibik
caribeño, -a [kari'βeɲo] *adj* karibisch
caricatura [karika'tura] *f* Karikatur *f*
caricia [ka'riθja] *f* Liebkosung *f*
caridad [kari'ðað] *f* Almosen *nt*
caries ['karjes] *f inv* Karies *f*
cariño [ka'riɲo] *m* Zuneigung *f;* (*amor*) Liebe *f;* **sentir ~ por alguien** jdn lieb haben; **¡~ (mío)!** (mein) Liebling!
cariñoso, -a [kari'ɲoso] *adj* liebevoll
carioca [ka'rjoka] *adj* aus Rio de Janeiro; (*brasileño*) brasilianisch
carisma [ka'risma] *m* Charisma *nt*
caritativo, -a [karita'tiβo] *adj* wohltätig
cariz [ka'riθ] *m* Eindruck *m;* (*situación*) Lage *f*
carnal [kar'nal] *adj* fleischlich; **trato ~** Beischlaf *m;* (*consanguíneo*) leiblich
carnaval [karna'βal] *m* Karneval *m*
carne ['karne] *f* Fleisch *nt;* **~ de gallina** Gänsehaut *f;* **~ asada** Braten *m;* **~ picada** Hackfleisch *nt*
carné [kar'ne] <carnés> *m* Ausweis *m;* **~ de conducir, ~ de manejo** AM Führerschein *m*
carnero [kar'nero] *m* Widder *m*
carnet *m:* **~ de conducir por puntos** Punkteführerschein *m*
carnicería [karniθe'ria] *f* Metzgerei *f*
carnívoro, -a [kar'niβoro] *adj* Fleisch fressend; **animal ~** Fleischfresser *m*
caro, -a ['karo] *adj* teuer
carpa ['karpa] *f* Karpfen *m;* **~ del circo** Zirkuszelt *nt*
carpeta [kar'peta] *f* (Schreib)mappe *f*
carpintero, -a [karpin̪'tero] *m, f* Tischler(in) *m(f),* Schreiner(in) *m(f);* **pájaro ~** Specht *m*
carpir [kar'pir] *vt* AM jäten
carraspear [karraspe'ar] *vi* sich räuspern

carrera [ka'rrera] *f* ❶ (*movimiento*) Laufen *nt* ❷ DEP (Wett)rennen *nt;* ~ **de relevos** Staffellauf *m;* **coche de ~s** Rennwagen *m* ❸ (*profesión*) Karriere *f;* ~ **profesional** beruflicher Werdegang ❹ **persona de** ~ Akademiker(in) *m(f);* **hacer una** ~ studieren ❺ **hacer la** ~ (*fam*) auf den Strich gehen

carreta [ka'rreta] *f* Karren *m*

carrete [ka'rrete] *m* Spule *f;* ~ **de película** Filmrolle *f*

carretera [karre'tera] *f* (Land)straße *f;* ~ **de circunvalación** Ringstraße *f*

carretilla [karre'tiʎa] *f* Schubkarre *f*

carril [ka'rril] *m* Spur *f;* ~ **de adelantamiento** Überholspur *f; t.* TÉC (Führungs)schiene *f*

carril bici *m* Fahrradweg *m*

carril bus *m* Busfahrbahn *f*

carro ['karro] *m* ❶ Fuhrwerk *nt;* (*carreta*) Karren *m;* ~ **blindado** Panzer *m;* **¡para el ~!** (*fam*) mach mal halblang! ❷ AM Wagen *m*

carrocería [karroθe'ria] *f* Karosserie *f*

carroña [ka'rroɲa] *f* Aas *nt*

carroza [ka'rroθa] *f* Karosse *f*

carruaje [ka'rrwaxe] *m* Kutsche *f*

carrusel [karru'sel] *m* ❶ (*tiovivo*) Karussell *nt* ❷ (*ecuestre*) Kavalkade *f*

carta ['karta] *f* ❶ Brief *m;* ~ **certificada** Einschreibebrief *m* ❷ **Carta Magna** Grundgesetz *nt* ❸ (*naipes*) Spielkarte *f;* **echar las ~s a alguien** jdm wahrsagen ❹ GEO Karte *f;* ~ **astral** Horoskop *nt* ❺ (*menú*) Speisekarte *f*

cartel [kar'tel] *m* Plakat *nt*

cártel ['kartel] *m* Kartell *nt*

cartelera [karte'lera] *f:* **estar en** ~ aufgeführt werden

cartera [kar'tera] *f* Brieftasche *f;* (*escolar*) Schultasche *f*

carterista [karte'rista] *mf* Taschendieb(in) *m(f)*

cartero, -a [kar'tero] *m, f* Briefträger(in) *m(f)*

cartilla [kar'tiʎa] *f:* ~ **de ahorros** Sparbuch *nt;* AM Ausweis *m*

cartón [kar'ton] *m:* **caja de** ~ Karton *m;* ~ **de leche** Milchtüte *f;* **un** ~ **de tabaco** eine Stange Zigaretten

cartucho [kar'tuʧo] *m* Patrone *f*

cartulina [kartu'lina] *f* (feine) Pappe *f*

casa ['kasa] *f* ❶ (*edificio*) Haus *nt;* ~ **adosada** Reihenhaus *nt;* ~ **de campo** Landhaus *nt* ❷ (*vivienda*) Wohnung *f* ❸ **a** ~ nach Haus(e); **en** ~ zu Haus(e)

casar [ka'sar] **I.** *vi* zusammenpassen **II.** *vt* verheiraten; (*combinar*) kombinieren **III.** *vr:* **~se** heiraten (*con* +*akk*); **~se por la Iglesia** kirchlich heiraten; **~se por lo civil** standesamtlich heiraten

cascabel [kaska'βel] *m* Schelle *f;* **serpiente de** ~ Klapperschlange *f*

cascada [kas'kaða] *f* Wasserfall *m*

cascar [kas'kar] <c → qu> **I.** *vi* schwatzen; (*vulg*) verrecken *fam* **II.** *vt* (*fam*) (ver)hauen; ~ **un huevo** ein Ei aufschlagen; ~ **una nuez** eine Nuss knacken

cáscara ['kaskara] *f* Schale *f;* ~ **de limón** Zitronenschale *f;* **¡~s!** (*fig fam*) Manometer!

casco ['kasko] *m* ❶ (*para la cabeza*) Helm *m;* **los ~s azules** die Blauhelme ❷ (*fam*): **ligero de ~s** leichtsinnig ❸ (*de un avión*) Rumpf *m* ❹ (*botella*) Leergut *nt* ❺ (*centro ciudad*) Stadtmitte *f;* ~ **antiguo** Altstadt *f* ❻ *pl* (*auriculares*) Kopfhörer *m*

caserío [kase'rio] *m* Aussiedlerhof *m*

casero, -a [ka'sero] **I.** *adj* häuslich; **cocina casera** Hausmannsküche *f;* **remedio** ~ Hausmittel *nt* **II.** *m, f* Hausbesitzer(in) *m(f)*

caseta [ka'seta] *f* Jahrmarktsbude *f;* (*de muestras*) Messestand *m;* ~ **del perro** Hundehütte *f*

casete[1] [ka'sete] *m o f* Kassette *f;* ~ **de vídeo** Videokassette *f*

casete[2] [ka'sete] *m* Kassettenrecorder *m*

casi ['kasi] *adv* fast, beinahe; ~ ~ so gut wie

casilla [ka'siʎa] *f* Kästchen *nt;* **sacar a alguien de sus ~s** jdn aus dem Häuschen bringen
casillero [kasi'ʎero] *m* Fächerregal *nt*
casino [ka'sino] *m* (Spiel)kasino *nt*
caso ['kaso] *m* ❶ (*hecho*) (Vor)fall *m;* (*circunstancia*) Umstand *m;* JUR Rechtsfall *m;* **~ aislado** Einzelfall *m;* **yo, en tu ~...** ich an deiner Stelle ...; **en ~ de...** +*inf* falls ...; **en ningún ~** auf keinen Fall; **en tal ~** in diesem Fall; **en todo ~** allenfalls ❷ **hacer ~ a alguien** auf jdn hören ❸ LING Kasus *m*, Fall *m*
caspa ['kaspa] *f* (Kopf)schuppen *fpl*
casta ['kasta] *f* Rasse *f;* (*linaje*) Geschlecht *nt;* (*clase social*) Kaste *f*
castaña [kas'taɲa] *f* ❶ (*fruto*) Kastanie *f;* **~s asadas** heiße Maronen ❷ (*fam*): **darse una ~ contra algo** gegen etw knallen ❸ (*fam*) Rausch *m* ❹ (*fam*): **a toda ~** volle Pulle
castaño[1] [kas'taɲo] *m* Kastanienbaum *m*
castaño, -a[2] [kas'taɲo] *adj* brünett
castañuela [kasta'ɲwela] *f* Kastagnette *f*
castellano, -a [kaste'ʎano] *adj* kastilisch; **la lengua castellana** die spanische Sprache
castidad [kasti'ðaᶞ] *f* Keuschheit *f*
castigar [kasti'ɣar] <g → gu> *vt* (be)strafen
castigo [kas'tiɣo] *m* Bestrafung *f*
Castilla [kas'tiʎa] *f* Kastilien *nt*
Castilla-La Mancha [kas'tiʎa la 'mantʃa] *f* Südkastilien *nt*
Castilla-León [kas'tiʎa le'on] *f* Nordkastilien *nt*
castillo [kas'tiʎo] *m* Schloss *nt*
castor [kas'tor] *m* Biber *m*
castrar [kas'trar] *vt* kastrieren
casual [ka'swal] *adj* zufällig; **por un ~** (*fam*) zufällig(erweise)
casualidad [kaswali'ðaᶞ] *f:* **de ~** zufällig (erweise); **¡qué ~!** so ein Zufall!
cata ['kata] *f:* **~ de vinos** Weinprobe *f*
catalán, -ana [kata'lan] *adj* katalanisch
catalizador [kataliθa'ðor] *m* Katalysator *m*
catalogar [katalo'ɣar] <g → gu> *vt* katalogisieren
catálogo [ka'taloɣo] *m* Katalog *m;* **~ de materias** Schlagwortverzeichnis *nt;* **casa de ventas por ~** Versandhaus *nt;* **en ~** lieferbar
Cataluña [kata'luɲa] *f* Katalonien *nt*
catar [ka'tar] *vt* probieren
catarata [kata'rata] *f* Wasserfall *m;* **las ~s del Niágara** die Niagarafälle; MED grauer Star *m*
catarro [ka'tarro] *m* Erkältung *f;* **~ de nariz** Schnupfen *m*
catástrofe [ka'tastrofe] *f* Katastrophe *f*
catecismo [kate'θismo] *m* Katechismus *m*
catedral [kate'ðral] *f* Kathedrale *f*
catedrático, -a [kate'ðratiko] *m, f* Professor(in) *m(f);* **~ de instituto** Studienrat *m*
categoría [kateɣo'ria] *f* Kategorie *f;* (*calidad*) Qualität *f;* **de primera ~** erstklassig; **dar ~** Prestige geben
catolicismo [katoli'θismo] *m* Katholizismus *m*
católico, -a [ka'toliko] *m, f* Katholik(in) *m(f)*
catorce [ka'torθe] *adj* vierzehn; *v.t.* **ocho**
cauce ['kau̯θe] *m* Flussbett *nt;* **~ jurídico** Rechtsweg *m;* **~ reglamentario** Dienstweg *m*
caucho ['kau̯tʃo] *m* Kautschuk *m*
caudal [kau̯'ðal] *m* ❶ (*de agua*) Wassermenge *f* ❷ (*dinero*) Vermögen *nt;* **caja de ~es** Tresor *m;* **un ~ de conocimientos** ein umfangreiches Wissen
caudillo [kau̯'ðiʎo] *m:* **el Caudillo** *Beiname Francos während seiner Diktatur*
causa ['kau̯sa] *f* ❶ Ursache *f;* (*motivo*) Grund *m;* **~ del despido** Entlassungsgrund *m* ❷ *t.* POL Ideal *nt;* **morir por la ~** für seine Überzeugung sterben ❸ JUR Rechtssache *f* ❹ **a [*o* por] ~ de** wegen +*gen/dat*

causar [kau̯'sar] *vt* verursachen; ~ **efecto** wirken; ~ **problemas** Probleme bereiten

cautela [kau̯'tela] *f* Vorsicht *f*

cautivar [kau̯ti'βar] *vt* gefangen nehmen; (*seducir*) verführen

cautiverio [kau̯ti'βerjo] *m*, **cautividad** [kau̯tiβi'ðaᵈ] *f* Gefangenschaft *f*

cautivo, -a [kau̯'tiβo] *adj* gefangen

cauto, -a ['kau̯to] *adj* vorsichtig

cava ['kaβa] *m* (spanischer) Sekt *m*

cavar [ka'βar] *vi, vt* graben

caverna [ka'βerna] *f* Höhle *f;* (*gruta*) Grotte *f*

caviar [ka'βjar] *m* Kaviar *m*

cavilar [kaβi'lar] *vt* (nach)grübeln (über +*akk*)

caza ['kaθa] *f* ❶ Jagd *f;* **ir de** ~ auf die Jagd gehen ❷ (*animales*) Wild *nt;* ~ **mayor** Hochwild *nt*

cazador(a) [kaθa'ðor] *m(f)* Jäger(in) *m(f);* ~ **furtivo** Wilderer *m*

cazadora [kaθa'ðora] *f* (Wind)jacke *f;* ~ **de piel** Lederjacke *f*

cazar [ka'θar] <z → c> *vt* jagen

cazo ['kaθo] *m* Topf *m* (mit Stiel)

cazuela [ka'θwela] *f* Kasserolle *f*

c.c., C.C., c/c ['kwen̪ta korrjen̪te] *f* COM *abr de* **cuenta corriente** Kontokorrent *nt*

cebada [θe'βaða] *f* Gerste *f*

cebar [θe'βar] **I.** *vt* mästen **II.** *vr:* **~se: se cebó en él** er/sie ließ seine/ihre ganze Wut an ihm aus

cebo ['θeβo] *m* Köder *m*

cebolla [θe'βoʎa] *f* (Gemüse)zwiebel *f*

cebra ['θebra] *f* Zebra *nt;* **paso de** ~ Zebrastreifen *m*

ceder [θe'ðer] **I.** *vi* nachgeben **II.** *vt* abgeben

cegar [θe'ɣar] *irr como fregar* **I.** *vi* erblinden **II.** *vt* blenden; **le ciega la ira** er/sie ist blind vor Wut **III.** *vr:* **~se** blind sein (*de/por* vor +*dat*), geblendet sein (*de/por* von +*dat*)

ceguera [θe'ɣera] *f* Blindheit *f;* (*de la razón*) Verblendung *f*

Ceilán [θei̯'lan] *m* Ceylon *nt*

ceja ['θexa] *f* (Augen)braue *f;* **fruncir las ~s** die Augenbrauen zusammenziehen

celador(a) [θela'ðor] *m(f)* Aufseher(in) *m(f)*

celda ['θel̪da] *f* (Gefängnis)zelle *f;* ~ **de castigo** Einzelhaftzelle *f*

celebrar [θele'βrar] *vt* feiern; (*alegrarse*) sich freuen (über +*akk*)

célebre ['θeleβre] <celebérrimo> *adj* berühmt (*por* für +*akk*)

celeste [θe'leste] *adj* himmelblau; **cuerpos ~s** Himmelskörper *mpl*

celestial [θeles'tjal] *adj* himmlisch

celibato [θeli'βato] *m* Zölibat *m o nt*

celo ['θelo] *m* ❶ (*afán*) Eifer *m* ❷ *pl* (*por amor*) Eifersucht *f;* **tener ~s** eifersüchtig sein ❸ *pl* (*sospecha*) Misstrauen *nt* ❹ *pl* (*envidia*) Neid *m* ❺ **estar en** ~ brünstig sein ❻ (*autoadhesivo*) Tesafilm® *m*

celoso, -a [θe'loso] *adj* eifersüchtig

celta ['θel̪ta] *adj* keltisch

célula ['θelula] *f* Zelle *f*

celulitis [θelu'litis] *f inv* Zellulitis *f*

cementerio [θemen̪'terjo] *m* Friedhof *m*

cemento [θe'men̪to] *m* Zement *m;* ~ **armado** Stahlbeton *m*

cena ['θena] *f* Abendessen *nt*

cenar [θe'nar] *vi, vt* zu Abend essen

cencerro [θen̪'θerro] *m* Kuhglocke *f;* **estar como un** ~ (*fam*) völlig übergeschnappt sein

cenicero [θeni'θero] *m* Aschenbecher *m*

cenicienta *f*, **Cenicienta** [θeni'θjen̪ta] *f* Aschenbrödel *nt*, Aschenputtel *nt*

cenit [θe'nit] *m* Zenit *m;* (*apogeo*) Höhepunkt *m*

ceniza [θe'niθa] *f* Asche *f*

censar [θen'sar] *vi* eine Volkszählung durchführen

censo ['θenso] *m* Volkszählung *f;* ~ **electoral** Wählerliste *f*

censura [θen'sura] *f* Zensur *f;* **someter a la** ~ zensieren; **moción de** ~ Misstrauensantrag *m*

censurar [θensu'rar] *vt* zensieren

centavo [θen̪'taβo] *m* AM Centavo *m*

centell(e)ar [θen̪teʎ(e)'ar] *vi* funkeln

centena [θen̪'tena] *f* Hundert *nt*

centenar [θen̪te'nar] *m* Hundert *nt*

centenario [θen̪te'narjo] *m* hundertster Jahrestag *m*

centeno [θen̪'teno] *m* Roggen *m*

centígrado [θen̪'tiɣraðo] *m*: **grado ~** Celsiusgrad *nt*

centímetro [θen̪'timetro] *m* Zentimeter *m o nt*

céntimo ['θen̪timo] *m* AMC Céntimo *m*; **estar sin un ~** kein Geld haben

centinela [θen̪ti'nela] *mf* Wächter(in) *m(f)*

centrado, -a [θen̪'traðo] *adj* ausgeglichen

central [θen̪'tral] **I.** *adj* ① (*en el centro*) Zentral-, Mittel-; **Europa Central** Mitteleuropa *nt* ② (*esencial*) zentral, wesentlich ③ (*principal*) Zentral-, Haupt-; **comité ~** Zentralkomitee *nt*; **estación ~** Hauptbahnhof *m* **II.** *f* ① Hauptstelle *f*; **~ de Correos** Hauptpost *f* ② TÉC Anlage *f*; **~ hidroeléctrica** Wasserkraftwerk *nt*; **~ nuclear** Kernkraftwerk *nt*

centralismo [θen̪tra'lismo] *m* Zentralismus *m*

centralita [θen̪tra'lita] *f* Telefonzentrale *f*

centralizar [θen̪trali'θar] <z → c> *vt* zentralisieren

centrar [θen̪'trar] **I.** *vt* (kon)zentrieren **II.** *vr*: **~se** beruhen (*en* auf +*dat*); (*familiarizarse*) sich einleben

céntrico, -a ['θen̪triko] *adj*: **piso ~** zentral gelegene Wohnung

centro ['θen̪tro] *m* ① (*el medio t.* POL) Zentrum *nt*, Mitte *f*; **~ de gravedad** Schwerpunkt *m* ② (*institución*) Zentrum *nt*; **~ industrial** Industriezentrum *nt*; **~ de atención de llamadas** Callcenter *nt*; **~ de enseñanza** Ausbildungsstätte *f*; **~ de viaje compartido** Mitfahrzentrale *f*

Centroamérica [θen̪troa'merika] *f* Mittelamerika *nt*

centroamericano, -a [θen̪troameri'kano] *adj* mittelamerikanisch

ceñirse [θe'ɲirse] *irr vr* sich kurz fassen; **~ al presupuesto** sich strikt auf das Budget beschränken

ceño ['θeɲo] *m*: **fruncir el ~** die Stirn runzeln

cepa ['θepa] *f* (Wein)stock *m*; **de pura ~** waschecht

cepillar [θepi'ʎar] *vt* bürsten; (*madera*) hobeln

cepillo [θe'piʎo] *m* ① (Haar)bürste *f*; **~ de barrer** Kehrbesen *m*; **~ de dientes** Zahnbürste *f* ② (*para madera*) Hobel *m* ③ (*en misa*) Klingelbeutel *m*

cepo ['θepo] *m* Fangeisen *nt*; **caer en el ~** in die Falle gehen

cera ['θera] *f* (Kerzen)wachs *nt*; **~ de los oídos** Ohrenschmalz *nt*; **museo de ~** Wachsfigurenkabinett *nt*; **blanco como la ~** kreidebleich

cerámica [θe'ramika] *f* Keramik *f*

cerca ['θerka] **I.** *adv* ① (*en el espacio*) nah(e); **aquí ~** hier in der Nähe; **mirar de ~** aus der Nähe betrachten ② (*en el tiempo*) bald **II.** *prep* ① (*lugar*): **~ de** in der Nähe von +*dat* ② (*cantidad*) fast **III.** *f* Zaun *m*

cercanía [θerka'nia] *f* ① (*proximidad*) Nähe *f* ② *pl* (*alrededores*) Umgebung *f*

cercano, -a [θer'kano] *adj* nahe

cercar [θer'kar] <c → qu> *vt* einzäunen; (*rodear*) umringen; MIL belagern

cerco ['θerko] *m* Rand *m*; MIL Belagerung *f*

Cerdeña [θer'ðeɲa] *f* Sardinien *nt*

cerdo, -a ['θerðo] **I.** *adj* schweinisch **II.** *m, f* Schwein *nt*; (*hembra*) Sau *f*

cereales [θere'ales] *m pl* Getreide *nt*

cerebro [θe'reβro] *m* (Ge)hirn *nt*

ceremonia [θere'monja] *f* Zeremonie *f*

cereza [θe'reθa] *f* Kirsche *f*

cerilla [θe'riʎa] *f* Streichholz *nt*

cernir [θer'nir] *irr vt* ① (*cribar*) sieben ② (*observar*) beobachten

cero ['θero] *m* ❶ MAT Null *f* ❷ (*punto inicial*) Nullpunkt *m;* **ocho grados bajo ~** acht Grad unter Null; **partir de ~** bei Null anfangen ❸ (*valor*) Niete *f*
cerrado, -a [θe'rraðo] *adj* ❶ *estar* (ab)geschlossen; **la puerta está cerrada** die Tür ist zu ❷ *ser* (*actitud*) verschlossen
cerradura [θerra'ðura] *f* Schloss *nt*
cerrajero, -a [θerra'xero] *m, f* Schlosser(in) *m(f)*
cerrar [θe'rrar] <e → ie> **I.** *vt* (ab)schließen; **~ archivo** Datei schließen **II.** *vr:* **~se: la puerta se cerró sola** die Türe ist von allein zugefallen
cerril [θe'rril] *adj* eigensinnig; (*torpe*) begriffsstutzig
cerro ['θerro] *m* Hügel *m*
cerrojo [θe'rroxo] *m* Riegel *m;* **echar el ~ a la puerta** die Tür verriegeln
certamen [θer'tamen] *m* Wettbewerb *m*
certeza [θer'teθa] *f* Gewissheit *f*
certidumbre [θerti'ðumbre] *f* Gewissheit *f*, Sicherheit *f*
certificado[1] [θertifi'kaðo] *m* Bescheinigung *f;* **~ de aptitud** Befähigungsnachweis *m;* **~ de asistencia** Teilnahmebescheinigung *f;* **~ médico** ärztliches Attest
certificado, -a[2] [θertifi'kaðo] *adj* beglaubigt; (*correos*) per Einschreiben; **carta certificada** Einschreibebrief *m*
certificar [θertifi'kar] <c → qu> *vt* bescheinigen; JUR beglaubigen; (*correos*) per Einschreiben verschicken
cerveza [θer'βeθa] *f* Bier *nt;* **~ de barril** Fassbier *nt;* **~ sin** alkoholfreies Bier
cervical [θerβi'kal] *adj* Nacken-, Genick-
cesar [θe'sar] **I.** *vi* aufhören; **sin ~** unaufhörlich **II.** *vt* des Amtes entheben
cesárea [θe'sarea] *f* Kaiserschnitt *m*
cese ['θese] *m* ❶ Beendigung *f;* **~ de pagos** Zahlungseinstellung *f* ❷ (*de obrero*) Kündigung *f;* **~ en el cargo** Ausscheiden aus dem Amt
césped ['θespe^{ð}] *m* Rasen *m*
cesta ['θesta] *f* Korb *m*
cesto ['θesto] *m* (großer) Korb *m*
ceta ['θeta] *f* Z *nt*
ceutí [θeu̯'ti] *adj* aus Ceuta
chabola [ʧa'βola] *f* Slumhütte *f*
chacal [ʧa'kal] *m* Schakal *m*
chácara ['ʧakara] *f* AM Landgut *nt*
chacarero, -a [ʧaka'rero] *m, f* AM Bauer, Bäuerin *m, f*
cháchara ['ʧaʧara] *f* (*fam*): **estar de ~** ein Schwätzchen halten
chacra ['ʧakra] *f* AM kleine Farm *f*
chafar [ʧa'far] *vt*: **quedar(se) chafado** sprachlos sein; **le ~on sus proyectos** sie haben seine/ihre Pläne über den Haufen geworfen
chaflán [ʧa'flan] *m* Straßenecke *f*
chal [ʧal] *m* Schal *m*
chalado, -a [ʧa'laðo] *adj* (*fam*) verrückt
chalé [ʧa'le] *m* Einfamilienhaus *nt*, Villa *f*
chaleco [ʧa'leko] *m* Weste *f;* **~ salvavidas** Schwimmweste *f*
champán [ʧam'pan] *m*, **champaña** [ʧam'paɲa] *m* Champagner *m*
champiñón [ʧam'piɲon] *m* Champignon *m*
champú [ʧam'pu] *m* Shampoo *nt*
chamuscar [ʧamus'kar] <c → qu> **I.** *vt* (*quemar*) ansengen; (*aves*) absengen **II.** *vr:* **~se** (*quemarse*) ansengen
chancho ['ʧanʧo] *m* AM Schwein *nt*
chanchullo [ʧan'ʧuʎo] *m* (*fam*) Machenschaft *f*
chancla ['ʧaŋkla] *f* ❶ (*zapato viejo*) ausgetretener (Haus)schuh *m* ❷ (*zapatilla*) Pantoffel *m*
chancleta [ʧaŋ'kleta] *f* Schlappen *m fam*
chanclo ['ʧaŋklo] *m* Holzschuh *m*
chándal ['ʧan̪dal] *m* Jogginganzug *m*
chantaje [ʧan̪'taxe] *m* Erpressung *f*
chantajear [ʧan̪taxe'ar] *vt* erpressen
chapa ['ʧapa] *f* Blech *nt;* AM (Tür)schloss *nt*
chaparrón [ʧapa'rron] *m* Platzregen *m*
chapuza [ʧa'puθa] *f* Pfusch *m fam*, Gelegenheitsarbeit *f*

chapuzón [ʧapu'θon] *m:* **darse un ~** kurz schwimmen gehen

chaqueta [ʧa'keta] *f* Jacke *f;* (*americana*) Jackett *nt;* **cambiar de ~** (*fig*) umschwenken

chaquetón [ʧake'ton] *m* Winterjacke *f*

charanga [ʧa'raŋga] *f* (kleine) Musikkapelle *f;* AM Tänzchen *nt*

charca ['ʧarka] *f* Tümpel *m*

charco ['ʧarko] *m* Pfütze *f,* Lache *f*

charla ['ʧarla] *f* Plauderei *f;* **estar de ~** plaudern

charlar [ʧar'lar] *vi* plaudern

charlatán, -ana [ʧarla'tan] *m, f* Schwätzer(in) *m(f)*

charol [ʧa'rol] *m* Lackleder *nt;* AM Tablett *nt*

chárter ['ʧarter] *adj:* **vuelo ~** Charterflug *m*

chasco[1] ['ʧasko] *m* Enttäuschung *f;* (*fracaso*) Reinfall *m fam*

chasco, -a[2] ['ʧasko] *adj* AM wirr

chasquido [ʧas'kiðo] *m* (*de lengua*) Schnalzen *nt;* (*de látigo*) Knallen *nt;* (*de la madera*) Knarren *nt*

chatarra [ʧa'tarra] *f* Alteisen *nt*

chato, -a ['ʧato] *adj* stumpfnasig

chaval(a) [ʧa'βal] *m(f)* Bursche *m;* (*chica*) Mädchen *nt*

checo, -a ['ʧeko] *adj* tschechisch; **República Checa** Tschechische Republik

checo(e)slovaco, -a [ʧeko(e)slo'βako] *adj* tschechoslowakisch

chelín [ʧe'lin] *m* Schilling *m*

chelo ['ʧelo] *m* Cello *nt*

cheque ['ʧeke] *m* Scheck *m;* **~ bancario** Bankscheck *m;* **~ en blanco** Blankoscheck *m;* **~ sin fondo** ungedeckter Scheck; **~ de viaje** Reisescheck *m*

chequear [ʧeke'ar] **I.** *vt* AM untersuchen, (über)prüfen **II.** *vr:* **~se** sich untersuchen lassen

chequeo [ʧe'keo] *m* Check-up *m o nt*

Chequia ['ʧekja] *f* Tschechien *nt*

chica ['ʧika] *f* Mädchen *nt;* (*joven*) junge Frau *f;* (*criada*) Dienstmädchen *nt*

chicano, -a [ʧi'kano] *m, f Einwohner(in) der USA mit mexikanischen Vorfahren*

chichón [ʧi'ʧon] *m* Beule *f*

chicle ['ʧikle] *m* Kaugummi *m o nt*

chico ['ʧiko] *m* Junge *m;* (*joven*) junger Mann *m;* (*para los recados*) Laufbursche *m*

chiflado, -a [ʧi'flaðo] *adj* (*fam*) übergeschnappt

chile ['ʧile] *m* Chili *m;* (*especia*) Cayennepfeffer *m*

Chile ['ʧile] *m* Chile *nt*

chileno, -a [ʧi'leno] *adj* chilenisch

chillar [ʧi'ʎar] *vi* kreischen; **¡no me chilles!** schrei mich nicht an!; AM schluchzen

chillido [ʧi'ʎiðo] *m* Kreischen *nt;* AM Schluchzen *nt*

chimenea [ʧime'nea] *f* Schornstein *m;* (*hogar*) Kamin *m*

chimpancé [ʧimpaṇ'θe] *mf* Schimpanse, -in *m, f*

china ['ʧina] *f* ❶ (*piedra*) Kieselstein *m* ❷ (AM: *india*) junge indianische Frau *f;* (*mestiza*) Mestizin *f* ❸ (AM: *amante*) Geliebte *f*

China ['ʧina] *f:* (**la**) **~** China *nt*

chinchar [ʧin'ʧar] **I.** *vt* (*fam*) belästigen **II.** *vr:* **~se** (*fam*) sich ärgern; **¡chínchate!** das hast du davon!

chinche ['ʧinʧe] *m o f* Wanze *f*

chincheta [ʧin'ʧeta] *f* Reißzwecke *f*

chingar [ʧiŋ'gar] <g → gu> **I.** *vt* ❶ (*fam: bebidas alcohólicas*) saufen ❷ (*fam: molestar*) auf die Nerven gehen +*dat* ❸ (*vulg: joder*) ficken **II.** *vr:* **~se** (*fam*) ❶ (*emborracharse*) sich besaufen ❷ AM (*fam: frustrarse*) in die Hose gehen

chino[1] ['ʧino] *m* (AM: *indio*) junger indianischer Mann *m;* (*mestizo*) Mestize *m*

chino, -a[2] ['ʧino] *adj* chinesisch

Chipre ['ʧipre] *f* Zypern *nt*

chiquillo, -a [ʧi'kiʎo] *m, f* (*niño*) (kleines) Kind *nt*

chiringuito [ʧiriŋ'gito] *m* Imbiss(stand) *m*

chiripa [tʃi'ripa] *f* (*fam*) glücklicher Zufall *m;* (*en el juego*) Zufallstreffer *m*
chirona [tʃi'rona] *f* (*fam*) Knast *m*
chirriar [tʃirri'ar] <*1. pres* chirrío> *vi* quietschen
chisme ['tʃisme] *m* Klatsch *m fam*; **andar con ~s** tratschen *fam*
chismoso, -a [tʃis'moso] *adj* klatschhaft
chispa ['tʃispa] *f* ❶ Funke(n) *m* ❷ (*ingenio*) Geist *m;* **ser una ~** sehr aufgeweckt sein ❸ (*fam*) Schwips *m*
chispear [tʃispe'ar] **I.** *vi* ❶ (*centellear*) Funken sprühen ❷ (*brillar*) funkeln **II.** *vimpers* (*lloviznar*) nieseln
chiste ['tʃiste] *m* Witz *m;* (*broma*) Scherz *m;* **~ verde** unanständiger Witz
chistoso, -a [tʃis'toso] *adj* witzig
chivarse [tʃi'βarse] *vr* (*fam*) petzen; AM sich ärgern
chivato, -a [tʃi'βato] *m, f* (*fam*) Petze *f*
chivo, -a ['tʃiβo] *m, f*: **~ expiatorio** Sündenbock *m*
chocante [tʃo'kan̩te] *adj* verwunderlich
chocar [tʃo'kar] <c → qu> **I.** *vi* ❶ kollidieren; (*dar*) aufprallen (*contra* auf +*akk*) ❷ (*personas*) (zusammen)stoßen; (*discutir*) aneinandergeraten **II.** *vt* ❶ (*entrechocar*) aneinanderstoßen; **~ las copas** anstoßen; **¡chócala!** (*fam*) schlag ein! ❷ (*sorprender*) erstaunen ❸ (*escandalizar*) schockieren ❹ AM abstoßen
chochear [tʃotʃe'ar] *vi* senil werden
chocolate [tʃoko'late] *m* Schokolade *f;* (*argot*) Shit *m o nt*
chocolatería [tʃokolate'ria] *f* ≈Café *nt*
chofer ['tʃofer] *m*, **chófer** [tʃo'fer] *m* Fahrer *m*
chollo ['tʃoʎo] *m* (*fam: suerte*) Glück *nt;* (*ganga*) Schnäppchen *nt*
cholo, -a ['tʃolo] *m, f* AM *in die kreolische Gesellschaft integrierte(r) Indianer(in)*; (*mestizo*) Mestize, -in *m, f*
chopo ['tʃopo] *m* Pappel *f*
choque ['tʃoke] *m* Stoß *m;* (*impacto*) Aufprall *m;* (*colisión*) Kollision *f;* **~ de frente** Frontalzusammenstoß *m*
chorizo[1] [tʃo'riθo] *m* luftgetrocknete Paprikawurst
chorizo, -a[2] [tʃo'riθo] *m, f* (*fam*) (Taschen)dieb(in) *m(f)*

chorrada [tʃo'rraða] *f* Unfug *m;* (*fam*) unnützes Zeug *nt*
chorrear [tʃorre'ar] *vi* rinnen
chorro ['tʃorro] *m:* **beber a ~s** in großen Zügen trinken; **llover a ~s** in Strömen regnen
choteo [tʃo'teo] *m* (*diversión*) Spaß *m*, Vergnügen *nt;* (*burla*) Spott *m*
choza ['tʃoθa] *f* Hütte *f*
chubasco [tʃu'βasko] *m* Regenschauer *m;* (*chaparrón*) Platzregen *m*
chubasquero [tʃuβas'kero] *m* Regenmantel *m*
chuchería [tʃutʃe'ria] *f* Süßigkeit *f*
chucho ['tʃutʃo] *m* (*fam*) Köter *m;* AM Schüttelfrost *m*
chucrú [tʃu'kru] *m*, **chucrut** [tʃu'kru] *m* Sauerkraut *nt*
chufa ['tʃufa] *f* Erdmandel *f*
chufla ['tʃufla] *f* Witz *m*, Scherz *m*
chulada [tʃu'laða] *f* Frechheit *f;* (*fam*) tolle Sache *f*
chulear [tʃule'ar] **I.** *vi, vr:* ~(**se**) angeben **II.** *vr:* **~se** sich lustig machen (*de* über +*akk*)
chulería [tʃule'ria] *f* Angeberei *f*
chuleta [tʃu'leta] **I.** *f* ❶ (*costilla*) Kotelett *nt* ❷ (*fam: apunte*) Spickzettel *m* ❸ (*fam: bofetada*) Ohrfeige *f* **II.** *adj* (*fam*): **ponerse ~** frech werden
chuletón [tʃule'ton] *m* Steak *nt*
chulo[1] ['tʃulo] *m* Tunichtgut *m;* (*argot*) Zuhälter *m*
chulo, -a[2] ['tʃulo] *adj* angeberisch; (*presumido*) eingebildet; **ponerse ~** frech werden (*fam: elegante*) schick
chungo, -a ['tʃuŋgo] *adj* (*fam*) schlecht
chupa-chups® [tʃupa'tʃuβs] *m* Lolli *m*
chupada [tʃu'paða] *f* Zug *m*
chupado, -a [tʃu'paðo] *adj* ausgemergelt; (*fam*) kinderleicht; AM betrunken
chupar [tʃu'par] **I.** *vt* aussaugen; (*caramelo*) lutschen; (*helado*) schlecken **II.** *vi*

❶ ~ **del bote** auf Kosten anderer leben ❷ AM (*fam*) saufen *pey* **III.** *vr:* **~se los dedos** (*fig fam*) sich *dat* die Finger lecken

C

chupete [tʃu'pete] *m* Schnuller *m;* AM Lolli *m*

churrasco [tʃu'rrasko] *m* gegrilltes Fleisch *nt*

churro ['tʃurro] *m* *frittiertes Spritzgebäck*; (*chapuza*) Murks *m*

chusma ['tʃusma] *f* Pöbel *m*

chutar [tʃu'tar] **I.** *vt* schießen; **esto va que chuta** (*fam*) das klappt wie geschmiert **II.** *vr:* **~se** (*argot*) sich *dat* einen Schuss setzen

Cía. ['θia] *f abr de* **compañía** Co.

ciberadicción [θiberaðiᵞ'θjon] *f* Internetsucht *f*

ciberdelincuencia [θiβerdeliŋ'kweṇθja] *f* Computerkriminalität *f*

ciberespacio [θiβeres'paθjo] *m* Cyberspace *m*

cibernética [θiβer'netika] *f* Kybernetik *f*

ciberpostal [θiβerpos'tal] *f* E-Card *f*, Internetpostkarte *f*

cicatriz [θika'triθ] *f* Narbe *f*

ciclismo [θi'klismo] *m* Radsport *m*

ciclista [θi'klista] *mf* Radfahrer(in) *m(f)*

ciclo ['θiklo] *m:* ~ **económico** Wirtschaftszyklus *m*

ciclón [θi'klon] *m* Zyklon *m;* (*borrasca*) Bö(e) *f*

ciego, -a ['θjeɣo] **I.** *adj* blind; **quedarse** ~ erblinden **II.** *adv:* **a ciegas** blindlings

cielo ['θjelo] *m* Himmel *m;* (*apelativo cariñoso*) Schatz *m*

ciempiés [θjem'pjes] *m* Tausendfüß(l)er *m*

cien [θjen] *adj* hundert; **al ~ por ~** hundertprozentig; *v.t.* **ochocientos**

ciencia ['θjeṇθja] *f* Wissen *nt;* **a ~ cierta** mit Sicherheit; **~s ambientales** Umweltwissenschaften *fpl*; **~s políticas** Politikwissenschaft *f*

ciencia-ficción ['θjeṇθja-fiᵞ'θjon] *f* Sciencefiction *f*

cienciología [θjenθjolo'xia] *f* Scientology *f*

científico, -a [θjeṇ'tifiko] **I.** *adj* wissenschaftlich **II.** *m, f* Wissenschaftler(in) *m(f)*

ciento ['θjeṇto] **I.** *adj* <cien> hundert; *v.t.* **ochenta II.** *m:* **~s de huevos** Hunderte von Eiern; **el cinco por ~** fünf Prozent

cierre ['θjerre] *m* Schließen *nt;* PREN Redaktionsschluss *m;* ~ **centralizado** Zentralverriegelung *f*

cierto¹ ['θjerto] *adv* gewiss; **por ~** übrigens

cierto, -a² ['θjerto] <certísimo> *adj* wahr; ~ **día** eines Tages

ciervo, -a ['θjerβo] *m, f* Hirsch, Hirschkuh *m, f*

cifra ['θifra] *f* Ziffer *f*

cifrar [θi'frar] **I.** *vt* verschlüsseln; (*calcular*) berechnen **II.** *vr:* **~se** sich belaufen (*en* auf +*akk*)

cigarra [θi'ɣarra] *f* ❶ ZOOL Zikade *f* ❷ (*bolsa*) Geldbeutel *m*

cigarrillo [θiɣa'rriʎo] *m* Zigarette *f*

cigarro [θi'ɣarro] *m* Zigarette *f*

cigüeña [θi'ɣweɲa] *f* Storch *m*

cilindrada [θiliṇ'draða] *f* Hubraum *m*

cilindro [θi'liṇdro] *m* Zylinder *m*

cima ['θima] *f* ❶ (*cumbre*) Spitze *f;* ~ **del árbol** (Baum)wipfel *m;* ~ **del monte** (Berg)gipfel *m* ❷ (*cúspide*) Höhepunkt *m*

cimiento [θi'mjeṇto] *m* Fundament *nt*

cinc [θiŋ] *m* Zink *nt*

cincel [θiṇ'θel] *m* Meißel *m*

cinco ['θiŋko] *adj* fünf; **estar sin ~** blank sein; *v.t.* **ocho**

cincuenta [θiŋ'kweṇta] *adj* fünfzig; *v.t.* **ochenta**

cine ['θine] *m* Kino *nt;* (*séptimo arte*) Filmkunst *f;* ~ **mudo** Stummfilm *m*

cínico, -a ['θiniko] *adj* zynisch

cinismo [θi'nismo] *m* ❶ (*desvergüenza*) Zynismus *m* ❷ FILOS Kynismus *m*

cinta ['θiṇta] *f* Band *nt;* ~ **adhesiva** Klebeband *nt;* ~ **aislante** Isolierband *nt;*

~ **del pelo** Haarband *nt;* DEP: ~ **de correr** Laufband *nt*

cinto ['θiṇto] *m* Gürtel *m*

cintura [θiṇ'tura] *f* Taille *f;* ~ **de avispa** Wespentaille *f*

cinturón [θiṇtu'ron] *m* ❶ (*ceñidor*) Gürtel *m;* **apretarse el** ~ (*fig*) den Gürtel enger schnallen ❷ (*correa*) Gurt *m;* **ponerse el** ~ sich anschnallen

ciprés [θi'pres] *m* Zypresse *f*

circo ['θirko] *m* Zirkus *m*

circuito [θirku'ito] *m* ❶ (*trayecto de carrera*) Rennstrecke *f* ❷ (*recorrido*) Rundfahrt *f* ❸ ELEC Stromkreis *m;* **corto** ~ Kurzschluss *m*

circulación [θirkula'θjon] *f* ❶ (*ciclo*) Kreislauf *m;* ~ **sanguínea** Blutkreislauf *m* ❷ (*tránsito*) Verkehr *m* ❸ ECON Umlauf *m;* **retirar de la** ~ aus dem Verkehr ziehen

circular [θirku'lar] **I.** *adj* kreisförmig **II.** *vi* hin und her gehen/fahren; **¡circulen!** (bitte) weitergehen! **III.** *f* Rundschreiben *nt*

círculo ['θirkulo] *m* Kreis *m;* ~ **vicioso** Teufelskreis *m*

circunstancia [θirkuⁿs'taṇθja] *f* Umstand *m;* **en estas ~s** unter diesen Umständen

circunvalación [θirkumbala'θjon] *f:* **carretera de** ~ Umgehungsstraße *f*

ciruela [θi'rwela] *f* Pflaume *f*

cirugía [θiru'xia] *f* Chirurgie *f*

cirujano, -a [θiru'xano] *m, f* Chirurg(in) *m(f)*

cisco ['θisko] *m* (Kohlen)grus *m;* **estar hecho un** ~ (*fam*) fix und fertig sein

Cisjordania [θisxor'ðanja] *f* Westjordanland *nt*

cisne ['θisne] *m* Schwan *m*

cisterna [θis'terna] **I.** *adj* Tank-; **barco** ~ Tankschiff *nt* **II.** *f* Zisterne *f;* (*de un retrete*) Spülkasten *m*

cita ['θita] *f* ❶ (*convocatoria*) Termin *m* ❷ (*encuentro*) Verabredung *f;* ~ **anual** jährliches Treffen; ~ **a ciegas** Blind date *nt;* **tener una** ~ **con alguien** mit jdm verabredet sein ❸ (*mención*) Zitat *nt*

citación [θita'θjon] *f* Vorladung *f*

citar [θi'tar] **I.** *vt* zu einem Termin einladen; (*mencionar*) zitieren; JUR (vor)laden **II.** *vr:* **~se** sich verabreden

cítricos ['θitrikos] *m pl* Zitrusfrüchte *fpl*

ciudad [θju'ðaᶞ] *f* Stadt *f;* ~ **hermanada** Partnerstadt *f;* ~ **de vacaciones** Feriensiedlung *f*

ciudadano, -a [θjuða'ðano] *m, f* (Staats)bürger(in) *m(f)*

cívico, -a ['θiβiko] *adj* zivilisiert

civil [θi'βil] *adj* bürgerlich; **derecho** ~ Zivilrecht *nt;* **guerra** ~ Bürgerkrieg *m*

civilización [θiβiliθa'θjon] *f* Zivilisation *f*

civilizar [θiβili'θar] <z → c> *vt* zivilisieren

civismo [θi'βismo] *m* Bürgersinn *m*

cizaña [θi'θaɲa] *f* Zwietracht *f*

clamar [kla'mar] **I.** *vi* flehen **II.** *vt* fordern

clan [klan] *m* Clan *m*

clandestino, -a [klaṇdes'tino] *adj:* **reunión clandestina** geheimes Treffen; **movimiento** ~ Untergrundbewegung *f*

claqué [kla'ke] *f* Stepp(tanz) *m*

clara ['klara] *f* ❶ (*del huevo*) Eiweiß *nt* ❷ (*bebida*) Radler *m* , Alsterwasser *nt*

claramente [klara'meṇte] *adv* deutlich

clarete [kla'rete] *m* Rosé(wein) *m*

claridad [klari'ðaᶞ] *f* Helligkeit *f;* (*lucidez*) Klarheit *f*

clarinete [klari'nete] *m* Klarinette *f*

clarividente [klariβi'ðeṇte] *mf* Hellseher(in) *m(f)*

claro[1] ['klaro] **I.** *interj* (na) klar! **II.** *adv* deutlich

claro, -a[2] ['klaro] *adj* ❶ (*iluminado*) hell; **azul** ~ hellblau ❷ (*evidente*) klar; **sacar en** ~ klarstellen ❸ (*franco*) offen

clase ['klase] *f* ❶ (*tipo*) Sorte *f*, Art *f;* **trabajos de toda** ~ Arbeiten jeder Art ❷ BIOL Klasse *f* ❸ (*grupo social*) (Gesellschafts)schicht *f;* ~ **media** Mittelschicht *f* ❹ (*grupo de alumnos*)

Klasse *f;* (*curso*) Unterricht *m;* **dar ~** unterrichten ❺ (*categoría*) Klasse *f;* **~ turista** Touristenklasse *f*

clasicismo [klasi'θismo] *m* ❶ ARTE, LIT Klassik *f* ❷ (ARQUIT: *neoclasicismo*) Klassizismus *m*

clásico, -a ['klasiko] *adj* klassisch

clasificación [klasifika'θjon] *f* Klassifikation *f*

clasificar [klasifi'kar] <c → qu> **I.** *vt* sortieren; BIOL klassifizieren **II.** *vr:* **~se** sich qualifizieren

clasismo [kla'sismo] *m* Standesdünkel *m pey*

claudicar [klau̯ði'kar] <c → qu> *vi* nachgeben

claustro ['klau̯stro] *m* Kreuzgang *m;* (*conjunto de profesores*) Lehrkörper *m*

claustrofobia [klau̯stro'foβja] *f* Klaustrophobie *f*

cláusula ['klau̯sula] *f* Klausel *f*

clausura [klau̯'sura] *f* ❶ (*cierre*) Schließung *f;* **sesión de ~** Schlusssitzung *f* ❷ (*en un convento*) Klausur *f*

clausurar [klau̯su'rar] *vt* schließen

clavar [kla'βar] **I.** *vt* ❶ (*enclavar*) annageln ❷ (*fijarse*) fixieren; **tener la vista clavada en algo** den Blick starr auf etw richten ❸ (*fam*) abknöpfen **II.** *vr:* **~se una astilla en el dedo** sich *dat* einen Span in den Finger treiben

clave ['klaβe] *f* ❶ (*código*) Kode *m;* **~ de acceso** Passwort *nt;* **en ~** codiert ❷ *t.* MÚS (Noten)schlüssel *m*

clavel [kla'βel] *m* Nelke *f*

clavícula [kla'βikula] *f* Schlüsselbein *nt*

clavija [kla'βixa] *f* Stecker *m*

clavo ['klaβo] *m* Nagel *m;* (*especia*) (Gewürz)nelke *f*

claxon ['klaˠson] *m* Hupe *f*

cleptómano, -a [klep'tomano] *m, f* Kleptomane, -in *m, f*

clérigo ['kleriɣo] *m* Geistliche(r) *m*

clero ['klero] *m* Geistlichkeit *f*

clicar [kli'kar] *vi* INFOR (*fam*) (an)klicken, draufklicken

cliché [kli'ʧe] *m* Klischee *nt;* FOTO Negativ *nt*

cliente, -a ['kljen̪te] *m, f* Kunde, -in *m, f;* **~ fijo** Stammkunde *m*

clientela [kljen̪'tela] *f* Kundschaft *f*

clima ['klima] *m* Klima *nt*

clínica ['klinika] *f* Klinik *f*

clip [klip] *m* Büroklammer *f*

cliquear [klike'ar] <qu → c> *vi* INFOR (*fam*) *v.* **clicar**

clítoris ['klitoris] *m inv* Klitoris *f*

cloaca [klo'aka] *f* Kloake *f*

clonar [klo'nar] *vt* klon(ier)en

cloro ['kloro] *m* Chlor *nt*

clorofila [kloro'filja] *f* Chlorophyll *nt*

club [kluᵝ] <clubs> *m* Klub *m;* **~ de alterne** Animierlokal *nt;* **~ deportivo** Sportverein *m*

cm [θen̪'timetro] *abr de* **centímetro** cm

coaccionar [koaˠθjo'nar] *vt* nötigen

coágulo [ko'aɣulo] *m* MED Gerinnsel *nt*

coalición [koali'θjon] *f* Koalition *f*

coartada [koar'taða] *f* Alibi *nt*

coartar [koar'tar] *vt* einschränken; (*persona*) einengen

coba ['koβa] *f* Schmeichelei *f*

cobalto [ko'βal̪to] *m* Kobalt *nt*

cobarde [ko'βarðe] *m* Feigling *m*

cobardía [koβar'ðia] *f* Feigheit *f*

cobaya [ko'βaɟa] *m o f* Meerschweinchen *nt*

cobertor [koβer'tor] *m* Bettdecke *f*

cobijar [ko'βixar] **I.** *vt* ❶ (*proteger*) (be)schützen ❷ (*acoger*) Unterschlupf bieten *+dat* ❸ (*albergar*) beherbergen **II.** *vr:* **~se** Unterschlupf finden (*bajo* unter *+dat*)

cobra ['koβra] *f* Kobra *f*

cobrar [ko'βrar] **I.** *vt* ❶ (*suma*) kassieren; (*cheque*) einlösen; (*sueldo*) verdienen; **¿me cobra, por favor?** zahlen, bitte! ❷ (*deudas*) eintreiben ❸ (*conseguir*): **~ ánimos** Kraft schöpfen **II.** *vi* ❶ (*sueldo*) Zahltag haben ❷ (*fam*) Prügel beziehen; **¡que vas a ~!** du fängst dir gleich eine!

cobre ['koβre] *m* Kupfer *nt;* AM Kupfermünze *f*

cobro ['koβro] *m* (Ein)kassieren *nt;* (*pago*) Zahlung *f;* ~ **pendiente** ausstehende Zahlung; **a ~ revertido** zu Lasten des Empfängers

coca(**ína**) [koka'(ina)] *f* Kokain *nt*

cocción [koʸ'θjon] *f* Kochen *nt;* (*duración*) Kochzeit *f;* (*en el horno*) Backzeit *f*

cocer [ko'θer] *irr* **I.** *vi, vt* kochen **II.** *vr:* **~se** gekocht werden; (*tramarse*) sich zusammenbrauen

coche ['kotʃe] *m* Auto *nt;* ~ **de bomberos** Feuerwehrwagen *m;* ~ **de carreras** Rennwagen *m;* ~ **compartido** Fahrgemeinschaft *f;* ~ **de línea** Linienbus *m;* **ir en** ~ fahren

coche cama ['kotʃe 'cama] <coches cama> *m* FERRO Schlafwagen *m*

cochecito [kotʃe'θito] *m* Kinderwagen *m*

coche patrulla ['kotʃe pa'truʎa] <coches patrulla> *m* Streifenwagen *m*

cochera [ko'tʃera] *f* Garage *f*

cochinada [kotʃi'naða] *f* (*fam*) Schweinerei *f*

cochinillo [kotʃi'niʎo] *m* Ferkel *nt*

cochino, -a [ko'tʃino] *m, f* (Dreck)schwein *nt*

cocido [ko'θiðo] *m* Kichererbseneintopf *m*

cocina [ko'θina] *f* Küche *f;* (*aparato*) Herd *m;* **libro de** ~ Kochbuch *nt*

cocinar [koθi'nar] *vi, vt* kochen

cocinero, -a [koθi'nero] *m, f* Koch *m,* Köchin *f*

coco ['koko] *m* ❶ (*fruto*) Kokosnuss *f* ❷ (*fam: cabeza*) Birne *f;* **comerse el** ~ sich *dat* den Kopf zerbrechen ❸ (*fam: ogro*) schwarzer Mann *m*

cocodrilo [koko'ðrilo] *m* Krokodil *nt*

cóctel ['koktel] <cócteles> *m* Cocktail *m*

coctelera [kokte'lera] *f* Cocktailbecher *m*

codazo [ko'ðaθo] *m* Ellbogenstoß *m*

codear [koðe'ar] **I.** *vi* mit den Ellbogen stoßen **II.** *vr:* **~se** verkehren

codicia [ko'ðiθja] *f* Habgier *f*

codiciar [koði'θjar] *vt* begehren

codicioso, -a [koði'θjoso] *adj* habgierig

codificar [koðifi'kar] <c → qu> *vt* kodi(fizi)eren; *t.* INFOR verschlüsseln

código ['koðiγo] *m* ❶ JUR: ~ **de circulación** Straßenverkehrsordnung *f;* **Código Civil** Bürgerliches Gesetzbuch ❷ (*de señales*): ~ **de barras** Balkenkode *m;* ~ **PIN** *t.* TEL PIN-Code *m* ❸ *t.* ECON, FIN: ~ **bancario** Bankleitzahl *f;* ~ **postal** Postleitzahl *f*

codillo [ko'ðiʎo] *m* Eisbein *nt*

codo ['koðo] *m* Ell(en)bogen *m;* **empinar el** ~ (*fam*) einen heben; **hablar por los ~s** (*fam*) reden wie ein Wasserfall

codorniz [koðor'niθ] *f* Wachtel *f*

coetáneo, -a [koe'taneo] *m, f* Zeitgenosse, -in *m, f*

cofradía [kofra'ðia] *f* Laienbruderschaft *f*

cofre ['kofre] *m* Truhe *f*

coger [ko'xer] <g → j> **I.** *vt* ❶ festhalten; (*objeto caído*) aufheben ❷ (*tocar*) in die Hände nehmen ❸ (*quitar*) wegnehmen ❹ (*apresar*) festnehmen ❺ (*flores*) pflücken ❻ ~ **frío** sich erkälten; **~le cariño a alguien** jdn lieb gewinnen ❼ ~ **el tren** den Zug nehmen ❽ AM (*vulg*) ficken **II.** *vi* Platz haben; AM (*vulg*) ficken

cognitivo, -a [koγni'tiβo] *adj* PSICO kognitiv

cogote [ko'γote] *m* Nacken *m;* **estar hasta el** ~ (*fam*) die Nase voll haben

cohecho [ko'etʃo] *m* Korruption *f*

coherencia [koe'ren̩θja] *f* Zusammenhang *m*

coherente [koe'ren̩te] *adj* zusammenhängend

cohesión [koe'sjon] *f* Zusammenhalt *m*

cohete [ko'ete] *m* Feuerwerkskörper *m;* (*misil*) Rakete *f*

cohibido, -a [koi̯'βiðo] *adj* verschüchtert

coincidencia [koi̯n̩θi'ðen̩θja] *f:* **¡qué ~!** was für ein Zufall!

coincidir [koi̯n̩θi'ðir] *vi* zusammenfallen;

(*toparse*) zusammentreffen; (*concordar*) übereinstimmen
coito ['koi̯to] *m* Beischlaf *m*
cojear [koxe'ar] *vi* humpeln; (*mueble*) wackeln
cojín [ko'xin] *m* Kissen *nt*
cojo, -a ['koxo] *adj* hinkend; (*mueble*) wack(e)lig
cojones [ko'xones] *m pl* (*vulg*) Eier *ntpl fam*; **¡cojones!** Mist! *fam*
cojudo, -a [ko'xuðo] *adj* AM dumm
col [kol] *f* Kohl *m*; **~es de Bruselas** Rosenkohl *m*
cola ['kola] *f* ❶ (*rabo*) Schwanz *m* ❷ (*de vestido*) Schleppe *f* ❸ (*al esperar*) Schlange *f*; **ponerse a la ~** sich (hinten) anstellen ❹ (*pegamento*) Leim *m* ❺ (*vulg*) Schwanz *m fam*
colaboración [kolaβora'θjon] *f* Mitwirkung *f*
colaborar [kolaβo'rar] *vi* zusammenarbeiten
colada [ko'laða] *f* Wäsche *f*
colador [kola'ðor] *m* Sieb *nt*
colapso [ko'lapso] *m* ❶ MED Kollaps *m* ❷ (*destrucción*) Zusammenbruch *m*
colarse [ko'larse] <o → ue> *vr* (*fam*) sich durchschleichen; (*en una cola*) sich vordrängeln
colcha ['koltʃa] *f* Tagesdecke *f*
colchón [kol'tʃon] *m* Matratze *f*
colchoneta [koltʃo'neta] *f* Luftmatratze *f*; DEP Matte *f*
colección [koleʸ'θjon] *f* Sammlung *f*
coleccionar [koleʸθjo'nar] *vt* sammeln
colecta [ko'lekta] *f* Kollekte *f*
colectivo, -a [kolek'tiβo] *adj* kollektiv; **acción colectiva** gemeinsame Aktion
colega [ko'leɣa] *mf* Kollege, -in *m, f*; (*argot*) Kumpel *m*
colegial(a) [kole'xjal] **I.** *adj* ❶ (*de un colegio*) Schul-, Schüler-; **lenguaje ~** Schülersprache *f* ❷ (*inexperto*) unerfahren **II.** *m(f)* (*alumno*) Schüler(in) *m(f)*
colegio [ko'lexjo] *m* ❶ Schule *f*; **ir al ~** zur Schule gehen ❷ (AM: *universidad*) Hochschule *f*; **~ mayor** Studentenwohnheim *nt* ❸ **~ de abogados** Anwaltskammer *f*
cólera¹ ['kolera] *m* Cholera *f*
cólera² ['kolera] *f*: **acceso de ~** Wutanfall *m*
colesterol [koleste'rol] *m* Cholesterin *nt*
colgado(a) *adj* (*argot*): **dejar ~ a alguien** jdn hängen [*o* sitzen] lassen; **quedarse ~ por alguien** sich in jdn verknallen
colgante [kol'ɣan̪te] *m* Anhänger *m*
colgar [kol'ɣar] *irr* **I.** *vt* (er)hängen (*de* an +*akk*); **~ los libros** das Studium aufgeben **II.** *vi* hängen (*de/en* an/von +*dat*); TEL auflegen **III.** *vr*: **~se** sich erhängen (*de/en* an +*dat*)
colibrí [koli'βri] *m* Kolibri *m*
cólico ['koliko] *m* Kolik *f*
coliflor [koli'flor] *f* Blumenkohl *m*
colilla [ko'liʎa] *f* Zigarettenkippe *f*
colina [ko'lina] *f* Hügel *m*
colindar [kolin̪'dar] *vi* grenzen (*con* an +*akk*)
colirio [ko'lirjo] *m* Augentropfen *mpl*
colisión [koli'sjon] *f* Zusammenstoß *m*
collage [ko'laʃ] *m* Collage *f*
collar [ko'ʎar] *m* Kollier *nt*; **~ de perro** Hundehalsband *nt*
colmado, -a [kol'maðo] *adj* (rand)voll; **un año ~ de felicidad** ein glückliches Jahr
colmena [kol'mena] *f* Bienenstock *m*
colmillo [kol'miʎo] *m* Eckzahn *m*
colmo ['kolmo] *m*: **para ~** obendrein; **¡esto es el ~!** das ist (doch) der Gipfel!
colocado, -a [kolo'kaðo] *adj* (*argot: bebido*) blau; (*drogado*) high
colocar [kolo'kar] <c → qu> **I.** *vt* (*poner*) (an)legen; (*emplazar*) stellen **II.** *vr*: **~se** ❶ eine Anstellung finden; (*posicionarse*) sich hinstellen ❷ (*argot: drogas*) Drogen nehmen
Colombia [ko'lombja] *f* Kolumbien *nt*
colombiano, -a [kolom'bjano] *adj* kolumbianisch
Colón [ko'lon] *m* Kolumbus *m*

colonia [ko'lonja] *f* (Ferien)kolonie *f;* (*perfume*) Kölnischwasser *nt*
Colonia [ko'lonja] *f* Köln *nt*
colonialismo [kolonja'lismo] *m* Kolonialismus *m*
colonización [koloniθa'θjon] *f* ❶ (POL: *conquista*) Kolonisierung *f* ❷ (*población*) Besied(e)lung *f*
colonizar [koloni'θar] <z → c> *vt* kolonisieren
coloquial [kolo'kjal] *adj* umgangssprachlich
coloquio [ko'lokjo] *m* Gespräch *nt;* (*científico*) Kolloquium *nt*
color [ko'lor] *m* Farbe *f;* **película en ~** Farbfilm *m;* **un hombre de ~** ein Farbiger
colorado, -a [kolo'raðo] *adj:* **ponerse ~** erröten
colorante [kolo'rante] *m* Farbstoff *m*
colorear [kolore'ar] *vt* färben; (*pintar*) anmalen
colosal [kolo'sal] *adj* kolossal
columna [ko'lumna] *f* Säule *f;* (*periódico*) Kolumne *f;* **~ vertebral** Wirbelsäule *f*
columpiarse [kolum'pjarse] *vr* schaukeln
columpio [ko'lumpjo] *m* Schaukel *f;* AM Schaukelstuhl *m*
coma[1] ['koma] *m* Koma *nt*
coma[2] ['koma] *f* Komma *nt*
comadre [ko'maðre] *f* Taufpatin *f;* (*fam*) (befreundete) Nachbarin *f*
comadrona [koma'ðrona] *f* Hebamme *f*
comando [ko'mando] *m* Kommando *nt;* INFOR Befehl *m;* **~ de arranque** Startbefehl *m*
comarca [ko'marka] *f* (Land)kreis *m*
comba ['komba] *f* Hüpfseil *nt;* **saltar a la ~** seilhüpfen
combate [kom'bate] *m* ❶ (*lucha*) Kampf *m*, Gefecht *nt;* **~ naval** Seeschlacht *f* ❷ DEP Wettkampf *m;* **~ de boxeo** Boxkampf *m;* **fuera de ~** kampfunfähig
combatir [komba'tir] *vi, vt* (be)kämpfen
combinación [kombina'θjon] *f* Verbindung *f;* (*composición*) Zusammenstellung *f; t.* MAT Kombination *f*
combinar [kombi'nar] **I.** *vi* passen (*con* zu *+dat*) **II.** *vt* zusammenstellen; (*unir*) verbinden **III.** *vr:* **~se** sich verbinden
combustible [kombus'tiβle] *m* Brennstoff *m;* (*carburante*) Kraftstoff *m*
comedia [ko'meðja] *f* TEAT Schauspiel *nt;* CINE Komödie *f*
comediante, -a [kome'ðjante] *m, f* Schauspieler(in) *m(f);* (*farsante*) Komödiant(in) *m(f)*
comedor [kome'ðor] *m* Esszimmer *nt;* **~ universitario** Mensa *f*
comentar [komen'tar] *vt* besprechen; (*fam*) erzählen
comentario [komen'tarjo] *m* Kommentar *m*
comentarista [komenta'rista] *mf* Kommentator(in) *m(f)*
comenzar [komen'θar] *irr como empezar* **I.** *vi* anfangen (*con/por* mit *+dat*); **~ a** *+inf* anfangen zu *+inf*; **para ~** als Erstes **II.** *vt* anfangen
comer [ko'mer] **I.** *vi* ❶ essen; (*animales*) fressen ❷ (*almorzar*) zu Mittag essen **II.** *vt* essen; (*animales*) fressen **III.** *vr:* **~se** (auf)essen; **está para comérsela** sie ist zum Anbeißen
comercial[1] [komer'θjal] **I.** *adj:* **calle ~** Geschäftsstraße *f;* **centro ~** Einkaufszentrum *nt* **II.** *mf* Außendienstmitarbeiter(in) *m(f)*
comercial[2] [komer'θjal] *m* AM Werbespot *m*
comercializar [komerθjali'θar] <z → c> *vt* vermarkten
comerciante, -a [komer'θjante] *m, f* Händler(in) *m(f)*
comerciar [komer'θjar] *vi* handeln
comercio [ko'merθjo] *m* ❶ Handel *m;* (*venta*) Gewerbe *nt;* **~ ambulante** Straßenverkauf *m;* **~ exterior** Außenhandel *m;* **~ al por mayor** Großhandel *m;* **~ sexual** Menschenhandel zum Zwecke sexueller Ausbeutung ❷ (*tienda*) Geschäft *nt*

comestibles [komes'tiβles] *m pl* Lebensmittel *ntpl*; **tienda de ~** Lebensmittelgeschäft *nt*

cometa[1] [ko'meta] *m* Komet *m*

cometa[2] [ko'meta] *f* Drachen *m*

cometer [kome'ter] *vt* begehen

comezón [kome'θon] *f* Juckreiz *m;* (*malestar*) Unbehagen *nt*

cómic ['komi^{k}] <cómics> *m* Comic *m*

comicios [ko'miθjos] *m pl* (*elecciones*) Wahlen *fpl*

cómico, -a ['komiko] *adj* witzig

comida [ko'miðа] *f* Essen *nt;* **~ basura** Junkfood *nt;* **~ casera** Hausmannskost *f;* **~ rápida** Fastfood *nt;* **~ de negocios** Geschäftsessen *nt*

comienzo [ko'mjeṇθo] *m* Beginn *m;* **al ~** am Anfang

comino [ko'mino] *m* Kümmel *m;* **no valer un ~** keinen Deut wert sein

comisaría [komisa'ria] *f* (Polizei)wache *f;* **~ de policía** Polizeirevier *nt*

comisión [komi'sjon] *f* ❶ Kommission *f;* (*comité*) Komitee *nt;* **Comisión Europea** Europäische Kommission; **~ parlamentaria** Parlamentsausschuss *m;* **~ permanente** Ständiger Rat ❷ COM Provision *f;* **a ~** auf Provision(sbasis)

comisura [komi'sura] *f:* **~ de los labios** Mundwinkel *m*

comité [komi'te] *m* Komitee *nt;* **~ de empresa** Betriebsrat *m*

comitiva [komi'tiβa] *f* Gefolge *nt;* **~ fúnebre** Leichenzug *m*

como ['komo] **I.** *adv* ❶ (*del modo que*) wie; **hazlo ~ quieras** mach es, wie du willst; **~ quien dice** sozusagen ❷ (*comparativo*) wie ❸ (*aproximadamente*) ungefähr; **hace ~ un año** etwa vor einem Jahr ❹ (*y también*) sowie ❺ (*en calidad de*) als; **trabaja ~ camarero** er arbeitet als Kellner **II.** *conj* ❶ (*causal*) da ❷ (*condicional*) wenn, falls ❸ (*con 'si' +subj o con 'que'*) als ob, als wenn ❹ (*completiva*) dass ❺ (*final*): **~ para** um zu ❻ (*temporal*) sobald

cómo ['komo] *adv* ❶ (*modal, exclamativo*) wie; **¿~ estás?** wie geht's dir?; **¿~ (dice)?** wie bitte? ❷ (*por qué*) wieso; **¿~ (no)?** wieso (nicht)?; **¡~ no!** aber klar!

cómoda ['komoða] *f* Kommode *f*

comodidad [komoði'ða^{ð}] *f* Bequemlichkeit *f*

comodín [komo'ðin] *m* Joker *m*

cómodo, -a ['komoðo] *adj* bequem; **¡ponte ~!** mach's dir bequem!

comoquiera [komo'kjera] **I.** *adv* irgendwie, wie auch immer **II.** *conj* ❶ (*causal*): **~ que** da ... ja ❷ (*concesiva*): **~ que** auch wenn; **~ que sea** wie es auch sein mag

compact (disc) ['kompak (ðis^{k})] *m* CD *f*

compacto, -a [kom'pakto] *adj* kompakt; (*denso*) dicht

compadecer [kompaðe'θer] *irr como crecer* **I.** *vt* bedauern **II.** *vr:* **~se** Mitleid haben

compadre [kom'paðre] *m* Pate *m;* (*amigo*) Freund *m*

compaginar [kompaxi'nar] **I.** *vt* harmonisieren **II.** *vr:* **~se** zusammenpassen

compañero, -a [kompa'ɲero] *m, f* (Lebens)gefährte, -in *m, f;* (*amigo*) Freund(in) *m(f);* **~ de piso** Mitbewohner *m*

compañía [kompa'ɲia] *f* ❶ (*acompañamiento*) Gesellschaft *f;* **animal de ~** Haustier *nt;* **hacer ~ a alguien** jdm Gesellschaft leisten ❷ TEAT Ensemble *nt*, Truppe *f* ❸ COM Gesellschaft *f;* **~ aérea** Fluggesellschaft *f* ❹ MIL Kompanie *f*

comparación [kompara'θjon] *f* Vergleich *m;* **en ~ con algo** im Vergleich zu etw*dat*

comparar(se) [kompa'rar(se)] *vt, vr* (sich) vergleichen

comparecer [kompare'θer] *irr como crecer vi* erscheinen

compartim(i)ento [komparti'm(j)eṇto] *m* Abteilung *f;* FERRO Abteil *nt*

compartir [kompar'tir] *vt* teilen

compás [kom'pas] *m* ❶ (*en dibujo*) Zirkel *m* ❷ AERO, NÁUT Kompass *m* ❸ (*ritmo*) Rhythmus *m;* MÚS Takt *m*

compasión [kompa'sjon] *f* Mitleid *nt* (*de* mit +*dat*); **sin ~** erbarmungslos

compasivo, -a [kompa'siβo] *adj* teilnahmsvoll

compatibilidad [kompatiβili'ða^ð] *f t.* INFOR, MED Kompatibilität *f;* TÉC Vereinbarkeit *f*

compatible [kompa'tiβle] *adj* kompatibel

compatriota [kompa'trjota] *mf* Landsmann, -männin *m, f*

compenetrarse [kompene'trarse] *vr* sich identifizieren

compensar [kompen'sar] *vt* ausgleichen (*con* durch +*akk*); COM entschädigen (*de* für +*akk*)

competencia [kompe'tenθja] *f* ❶ *t.* COM Wettbewerb *m;* DEP Wettstreit *m;* (*rivalidad*) Konkurrenz *f;* **~ desleal** unlauterer Wettbewerb ❷ (*aptitud*) Fähigkeit *f* ❸ (*responsabilidad*) Zuständigkeit *f;* **esto (no) es de mi ~** dafür bin ich (nicht) zuständig

competente [kompe'tente] *adj* fähig; (*apto*) tauglich; *t.* LING kompetent; (*versado*) sachkundig

competición [kompeti'θjon] *f* Wettkampf *m*

competidor(a) [kompeti'ðor] *m(f)* Konkurrent(in) *m(f)*

competir [kompe'tir] *irr como pedir vi* konkurrieren (können)

competitivo, -a [kompeti'tiβo] *adj* konkurrenzfähig; **espíritu ~** Wettbewerbsgeist *m*

compi ['kompi] *mf* (*fam*) Kumpel *m;* **mi ~ de curro** mein Arbeitskumpel

compilar [kompi'lar] *vt* kompilieren

complacer [kompla'θer] *irr como crecer* **I.** *vt* freuen, jdm (gegenüber) gefällig sein **II.** *vr:* **~se** sich freuen

complaciente [kompla'θjente] *adj* gefällig

complejo[1] [kom'plexo] *m* ❶ **~ deportivo** Sportzentrum *nt;* **~ hotelero** Hotelkomplex *m;* **~ turístico** touristische Anlage ❷ **~ de culpabilidad** Schuldkomplex *m;* **~ de superioridad** übersteigertes Selbstbewusstsein

complejo, -a[2] [kom'plexo] *adj* kompliziert

complemento [komple'mento] *m* ❶ Zulage *f;* (*recargo*) Zuschlag *m* ❷ (*accesorio*) Accessoire *nt* ❸ LING Objekt *nt*

completar [komple'tar] **I.** *vt* vervollständigen **II.** *vr:* **~se** sich ergänzen

completo, -a [kom'pleto] *adj* vollständig; **pensión completa** Vollpension *f*

complexión [komple^γ'sjon] *f* Körperbau *m;* AM Teint *m*

complicación [komplika'θjon] *f* ❶ (*t.* MED: *problema*) Komplikation *f*, Schwierigkeit *f* ❷ (*confusión*) Verwirrung *f;* (*enredo*) Verwicklung *f*

complicarse [kompli'karse] <c → qu> *vr* kompliziert werden

cómplice ['kompliθe] *mf* Komplize, -in *m, f*

complicidad [kompliθi'ða^ð] *f* Beihilfe *f*

complot [kom'plo^t] <complots> *m* Komplott *nt*

componente [kompo'nente] *m* Bestandteil *m*

componer [kompo'ner] *irr como poner* **I.** *vt* ❶ (*formar*) zusammensetzen ❷ (*constituir*) bilden ❸ MÚS komponieren ❹ (AM: *castrar*) kastrieren ❺ (AM: *curar*) einrenken **II.** *vr:* **~se** bestehen; AM sich bessern

comportamiento [komporta'mjento] *m* Verhalten *nt*

comportar [kompor'tar] **I.** *vt* mit einschließen **II.** *vr:* **~se** sich benehmen

composición [komposi'θjon] *f* Werk *nt;* (*redacción*) Aufsatz *m*

compositor(a) [komposi'tor] *m(f)* Komponist(in) *m(f)*

compra ['kompra] *f* Kauf *m*

comprador(a) [kompra'ðor] *m(f)* Käufer(in) *m(f)*

comprar [kom'prar] **I.** *vt* (ein)kaufen; **~ a**

plazos auf Raten kaufen **II.** *vr:* **~se** sich *dat* kaufen

comprender [kompreṇ'der] *vt* umfassen; (*entender*) verstehen; **hacerse ~** sich verständigen; **~ mal** missverstehen

comprensible [kompren'siβle] *adj* verständlich

comprensión [kompren'sjon] *f* Auffassungsvermögen *nt*

comprensivo, -a [kompren'siβo] *adj* verständnisvoll

compresa [kom'presa] *f* Kompresse *f;* (*higiénica*) Damenbinde *f*

comprimido [kompri'miðo] *m* Tablette *f*

comprimir [kompri'mir] *vt* komprimieren

comprobante [kompro'βaṇte] *m:* **~ de compra** Kassenbeleg *m*

comprobar [kompro'βar] <o → ue> *vt* kontrollieren; (*constatar*) feststellen

comprometedor(a) [kompromete'ðor] *adj* heikel; JUR belastend

comprometerse [komprome'terse] *vr* sich verpflichten; (*vincularse*) sich engagieren; **~ (en matrimonio)** sich verloben

compromiso [kompro'miso] *m* ❶ (*vinculación*) Verbindlichkeit *f;* **visita de ~** Anstandsbesuch *m;* **sin ~** unverbindlich; **(soltero y) sin ~** ungebunden ❷ (*promesa*) Versprechen *nt;* **~ matrimonial** Verlobung *f* ❸ (*aprieto*) heikle Lage *f*

compulsar [kompul'sar] *vt* beglaubigen

computador *m* AM, **computadora** [komputa'ðor] *f* AM Computer *m*

cómputo ['komputo] *m* Berechnung *f*

comulgar [komul'ɣar] <g → gu> *vi* zur Kommunion gehen

común [ko'mun] *adj* gemeinsam (*a* mit *+dat*); (*de la comunidad*) gemeinschaftlich; **sentido ~** gesunder Menschenverstand; **poco ~** ungewöhnlich

comunal [komu'nal] *adj:* **elecciones ~es** Kommunalwahlen *fpl*

comunicación [komunika'θjon] *f* ❶ *t.* TÉC Kommunikation *f* ❷ (*comunicado*) Mitteilung *f;* (*ponencia*) Vortrag *m* ❸ (*conexión*) Anschluss *m;* **~ telefónica** Telefongespräch *nt* ❹ (*de transporte*) Verkehrsverbindung *f*

comunicado [komuni'kaðo] *m* Mitteilung *f*

comunicar [komuni'kar] <c → qu> **I.** *vi* in Verbindung stehen; (*teléfono*) besetzt sein **II.** *vt* bekannt machen **III.** *vr:* **~se** kommunizieren; (*relacionarse*) verkehren

comunicativo, -a [komunika'tiβo] *adj* mitteilsam

comunidad [komuni'ðaᵈ] *f* Gemeinschaft *f;* **~ de vecinos** Hausgemeinschaft *f;* **~ autónoma** autonome Region

comunión [komu'njon] *f* Kommunion *f*

comunismo [komu'nismo] *m* Kommunismus *m*

comunitario, -a [komuni'tarjo] *adj* EU-; **política comunitaria** UE EU-Politik *f*

con [kon] **I.** *prep* ❶ mit *+dat;* **¿vienes ~ nosotros?** kommst du mit (uns)? ❷ (*modo*) mit *+dat,* durch *+akk;* **estar ~ la gripe** Grippe haben ❸ (*circunstancia*) bei *+dat;* **~ este tiempo...** bei diesem Wetter ... ❹ (*a pesar de*) trotz *+dat;* **~ todo** trotz allem **II.** *conj* (*condicional*): **~** *+inf* wenn ...; **~ que** *+subj* wenn ...; **~ sólo que** *+subj* wenn ... nur ...

cóncavo, -a ['koŋkaβo] *adj* konkav

concebir [koṇθe'βir] *irr como pedir vt* (*engendrar*) empfangen; (*imaginar*) begreifen; (*planear*) planen

conceder [koṇθe'ðer] *vt* gewähren; **~ la palabra** das Wort erteilen; **~ un premio** einen Preis verleihen

concejal(a) [koṇθe'xal] *m(f)* Stadtrat, -rätin *m, f*

concentración [koṇθeṇtra'θjon] *f* Konzentration *f;* **campo de ~** Konzentrationslager *nt*

concentrar [koṇθeṇ'trar] **I.** *vt* konzentrieren; ADMIN zentralisieren **II.** *vr:*

~se zusammenkommen; (*centrarse*) sich konzentrieren (*en* auf *+akk*)

concepto [koṇ'θepto] *m* Begriff *m;* (*opinión*) Auffassung *f;* **bajo ningún ~** unter keinen Umständen; **en ~ de** als *+nom;* COM für *+akk*

concernir [koṇθer'nir] *irr como cernir vi* betreffen

concertar [koṇθer'tar] <e → ie> *vt* vereinbaren

concha ['konʧa] *f* Muschel(schale) *f;* AM Frechheit *f;* AM (*vulg*) Möse *f fam*

conciencia [koṇ'θjeṇθja] *f* ❶ (*moral*) Gewissen *nt;* **me remuerde la ~** ich habe Gewissensbisse ❷ (*consciencia*): **~ verde** Umweltbewusstsein *nt*

concienciarse [koṇθjeṇ'θjarse] *vr* sensibilisiert werden (*de* für *+akk*)

concienzudo, -a [koṇθjeṇ'θuðo] *adj* gewissenhaft

concierto [koṇ'θjerto] *m* Konzert *nt*

conciliar [koṇθi'ljar] **I.** *vt* versöhnen; **~ el sueño** einschlafen **II.** *vr:* **~se** sich versöhnen

concilio [koṇ'θiljo] *m* ❶ (*reunión*) Versammlung *f* ❷ REL Konzil *nt*

conciso, -a [koṇ'θiso] *adj* knapp

concluir [koŋklu'ir] *irr como huir* **I.** *vi* enden; **¡asunto concluido!** erledigt! **II.** *vt* zu Ende bringen; (*deducir*) schließen (*de* aus *+dat*) **III.** *vr:* **~se** zu Ende gehen

conclusión [koŋklu'sjon] *f* (Schluss)folgerung *f*

concordancia [koŋkor'ðaṇθja] *f* ❶ (*correspondencia*) Übereinstimmung *f* ❷ LING Kongruenz *f*

concordar [koŋkor'ðar] <o → ue> *vi* übereinstimmen

concretar [koŋkre'tar] *vt* konkretisieren

concretizar [koŋkreti'θar] <z → c> *vt* konkretisieren

concreto, -a [koŋ'kreto] *adj* konkret; **en ~** konkret

concurrido, -a [koŋku'rriðo] *adj* gut besucht

concurrir [koŋku'rrir] *vi* zusammenkommen; (*en el tiempo*) zusammenfallen; (*concursar*) konkurrieren (*por* um *+akk*)

concursante [koŋkur'saṇte] *mf* (Wettbewerbs)teilnehmer(in) *m(f)*

concursar [koŋkur'sar] *vi, vt* (an einem Wettbewerb) teilnehmen

concurso [koŋ'kurso] *m* Ausschreibung *f;* (*torneo*) Wettbewerb *m*

conde(sa) ['koṇde] *m(f)* Graf, Gräfin *m, f*

condecorar [koṇdeko'rar] *vt* auszeichnen

condena [koṇ'dena] *f* Verurteilung *f;* **cumplir una ~** eine Strafe verbüßen

condenar [koṇde'nar] **I.** *vt* verurteilen (*a* zu *+dat*); REL verdammen **II.** *vr:* **~se** verdammt werden

condensar [koṇden'sar] *vt* kondensieren; (*abreviar*) kürzen (*en* auf *+akk*)

condesa [koṇ'desa] *f v.* **conde**

condición [koṇdi'θjon] *f* Bedingung *f;* **a ~ de que...** *+subj* unter der Bedingung, dass ...; **sin condiciones** bedingungslos

condicional [koṇdiθjo'nal] *adj* ❶ bedingt; **libertad ~** Freilassung auf Bewährung ❷ LING konditional

condicionar [koṇdiθjo'nar] *vt* abhängig machen (*a* von *+dat*); (*acondicionar*) konditionieren

condimento [koṇdi'meṇto] *m* Gewürz *nt*

condolencia [koṇdo'leṇθja] *f* Beileid *nt*

condolerse [koṇdo'lerse] <o → ue> *vr* Mitleid haben (*de* mit *+dat*)

condón [koṇ'don] *m* Kondom *m o nt*

condonar [koṇdo'nar] *vt* erlassen

cóndor ['koṇdor] *m* Kondor *m*

conducir [koṇdu'θir] *irr como traducir* **I.** *vt* ❶ bringen; (*transportar*) befördern ❷ (*guiar*) führen ❸ (*pilotar*) fahren **II.** *vi* führen (*a* zu *+dat*); (*pilotar*) fahren

conducta [koṇ'dukta] *f* Benehmen *nt*

conductor(a) [koṇduk'tor] *m(f)* Fahrer(in) *m(f)*

conectar [konek'tar] **I.** *vt* verbinden; (*enchufar*) anschließen **II.** *vi* Kontakt aufnehmen

conejo [ko'nexo] *m* Kaninchen *nt;* ~ **de Indias** Meerschweinchen *nt;* (*fig*) Versuchskaninchen *nt*

C

conexión [koneʸ'sjon] *f* ❶ (*enlace*) Verbindung *f* ❷ TEL, INFOR Anschluss *m;* ~ **inalámbrica a Internet** kabelloser Internetanschluss

confabularse [koɱfaβu'larse] *vr* sich verschwören

confección [koɱfeʸ'θjon] *f* Anfertigung *f*

confederación [koɱfeðera'θjon] *f* Bündnis *nt;* (*entre Estados*) Konföderation *f*

conferencia [koɱfe'ren̪θja] *f* ❶ (*charla*) Vortrag *m* ❷ (*encuentro*) Konferenz *f;* ~ **de prensa** Pressekonferenz *f* ❸ (*llamada telefónica*) Ferngespräch *nt*

conferenciante [koɱferen̪'θjan̪te] *mf* Redner(in) *m(f)*

conferir [koɱfe'rir] *irr como sentir vt* verleihen

confesar [koɱfe'sar] <e → ie> **I.** *vt* ❶ (*admitir*) gestehen ❷ (*manifestar algo oculto*) preisgeben ❸ REL beichten; (*oír*) die Beichte abnehmen **II.** *vr:* ~**se** die Beichte ablegen

confesión [koɱfe'sjon] *f* Geständnis *nt;* (*sacramento*) Beichte *f;* (*credo religioso*) Konfession *f*

confesor [koɱfe'sor] *m* Beichtvater *m*

confiado, -a [koɱfi'aðo] *adj* (*ser*) vertrauensselig; (*estar*) zuversichtlich

confianza [koɱfi'an̪θa] *f* ❶ (*crédito*) Vertrauen *nt;* **amiga de** ~ enge Freundin ❷ (*esperanza*) Zuversicht *f* ❸ (*familiaridad*) Vertrautheit *f*

confiar [koɱfi'ar] <*1. pres* confío> **I.** *vi, vt* (an)vertrauen **II.** *vr:* ~**se** sich verlassen (*a* auf +*akk*); (*sincerarse*) sich anvertrauen (*a* +*dat*)

confidencia [koɱfi'ðen̪θja] *f* vertrauliche Mitteilung *f*

confidencial [koɱfiðen̪'θjal] *adj* vertraulich

confidente [koɱfi'ðen̪te] *mf* Vertraute(r) *f(m)*

configurar [koɱfiɣu'rar] **I.** *vt* gestalten; INFOR konfigurieren **II.** *vr:* ~**se** sich herausbilden

confirmación [koɱfirma'θjon] *f* ❶ (*ratificación*) Bestätigung *f* ❷ (REL: *católica*) Firmung *f;* (*protestante*) Konfirmation *f*

confirmar(se) [koɱfir'mar(se)] *vt, vr* (sich) bestätigen

confiscar [koɱfis'kar] <c → qu> *vt* beschlagnahmen

confitería [koɱfite'ria] *f* Süßwarengeschäft *nt*

conflictivo, -a *adj* konfliktgeladen, brisant

conflicto [koɱ'flikto] *m* Konflikt *m*

conformar [koɱfor'mar] **I.** *vt* (*formar*) formen; (*ajustar*) anpassen (*a* an +*akk*); (*contentar*) zufriedenstellen **II.** *vr:* ~**se** sich zufriedengeben

conforme [koɱ'forme] **I.** *adj:* **estar** ~ **con algo** mit etw *dat* übereinstimmen **II.** *adv* (*como*) (so) wie; (*según*) gemäß (*a* +*dat*)

conformidad [koɱformi'ðaᵈ] *f* Übereinstimmung *f;* (*aprobación*) Genehmigung *f*

confort [koɱ'forᵗ] *m sin pl* Komfort *m*

confortable [koɱfor'taβle] *adj* komfortabel

confrontación [koɱfron̪ta'θjon] *f* Gegenüberstellung *f;* (*enfrentamiento*) Konfrontation *f*

confrontar [koɱfron̪'tar] **I.** *vt* vergleichen; (*carear*) gegenüberstellen (*con* +*dat*) **II.** *vr:* ~**se** (sich *dat*) gegenüberstehen

confundir [koɱfun̪'dir] **I.** *vt* verwechseln **II.** *vr:* ~**se** sich täuschen (*de* in +*dat*)

confusión [koɱfu'sjon] *f* Verwechslung *f*

confuso, -a [koɱ'fuso] *adj* verworren

congelador [koŋxela'ðor] *m* Gefrierschrank *m*

congelar [koŋxe'lar] **I.** *vt* gefrieren (lassen); (*helar*) erfrieren **II.** *vr:* ~**se** gefrieren; (*helarse*) erfrieren

congeniar [koŋxe'njar] *vi* harmonieren

congénito, -a [koŋ'xenito] *adj* angeboren

congestión [koŋxes'tjon] *f* Hyperämie *f*

congoja [koŋ'goxa] *f* Schmerz *m*

congregar(se) [koŋgre'ɣar(se)] <g → gu> *vt, vr* (sich) versammeln

congreso [koŋ'greso] *m* Abgeordnetenhaus *nt*

congrio ['koŋgrjo] *m* Meeraal *m*

congruencia [koŋ'grweṇθja] *f* ❶ (*coherencia*) Übereinstimmung *f* ❷ MAT Kongruenz *f*

conjetura [koŋxe'tura] *f* Mutmaßung *f*

conjugar [koŋxu'ɣar] <g → gu> *vt* in Einklang bringen; LING konjugieren

conjunción [koŋxuṇ'θjon] *f* Verbindung *f; t.* LING Konjunktion *f*

conjuntamente [koŋxuṇta'meṇte] *adv* zusammen

conjuntar [koŋxuṇ'tar] *vi* zusammenpassen

conjuntivitis [koŋxuṇti'βitis] *f inv* Bindehautentzündung *f*

conjunto [koŋ'xuṇto] *m* ❶ (*unido*) Einheit *f* ❷ (*totalidad*) Gesamtheit *f;* **en ~** insgesamt ❸ (*en representaciones artísticas*) Ensemble *nt* ❹ (*prenda de vestir*) Ensemble *nt* ❺ MAT Menge *f;* **~ vacío** Leermenge *f*

conjurar [koŋxu'rar] **I.** *vi* konspirieren **II.** *vt* beschwören; (*alejar*) bannen **III.** *vr:* **~se** sich verschwören

conllevar [konʎe'βar] *vt* ertragen; (*implicar*) mit sich *dat* bringen

conmemoración [ko^{n}memora'θjon] *f:* **en ~ de alguien** zum Gedenken an jdn

conmemorar [ko^{n}memo'rar] *vt* gedenken *+gen*

conmigo [ko^{n}'miɣo] *pron pers* mit mir, bei mir

conmocionar [ko^{n}moθjo'nar] **I.** *vt* erschüttern **II.** *vr:* **~se** erschüttert sein

conmovedor(a) [ko^{n}moβe'ðor] *adj* rührend

conmover [ko^{n}mo'βer] <o → ue> **I.** *vt* bewegen; (*conmocionar*) erschüttern **II.** *vr:* **~se** ergriffen sein

cono ['kono] *m* Kegel *m;* **Cono Sur** *Argentinien, Chile, Paraguay und Uruguay*

conocer [kono'θer] *irr como crecer* **I.** *vt* kennen; **~ de vista** vom Sehen kennen; **dar a ~** bekannt geben **II.** *vi* sich auskennen (*de* mit *+dat*) **III.** *vr:* **~se** sich kennen

conocido, -a [kono'θiðo] **I.** *adj* bekannt **II.** *m, f* Bekannte(r) *f(m)*

conocimiento [konoθi'mjeṇto] *m* Kenntniss(e) *f(pl)*; (*inteligencia*) Vernunft *f*

conque ['koŋke] *conj* (*fam*) also

conquista [koŋ'kista] *f* Eroberung *f*

conquistar [koŋkis'tar] *vt* erobern

consagrar [konsa'ɣrar] **I.** *vt* ❶ weihen; (*la hostia*) konsekrieren ❷ (*sacrificadamente*) opfern **II.** *vr:* **~se** (*dedicarse*) sich verschreiben (*a +dat*)

consciencia [ko^{n}s'θjeṇθja] *f* Bewusstsein *nt*

consciente [ko^{n}s'θjeṇte] *adj* bewusst (*de +gen*); **estar ~** bei Bewusstsein sein

consecución [konseku'θjon] *f* Erlangung *f*

consecuencia [konse'kweṇθja] *f* Auswirkung *f;* **a ~ de** infolge *+gen*

consecuente [konse'kweṇte] *adj* konsequent

consecuentemente [konsekweṇte'meṇte] *adv* folglich

consecutivo, -a [konseku'tiβo] *adj* aufeinander folgend

conseguir [konse'ɣir] *irr como seguir vt* erreichen; (*tener éxito*) gelingen

consejero, -a [konse'xero] *m, f* ❶ (*guía*) Berater(in) *m(f)* ❷ (*miembro de un consejo*) Rat, Rätin *m, f;* **~ de embajada** Botschaftsrat *m* ❸ (*de una autonomía*) Minister(in) *m(f)*

consejo [kon'sexo] *m* ❶ (*recomendación*) Rat(schlag) *m* ❷ (*organismo*) Rat *m;* **Consejo Europeo** Europäischer Rat ❸ (*reunión*) Ratsversammlung *f*

consenso [kon'senso] *m* Konsens *m*

consentido, **-a** [konseṇ'tiðo] *adj* verwöhnt

consentimiento [konseṇti'mjeṇto] *m* Zustimmung *f*

consentir [konseṇ'tir] *irr como sentir* **I.** *vi* zulassen; (*tolerar*) dulden **II.** *vt* ❶ genehmigen; (*tolerar*) dulden ❷ (*mimar*) verwöhnen

conserje [kon'serxe] *mf* Hausmeister(in) *m(f)*

conserjería [konserxe'ria] *f* Hausmeisterloge *f*

conserva [kon'serβa] *f* Konserve *f;* (*conservación*) Konservierung *f*

conservador(**a**) [konserβa'ðor] *adj* konservativ

conservar [konser'βar] **I.** *vt* erhalten; (*guardar*) (auf)bewahren **II.** *vr:* **~se** erhalten bleiben; (*mantenerse*) sich halten

conservatorio [konserβa'torjo] *m* Konservatorium *nt*

considerable [konsiðe'raβle] *adj* beachtlich

consideración [konsiðera'θjon] *f:* **en ~ a** angesichts *+gen;* **falta de ~** Respektlosigkeit *f*

considerado, **-a** [konsiðe'raðo] *adj* angesehen; (*atento*) rücksichtsvoll

considerar [konsiðe'rar] **I.** *vt* überdenken; (*juzgar*) halten (für *+akk*); (*apreciar*) respektieren **II.** *vr:* **~se** sich halten (für *+akk*)

consigna [kon'siɣna] *f* Gepäckaufbewahrung *f*

consignatario, **-a** [konsiɣna'tarjo] *m, f* Empfänger(in) *m(f)*

consigo [kon'siɣo] *pron pers* mit sich *dat* bei sich *dat*

consiguiente [konsi'ɣjeṇte] *adj* dementsprechend; **por ~** folglich

consistencia [konsis'teṇθja] *f* Konsistenz *f*

consistir [konsis'tir] *vi* bestehen (*en* aus/in *+dat*); (*radicar*) beruhen (*en* auf *+dat*)

consolar(**se**) [konso'lar(se)] <o → ue> *vt, vr* (sich) trösten

consolidar [konsoli'ðar] **I.** *vt* festigen; *t.* ECON konsolidieren **II.** *vr:* **~se** sich festigen

consomé [konso'me] *m* Consommé *f o nt*

consonancia [konso'naṇθja] *f:* **en ~ con** in Einklang mit

consonante [konso'naṇte] *f* Konsonant *m*

consorcio [kon'sorθjo] *m* Konsortium *nt*

conspiración [ko^{n}spira'θjon] *f* Verschwörung *f*

conspirar [ko^{n}spi'rar] *vi* sich verschwören

constancia [ko^{n}s'taṇθja] *f* Beständigkeit *f;* (*perseverancia*) Ausdauer *f;* **dejar ~ de algo** etw vermerken

constante [ko^{n}s'taṇte] *adj* konstant

Constanza [ko^{n}s'taṇθa] *f* Konstanz *nt;* **Lago de ~** Bodensee *m*

constar [ko^{n}s'tar] *vi* (*componerse*) bestehen (*de* aus *+dat*); **hacer ~ algo** etw bekunden

constatar [ko^{n}sta'tar] *vt* bestätigen

constelación [ko^{n}stela'θjon] *f* Konstellation *f*

consternar(**se**) [ko^{n}ster'nar(se)] *vt, vr* bestürzt (sein)

constiparse [ko^{n}sti'parse] *vr* sich erkälten

constitución [ko^{n}stitu'θjon] *f* Konstitution *f;* POL Verfassung *f*

constitucional [ko^{n}stituθjo'nal] *adj* Verfassungs-; **política ~** Verfassungspolitik *f*

constituir [ko^{n}stitu'ir] *irr como huir vt* bilden; (*ser*) darstellen; (*establecer*) gründen

construcción [ko^{n}stru^{y}'θjon] *f* Bau *m;* (*sector*) Bauwesen *nt*

construir [ko^{n}stru'ir] *irr como huir vt* bauen; LING bilden

consuelo [kon'swelo] *m* Trost *m*

consulado [konsu'laðo] *m* Konsulat *nt*

consulta [kon'suḷta] *f* Praxis *f;* **hora de ~**

Sprechstunde *f*

consultar [konsuḷ'tar] *vt* um Rat fragen; (*libro*) nachschlagen (in +*dat*)

consultorio [konsuḷ'torjo] *m* (*establecimiento*) Beratungsstelle *f;* (*de un médico*) (Arzt)praxis *f*

consumar [konsu'mar] *vt* vollenden

consumición [konsumi'θjon] *f* Verbrauch *m;* (*bar*) Verzehr *m*

consumir [konsu'mir] **I.** *vt* verbrauchen; (*acabar*) aufbrauchen **II.** *vr:* **~se** sich quälen; (*gastarse*) ausgehen

consumo [kon'sumo] *m* Verbrauch *m;* **bienes de ~** Konsumgüter *ntpl*; **sociedad de ~** Konsumgesellschaft *f*

contabilidad [koṇtaβili'ða[ð]] *f* Buchhaltung *f*

contabilizar [koṇtaβili'θar] <z → c> *vt* buchen

contable [koṇ'taβle] *mf* Buchhalter(in) *m(f)*

contactar [koṇtak'tar] *vi, vt* Kontakt aufnehmen

contacto [koṇ'takto] *m* Kontakt *m;* (*persona*) Kontaktperson *f*

contado [koṇ'taðo] *m:* **al ~** bar

contador [koṇta'ðor] *m* Zähler *m*

contagiar(se) [koṇta'xjar(se)] *vt, vr* (sich) anstecken

contagio [koṇ'taxjo] *m* Ansteckung *f*

contaminación [koṇtamina'θjon] *f* Verseuchung *f;* **~ ambiental** Umweltverschmutzung *f;* **~ radiactiva** radioaktive Verseuchung

contaminar [koṇtami'nar] **I.** *vt* verseuchen; (*contagiar*) anstecken **II.** *vr:* **~se** verseucht werden; (*contagiarse*) sich anstecken

contar [koṇ'tar] <o → ue> **I.** *vi* ❶ zählen; **eso no cuenta** das zählt nicht ❷ (*confiar*) zählen (*con* auf +*akk*) ❸ (*tener en cuenta*) rechnen (*con* mit +*dat*) **II.** *vt* (er)zählen; (*calcular*) berechnen; (*tener*) haben **III.** *vr:* **~se** (sich) zählen (*entre* zu +*dat*)

contemplación [koṇtempla'θjon] *f* ❶ (*observación*) Betrachtung *f* ❷ REL Kontemplation *f*

contemplar [koṇtem'plar] *vt* betrachten; (*considerar*) berücksichtigen

contemporáneo, -a [koṇtempo'raneo] *m, f* Zeitgenosse, -in *m, f*

contenedor [koṇtene'ðor] *m* Container *m*

contener [koṇte'ner] *irr como tener* **I.** *vt* enthalten; (*refrenar*) zurückhalten **II.** *vr:* **~se** sich beherrschen

contenido [koṇte'niðo] *m* Inhalt *m*

contentar [koṇteṇ'tar] **I.** *vt* zufriedenstellen **II.** *vr:* **~se** sich begnügen

contento, -a [koṇ'teṇto] *adj* froh; (*satisfecho*) zufrieden

contestación [koṇtesta'θjon] *f* Antwort *f*

contestador [koṇtesta'ðor] *m* Anrufbeantworter *m*

contestar [koṇtes'tar] **I.** *vi* antworten **II.** *vt* antworten (*a* auf +*akk*); (*replicar*) widersprechen (*a* +*dat*)

contexto [koṇ'testo] *m* Zusammenhang *m*

contienda [koṇ'tjeṇda] *f* Streit *m;* (*batalla*) Kampf *m*

contigo [koṇ'tiɣo] *pron pers* mit dir, bei dir

contiguo, -a [koṇ'tiɣwo] *adj* nebeneinanderliegend

continental [koṇtineṇ'tal] *adj* kontinental

continente [koṇti'neṇte] *m* Kontinent *m*

continuación [koṇtinwa'θjon] *f* Fortsetzung *f*

continuar [koṇtinu'ar] <*1. pres* continúo> **I.** *vi* ❶ (*perdurar*) fortdauern; **continúa lloviendo** es regnet immer noch; **~á** Fortsetzung folgt ❷ (*seguir*) fortfahren **II.** *vt* fortsetzen

continuidad [koṇtinwi'ða[ð]] *f* Fortdauer *f*

continuo, -a [koṇ'tinwo] *adj* ständig

contorno [koṇ'torno] *m* ❶ Kontur *f*, Umriss *m* ❷ (*pl*) (*territorio*) Umgebung *f*

contra ['koṇtra] **I.** *prep* ❶ (*posición, dirección*) gegen +*akk*, an +*akk;* (*enfrente*) gegenüber +*dat* ❷ (*oposición, contrariedad*) gegen +*akk;* **yo he vo-**

tado en ~ ich habe dagegen gestimmt II. *m:* **los pros y los ~s** das Pro und Kontra

contraataque [koṇtra'take] *m* Gegenangriff *m*

C

contrabajo [koṇtra'βaxo] *m* ❶ (*instrumento*) Kontrabass *m* ❷ (*músico*) Kontrabassist(in) *m(f)*

contrabando [koṇtra'βaṇdo] *m* Schmuggel *m;* **pasar algo de ~** etw durchschmuggeln

contracción [koṇtraʸ'θjon] *f pl* Wehen *fpl;* LING Kontraktion *f*

contracorriente [koṇtrako'rrjeṇte] *f* Gegenströmung *f*

contradecir(se) [koṇtraðe'θir(se)] *irr como decir vt, vr* (sich *dat*) widersprechen

contradicción [koṇtraðiʸ'θjon] *f* Widerspruch *m*

contradictorio, -a [koṇtraðik'torjo] *adj* widersprüchlich

contraer [koṇtra'er] *irr como traer* I. *vt* zusammenziehen; (*deudas*) machen II. *vr:* **~se** sich zusammenziehen

contraindicación [koṇtraiṇdika'θjon] *f* Gegenanzeige *f*

contramedida [koṇtrame'ðiða] *f* Gegenmaßnahme *f*

contraoferta [koṇtrao'ferta] *f* Gegenangebot *nt*

contraorden [koṇtra'orðen] *f* Gegenbefehl *m*

contrapartida [koṇtrapar'tiða] *f* Gegenleistung *f;* (*contabilidad*) Gegenposten *m*

contraproducente [koṇtraproðu'θeṇte] *adj:* **sería ~** das würde das Gegenteil bewirken

contrariar [koṇtrari'ar] <*1. pres* contrarío> *vt* behindern; (*plan*) durchkreuzen; (*disgustar*) ärgern

contrariedad [koṇtrarje'ðaᵈ] *f* Zwischenfall *m;* (*decepción*) Ärger *m*

contrario, -a [koṇ'trarjo] *adj* entgegengesetzt (*a* +*dat*); **al ~** (ganz) im Gegenteil; **en caso ~** andernfalls; **de lo ~** andernfalls

contrarreforma [koṇtrarre'forma] *f* HIST Gegenreformation *f*

contrarrestar [koṇtrarres'tar] *vt* entgegenwirken +*dat*

contraseña [koṇtra'seɲa] *f* Losungswort *nt*

contrastar I. *vi* im Gegensatz stehen (*con* zu +*dat*) II. *vt* prüfen

contraste [koṇ'traste] *m* Kontrast *m*

contratación [koṇtrata'θjon] *f* Einstellung *f*

contratar [koṇtra'tar] *vt* einstellen; (*encargar*) beauftragen

contratiempo [koṇtra'tjempo] *m* Zwischenfall *m;* **¡qué ~!** wie unangenehm!

contrato [koṇ'trato] *m* Vertrag *m;* **~ de alquiler** Mietvertrag *m*

contravenir [koṇtraβe'nir] *irr como venir vi, vt* verstoßen (*de* gegen +*akk*)

contribución [koṇtriβu'θjon] *f* Beitrag *m;* (*impuesto*) Steuer *f;* **~ municipal** Gemeindesteuer *f*

contribuir [koṇtriβu'ir] *irr como huir* I. *vi* beitragen (*a* zu +*dat*); (*tributar*) Steuern zahlen II. *vt* beitragen (*a* zu +*dat*); (*pagar*) (be)zahlen

contribuyente [koṇtriβu'ɟeṇte] *mf* Steuerzahler(in) *m(f)*

contrincante [koṇtriŋ'kaṇte] *mf* Gegner(in) *m(f)*

control [koṇ'trol] *m* Kontrolle *f;* **~ al azar** Stichprobe *f;* **~ a distancia** Fernsteuerung *f;* **torre de ~** Kontrollturm *m*

controlar [koṇtro'lar] I. *vt* überwachen II. *vr:* **~se** sich beherrschen III. *vi* (*argot*) sich im Griff haben; **no te preocupes, yo controlo** keine Angst, ich haue nicht über die Stränge

controversia [koṇtro'βersja] *f* Kontroverse *f*

controvertido, -a [koṇtroβer'tiðo] *adj* umstritten

contundente [koṇtuṇ'deṇte] *adj:* **prueba ~** schlagender Beweis

contusión [koṇtu'sjon] *f* Quetschung *f*

convalecencia [kombale'θeṇθja] *f* Genesung *f*

convalidación [kombaliða'θjon] *f* Anerkennung *f*

convalidar [kombali'ðar] *vt* anerkennen

convencer(se) [kombeṇ'θer(se)] <c → z> *vt, vr* (sich) überzeugen

convencido, -a [kombeṇ'θiðo] *adj* überzeugt

convencimiento [kombeṇθi'mjeṇto] *m* Überzeugung *f*

convención [kombeṇ'θjon] *f* Abkommen *nt;* **la Convención de Ginebra** die Genfer Konvention

convencional [kombeṇθjo'nal] *adj:* **armas ~es** konventionelle Waffen

conveniencia [kombe'njeṇθja] *f* ❶ (*provecho*) Zweckmäßigkeit *f* ❷ (*acuerdo*) Konvention *f*

conveniente [kombe'njeṇte] *adj* angemessen

convenio [kom'benjo] *m* Abkommen *nt;* **~ colectivo** Tarifvertrag *m*

convenir [kombe'nir] *irr como venir vi, vt* vereinbaren (*en* +*akk*); (*concluir*) sich *dat* einig werden (über +*akk*); (*ser oportuno*) angebracht sein

convento [kom'beṇto] *m* Kloster *nt*

convergencia [komber'xeṇθja] *f* Übereinstimmung *f*

converger [komber'xer] <g → j> *vi*, **convergir** [komber'xir] <g → j> *vi* zusammenlaufen; (*coincidir*) übereinstimmen

conversación [kombersa'θjon] *f* Gespräch *nt;* **~ telefónica** Telefongespräch *nt*

conversar [komber'sar] *vi* sich unterhalten

conversión [komber'sjon] *f* ❶ (*transformación*) Verwandlung *f* ❷ INFOR: **~ de datos** Datenkonvertierung *f* ❸ REL Bekehrung *f* ❹ MAT Umrechnung *f;* **tabla de ~** Umrechnungstabelle *f*

convertir [komber'tir] *irr como sentir* **I.** *vt* ❶ (*transformar*) verwandeln (*en* in +*akk*); **~ en dinero** zu Geld machen ❷ REL bekehren (*a* zu +*dat*) ❸ COM umwandeln ❹ TÉC überführen **II.** *vr:* **~se** sich verwandeln (*en* in +*akk*); REL sich bekehren (*a* zu +*dat*)

convexo, -a [kom'beˠso] *adj* konvex; **lente convexa** Konvexlinse *f*

convicción [kombiˠ'θjon] *f* Überzeugung *f*

convidar [kombi'ðar] *vt* einladen (*a* zu +*dat*)

convincente [kombiṇ'θeṇte] *adj* überzeugend

convivencia [kombi'βeṇθja] *f* Zusammenleben *nt*

convivir [kombi'βir] *vi* zusammenleben

convocar [kombo'kar] <c → qu> *vt* ❶ aufrufen; MIL einberufen ❷ (*concurso*) ausschreiben ❸ (*reunión*) einberufen; **~ elecciones** Wahlen einberufen

convulsión [kombul'sjon] *f* Konvulsion *f; t.* POL Unruhe *f*

cónyuge ['koɲɟuxe] *mf* Ehemann, -frau *m, f*

coña ['koɲa] *f* (*vulg*) Verarschung *f;* **tomar a ~** nicht ernst nehmen; **eres la ~** du bist unmöglich *fam*

coñac [ko'ɲaᵏ] <coñacs> *m* Kognak *m*

coño ['koɲo] **I.** *interj* verdammt! **II.** *m* (*vulg*) Fotze *f;* **¿qué ~ te importa?** das geht dich einen feuchten Dreck an! *fam*

cooperación [ko(o)pera'θjon] *f* Kooperation *f*

cooperar [ko(o)pe'rar] *vi* zusammenarbeiten; *t.* POL kooperieren

cooperativa [ko(o)pera'tiβa] *f* Genossenschaft *f*

coordenada [ko(o)rðe'naða] *f* Koordinate *f*

coordinación [ko(o)rðina'θjon] *f* Koordination *f*

coordinador(a) [ko(o)rðina'ðor] *m(f)* Koordinator(in) *m(f)*

coordinar [ko(o)rði'nar] *vt* koordinieren

copa ['kopa] *f* ❶ (*vaso*) (Stiel)glas *nt;* **una ~ de vino** ein Glas Wein; **ir de ~s** etwas trinken gehen; **tener una ~**

de más beschwipst sein *fam* ❷ (*de árbol*) (Baum)krone *f* ❸ DEP Pokal *m*
Copenhague [kope'naɣe] *m* Kopenhagen *nt*
C
copia ['kopja] *f* ❶ Kopie *f;* (*al carbón*) Durchschlag *m;* ~ **certificada** beglaubigte Kopie; ~ **en limpio** Reinschrift *f;* ~ **de seguridad** INFOR Sicherheitskopie *f* ❷ FOTO Abzug *m*
copiar [ko'pjar] *vt* abschreiben; (*a máquina*) abtippen; (*imitar*) kopieren
copo ['kopo] *m:* ~ **de nieve** Schneeflocke *f*
copular [kopu'lar] **I.** *vt* verbinden; BIOL paaren **II.** *vi, vr:* ~**se** sich paaren
coquetear [kokete'ar] *vi* ❶ (*flirtear*) kokettieren ❷ (*considerar*) liebäugeln
coqueto, -a [ko'keto] *adj* kokett; (*encantador*) reizend
coraje [ko'raxe] *m* Courage *f;* **tener** ~ mutig sein; **dar** ~ wütend machen
coral [ko'ral] *m* Koralle *f*
Corán [ko'ran] *m* Koran *m*
corazón [kora'θon] *m* Herz *nt;* **duro de** ~ hartherzig; **de todo** ~ von ganzem Herzen; **hacer algo de** ~ etw von Herzen gern tun; **no tener** ~ herzlos sein; **hacer de tripas** ~ sich *dat* ein Herz fassen
corbata [kor'βata] *f* Krawatte *f*
Córcega ['korθeɣa] *f* Korsika *nt*
corchete [kor'ʧete] *m* eckige Klammer *f*
corcho ['korʧo] **I.** *m* Kork(en) **II.** *interj:* **¡~!** Donnerwetter!
cordel [kor'ðel] *m* Schnur *f*
cordero, -a [kor'ðero] *m, f* Lamm *nt;* ~ **asado** Lammbraten *m*
cordial [kor'ðjal] *adj* herzlich
cordialidad [korðjali'ðaᵈ] *f* Herzlichkeit *f*
cordillera [korði'ʎera] *f* Gebirgskette *f*
Córdoba ['korðoβa] *f* Córdoba *nt*
cordobés, -esa [korðo'βes] *adj* aus Córdoba
cordón [kor'ðon] *m* Kordel *f;* (*de zapatos*) Schnürsenkel *m;* ~ **umbilical** Nabelschnur *f*
cordura [kor'ðura] *f* Verstand *m*
coreografía [koreoɣra'fia] *f* Choreographie *f*
corista [ko'rista] *mf* Chorsänger(in) *m(f)*
córnea ['kornea] *f* Hornhaut *f*
corneta [kor'neta] *f* (Signal)horn *nt*
cornudo, -a [kor'nuðo] *adj:* **marido** ~ Hahnrei *m*
coro ['koro] *m* Chor *m;* **a** ~ einstimmig
corona [ko'rona] *f* ❶ (*adorno*) Krone *f;* ~ **de espinas** Dornenkrone *f* ❷ (*de flores*) Kranz *m* ❸ (*de los dientes*) (Zahn)krone *f*
coronar [koro'nar] *vt* krönen; (*una obra*) den krönenden Abschluss bilden *+gen*
coronel(a) [koro'nel] *m(f)* Oberst, Frau Oberst *m, f*
corpulento, -a [korpu'lento] *adj* beleibt
corral [ko'rral] *m* ❶ Gehege *nt;* (*para gallinas*) Hühnerhof *m* ❷ (*para niños*) Laufstall *m*
correa [ko'rrea] *f* (Leder)riemen *m;* (*cinturón*) (Leder)gürtel *m*
corrección [korreᵞ'θjon] *f* Korrektur *f*
correcto, -a [ko'rrekto] *adj* richtig; (*sin errores*) fehlerfrei; (*apropiado*) angemessen
corredor[1] [korre'ðor] *m* Flur *m*, Gang *m*
corredor(a)[2] [korre'ðor] *m(f)* ❶ (DEP: *a pie*) Läufer(in) *m(f);* (*en coche*) Rennfahrer(in) *m(f);* ~ **de fondo** Langstreckenläufer *m* ❷ COM Makler(in) *m(f);* ~ **de fincas** Grundstücksmakler *m*
correduría [korreðu'ria] *f* Maklerbüro *nt*
corregir [korre'xir] *irr como elegir* **I.** *vt* korrigieren **II.** *vr:* ~**se** sich bessern
correlación [korrela'θjon] *f* Wechselbeziehung *f*
correlativo, -a [korrela'tiβo] *adj* wechselseitig; (*de sucesión inmediata*) fortlaufend
correo [ko'rreo] *m* Post *f;* ~ **aéreo** Luftpost *f;* ~ **basura** INFOR Spammail *f o nt;* ~ **caracol** INFOR Snailmail *f;* ~ **electrónico** E-Mail *f;* ~ **urgente** Eilzustellung *f*
Correos [ko'rreos] *m pl* Postamt *nt;* **ir a** ~ zur Post gehen

correr [ko'rrer] **I.** *vi* ❶ (*caminar*) laufen; **echarse a ~** losrennen ❷ (*apresurarse*) eilen; **a todo ~** in aller Eile ❸ (*tiempo*) vergehen ❹ (*rumor*) umgehen **II.** *vt* verrücken; **~la** (*fam*) einen draufmachen; **corre prisa** es eilt; **dejar ~ algo** (*fig*) etw laufen lassen **III.** *vr:* **~se** (zur Seite) rücken; (*argot: eyacular*) kommen; (*colores*) verlaufen

correspondencia [korrespoṇ'deṇθja] *f* ❶ (*correo*) Post *f;* (*de cartas*) Briefwechsel *m;* **curso por ~** Fernkurs(us) *m* ❷ (*equivalente*) Entsprechung *f*

corresponder [korrespoṇ'der] **I.** *vi* entsprechen (*a* +*dat*); (*armonizar*) passen (*a* zu +*dat*); (*convenir*) übereinstimmen (*con* mit +*dat*); (*pertenecer*) gehören (*a* zu +*dat*); (*incumbir*) zustehen +*dat* **II.** *vr:* **~se** sich entsprechen

correspondiente [korrespoṇ'djeṇte] *adj* entsprechend

corresponsal [korrespon'sal] *mf* Korrespondent(in) *m(f)*

corrida [ko'rriða] *f* Stierkampf *m;* (*vulg*) Orgasmus *m*

corriente [ko'rrjeṇte] **I.** *adj* fließend; (*actual*) laufend; (*moneda*) kursierend; (*ordinario*) gewöhnlich **II.** *f* ❶ Strom *m;* (*de agua*) Strömung *f;* **~ de aire** Luftzug *m;* **hace ~** es zieht ❷ ARTE, LIT Strömung *f*

corrimiento [korri'mjeṇto] *m:* **~ de tierras** Erdrutsch *m*

corro ['korro] *m:* **hacer ~** einen Kreis bilden; (*juego*) Ringelreigen *m*

corroborar [korroβo'rar] *vt* bekräftigen

corroer [korro'er] *irr como roer* **I.** *vt* zersetzen; (*una persona*) nagen (an +*dat*) **II.** *vr:* **~se** korrodieren; (*persona*) sich vor Gram verzehren

corromper [korrom'per] **I.** *vt* verderben; (*sobornar*) bestechen; (*pervertir*) verderben **II.** *vr:* **~se** verderben; (*degenerar*) (sittlich) verkommen

corrosión [korro'sjon] *f* ❶ (*de metal t.* GEO) Korrosion *f* ❷ QUÍM, TÉC Ätzung *f*

corrupción [korruβ'θjon] *f* ❶ Zersetzung *f;* (*de alimentos*) Fäulnis *f* ❷ (*de la moral*) (Sitten)verfall *m* ❸ (*soborno*) Korruption *f*

corrupto, -a [ko'rrupto] *adj* korrupt; (*inmoral*) (sittlich) verkommen

corsé [kor'se] *m* Korsett *nt*

cortacésped [korta'θespe^{ð}] *m* Rasenmäher *m*

cortado[1] [kor'taðo] *m* Kaffee *m* mit wenig Milch

cortado, -a[2] [kor'taðo] *adj* (*leche*) sauer; (*persona*) verschämt

cortafuego [korta'fweɣo] *m* INFOR Firewall *f*

cortafuego(s) [korta'fweɣo] *m* (*inv*) INFOR Firewall *f*

cortafuegos [korta'fweɣos] *m* Feuerschneise *f*

cortar [kor'tar] **I.** *vt* ❶ (durch)schneiden; (*en pedazos*) zerschneiden ❷ (*una carretera*) sperren; (*la comunicación*) unterbrechen **II.** *vi* schneiden; **cortó con su novio** sie hat mit ihrem Freund Schluss gemacht **III.** *vr:* **~se** sich schneiden; (*leche*) sauer werden; (*luz*) ausfallen

cortaúñas [korta'uɲas] *m* Nagelzwicker *m*

corte[1] ['korte] *m* (*herida*) Schnittwunde *f;* (*tajo*) (Ein)schnitt *m*

corte[2] ['korte] *f* Hof *m;* (*séquito*) Gefolge *nt*

cortejar [korte'xar] *vt* den Hof machen +*dat*

Cortes ['kortes] *f pl* spanisches Parlament *nt*

cortés [kor'tes] *adj* höflich

cortesía [korte'sia] *f* Freundlichkeit *f;* **fórmula de ~** Höflichkeitsfloskel *f*

corteza [kor'teθa] *f* Rinde *f;* (*de una fruta*) Schale *f;* (*del pan*) Kruste *f;* **~ terrestre** GEO Erdkruste *f*

cortijo [kor'tixo] *m* Landgut *nt*

cortina [kor'tina] *f* Vorhang *m*

corto, -a ['korto] *adj* ❶ (*pequeño*) kurz; **~ de oído** schwerhörig; **~ de vista** kurzsichtig; **a la corta o a la larga...**

über kurz oder lang ... ❷ (*breve*) knapp ❸ (*de poco entendimiento*) beschränkt

cortocircuito [kortoθirku'ito] *m* Kurzschluss *m*

coruñés, -esa [koru'ɲes] *adj* aus La Coruña

cosa ['kosa] *f* ❶ (*objeto material*) Gegenstand *m* ❷ (*asunto*) Angelegenheit *f;* **eso es ~ mía** das ist meine Sache; **¿sabes una ~?** weißt du was? ❸ (*circunstancia*) Ding *nt fam*; **como si tal ~** als ob nichts geschehen wäre ❹ (*ocurrencia*) Einfall *m;* **esas son ~s de Inés** das ist typisch Inés ❺ *pl* (*pertenencias*) Sachen *fpl*

coscorrón [kosko'rron] *m* Schlag *m* (auf den Kopf)

cosecha [ko'setʃa] *f* Ernte *f*

cosechar [kose'tʃar] *vi, vt* ernten

coser [ko'ser] **I.** *vt* (an)nähen **II.** *vi* nähen; **esto es ~ y cantar** das ist kinderleicht

cosmética [kos'metika] *f* Kosmetik *f*

cosmopolita [kosmopo'lita] *mf* Kosmopolit(in) *m(f)*

cosmos ['kosmos] *m* Kosmos *m*

cosquillas [kos'kiʎas] *f pl*: **hacer ~** kitzeln; **tener ~** kitz(e)lig sein; **buscar las ~ a alguien** (*fig*) jdn provozieren

costa ['kosta] *f* ❶ GEO Küste *f;* **Costa Azul** Côte d'Azur *f;* **Costa de Marfil** Elfenbeinküste *f* ❷ (*loc*): **a toda ~** um jeden Preis

costado [kos'taðo] *m* Seite *f;* **entrar de ~** seitwärts hereinkommem

costar [kos'tar] <o → ue> *vi, vt* kosten; (*resultar difícil*) schwerfallen

costarricense [kostarri'θense] *adj*, **costarriqueño, -a** [kostarri'keɲo] *adj* costaricanisch

coste ['koste] *m* Kosten *pl*; **~ total** Gesamtkosten *pl*; **~ de la vida** Lebenshaltungskosten *pl*

costear [koste'ar] *vt* finanzieren

costilla [kos'tiʎa] *f* Rippe *f;* GASTR Rippchen *nt*

costo ['kosto] *m* Kosten *pl*; AM Mühe *f*

costoso, -a [kos'toso] *adj* mühsam

costra ['kostra] *f* Kruste *f*, Rinde *f;* MED Schorf *m*

costumbre [kos'tumbre] *f* ❶ (*hábito*) (An)gewohnheit *f;* **como de ~** wie gewöhnlich ❷ (*tradición*) Sitte *f*, Brauch *m*

costura [kos'tura] *f* Naht *f;* (*confección*) Nähen *nt*

cotejar [kote'xar] *vt* vergleichen

cotidiano, -a [koti'ðjano] *adj* (all)täglich

cotilla [ko'tiʎa] *mf* (*fam pey*) Klatschmaul *nt*

cotillear [kotiʎe'ar] *vi* (*fam pey*) klatschen

cotización [kotiθa'θjon] *f* Kurs *m*, Notierung *f;* (*pago de una cuota*) Beitragszahlung *f*

cotizar [koti'θar] <z → c> **I.** *vt* notieren (*a* mit *+dat*) **II.** *vi* Beiträge zahlen **III.** *vr:* **~se** notiert werden

coto ['koto] *m:* **~ de caza** Jagdrevier *nt*

coxis ['ko$^{\gamma}$sis] *m inv* Steißbein *nt*

coyote [ko'ɟote] *m* Kojote *m*

coyuntura [koɟuṇ'tura] *f* Umstände *mpl;* ECON Konjunktur *f*

coyuntural [koɟuṇtu'ral] *adj* konjunkturell

coz [koθ] *f:* **dar coces** ausschlagen

crack [kra^{k}] *m* ECON Crash *m;* (*droga*) Crack *m*

cracker ['kra^{k}er] *mf* INFOR Hacker(in) *m(f)*

cráneo ['kraneo] *m* Schädel *m*

cráter ['krater] *m* Krater *m*

creación [krea'θjon] *f* Schöpfung *f*

creador(a) [krea'ðor] *m(f)* Schöpfer(in) *m(f)*

crear [kre'ar] *vt* ❶ (*hacer*) erschaffen ❷ (*fundar*) einrichten ❸ INFOR erstellen; **~ archivo** Datei erstellen

creatividad [kreatiβi'ða^{ð}] *f* Kreativität *f*

creativo, -a [krea'tiβo] *adj* kreativ

crecer [kre'θer] *irr* **I.** *vi* wachsen **II.** *vr:* **~se** über sich selbst hinauswachsen

creces ['kreθes] *f pl*: **con ~** reichlich

crecimiento [kreθi'mjeṇto] *m* Wachstum *nt*

credibilidad [kreðiβili'ða^{ð}] *f* Glaubwürdigkeit *f*

crédito ['kreðito] *m* ❶ (FIN: *préstamo*) Kredit *m;* **pedir un ~** einen Kredit aufnehmen ❷ (*fama*) Renommee *nt* ❸ **dar ~ a alguien** etw jdm Glauben schenken*dat*

credo ['kreðo] *m* ❶ (*creencias*) Glaube *m* ❷ (*oración, dogma*) Glaubensbekenntnis *nt*

crédulo, -a ['kreðulo] *adj* leichtgläubig

creencia [kre'eṇθja] *f* Glaube *m*

creer [kre'er] *irr como leer* **I.** *vi* gläubig sein **II.** *vt* ❶ glauben (*en* an *+akk*); **~ en Dios** an Gott glauben ❷ (*pensar*) glauben, denken; **¡ya lo creo!** das will ich wohl meinen! ❸ (*dar crédito*) glauben *+dat;* **no te creo** ich glaube dir nicht **III.** *vr:* **~se** glauben; (*considerarse*) sich halten (für *+akk*); **¡qué te has creído!** was fällt dir ein!

creíble [kre'iβle] *adj* glaubhaft

creído, -a [kre'iðo] *adj* (*fam*) eingebildet

crema ['krema] **I.** *adj* cremefarben **II.** *f* Sahne *f;* (*natillas, pasta*) Creme *f*

cremallera [krema'ʎera] *f* Reißverschluss *m*

crematorio [krema'torjo] *m* Krematorium *nt*

cremoso, -a [kre'moso] *adj* cremig

crepúsculo [kre'puskulo] *m* Dämmerung *f*

cresta ['kresta] *f* (Hahnen)kamm *m*

Creta ['kreta] *f* Kreta *nt*

cretino, -a [kre'tino] *m, f* Kretin *m*

creyente [kre'ɟeṇte] *mf* Gläubige(r) *f(m)*

cría ['kria] *f* Zucht *f;* (*cachorro*) Junge(s) *nt*

criado, -a [kri'aðo] *m, f* Diener *m*, Dienstmädchen *nt*

criar [kri'ar] <*1. pres* crío> **I.** *vt* ernähren; (*educar*) aufziehen **II.** *vr:* **~se** aufwachsen

criatura [kria'tura] *f* Geschöpf *nt*

criba ['kriβa] *f* Sieb *nt*

cribar [kri'βar] *vt* (aus)sieben

crimen ['krimen] *m* Verbrechen *nt*

criminal [krimi'nal] **I.** *adj* kriminell; (*policía*) Kriminal-; **brigada de investigación ~** Kriminalamt *nt* **II.** *mf* Kriminelle(r) *f(m)*

criminalidad [kriminali'ða^{ð}] *f* Kriminalität *f*

crío, -a ['krio] *m, f* Kleinkind *nt*

criollo, -a [kri'oʎo] *m, f* Kreole, -in *m, f*

cripta ['kripta] *f* Krypta *f*

críptico, -a ['kriptiko] *adj* kryptisch

crisis ['krisis] *f inv* Krise *f;* **~ nerviosa** Nervenzusammenbruch *m*

crispar [kris'par] **I.** *vt* verkrampfen; (*exasperar*) reizen **II.** *vr:* **~se** sich verkrampfen; (*exasperarse*) gereizt werden

cristal [kris'tal] *m* Kristall *m;* (*vidrio*) Glas *nt*

cristianismo [kristja'nismo] *m* Christentum *nt*

cristiano, -a [kris'tjano] **I.** *adj* christlich **II.** *m, f* Christ(in) *m(f)*

cristo ['kristo] *m* (*fam*): **todo ~** jeder

Cristo ['kristo] *m* (Jesus) Christus *m*

criterio [kri'terjo] *m* Urteilsvermögen *nt*

crítica ['kritika] *f* Kritik *f*

criticar [kriti'kar] <c → qu> **I.** *vt* kritisieren **II.** *vi* lästern

crítico, -a ['kritiko] *adj* kritisch

Croacia [kro'aθja] *f* Kroatien *nt*

croar [kro'ar] *vi* quaken

croata [kro'ata] *adj* kroatisch

cromo ['kromo] *m* Chrom *nt*

cromosoma [kromo'soma] *m* Chromosom *nt*

crónica ['kronika] *f* Chronik *f*

crónico, -a ['kroniko] *adj* chronisch

cronista [kro'nista] *mf* ❶ (*historiador*) Chronist(in) *m(f)* ❷ (*periodista*) Berichterstatter(in) *m(f)*

cronología [kronolo'xia] *f* Chronologie *f*

cronológico, -a [krono'loxiko] *adj* chronologisch

cronometrar [kronome'trar] *vt:* **~ el tiempo** die Zeit stoppen

cronómetro [kro'nometro] *m* Chronometer *nt;* DEP Stoppuhr *f*

croqueta [kro'keta] *f* Krokette *f*
croquis ['krokis] *m inv* Skizze *f*
cruasán [krwa'san] *m* Croissant *nt*
cruce ['kruθe] *m* ❶ (*acción*) Kreuzen *nt* ❷ (*intersección*) Schnittpunkt *m* ❸ *t.* BIOL Kreuzung *f;* ~ **de peatones** Fußgängerüberweg *m*
crucero [kru'θero] *m* Kreuzer *m;* (*viaje*) Kreuzfahrt *f*
crucial [kru'θjal] *adj* entscheidend
crucificar [kruθifi'kar] <c → qu> *vt* kreuzigen
crucifijo [kruθi'fixo] *m* Kruzifix *nt*
crucigrama [kruθi'ɣrama] *m* Kreuzworträtsel *nt*
crudeza [kru'ðeθa] *f* Grobheit *f;* (*crueldad*) Brutalität *f*
crudo[1] ['kruðo] *m* Rohöl *nt*
crudo, -a[2] ['kruðo] *adj* roh(weiß); (*aplicado al tiempo*) rau; (*despiadado*) brutal
cruel [cru'el] <crudelísimo> *adj* grausam
crueldad [kruel'ða^{ð}] *f* Grausamkeit *f*
crujiente [kru'xjente] *adj* knusprig
cruz [kruθ] *f* ❶ Kreuz *nt;* ~ **gamada** Hakenkreuz *nt;* **Cruz Roja** Rotes Kreuz ❷ (*de una moneda o medalla*) Rückseite *f*, Revers *m;* **¿cara o ~?** Kopf oder Zahl? ❸ (*suplicio*) Last *f*
cruzada [kru'θaða] *f* Kreuzzug *m*
cruzar [kru'θar] <z → c> **I.** *vt* ❶ (*atravesar*) kreuzen; (*de un lado al otro*) überqueren; ~ **los brazos** die Arme verschränken; ~ **algo con una raya** etw durchstreichen ❷ BIOL kreuzen **II.** *vr:* **~se** begegnen (*con +dat*); **~se con alguien** jds Weg kreuzen
cu [ku] *f* Q *nt*
cuaderno [kwa'ðerno] *m* Heft *nt*
cuadra ['kwaðra] *f* Stall *m;* (*lugar sucio*) Saustall *m fam* AM Häuserblock *m*
cuadrado[1] [kwa'ðraðo] *m* Quadrat *nt;* **elevar al ~** ins Quadrat erheben
cuadrado, -a[2] [kwa'ðraðo] *adj* quadratisch; **metro ~** Quadratmeter *m;* **tener la cabeza cuadrada** ein Dickschädel sein *fam*
cuadrángulo [kwa'ðraŋgulo] *m* Viereck *nt*
cuadrar [kwa'ðrar] **I.** *vi* passen (*con* zu *+dat*); (*coincidir*) ausgeglichen sein **II.** *vt* ausgleichen **III.** *vr:* **~se** strammstehen
cuadrícula [kwa'ðrikula] *f:* **papel de ~** kariertes Papier
cuadrilla [kwa'ðriʎa] *f* Kolonne *f;* (*de amigos*) Clique *f*
cuadro ['kwaðro] *m* ❶ (*rectángulo*) Rechteck *nt;* **a ~s** kariert ❷ (*pintura*) Gemälde *nt* ❸ (*marco*) Rahmen *m*
cuajada [kwa'xaða] *f* Quark *m*
cuajar [kwa'xar] **I.** *vi* gerinnen; (*fam*) klappen **II.** *vt* eindicken **III.** *vr:* **~se** gerinnen; (*solidificarse*) eindicken
cual [kwal] *pron rel* ❶ (*relativo explicativo*): **el/la ~** der/die, welcher/welche; **lo ~** was; **los/las ~es** die, welche; **cada ~** jede(r) (Einzelne) ❷ (*relativo correlativo*): **tal o ~** der/die/das eine oder andere; **sea ~ sea su intención** was er/sie auch immer vorhat
cuál [kwal] **I.** *pron inter* welche(r, s); **¿~ es el tuyo?** welches ist deins? **II.** *adj* AM welche(r, s)
cualesquier(a) [kwales'kjera] *pron indef pl de* **cualquiera**
cualidad [kwali'ða^{ð}] *f* Eigenschaft *f*
cualificación [kwalifika'θjon] *f* Qualifikation *f*
cualificar [kwalifi'kar] <c → qu> *vt* qualifizieren
cualitativo, -a [kwalita'tiβo] *adj* qualitativ
cualquiera [kwal'kjera] *pron indef* (*delante de un sustantivo: cualquier*) irgendein(e, er, s); **en un lugar ~** irgendwo; **a cualquier hora** jederzeit; **cualquier cosa** irgendwas
cuando ['kwando] *conj* ❶ (*presente*) wenn; **de ~ en ~** ab und zu ❷ (*pasado: con imperfecto*) wenn; (*con indefinido*) als ❸ (*futuro; +subj*) sobald; **~ quiera** jederzeit ❹ (*relativo*): **el lu-**

nes es ~ no trabajo montags arbeite ich nicht ❺ (*condicional*) wenn, falls; **~ más** höchstens; **~ menos** mindestens ❻ **aun ~** auch wenn

cuándo ['kwan̪do] *adv* wann

cuantía [kwan̪'tia] *f* Ausmaß *nt*

cuantificar [kwan̪tifi'kar] <c → qu> *vt* quantifizieren

cuantitativo, -a [kwan̪tita'tiβo] *adj* quantitativ

cuanto[1] ['kwan̪to] I. *adv*: **~... tanto...** je ..., desto ...; **~ antes** möglichst bald; **~ más que...** umso mehr, als ... II. *prep* (*por lo que se refiere a*): **en ~ a** bezüglich *+gen* III. *conj* ❶ (*temporal*): **en ~ (que** *+subj*) sobald ❷ (*puesto que*): **por ~ que** da

cuanto, -a[2] ['kwan̪to] I. *pron rel* ❶ (*neutro*) alles, was ...; **tanto... ~** so viel ... wie ❷ *pl* alle, die ...; **la más hermosa de cuantas conozco** die Hübscheste von allen, die ich kenne II. *pron indef*: **unos ~s/unas cuantas** einige, ein paar

cuánto[1] ['kwan̪to] *adv* ❶ (*interrogativo*) wie viel; **¿a ~?** wie teuer? ❷ (*exclamativo*) wie sehr; **¡~ llueve!** wie stark es regnet!

cuánto, -a[2] ['kwan̪to] I. *adj* wie viel; **¿~ tiempo?** wie lange?; **¿cuántas veces?** wie oft? II. *pron inter* wie viel

cuarenta [kwa'ren̪ta] *adj* vierzig; *v.t.* **ochenta**

cuarentena [kwaren̪'tena] *f* Quarantäne *f*

cuaresma [kwa'resma] *f* Fastenzeit *f*

cuartel [kwar'tel] *m* Quartier *nt;* (*edificio*) Kaserne *f*

cuartelillo [kwarte'liʎo] *m* Revier *nt*

cuarteto [kwar'teto] *m* Quartett *nt*

cuartilla [kwar'tiʎa] *f* Quartblatt *nt*, kleines Blatt *nt*

cuarto[1] ['kwarto] *m* Zimmer *nt;* **~ de aseo** Toilette *f;* **~ de baño** Badezimmer *nt;* **~ de estar** Wohnzimmer *nt;* **~ trastero** Rumpelkammer *f*

cuarto, -a[2] ['kwarto] I. *adj* vierte(r, s); (*parte*) viertel II. *m, f* Viertel *nt;* **~ de hora** Viertelstunde *f;* **es la una y/menos ~** es ist Viertel nach/vor eins; *v.t.* **octavo**

cuarzo ['kwarθo] *m* Quarz *m*

cuatrero, -a [kwa'trero] *m, f* Viehdieb(in) *m(f)*

cuatro ['kwatro] *adj* vier; *v.t.* **ocho**

cuatrocientos, -as [kwatro'θjen̪tos] *adj* vierhundert; *v.t.* **ochocientos**

cuba ['kuβa] *f* Kübel *m;* **estar como una ~** (*fam*) sternhagelvoll sein

Cuba ['kuβa] *f* Kuba *nt*

cubano, -a [ku'βano] *adj* kubanisch

cubertería [kuβerte'ria] *f* Besteck *nt*

cúbico, -a ['kuβiko] *adj:* **metro ~** Kubikmeter *m*

cubierta [ku'βjerta] *f* (Schiffs)deck *nt*

cubierto[1] [ku'βjerto] *m* Gedeck *nt;* (*cubertería*) Besteck *nt;* **ponerse a ~** sich unterstellen

cubierto, -a[2] [ku'βjerto] *adj* bewölkt; **cheque ~** gedeckter Scheck *m*

cubilete [kuβi'lete] *m* Würfelbecher *m*

cubismo [ku'βismo] *m* ARTE Kubismus *m*

cubitera [kuβi'tera] *f* Eiswürfelschale *f*

cubo ['kuβo] *m* Eimer *m;* (*hexaedro*) Würfel *m*

cubrir [ku'βrir] *irr como abrir* I. *vt* ❶ (*tapar*) bedecken (*con/de* mit *+dat*), abdecken (*con/de* mit *+dat*) ❷ (*ocultar*) verdecken ❸ (*recorrer*) zurücklegen ❹ (*rellenar*) (auf)füllen ❺ (*gastos*) decken ❻ (*vacante*) besetzen ❼ ZOOL decken II. *vr:* **~se** sich bedecken; (*protegerse*) sich schützen (*contra* vor *+dat*)

cucaracha [kuka'raʧa] *f* Kakerlak *m*

cuchara [ku'ʧara] *f* Löffel *m;* **~ de palo** Holzlöffel *m;* **~ sopera** Suppenlöffel *m*

cucharada [kuʧa'raða] *f:* **una ~ de azúcar** ein Löffel (voll) Zucker

cucharilla [kuʧa'riʎa] *f* Teelöffel *m*

cuchichear [kuʧiʧe'ar] *vi* tuscheln

cuchilla [ku'ʧiʎa] *f* Rasierklinge *f*

cuchillo [ku'ʧiʎo] *m* Messer *nt;* **~ de bolsillo** Taschenmesser *nt;* **~ de co-**

cina Küchenmesser *nt*
cuchitril [kutʃi'tril] *m* (*vivienda*) Loch *nt pey*
cuclillas [ku'kliʎas] *f pl*: **estar en ~** in der Hocke sitzen
cuco[1] ['kuko] *m* Kuckuck *m*
cuco, -a[2] ['kuko] *adj* gerissen; (*bonito*) hübsch
cuello ['kweʎo] *m* ❶ ANAT Hals *m*; **~ uterino** Gebärmutterhals *m* ❷ (*de una prenda*) Kragen *m* ❸ (*de un recipiente*) Hals *m*; **~ de botella** Flaschenhals *m*
cuenca ['kweŋka] *f*: **~ del río** Flussbecken *nt*; (*de los ojos*) Augenhöhle *f*
cuenco ['kweŋko] *m* Napf *m*
cuenta ['kwen̪ta] *f* ❶ (Be)rechnung *f*; (*calculación final*) Abrechnung *f*; **~ atrás** Countdown *m*; **pagar la ~** die Rechnung begleichen; **establecerse por su ~** sich selb(st)ständig machen; **tener en ~** bedenken; **darse ~ de algo** etw (be)merken ❷ (*en el banco*) Konto *nt*; **~ corriente** Girokonto *nt*; **~ de crédito** Kreditkonto *nt*
cuentagotas [kwen̪ta'ɣotas] *m* Pipette *f*; **a ~** (*fig*) spärlich
cuento ['kwen̪to] *m* (Kurz)geschichte *f*, Erzählung *f*; **~ chino** Lüge *f*; **~ de hadas** Märchen *nt*; **dejarse de ~s** zur Sache kommen; **eso no viene a ~** das hat damit nichts zu tun
cuerda ['kwerða] *f* ❶ (*cordel*) Strick *m*, Leine *f*; **~ métrica** Messband *nt* ❷ (*del reloj*) (Aufzug)feder *f*; **dar ~ al reloj** die Uhr aufziehen; **dar ~ a alguien** jdn animieren ❸ ANAT: **~s vocales** Stimmbänder *ntpl* ❹ (*de instrumentos*) Saite *f*
cuerdo, -a ['kwerðo] *adj* vernünftig
cuerno ['kwerno] *m* Horn *nt*; **ponerle a alguien los ~s** (*fam*) jdm Hörner aufsetzen; **¡y un ~!** ich pfeife darauf!; **¡que se vaya al ~!** der Teufel soll ihn/sie holen!
cuero ['kwero] *m* Leder *nt*; **~ cabelludo** Kopfhaut *f*; **estar en ~s** splitternackt sein
cuerpo ['kwerpo] *m* ❶ Körper *m*; (*cadáver*) Leiche *f*; **tomar ~** Gestalt annehmen; **estar de ~ presente** aufgebahrt sein; **hacer de ~** seine Notdurft verrichten ❷ *t.* MAT Körper *m*; **~ celeste** Himmelskörper *m* ❸ **~ de bomberos** Feuerwehr; **~ diplomático** diplomatisches Korps *m*
cuervo ['kwerβo] *m* Rabe *m*
cuesta ['kwesta] *f* Abhang *m*; **~ abajo** bergab; **~ arriba** bergauf
cuestión [kwes'tjon] *f* Frage *f*; **~ de confianza** Vertrauensfrage *f*; **~ de gustos** Geschmackssache *f*
cuestionable [kwestjo'naβle] *adj* fraglich
cuestionar [kwestjo'nar] *vt* diskutieren
cuestionario [kwestjo'narjo] *m* Fragebogen *m*
cueva ['kweβa] *f* Höhle *f*
cuidado [kwi'ðaðo] *m* ❶ (*esmero y precaución*) Sorgfalt *f*, Vorsicht *f*; **¡~!** Achtung!; **¡anda con ~!** sei vorsichtig!; **ser de ~** gefährlich sein; **eso me tiene sin ~** das lässt mich kalt ❷ (*asistencia*) Pflege *f*; (*de maquinarias*) Wartung *f*; **~ médico** medizinische Betreuung; **~ preventivo** Vorbeugung *f*
cuidadoso, -a [kwiða'ðoso] *adj* sorgfältig
cuidar [kwi'ðar] **I.** *vi* aufpassen (*de* auf *+akk*) **II.** *vt* pflegen; **~ a los niños** die Kinder betreuen **III.** *vr*: **~se** sich hüten (*de* vor *+dat*); (*no esforzarse*) sich schonen; (*por su aspecto*) sich pflegen; (*darse buena vida*) es sich *dat* gut gehen lassen; **¡cuídate!** pass auf dich auf!
culebra [ku'leβra] *f* Schlange *f*
culminación [kulmina'θjon] *f* Höhepunkt *m*
culminante [kulmi'nan̪te] *adj* überragend; **punto ~** Höhepunkt *m*
culo ['kulo] *m* Gesäß *nt*, Hintern *m fam*; **caer de ~** auf den Hintern fallen; **lamer el ~ a alguien** (*vulg*) jdm in den Arsch kriechen; **¡vete a tomar por el ~!** (*vulg*) scher dich zum Teufel! *fam*; **vas de ~, cuesta abajo y sin**

frenos! (*argot*) du irrst dich total!, du liegst total daneben!

culpa ['kulpa] *f* Schuld *f;* **y ¿qué ~ tengo yo?** was kann ich denn dafür?

culpabilidad [kulpaβili'ðaᵈ] *f:* **sentimiento de ~** Schuldgefühl *nt*

culpable [kul'paβle] *adj* schuldig; **declarar ~** für schuldig erklären; **ser ~ de algo** an etw *dat* Schuld haben

culpar [kul'par] **I.** *vt* beschuldigen (*de/por +gen*) **II.** *vr:* **~se** sich schuldig fühlen (*de* wegen *+gen/dat*)

cultivar [kuḷti'βar] **I.** *vt* anbauen **II.** *vr:* **~se** sich bilden

cultivo [kuḷ'tiβo] *m* AGR Anbau *m*

culto, -a ['kuḷto] *adj* gebildet

cultura [kuḷ'tura] *f* Kultur *f;* **~ general** Allgemeinbildung *f*

cultural [kuḷtu'ral] *adj* kulturell

cumbre ['kumbre] *f* ❶ (*cima*) Gipfel *m* ❷ (*reunión*) Gipfeltreffen *nt;* **~ ministerial** Ministertreffen *nt* ❸ (*culminación*) Höhepunkt *m*

cumpleaños [kumple'aɲos] *m* Geburtstag *m*

cumplido¹ [kum'pliðo] *m* Höflichkeitsbezeugung *f;* **visita de ~** Höflichkeitsbesuch *m*

cumplido, -a² [kum'pliðo] *adj* ❶ (*acabado*) erledigt; **¡misión cumplida!** Auftrag erfüllt! ❷ (*cortés*) höflich ❸ (*un soldado*) ausgedient

cumplimentar [kumplimeṇ'tar] *vt* ausfüllen

cumplir [kum'plir] **I.** *vi* ❶ (*hacer su deber*) pflichtbewusst sein; **~ con su deber** seine Pflicht erfüllen; **hacer algo sólo por ~** etw nur der Form halber tun ❷ (*soldado*) seinen Militärdienst beenden ❸ (*plazo*) ablaufen **II.** *vt* ❶ (*una orden*) ausführen ❷ (*una promesa*) erfüllen ❸ (*un plazo*) einhalten ❹ (*el servicio militar*) ableisten ❺ (*una pena*) verbüßen ❻ (*años*): **en mayo cumplo treinta años** im Mai werde ich dreißig (Jahre alt) **III.** *vr:* **~se** in Erfüllung gehen

cuna ['kuna] *f* Wiege *f*

cundir [kuṇ'dir] *vi* sich ausbreiten; (*dar mucho de sí*) (sehr) ergiebig sein

cuneta [ku'neta] *f* Straßengraben *m*

cuña ['kuɲa] *f* Keil *m*

cuñado, -a [ku'ɲaðo] *m, f* Schwager, Schwägerin *m, f*

cuota ['kwota] *f* ❶ (*porción*) Quote *f*, Anteil *m;* **~ de mercado** Marktanteil *m* ❷ (*contribución*) Beitrag *m*, Gebühr *f;* **~ de socio** Mitgliedsbeitrag *m*

cupo ['kupo] *3. pret de* **caber**

cupón [ku'pon] *m* Kupon *m*, Abschnitt *m;* (*de lotería*) Lotterieanteilschein *m;* **~ de descuento** Rabattmarke *f*

cúpula ['kupula] *f* ❶ (*media esfera*) Kuppel *f* ❷ (*máximos dirigentes*) Spitze *f;* **~ dirigente** Führungsspitze *f*

cura¹ ['kura] *m* Pfarrer *m*, Priester *m*

cura² ['kura] *f* ❶ (*curación*) Heilung *f* ❷ (*tratamiento*) Kur *f*, Behandlung *f;* **primera ~** erste Hilfe

curación [kura'θjon] *f* Heilung *f*

curado, -a [ku'raðo] *adj* geheilt; (*endurecido*) gehärtet; **jamón ~** luftgetrockneter Schinken; AM betrunken

curandero, -a [kuraṇ'dero] *m, f* Medizinmann *m;* (*charlatán*) Kurpfuscher(in) *m(f)*

curar [ku'rar] **I.** *vi* genesen **II.** *vt* ❶ (*a un enfermo: tratar*) behandeln; (*sanar*) heilen ❷ (*ahumar*) räuchern **III.** *vr:* **~se** genesen; **~se en salud** vorbeugen

curativo, -a [kura'tiβo] *adj* heilend

curiosidad [kurjosi'ðaᵈ] *f* ❶ (*indiscreción*) Neugier(de) *f;* **despertar la ~** die Neugier wecken ❷ (*cosas poco corrientes*) Kuriosität *f*

curioso, -a [ku'rjoso] *adj* neugierig; (*interesante*) sonderbar; **¡qué ~!** wie merkwürdig!; (*aseado*) reinlich

currante [ku'rraṇte] *mf* (*fam*) Arbeiter(in) *m(f)*

currar [ku'rrar] *vi* (*fam*) schaffen

currículum (vitae) [ku'rrikulun ('bite)] *m* Lebenslauf *m*

curro ['kurro] *m* (*fam*) Arbeit *f*

C

curry ['kurri] *m* Curry *nt*
cursar [kur'sar] *vt* ❶ (*una orden*) erteilen ❷ (*cursos*) belegen; (*carrera*) studieren
cursi ['kursi] *adj* (*fam: una persona*) affektiert; (*una cosa*) kitschig
cursillo [kur'siʎo] *m* Kurzlehrgang *m*
cursivo, -a [kur'siβo] *adj* kursiv
curso ['kurso] *m* ❶ (*transcurso*) (Ver)lauf *m*, Ablauf *m;* **estar en ~** in Bearbeitung sein; **dar ~ a una solicitud** ein Gesuch weiterleiten ❷ (FIN: *circulación*): **estar en ~** im Umlauf sein ❸ (FIN: *cambio*) Kurs *m;* **~ del cambio** Wechselkurs *m* ❹ (*de enseñanza*) Kurs *m;* **~ escolar** Schuljahr *nt;* **perder el ~** nicht versetzt werden
cursor [kur'sor] *m* ❶ TÉC Läufer *m* ❷ INFOR Cursor *m*
curtir [kur'tir] *vt* gerben
curva ['kurβa] *f* Kurve *f;* **~ de natalidad** Geburtenkurve *f*
cúspide ['kuspiðe] *f* Spitze *f*, Gipfel *m;* (*fig*) Höhepunkt *m*
custodia [kus'toðja] *f:* **estar bajo la ~ de alguien** unter jds Obhut stehen
cutis ['kutis] *m inv* (Gesichts)haut *f*
cuyo, -a ['kuɟo] *pron rel* dessen, deren; **por cuya causa** weshalb

D

D, d [de] *f* D, d *nt*
D. [don] *abr de* **Don** Hr.
D.ª ['doɲa] *abr de* **Doña** Fr.
dactilar [dakti'lar] *adj:* **huellas ~es** Fingerabdrücke *mpl*
dado[1] ['daðo] **I.** *m* ① (*cubo*) Würfel *m* ② *pl* (*juego*) Würfelspiel *nt;* **jugar a los ~s** würfeln **II.** *conj* ① (*ya que*): **~ que llueve...** da es (ja) regnet ... ② (*supuesto que*): **~ que sea demasiado difícil...** wenn es zu schwierig ist ...
dado, -a[2] ['daðo] *adj:* **en el caso ~** gegebenenfalls
daltónico, -a [dal̩'toniko] *adj* farbenblind
dama ['dama] *f* Dame *f;* **~ de honor** Brautjungfer *f*
damnificar [damnifi'kar] <c → qu> *vt* schädigen
danés, -esa [da'nes] *adj* dänisch
Danubio [da'nuβjo] *m* Donau *f*
danza ['dan̩θa] *f* (*acción*) Tanzen *nt;* (*baile*) Tanz *m*
danzar [dan̩'θar] <z → c> **I.** *vi* (*bailar, girar*) tanzen; (*moverse*) herumtanzen **II.** *vt* tanzen
dañar [da'ɲar] **I.** *vi* schaden **II.** *vt* (be)schädigen **III.** *vr:* **~se** beschädigt werden
dañino, -a [da'ɲino] *adj* schädlich
daño ['daɲo] *m* ① (*perjuicio*) Schaden *m;* **~s ecológicos** Umweltschäden *mpl*; **~ material** Sachschaden *m;* **~s y perjuicios** Schadensersatz *m* ② (*dolor*) Verletzung *f;* **hacerse ~** sich verletzen; **no hace ~** es tut nicht weh
dar [dar] *irr* **I.** *vt* ① geben; (*regalar*) schenken; **~ permiso** die Erlaubnis erteilen ② (*producir*): **la vaca da leche** die Kuh gibt Milch ③ (*celebrar*) veranstalten; **~ una fiesta** eine Party geben ④ (*causar*): **me das pena** du tust mir leid; **~ miedo** Angst machen ⑤ (*expresar*): **~ recuerdos** Grüße ausrichten ⑥ (*hacer*): **~ un paseo** einen Spaziergang machen ⑦ (*encender*): **~ la luz** das Licht anmachen ⑧ (*sonar*): **el reloj ha dado las dos** die Uhr hat zwei geschlagen **II.** *vi* ① (+ *a*): **la ventana da al patio** das Fenster geht auf den Hof ② (+ *con*): **~ con la solución** auf die Lösung kommen ③ (+ *contra*) stoßen (*contra* an/gegen +*akk*) ④ (+ *para*): **~ para vivir** zum Leben reichen ⑤ (+ *por* + *adjetivo*): **~ por muerto** für tot erklären ⑥ (+ *que* + *verbo*): **~ que pensar** zu denken geben ⑦ (*loc*): (**me**) **da igual** das ist (mir) egal; **¡qué más da!** (*fam*) was soll's!; **no me da la gana** (*fam*) ich habe keine Lust; **~ de sí** (*jersey*) weiter werden **III.** *vr:* **~se** ① (*suceder*) vorkommen ② (*frutos*) gedeihen ③ (*consagrarse*) sich widmen +*dat;* (*entregarse*) verfallen +*dat;* **~se a la bebida** dem Alkohol verfallen ④ (+ *'contra'*) sich stoßen (*contra* an +*dat*) ⑤ (*creerse*) sich halten (*por* für +*akk*); **~se por aludido** sich angesprochen fühlen ⑥ (+ *'a'*): **~se a entender** sich verständlich machen ⑦ (+ *sustantivo*): **~se cuenta de algo** etw merken; **~se prisa** sich beeilen
dardo ['darðo] *m:* **jugar a los ~s** Darts spielen
datar [da'tar] **I.** *vi* stammen **II.** *vt* datieren
dátil ['datil] *m* Dattel *f*
dativo [da'tiβo] *m* Dativ *m*
dato ['dato] *m* ① (*circunstancia*) Angabe; **~s personales** Personalien *pl* ② *pl t.* INFOR Daten *pl*
dcha. [de'retʃa] *adj*, **dcho.** [de'retʃo] *adj abr de* **derecha, derecho** rechte(r, s)
d. de (J)C. [des'pwes ðe (xesu)'kristo] *abr de* **después de (Jesu)cristo** n. Chr.
de [de] *prep* ① (*posesión*): **los hijos ~ Ana** Anas Kinder ② (*origen*) von +*dat,* aus +*dat;* **ser ~ Italia** aus Italien kommen ③ (*material*) aus +*dat;* **~ oro** gol-

den ❹ (*cualidad*) mit *+dat;* **un hombre ~ buen corazón** ein Mensch mit einem guten Herzen ❺ (*temporal*) von *+dat* ❻ (*finalidad*): **máquina ~ escribir** Schreibmaschine *f* ❼ (*causa*) vor *+dat* ❽ (*partitivo*): **un kilo ~ tomates** ein Kilo Tomaten ❾ (*loc*): **~ niño** als Kind; **más ~ 50 euros** mehr als 50 Euro; **~ no** AM ansonsten

debajo [de'βaxo] **I.** *adv* unten **II.** *prep:* **~ de** (*local*) unter *+dat;* (*con movimiento*) unter *+akk*

debate [de'βate] *m* Debatte *f;* **~ electoral** Wahldebatte *f*

debatir [deβa'tir] **I.** *vt* erörtern **II.** *vr:* **~se: ~se entre la vida y la muerte** mit dem Tode ringen

debe ['deβe] *m* Soll *nt*

deber [de'βer] **I.** *vi* (*suposición*): **deben de ser las nueve** es muss neun Uhr sein **II.** *vt* müssen; (*tener que dar*) schulden **III.** *vr:* **~se** zurückzuführen sein (*a* auf *+akk*) **IV.** *m* ❶ (*obligación*) Pflicht *f* ❷ *pl* (*tareas*) Hausaufgaben *fpl*; **tener muchos ~es** viel aufhaben

debido[1] [de'βiðo] *prep:* **~ a** wegen *+gen/dat*

debido, -a[2] [de'βiðo] *adj:* **como es ~** wie es sich gehört

débil ['deβil] *adj* schwach

debilidad [deβili'ða^{ð}] *f* Schwäche *f*

debilitar [deβili'tar] *vt* schwächen

débito ['deβito] *m* Soll *nt*

debutar [deβu'tar] *vi* debütieren

década ['dekaða] *f* Jahrzehnt *nt;* **la ~ de los 40** die 40er-Jahre

decadencia [deka'ðeṇθja] *f* Dekadenz *f*

decadente [deka'ðeṇte] *adj* dekadent

decaer [deka'er] *irr como caer vi* nachlassen

decaído, -a [deka'iðo] *adj* niedergeschlagen

decano, -a [de'kano] *m, f* Dekan(in) *m(f)*

decapitar [dekapi'tar] *vt* enthaupten

decatlón [dekað'lon] *m* Zehnkampf *m*

decena [de'θena] *f* zehn Stück *ntpl*

decencia [de'θeṇθja] *f* Anstand *m*

decenio [de'θenjo] *m* Jahrzehnt *nt*

decente [de'θeṇte] *adj* anständig

decepción [deθeβ'θjon] *f* Enttäuschung *f;* **llevarse una ~** enttäuscht werden

decepcionar [deθeβθjo'nar] *vt* enttäuschen

deceso [de'θeso] *m* Tod *m*

decibel(io) [deθi'βel(jo)] *m* Dezibel *nt*

decidido, -a [deθi'ðiðo] *adj* energisch

decidir [deθi'ðir] **I.** *vi* entscheiden (*sobre* über *+akk*) **II.** *vt* entscheiden; (*acordar*) beschließen **III.** *vr:* **~se** sich entscheiden (*por* für *+akk, en contra de* gegen *+akk*)

décima ['deθima] *f:* **tener ~s** erhöhte Temperatur haben

decimal [deθi'mal] *adj:* **número ~** Dezimalzahl *f*

décimo, -a ['deθimo] **I.** *adj* zehnte(r, s); (*parte*) zehntel **II.** *m, f* Zehntel *nt; v.t.* **octavo**

decimotercero, -a [deθimoter'θero], **decimotercio, -a** [deθimo'terθjo] *adj* (*parte*) dreizehntel; (*numeración*) dreizehnte(r, s); *v.t.* **octavo**

decir [de'θir] *irr* **I.** *vi* sagen (*de* über *+akk*); **~ que sí** ja sagen; **diga, dígame** TEL ja, hallo?; **es ~** das heißt; **¡no me digas!** (*fam*) was du nicht sagst!; **y que lo digas** du sagst es **II.** *vt* sagen; (*comunicar*) mitteilen **III.** *vr:* **~se** sagen; **¿cómo se dice en alemán?** wie sagt man das auf Deutsch? **IV.** *m* Redensart *f;* **es un ~** wie man so sagt

decisión [deθi'sjon] *f* Entscheidung *f;* (*firmeza*) Entschlossenheit *f*

decisivo, -a [deθi'siβo] *adj* entscheidend

declamar [dekla'mar] *vt* vortragen

declaración [deklara'θjon] *f* Erklärung *f;* JUR Aussage *f;* **~ de la renta** Einkommensteuererklärung *f;* **prestar ~** aussagen; **tomar ~ a alguien** jdn vernehmen

declarar [dekla'rar] **I.** *vi* aussagen **II.** *vt* erklären; **~ a alguien culpable** jdn für schuldig erklären **III.** *vr:* **~se** ❶ (*aparecer*) ausbrechen ❷ (*manifestarse*) sich erklären; (*amor*) eine Liebeserklärung machen +*dat;* **~se en huelga** streiken; **~se inocente** sich für unschuldig erklären; **~se en quiebra** Konkurs anmelden

declinación [deklina'θjon] *f* Deklination *f*

declive [de'kliβe] *m* Gefälle *nt*

decolaje [deko'laxe] *m* AM Start *m*

decolar [deko'lar] *vi* AM starten

decolorar [dekolo'rar] *vt* entfärben

decomisar [dekomi'sar] *vt* beschlagnahmen

decoración [dekora'θjon] *f* Dekoration *f;* (*con muebles*) Einrichtung *f*

decorado [deko'raðo] *m* Bühnenbild *nt*

decorador(a) [dekora'ðor] *m(f)* Dekorateur(in) *m(f);* **~ de interiores** Raumausstatter *m*

decorar [deko'rar] *vt* dekorieren; (*con muebles*) einrichten

decoro [de'koro] *m* ❶ (*dignidad*) Würde *f;* **con ~** würdevoll; **vivir con ~** standesgemäß leben ❷ (*respeto*) Respekt; **guardar el ~** die Form wahren ❸ (*pudor*) Anstand *m;* **con ~** anständig

decrecer [dekre'θer] *irr como crecer vi* abnehmen; (*nivel, fiebre*) fallen; **~ en intensidad** an Stärke verlieren

decretar [dekre'tar] *vt* verfügen

decreto [de'kreto] *m* Verfügung *f;* **~ gubernamental** Regierungserlass *m*

dedal [de'ðal] *m* Fingerhut *m*

dedicación [deðika'θjon] *f:* **~ plena** Ganztagsbeschäftigung *f*

dedicar [deði'kar] <c → qu> **I.** *vt* widmen **II.** *vr:* **~se** sich widmen (*a* +*dat*); (*profesionalmente*) tätig sein (*a* in +*dat*); **~se a la enseñanza** als Lehrer tätig sein; **¿a qué se dedica Ud.?** was machen Sie beruflich?

dedicatoria [deðika'torja] *f* Widmung *f*

dedo ['deðo] *m* (*de mano*) Finger *m;* (*de pie*) Zeh *m;* **~ del corazón** Mittelfinger *m;* **~ gordo** großer Zeh; **~ índice** Zeigefinger *m;* **~ meñique** kleiner Finger; **~ pulgar** Daumen *m;* **ir a ~** (*fam*) trampen

deducción [deðuˠ'θjon] *f* Folgerung *f;* ECON Abzug *m;* (*fiscal*) Abschreibung *f*

deducir [deðu'θir] *irr como traducir vt* folgern; (*de impuestos*) absetzen

defecto [de'fekto] *m* ❶ (*carencia*) Mangel *m;* **en su ~** bei Fehlen ❷ (*falta*) Fehler *m;* **~ físico** Gebrechen *nt*

defectuoso, -a [defektu'oso] *adj* fehlerhaft

defender [defen̩'der] <e → ie> **I.** *vt* ❶ *t.* JUR verteidigen (*de/contra* vor +*dat*) ❷ (*proteger*) (be)schützen (*de/contra* vor +*dat*) ❸ (*ideas*) eintreten (für +*akk*) **II.** *vr:* **~se** sich verteidigen; (*arreglárselo*) zurechtkommen

defensa [de'fensa] *f* ❶ *t.* JUR, DEP Verteidigung *f;* **en legítima ~** in Notwehr; **acudir en ~ de alguien** jdm zu Hilfe eilen ❷ (*protección*) Schutz *m* ❸ BIOL Abwehrkräfte *fpl*; **tener ~s** immun sein

defensor(a) [defen'sor] *m(f)* Verteidiger(in) *m(f);* (*de ideas*) Verfechter(in) *m(f);* **~ de la naturaleza** Naturschützer *m*

deficiente [defi'θjen̩te] **I.** *adj* mangelhaft **II.** *mf:* **~ mental** geistig Behinderte(r) *f(m)*

déficit ['defiθit] *m* Defizit *nt*

definición [defini'θjon] *f* Definition *f*

definido, -a [defi'niðo] *adj* deutlich; LING bestimmt

definir [defi'nir] **I.** *vt* definieren **II.** *vr:* **~se** sich entscheiden

definitivo, -a [defini'tiβo] *adj* endgültig; **en definitiva** letzten Endes

deformación [deforma'θjon] *f* ❶ (*alteración*) Verformung *f* ❷ (*desfiguración*) Entstellung *f*

deformar [defor'mar] **I.** *vt* verformen; (*desfigurar*) entstellen **II.** *vr:* **~se** sich verformen

defraudar [defrau̯'ðar] *vt* ❶ betrügen; **~ a Hacienda** Steuern hinterziehen

❷ (*decepcionar*) enttäuschen

defunción [defuṇ'θjon] *f* Todesfall *m*

degenerar [dexene'rar] *vi* degenerieren

degollar [deɣo'ʎar] <o → ue> *vt* enthaupten

degradar [deɣra'ðar] *vt* degradieren; (*calidad*) verschlechtern

degustación [deɣusta'θjon] *f*: ~ **de vinos** Weinprobe *f*

degustar [deɣus'tar] *vt* kosten

dehesa [de'esa] *f* Weide *f*

dejadez [dexa'ðeθ] *f* Nachlässigkeit *f*

dejado, **-a** [de'xaðo] *adj* nachlässig

dejar [de'xar] **I.** *vi*: ~ **de** +*inf* aufhören zu +*inf*; **no ~ de** +*inf* (*no olvidar*) nicht vergessen zu +*inf*; **¡no deje de venir!** Sie müssen unbedingt kommen! **II.** *vt* ❶ (*en general*) lassen; **¡déjalo ya!** hör auf damit!; ~ **caer** fallen lassen; ~ **claro** klarstellen; ~ **constancia** protokollieren; ~ **a deber** anschreiben lassen; ~ **en paz** in Ruhe lassen ❷ (*abandonar*) verlassen; ~ **la carrera** das Studium abbrechen ❸ (*permitir: algo*) zulassen; **no me dejan salir** sie lassen mich nicht ausgehen ❹ (*prestar*) leihen **III.** *vr*: **~se** sich gehen lassen

deje ['dexe] *m* Akzent *m*

del [del] = **de + el** *v.* **de**

delantal [delaṇ'tal] *m* Schürze *f*

delante [de'laṇte] **I.** *adv* ❶ (*ante, en la parte delantera*) vorn(e); **de ~** von vorn; **abierto por ~** vorne offen ❷ (*enfrente*) davor **II.** *prep*: ~ **de** (*local*) vor +*dat*; (*movimiento*) vor +*akk*; ~ **mío** [*o* **de mí**] in meiner Gegenwart

delatar [dela'tar] **I.** *vt* anzeigen; (*manifestar*) verraten **II.** *vr*: **~se** sich verraten (*con* durch +*akk*)

delegación [deleɣa'θjon] *f* ❶ (*atribución*) Auftrag *m*; ~ **de poderes** Übertragung von Befugnissen; **actuar por ~ de alguien** in jds Auftrag handeln ❷ (*comisión*) Delegation *f* ❸ (*oficina*) Amt *nt*; **Delegación de Hacienda** Finanzamt *nt*

delegar [dele'ɣar] <g → gu> *vt* delegieren (*en* an +*akk*); (*transferir*) übertragen

deleitar(se) [deleịtar(se)] *vt, vr* sich ergötzen

deleite [de'leịte] *m* Wonne *f*; **con ~** genüsslich

deletrear [deletre'ar] *vt* buchstabieren

delfín [del'fin] *m* Delphin *m*

delgado, **-a** [del'ɣaðo] *adj* dünn

deliberado, **-a** [deliβe'raðo] *adj* absichtlich

deliberar [deliβe'rar] *vi, vt* abwägen; (*discutir*) beratschlagen

delicadeza [delika'ðeθa] *f*: **con ~** feinfühlig; **tener la ~ de...** so zuvorkommend sein und ...

delicado, **-a** [deli'kaðo] *adj* ❶ (*frágil*) zart ❷ (*atento*) feinfühlig ❸ (*enfermizo*) anfällig; **ser ~ de salud** eine schwache Gesundheit haben ❹ (*asunto*) heikel

delicia [de'liθja] *f* Wonne *f*

delicioso, **-a** [deli'θjoso] *adj* köstlich

delictivo, **-a** [delik'tiβo] *adj*: **acto ~** Straftat *f*

delimitar [delimi'tar] *vt* abgrenzen

delincuencia [deliŋ'kweṇθja] *f* Kriminalität *f*

delincuente [deliŋ'kweṇte] *mf* Straftäter(in) *m(f)*; ~ **reincidente** Wiederholungstäter(in) *m(f)*

delineante [deline'aṇte] *mf* technischer Zeichner *m*, technische Zeichnerin *f*

delinquir [deliŋ'kir] <qu → c> *vi* straffällig werden

delirar [deli'rar] *vi* fantasieren

delirio [de'lirjo] *m*: ~ **de grandezas** Größenwahn(sinn) *m*

delito [de'lito] *m* Delikt *nt*; ~ **contra los derechos humanos** Menschenrechtsverletzung *f*; ~ **de guerra** Kriegsverbrechen *nt*; **cuerpo del ~** Beweisstück *nt*

delta ['deḷta] *m* Delta *nt*; **ala ~** Drachenfliegen *nt*

demacrarse [dema'krarse] *vr* abmagern

demanda [de'maṇda] *f* ❶ (*petición*) Forderung *f;* ~ **de empleo** Stellengesuch *nt* ❷ COM Nachfrage *f* (*de* nach +*dat*) ❸ JUR Klage *f;* **presentar una ~ contra alguien** Klage gegen jdn erheben

demandado, -a [demaṇ'daðo] *m, f* Beklagte(r) *f(m)*

demandante [demaṇ'daṇte] *mf* Antragsteller(in) *m(f);* JUR Kläger(in) *m(f)*

demandar [demaṇ'dar] *vt* ❶ fordern; (*solicitar*) beantragen ❷ JUR verklagen (*por* wegen +*gen/dat*)

demás [de'mas] *adj* übrige(r, s); **... y ~...** ... und weitere ...

demasiado[1] [dema'sjaðo] *adv* (+ *adj*) (all)zu; (+ *verbo*) zu viel

demasiado, -a[2] [dema'sjaðo] *adj* zu viel; **hace ~ calor** es ist zu heiß

demencia [de'meṇθja] *f* Schwachsinn *m*

democracia [demo'kraθja] *f* Demokratie *f*

demócrata [de'mokrata] **I.** *adj* demokratisch **II.** *mf* Demokrat(in) *m(f)*

democrático, -a [demo'kratiko] *adj* demokratisch

demográfico, -a [demo'ɣrafiko] *adj:* **explosión demográfica** Bevölkerungsexplosion *f*

demoler [demo'ler] <o → ue> *vt* abreißen

demonio [de'monjo] *m* Teufel *m;* **¡~(s)!** zum Teufel!; **saber a ~s** scheußlich schmecken; **¡vete al ~!** scher dich zum Teufel!

demora [de'mora] *f* Verzug *m*

demorar [demo'rar] **I.** *vt* hinauszögern **II.** *vr:* **~se** sich aufhalten; (*retrasarse*) sich verspäten

demostración [demostra'θjon] *f* Beweis *m;* (*argumentación*) Beweisführung *f*

demostrar [demos'trar] <o → ue> *vt* beweisen; (*mostrar*) zeigen

demostrativo, -a [demostra'tiβo] *adj:* **pronombre ~** Demonstrativpronomen *nt*

denegar [dene'ɣar] *irr como fregar vt* ablehnen

denigrar [deni'ɣrar] *vt* erniedrigen

denominación [denomina'θjon] *f* Bezeichnung *f*

denominar(se) [denomina'r(se)] *vt, vr* (sich) nennen

denotar [deno'tar] *vt* bedeuten

densidad [densi'ða^{ð}] *f* Dichte *f*

denso, -a ['denso] *adj* dicht

dentadura [deṇta'ðura] *f* Gebiss *nt*

dentífrico [deṇ'tifriko] *m* Zahncreme *f*

dentista [deṇ'tista] *mf* Zahnarzt, -ärztin *m, f*

dentro ['deṇtro] **I.** *adv* (dr)innen; **a ~** innen **II.** *prep* ❶ **~ de** (*local*) in +*dat;* **~ de lo posible** im Rahmen des Möglichen ❷ **~ de** (*con movimiento*) in +*akk;* **mirar ~ de la habitación** ins Zimmer reinschauen ❸ **~ de** (*temporal*) in +*dat;* **~ de poco** bald

denuncia [de'nuṇθja] *f* (Straf)anzeige *f*

denunciar [denuṇ'θjar] *vt* anzeigen

deparar [depa'rar] *vt* bescheren

departamento [departa'meṇto] *m* ❶ (*de un establecimiento*) Abteilung *f;* **~ de contabilidad** Buchhaltung *f* ❷ FERRO Abteil *nt* ❸ AM Wohnung *f*

dependencia [depeṇ'deṇθja] *f* ❶ (*sujeción*) Abhängigkeit *f* ❷ *pl* (*habitaciones*) Räumlichkeiten *fpl*

depender [depeṇ'der] *vi* abhängig sein; **¡depende!** es kommt darauf an!

dependiente[1] [depeṇ'djeṇte] *adj* abhängig

dependiente, -a[2] [depeṇ'djeṇte] *m, f* Verkäufer(in) *m(f)*

depilar(se) [depi'lar(se)] *vt, vr* (sich) enthaaren

deplorable [deplo'raβle] *adj* bedauerlich; **espectáculo ~** jämmerliche Vorstellung

deponer [depo'ner] *irr como poner vt* ❶ (*destituir*) absetzen; **~ de un cargo** eines Amtes entheben ❷ (*deshacerse de*) ablegen; **~ las armas** die Waffen niederlegen

deportar [depor'tar] *vt* deportieren

deporte [de'porte] *m* Sport *m;* ~ **de (alta) competición** (Hoch)leistungssport *m;* ~ **hípico** Reitsport *m;* **~s de invierno** Wintersportarten *fpl*; **hacer** ~ Sport treiben

deportista [depor'tista] *mf* Sportler(in) *m(f);* ~ **aficionado** Amateur(sportler) *m;* ~ **profesional** Profi(sportler) *m*

deportivo [depor'tiβo] *m* Sportwagen *m*

depositar [deposi'tar] **I.** *vt* deponieren; FIN einlegen; ~ **su confianza en alguien** sein Vertrauen in jdn setzen **II.** *vr:* **~se** sich absetzen

depósito [de'posito] *m* ❶ (*el guardar*) Aufbewahrung *f;* **en** ~ in Verwahrung ❷ AUTO Tank *m* ❸ ~ **de cadáveres** Leichenhaus *nt*

depreciación [depreθja'θjon] *f:* ~ **monetaria** Geldentwertung *f*

depreciar [depre'θjar] **I.** *vt* (*desvalorizar*) den Wert mindern *+gen;* (*moneda*) abwerten **II.** *vr:* **~se** an Wert verlieren

depresión [depre'sjon] *f* Depression *f*

depresivo, -a [depre'siβo] *adj* depressiv

deprimirse [depri'mirse] *vr* Depressionen bekommen

deprisa [de'prisa] *adv* schnell

depurar [depu'rar] *vt* reinigen

derecha [de'retʃa] *f:* **doblar a la** ~ (nach) rechts abbiegen; **de** ~(**s**) rechtsorientiert

derecho[1] [de'retʃo] **I.** *adv* direkt **II.** *m* ❶ (*legitimidad*) Recht *nt* (*a* auf *+akk*); **con** ~ **a** berechtigt zu *+dat;* **tener** ~ **a** berechtigt sein zu *+dat;* **¡no hay ~!** (*fam*) das gibt es nicht! ❷ (*jurisprudencia*) Recht *nt;* (*ciencia*) Rechtswissenschaft *f;* **estudiar** ~ Jura studieren; **de** ~ von Rechts wegen

derecho, -a[2] [de'retʃo] *adj* ❶ (*diestro*) rechte(r, s) ❷ (*recto*) gerade ❸ (*erguido*) aufrecht; **ponerse** ~ sich aufrichten

derivación [deriβa'θjon] *f* Ableitung *f*

derivar [deri'βar] **I.** *vi* hervorgehen (*de* aus *+dat*); (*tornar*) sich umwandeln (*hacia* zu *+dat*) **II.** *vt* ❶ (*t.* LING: *deducir*) ableiten ❷ (*desviar*) umleiten **III.** *vr:* **~se** sich ableiten

dermatólogo, -a [derma'toloɣo] *m, f* Hautarzt, -ärztin *m, f*

derogar [dero'ɣar] <g → gu> *vt* aufheben

derramar [derra'mar] **I.** *vt* ausschütten; (*sin querer*) verschütten; (*sangre*) vergießen **II.** *vr:* **~se** auslaufen

derrame [de'rrame] *m:* ~ **cerebral** Gehirnschlag *m*

derrapar [derra'par] *vi* ins Schleudern geraten

derredor [derre'ðor] *m:* **en** ~ ringsherum

derretirse [derre'tirse] *irr como pedir vr* schmelzen; ~ **de calor** vor Hitze vergehen

derribar [derri'βar] *vt* niederreißen; (*puerta*) einschlagen

derrocar [derro'kar] <c → qu> *vt* (herab)stürzen

derrochar [derro'tʃar] *vt* verschwenden; (*fam*) strotzen (vor *+dat*)

derroche [de'rrotʃe] *m* Verschwendung *f*

derrota [de'rrota] *f* Niederlage *f*

derrotar [derro'tar] *vt* schlagen

derrumbar [derrum'bar] **I.** *vt* niederreißen; (*moralmente*) deprimieren **II.** *vr:* **~se** einstürzen

desabotonar(**se**) [desaβoto'nar(se)] *vt, vr*, **desabrochar**(**se**) [desaβro'tʃar(se)] *vt, vr* aufknöpfen

desacatar [desaka'tar] *vt* missachten

desacato [desa'kato] *m* Missachtung *f* (*a +gen*)

desacertado, -a [desaθer'taðo] *adj* verfehlt

desaconsejar [desakonse'xar] *vt* abraten (von *+dat*); ~ **algo a alguien** jdm von etw *dat* abraten

desacorde [desa'korðe] *adj:* **estar ~ con algo/alguien** etw *dat*/jdm nicht zustimmen

desacostumbrar(**se**) [desakostum'brar(se)] *vt, vr* (sich) abgewöhnen

desacreditar [desakreði'tar] **I.** *vt* in Verruf bringen **II.** *vr:* **~se** in Verruf kommen

desactivar [desakti'βar] *vt* entschärfen

desacuerdo [desa'kwerðo] *m:* **estar en ~** nicht übereinstimmen

desafiar [desafi'ar] <*1. pres* desafío> *vt* herausfordern

desafinar [desafi'nar] *vi* falsch singen; (*al tocar*) falsch spielen; (*instrumento*) verstimmt sein

desafío [desa'fio] *m* Herausforderung *f*

desafortunado, -a [desafortu'naðo] *adj* unglücklich

desagradable [desaɣra'ðaβle] *adj* unangenehm (*a* für *+akk*); (*repulsivo*) widerlich (*a* für *+akk*)

desagradar [desaɣra'ðar] *vi* missfallen *+dat*

desagradecido, -a [desaɣraðe'θiðo] *adj* undankbar

desagüe [de'saɣwe] *m* Abfluss *m*

desahogado, -a [desao'ɣaðo] *adj* auskömmlich

desahogarse [desao'ɣarse] <g → gu> *vr* sich *dat* Erleichterung verschaffen; **~ con alguien** sich bei jdm aussprechen

desahogo [desa'oɣo] *m* Erleichterung *f;* (*holgura económica*) Auskommen *nt*

desahucio [de'sau̯θjo] *m* Zwangsräumung *f*

desaire [de'sai̯re] *m* Geringschätzung *f;* (*desatención*) Unhöflichkeit *f*

desajustar [desaxus'tar] *vt* verstellen

desalentador(a) [desalen̩ta'ðor] *adj* entmutigend

desaliento [desa'ljen̩to] *m* Mutlosigkeit *f;* (*de fuerzas*) Schwäche *f*

desaliñado, -a [desali'ɲaðo] *adj* ungepflegt

desalmado, -a [desal'maðo] *m, f* Barbar(in) *m(f)*

desalojar [desalo'xar] *vt* räumen

desamor [desa'mor] *m* Lieblosigkeit *f*

desamparar [desampa'rar] *vt* verlassen; (*desasistir*) im Stich lassen

desamparo [desam'paro] *m* Schutzlosigkeit *f*

desamueblado, -a [desamwe'βlaðo] *adj* unmöbliert

desamueblar [desamwe'βlar] *vt* ausräumen

desangrarse [desaŋ'grarse] *vr* verbluten

desanimado, -a [desani'maðo] *adj* mutlos

desanimar [desani'mar] **I.** *vt* entmutigen **II.** *vr:* **~se** den Mut verlieren

desánimo [de'sanimo] *m* Mutlosigkeit *f*

desanudar [desanu'ðar] *vt* aufknoten

desapacible [desapa'θiβle] *adj* ungemütlich

desaparecer [desapare'θer] *irr como crecer vi* verschwinden

desapego [desa'peɣo] *m* Abneigung *f* (*hacia* gegen *+akk*)

desapercibido, -a [desaperθi'βiðo] *adj* unbemerkt; **pasar ~** nicht auffallen; **coger ~** völlig unvorbereitet treffen

desaprensivo, -a [desapren'siβo] *adj* rücksichtslos

desaprobar [desapro'βar] <o → ue> *vt* missbilligen

desaprovechar [desaproβe'ʧar] *vt* sich *dat* entgehen lassen

desarmar [desar'mar] **I.** *vi* abrüsten **II.** *vt* entwaffnen

desarme [de'sarme] *m* Abrüstung *f*

desarraigar [desarrai̯'ɣar] <g → gu> *vt* entwurzeln

desarreglo [desarre'ɣlo] *m* Unordnung *f;* (*molestia*) Störung *f*

desarrollar [desarro'ʎar] **I.** *vt* ❶ (*aumentar*) entwickeln; **~ relaciones comerciales** Handelsbeziehungen ausbauen ❷ (*tratar en detalle*) darlegen **II.** *vr:* **~se** sich entwickeln; (*tener lugar*) sich abspielen

desarrollo [desa'rroʎo] *m* ❶ Entwicklung *f;* (*crecimiento*) Wachstum *nt;* **país en vías de ~** Entwicklungsland *nt* ❷ (*proceso*) Ablauf *m*

desarticular [desartiku'lar] **I.** *vt* zerlegen; (*articulación*) ausrenken; (*grupo*) auflösen **II.** *vr:* **~se** auseinandergehen; (*articulación*) sich *dat* ausrenken; (*grupo*) sich auflösen

desaseado, -a [desase'aðo] *adj* ungepflegt

desasosiego [desaso'sjeɣo] *m* Unruhe *f*

D

desastre [de'sastre] *m* Katastrophe *f;* **ser un ~** (*fam: alguien*) völlig chaotisch sein

desastroso, -a [desas'troso] *adj* katastrophal

desatar [desa'tar] **I.** *vt* ❶ losbinden; (*zapatos*) aufschnüren ❷ (*causar*) entfesseln **II.** *vr:* **~se** ❶ sich losbinden; (*nudo*) aufgehen ❷ (*desligarse*) sich lösen ❸ (*desencadenarse*) sich entfesseln

desatascar [desatas'kar] <c → qu> *vt* freimachen

desatender [desaten̦'der] <e → ie> *vt* vernachlässigen

desatino [desa'tino] *m* Ungeschick *nt*

desatornillar [desatorni'ʎar] *vt* abschrauben

desautorizado, -a [desau̯tori'θaðo] *adj* unbefugt

desavenencia [desaβe'nen̦θja] *f* Uneinigkeit *f;* (*discordia*) Streitigkeit *f*

desayunar [desaɟu'nar] *vi, vt* frühstücken; **~ fuerte** gut frühstücken

desayuno [desa'ɟuno] *m* Frühstück *nt;* **~ buffet** Frühstücksbuffet *nt*

desazón [desa'θon] *f* Unbehagen *nt*

desbancar [desβaŋ'kar] <c → qu> *vt* verdrängen

desbarajuste [desβara'xuste] *m* Durcheinander *nt*

desbaratar [desβara'tar] *vt* auseinandernehmen

desbloquear [desβloke'ar] *vt* freilegen; FIN freigeben; POL die Blockade aufheben *+gen*

desbordante [desβor'ðan̦te] *adj* überschäumend; **~ de alegría** überaus froh

desbordar [desβor'ðar] **I.** *vi, vr:* **~se** (*líquido*) überlaufen; (*río*) über die Ufer treten **II.** *vt* überschreiten

descabellado, -a [deskaβe'ʎaðo] *adj* wahnwitzig

descafeinado, -a [deskafei̯'naðo] *adj* koffeinfrei

descalcificar [deskal̦θifi'kar] <c → qu> *vt* entkalken

descalificación [deskalifika'θjon] *f* ❶ (*desacreditación*) Diskreditierung *f* ❷ (*eliminación*) Disqualifikation *f*

descalificar [deskalifi'kar] <c → qu> *vt* diskreditieren; (*eliminar*) disqualifizieren

descalzarse [deskal̦'θarse] <z → c> *vr* (*alguien*) (sich *dat*) die Schuhe ausziehen

descalzo, -a [des'kal̦θo] *adj* barfuß

descambiar [deskam'bjar] *vt* (*fam*) umtauschen

descaminar [deskami'nar] *vt:* **ir descaminado** (*fig*) sich irren

descampado [deskam'paðo] *m* offenes Feld *nt;* **en ~** auf freiem Feld

descansado, -a [deskan'saðo] *adj* ausgeschlafen

descansar [deskan'sar] *vi* sich ausruhen; (*recuperarse*) sich erholen; **¡que descanses!** schlaf gut!

descansillo [deskan'siʎo] *m* Treppenabsatz *m*

descanso [des'kanso] *m* ❶ Ausruhen *nt;* (*recuperación*) Erholung *f;* **día de ~** Ruhetag *m* ❷ (*pausa*) Pause *f;* DEP Halbzeit *f;* **sin ~** ununterbrochen ❸ (*alivio*) Erleichterung *f*

descapotable [deskapo'taβle] *adj:* (**coche**) **~** Kabrio(lett) *nt*

descarado, -a [deska'raðo] *adj* dreist

descarga [des'karɣa] *f* ❶ (*de mercancías*) Abladen *nt* ❷ ELEC, FÍS: **~ eléctrica** elektrischer Schlag ❸ INFOR: **~ musical** Herunterladen von Musik, Musik-Download *m o nt*

descargar [deskar'ɣar] <g → gu> *vt* ❶ (*carga*) abladen ❷ *t.* FÍS entladen ❸ INFOR: **~ algo de Internet** etw downloaden, herunterladen

descaro [des'karo] *m* Frechheit *f*

descarriarse [deskarri'arse] <*1. pres* se

descarrío> *vr* auf Abwege geraten
descarrilar [deskarri'lar] *vi* entgleisen
descartar [deskar'tar] *vt* ausschließen
descendencia [desθen̩'den̩θja] *f* Nachkommenschaft *f;* **tener ~** Nachwuchs bekommen
descendente [desθen̩'den̩te] *adj* fallend
descender [desθen̩'der] <e → ie> *vi* hinuntergehen; (*disminuir*) zurückgehen; (*proceder*) abstammen (*de* von +*dat*)
descendiente [desθen̩'djen̩te] *mf* Nachkomme *m*
descenso [des'θenso] *m* Abstieg *m;* (*disminución*) Rückgang *m*
descentralizar [desθen̩trali'θar] <z → c> *vt* dezentralisieren
descifrar [desθi'frar] *vt* entziffern; (*código*) dechiffrieren
descodificador [deskoðifika'ðor] *m* Decoder *m*
descojonante [deskoxo'nan̩te] *adj* (*argot*) zum Schieflachen
descojonarse [deskoxo'narse] *vr* (*argot*) sich schieflachen (*de* über +*akk*)
descolgar [deskol'ɣar] *irr como colgar vt* abhängen; (*teléfono*) abnehmen
descolorar [deskolo'rar], **descolorir** [deskolo'rir] *vt*: **estar descolorido** ausgewaschen sein
descomedido, **-a** [deskome'ðiðo] *adj* übermäßig
descompensar [deskompen'sar] **I.** *vt* aus dem Gleichgewicht bringen; **estar descompensado** unausgeglichen sein **II.** *vr:* **~se** aus dem Gleichgewicht geraten
descomponerse [deskompo'nerse] *irr como poner vr* zerfallen; (*corromperse*) verwesen; (*enfermar*) Durchfall bekommen
descomposición [deskomposi'θjon] *f:* **~** (**de vientre**) Durchfall *m*
descompuesto, **-a** [deskom'pwesto] *adj* unordentlich; (*podrido*) verfault; (*alterado*) verzerrt
descomunal [deskomu'nal] *adj* ungeheuerlich
desconcertar [deskon̩θer'tar] <e → ie> *vt* ❶ (*desbaratar*) durcheinanderbringen; (*planes*) vereiteln ❷ (*pasmar*) verblüffen
desconchado [deskon'ʧaðo] *m* abgebröckelte Stelle *f*
desconectar [deskonek'tar] **I.** *vi, vt* abschalten; (*tele*) ausschalten **II.** *vi* (*fam*) abschalten
desconfiado, **-a** [deskoɱfi'aðo] *adj* misstrauisch
desconfianza [deskoɱfi'an̩θa] *f* Misstrauen *nt*
desconfiar [deskoɱfi'ar] <*1. pres* desconfío> *vi* misstrauen (*de* +*dat*)
descongelar(**se**) [deskoŋxe'lar(se)] *vt, vr* auftauen
descongestionar [deskoŋxestjo'nar] *vt* entlasten; MED entstauen
desconocer [deskono'θer] *irr como crecer vt* nicht wissen
desconocido, **-a** [deskono'θiðo] *adj* unbekannt; **estar ~** nicht mehr zu erkennen sein
desconocimiento [deskonoθi'mjen̩to] *m* Unkenntnis *f;* (*ignorancia*) Unwissenheit *f*
desconsiderado, **-a** [deskonsiðe'raðo] *adj* rücksichtslos
desconsolado, **-a** [deskonso'laðo] *adj* untröstlich
desconsuelo [deskon'swelo] *m* Trostlosigkeit *f*
descontado, **-a** [deskon̩'taðo] *adj:* **dar algo por ~** etw für selbstverständlich halten
descontar [deskon̩'tar] <o → ue> *vt* abziehen
descontento, **-a** [deskon̩'ten̩to] *adj* unzufrieden
descontrolarse [deskon̩tro'larse] *vr* außer Kontrolle geraten; (*persona*) außer sich *dat/akk* geraten
descorchar [deskor'ʧar] *vt* entkorken
descortés [deskor'tes] *adj* unhöflich
descortesía [deskorte'sia] *f* Unhöflich-

D

keit *f*

descoser [desko'ser] **I.** *vt*: **tengo la manga descosida** mein Ärmel hat sich gelöst **II.** *vr:* **~se** aufgehen; **se me ha descosido un botón** mein Knopf ist ab

D

descosido, -a [desko'siðo] *adj:* **hablar como un ~** alles ausplappern

descrédito [des'kreðito] *m:* **caer en ~** in Verruf geraten

descremar [deskre'mar] *vt* entrahmen

describir [deskri'βir] *irr como escribir vt* beschreiben

descripción [deskriβ'θjon] *f* Beschreibung *f*

descubierto [desku'βjerto] *m:* **al ~** unter freiem Himmel; **al ~** (*cuenta*) überzogen

descubridor(a) [deskuβri'ðor] *m(f)* Entdecker(in) *m(f)*

descubrimiento [deskuβri'mjen̪to] *m* Entdeckung *f*

descubrir [desku'βrir] *irr como abrir* **I.** *vt* enthüllen; (*encontrar*) entdecken; (*averiguar*) herausfinden **II.** *vr:* **~se** den Hut ziehen; (*traicionarse*) sich bloßstellen; (*desenmascararse*) sich entlarven (*como* als +*akk*)

descuento [des'kwen̪to] *m* Abzug *m;* COM Rabatt *m*

descuidado, -a [deskwi'ðaðo] *adj:* **aspecto ~** ungepflegtes Äußeres; **coger ~** überrumpeln

descuidar [deskwi'ðar] **I.** *vi*: **¡descuida!** lass das nur meine Sorge sein! **II.** *vt, vr:* **~se** (sich) vernachlässigen

descuido [des'kwiðo] *m* ❶ Unachtsamkeit *f;* (*de cuidado*) Nachlässigkeit *f* ❷ (*error*) Fehler *m;* **por ~** aus Versehen

desde ['desðe] **I.** *prep* ❶ (*temporal: pasado*) seit +*dat;* (*a partir de*) ab +*dat;* **~... hasta...** von ... bis ...; **¿~ cuándo?** seit wann?; **~ entonces** seitdem; **~ hace un mes** seit einem Monat; **~ hace poco/mucho** seit kurzem/langem; **~ ya** ab sofort ❷ (*local*) von +*dat;* **te llamo ~ una cabina** ich rufe von einer Telefonzelle (aus) an **II.** *adv*: **~ luego** (*por supuesto*) selbstverständlich **III.** *conj*: **~ que** seit(dem)

desdecir [desðe'θir] *irr como decir* **I.** *vi* nicht entsprechen (*de* +*dat*) **II.** *vr*: **~se de algo** etw zurücknehmen

desdén [des'ðen] *m* Verachtung *f*

desdeñable [desðe'ɲaβle] *adj* verachtenswert; **nada ~** nicht zu verachten

desdeñar [desðe'ɲar] *vt* verachten; (*rechazar*) verschmähen

desdicha [des'ðitʃa] *f* Unglück *nt;* (*miseria*) Elend *nt*

desdichado, -a [desði'tʃaðo] *adj* unglücklich; **es un ~** er ist ein armer Teufel

deseable [dese'aβle] *adj* wünschenswert; (*sexualmente*) begehrenswert

desear [dese'ar] *vt* wünschen; (*sexualmente*) begehren; **hacerse ~** auf sich warten lassen

desecar(se) [dese'kar(se)] <c → qu> *vt, vr* austrocknen

desechable [dese'tʃaβle] *adj:* **guantes ~s** Einmalhandschuhe *mpl*

desechar [dese'tʃar] *vt* ausschließen

desecho(s) [de'setʃo(s)] *m* (*pl*) Abfall *m;* **~s tóxicos** Giftmüll *m*

desembalar [desemba'lar] *vt* auspacken

desembarcar [desemβar'kar] <c → qu> **I.** *vi* landen **II.** *vt* ausschiffen

desembarco [desem'barko] *m* (*arribada*) Landung *f*

desembarque [desem'barke] *m* Landung *f*

desembocadura [desemboka'ðura] *f* (Ein)mündung *f*

desembocar [desembo'kar] <c → qu> *vi* (*río*) (ein)münden (*en* in +*akk*); (*situación*) führen (*en* zu +*dat*)

desembolsar [desembol'sar] *vt* ❶ (*sacar*) aus der Tasche nehmen ❷ (*pagar*) zahlen; (*gastar*) ausgeben

desembolso [desem'bolso] *m* Zahlung *f*

desempacar [desempa'kar] <c → qu> *vt* auspacken

desempaquetar [desempake'tar] *vt* auspacken

desempeñar [desempe'ɲar] *vt* ausüben; (*trabajo*) ausführen; ~ **un papel** eine Rolle spielen

desempleado, -a [desemple'aðo] *m, f* Arbeitslose(r) *f(m)*

desempleo [desem'pleo] *m* Arbeitslosigkeit *f;* ~ **oculto** versteckte Arbeitslosigkeit

desencadenar [deseŋkaðe'nar] **I.** *vt* auslösen **II.** *vr:* **~se** ausbrechen

desencanto [deseŋ'kan̪to] *m* Enttäuschung *f*

desenchufar [desenʧu'far] *vt* den Stecker herausziehen (von *+dat*)

desencriptar [deseŋkrip'tar] *vt* INFOR dechiffrieren

desenfadado, -a [desemfa'ðaðo] *adj* ungezwungen; (*relajado*) locker

desenfocado, -a [desemfo'kaðo] *adj* unscharf

desenfrenado, -a [desemfre'naðo] *adj* ungezügelt

desenfreno [desem'freno] *m* Zügellosigkeit *f*

desenganchar [deseŋgan'ʧar] **I.** *vt* losmachen **II.** *vr:* **~se** (*argot*) clean werden

desengañar [deseŋga'ɲar] *vt* die Augen öffnen *+dat*

desengaño [deseŋ'gaɲo] *m* Enttäuschung *f;* **sufrir un ~ amoroso** sich unglücklich verlieben

desengrasar [deseŋgra'sar] *vt* entfetten

desenlace [desen'laθe] *m* Ende *nt;* **la película tiene un ~ feliz** der Film hat ein Happyend

desenmascarar [deseⁿmaska'rar] **I.** *vt* bloßstellen **II.** *vr:* **~se** sich entpuppen

desenredar [desenrre'ðar] *vt* entwirren

desenroscar [desenrros'kar] <c → qu> *vt* aufschrauben

desentenderse [desen̪ten̪'derse] <e → ie> *vr* sich nicht (mehr) kümmern (*de* um *+akk*); ~ **de un problema** von einem Problem nichts mehr wissen wollen

desenterrar [desen̪te'rrar] <e → ie> *vt* ausgraben

desentonar [desen̪to'nar] *vi* ❶ falsch singen; (*tocar*) falsch spielen ❷ (*no combinar*) nicht passen (*con* zu *+dat*)

desenvolver [desembol'βer] *irr como volver* **I.** *vt* auspacken **II.** *vr:* **~se** sich entwickeln; (*manejarse*) zurechtkommen

deseo [de'seo] *m* Wunsch *m;* (*sexual*) Lust *f;* ~ **imperioso** dringender Wunsch; **~s de venganza** Rachsucht *f*

deseoso, -a [dese'oso] *adj:* **estar ~ de hacer algo** begierig darauf sein, etw zu tun

desequilibrio [deseki'liβrjo] *m* ❶ Ungleichgewicht *nt;* (*descompensación*) Unausgewogenheit *f* ❷ ~ **mental** Geistesstörung *f*

desertar [deser'tar] *vi* desertieren

desértico, -a [de'sertiko] *adj* Wüsten-; **clima ~** Wüstenklima *nt*

desesperación [desespera'θjon] *f* Verzweiflung *f;* **caer en la ~** verzweifeln

desesperado, -a [desespe'raðo] *adj* verzweifelt

desesperante [desespe'ran̪te] *adj* ❶ (*sin esperanza*) hoffnungslos ❷ (*exasperante*) nervenaufreibend

desesperar [desespe'rar] **I.** *vt* zur Verzweiflung treiben **II.** *vt, vr:* **~se** verzweifeln (*de* an *+dat*); **¡no te desesperes!** Kopf hoch!

desestimar [desesti'mar] *vt:* ~ **una demanda** eine Klage abweisen

desfallecer [desfaʎe'θer] *irr como crecer vi* zusammenbrechen (*de* vor *+dat*)

desfasado, -a [desfa'saðo] *adj* altmodisch

desfavorable [desfaβo'raβle] *adj* ungünstig

desfigurar [desfiɣu'rar] *vt* ❶ (*afear*) verunstalten; (*las facciones*) entstellen; (*el cuerpo*) verstümmeln ❷ (*deformar*) verformen; (*la realidad*) verdrehen

desfiladero [desfila'ðero] *m* Schlucht *f*

desfile [des'file] *m* ❶ (*acción*) Vorbeiziehen *nt;* (*parada*) (Militär)parade *f;* (*de modelos*) Modenschau *f;* (*en una fiesta*) Umzug *m* ❷ (*personas*) Zug *m*

desgana [des'ɣana] *f* (*fam*) ❶ (*inapetencia*) Appetitlosigkeit *f;* **comer con ~** sich zum Essen zwingen ❷ (*falta de interés*) Unlust *f;* **con ~** widerwillig

desgarrador(a) [desɣarra'ðor] *adj* herzzerreißend

desgarrar(se) [desɣa'rrar(se)] *vt, vr:* **esto me desgarra el corazón** das bricht mir das Herz

desgaste [des'ɣaste] *m* Abnutzung *f*

desgracia [des'ɣraθja] *f* ❶ Pech *nt;* **por ~** leider ❷ (*acontecimiento*) Unglück *nt*

desgraciadamente [desɣraθjaða'mente] *adv* leider

desgraciado, -a [desɣra'θjaðo] *adj* unglücklich

desgraciar [desɣra'θjar] **I.** *vt* ❶ (*estropear*) ruinieren ❷ (*disgustar*) verärgern **II.** *vr:* **~se** (*malograrse*) missglücken

desgravar [desɣra'βar] *vt* von der Steuer abziehen

desguace [des'ɣwaθe] *m* Verschrottung *f*

deshabitado, -a [desaβi'taðo] *adj* unbewohnt; **ciudad deshabitada** Geisterstadt *f*

deshacer [desa'θer] *irr como hacer* **I.** *vt* ❶ (*un paquete*) auspacken ❷ (*romper*) kaputtmachen ❸ (*disolver*) auflösen **II.** *vr:* **~se** ❶ **se me ha deshecho el helado** das Eis ist mir weggeschmolzen; **~se por algo** (ganz) verrückt nach etw *dat* sein; **~se a trabajar** wie besessen arbeiten ❷ (*romperse*) kaputtgehen ❸ (*desprenderse*) sich entledigen (*de +gen*)

deshecho, -a [de'setʃo] *adj* ❶ (*deprimido*) am Boden zerstört ❷ (*cansado*) erschöpft; **estar ~** völlig erledigt sein

desheredar [desere'ðar] *vt* enterben

deshidratar [desiðra'tar] **I.** *vt* ❶ (*quitar agua*) Wasser entziehen *+dat;* (*suelo, cuerpo*) entwässern ❷ (*alimentos*) trocknen **II.** *vr:* **~se** austrocknen; (*tierra*) ausdörren; (*cuerpo*) Flüssigkeit verlieren

deshielo [des'ɟelo] *m* Tauwetter *nt*

deshincharse [desin'tʃarse] *vr* ❶ (*perder aire*) Luft verlieren; **se me ha deshinchado la rueda de la bici** mein Fahrradreifen ist platt ❷ (*una inflamación*) abschwellen

deshojar [deso'xar] *vt* entblättern; (*un árbol*) entlauben

deshonesto, -a [deso'nesto] *adj* unehrlich

deshonra [des'onrra] *f* Schande *f;* **ser una ~ para la empresa** das Ansehen der Firma ruinieren

deshonrar [deson'rrar] *vt:* **~ a alguien** jds Ansehen ruinieren

deshora [de'sora] *f* Unzeit *f*

desidia [de'siðja] *f* Schlampigkeit *f;* (*pereza*) Faulheit *f*

desierto[1] [de'sjerto] *m* Wüste *f*

desierto, -a[2] [de'sjerto] *adj* (menschen)leer

designar [desiɣ'nar] *vt* ❶ (*dar un nombre*) bezeichnen (*por* als *+akk*) ❷ (*destinar*) bestimmen; (*nombrar*) ernennen (*para* zu *+dat*); **~ un candidato** einen Kandidaten aufstellen

desigual [desi'ɣwal] *adj* ungleich

desigualdad [desiɣwal'dað] *f* Ungerechtigkeit *f*

desilusión [desilu'sjon] *f* Enttäuschung *f;* **sufrir una ~** enttäuscht werden

desilusionante [desilusjo'nante] *adj* ernüchternd

desilusionar [desilusjo'nar] **I.** *vt* enttäuschen **II.** *vr:* **~se** enttäuscht sein

desinfectante [desiɱfek'tante] *m* Desinfektionsmittel *nt*

desinfectar [desiɱfek'tar] *vt* desinfizieren

desinflado, **-a** [desiɱ'flaðo] *adj* platt

desinflarse [desiɱ'flarse] *vr* die Luft verlieren

desintegración [desin̪teɣra'θjon] *f* Auflösung *f;* (*de un territorio*) Teilung *f;* (*de una ruina*) Zerfall *m;* FÍS Spaltung *f*

desintegrar(**se**) [desin̪te'ɣrar(se)] *vt, vr* zerfallen, (sich) auflösen

desinterés [desin̪te'res] *m* Gleichgültigkeit *f*

desintoxicación [desin̪toˠsika'θjon] *f* Entziehung *f*

desintoxicar [desin̪toˠsi'kar] <c → qu> **I.** *vt* entgiften; (*de una droga*) von einer Sucht heilen **II.** *vr:* **~se** seinen Körper entgiften

desistir [desis'tir] *vi* aufgeben (*de +akk*)

desleal [desle'al] *adj* untreu; **competencia ~** unlauterer Wettbewerb; **publicidad ~** irreführende Werbung

desleír(**se**) [desle'ir(se)] *irr como reír vt, vr* (sich) auflösen

desligarse [desli'ɣarse] <g → gu> *vr*: **no poder ~ de algo** um etw nicht herumkommen

desliz [des'liθ] *m* Seitensprung *m*

deslizante [desli'θan̪te] *adj* Gleit-

deslizarse [desli'θarse] <z → c> *vr*: **~ por un tobogán** eine Rutschbahn hinunterrutschen

deslucido, **-a** [deslu'θiðo] *adj* schäbig

deslumbrante [deslum'bran̪te] *adj* überwältigend

deslumbrar [deslum'brar] *vt* blenden

desmadrado, **-a** [desma'ðraðo] *adj* hemmungslos

desmadrarse [desma'ðrarse] *vr*: **¡no te desmadres!** jetzt krieg dich bitte wieder ein!

desmán [des'man] *m* Ausschweifung *f*

desmantelar [desman̪te'lar] *vt* niederreißen; (*desmontar*) zerlegen

desmaquillador(**a**) [desmakiʎa'ðor] *adj:* **leche ~a** Reinigungsmilch *f*

desmaquillar(**se**) [desmakiʎa'r(se)] *vt, vr* (sich) abschminken

desmayarse [desma'ɟarse] *vr* in Ohnmacht fallen

desmayo [des'maɟo] *m* Ohnmacht *f*

desmedido, **-a** [desme'ðiðo] *adj* maßlos; **tener un apetito ~** übermäßig viel essen

desmejorar [desmexo'rar] *vi*: **con la gripe has desmejorado mucho** die Grippe hat dir sehr zugesetzt

desmentir [desmen̪'tir] *irr como sentir vt* abstreiten

desmenuzar [desmenu'θar] <z → c> *vt* zerkleinern

desmerecer [desmere'θer] *irr como crecer* **I.** *vt* nicht verdienen **II.** *vi* sich verschlechtern

desmesurado, **-a** [desmesu'raðo] *adj* maßlos; **beber de una forma desmesurada** übermäßig (viel) trinken

desmigajar(**se**) [desmiɣa'xar(se)] *vt, vr* (zer)bröckeln

desmilitarizar [desmilitari'θar] <z → c> *vt* entmilitarisieren

desmontar [desmon̪'tar] **I.** *vt* abmontieren **II.** *vi, vr:* **~se** (ab)steigen

desmonte [des'mon̪te] *m* Rodung *f*

desmoralizar [desmorali'θar] <z → c> **I.** *vt* entmutigen **II.** *vr:* **~se** an Selbstvertrauen verlieren

desmoronamiento [desmorona'mjen̪to] *m* ❶ (*arruinamiento*) Zerfall *m;* (*de un edificio*) Einsturz *m* ❷ (*disminución*) Schwinden *nt;* (*de un imperio*) Untergang *m*

desmoronarse [desmoro'narse] *vr* untergehen

desnatar [desna'tar] *vt* entrahmen

desnaturalizado, **-a** [desnaturali'θaðo] *adj* (*animal*) entartet; (*alimentos*) ungenießbar; (*hijo*) missraten; **madre desnaturalizada** Rabenmutter *f*

desnivel [desni'βel] *m* Gefälle *nt;* **~ cultural** Kulturgefälle *nt*

desnivelar [desniβe'lar] **I.** *vt* aus dem Gleichgewicht bringen **II.** *vr:* **~se** aus dem Gleichgewicht geraten

desnucarse [desnu'karse] <c → qu> *vr* sich *dat* das Genick brechen

desnudar(se) [desnu'ðar(se)] *vt, vr* (sich) ausziehen

desnudo, -a [des'nuðo] *adj* nackt

desnutrición [desnutri'θjon] *f* Unterernährung *f*

desobedecer [desoβeðe'θer] *irr como crecer vi* nicht gehorchen

desobediencia [desoβe'ðjen̩θja] *f* Ungehorsam *m;* MIL, POL Gehorsamsverweigerung *f*

desobediente [desoβe'ðjen̩te] *adj* ungehorsam

desocupado, -a [desoku'paðo] *adj* arbeitslos; **estoy** ~ ich habe nichts zu tun

desocupar [desoku'par] **I.** *vt* ❶ (*desembarazar*) frei machen; (*evacuar*) evakuieren; ~ **una vivienda** aus einer Wohnung ausziehen ❷ (*vaciar*) leeren **II.** *vr:* **~se** ❶ (*de una ocupación*) freihaben ❷ (*quedarse vacante*) frei werden

desodorante [desoðo'ran̩te] *m* Deo *nt*

desoír [deso'ir] *irr como oír vt* nicht hören (auf *+akk*)

desolación [desola'θjon] *f* ❶ (*devastación*) Verwüstung *f* ❷ (*desconsuelo*) Verzweiflung *f*

desolado, -a [deso'laðo] *adj* trostlos

desorden [de'sorðen] *m* Unordnung *f*

desordenar [desorðe'nar] *vt* durcheinanderbringen

desorganización [desorɣaniθa'θjon] *f* Chaos *nt*

desorientación [desorjen̩ta'θjon] *f* ❶ (*extravío*) Irreführung *f* ❷ (*confusión*) Verwirrung *f*

desorientarse [desorjen̩'tarse] *vr* verwirrt sein

despabilado, -a [despaβi'laðo] *adj* aufgeweckt

despabilar [despaβi'lar] **I.** *vt* ❶ (*despertar*) munter machen ❷ (*avivar*) aufrütteln ❸ (*acabar deprisa*) schnell erledigen **II.** *vi* ❶ (*darse prisa*) sich beeilen ❷ (*avivarse*): **si quieres empezar a trabajar por tu cuenta, tienes que** ~ wenn du dich selbstständig machen willst, musst du noch einiges lernen **III.** *vr:* **~se** (*sacudir el sueño*) munter werden

despachar [despa'ʧar] **I.** *vi, vt* bedienen **II.** *vr:* **~se: ~se a gusto con alguien** jdm seine Meinung sagen

despacho [des'paʧo] *m* ❶ Büro *nt;* (*en casa*) Arbeitszimmer *nt;* **mesa de** ~ Schreibtisch *m* ❷ (*tienda*) Laden *m;* ~ **de localidades** Vorverkaufsstelle *f*

despacio [des'paθjo] **I.** *adv* langsam **II.** *interj* immer mit der Ruhe

despampanante [despampa'nan̩te] *adj* atemberaubend

desparpajo [despar'paxo] *m* ❶ Redegewandtheit *f;* **con** ~ ungezwungen ❷ AM Chaos *nt*

desparramarse [desparra'marse] *vr* sich verteilen; (*un líquido*) fließen

despavorido, -a [despaβo'riðo] *adj* entsetzt

despecho [des'peʧo] *m* Zorn *m;* **a ~ de** trotz *+gen*

despectivo, -a [despek'tiβo] *adj* verächtlich

despedazar [despeða'θar] <z → c> *vt:* **la bomba le despedazó la mano** die Bombe zerfetzte ihm/ihr die Hand

despedida [despe'ðiða] *f* Abschied *m;* ~ **de soltero** Polterabend *m;* **cena de** ~ Abschiedsessen *nt*

despedir [despe'ðir] *irr como pedir* **I.** *vt* ❶ (*decir adiós*) verabschieden ❷ (*de un empleo*) entlassen ❸ (*difundir*) ausstoßen; **el volcán despide fuego** der Vulkan speit Feuer ❹ (*lanzar*) schleudern **II.** *vr:* **~se** sich verabschieden; **despídete de ese dinero** (*fam*) das Geld siehst du nie wieder

despegar [despe'ɣar] <g → gu> **I.** *vt* abmachen; **estar sin ~ los labios** kein Wort sagen **II.** *vi* starten; **la economía no despega** die Wirtschaft kommt nicht in Gang **III.** *vr:* **~se** sich (ab)lösen

despegue [des'peɣe] *m* ❶ AERO Start *m* ❷ ECON wirtschaftlicher Aufschwung *m*

despeinado, -a [despei̯'naðo] *adj* ungekämmt

despejado, -a [despe'xaðo] *adj* wolkenlos; (*cabeza*) klar

despejar [despe'xar] **I.** *vt* ❶ (*un lugar*) frei machen; (*mesa*) abräumen; (*sala*) räumen ❷ (*una situación*) (auf)klären **II.** *vr:* **~se** ❶ (*cielo, misterio*) sich aufklären; **parece que se va a ~ el día** es sieht so aus, als ob sich das Wetter heute noch bessert ❷ (*mentalmente*) einen klaren Kopf bekommen

despelotarse [despelo'tarse] *vr* (*fam*) sich ausziehen; (*de risa*) sich totlachen

despensa [des'pensa] *f* Speisekammer *f*

despeñadero [despeɲa'ðero] *m* Abgrund *m*

despeñar [despe'ɲar] **I.** *vt* herabstürzen **II.** *vr:* **~se** (ab)stürzen

desperdiciar [desperði'θjar] *vt* verschwenden; (*ocasión*) verpassen

desperdicio [desper'ðiθjo] *m* ❶ (*residuo*) Abfall *m;* **~s biológicos** Biomüll *m* ❷ (*malbaratamiento*) Verschwendung *f;* **no tener ~** sehr nützlich sein

desperdigar(se) <g → gu> *vt, vr* (sich) zerstreuen

desperezarse [despere'θarse] <z → c> *vr* sich recken

desperfecto [desper'fekto] *m* ❶ (*deterioro*) Schaden *m* ❷ (*defecto*) Fehler *m;* **esta máquina tiene un pequeño ~** diese Maschine ist leicht defekt

despertador [desperta'ðor] *m* Wecker *m*

despertar [desper'tar] <e → ie> **I.** *vt* wecken **II.** *vr:* **~se** aufwachen

despiadado, -a [despja'ðaðo] *adj* erbarmungslos

despido [des'piðo] *m* Kündigung *f;* **~ colectivo** Massenentlassung *f*

despierto, -a [des'pjerto] *adj* ❶ (*insomne*) wach ❷ (*listo*) aufgeweckt; **mente despierta** reger Verstand

despilfarrar [despilfa'rrar] *vt* verschwenden

despilfarro [despil'farro] *m* Verschwendung *f*

despintar [despin̪'tar] **I.** *vt* ❶ (*colores*) auswaschen ❷ (*la realidad*) verzerren **II.** *vr:* **~se** (*borrarse*) verblassen; **~se con el sol** in der Sonne verblassen

despistado, -a [despis'taðo] *adj* zerstreut

despistar [despis'tar] **I.** *vt* irreführen **II.** *vr:* **~se** ❶ (*perderse*) sich verirren ❷ (*desconcertarse*) durcheinanderkommen

despiste [des'piste] *m:* **un ~ lo tiene cualquiera** das kann jedem mal passieren

desplante [des'plan̪te] *m* Frechheit *f*

desplazado, -a [despla'θaðo] *adj* deplatziert

desplazamiento [desplaθa'mjen̪to] *m* Verschiebung *f*

desplazar [despla'θar] <z → c> *vt* ❶ (*muebles*) verschieben; (*enfermos*) verlagern ❷ (*suplantar*) aus dem Amt verdrängen

desplegable [desple'ɣaβle] *adj:* **silla ~** Klappstuhl *m*

desplomarse [desplo'marse] *vr* einstürzen; (*persona*) zusammenbrechen

desplumar [desplu'mar] *vt:* **~ a alguien jugando a las cartas** jdn beim Kartenspiel ausnehmen *fam*

despoblado, -a [despo'βlaðo] *adj* unbewohnt

despojar [despo'xar] **I.** *vt* wegnehmen; **la ~on de todo** sie haben ihr alles weggenommen **II.** *vr:* **~se** verzichten (*de* auf +*akk*)

déspota ['despota] *mf* Despot(in) *m(f)*

despreciable [despre'θjaβle] *adj* verwerflich

despreciar [despre'θjar] *vt* verachten; (*oferta*) ausschlagen

desprecio [des'preθjo] *m* Verachtung *f*

desprenderse [despren̪'derse] *vr* ❶ (*soltarse*) sich lösen ❷ (*deshacerse*) weggeben (*de* +*akk*) ❸ (*deducirse*): **de tu comportamiento se desprende**

que... aus deinem Verhalten lässt sich schließen, dass ...

desprendido, **-a** [despreṇ'diðo] *adj* großzügig

despreocupado, **-a** [despreoku'paðo] *adj* unbefangen

despreocuparse [despreoku'parse] *vr* sich entspannen; (*desatender*) vernachlässigen (*de +akk*)

desprestigiar [despresti'xjar] **I.** *vt* herabwürdigen **II.** *vr:* **~se** sein Ansehen verlieren

desprevenido, **-a** [despreβe'niðo] *adj:* **coger ~** überrumpeln

desproporción [despropor'θjon] *f* Missverhältnis *nt*

desproporcionado, **-a** [desproporθjo'naðo] *adj* unverhältnismäßig

desprovisto, **-a** [despro'βisto] *adj:* **~ de** ohne *+akk*

después [des'pwes] **I.** *adv* ❶ (*tiempo*) nachher; **~ de todo** (*concesivo*) trotz allem; **~ de la cena** nach dem Essen; **una hora ~** eine Stunde später ❷ (*espacio*): **~ de** hinter *+dat* **II.** *conj*: **~ (de) que** nachdem

desquiciarse [deski'θjarse] *vr* den Halt verlieren

desquitar(se) [deski'tar(se)] *vt, vr*: **~ de una pérdida** einen Verlust wieder gutmachen

desquite [des'kite] *m* (*satisfacción*) Genugtuung *f;* (*venganza*) Vergeltung *f*

destacable [desta'kaβle] *adj* erwähnenswert

destacado, **-a** [desta'kaðo] *adj* herausragend

destacar [desta'kar] <c → qu> **I.** *vi* hervorstechen **II.** *vt* hervorheben **III.** *vr:* **~se** sich abheben (*de/entre* von *+dat*)

destajo [des'taxo] *m* Akkordarbeit *f*

destapar [desta'par] **I.** *vt* aufmachen; (*desabrigar*) aufdecken; (*secretos*) enthüllen **II.** *vr:* **~se** aufgehen; (*desabrigarse*) sich aufdecken; (*descubrirse*) sich bloßstellen

destartalado, **-a** [destarta'laðo] *adj* verwahrlost

destellar [deste'ʎar] *vi* funkeln

destemplado, **-a** [destem'plaðo] *adj* unpässlich

desteñido, **-a** [deste'ɲiðo] *adj* verwaschen

desternillarse [desterni'ʎarse] *vr:* **~ de risa** sich totlachen

desterrar [deste'rrar] <e → ie> *vt* verbannen; **~ del país** des Landes verweisen

destiempo [des'tjempo] *m:* **a ~** ungelegen

destierro [des'tjerro] *m* ❶ (*pena*) Verbannung *f* ❷ (*lugar*) Exil *nt*

destilería [destile'ria] *f* Brennerei *f*

destinar [desti'nar] *vt* zuweisen *+dat;* (*enviar*) versetzen; (*designar*) ernennen

destinatario, **-a** [destina'tarjo] *m, f* Empfänger(in) *m(f)*

destino [des'tino] *m* Schicksal *nt;* (*destinación*) Bestimmungsort *m*

destitución [destitu'θjon] *f:* **~ del cargo** Amtsenthebung *f*

destituir [destitu'ir] *irr como huir vt* entlassen

destornillador [destorniʎa'ðor] *m* Schraubenzieher *m*

destornillar [destorni'ʎar] *vt* abschrauben

destreza [des'treθa] *f* Geschicklichkeit *f;* **~ manual** Handfertigkeit *f;* **con ~** geschickt

destrozar [destro'θar] <z → c> *vt* zerstören; (*fam*) schaffen

destrucción [destruʏ'θjon] *f* Zerstörung *f*

destructivo, **-a** [destruk'tiβo] *adj* destruktiv

destruir [destru'ir] *irr como huir vt* vernichten

desubicado, **-a** [desuβi'kaðo] *adj* AM *fig*) zerstreut

desunión [desu'njon] *f* Trennung *f*

desuso [de'suso] *m:* **caer en ~** aus dem Gebrauch kommen

desvalido, -a [desβa'liðo] *adj* schutzlos
desvalijar [desβali'xar] *vt* ausrauben
desvalorizar [desβalori'θar] <z → c> *vt* abwerten
desván [des'βan] *m* Dachboden *m*
desvanecerse [desβane'θerse] *irr como crecer vr* verschwinden
desvanecimiento [desβaneθi'mjeṇto] *m* ❶ (*desaparición*) Verschwinden *nt* ❷ (*mareo*) Schwindel *m*
desvariar [desβari'ar] <*1. pres* desvarío> *vi* fantasieren
desvelar [desβe'lar] **I.** *vt* wach halten **II.** *vr:* **~se** sich abmühen (*por* für +*akk*)
desvelo [des'βelo] *m* ❶ (*insomnio*) Schlaflosigkeit *f* ❷ (*despabilamiento*) Munterkeit *f*
desventaja [desβeṇ'taxa] *f* Nachteil *m*
desventura [desβeṇ'tura] *f* Unglück *nt*
desventurado, -a [desβeṇtu'raðo] *adj* unglücklich
desvergonzado, -a [desβerɣoṇ'θaðo] *adj* schamlos
desvergüenza [desβer'ɣweṇθa] *f* Unverschämtheit *f*
desvestir(se) [desβes'tir(se)] *irr como pedir vt, vr* (sich) ausziehen
desviación [desβja'θjon] *f* ❶ (*torcedura*) Abweichung *f;* **~ de la columna vertebral** Rückgratverkrümmung *f* ❷ (*del tráfico*) Umleitung *f*
desviar [desβi'ar] <*1. pres* desvío> **I.** *vt* umleiten; **~ una cuestión** einer Frage ausweichen **II.** *vr:* **~se** abkommen
desvincular [desβiŋku'lar] **I.** *vt* befreien **II.** *vr:* **~se** sich lösen
desvío [des'βio] *m* Abweichung *f;* (*carretera*) Umleitung *f*
desvivirse [desβi'βirse] *vr:* **~ por alguien** alles für jdn tun
deszipear [desθipe'ar] *vt* INFOR (*fam: descomprimir*) entzippen
detallado, -a [deta'ʎaðo] *adj* ausführlich
detalle [de'taʎe] *m:* **venta al ~** Einzelverkauf *m;* **entrar en ~s** ins Detail gehen
detectar [detek'tar] *vt* entdecken
detective [detek'tiβe] *mf* Detektiv(in) *m(f)*
detector [detek'tor] *m:* **~ de humo** Rauchgasanzeiger *m*
detener [dete'ner] *irr como tener* **I.** *vt* anhalten; (*encarcelar*) festnehmen; **~** (**en su poder**) einbehalten **II.** *vr:* **~se** innehalten; (*entretenerse*) sich aufhalten (*en* mit +*dat*)
detenido, -a [dete'niðo] *m, f* Häftling *m*
detenimiento [deteni'mjeṇto] *m* Ausführlichkeit *f;* **con ~** ausführlich
detergente [deter'xeṇte] *m* Waschpulver *nt;* **~ en pastilla** Waschmittel-Tabs
deteriorarse [deterjo'rarse] *vr* sich verschlechtern; (*estropearse*) verderben
deterioro [dete'rjoro] *m* Verschlechterung *f*
determinación [determina'θjon] *f* ❶ (*fijación*) Bestimmung *f;* **~ de objetivos** Zielsetzung *f* ❷ (*decisión*) Entschluss *m;* **tomar una ~** eine Entscheidung treffen ❸ (*audacia*) Bestimmtheit *f*
determinado, -a [determi'naðo] *adj* bestimmt
determinante [determi'naṇte] *adj* entscheidend
determinar [determi'nar] *vt* bestimmen
detestar [detes'tar] *vt* verabscheuen
detonar [deto'nar] **I.** *vi* explodieren **II.** *vt* zünden
detrás [de'tras] **I.** *adv* ❶ (*local*) hinten; **allí ~** dahinter ❷ (*en el orden*): **el que está ~** der Hintermann **II.** *prep* ❶ (*local: tras*): **~ de** hinter +*dat;* (*con movimiento*) hinter +*akk;* **ir ~ de alguien** jdm folgen ❷ (*en el orden*): **uno ~ de otro** einer nach dem anderen
detrimento [detri'meṇto] *m* Schaden *m;* (*perjuicio*) Nachteil *m*
deuda ['deu̯ða] *f* ❶ (*débito*) Schuld *f;* **~ del Estado** Staatsverschuldung *f;* **~ externa** Auslandsschuld *f;* **~ interna** Inlandsschuld *f;* **~ pendiente** ausstehende Schuld; **~ vencida** überfällige

Schuld; **contraer ~s** Schulden machen; **sin ~s** schuldenfrei ❷ (*moral*) moralische Verpflichtung *f;* **estar en ~ con alguien** in jds Schuld stehen

deudor(a) [deu̯'ðor] *m(f)* Schuldner(in) *m(f)*

devaluación [deβalwa'θjon] *f* Abwertung *f*

devaluar [deβalu'ar] <*1. pres* devalúo> *vt* abwerten

devanarse [deβa'narse] *vr:* **~ los sesos** sich *dat* den Kopf zerbrechen

devastar [deβas'tar] *vt* verwüsten

devoción [deβo'θjon] *f* Ehrfurcht *f;* (*fervor*) Hingabe *f*

devolución [deβolu'θjon] *f* Rückgabe *f*

devolver [deβol'βer] *irr como volver* **I.** *vt* zurückgeben; **~ la comida** sich übergeben; **~ un favor** eine Gefälligkeit erwidern **II.** *vr:* **~se** AM zurückkehren

devorar [deβo'rar] *vt* verschlingen; **~ la comida** das Essen hinunterschlingen

devoto, -a [de'βoto] *adj* gläubig; (*adicto*) ergeben

día ['dia] *m* Tag *m;* **~ de baja** Ausfalltag *m;* **~ de descanso** Ruhetag *m;* **~ festivo** Feiertag *m;* **~ hábil** [*o* **laborable**] Werktag *m;* **~ lectivo** Unterrichtstag *m;* **a ~s** unregelmäßig; **de ~** tagsüber; **~ y noche** fortwährend; **el otro ~** neulich; **¡hasta otro ~!** bis bald!; **estar al ~** auf dem Laufenden sein; **hace buen ~** heute ist schönes Wetter

diabetes [dja'βetes] *f* Diabetes *m*

diabético, -a [dja'βetiko] *m, f* Diabetiker(in) *m(f)*

diablo [di'aβlo] *m* Teufel *m;* **¡~s!** Donnerwetter!; **¿cómo ~s...?** wie zum Teufel ...?; **¡vete al ~!** scher dich zum Teufel!

diablura [dja'βlura] *f* böser Streich *m*

diadema [dja'ðema] *f* Diadem *nt*

diáfano, -a [di'afano] *adj* klar

diafragma [dja'fraɣma] *m* Zwerchfell *nt*

diagnosis [djaɣ'nosis] *f inv* Diagnose *f*

diagnosticar [djaɣnosti'kar] <c → qu> *vt* diagnostizieren

diagnóstico [djaɣ'nostiko] *m* Diagnose *f;* **~ precoz** Früherkennung *f*

diagonal [djaɣo'nal] *adj* diagonal; **en ~** übereck

diagrama [dja'ɣrama] *m* Diagramm *nt*

dialéctica [dja'lektika] *f* Dialektik *f*

dialecto [dja'lekto] *m* Dialekt *m*

diálisis [di'alisis] *f inv* Dialyse *f*

dialogar [djalo'ɣar] <g → gu> *vi* miteinander sprechen

diálogo [di'aloɣo] *m* Gespräch *nt*

diamante [dja'man̩te] *m* Diamant *m*

diametralmente [djametral'men̩te] *adv:* **~ opuesto** genau entgegengesetzt

diámetro [di'ametro] *m* Durchmesser *m*

diana [di'ana] *f* ❶ MIL Weckruf *m* ❷ **hacer ~** ins Schwarze treffen

diapasón [djapa'son] *m* Stimmgabel *f*

diapositiva [djaposi'tiβa] *f* Dia *nt*

diario[1] [di'arjo] *m* Tageszeitung *f;* (*memorias*) Tagebuch *nt*

diario, -a[2] [di'arjo] *adj:* (**a**) **~** täglich

diarrea [dja'rrea] *f* Durchfall *m*

dibujante [diβu'xan̩te] *mf* Zeichner(in) *m(f)*

dibujar [diβu'xar] *vt* zeichnen

dibujo [di'βuxo] *m* Zeichnung *f;* **~s animados** Zeichentrickfilm *m*

diccionario [diᵞθjo'narjo] *m:* **~ enciclopédico** Enzyklopädie *f;* **~ de alemán-español** deutsch-spanisches Wörterbuch

dicha ['ditʃa] *f* Glück *nt*

dicharachero, -a [ditʃara'tʃero] *adj* spaßhaft

dicho[1] ['ditʃo] *m* Sprichwort *nt*

dicho, -a[2] ['ditʃo] *adj:* **dicha gente** besagte Leute

dichoso, -a [di'tʃoso] *adj* glücklich (*de* über +*akk*)

diciembre [di'θjembre] *m* Dezember *m;* *v.t.* **marzo**

dictado [dik'taðo] *m* Diktat *nt*

dictador(a) [dikta'ðor] *m(f)* Diktator(in) *m(f)*

dictadura [dikta'ðura] *f* Diktatur *f*

dictamen [dik'tamen] *m* Gutachten *nt;* ~ **facultativo** ärztliches Gutachten; ~ **judicial** Gerichtsurteil *nt*

dictar [dik'tar] *vt* diktieren

didáctico, -a [di'ðaktiko] *adj* didaktisch; **material** ~ Lehrmaterial *nt*

diecinueve [djeθi'nweβe] *adj* neunzehn; *v.t.* **ocho**

dieciocho [djeθi'otʃo] *adj* achtzehn; *v.t.* **ocho**

dieciséis [djeθi'seis̯] *adj* sechzehn; *v.t.* **ocho**

diecisiete [djeθi'sjete] *adj* siebzehn; *v.t.* **ocho**

diente ['djeṇte] *m* ❶ (*muela*) Zahn *m;* ~ **incisivo** Schneidezahn *m;* ~ **de leche** Milchzahn *m;* ~ **molar** Backenzahn *m;* **tener buen** ~ (*fig*) ein guter Esser sein ❷ BOT: ~ **de ajo** Knoblauchzehe *f*

diesel ['djesel] *m* Diesel *m*

diestro[1] ['djestro] *m* Stierkämpfer *m*

diestro, -a[2] ['djestro] <destrísimo *o* diestrísimo>> *adj* ❶ (*a la derecha*) rechte(r, s); **a ~ y siniestro** (*fig*) kreuz und quer ❷ (*hábil*) geschickt

dieta [di'eta] *f* Diät *f;* **estar a** ~ Diät halten; ~ **alimenticia** Ernährungsweise *f*

dietético, -a [dje'tetiko] *adj* diätetisch; **régimen** ~ Diätkur *f*

diez [djeθ] *adj* zehn; *v.t.* **ocho**

difamar [difa'mar] *vt* diffamieren

diferencia [dife'reṇθja] *f* Unterschied *m;* (*desacuerdo*) Meinungsverschiedenheit *f*

diferenciar(se) [difereṇ'θjar(se)] *vt, vr* (sich) unterscheiden

diferente [dife'reṇte] *adj* verschieden; **~s veces** mehrere Male; **España es** ~ Spanien ist anders

diferir [dife'rir] *irr como sentir vi:* ~ **de algo** sich von etw *dat* unterscheiden

difícil [di'fiθil] *adj* schwer; (*complicado*) schwierig; ~ **de explicar** schwer zu erklären

difícilmente [difiθil'meṇte] *adv* kaum

dificultad [difikul̩'taᵈ] *f* Schwierigkeit *f;* **estar en ~es** in Schwierigkeiten stecken

dificultoso, -a [difikul̩'toso] *adj* schwierig; (*laborioso*) mühsam

difteria [dif'terja] *f* Diphtherie *f*

difuminar [difumi'nar] *vt* (*dibujo*) verwischen

difundir(se) [difuṇ'dir(se)] *vt, vr* (sich) verbreiten

difunto, -a [di'fuṇto] *m, f* Verstorbene(r) *f(m);* **día de ~s** Allerseelentag *m;* **misa de ~s** Totenmesse *f*

difusión [difu'sjon] *f* Verbreitung *f;* TV Sendung *f*

difuso, -a [di'fuso] *adj* unklar

digerir [dixe'rir] *irr como sentir vt* verdauen

digestión [dixes'tjon] *f* Verdauung *f;* **tener mala** ~ eine schlechte Verdauung haben

digestivo, -a [dixes'tiβo] *adj:* **aparato** ~ Verdauungsapparat *m*

digital [dixi'tal] *adj* digital

digitalizar [dixitali'θar] <z → c> *vt* digitalisieren

dígito ['dixito] *m* Ziffer *f*

dignarse [diɣ'narse] *vr* sich herablassen (*(de)* zu +*inf*)

dignidad [diɣni'ðaᵈ] *f* Würde *f;* **con** ~ würdevoll

digno, -a ['diɣno] *adj* würdig; ~ **de confianza** vertrauenswürdig; ~ **de mención** erwähnenswert

dilación [dila'θjon] *f:* **sin** ~ unverzüglich

dilapidar [dilapi'ðar] *vt* verschwenden; ~ **una fortuna** ein Vermögen verschleudern

dilatar(se) [dila'tar(se)] *vt, vr* (sich) ausdehnen

dilema [di'lema] *m* Dilemma *nt*

diligencia [dili'xeṇθja] *f:* **~s policiales** polizeiliche Ermittlungen; **hacer ~s** Schritte unternehmen

diligente [dili'xeṇte] *adj* flink

diluir(se) [dilu'ir(se)] *irr como huir vt, vr*

(sich) auflösen

diluviar [dilu'βjar] *vimpers* in Strömen regnen

diluvio [di'luβjo] *m* Sintflut *f*

dimensión [dimen'sjon] *f* Dimension *f;* (*fig*) Ausmaß *nt*

diminutivo [diminu'tiβo] *m* Diminutiv *nt*

diminuto, -a [dimi'nuto] *adj* winzig

dimisión [dimi'sjon] *f* Rücktritt *m;* **presentar la ~** zurücktreten

dimitir [dimi'tir] *vi, vt* zurücktreten; ~ **de un cargo** ein Amt niederlegen

Dinamarca [dina'marka] *f* Dänemark *nt*

dinamarqués, -esa [dinamar'kes] *adj* dänisch

dinámica [di'namika] *f* Dynamik *f*

dinámico, -a [di'namiko] *adj* dynamisch

dinamismo [dina'mismo] *m* Schwung *m*

dinamita [dina'mita] *f* Dynamit *nt*

dinamo [di'namo] *f*, **dínamo** ['dinamo] *f* Dynamo *m*

dinastía [dinas'tia] *f* Dynastie *f*

dineral [dine'ral] *m* Unsumme *f;* **costar un ~** (*fam*) ein Heidengeld kosten

dinero [di'nero] *m* Geld *nt;* ~ **suelto** Kleingeld *nt*

dinosaurio [dino'saurjo] *m* Dinosaurier *m*

diñar [di'ɲar] *vt:* **~la** ins Gras beißen

dio [djo] *3. pret de* **dar**

dioptría [djop'tria] *f* Dioptrie *f*

dios(a) [djos] *m(f)* Gott, Göttin *m, f*

Dios [djos] *m* Gott *m;* **¡~ mío!** oh, mein Gott!; **¡por ~!** um Gottes willen!; **todo ~** Gott und die Welt; **¡vaya por ~!** es ist nicht zu fassen!

dióxido [di'oγsiðo] *m* Dioxid *nt*

diploma [di'ploma] *m* Diplom *nt;* ~ **universitario** Hochschuldiplom *nt*

diplomacia [diplo'maθja] *f* Diplomatie *f*

diplomático, -a [diplo'matiko] *adj* diplomatisch

diputación [diputa'θjon] *f* Abordnung *f*

diputado, -a [dipu'taðo] *m, f* Abgeordnete(r) *f(m)*

dique ['dike] *m* Deich *m*

dirección [direγ'θjon] *f* ❶ (*rumbo*) Richtung *f;* **en ~ opuesta** in umgekehrter Richtung ❷ (*mando*) Direktion *f;* ~ **central** Zentralverwaltung *f;* ~ **comercial** Geschäftsführung *f;* **bajo la ~ de** unter der Leitung von ❸ (*señas*) Adresse *f*

directiva [direk'tiβa] *f* Vorstand *m*

directivo, -a [direk'tiβo] *m, f* leitender Angestellter *m*, leitende Angestellte *f*

directo, -a [di'rekto] *adj* gerade; (*inmediato, franco*) direkt

director(a) [direk'tor] *m(f)* Leiter(in) *m(f);* (*jefe*) Direktor(in) *m(f)*

directriz [direk'triθ] *f* Richtlinie *f*

dirigente [diri'xente] *mf* Führer(in) *m(f)*

dirigir [diri'xir] <g→j> **I.** *vt* ❶ (*el tráfico*) regeln ❷ (*palabras*) richten (*a* an +*akk*) ❸ (*orquesta*) dirigieren; **una película dirigida por...** Regie führte ... **II.** *vr:* **~se** sich begeben (*a/hacia* nach +*dat*); (*a una persona*) sich wenden (*a* an +*akk*)

discernir [disθer'nir] *irr como cernir vt* unterscheiden

disciplina [disθi'plina] *f* Disziplin *f*

disciplinado, -a [disθipli'naðo] *adj* diszipliniert

discípulo, -a [dis'θipulo] *m, f* Schüler(in) *m(f);* (*seguidor*) Anhänger(in) *m(f)*

disco ['disko] *m* TEL (Wähl)scheibe *f;* MÚS Schallplatte *f;* INFOR Platte *f;* ~ **duro** Festplatte *f*

discográfico, -a [disko'γrafiko] *adj* (Schall)platten-

disconforme [diskoɱ'forme] *adj* nicht einverstanden

discontinuo, -a [diskon'tinwo] *adj* unzusammenhängend

discordante [diskor'ðante] *adj* misstönend

discordia [dis'korðja] *f* Zwietracht *f*

discoteca [disko'teka] *f* Diskothek *f*

discreción [diskre'θjon] *f* Diskretion *f;* **a ~** nach Belieben; **bajo ~** vertraulich; **con ~** umsichtig

discrepancia [diskre'panθja] *f* ❶ (*entre

cosas) Diskrepanz *f* ❷ (*entre personas*) Unstimmigkeit *f*

discrepar [diskre'par] *vi* abweichen; (*disentir*) anderer Meinung sein (*de* als +*nom*)

discreto, -a [dis'kreto] *adj* diskret

discriminación [diskrimina'θjon] *f* Diskriminierung *f*

discriminar [diskrimi'nar] *vt* diskriminieren

discriminatorio, -a [diskrimina'torjo] *adj* diskriminierend

disculpa [dis'kulpa] *f* ❶ (*perdón*) Entschuldigung *f;* **pedir ~s** sich entschuldigen ❷ (*pretexto*) Ausrede *f;* **¡qué ~ más tonta!** so eine faule Ausrede!

disculpar [diskul'par] **I.** *vt* verzeihen; (*justificar*) entschuldigen **II.** *vr:* **~se con alguien por algo** sich bei jdm wegen etw *gen/dat* entschuldigen

discurrir [disku'rrir] *vt* sich *dat* ausdenken

discurso [dis'kurso] *m* Rede *f;* **~ de clausura** Schlussrede *f;* **~ solemne** Festansprache *f;* **pronunciar un ~** eine Rede halten

discusión [disku'sjon] *f* Diskussion *f;* (*riña*) Auseinandersetzung *f*

discutible [disku'tiβle] *adj* erwägenswert; (*dudoso*) zweifelhaft

discutido, -a [disku'tiðo] *adj* umstritten

discutir [disku'tir] **I.** *vi, vt* diskutieren; (*pelear*) (sich) streiten (*de* über +*akk*) **II.** *vt* (*contradecir*): **siempre me discutes lo que digo** du stellst immer alles, was ich sage, in Frage

disecar [dise'kar] <c → qu> *vt* ausstopfen

diseminarse [disemi'narse] *vr* sich verbreiten

disentería [disen̩te'ria] *f* Ruhr *f*

disentir [disen̩'tir] *irr como sentir vi* anderer Meinung sein (*de* als +*nom*); **disiento de tu opinión** ich bin nicht deiner Meinung

diseñador(a) [diseɲa'ðor] *m(f)* Designer(in) *m(f)*

diseñar [dise'ɲar] *vt* entwerfen

diseño [di'seɲo] *m* Design *nt*

disertación [diserta'θjon] *f* (wissenschaftliche) Abhandlung *f*

disfraz [dis'fraθ] *m* Verkleidung *f*

disfrazarse [disfra'θarse] <z → c> *vr* sich verkleiden (*de* als +*nom*)

disfrutar [disfru'tar] *vi, vt* genießen (*de* +*akk*); **~ de excelente salud** sich bester Gesundheit erfreuen

disfrute [dis'frute] *m* Genuss *m*

disgregarse [disɣre'ɣarse] <g → gu> *vr* ❶ (*gente*): **el público se disgregó al terminar el espectáculo** das Publikum zerstreute sich nach der Vorstellung in alle Richtungen ❷ (*materia*) zerfallen

disgustar [disɣus'tar] **I.** *vt* missfallen +*dat* **II.** *vr:* **~se** sich ärgern (*por/de* über +*akk*)

disgusto [dis'ɣusto] *m* Missfallen *nt;* (*enfado*) Ärger *m*

disimular [disimu'lar] *vi, vt* sich *dat* nichts anmerken lassen

disimulo [disi'mulo] *m:* **con ~** unauffällig

disipar [disi'par] **I.** *vt* auflösen; (*dudas*) beseitigen **II.** *vr:* **~se** sich auflösen; (*dudas*) verschwinden; **~se en humo** verrauchen

dislexia [dis'leˠsja] *f* Legasthenie *f*

dislocación [disloka'θjon] *f* Verrenkung *f*

dislocarse [dislo'karse] <c → qu> *vr* sich *dat* verrenken

disminución [disminu'θjon] *f* Verringerung *f;* **~ de la pena** Strafmilderung *f;* **~ de las ventas** Absatzrückgang *m*

disminuir [disminu'ir] *irr como huir* **I.** *vi* nachlassen; (*número*) zurückgehen **II.** *vt* verringern

disociar(se) [diso'θjar(se)] *vt, vr* (sich) auflösen

disoluble [diso'luβle] *adj* löslich

disolución [disolu'θjon] *f:* **~ de contrato** Vertragsaufhebung *f*

disolvente [disol'βen̩te] *m* Lösungsmittel *nt*

disolver(se) *irr como volver vt, vr* (sich)

D

auflösen

disonancia [diso'naṇθja] *f* Unstimmigkeit *f;* MÚS Dissonanz *f*

dispar [dis'par] *adj* ungleich

disparado, -a [dispa'raðo] *adj:* **salir ~** sich blitzschnell davonmachen

disparar [dispa'rar] **I.** *vt* abschießen; (*el arma*) abdrücken **II.** *vi:* **~ contra alguien** auf jdn schießen **III.** *vr:* **~se** (*arma*) losgehen

disparate [dispa'rate] *m* Unsinn *m;* **costar un ~** ein Vermögen kosten

disparidad [dispari'ða^{ð}] *f* Unterschiedlichkeit *f*

disparo [dis'paro] *m* (Ab)schuss *m;* **~ al aire** Warnschuss *m*

dispensable [dispen'saβle] *adj* erlässlich

dispensar [dispen'sar] *vt:* **~ a alguien del servicio militar** jdn vom Wehrdienst freistellen

dispersar [disper'sar] *vt* zerstreuen; (*una manifestación*) auflösen

disperso, -a [dis'perso] *adj* zerstreut

disponer [dispo'ner] *irr como poner* **I.** *vi* verfügen (*de* über +*akk*) **II.** *vr:* **~se** sich aufstellen; (*prepararse*) sich vorbereiten (*a/para* zu +*inf*)

disponibilidad [disponiβili'ða^{ð}] *f* Verfügbarkeit *f*

disponible [dispo'niβle] *adj* verfügbar

disposición [disposi'θjon] *f* Anordnung *f;* (*para algún fin*) Bereitschaft *f;* **~ de servicio** Betriebsbereitschaft *f;* (*disponibilidad*) Verfügung *f*

dispositivo [disposi'tiβo] *m:* **~ de alarma** Alarmanlage *f;* **~ antirrobo** Diebstahlsicherung *f*

dispuesto, -a [dis'pwesto] *adj* bereit; **estar ~ a trabajar** arbeitswillig sein

disputa [dis'puta] *f* Streit *m*

disputar [dispu'tar] **I.** *vi* streiten (*de/sobre* über +*akk*) **II.** *vt* streitig machen **III.** *vr:* **~se** sich streiten (um +*akk*)

disquete [dis'kete] *m* Diskette *f;* **~ de arranque** Startdiskette *f*

disquetera [diske'tera] *f* Diskettenlaufwerk *nt*

distancia [dis'taṇθja] *f* Entfernung *f;* **~ de seguridad** Sicherheitsabstand *m;* **guardar las ~s** (*fig*) Distanz wahren

distanciado, -a [distaṇ'θjaðo] *adj* entfernt; (*fig*) distanziert; **están ~s** (*fig*) sie sind nicht mehr befreundet

distanciarse [distaṇ'θjarse] *vr* sich distanzieren

distante [dis'taṇte] *adj* entfernt; (*persona*) distanziert

distar [dis'tar] *vi* entfernt sein; **disto mucho de creerlo** ich bin weit davon entfernt, es zu glauben

distinción [distiṇ'θjon] *f* ❶ (*diferenciación*) Unterscheidung *f;* **no hacer ~** keinen Unterschied machen ❷ (*honor*) Auszeichnung *f*

distinguido, -a [distiŋ'giðo] *adj* (*en cartas*) sehr geehrte(r)

distinguir [distiŋ'gir] <gu → g> **I.** *vt* unterscheiden; (*divisar*) erkennen; (*condecorar*) auszeichnen **II.** *vr:* **~se** deutlich werden; (*ser diferente*) sich hervortun

distintivo [distiṇ'tiβo] *m* Merkmal *nt*

distinto, -a [dis'tiṇto] *adj* unterschiedlich

distorsión [distor'sjon] *f* MED Verstauchung *f;* (*falseamiento*) Verfälschung *f*

distorsionarse [distorsjo'narse] *vr* sich *dat* verstauchen

distracción [distra^{ɣ}'θjon] *f* Ablenkung *f*

distraer [distra'er] **I.** *vt* ablenken; (*entretener*) unterhalten **II.** *vr:* **~se** sich ablenken

distraído, -a [distra'iðo] **I.** *adj* unaufmerksam **II.** *m, f:* **hacerse el ~** sich dumm stellen

distribución [distriβu'θjon] *f* ❶ (*repartición*) Verteilung *f* ❷ COM Vertrieb *m;* **~ exclusiva** Alleinvertrieb *m*

distribuidor(a) [distriβwi'ðor] *m(f)* Vertreter(in) *m(f);* **~ exclusivo** Alleinvertreter *m*

distribuir(se) [distriβu'ir(se)] *irr como huir vt, vr* (sich) verteilen

distrito [dis'trito] *m* Bezirk *m;* **~ elec-**

toral Wahlkreis *m;* ~ **judicial** Gerichtsbezirk *m;* ~ **de policía** Polizeirevier *nt*
disturbio [dis'turβjo] *m* Unruhe *f*
disuadir [diswa'ðir] *vt* umstimmen; ~ **a alguien de algo** jdn von etw *dat* abbringen
disuasivo, -a [diswa'siβo] *adj:* **poder** ~ Überredungskunst *f*
disyuntiva [disɟuṇ'tiβa] *f* Alternative *f*
diurético, -a [dju'retiko] *adj* harntreibend
diurno, -a [di'urno] *adj:* **trabajo** ~ Tagesarbeit *f*
diva ['diβa] *f* Diva *f*
divagar [diβa'ɣar] <g → gu> *vi* abschweifen
divergente [diβer'xeṇte] *adj:* **opiniones ~s** abweichende Meinungen
diversidad [diβersi'ða^ð] *f* Vielfalt *f*
diversión [diβer'sjon] *f* Vergnügen *nt*
diverso, -a [di'βerso] *adj* ❶ (*distinto*) unterschiedlich; (*variado*) vielseitig ❷ *pl* (*varios*) verschiedene
divertido, -a [diβer'tiðo] *adj* lustig; AM angeheitert
divertir [diβer'tir] *irr como sentir* **I.** *vt* unterhalten **II.** *vr:* **~se** sich amüsieren (*en* über +*akk*); **¡que te diviertas!** viel Spaß!
dividir [diβi'ðir] **I.** *vt* aufteilen; (*separar*) trennen; MAT dividieren (*entre/por* durch +*akk*) **II.** *vr:* **~se** unterteilt sein
divinidad [diβini'ða^ð] *f* Göttlichkeit *f;* (*deidad*) Gottheit *f*
divino, -a [di'βino] *adj* göttlich
divisa [di'βisa] *f* Devise(n) *f(pl)*
divisar [diβi'sar] *vt* ausmachen
divisible [diβi'siβle] *adj* teilbar; **ser ~ por dos** durch zwei teilbar sein
división [diβi'sjon] *f* Division *f;* (*partición*) Teilung *f;* (*separación*) Trennung *f*
divorciarse [diβor'θjarse] *vr* sich scheiden lassen
divorcio [di'βorθjo] *m* (Ehe)scheidung *f*
divulgación [diβulɣa'θjon] *f:* **libro de** ~ populärwissenschaftliches Buch
divulgar(se) [diβul'ɣar(se)] <g → gu> *vt, vr* (sich) verbreiten
Dn. [don] *abr de* **don** ≈Hr.
DNI [de(e)ne'i] *m abr de* **Documento Nacional de Identidad** Personalausweis *m*
Dña. ['doɲa] *abr de* **doña** ≈Fr.
dobladillo [doβla'ðiʎo] *m* Saum *m*
doblaje [do'βlaxe] *m* Synchronisation *f*
doblar [do'βlar] **I.** *vt* ❶ (*arquear*) biegen ❷ (*plegar*) falten; **no** ~ nicht knicken ❸ (*duplicar*) verdoppeln ❹ (*una película*) synchronisieren ❺ ~ **la esquina** um die Ecke biegen **II.** *vi* abbiegen **III.** *vr:* **~se** sich biegen
doble ['doβle] **I.** *adj* doppelt **II.** *mf* Doppelgänger(in) *m(f)*
doblegarse [doβle'ɣarse] <g → gu> *vr* sich beugen
doce ['doθe] *adj* zwölf; *v.t.* **ocho**
docena [do'θena] *f* Dutzend *nt;* **una ~ de huevos** ein Dutzend Eier
docencia [do'θeṇθja] *f* Unterrichten *nt*
doceno, -a [do'θeno] *adj* zwölfte(r, s); *v.t.* **octavo**
docente [do'θeṇte] *mf* Dozent(in) *m(f)*
dócil ['doθil] *adj* fügsam
docilidad [doθili'ða^ð] *f* ❶ (*inteligencia*) Gelehrigkeit *f* ❷ (*sumisión*) Fügsamkeit *f*
doctor(a) [dok'tor] *m(f)* Doktor(in) *m(f)*
doctorado [dokto'raðo] *m* ❶ (*grado*) Doktorwürde *f* ❷ (*estudios*): **curso de** ~ ≈Doktorandenkolloquium *nt*
doctoral [dokto'ral] *adj:* **tesis** ~ Doktorarbeit *f*
doctrina [dok'trina] *f* Doktrin *f*
documentación [dokumeṇta'θjon] *f* ❶ (*estudio*) Dokumentation *f* ❷ (*documentos*) Unterlagen *fpl*; ~ **del coche** Kraftfahrzeugpapiere *ntpl*
documental [dokumeṇ'tal] *m* Dokumentarfilm *m*
documento [doku'meṇto] *m* Dokument *nt*
dodotis® [do'ðotis] *m* Pampers® *f*
dogma ['doɣma] *m* Dogma *nt*

dogmático, **-a** [doɣ'matiko] *adj* dogmatisch
dólar ['dolar] *m* Dollar *m*
dolencia [do'len̩θja] *f* Leiden *nt;* ~ **respiratoria** Atemwegserkrankung *f*
doler [do'ler] <o → ue> *vi* schmerzen; **me duele la cabeza** ich habe Kopfschmerzen
dolido, **-a** [do'liðo] *adj* gekränkt; **estoy ~ por tus palabras** deine Worte haben mich gekränkt
dolor [do'lor] *m* Schmerz *m;* ~ **de cabeza** Kopfschmerzen *mpl*
dolorido, **-a** [dolo'riðo] *adj:* **tener la rodilla dolorida** Schmerzen im Knie haben; (*apenado*) traurig
doloroso, **-a** [dolo'roso] *adj* schmerzhaft; (*lamentable*) traurig
domar [do'mar] *vt* bändigen
domesticado, **-a** [domesti'kaðo] *adj:* **animal** ~ Haustier *nt*
doméstico, **-a** [do'mestiko] *adj* Haus-; **animal** ~ Haustier *nt*
domiciliación [domiθilja'θjon] *f* Dauerauftrag *m*
domiciliar [domiθi'ljar] *vt* abbuchen lassen; ~ **el alquiler** einen Dauerauftrag für die Miete einrichten
domicilio [domi'θiljo] *m* (Wohn)sitz *m;* ~ **social** Sitz einer Gesellschaft
dominar [domi'nar] **I.** *vi* (vor)herrschen **II.** *vt* beherrschen; (*sobresalir*) überragen **III.** *vr:* **~se** sich beherrschen
domingo [do'miŋgo] *m* Sonntag *m;* ~ **de Ramos** Palmsonntag *m; v.t.* **lunes**
dominical [domini'kal] **I.** *adj* Sonntags-; **descanso** ~ Sonntagsruhe *f* **II.** *m* Sonntagsbeilage *f*
dominicano, **-a** [domini'kano] *adj* dominikanisch
dominio [do'minjo] *m* Beherrschung *f;* (*poder*) Herrschaft *f*
dominó [domi'no] <dominós> *m* Domino(spiel) *nt*
don[1] [don] *m* Gabe *f;* **tener ~ de gentes** gut mit Menschen umgehen können
don, **doña**[2] [don, 'doɲa] *m, f* Don, Doña *m, f* (*in Verbindung mit dem Vornamen gebrauchte spanische Anrede für Herr/Frau*)
donación [dona'θjon] *f* Spende *f*
donante [do'nan̩te] *mf* Spender(in) *m(f)*
donar [do'nar] *vt* spenden
donativo [dona'tiβo] *m* Spende *f*
donde ['don̩de] *adv* wo; **a** [*o* **hacia**] ~ wohin; **de** ~ woher; **en** ~ wo; **la calle ~ vivo** die Straße, in der ich wohne; **estuve ~ Luisa** ich war bei Luisa
dónde ['don̩de] *pron inter o pron rel* wo; **¿a** [*o* **hacia**] **~?** wohin?; **¿de ~?** woher?; **¿en ~?** wo?
dondequiera [don̩de'kjera] *adv:* ~ **que estés** wo immer du (auch) sein magst
donostiarra [donos'tjarra] *adj* aus San Sebastián
donut ['donu[t]] <donuts> *m* Donut *m*, Doughnut *m*
doña ['doɲa] *f v.* **don**[2]
dopar(**se**) [do'par(se)] *vt, vr* dopen
doping ['dopin] *m* Doping *nt*
dorado, **-a** [do'raðo] *adj* golden
dormilón, **-ona** [dormi'lon] *m, f* (*fam*) Schlafmütze *f*
dormir [dor'mir] *irr* **I.** *vi* ❶ schlafen; **quedarse dormido** einschlafen ❷ ~ **en casa de alguien** bei jdm übernachten **II.** *vt* zum (Ein)schlafen bringen; ~ **la siesta** eine Siesta machen **III.** *vr:* **~se**: **se me ha dormido el brazo** mein Arm ist eingeschlafen; **~se en los laureles** sich auf seinen Lorbeeren ausruhen
dormitorio [dormi'torjo] *m* Schlafzimmer *nt*
dorsal [dor'sal] *adj:* **espina** ~ Rückgrat *nt*
dorso ['dorso] *m* ❶ Rücken *m;* ~ **de la mano** Handrücken *m* ❷ (*reverso*) Rückseite *f*
dos [dos] *adj* zwei; ~ **puntos** Doppelpunkt *m;* **cada ~ por tres** ständig; **de ~ en ~** paarweise; *v.t.* **ocho**

doscientos, **-as** [dos'θjen̪tos] *adj* zweihundert; *v.t.* **ochocientos**
dosificar [dosifi'kar] <c → qu> *vt* dosieren
dosis ['dosis] *f inv* Dosis *f*
dotado, **-a** [do'taðo] *adj* begabt
dotar [do'tar] *vt* aussteuern; (*equipar*) ausstatten (*de/con* mit +*dat*)
dote[1] ['dote] *m o f* Mitgift *f*
dote[2] ['dote] *f:* ~ **de mando** Führungsgeschick *nt;* **tener ~s comerciales** Geschäftssinn haben
doy [doi̯] *1. pres de* **dar**
Dr(a). [dok'tor] *abr de* **doctor(a)** Dr.
dragón [dra'ɣon] *m* Drache *m*
drama ['drama] *m* Drama *nt*
dramático, **-a** [dra'matiko] *adj* dramatisch; **autor** ~ Dramatiker *m*
dramatizar [dramati'θar] <z → c> *vt* dramatisieren
drástico, **-a** ['drastiko] *adj* drastisch
drenaje [dre'naxe] *m* Dränage *f*
Dresde ['dresðe] *m* Dresden *nt*
driblar [dri'βlar] *vi, vt* dribbeln
droga ['droɣa] *f* Droge *f*
drogadicto, **-a** [droɣa'dikto] *adj* drogenabhängig
drogado, **-a** [dro'ɣaðo] *adj:* **estar** ~ unter Drogen stehen
drogar [dro'ɣar] <g → gu> **I.** *vt* Drogen verabreichen +*dat* **II.** *vr:* **~se** Drogen nehmen
droguería [droɣe'ria] *f* Drogerie *f*
dromedario [drome'ðarjo] *m* Dromedar *nt*
dublinés, **-esa** [duβli'nes] *adj* aus Dublin
ducha ['duʧa] *f* Dusche *f*
duchar(se) [du'ʧar(se)] *vt, vr* (sich) duschen
duda ['duða] *f* Zweifel *m;* **salir de ~s** Gewissheit erlangen; **sin ~ (alguna)** zweifellos; **poner algo en ~** etw in Zweifel ziehen
dudar [du'ðar] *vi, vt* (be)zweifeln
dudoso, **-a** [du'ðoso] *adj* zweifelhaft
duelo ['dwelo] *m* Duell *nt*
duende ['dwen̪de] *m* Kobold *m;* **tener ~** das gewisse Etwas haben
dueño, **-a** ['dweɲo] *m, f* Besitzer(in) *m(f);* **no ser ~ de sí mismo** nicht mehr Herr seiner Sinne sein
dulce ['dul̩θe] **I.** *adj* süß; (*suave*) sanft **II.** *m* Süßspeise *f*
duna ['duna] *f* Düne *f*
dúo ['duo] *m* Duo *nt;* **cantar a ~** im Duett singen
duodenal [dwoðe'nal] *adj:* **úlcera ~** Zwölffingerdarmgeschwür *nt*
dúplex ['dupleʸs] *m* Maison(n)ette *f*
duplicado [dupli'kaðo] *m:* **por ~** in doppelter Ausfertigung
duplicar(se) [dupli'kar(se)] <c → qu> *vt, vr* (sich) verdoppeln
duque(sa) ['duke] *m(f)* Herzog(in) *m(f)*
duración [dura'θjon] *f* Dauer *f*
duradero, **-a** [dura'ðero] *adj* dauerhaft; (*producto*) haltbar
durante [du'ran̪te] *prep* während +*gen;* **hablar ~ una hora** eine Stunde lang sprechen
durar [du'rar] *vi* andauern
durazno [du'raθno] *m* AM Pfirsich *m*
dureza [du'reθa] *f* Härte *f*
duro[1] ['duro] **I.** *m* HIST Fünfpesetenstück *nt* **II.** *adv* hart
duro, **-a**[2] ['duro] *adj* hart; ~ **de corazón** hartherzig

E

E, e [e] *f* E, e *nt*

e [e] *conj* (*ante* '(*h*)*i*') und

E ['este] *abr de* **Este** O

ebrio, -a ['eβrjo] *adj* (*elev*) ❶ (*borracho*) betrunken ❷ (*extasiado*) trunken (*de* vor +*dat*)

echar [e'ʧar] **I.** *vt* ❶ (*tirar*) werfen; (*carta*) einwerfen ❷ (*verter*) eingießen (*en* in +*akk*) ❸ (*expulsar*) hinauswerfen (*de* aus +*dat*); (*despedir*) entlassen ❹ (*emitir*) ausstoßen; ~ **humo** rauchen ❺ (*tumbar*) legen ❻ (*proyectar*) zeigen ❼ (*calcular*): **te echo 30 años** ich schätze dich auf 30 ❽ (*loc*): ~ **chispas** (*fam*) vor Wut schäumen; ~ **cuentas** rechnen; ~ **la culpa a alguien** die Schuld auf jdn schieben; ~ **en falta** vermissen; ~ **gasolina** tanken; ~ **de menos** vermissen **II.** *vi* ❶ (*lanzar*) werfen ❷ (*verter*) einschenken ❸ (*empezar*) anfangen (*a* zu +*inf*); ~ **a correr** loslaufen **III.** *vr:* **~se** ❶ (*postrarse*) sich hinlegen ❷ (*lanzarse*) sich stürzen (*sobre* auf +*akk*); **~se a los pies de alguien** sich jdm zu Füßen werfen ❸ (*empezar*) anfangen (*a* zu +*inf*); **~se a llorar** in Tränen ausbrechen ❹ (*fam*): **~se un novio** sich *dat* einen Freund zulegen

eclesiástico, -a [ekle'sjastiko] *adj* kirchlich

eclipse [e'kliβse] *m:* ~ **solar** Sonnenfinsternis *f*

eco ['eko] *m* Echo *nt*

ecoconciencia [ekokon̩'θjen̩θja] *f* Umweltbewusstsein *nt*

ecografía [ekoɣra'fia] *f* ❶ (*técnica*) Ultraschall *m* ❷ (*imagen*) Ultraschallbild *nt*

ecología [ekolo'xia] *f* Ökologie *f*

ecológico, -a [eko'loxiko] *adj* ökologisch

ecologismo [ekolo'xismo] *m sin pl* Umweltschutz *m*

ecologista [ekolo'xista] *mf* Umweltschützer(in) *m(f)*

economía [ekono'mia] *f* Wirtschaft *f*

económico, -a [eko'nomiko] *adj* wirtschaftlich; (*barato*) preiswert

economista [ekono'mista] *mf* Wirtschaftswissenschaftler(in) *m(f)*

economizar [ekonomi'θar] <z → c> *vi, vt* sparen; **no ~ esfuerzos** keine Mühe scheuen

ecosistema [ekosis'tema] *m* Ökosystem *nt*

ecotasa [eko'tasa] *f* ECOL Ökosteuer *f*

ecotest [eko'tes^{t}] *m* Umweltverträglichkeitsprüfung *f*

ecuación [ekwa'θjon] *f* Gleichung *f*

ecuador [ekwa'ðor] *m* Äquator *m*

ecuatorial [ekwato'rjal] *adj* äquatorial

ecuatoriano, -a [ekwato'rjano] *adj* ecuadorianisch

eczema [e^{Y}'θema] *m* Ekzem *nt*

edad [e'ða^{ð}] *f* Alter *nt;* **mayor de ~** volljährig; **a la ~ de...** im Alter von ... +*dat;* **¿qué ~ tiene?** wie alt sind Sie?

edición [eði'θjon] *f* Ausgabe *f;* ~ **de bolsillo** Taschenausgabe *f*

edicto [e'ðikto] *m* Erlass *m*

edificar [eðifi'kar] <c → qu> *vt* (er)bauen

edificio [eði'fiθjo] *m* Gebäude *nt*

editar [eði'tar] *vt* herausgeben

editor(a) [eði'tor] *m(f)* Herausgeber(in) *m(f)*

editorial [eðito'rjal] *f* Verlag *m*

edredón [eðre'ðon] *m* Federbett *nt*

educación [eðuka'θjon] *f* ❶ (*enseñanza*) Ausbildung *f;* ~ **física** Sportunterricht *m* ❷ (*comportamiento*) Erziehung *f;* **el niño no tiene ~** das Kind ist unerzogen

educado, -a [eðu'kaðo] *adj:* **bien ~** wohlerzogen; **mal ~** unerzogen

educar [edu'kar] <c → qu> *vt* ❶ (*dar instrucción*) ausbilden ❷ (*dirigir*) erziehen

EE.UU. [es'taðos u'niðos] *m pl abr de* **Estados Unidos** USA *pl*

efe ['efe] *f* F, f *nt*
efectivamente [efektiβa'mente] *adv* wirklich, tatsächlich
efectividad [efektiβi'ðaᵈ] *f* Wirksamkeit *f*
efectivo[1] [efek'tiβo] *m* Bargeld *nt*
efectivo, -a[2] [efek'tiβo] *adj* ❶ (*que hace efecto*) wirksam ❷ **hacer ~** einlösen
efecto [e'fekto] *m* Wirkung *f;* (*resultado*) Ergebnis *nt;* **hacer ~** wirken; **en ~** tatsächlich; **para los ~s** praktisch
efectuar [efektu'ar] <*1. pres* efectúo> *vt* durchführen
efervescente [eferβes'θente] *adj:* **pastilla ~** Brausetablette *f*
eficacia [efi'kaθja] *f* ❶ (*resultado positivo*) Wirksamkeit *f;* **con ~** erfolgreich ❷ TÉC Leistung *f*
eficaz [efi'kaθ] *adj* tatkräftig
eficiencia [efi'θjenθja] *f* ❶ (*eficacia*) Wirksamkeit *f;* TÉC Leistungsfähigkeit *f* ❷ (*persona*) Tüchtigkeit *f*
eficiente [efi'θjente] *adj* leistungsfähig; (*persona*) tüchtig
efusivo, -a [efu'siβo] *adj* herzlich
EGB [exe'βe] *f abr de* **Educación General Básica** (spanisches) Grundschulwesen *nt*
Egeo [e'xeo] *m:* **el mar ~** das Ägäische Meer
egipcio, -a [e'xiβθjo] *adj* ägyptisch
Egipto [e'xipto] *m* Ägypten *nt*
egocéntrico, -a [eγo'θentriko] *adj* egozentrisch
egoísmo [eγo'ismo] *m* Egoismus *m*
egoísta [eγo'ista] *adj* egoistisch
eh [e] *interj* ❶ (*advertencia*) he; **no vuelvas a hacerlo, ¿~?** tu das bloß nicht noch mal! ❷ (*susto, incomprensión*): **¿~?** wie?
ej. [e'xemplo] *abr de* **por ejemplo** Bsp.; **p. ~** z. B.
eje ['exe] *m* Achse *f*
ejecución [exeku'θjon] *f* ❶ (*realización*) Ausführung *f;* (*de proyectos*) Durchführung *f* ❷ (*sentencia de muerte*) Hinrichtung *f*
ejecutar [exeku'tar] *vt* ausführen
ejecutivo, -a [exeku'tiβo] **I.** *adj:* **poder ~** Exekutive *f* **II.** *m, f* Führungskraft *f*
ejemplar [exem'plar] **I.** *adj* vorbildlich **II.** *m* Exemplar *nt;* **~ de muestra** Probeexemplar *nt*
ejemplo [e'xemplo] *m* Beispiel *nt;* **dar buen ~** mit gutem Beispiel vorangehen; **por ~** zum Beispiel

ejercer [exer'θer] <c → z> **I.** *vt* ausüben; (*derechos*) geltend machen **II.** *vi* arbeiten; **~ de profesor** als Lehrer arbeiten; **~ de médico** praktizieren
ejercicio [exer'θiθjo] *m* ❶ (*de una profesión*) Ausübung *f;* **en ~** ausübend ❷ DEP Training *nt;* **tener falta de ~** nicht genug Bewegung haben ❸ ENS Übung *f;* (*prueba*) Aufgabe *f*
ejército [e'xerθito] *m:* **~ del aire** Luftwaffe *f;* **~ profesional** Berufsarmee *f*
él [el] *pron pers 3. sg m* ❶ (*sujeto*) er ❷ (*tras preposición: acusativo*) ihn; (*dativo*) ihm; **el libro es de ~** das Buch ist seins
el, la, lo [el, la, lo] <los, las> *art det* der, die, das; **el puente** die Brücke; **la mesa** der Tisch; **lo bueno** das Gute; **la India** Indien *nt;* **los amigos** die Freunde; **lo antes posible** schnellstmöglich
elaboración [elaβora'θjon] *f* Herstellung *f*
elaborar [elaβo'rar] *vt* herstellen
elástico, -a [e'lastiko] *adj* elastisch
Elba ['elβa] *m* ❶ (*río*): **el ~** die Elbe ❷ (*isla*) Elba *nt*
ele ['ele] *f* L, l *nt*
elección [eleᵞ'θjon] *f* (Aus)wahl *f;* **elecciones legislativas** Parlamentswahlen *fpl*
elector(a) [elek'tor] *m(f)* Wähler(in) *m(f)*
electoral [elekto'ral] *adj:* **colegio ~** Wahllokal *nt*
electricidad [elektriθi'ðaᵈ] *f* Elektrizität *f*
electricista [elektri'θista] *mf* Elektriker(in) *m(f)*
eléctrico, -a [e'lektriko] *adj* elektrisch;

máquina eléctrica Elektrogerät *nt*
electrodo [elek'troðo] *m* Elektrode *f;* ~ **negativo** Kathode *f;* ~ **positivo** Anode *f*
electrodoméstico [elektroðo'mestiko] *m* Haushaltsgerät *nt*
electrón [elek'tron] *m* Elektron *nt*
electrónico, -a [elek'troniko] *adj* elektronisch
elefante, -a [ele'fan̩te] *m, f* Elefant, Elefantenkuh *m, f*
elegancia [ele'ɣan̩θja] *f* Eleganz *f*
elegante [ele'ɣan̩te] *adj* elegant
elegir [ele'xir] *irr vi, vt* wählen
elemental [elemen̩'tal] *adj:* **conocimientos ~es** Grundkenntnisse
elemento [ele'men̩to] *m* ❶ Element *nt;* ~ **base** Grundbestandteil *m* ❷ *pl* Naturgewalten *fpl*
elevado, -a [ele'βaðo] *adj* hoch
elevador [eleβa'ðor] *m* AMC Aufzug *m*
elevar [ele'βar] *vt* erhöhen; **tres elevado a cuatro** drei hoch vier
eliminar [elimi'nar] *vt* ❶ beseitigen; (*fallos*) beheben ❷ DEP besiegen
elipse [e'liβse] *f* Ellipse *f*
élite ['elite] *f* Elite *f*
elitista [eli'tista] *adj* elitär
ella ['eʎa] *pron pers 3. sg f* ❶ (*sujeto*) sie ❷ (*tras preposición: acusativo*) sie; (*dativo*) ihr; **el abrigo es de ~** der Mantel ist ihrer
ellas ['eʎas] *pron pers 3. pl f* ❶ (*sujeto*) sie *pl* ❷ (*tras preposición: acusativo*) sie; (*dativo*) ihnen; **el coche es de ~** (*suyo*) das Auto gehört ihnen
ello ['eʎo] *pron pers 3. sg nt* ❶ (*sujeto*) das ❷ (*tras preposición*): **para ~** dafür; **por ~** darum; **estar en ~** schon dabei sein; **¡a ~!** nur zu!
ellos ['eʎos] *pron pers 3. pl m* ❶ (*sujeto*) sie *pl* ❷ (*tras preposición: acusativo*) sie; (*dativo*) ihnen; **estos niños son de ~** (*suyos*) das sind ihre Kinder
elocuente [elo'kwen̩te] *adj* ❶ (*hablando*) beredt ❷ (*claro*) viel sagend; **las pruebas son ~s** die Beweise sprechen für sich
elogiar [elo'xjar] *vt* loben
elogio [e'loxjo] *m* Lob *nt;* **hacer ~s** loben; **recibir ~s** Lob ernten
elote [e'lote] *m* AMC Maiskolben *m*
eludir [elu'ðir] *vt:* ~ **su responsabilidad** sich seiner Verantwortung entziehen
emanar [ema'nar] **I.** *vi* ❶ (*escaparse*) ausströmen (*de* aus +*dat*) ❷ (*tener su origen*) hervorgehen (*de* aus +*dat*) **II.** *vt* ausstrahlen
emancipación [eman̩θipa'θjon] *f* Emanzipation *f*
emancipar [eman̩θi'par] **I.** *vt* (*liberar*) befreien; (*feminismo*) emanzipieren **II.** *vr:* **~se** sich emanzipieren
emanciparse [eman̩θi'parse] *vr* sich emanzipieren
embajada [emba'xaða] *f* Botschaft *f*
embajador(a) [embaxa'ðor] *m(f)* Botschafter(in) *m(f)*
embalaje [emba'laxe] *m* Verpackung *f*
embalar [emba'lar] **I.** *vt* verpacken **II.** *vr:* **~se** lossausen
embalse [em'balse] *m* Stausee *m*
embarazada [embara'θaða] *adj:* **estar ~ de seis meses** im sechsten Monat schwanger sein
embarazo [emba'raθo] *m* Schwangerschaft *f;* **interrupción del ~** Schwangerschaftsabbruch *m*
embarazoso, -a [embara'θoso] *adj* peinlich
embarcación [embarka'θjon] *f* Schiff *nt*
embarcar(se) [embar'kar(se)] <c → qu> *vi, vr* an Bord gehen
embargo [em'barɣo] **I.** *m* Embargo *nt* **II.** *conj:* **sin ~** trotzdem
embarque [em'barke] *m:* **tarjeta de ~** Bordkarte *f*
embaucar [embau̯'kar] <c → qu> *vt* betrügen
embellecer [embeʎe'θer] *irr como crecer vt* ❶ (*hacer más bonito*) verschönern ❷ (*idealizar*) idealisieren
emblema [em'blema] *m* Emblem *nt*
embolia [em'bolja] *f* Embolie *f;* ~ ce-

rebral Gehirnschlag *m*

emborrachar [emborra'ʧar] **I.** *vt* betrunken machen **II.** *vr:* **~se** sich betrinken

emboscada [embos'kaða] *f:* **tender una ~ a alguien** jdm eine Falle stellen

embotellado, -a [embote'ʎaðo] *adj:* **vino ~** Flaschenwein *m*

embotellamiento [emboteʎa'mjen̪to] *m* ❶ (*de vino*) Flaschenabfüllung *f* ❷ (*de tráfico*) Stau *m*

embrague [em'braɣe] *m* Kupplung *f*

embriagar [embrja'ɣar] <g → gu> **I.** *vi, vt* ❶ (*emborrachar*) betrunken machen ❷ (*enajenar*) berauschen **II.** *vr:* **~se** (*emborracharse*) sich betrinken

embriaguez [embrja'ɣeθ] *f:* **en estado de ~** in betrunkenem Zustand

embrión [embri'on] *m* Embryo *m*

embrollar [embro'ʎar] *vt* verwirren; **lo embrollas más de lo necesario** du machst die Sache komplizierter als nötig

embrollo [em'broʎo] *m* ❶ (*lío*) Durcheinander *nt* ❷ **este negocio seguro que es un ~** an diesem Geschäft ist mit Sicherheit etwas faul

embromado, -a [embro'maðo] *adj* AM (*fam*) schwierig; (*molesto*) lästig

embrujado, -a [embru'xaðo] *adj* Geister-; **castillo ~** Spukschloss *nt*

embrujar [embru'xar] *vt* verzaubern

embudo [em'buðo] *m* Trichter *m*

embuste [em'buste] *m* Lüge *f*

embustero, -a [embus'tero] *adj* verlogen; **¡qué tío más ~!** der lügt ja wie gedruckt!

embutido [embu'tiðo] *m* Wurst *f;* **~s** Wurstwaren *fpl*

eme ['eme] *f* M, m *nt*

emergencia [emer'xen̪θja] *f* Notfall *m;* **estado de ~** Notstand *m*

emergente [emer'xen̪te] *adj:* **país ~** Schwellenland *nt*

emerger [emer'xer] <g → j> *vi* (*del agua*) auftauchen (*de* aus *+dat*); (*de la superficie*) hervorragen (*de* aus *+dat*)

emigración [emiɣra'θjon] *f* Auswanderung *f*

emigrante [emi'ɣran̪te] *mf* Emigrant(in) *m(f)*

emigrar [emi'ɣrar] *vi* auswandern

emilio [e'miljo] *m* (*fam*) Mail *f o nt;* **escribir/mandar un ~** ein Mail schreiben/senden

eminencia [emi'nen̪θja] *f* ❶ (*título*) Eminenz *f* ❷ **ser una ~ en literatura contemporánea** ein Experte für zeitgenössische Literatur sein

emisión [emi'sjon] *f* Ausstrahlung *f;* (*en directo*) Übertragung *f*

emisora [emi'sora] *f* Sender *m;* **~ de radio** Rundfunksender *m;* **~ de televisión** Fernsehsender *m*

emitir [emi'tir] *vt* TV, RADIO senden; (*en directo*) übertragen; (*luz, calor, olor*) ausstrahlen

emoción [emo'θjon] *f* Gefühlsregung *f;* **palabras llenas de ~** sehr bewegte Worte; **sin ~** emotionslos

emocional [emoθjo'nal] *adj* emotional

emocionante [emoθjo'nan̪te] *adj* spannend

emocionar [emoθjo'nar] **I.** *vt* bewegen; **tus palabras me ~on** deine Worte gingen mir zu Herzen **II.** *vr:* **~se** gerührt sein

emotivo, -a [emo'tiβo] *adj* emotional

empachado, -a [empa'ʧaðo] *adj:* **estoy ~** ich habe zu viel gegessen

empachar [empa'ʧar] **I.** *vt* ❶ (*indigestar*) nicht bekommen *+dat* ❷ (*turbar*) verlegen machen **II.** *vr:* **~se** ❶ (*indigestarse*) sich *dat* den Magen verderben; (*comer demasiado*) sich *dat* den Magen vollschlagen ❷ (*turbarse*) in Verlegenheit geraten

empacho [em'paʧo] *m* Magenverstimmung *f*

empadronamiento [empaðrona'mjen̪to] *m* Einwohnermeldeamt *nt*

empadronarse [empaðro'narse] *vr* sich ins Einwohnerregister eintragen

empalagoso, -a [empala'ɣoso] *adj* (*alimento*) süßlich; (*persona*) lästig

empalme [em'palme] *m*: **estación de ~** Umsteigebahnhof *m*

empanada [empa'naða] *f*, **empanadilla** [empana'ðiʎa] *f* Pastete *f*

empanar [empa'nar] *vt* panieren

empañarse [empa'ɲarse] *vr* beschlagen

empapar [empa'par] **I.** *vt*: **el vendaje está empapado de sangre** der Verband ist von Blut durchtränkt **II.** *vr*: **~se** (völlig) nass werden

empapelar [empape'lar] *vi, vt* tapezieren

empaque [em'pake] *m* ❶ (*el empaquetar*) Verpacken *nt* ❷ (*semblante*) Aussehen *nt*; (*del rostro*) Gesichtsausdruck *m*

empaquetar [empake'tar] *vt* verpacken

emparedado [empare'ðaðo] *m* Sandwich *m o nt*

emparejarse [empare'xarse] *vr* ein Paar bilden

emparentar [emparen̦'tar] <e → ie> *vi*: **~ con una familia** in eine Familie einheiraten

empastar [empas'tar] *vt* ❶ **~ un diente** einen Zahn mit einer Füllung versehen ❷ (*libro*) kartonieren

empatar [empa'tar] **I.** *vi* unentschieden ausgehen; **~ a uno** eins zu eins unentschieden spielen **II.** *vt* AM miteinander verbinden

empate [em'pate] *m* Unentschieden *nt*; **gol del ~** Ausgleichstreffer *m*

empeñar [empe'ɲar] **I.** *vt* verpfänden **II.** *vr*: **~se** ❶ (*insistir*) (hartnäckig) bestehen (*en* auf +*dat*); **no te empeñes** hör auf zu drängen ❷ (*endeudarse*) sich verschulden

empeño [em'peɲo] *m* ❶ (*de objetos*) Verpfändung *f*; **casa de ~s** Pfandhaus *nt* ❷ (*compromiso*) Verpflichtung *f* ❸ (*afán*) Eifer *m*; **con ~** beharrlich; **pondré ~ en...** ich werde alles daransetzen zu ...

empeorar(se) [empeo'rar(se)] *vi, vt, vr* (sich) verschlechtern

emperador [empera'ðor] *m* POL Kaiser *m*; ZOOL Schwertfisch *m*

emperatriz [empera'triθ] *f* Kaiserin *f*

empezar [empe'θar] *irr vi, vt* beginnen; **¡no empieces!** fang nicht schon wieder damit an!; **para ~ me leeré el periódico** zunächst einmal werde ich die Zeitung lesen

empinado, -a [empi'naðo] *adj* steil

empinar [empi'nar] **I.** *vt*: **~ el codo** (*fig fam*) saufen **II.** *vr*: **~se** sich auf die Fußspitzen stellen

empipada [empi'paða] *f* AM Schlemmerei *f*; **darse una ~ de chocolate** Unmengen von Schokolade essen

empiparse [empi'parse] *vr* AM sich satt essen

empírico, -a [em'piriko] *adj* empirisch

emplazar [empla'θar] <z → c> *vt* vorladen; (*situar*) platzieren

empleabilidad [empleaβili'ða^{d}] *f* (*de trabajadores*) Einsetzbarkeit *f*

empleado, -a [emple'aðo] *m, f* Angestellte(r) *f(m)*; **~ de oficina** Sachbearbeiter *m*; **los ~s de una empresa** die Belegschaft einer Firma

empleador(a) [emplea'ðor] *m(f)* AM Arbeitgeber(in) *m(f)*

emplear [emple'ar] **I.** *vt* ❶ (*colocar*) einstellen; (*ocupar*) beschäftigen ❷ (*usar*) benutzen; (*tiempo*) aufwenden; **¡te está bien empleado!** das geschieht dir (ganz) recht! **II.** *vr*: **~se** ❶ (*colocarse*) eine Anstellung finden (*como/de* als +*nom*) ❷ (*usarse*) benutzt werden ❸ (*esforzarse*): **~se a fondo** sein Bestes tun

empleo [em'pleo] *m* ❶ Stelle *f*; (*ocupación*) Beschäftigung *f*; **no tener ~** arbeitslos sein ❷ (*uso*) Benutzung *f*; (*de tiempo*) Aufwendung *f*; **modo de ~** Gebrauchsanweisung *f*

empobrecer [empoβre'θer] *irr como crecer* **I.** *vt* arm machen **II.** *vi, vr*: **~se** verarmen

empobrecimiento [empoβreθi'mjen̦to]

m Verarmung *f*

empollar [empo'ʎar] **I.** *vi* (*fam*) büffeln **II.** *vt* (*ave*) ausbrüten; (*fam*) pauken

empollón, -ona [empo'ʎon] *m, f* (*fam*) Streber(in) *m(f)*

empotrado, -a [empo'traðo] *adj:* **muebles ~s** Einbaumöbel *ntpl*

emprendedor(a) [emprende'ðor] *adj* unternehmungslustig

emprender [empren'der] *vt* ❶ (*trabajo*) in Angriff nehmen; (*negocio*) gründen ❷ (*loc,* (*fam*): **~la con alguien** es mit jdm aufnehmen

empresa [em'presa] *f* ❶ (*operación*) Unternehmen *nt* ❷ ECON Betrieb *m;* (*compañía*) Unternehmen *nt;* **~ digital** Internetunternehmen *nt;* **mediana ~** mittelständischer Betrieb; **pequeña ~** Kleinbetrieb *m*

empresarial [empresa'rjal] *adj* Betriebs-; (*compañía*) Unternehmens-

empresario, -a [empre'sarjo] *m, f* Unternehmer(in) *m(f)*

empujar [empu'xar] *vi, vt* ❶ schieben; (*con violencia*) stoßen; (*multitud*) drängeln ❷ (*instar*) drängen

empuje [em'puxe] *m:* **no tienes el ~ suficiente para llevar la empresa** du hast nicht den nötigen Schwung, um die Firma zu leiten

empujón [empu'xon] *m* Stoß *m;* **dar un ~ a alguien** jdn stoßen

empuñar [empu'ɲar] *vt:* **~ las armas** zu den Waffen greifen

en [en] *prep* ❶ (*lugar*) in *+dat,* auf *+dat,* an *+dat;* (*con movimiento*) in *+akk,* auf *+akk,* an *+akk;* **el libro está ~ el cajón** das Buch ist in der Schublade; **pon el libro ~ el cajón** leg das Buch in die Schublade; **jugar ~ la calle** auf der Straße spielen; **estoy ~ casa** ich bin zu Hause; **estoy ~ casa de mis padres** ich bin bei meinen Eltern; **trabajo ~ una empresa japonesa** ich arbeite bei einer japanischen Firma ❷ (*tiempo*) in *+dat;* **~ el año 2000** im Jahre 2000; **~ otra ocasión** bei einer anderen Gelegenheit ❸ (*modo, estado*): **~ absoluto** auf (gar) keinen Fall; **~ voz alta** laut; **decir algo ~ español** etw auf Spanisch sagen; **pagar ~ euros** in Euro bezahlen ❹ (*medio*): **he venido ~ avión** ich bin geflogen ❺ (*ocupación*): **doctor ~ filosofía** Doktor der Philosophie; **estar ~ la mili** beim Militär sein; **trabajar ~ Correos** bei der Post arbeiten ❻ (*con verbo*): **pienso ~ ti** ich denke an dich; **no confío ~ él** ich vertraue ihm nicht

enajenación [enaxena'θjon] *f:* **~ mental** Geistesgestörtheit *f*

enamorado, -a [enamo'raðo] *adj* verliebt (*de* in *+akk*)

enamorar [enamo'rar] **I.** *vt* verliebt machen **II.** *vr:* **~se** sich verlieben (*de* in *+akk*)

enano, -a [e'nano] *m, f* Zwerg(in) *m(f);* **disfrutar como un ~** sich köstlich amüsieren

encabezar [eŋkaβe'θar] <z → c> *vt* anführen

encabritarse [eŋkaβri'tarse] *vr* (*animal*) sich aufbäumen; (*persona*) wütend sein

encajar [eŋka'xar] **I.** *vi* ❶ *t.* TÉC passen; **la puerta encaja mal** die Tür klemmt ❷ (*hechos*) passen (*con* zu *+dat*); **¡ves como todo encaja!** sieh mal, wie alles zusammenpasst! **II.** *vt* ❶ *t.* TÉC einpassen (*en* in *+akk*); **~ dos piezas** zwei Stücke ineinanderfügen ❷ (*fam: golpe*) versetzen ❸ (*fam: aceptar*) annehmen; **no sabes ~ una broma** du verstehst keinen Spaß

encaje [eŋ'kaxe] *m* Spitze *f*

encajonar [eŋkaxo'nar] **I.** *vt* (hinein)zwängen **II.** *vr:* **~se** sich hineinzwängen (*en* in *+akk*)

encallar [eŋka'ʎar] *vi* stranden

encaminar [eŋkami'nar] *vt:* **~ la conversación hacia un punto** das Gespräch auf einen Punkt lenken; **~ los negocios** die Geschäfte in Gang bringen

encamotarse [eŋkamo'tarse] *vr* AM sich

verlieben (*en* in +*akk*)

encandilar [eŋkaṇdi'lar] **I.** *vt* blenden; **escuchar encandilado** gebannt zuhören **II.** *vr:* **~se** AM Angst haben

encantado, -a [eŋkaṇ'taðo] *adj* (hoch)erfreut (*de/con* über +*akk*); **¡~ de conocerle!** sehr angenehm!; **estoy ~ de la vida** ich fühle mich sehr wohl

encantador(a) [eŋkaṇta'ðor] *adj* reizend

encantar [eŋkaṇ'tar] *vt* gefallen +*dat;* **me encanta viajar** ich reise sehr gern

encanto [eŋ'kaṇto] *m* ❶ (*hechizo*) Zauber *m* ❷ (*atractivo*) Reiz *m;* **¡es un ~ de niño!** das ist ein goldiges Kind!

encapricharse [eŋkapri'ʧarse] *vr* ❶ (*con una cosa*) unbedingt wollen (*con* +*akk*) ❷ (*con una persona*) sich vernarren (*con* in +*akk*); **te has encaprichado con ella** sie hat es dir angetan

encaramarse [eŋkara'marse] *vr:* **~ a un árbol** (auf) einen Baum hinaufklettern

encarcelar [eŋkarθe'lar] *vt* inhaftieren; **estar encarcelado** sich in Haft befinden

encarecidamente [eŋkareθiða'meṇte] *adv* eindringlich; **le ruego ~...** ich bitte Sie inständig ...

encargado, -a [eŋkar'ɣaðo] **I.** *adj* beauftragt (*de* mit +*dat*) **II.** *m, f* Beauftragte(r) *f(m)*

encargar [eŋkar'ɣar] <g → gu> **I.** *vt* ❶ (*cargo*) übertragen ❷ (*recomendar*) empfehlen ❸ (*pedir*) bestellen ❹ (*trabajo*) in Auftrag geben **II.** *vr:* **~se** sich kümmern (*de* um +*akk*)

encargo [eŋ'karɣo] *m* ❶ (*pedido*) Bestellung *f;* **~ por catálogo** Katalogbestellung *f* ❷ (*trabajo*) Auftrag *m;* **por ~ de...** im Auftrag von ...

encariñado, -a [eŋkari'ɲaðo] *adj:* **estar ~ con alguien** jdn gernhaben

encariñarse [eŋkari'ɲarse] *vr* lieb gewinnen (*con* +*akk*)

encasillarse [eŋkasi'ʎarse] *vr* sich festlegen (*en* auf +*akk*)

encausar [eŋkau̯'sar] *vt* verklagen

encauzar [eŋkau̯'θar] <z → c> *vt:* **~ su vida** sein Leben neu ordnen

encéfalo [eṇ'θefalo] *m* Gehirn *nt*

encendedor [eṇθeṇde'ðor] *m* Feuerzeug *nt*

encender [eṇθeṇ'der] <e → ie> **I.** *vi, vt* (an)zünden **II.** *vr:* **~se** aufflammen; (*inflamarse*) sich entzünden

encendido, -a [eṇθeṇ'diðo] *adj:* **la luz está encendida** das Licht ist an

encerrar [eṇθe'rrar] <e → ie> **I.** *vt* einschließen; (*aprisionar*) einsperren **II.** *vr:* **~se** (*fig*) sich zurückziehen (*en* in +*akk*)

encerrona [eṇθe'rrona] *f* Falle *f;* **preparar una ~ a alguien** jdm eine Falle stellen

encestar [eṇθes'tar] *vi* einen Korb werfen

enchilada [enʧi'laða] *f* AMC Enchilada *f*

enchilarse [enʧi'larse] *vr* AMC wütend werden

enchinchar [enʧin'ʧar] **I.** *vt* GUAT, RDOM belästigen; MÉX hinhalten **II.** *vr:* **~se** ARG schlechte Laune bekommen

enchivarse [enʧi'βarse] *vr* COL, ECUA wütend werden

enchufar [en'ʧufar] *vt* ❶ ELEC einstecken ❷ TÉC anschließen ❸ (*fam: persona*) ein Pöstchen verschaffen

enchufe [en'ʧufe] *m* ❶ (*clavija*) Stecker *m* ❷ (*toma*) Steckdose *f* ❸ (*fam*): **tener ~** Beziehungen haben

encía [eṇ'θia] *f* Zahnfleisch *nt*

enciclopedia [eṇθiklo'peðja] *f* Enzyklopädie *f*

encierro [eṇ'θjerro] *m* ❶ (*reclusión*) Einsperren *nt;* (*prisión*) Haft *f* ❷ TAUR *Eintreiben* (*in die Arenastallungen*); (*fiesta*) *Volksfest, bei dem die Kampfstiere auf die Straßen gelassen werden*

encima [eṇ'θima] **I.** *adv* ❶ (*arriba*) obendrauf; **llevar ~** (*consigo*) dabei haben; **quitarse de ~** loswerden; **se nos echa el tiempo ~** die Zeit rennt uns davon ❷ (*además*) obendrein ❸ (*superficialmente*): **por ~** oberflächlich **II.** *prep* ❶ (*local: sobre*): **(por) ~ de**

(*sin contacto*) über *+dat;* **el libro está ~ de la mesa** das Buch liegt auf dem Tisch; **viven ~ de nosotros** sie wohnen über uns ❷ (*con movimiento*): (**por**) **~ de** (*sin contacto*) über *+akk;* **pon esto ~ de la cama** leg das auf das Bett; **cuelga la lámpara ~ de la mesa** häng die Lampe über den Tisch ❸ (*más alto*): **el rascacielos está por ~ de la catedral** dieser Wolkenkratzer ist höher als die Kathedrale

encina [eṇ'θina] *f* Steineiche *f*

encinta [eṇ'θiṇta] *adj* schwanger; **dejar ~** schwängern

encoger [eŋko'xer] <g → j> **I.** *vi* einlaufen **II.** *vr:* **~se** ❶ **~se de hombros** die Achseln zucken ❷ (*reducirse*) schrumpfen

encolerizarse [eŋkoleri'θarse] <z → c> *vr* in Zorn geraten

encontrado, -a [eŋkoṇ'traðo] *adj:* **opiniones encontradas** gegensätzliche Meinungen

encontrar [eŋkoṇ'trar] <o → ue> **I.** *vt* finden; (*coincidir con*) treffen **II.** *vr:* **~se** ❶ (*estar*) sich befinden ❷ (*citarse*) sich treffen ❸ (*coincidir*) treffen (*con +akk*)

encrucijada [eŋkruθi'xaða] *f* Kreuzung *f;* **estar en una ~** (*fig*) am Scheideweg stehen

encuadernar [eŋkwaðer'nar] *vt* binden; **sin ~** nicht gebunden

encubrir [eŋku'brir] *irr como abrir vt* verbergen; (*un delito*) decken

encuentro [eŋ'kweṇtro] *m* Treffen *nt;* **~ amistoso** DEP Freundschaftsspiel *nt*

encuerar(se) [eŋkwe'rar(se)] *vt, vr* AM (sich) ausziehen

encuesta [eŋ'kwesta] *f* Umfrage *f;* **hacer una ~** eine Umfrage durchführen

endemoniado, -a [eṇdemo'njaðo] *adj* teuflisch; (*fam*) verteufelt; **tienes un genio ~** du hast einen verdammt schwierigen Charakter

enderezar [eṇdere'θar] <z → c> *vt* gerade biegen

endeudarse [eṇdeu̯'ðarse] *vr* sich verschulden

endiablado, -a [eṇdja'βlaðo] *adj v.* **endemoniado**

endibia [eṇ'diβja] *f* Chicorée *m o f*

endrogarse [eṇdro'ɣarse] <g → gu> *vr* AM Drogen nehmen

endulzar [eṇdul̦'θar] <z → c> *vt* (ver)süßen

endurecerse [eṇdure'θerse] *irr como crecer vr* ❶ (*sentimientos*) hart(herzig) werden ❷ (*agudizarse*) sich verschärfen

ene ['ene] *f* (*letra*) N, n *nt*

eneldo [e'nel̦do] *m* Dill *m*

enemigo, -a [ene'miɣo] <enemicísimo> **I.** *adj* feindlich; **país ~** Feindesland *nt* **II.** *m, f* Feind(in) *m(f);* **ser ~ de algo** gegen etw sein

enemistad [enemis'ta^ð] *f* Feindschaft *f*

enemistar(se) [enemis'tar(se)] *vt, vr* (sich) verfeinden

energético, -a [ener'xetiko] *adj* energetisch; **fuentes energéticas** Energiequellen *fpl*

energía [ener'xia] *f* Energie *f;* (*fuerza*) Kraft *f;* **~ nuclear** Kernkraft *f;* **con toda su ~** mit aller Kraft

enérgico, -a [e'nerxiko] *adj* energisch; (*decidido*) entschlossen

enero [e'nero] *m* Januar *m; v.t.* **marzo**

enésimo, -a [e'nesimo] *adj* (*fam*): **por enésima vez** zum zigsten Mal

enfadar [eɱfa'ðar] **I.** *vt* ❶ (*irritar*) ärgern ❷ AM langweilen **II.** *vr:* **~se** ❶ (*irritarse*) sich ärgern (*con* über *+akk*); **~se con alguien** auf jdn böse werden ❷ AM sich langweilen

enfado [eɱ'faðo] *m* Ärger

enfarloparse [enfarlo'parse] *vr* (*argot*) sich mit Kokain zudröhnen

énfasis ['eɱfasis] *m inv*: **poner ~ en algo** Nachdruck auf etw legen

enfatizar [eɱfati'θar] <z → c> **I.** *vi* Nachdruck legen (*en* auf *+akk*) **II.** *vt* betonen

enfermar [eɱfer'mar] **I.** *vi, vr:* **~se** erkranken (*de* an +*dat*) **II.** *vt* krank machen

enfermedad [eɱferme'ða^ð] *f* Krankheit *f*

enfermera [eɱfer'mera] *f* Krankenschwester *f*

enfermería [eɱferme'ria] *f* Krankenstation *f*

enfermero [eɱfer'mero] *m* Krankenpfleger *m*

enfermizo, -a [eɱfer'miθo] *adj* kränklich

enfermo, -a [eɱ'fermo] *adj* krank; ~ **del corazón** herzkrank; ~ **de gravedad** schwer krank; **caer** ~ erkranken (*de* an +*dat*); **ponerse** ~ krank werden

enflaquecer [eɱflake'θer] *irr como crecer* **I.** *vi, vr:* **~se** abmagern **II.** *vt* abmagern lassen

enfocar [eɱfo'kar] <c → qu> *vt*: **no enfocas bien el problema** dieses Problem betrachtest du vom falschen Standpunkt aus

enfoque [eɱ'foke] *m* Standpunkt *m*

enfrentamiento [eɱfreṇta'mjeṇto] *m* Konfrontation *f*

enfrentar(se) [eɱfreṇ'tar(se)] *vr* ❶ (*encararse*) sich gegenüberstehen ❷ (*afrontar*) zusammenstoßen; **los manifestantes se enfrentaron con la policía** es kam zu Zusammenstößen zwischen Demonstranten und der Polizei ❸ (*confrontar*) sich auseinandersetzen ❹ (*oponerse*) die Stirn bieten +*dat;* **estar enfrentado a alguien** mit jdm überworfen sein

enfrente [eɱ'freṇte] **I.** *adv* gegenüber; **allí** ~ dort drüben **II.** *prep* (*local: frente a*): ~ **de** gegenüber +*dat/gen;* ~ **mío**[*o* **de mí**] mir gegenüber

enfriar [eɱfri'ar] <*1. pres* enfrío> **I.** *vi, vt* (ab)kühlen **II.** *vr:* **~se** kalt werden; (*acatarrarse*) sich erkälten

enfurecer [eɱfure'θer] *irr como crecer* **I.** *vt* wütend machen **II.** *vr:* **~se** wütend werden

enganchar [eŋgan'ʧar] **I.** *vt* ❶ (*sujetar*) festhaken ❷ (*fam*) sich *dat* schnappen ❸ FERRO koppeln **II.** *vr:* **~se** ❶ (*sujetarse*) sich festhaken (*de* an +*dat*) ❷ (*prenderse*) hängen bleiben (*de/con* an +*dat*) ❸ (*argot*): **estar enganchado** an der Nadel hängen

engañar [eŋga'ɲar] **I.** *vi* trügen; **las apariencias engañan** der Schein trügt **II.** *vt* betrügen; (*desorientar*) täuschen

engaño [eŋ'gaɲo] *m* Betrug *m;* (*ilusión*) Täuschung *f*

engañoso, -a [eŋga'ɲoso] *adj:* **publicidad engañosa** irreführende Werbung

engendrar [eŋxeṇ'drar] *vt* (er)zeugen; **la pobreza engendra violencia** Armut führt zu Gewalt

englobar [eŋglo'βar] *vt* umfassen

engordar [eŋgor'ðar] **I.** *vi* dick werden; (*poner gordo*) dick machen **II.** *vt* mästen

engranaje [eŋgra'naxe] *m* Räderwerk *nt;* (*sistema*) Getriebe *nt*

engrandecer [eŋgraṇde'θer] *irr como crecer vt* (*exagerar*) übertreiben; (*enaltecer*) verherrlichen

engrasar [eŋgra'sar] *vt* einfetten

engreído, -a [eŋgre'iðo] *adj* eingebildet; AM verwöhnt

engualichar [eŋgwali'ʧar] *vt* (ARG: *endemoniar*) verhexen; (*al amante*) bezirzen

enguaracarse [eŋgwara'karse] <c → qu> *vr* AMC sich verstecken

engubiar [eŋgu'βjar] *vt* URUG besiegen

engullir [eŋgu'ʎir] <*3. pret* engulló> *vi, vt* (ver)schlingen

enharinar [enari'nar] *vt* in Mehl wenden

enhebrar [ene'βrar] *vt* einfädeln

enhorabuena [enora'βwena] *f* Glückwunsch *m;* **dar la ~ a alguien** jdm gratulieren; **¡~!** herzlichen Glückwunsch!

enigma [e'niɣma] *m* Rätsel *nt;* **descifrar un** ~ ein Rätsel lösen

enigmático, -a [eniɣ'matiko] *adj* rätselhaft

enjabonar [eŋxaβo'nar] *vt* einseifen

enjambre [eŋ'xambre] *m* (Bienen)schwarm *m*
enjaular [eŋxau̯'lar] *vt* in einen Käfig sperren
enjetarse [eŋxe'tarse] *vr* (ARG, MÉX: *enojarse*) zornig werden; (*ofenderse*) beleidigt sein
enjuagar [eŋxwa'ɣar] <g → gu> *vt* ausspülen
enjugamanos [eŋxuɣa'manos] *m* AM Handtuch *nt*
enjuiciar [eŋxwi'θjar] *vt* ❶ (*juzgar*) beurteilen; (*censurar*) verurteilen ❷ (*sentenciar*) das Urteil fällen (über +*akk*)
enlace [en'laθe] *m* ❶ (*conexión*) Verbindung *f;* FERRO Anschluss *m;* ~ **ferroviario** Bahnanschluss *m* ❷ (*boda*) Vermählung *f* ❸ (*contacto*) Verbindungsmann, -frau *m, f;* ~ **policial** V-Mann *m*
enlazar [enla'θar] <z → c> **I.** *vi* Anschluss haben (*con* an +*akk*) **II.** *vt* anschließen (*con* an +*akk*)
enloquecer [enloke'θer] *irr como crecer* **I.** *vi, vr:* **~se** verrückt werden; ~ **de dolor** vor Schmerzen verrückt werden; ~ **por alguien** nach jdm verrückt sein **II.** *vt* in den Wahnsinn treiben
enlutar [enlu'tar] *vt*: **mujeres enlutadas** Frauen in Trauerkleidern
enmarcar [e^{n}mar'kar] <c → qu> *vt* einrahmen
enmienda [e^n'mjeṇda] *f* ❶ Berichtigung *f;* **no tener** ~ (*fig*) ein hoffnungsloser Fall sein ❷ (*modificación*) (Ab)änderung *f*
enmohecer(se) [e^{n}moe'θer(se)] *irr como crecer vi, vr* verschimmeln
enmudecer [e^{n}muðe'θer] *irr como crecer vi* verstummen; ~ **de miedo** sprachlos vor Angst sein
ennegrecerse [enneɣre'θerse] *irr como crecer vr* schwarz werden
enojarse [eno'xarse] *vr* sich ärgern (*con* über +*akk*); **estar enojado** böse sein
enojo [e'noxo] *m* Ärger *m;* **con** ~ unwillig
enorgullecer [enorɣuʎe'θer] *irr como crecer* **I.** *vt* mit Stolz erfüllen **II.** *vr:* **~se** stolz sein (*de* auf +*akk*)
enorme [e'norme] *adj* enorm; (*gigantesco*) gewaltig
enraizado, -a [enrrai̯'θaðo] *adj:* **una costumbre muy enraizada** eine fest verwurzelte Sitte
enredadera [enrreða'ðera] *f* Schlingpflanze *f*
enredar [enrre'ðar] **I.** *vi* (*niño*) Unfug treiben; **¡no andes enredando con las cerillas!** spiel nicht mit den Streichhölzern herum! **II.** *vt* verwickeln; (*confundir*) durcheinanderbringen **III.** *vr:* **~se** sich verwickeln
enredo [en'rreðo] *m* Wirrwarr *m;* (*asunto*) Affäre *f*
enrevesado, -a [enrreβe'saðo] *adj* verzwickt
enriquecer [enrrike'θer] *irr como crecer* **I.** *vt* reich machen **II.** *vr:* **~se** reich werden; **~se (a costa ajena)** sich (auf fremde Kosten) bereichern
enriquecimiento [enrrikeθi'mjeṇto] *m* Bereicherung *f*
enrojecer(se) [enrroxe'θer(se)] *irr como crecer vi, vr* erröten; ~ **de ira** rot vor Wut werden
enrolar [enrro'lar] *vt* NÁUT anheuern; MIL einberufen
enrollar [enrro'ʎar] **I.** *vt* zusammenrollen **II.** *vr:* **~se** ausschweifen; **~se como una persiana** reden wie ein Buch
enroscar(se) [enrros'kar(se)] <c → qu> *vt, vr* (sich) zusammenrollen
enrostrar [enrros'trar] *vt* AM vorwerfen
enrutador [en'rruta'ðor] *m* INFOR *v.* **r(o)uter**
ensaimada [ensai̯'maða] *f Blätterteiggebäck aus Mallorca*
ensalada [ensa'laða] *f* Salat *m;* ~ **de frutas** Obstsalat *m*
ensaladera [ensala'ðera] *f* Salatschüssel *f*
ensaladilla [ensala'ðiʎa] *f:* ~ **rusa** *Kartoffelsalat mit Gemüse und Majonäse*
ensalzar [ensal̯'θar] <z → c> **I.** *vt* prei-

sen **II.** *vr:* **~se** sich rühmen
ensamblar [ensam'blar] *vt* zusammenfügen
ensanchar [ensan'tʃar] *vt* erweitern
ensayar [ensa'ɟar] *vt* proben
ensayo [en'saɟo] *m* ❶ TEAT Probe *f* ❷ LIT Essay *m o nt* ❸ (*prueba*) Test *m;* **tubo de ~** Reagenzglas *nt*
enseguida [ense'ɣiða] *adv* sofort
enseñanza [ense'ɲan̪θa] *f* ❶ (*sistema*) Bildungswesen *nt;* ~ **primaria** Volksschulwesen *nt;* ~ **pública** öffentliches Schulwesen; ~ **secundaria** Sekundarschulwesen *nt;* ~ **superior** Hochschulwesen *nt* ❷ **dedicarse a la ~** in der Lehre tätig sein
enseñar [ense'ɲar] *vt* ❶ lehren; (*dar clases*) unterrichten; (*explicar*) erklären; **ella me enseñó a tocar la flauta** sie hat mich Flöte spielen gelehrt ❷ (*mostrar*) zeigen
enseres [en'seres] *m pl* Sachen *fpl*
ensillar [ensi'ʎar] *vt* satteln
ensimismarse [ensimis'marse] *vr* in Gedanken versunken sein
ensombrecer [ensombre'θer] *irr como crecer* **I.** *vt* (*oscurecer*) verdüstern; (*ofuscar*) überschatten **II.** *vr:* **~se** ❶ (*entristecerse*) traurig werden ❷ (*oscurecerse*) sich verdüstern
ensoparse [enso'parse] *vr* AMS (klatsch)nass werden
ensordecedor(a) [ensorðeθe'ðor] *adj* ohrenbetäubend
ensordecer [ensorðe'θer] *irr como crecer* **I.** *vi* taub werden **II.** *vt* betäuben
ensuciar [ensu'θjar] **I.** *vt* beschmutzen **II.** *vr:* **~se** sich schmutzig machen
ensueño [en'sweɲo] *m:* **de ~** traumhaft
entablar [en̪ta'βlar] *vt* (*conversación*) anfangen; (*negociaciones*) aufnehmen; (*amistad*) (an)knüpfen; ~ **relaciones comerciales** Geschäftsbeziehungen aufnehmen
entablillar [en̪taβli'ʎar] *vt* schienen
entallado, -a [en̪ta'ʎaðo] *adj* tailliert
entarimado [en̪tari'maðo] *m* Parkett *nt*
ente ['en̪te] *m* ❶ FILOS Wesen *nt* ❷ (*autoridad*) Behörde *f;* **el Ente Público** das öffentliche Fernsehen
entender [en̪ten̪'der] <e → ie> **I.** *vi* ❶ (*saber*) verstehen ❷ (*ocuparse con*) sich befassen (*en* mit +*dat*) **II.** *vt* ❶ (*comprender*) verstehen; **le dio a ~ a su novia que...** er gab seiner Freundin zu verstehen, dass ... ❷ (*creer*) glauben; **yo no lo entiendo así** ich bin (da) anderer Meinung **III.** *vr:* **~se** ❶ (*llevarse*) sich verstehen ❷ (*ponerse de acuerdo*): **para el precio entiéndete con mi socio** über den Preis musst du mit meinem Partner verhandeln ❸ (*fam: liarse*) ein Verhältnis haben ❹ (*fam: desenvolverse*) zurechtkommen; **¡que se las entienda!** das ist seine/ihre Sache! **IV.** *m* Meinung *f;* **a mi ~** meiner Meinung nach
entendimiento [en̪ten̪di'mjen̪to] *m:* **obrar con ~** überlegt handeln
enterado, -a [en̪te'raðo] *adj* eingeweiht (*de* in +*akk*); **no se dio por ~** er stellte sich dumm
enterar [en̪te'rar] **I.** *vt* ❶ informieren ❷ AM COM (ein)zahlen **II.** *vr:* **~se** erfahren; **¡para que se entere!** (*fam*) damit Sie das endlich kapieren!
entereza [en̪te'reθa] *f* Standhaftigkeit *f*
enternecerse [eterne'θerse] *irr como crecer vr* gerührt sein
entero, -a [en̪'tero] *adj* ganz; **por ~** völlig
enterrador(a) [en̪terra'ðor] *m(f)* Totengräber(in) *m(f)*
enterrar [en̪te'rrar] <e → ie> *vt* begraben; (*un objeto*) vergraben
entidad [enti'ðaᵈ] *f:* ~ **aseguradora** Versicherungsgesellschaft *f;* ~ **crediticia** Kreditbank *f*
entierro [en̪'tjerro] *m* Beerdigung *f*
entonces [en̪'ton̪θes] *adv* ❶ (*temporal*) damals; **desde ~** seitdem; **hasta ~** bis dahin ❷ (*modal*) dann; **¿y ~ qué pasó?** na, und was geschah dann?; **¡~!** also das will ich meinen!

entornar [en̪tor'nar] *vt* anlehnen
entorno [en̪'torno] *m* Umwelt *f*
entorpecer [en̪torpe'θer] *irr como crecer vt* behindern
entrada [en̪'traða] *f* ❶ (*puerta*) Eingang *m;* (*para coche*) Einfahrt *f;* ~ **trasera** Hintereingang *m* ❷ (*traspaso*) Eintritt *m;* **se prohibe la** ~ Zutritt verboten! ❸ ~ **en vigor** Inkrafttreten *nt* ❹ (*cine*) Eintrittskarte *f;* ~ **libre** Eintritt frei ❺ GASTR Vorspeise *f* ❻ (*depósito*) Anzahlung *f* ❼ (*loc*): **de** ~ auf den ersten Blick
entramparse [en̪tram'parse] *vr* Schulden machen
entrante [en̪'tran̪te] *adj:* **a primeros del mes** ~ Anfang nächsten Monats
entraña [en̪'traɲa] *f pl* Eingeweide *ntpl*
entrañable [en̪tra'ɲaβle] *adj* innig
entrañar [en̪tra'ɲar] *vt* mit sich bringen; ~ **graves peligros** große Risiken in sich bergen
entrar [en̪'trar] *vi* ❶ (*pasar*) hineingehen (*a/en* in +*akk*); **¡entre!** herein! ❷ (*caber*) hineinpassen; ~ **en el armario** in den Schrank passen ❸ (*zapato, ropa*) passen ❹ (*empezar*) beginnen ❺ (*penetrar*) hineingehen ❻ (*como miembro*) eintreten ❼ (*formar parte*): **eso no entraba en mis cálculos** damit habe ich nicht gerechnet ❽ (*loc*): **no** ~ **en detalles** nicht auf Einzelheiten eingehen; ~ **en calor** warm werden; **me entró el sueño** ich wurde müde
entre ['en̪tre] *prep* ❶ (*local, temporal*) zwischen +*dat;* ~ **semana** unter der Woche; ~ **tanto** inzwischen; **le cuento** ~ **mis amigos** ich zähle ihn zu meinen Freunden; **un ejemplo** ~ **muchos** ein Beispiel unter vielen ❷ (*con movimiento*) zwischen +*akk;* **¡guárdalo** ~ **los libros!** leg es zwischen die Bücher! ❸ MAT durch +*akk*
entreabierto, -a [en̪trea'βjerto] *adj* halb offen
entreabrir [en̪trea'βrir] *irr como abrir vt* halb öffnen

entrecejo [en̪tre'θexo] *m* Stirnrunzeln *nt;* **fruncir el** ~ die Stirn runzeln
entrecomillar [en̪trekomi'ʎar] *vt* in Anführungszeichen setzen
entredicho [en̪tre'ðitʃo] *m:* **poner algo en** ~ etw in Zweifel ziehen
entrega [en̪'treɣa] *f* ❶ (*dedicación*) Engagement *nt* ❷ **novela por ~s** Fortsetzungsroman *m* ❸ (*de documentos*) Übergabe *f;* ~ **de premios** Preisverleihung *f;* **hacer** ~ **de algo** etw überreichen ❹ COM Lieferung *f;* ~ **a domicilio** Lieferung frei Haus

entregar [en̪tre'ɣar] <g → gu> **I.** *vt* abgeben (*a* bei +*dat*); COM abliefern (*a* bei +*dat*); (*premio*) verleihen **II.** *vr:* **~se** ❶ (*desvivirse*) sich widmen (*a* +*dat*); **~se a la bebida** anfangen zu trinken ❷ (*delincuente*) sich stellen ❸ MIL sich ergeben ❹ (*sexo*) sich hingeben
entrelazar(se) [en̪trela'θar(se)] <z → c> *vt, vr* (sich) verflechten
entremedias [en̪tre'meðjas] *adv* ❶ (*local*) dazwischen; ~ **de...** zwischen ... +*dat* ❷ (*temporal*) währenddessen
entremés [en̪tre'mes] *m* Vorspeise *f*
entremeterse [en̪treme'θerse] *vr* sich einmischen (*en* in +*akk*)
entremezclar [en̪tremeθ'klar] *vt* vermischen
entrenador(a) [en̪trena'ðor] *m(f)* Trainer(in) *m(f)*
entrenamiento [en̪trena'mjen̪to] *m* Training *nt*
entrenar(se) [en̪tre'nar(se)] *vt, vr* trainieren
entresacar [en̪tresa'kar] <c → qu> *vt* heraussuchen
entresuelo [en̪tre'swelo] *m* Zwischengeschoss *nt*
entretanto [en̪tre'tan̪to] *adv* inzwischen
entretecho [en̪tre'tetʃo] *m* CSUR Dachboden *m*
entretener [en̪trete'ner] *irr como tener* **I.** *vt* ❶ (*apartar la atención*) ablenken; (*divertir*) unterhalten; **sabe como** ~ **a los niños** er/sie kann Kinder gut bei

Laune halten ❷ (*asunto*) hinauszögern; ~ **a alguien con excusas** jdn mit Ausreden vertrösten **II.** *vr:* **~se** ❶ (*pasar el rato*) sich *dat* die Zeit vertreiben ❷ (*tardar*) aufgehalten werden; **¡no te entretengas!** beeil dich! ❸ (*apartar la atención*) sich ablenken lassen (*con* von +*dat*)

entretenido, -a [en̪trete'niðo] *adj* unterhaltsam

entretenimiento [en̪treteni'mjen̪to] *m* Unterhaltung *f*

entretiempo [en̪tre'tjempo] *m* Übergangszeit *f*

entrever [en̪tre'βer] *irr como ver vt* durchschauen

entrevista [en̪tre'βista] *f* ❶ Interview *nt;* **hacer una ~ a alguien** jdn interviewen ❷ (*reunión*) Besprechung *f;* **~ de trabajo** Vorstellungsgespräch *nt*

entrevistar [en̪treβis'tar] **I.** *vt* interviewen **II.** *vr:* **~se** sich treffen

entristecer [en̪triste'θer] *irr como crecer* **I.** *vt* traurig machen **II.** *vr:* **~se** traurig werden

entrometerse [en̪trome'terse] *vr* sich einmischen

enturbiar [en̪tur'βjar] *vt* trüben

entusiasmar(se) [en̪tusjas'mar(se)] *vt, vr* (sich) begeistern (*con/por* für +*akk*)

entusiasmo [en̪tu'sjasmo] *m* Begeisterung *f*

entusiasta [en̪tu'sjasta] *adj* begeistert

enumeración [enumera'θjon] *f* Aufzählung *f*

enumerar [enume'rar] *vt* aufzählen

enunciar [enun̪'θjar] *vt* erläutern

envasar [emba'sar] *vt* abfüllen

envase [em'base] *m* ❶ (*paquete*) Verpackung *f* ❷ *pl* (*cascos*) Leergut *nt* ❸ **~ al vacío** Vakuumverpackung *f*

envejecer [embexe'θer] *irr como crecer* **I.** *vt* alt machen **II.** *vi* altern

envenenar [embene'nar] *vt* vergiften

envergadura [emberɣa'ðura] *f* Bedeutung *f*

envés [em'bes] *m* Rückseite *f*

enviado, -a [embi'aðo] *m, f* Abgesandte(r) *f(m);* **~ especial** Sonderberichterstatter *m*

enviar [embi'ar] <*1. pres* envío> *vt* schicken; **~ (a) por algo a alguien** jdn etw holen lassen; **~ por correo** mit der Post schicken

envidia [em'bidja] *f* Neid *m;* **tener ~ a alguien** jdn beneiden; **tener ~ de algo** auf etw neidisch sein

envidiable [embi'djaβle] *adj* beneidenswert

envidiar [embi'ðjar] *vt* beneiden

envidioso, -a [embi'djoso] *adj* neidisch (*de* auf +*akk*)

envío [em'bio] *m* Sendung *f;* (*expedición*) Versand *m;* **~ a domicilio** Lieferung frei Haus; **~ contra reembolso** Nachnahmesendung *f;* **~ urgente** Eilsendung *f;* **gastos de ~** Versandkosten *pl*

enviudar [embju'ðar] *vi* verwitwen

envoltorio [embol̪'torjo] *m* Verpackung *f*

envolver [embol'βer] *irr como volver vt* einpacken; **~ en papel de regalo** als Geschenk einpacken

envuelto, -a [em'bwel̪to] *pp de* **envolver**

enyesar [en̪ɟe'sar] *vt* eingipsen

enzima [en̪'θima] *m o f* Enzym *nt*

eñe ['eɲe] *f* Ñ, ñ *nt*

eólico, -a [e'oliko] *adj:* **central eólica** Windkraftwerk *nt*

épica ['epika] *f sin pl* Epik *f*

epicentro [epi'θen̪tro] *m* Epizentrum *nt*

epidemia [epi'ðemja] *f* Epidemie *f*

epilepsia [epi'leβsja] *f* Epilepsie *f*

epílogo [e'piloɣo] *m* Nachwort *nt*

episcopal [episko'pal] *adj:* **sede ~** Bischofssitz *m*

episodio [epi'sodjo] *m* Episode *f;* (*parte*) Teil *m*

epitafio [epi'tafjo] *m* Grabschrift *f*

época ['epoka] *f* ❶ HIST Epoche *f;* **coches de ~** Oldtimer *mpl*; **muebles de ~** Stilmöbel *ntpl* ❷ (*tiempo*) Zeit *f;* **~ de las lluvias** Regenzeit *f;* **en**

aquella ~ damals
epopeya [epo'peɟa] *f* Epos *nt*
equilibrado, -a [ekili'βraðo] *adj* ausgeglichen
equilibrar(se) [ekili'βrar(se)] *vt, vr* (sich) ausgleichen
equilibrio [eki'liβrjo] *m* ❶ (*en general*) Gleichgewicht *nt;* **mantener el ~** das Gleichgewicht halten ❷ (*armonía*) Ausgewogenheit *f*
equino, -a [e'kino] *adj* Pferde-
equipaje [eki'paxe] *m* Gepäck *nt;* **exceso de ~** Übergepäck *nt*
equipar [eki'par] *vt* ausrüsten; (*un lugar*) ausstatten
equiparar [ekipa'rar] *vt* angleichen (*con* an +*akk*); (*comparar*) vergleichen
equipo [e'kipo] *m* ❶ (*grupo*) Team *nt* ❷ DEP Mannschaft *f;* **carrera por ~s** Mannschaftsrennen *nt* ❸ (*utensilios*) Ausrüstung *f;* **~ de alta fidelidad** Hi-Fi-Anlage *f*
equis ['ekis] **I.** *adj inv* x; **rayos ~** Röntgenstrahlen *mpl*; **~ euros** X Euro; **el señor ~** Herr Sowieso **II.** *f inv* X, x *nt*
equitación [ekita'θjon] *f* Reitsport *m;* **escuela de ~** Reitschule *f*
equitativo, -a [ekita'tiβo] *adj* gerecht
equivalencia [ekiβa'leṇθja] *f* Gleichwertigkeit *f*
equivalente [ekiβa'leṇte] *adj* gleichwertig (*a* mit +*dat*)
equivaler [ekiβa'ler] *irr como valer vi* entsprechen (*a* +*dat*)
equivocación [ekiβoka'θjon] *f* Irrtum *m;* **por ~** aus Versehen
equivocar [ekiβo'kar] <c → qu> **I.** *vt* verwechseln; (*desconcertar*) durcheinanderbringen **II.** *vr:* **~se** sich irren (*de/en* in +*dat*); **~se de camino** sich verlaufen; **~se de carretera** sich verfahren; **~se al escribir** sich verschreiben
equívoco [eki'βoko] *m* AM Irrtum *m*
era[1] ['era] *f* ❶ (*período*) Zeitalter *nt;* **~ postcomunista** postkommunistische Ära; **~ terciaria** Tertiär *nt* ❷ (*para trigo*) Tenne *f*
era[2] ['era] *3. imp de* **ser**
erección [ereˠ'θjon] *f* Erektion *f*
erecto, -a [e'rekto] *adj* steif
eremita [ere'mita] *mf* Einsiedler(in) *m(f)*
eres ['eres] *2. pres de* **ser**
erguido, -a [er'ɣiðo] *adj* aufrecht
erguir [er'ɣir] *irr vt* aufrichten; **con la cabeza erguida** hocherhobenen Hauptes

erigir [eri'xir] <g → j> *vt* ❶ (*construir*) errichten ❷ (*nombrar*) ernennen
erizo [e'riθo] *m* Igel *m*
ermita [er'mita] *f* Wallfahrtskirche *f*
ermitaño, -a [ermi'taɲo] *m, f* Einsiedler(in) *m(f);* **ser un ~** sehr zurückgezogen leben
erogación [eroɣa'θjon] *f* AM Zahlung *f*
erógeno, -a [e'roxeno] *adj* erogen
erosión [ero'sjon] *f* ❶ Abnutzung *f;* (*desaparición*) Schwinden *nt* ❷ GEO Erosion *f*
erótico, -a [e'rotiko] *adj* erotisch
erotismo [ero'tismo] *m* Erotik *f*
erradicar [erraði'kar] <c → qu> *vt* ausrotten
errar [e'rrar] *irr* **I.** *vi* sich irren; (*sin orientación*) umherirren (*por* in +*dat*) **II.** *vt* verfehlen; **~ el golpe** danebenschlagen **III.** *vr:* **~se** sich irren (*en* in +*dat*)
errata [e'rrata] *f* Druckfehler *m*
erre ['erre] *f* R, r *nt;* **~ que ~** (*fam*) stur
erróneo, -a [e'rroneo] *adj* falsch; **decisión errónea** Fehlentscheidung *f*
error [e'rror] *m* ❶ (*falta*) Fehler *m;* **~ ortográfico** Rechtschreibfehler *m;* **cometer un ~** einen Fehler machen ❷ (*equivocación*) Irrtum *m;* **estar en un ~** sich irren
eructar [eruk'tar] *vi* aufstoßen
eructo [e'rukto] *m* Rülpser *m fam*
erudición [eruði'θjon] *f* Bildung *f;* (*sabiduría*) Weisheit *f*
erudito, -a [eru'ðito] *adj* weise
erupción [eruβ'θjon] *f* ❶ GEO Eruption *f;* **~ volcánica** Vulkanausbruch *m* ❷ MED

Ausschlag *m*

es [es] *3. pres de* **ser**

esa(s) ['esa(s)] *adj o pron dem v.* **ese, -a**

ésa(s) ['esa(s)] *pron dem v.* **ése, ésa, eso**

esbelto, -a [es'βel̩to] *adj* schlank

esbozar [esβo'θar] <z → c> *vt* ❶ (*dibujo*) skizzieren ❷ (*un tema*) umreißen ❸ **esbozó una sonrisa** ein Lächeln huschte über sein/ihr Gesicht

esbozo [es'βoθo] *m* Entwurf *m*

escabeche [eska'βeʧe] *m:* **atún en ~** marinierter Thunfisch; **poner en ~** marinieren

escabullirse [eskaβu'ʎirse] <*3. pret* se escabulló> *vr* sich wegschleichen

escacharrar [eskaʧa'rrar] **I.** *vt* ruinieren; (*romper*) kaputtmachen *fam* **II.** *vr:* **~se** ruiniert sein; (*romperse*) kaputtgehen

escafandra [eska'fan̩dra] *f* Taucheranzug *m;* **~ espacial** Raumanzug *m*

escala [es'kala] *f* ❶ (*serie*) Skala *f* ❷ (*musical*) Tonleiter *f* ❸ (*proporción*) Verhältnis *nt;* **a ~** maßstabsgerecht ❹ (*de medición*) Skala *f;* **~ milimétrica** Millimetereinteilung *f* ❺ (*medida*) Maß *nt;* **a ~ mundial** weltweit; **a ~ nacional** landesweit; **en gran ~** in großem Umfang ❻ AERO Zwischenlandung *f*

escalada [eska'laða] *f:* **~ libre** Freeclimbing *nt*

escalafón [eskala'fon] *m:* **subir en el ~** befördert werden

escalar [eska'lar] **I.** *vi* bergsteigen; (*socialmente*) aufsteigen **II.** *vt* (hinauf)steigen (auf *+akk*); **~ un muro** über eine Mauer klettern

escaldado, -a [eskal̩'daðo] *adj:* **salir ~** schlechte Erfahrungen gemacht haben

escaldar [eskal̩'dar] **I.** *vt* ❶ GASTR abbrühen ❷ MED verbrennen; (*con agua hirviendo*) verbrühen **II.** *vr:* **~se** sich verbrennen; (*con agua hirviendo*) sich verbrühen

escalera [eska'lera] *f* ❶ (*escalones*) Treppe *f;* **~ abajo** treppab; **~ arriba** treppauf; **~ de caracol** Wendeltreppe *f;* **~ mecánica** Rolltreppe *f;* **~ de servicio** Hintertreppe *f* ❷ (*pasillo*) Treppenhaus *nt* ❸ (*escala*) Leiter *f;* **~ de cuerda** Strickleiter *f*

escalofriante [eskalo'frjan̩te] *adj* ❶ (*pavoroso*) schaurig; **película ~** Gruselfilm *m* ❷ (*asombroso*) haarsträubend

escalofrío [eskalo'frio] *m* Schauder *m;* MED Schüttelfrost *m*

escalón [eska'lon] *m* Stufe *f;* (*de una escala*) (Leiter)sprosse *f*

escalope [eska'lope] *m* Schnitzel *nt*

escalpelo [eskal'pelo] *m* Skalpell *nt*

escama [es'kama] *f* Schuppe *f*

escamado, -a [eska'maðo] *adj* schuppig; (*fam*) misstrauisch

escampar [eskam'par] *vimpers:* **espera hasta que escampe** warte, bis es aufhört zu regnen

escandalizar [eskan̩dali'θar] <z → c> **I.** *vi* Lärm machen **II.** *vt* Anstoß erregen (bei *+dat*) **III.** *vr:* **~se** Anstoß nehmen (*de/por* an *+dat*); (*estar horrorizado*) schockiert sein (*de/por* über *+akk*)

escándalo [es'kan̩dalo] *m* ❶ (*ruido*) Lärm *m;* (*gritos*) Geschrei *nt;* **armar un ~** Lärm machen; **se armó un ~** (*fam*) ein Riesenlärm brach los ❷ (*que provoca*) Skandal *m;* **~ público** öffentliches Ärgernis; **de ~** skandalös ❸ **¡qué ~!** das ist ja kaum zu fassen!

escandaloso, -a [eskan̩da'loso] *adj* ❶ skandalös; **precios ~s** Wucherpreise *mpl* ❷ (*ruidoso*) laut

Escandinavia [eskan̩di'naβja] *f* Skandinavien *nt*

escandinavo, -a [eskan̩di'naβo] *adj* skandinavisch

escanear [eskane'ar] *vt* scannen

escáner [es'kaner] *m* Scanner *m;* **~ en color** Farbscanner *m*

escaño [es'kaɲo] *m* (*de diputado*) Sitz *m*

escapar [eska'par] **I.** *vi, vr:* **~se** ❶ (*de un encierro*) entkommen ❷ (*de un peligro*) entrinnen (*de +dat*); **logré ~** ich kam ungeschoren davon ❸ (*deprisa, ocultamente*) entwischen; **~se de casa** von zu Hause ausreißen **II.** *vr:* **~se: no se te escapa ni una** dir entgeht nichts

escaparate [eskapa'rate] *m* Schaufenster *nt*

escapatoria [eskapa'torja] *f* ❶ (*lugar*) Fluchtweg *m;* **no hay ~** (*fig*) es gibt kein Entrinnen ❷ (*excusa*) Ausflucht *f* ❸ (*solución*) Ausweg *m;* **no tener ~** sich in einer ausweglosen Lage befinden

escarabajo [eskara'βaxo] *m* Käfer *m*

escarbar [eskar'βar] **I.** *vi* scharren (*en* in +*dat*) **II.** *vt* ❶ (*la tierra*) aufwühlen; **~ la arena** im Sand scharren ❷ (*tocar*) herumstochern (in +*dat*) ❸ (*limpiar*) reinigen; **~ los dientes** die Zähne von Speiseresten befreien

escarceo [eskar'θeo] *m:* **sin ~s** ohne Umschweife

escarcha [es'kartʃa] *f* (Rau)reif *m*

escarmentar [eskarmen̩'tar] <e → ie> **I.** *vi* dazulernen **II.** *vt*: **quedar [*o* estar] escarmentado de algo** von etw *dat* nichts mehr wissen wollen

escarmiento [eskar'mjen̩to] *m:* **me sirvió de ~** das war mir eine Lehre

escarnio [es'karnjo] *m* Spott *m;* **con ~** spöttisch

escarola [eska'rola] *f* Endiviensalat *m*

escarpado, -a [eskar'paðo] *adj* steil

escasamente [eskasa'men̩te] *adv* kaum

escasear [eskase'ar] *vi* ❶ (*faltar*) knapp sein ❷ (*ir a menos*) knapp werden

escasez [eska'seθ] *f* ❶ (*insuficiencia*) Knappheit *f* ❷ (*falta*) Mangel *m* (*de* an +*dat*); **~ de lluvias** spärliche Regenfälle ❸ (*pobreza*) Armut *f;* **vivir con ~** Mangel leiden

escaso, -a [es'kaso] *adj* spärlich; (*tiempo*) knapp; **~ de palabras** wortkarg; **andar ~ de dinero** knapp bei Kasse sein

escatimar [eskati'mar] *vt* geizen (mit +*dat*)

escayola [eska'ɟola] *f* Gips *m*

escayolar [eskaɟo'lar] *vt* eingipsen; **llevar el brazo escayolado** den Arm in Gips haben

escena [es'θena] *f* ❶ (*parte del teatro*) Bühne *f;* **poner en ~** inszenieren; **puesta en ~** Inszenierung *f;* **salir a la ~** auftreten ❷ (*parte de una obra*) Szene *f;* **~ final** Schlussszene *f* ❸ (*suceso*) Szene *f;* **hacer una ~ ridícula** sich unmöglich aufführen

escenario [esθe'narjo] *m* ❶ (*parte del teatro*) Bühne *f* ❷ (*lugar*) Schauplatz *m;* **~ del crimen** Tatort *m*

escenografía [esθenoɣra'fia] *f* Bühnenbild *nt*

escepticismo [esθepti'θismo] *m* Skepsis *f*

escéptico, -a [es'θeptiko] *adj* skeptisch; **ser ~ respecto a algo** an etw *dat* Zweifel hegen

escisión [esθi'sjon] *f* Teilung *f; t.* FÍS Spaltung *f*

esclarecer [esklare'θer] *irr como crecer* **I.** *vt* ❶ (*iluminar*) erleuchten ❷ (*explicar*) erklären; (*un crimen*) aufklären; **~ un asunto** Licht in eine Angelegenheit bringen **II.** *vimpers*: **está esclareciendo** es dämmert

esclavitud [esklaβi'tuᶞ] *f* Sklaverei *f;* **someter a la ~** versklaven

esclavizar [esklaβi'θar] <z → c> **I.** *vt* ❶ (*cautivar*) versklaven ❷ (*dominar*) unterjochen; **~ a alguien** (*hacer depender*) jdn von sich *dat* abhängig machen **II.** *vr:* **~se** sich unterwerfen

esclavo, -a [es'klaβo] *m, f* Sklave, -in *m, f*

esclerosis [eskle'rosis] *f inv* Sklerose *f;* **~ múltiple** multiple Sklerose

esclusa [es'klusa] *f* Schleuse *f*

escoba [es'koβa] *f* Besen *m*

escocedura [eskoθe'ðura] *f* Brennen *nt*

escocer [esko'θer] *irr como cocer vi* brennen

escocés, -esa [esko'θes] *adj* schottisch; **falda escocesa** Kilt *m*

Escocia [es'koθja] *f* Schottland *nt*

escoger [esko'xer] <g → j> **I.** *vi* sich *dat* das Beste herauspicken; **no has sabido** ~ du hast die falsche Wahl getroffen **II.** *vt* (auser)wählen

escolar [esko'lar] *adj:* **curso** ~ Schuljahr *nt;* **en edad** ~ schulpflichtig

escolaridad [eskolari'ða^ð] *f* Schulausbildung *m;* **la ~ es obligatoria** es besteht Schulpflicht

escolarizar [eskolari'θar] <z → c> *vt* einschulen

escollo [es'koʎo] *m* Klippe *f*

escolta [es'ko̦lta] *f* ❶ MIL Eskorte *f* ❷ (*guardaespaldas*) Leibwächter *f*

escoltar [esko̦l'tar] *vt* geleiten; MIL eskortieren

escombro [es'kombro] *m* (Bau)schutt *m*

esconder [eskon̦'der] **I.** *vt* (*ocultar*) verstecken (*de* vor +*dat*) **II.** *vr:* **~se** sich verstecken (*de* vor +*dat*); (*cosas*) verborgen sein

escondidas [eskon̦'diðas] *adv*: **a** ~ heimlich

escondido, -a [eskon̦'diðo] *adj* geheim; (*retirado*) abgelegen

escondite [eskon̦'dite] *m* Versteck *nt;* **jugar al** ~ Versteck(en) spielen

escondrijo [eskon̦'drixo] *m* Versteck *nt*

escopeta [esko'peta] *f* Gewehr *nt*

escoria [es'korja] *f* Abschaum *m*

Escorpio [es'korpjo] *m inv* ASTR Skorpion *m*

escorpión [eskor'pjon] *m* Skorpion *m*

escotado, -a [esko'taðo] *adj* (*vestido*) ausgeschnitten; (*mujer*) dekolletiert

escotar [esko'tar] *vi:* **~ entre todos** zusammenlegen

escote [es'kote] *m* ❶ (Hals)ausschnitt *m;* **~ en pico** V-Ausschnitt *m* ❷ (*busto*) Dekolletee *nt*

escotilla [esko'tiʎa] *f* Luke *f*

escozor [esko'θor] *m* Brennen *nt*

escribir [eskri'βir] *irr* **I.** *vi, vt* schreiben **II.** *vr:* **~se** korrespondieren; **se escriben mucho** sie schreiben sich *dat* oft

escrito [es'krito] *m* Schreiben *nt;* **por** ~ schriftlich

escritor(a) [eskri'tor] *m(f)* Schriftsteller(in) *m(f)*

escritorio [eskri'torjo] *m* Schreibtisch *m*

escritura [eskri'tura] *f* ❶ (*acto*) Schreiben *nt* ❷ (*signos*) Schrift *f* ❸ (*documento*) Schriftstück *nt;* **mediante** ~ urkundlich ❹ **las Sagradas Escrituras** die Heilige Schrift

escriturar [eskritu'rar] *vt* notariell beurkunden

escroto [es'kroto] *m* Hodensack *m*

escrúpulo [es'krupulo] *m* ❶ (*duda*) Skrupel *m;* **ser una persona sin ~s** skrupellos sein ❷ (*escrupulosidad*) Gewissenhaftigkeit *f* ❸ (*aprensión*) Ekel *m;* **me da ~ beber de latas** ich finde es eklig, aus Dosen zu trinken

escrupuloso, -a [eskrupu'loso] *adj* gewissenhaft; (*delicado*) empfindlich

escrutar [eskru'tar] *vt* mustern; (*recontar*) auszählen

escrutinio [eskru'tinjo] *m* Musterung *f;* (*recuento*) Stimmenauszählung *f*

escuadra [es'kwaðra] *f* ❶ (*para dibujar*) Zeichendreieck *nt;* **a** ~ rechtwinklig ❷ (*de fijación*) Winkel *m* ❸ MIL Trupp *m*

escuadrilla [eskwa'ðriʎa] *f* Staffel *f*

escuadrón [eskwa'ðron] *m* Geschwader *nt*

escuálido, -a [es'kwaliðo] *adj* dürr

escuchar [esku'ʧar] **I.** *vi* zuhören **II.** *vt* ❶ (*oír*) hören; (*seguir*) anhören; **~ (la) radio** Radio hören ❷ (*prestar atención*) zuhören (*a* +*dat*); **¡escúchame bien!** pass gut auf! ❸ (*obedecer*) hören (auf +*akk*)

escudo [es'kuðo] *m* (Schutz)schild *m;* **~ (de armas)** Wappen *nt*

escuela [es'kwela] *f* Schule *f;* **~ de idiomas** Sprachschule *f;* **~ superior técnica** technische Hochschule; **~ taller** Lehrwerkstatt *f*

escueto, -a [es'kweto̦] *adj* nüchtern

escuincle, -a [es'kwiŋkle] *m, f* MÉX (*fam*) Junge *m*, Mädchen *nt*

esculcar [eskul'kar] <c → qu> *vt* AM durchsuchen

esculpir [eskul'pir] *vt*: ~ **a cincel** meißeln; ~ **en madera** (in Holz) schnitzen
escultor(a) [eskuḷ'tor] *m(f)* Bildhauer(in) *m(f)*
escultura [eskuḷ'tura] *f* ❶ (*obra*) Skulptur *f;* ~ **de madera** Holzschnitzerei *f* ❷ (*arte*) Bildhauerkunst *f*
escupidera [eskupi'ðera] *f* Spucknapf *m;* AM Nachttopf *m*
escupir [esku'pir] I. *vi* spucken; (*vulg*) singen *fam* II. *vt* ❶ (*por la boca*) ausspucken; ~ **sangre** Blut spucken ❷ (*soltar*) abgeben; ~ **a alguien a la cara** (*fig*) jdn schwer beleidigen ❸ (*arrojar*) ausstoßen; ~ **fuego** Feuer speien ❹ (*vulg*) ausspucken *fam*
escurreplatos [eskurre'platos] *m* Geschirrständer *m*
escurridizo, -a [eskurri'ðiθo] *adj* ausweichend; (*problema*) schwer fassbar
escurrir [esku'rrir] I. *vi* (ab)tropfen II. *vr:* **~se** ❶ (*resbalar*) ausrutschen ❷ (*desaparecer*) entwischen; **~se (por) entre la gente** in der Menge untertauchen ❸ (*escaparse*) entgleiten; **~se por un agujero** durch ein Loch rutschen
esdrújulo, -a [es'ðruxulo] *adj* auf der drittletzten Silbe betont
ese[1] ['ese] *f* S, s *nt*
ese, -a[2] ['ese] I. *adj* <esos, -as> diese(r, s); AM jene(r, s); **¿~ coche es tuyo?** ist das dein Auto?; **el chico ~ no me cae bien** der Typ da ist mir nicht sympathisch II. *pron dem v.* **ése, ésa, eso**
ése, ésa, eso ['ese, 'esa, 'eso] *pron dem* <ésos, -as> der/die/das; **me lo ha dicho ésa** die da hat es mir erzählt; **llegaré a eso de las doce** ich komme so gegen zwölf Uhr an; **eso mismo te acabo de decir** genau das habe ich soeben zu dir gesagt; **lejos de eso** ganz im Gegenteil; **no es eso** darum geht es doch gar nicht; **por eso (mismo)** (gerade) deswegen; **¿y eso?** wieso das?; **¡eso sí que no!** das kommt nicht in die Tüte! *fam v.t.* **ese, -a**
esencia [e'seṇθja] *f* ❶ (*naturaleza*) Wesen *nt* ❷ (*fondo*) Wesentliche(s) *nt;* **quinta** ~ Quintessenz *f;* **en** ~ im Wesentlichen ❸ QUÍM Essenz *f;* ~ **de rosas** Rosenöl *nt*
esencial [eseṇ'θjal] *adj* wesentlich; (*indispensable*) unerlässlich
esfera [es'fera] *f* ❶ MAT Kugel *f* ❷ (*del reloj*) Zifferblatt *nt* ❸ *t.* ASTR Sphäre *f;* ~ **de influencia** Einflussbereich *m* ❹ **las altas ~s de la sociedad** die besseren Kreise

esfinge [es'fiŋxe] *f* ❶ (*animal fabuloso*) Sphinx *f;* **ser una** ~ (*fig*) undurchschaubar sein ❷ ZOOL Nachtfalter *m*
esforzar [esfor'θar] *irr como forzar* I. *vt* ❶ (*forzar*) anstrengen; ~ **demasiado la vista** die Augen überanstrengen ❷ (*dar fuerza*) verstärken; ~ **la voz** die Stimme heben II. *vr:* **~se** (*moralmente*) sich bemühen; (*físicamente*) sich anstrengen
esfuerzo [es'fwerθo] *m* Anstrengung *f;* **sin** ~ mühelos; **hacer un** ~ sich anstrengen
esfumarse [esfu'marse] *vr* verschwinden
esgrima [es'ɣrima] *f* Fechten *nt;* **practicar la** ~ fechten
esguince [es'ɣiṇθe] *m* Verstauchung *f*
eslabón [esla'βon] *m* (Ketten)glied *nt;* (*entre acontecimientos*) Bindeglied *nt*
eslavo, -a [es'laβo] *adj* slawisch
eslogan [es'loɣan] *m* Slogan *m*
eslovaco, -a [eslo'βako] *adj* slowakisch
Eslovaquia [eslo'βakja] *f* Slowakei *f*
Eslovenia [eslo'βenja] *f* Slowenien *nt*
esloveno, -a [eslo'βeno] *adj* slowenisch
esmaltar [esmaḷ'tar] *vt* emaillieren
esmalte [es'maḷte] *m* Email *nt;* (*de uñas*) Nagellack *m;* (*de los dientes*) Zahnschmelz *m*
esmerado, -a [esme'raðo] *adj* sorgfältig
esmeralda [esme'raḷda] *f* Smaragd *m*
esmerarse [esme'rarse] *vr* sorgfältig arbeiten; (*esforzarse*) sich bemühen (*en* zu +*inf*)
esmero [es'mero] *m* Sorgfalt *f;* **con** ~

gewissenhaft

esnifar [esni'far] *vt* (*argot: cocaína*) schnupfen

esnobismo [esno'βismo] *m* Snobismus *m*

eso ['eso] *pron dem v.* **ése, ésa, eso**

esófago [e'sofaɣo] *m* Speiseröhre *f*

esos ['esos] *adj v.* **ese, -a**

ésos ['esos] *pron dem v.* **ése, ésa, eso**

esotérico, -a [eso'teriko] *adj* esoterisch

esoterismo [esote'rismo] *m* Esoterik *f*

espabilado, -a [espaβi'laðo] *adj* aufgeweckt

espabilar [espaβi'lar] **I.** *vi* sich beeilen; (*avivarse*) dazulernen **II.** *vt* munter machen; (*acabar deprisa*) schnell erledigen **III.** *vr:* **~se** ❶ (*sacudir el sueño*) munter werden; **tómate un café para ~te** trink einen Kaffee, damit du richtig wach wirst ❷ (*darse prisa*) sich beeilen ❸ (*avivarse*): **se ha espabilado desde que va al colegio** seit er/sie zur Schule geht, ist er/sie viel aufgeweckter ❹ AM sich aus dem Staub machen *fam*

espaciador [espaθja'ðor] *m* Leertaste *f*

espacial [espa'θjal] *adj:* **estación ~** Raumstation *f*

espacio [es'paθjo] *m* ❶ Raum *m;* (*superficie*) Fläche *f;* (*trayecto*) Strecke *f;* **~ virtual** Cyberspace *m;* **~ vital** Lebensraum *m* ❷ (*entre objetos*) Zwischenraum *m* ❸ (*de tiempo*) Zeitraum *m;* **en el ~ de dos meses** innerhalb von zwei Monaten ❹ ASTR Weltraum *m*

espacioso, -a [espa'θjoso] *adj* geräumig

espada [es'paða] *f* Schwert *nt;* DEP Degen *m*

espagueti(s) [espa'ɣeti(s)] *m* (*pl*) Spaghetti *pl*

espalda [es'pal̪da] *f* Rücken *m;* **ancho de ~s** breitschult(e)rig; **volver la ~ a alguien** (*fam fig*) jdn links liegen lassen

espantapájaros [espan̪ta'paxaros] *m* Vogelscheuche *f*

espantar [espan̪'tar] **I.** *vt* erschrecken; (*a un animal*) verscheuchen **II.** *vr:* **~se** sich erschrecken; (*animales*) scheu werden

espanto [es'pan̪to] *m* ❶ (*miedo*) Schrecken *m;* **¡qué ~!** wie entsetzlich!; **hace un calor de ~** es ist schrecklich heiß ❷ AM Gespenst *nt*

espantosidad [espan̪tosi'ða^{ð}] *f* AM Grauen *nt*

espantoso, -a [espan̪'toso] *adj* entsetzlich

España [es'paɲa] *f* Spanien *nt*

español[1] [espa'ɲol] *m* Spanisch(e) *nt;* **clases de ~** Spanischunterricht *m;* **aprender ~** Spanisch lernen

español(a)[2] [espa'ɲol] *adj* spanisch

esparadrapo [espara'ðrapo] *m* Heftpflaster *nt*

esparcimiento [esparθi'mjen̪to] *m* Zerstreuung *f*

esparcir [espar'θir] <c → z> **I.** *vt* verstreuen **II.** *vr:* **~se** ❶ (*cosas*) verstreut werden ❷ (*distraerse*) sich zerstreuen; **¿qué haces para ~te?** was machst du als Zeitvertreib?

espárrago [es'parraɣo] *m* Spargel *m;* **¡vete a freír ~s!** (*fam*) scher dich zum Teufel!

espasmo [es'pasmo] *m* Krampf *m*

espátula [es'patula] *f* Spachtel *m;* MED Spatel *m*

especia [es'peθja] *f* Gewürz *nt*

especial [espe'θjal] *adj* besonders; (*adecuado*) speziell; (*raro*) seltsam; **edición ~** Sonderausgabe *f;* **en ~** insbesondere; **él es para mí alguien muy ~** er bedeutet mir sehr viel

especialidad [espeθjali'ða^{ð}] *f* Spezialität *f;* (*rama*) Spezialgebiet *nt;* DEP Disziplin *f*

especialista [espeθja'lista] *mf* Spezialist(in) *m(f)* (*en* für +*akk*); (*médico*) Facharzt, -ärztin *m, f*

especializar(se) [espeθjali'θar(se)] <z → c> *vi, vr* sich spezialisieren (*en* auf +*akk*); **personal especializado** Fachkräfte *fpl*

especialmente [espeθjal'men̪te] *adv* besonders; **lo he hecho ~ para ti** ich habe es extra für dich gemacht

especie [es'peθje] *f* Art *f;* ~ **amenazada de extinción** vom Aussterben bedrohte Tierart; **la ~ animal** die Tiere

especificar [espeθifi'kar] <c → qu> *vt* im Einzelnen darlegen

específico, -a [espe'θifiko] *adj* spezifisch

espectacular [espektaku'lar] *adj* spektakulär

espectáculo [espek'takulo] *m* ❶ TEAT Schauspiel *nt* ❷ (*visión*) Anblick *m* ❸ (*fam*): **dar el [*o* un] ~** eine Szene machen

espectador(a) [espekta'ðor] *m(f)* Zuschauer(in) *m(f)*

especulación [espekula'θjon] *f* Spekulation *f*

especular [espeku'lar] *vi* spekulieren; **~ en la Bolsa** an der Börse spekulieren

espejo [es'pexo] *m* Spiegel *m;* ~ **retrovisor** Rückspiegel *m;* **mirarse al ~** sich im Spiegel betrachten

espeluznante [espeluθ'nan̪te] *adj* haarsträubend

espera [es'pera] *f* Warten *nt;* (*estado*) Erwartung *f;* (*duración*) Wartezeit *f;* **lista de ~** Warteliste *f*

esperanza [espe'ran̪θa] *f* Hoffnung *f;* **~ de vida** Lebenserwartung *f;* **no tener ~s** keine Hoffnung haben

esperanzador(a) [esperan̪θa'ðor] *adj* hoffnungsvoll

esperar [espe'rar] **I.** *vi* ❶ warten (auf +*akk*); **hacerse de ~** auf sich warten lassen; **es de ~ que...** +*subj* es ist zu erwarten, dass ...; **¡que se espere!** er/sie soll gefälligst warten; **espera, que no lo encuentro** Augenblick, ich finde es jetzt nicht ❷ (*confiar*) hoffen; **espero que sí** ich hoffe doch **II.** *vt* ❶ warten (auf +*akk*); (*recibir*) erwarten; **ya me lo esperaba** das dachte ich mir schon ❷ (*confiar*) hoffen (auf +*akk*)

esperma [es'perma] *m* Sperma *nt*

espesar [espe'sar] **I.** *vt* (*líquido*) eindicken; (*salsa*) binden **II.** *vr:* **~se** (*bosque*) dichter werden; (*niebla*) sich verdichten

espeso, -a [es'peso] *adj* dicht; (*líquido*) dick(flüssig)

espía [es'pia] *mf* Spion(in) *m(f)*

espiar [espi'ar] <*1. pres* espío> **I.** *vi* spionieren **II.** *vt* ausspionieren; (*a alguien*) nachspionieren +*dat*

espídico(a) [es'piðiko] *adj* (*argot*) überdreht, hektisch

espiga [es'piɣa] *f* Ähre *f*

espina [es'pina] *f* ❶ (*de pescado*) Gräte *f* ❷ BOT Dorn *m* ❸ (*astilla*) Splitter *m* ❹ ANAT: **~ (dorsal)** Rückgrat *nt*

espinaca [espi'naka] *f* Spinat *m*

espinal [espi'nal] *adj* Rückgrat-; **médula ~** Rückenmark *nt*

espinazo [espi'naθo] *m* Rückgrat *nt*

espinilla [espi'niʎa] *f* ❶ ANAT Schienbein *nt* ❷ MED Mitesser *m*

espionaje [espjo'naxe] *m* Spionage *f*

espiración [espira'θjon] *f* Ausatmen *nt*

espiral [espi'ral] *adj* spiralförmig

espirar [espi'rar] *vi* ausatmen

espiritismo [espiri'tismo] *m* Spiritismus *m;* **sesión de ~** spiritistische Sitzung

espíritu [es'piritu] *m* Geist *m;* (*ánimo*) Gemüt *nt;* (*valor*) Mut *m;* **~ de compañerismo** kameradschaftlicher Geist; **~ de contradicción** Widerspruchsgeist *m;* **~ emprendedor** Unternehmungsgeist *m;* **~ de la época** Zeitgeist *m;* **el Espíritu Santo** der Heilige Geist

espiritual [espiritu'al] *adj* ❶ **vida ~** Seelenleben *nt* ❷ REL geistlich

espitoso(a) [espi'toso] *adj* (*argot*) aufgedreht, aufgeputscht

espléndido, -a [es'plen̪diðo] *adj* großzügig; (*aspecto*) prächtig

esplendor [esplen̪'dor] *m* Glanz *m;* (*fig*) Pracht *f*

esponja [es'poŋxa] *f* Schwamm *m*

espontaneidad [espon̪tanei̯'ðaᵈ] *f* Spontan(e)ität *f*

espontáneo, -a [espon̪'taneo] *adj* spontan

espora [es'pora] *f* Spore *f*

esporádico, -a [espo'raðiko] *adj* sporadisch

esportivo, -a [espor'tiβo] *adj* AM sportlich; (*afectando descuido*) lässig

esposar [espo'sar] *vt* Handschellen anlegen *+dat*

esposas [es'posas] *f pl* Handschellen *fpl*

esposo, -a [es'poso] *m, f* Ehemann, -frau *m, f*; **le presento a mi esposa** ich möchte Ihnen meine Frau vorstellen; **salude a su ~ de mi parte** grüßen Sie Ihren Mann von mir; **los ~s** das Ehepaar

esprínter [es'printer] *mf* Sprinter(in) *m(f)*

espuela [es'pwela] *f* (An)sporn *m*

espuma [es'puma] *f* Schaum *m*

espumoso, -a [espu'moso] *adj*: **vino ~** Schaumwein *m*

esqueje [es'kexe] *m* Steckling *m*

esquela [es'kela] *f* (*necrológica*): ~ (**mortuoria**) Todesanzeige *f*; **publicar una ~** eine Todesanzeige aufgeben

esqueleto [eske'leto] *m* Skelett *nt*

esquema [es'kema] *m* Schema *nt*

esquemático, -a [eske'matiko] *adj* schematisch

esquí [es'ki] *m* ❶ (*patín*) Ski *m*; **~ de fondo** Langlaufski *m* ❷ (*deporte*) Skisport *m*; **~ acuático** Wasserski *nt*

esquiador(a) [eskja'ðor] *m(f)* Skiläufer(in) *m(f)*; **~ de fondo** Langläufer *m*

esquiar [eski'ar] <*1. pres* esquío> *vi* Ski laufen

esquimal [eski'mal] *adj* eskimoisch; **perro ~** Husky *m*

esquina [es'kina] *f* (Straßen)ecke *f*; **a la vuelta de la ~** um die Ecke; **doblar la ~** um die Ecke biegen

esquirla [es'kirla] *f* Splitter *m*

esquivar [eski'βar] *vt* ausweichen *+dat*

esquivo, -a [es'kiβo] *adj* scheu; (*arisco*) spröde

esquizofrenia [eskiθo'frenja] *f* Schizophrenie *f*

esta ['esta] *adj v.* **este, -a**

ésta ['esta] *pron dem v.* **éste, ésta, esto**

estabilidad [estaβili'ðað] *f* Stabilität *f*

estabilizar(se) [estaβili'θar(se)] <z → c> *vt, vr* (sich) stabilisieren

estable [es'taβle] *adj* stabil; (*trabajo*) dauerhaft

establecer [estaβle'θer] *irr como crecer* **I.** *vi* festlegen **II.** *vt* gründen; (*conexión*) herstellen **III.** *vr*: **~se** (*instalarse*) sich niederlassen

establecimiento [estaβleθi'mjento] *m* ❶ (*tienda*) Geschäft *nt* ❷ (*de personas*) Ansiedelung *f*

establo [es'taβlo] *m* Stall *m*

estaca [es'taka] *f* Pfahl *m*

estacada [esta'kaða] *f*: **dejar a alguien en la ~** jdn im Stich lassen

estación [esta'θjon] *f* ❶ (*del año*) Jahreszeit *f*; **~ de las lluvias** Regenzeit *f* ❷ (*de trenes*) Bahnhof *m*; **~ de autobuses** Busbahnhof *m*; **~ central** Hauptbahnhof *m*; **~ de metro** U-Bahn-Station *f* ❸ *t.* REL Station *f*; **~ meteorológica** Wetterwarte *f*; **~ de servicio** Tankstelle *f*

estacionamiento [estaθjona'mjento] *m* ❶ (*colocación*) Aufstellung *f*; (*de personas*) Postierung *f*; MIL Stationierung *f* ❷ (AUTO: *lugar*) Parkplatz *m*

estacionar [estaθjo'nar] *vt* aufstellen; AUTO parken

estadio [es'taðjo] *m* Stadion *nt*; MED Stadium *m*

estadística [esta'ðistika] *f* Statistik *f*

estadístico, -a [esta'ðistiko] *adj* statistisch

estado [es'taðo] *m* ❶ Zustand *m*; (*situación*) Lage *f*; **~ de alarma** Alarmzustand *m*; **~ civil** Familienstand *m*; **~ de cuenta** Kontostand *m*; **~ de salud** Gesundheitszustand *m* ❷ POL Staat *m*; **~ comunitario** Mitgliedsstaat der Europäischen Union; **~ miembro** Mitgliedsstaat *m* ❸ MIL: **~ mayor** Generalstab *m*

Estados Unidos [es'taðos u'niðos] *m pl* Vereinigte Staaten *mpl*

estadounidense [estaðouni'ðense] *mf* (US-)Amerikaner(in) *m(f)*

estafa [es'tafa] *f* Betrug *m*

estafador(a) [estafa'ðor] *m(f)* Betrüger(in) *m(f)*

estafar [esta'far] *vt* betrügen

estallar [esta'ʎar] *vi* ① platzen; (*bomba*) explodieren ② (*revolución, incendio*) ausbrechen; **al ~ la guerra** bei Kriegsausbruch

estallido [esta'ʎiðo] *m* ① Knall *m;* (*explosión*) Explosion *f* ② **~ de cólera** Zornausbruch *m*

estampa [es'tampa] *f* ① (*dibujo*) Bild *nt;* **~ de la Virgen** Marienbild *nt* ② (*huella*) Abdruck *m* ③ **¡maldita sea tu ~!** verflucht seist du!; **ser la viva ~ de su padre** (*fam*) seinem Vater wie aus dem Gesicht geschnitten sein

estampado, -a [estam'paðo] *adj* bedruckt

estampar [estam'par] **I.** *vt* ① (*en papel*) drucken ② TÉC (ein)stanzen; **se me quedó estampado en la cabeza** (*fig*) das hat sich mir eingeprägt ③ (*huella*) hinterlassen; **~ una firma** unterzeichnen **II.** *vr:* **~se** (*fam*) prallen

estampido [estam'piðo] *m* Knall *m;* **dar un ~** knallen

estampilla [estam'piʎa] *f* AM Briefmarke *f*

estancamiento [estaŋka'mjento] *m* ① (*del agua*) (Auf)stauung *f* ② (*de una mercancía*) Monopolisierung *f* ③ (*de un proceso*) Stillstand *m;* **~ coyuntural** Konjunkturstillstand *m*

estancar [estaŋ'kar] <c → qu> **I.** *vt* ① (*un río*) (auf)stauen ② (*proceso*) zum Stillstand bringen **II.** *vr:* **~se** ① (*río*) sich (auf)stauen ② (*negocio*) stagnieren; **quedarse estancado** ins Stocken geraten

estancia [es'tanθja] *f* ① (*permanencia*) Aufenthalt *m;* **~ en un hospital** Krankenhausaufenthalt *m* ② (*habitación*) Wohnraum *m* ③ AM Landgut *nt*

estanco [es'taŋko] *m* Tabak(waren)laden *m*

estándar [es'tandar] *adj* Standard-; **tipo ~** Standardversion *f*

estandarte [estan'darte] *m* Standarte *f*

estanque [es'taŋke] *m* Teich *m*

estante [es'tante] *m* ① (*para libros*) Bücherbrett *nt;* (*en una tienda*) Ständer *m* ② (*mueble*) Regal *nt*

estantería [estante'ria] *f* Regal *nt*

estaño [es'taɲo] *m* Zinn *nt*

estar [es'tar] *irr* **I.** *vi* ① sein; (*un objeto: derecho*) stehen; (*tumbado*) liegen; (*durante un tiempo*) sich aufhalten; **Valencia está en la costa** Valencia liegt an der Küste; **¿está Pepe?** ist Pepe da?; **¿está la comida?** ist das Essen fertig? ② (*sentirse*) sich fühlen; **¿cómo estás?** wie geht es dir? ③ (+ *adjetivo/participio*): **~ cansado** müde sein; **~ sentado** sitzen; **~ ubicado** AM sich befinden ④ (+ *bien/mal*): **~ mal de la cabeza** spinnen; **~ mal de dinero** schlecht bei Kasse sein; **esa blusa te está bien** diese Bluse steht dir gut ⑤ (+ *a*): **~ al caer** (*persona*) bald kommen; (*suceso*) bevorstehen; **~ al día** auf dem Laufenden sein; **¿a qué estamos?** den Wievielten haben wir heute?; **las peras están a 2 euros el kilo** die Birnen kosten 2 Euro das Kilo; **están uno a uno** das Spiel steht eins zu eins ⑥ (+ *con*): **estoy con mi novio** ich bin mit meinem Freund zusammen ⑦ (+ *de*): **~ de mal humor** schlecht gelaunt sein; **~ de pie** stehen; **~ de viaje** verreist sein ⑧ (+ *en*): **el problema está en el dinero** das Problem ist das Geld; **siempre estás en todo** dir entgeht nichts ⑨ (+ *para*): **el tren está para salir** der Zug fährt in Kürze ab ⑩ (+ *por*): **estoy por llamarle** ich bin versucht ihn anzurufen; **eso está por ver** das wird sich zeigen ⑪ (+ *gerundio*): **¿qué estás haciendo?** was machst du da?; **estoy escribiendo una carta** ich bin gerade dabei, einen Brief zu schreiben; **¡lo es-**

taba viendo venir! ich habe es kommen sehen! ⑫ (+ *que*): **estoy que no me tengo** ich bin fix und fertig ⑬ (*loc*): **a las 10 en casa, ¿estamos?** du bist um 10 Uhr zu Hause, verstanden? **II.** *vr:* **~se: ¡estáte quieto!** sei ruhig!; (*quieto*) Hände weg!

estatal [esta'tal] *adj* staatlich

estático, -a [es'tatiko] *adj* statisch

estatua [es'tatwa] *f* Statue *f*

estatura [esta'tura] *f* Statur *f*

estatus [es'tatus] *m* Status *m*

estatuto [esta'tuto] *m* ① (*de una sociedad*) Satzung *f* ② JUR Gesetz *nt;* **~ de los trabajadores** Betriebsverfassungsgesetz *nt*

este[1] ['este] *m* Osten *m*

este, -a[2] ['este] **I.** *adj* <estos, -as> diese (r, s); **~ perro es el mío** das ist mein Hund **II.** *pron dem v.* **éste, ésta, esto**

éste, ésta, esto ['este, 'esta, 'esto] *pron dem* <éstos, -as> der/die/das; **~ se cree muy importante** der hält sich für sehr wichtig; **¡ésta sí que es buena!** das ist ja ein Ding!; *v.t.* **este, -a**

estelaridad [estelari'ða^{ð}] *f* CHIL Beliebtheit *f*

estepa [es'tepa] *f* Steppe *f*

estera [es'tera] *f* (Fuß)matte *f*

estéreo [es'tereo] *adj* (*fam*) stereo(phon)

estereotipado, -a [estereoti'paðo] *adj* stereotyp

estereotipo [estereo'tipo] *m* Stereotyp *nt*

estéril [es'teril] *adj* ① (*tierra*) unfruchtbar ② MED steril ③ (*esfuerzo*) fruchtlos

esterilidad [esterili'ða^{ð}] *f* Unfruchtbarkeit *f;* MED Sterilität *f*

esterilizar [esterili'θar] <z → c> *vt* sterilisieren

esterilla [este'riʎa] *f* kleine (Fuß)matte *f*

esterlina [ester'lina] *adj:* **libra ~** Pfund *nt* Sterling

esternón [ester'non] *m* Brustbein *nt*

estero [es'tero] *m* AM Sumpf *m*

estética [es'tetika] *f* Ästhetik *f*

esteticienne [esteti'θjen] *mf* Kosmetiker(in) *m(f)*

estético, -a [es'tetiko] *adj* ästhetisch; **no ~** unästhetisch

estetoscopio [estetos'kopjo] *m* Stethoskop *nt*

estiércol [es'tjerkol] *m* Mist *m;* **sacar el ~** ausmisten

estigma [es'tiɣma] *m* Stigma *nt;* (*en el cuerpo*) Wundmal *nt*

estigmatizar [estiɣma'tiθar] <z → c> *vt* brandmarken; REL stigmatisieren

estilarse [esti'larse] *vr* üblich sein

estilista [esti'lista] *mf* Stylist(in) *m(f)*

estilístico, -a [esti'listiko] *adj* stilistisch

estilo [es'tilo] *m* ① (*modo*) Stil *m;* **al ~ de...** im Stil ... *+gen;* **por el ~** so ungefähr; **algo por el ~** etwas in der Art ② LING: **~ directo/indirecto** direkte/indirekte Rede

estilográfica [estilo'ɣrafika] *f* Füllfederhalter *m*

estima [es'tima] *f* (Hoch)achtung *f;* **tener a alguien en mucha ~** jdn sehr hoch schätzen

estimado, -a [esti'maðo] *adj* geachtet; (*en cartas*) geehrt

estimar [esti'mar] **I.** *vt* ① (*apreciar*) schätzen; **~ a alguien mucho** jdn hoch schätzen ② (*valorar*) schätzen (*en* auf *+akk*) ③ (*juzgar*) halten (für *+akk*); **lo estimó oportuno** er/sie hielt es für angemessen **II.** *vr:* **~se** sich schätzen

estimulante [estimu'lan̩te] *m* Stimulans *nt*

estimular [estimu'lar] *vt* anregen; (*animar*) motivieren

estímulo [es'timulo] *m* Reiz *m;* (*incentivo*) Motivation *f*

estío [es'tio] *m* (*elev*) Sommer *m*

estipular [estipu'lar] *vt* vereinbaren; (*fijar*) festsetzen

estirar [esti'rar] **I.** *vi* ziehen **II.** *vt* ① (*alargar*) (lang) ziehen ② (*alisar*) glatt ziehen; **~ la masa** den Teig ausrollen ③ (*piernas*) (aus)strecken; **voy a salir a ~ un poco las piernas** ich gehe mir mal ein bisschen die Beine vertreten **III.** *vr:* **~se** sich strecken

estirón [esti'ron] *m* ❶ (*tirón*) Ruck *m* ❷ **¡vaya ~ que ha dado el niño!** (*fam*) der Junge ist aber groß geworden!

estirpe [es'tirpe] *f* Abstammung *f*

estival [esti'βal] *adj* sommerlich

esto ['esto] *pron dem v.* **éste, ésta, esto**

Estocolmo [esto'kolmo] *m* Stockholm *nt*

estofado [esto'faðo] *m* Schmorfleisch *nt*

estoico, -a [es'toi̯ko] *adj* stoisch

estola [es'tola] *f* Stola *f*

estomacal [estoma'kal] *adj* Magen-; **trastorno ~** Magenverstimmung *f*

estómago [es'tomaɣo] *m* Magen *m;* **se me revolvió el ~** mir wurde schlecht

Estonia [es'tonja] *f* Estland *nt*

estonio, -a [es'tonjo] *adj* estnisch

estorbar [estor'βar] **I.** *vi* hinderlich sein *+dat;* (*molestar*) stören **II.** *vt* verhindern; (*obstaculizar*) behindern; (*molestar*) stören

estorbo [es'torβo] *m* (*molestia*) Ärgernis *nt;* (*obstáculo*) Hindernis *nt;* (*molestia*) Störung *f*

estornudar [estornu'ðar] *vi* niesen

estornudo [estor'nuðo] *m* Niesen *nt*

estos ['estos] *adj v.* **este, -a**

estrabismo [estra'βismo] *m* Schielen *nt*

estrado [es'traðo] *m* Podium *nt;* **~ del testigo** Zeugenstand *m*

estrago [es'traɣo] *m* Verwüstung *f;* **hacer grandes ~s en la población civil** viele Opfer unter der Zivilbevölkerung fordern

estrangular [estraŋgu'lar] *vt* erwürgen

estraperlista [estraper'lista] *mf* Schwarzhändler(in) *m(f)*

estraperlo [estra'perlo] *m* Schwarzhandel *m*

Estrasburgo [estras'βurɣo] *m* Straßburg *nt*

estratagema [estrata'xema] *m* Kriegslist *f;* (*artimaña*) Trick *m*

estratega [estra'teɣa] *mf* Stratege, -in *m, f*

estrategia [estra'texja] *f* Strategie *f*

estratégico, -a [estra'texiko] *adj* strategisch

estrato [es'trato] *m t.* GEO Schicht *f;* **~ social** Gesellschaftsschicht *f*

estrechar [estre'tʃar] **I.** *vt* ❶ (*angostar*) verengen; (*ropa*) enger machen ❷ (*abrazar*) an sich drücken; (*la mano*) schütteln ❸ (*amistad*) vertiefen **II.** *vr:* **~se** ❶ (*camino*) enger werden ❷ (*dos personas*) sich umarmen; **~se las manos** sich *dat* die Hände schütteln ❸ (*amistad*) enger werden ❹ **~se el cinturón** (*fam*) den Gürtel enger schnallen

E

estrecho[1] [es'tretʃo] *m* Meerenge *f;* **~ de Gibraltar** Straße von Gibraltar

estrecho, -a[2] [es'tretʃo] *adj* ❶ (*angosto*) eng ❷ (*amistad*) innig ❸ (*ropa*) eng (anliegend) ❹ (*argot: sexualmente*) verklemmt

estrella [es'treʎa] *f* ❶ ASTR Stern *m;* **~ fugaz** Sternschnuppe *f* ❷ (*destino*) Glücksstern *m;* **tener buena/mala ~** Glück/Unglück haben ❸ CINE Star *m* ❹ **~ de mar** Seestern *m* ❺ *pl* (*loc*): **ver las ~s (de dolor)** (vor Schmerz) Sterne sehen

estrellado, -a [estre'ʎaðo] *adj* ❶ (*esteliforme*) sternenförmig ❷ (*noche*) stern(en)klar; **cielo ~** Sternenhimmel *m* ❸ (*avión*) abgestürzt

estrellarse [estre'ʎarse] *vr* ❶ (*chocar*) fahren (*contra/en* gegen *+akk*) ❷ (*morir*) durch einen Unfall ums Leben kommen

estremecedor(a) [estremeθe'ðor] *adj* erschütternd; (*horrible*) schaurig

estremecer [estreme'θer] *irr como crecer* **I.** *vt* erschüttern **II.** *vr:* **~se** ❶ (*por un suceso*) erschüttert sein ❷ (*de susto*) zusammenfahren

estremecimiento [estremeθi'mjen̪to] *m* Erschütterung *f;* (*de frío/miedo*) Erschau(d)ern *nt;* (*de susto*) Zusammenzucken *nt*

estrenar [estre'nar] *vt* ❶ (*usar*) zum ersten Mal verwenden; **sin ~** ungebraucht ❷ TEAT uraufführen

estreno [es'treno] *m* erstmaliger Gebrauch *m;* (*de un actor*) Debüt *nt;* (*de una obra*) Premiere *f*

estreñido, -a [estre'ɲiðo] *adj* verstopft

estreñimiento [estreɲi'mjen̩to] *m* Verstopfung *f*

estreñir [estre'ɲir] *irr como ceñir vt* (*comida*) zu Verstopfung führen (bei +*dat*)

estrépito [es'trepito] *m* Lärm *m;* **con gran ~** mit großem Getöse

estrés [es'tres] *m* Stress *m;* **producir ~** Stress hervorrufen

estresante [estre'san̩te] *adj* stressig

estresar [estre'sar] *vt* stressen

estría [es'tria] *f* ❶ ARQUIT Rille *f* ❷ *pl* (*rayas*) Streifen *mpl*

estribar [estri'βar] *vi* sich stützen (*en* auf +*akk*); **nuestro éxito estriba en nuestra larga experiencia** unser Erfolg beruht auf unserer langen Erfahrung

estribillo [estri'βiʎo] *m* ❶ MÚS Refrain *m* ❷ (*expresión repetitiva*) Lieblingswort *nt;* (*frase*) Lieblingssatz *m;* **siempre (con) el mismo ~** (*fig*) immer die gleiche alte Leier

estribo [es'triβo] *m* Steigbügel *m;* **perder los ~s** (*fig*) die Nerven verlieren

estribor [estri'βor] *m* Steuerbord *nt*

estricto, -a [es'trikto] *adj* streng; (*exacto*) strikt

estridente [estri'ðen̩te] *adj* schrill

estripazón [estripa'θon] *m* (AMC: *apretura*) Gedränge *nt;* (*destrozo*) Zerstörung *f*

estrofa [es'trofa] *f* Strophe *f*

estrógeno [es'troxeno] *m* Östrogen *nt*

estropajo [estro'paxo] *m* Topfreiniger *m*

estropear [estrope'ar] **I.** *vt* ❶ (*deteriorar*) beschädigen ❷ (*destruir*) kaputtmachen **II.** *vr:* **~se** ❶ (*deteriorarse*) sich verschlechtern ❷ (*averiarse*) kaputtgehen

estructura [estruk'tura] *f* Struktur *f*

estructurar [estruktu'rar] **I.** *vt* strukturieren; (*clasificar*) gliedern **II.** *vr:* **~se** sich gliedern

estruendo [es'trwen̩do] *m* Lärm *m;* (*alboroto*) Radau *m*

estrujar [estru'xar] **I.** *vt* pressen; (*machacar*) zerquetschen **II.** *vr:* **~se** sich durchquetschen

estuche [es'tuʧe] *m* Etui *nt*

estudiante [estu'ðjan̩te] *mf* Student(in) *m(f);* (*de escuela*) Schüler(in) *m(f)*

estudiantil [estuðjan̩'til] *adj:* **movimiento ~** Studentenbewegung *f*

estudiar [estu'ðjar] *vt* ❶ (*aprender*) lernen ❷ (*analizar*) untersuchen ❸ (*observar*) studieren ❹ (*reflexionar*) überdenken; **lo ~é** ich werde darüber nachdenken ❺ (*cursar estudios universitarios*) studieren; **~ para médico** Medizin studieren

estudio [es'tuðjo] *m* ❶ (*trabajo intelectual*) Lernen *nt* ❷ (*obra*) Studie *f;* **estar en ~** untersucht werden ❸ RADIO, TV Studio *nt;* **~ cinematográfico** Filmstudio *nt;* **~ radiofónico** Rundfunkstudio *nt* ❹ (*taller*) Atelier *nt* ❺ *pl* (*carrera*) (Hochschul)studium *nt;* **tener ~s** eine akademische Ausbildung besitzen

estudioso, -a [estu'ðjoso] *adj* fleißig

estufa [es'tufa] *f* Ofen *m;* **~ eléctrica** Heizlüfter *m*

estupefaciente [estupefa'θjen̩te] *m* Rauschgift *nt*

estupefacto, -a [estupe'fakto] *adj* perplex

estupendo, -a [estu'pen̩do] *adj* wunderbar; **¡~!** super!

estupidez [estupi'ðeθ] *f* Dummheit *f*

estúpido, -a [es'tupiðo] *adj* dumm

estupor [estu'por] *m* Benommenheit *f;* (*asombro*) Verblüffung *f*

esvástica [es'βastika] *f* Hakenkreuz *nt*

etapa [e'tapa] *f* Etappe *f;* **por ~s** (*fig*) schrittweise

etarra [e'tarra] **I.** *adj:* **un comando ~** ein Kommando der ETA **II.** *mf* ETA-Angehörige(r) *f(m)*

etcétera [e$^{(ð)}$'θetera] et cetera

éter ['eter] *m* Äther *m*

eternidad [eterni'ða^{ð}] *f* Ewigkeit *f;* **tardar una ~** ewig dauern

eternizar(se) [eterni'θar(se)] <z → c> *vt, vr* (sich) verewigen; **~ en algo** sich ewig lang an etw *dat* aufhalten

eterno, -a [e'terno] *adj* ewig

ética ['etika] *f* ❶ FILOS Ethik *f* ❷ *(moral)* Ethos *nt;* **~ profesional** Berufsethos *nt* ❸ *(fam)* Anstand *m;* **no tener ~** kein bisschen Anstand besitzen

ético, -a ['etiko] *adj* ethisch

etílico, -a [e'tiliko] *adj* ❶ QUÍM Äthyl- ❷ *(alcohólico)* Alkohol-; **borrachera etílica** Alkoholvergiftung *f*

etimología [etimolo'xia] *f* Etymologie *f*

etimológico, -a [etimo'loxiko] *adj* etymologisch

etíope [e'tiope] *adj* äthiopisch

Etiopía [etjo'pia] *f* Äthiopien *nt*

etiqueta [eti'keta] *f* ❶ *(rótulo)* Etikett *nt;* **~ del precio** Preisschild *nt* ❷ *(convenciones)* Etikette *f;* **traje de ~** Galaanzug *m;* **ir de ~** *(fam)* sehr elegant angezogen sein

etnia ['e^{ð}nja] *f* Volk *nt*

étnico, -a ['e^{ð}niko] *adj* ethnisch

etnología [e^{ð}nolo'xia] *f sin pl* Völkerkunde *f*

E.U. [es'taðos u'niðos], **E.U.A.** [es'taðos u'niðos ðe a'merika] AM *abr de* **Estados Unidos** USA *pl*

eucalipto [eu̯ka'lipto] *m* Eukalyptus *m*

eucaristía [eu̯karis'tia] *f* Eucharistie *f*

euforia [eu̯'forja] *f* Euphorie *f*

eufórico, -a [eu̯'foriko] *adj* euphorisch

Eurasia [eu̯'rasja] *f* Eurasien *nt*

euro ['eu̯ro] *m* Euro *m*; **eurocheque** [eu̯ro'ʧeke] *m* Euroscheck *m*

Eurocopa [eu̯ro'kopa] *f* Europapokal *m*; **eurodiputado, -a** [eu̯roðipu'taðo] *m, f* Europaabgeordnete(r) *f(m)*

Europa [eu̯'ropa] *f* Europa *nt;* **Copa de ~** Europacup *m*

europarlamentario, -a [eu̯roparlamen̩'tarjo] *m, f* Europaparlamentarier(in) *m(f)*

europeizar [eu̯ropei̯'θar] *irr como enraizar vt* europäisieren

europeo, -a [eu̯ro'peo] *adj* europäisch; **Consejo Europeo** Europarat *m*

euscaldún, -una [eu̯skal̩'dun] *adj* baskisch

Euskadi [eu̯s'kaði] *m* Baskenland *nt*

euskera [eu̯s'kera] *adj,* **eusquera** [eu̯s'kera] *adj* baskisch

eutanasia [eu̯ta'nasja] *f* Sterbehilfe *f*

evacuar [eβa'kwar] *vt* ❶ *(población)* evakuieren; MIL räumen ❷ MED abführen; **~ el vientre** den Darm entleeren

evadirse [eβa'ðirse] *vr* entkommen

evaluación [eβalwa'θjon] *f* ❶ Bewertung *f;* ECON: **~ comparativa** Benchmarking *nt;* *(apreciación)* Schätzung *f* ❷ ENS Test *m*

evaluar [eβalu'ar] <*1. pres* evalúo> *vt* ❶ bewerten; *(apreciar)* schätzen *(en* auf *+akk)*; *(analizar)* auswerten ❷ ENS benoten

evangélico, -a [eβaŋ'xeliko] **I.** *adj* evangelisch **II.** *m, f* Protestant(in) *m(f)*

evangelio [eβaŋ'xeljo] *m* Evangelium *nt;* **el ~ según San Mateo** das Matthäusevangelium

evaporación [eβapora'θjon] *f* Verdampfung *f*

evaporarse [eβapo'rarse] *vr* ❶ *(convertirse en vapor)* verdampfen ❷ *(fam: persona)* verduften

evasión [eβa'sjon] *f* Flucht *f;* **~ de impuestos** Steuerflucht *f*

evasiva [eβa'siβa] *f* Vorwand *m*

evento [e'βen̩to] *m* Ereignis *nt*

eventual [eβen̩'twal] *adj* ❶ eventuell; *(accidental)* zufällig; **trabajo ~** Zeitarbeit *f* ❷ *(adicional)* Sonder-, Neben-; **ingresos ~es** Nebeneinkünfte *fpl*

evidencia [eβi'ðen̩θja] *f* Offensichtlichkeit *f;* **poner a alguien en ~** jdn bloßstellen

evidente [eβi'ðen̩te] *adj* offensichtlich

evitar [eβi'tar] **I.** *vt* ❶ *(impedir)* vermeiden; (*prevenir*) vorbeugen +*dat;* (*disgustos*) ersparen ❷ (*rehuir*) ausweichen +*dat* **II.** *vr:* **~se** ❶ (*cosas*) sich vermeiden lassen ❷ (*personas*) sich *dat* aus dem Weg gehen

evocar [eβo'kar] <c → qu> *vt* ❶ (*espíritus*) anrufen ❷ (*recordar*) ins Gedächtnis zurückrufen

evolución [eβolu'θjon] *f* ❶ Entwicklung *f;* MED Krankheitsverlauf *f* ❷ BIOL Evolution *f*

evolucionar [eβoluθjo'nar] *vi* sich (weiter)entwickeln; MED verlaufen

ex [eˠs] **I.** ehemalige(r); **~ novia** Exfreundin *f* **II.** *mf* (*fam*) Ex *f(m)*

exactitud [eˠsakti'tuᶞ] *f* Genauigkeit *f*

exacto, -a [eˠ'sakto] *adj* ❶ (*correcto*) exakt; **eso no es del todo ~** das stimmt nicht ganz ❷ (*con precisión*) genau

exageración [eˠsaxera'θjon] *f* Übertreibung *f*

exagerado, -a [eˠsaxe'raðo] *adj* übertrieben

exagerar [eˠsaxe'rar] *vi, vt* (es) übertreiben

exaltado, -a [eˠsal̪'taðo] *adj* sehr aufgeregt

exaltar [eˠsal̪'tar] **I.** *vt* loben; (*en exceso*) verherrlichen **II.** *vr:* **~se** ❶ (*apasionarse*) sich begeistern (*con* für +*akk*) ❷ (*excitarse*) sich aufregen (*con* über +*akk*); (*obsesionarse*) sich hineinsteigern (*con* in +*akk*)

examen [eˠ'samen] *m* ❶ (*prueba*) Prüfung *f;* **~ de ingreso** Aufnahmeprüfung *f;* **~ de selectividad** *spanische Hochschulzulassungsprüfung*; **suspender un ~** durch eine Prüfung fallen ❷ (*médico*) Untersuchung *f;* **someterse a un ~** sich einer Untersuchung unterziehen ❸ TÉC Inspektion *f*

examinador(a) [eˠsamina'ðor] *m(f)* Prüfer(in) *m(f)*

examinar [eˠsami'nar] **I.** *vt* ❶ (*en una prueba*) prüfen ❷ (*médico*) untersuchen ❸ TÉC, AUTO inspizieren **II.** *vr:* **~se** geprüft werden

exasperación [eˠsaspera'θjon] *f* Wut *f*

exasperante [eˠsaspe'ran̪te] *adj* verzweifelt; **es ~** es ist zum Verzweifeln

exasperar [eˠsaspe'rar] **I.** *vt* wütend machen **II.** *vr:* **~se** wütend werden

excarcelar [eskarθe'lar] *vt* aus der Haft entlassen

excavación [eskaβa'θjon] *f* (Aus)graben *nt;* (*en la arqueología*) Ausgrabung *f*

excavadora [eskaβa'ðora] *f* Bagger *m*

excavar [eska'βar] *vt* (aus)graben

excedencia [esθe'ðen̪θja] *f* Beurlaubung *f*

excedente [esθe'ðen̪te] *m* Überschuss *m*

exceder [esθe'ðer] **I.** *vi* hinausgehen (*de* über +*akk*) **II.** *vt* übersteigen (*en* um +*akk*) **III.** *vr:* **~se** ❶ (*sobrepasar*) hinausgehen (*de* über +*akk*) ❷ (*pasarse*) es übertreiben; **has vuelto a ~te** du bist wieder einmal zu weit gegangen

excelencia [esθe'len̪θja] *f* ❶ (*exquisitez*) Vorzüglichkeit *f;* **por ~** schlechthin ❷ (*tratamiento*) Exzellenz *f*

excelente [esθe'len̪te] *adj* hervorragend

excéntrico, -a [es'θen̪triko] *adj* exzentrisch

excepción [esθeβ'θjon] *f* Ausnahme *f;* **sin ~ (ninguna)** ausnahmslos; **de ~** außergewöhnlich; **a [*o* con] ~ de...** außer ... +*dat*

excepcional [esθeβθjo'nal] *adj* außergewöhnlich

excepto [es'θepto] *adv* außer +*dat*

excesivo, -a [esθe'siβo] *adj* exzessiv

exceso [es'θeso] *m* ❶ (*demasía*) Übermaß *nt* (*de* an +*dat*); **~ de peso** Übergewicht *nt;* **en ~** übermäßig ❷ (*abuso*) Maßlosigkeit *f;* **~ de velocidad** Geschwindigkeitsüberschreitung *f;* **comer con [*o* en] ~** zu viel essen ❸ FIN Überschuss *m* ❹ *pl* (*desorden*) Ausschreitungen *fpl*

excitable [esθi'taβle] *adj* reizbar

excitación [esθita'θjon] *f* Erregung *f;*

(*irritación*) Aufregung *f*

excitar [esθi'tar] I. *vt* aufregen; (*sexualmente*) erregen II. *vr:* **~se** sich aufregen; (*sexualmente*) erregt sein

exclamación [esklama'θjon] *f* Ausruf *m;* **signo de ~** Ausrufezeichen *nt*

exclamar [eskla'mar] *vi, vt* rufen; (*gritar*) schreien

excluir [esklu'ir] *irr como huir vt* ausschließen

exclusiva [esklu'siβa] *f* PREN Exklusivbericht *m*

exclusivamente [esklusiβa'men̩te] *adv* ausschließlich

exclusivo, -a [esklu'siβo] *adj* exklusiv; **modelo ~** Sonderanfertigung *f*

excomulgar [eskomul'ɣar] <g → gu> *vt* exkommunizieren

excremento [eskre'men̩to] *m* Exkrement *nt*

exculpar [eskul'par] I. *vt* von Schuld entlasten II. *vr:* **~se** sich rechtfertigen

excursión [eskur'sjon] *f* Ausflug *m;* **~ a pie** Wanderung *f;* **ir de ~** einen Ausflug machen

excursionista [eskursjo'nista] *mf* Ausflügler(in) *m(f)*

excusa [es'kusa] *f* ❶ (*pretexto*) Ausrede *f* ❷ (*disculpa*) Entschuldigung *f;* **presentar sus ~s** sich entschuldigen

excusar [esku'sar] I. *vt* ❶ (*justificar*) rechtfertigen ❷ (*disculpar*) entschuldigen ❸ (*eximir*) befreien ❹ (+ *inf*): **excusas venir** es ist nicht nötig, dass du kommst II. *vr:* **~se** sich entschuldigen (*de* für +*akk*)

exención [eʸsen̩'θjon] *f* Befreiung *f* (*de* von +*dat*); **~ de impuestos** Steuerbefreiung *f*

exento, -a [eʸ'sen̩to] *adj* frei

exhaustivo, -a [eʸsau̯s'tiβo] *adj* erschöpfend

exhausto, -a [eʸ'sau̯sto] *adj* erschöpft

exhibición [eʸsiβi'θjon] *f* ❶ (*exposición*) Ausstellung *f* ❷ (*presentación*) Vorführung *f;* **~ deportiva** sportliche Darbietungen

exhibicionismo [eʸsiβiθjo'nismo] *m* Exhibitionismus *m*

exhibicionista [eʸsiβiθjo'nista] *mf* Exhibitionist(in) *m(f)*

exhibir [eʸsi'βir] I. *vt* ❶ (*mostrar*) vorzeigen ❷ (*ostentar*) angeben (mit +*dat*) II. *vr:* **~se** sich zur Schau stellen; **~se en público** in der Öffentlichkeit auftreten

exhumar [eʸsu'mar] *vt* exhumieren

exigencia [eʸsi'xen̩θja] *f* ❶ (*demanda*) Forderung *f;* **tener ~s** (*fam*) Ansprüche stellen ❷ (*requisito*) Anforderung *f*

exigente [eʸsi'xen̩te] *adj* anspruchsvoll; **ser muy ~** hohe Ansprüche stellen

exigir [eʸsi'xir] <g → j> *vt* fordern; (*reclamar*) verlangen

exil(i)ado, -a [eʸsi'l(j)aðo] *m, f* (politischer) Flüchtling *m*

exil(i)ar [eʸsi'l(j)ar] I. *vt* ins Exil schicken II. *vr:* **~se** ins Exil gehen

exilio [eʸ'siljo] *m* Exil *nt*

eximir [eʸsi'mir] I. *vt* befreien; **~ de responsabilidades** der Verantwortung entheben II. *vr:* **~se** sich entziehen (*de* +*dat*)

existencia [eʸsis'ten̩θja] *f* ❶ (*vida*) Existenz *f* ❷ *pl* COM Vorrat *m;* **liquidación de ~s** Ausverkauf *m;* **renovar las ~s** das Lager wieder auffüllen ❸ **en ~** COM vorrätig

existencial [eʸsisten̩'θjal] *adj* existenziell

existente [eʸsis'ten̩te] *adj* vorhanden; COM vorrätig

existir [eʸsis'tir] *vi* existieren

éxito ['eʸsito] *m* Erfolg *m;* **~ de taquilla** Kassenschlager *m;* **~ de ventas** Verkaufsschlager *m;* **con ~** erfolgreich; **sin ~** erfolglos

exitoso, -a [eʸsi'toso] *adj* erfolgreich

éxodo ['eʸsoðo] *m* Exodus *m;* **~ rural** Landflucht *f;* **~ urbano** Stadtflucht *f*

exorbitante [eʸsorβi'tan̩te] *adj* überhöht; (*exagerado*) übertrieben

exótico, -a [eʸ'sotiko] *adj* exotisch

expandir [espan̩'dir] I. *vt* ausdehnen; (*divulgar*) verbreiten II. *vr:* **~se** sich (ver)breiten

expansión [espan'sjon] *f* Ausdehnung *f;* POL Expansion *f*

expatriar [espatri'ar] <*1. pres* expatrío> **I.** *vt* des Landes verweisen **II.** *vr:* **~se** das Land verlassen

expectación [espekta'θjon] *f* Erwartung *f;* **con ~** erwartungsvoll

expectante [espek'tan̪te] *adj* (*atento*) erwartungsvoll

expectativa [espekta'tiβa] *f* Erwartung *f;* **estar a la ~ de algo** etw erwarten

expectorar [espekto'rar] *vt* aushusten

expedición [espeði'θjon] *f* ❶ (*viaje*) Expedition *f;* **~ científica** Forschungsreise *f;* **~ militar** Feldzug *m* ❷ (*grupo*) Expedition(sgruppe) *f* ❸ (*remesa*) Versand *m;* (**empresa de**) **~** Spedition *f*

expediente [espe'ðjen̪te] *m* ❶ (*asunto judicial*) Rechtssache *f;* **instruir un ~** ein Verfahren betreiben ❷ (*sumario*) Dossier *nt* ❸ (*administrativo*) Dienstverfahren *nt* ❹ (*legajo*) Personalakte *f*

expedir [espe'ðir] *irr como pedir vt* erledigen; (*despachar*) versenden; (*documentos*) ausstellen

expeditar [espeði'tar] *vt* AM beschleunigen

expendedor(**a**) [espen̪de'ðor] *adj:* **máquina ~a de billetes** Fahrkartenautomat *m;* **máquina ~a de tabaco** Zigarettenautomat *m*

expendio [es'pen̪djo] *m* AM Tabakladen *m*

expensas [es'pensas] *f pl*: **vivir a ~ de alguien** sich von jdm aushalten lassen

experiencia [espe'rjen̪θja] *f* ❶ (*práctica*) Erfahrung *f;* **falta de ~ laboral** mangelnde Berufserfahrung; **tener mucha/poca ~** erfahren/unerfahren sein ❷ (*vivencia*) Erlebnis *nt*

experimentado, -a [esperimen̪'taðo] *adj* erfahren; (*comprobado*) erprobt

experimental [esperimen̪'tal] *adj* experimentell

experimentar [esperimen̪'tar] **I.** *vi* experimentieren **II.** *vt* ausprobieren; (*sentir*) fühlen; (*sufrir*) erfahren

experimento [esperi'men̪to] *m* Experiment *nt*

experto, -a [es'perto] *m, f* Experte, -in *m, f;* (*perito*) Sachverständige(r) *f(m)*

expiar [espi'ar] <*1. pres* expío> *vt* sühnen

expirar [espi'rar] *vi* ❶ (*morir*) sterben ❷ (*plazo*) ablaufen; **antes de ~ el mes** vor Monatsende

explanada [espla'naða] *f* freier Platz *m*

explayar [espla'ɟar] **I.** *vt* ausdehnen **II.** *vr:* **~se** sich ausdehnen; (*divertirse*) sich amüsieren

explicación [esplika'θjon] *f* ❶ (*aclaración*) Erklärung *f;* **pedir explicaciones** eine Erklärung verlangen ❷ (*motivo*) Grund *m;* **sin dar explicaciones** ohne Begründung ❸ **dar explicaciones** sich entschuldigen

explicar [espli'kar] <c → qu> **I.** *vt* ❶ (*aclarar*) erklären ❷ (*dar motivos*) begründen ❸ (*interpretar*) auslegen **II.** *vr:* **~se** ❶ (*comprender*) begreifen; **no me lo explico** es ist mir unbegreiflich ❷ (*articularse*) sich ausdrücken; **¿me explico?** habe ich mich deutlich ausgedrückt?

explícito, -a [es'pliθito] *adj* ausdrücklich

exploración [esplora'θjon] *f* Untersuchung *f*

explorar [esplo'rar] *vt* erforschen; MED untersuchen

explosión [esplo'sjon] *f* ❶ (*estallido*) Explosion *f;* **~ demográfica** Bevölkerungsexplosion *f;* **gran ~** Urknall *m;* **hacer ~** explodieren ❷ (*voladura*) Sprengung *f*

explosionar [esplosjo'nar] **I.** *vi* explodieren **II.** *vt* zünden

explosivo[1] [esplo'siβo] *m* Sprengstoff *m*

explosivo, -a[2] [esplo'siβo] *adj:* **artefacto ~** Sprengkörper *m*

explotación [esplota'θjon] *f* ❶ Nutzung *f;* AGR Bebauung *f* ❷ (*abuso*) Ausbeutung *f*

explotar [esplo'tar] **I.** *vi* explodieren; (*te-*

ner un arrebato) platzen **II.** *vt* ❶ (*recursos, terreno*) nutzen; AGR bebauen ❷ (*abusar*) ausbeuten

expoliar [espo'ljar] *vt* ausrauben

exponer [espo'ner] *irr como poner* **I.** *vt* (*hablar*) vortragen; (*arriesgar*) riskieren **II.** *vr:* **~se** sich (einem Risiko) aussetzen

exportación [esporta'θjon] *f* Export *m*

exportar [espor'tar] *vt* exportieren

exposición [esposi'θjon] *f* Ausstellung *f*; **~ universal** Weltausstellung *f*; **~ itinerante** Wanderausstellung *f*; **~ temporal** temporäre Ausstellung

exprés [es'pres] **I.** *adj* Eil-; **café ~** Espresso *m*; **olla ~** Schnellkochtopf *m* **II.** *m* Schnellzug *m*

expresamente [espresa'mente] *adv* ausdrücklich

expresar [espre'sar] **I.** *vt* äußern; (*decir*) aussprechen **II.** *vr:* **~se** sich ausdrücken; (*hablar*) sich äußern

expresión [espre'sjon] *f* Ausdruck *m*

expresionismo [espresjo'nismo] *m* Expressionismus *m*

expresivo, -a [espre'siβo] *adj* ausdrucksvoll

expreso, -a [es'preso] *adj:* **tren ~** D-Zug *m*; **enviar una carta por** (**correo**) **~** einen Brief per Eilpost verschicken

exprimidor [esprimi'ðor] *m* Entsafter *m*

exprimir [espri'mir] *vt* auspressen

expropiación [espropja'θjon] *f* Enteignung *f*

expropiar [espro'pjar] *vt* enteignen

expuesto, -a [es'pwesto] *adj* gefährlich

expulsar [espul'sar] *vt* hinauswerfen

expulsión [espul'sjon] *f* Vertreibung *f*; **~ del campo de juego** DEP Platzverweis *m*

exquisito, -a [eski'sito] *adj* exquisit

éxtasis ['estasis] *m inv* Ekstase *f*

extender [esten'der] <e → ie> **I.** *vt* ❶ (*papeles*) ausbreiten ❷ (*desplegar*) strecken ❸ (*ensanchar*) ausdehnen ❹ (*propagar*) verbreiten ❺ (*escribir*) ausstellen; (*documento*) aufsetzen **II.** *vr:* **~se** (*terreno*) sich erstrecken; (*prolongarse*) dauern; (*difundirse*) sich verbreiten (*por* über +*akk*)

extendido, -a [esten'diðo] *adj* ❶ (*amplio*) weit ❷ (*conocido*) verbreitet; **estar muy ~** weit verbreitet sein

extensión [esten'sjon] *f* ❶ (*dimensión*) Ausdehnung *f*; (*longitud*) Länge *f*; **por ~** im weiteren Sinne ❷ (*difusión*) Verbreitung *f* ❸ (*duración*) Dauer *f* ❹ (*ampliación*) Erweiterung *f*; **~ hacia el este** Osterweiterung *f* ❺ TEL Nebenanschluss *m*

extenso, -a [es'tenso] *adj* weit; (*dilatado*) ausführlich

extenuar [estenu'ar] <*1. pres* extenúo> *vt* erschöpfen

exterior [este'rjor] *adj* ❶ (*de fuera*) äußere(r, s); **aspecto ~** Äußere(s) *nt* ❷ (*extranjero*) ausländisch; **Ministerio de Asuntos Exteriores** Außenministerium *nt*

exteriorizar [esterjori'θar] <z → c> *vt* zum Ausdruck bringen

exterminar [estermi'nar] *vt* ausrotten

exterminio [ester'minjo] *m* Ausrottung *f*

externo, -a [es'terno] *adj* äußerlich

extinción [estin'θjon] *f* ❶ (*apagado*) Löschen *nt*; **~ de incendios** Brandlöschung *f* ❷ ECOL Aussterben *nt*; **en vías de ~** vom Aussterben bedroht ❸ (*de contrato*) Ablauf *m*

extinguir [estiŋ'gir] <gu → g> **I.** *vt* (aus)löschen **II.** *vr:* **~se** erlöschen; (*finalizar*) zu Ende gehen; ECOL aussterben

extinto, -a [es'tinto] *adj* AM verstorben

extintor [estin'tor] *m:* **~ de incendios** Feuerlöscher *m*

extirpar [estir'par] *vt* (operativ) entfernen; (*miembro*) amputieren

extorsión [estor'sjon] *f* Erpressung *f*

extra ['estra] *adj* ❶ (*adicional*) Extra-; **horas ~s** Überstunden *fpl*; **paga ~** Lohnzulage *f* ❷ *inv* (*excelente*) erstklassig; **de calidad ~** von besonderer Qualität

extracción [estra$^{\gamma}$'θjon] *f* (Heraus)ziehen *nt;* (*lotería*) Ziehung *f*

extraconyugal [estrakonɟu'ɣal] *adj* außerehelich

extracto [es'trakto] *m* Auszug *m*

extractor [estrak'tor] *m:* ~ **de humo** Rauchabzug *m*

extradición [estraði'θjon] *f* Auslieferung *f*

extraditar [estraði'tar] *vt* ausliefern

extraer [estra'er] *irr como traer vt* (heraus)ziehen

extralimitarse [estralimi'tarse] *vr* zu weit gehen; ~ **en sus funciones** seine Befugnisse überschreiten

extranjero[1] [estraŋ'xero] *m* Ausland *nt*

extranjero, -a[2] [estraŋ'xero] **I.** *adj* ausländisch; **lengua extranjera** Fremdsprache *f* **II.** *m, f* Ausländer(in) *m(f)*

extrañar [estra'ɲar] **I.** *vt* ① (*sorprender*) erstaunen; **¡no me extraña!** das habe ich mir schon gedacht! ② (*echar de menos*) vermissen **II.** *vr:* **~se** sich wundern (*de* über +*akk*)

extraño, -a [es'traɲo] *adj* ① fremd; (*extranjero*) ausländisch ② (*raro*) sonderbar; (*extraordinario*) ungewöhnlich

extraoficial [estraofi'θjal] *adj* inoffiziell;

extraordinario, -a [estraorði'narjo] *adj* ① außerordentlich; (*muy bueno*) hervorragend ② (*por añadidura*) Sonder-; **permiso** ~ Sondererlaubnis *f*; **extrarradio** [estra'rraðjo] *m* Außenbezirk *m*;

extraterrestre [estrate'rrestre] *mf* Außerirdische(r) *f(m)*

extravagancia [estraβa'ɣaṇθja] *f* Extravaganz *f*

extravagante [estraβa'ɣaṇte] *adj* extravagant

extraviar [estraβi'ar] <*1. pres* extravío> **I.** *vt* ① (*despistar*) vom Weg abbringen ② (*perder*) verlieren **II.** *vr:* **~se** ① (*errar el camino*) sich verirren ② (*carta*) verloren gehen

extremado, -a [estre'maðo] *adj* extrem

Extremadura [estrema'ðura] *f* Estremadura *f*

extremar [estre'mar] *vt:* **la policía extremó las medidas de seguridad** die Polizei traf strengste Sicherheitsvorkehrungen

extremaunción [estremauṇ'θjon] *f* letzte Ölung *f*

extremeño, -a [estre'meɲo] *adj* aus Estremadura

extremidad [estremi'ða$^{\eth}$] *f pl* Gliedmaßen *fpl*

extremismo [estre'mismo] *m* Extremismus *m*

extremista [estre'mista] *mf* Extremist(in) *m(f)*

extremo [es'tremo] *m* ① (*cabo*) Ende *nt;* **en último** ~ äußerstenfalls ② (*asunto*) Punkt *m;* **en este** ~ in dieser Hinsicht ③ (*punto límite*) Äußerste(s) *nt;* **esto llega hasta el ~ de...** das geht so weit, dass ...

extrovertido, -a [estroβer'tiðo] *adj* extravertiert

exuberante [e$^{\gamma}$suβe'raṇte] *adj* üppig

eyaculación [eɟakula'θjon] *f* Samenerguss *m*

F

F, f ['efe] *f* F, f *nt*
fabada [fa'βaða] *f* Bohneneintopf *m*
fábrica ['faβrika] *f* Fabrik *f*
fabricación [faβrika'θjon] *f* Herstellung *f;* **~ en masa** Massenproduktion *f*
fabricante [faβri'kan̪te] *mf* Hersteller(in) *m(f)*
fabricar [faβri'kar] <c → qu> *vt* herstellen
fábula ['faβula] *f* Fabel *f*
fabuloso, -a [faβu'loso] *adj* großartig
faceta [fa'θeta] *f* Facette *f;* (*aspecto*) Seite *f*
facha ['fatʃa] *mf* (*fam pey*) Rechtsradikale(r) *f(m)*
fachada [fa'tʃaða] *f* Fassade *f*
facial [fa'θjal] *adj* Gesichts-; **cirugía ~** Gesichtschirurgie *f*
fácil ['faθil] *adj* leicht, einfach; **es ~ que...** *+subj* es ist wahrscheinlich, dass ...
facilidad [faθili'ðaᵈ] *f* ❶ (*sin dificultad*) Leichtigkeit *f* ❷ (*dotes*) Begabung *f;* **tener ~ para los idiomas** sprachbegabt sein ❸ *pl* Erleichterungen *fpl*; **ofrecer [*o* dar] ~es a alguien para algo** jdm bei etw *dat* entgegenkommen
facilitar [faθili'tar] *vt* erleichtern; (*posibilitar*) ermöglichen; (*entregar*) zur Verfügung stellen
fácilmente [faθil'men̪te] *adv* mühelos
factible [fak'tiβle] *adj* machbar
factor [fak'tor] *m* Faktor *m;* **~ de protección** Schutzfaktor *m;* **~ de riesgo** Risikofaktor *m*
factoría [fakto'ria] *f* Fabrik *f*
factura [fak'tura] *f* Rechnung *f;* (*recibo*) Quittung *f*
facturación [fakturaθjon] *f* ❶ (*elaboración de una factura*) Berechnung *f* ❷ FERRO Gepäckaufgabe *f*
facturar [faktu'rar] *vt* FERRO aufgeben; **~ (el equipaje)** AERO einchecken
facultad [fakul̪'taᵈ] *f* ❶ (*atribuciones*) Befugnis *f* ❷ (*aptitud*) Fähigkeit *f;* **recobrar sus ~es** wieder zu sich *dat* kommen ❸ UNIV Fakultät *f*
facultar [fakul̪'tar] *vt* berechtigen (*para* zu *+dat*)
facultativo, -a [fakul̪ta'tiβo] *adj* ärztlich
faena [fa'ena] *f* (*fam*): **hacer una ~ a alguien** jdm einen Streich spielen
faenar [fae'nar] *vi* (hart) arbeiten; (*pescar*) fischen
fain [fai̯n] *adj* AM prima; (*calidad*) hochwertig
faisán [fai̯'san] *m* Fasan *m*
faitear [fai̯te'ar] *vi* AM sich prügeln
faja ['faxa] *f* (Leib)binde *f;* (*distintivo honorífico*) Schärpe *f*
fajar(se) [fa'xar(se)] *vt, vr* AM (sich) schlagen
fajo ['faxo] *m* Bündel *nt*
falange [fa'laŋxe] *f:* **Falange Española** Falange *f* (*faschistische Staatspartei Spaniens von 1933 - 1976*)
falangista [falaŋ'xista] *mf* Falangist(in) *m(f)*
falda ['fal̪da] *f* Rock *m;* **~ pantalón** Hosenrock *m;* **~ plisada** Plisseerock *m*
faldero [fal̪'dero] *m:* **perro ~** Schoßhund *m*
falible [fa'liβle] *adj* fehlbar
fálico, -a ['faliko] *adj* phallisch
fallar [fa'ʎar] **I.** *vi* ein Urteil fällen; (*malograrse*) misslingen; (*no funcionar*) versagen; (*en una cita*) jdn versetzen **II.** *vt* ❶ JUR fällen; **~ la absolución** auf Freispruch erkennen; **~ un pleito** einen Rechtsstreit beilegen ❷ DEP danebenschießen
fallecer [faʎe'θer] *irr como crecer vi* sterben
fallecido, -a [faʎe'θiðo] *m, f* Verstorbene(r) *f(m)*
fallecimiento [faʎeθi'mjen̪to] *m* Sterben *nt*
fallido, -a [fa'ʎiðo] *adj* misslungen
fallo ['faʎo] *m* ❶ Urteil *nt* ❷ (*error*) Feh-

F

ler *m;* ~ **humano** menschliches Versagen ❸ TÉC: ~ **en tiempo de ejecución** INFOR Laufzeitfehler *m*

falo ['falo] *m* (*elev*) Phallus *m*

falsear [false'ar] *vt* verfälschen

falsedad [false'ða^{ð}] *f* Falschheit *f;* (*hipocresía*) Heuchelei *f*

falsificación [falsifika'θjon] *f* Fälschung *f;* ~ **de billetes** Falschgeldherstellung *f*

falsificador(a) [falsifika'ðor] *m(f)* Fälscher(in) *m(f);* ~ **de documentos** Urkundenfälscher *m*

falsificar [falsifi'kar] <c → qu> *vt* fälschen

falso[1] ['falso] *adv*: **dar un paso en** ~ einen Fehltritt tun

falso, -a[2] ['falso] *adj:* **¡~!** das ist gelogen!

falta ['fal̪ta] *f* ❶ (*carencia*) Mangel *m* (*de* an +*dat*); (*ausencia*) Abwesenheit *f;* ~ **de dinero** Geldmangel *m;* ~ **de educación** Respektlosigkeit *f;* **echar en** ~ **algo/a alguien** etw/jdn vermissen ❷ (*equivocación*) Fehler *m;* ~ **ortográfica** Rechtschreibfehler *m;* **sin ~s** fehlerlos ❸ DEP Foul(spiel) *nt*

faltar [fal̪'tar] *vi* ❶ (*no estar*) fehlen (an +*dat*); **¡lo que faltaba!** das hat uns gerade noch gefehlt! ❷ (*loc*): ~ **(por) hacer** noch getan werden müssen ❸ (*temporal*) fehlen; **falta poco para las doce** es ist fast zwölf Uhr ❹ (*no cumplir*): ~ **a** verstoßen gegen +*akk;* ~ **a su palabra** wortbrüchig werden; ~ **a su mujer** seine Frau betrügen

falto, -a ['fal̪to] *adj:* **está** ~ **de cariño** ihm mangelt es an Zuneigung

fama ['fama] *f* Ruhm *m;* **tener** ~ berühmt sein

famélico, -a [fa'meliko] *adj* ausgehungert

familia [fa'milja] *f* Familie *f;* ~ **monoparental** Einelternfamilie *f;* ~ **numerosa** kinderreiche Familie; **cabeza de** ~ Familienoberhaupt *nt;* ~ **política** *durch Heirat verbundene Familien*; **libro de** ~ Familienstammbuch *nt;* **en** ~ im (engsten) Familienkreis

familiar [fami'ljar] I. *adj* ❶ (*íntimo*) familiär; **asunto** ~ Familienangelegenheit *f;* **economía** ~ privater Haushalt ❷ (*conocido*) vertraut II. *mf* (*pariente*) Verwandte(r) *f(m)*

familiaridad [familjari'ða^{ð}] *f* Vertrautheit *f*

familiarizarse <z → c> *vr* sich gewöhnen (*con* an +*akk*); ~ **con un sistema nuevo** sich in ein neues System einarbeiten

famoseo [fa'mo'seo] *m* Klatsch und Tratsch *m*

famoso, -a [fa'moso] *adj* berühmt

fan [fan] <fans> *mf* Fan *m*

fanático, -a [fa'natiko] *adj* fanatisch

fanfarrón, -ona [faɱfa'rron] *m, f* Prahlhans *m*

fanfarronear [faɱfarrone'ar] *vi* (*fam*) prahlen

fango ['faŋgo] *m* Schlamm *m*

fangoso, -a [faŋ'goso] *adj* schlammig

fantasear [fan̪tase'ar] *vi* fantasieren

fantasía [fan̪ta'sia] *f* Fantasie *f;* **¡déjate de ~s!** hör auf zu träumen!

fantasioso, -a [fan̪ta'sjoso] *adj:* **idea fantasiosa** Fantasterei *f*

fantasma [fan̪'tasma] *m* Gespenst *nt;* (*fam*) Angeber(in) *m(f)*

fantasmal [fan̪tas'mal] *adj* gespenstisch

fantástico, -a [fan̪'tastiko] *adj* fantastisch; (*fam*) toll

fantoche [fan̪'toʧe] *m* ❶ (*títere*) Marionette *f* ❷ (*mamarracho*) Vogelscheuche *f*

farándula [fa'ran̪dula] *f* Komödiantentum *nt*

faraón [fara'on] *m* Pharao *m*

fardar [far'ðar] *vi* protzen

fardo ['farðo] *m* Ballen *m*

farfullar [farfu'ʎar] *vi* (*fam*) stottern

faringe [fa'riŋxe] *f* Rachen *m,* Schlund *m*

faringitis [fariŋ'xitis] *f inv* Rachenentzündung *f*

fariseo, -a [fari'seo] *m, f* Heuchler(in) *m(f)*

farla ['farla] *f*, **farlopa** [far'lopa] *f* (*argot*) Kokain *nt*

farmacéutico, -a [farma'θeu̯tiko] I. *adj* pharmazeutisch; **industria farmacéutica** Pharmaindustrie *f;* **productos ~s** Arzneimittel *ntpl* II. *m, f* Apotheker(in) *m(f)*

farmacia [far'maθja] *f* Apotheke *f;* ~ **de guardia** Bereitschaftsapotheke *f*

fármaco ['farmako] *m* Arzneimittel *nt*

farmacólogo, -a [farma'koloγo] *m, f* Pharmakologe, -in *m, f*

faro ['faro] *m* ❶ AUTO Scheinwerfer *m;* ~ **antiniebla** Nebelscheinwerfer *m* ❷ NÁUT Leuchtturm *m*

farol [fa'rol] *m* (Papier)laterne *f;* **tirarse un** ~ bluffen

farola [fa'rola] *f* Straßenlaterne *f*

farolillo [faro'liʎo] *m* Lampion *m*

farra ['farra] *f:* **estar [*o* ir] de** ~ (*fam*) einen draufmachen

farsa ['farsa] *f* Schwindel *m*

farsante [far'san̩te] *mf* (*fam*) Schwindler(in) *m(f)*

fascículo [fas'θikulo] *m* Faszikel *m*

fascinación [fasθina'θjon] *f* Faszination *f;* **sentir ~ por algo** sich für etw begeistern

fascinante [fasθi'nan̩te] *adj* faszinierend

fascinar [fasθi'nar] I. *vi, vt* faszinieren II. *vr:* **~se** sich begeistern lassen

fascismo [fas'θismo] *m* Faschismus *m*

fascista [fas'θista] *mf* Faschist(in) *m(f)*

fase ['fase] *f* Phase *f*

fastidiado, -a [fasti'ðjaðo] *adj* angeschlagen

fastidiar [fasti'ðjar] I. *vt* stören II. *vr:* **~se** (*fam*): **¡fastídiate!** geschieht dir (ganz) recht!; **¡hay que ~se!** da muss man durch!

fastidio [fas'tiðjo] *m* Ärgernis *nt*

fastuoso, -a [fastu'oso] *adj* prachtvoll

fatal [fa'tal] *adj* unangenehm; (*funesto*) verhängnisvoll

fatalidad [fatali'ða[ð]] *f* Schicksalsfügung *f*

fatalista [fata'lista] I. *adj* fatalistisch II. *mf* ❶ (*que sigue el fatalismo*) Fatalist(in) *m(f)* ❷ (*fam: pesimista*) Pessimist(in) *m(f)*

fatídico, -a [fa'tiðiko] *adj* Unheil bringend

fatiga [fa'tiγa] *f* Ermüdung *f*

fatigado, -a [fati'γaðo] *adj* müde

fatigar(se) [fati'γar(se)] <g → gu> *vt, vr* ermüden

fatigoso, -a [fati'γoso] *adj* anstrengend

fauces ['fau̯θes] *f pl* ZOOL Rachen *m;* AM Eckzähne *mpl*

fauna ['fau̯na] *f* Tierwelt *f*

favela [fa'βela] *f* AM ❶ (*casucha*) Baracke *f* ❷ *pl* (*barrio*) Slums *pl*

favor [fa'βor] *m* ❶ Gefallen *m;* (*ayuda*) Hilfe *f;* **por** ~ bitte; **hacer un ~ a alguien** jdm einen Gefallen tun ❷ (*gracia*) Begünstigung *f;* **tener a alguien a su** ~ jdn auf seiner Seite haben ❸ **voto a** ~ Jastimme *f*

favorable [faβo'raβle] *adj* günstig

favorecedor(a) [faβoreθe'ðor] *adj* vorteilhaft

favorecer [faβore'θer] *irr como crecer* I. *vt* sich positiv auswirken (*a* auf +*akk*); (*dar preferencia*) bevorzugen; (*prendas de vestir*) gut stehen +*dat* II. *vr:* **~se** Profit schlagen

favorecido, -a [faβore'θiðo] *adj* begünstigt

favoritismo [faβori'tismo] *m* Vetternwirtschaft *f*

favorito, -a [faβo'rito] I. *adj* Lieblings-; **plato** ~ Leibspeise *f* II. *m, f* Favorit(in) *m(f)*

fax [fa[γ]s] *m* Fax *nt;* **mandar un** ~ ein Fax schicken

fe [fe] *f* ❶ (*religión*) Glaube *m* (*en* an +*akk*); ~ **en Dios** Glaube an Gott ❷ (*confianza*) Vertrauen *nt* (*en* zu +*dat*); **tener ~ en alguien** zu jdm Vertrauen haben; **de mala** ~ mit böser Absicht ❸ ~ **de bautismo** Taufschein *m*

fealdad [feal̩'da[ð]] *f* Hässlichkeit *f*

febrero [fe'βrero] *m* Februar *m; v.t.* **marzo**

febril [fe'βril] *adj* fieb(e)rig

fecal [fe'kal] *adj* fäkal

fecha ['fetʃa] *f* Datum *nt;* (*señalada*) Termin *m;* ~ **de entrega** (Ab)lieferungstermin *m;* **sin** ~ undatiert; **hasta la** ~ bis zum heutigen Tag

fechado, **-a** [fe'tʃaðo] *adj:* ~ **el...** mit Datum vom ...

fechoría [fetʃo'ria] *f* Missetat *f*

fécula ['fekula] *f* Stärke *f*

fecundación [fekuṇda'θjon] *f* Befruchtung *f*

fecundar [fekuṇ'dar] *vt* BIOL befruchten; (*fertilizar*) fruchtbar machen

fecundidad [fekuṇdi'ða^{ð}] *f* Fruchtbarkeit *f*

federación [feðera'θjon] *f* Verband *m*

federal [feðe'ral] *adj* Bundes-, bundesstaatlich; **estado** ~ Bundesstaat *m;* **república** ~ Bundesrepublik *f*

federalismo [feðera'lismo] *m* Föderalismus *m*

federar(se) [feðe'rar(se)] *vt, vr* (sich) verbünden

federativo, **-a** [feðera'tiβo] *adj* bundesstaatlich, Bundes-

felicidad [feliθi'ða^{ð}] *f* ❶ (*dicha*) Glück *nt;* **¡~es!** (herzlichen) Glückwunsch! ❷ (*alegría*) Freude *f*

felicitación [feliθita'θjon] *f* Glückwunsch *m*

felicitar(se) [feliθi'tar(se)] *vt, vr* (sich) gratulieren

feligrés, **-esa** [feli'ɣres] *m, f* Pfarrgemeindemitglied *nt*

feliz [fe'liθ] *adj* glücklich; **¡~ Navidad!** frohe Weihnachten!; **¡~ viaje!** gute Reise!

felpa ['felpa] *f* Plüsch *m*

felpudo [fel'puðo] *m* Fußmatte *f*

femenino, **-a** [feme'nino] *adj* weiblich; **equipo** ~ Damenmannschaft *f*

feminidad [femini'ða^{ð}] *f* Weiblichkeit *f*

feminismo [femi'nismo] *m* Feminismus *m*

feminista [femi'nista] *adj* feministisch

fémur ['femur] *m* Oberschenkelknochen *m*

fenomenal [fenome'nal] *adv* (*fam*) fabelhaft

fenómeno [fe'nomeno] **I.** *adj* (*fam*): **¡~!** super! **II.** *m* ❶ (*suceso t.* FILOS,) MED Phänomen *nt* ❷ (*genio*) Genie *nt* **III.** *adv* toll

feo, **-a** ['feo] *adj* hässlich

féretro ['feretro] *m* Sarg *m*

feria ['ferja] *f* Messe *f;* (*verbena*) Jahrmarkt *m*

ferial [fe'rjal] *adj* Messe-; **recinto** ~ Messegelände *nt*

fermentación [fermeṇta'θjon] *f* (Ver)gärung *f;* (*de tabaco, té*) Fermentation *f*

fermentar [fermeṇ'tar] *vi, vt* (ver)gären

feroz [fe'roθ] *adj* grausam

férreo, **-a** ['ferreo] *adj:* **vía férrea** Eisenbahngleis

ferretería [ferrete'ria] *f* Eisenwarengeschäft *nt*

ferrocarril [ferroka'rril] *m* Schienen *fpl;* (*tren*) Eisenbahn *f;* ~ **de vía ancha** Breitspurbahn *f;* **por** ~ per Bahn

ferroviario, **-a** [ferro'βjarjo] *adj* Eisenbahn-

ferry ['ferri] *m* Fähre *f*

fértil ['fertil] *adj* fruchtbar

fertilidad [fertili'ða^{ð}] *f* Fruchtbarkeit *f*

fertilizante [fertili'θaṇte] *m* Düngemittel *nt*

fertilizar [fertili'θar] <z → c> *vt* fruchtbar machen; (*abonar*) düngen

ferviente [fer'βjeṇte] *adj* begeistert

fervor [fer'βor] *m* Eifer *m;* **con** ~ eifrig; REL Frömmigkeit *f*

festejar [feste'xar] *vt* feiern; AM verprügeln

festejo [fes'texo] *m* ❶ (*conmemoración*) Feier *f* ❷ *pl* (*actos públicos*) Feierlichkeiten *fpl*

festín [fes'tin] *m* Festessen *nt*

festival [festi'βal] *m* Festival *nt;* ~ **de cine** Filmfestspiele *ntpl*

festividad [festiβi'ða^{ð}] *f* Feierlichkeit *f*

festivo, **-a** [fes'tiβo] *adj* Feier-; **día** ~ Feiertag *m*

fetichismo [feti'ʧismo] *m* Fetischismus *m*
fetichista [feti'ʧista] *mf* Fetischist(in) *m(f)*
fetidez [feti'ðeθ] *f* Gestank *m*
fétido, -a ['fetiðo] *adj* übel riechend
feto ['feto] *m* MED Leibesfrucht *f;* (*monstruo*) Missgeburt *f*
feudal [feu̯'ðal] *adj:* **señor ~** Feudalherr *m*
feudalismo [feu̯ða'lismo] *m* Feudalismus *m*
fiabilidad [fjaβili'ðaᵈ] *f* Zuverlässigkeit *f*
fiable [fi'aβle] *adj* zuverlässig
fiado, -a [fi'aðo] *adj* zuversichtlich; **comprar al ~** auf Kredit kaufen
fiambre [fi'ambre] *m* ❶ GASTR Wurstwaren *fpl* ❷ (*fam: cadáver*) Leiche *f;* **ese está ~** der ist mausetot
fianza [fi'an̩θa] *f* Kaution *f*
fiar [fi'ar] <*1. pres* fío> **I.** *vi* Kredit geben; (*confiar*) vertrauen (*en* auf +*akk*) **II.** *vt* bürgen (für +*akk*); (*dar crédito*) auf Kredit überlassen; (*confiar*) anvertrauen; **es de ~** er/sie ist zuverlässig **III.** *vr:* **~se** sich verlassen (*de* auf +*akk*)
fiasco ['fjasko] *m* Fiasko *nt*
fibra ['fiβra] *f* ❶ Faser *f;* **~ muscular** MED Muskelfaser *f;* **~ de vidrio** Glasfaser *f* ❷ *pl* (*en alimentos*) Ballaststoffe *mpl*
ficción [fiʸ'θjon] *f:* **ciencia ~** Sciencefiction *f*
ficha ['fiʧa] *f* (Spiel)stein *m*
fichar [fi'ʧar] **I.** *vi* sich verpflichten; (*en el trabajo*) stechen **II.** *vt* vorbestraft sein; DEP verpflichten
fichero [fi'ʧero] *m* Karteikasten *m;* INFOR Datei *f*
ficticio, -a [fik'tiθjo] *adj* (frei) erfunden
fidedigno, -a [fiðe'ðiɣno] *adj* glaubwürdig
fidelidad [fiðeli'ðaᵈ] *f* Treue *f;* **alta ~** Highfidelity *f*
fideo [fi'ðeo] *m* Suppennudel *f;* (*fam: persona*) Bohnenstange *f*
fiebre ['fjeβre] *f* Fieber *nt;* **~ del heno** Heuschnupfen *m;* **~ del oro** Goldrausch *m;* **~ palúdica** Malaria *f*
fiel [fjel] *adj* treu; **ser ~ a una promesa** sein Versprechen halten
fieltro ['fjel̩tro] *m* Filz *m*
fiera ['fjera] *f* Raubtier *nt*
fiero, -a ['fjero] *adj* wild; (*cruel*) brutal
fierro ['fjerro] *m* AM ❶ (*hierro*) Eisen *nt* ❷ (*del ganado*) Brandzeichen *nt*

fiesta ['fjesta] *f* ❶ (*día*) Feiertag *m;* **¡Felices F~s!** Frohe Weihnachten!; **hoy hago ~** heute mache ich frei ❷ (*celebración*) Fest *nt*
figura [fi'ɣura] *f* Figur *f*
figuración [fiɣura'θjon] *f* ARTE Figuration *f;* (*imaginación*) Einbildung *f*
figurado, -a [fiɣu'raðo] *adj:* **en sentido ~** im übertragenen Sinne
figurar [fiɣu'rar] **I.** *vi* erscheinen; **no figura en la lista** er/sie steht nicht auf der Liste; (*aparentar*) angeben **II.** *vt* vortäuschen **III.** *vr:* **~se** sich *dat* vorstellen; **¡figúrate!** stell dir vor!
figurín [fiɣu'rin] *m* Schaufensterpuppe *f*
fijar [fi'xar] **I.** *vt* befestigen; **prohibido ~ carteles** Plakate ankleben verboten; (*precio*) festlegen **II.** *vr:* **~se** ❶ (*atender*) aufpassen; **fíjate bien en lo que te digo** hör mir mal gut zu ❷ (*mirar*) anschauen; **no se fijó en mí** er/sie beachtete mich nicht
fijo, -a ['fixo] **I.** *adj* ❶ (*estable*) fest; **cliente ~** Stammgast *m;* **precio ~** Fixpreis *m* ❷ (*idea*) fix ❸ (*mirada*) starr ❹ (*trabajador*) fest angestellt **II.** *adv* sicher; **saber algo de ~** etw mit Sicherheit wissen
fila ['fila] *f* Reihe *f;* **~ de coches** Autoschlange *f;* **en ~ india** im Gänsemarsch
filantropía [filan̩tro'pia] *f* Menschenliebe *f*
filántropo [fi'lan̩tropo] *mf* Menschenfreund(in) *m(f)*
filarmónico, -a [filar'moniko] *adj:* **orquesta filarmónica** Philharmonie *f*

filete [fi'lete] *m* Filet *nt*
filial [fi'ljal] **I.** *adj* Kindes-; **amor ~** Kindesliebe *f;* **equipo ~** DEP zweite Mannschaft **II.** *f* COM Filiale *f*
Filipinas [fili'pinas] *f pl:* **las ~** die Philippinen
filipino, -a [fili'pino] *adj* philippinisch
film [film] *m* Film *m*
filmación [filma'θjon] *f* Dreharbeiten *fpl*
filmar [fil'mar] *vt* (ver)filmen; (*rodar*) drehen
filmina [fil'mina] *f* Dia(positiv) *nt*
filmografía [filmoɣra'fia] *f* Filmografie *f*
filmoteca [filmo'teka] *f* Filmothek *f*
filo ['filo] *m* ❶ (*de cuchillo*) Schneide *f;* **un arma de dos ~s** (*fig*) ein zweischneidiges Schwert ❷ **al ~ del amanecer** bei Tagesanbruch
filología [filolo'xia] *f* Philologie *f;* **~ germánica** Germanistik *f;* **~ hispánica** Hispanistik *f*
filólogo, -a [fi'loloɣo] *m, f* Philologe, -in *m, f*
filón [fi'lon] *m* Flöz *nt*
filoso, -a [fi'loso] *adj* AM scharf
filosofar [filoso'far] *vi* philosophieren
filosofía [filoso'fia] *f* Philosophie *f*
filosófico, -a [filo'sofiko] *adj* philosophisch
filósofo, -a [fi'losofo] *m, f* Philosoph(in) *m(f)*
filtración [fil̪tra'θjon] *f* Durchsickern *nt*
filtrar(se) [fil̪'trar(se)] *vi, vt, vr* durchsickern (lassen)
filtro ['fil̪tro] *m* Filter *m o nt;* INFOR: **~ anti(e)spam**[*o* **antibasura**] Antispam-Filter *m*
filudo, -a [fi'luðo] *adj* AM messerscharf
fin [fin] *m* ❶ (*término*) Ende *nt;* **~ de semana** Wochenende *nt;* **a ~(es) de mes** am Monatsende; **sin ~** endlos; **al ~ y al cabo** letzten Endes; **a ~ de cuentas** letzten Endes ❷ (*propósito*) Ziel *nt;* **~es benéficos** wohltätige Zwecke; **a ~ de que** +*subj* damit
final [fi'nal] **I.** *adj* End-; (*fase*) Schluss-; **consumidor ~** COM Endverbraucher *m;* **palabras ~es** Schlussworte *ntpl* **II.** *m* Ende *nt*
finalidad [finali'ðaᵈ] *f* Ziel *nt*
finalista [fina'lista] *mf* Finalist(in) *m(f)*
finalización [finaliθa'θjon] *f* Abschluss *m;* **~ de contrato** Vertragsablauf *m*
finalizar [finali'θar] <z → c> *vi, vt* abschließen
finalmente [final'men̪te] *adv* endlich, schließlich
financiación [finan̪θja'θjon] *f* Finanzierung *f*
financiar [finan̪'θjar] *vt* finanzieren
financiero, -a [finan̪'θjero] *adj* finanziell
finanzas [fi'nan̪θas] *f pl* Finanzen *fpl*
finca ['fiŋka] *f* Grundstück *nt*
finde ['fin̪de] *m* (*argot: fin de semana*) Wochenende *nt*
finés, -esa [fi'nes] *adj* finnisch
fingido, -a [fiŋ'xiðo] *adj* vorgetäuscht
fingir [fiŋ'xir] <g → j> *vi, vt* vortäuschen
finiquito [fini'kito] *m* Schlussabrechnung *f*
finito, -a [fi'nito] *adj* begrenzt; **número ~** endliche Zahl
finlandés, -esa [finlan̪'des] *adj* finnisch
Finlandia [fin'lan̪dja] *f* Finnland *nt*
fino, -a ['fino] *adj* ❶ (*delgado*) dünn; **lluvia fina** feiner Regen ❷ (*liso*) fein ❸ (*de calidad, sentido*) fein; **oro ~** Feingold *nt;* **de oído ~** hellhörig
firma ['firma] *f* Unterschrift *f*
firmamento [firma'men̪to] *m* Firmament *nt*
firmar [fir'mar] *vi, vt* unterschreiben; **~ autógrafos** Autogramme geben
firme ['firme] *adj* fest; (*estable*) stabil; (*seguro*) sicher; **tierra ~** Festland *nt;* **¡~s!** still gestanden!; **con mano ~** mit ruhiger Hand
firmeza [fir'meθa] *f* ❶ (*solidez*) Festigkeit *f* ❷ (*de una creencia*) Unerschütterlichkeit *f;* **~ de carácter** Charakterstärke *f* ❸ (*perseverancia*) Beharrlichkeit *f*
fiscal [fis'kal] **I.** *adj* ❶ (*del fisco*) Fiskal- ❷ (*de los impuestos*) Steuer-; **polí-**

tica ~ Steuerpolitik *f* **II.** *mf* Staatsanwalt, -wältin *m, f;* **Fiscal General del Estado** Generalstaatsanwalt, -wältin *m, f*

fiscalía [fiska'lia] *f* Staatsanwaltschaft *f*

fiscalizar [fiskali'θar] <z → c> *vt* prüfen; (*lo fiscal*) steuerlich prüfen

fisco ['fisko] *m* Staatskasse *f*

fisgonear [fisɣone'ar] *vi* (*pey*) (herum)schnüffeln

física ['fisika] *f* Physik *f*

físicamente [fisika'mente] *adv* körperlich

físico[1] ['fisiko] *m* Körperbau *m;* **tener un buen** ~ eine gute Figur haben

físico, -a[2] ['fisiko] *adj* körperlich; **educación física** ENS Sport *m;* FÍS physikalisch

fisiología [fisjolo'xia] *f* Physiologie *f*

fisioterapeuta [fisjotera'peuta] *mf* Krankengymnast(in) *m(f)*

fisioterapia [fisjote'rapja] *f* Physiotherapie *f*

fisonomía [fisono'mia] *f* Aussehen *nt*

fisura [fi'sura] *f* Riss *m;* MED Knochenriss *m*

flaco, -a ['flako] *adj* dünn; **punto** ~ Schwachpunkt *m*

flagelo [fla'xelo] *m* Geißel *f*

flamante [fla'mante] *adj* (*fam*) auffallend

flamenco [fla'meŋko] *m* Flämisch(e) *nt;* ZOOL Flamingo *m;* (*cante*) Flamenco *m*

flan [flan] *m* ≈Karamellpudding *m*

flaquear [flake'ar] *vi* (*fuerzas*) nachlassen

flaqueza [fla'keθa] *f* Schwäche *f*

flas [flas] *m*, **flash** [flaʃ] *m* FOTO Blitz *m*

flato ['flato] *m* Blähung *f;* AM Schwermut *f*

flatoso, -a [fla'toso] *adj* AM ängstlich

flatulencia [flatu'lenθja] *f* Blähsucht *f*

flauta ['flauta] *f* Flöte *f;* ~ **travesera** Querflöte *f*

flautista [flau'tista] *mf* Flötist(in) *m(f)*

flecha ['fletʃa] *f* Pfeil *m*

flechazo [fle'tʃaθo] *m:* **lo nuestro fue un** ~ bei uns war es Liebe auf den ersten Blick

fleco ['fleko] *m* Franse *f*

flema ['flema] *f* Schleim *m*

flemón [fle'mon] *m* (Zahnfleisch)entzündung *f*

flequillo [fle'kiʎo] *m* Pony *m*

flexibilidad [fleˠsiβili'ðaᵈ] *f* Elastizität *f*

flexibilizar [fleˠsiβili'θar] <z → c> *vt* flexibilisieren

flexible [fleˠ'siβle] *adj* anpassungsfähig; **horario** ~ Gleitzeit *f*

flexión [fleˠ'sjon] *f:* ~ (**de tronco**) Rumpfbeuge *f*

flexo ['fleˠso] *m* biegsame (Schreib)tischlampe *f*

flirtear [flirte'ar] *vi* flirten

flojear [floxe'ar] *vi* ❶ (*disminuir*) nachlassen; (*interés*) abflauen ❷ (*en una materia*) schwach sein (*en* in +*dat*)

flojo, -a ['floxo] *adj* ❶ (*cuerda*) locker ❷ (*argumento*) schwach; ~ **de carácter** charakterschwach ❸ AM feig(e)

flor [flor] *f* Blume *f;* **estar en** ~ blühen

flora ['flora] *f* Flora *f*

florear [flore'ar] **I.** *vi* ❶ (*la espada*) schwingen ❷ (AM: *florecer*) blühen **II.** *vt* ❶ (*adornar*) mit Blumen schmücken ❷ (*naipes*) falsch mischen

florecer [flore'θer] *irr como crecer vi* blühen

floreciente [flore'θjente] *adj* blühend

florecimiento [floreθi'mjento] *m* Blühen *nt;* (*de una industria*) Florieren *nt*

Florencia [flo'renθja] *f* Florenz *nt*

florero [flo'rero] *m* (Blumen)vase *f*

floricultura [florikul'tura] *f* Blumenzucht *f*

florín [flo'rin] *m* Gulden *m*

floristería [floriste'ria] *f* Blumengeschäft *nt*

flota ['flota] *f* ❶ AERO, NÁUT Flotte *f* ❷ (*de vehículos*) Fuhrpark *m;* ~ **de camiones** Lkw-Park *m*

flotador [flota'ðor] *m* Rettungsring *m;* (*para niños*) Schwimmring *m*

flotar [flo'tar] *vi* (*en agua*) treiben; (*en*

aire) schweben

fluctuación [fluktwa'θjon] *f* Schwankung *f*

fluctuar [fluktu'ar] <*1. pres* fluctúo> *vi* schwanken

fluidez [flwi'ðeθ] *f* ❶ (*de un líquido*) Flüssigkeit *f*; **hablar con ~ un idioma extranjero** eine Fremdsprache fließend sprechen ❷ (*de expresión*) (Rede)gewandtheit *f*

F

fluido[1] [flu'iðo] *m* ❶ (*líquido*) Flüssigkeit *f*; QUÍM Fluid *nt* ❷ ELEC Strom *m*

fluido, -a[2] [flu'iðo] *adj* ❶ (*alimento*) flüssig; **es ~ de palabra** er ist redegewandt ❷ (*tráfico*) fließend

fluir [flu'ir] *irr como huir vi* fließen

flujo ['fluxo] *m* ❶ (*de un líquido*) Fluss *m*; **~ de datos** *t.* INFOR Datenfluss *m* ❷ (*de la marea*) Flut *f* ❸ MED Absonderung *f*

flúor ['fluor] *m* Fluor *nt*

fluorescente [flwores'θeṇte] *adj*: (**tubo**) ~ Leuchtstoffröhre *f*

fluvial [flu'βjal] *adj* Fluss-; **puerto ~** Binnenhafen *m*

FM [e'feme] *f abr de* **Frecuencia Modulada** UKW *f*

FMI [efe(e)me'i] *m abr de* **Fondo Monetario Internacional** IWF *m*

fobia ['foβja] *f* Phobie *f*

foca ['foka] *f* Robbe *f*

focalizar [fokali'θar] <z → c> *vt* fokussieren

foco ['foko] *m* ❶ FÍS, MAT Brennpunkt *m* ❷ (*centro*) Mittelpunkt *m*; **~ de infección** Infektionsherd *m* ❸ (*lámpara*) Scheinwerfer *m* ❹ AM Glühbirne *f*

fofo, -a ['fofo] *adj* schwabbelig

fogata [fo'ɣata] *f* Lagerfeuer *nt*

fogón [fo'ɣon] *m* Herd *m*; AM Lagerfeuer *nt*

fogonazo [foɣo'naθo] *m* Mündungsfeuer *nt*

fogoso, -a [fo'ɣoso] *adj* feurig

fogueado, -a [foɣe'aðo] *adj* AM erfahren

foguear [foɣe'ar] **I.** *vt* ❶ (*un arma*) (mit einem Schuss) reinigen ❷ MIL ans Gefecht gewöhnen **II.** *vr*: **~se** sich abhärten (*a* gegen +*akk*)

fogueo [fo'ɣeo] *m*: **bala de ~** Platzpatrone *f*

foja ['foxa] *f* AM Seite *f*; **~ de servicios** Personalakte *f*

folclor(e) [fol'klor(e)] *m* Folklore *f*

folclórico, -a [fol'kloriko] *adj* folkloristisch

folio ['foljo] *m* Blatt *nt*

follaje [fo'ʎaxe] *m* ❶ (*de árbol, bosque*) Laub(werk) *nt* ❷ (*adorno*) Laubgewinde *nt* ❸ (*en un texto*) Geschwafel *nt*

follar [fo'ʎar] *vi, vt* (*vulg*) bumsen

folletín [foʎe'tin] *m* Feuilleton *nt*; **novela de ~** Schundroman *m*

folleto [fo'ʎeto] *m* Broschüre *f*; **~ publicitario** Werbeprospekt *m*

follón [fo'ʎon] *m* (*fam*): **armar un ~** ein Chaos veranstalten

fomentar [fomeṇ'tar] *vt* fördern

fomento [fo'meṇto] *m* Förderung *f*

fonda ['foṇda] *f* (billige) Pension *f*

fondeado, -a [foṇde'aðo] *adj* AM wohlhabend

fondo ['foṇdo] *m* ❶ Boden *m*; (*del río*) Grund *m*; **los bajos ~s** die Unterwelt; **tratar un tema a ~** ein Thema gründlich behandeln ❷ (*de un edificio*) Tiefe *f*; **al ~ del pasillo** am Ende des Ganges ❸ (*lo esencial*) Kern *m*; **en el ~** eigentlich ❹ (*de un cuadro*) Hintergrund *m*

fonética [fo'netika] *f* Phonetik *f*

fonología [fonolo'xia] *f* Phonologie *f*

fontanería [foṇtane'ria] *f* Klempnerei *f*

fontanero, -a [foṇta'nero] *m, f* Installateur(in) *m(f)*

footing ['futiŋ] *m* Jogging *nt*; **hacer ~** joggen

forajido, -a [fora'xiðo] *m, f* flüchtiger Verbrecher *m*, flüchtige Verbrecherin *f*

foral [fo'ral] *adj*: **derecho ~** Partikularrecht *nt*

foráneo, -a [fo'raneo] *adj* fremd(artig)

forastero, -a [foras'tero] *adj* fremd(artig); (*extranjero*) ausländisch

forcejear [forθexe'ar] *vi* sich widersetzen +*dat*

forcejeo [forθe'xeo] *m* (Kraft)anstrengung *f;* (*resistencia*) Widerstand *m*

forense [fo'rense] *adj:* **médico ~** Gerichtsmediziner *m*

forestal [fores'tal] *adj* Forst-; **camino ~** Waldweg *m;* **repoblación ~** Aufforstung *f*

forja ['forxa] *f* (Silber)schmiede *f*

forjar [for'xar] *vt* schmieden

forma ['forma] *f* Form *f;* (*manera*) Art (und Weise) *f;* **de ~ que** so dass; **de todas ~s,...** jedenfalls ...

formación [forma'θjon] *f* (Aus)bildung *f;* **~ de adultos** Erwachsenenbildung *f;* **~ escolar** Schulbildung *f;* **~ profesional** Berufsausbildung *f*

formal [for'mal] *adj* formal; (*serio*) seriös; (*oficial*) formell

formalidad [formali'ðaᵈ] *f* Formalität *f*

formalizar [formali'θar] <z → c> *vt* offiziell machen

formar [for'mar] **I.** *vi* antreten **II.** *vt* ❶ bilden; MIL formieren; **~ parte de** gehören zu +*dat* ❷ (*educar*) erziehen; (*enseñar*) (aus)bilden **III.** *vr:* **~se** ❶ sich bilden; MIL sich formieren ❷ (*ser educado*) ausgebildet werden; **se ha formado a sí mismo** er ist Autodidakt ❸ (*desarrollarse*) sich entwickeln ❹ (*hacerse*) sich *dat* bilden; **~se una idea de algo** sich *dat* ein Bild von etw *dat* machen

formatear [formate'ar] *vt* formatieren

formativo, -a [forma'tiβo] *adj* ❶ (*que da forma*) gestaltend ❷ (*educativo*) erzieherisch

formato [for'mato] *m* Format *nt;* **~ de texto** Textformat *nt;* **~ ahorro** Sparpackung *f*

formidable [formi'ðaβle] *adj* (*fam*) toll

fórmula ['formula] *f* Formel *f;* **~ de despedida** Schlussformel *f;* **coche de ~ 1** Formel-1-Wagen *m*

formular [formu'lar] *vt* in einer Formel ausdrücken

formulario [formu'larjo] *m* Formular *nt*

fornicar [forni'kar] <c → qu> *vi* Geschlechtsverkehr haben; (*pey*) (herum)huren; REL die Ehe brechen

foro ['foro] *m* Forum *nt*

forofo, -a [fo'rofo] *m, f* Fan *m*

forrar [fo'rrar] **I.** *vt* füttern; (*un libro*) einbinden **II.** *vr:* **~se** (*fam*) sich *dat* eine goldene Nase verdienen

forro ['forro] *m* ❶ (*exterior*) Hülle *f;* (*interior*) (Innen)verkleidung *f;* (*de una prenda*) Futter *nt;* (*de un libro*) Einband *m* ❷ NÁUT Beplankung *f*

fortalecer(se) [fortale'θer(se)] *irr como crecer vt, vr* (sich) stärken

fortaleza [forta'leθa] *f* Kraft *f;* (*robustez*) Robustheit *f;* MIL Festung(sanlage) *f*

fortificación [fortifika'θjon] *f* Befestigung(sanlage) *f*

fortuito, -a [for'twito] *adj* zufällig

fortuna [for'tuna] *f* Glück *nt;* (*capital*) Vermögen *nt*

fórum ['forun] *m* Forum *nt*

forúnculo [fo'ruŋkulo] *m* Furunkel *m o nt*

forzado, -a [for'θaðo] *adj:* **trabajos ~s** Zwangsarbeit *f*

forzar [for'θar] *irr vt* zwingen

forzoso, -a [for'θoso] *adj:* **aterrizaje ~** Notlandung *f;* **venta forzosa** Zwangsverkauf *m*

fosa ['fosa] *f* Grube *f; t.* GEO Graben *m*

fosfato [fos'fato] *m* QUÍM Phosphat *nt*

fosforescente [fosfores'θen̪te] *adj* phosphoreszierend

fósforo ['fosforo] *m* Phosphor *m*

fósil ['fosil] *m* Fossil *nt*

foso ['foso] *m* Grube *f*

foto ['foto] *f* Foto *nt;* **~ (tamaño) carné** Passfoto *nt*

fotocopia [foto'kopja] *f* (Foto)kopie *f*

fotocopiadora [fotokopja'ðora] *f* (Foto)kopierer *m*

fotocopiar [fotoko'pjar] *vt* (foto)kopieren

fotogénico, -a [foto'xeniko] *adj* fotogen

fotografía [fotoɣra'fia] *f* Foto *nt;* **~ aérea** Luftaufnahme *f;* **~ en color** Farbfoto *nt;* **~ (tamaño) carné** Passbild *nt;*

álbum de ~s Fotoalbum *nt*

fotografiar [fotoɣrafi'ar] <*1. pres* fotografío> *vi, vt* fotografieren

fotográfico, -a [foto'ɣrafiko] *adj:* **papel ~** Fotopapier *nt*

fotógrafo, -a [fo'toɣrafo] *m, f* Fotograf(in) *m(f)*

fotomatón [fotoma'ton] *m* Passbildautomat *m*

fotomontaje [fotomoṇ'taxe] *m* Fotomontage *f*

fotosíntesis [foto'siṇtesis] *f* Fotosynthese *f*

FP [efe'pe] *f abr de* **Formación Profesional** Berufsausbildung *f*

frac [fra^{k}] <fracs> *m* Frack *m*

fracasar [fraka'sar] *vi* scheitern

fracaso [fra'kaso] *m* Misserfolg *m*

fracción [fra^{ɣ}'θjon] *f* Fraktion *f;* MAT Bruchzahl *f*

fraccionamiento [fra^{ɣ}θjona'mjeṇto] *m* ❶ (*división*) Zerteilung *f;* (*ruptura*) Zerbrechen *nt* ❷ QUÍM Fraktionierung *f*

fractura [frak'tura] *f* Fraktur *f*

fracturar(se) [fraktu'rar(se)] *vt, vr* (zer)brechen

fragancia [fra'ɣaṇθja] *f* Duft *m*

frágil ['fraxil] *adj* zerbrechlich; (*salud*) anfällig

fragilidad [fraxili'ða^{ð}] *f* Zerbrechlichkeit *f*

fragmentación [fraɣmeṇta'θjon] *f* Zerlegung *f,* (Zer)teilung *f;* (*en muchos pedazos*) Zerstückelung *f;* (*de un cristal*) Zersplitterung *f*

fragmentar [fraɣmeṇ'tar] **I.** *vt* zerlegen **II.** *vr:* **~se** zersplittern

fragmento [fraɣ'meṇto] *m* (Bruch)stück *nt;* LIT, MÚS Fragment *nt*

fragua ['fraɣwa] *f* Schmiede *f*

fraile ['frai̯le] *m* Mönch *m*

frambuesa [fram'bwesa] *f* Himbeere *f*

francés, -esa [fraṇ'θes] *adj* französisch; **tortilla francesa** Omelett *nt*

Fráncfort ['framɱfor$^{(t)}$] *m* Frankfurt *nt;* **salchicha de ~** Frankfurter Würstchen

Francia ['fraṇθja] *f* Frankreich *nt*

franco[1] ['fraŋko] *m* Franc *m;* (*Suiza*) Franken *m*

franco, -a[2] ['fraŋko] *adj* ❶ (*sincero*) aufrichtig ❷ (*libre*) frei; **puerto ~** Freihafen *m;* **~ a bordo** frei an Bord ❸ (*claro*) klar

franela [fra'nela] *f* Flanell *m;* AM (Herren)unterhemd *nt*

franja ['fraŋxa] *f* Streifen *m;* **en la misma ~ horaria** im gleichen Zeitraum

franquear [fraŋke'ar] *vt* frankieren; **a ~ en destino** Porto bezahlt Empfänger

franqueo [fraŋ'keo] *m* Porto *nt;* **sin ~** unfrankiert

franqueza [fraŋ'keθa] *f* Aufrichtigkeit *f*

franquicia [fraŋ'kiθja] *f* Franchising *nt*

franquismo [fraŋ'kismo] *m* Franco-Ära *f*

franquista [fraŋ'kista] *mf* Anhänger(in) *m(f)* Francos

frasco ['frasko] *m* ❶ Flasche *f;* (*de perfume*) Flakon *m o nt* ❷ AM ≈2,37 Liter

frase ['frase] *f* Satz *m;* **~ hecha** Redensart *f;* **~ proverbial** Sprichwort *nt*

fraternal [frater'nal] *adj* brüderlich

fraternidad [fraterni'ða^{ð}] *f* Brüderlichkeit *f*

fraude ['frau̯ðe] *m* Betrug *m;* **~ fiscal** Steuerhinterziehung *f*

fraudulento, -a [frau̯ðu'leṇto] *adj* betrügerisch; **publicidad fraudulenta** irreführende Werbung

fray [frai̯] *m* REL Bruder *m*

frazada [fra'θaða] *f* AM Bettdecke *f*

frecuencia [fre'kweṇθja] *f* Häufigkeit *f;* **con ~** oft

frecuentar [frekweṇ'tar] *vt* regelmäßig besuchen

frecuente [fre'kweṇte] *adj* häufig

fregadero [freɣa'ðero] *m* Spüle *f*

fregado, -a [fre'ɣaðo] *adj* AM frech; (*astuto*) gewitzt

fregar [fre'ɣar] *irr vt* spülen; AM (*fam*) nerven

fregona [fre'ɣona] *f* Wischmopp *m*

freidora [freị'ðora] *f* Fritteuse *f*

freír [fre'ir] *irr vt* frittieren; (*fam*) nerven

frenar [fre'nar] **I.** *vi, vt* (ab)bremsen; **~ en seco** abrupt abbremsen **II.** *vr:* **~se** sich bremsen (*en* bei *+dat*)

frenesí [frene'si] *m* Leidenschaft *f*

frenético, -a [fre'netiko] *adj* frenetisch

freno ['freno] *m* Bremse *f*

frente[1] ['freṇte] *f* Stirn *f;* **fruncir la ~** die Stirn runzeln

frente[2] ['freṇte] **I.** *m* ❶ (*delantera*) Vorderseite *f;* **de ~** frontal ❷ POL, METEO Front *f* ❸ **de ~** (*de cara*) von vorne; (*hacia delante*) nach vorne **II.** *prep* ❶ **~ a** (*enfrente de*) gegenüber *+dat;* (*delante de*) vor *+dat;* (*contra*) gegen *+akk;* (*ante*) angesichts *+gen* ❷ **en ~ de** gegenüber *+dat*

fresa ['fresa] *f* Erdbeere *f*

fresco[1] ['fresko] *m* ❶ (*frescor*) Frische *f;* **salir a tomar el ~** an die frische Luft gehen; **hoy hace ~** heute ist es kühl ❷ AM Erfrischung *f*

fresco, -a[2] ['fresko] *adj* ❶ kühl; (*olor*) frisch ❷ (*reciente*) frisch; **noticia fresca** taufrische Nachricht

frescura [fres'kura] *f* Unverschämtheit *f;* **con ~** ungehemmt

fresno ['fresno] *m* Esche *f*

fresquería [freske'ria] *f* AM Erfrischungsstand *m*

frialdad [frjaḷ'da^{ð}] *f* (Gefühls)kälte *f;* (*despego*) Distanziertheit *f*

friega ['frjeɣa] *f* Einreibung *f;* AM Plage *f;* (*fam*) Abreibung *f*

friegaplatos [frjeɣa'platos] *m* Geschirrspüler *m*

frigidez [frixi'ðeθ] *f* Frigidität *f*

frígido, -a ['frixiðo] *adj* frigid(e)

frigorífico [friɣo'rifiko] *m* Kühlschrank *m*

frijol [fri'xol] *m*, **fríjol** ['frixol] *m* AM Bohne *f*

friki ['friki] **I.** *adj* ausgeflippt **II.** *m* (*fam*) Freak *m*

frío[1] ['frio] *m* Kälte *f;* **hace ~** es ist kalt; **coger ~** sich erkälten; **tengo ~** mir ist kalt

frío, -a[2] ['frio] *adj* (gefühls)kalt

Frisia ['frisja] *f* Friesland *nt*

fritanga [fri'taŋga] *f* AM Frittüre *f;* (*instrumento*) Fritteuse *f*

frito, -a ['frito] *adj* gebraten; **quedarse ~** (*fam*) einnicken

frivolidad [friβoli'ða^{ð}] *f* Frivolität *f*

frívolo, -a ['friβolo] *adj* leichtlebig

frondoso, -a [froṇ'doso] *adj* dicht (belaubt)

frontal [froṇ'tal] *adj* Vorder-; **parte ~** Vorderseite *f*

frontera [froṇ'tera] *f* Grenze *f*

fronterizo, -a [froṇte'riθo] *adj* Grenz-; **zona fronteriza** Grenzregion *f*

frotar(se) [fro'tar(se)] *vt, vr* (sich) reiben

fructífero, -a [fruk'tifero] *adj* fruchtbringend

fructificar [fruktifi'kar] <c → qu> *vi* ❶ (*planta*) Früchte tragen ❷ (*esfuerzo*) fruchten

frunce ['fruṇθe] *m* Falte *f*

fruncir [fruṇ'θir] <c → z> *vt:* **~ el entrecejo** die Augenbrauen zusammenziehen

frustración [frustra'θjon] *f* Zunichtemachen *nt;* (*desilusión*) Enttäuschung *f*

frustrado, -a [frus'traðo] *adj* frustriert

frustrar [frus'trar] **I.** *vt* ❶ (*estropear*) zunichtemachen; **~ las esperanzas de alguien** jds Hoffnungen zerschlagen ❷ (*decepcionar*) enttäuschen **II.** *vr:* **~se** scheitern; (*esperanzas*) sich zerschlagen

fruta ['fruta] *f* Frucht *f;* (*nombre colectivo*) Obst *nt;* **~ del tiempo** Frischobst *nt;* **~s tropicales** tropische Früchte

frutal [fru'tal] **I.** *adj* Obst-; **árbol ~** Obstbaum *m* **II.** *m* Obstbaum *m*

frutería [frute'ria] *f* Obsthandlung *f*

frutero[1] [fru'tero] *m* Obstschale *f*

frutero, -a[2] [fru'tero] **I.** *adj* Obst-; **canastillo ~** Obstkorb *m;* **es muy ~** er isst viel und gerne Obst **II.** *m, f* Obsthändler(in) *m(f)*

fruto ['fruto] *m* (Leibes)frucht *f*

fucsia ['fu^{ɣ}sja] *adj* pink

fue [fwe] ❶ *3. pret de* **ir** ❷ *3. pret de* **ser**

fuego ['fweɣo] *m* ❶ Feuer *nt;* (*incendio*) Brand *m;* **~s artificiales** Feuerwerk *nt;* **a ~ lento** bei schwacher Hitze ❷ MIL (Geschütz)feuer *nt*

fuel [fwel] *m* Heizöl *nt*

fuelle ['fweʎe] *m* Blasebalg *m*

fuente ['fwen̦te] *f* Quelle *f;* (*construcción*) Brunnen *m;* (*plato llano*) Platte *f;* (*plato hondo*) Schüssel *f*

fuera ['fwera] **I.** *adv* ❶ (*lugar*) draußen; **por ~** außen ❷ (*dirección*) hinaus; **¡~!** raus!; **¡~ con esto!** weg damit!; **salir ~** hinausgehen; **hacia ~** nach draußen ❸ (*tiempo*) außerhalb; **~ de plazo** nach Fristablauf ❹ (*fam: de viaje*) weg; **me voy ~ una semana** ich verreise für eine Woche **II.** *prep* ❶ (*local, t. fig*) außer *+dat;* **estar ~ de casa** außer Haus sein; **~ de serie** ausgezeichnet; **~ de juego** Abseits *nt* ❷ (*excepto*): **~ de** abgesehen von *+dat* **III.** *conj*: **~ de que...** *+subj* abgesehen davon, dass ... **IV.** *m* Buhruf *m*

fuero ['fwero] *m* Sonderrecht *nt*

fuerte ['fwerte] **I.** *adj* <fortísimo> ❶ (*resistente*) stark; (*robusto*) robust; **hacerse ~** standhaft bleiben ❷ (*musculoso*) kräftig; (*gordo*) korpulent ❸ (*sonido*) laut ❹ (*valiente*) tapfer **II.** *m* Stärke *f;* MIL Festung(sanlage) *f* **III.** *adv* ❶ (*en abundancia*) viel; **desayunar ~** reichhaltig frühstücken ❷ (*con fuerza*) fest; (*con intensidad*) heftig ❸ (*en voz alta*) laut

fuerza ['fwerθa] *f* ❶ (*capacidad física*) Kraft *f;* **~ de ánimo** Mut *m;* **~ de voluntad** Willenskraft *f;* **sin ~s** kraftlos ❷ (*violencia*) Gewalt *f;* **a [*o* por] la ~** mit Gewalt

fuga ['fuɣa] *f* ❶ (*huida*) Flucht *f;* **darse a la ~** die Flucht ergreifen ❷ (*en tubos*) Leck *nt*

fugacidad [fuɣaθi'ðaᶞ] *f* Flüchtigkeit *f;* (*caducidad*) Vergänglichkeit *f*

fugarse [fu'ɣarse] <g → gu> *vr* fliehen (*de* aus *+dat*)

fugaz [fu'ɣaθ] *adj* flüchtig; **estrella ~** Sternschnuppe *f*

fugitivo, -a [fuxi'tiβo] *m, f* Flüchtling *m*

fulana [fu'lana] *f* (*pey*) Nutte *f*

fulano, -a [fu'lano] *m, f* Herr *m* Soundso, Frau *f* Soundso

fular [fu'lar] *m* Foulard *m*

fulgurante [fulɣu'ran̦te] *adj:* **carrera ~** Blitzkarriere *f*

fulminante [fulmi'nan̦te] *adj* blitzartig; (*inesperado*) plötzlich

fumador(a) [fuma'ðor] *m(f)* Raucher(in) *m(f);* **no ~** Nichtraucher *m*

fumar [fu'mar] *vi, vt* rauchen

función [fun̦'θjon] *f* ❶ (*papel*) Funktion *f* ❷ (*cargo*) Amt *nt;* **el ministro en funciones** der stellvertretende Minister ❸ (*acto*) Veranstaltung *f*

funcional [fun̦θjo'nal] *adj* funktionell

funcionalidad [fun̦θjonali'ðaᶞ] *f* Zweckmäßigkeit *f*

funcionamiento [fun̦θjona'mjen̦to] *m:* **poner en ~** in Gang setzen

funcionar [fun̦θjo'nar] *vi* funktionieren; (*estar trabajando*) in Betrieb sein

funcionario, -a [fun̦θjo'narjo] *m, f* Beamte(r) *m,* Beamtin *f*

funda ['fun̦da] *f* Hülle *f;* (*para gafas*) Etui *nt*

fundación [fun̦da'θjon] *f* Stiftung *f*

fundado, -a [fun̦'daðo] *adj* fundiert

fundador(a) [fun̦da'ðor] *m(f)* (Be)gründer(in) *m(f)*

fundamental [fun̦damen̦'tal] *adj* grundlegend; **conocimientos ~es** Grundkenntnisse *fpl*

fundamentalismo [fun̦damen̦ta'lismo] *m* Fundamentalismus *m*

fundamentalista [fun̦damen̦ta'lista] **I.** *adj* fundamentalistisch **II.** *mf* Fundamentalist(in) *m(f)*

fundamentar [fun̦damen̦'tar] *vt* begründen

fundamento [fun̦da'men̦to] *m* Grundlage *f;* (*motivo*) Grund *m;* **sin ~** unbegründet

fundar [fun̪'dar] **I.** *vt* gründen **II.** *vr:* **~se** sich stützen (*en* auf +*akk*)

fundir [fun̪'dir] **I.** *vt* ① (*deshacer, unir*) (ver)schmelzen ② (*dar forma*) gießen ③ AM verjubeln *fam* **II.** *vr:* **~se** ① (*deshacerse*) (zer)schmelzen ② (*unirse*) (miteinander) verschmelzen (*en* zu +*dat*); (*empresas*) sich zusammenschließen (*en* zu +*dat*) ③ AM zugrunde gehen; (*negocio*) Bankrott machen

fúnebre ['funeβre] *adj:* **coche ~** Leichenwagen *m;* **pompas ~s** Begräbnis *nt*

funeral [fune'ral] **I.** *adj* Bestattungs- **II.** *m* ① (*entierro*) Begräbnis *nt* ② *pl* (*misa*) Trauergottesdienst *m*, Trauerfeier *f*

funeraria [fune'rarja] *f* Bestattungsinstitut *nt*

funerario, -a [fune'rarjo] *adj* Bestattungs-, Beerdigungs-; **empresa funeraria** Bestattungsinstitut *nt*

funesto, -a [fu'nesto] *adj* verhängnisvoll

funicular [funiku'lar] *m* Bergbahn *f*

furcia ['furθja] *f* (*pey*) Nutte *f*

furgón [fur'ɣon] *m* Transporter *m*

furgoneta [furɣo'neta] *f* Kleintransporter *m*

furia ['furja] *f* Zorn *m*

furioso, -a [fu'rjoso] *adj* wütend

furor [fu'ror] *m:* **hacer ~** Furore machen

furtivo, -a [fur'tiβo] *adj:* **cazador ~** Wilderer *m*

furúnculo [fu'ruŋkulo] *m* Furunkel *nt o m*

fuselaje [fuse'laxe] *m* AERO Rumpf *m*

fusible [fu'siβle] *m* Sicherung *f*

fusil [fu'sil] *m* Gewehr *nt*

fusilar [fusi'lar] *vt* standrechtlich erschießen

fusión [fu'sjon] *f* Fusion *f*

fusionar [fusjo'nar] **I.** *vi* schmelzen **II.** *vt* ① (*deshacer*) schmelzen ② (*unir*) verschmelzen; (*empresas*) fusionieren **III.** *vr:* **~se** (miteinander) verschmelzen

fusta ['fusta] *f* Peitsche *f*

fustigar [fusti'ɣar] <g → gu> *vt* peitschen

fútbol ['fuðβol] *m* Fußball *m*

futbolín [fuðβo'lin] *m* Tischfußballspiel *nt*

futbolista [fuðβo'lista] *mf* Fußballspieler(in) *m(f)*

fútbol-sala ['fuðβol-'sala] *m* Hallenfußball *m*

futuro[1] [fu'turo] *m* Zukunft *f;* LING Futur *nt*

futuro, -a[2] [fu'turo] *adj* (zu)künftig

futurólogo, -a [futu'roloɣo] *m, f* Futurologe, -in *m, f*

G

G, g [xe] *f* G, g *nt*
gabán [ga'βan] *m* Mantel *m*
gabardina [gaβar'ðina] *f* Trenchcoat *m*
gabinete [gaβi'nete] *m:* **~ de prensa** Pressestelle *f*
gacela [ga'θela] *f* Gazelle *f*
gaceta [ga'θeta] *f* HIST Zeitung *f*
gacho, -a ['gatʃo] *adj:* **orejas gachas** Schlappohren *ntpl*
gaditano, -a [gaði'tano] *adj* aus Cádiz
gafar [ga'far] *vt* (*fam*) Unglück bringen *+dat*
gafas ['gafas] *f pl* Brille *f;* **llevar ~** eine Brille tragen
gafe ['gafe] *m* Unglücksbringer *m;* (*aguafiestas*) Spielverderber *m*
gaita ['gai̯ta] *f* Dudelsack *m*
gaitero, -a [gai̯'tero] *m, f* Dudelsackspieler(in) *m(f)*
gaje ['gaxe] *m:* **los ~s del oficio** (*irón*) die Unannehmlichkeiten des Berufs
gajo ['gaxo] *m* Segment *nt;* (*racimo*) Traube *f*
gala ['gala] *f* Beste(s) *nt*
galán [ga'lan] *m* Liebhaber *m*
galante [ga'lan̪te] *adj* aufmerksam
galantería [galan̪te'ria] *f* Höflichkeit *f*
galápago [ga'lapaɣo] *m* Süßwasserschildkröte *f*
galardón [galar'ðon] *m* Preis *m*
galardonar [galarðo'nar] *vt* auszeichnen
galaxia [ga'laᵞsja] *f* Galaxie *f*
galera [ga'lera] *f* AM Schuppen *m*
galería [gale'ria] *f* (Kunst)galerie *f;* MIN Stollen *m*
galés, -esa [ga'les] *adj* walisisch
Gales ['gales] *m:* (**País de**) **~** Wales *nt*
galgo, -a ['galɣo] *m, f* Windhund, -hündin *m, f*
Galicia [ga'liθja] *f* Galicien *nt*
gallardo, -a [ga'ʎarðo] *adj* (an)mutig
gallear [gaʎe'ar] *vi* angeben
gallego, -a [ga'ʎeɣo] *adj* galicisch
galleta [ga'ʎeta] *f* Keks *m;* (*fam*) Ohrfeige *f*
gallina [ga'ʎina] *f* ❶ (*hembra del gallo*) Huhn *nt* ❷ (*fam*) Feigling *m*
gallinero [gaʎi'nero] *m* Hühnerstall *m*
gallito [ga'ʎito] *m:* **ponerse ~** aggressiv werden
gallo ['gaʎo] *m* ❶ (*ave*) Hahn *m;* **~ de pelea** Kampfhahn *m* ❷ (*pez*) Heringskönig *m* ❸ **soltar un ~** kicksen ❹ (*loc*): **misa de(l) ~** Christmette *f*
galón [ga'lon] *m* MIL Litze *f;* (*medida inglesa*) Gallone *f*
galopar [galo'par] *vi* galoppieren
galope [ga'lope] *m* Galopp *m*
gama ['gama] *f:* **~ de ofertas** Angebotspalette *f*
gamada [ga'maða] *adj:* **cruz ~** Hakenkreuz *nt*
gamba ['gamba] *f* Krabbe *f*
gamberrada [gambe'rraða] *f* rowdyhafter Streich *m;* **hacer ~s** etwas anstellen
gamberro, -a [gam'berro] *m, f* Rowdy *m*
gamo ['gamo] *m* Damhirsch *m*
gamonal [gamo'nal] *m* AM Kazike *m*
gamuza [ga'muθa] *f* ❶ (*animal*) Gämse *f* ❷ (*paño*) Fensterleder *nt*
gana ['gana] *f* Lust *f* (*de* auf *+akk*); **tengo ~s de comer** ich habe Appetit; **de buena ~** gerne
ganadería [ganaðe'ria] *f* Viehzucht *f*
ganadero, -a [gana'ðero] **I.** *adj* Vieh- **II.** *m, f* Viehzüchter(in) *m(f)*
ganado [ga'naðo] *m* Vieh *nt;* **~ bovino**[*o* **vacuno**] Rinder *ntpl*; **~ cabrío** Ziegen *fpl*; **~ ovino** Schafe *ntpl*; **~ porcino** Schweine *ntpl*
ganador(**a**) [gana'ðor] *m(f)* Gewinner(in) *m(f)*
ganancia [ga'nan̪θja] *f* Gewinn *m*
ganar [ga'nar] **I.** *vi* gewinnen **II.** *vt* ❶ (*trabajando*) verdienen ❷ (*jugando*) gewinnen ❸ **~ experiencia** Erfahrungen sammeln; **~ peso** zunehmen **III.** *vr:* **~se** verdienen; (*a alguien*) für

sich gewinnen
ganchillo [gan'tʃiʎo] *m* Häkelnadel *f*
gancho ['gantʃo] *m* ❶ (*instrumento*) Haken *m* ❷ (*algo que atrae*) Blickfang *m* ❸ AM Haarnadel *f*
gandul(a) [gaṇ'dul] *m(f)* Faulpelz *m*
ganga ['gaŋga] *f* günstiges Angebot
ganglio ['gaŋgljo] *m* Ganglion *nt*
gangoso, -a [gaŋ'goso] *adj* näselnd
gangrena [gaŋ'grena] *f* MED Brand *m*
gangrenarse [gaŋgre'narse] *vr* den Brand bekommen
gángster ['gaⁿster] *mf* Gangster(in) *m(f)*
ganguear [gaŋge'ar] *vi* näseln
gansada [gan'saða] *f* Albernheit *f*
ganso, -a ['ganso] *m, f* Gans *f;* **hacer el ~** herumalbern
ganzúa [gaṇ'θua] *f* Dietrich *m*
gañán [ga'ɲan] *m* Rüpel *m*
gañir [ga'ɲir] <3. *pret* gañó> *vi* (*perro*) jaulen; (*aves*) krächzen
gañote [ga'ɲote] *m* Kehle *f*
garabatear [garaβate'ar] *vi, vt* (hin)kritzeln
garabato [gara'βato] *m* Gekritzel *nt*
garaje [ga'raxe] *m* Garage *f;* (*taller*) Autowerkstatt *f*
garante [ga'raṇte] *mf* Bürge, -in *m, f*
garantía [garaṇ'tia] *f* Garantie *f;* **sin ~** ohne Gewähr
garantizar [garaṇti'θar] <z → c> *vt* garantieren; JUR gewährleisten
garapiña [gara'piɲa] *f* Kandierung *f;* AM *Erfrischungsgetränk aus Ananasschalen*
garapiñar [garrapi'ɲar] *vt* kandieren
garbanzo [gar'βaṇθo] *m* Kichererbse *f*
garbeo [gar'βeo] *m* Spaziergang *m*
garbo ['garβo] *m* Anmut *f*
garete [ga'rete] *m:* **ir(se) al ~** scheitern
garfa ['garfa] *f* Klaue *f*
garfio ['garfjo] *m* spitzer Haken *m*
gargajo [gar'ɣaxo] *m* zäher Auswurf *m*
garganta [gar'ɣaṇta] *f* Hals *m*
gargantilla [garɣaṇ'tiʎa] *f* Halskette *f*
gárgaras ['garɣaras] *f pl* Gurgeln *nt;* **hacer ~** gurgeln; **¡vete a hacer ~!** scher dich zum Teufel!
gargarear [garɣare'ar] *vi* AMS gurgeln
garita [ga'rita] *f* Mauertürmchen *nt*
garito [ga'rito] *m* illegale Spielhalle *f*
garra ['garra] *f* ❶ (*de animal*) Kralle *f* ❷ *pl* AM Fetzen *mpl* ❸ (*fam: brío*): **este equipo tiene ~** diese Mannschaft hat Pep
garrafa [ga'rrafa] *f* Karaffe *f;* **vino de ~** offener Wein
garrafal [garra'fal] *adj* ungeheuer
garrapata [garra'pata] *f* Zecke *f*
garrapiña [garra'piɲa] *f v.* **garapiña**
garrapiñar [garrapi'ɲar] *vt v.* **garapiñar**
garrocha [ga'rrotʃa] *f* Lanze *f*
garrotazo [garro'taθo] *m* Schlag *m* mit dem Knüppel
garrote [ga'rrote] *m* Knüppel *m*
garrucha [ga'rrutʃa] *f* Rolle *f*
garúa [ga'rua] *f* AM Nieseln *nt*
garuar [ga'rwar] *vimpers* AM nieseln
garza ['garθa] *f* Reiher *m*
garzón, -ona [gar'θon] *m, f* AM Kellner(in) *m(f)*
gas [gas] *m* ❶ (*fluido*) Gas *nt;* **~ natural** Erdgas *nt;* **bombona de ~** Gasflasche *f;* **cocina de ~** Gasherd *m;* **agua con ~** Sprudel *m;* **agua sin ~** stilles Wasser ❷ AUTO: **dar ~** Gas geben ❸ *pl* (*en el estómago*): **~es** Blähungen *fpl*
gasa ['gasa] *f* Verband(s)mull *m*
gaseosa [gase'osa] *f* süßer Sprudel *m*
gaseoso, -a [gase'oso] *adj* gashaltig
gasfitería [gasfite'ria] *f* AM Klempnerei *f*
gasoducto [gaso'ðukto] *m* Gasfernleitung *f*
gasoil [ga'soi̯l] *m*, **gasóleo** [ga'soleo] *m* Diesel(öl) *nt*
gasolina [gaso'lina] *f* Benzin *nt;* **~ sin plomo** bleifreies Benzin; **echar ~** tanken
gasolinera [gasoli'nera] *f* Tankstelle *f*
gastado, -a [gas'taðo] *adj* (*vestido*) abgetragen
gastador(a) [gasta'ðor] *adj* verschwenderisch

gastar [gas'tar] I. *vt* ❶ (*dinero*) ausgeben ❷ (*vestido*) abtragen ❸ (*tiempo*) investieren ❹ (*electricidad*) verbrauchen ❺ (*tener*): ~ **buen humor** stets gut gelaunt sein II. *vr:* **~se** ausgeben; (*vestido*) sich abnutzen; (*consumirse*) verbraucht werden
Gasteiz [gas'teiθ] *m* Vitoria *nt*
gasto ['gasto] *m* Ausgabe *f;* **~s de inscripción** Einschreibegebühren *fpl*; **~s de personal** Personalaufwand *m;* **~s de representación** Spesen *pl*

G

gástrico, -a ['gastriko] *adj* Magen-
gastritis [gas'tritis] *f inv* Magenschleimhautentzündung *f*
gastroenteritis [gastroen̪te'ritis] *f inv* Magen-Darm-Entzündung *f*
gastronomía [gastrono'mia] *f* Gastronomie *f*
gastronómico, -a [gastro'nomiko] *adj* gastronomisch
gatas ['gatas]: **andar a** ~ auf allen vieren gehen
gatear [gate'ar] *vi* krabbeln; AM hinter den Frauen her sein
gatillo [ga'tiʎo] *m* Abzug *m;* **apretar el** ~ abdrücken
gato ['gato] *m* ❶ (*félido*) Katze *f* ❷ TÉC Wagenheber *m*
gaucho[1] ['gau̯tʃo] *m* AM Gaucho *m;* (*jinete*) guter Reiter *m*
gaucho, -a[2] ['gau̯tʃo] *adj* Gaucho-; (AM: *grosero*) grob
gaveta [ga'βeta] *f* Mörtelpfanne *f*
gavilán [ga'βilan] *m* Sperber *m*
gaviota [ga'βjota] *f* Möwe *f*
gay [gai̯] *m* Schwule(r) *m*
gazapo [ga'θapo] *m* (*fam*) Versprecher *m*
gaznatada [gaθna'taða] *f* AM Ohrfeige *f*
gaznate [gaθ'nate] *m* Kehle *f*
gazpacho [gaθ'patʃo] *m* Gazpacho *m*
géiser ['xei̯ser] *m* Geysir *m*
gel [xel] *m* Gel *nt*
gelatina [xela'tina] *f* Gelatine *f*
gélido, -a ['xeliðo] *adj* eiskalt
gema ['xema] *f* Edelstein *m*
gemelo, -a [xe'melo] *adj* Zwillings-; (**hermanos**) **~s** Zwillinge *mpl*
gemelos [xe'melos] *m pl* ❶ (*anteojos*) Fernglas *nt;* ~ **de teatro** Opernglas *nt* ❷ ASTR Zwillinge *mpl* ❸ (*de la camisa*) Manschettenknopf *m*
gemido [xe'miðo] *m* Stöhnen *nt;* (*de pena*) Seufzer *m*
Géminis ['xeminis] *m inv* ASTR Zwillinge *mpl*
gemir [xe'mir] *irr como pedir vi* stöhnen; (*de pena*) seufzen
gen [xen] *m* Gen *nt*
genealogía [xenealo'xia] *f* Genealogie *f*
genealógico, -a [xenea'loxiko] *adj* genealogisch; **árbol** ~ Stammbaum *m*
generación [xenera'θjon] *f* (Er)zeugung *f;* COM Schaffung *f;* (*descendientes*) Generation *f*
generacional [xeneraθjo'nal] *adj* Generations-
generador[1] [xenera'ðor] *m* Generator *m*
generador(a)[2] [xenera'ðor] *adj* ❶ TÉC erzeugend ❷ COM schaffend; **medidas ~as de empleo** Arbeitsbeschaffungsmaßnahmen *fpl*
general [xene'ral] I. *adj* Allgemein-; (*huelga*) General-; (*cuartel*) Haupt-; (*impresión*) Gesamt-; **cultura** ~ Allgemeinbildung *f;* **junta** ~ Hauptversammlung *f;* **regla** ~ allgemein gültige Regel; **por lo** ~ im Allgemeinen; **en** ~ im Allgemeinen; **por regla** ~ in der Regel II. *m* General *m*
generalidad [xenerali'ða[ð]] *f:* **en la ~ de los casos** in den meisten Fällen
Generalitat [xenerali'ta[t]] *f autonome Regierung Kataloniens*
generalización [xeneraliθa'θjon] *f* Verallgemeinerung *f*
generalizar [xenerali'θar] <z → c> *vt* verallgemeinern
generalmente [xeneral'men̪te] *adv* im Allgemeinen
generar [xene'rar] *vt* erzeugen
genérico, -a [xe'neriko] *adj* Gattungs-, generisch

género ['xenero] *m* ❶ BIOL Gattung *f* ❷ LING Genus *nt* ❸ LIT Gattung *f;* ~ **épico** Epik *f;* ~ **lírico** Lyrik *f* ❹ COM Ware *f;* (*tela*) (Kleider)stoff *m*

generosidad [xenerosi'ðaᵈ] *f* Großzügigkeit *f*

generoso, -a [xene'roso] *adj* großzügig

Génesis ['xenesis] *m* Schöpfungsgeschichte *f*

genética [xe'netika] *f* Genetik *f*

genético, -a [xe'netiko] *adj* genetisch

genial [xe'njal] *adj* genial; (*estupendo*) toll

genialidad [xenjali'ðaᵈ] *f* Genialität *f*

genio ['xenjo] *m* ❶ (*carácter*) Charakter *m;* **tener buen** ~ gutmütig sein ❷ (*talento*) Veranlagung *f* ❸ (*aptitud*) Genie *nt* ❹ (*empuje*) Tatkraft *f* ❺ (*de los cuentos*) Kobold *m;* (*ser fabuloso*) (Flaschen)geist *m*

genital [xeni'tal] *adj* Geschlechts-

genitales [xeni'tales] *m pl* Geschlechtsorgane *nt pl*

genitivo [xeni'tiβo] *m* Genitiv *m*

genocidio [xeno'θiðjo] *m* Völkermord *m*

Génova ['xenoβa] *f* Genua *nt*

gente ['xen̦te] *f* ❶ (*personas*) Leute *pl;* **la ~ joven** die Jungen; **la ~ dice que...** man sagt, dass ...; **tener don de ~s** gut mit Menschen umgehen können ❷ AM anständiger Mensch *m*

gentil [xen̦'til] *adj* höflich

gentileza [xen̦ti'leθa] *f:* **¿tendría Ud. la ~ de ayudarme?** wären Sie so nett, mir zu helfen?

gentilicio, -a [xen̦ti'liθjo] *adj:* **nombre ~** Völkername *m*

gentío [xen̦'tio] *m* Gedränge *nt*

gentuza [xen̦'tuθa] *f* (*pey*) Pöbel *m*

genuino, -a [xe'nwino] *adj* echt

geografía [xeoɣra'fia] *f* Geographie *f*

geográfico, -a [xeo'ɣrafiko] *adj* geographisch

geógrafo, -a [xe'oɣrafo] *m, f* Geograph(in) *m(f)*

geología [xeolo'xia] *f* Geologie *f*

geológico, -a [xeo'loxiko] *adj* geologisch

geólogo, -a [xe'oloɣo] *m, f* Geologe, -in *m, f*

geometría [xeome'tria] *f* Geometrie *f*

geométrico, -a [xeo'metriko] *adj* geometrisch

geopolítico, -a [xeopo'litiko] *adj* geopolitisch

Georgia [xe'orxja] *f* Georgien *nt;* (*en los Estados Unidos*) Georgia *nt*

georgiano, -a [xeor'xjano] *adj* georgisch

geranio [xe'ranjo] *m* Geranie *f*

gerencia [xe'ren̦θja] *f* (Geschäfts)führung *f*

gerente [xe'ren̦te] *mf* Geschäftsführer(in) *m(f)*

geriatra [xe'rjatra] *mf* Geriater(in) *m(f)*

geriatría [xeria'tria] *f* Altersheilkunde *f*

geriátrico, -a [xe'rjatriko] *adj* geriatrisch; **clínica geriátrica** Altenpflegeheim *nt*

germánico, -a [xer'maniko] *adj* germanisch

germanista [xerma'nista] *mf* Germanist(in) *m(f)*

germano, -a [xer'mano] *adj o m, f v.* **germánico**

germanooccidental [xermano(o)ˠθiðen̦'tal] *adj* westdeutsch

germanooriental [xermano(o)rjen̦'tal] *adj* ostdeutsch

germen ['xermen] *m* Keim *m*

germinación [xermina'θjon] *f* (Auf)keimen *nt*

germinar [xermi'nar] *vi* sprießen

gerundense [xerun̦'dense] *adj* aus Girona

gerundio [xe'run̦djo] *m* Gerundium *nt*

gesta ['xesta] *f* Heldentat *f*

gestación [xesta'θjon] *f* ❶ (*de una persona*) Schwangerschaft *f* ❷ (*de un proyecto*) Reifungsprozess *m*

gestar [xes'tar] **I.** *vt* tragen **II.** *vr:* **~se** sich entwickeln

gesticulación [xestikula'θjon] *f* Gestik *f*

gesticular [xestiku'lar] *vi* gestikulieren

gestión [xes'tjon] *f* ❶ (*diligencia*) Formalität *f* ❷ (*de una empresa*) Geschäftsführung *f;* ~ **del conocimiento** Wissensmanagement *nt;* **la ~ de gobierno** die Amtsführung der Regierung ❸ (*tramitación*): **~ de la crisis** Krisenmanagement *nt;* **~ de desastres** Katastrophenmanagement *nt;* **~ de redes** Networking *nt;* **~ de webs** Webmanagement *nt* ❹ ADMIN, INFOR: **~ de contenidos** Content-Management *nt;* **~ de información** Informationsmanagement *nt;* **~ del tiempo** Zeitmanagement *nt*

G

gestionar [xestjo'nar] *vt* in die Wege leiten; (*negocio*) führen

gesto ['xesto] *m* Geste *f*

gestor(a) [xes'tor] *m(f)* Agent(in) *m(f)* für Verwaltungsformalitäten; **~ del conocimiento** Wissensmanager *m*

gestual [xes'twal] *adj* Gebärden-; **lenguaje ~** Gebärdensprache *f*

giba ['xiβa] *f* Buckel *m*

gibraltareño, -a [xiβral̦ta'reɲo] *adj* gibraltarisch

Giga ['ʤiɣa] *m* Gigabyte *nt*

gigabyte [ʤiɣa'bai̯t] *m* Gigabyte *nt*

gigante [xi'ɣan̦te] I. *adj* riesig II. *m* Riese *m*

gigantesco, -a [xiɣan̦'tesko] *adj* riesig

gilipollas [xili'poʎas] *mf* (*vulg*) Arschloch *nt*

gilipollez [xilipo'ʎeθ] *f* (*vulg*) Blödsinn *m fam*

gimnasia [xim'nasja] *f* ❶ (*disciplina*) Gymnastik *f* ❷ DEP Turnen *nt;* **hacer ~** turnen ❸ ENS Sport *m* ❹ (*ejercicio*) Übung *f*

gimnasio [xim'nasjo] *m* Turnhalle *f;* **~ (de musculación)** Fitnesscenter *nt*

gimnasta [xim'nasta] *mf* Turner(in) *m(f)*

gimotear [ximote'ar] *vi* (*pey*) stöhnen; (*lloriquear*) wimmern

gimoteo [ximo'teo] *m* Gestöhn(e) *nt;* (*lloriqueo*) Gewimmer *nt*

ginebra [xi'neβra] *f* Gin *m*

Ginebra [xi'neβra] *f* Genf *nt*

ginecología [xinekolo'xia] *f* Frauenheilkunde *f*

ginecológico, -a [xineko'loxiko] *adj* gynäkologisch

ginecólogo, -a [xine'koloɣo] *m, f* Frauenarzt, -ärztin *m, f*

gira ['xira] *f* Rundfahrt *f;* (*de un artista*) Tournee *f*

girar [xi'rar] I. *vi* ❶ (*dar vueltas*) sich drehen ❷ (*conversación*) sich drehen ❸ (*torcer*) abbiegen II. *vt* ❶ (*dar la vuelta*) drehen ❷ (*dinero*) überweisen (*a* an +*akk*)

girasol [xira'sol] *m* Sonnenblume *f*

giratorio, -a [xira'torjo] *adj* Dreh-

giro ['xiro] *m* ❶ (*vuelta*) Drehung *f* ❷ (*cariz*) Wendung *f;* **tomar un ~ negativo** sich zum Schlechten wenden ❸ COM Überweisung *f;* **~ postal** Postanweisung *f*

gitanería [xitane'ria] *f* hinterlistige Schmeichelei *f;* (*acción*) Zigeunerstreich *m*

gitano, -a [xi'tano] *m, f* Zigeuner(in) *m(f)*

glaciación [glaθja'θjon] *f* Vereisung *f*

glacial [gla'θjal] *adj* eiskalt; **zona ~** Eiszone *f*

glaciar [gla'θjar] *m* Gletscher *m*

glande ['glan̦de] *m* Eichel *f*

glándula ['glan̦dula] *f* Drüse *f*

glasear [glase'ar] *vt* glasieren

glaucoma [glau̯'koma] *m* grüner Star *m*

glicerina [gliθe'rina] *f* Glycerin *nt*

global [glo'βal] *adj* Gesamt-

globalidad [gloβali'ðaᵈ] *f* Gesamtheit *f*

globalifóbico, -a [gloβali'foβiko] I. *adj* globalisierungskritisch; **movimiento ~** globalisierungskritische antineoliberale Bewegung II. *m, f* Globalisierungskritiker(in) *m(f)*

globalización [gloβaliθa'θjon] *f* ❶ (*de un problema*) globale Betrachtung *f* ❷ (*generalización*) Verallgemeinerung *f*

globalizar [gloβali'θar] <z → c> *vt* global betrachten

globo ['gloβo] *m* ❶ (*esfera*) Kugel *f;* **~ ocular** Augapfel *m* ❷ (*Tierra*) Erdball *m* ❸ (*mapa*) Globus *m* ❹ (*para* *niños*) (Luft)ballon *m;* **~ aerostático** (Heißluft)ballon *m*

glóbulo ['gloβulo] *m* Blutkörperchen *nt*

gloria ['glorja] *f* ❶ (*fama*) Ruhm *m;* **sin pena ni ~** sang- und klanglos ❷ (*paraíso*) Himmelreich *nt;* **estar en la ~** (*fam*) im siebten Himmel sein

glorieta [glo'rjeta] *f* Kreisverkehr *m*

glorificación [glorifika'θjon] *f* Verherrlichung *f*

glorificar [glorifi'kar] <c → qu> **I.** *vt* verherrlichen **II.** *vr:* **~se** sich rühmen (*de* +*gen*)

glorioso, -a [glo'rjoso] *adj* ruhmreich

glosa ['glosa] *f* Erläuterung *f* (*a* zu +*dat*); (*anotación*) Bemerkung *f* (*a* zu +*dat*); LIT Glosse *f*

glosario [glo'sarjo] *m* Glossar *nt*

glotis ['glotis] *f inv* Glottis *f*

glotón, -ona [glo'ton] *adj* gefräßig

glucemia [glu'θemja] *f* Blutzuckerspiegel *m*

glucosa [glu'kosa] *f* Traubenzucker *m*

gluten ['gluten] *m* Gluten *nt*

glúteo ['gluteo] *m* Gesäßmuskel *m*

gnomo ['nomo] *m* Zwerg *m*

gnosticismo [nosti'θismo] *m sin pl* REL Gnostizismus *m*

gobernable [goβer'naβle] *adj* regierbar

gobernador(a) [goβerna'ðor] *m(f)* Gouverneur(in) *m(f);* **el ~ del Banco de España** der Präsident der spanischen Zentralbank

gobernante [goβer'nante] *mf* Regierende(r) *f(m)*

gobernar [goβer'nar] <e → ie> *vt* regieren

gobierno [go'βjerno] *m* Regierung *f;* **~ absoluto** Alleinherrschaft *f;* **~ autonómico** Regionalregierung *f*

goce ['goθe] *m* Genuss *m*

godo, -a ['goðo] **I.** *adj* gotisch **II.** *m, f* ❶ HIST Gote, -in *m, f* ❷ AMC *pey*) Spanier(in) *m(f)*

gofre ['gofre] *m* Waffel *f*

gol [gol] *m* Tor *nt;* **meter un ~** ein Tor schießen

golf [golf] *m* Golf *nt*

golfa ['golfa] *f* ❶ (*fam*) Hure *f* ❷ *v.* **golfo**[2]

golfear [golfe'ar] *vi* sich herumtreiben

golfo[1] ['golfo] *m* Golf *m*

golfo, -a[2] ['golfo] *m, f* Straßenkind *nt*

golondrina [golon'drina] *f* Schwalbe *f*

golosina [golo'sina] *f* Süßigkeit *f*

goloso, -a [go'loso] *m, f* Leckermaul *nt*

golpe ['golpe] *m* ❶ Schlag *m;* (*choque*) Stoß *m;* **~ de Estado** Staatsstreich *m*, Putsch *m;* **~ de tos** Hustenanfall *m;* **no pegar ~** (*fam*) keinen Schlag tun ❷ (*atraco*) Überfall *m*

golpear [golpe'ar] **I.** *vt* schlagen; (*en la puerta*) klopfen (an +*akk*) **II.** *vr:* **~se** sich schlagen

goma ['goma] *f* Gummi *nt o m;* **~ de borrar** Radiergummi *m*

gomaespuma [gomaes'puma] *f* Schaumgummi *m*

gomina® [go'mina] *f* Haarfestiger *m*

gominola [gomi'nola] *f* ≈Gummibärchen *nt*

góndola ['gondola] *f* Gondel *f;* AM Omnibus *m*

gonorrea [gono'rrea] *f* Gonorrhö *f*

googlear [gugle'ar] *vi* googeln

gordo[1] ['gorðo] *m:* **el ~** das große Los

gordo, -a[2] ['gorðo] *adj* dick; (*tejido*) grob; **el dedo ~** der Daumen; **me cae ~** ich kann ihn nicht ausstehen

gordura [gor'ðura] *f* Fettleibigkeit *f*

gorgotear [gorγote'ar] *vi* gluckern

gorgoteo [gorγo'teo] *m* Gluckern *nt*

gorila [go'rila] *m* Gorilla *m*

gorjear [gorxe'ar] *vi* zwitschern

gorjeo [gor'xeo] *m* Gezwitscher *nt*

gorra ['gorra] *f* Mütze *f;* (**~ de**) **visera** Schirmkappe *f*

gorrino, -a [go'rrino] *m, f* (*pey*) Schwein *nt*, Sau *f*

gorrión [gorri'on] *m* Sperling *m*

gorro ['gorro] *m* Mütze *f;* **estoy hasta el ~** (*fig*) ich habe die Nase voll

gorrón, -ona [go'rron] *m, f* Schmarotzer *m*

gorronear [gorrone'ar] *vi* (*fam*) schmarotzen
gota ['gota] *f* ❶ (*de líquido*) Tropfen *m* ❷ **no queda ni ~ de agua** es ist kein Tropfen Wasser mehr da ❸ METEO: **~ fría** Kalt(luft)front *f*
gotear [gote'ar] *vi* tropfen
goteo [go'teo] *m* Tropfen *nt*
gotera [go'tera] *f* undichte Stelle *f*; **hay una ~ en el baño** im Badezimmer regnet es durch
G
gotero [go'tero] *m* Tropf *m*; AM Tropfenzähler *m*
gótico, -a ['gotiko] *adj* gotisch
Gotinga [go'tiŋga] *f* Göttingen *nt*
gozar [go'θar] <z → c> **I.** *vi* sich erfreuen (*de* +*gen*) **II.** *vt* genießen
gozo ['goθo] *m* Wonne *f*; (*placer, alegría*) Freude
gr. ['gramo] *abr de* **gramo** g
grabación [graβa'θjon] *f* Aufnahme *f*
grabado [gra'βaðo] *m* Stich *m*; **~ al agua fuerte** Ätzung *f*; **~ en madera** Holzschnitt *m*
grabador(a) [graβa'ðor] *m(f)* Graveur(in) *m(f)*
grabadora [graβa'ðora] *f* Tonbandgerät *nt*
grabar [gra'βar] **I.** *vt* ❶ ARTE (ein)gravieren (*en* in +*akk*) ❷ (*disco*) aufnehmen ❸ INFOR speichern **II.** *vr:* **~se** sich einprägen +*dat*
gracia ['graθja] *f* ❶ *pl* (*agradecimiento*): **¡~s!** danke!; **¡muchas ~s!** vielen Dank!; **¡~s a Dios!** Gott sei Dank! ❷ REL Gnade *f* ❸ (*agrado*): **me cae en ~** er/sie ist mir sympathisch ❹ (*chiste*) Witz *m*; **no tiene (ni) pizca de ~** das ist gar nicht lustig
grácil ['graθil] *adj* grazil
gracioso, -a [gra'θjoso] *adj* witzig
grada ['graða] *f* (Sitz)reihe *f*
gradación [graða'θjon] *f* Abstufung *f*
grado ['graðo] *m* ❶ (*nivel*) Grad *m* (*de* an +*dat*); **~ de confianza** Maß an Vertrauen; **quemaduras de primer ~** Verbrennungen ersten Grades ❷ (*parentesco*) Verwandtschaftsgrad *m* ❸ JUR: **en primer ~** in erster Instanz ❹ **~ centígrado** Grad Celsius ❺ (*de alcohol*) Prozent *nt*
graduable [graðu'aβle] *adj* verstellbar
graduación [graðwa'θjon] *f* ❶ (*regulación t.* TÉC) Einstellung *f* ❷ (*en grados*) Gradeinteilung *f*; (*en niveles*) Abstufung *f*; (*de personas*) Einstufung *f* ❸ (*de un vino*) Alkoholgehalt *m*
gradual [graðu'al] *adj* allmählich
graduar [graðu'ar] <*1. pres* gradúo> **I.** *vt* ❶ (*regular*) einstellen ❷ TÉC gradieren; **~ la vista** die Brillengläser anpassen **II.** *vr:* **~se: se graduó en económicas** er/sie machte seine/ihre Diplomprüfung in VWL
grafía [gra'fia] *f* Schreibweise *f*
gráfica ['grafika] *f* Schaubild *nt*; (*curva*) Kurve *f*
gráfico¹ [grafiko] *m* Grafik *f*
gráfico, -a² [grafiko] *adj* anschaulich
grafista [gra'fista] *mf* Grafiker(in) *m(f)*
grafito [gra'fito] *m* MIN Graphit *m*
grafología [grafolo'xia] *f* Graphologie *f*
gragea [gra'xea] *f* Dragee *nt*
gral. [xene'ral] *adj abr de* **general** allg.
gramática [gra'matika] *f* Grammatik *f*
gramatical [gramati'kal] *adj* grammatikalisch; **regla ~** Grammatikregel *f*
gramático, -a [gra'matiko] *m, f* Grammatiker(in) *m(f)*
gramilla [gra'miʎa] *f* AM Gras *nt*
gramo ['gramo] *m* Gramm *nt*
gran [gran] *adj v.* **grande**
granada [gra'naða] *f* Granatapfel *m*; (*proyectil*) Granate *f*
granadino, -a [grana'ðino] *adj* aus Granada
granado [gra'naðo] *m* Granat(apfel)baum *m*
granate [gra'nate] *adj* granatrot
Gran Bretaña [gram bre'taɲa] *f* Großbritannien *nt*
grande ['gran̩de] **I.** *adj* <más grande *o* mayor, grandísimo> (*precediendo un sustantivo singular: gran*) ❶ (*de ta-*

maño) groß ❷ (*de edad*) alt ❸ (*moralmente*): **una gran idea** eine großartige Idee ❹ (*loc*): **pasarlo en ~** sich großartig amüsieren; **este trabajo me va ~** ich bin dieser Arbeit nicht gewachsen; **vivir a lo ~** auf großem Fuß leben **II.** *m:* **los ~s de la industria** die Großindustriellen; **Grande de España** Grande *m* Spaniens
grandeza [gran̪'deθa] *f:* **delirio de ~** Größenwahn *m*
grandilocuente [gran̪dilo'kwen̪te] *adj* hochtönend
grandioso, -a [gran̪'djoso] *adj* großartig
grandullón, -ona [gran̪du'ʎon] *adj* hoch aufgeschossen
granel [gra'nel]: **a ~** unverpackt
granero [gra'nero] *m* Scheune *f*
granito [gra'nito] *m* Granit *m*
granizada [grani'θaða] *f* Hagelschauer *m*
granizado [grani'θaðo] *m Erfrischungsgetränk mit zerstoßenem Eis*
granizar [grani'θar] <z → c> *vimpers* hageln
granizo [gra'niθo] *m* Hagel *m*
granja ['graŋxa] *f* Bauernhof *m*
granjero, -a [graŋ'xero] *m, f* Landwirt(in) *m(f)*
grano ['grano] *m* ❶ (*de cereales*) (Samen)korn *nt;* (*de café*) Bohne *f;* **~s** Getreide *nt;* **~ de uva** Weintraube *f;* **vaya al ~** kommen Sie zur Sache ❷ MED Pickel *m*
granuja [gra'nuxa] *m* Gauner *m*
grapa ['grapa] *f* Heftklammer *f*
grapadora [grapa'ðora] *f* Heftmaschine *f*
grapar [gra'par] *vt* heften
grasa ['grasa] *f* Fett *nt;* **~ de cerdo** Schweineschmalz *nt;* **cocinar sin ~** fettarm kochen
grasiento, -a [gra'sjen̪to] *adj* fettig
graso, -a ['graso] *adj* fettig
gratén [gra'ten] *m:* **al ~** überbacken
gratificación [gratifika'θjon] *f* Belohnung *f*
gratificante [gratifi'kan̪te] *adj* erfreulich
gratificar [gratifi'kar] <c → qu> *vt* belohnen
gratinar [grati'nar] *vt* überbacken
gratis ['gratis] *adv* gratis
gratitud [grati'tu[ð]] *f* Dankbarkeit *f*
grato, -a ['grato] *adj* angenehm
gratuito, -a [gra'twito] *adj* kostenlos
grava ['graβa] *f* Kies *m*
gravamen [gra'βamen] *m* Versteuerung *f;* (*del Estado*) Besteuerung *f*
gravar [gra'βar] *vt* besteuern; **~ con un impuesto** eine Steuer erheben (auf +*akk*)
grave ['graβe] *adj* schlimm; **está ~** er/sie ist schwer krank
gravedad [graβe'ða[ð]] *f* ❶ FÍS Schwerkraft *f;* **centro de ~** Schwerpunkt *m* ❷ MED: **estar herido de ~** schwer verletzt sein
gravilla [gra'βiʎa] *f* Feinkies *m*
gravitación [graβita'θjon] *f* Anziehungskraft *f*
graznar [graθ'nar] *vi* krächzen
greca ['greka] *f* AM Kaffeemaschine *f*
Grecia ['greθja] *f* Griechenland *nt*
grecolatino, -a [grekola'tino] *adj* griechisch-lateinisch
grecorromano, -a [grekorro'mano] *adj* griechisch-römisch
gremial [gre'mjal] *adj* Innungs-
gremio ['gremjo] *m* Innung *f;* HIST Zunft *f*
greña ['greɲa] *f* Haarschopf *m*
griego, -a ['grjeɣo] *adj* griechisch
grieta ['grjeta] *f* Riss *m*
grifo ['grifo] *m* Hahn *m;* **agua del ~** Leitungswasser *nt*
grillarse [gri'ʎarse] *vr* (*fam*) überschnappen
grillo ['griʎo] *m* Grille *f*
grima ['grima] *f* Schauder *m;* **me da ~ ver cómo la maltratas** es macht mich krank zu sehen, wie du sie misshandelt
gringada [griŋ'gaða] *f* AM (*fam*) Ganoventrick *m*
gringo, -a ['griŋgo] *m, f* AM (*fam*)

❶ (*persona*) Gringo *m;* (*pey*) Ausländer *m* ❷ (*de EE.UU.*) Yankee *m pey*

gripa ['gripa] *f* AM Grippe *f*

gripal [gri'pal] *adj* grippal

griparse [gri'parse] *vr* sich festfressen

gripe ['gripe] *f* Grippe *f*

griposo, -a [gri'poso] *adj:* **estoy ~** ich habe die Grippe

gris [gris] *adj* grau; **~ marengo** dunkelgrau; **de ojos ~es** grauäugig

grisáceo, -a [gri'saθeo] *adj*, **grisoso, -a** [gri'soso] *adj* AM gräulich

G

gritar [gri'tar] *vi, vt* (an)schreien

griterío [grite'rio] *m* Geschrei *nt*

grito ['grito] *m* Schrei *m;* **pegar un ~** einen Schrei ausstoßen

groenlandés, -esa [groenlan̩'des] *adj* grönländisch

Groenlandia [groen'lan̩dja] *f* Grönland *nt*

grosella [gro'seʎa] *f* Johannisbeere *f*

grosería [grose'ria] *f* Unhöflichkeit *f;* (*palabrota*) Schimpfwort *nt*

grosero, -a [gro'sero] *adj* unhöflich; (*ordinario*) ordinär

grosor [gro'sor] *m* Dicke *f*

grotesco, -a [gro'tesko] *adj* grotesk

grúa ['grua] *f* Kran *m;* (*vehículo*) Abschleppwagen *m*

grueso, -a ['grweso] *adj* korpulent

grulla ['gruʎa] *f* Kranich *m*

grumete [gru'mete] *m* Schiffsjunge *m*

grumo ['grumo] *m* Klumpen *m;* **~ de sangre** (Blut)gerinnsel *nt*

grumoso, -a [gru'moso] *adj* klumpig, verklumpt

gruñir [gru'ɲir] <*3. pret* gruñó> *vi* grunzen; (*perro*) knurren; (*persona*) murren

gruñón, -ona [gru'ɲon] *m, f* (*fam*) Brummbär *m;* **es un viejo ~** er ist ein alter Brummbart

grupal [gru'pal] *adj* Gruppen-

grupo ['grupo] *m* Gruppe *f;* **~ (industrial)** Konzern *m;* **~ parlamentario** POL Fraktion *f;* **trabajo en ~** Teamarbeit *f*

gruta ['gruta] *f* Grotte *f*

guaca ['gwaka] *f* AM ❶ (*tesoro*) verborgener Schatz *m* ❷ (*hucha*) Spardose *f;* **hacer ~** Geld machen

guacal [gwa'kal] *m* AMC Kalebassenbaum *m;* (*jícara*) *aus einem Kürbis oder einer Kalebasse hergestelltes Essgeschirr*

guacamol(e) [gwaka'mol(e)] *m* AM Avocadocreme *f*

guachimán [gwaʧi'man] *m* AM Wächter *m*

guacho, -a ['gwaʧo] *m, f* AMS Waisenkind *nt;* (*expósito*) ausgesetztes Kind *nt*

guadaña [gwa'ðaɲa] *f* Sense *f*

guagua ['gwaɣwa] *f* AM Bus *m*

guajiro, -a [gwa'xiro] *m, f* CUBA weißer Bauer *m*, weiße Bäuerin *f*

guanaco, -a [gwa'nako] *adj* AM einfältig

guantada [gwan̩'taða] *f* Ohrfeige *f;* **dar una ~ a alguien** jdn ohrfeigen

guantazo [gwan̩'taθo] *m v.* **guantada**

guante ['gwan̩te] *m* Handschuh *m*

guantera [gwan̩'tera] *f* Handschuhfach *nt*

guapo, -a ['gwapo] *adj* ❶ (*atractivo*) gut aussehend; AM mutig ❷ (*fam: una cosa*) toll, super; **esta camiseta está guapa** dieses T-Shirt finde ich gut

guarangada [gwaraŋ'ɣaða] *f* AM Flegelei *f*

guaraní [gwara'ni] *adj* Guarani-

guarapo [gwa'rapo] *m* AM Zuckerrohrsaft *m*

guarda[1] ['gwarða] *mf* Wächter(in) *m(f);* **~ forestal** Förster(in) *m(f)*

guarda[2] ['gwarða] *f* Wache *f*

guardabarros [gwarða'βarros] *m* Schutzblech *nt*

guardabosque(s) [gwarða'βoske(s)] *mf* Förster(in) *m(f)*

guardacostas [gwarða'kostas] *m* Boot *nt* der Küstenwache

guardaespaldas [gwarðaes'pal̩das] *mf* Leibwächter(in) *m(f)*

guardar [gwar'ðar] **I.** *vt* ❶ (*vigilar*) bewachen ❷ (*proteger*) beschützen (*de* vor +*dat*) ❸ (*conservar*) (auf)bewahren ❹ (*loc*): ~ **cama** das Bett hüten; ~ **silencio** Stillschweigen bewahren **II.** *vr:* **~se** sich hüten (*de* vor +*dat*)

guardarropa [gwarða'rropa] *m* Garderobe *f*

guardería [gwarðe'ria] *f* Kindergarten *m*

guardia[1] ['gwarðja] *f* ❶ (*vigilancia*) Wache *f;* **¿cuál es la farmacia de ~?** welche Apotheke hat Notdienst? ❷ DEP Deckung *f* ❸ (*instituciones*): **la Guardia Civil** die Guardia civil; ~ **municipal**[*o* **urbana**] Gemeindepolizei *f;* **estar en** ~ auf der Hut sein

guardia[2] ['gwarðja] *mf*: ~ **civil** Beamte (r) *m* der Guardia civil, Beamtin *f* der Guardia civil; ~ **municipal**[*o* **urbano**] Gemeindepolizist(in) *m(f);* ~ **de tráfico** Verkehrspolizist(in) *m(f)*

guardián, -ana [gwar'ðjan] *m, f*: **perro** ~ Wachhund *m*

guardilla [gwar'ðiʎa] *f* Dachzimmer *nt*

guarida [gwa'riða] *f* Versteck *nt*

guarnición [gwarni'θjon] *f* ❶ (*adorno*) Verzierung *f* ❷ MIL Garnison *f* ❸ GASTR Garnierung *f*

guarrería [gwarre'ria] *f* Schweinerei *f*

guarro, -a ['gwarro] *adj* ❶ (*cosa*) dreckig ❷ (*persona*) schlampig

guasa ['gwasa] *f:* **estar de** ~ zum Scherzen aufgelegt sein

guasca ['gwaska] *f* AM Peitsche *f*

guasearse [gwase'arse] *vr* sich lustig machen

guaso, -a ['gwaso] *adj* CSUR bäurisch; (*torpe*) unhöflich

guasón, -ona [gwa'son] *m, f* Spaßvogel *m*

guatemalteco, -a [gwatemal̩'teko] *adj* guatemaltekisch

guateque [gwa'teke] *m* (*fam*) Party *f*

guay [gwai̯] *adj* (*fam*) klasse

guayaba [gwa'ɟaβa] *f* AM Lüge *f*

guayabo [gwa'ɟaβo] *m* Guajavabaum *m*

Guayana [gwa'ɟana] *f* Guyana *nt*

gubernamental [guβernamen̩'tal] *adj* Regierungs-

guepardo [ge'parðo] *m* Gepard *m*

güero, -a ['gwero] *adj* AM blond

guerra ['gerra] *f* ❶ Krieg *m;* **la ~ civil española** der spanische Bürgerkrieg; **ir a la** ~ in den Krieg ziehen; ~ **mediática** Medienkrieg *m* ❷ **estos niños dan mucha** ~ (*fam*) diese Kinder sind sehr anstrengend

guerrero, -a [ge'rrero] *m, f* Krieger(in) *m(f)*

guerrilla [ge'rriʎa] *f* Guerilla *f*

guerrillero, -a [gerri'ʎero] *m, f* Guerillero, -a *m, f*

gueto ['geto] *m* Getto *nt*

guía[1] ['gia] *mf* Führer(in) *m(f);* ~ **turístico** Fremdenführer *m*

guía[2] ['gia] *f:* ~ **telefónica** Telefonbuch *nt;* ~ **turística** Reiseführer *m*

guiar [gi'ar] <*1. pres* guío> **I.** *vt* führen **II.** *vr:* **~se** sich richten; **me guío por mi instinto** ich folge meinem Instinkt

guijarro [gi'xarro] *m* Kiesel(stein) *m*

guillarse [gi'ʎarse] *vr* (*fam*) überschnappen; **guillárselas** abhauen

guillotina [giʎo'tina] *f* Guillotine *f;* (*para papel*) (Papier)schneidemaschine *f*

guinda ['gin̩da] *f* Sauerkirsche *f*

guindilla [gin̩'diʎa] *f* Peperoni *f*

guineo [gi'neo] *m* AM Banane *f*

guiñapo [gi'ɲapo] *m* Lumpen *m;* (*degradado*) heruntergekommener Mensch *m*

guiñar [gi'ɲar] *vt* zwinkern

guiño ['giɲo] *m* (Zu)zwinkern *nt*

guiñol [gi'ɲol] *m* Kasper(le)theater *nt*

guión [gi'on] *m* ❶ (*de una conferencia*) Konzept *nt* ❷ CINE Drehbuch *nt;* TV Skript *nt* ❸ (LING: *al fin de renglón*) Trennungsstrich *m;* (*en diálogo*) Gedankenstrich *m*

guionista [gjo'nista] *mf* Drehbuchautor(in) *m(f)*

guiri ['giri] *mf* (*pey*) Ausländer(in) *m(f)*

guirigay [giri'ɣai̯] <guirigayes> *m* (*fam*) Kauderwelsch *nt;* (*barullo*) Wirrwarr *m*

guisado [gi'saðo] *m* Schmorbraten *m*
guisante [gi'sante] *m* Erbse *f*
guisar [gi'sar] *vt* kochen; (*con salsa*) schmoren
guiso ['giso] *m* Schmorbraten *m*
guita ['gita] *f* (*fam*) Kohle *f*
guitarra [gi'tarra] *f* Gitarre *f*
guitarrista [gita'rrista] *mf* Gitarrenspieler(in) *m(f)*
gula ['gula] *f* Gefräßigkeit *f*
gurú [gu'ru] *m* Guru *m*
gusano [gu'sano] *m* ❶ (*lombriz*) Wurm *m;* ~ **informático** INFOR Computerwurm *m* ❷ (*malo*) verächtlicher Mensch *m*
gustar [gus'tar] *vi* ❶ gefallen; (*comida*) schmecken; **me gusta nadar** ich schwimme gern ❷ (*querer*): ~ **de...** belieben zu ...; **me gustas** ich mag dich ❸ (*condicional*): **me ~ía saber...** ich wüsste gern ...
gusto ['gusto] *m* ❶ (*sentido*) Geschmack (ssinn) *m;* **una broma de mal ~** ein geschmackloser Scherz ❷ (*placer*) Vergnügen *nt;* **~s caros** teures Vergnügen
gustoso, -a [gus'toso] *adj:* **te acompañaré ~** ich werde dich gern begleiten
gutural [gutu'ral] *adj* guttural

H, h ['atʃe] *f* H, h *nt*

haba ['aβa] *f* Saubohne *f*

Habana [a'βana] *f:* **la ~** Havanna *nt*

habanero, -a [aβa'nero] *adj* aus Havanna

habano [a'βano] *m* Havanna(zigarre) *f*

haber [a'βer] *irr* **I.** *aux* (*en tiempos compuestos*) haben, sein; **he comprado el periódico** ich habe die Zeitung gekauft **II.** *vimpers* ❶ (*ocurrir*) geschehen; **¿qué hay?** was ist los?; **¿qué hay, Pepe?** wie geht's, Pepe? ❷ (*efectuar*): **ayer hubo reunión** gestern fand die Sitzung statt ❸ (*existir*) geben; **hay poca gente** es sind wenige Leute da; **¡muchas gracias! – no hay de qué** vielen Dank! – gern geschehen! ❹ (*hallarse*) sein; **había un papel en el suelo** auf dem Boden lag ein Blatt Papier

hábil ['aβil] *adj* geschickt; **días ~es** Arbeitstage *mpl*

habilidad [aβili'ða^{ð}] *f* Geschicklichkeit *f;* **~es directivas** Führungsqualitäten *fpl*

habilidoso, -a [aβili'ðoso] *adj* geschickt

habilitar [aβili'tar] *vt* JUR befähigen

habiloso, -a [aβi'loso] *adj* AM flink

habitable [aβi'taβle] *adj* bewohnbar

habitación [aβita'θjon] *f* Zimmer *nt*

habitante [aβi'tan̩te] *mf* Einwohner(in) *m(f)*

habitar [aβi'tar] **I.** *vi* wohnen (*en* in *+dat*) **II.** *vt* bewohnen

hábitat ['aβita^{t}] <hábitats> *m* Habitat *nt*

hábito ['aβito] *m* (An)gewohnheit *f*

habitual [aβitu'al] *adj* gewöhnlich; **cliente ~** Stammgast *m*

habituar(se) [aβitu'ar(se)] <*1. pres* habitúo> *vt, vr* (sich) gewöhnen (*a* an *+akk*)

habla ['aβla] *f* ❶ (*facultad*) Sprache *f;* **quedarse sin ~** sprachlos sein ❷ (*acto*) Sprechen *nt;* **país de ~ alemana** deutschsprachiges Land

hablado, -a [a'βlaðo] *adj:* **ser mal ~** sich derb ausdrücken

hablador(a) [aβla'ðor] *adj* gesprächig

habladuría [aβlaðu'ria] *f* Gerede *nt*

hablante [a'βlan̩te] *mf* Sprecher(in) *m(f)*

hablar [a'βlar] **I.** *vi* ❶ (*decir*) sprechen, reden; **~ a gritos** schreien; **¡ni ~!** auf gar keinen Fall!; **por no ~ de...** ganz zu schweigen von ... *+dat;* **¡y no se hable más!** und damit basta! ❷ (*conversar*) reden; **~ con franqueza** offen sprechen; **~ por teléfono** telefonieren **II.** *vt* (be)sprechen **III.** *vr:* **~se** miteinander reden

hacer [a'θer] *irr* **I.** *vt* ❶ (*producir*) machen ❷ (*realizar*) machen, tun; **~ una llamada** anrufen; **hazlo por mí** tu es mir zuliebe ❸ (*pregunta*) stellen ❹ (*sombra*) spenden; (*daño*) zufügen (*a +dat*); **no puedes ~me esto** das kannst du mir nicht antun ❺ (*construir*) bauen ❻ (*procurar*) schaffen; **¿puedes ~me sitio?** kannst du etwas zur Seite rücken? ❼ (*transformar*): **~ pedazos algo** etw kaputtmachen *fam* ❽ (*llegar*): **~ noche en...** übernachten in ... *+dat* ❾ (*más sustantivo*): **~ caja** abrechnen; **~ caso a alguien** jdm gehorchen ❿ (*más verbo*): **~ creer algo a alguien** jdm etw weismachen; **hazle pasar** bitte ihn herein ⓫ TEAT: **~ el (papel de) Fausto** den Faust spielen ⓬ (*carrera*) studieren; **¿haces francés o inglés?** lernst du Französisch oder Englisch? ⓭ GASTR zubereiten **II.** *vr:* **~se** ❶ (*habituarse*) sich gewöhnen (*a* an *+akk*) ❷ (*conseguir*) schaffen; **~se respetar** sich *dat* Respekt verschaffen ❸ (*resultar*): **se me hace muy difícil creer eso** es fällt mir sehr schwer, das zu glauben **III.** *vimpers* ❶ (*tiempo*): **hace frío/calor** es ist kalt/warm ❷ (*temporal*) vor *+dat;* **hace tres días** vor drei Tagen; **no hace mucho** vor kurzem

hacha ['atʃa] *f* Axt *f*

hache ['atʃe] *f* H, h *nt*

hachís [a'tʃis] *m* Haschisch *nt*

hacia ['aθja] *prep* ① (*dirección*) nach +*dat*, zu +*dat*; **fuimos ~ allí** wir gingen dorthin; **vino ~ mí** er/sie kam zu mir herüber ② (*cerca de*) gegen +*akk* ③ (*respecto a*) gegenüber +*dat*

hacienda [a'θjeṇda] *f*: **la ~ pública** die Staatsfinanzen; **¿pagas mucho a ~?** zahlst du viel Steuern?

Hacienda [a'θjeṇda] *f* Steuerbehörde *f*

hada ['aða] *f* Fee *f*; **cuento de ~s** Märchen *nt*

halagador(a) [alaɣa'ðor] *adj* (*que halaga*) schmeichelhaft

halagar [ala'ɣar] <g → gu> *vt* schmeicheln

halago [a'laɣo] *m* Lob *nt*

halcón [al'kon] *m* Falke *m*

hall [xol] *m* (Eingangs)halle *f*

hallar [a'ʎar] **I.** *vt* finden **II.** *vr*: **~se** ① (*sitio*) sich aufhalten ② (*estado*) sein; **no me hallo a gusto aquí** ich fühle mich hier nicht wohl

hallazgo [a'ʎaθɣo] *m* Entdeckung *f*; (*cosa*) Fund *m*

halógeno [a'loxeno] *m* Halogen *nt*

halterofilia [al̪tero'filja] *f* Gewichtheben *nt*

hamaca [a'maka] *f* Hängematte *f*; AMS Schaukelstuhl *m*

hambre ['ambre] *f* Hunger *m*; **huelga de ~** Hungerstreik *m*; **morirse de ~** verhungern

hambrear [ambre'ar] *vt* AM aushungern

hambriento, -a [am'brjeṇto] *adj* hungrig

hambruna [am'bruna] *f* AM Hungersnot *f*

Hamburgo [am'burɣo] *m* Hamburg *nt*

hamburguesa [ambur'ɣesa] *f* Hamburger *m*

hamburguesería [amburɣese'ria] *f* Schnellimbiss *m*

hampa ['ampa] *f* Unterwelt *f*

hámster ['xamster] *m* Hamster *m*

Hannover [(x)a'noβer] *m* Hannover *nt*

haragán, -ana [ara'ɣan] *m, f* Faulenzer(in) *m(f)*

haraganear [araɣane'ar] *vi* faulenzen

harakiri [(x)ara'kiri] *m* Harakiri *nt*

harapiento, -a [ara'pjeṇto] *adj* zerlumpt

harapo [a'rapo] *m* Lumpen *m*

hardware ['xar(ð)wer] *m* Hardware *f*

harem [a'ren] *m*, **harén** [a'ren] *m* Harem *m*

harina [a'rina] *f* Mehl *nt*; **~ integral** Vollkornmehl *nt*; **~ de trigo** Weizenmehl *nt*

harmonía [armo'nia] *f* Harmonie *f*

hartarse [ar'tarse] *irr vr* ① (*saciarse*) sich satt essen (*de* mit +*dat*) ② **~ de reír** sich totlachen

harto, -a ['arto] *adj* ① (*repleto*) satt ② (*sobrado*): **tengo hartas razones** ich habe genügend Gründe ③ **estar ~ de alguien/algo** jds/etw *gen* überdrüssig sein

hartura [ar'tura] *f* Übersättigung *f*

hasta ['asta] **I.** *prep* ① (*de lugar*) bis (zu); **te llevo ~ la estación** ich fahre dich bis zum Bahnhof ② (*de tiempo*) bis; **~ ahora** bisher ③ (*en despedidas*): **¡~ luego!** bis später!; **¡~ la vista!** auf Wiedersehen!; **¡~ la próxima!** bis zum nächsten Mal! **II.** *adv* selbst **III.** *conj*: **~ cuando come lee el periódico** sogar beim Essen liest er/sie die Zeitung; **no consiguió un trabajo fijo ~ que cumplió 40 años** erst als er/sie 40 wurde, bekam er/sie eine feste Stelle

hastío [as'tio] *m* ① (*repugnancia*) Ekel *m* ② (*tedio*) Langeweile *f*

haya ['aɟa] *f* Buche *f*

Haya ['aɟa] *f*: **La ~** Den Haag *nt*

haz [aθ] *m* ① (*hato*) Bündel *nt* ② **~ luminoso** Lichtbündel *nt*

hazaña [a'θaɲa] *f* Heldentat *f*

hazmerreír [aθmerre'ir] *m* Witzfigur *f*; **es el ~ de la gente** alle lachen ihn aus

HB [atʃe'βe] *m abr de* **Herri Batasuna** *baskische Partei*

he [e] *1. pres de* **haber**

hebilla [e'βiʎa] *f* Schnalle *f*

hebra ['eβra] *f* Faden *m*
hebreo, -a [e'βreo] *adj* hebräisch
hecatombe [eka'tombe] *f* Hekatombe *f*
heces ['etʃes] *f* Kot *m*
hechicería [etʃiθe'ria] *f* Hexenkunst *f*
hechicero, -a [etʃi'θero] *m, f* Medizinmann, -frau *m, f*
hechizar [etʃi'θar] <z → c> *vt* bezaubern
hechizo [e'tʃiθo] *m* Zauber *m;* **romper el ~** den Bann brechen
hecho[1] ['etʃo] *m* ① (*circunstancia*) Tatsache *f* ② (*acto*) Tat *f;* **~ delictivo** Straftat *f* ③ **lugar de los ~s** Tatort *m* ④ **de ~** tatsächlich
hecho, -a[2] ['etʃo] *adj* fertig
hectárea [ek'tarea] *f* Hektar *nt*
hedor [e'ðor] *m* Gestank *m*
hegemonía [exemo'nia] *f* Hegemonie *f*
hegemónico, -a [exe'moniko] *adj* hegemonisch
helada [e'laða] *f* Frost *m*
heladería [elaðe'ria] *f* Eiscafé *nt*
helado[1] [e'laðo] *m* (Speise)eis *nt*
helado, -a[2] [e'laðo] *adj* eisig; **el lago está ~** der See ist zugefroren
helador(a) [ela'ðor] *adj* eiskalt
helarse [e'larse] <e → ie> *vr* ① **el lago se ha helado** der See ist zugefroren ② **~ de frío** vor Kälte erstarren
helecho [e'letʃo] *m* Farnkraut *nt*
hélice ['eliθe] *f* Propeller *m*
helicóptero [eli'koptero] *m* Hubschrauber *m*
helio ['eljo] *m* Helium *nt*
helvético, -a [el'βetiko] *adj* schweizerisch
hematoma [ema'toma] *m* Bluterguss *m*
hembra ['embra] *f* Weibchen *nt*
hemeroteca [emero'teka] *f* Zeitungsarchiv *nt*
hemiciclo [emi'θiklo] *m* (POL: *en España*) Parlamentssaal *m*
hemisferio [emis'ferjo] *m* (Erd)halbkugel *f*
hemofilia [emo'filja] *f* Bluterkrankheit *f*
hemorragia [emo'rraxia] *f* starke Blutung *f*
hemorroides [emo'rroi̯ðes] *f pl* Hämorriden *fpl*
heno ['eno] *m* Heu *nt;* **fiebre del ~** Heuschnupfen *m*
hepatitis [epa'titis] *f inf* Leberentzündung *f*
heptatlón [epta^{ð}'lon] *m* Siebenkampf *m*
heráldica [e'ral̯dika] *f* Wappenkunde *f*
herbario [er'βarjo] *m* Pflanzensammlung *f*
herbicida [erβi'θiða] *m* Unkrautvertilgungsmittel *nt*
herbívoro [er'βiβoro] *m* Pflanzenfresser *m*

herbolario [erβo'larjo] *m f* Heilkräuterladen *m*
hercio ['erθjo] *m* Hertz *nt*
heredable [ere'ðaβle] *adj* (ver)erblich
heredar [ere'ðar] *vt* erben; **propiedad heredada** vererbtes Eigentum
heredero, -a [ere'ðero] *m, f* Erbe, -in *m, f;* **el príncipe ~** der Kronprinz
hereditario, -a [ereði'tarjo] *adj* vererbbar; **enfermedad hereditaria** Erbkrankheit *f*
hereje [e'rexe] *mf* Ketzer(in) *m(f)*
herejía [ere'xia] *f* Ketzerei *f*
herencia [e'ren̩θja] *f* Erbe *nt*
herético, -a [e'retiko] *adj* ketzerisch
herida [e'riða] *f* Wunde *f*
herido, -a [e'riðo] *adj* verletzt
herir(se) [e'rir(se)] *irr como sentir vt, vr* (sich) verletzen (*en* an +*dat*)
hermanado, -a [erma'naðo] *adj:* **ciudad hermanada** Partnerstadt *f*
hermanastro, -a [erma'nastro] *m, f* Stiefbruder, -schwester *m, f*
hermandad [erman̩'da^{ð}] *f* REL Bruderschaft *f*
hermano, -a [er'mano] *m, f* Bruder, Schwester *m, f;* **~ político** Schwager *m*
hermético, -a [er'metiko] *adj* hermetisch
hermetismo [erme'tismo] *m* Verschlossenheit *f*
hermoso, -a [er'moso] *adj* (wunder)schön

hermosura [ermo'sura] *f* Schönheit *f*

hernia ['ernja] *f* (Eingeweide)bruch *m*

herniarse [er'njarse] *vr* sich *dat* einen Bruch heben

héroe ['eroe] *m* Held *m*

heroico, -a [e'roi̯ko] *adj* heldenhaft

heroína [ero'ina] *f* Heldin *f;* (*droga*) Heroin *nt*

heroísmo [ero'ismo] *m* Heldentum *nt*

herpes ['erpes] *m o f* Herpes *m*

herradura [erra'ðura] *f* Hufeisen *nt*

herramienta [erra'mjen̪ta] *f* Werkzeug *nt*

herrería [erre'ria] *f* Schmiede *f*

herrero [e'rrero] *m* Schmied *m*

hervir [er'βir] *irr como sentir vt* (auf)kochen (lassen)

Hesse ['(x)ese] *m* Hessen *nt*

heterodoxo, -a [etero'ðoˠso] *adj* heterodox

heterogéneo, -a [etero'xeneo] *adj* verschiedenartig

heterosexual [eteroseˠ'swal] *adj* heterosexuell

hibernación [iβerna'θjon] *f* Winterschlaf *m*

hibernal [iβer'nal] *adj* Winter-, winterlich

hibernar [iβer'nar] *vi* Winterschlaf halten

híbrido[1] ['iβriðo] *m* BIOL Hybride *m o f*

híbrido, -a[2] ['iβriðo] *adj* hybrid

hidratante [iðra'tan̪te] *adj:* **crema ~** Feuchtigkeitscreme *f*

hidrato [i'ðrato] *m* Hydrat *nt*

hidroavión [iðroaβi'on] *m* Wasserflugzeug *nt*

hidroeléctrico, -a [iðroe'lektriko] *adj:* **central hidroeléctrica** Wasserkraftwerk *nt*

hidrogenar [iðroxe'nar] *vt* QUÍM hydrieren

hidrógeno [i'ðroxeno] *m* Wasserstoff *m*

hidrográfico, -a [iðro'ɣrafiko] *adj* hydrografisch

hidroplano [iðro'plano] *m* Wasserflugzeug *nt*

hiedra ['ɟeðra] *f* Efeu *m*

hiel [ɟel] *f* Galle *f*

hielo ['ɟelo] *m* Eis *nt;* **~ en la carretera** Glatteis *nt;* **~ picado** zerhacktes Eis

hiena ['ɟena] *f* Hyäne *f*

hierba ['ɟerβa] *f* ❶ (*planta*) Gras *nt* ❷ (*comestible*) Kraut *nt;* **~ medicinal** Heilkraut *nt;* **infusión de ~s** Kräutertee *m;* **mala ~** Unkraut *nt*

hierbabuena [ɟerβa'βwena] *f* Minze *f*

hierro ['ɟerro] *m* Eisen *nt;* **edad del ~** Eisenzeit *f;* **salud de ~** eiserne Gesundheit; **voluntad de ~** eiserner Wille

hígado ['iɣaðo] *m* Leber *f*

higiene [i'xjene] *f* Hygiene *f;* **~ personal** Körperpflege *f*

higiénico, -a [i'xjeniko] *adj* hygienisch; **papel ~** Toilettenpapier *nt*

higo ['iɣo] *m* Feige *f*

hijastro, -a [i'xastro] *m, f* Stiefsohn, -tochter *m, f*

hijo, -a ['ixo] *m, f* Sohn, Tochter *m, f;* **~ adoptivo** Adoptivkind *nt;* **~ político** Schwiegersohn *m;* **~ de puta** (*vulg*) Scheißkerl *m;* **~ único** Einzelkind *nt*

híjole ['ixole] *interj* AM (*fam*) Donnerwetter!

hilado [i'laðo] *m* Spinnen *nt*

hilandero, -a [ilan̪'dero] *m, f* Spinner(in) *m(f)*

hilar [i'lar] *vt* weben

hilera [i'lera] *f* Reihe *f*

hilo ['ilo] *m* ❶ (*para coser*) Garn *nt* ❷ (*tela*) Leinen *nt* ❸ TÉC dünner Draht *m;* **~ conductor** Leitungsdraht *m;* **telegrafía sin ~s** drahtlose Telegrafie ❹ **perder el ~** den (roten) Faden verlieren

hilvanar [ilβa'nar] *vt* heften

himen ['imen] *m* Jungfernhäutchen *nt*

himno ['imno] *m* Hymne *f*

hincapié [iŋka'pje] *m:* **hacer ~ en algo** Nachdruck auf etw legen

hincar [iŋ'kar] <c → qu> **I.** *vt:* **~ el diente en la pera** (*fam*) in die Birne hineinbeißen **II.** *vr:* **~se de rodillas** niederknien

hincha ['intʃa] *mf* Fan *m*
hinchable [in'tʃaβle] *adj* aufblasbar; **colchón ~** Luftmatratze *f;* **muñeca ~** Gummipuppe *f*
hinchado, -a [in'tʃaðo] *adj* geschwollen
hinchar [in'tʃar] **I.** *vt* aufblasen **II.** *vr:* **~se** anschwellen
hinchazón [intʃa'θon] *f* (An)schwellung *f*
hindi ['in̪di] *m* Hindi *nt*
hindú [in̪'du] *mf* Inder(in) *m(f)*
hinduismo [in̪du'ismo] *m* Hinduismus *m*
hinojo [i'noxo] *m* Fenchel *m*
hiper ['iper] *m* (*fam*) großer Supermarkt *m*
hiperactivo, -a [iperak'tiβo] *adj* überaktiv
hipérbole [i'perβole] *f* LIT Hyperbel *f*
hipermercado [ipermer'kaðo] *m* großer Supermarkt *m*
hipermetropía [ipermetro'pia] *f* Weitsichtigkeit *f*
hipersensible [ipersen'siβle] *adj* überempfindlich
hipertensión [iperten'sjon] *f* Bluthochdruck *m*
hipertenso, -a [iper'tenso] *adj* hypertonisch; **mi padre es ~** mein Vater hat einen zu hohen Blutdruck
hipertrofia [iper'trofja] *f* Hypertrophie *f*
hípica ['ipika] *f* Pferdesport *m*
hípico, -a ['ipiko] *adj* Pferde-; **concurso ~** Springreiten *nt*
hipido [i'piðo] *m* Schluchzer *m*
hipnosis [iβ'nosis] *f inv* Hypnose *f*
hipnótico, -a [iβ'notiko] *adj* hypnotisch
hipnotizar [iβnoti'θar] <z → c> *vt* hypnotisieren
hipo ['ipo] *m* Schluckauf *m*
hipocondría [ipokon̪'dria] *f* Hypochondrie *f*
hipocondríaco, -a [ipokon̪'driako] *adj* hypochondrisch
hipocresía [ipokre'sia] *f* Heuchelei *f*
hipócrita [i'pokrita] *adj* heuchlerisch
hipódromo [i'poðromo] *m* Pferderennbahn *f*
hipopótamo [ipo'potamo] *m* Nilpferd *nt*
hipoteca [ipo'teka] *f* Hypothek *f*
hipotecar [ipote'kar] <c → qu> *vt* mit einer Hypothek belasten
hipotecario, -a [ipote'karjo] *adj:* **crédito ~** Hypothekarkredit *m*
hipotensión [ipoten'sjon] *f* niedriger Blutdruck *m*
hipotenusa [ipote'nusa] *f* MAT Hypotenuse *f*
hipotermia [ipo'termja] *f* Unterkühlung *f;* **muerte por ~** Kältetod *m*
hipótesis [i'potesis] *f inv* Hypothese *f*
hipotético, -a [ipo'tetiko] *adj* hypothetisch

hippie ['xipi], **hippy** ['xipi] **I.** *adj:* **moda ~** Hippielook *m* **II.** *mf* Hippie *m*
hiriente [i'rjen̪te] *adj:* **una observación ~** eine spitze Bemerkung
hirviente [ir'βjen̪te] *adj* kochend
hispalense [ispa'lense] *adj* aus Sevilla
hispánico, -a [is'paniko] *adj:* **Filología Hispánica** Hispanistik *f*
hispanidad [ispani'ða^ð] *f* Hispanität *f*
hispanista [ispa'nista] *mf* Hispanist(in) *m(f)*
hispanizar(se) [ispani'θar(se)] <z → c> *vt, vr* (sich) hispanisieren
hispano, -a [is'pano] *adj* Hispano-, hispanoamerikanisch
Hispanoamérica [ispanoa'merika] *f* hispanoamerikanische Länder *ntpl*
hispanoamericano, -a [ispanoameri'kano] *adj* hispanoamerikanisch
hispanohablante [ispanoa'βlan̪te] *adj:* **los países ~s** die spanischsprachigen Länder
histeria [is'terja] *f* Hysterie *f*
histérico, -a [is'teriko] *adj* hysterisch
historia [is'torja] *f* Geschichte *f;* **~ universal** Weltgeschichte *f*
historiador(a) [istorja'ðor] *m(f)* Historiker(in) *m(f)*
historial [isto'rjal] *m:* **~ delictivo** Vorstrafen *fpl*; **~ profesional** beruflicher Werdegang
histórico, -a [is'toriko] *adj* geschichtlich

historieta [isto'rjeta] *f* Comic(strip) *m*

hitleriano, -a [xi^{ð}le'rjano] *adj* Hitler-

hobby ['xoβi] <hobbies> *m* Hobby *nt*

hocico [o'θiko] *m* ❶ (*morro*) Schnauze *f* ❷ (*vulg*) Fresse *f;* **estar de ~s** schmollen

hocicudo, -a [oθi'kuðo] *adj* AM schlecht gelaunt; (*disgustado*) verärgert

hockey ['xokei̯] *m* Hockey *nt;* **~ sobre patines** Rollhockey *nt*

hogar [o'ɣar] *m* Zuhause *nt;* **~ del pensionista** Altenheim *nt;* **artículos para el ~** Haushaltsgeräte *ntpl*; **persona sin ~** Obdachlose(r) *m*

hogareño, -a [oɣa'reɲo] *adj* häuslich

hoguera [o'ɣera] *f* (Lager)feuer *nt*

hoja ['oxa] *f* ❶ (*de una planta*) (Blüten)blatt *nt* ❷ (*de papel*) Blatt *nt* Papier ❸ **~ de pedido** Bestellschein *m* ❹ (*de arma*) Klinge *f*

hojalata [oxa'lata] *f* Blech *nt*

hojaldre [o'xal̯dre] *m* Blätterteig *m*

hojarasca [oxa'raska] *f* (dürres) Laub

hojear [oxe'ar] *vt* überfliegen

hola ['ola] *interj* hallo!

Holanda [o'lan̩da] *f* Holland *nt*

holandés, -esa [olan̩des] *adj* holländisch

holgado, -a [ol'ɣaðo] *adj* weit; (*espacioso*) geräumig

holganza [ol'ɣan̩θa] *f* ❶ (*ociosidad*) Untätigkeit *f* ❷ (*diversión*) Vergnügen *nt*

holgazán, -ana [olɣa'θan] *m, f* Faulenzer(in) *m(f)*

holgazanear [olɣaθane'ar] *vi* faulenzen

holgura [ol'ɣura] *f:* **vivir con ~** in guten Verhältnissen leben

hollín [o'ʎin] *m* Ruß *m*

holocausto [olo'kau̯sto] *m* Holocaust *m*

hombrachón [ombra'ʧon] *m* kräftiger Mann *m*

hombre ['ombre] **I.** *m* ❶ (*varón*) Mann *m;* **~ de confianza** Vertrauensmann *m;* **~ de negocios** Geschäftsmann *m;* **~ puente** Mittelsmann *m* ❷ (*ser humano*) Mensch *m;* **~ del montón** Durchschnittsmensch *m;* **¡~ al agua!** Mann über Bord! **II.** *interj* Mann!; **¡~!, ¿qué tal?** na, wie geht's?; **¡sí, ~!** aber natürlich!

hombrera [om'brera] *f* Schulterpolster *nt*

hombre rana ['ombre 'rrana] <hombres rana> *m* Taucher *m*

hombría [om'bria] *f:* **un acto de ~** eine Heldentat

hombro ['ombro] *m* Schulter *f;* **ancho de ~s** breitschult(e)rig; **encogerse de ~s** die Achseln zucken

homenaje [ome'naxe] *m:* **rendir ~ a alguien** jdn ehren

homenajear [omenaxe'ar] *vt* ehren

homeópata [ome'opata] *mf* Homöopath(in) *m(f)*

homeopatía [omeopa'tia] *f* Homöopathie *f*

homeopático, -a [omeo'patiko] *adj* homöopathisch

homicida [omi'θiða] *mf* Mörder(in) *m(f)*

homicidio [omi'θiðjo] *m* Tötung *f;* **brigada de ~s** Mordkommission *f*

homogeneizar [omoxenei̯'θar] <z → c> *vt* homogenisieren

homogéneo, -a [omo'xeneo] *adj* einheitlich

homologación [omoloɣa'θjon] *f* amtliche Genehmigung *f*

homologar [omolo'ɣar] <g → gu> *vt* ❶ (*escuela*) amtlich genehmigen ❷ DEP anerkennen ❸ TÉC: **casco homologado** TÜV-geprüfter Helm

homólogo, -a [o'moloɣo] *m, f* Amtskollege, -in *m, f*

homónimo [o'monimo] *m* Homonym *nt*

homosexual [omose^{ɣ}'swal] *adj* homosexuell

homosexualidad [omose^{ɣ}swali'ða^{ð}] *f* Homosexualität *f*

honda ['on̩da] *f* Schleuder *f*

hondo, -a ['on̩do] *adj* tief; **respirar ~** tief einatmen

Honduras [on̩'duras] *f* Honduras *nt*

hondureño, -a [on̩du'reɲo] *adj* honduranisch

honestidad [onesti'ðaᵈ] *f* Anständigkeit *f*
honesto, -a [o'nesto] *adj* anständig
hongo ['oŋgo] *m* Pilz *m*
honor [o'nor] *m* Ehre *f;* **cuestión de ~** Ehrensache *f;* **¡palabra de ~!** Ehrenwort!; **¡por mi ~!** bei meiner Ehre!
honorable [ono'raβle] *adj* ehrbar
honorario[1] [ono'rarjo] *m* Honorar *nt*
honorario, -a[2] [ono'rarjo] *adj* Ehren-; **cónsul ~** Honorarkonsul *m*
honorífico, -a [ono'rifiko] *adj* Ehren-
honra ['onrra] *f* Ehre *f*
honradez [onrra'ðeθ] *f* Anständigkeit *f;* **falta de ~** Unredlichkeit *f*
honrado, -a [on'rraðo] *adj* anständig; **llevar una vida honrada** ein redliches Leben führen
honrar [on'rrar] *vt* ehren; **nos honra con su presencia** Sie beehren uns mit Ihrer Gegenwart
hora ['ora] *f* ❶ (*de un día*) Stunde *f;* **media ~** eine halbe Stunde; **un cuarto de ~** eine Viertelstunde; **una ~ y media** anderthalb Stunden; **~ de consulta** Sprechstunde *f;* **a última ~** in letzter Sekunde ❷ (*del reloj*) Uhrzeit *f;* **¿qué ~ es?** wie viel Uhr ist es?; **¿a qué ~ vendrás?** um wie viel Uhr kommst du?; **el dentista me ha dado ~ para el martes** ich habe am Dienstag einen Termin beim Zahnarzt; **poner el reloj en ~** die Uhr stellen ❸ (*tiempo*) Zeit *f;* **a la ~ de la verdad...** wenn es ernst wird ...; **ya va siendo ~ que...** +*subj* es wird höchste Zeit, dass ...
horario ['orarjo] *m* Stundenplan *m;* (*de medio de transporte*) Fahrplan *m;* **~ flexible** gleitende Arbeitszeit
horca ['orka] *f* Galgen *m*
horcajadas [orka'xaðas]: **a ~** rittlings
horchata [or'ʧata] *f Erdmandelmilch*
horda ['orða] *f* Horde *f*
horizontal [oriθon̪'tal] *adj* waag(e)recht
horizonte [ori'θon̪te] *m* Horizont *m*
horma ['orma] *f* ❶ (TÉC: *molde*) Form *f* ❷ (*muelle*) Schuhspanner *m;* **~ de zapatos** Schuhleisten *m*
hormiga [or'miɣa] *f* Ameise *f;* **~ blanca** Termite *f*
hormigón [ormi'ɣon] *m* Beton *m;* **~ armado** Stahlbeton *m*
hormigonera [ormiɣo'nera] *f* Betonmischmaschine *f*
hormigueo [ormi'ɣeo] *m* Gewimmel *nt*
hormiguero [ormi'ɣero] *m* Ameisenhaufen *m*
hormona [or'mona] *f* Hormon *nt*
hormonal [ormo'nal] *adj* hormonell
hornear [orne'ar] *vt* backen
hornillo [or'niʎo] *m:* **~ de gas** Gaskocher *m;* **~ portátil** (Camping)kocher *m*

horno ['orno] *m* ❶ (*cocina*) Backofen *m;* **~ microondas** Mikrowelle *f;* **recién salido del ~** frisch gebacken ❷ TÉC Ofen *m;* **~ crematorio** Verbrennungsofen *m;* **alto ~** Hochofen *m*
horóscopo [o'roskopo] *m* Horoskop *nt*
horrendo, -a [o'rren̪do] *adj* v. **horroroso**
horrible [o'rriβle] *adj* ❶ (*horroroso*) schrecklich; **un crimen ~** eine Gräueltat; **una historia ~** eine Schauergeschichte ❷ (*muy feo*) äußerst hässlich
horripilante [orripi'lan̪te] *adj* haarsträubend
horror [o'rror] *m* ❶ **¡qué ~!** wie entsetzlich! ❷ (*aversión*) Horror *m* (*a* vor +*dat*) ❸ *pl*: **los ~es de la guerra** die Gräuel des Krieges
horrorizar [orrori'θar] <z → c> **I.** *vt* mit Entsetzen erfüllen **II.** *vr:* **~se** entsetzt sein (*de* über +*akk*)
horroroso, -a [orro'roso] *adj* schrecklich
hortaliza [orta'liθa] *f* Gemüse *nt*
hortera [or'tera] *adj* geschmacklos
horterada [orte'raða] *f:* **esta película es una ~** dieser Film ist kitschig
hortícola [or'tikola] *adj:* **producto ~** Gartenerzeugnis *nt*
hosco, -a ['osko] *adj* mürrisch
hospedarse [ospe'ðarse] *vr* übernachten (*en* in +*dat*)

hospicio [os'piθjo, -a] *m* Waisenhaus *nt;* (*para pobres*) Armenhaus *nt*

hospital [ospi'tal] *m* Krankenhaus *nt;* ~ **militar** Lazarett *nt*

hospitalario, -a [ospita'larjo] *adj* gastfreundlich

hospitalidad [ospitali'ða^{ð}] *f* Gastfreundschaft *f*

hospitalización [ospitaliθa'θjon] *f* Krankenhauseinweisung *f*

hospitalizar [ospitali'θar] <z → c> *vt* in ein Krankenhaus einweisen

hostal [os'tal] *m* Gasthaus *nt*

hostelería [ostele'ria] *f* Hotel- und Gaststättengewerbe *nt*

hostería [oste'ria] *f* Gasthaus *nt*

hostia ['ostja] **I.** *f* ① REL Hostie *f;* **¡me cago en la ~!** (*vulg*) verdammt noch mal! *fam* ② (*vulg*) Ohrfeige *f;* (*golpe*) Schlag *m;* **darse una ~** sich *dat* anschlagen; **iba a toda ~** er/sie hatte einen Affenzahn drauf *fam* **II.** *interj* (*vulg*) Sakrament (noch mal)! *fam*

hostigar [osti'ɣar] <g → gu> *vt* bedrängen

hostil [os'til] *adj* feindselig

hostilidad [ostili'ða^{ð}] *f* Feindseligkeit *f*

hotel [o'tel] *m* Hotel *nt*

hotelero, -a [ote'lero] *adj* Hotel-; **industria hotelera** Hotelgewerbe *nt*

hovercraft [oβer'kraf] <hovercrafts> *m* Luftkissenfahrzeug *nt*

hoy [oi̯] *adv* heute; ~ **(en) día** heutzutage; **de ~ en adelante** ab heute

hoyo ['oɟo] *m* Grube *f*

hoyuelo [o'ɟwelo] *m* (Wangen)grübchen *nt*

hoz [oθ] *f* Sichel *f*

huasca ['waska] *f* AM Peitsche *f*

hubo ['uβo] *3. pret de* **haber**

hucha ['utʃa] *f* Sparbüchse *f*

hueco[1] ['weko] *m* ① (*agujero*) Loch *nt;* ~ **de mercado** Marktlücke *f* ② (*lugar*) Sitzplatz *m;* **hazme un ~** mach mir etwas Platz ③ **hazme un ~ para mañana** nimm dir morgen ein bisschen Zeit für mich

hueco, -a[2] ['weko] *adj* hohl

huelga ['welɣa] *f* Streik *m;* ~ **general** Generalstreik *m;* ~ **de hambre** Hungerstreik *m;* **convocar una ~** einen Streik ausrufen; **hacer ~** streiken

huelguista [wel'ɣista] *mf* Streikende(r) *f(m)*

huella ['weʎa] *f* ① (*señal*) Abdruck *m;* ~ **de un animal** Fährte *f;* ~ **dactilar** Fingerabdruck *m* ② (*vestigio*) Spur *f;* **seguir las ~s de alguien** in jds Fußstapfen treten

huérfano, -a ['werfano] **I.** *adj* Waisen-; ~ **de padre** vaterlos; **quedarse ~** verwaisen **II.** *m, f* Waisenkind *nt;* ~ **de padre y madre** Vollwaise *f*

huerto ['werto] *m* Gemüsegarten *m;* ~ **familiar** Kleingarten *m;* **llevar a alguien al ~** (*fam*) jdn rumkriegen

hueso ['weso] *m* ① ANAT Knochen *m;* **carne sin ~** knochenloses Fleisch; **está pirrada por sus ~s** (*fam*) sie hat sich in ihn verknallt ② BOT (Obst)kern *m* ③ **un ~ duro de roer** eine harte Nuss

huésped(a) ['wespe^{ð}] *m(f)* Gast *m*

huesudo, -a [we'suðo] *adj* knochig

hueva ['weβa] *f* Fischei *nt*

huevada [we'βaða] *f* AMS (*fam*) Dummheit *f*

huevo ['weβo] *m* ① BIOL Ei *nt;* ~ **duro** hart gekochtes Ei; **~s fritos** Spiegeleier *ntpl*; **clara de ~** Eiweiß *nt;* **poner un ~** ein Ei legen ② (*vulg*) Ei *nt fam*; **¡estoy hasta los ~s!** ich habe die Nase voll! *fam*

huida [u'iða] *f* Flucht *f*

huidizo, -a [ui'ðiθo] *adj* scheu

huido, -a [u'iðo] *m, f* Flüchtige(r) *f(m)*

huir [u'ir] *irr vi* fliehen

hule ['ule] *m* Wachstuch *nt*

hulla ['uʎa] *f* Steinkohle *f*

humanamente [umana'mente] *adv*: **hacer todo lo ~ posible** alles Menschenmögliche tun

humanidad [umani'ða^{ð}] *f*: **un crimen contra la ~** ein Verbrechen gegen die Menschlichkeit

humanismo [uma'nismo] *m* Humanismus *m*
humanista [uma'nista] *mf* Humanist(in) *m(f)*
humanístico, -a [uma'nistiko] *adj* humanistisch
humanitario, -a [umani'tarjo] *adj:* **organización humanitaria** Hilfsorganisation *f*
humanizar [umani'θar] <z → c> *vt* humanisieren; ARTE vermenschlichen
humano, -a [u'mano] *adj* ❶ (*del hombre*) Menschen-; **naturaleza humana** menschliche Natur; **ser ~** Mensch *m* ❷ (*condiciones*) menschlich
humareda [uma'reða] *f* Rauchwolke *f*
humedad [ume'ða^ð] *f* Feuchtigkeit *f*
humedecer [umeðe'θer] *irr como crecer vt* befeuchten
húmedo, -a ['umeðo] *adj* feucht
humildad [umil̦'da^ð] *f* Bescheidenheit *f*
humilde [u'mil̦de] *adj* ❶ (*modesto*) bescheiden; **un ~ trabajador** ein einfacher Arbeiter ❷ **ser de orígenes ~s** aus bescheidenen Verhältnissen stammen
humillación [umiʎa'θjon] *f* Demütigung *f*
humillar(se) [umi'ʎar(se)] *vt, vr* (sich) demütigen
humo ['umo] *m* ❶ (*de chimenea*) Rauch *m;* **señal de ~** Rauchsignal *nt;* **en ese bar siempre hay ~** diese Kneipe ist immer völlig verqualmt ❷ *pl*: **tener muchos ~s** sehr eingebildet sein
humor [u'mor] *m* ❶ (*cualidad*) Humor *m* ❷ (*ánimo*) Laune *f;* **estar de mal ~** schlecht gelaunt sein
humorado, -a [umo'raðo, -a] *adj:* **bien/mal ~** gut gelaunt/schlecht gelaunt
humorista [umo'rista] *mf* Komiker(in) *m(f)*
humorístico, -a [umo'ristiko] *adj* humoristisch
humus ['umus] *m* Humus *m*
hundido, -a [un̪'diðo] *adj* deprimiert
hundimiento [unn̪di'mjen̪to] *m* Einsturz *m;* ECON Zusammenbruch *m*
hundirse [un̪'dirse] *vr* ❶ (*barco*) untergehen ❷ (*fracasar*) scheitern
húngaro, -a ['uŋgaro] *adj* ungarisch
Hungría [uŋ'gria] *f* Ungarn *nt*
huno, -a ['uno] *m, f* Hunne, -in *m, f*
huracán [ura'kan] *m* Orkan *m*
huraño, -a [u'raɲo] *adj* ungesellig
hurgar [ur'ɣar] <g → gu> *vt*: **~ la nariz** in der Nase bohren
hurguetear [urɣete'ar] *vt* AM (herum)schnüffeln
hurtadillas [urta'ðiʎas]: **a ~** heimlich
hurtar [ur'tar] *vt* stehlen
hurto ['urto] *m* Diebstahl *m*
husmear [usme'ar] *vi, vt* schnüffeln
huso ['uso] *m* Spindel *f*

I

I, i [i] *f* I, i *nt;* ~ **griega** Ypsilon *nt*

ibérico, -a [i'βeriko] *adj:* **Península Ibérica** Iberische Halbinsel

Iberoamérica [iβeroa'merika] *f* Iberoamerika *nt*

iberoamericano, -a [iβeroameri'kano] *adj* iberoamerikanisch

ida ['iða] *f* Hinfahrt *f;* ~ **y vuelta** Hin- und Rückfahrt *f*

idea [i'ðea] *f* Idee *f;* (*conocimiento*) Vorstellung *f;* **ni** ~ keine Ahnung

ideal [iðe'al] *adj* ideal

idealismo [iðea'lismo] *m* Idealismus *m*

idealista [iðea'lista] *adj* idealistisch

idear [iðe'ar] *vt* ① (*concebir*) sich *dat* ausdenken ② (*inventar*) erfinden ③ (*un plan*) entwerfen

idéntico, -a [i'ðeṇtiko] *adj* identisch

identidad [iðeṇti'ða^{ð}] *f:* **carné de** ~ Personalausweis *m*

identificación *f* (*de alguien, algo*) Identifizierung *f;* ~ **de llamadas** TEL Anruferkennung *f*

identificar(se) [iðeṇtifi'kar(se)] <c → qu> *vt, vr* (sich) identifizieren

ideología [iðeolo'xia] *f* Ideologie *f*

idílico, -a [i'ðiliko] *adj* idyllisch

idilio [i'ðiljo] *m* Idylle *f*

idioma [i'ðjoma] *m* Sprache *f*

idiota [i'ðjota] *mf* Idiot(in) *m(f)*

idiotez [iðjo'teθ] *f* Blödsinn *m*

ido, -a ['iðo] *adj* (*fam*) verrückt

ídolo ['iðolo] *m* Idol *nt*

idóneo, -a [i'ðoneo] *adj* geeignet

iglesia [i'ɣlesja] *f* Kirche *f;* **casarse por la** ~ kirchlich heiraten

iglú [i'ɣlu] *m* Iglu *m o nt*

ignorancia [iɣno'raṇθja] *f* Unwissenheit *f*

ignorante [iɣno'raṇte] *adj* unwissend

ignorar [iɣno'rar] *vt* nicht kennen; (*no saber*) nicht wissen; (*no hacer caso*) ignorieren

igual [i'ɣwal] **I.** *adj* ① (genau) gleich ② (*lo mismo*) gleichgültig; **¡es ~!** (das ist) egal! **II.** *adv* ① (*fam*) vielleicht ② ~ **que...** genauso wie ...; **al ~ que...** ebenso wie ...

igualar [iɣwa'lar] **I.** *vt* gleichmachen; (*nivelar*) ausgleichen; (*ajustar*) anpassen **II.** *vi* gleichkommen (*en* +*dat*) **III.** *vr:* ~**se** gleichen (*a/con* +*dat*); (*ponerse al igual*) sich (einander) angleichen

igualdad [iɣwal'da^{ð}] *f* Gleichheit *f;* ~ **de derechos** Gleichberechtigung *f*

igualmente [iɣwal'meṇte] **I.** *interj* danke, gleichfalls! **II.** *adv* gleichermaßen; (*también*) ebenfalls

ilegal [ile'ɣal] *adj* illegal

ilegible [ile'xiβle] *adj* unleserlich

ilegítimo, -a [ile'xitimo] *adj* unrechtmäßig; (*hijo*) unehelich; (*exigencia*) ungerechtfertigt

ileso, -a [i'leso] *adj* unverletzt

ilícito, -a [i'liθito] *adj* verboten

ilimitado, -a [ilimi'taðo] *adj* unbegrenzt

ilógico, -a [i'loxiko] *adj* unlogisch

iluminación [ilumina'θjon] *f* Beleuchtung *f*

iluminar [ilumi'nar] *vt* ① (*alumbrar*) beleuchten; (*como decoración*) festlich beleuchten; (*un monumento*) anstrahlen ② REL erleuchten

ilusión [ilu'sjon] *f* ① (*espejismo*) (Sinnes)täuschung *f* ② (*esperanza*) Hoffnung *f* ③ (*visión*) (falsche) Vorstellung *f;* **hacerse ilusiones** sich *dat* etwas vormachen ④ (*alegría*) Freude *f;* **ese viaje me hace mucha** ~ ich freue mich sehr auf diese Reise

ilusionarse [ilusjo'narse] *vr* sich *dat* falsche Hoffnungen machen; (*alegrarse*) sich freuen (*con* über +*akk*)

ilusionista [ilusjo'nista] *mf* Zauberkünstler(in) *m(f)*

iluso, -a [i'luso] *adj* leichtgläubig

ilustración [ilustra'θjon] *f* ① (*imagen*) Abbildung *f;* ~ **gráfica** grafische Darstellung ② HIST: **la Ilustración** die Auf-

klärung
ilustrar [ilus'trar] **I.** *vt* aufklären **II.** *vr:* **~se** sich bilden
ilustre [i'lustre] *adj* berühmt
imagen [i'maxen] *f* Ebenbild *nt;* (*fama*) Image *nt*
imaginable [imaxi'naβle] *adj* vorstellbar
imaginación [imaxina'θjon] *f* Vorstellung(skraft) *f;* **ni por ~** auf keinen Fall
imaginar(se) [imaxi'nar(se)] *vt, vr* (sich) *dat* vorstellen
imán [i'man] *m* Magnet *m*
imbécil [im'beθil] *adj* blöd
imbecilidad [imbeθili'ða[ð]] *f* Blödsinn *m*
imborrable [imbo'rraβle] *adj* unauslöschlich
imitable [imi'taβle] *adj* nachahmenswert
imitación [imita'θjon] *f* ❶ (*copia*) Nachahmung *f;* **a ~ de...** nach dem Vorbild von ... ❷ (*como falsificación*) Imitation *f;* **perlas de ~** Kunstperlen *fpl*
imitar [imi'tar] *vt* nachmachen; (*parodiar*) imitieren; **~ una firma** eine Unterschrift fälschen
impaciencia [impa'θjen̦θja] *f* Ungeduld *f*
impaciente [impa'θjen̦te] *adj* (*ser*) ungeduldig; (*estar*) begierig
impactar [impak'tar] *vt* beeindrucken
impacto [im'pakto] *m* (Ein)schlag *m;* (*impresión*) Eindruck *m;* **~ (medio)ambiental** Umweltbelastung *f*
impago [im'paɣo] *m* Nichtzahlung *f;* **~ de impuestos** Steuerumgehung *f*
impar [im'par] *adj* ungerade
imparable [impa'raβle] *adj* unhaltbar
imparcial [impar'θjal] *adj* unvoreingenommen
impartir [impar'tir] *vt* erteilen
impasible [impa'siβle] *adj* gleichmütig
impecable [impe'kaβle] *adj* tadellos
impedimento [impeði'men̦to] *m* Hindernis *nt; t.* MED Behinderung *f*
impedir [impe'ðir] *irr como pedir vt* verhindern; (*estorbar*) abhalten
impensable [impen'saβle] *adj* undenkbar
imperar [impe'rar] *vi* (vor)herrschen
imperativo [impera'tiβo] *m* ❶ LING Imperativ *m* ❷ *pl* Gebot *nt*
imperceptible [imperθep'tiβle] *adj* nicht wahrnehmbar
imperdible [imper'ðiβle] *m* Sicherheitsnadel *f*
imperdonable [imperðo'naβle] *adj* unverzeihlich
imperfecto, -a [imper'fekto] *adj* unvollkommen
imperialismo [imperja'lismo] *m* Imperialismus *m*
imperio [im'perjo] *m* Reich *nt;* (*mandato*) Herrschaft *f*
impermeable [imperme'aβle] **I.** *adj* (wasser)dicht **II.** *m* Regenmantel *m*
impersonal [imperso'nal] *adj* unpersönlich
impertinente [imperti'nen̦te] *adj* unverschämt
imperturbable [impertur'βaβle] *adj* unerschütterlich
ímpetu ['impetu] *m* Schwung *m*
implacable [impla'kaβle] *adj* unerbittlich
implantar [implan̦'tar] *vt* einführen; MED implantieren
implicar [impli'kar] <c → qu> **I.** *vt* beinhalten; (*una consecuencia*) zur Folge haben **II.** *vr:* **~se** sich verwickeln (*en* in +*akk*)
implícito, -a [im'pliθito] *adj* implizit
implorar [implo'rar] *vt* (an)flehen; **~ (el) perdón** um Verzeihung flehen
imponente [impo'nen̦te] *adj* beeindruckend
imponer [impo'ner] *irr como poner* **I.** *vt* aufzwingen; (*impuestos*) erheben (*sobre* für +*akk*); (*respeto*) einflößen **II.** *vi* imponieren **III.** *vr:* **~se** sich aufdrängen; (*hacerse ineludible*) unbedingt notwendig sein; (*hacerse obedecer*) sich durchsetzen (*a* gegen +*akk*); (*tomar como obligación*) sich *dat* auferlegen
importación [importa'θjon] *f* Einfuhr *f*

I

importador(a) [importa'ðor] *m(f)* Importeur(in) *m(f)*

importancia [impor'tan̩θja] *f* ❶ (*interés*) Bedeutung *f*; **sin ~** bedeutungslos ❷ (*extensión*) Ausmaß *nt* ❸ **darse ~** (*fam*) angeben

importante [impor'tan̩te] *adj* bedeutend; **lo ~ es...** *+inf* Hauptsache ...

importar [impor'tar] **I.** *vt* einführen; (*precio*) betragen **II.** *vi*: **¿a ti qué te importa?** was geht dich das an?

importe [im'porte] *m* Betrag *m*

importunar [importu'nar] *vt* belästigen; (*molestar*) stören

imposibilitado, -a [imposiβili'taðo] *adj* verhindert

imposible [impo'siβle] *adj* unmöglich; (*fam*) unerträglich; AM ekelhaft

impositiva [imposi'tiβa] *f* AM Finanzamt *nt*

impositivo, -a [imposi'tiβo] *adj* Steuer-; **capacidad impositiva** Steuerfähigkeit *f*

impostor(a) [impos'tor] *m(f)* Betrüger(in) *m(f)*

impotencia [impo'ten̩θja] *f* ❶ (*falta de poder*) Machtlosigkeit *f* ❷ (*incapacidad*) Unfähigkeit *f* ❸ MED Impotenz *f*

impotente [impo'ten̩te] *adj* machtlos; MED impotent

impracticable [imprakti'kaβle] *adj* unausführbar

imprecisión [impreθi'sjon] *f* Ungenauigkeit *f*

impreciso, -a [impre'θiso] *adj* ungenau

impredecible [impreðe'θiβle] *adj* nicht voraussagbar

impremeditado, -a [impremeði'taðo] *adj* unbedacht

imprenta [im'pren̩ta] *f* (Buch)druck *m*

imprescindible [impresθin̩'diβle] *adj* unentbehrlich

impresión [impre'sjon] *f* (Ab)druck *m*; (*sensación*) (Sinnes)eindruck *m*

impresionante [impresjo'nan̩te] *adj* beeindruckend

impresionar [impresjo'nar] **I.** *vt* beeindrucken **II.** *vr*: **~se** beeindruckt sein

impresionismo [impresjo'nismo] *m* Impressionismus *m*

impreso [im'preso] *m* ❶ (*formulario*) Formular *nt* ❷ (*envío*) Drucksache *f*; **~ publicitario** Werbedrucksache *f*

impresora [impre'sora] *f* Drucker *m*

imprevisible [impreβi'siβle] *adj* unvorhersehbar

imprevisto [impre'βisto] *m* unerwartetes Ereignis *nt*

imprimir [impri'mir] *vt irr* (aus)drucken

improbable [impro'βaβle] *adj* unwahrscheinlich

improcedente [improθe'ðen̩te] *adj* rechtswidrig

improductivo, -a [improðuk'tiβo] *adj* unproduktiv

impropio, -a [im'propjo] *adj*: **ese comportamiento es ~ en él** dieses Verhalten passt nicht zu ihm

improrrogable [improrro'ɣaβle] *adj* nicht verlängerbar

improvisar [improβi'sar] *vt* improvisieren

improviso, -a [impro'βiso] *adj*: **de ~** plötzlich; **coger a alguien de ~** jdn überraschen

imprudencia [impru'ðen̩θja] *f* Fahrlässigkeit *f*

impuesto [im'pwesto] *m* FIN Steuer *f*; **~ sobre la renta** Einkommenssteuer *f*; **~ sobre los salarios** Lohnsteuer *f*; **libre de ~s** steuerfrei; **sujeto a ~s** steuerpflichtig

impugnar [impuɣ'nar] *vt* anfechten

impulsar [impul'sar] *vt* bewegen (*a* zu *+dat*); (*estimular*) antreiben

impulsivo, -a [impul'siβo] *adj* impulsiv

impulso [im'pulso] *m* Anstoß *m*; **~ sexual** Sexualtrieb *m*

impune [im'pune] *adj* straffrei

impuro, -a [im'puro] *adj* unrein

imputar [impu'tar] *vt* zurückführen (*a* auf *+akk*)

inabarcable [inaβar'kaβle] *adj* unermesslich

inaccesible [inaᵞθe'siβle] *adj* unerreichbar
inaceptable [inaθep'taβle] *adj* unannehmbar
inactivo, -a [inak'tiβo] *adj* untätig
inadaptable [inaðap'taβle] *adj* nicht anpassungsfähig
inadecuado, -a [inade'kwaðo] *adj* ungeeignet
inadmisible [inaðmi'siβle] *adj* unzulässig
inagotable [inaɣo'taβle] *adj* unerschöpflich
inaguantable [inaɣwaṇ'taβle] *adj* unerträglich
inalámbrico, -a [ina'lambriko] *adj* schnurlos
inalcanzable [inalkaṇ'θaβle] *adj* unerreichbar
inalterable [inal̩te'raβle] *adj* unerschütterlich
inamovible [inamo'βiβle] *adj* unversetzbar
inanición [inani'θjon] *f* Erschöpfung *f*
inanimado, -a [inani'maðo] *adj*, **inánime** [i'nanime] *adj* leblos
inapelable [inape'laβle] *adj* unanfechtbar
inapetencia [inape'teṇθja] *f* Appetitlosigkeit *f*
inaplazable [inapla'θaβle] *adj* unaufschiebbar
inapreciable [inapre'θjaβle] *adj* nicht wahrnehmbar
inasequible [inase'kiβle] *adj* unerreichbar
inaudito, -a [inau̯'ðito] *adj* noch nie da gewesen
inauguración [inau̯ɣura'θjon] *f* Einweihung *f*
inaugural [inau̯ɣu'ral] *adj* Eröffnungs-; **discurso ~** Eröffnungsrede *f*
inaugurar [inau̯ɣu'rar] *vt* einweihen
inca ['iŋka] *m* Inka *m*
incalculable [iŋkalku'laβle] *adj* unschätzbar
incansable [iŋkan'saβle] *adj* unermüdlich
incapacitado, -a [iŋkapaθi'taðo] *m, f* Behinderte(r) *f(m)*
incapaz [iŋka'paθ] *adj* unfähig (*de* zu +*dat*)
incautarse [iŋkau̯'tarse] *vr* beschlagnahmen (*de* +*akk*)
incauto, -a [iŋ'kau̯to] *adj* unvorsichtig
incendiarse [iṇθeṇ'djarse] *vr* sich entzünden
incendio [iṇ'θeṇdjo] *m* Brand *m;* **~ intencionado** Brandstiftung *f*
incentivar [iṇθeṇti'βar] *vt* fördern (*a* +*akk*)
incentivo [iṇθeṇ'tiβo] *m* Anreiz *m*
incertidumbre [iṇθerti'ðumbre] *f* Ungewissheit *f*
incesante [iṇθe'saṇte] *adj* unaufhörlich
incesto [iṇ'θesto] *m* Inzest *m*
incidente [iṇθi'ðeṇte] *m* Zwischenfall *m*
incidir [iṇθi'ðir] *vi* Auswirkungen haben (*en* auf +*akk*)
incienso [iṇ'θjenso] *m* Weihrauch *m*
incierto, -a [iṇ'θjerto] *adj* ungewiss
incinerar [iṇθine'rar] *vt* einäschern
inciso [iṇ'θiso] *m* Exkurs *m*
incitar [iṇθi'tar] *vt* anstiften (*a* zu +*dat*)
incívico, -a [iṇ'θiβiko] *adj* asozial
inclemencia [iŋkle'meṇθja] *f:* **las ~s del tiempo** die Unbilden des Wetters
inclinación [iŋklina'θjon] *f* ❶ (*declive*) Neigung *f* ❷ (*reverencia*) Verbeugung *f;* (*con la cabeza*) Zunicken *nt* ❸ (*afecto*) Zuneigung *f* (*por* für +*akk*)
inclinarse [iŋkli'narse] *vr* neigen (*por* zu +*dat*)
incluir [iŋklu'ir] *irr como huir vt* beinhalten; **todo incluido** alles inklusive
inclusive [iŋklu'siβe] *adv* einschließlich
incluso [iŋ'kluso] **I.** *adv* sogar **II.** *prep* sogar; **habéis aprobado todos, ~ tú** ihr habt alle bestanden, selbst du
incógnita [iŋ'koɣnita] *f* ❶ (MAT: *magnitud*) unbekannte Größe *f* ❷ (*enigma*) Rätsel *nt;* (*secreto*) Geheimnis *nt;* **despejar la ~** (*enigma*) das Rätsel lösen
incógnito, -a [iŋ'koɣnito] *adj* unbekannt
incoherente [iŋkoe'reṇte] *adj* unzusam-

menhängend
incoloro, -a [iŋko'loro] *adj* farblos
incomodar [iŋkomo'ðar] **I.** *vt* stören **II.** *vr:* **~se** sich beleidigt fühlen
incomodidad [iŋkomoði'ða^ð] *f* Unbequemlichkeit *f*
incómodo, -a [iŋ'komoðo] *adj* unbequem; **estar ~** sich unbehaglich fühlen
incomparable [iŋkompa'raβle] *adj* unvergleichlich
incompatible [iŋkompa'tiβle] *adj* inkompatibel
incompetencia [iŋkompe'teṇθja] *f* Unfähigkeit *f*
incompetente [iŋkompe'teṇte] *adj* unfähig
incompleto, -a [iŋkom'pleto] *adj* unvollständig
incomprensible [iŋkompren'siβle] *adj* unverständlich
inconcebible [iŋkoṇθe'βiβle] *adj* unbegreiflich
inconciliable [iŋkoṇθi'ljaβle] *adj* unvereinbar
inconcluso, -a [iŋkoŋ'kluso] *adj* unbeendet
incondicional [iŋkoṇdiθjo'nal] *adj* bedingungslos
inconexo, -a [iŋko'ne^ɣso] *adj* unzusammenhängend
inconfundible [iŋkoɱfuṇ'diβle] *adj* unverwechselbar
inconsciente [iŋko^ns'θjeṇte] *adj* (*estar*) bewusstlos; (*ser*) verantwortungslos
inconsistente [iŋkonsis'teṇte] *adj* unbeständig
inconsolable [iŋkonso'laβle] *adj* untröstlich
inconstitucionalidad [iŋko^nstituθjonali'ða^ð] *f* Verfassungswidrigkeit *f*
incontable [iŋkoṇ'taβle] *adj* unzählig
incontrolado, -a [iŋkoṇtro'laðo] *adj* unkontrolliert
inconveniente [iŋkombe'njeṇte] *m* Hindernis *nt*
incordiar [iŋkor'ðjar] *vt* ärgern; **¡no incordies!** es reicht!
incorporarse [iŋkorpo'rarse] *vr* sich einfinden (*a/en* an *+dat*); MIL sich zum Militärdienst melden
incorrecto, -a [iŋko'rrekto] *adj* unrichtig; (*descortés*) unhöflich
incorregible [iŋkorre'xiβle] *adj* unverbesserlich
incorruptible [iŋkorrup'tiβle] *adj* unbestechlich
incrédulo, -a [iŋ'kreðulo] *m, f* Skeptiker(in) *m(f)*
increíble [iŋkre'iβle] *adj* unglaublich
incrementar [iŋkremeṇ'tar] **I.** *vt* erhöhen **II.** *vr:* **~se** (an)steigen
incremento [iŋkre'meṇto] *m* Erhöhung *f;* (*crecimiento*) Wachstum *nt*
incriminar [iŋkrimi'nar] *vt* (öffentlich) anschuldigen
incubadora [iŋkuβa'ðora] *f* Brutkasten *m*
incuestionable [iŋkwestjo'naβle] *adj* unumstritten
inculpar [iŋkul'par] *vt* anklagen (*de +gen*)
inculto, -a [iŋ'kuḷto] *adj* ungebildet
incumbir [iŋkum'bir] *vi* angehen (*a +akk*)
incumplir [iŋkum'plir] *vt* nicht erfüllen
incurable [iŋku'raβle] *adj* unheilbar
incurrir [iŋku'rrir] *vi* ❶ (*situación mala*) geraten (*en* in *+akk*); **~ en una falta** einen Fehler begehen; **~ en viejas costumbres** in alte Gewohnheiten zurückverfallen ❷ (*odio*) sich *dat* zuziehen; **~ en responsabilidad** haften
indagar [iṇda'ɣar] <g → gu> *vt* ermitteln (in *+dat*)
indebido, -a [iṇde'βiðo] *adj* ungerechtfertigt
indecente [iṇde'θeṇte] *adj* unanständig
indeciso, -a [iṇde'θiso] *adj* unentschlossen
indecoroso, -a [iṇdeko'roso] *adj* unanständig
indefenso, -a [iṇde'fenso] *adj* wehrlos
indefinidamente [iṇdefiniða'meṇte] *adv*

auf unbestimmte Zeit

indefinido, -a [in̪defi'niðo] *adj* unbestimmt

indemne [in̪'demne] *adj* unverletzt

indemnización [in̪demniθa'θjon] *f* (*pago*) Entschädigung *f;* ~ **de despido** Abfindung *f*

indemnizar [in̪demni'θar] <z → c> *vt* entschädigen (*de* für +*akk*)

independencia [in̪depen̪'den̪θja] *f* Unabhängigkeit *f;* **con ~ de algo** unabhängig von etw*dat*

independiente [in̪depen̪'djen̪te] *adj* ❶ (*libre*) unabhängig ❷ (*profesión*) selb(st)ständig ❸ (*soltero*) ungebunden ❹ (*sin partido*) parteilos

independizarse [in̪depen̪di'θarse] <z → c> *vr* selb(st)ständig werden

indescifrable [in̪desθi'fraβle] *adj* unentzifferbar

indescriptible [in̪deskrip'tiβle] *adj* unbeschreiblich

indeseable [in̪dese'aβle] *adj* unerwünscht

indestructible [in̪destruk'tiβle] *adj* unzerstörbar

indeterminación [in̪determina'θjon] *f* Unentschlossenheit *f*

India ['in̪dja] *f* ❶ (*en el oriente*): **la ~** Indien *nt* ❷ *pl* Hispanoamerika *nt* ❸ ZOOL: **conejillo de ~s** Meerschweinchen *nt;* (*fig fam*) Versuchskaninchen *nt*

indicación [in̪dika'θjon] *f* ❶ Hinweis *m;* (*por escrito*) Vermerk *m* ❷ *pl* (*instrucciones*) Anweisungen *fpl*

indicado, -a [in̪di'kaðo] *adj* angebracht; **eso es lo más ~** das ist das Allerbeste

indicar [in̪di'kar] <c → qu> *vt* hinweisen (auf +*akk*)

índice ['in̪diθe] *m* ❶ (*de libro*) (Inhalts)verzeichnis *nt* ❷ (*dedo*) Zeigefinger *m* ❸ (*estadísticas*) Rate *f;* ~ **de audiencia** Einschaltquote *f;* ~ **de paro** Arbeitslosenquote *f*

indicio [in̪'diθjo] *m* (An)zeichen *nt;* JUR Indiz *nt*

indiferencia [in̪dife'ren̪θja] *f* Gleichgültigkeit *f*

indiferente [in̪dife'ren̪te] *adj* gleichgültig (*a* gegenüber +*dat*); **me es ~** das ist mir gleich

indígena [in̪'dixena] *mf* Ureinwohner(in) *m(f);* (*en Latinoamérica*) Indio, Indiofrau *m, f*

indigente [in̪di'xen̪te] *mf* Bedürftige(r) *f(m)*

indigestarse [in̪dixes'tarse] *vr* sich *dat* den Magen verderben

indignación [in̪diγna'θjon] *f* Empörung *f*

indignar(se) [in̪diγ'nar(se)] *vt, vr* (sich) empören

indigno, -a [in̪'diγno] *adj* unwürdig; **~ de confianza** nicht vertrauenswürdig

indio, -a ['in̪djo] *adj* indisch; (*de América*) indianisch; **en fila india** im Gänsemarsch

indirecta [in̪di'rekta] *f* (*fam*) Anspielung *f*

indirecto, -a [in̪di'rekto] *adj* mittelbar

indisciplinado, -a [in̪disθipli'naðo] *adj* disziplinlos

indiscreto, -a [in̪dis'kreto] *adj* schwatzhaft

indiscutible [in̪disku'tiβle] *adj* unbestreitbar

indisociable [in̪diso'θjaβle] *adj* untrennbar

indispensable [in̪dispen'saβle] *adj* unerlässlich; **lo (más) ~** das Allernötigste

indisponer [in̪dispo'ner] *irr como poner vt* aufbringen (*con/contra* gegen +*akk*); (*de salud*) mitnehmen

indistintamente [in̪distin̪ta'men̪te] *adv* ohne Unterschied

indistinto, -a [in̪dis'tin̪to] *adj* undifferenziert

individual [in̪diβi'ðwal] *adj* individuell, Einzel-; **habitación ~** Einzelzimmer *nt*

individualista [in̪diβiðwa'lista] *mf* Individualist(in) *m(f)*

individuo [in̪di'βidwo] *m* Individuum *nt;* (*pey*) Typ *m*
indivisible [in̪diβi'siβle] *adj* unteilbar
indocumentado, -a [in̪dokumen̪'taðo] *adj* (*con estar*) ohne (Ausweis)papiere
índole ['in̪dole] *f* (Wesens)art *f*
inducir [in̪du'θir] *irr como traducir vt* ❶ FILOS (schluss)folgern (*de* aus +*dat*); **de todo esto induzco que...** aus alledem schließe ich, dass ... ❷ (*instigar*) anstiften (*a/en* zu +*dat*); ~ **a error** zu einem Fehler verleiten
indudable [in̪du'ðaβle] *adj:* **es ~ que...** es besteht kein Zweifel (daran), dass ...
indulgencia [in̪dul'xen̪θja] *f:* **proceder sin ~ contra...** gnadenlos vorgehen gegen ...
indultar [in̪dul̪'tar] *vt:* ~ **a alguien de la pena de muerte** jdm die Todesstrafe erlassen
indulto [in̪'dul̪to] *m* Straferlass *m*
industria [in̪'dustrja] *f:* ~ **del automóvil** Autoindustrie *f;* ~ **del entretenimiento** Unterhaltungsindustrie *f*
industrial [in̪dus'trjal] **I.** *adj* Industrie-; **polígono** ~ Industriegebiet *nt* **II.** *mf* Industrielle(r) *f(m)*
industrializar(se) <z → c> *vt, vr* (sich) industrialisieren
inédito, -a [i'neðito] *adj* unveröffentlicht
ineficaz [inefi'kaθ] *adj* inkompetent
ineficiente [inefi'θjen̪te] *adj* unwirtschaftlich
INEM [i'nem] *m abr de* **Instituto Nacional de Empleo** *Staatliches Institut für Arbeitsvermittlung*
inepto, -a [i'nepto] *adj* unfähig
inequívoco, -a [ine'kiβoko] *adj* eindeutig
inercia [i'nerθja] *f:* **por** ~ aus Gewohnheit
inesperado, -a [inespe'raðo] *adj* unerwartet
inestable [ines'taβle] *adj* unbeständig
inevitable [ineβi'taβle] *adj* unvermeidbar
inexacto, -a [ineɣ'sakto] *adj* ungenau
inexistente [ineɣsis'ten̪te] *adj* nicht vorhanden
inexperto, -a [ines'perto] *adj* unerfahren
inexplicable [inespli'kaβle] *adj* unerklärlich
infalible [iɱfa'liβle] *adj* unfehlbar
infamia [iɱ'famja] *f* Gemeinheit *f*
infancia [iɱ'fan̪θja] *f* Kindheit *f*
infanticida [iɱfan̪ti'θiða] **I.** *adj:* **madre ~** Kind(e)smörderin *f* **II.** *mf* Kindermörder(in) *m(f)*
infantil [iɱfan̪'til] *adj* ❶ (*referente a la infancia*) Kinder-; **trabajo** ~ Kinderarbeit *f;* **sonrisa** ~ kindliches Lächeln ❷ (*pey*) kindisch
infarto [iɱ'farto] *m* Infarkt *m*
infatigable [iɱfati'ɣaβle] *adj* unermüdlich
infección [iɱfeɣ'θjon] *f* Infektion *f*
infeccioso, -a [iɱfeɣ'θjoso] *adj:* **enfermedad infecciosa** Infektionskrankheit *f*
infectar [iɱfek'tar] **I.** *vt* anstecken; (*corromper*) infizieren **II.** *vr:* **~se** sich anstecken; (*inflamarse*) sich entzünden
infeliz [iɱfe'liθ] *adj* unglücklich; (*fam*) treudoof
inferior [iɱfe'rjor] *adj* ❶ (*debajo*) untere(r, s) ❷ (*de menos calidad*) minderwertiger ❸ (*de menos categoría*) niedriger (*a* als +*nom*)
inferioridad [iɱferjori'ðað] *f* Unterlegenheit *f*
infernal [iɱfer'nal] *adj* höllisch; **ruido ~** Höllenlärm *m*
infértil [iɱ'fertil] *adj* unfruchtbar
infidelidad [iɱfiðeli'ðað] *f* Untreue *f*
infiel [iɱ'fjel] *mf* Ungläubige(r) *f(m)*
infierno [iɱ'fjerno] *m* Hölle *f;* **mandar al** ~ zum Teufel jagen
infiltrar [iɱfil̪'trar] **I.** *vt* einsickern lassen **II.** *vr:* **~se** einsickern (*en* in +*akk*)
infinidad [iɱfini'ðað] *f* Unmenge *f*
infinitivo [iɱfini'tiβo] *m* Infinitiv *m*
infinito^1 [iɱfi'nito] *m t.* MAT Unendliche(s) *nt*
infinito, -a^2 [iɱfi'nito] *adj* ❶ (*ilimitado*) unendlich; (*cosas no materiales*) gren-

zenlos ❷ (*incontable*) unzählbar

inflación [iɱfla'θjon] *f* Inflation *f*

inflamable [iɱfla'maβle] *adj* leicht entzündbar

inflamación [iɱflama'θjon] *f* (Ent)zündung *f*

inflamarse [iɱfla'marse] *vr* sich entzünden

inflar [iɱ'flar] **I.** *vt* aufblasen; (*exagerar*) aufbauschen **II.** *vr:* **~se** sich aufblähen (*de* mit +*dat*); (*fam*) sich vollstopfen (*de* mit +*dat*)

inflexible [iɱfleɣ'siβle] *adj* unbiegsam

infligir [iɱfli'xir] <g → j> *vt:* **~ un castigo** eine Strafe auferlegen; **~ daño** Schaden verursachen; (*dolor*) Schmerz zufügen

influencia [iɱ'flwen̪θja] *f* Einfluss *m* (*en/sobre* auf +*akk*)

influenciar [iɱflwen̪'θjar] *vt* beeinflussen

influir [iɱflu'ir] *irr como huir vi* beeinflussen

influyente [iɱflu'ɟen̪te] *adj* einflussreich

infonomía [iɱfono'mia] *f* Informationsmanagement *nt*

infonomista [iɱfono'mista] *mf* Informationsmanager(in) *m(f)*

información [iɱforma'θjon] *f* Information *f*

informal [iɱfor'mal] *adj* informal; (*no cumplidor*) unzuverlässig

informar(se) [iɱfor'mar(se)] *vt, vr* (sich) informieren (*de* über +*akk*)

informática [iɱfor'matika] *f* elektronische Datenverarbeitung *f*

informativo [iɱforma'tiβo] *m* Nachrichtensendung *f*

informe [iɱ'forme] *m* ❶ (*exposición*) Bericht *m* ❷ *pl* (*referencias*) Referenzen *fpl* (*sobre* über +*akk*)

infortunado, -a [iɱfortu'naðo] *adj* unglückselig

infracción [iɱfraɣ'θjon] *f* Verstoß *m* (*de* gegen +*akk*); **~ de tráfico** Verkehrsübertretung *f*

infraestructura [iɱfraestruk'tura] *f* Infrastruktur *f*

infrahumano, -a [iɱfrau'mano] *adj* menschenunwürdig

infranqueable [iɱfraŋke'aβle] *adj* unüberwindbar

infravalorar [iɱfraβalo'rar] *vt* unterbewerten

infringir [iɱfriŋ'xir] <g → j> *vt* verstoßen (gegen +*akk*)

infundado, -a [iɱfun̪'daðo] *adj* unbegründet

infundir [iɱfun̪'dir] *vt* einflößen; **~ sospechas** einen Verdacht aufkommen lassen

infusión [iɱfu'sjon] *f* (Kräuter)tee *m*

ingeniar [iŋxe'njar] **I.** *vt* erfinden **II.** *vr:* **~se** sich *dat* ausdenken

ingeniería [iŋxenje'ria] *f* ❶ (*técnica*) Technik *f* ❷ (*disciplina*) Ingenieurwissenschaft *f*

ingeniero, -a [iŋxe'njero] *m, f* Ingenieur(in) *m(f)*

ingenio [iŋ'xenjo] *m* Erfindungsgabe *f;* (*maña*) Geschick *nt*

ingenioso, -a [iŋxe'njoso] *adj* geschickt

ingenuidad [iŋxenwi'ðað] *f* Naivität *f*

ingenuo, -a [iŋ'xenwo] *adj* naiv

ingerir [iŋxe'rir] *irr como sentir vt* einnehmen

Inglaterra [iŋgla'terra] *f* England *nt*

ingle ['iŋgle] *f* Leiste *f*

inglés, -esa [iŋ'gles] *adj* englisch

ingratitud [iŋgrati'tuð] *f* Undankbarkeit *f*

ingrato, -a [iŋ'grato] *adj* undankbar

ingravidez [iŋgraβi'ðeθ] *f* Schwerelosigkeit *f*

ingrediente [iŋgre'ðjen̪te] *m* Zutat *f*

ingresar [iŋgre'sar] **I.** *vi* eintreten (*en* in +*akk*); (*hospitalizarse*) eingeliefert werden **II.** *vt* ❶ (*meter*) einzahlen; **~ un cheque** einen Scheck einreichen ❷ (*hospitalizar*) einliefern (*en* in +*akk*) ❸ (*percibir*) verdienen

inhabilitar [inaβili'tar] *vt* JUR für unfähig erklären (*para* +*gen*); (*prohibir*) ein Berufsverbot aussprechen (*a* gegen +*akk*)

inhabitual [inaβitu'al] *adj* ungewohnt

inhalar [ina'lar] *vt* inhalieren

inhibirse [ini'βirse] *vr*: ~ **de hacer algo** sich zurückhalten etw zu tun

inhospitalario, -a [inospita'larjo] *adj*, **inhóspito, -a** [i'nospito] *adj* ungastlich

inhumación [inuma'θjon] *f* Beisetzung *f*

inhumano, -a [inu'mano] *adj* unmenschlich

iniciado, -a [ini'θjaðo] *m, f* Eingeweihte(r) *f(m)*

inicial [ini'θjal] *adj* anfänglich; **fase** ~ Anfangsphase *f*

iniciar [ini'θjar] **I.** *vt* beginnen; (*revelar un secreto*) einweihen **II.** *vr:* **~se** beginnen; (*introducirse*) sich vertraut machen

iniciativa [iniθja'tiβa] *f* Initiative *f*

inicio [i'niθjo] *m* Beginn *m*

inigualable [iniɣwa'laβle] *adj* unvergleichlich

inimaginable [inimaxi'naβle] *adj* unvorstellbar

ininteligible [iniṇteli'xeṇte] *adj* unverständlich

ininterrumpido, -a [iniṇterrum'piðo] *adj* ununterbrochen

injuria [iŋ'xurja] *f* Beleidigung *f*

injusticia [iŋxus'tiθja] *f* Ungerechtigkeit *f*

injustificado, -a [iŋxustifi'kaðo] *adj* ungerechtfertigt

injusto, -a [iŋ'xusto] *adj* ungerecht

inmaduro, -a [i^{n}ma'ðuro] *adj* unreif

inmediaciones [i^{n}meðja'θjones] *f pl* nähere Umgebung *f*

inmediatamente [i^{n}meðjata'meṇte] *adv* sofort

inmediato, -a [i^{n}me'ðjato] *adj:* **de** ~ sofort

inmejorable [i^{n}mexo'raβle] *adj* hervorragend

inmenso, -a [i^{n}'menso] *adj* unermesslich

inmerecido, -a [i^{n}mere'θiðo] *adj* unverdient

inmerso, -a [i^{n}'merso] *adj* versunken (*en* in +*akk*)

inmigración [i^{n}miɣra'θjon] *f* Einwanderung *f*

inmigrante [i^{n}mi'ɣraṇte] *mf* Einwanderer, -in *m, f*

inmigrar [i^{n}mi'ɣrar] *vi* einwandern

inminente [i^{n}mi'neṇte] *adj* nahe bevorstehend

inmiscuir [i^{n}misku'ir] *irr como huir* **I.** *vt* mischen **II.** *vr:* **~se** sich einmischen (*en* in +*akk*)

inmobiliaria [i^{n}moβi'ljarja] *f* Immobilienfirma *f*

inmoral [i^{n}mo'ral] *adj* unmoralisch

inmortal [i^{n}mor'tal] *adj* unsterblich

inmóvil [i^{n}'moβil] *adj* bewegungslos

inmovilizar [i^{n}moβili'θar] <z → c> **I.** *vt:* ~ **a alguien** jdn bewegungsunfähig machen **II.** *vr:* **~se** bewegungsunfähig werden

inmueble [i^{n}'mweβle] *m* Grundbesitz *m*

inmune [i^{n}'mune] *adj* immun (*a* gegen +*akk*)

inmunidad [i^{n}muni'ða^{ð}/i^{m}muni'ða^{ð}] *f* Immunität *f*

inmunizar [i^{n}muni'θar] <z → c> **I.** *vt* immunisieren **II.** *vr:* **~se** immun werden

inmunodeficiencia [i^{n}munoðefi'θjeṇθja] *f:* **síndrome de ~ adquirida** erworbenes Immundefektsyndrom

inmutable [i^{n}mu'taβle] *adj* unerschütterlich

innato, -a [in'nato] *adj* angeboren; **tiene un talento** ~ er/sie ist ein Naturtalent

innecesario, -a [inneθe'sarjo] *adj* unnötig

innegable [inne'ɣaβle] *adj* unbestreitbar

innovación [innoβa'θjon] *f* Innovation *f*

innovador(a) [innoβa'ðor] **I.** *adj* innovativ **II.** *m(f)* Neuerer, -in *m, f*

innovar [inno'βar] *vt* innovieren

innumerable [innume'raβle] *adj* zahllos

inocencia [ino'θeṇθja] *f* ❶ (*falta de culpabilidad*) Unschuld *f* ❷ (*falta de malicia*) Harmlosigkeit *f*

inocentada [inoθeṇ'taða] *f Art Aprilscherz am 28. Dezember*; **gastar una ~ a alguien** jdn in den April schicken

inocente [ino'θeṇte] *adj* unschuldig; (*ingenuo*) naiv

inocuo, -a [i'nokwo] *adj* unschädlich

inodoro [ino'ðoro] *m* Wasserklosett *nt*

inofensivo, -a [inofen'siβo] *adj* harmlos

inoficioso, -a [inofi'θjoso] *adj* AM nutzlos

inolvidable [inolβi'ðaβle] *adj* unvergesslich

inoportuno, -a [inopor'tuno] *adj* ungelegen

input ['imput] <inputs> *m* Input *m o nt*

inquietante [iŋkje'taṇte] *adj* beunruhigend

inquieto, -a [iŋ'kjeto] *adj* unruhig

inquilino, -a [iŋki'lino] *m, f* Mieter(in) *m(f)*

Inquisición [iŋkisi'θjon] *f* Inquisition *f*

insaciable [insa'θjaβle] *adj* unersättlich

insalubre [insa'luβre] *adj* gesundheitsschädlich

insalvable [insal'βaβle] *adj* unüberwindbar

insanable [insa'naβle] *adj* unheilbar

insano, -a [in'sano] *adj* ungesund

insatisfacción [insatisfak'θjon] *f* Unzufriedenheit *f*

insatisfecho, -a [insatis'fetʃo] *adj* unzufrieden

inscribir(se) [i^{n}skri'βir(se)] *irr como escribir vt, vr* (sich) anmelden

inscripción [i^{n}skriβ'θjon] *f* ❶ (*registro*) Anmeldung *f* ❷ (*en la universidad*) Einschreibung *f* (*en* an +*dat*) ❸ (*escrito grabado*) Inschrift *f*

insecticida [insekti'θiða] *m* Insektizid *nt*

insecto [in'sekto] *m* Insekt *nt*

inseguridad [inseɣuri'ða^{ð}] *f* Unsicherheit *f*

inseguro, -a [inse'ɣuro] *adj* unsicher

inseminación [insemina'θjon] *f* Befruchtung *f*

insensato, -a [insen'sato] *adj* unvernünftig

insensible [insen'siβle] *adj* gefühllos (*a* gegenüber +*dat*)

inseparable [insepa'raβle] *adj* untrennbar

inserción [inser'θjon] *f*: ~ **social** soziale Eingliederung

insertar [inser'tar] I. *vt* ❶ (*llave*) hineinstecken; (*disquete*) einlegen; (*moneda*) einwerfen ❷ (*texto*) einfügen (*en* in +*akk*) II. *vr*: ~**se** (*músculo*) ansetzen

insertor(a) [inser'tor] *m(f)* Arbeitsvermittler(in) *m(f)*; ~ **laboral** Jobvermittler *m*

inservible [inser'βiβle] *adj* unbrauchbar

insignia [in'siɣnja] *f* Abzeichen *nt*; (*honorífica*) Ehrenzeichen *nt*; (*militar*) Insigne *nt*

insignificante [insiɣnifi'kaṇte] *adj* unbedeutend

insinuar [insinu'ar] <*1. pres* insinúo> I. *vt*: **¿qué estás insinuando?** worauf willst du hinaus? II. *vr*: ~**se** sich einschmeicheln (*a* bei +*dat*); (*fam*) sich ranmachen (*a* an +*akk*)

insípido, -a [in'sipiðo] *adj* fade; (*persona*) geistlos

insistente [insis'teṇte] *adj* hartnäckig

insistir [insis'tir] *vi* dringen (*en* auf +*akk*)

insobornable [insoβor'naβle] *adj* unbestechlich

insolación [insola'θjon] *f* Sonnenstich *m*

insolente [inso'leṇte] *adj* arrogant

insolidario, -a [insoli'ðarjo] *adj* unsolidarisch

insólito, -a [in'solito] *adj* ungewöhnlich

insolvente [insol'βeṇte] *adj* zahlungsunfähig

insomnio [in'somnjo] *m* Schlaflosigkeit *f*

insonorizar [insonori'θar] <z → c> *vt* schalldicht machen

insoportable [insopor'taβle] *adj* unerträglich

insospechado, -a [insospe'tʃaðo] *adj* unvermutet

insostenible [insoste'niβle] *adj* unhaltbar

inspección [i^{n}spe^{ɣ}'θjon] *f* Inspektion *f*; (*de una máquina*) Inspizierung *f*; TÉC (Über)prüfung *f*; **Inspección Técnica de Vehículos** TÜV *m*

inspector(a) [i^{n}spek'tor] *m(f)* Inspek-

tor(in) *m(f)*
inspiración [iⁿspira'θjon] *f* Inspiration *f*
inspirar [iⁿspi'rar] **I.** *vt* einatmen; (*ideas*) inspirieren; (*confianza*) einflößen **II.** *vr:* **~se** sich inspirieren lassen (*en* von +*dat*)
instalación [iⁿstala'θjon] *f* ❶ *t.* TÉC Installation *f* ❷ *pl* (*edificio*) Einrichtungen *fpl*; **instalaciones deportivas** Sportanlagen *fpl*
instalador(a) [iⁿstala'ðor] *m(f)* Installateur(in) *m(f)*
instalar [iⁿsta'lar] **I.** *vt* installieren **II.** *vr:* **~se** sich niederlassen
instancia [iⁿs'tan̪θja] *f* inständige Bitte *f;* (*petición formal*) Ersuchen *nt;* JUR Instanz *f*
instantáneo, -a [iⁿstan̪'taneo] *adj* augenblicklich; (*café*) Instant-; **la muerte fue instantánea** der Tod trat unmittelbar ein
instante [iⁿs'tan̪te] *m* Augenblick *m;* **¡un ~!** Moment mal!
instar [iⁿs'tar] *vi, vt* eindringlich bitten (um +*akk*)
instaurar [iⁿstau̯'rar] *vt* (*imperio*) errichten; (*democracia*) einführen; (*plan*) aufstellen
instigar [iⁿsti'ɣar] <g → gu> *vt* anstiften
instintivo, -a [iⁿstin̪'tiβo] *adj* instinktiv
instinto [iⁿs'tin̪to] *m* Instinkt *m;* **~ de supervivencia** Überlebenstrieb *m*
institución [iⁿstitu'θjon] *f* Institution *f;* **~ penitenciaria** Strafanstalt *f*
institucional [iⁿstituθjo'nal] *adj* institutionell
instituir [iⁿstitu'ir] *irr como huir vt* ❶ (*fundar*) gründen ❷ (*establecer: comisión*) einrichten; (*derecho*) einführen; (*norma*) aufstellen
instituto [iⁿsti'tuto] *m* ❶ ENS Gymnasium *nt* ❷ (*científico*) Institut *nt;* **Instituto Nacional de Empleo** Bundesanstalt für Arbeit ❸ **~ de belleza** Schönheitssalon *m*
instrucción [iⁿstruᵞ'θjon] *f* ❶ (*formación*) Ausbildung *f* ❷ *pl* Anweisungen *fpl*; (*directrices*) Richtlinien *fpl*
instructivo, -a [iⁿstruk'tiβo] *adj* lehrreich
instruido, -a [iⁿstru'iðo] *adj* gebildet
instrumental [iⁿstrumen̪'tal] *adj* instrumental
instrumento [iⁿstru'men̪to] *m* Werkzeug *nt;* MÚS (Musik)instrument *nt;* (*medio*) Mittel *nt*
insubordinar [insuβorði'nar] **I.** *vt* aufhetzen **II.** *vr:* **~se** den Gehorsam verweigern
insuficiente [insufi'θjen̪te] **I.** *adj* ungenügend **II.** *m* ENS ≈mangelhaft
insufrible [insu'friβle] *adj* unerträglich
insular [insu'lar] *adj* Insel-
insulina [insu'lina] *f* Insulin *nt*
insulso, -a [in'sulso] *adj* fade
insultante [insul̪'tan̪te] *adj* beleidigend
insultar [insul̪'tar] *vt* beleidigen
insulto [in'sul̪to] *m* Beleidigung *f*
insumiso [insu'miso] *m* Wehr- und (Zivil)dienstverweigerer *m*
insuperable [insupe'raβle] *adj* unübertrefflich
insurrección [insurreᵞ'θjon] *f:* **~ militar** Militärputsch *m*
insustituible [insustitu'iβle] *adj* unersetzlich
intachable [inta'ʧaβle] *adj* makellos
intacto, -a [in̪'takto] *adj* intakt
integral [in̪te'ɣral] *adj* ❶ (*pan*) Vollkorn- ❷ (*elemento*) integral
integrar [in̪te'ɣrar] **I.** *vt* bilden; *t.* MAT integrieren **II.** *vr:* **~se** sich integrieren
integrismo [in̪te'ɣrismo] *m* Fundamentalismus *m*
íntegro, -a ['in̪teɣro] *adj* vollständig; (*persona*) unbestechlich
intelectual [in̪telektu'al] *mf* Intellektuelle(r) *f(m)*
inteligencia [in̪teli'xen̪θja] *f* Intelligenz *f*
inteligente [in̪teli'xen̪te] *adj* intelligent
inteligible [in̪teli'xiβle] *adj* verständlich; (*sonido*) deutlich hörbar
intemperie [in̪tem'perje] *f:* **dormir a la ~** unter freiem Himmel schlafen
intención [in̪ten̪'θjon] *f* ❶ Absicht *f;*

sin ~ unabsichtlich; **tener segundas intenciones** Hintergedanken haben ❷ (*idea*) Plan *m* ❸ (*objetivo*) Zweck *m*
intencionado, -a [in̪ten̪θjo'naðo] *adj* absichtlich
intensidad [in̪tensi'ðaᵈ] *f* Intensität *f*
intensivo, -a [in̪ten'siβo] *adj* (*curso*) Intensiv-
intenso, -a [in̪'tenso] *adj* intensiv; (*palabras*) eindringlich; (*tormenta*) heftig; (*frío*) durchdringend
intentar [in̪ten̪'tar] *vt* versuchen
intento [in̪'ten̪to] *m* Versuch *m*
interactivo, -a [in̪terak'tiβo] *adj* interaktiv
intercambiar [in̪terkam'bjar] *vt* austauschen
intercambio [in̪ter'kambjo] *m* (*de estudiantes*) Austausch *m*
interceder [in̪terθe'ðer] *vi* sich einsetzen (*por/en favor de* für +*akk*)
intercultural [in̪terkul̪tu'ral] *adj* interkulturell
interdisciplinar [in̪terðisθipli'nar] *adj*, **interdisciplinario, -a** [in̪terðisθipli'narjo] *adj* interdisziplinär
interés [in̪te'res] *m* ❶ (*importancia*) Bedeutung *f* ❷ (*deseo*) Interesse *nt;* **tengo mucho ~ en que...** es liegt mir viel daran, dass ...; **tengo ~ por saber...** ich bin gespannt darauf zu erfahren, ... ❸ (*atención*) Interesse *nt;* **no poner ~ en algo** etw *dat* keine Aufmerksamkeit schenken ❹ (*provecho*) Interesse *nt;* **el ~ público** das öffentliche Wohl ❺ FIN: **un 10% de ~** 10 % Zinsen ❻ *pl* (*preferencias*) Interessen *ntpl*
interesante [in̪tere'san̪te] *adj* interessant; **hacerse el ~** sich aufspielen
interesar [in̪tere'sar] **I.** *vi, vt* interessieren; **este tema no me interesa** dieses Thema interessiert mich nicht **II.** *vr:* **~se**: **~se por la salud de alguien** sich nach jds Befinden erkundigen
interferencia [in̪terfe'ren̪θja] *f* Störung *f*
interferir [in̪terfe'rir] *irr como sentir vi* ❶ FÍS interferieren ❷ (*en asunto*) sich einmischen (*en* in +*akk*)
interfono [in̪ter'fono] *m* (Gegen)sprechanlage *f*
interior [in̪te'rjor] **I.** *adj* innere(r, s); **mercado ~** (COM: *de la UE*) Binnenmarkt *m;* **ropa ~** Unterwäsche *f* **II.** *m* Innere(s) *nt;* **Ministerio del Interior** Innenministerium *nt*
interiorizar [in̪terjori'θar] <z → c> *vt* verinnerlichen
interlocutor(a) [in̪terloku'tor] *m(f)* Gesprächspartner(in) *m(f)*
intermediario, -a [in̪terme'ðjarjo] *m, f* Vermittler(in) *m(f)*
intermedio[1] [in̪ter'meðjo] *m* Pause *f*
intermedio, -a[2] [in̪ter'meðjo] *adj* Zwischen-; (*calidad*) mittlere(r, s)
interminable [in̪termi'naβle] *adj* unendlich
intermitente [in̪termi'ten̪te] *m* Blinker *m*
internacional [in̪ternaθjo'nal] *adj* international; **derecho ~** Völkerrecht *nt;* **partido ~** Länderspiel *nt*
internado [in̪ter'naðo] *m* Internat *nt*
internar [in̪ter'nar] *vt* einweisen
internauta [in̪ter'nau̯ta] *mf* Internetsurfer(in) *m(f)*
Internet [in̪ter'net] *f* Internet *nt*
interno, -a [in̪'terno] *adj* innere(r, s)
interpretación [in̪terpreta'θjon] *f* ❶ (*de texto*) Auslegung *f* ❷ TEAT Darstellung *f;* MÚS Interpretation *f*
interpretar [in̪terpre'tar] *vt* auslegen; TEAT darstellen
interprofesional [in̪terprofesjo'nal] *adj:* **Salario Mínimo Interprofesional** gesetzlicher Mindestlohn
interrogar [in̪terro'ɣar] <g → gu> *vt* (be)fragen; (*policía*) verhören
interrogatorio [in̪terroɣa'torjo] *m* Verhör *nt*
interrumpir [in̪terrum'pir] *vt* unterbrechen
interruptor [in̪terrup'tor] *m* Schalter *m*
intersección [in̪terseᵞ'θjon] *f* Schnittstel-

le *f*

intervalo [iṇter'βalo] *m* Zeitraum *m;* **a ~s** in Abständen

intervención [iṇterβeṇ'θjon] *f* ❶ (*participación*) Teilnahme *f* (*en* an +*dat*) ❷ (*mediación*) Vermittlung *f* ❸ POL Eingriff *m*

intervenir [iṇterβe'nir] *irr como venir* **I.** *vi* ❶ (*tomar parte*) teilnehmen (*en* an +*dat*) ❷ (*en conflicto*) eingreifen (*en* in +*akk*) ❸ (*mediar*) vermitteln (*en* in/bei +*dat*) ❹ (*factores*) eine Rolle spielen **II.** *vt* ❶ MED operieren ❷ (*incautar*) beschlagnahmen ❸ (*correo*) unterschlagen

intestinal [iṇtesti'nal] *adj* Darm-; **obstrucción ~** Darmverschluss *m*

intestino [iṇtes'tino] *m* ❶ ANAT Darm *m* ❷ *pl* (*tripas*) Eingeweide *pl*

intimidad [iṇtimi'ða^{ð}] *f* Vertrautheit *f;* (*vida privada*) Intimsphäre *f*

intimidar(se) [iṇtimi'ðar(se)] *vt, vr* (sich) einschüchtern (lassen)

íntimo, -a ['iṇtimo] *adj* innerlich; (*amigo*) eng; (*conversación*) privat

intocable [iṇto'kaβle] *adj* unberührbar

intolerancia [iṇtole'raṇθja] *f* Intoleranz *f;* **~ medicamentosa** Medikamentenintoleranz *f*

intoxicación [iṇto^{ɣ}sika'θjon] *f* Vergiftung *f*

intoxicar(se) [iṇto^{ɣ}si'kar(se)] <c → qu> *vt, vr* (sich) vergiften

intranquilo, -a [iṇtraŋ'kilo] *adj* unruhig; (*preocupado*) besorgt

intransferible [iṇtra^{n}sfe'riβle] *adj* nicht übertragbar

intransigente [iṇtransi'xeṇte] *adj* unnachgiebig

intrascendente [iṇtrasθeṇ'deṇte] *adj* unwichtig

intrigar [iṇtri'ɣar] <g → gu> **I.** *vi* intrigieren **II.** *vt* neugierig machen

introducción [iṇtroðu^{ɣ}'θjon] *f* ❶ (*acción: de una llave*) Hineinstecken *nt;* (*de supositorio*) Einführung *f;* (*de moneda*) Einwurf *m;* (INFOR: *de datos*) Eingabe *f* ❷ (*de moda*) Einführung *f* ❸ (*de libro*) Vorwort *nt*, Einleitung *f*

introducir [iṇtroðu'θir] *irr como traducir* **I.** *vt* (*objeto*) hineinstecken; (*moneda*) einwerfen; (*medidas*) einleiten; (*datos*) eingeben **II.** *vr:* **~se** eindringen; (*en un ambiente*) eingeführt werden

intromisión [iṇtromi'sjon] *f* Einmischung *f*

introvertido, -a [iṇtroβer'tiðo] *adj* introvertiert

intruso, -a [iṇ'truso] *m, f* Eindringling *m*

intuición [iṇtwi'θjon] *f* Intuition *f;* **saber algo por ~** etw intuitiv wissen

intuir [intu'ir] *irr como huir vt* intuitiv wissen; (*presentir*) (vor)ahnen; **intuyo que...** ich habe das Gefühl, dass ...

intuitivo, -a [iṇtwi'tiβo] *adj* intuitiv

inundación [inuṇda'θjon] *f* Überschwemmung *f*

inundar [inuṇ'dar] *vt* überschwemmen

inusual [inusu'al] *adj* ungewöhnlich

inútil [i'nutil] **I.** *adj* vergeblich; (*sin sentido*) sinnlos **II.** *mf* Taugenichts *m*

invadir [imba'ðir] *vt* (*país*) überfallen; (*privacidad*) eindringen (in +*akk*)

invalidez [imbali'ðeθ] *f* Ungültigkeit *f;* MED Invalidität *f;* **pensión de ~** Invalidenrente *f*

inválido, -a [im'baliðo] **I.** *adj* ❶ MED invalid(e) ❷ (*acuerdo*) ungültig; JUR nichtig **II.** *m, f* Invalide(r) *f(m)*

invariable [imbarja'βle] *adj* unveränderlich

invasión [imba'sjon] *f* ❶ *t.* MIL Invasion *f* ❷ (*de plaga*) Heimsuchung *f* ❸ (*en jurisdicción*) Eingriff *m*

invencible [imbeṇ'θiβle] *adj* unbesiegbar

invención [imbeṇ'θjon] *f* Erfindung *f*

inventar [imbenṇ'tar] *vt* erfinden

inventario [imbeṇ'tarjo] *m* Bestandsaufnahme *f;* (*lista*) Inventar *nt*

inventiva [imbeṇ'tiβa] *f* Erfindungsgabe *f*

invento [im'beṇto] *m* Erfindung *f*

inventor(a) [imbeṇ'tor] *m(f)* Erfinder(in)

m(f)

invernadero [imberna'ðero] *m* Treibhaus *nt*

invernal [imber'nal] *adj* winterlich; **sueño ~** Winterschlaf *m*

invernar [imber'nar] <e → ie> *vi* überwintern; (*los que duermen*) Winterschlaf halten

inverosímil [imbero'simil] *adj* unglaubwürdig

inversión [imber'sjon] *f* Investition *f;* (*al revés*) Inversion *f*

inverso, -a [im'berso] *adj* umgekehrt

inversor(a) [imber'sor] *m(f)* Investor(in) *m(f)*

invertir [imber'tir] *irr como sentir vt* ❶ (*orden*) umkehren ❷ (*dinero*) anlegen ❸ (*tiempo*) investieren

investigación [imbestiɣa'θjon] *f* ❶ (*indagación*) Untersuchung *f;* (*averiguación*) Ermittlung *f* ❷ (*ciencia*) Forschung *f*

investigador(a) [imbestiɣa'ðor] *m(f)* Forscher(in) *m(f)*

investigar [imbesti'ɣar] <g → gu> *vt* untersuchen; (*en la ciencia*) erforschen

inviable [imbi'aβle] *adj* undurchführbar

invidente [imbi'ðen̪te] *adj* blind

invierno [im'bjerno] *m* Winter *m*

invisible [imbi'siβle] *adj* unsichtbar

invitación [imbita'θjon] *f* Einladung *f*

invitado, -a [imbi'taðo] *m, f* Gast *m;* **~ de honor** Ehrengast *m*

invitar [imbi'tar] *vt* einladen; (*instar*) auffordern

involucrar [imbolu'krar] **I.** *vt* verwickeln (*en* in +*akk*) **II.** *vr:* **~se** sich einmischen (*en* in +*akk*); (*intervenir*) eingreifen (*en* in +*akk*)

involuntario, -a [imbolun̪'tarjo] *adj* unfreiwillig

inyección [inɟeʸ'θjon] *f* ❶ MED Spritze *f* ❷ TÉC Injektion *f;* **motor de ~** Einspritzmotor *m*

inyectar [inɟek'tar] *vt* (ein)spritzen

IPC [ipe'θe] *m abr de* **Índice de Precios al Consumidor** Verbraucherpreisindex *m*

ir [ir] *irr* **I.** *vi* ❶ (*general*) gehen; **¡voy!** ich komme!; **¡vamos!** los!; **¡vamos a ver!** mal sehen!; **~ a pie** zu Fuß gehen; **~ en bicicleta** (mit dem) Fahrrad fahren ❷ (*progresar*) laufen; **¿cómo te va?** wie geht es dir? ❸ (*diferencia*): **de dos a cinco van tres** von der Zwei bis zur Fünf sind es drei ❹ (*referirse*): **¿pero tú sabes de lo que va?** weißt du überhaupt, worum es geht? ❺ (*interj: sorpresa*): **¡vaya coche!** was für ein Auto!; **¡qué va!** ach was! ❻ (*con verbo*): **voy a hacerlo** ich werde es tun **II.** *vr:* **~se** weggehen, fortgehen; (*dirección*) kommen (*para* nach +*dat*)

ira ['ira] *f* Wut *f*

irgo ['irɣo] *1. pres de* **erguir**

irguió [ir'ɣjo] *3. pret de* **erguir**

iris ['iris] *m inv*: **arco ~** Regenbogen *m*

Irlanda [ir'lan̪da] *f* Irland *nt*

irlandés, -esa [irlan̪'des] *adj* irisch

ironía [iro'nia] *f* Ironie *f*

irónico, -a [i'roniko] *adj* ironisch

irracional [irraθjo'nal] *adj* irrational; (*contra la lógica*) unlogisch; **número ~** MAT irrationale Zahl

irreal [irre'al] *adj* irreal

irrealizable [irreali'θaβle] *adj* undurchführbar

irrebatible [irreβa'tiβle] *adj* unwiderlegbar

irreconocible [irrekono'θiβle] *adj* unerkennbar

irreflexivo, -a [irrefleʸ'siβo] *adj* unüberlegt

irrefutable [irrefu'taβle] *adj* unumstößlich

irregular [irreɣu'lar] *adj* unregelmäßig; (*contra las reglas*) regelwidrig

irrelevante [irrele'βan̪te] *adj* irrelevant

irremediable [irreme'ðjaβle] *adj* nicht wieder gutzumachen

irrepetible [irrepe'tiβle] *adj* unwiederholbar

irreprimible [irrepri'miβle] *adj* nicht zu unterdrücken

irreprochable [irrepro'ʧaβle] *adj* tadellos
irresistible [irresis'tiβle] *adj* unwiderstehlich
irresoluble [irreso'luβle] *adj* unlösbar
irrespetuoso, -a [irrespetu'oso] *adj* respektlos
irresponsabilidad [irresponsaβili'ða[ð]] *f* ❶ (*falta de responsabilidad*) Unverantwortlichkeit *f* ❷ (*desconsideración*) Verantwortungslosigkeit *f*
irresponsable [irrespon'saβle] *adj* verantwortungslos
irreversible [irreβer'siβle] *adj* irreversibel
irrevocable [irreβo'kaβle] *adj* unwiderruflich
irrisorio, -a [irri'sorjo] *adj* lächerlich
irritable [irri'taβle] *adj* reizbar
irritar [irri'tar] **I.** *vt* ärgern **II.** *vr:* **~se** sich aufregen; (MED: *órgano*) sich entzünden
irrompible [irrom'piβle] *adj* unzerbrechlich
irrumpir [irrum'pir] *vi* (gewaltsam) eindringen (*en* in +*akk*)
isla ['isla] *f* Insel *f*
Islam [is'lan] *m* Islam *m*
islámico, -a [is'lamiko] *adj* islamisch
islandés, -esa [islaṇ'des] *adj* isländisch
Islandia [is'laṇdja] *f* Island *nt*
isleño, -a [is'leɲo] *m, f* Inselbewohner(in) *m(f)*
islote [is'lote] *m* (unbewohnte) Felseninsel *f*
Israel [i(s)rra'el] *m* Israel *nt*
israelí [i(s)rrae'li] *adj* israelisch
Italia [i'talja] *f* Italien *nt*
italiano, -a [ita'ljano] *adj* italienisch
itinerancia [itine'raṇθja] *f* TEL Roaming *nt*
itinerante [itine'raṇte] *adj* Wander-; **exposición ~** Wanderausstellung *f*
itinerario [itine'rarjo] *m* Strecke *f*
IVA ['iβa] *m abr de* **impuesto sobre el valor añadido** MwSt. *f*
izar [i'θar] <z → c> *vt* hissen
izda. [iθ'kjerða] *adj*, **izdo.** [iθ'kjerðo] *adj abr de* **izquierda, izquierdo** linke(r, s)
izquierda [iθ'kjerða] *f:* **a la ~** links
izquierdo, -a [iθ'kjerðo] *adj* linke(r, s)

J

J, j ['xota] *f* J, j *nt*
ja [xa] *interj* ha
jabalí [xaβa'li] <jabalíes> *m* Wildschwein *nt*
jabalina [xaβa'lina] *f* Speer *m*
jabón [xa'βon] *m* Seife *f;* **pastilla de ~** Stück Seife
jabonar [xaβo'nar] *vt* einseifen
jacal [xa'kal] *m* MÉX, VEN Hütte *f*
jacarandoso, -a [xakaran̦'doso] *adj* fröhlich
jacinto [xa'θin̦to] *m* Hyazinthe *f*
jaco ['xako] *m* Klepper *m*
jactancioso, -a [xaktan̦'θjoso] *adj* angeberisch
jactarse [xak'tarse] *vr* prahlen (*de* mit +*dat*)
jacuzzi® [ɟa'kuᵈsi] *m* Whirlpool *m*
jade ['xaðe] *m* Jade *m o f*
jadear [xaðe'ar] *vi* keuchen
jaguar [xa'ɣwar] *m* Jaguar *m*
jaiba ['xai̯βa] **I.** *adj* ❶ ANT, MÉX gerissen ❷ CUBA faul **II.** *f* AM Flusskrebs *m*
jalado, -a [xa'laðo] *adj* MÉX übertrieben; (AM: *demacrado*) abgezehrt; (AM: *obsequioso*) gefällig; (AM: *borracho*) betrunken
jalar [xa'lar] **I.** *vt* (*fam*) mampfen **II.** *vi* AM abhauen **III.** *vr:* **~se** AM sich betrinken
jalea [xa'lea] *f* Gelee *nt*
jalear [xale'ar] *vt* anfeuern
jaleo [xa'leo] *m* Durcheinander *nt;* **armar ~** Lärm machen
jamás [xa'mas] *adv* nie(mals)
jamelgo [xa'melɣo] *m* (*fam*) Klepper *m*
jamón [xa'mon] *m* Schinken *m;* **~ de York** gekochter Schinken; **~ serrano** luftgetrockneter Schinken; **¡y un ~!** (*fam*) kommt überhaupt nicht in Frage!
Japón [xa'pon] *m* Japan *nt*
japonés, -esa [xapo'nes] *adj* japanisch
jaque ['xake] *m* Schach *nt;* **~ mate** (Schach)matt *nt*
jaqueca [xa'keka] *f* Migräne *f*
jarabe [xa'raβe] *m* Hustensaft *m*
jarana [xa'rana] *f* Gaudi *f o nt*
jardín [xar'ðin] *m* Garten *m*
jardinería [xarðine'ria] *f* (*arte*) Gartenkunst *f;* (*cuidado*) Gartenpflege *f*
jardinero, -a [xarði'nero] *m, f* Gärtner(in) *m(f)*
jarra ['xarra] *f* Krug *m;* (*de agua, café*) Kanne *f*
jarro ['xarro] *m* Krug *m;* (*de agua*) Kanne *f*
jarrón [xa'rron] *m* Vase *f*
jauja ['xau̯xa] *f* Schlaraffenland *nt*
jaula ['xau̯la] *f* Käfig *m*
jauría [xau̯'ria] *f* Meute *f*
jazmín [xaθ'min] *m* Jasmin *m*
jazz [ʤas] *m* Jazz *m*
jefatura [xefa'tura] *f:* **~ de policía** Polizeipräsidium *nt*
jefe, -a ['xefe] *m, f* Chef(in) *m(f);* **~ de Estado** Staatsoberhaupt *nt;* **~ de gobierno** Regierungschef *m*
jeque ['xeke] *m* Scheich *m*
jerarca [xe'rarka] *mf* Oberhaupt *nt*
jerarquía [xerar'kia] *f* Hierarchie *f*
jerárquico, -a [xe'rarkiko] *adj* hierarchisch
jerez [xe'reθ] *m* Sherry *m*
jerga ['xerɣa] *f* Jargon *m*
jeringa [xe'riŋga] *f* (Injektions)spritze *f*
jeringuilla [xeriŋ'giʎa] *f* (Injektions)spritze *f*
jeroglífico [xero'ɣlifiko] *m* Hieroglyphe *f;* (*pasatiempo*) Bilderrätsel *nt*
jersey [xer'sei̯] *m* Pullover *m;* **~ de cuello alto** Rollkragenpullover *m*
Jesucristo [xesu'kristo] *m* Jesus Christus *m*
Jesús [xe'sus] *m* Jesus *m;* **¡~!** Gesundheit!
jeta ['xeta] *f* (*fam*): **ese tiene una ~ increíble** (*fig*) der ist unglaublich frech
jíbaro, -a ['xiβaro] *adj* ❶ (AM: *campe-*

sino) bäuerlich; (*costumbres, vida*) ländlich ❷ (AM: *planta, animal*) wild ❸ ANT, MÉX menschenscheu
jibraltareño, -a [xiβra|ta'reɲo] *adj* gibraltarisch
jienense, -a [xje'nense] *adj* aus Jaén
jilguero [xil'ɣero] *m* Distelfink *m*
jinete [xi'nete] *m* Reiter *m*
jinetear [xinete'ar] *vt* AM zureiten
jirafa [xi'rafa] *f* Giraffe *f*
jirón [xi'ron] *m:* **hacer algo jirones** etw zerreißen
JJ.OO. ['xweɣos o'limpikos] *abr de* **Juegos Olímpicos** Olympische Spiele *ntpl*
jockey ['xokei̯] *m* Jockei *m*
jocoso, -a [xo'koso] *adj* witzig
joder [xo'ðer] **I.** *vt* (*vulg*) ❶ (*copular*) ficken ❷ (*fastidiar*) nerven *fam*; **¡no me jodas!** erzähl mir keinen Scheiß!; **¡jódete!** zum Teufel mit dir! *fam* ❸ (*echar a perder*) vermasseln *fam* **II.** *vi* (*vulg*) ficken **III.** *vr:* **~se** (*vulg*) ❶ (*fastidiarse*) sich abfinden; **¡hay que ~se!** verdammt noch mal! *fam* ❷ (*echar a perder*): **la tele se ha jodido** der Fernseher ist im Arsch **IV.** *interj* (*vulg*) Scheiße!
jolgorio [xol'ɣorjo] *m* Gaudi *f o nt*
jolín [xo'lin] *interj*, **jolines** [xo'lines] *interj* verdammt (noch mal)!
jopé [xo'pe] *interj* Mensch!
jornada [xor'naða] *f:* ~ **continua** gleitende Arbeitszeit; ~ **partida** Arbeitstag mit Mittagspause; **trabajo media** ~ ich arbeite halbtags
jornal [xor'nal] *m* Tagelohn *m;* **trabajar a** ~ als Tagelöhner arbeiten
jornalero, -a [xorna'lero] *m, f* Tagelöhner(in) *m(f)*
joroba [xo'roβa] *f* Buckel *m*
jorobado, -a [xoro'βaðo] *adj* buck(e)lig
jorobar [xoro'βar] (*fam*) **I.** *vt* nerven **II.** *vr:* **~se** sich abfinden
jota ['xota] *f* J *nt;* **no entender ni** ~ (*fam*) keinen blassen Schimmer haben
joven ['xoβen] **I.** *adj* jung **II.** *mf:* **los jóvenes** die jungen Leute
jovial [xo'βjal] *adj* fröhlich
joya ['xoɟa] *f:* **las ~s** der Schmuck
joyería [xoɟe'ria] *f* Juwelierladen *m*
joyero[1] [xo'ɟero] *m* Schmuckkästchen *nt*
joyero, -a[2] [xo'ɟero] *m, f* Juwelier(in) *m(f)*
juanete [xwa'nete] *m* (Fuß)ballen *m*
jubilación [xuβila'θjon] *f* Pensionierung *f*
jubilado, -a [xuβi'laðo] *m, f* Rentner(in) *m(f)*
jubilar [xuβi'lar] **I.** *vt* pensionieren; (*fam: un objeto*) ausrangieren **II.** *vr:* **~se** in Rente gehen
júbilo ['xuβilo] *m* Jubel *m*
jubiloso, -a [xuβi'loso] *adj* jubelnd; **estar** ~ überglücklich sein
judía [xu'ðia] *f* Bohne *f*
judicial [xuði'θjal] *adj* Justiz-; **aparato** ~ Justizapparat *m*
judío, -a [xu'ðio] *adj* jüdisch
judo ['ʤuðo] *m* Judo *nt*
juego ['xweɣo] *m* Spiel *nt*
juerga ['xwerɣa] *f* Gaudi *f o nt*
jueves ['xweβes] *m inv* Donnerstag *m;* **Jueves Santo** Gründonnerstag *m; v.t.* **lunes**
juez [xweθ] *mf* Richter(in) *m(f)*
jugada [xu'ɣaða] *f:* **hacerle una ~ a alguien** jdm übel mitspielen
jugador(a) [xuɣa'ðor] *m(f)* Spieler(in) *m(f);* ~ **profesional** Profi *m*
jugar [xu'ɣar] *irr vi, vt* spielen
jugarreta [xuɣa'rreta] *f* (*fam*) übler Streich *m*
jugo ['xuɣo] *m* Saft *m;* **~s gástricos** Magensäfte *mpl*
jugoso, -a [xu'ɣoso] *adj* saftig
juguete [xu'ɣete] *m* Spielzeug *nt*
juguetería [xuɣete'ria] *f* Spielwarengeschäft *nt*
juguetón, -ona [xuɣe'ton] *adj* verspielt
juicio ['xwiθjo] *m* ❶ (*facultad para juzgar*) Urteilsfähigkeit *f* ❷ (*razón*) Vernunft *f*, Verstand *m;* **falta de** ~ Unvernunft *f* ❸ (*opinión*) Meinung *f*, Urteil

nt; **a mi** ~ meiner Meinung nach ❹ JUR: ~ **criminal** Strafverfahren *nt;* **llevar a alguien a** ~ jdm den Prozess machen

juicioso, -a [xwi'θjoso] *adj* vernünftig

julio ['xuljo] *m* Juli *m; v.t.* **marzo**

juma ['xuma] *f* AM (*fam*) Rausch *m*

junco ['xuŋko] *m* Binse *f*

jungla ['xuŋgla] *f* Dschungel *m*

junio ['xunjo] *m* Juni *m; v.t.* **marzo**

júnior ['ʤunjor] *m* <juniores> Junior *m*

junta ['xuṇta] *f:* ~ **directiva** Vorstand *m;* ~ **general** Generalversammlung *f*

juntar(se) [xuṇ'tar(se)] *vt, vr* (sich) (ver)sammeln; (*aproximar(se)*) zusammenrücken

junto[1] ['xuṇto] I. *adv*: **hablaba por teléfono y trabajaba en el ordenador, todo** ~ er/sie telefonierte und arbeitete gleichzeitig am PC; **comprar por** ~ in großen Mengen kaufen II. *prep* ❶ (*local*): ~ **a** neben *+dat,* an *+dat* ❷ (*con movimiento*): ~ **a** neben *+akk,* an *+akk* ❸ (*con*): ~ **con** mit *+dat*

junto, -a[2] ['xuṇto] *adj* zusammen, gemeinsam

jura ['xura] *f* Eid *m*

jurado[1] [xu'raðo] *m* Geschworene(r) *f(m)*

jurado, -a[2] [xu'raðo] *adj:* **intérprete** ~ Gerichtsdolmetscher *m*

juramento [xura'meṇto] *m* Eid *m;* **falso** ~ Meineid *m;* **estar bajo** ~ unter Eid stehen

jurar [xu'rar] I. *vt* schwören (*por* bei *+dat*) II. *vi* fluchen

jurel [xu'rel] *m* Makrele *f*

jurídico, -a [xu'riðiko] *adj* juristisch

jurisdicción [xurisðiʸ'θjon] *f* Gerichtsbezirk *m*

jurisdiccional [xurisðiʸθjo'nal] *adj* gerichtlich; **no** ~ außergerichtlich; **aguas ~es** Hoheitsgewässer *nt(pl)*

jurisprudencia [xurispru'ðeṇθja] *f* Rechtsprechung *f*

jurista [xu'rista] *mf* Jurist(in) *m(f)*

justicia [xus'tiθja] *f* Gerechtigkeit *f*

justificable [xustifi'kaβle] *adj* entschuldbar; (*error*) nachweisbar

justificación [xustifika'θjon] *f* Rechtfertigung *f*

justificante [xustifi'kaṇte] *m* Beleg *m*

justificar(se) [xustifi'kar(se)] <c → qu> *vt, vr* (sich) rechtfertigen

justo[1] ['xusto] *adv* genau; (*escasamente*) gerade

justo, -a[2] ['xusto] *adj* gerecht; (*escaso*) knapp

juvenil [xuβe'nil] *adj* jugendlich

juventud [xuβeṇ'tuᶞ] *f* Jugendliche(n) *mpl*

juzgado [xuθ'ɣaðo] *m* Gericht *nt*

juzgar [xuθ'ɣar] <g → gu> *vi, vt* richten; (*opinar*) urteilen

J

K, k [ka] *f* K, k *nt*
kaki ['kaki] *adj* khakifarben
karate [ka'rate] *m*, **kárate** ['karate] *m* Karate *nt*
kayak [ka'ɟa^k] *m* <kayaks> Kajak *m o nt*
keroseno [kero'seno] *m* Kerosin *nt*
kg ['kilo'ɣramo] *abr de* **kilogramo** kg
kikirikí [kikiri'ki] *m* Kikeriki *nt*
kilo ['kilo] *m* Kilo *nt*
kilocaloría [kilokalo'ria] *f* Kilokalorie *f*
kilociclo [kilo'θiklo] *m* Kilohertz *nt*
kilogramo [kilo'ɣramo] *m* Kilogramm *nt*

kilohercio [kilo'erθjo] *m* Kilohertz *nt*
kilolitro [kilo'litro] *m* Kiloliter *m*
kilómetro [ki'lometro] *m* Kilometer *m*
kilovatio [kilo'βatjo] *m* Kilowatt *nt*
kinder ['kiṇder] *m*, **kindergarten** [kiṇder'ɣarten] *m* AM Kindergarten *m*
kit [kit] <kits> *m* Baukasten *m*
kl [kilo'litro] *abr de* **kilolitro** kl
kleenex® ['kline^{y}s] *m inv* Tempo® *nt*
km [ki'lometro] *abr de* **kilómetro** km
km/h [ki'lometro por 'ora] *abr de* **kilómetro por hora** km/h
Kurdistán [kurðis'tan] *m* Kurdistan *nt*
kurdo, -a ['kurðo] *adj* kurdisch

L

L, l ['ele] *f* L, l *nt*

l ['litro] *abr de* **litro**(**s**) l

la [la] I. *art det v.* **el, la, lo** II. *pron pers f sg* ❶ (*objeto directo*) sie; **¡tráeme~!** bring sie mir! ❷ (*enclítico*) es; **¡buena ~ hemos hecho!** da haben wir uns etwas eingebrockt! ❸ (*con relativo*): **~ que...** die(jenige), die ...; **~ cual** die

laberinto [laβe'rin̪to] *m* Labyrinth *nt*

labia ['laβja] *f* (*fam*): **tener mucha ~** ein flinkes Mundwerk haben

labial [la'βjal] *adj* Lippen-

lábil ['laβil] *adj* labil

labio ['laβjo] *m* Lippe *f*

labor [la'βor] *f* Arbeit *f;* **sus ~es** (*formularios*) Hausfrau *f*

laborable [laβo'raβle] *adj:* **día ~** Werktag *m*

laboral [laβo'ral] *adj* Arbeits-; **accidente ~** Arbeitsunfall *m*

laboratorio [laβora'torjo] *m* Labor *nt*

laborioso, -a [laβo'rjoso] *adj* mühsam

labrador(a) [laβra'ðor] *m(f)* Landwirt(in) *m(f)*

labranza [la'βran̪θa] *f* Ackerbau *m*

labrar [la'βrar] *vt* bestellen

labriego, -a [la'βrjeɣo] *m, f* Landwirt(in) *m(f)*

laburar [laβu'rar] *vi* ARG, URUG arbeiten

laca ['laka] *f* Haarspray *m o nt*

lacayo [la'kaʝo] *m* Lakai *m;* (*pey*) Speichellecker *m*

lacio, -a ['laθjo] *adj* welk; (*cabello*) glatt

lacónico, -a [la'koniko] *adj* lakonisch; (*persona*) wortkarg

lacra ['lakra] *f* Laster *nt*

lacrar [la'krar] *vt* versiegeln

lacre ['lakre] *m* Siegellack *m*

lacrimógeno, -a [lakri'moxeno] *adj:* **gas ~** Tränengas *nt*

lactancia [lak'tan̪θja] *f* Stillzeit *f*

lactante [lak'tan̪te] *mf* Säugling *m*

lácteo, -a ['lakteo] *adj:* **vía láctea** Milchstraße *f*

lactosa [lak'tosa] *f* Milchzucker *m*

ladeado, -a [laðe'aðo] *adj* schief

ladearse [laðe'arse] *vr* sich (zur Seite) neigen

ladera [la'ðera] *f* Abhang *m*

ladilla [la'ðiʎa] *f* Filzlaus *f*

ladino, -a [la'ðino] *adj* abgefeimt

lado ['laðo] *m* Seite *f;* **por un ~... y por el otro ~...** einerseits ... und andererseits ...; **ir de un ~ a otro** hin und her gehen; **por todos ~s** überall; **dejar de ~ a alguien** jdn ignorieren; **al ~** daneben; **me puse de tu ~** ich ergriff für dich Partei

ladrar [la'ðrar] *vi* bellen

ladrido [la'ðrido] *m* Gebell *nt*

ladrillo [la'ðriʎo] *m* Ziegel *m*

ladrón, -ona [la'ðron] *m, f* Dieb(in) *m(f)*

lagar [la'ɣar] *m* Ölpresse *f;* (*vino*) Kelter *f*

lagartija [laɣar'tixa] *f* Mauereidechse *f*

lagarto [la'ɣarto] I. *interj* toi, toi, toi! II. *m* Eidechse *f;* AM Kaiman *m*

lago ['laɣo] *m* See *m;* **Lago de Constanza** Bodensee *m*

lágrima ['laɣrima] *f* Träne *f*

lagrimal [laɣri'mal] *m* Tränensack *m*

laguna [la'ɣuna] *f* Teich *m;* **~ en la memoria** Gedächtnislücke *f*

laico, -a ['lai̯ko] *adj* weltlich

lamentable [lamen̪'taβle] *adj* jämmerlich

lamentación [lamen̪ta'θjon] *f* (Weh)klage *f*

lamentar [lamen̪'tar] I. *vt* beklagen; **lo lamento** ich bedaure es II. *vr:* **~se** sich beklagen (*de* über +*akk*)

lamento [la'men̪to] *m* Wehklagen *nt*

lamer [la'mer] I. *vt* (ab)lecken II. *vr:* **~se** sich lecken

lamido, -a [la'miðo] *adj* dünn; (*relamido*) geschniegelt

lámina ['lamina] *f* ❶ dünnes Blech *nt* ❷ (*ilustración*) Abbildung *f;* **con ~s** illustriert

laminar [lami'nar] **I.** *adj* ❶ (*en forma de lámina*) Folien- ❷ (*formado de láminas*) schichtartig **II.** *vt* (*cortar*) (aus)walzen

lámpara ['lampara] *f* Lampe *f;* ~ **de alarma** Warnleuchte *f;* ~ **fluorescente** Leuchtstoffröhre *f;* ~ **de pie** Stehlampe *f*

lamparilla [lampa'riʎa] *f* Nachtlampe *f*

lana ['lana] *f* Wolle *f*

lanar [la'nar] *adj:* **ganado** ~ Wollvieh *nt*

lance ['lan̪θe] *m* Wurf *m*

lancha ['lanʧa] *f* Kahn *m;* ~ **a remolque** Schleppkahn *m;* ~ **de salvamento** Seenotrettungskreuzer *m*

langosta [laŋ'gosta] *f* Heuschrecke *f;* (*crustáceo*) Languste *f*

langostino [laŋgos'tino] *m* Garnele *f*

langucia [laŋ'guθja] *f* AM Gefräßigkeit *f*

lánguido, -a ['laŋgiðo] *adj* niedergeschlagen

lanilla [la'niʎa] *f* (Woll)flor *m*

lanoso, -a [la'noso] *adj*, **lanudo, -a** [la'nuðo] *adj* wollig

lanza ['lan̪θa] *f* Lanze *f*

lanzacohetes [lan̪θako'etes] *m* Raketenwerfer *m*

lanzado, -a [lan̪'θaðo] *adj* entschlossen

lanzador(a) [lan̪θa'ðor] *m(f)* Werfer(in) *m(f)*

lanzallamas [lan̪θa'ʎamas] *m* Flammenwerfer *m*

lanzamiento [lan̪θa'mjen̪to] *m* Wurf *m;* ~ **comercial** Lancierung *f;* ~ **espacial** Raketenstart *m;* ~ **de peso** Kugelstoßen *nt*

lanzamisiles [lan̪θami'siles] *m* Raketenwerfer *m*

lanzar [lan̪'θar] <z → c> **I.** *vt* werfen (*a* auf +*akk*); (*al mercado*) auf den Markt bringen **II.** *vr:* **~se** sich stürzen (*a/sobre* auf +*akk*); **~se al agua** ins Wasser springen; **~se en picado** im Sturzflug fliegen

lanzaroteño, -a [lan̪θaro'teɲo] *adj* aus Lanzarote

lapa ['lapa] *f* (*fam*) Klette *f*

lapicero [lapi'θero] *m* Bleistift *m;* AM Kugelschreiber *m*

lápida ['lapiða] *f:* ~ **conmemorativa** Gedenktafel *f*

lapidar [lapi'ðar] *vt* steinigen

lápiz ['lapiθ] *m* Bleistift *m;* ~ **de color** Buntstift *m*

lapso ['laβso] *m* ❶ ~ (**de tiempo**) Zeitraum *m* ❷ *v.* **lapsus**

lapsus ['laβsus] *m* Fehler *m*

largar [lar'ɣar] <g → gu> **I.** *vt* loslassen; (*fam: golpe*) versetzen **II.** *vr:* **~se** abhauen **III.** *vi* (*fam*) schwätzen

largo[1] ['larɣo] **I.** *adv* ❶ reichlich; ~ **y tendido** in Hülle und Fülle ❷ (*loc*): **a lo ~ de** (*lugar*) an +*dat* ... entlang; **a lo ~ del día** im Laufe des Tages; **¡~ de aquí!** weg hier! **II.** *m* Länge *f;* **diez metros de ~** zehn Meter lang

largo, -a[2] ['larɣo] *adj* lang; **a la larga** langfristig; **el pantalón te está ~** die Hose ist dir zu lang

largometraje [larɣome'traxe] *m* Spielfilm *m*

largura [lar'ɣura] *f* Länge *f*

laringe [la'riŋxe] *f* Kehlkopf *m*

larva ['larβa] *f* Larve *f*

las [las] **I.** *art det v.* **el, la, lo II.** *pron pers f pl* ❶ (*objeto directo*) sie; **¡míra~!** schau sie dir an! ❷ (*con relativo*): ~ **que...** die(jenigen), die ...; ~ **cuales** die

lascivo, -a [las'θiβo] *adj* lüstern

láser ['laser] *m* Laser *m*

lástima ['lastima] *f:* **dar ~** Mitleid erwecken; **¡qué ~!** wie schade!

lastimar(se) [lasti'mar(se)] *vt, vr* (sich) verletzen

lastimero, -a [lasti'mero] *adj*, **lastimoso, -a** [lasti'moso] *adj* Mitleid erregend

lastre ['lastre] *m* Ballast *m*

lata ['lata] *f* (Blech)dose *f;* **¡vaya ~!** das ist echt ätzend!

latente [la'ten̪te] *adj* latent

lateral [late'ral] *adj* seitlich

latido [la'tiðo] *m:* **los ~s del corazón** der Herzschlag

latifundio [lati'fuṇdjo] *m* Großgrundbesitz *m*
latifundista [latifuṇ'dista] *mf* Großgrundbesitzer(in) *m(f)*
latigazo [lati'ɣaθo] *m* Peitschenhieb *m;* (*chasquido*) Peitschenknall *m*
látigo ['latiɣo] *m* Peitsche *f*
latín [la'tin] *m* Latein *nt*
latino, -a [la'tino] *adj:* **América Latina** Lateinamerika *nt*
Latinoamérica [latinoa'merika] *f* Lateinamerika *nt*
latinoamericano, -a [latinoameri'kano] *adj* lateinamerikanisch
latir [la'tir] *vi* klopfen
latitud [lati'tu^ð] *f* Breite *f*
latón [la'ton] *m* Messing *nt*
latoso, -a [la'toso] *adj* lästig
laúd [la'u^ð] *m* Laute *f*
laureado, -a [lau̯re'aðo] *adj* (*premiado*) preisgekrönt
laurel [lau̯'rel] *m* Lorbeer(baum) *m*
lava ['laβa] *f* Lava *f*
lavabo [la'βaβo] *m* Waschbecken *nt;* (*cuarto*) Toilette *f*
lavado [la'βaðo] *m* Wäsche *f;* MED Spülung *f*
lavadora [laβa'ðora] *f* Waschmaschine *f*
lavanda [la'βaṇda] *f* Lavendel *m*
lavandería [laβaṇde'ria] *f* Wäscherei *f*
lavaplatos [laβa'platos] *m inv* Spülmaschine *f*
lavar [la'βar] **I.** *vt* waschen **II.** *vr:* **~se** sich waschen; **~se los dientes** sich *dat* die Zähne putzen
lavativa [laβa'tiβa] *f* Einlauf *m*
lavavajillas [laβaβa'xiʎas] *m* (Geschirr)spülmaschine *f*
laxante [la^ɣ'saṇte] *m* Abführmittel *nt*
laxo, -a ['la^ɣso] *adj* schlaff
lazada [la'θaða] *f* Schlinge *f*
lazo ['laθo] *m* Schlinge *f;* (*cinta*) Schleife *f*
le [le] *pron pers* ❶ *m sg* (*objeto directo*) ihn; (*cortés*) Sie ❷ *mf sg* (*objeto indirecto*) ihm, ihr; (*cortés*) Ihnen; **¡da~ un beso!** gib ihm/ihr einen Kuss!
leal [le'al] *adj* treu
lealtad [leal̩'ta^ð] *f* Treue *f*
lección [le^ɣ'θjon] *f* Lektion *f*
lechada [le'ʧaða] *f* Mörtel *m*
lechal [le'ʧal] *adj:* **cordero ~** Milchlamm *nt*
leche ['leʧe] *f* ❶ (*líquido*) Milch *f;* **~ en polvo** Milchpulver *nt;* **~ desmaquillante** Reinigungsmilch *f* ❷ (*loc*): **¡~s!** (*fam*) Scheiße!; **ser la ~** unmöglich sein; **estar de mala ~** (*fam*) mies drauf sein
lechería [leʧe'ria] *f* Milchgeschäft *nt*
lecho ['leʧo] *m* Bett *nt*
lechón, -ona [le'ʧon] *m, f* Ferkel *nt*
lechuga [le'ʧuɣa] *f* Kopfsalat *m*
lechuza [le'ʧuθa] *f* Eule *f*
lectivo, -a [lek'tiβo] *adj:* **día ~** Unterrichtstag *m*
lector(a) [lek'tor] *m(f)* Lektor(in) *m(f)*
lectorado [lekto'raðo] *m* Lektorat *nt*
lectura [lek'tura] *f* (Vor)lesen *nt;* (*obra*) Lektüre *f*
leer [le'er] *irr vt* lesen; **~ en voz alta** vorlesen
legado [le'ɣaðo] *m* Vermächtnis *nt*
legajo [le'ɣaxo] *m* Akte *f*
legal [le'ɣal] *adj* gesetzlich
legalidad [leɣali'ða^ð] *f* Legalität *f;* **al filo de la ~** am Rande der Legalität; **fuera de la ~** illegal
legalización [leɣaliθa'θjon] *f* Legalisierung *f;* (*atestamiento*) Beglaubigung *f*
legalizar [leɣali'θar] <z → c> *vt* legalisieren
legaña [le'ɣaɲa] *f* Tränenflüssigkeit *f*
legar [le'ɣar] <g → gu> *vt* vermachen
legendario, -a [lexeṇ'darjo] *adj* sagenhaft; (*famoso*) berühmt
legible [le'xiβle] *adj* lesbar
legión [le'xjon] *f* Legion *f*
legislación [lexisla'θjon] *f* Gesetzgebung *f*
legislador(a) [lexisla'ðor] *m(f)* Gesetzgeber(in) *m(f);* AM Abgeordnete(r) *f(m)*
legislar [lexis'lar] *vi* Gesetze erlassen

legislativo, -a [lexisla'tiβo] *adj:* **poder ~** Legislative *f*

legislatura [lexisla'tura] *f* Legislaturperiode *f;* AM Parlament *nt*

legitimación [lexitima'θjon] *f* ❶ (*legalización*) Legalisierung *f* ❷ (*habilitación*) Legitimation *f* ❸ (*hijo*) Anerkennung *f*

legitimar [lexiti'mar] *vt* für rechtmäßig erklären

legítimo, -a [le'xitimo] *adj* ❶ (*legal*) rechtmäßig; **defensa legítima** Notwehr *f* ❷ (*hijo*) ehelich

legua ['leɣwa] *f* Meile *f;* **a la ~** von weitem

legumbre [le'ɣumbre] *f* Hülsenfrucht *f*

leído, -a [le'iðo, -a] *adj* (*persona*) belesen

lejanía [lexa'nia] *f* Ferne *f*

lejano, -a [le'xano] *adj* fern

lejía [le'xia] *f* (Wasch)lauge *f*

lejos ['lexos] **I.** *adv* weit (entfernt); **a lo ~** in der Ferne; **de ~** von weitem; **ir demasiado ~** (*fig*) zu weit gehen; **llegar ~** (*fig*) es weit bringen **II.** *prep:* **~ de** weit (entfernt) von +*dat*

lelo, -a ['lelo] *adj* (*fam*) verdutzt

lema ['lema] *m* Motto *nt*

lencería [leṇθe'ria] *f* Damen(unter)wäsche *f*

lengua ['leŋgwa] *f* ❶ ANAT Zunge *f;* **~ de trapo** (*fam*) Stotterer *m;* **~ viperina** (*fam*) spitze Zunge; **darle a la ~** (*fam*) quasseln ❷ LING Sprache *f;* **~ materna** Muttersprache *f;* **~ oficial** Amtssprache *f*

lenguado [leŋ'gwaðo] *m* Seezunge *f*

lenguaje [leŋ'gwaxe] *m* Sprache *f*

lengüeta [leŋ'gweta] *f* Lasche *f*

lengüetear [leŋgwete'ar] *vi* AM (*fam*) schwatzen

lente ['leṇte] *m o f* ❶ (*gafas*) Brille *f;* **llevar ~s** eine Brille tragen ❷ *t.* FOTO Linse *f;* **~ convergente** Sammellinse *f*

lenteja [leṇ'texa] *f* Linse *f*

lentejuela [leṇte'xwela] *f* Paillette *f*

lentilla [leṇ'tiʎa] *f* Kontaktlinse *f*

lentitud [leṇti'tu^{ð}] *f* Langsamkeit *f*

lento, -a ['leṇto] *adj* langsam; **a cámara lenta** in Zeitlupe

leña ['leɲa] *f* (Brenn)holz *nt;* **dar ~** verprügeln; **recibir ~** Prügel einstecken

leñador(a) [leɲa'ðor] *m(f)* Holzfäller(in) *m(f)*

leñazo [le'ɲaθo] *m* (*fam*) Schlag *m*

leño ['leɲo] *m* Holzklotz *m*

Leo ['leo] *m inv* ASTR Löwe *m*

león [le'on] *m* Löwe *m;* AM Puma *m;* **~ (marino)** Seelöwe *m*

leonés, -esa [leo'nes] *adj* aus León

leopardo [leo'parðo] *m* Leopard *m*

leotardo(s) [leo'tarðo(s)] *m* (*pl*) Strumpfhose *f*

lépero, -a ['lepero] *m, f* AMC Schurke, -in *m, f*

lepra ['lepra] *f* Lepra *f*

leproso, -a [le'proso] *m, f* Leprakranke(r) *f(m)*

lerdo, -a ['lerðo] *adj* schwerfällig

leridano, -a [leri'ðano] *adj* aus Lérida

les [les] *pron pers* ❶ *m pl* (REG: *objeto directo*) sie; (*cortés*) Sie ❷ *mf pl* (*objeto indirecto*) ihnen; (*cortés*) Ihnen

lesbiana [les'βjana] *f* Lesbierin *f*

lesera [le'sera] *f* AM Dummheit *f*

lesión [le'sjon] *f* Verletzung *f*

lesionar(se) [lesjo'nar(se)] *vt, vr* (sich) verletzen

letal [le'tal] *adj* tödlich

letárgico, -a [le'tarxiko] *adj* lethargisch

letargo [le'tarɣo] *m* Winterschlaf *m*

Letonia [le'tonja] *f* Lettland *nt*

letra ['letra] *f* ❶ (*signo*) Buchstabe *m;* **~ de molde** Fettdruck *m;* **con ~ mayúscula/minúscula** groß-/kleingeschrieben; **al pie de la ~** wortwörtlich; **~ por ~** Wort für Wort ❷ (*escritura*) Schrift *f* ❸ COM: **~ (de cambio)** Wechsel *m*

letrado, -a [le'traðo] **I.** *adj* gelehrt **II.** *m, f* Anwalt, -wältin *m, f*

letrero [le'trero] *m* Schild *nt*

leucemia [leu̯'θemja] *f* Leukämie *f*

levadizo, -a [leβa'ðiθo] *adj:* **puente ~**

Zugbrücke *f*

levadura [leβa'ðura] *f* Hefe *f*

levantamiento [leβan̪ta'mjen̪to] *m* Aufstand *m;* ~ **del cadáver** (amtliche) Leichenschau *f*

levantar [leβan̪'tar] **I.** *vt* ① (hoch)heben ② (*castigo*) aufheben ③ ~ **acta** protokollieren (*de* +*akk*) ④ ~ **la voz a alguien** jdn anschreien **II.** *vr:* ~**se** aufstehen

levante [le'βan̪te] *m* Osten *m*

Levante [le'βan̪te] *m* Levante *m* (*Ostküste Spaniens bzw. die Regionen País Valenciano und Murcia*)

levar [le'βar] *vt*: ~ **(las) anclas** die Anker lichten

leve ['leβe] *adj* harmlos; (*error*) leicht

levedad [leβe'ðað] *f* Leichtigkeit *f*

levitar [leβi'tar] *vi* in der Luft schweben

léxico ['leᵞsiko] *m* Wortschatz *m*

ley [lei̯] *f* Gesetz *nt;* **proyecto de** ~ Gesetzentwurf *m;* **oro de** ~ Feingold *nt*

leyenda [le'ɟen̪da] *f* Legende *f*

liana [li'ana] *f* Liane *f*

liar [li'ar] <*1. pres* lío> **I.** *vt* (*fardo*) zusammenbinden; (*cigarrillo*) drehen; (*enredar*) einwickeln **II.** *vr:* ~**se** ① (*fam*) sich einlassen ② (*embarullarse*) durcheinanderkommen ③ ~**se a golpes con alguien** sich mit jdm prügeln

libelo [li'βelo] *m* Pamphlet *nt*

libélula [li'βelula] *f* Libelle *f*

liberación [liβera'θjon] *f* Befreiung *f*

liberal [liβe'ral] *adj* liberal

liberar [liβe'rar] *vt* befreien; (*soltar*) freilassen

libertad [liβer'tað] *f* Freiheit *f;* ~ **de culto** Glaubensfreiheit *f;* **poner en** ~ freilassen

libertar [liβer'tar] *vt* befreien

libertario, -a [liβer'tarjo] *adj* anarchistisch

libertinaje [liβerti'naxe] *m* Zügellosigkeit *f*

libertino, -a [liβer'tino] *adj* zügellos

libido [li'βiðo] *f sin pl* Trieb *m*

libra ['liβra] *f:* ~ **esterlina** Pfund Sterling

Libra ['liβra] *f inv* ASTR Waage *f*

librado, -a [li'βraðo] *adj:* **salir mal** ~ schlecht wegkommen *fam*

librar [li'βrar] **I.** *vt, vr:* ~**se** (sich) befreien **II.** *vi* (*fam*) frei haben

libre ['liβre] *adj* frei

librecambio [liβre'kambjo] *m* Freihandel *m*

librería [liβre'ria] *f* Buchhandlung *f*

librero, -a [li'βrero] *m, f* Buchhändler(in) *m(f)*

libreta [li'βreta] *f* Heft *nt*

libro ['liβro] *m* Buch *nt;* ~ **de bolsillo** Taschenbuch *nt;* ~ **de cocina** Kochbuch *nt;* ~ **de familia** Familienstammbuch *nt;* ~ **de texto** Lehrbuch *nt*

licencia [li'θen̪θja] *f* Erlaubnis *f;* MÉX Führerschein *m;* ~ **de obras** Baugenehmigung *f;* ~ **de armas** Waffenschein *m*

licenciado, -a [liθen̪'θjaðo] *m, f* ≈Akademiker(in) *m(f);* (*soldado*) Verabschiedete(r) *m*

licenciar [liθen̪'θjar] **I.** *vt* (*despedir*) entlassen; (*soldado*) verabschieden **II.** *vr:* ~**se** sein Examen machen

licenciatura [liθen̪θja'tura] *f* (*título*) Titel *m;* (*carrera*) Hochschulabschluss *m*

lícito, -a ['liθito] *adj* zulässig

licor [li'kor] *m* Likör *m*

licuadora [likwa'ðora] *f* Entsafter *m*

líder ['liðer] *mf* (Markt)führer(in) *m(f)*

liderar [liðe'rar] *vt* anführen

liderato [liðe'rato] *m,* **liderazgo** [liðe'raθɣo] *m* Führung *f;* **capacidad de** ~ Führungsqualitäten *fpl*

lidia ['liðja] *f* (Stier)kampf *m*

liebre [lje'βre] *f* Hase *m*

lienzo ['ljen̪θo] *m* (Öl)gemälde *nt*

liga ['liɣa] *f* Liga *f*

ligamento [liɣa'men̪to] *m* Band *nt*

ligar [li'ɣar] <g → gu> *vi* (*fam*) anbändeln

ligereza [lixe'reθa] *f* Schnelligkeit *f;* (*levedad*) Leichtigkeit *f*

ligero, -a [li'xero] *adj* leicht; (*ágil*) flink;

~ **de cascos** (*fam*) oberflächlich

ligón, -ona [li'ɣon] *m, f* Anmacher(in) *m(f)*; **ser un** ~ gerne flirten

ligue ['liɣe] *m* (*fam*) Flirt *m*

lijar [li'xar] *vt* (ab)schleifen

lila ['lila] **I.** *adj* lila **II.** *f* Flieder *m*

lima ['lima] *f* Feile *f*

limar [li'mar] *vt* (zurecht)feilen

limbo ['limbo] *m:* **estar en el** ~ (*fam*) geistig abwesend sein

limeño, -a [li'meɲo] *adj* aus Lima

limitación [limita'θjon] *f* Beschränkung *f*; **sin limitaciones** unbeschränkt

limitado, -a [limi'taðo] *adj* knapp; **un número** ~ eine begrenzte Anzahl

limitar [limi'tar] **I.** *vi* (an)grenzen (*con* an +*akk*) **II.** *vt* begrenzen **III.** *vr:* **~se** sich beschränken (*a* auf +*akk*)

límite ['limite] *m* Grenze *f*; **sin ~s** grenzenlos

limítrofe [li'mitrofe] *adj:* **países ~s** Nachbarländer *ntpl*

limo ['limo] *m* Schlamm *m*

limón [li'mon] *m* Zitrone *f*

limonada [limo'naða] *f* Limonade *f*; ~ **de vino** Sangria *f*

limosna [li'mosna] *f* Almosen *nt*; **pedir** ~ betteln

limosnero, -a [limos'nero] *m, f* AM Bettler(in) *m(f)*

limpiabotas [limpja'βotas] *mf* Schuhputzer(in) *m(f)*

limpiachimeneas [limpjatʃime'neas] *mf* Schornsteinfeger(in) *m(f)*

limpiacristales [limpjakris'tales] *m* Fensterputzmittel *nt*

limpiaparabrisas [limpjapara'βrisas] *m* Scheibenwischer *m*

limpiar [lim'pjar] **I.** *vt* reinigen; (*zapatos, casa*) putzen **II.** *vi* putzen **III.** *vr:* **~se** (*dientes*) sich *dat* putzen

limpieza [lim'pjeθa] *f:* ~ **a fondo** Großputz *m*; **hacer la** ~ sauber machen; **señora de la** ~ Putzfrau *f*

limpio[1] ['limpjo] *adv* sauber; **jugar** ~ fair spielen; **escribir en** ~ ins Reine schreiben; **en** ~ netto

limpio, -a[2] ['limpjo] *adj* sauber

limusina [limu'sina] *f* Limousine *f*

linaje [li'naxe] *m* Abstammung *f*

lince ['lin̩θe] *m* Luchs *m*; **ser un** ~ (*fig*) ein Fuchs sein

linchamiento [lintʃa'mjen̩to] *m* Lynchjustiz *f*

linchar [lin'tʃar] *vt* lynchen

lindar [lin̩'dar] *vi* angrenzen (*con* an +*akk*)

lindo, -a ['lin̩do] *adj* hübsch; **divertirse a lo** ~ sich gut amüsieren

línea ['linea] *f* ❶ Linie *f*; (*raya*) Strich *m*; ~ **recta** Gerade *f* ❷ (*fila*) Reihe *f* ❸ ~ **en blanco** Leerzeile *f* ❹ ~ **aérea** Fluglinie *f*; ~ **férrea** Bahnlinie *f*; **coche de** ~ Linienbus *m* ❺ TEL Leitung *f*; ~ **para el fax** Faxanschluss *m*

lineal [line'al] *adj* linear

lingote [liŋ'gote] *m* Barren *m*

lingüística [liŋ'gwistika] *f* Sprachwissenschaft *f*

lingüístico, -a [liŋ'gwistiko] *adj* sprachwissenschaftlich

linimento [lini'men̩to] *m* Einreibemittel *nt*

lino ['lino] *m* Leinen *nt*

linterna [lin̩'terna] *f* Taschenlampe *f*

lío ['lio] *m* Durcheinander *nt*; (*fam*) Verhältnis *nt*

liquidación [likiða'θjon] *f* ❶ (*de una mercancía*) Ausverkauf *m*; ~ **total** Räumungsverkauf *m* ❷ (*de una empresa*) Auflösung *f* ❸ (*de una factura*) Begleichung *f*

liquidar [liki'ðar] *vt* ❶ (*fam: matar*) töten ❷ (*mercancía*) ausverkaufen; ~ **las existencias** das Lager räumen ❸ (*factura*) begleichen

liquidez [liki'ðeθ] *f* Liquidität *f*

líquido[1] ['likiðo] *m* Flüssigkeit *f*; ~ **de frenos** Bremsflüssigkeit *f*

líquido, -a[2] ['likiðo] *adj* flüssig

lira ['lira] *f* Lira *f*; (*instrumento*) Leier *f*

lírica ['lirika] *f* Lyrik *f*

lírico, -a ['liriko] **I.** *adj* LIT lyrisch **II.** *m, f* Lyriker(in) *m(f)*

lirio ['lirjo] *m* Lilie *f*

lirón [li'ron] *m* Siebenschläfer *m;* **dormir como un** ~ schlafen wie ein Murmeltier

Lisboa [lis'βoa] *f* Lissabon *nt*

lisboeta [lisβo'eta] *adj* aus Lissabon

lisiado, -a [li'sjaðo] *adj* verkrüppelt

liso, -a ['liso] *adj* ❶ (*pelo*) glatt; **los 100 metros ~s** der 100-Meter-Lauf ❷ (*tela*) einfarbig

lisonjero, -a [lisoŋ'xero] **I.** *adj* schmeichelnd **II.** *m, f* Schmeichler(in) *m(f)*

lista ['lista] *f* ❶ (*enumeración*) Liste *f;* ~ **de la compra** Einkaufszettel *m;* ~ **de correo** INFOR Mailingliste *f;* ~ **electoral** Wählerliste *f;* ~ **de éxitos** MÚS Hitliste *f* ❷ (*tira*) Streifen *m;* **a ~s** gestreift

listado [lis'taðo] *m* Auflistung *f*

listar [lis'tar] *vt* auflisten

listín [lis'tin] *m* Telefonbuch *nt*

listo, -a ['listo] *adj* ❶ *ser* klug; (*hábil*) geschickt; **pasarse de** ~ zu weit gehen ❷ *estar* fertig; ~ **para despegar** startklar

listón [lis'ton] *m* Latte *f;* **poner el ~ muy alto** (*fig*) einen sehr hohen Maßstab anlegen

litera [li'tera] *f* Etagenbett *nt;* FERRO Liegewagenplatz *m*

literal [lite'ral] *adj* wörtlich

literario, -a [lite'rarjo] *adj* literarisch

literatura [litera'tura] *f* Literatur *f;* ~ **barata** Schundliteratur *f*

litigar [liti'γar] <g → gu> *vt* ❶ (*disputar t.* JUR) streiten ❷ (*llevar a juicio*) prozessieren (*con/contra* gegen +*akk*)

litigio [li'tixjo] *m* Prozess *m;* **en caso de** ~ im Streitfall

litoral [lito'ral] *m* Küste *f*

litro ['litro] *m* Liter *m o nt;* **un ~ de leche** ein Liter Milch

Lituania [li'twanja] *f* Litauen *nt*

liturgia [li'turxja] *f* Liturgie *f*

liviano, -a [li'βjano] *adj* ❶ (*superficial*) leichtfertig ❷ (*ligero*) leicht

lívido, -a ['liβiðo] *adj* blass

llaga ['ʎaγa] *f* Wunde *f*

llama ['ʎama] *f* Flamme *f;* ZOOL Lama *nt*

llamada [ʎa'maða] *f* Anruf *m;* ~ **urbana** Ortsgespräch *nt*

llamado, -a [ʎa'maðo] *adj* so genannte (r, s)

llamador [ʎama'ðor] *m* (Tür)klopfer *m*

llamar [ʎa'mar] **I.** *vt* ❶ (an)rufen; ~ **a filas** einberufen ❷ (*denominar*) nennen ❸ (*despertar*) wecken **II.** *vi* anklopfen; (*el timbre*) klingeln; **¿quién llama?** wer ist da? **III.** *vr:* **~se** heißen; **¿cómo te llamas?** wie heißt du?

llamarada [ʎama'raða] *f* Flackerfeuer *nt*

llamativo, -a [ʎama'tiβo] *adj* auffällig

llana ['ʎana] *f* Kelle *f*

llano, -a ['ʎano] *adj* flach; **el pueblo** ~ das (einfache) Volk

llanta ['ʎanta] *f* Felge *f*

llanto ['ʎanto] *m* Weinen *nt*

llanura [ʎa'nura] *f* Ebene *f*

llave ['ʎaβe] *f* ❶ (*t. fig*) Schlüssel *m;* ~ **de contacto** AUTO Zündschlüssel *m* ❷ (*tuerca*) Schraubenschlüssel *m;* ~ **inglesa** Engländer *m* ❸ (*interruptor*) Schalter *m*

llavero [ʎa'βero] *m* Schlüsselring *m*

llegada [ʎe'γaða] *f* Ankunft *f*

llegar [ʎe'γar] <g → gu> *vi* ❶ (*al destino*) ankommen; ~ **a Madrid** in Madrid ankommen; ~ **tarde** sich verspäten ❷ (*recibir*): **no me ha llegado el dinero** ich habe das Geld noch nicht erhalten ❸ (*durar*) halten (*a* bis +*akk*); ~ **a viejo** alt werden ❹ (*ascender*) betragen (*a* +*akk*); **no ~ a veinte euros** keine zwanzig Euro kosten ❺ (*lograr*): **ese ~á lejos** der wird es weit bringen ❻ (*ser suficiente*) (aus)reichen

llenar [ʎe'nar] **I.** *vt* füllen (*de* mit +*dat*) **II.** *vr:* **~se** (*fam*) sich vollstopfen (*de* mit +*dat*)

lleno, -a ['ʎeno] *adj* voll; **luna llena** Vollmond *m;* **estoy** ~ (*fam*) ich bin satt

llevadero, -a [ʎeβa'ðero] *adj* erträglich

llevar [ʎe'βar] **I.** *vt* ❶ bringen; (*en brazos*) tragen; ~ **algo a alguien** jdm etw bringen ❷ (*costar*) kosten; **este trabajo lleva mucho tiempo** diese Arbeit ist sehr zeitaufwändig ❸ (*tener*): ~ **consigo** dabeihaben ❹ (*ropa*) tragen ❺ (*estar*) sein; **llevo cuatro días aquí** ich bin seit vier Tagen hier ❻ (*gestionar*) führen; ~ **las cuentas** die Buchhaltung machen ❼ (*exceder*) übertreffen; **te llevo dos años** ich bin zwei Jahre älter als du ❽ (*loc*): ~ **a cabo** durchführen; **no te dejes ~ por él** hör nicht auf ihn **II.** *vr:* **~se** ❶ (*coger*) mitnehmen; **~se un susto** einen Schrecken bekommen ❷ (*estar de moda*) in sein ❸ **mi jefe y yo nos llevamos bien** ich komme mit meinem Chef gut aus

llorar [ʎo'rar] *vi, vt* weinen (*por* um +*akk*)

lloriquear [ʎorike'ar] *vi* wimmern

lloro(s) ['ʎoro(s)] *m* (*pl*) Weinen *nt*

llover [ʎo'βer] <o → ue> *vi, vt, vimpers* regnen; **está lloviendo** es regnet

llovizna [ʎo'βiθna] *f* Nieselregen *m*

lloviznar [ʎoβiθ'nar] *vimpers*: **está lloviznando** es nieselt

lluvia ['ʎuβja] *f* Regen *m;* ~ **de estrellas** Sternschnuppenschwarm *m*

lluvioso, -a [ʎu'βjoso] *adj* regnerisch; **tiempo ~** Regenwetter *nt*

lo [lo] **I.** *art det v.* **el, la, lo II.** *pron pers m y nt sg* ❶ (*objeto: masculino*) ihn; (*neutro*) es; **¡lláma~!** ruf ihn!; **¡haz~!** tu es! ❷ (*con relativo*): ~ **que...** (das,) was ...; ~ **cual** was; ~ **que quiero decir es que...** was ich sagen will ist, dass ...

loable [lo'aβle] *adj* löblich

lobo ['loβo] *m* Wolf *m*

lóbulo ['loβulo] *m:* ~ **de la oreja** Ohrläppchen *nt*

local [lo'kal] **I.** *adj* örtlich; **periódico ~** Lokalblatt *nt* **II.** *m* (Geschäfts)raum *m;* ~ **público** Lokal *nt*

localidad [lokali'ða^{ð}] *f* ❶ (*municipio*) Ort *m* ❷ (*entrada*) Eintrittskarte *f;* (*asiento*) Sitz(platz) *m*

localización *f* (*búsqueda*) Aufspüren; ~ **de software** Softwarelokalisierung *f*

localizar [lokali'θar] <z → c> *vt:* ~ **por teléfono** telefonisch erreichen

loción [lo'θjon] *f:* ~ **capilar** Haarwasser *nt;* ~ **tónica** Gesichtswasser *nt;* ~ **bronceadora** Sonnenmilch *f;* ~ **hidratante** Feuchtigkeitslotion *f*

loco, -a ['loko] **I.** *adj* verrückt; **tener una suerte loca** unwahrscheinliches Glück haben **II.** *m, f* Verrückte(r) *f(m);* **casa de ~s** (*t. fig*) Tollhaus *nt;* **hacerse el ~** nicht reagieren

locomoción [lokomo'θjon] *f* Fortbewegung *f*

locomotora [lokomo'tora] *f* Lokomotive *f*

locuaz [lo'kwaθ] *adj* gesprächig

locución [loku'θjon] *f* Wendung *f*

locura [lo'kura] *f* Wahn(sinn) *m*

locutor(a) [loku'tor] *m(f)* Sprecher(in) *m(f)*

locutorio [loku'torjo] *m* Telefonzelle *f*

lodazal [loða'θal] *m* Morast *m*

lodo ['loðo] *m* Schlamm *m*

lógica ['loxika] *f* Logik *f*

lógico, -a ['loxiko] *adj* logisch

logística [lo'xistika] *f* Logistik *f*

logístico, -a [lo'xistiko] *adj* logistisch

logopeda [loɣo'peða] *mf* Logopäde, -in *m, f*

logopedia [loɣo'peðja] *f* Logopädie *f*

logotipo [loɣo'tipo] *m* Emblem *nt*

logrado, -a [lo'ɣraðo] *adj* gelungen

lograr [lo'ɣrar] **I.** *vt* erreichen; (*premio*) gewinnen; **logré convencerla** ich schaffte es, sie zu überzeugen **II.** *vr:* **~se** gelingen

logro ['loɣro] *m* Erfolg *m*

logroñés, -esa [loɣro'ɲes] *adj* aus Logroño

loma ['loma] *f* Hügel *m*

lombriz [lom'briθ] *f* Wurm *m;* ~ **intestinal** Spulwurm *m;* ~ **de tierra** Regenwurm *m*

lomo ['lomo] *m* Lende *f*

lona ['lona] *f* Plane *f*

loncha ['lontʃa] *f* Scheibe *f*
londinense [lon̪di'nense] *adj* aus London
Londres ['lon̪dres] *m* London *nt*
longaniza [loŋga'niθa] *f* Bratwurst *f*
longitud [loŋxi'tuᵈ] *f* Länge *f;* **salto de ~** Weitsprung *m*
longitudinal [loŋxituði'nal] *adj:* **corte ~** Längsschnitt *m*
lonja ['loŋxa] *f* Warenbörse *f*
Lorena [lo'rena] *f:* **Alsacia y ~** Elsass-Lothringen *nt*
loro ['loro] *m* Papagei *m*
los [los] I. *art det v.* **el, la, lo** II. *pron pers m y nt pl* ❶ (*objeto directo*) sie; **¡lláma~!** ruf sie! ❷ (*con relativo*): **~ que...** die(jenigen), die ...; **~ cuales** die
losa ['losa] *f* (Stein)platte *f*
lote ['lote] *m* ❶ Teil *m;* COM Posten *m* ❷ (*argot*): **darse el ~** knutschen
lotería [lote'ria] *f* Lotterie *f;* **~ primitiva** Lotto *nt*
Lovaina [lo'βai̯na] *f* Leuven *nt*
loza ['loθa] *f* Steingut(geschirr) *nt*
lubina [lu'βina] *f* Seebarsch *m*
lubricar [luβri'kar] <c → qu> *vt* (ein)schmieren
lucense [lu'θense] *adj* aus Lugo
Lucerna [lu'θerna] *f* Luzern *nt*
lucero [lu'θero] *m* Stern *m*
lucha ['lutʃa] *f* Kampf *m* (*por* um +*akk*); **~ contra la droga** Drogenbekämpfung *f*
luchador(a) [lutʃa'ðor] *m(f)* Kämpfer(in) *m(f)*
luchar [lu'tʃar] *vi* kämpfen (*por* um +*akk*)
lúcido, -a ['luθiðo] *adj* scharfsinnig; (*sobrio*) klar
luciérnaga [lu'θjernaɣa] *f* Glühwürmchen *nt*
lucio ['luθjo] *m* Hecht *m*
lucir [lu'θir] *irr* I. *vi* leuchten; (*sol*) scheinen II. *vt* (*exhibir*) zur Schau stellen III. *vr:* **~se** sich zeigen; (*destacarse*) sich auszeichnen; **¡ahora sí que nos hemos lucido!** (*irón*) jetzt haben wir uns aber schön blamiert!
lucrativo, -a [lukra'tiβo, -a] *adj* einträglich; **sin fines ~s** gemeinnützig
lucro ['lukro] *m:* **sin ánimo de ~** gemeinnützig
lúdico, -a ['luðiko] *adj* Spiel-
luego ['lweɣo] I. *adv* ❶ (*después*) später; **¡hasta ~!** tschüs! ❷ (*entonces*) dann ❸ **desde ~** selbstverständlich II. *conj* ❶ (*así que*) also ❷ **~ que** nachdem
lugar [lu'ɣar] *m* ❶ Ort *m;* (*situación*) Platz *m;* **yo en tu ~...** ich an deiner Stelle ... ❷ (*motivo*): **dar ~ a un escándalo** einen Skandal verursachen ❸ (*loc*): **tener ~** stattfinden; **en primer ~** erstens; **en ~ de** (an)statt
lúgubre ['luɣuβre] *adj* düster
lujo ['luxo] *m* Luxus *m;* **con gran ~ de detalles** sehr ausführlich
lujoso, -a [lu'xoso] *adj* luxuriös
lujuria [lu'xurja] *f* Lüsternheit *f*
lujurioso, -a [luxu'rjoso] *adj* lüstern
lumbago [lum'baɣo] *m* Hexenschuss *m*
lumbar [lum'bar] *adj* Lenden-; **región ~** Lendengegend *f*
lumbre ['lumbre] *f* Feuer *nt*
luminoso, -a [lumi'noso] *adj:* **anuncio ~** Leuchtreklame *f*
luna ['luna] *f* ❶ Mond *m;* **~ llena** Vollmond *m;* **~ de miel** Flitterwochen *fpl* ❷ (*cristal*) (Spiegel)glas *nt;* **~s del coche** Autofenster *ntpl*
lunar [lu'nar] I. *adj* Mond-; **paisaje ~** Mondlandschaft *f* II. *m* Muttermal *nt;* (*tela*) Tupfen *m*
lunático, -a [lu'natiko] *adj* launisch
lunes ['lunes] *m inv* Montag *m;* **~ de carnaval** Rosenmontag *m;* **~ de Pascua** Ostermontag *m;* **el ~** am Montag; (**todos**) **los ~** jeden Montag, montags; **hoy es ~, once de marzo** heute ist Montag, der elfte März
lupa ['lupa] *f* Lupe *f*
lustrar [lus'trar] *vt* polieren
luto ['luto] *m:* **ir de ~** Trauer tragen; **estar de ~ por alguien** um jdn trauern
luxación [luᵞsa'θjon] *f* Verrenkung *f*

Luxemburgo [luʸsem'burɣo] *m* Luxemburg *nt*

luxemburgués, -esa [luʸsembur'ɣes] *adj* luxemburgisch

luz [luθ] *f* ❶ (*resplandor*) Licht *nt;* ~ **corta** Abblendlicht *nt;* ~ **larga** Fernlicht *nt;* ~ **natural** Tageslicht *nt;* **traje de luces** Torerokostüm *nt;* **a la ~ del día** bei Tageslicht; **dar a** ~ entbinden ❷ (*energía*) Strom *m;* **¡da la ~!** mach das Licht an! ❸ **apagar la** ~ das Licht ausmachen

M

M, m ['eme] *f* M, m *nt*
Mª [ma'ria] *abr de* **María** Maria
macabro, -a [ma'kaβro] *adj* makaber
macanudo, -a [maka'nuðo] *adj* AM (*fam*) toll
macarra [ma'karra] *m* (*fam*) Gauner *m*
macarrón [maka'rron] *m pl* Makkaroni *pl*
macedonia [maθe'ðonja] *f:* ~ (**de frutas**) Obstsalat *m*
maceta [ma'θeta] *f* Blumentopf *m*
machacar [matʃa'kar] <c → qu> I. *vt* ❶ (*triturar*) zerstampfen ❷ (*fam: destruir*) kleinkriegen II. *vr:* **~se: machacársela** (*vulg*) sich *dat* einen runterholen
machete [ma'tʃete] *m* Machete *f*
machista [ma'tʃista] *adj* Macho-
macho ['matʃo] *m* Männchen *nt;* (*fam*) Kerl *m*
macizo[1] [ma'θiθo] *m* (Gebirgs)massiv *nt*
macizo, -a[2] [ma'θiθo] *adj* ❶ (*oro*) massiv; **de plata maciza** massiv silbern ❷ **un tío** ~ ein knackiger Typ
macuto [ma'kuto] *m* Rucksack *m*
madeja [ma'ðexa] *f* Knäuel *nt o m*
madera [ma'ðera] *f* Holz *nt;* **de** ~ hölzern; **tocar** ~ auf Holz klopfen; **¡toca ~!** toi, toi, toi!
madrastra [ma'ðrastra] *f* Stiefmutter *f*
madre ['maðre] *f* ❶ (*de familia*) Mutter *f;* ~ **política** Schwiegermutter *f;* **¡~ (mía)!** (oh) mein Gott!; **¡tu ~!** (*fam*) von wegen!; **de puta** ~ (*vulg*) geil *fam* ❷ (*origen*): ~ **patria** Mutterland *nt*
madriguera [maðri'ɣera] *f* Bau *m*
madrileño, -a [maðri'leɲo] *adj* aus Madrid
madrina [ma'ðrina] *f* ❶ (*de bautismo*) (Tauf)patin *f* ❷ ~ (**de boda**) Trauzeugin *f*
madrugada [maðru'ɣaða] *f* ❶ (*alba*) (Morgen)dämmerung *f;* **en la** [*o* **de**] ~ früh morgens ❷ (*horas después de la media noche*): **a las tres de la** ~ um drei Uhr nachts
madrugador(a) [maðruɣa'ðor] *adj:* **ser muy** ~ sehr früh aufstehen
madrugar [maðru'ɣar] <g → gu> *vi* (sehr) früh aufstehen
madrugón [maðru'ɣon] *m:* **darse un** ~ sehr früh aufstehen
madurar(se) [maðu'rar(se)] *vi, vt, vr* reifen
madurez [maðu'reθ] *f* Reife *f*
maduro, -a [ma'ðuro] *adj* reif
maestría [maes'tria] *f:* **con** ~ meisterhaft
maestro, -a [ma'estro] I. *adj:* **obra maestra** Meisterwerk *nt* II. *m, f* Lehrer(in) *m(f)*
mafioso, -a [ma'fjoso] *m, f* Mafioso, -a *m, f*
magdalena [maɣða'lena] *f* ≈Biskuit *m o nt*
magia ['maxja] *f* Magie *f;* (*poder*) Zauberkraft *f;* (*atractivo*) Zauber *m*

mágico, -a ['maxiko] *adj* magisch; **varita mágica** Zauberstab *m*
magisterio [maxis'terjo] *m:* **estudiar** ~ auf Lehramt studieren
magistrado, -a [maxis'traðo] *m, f* Richter(in) *m(f)*
magnate [maɣ'nate] *m* Magnat *m;* ~ **de las finanzas** Finanzmagnat *m*
magnesio [maɣ'nesjo] *m* Magnesium *nt*
magnético, -a [maɣ'netiko] *adj* magnetisch
magnetismo [maɣne'tismo] *m* Magnetismus *m*
magnetofón [maɣneto'fon] *m* Tonbandgerät *nt*
magnífico, -a [maɣ'nifiko] *adj* großartig
magnitud [maɣni'tu^ð] *f:* **la ~ de este problema es alarmante** dieses Problem hat beängstigende Ausmaße angenommen
magnolia [maɣ'nolja] *f* Magnolienblüte *f*
mago, -a ['maɣo] *m, f* Zauberer, -in *m, f;* **los Reyes Magos** die Heiligen Drei

Könige
magro, -a ['maɣro] *adj* mager
maguey [ma'ɣei̯] *m* AM Agave *f*
magullar [maɣu'ʎar] *vt* quetschen
Maguncia [ma'ɣun̪θja] *f* Mainz *nt*
mahometano, -a [maome'tano] *adj* mohammedanisch
mahonesa [mao'nesa] *f* Majonäse *f*
maicena® [mai̯'θena] *f* Maismehl *nt*
mailing ['mei̯liŋ] *m* INFOR Mailing *nt*
maíz [ma'iθ] *m* Mais *m*
majadería [maxaðe'ria] *f* Blödsinn *m fam*; **¡no hagas caso a sus ~s!** hör nicht auf sein/ihr dummes Geschwätz!
majadero, -a [maxa'ðero] *adj* dämlich
majara [ma'xara], **majareta** [maxa'reta] *adj* (*fam*) verrückt
majestad [maxes'taᶞ] *f* Majestät *f*; **Su ~,...** Eure (Königliche) Hoheit, ...
majo, -a ['maxo] *adj* hübsch; (*agradable*) nett

mal [mal] **I.** *adj v.* **malo II.** *m* ❶ Schaden *m*; (*injusticia*) Unrecht *nt* ❷ (*lo malo*) Böse *nt*; **el ~ menor** das kleinere Übel; **menos ~** Gott sei Dank **III.** *adv* schlecht; **esto acabará ~** das wird noch böse enden; **estar ~ de dinero** schlecht bei Kasse sein
malabarista [malaβa'rista] *mf* Jongleur(in) *m(f)*
malaconsejar [malakonse'xar] *vt* schlecht beraten
malacostumbrado, -a [malakostum'braðo] *adj:* **estar ~** verwöhnt sein
malacostumbrar [malakostum'brar] **I.** *vt* ❶ (*mimar*) verwöhnen ❷ (*educar mal*) schlecht erziehen **II.** *vr:* **~se** sich *dat* einen schlechten Lebenswandel angewöhnen
malagueño, -a [mala'ɣeɲo] *adj* aus Malaga
malapata [mala'pata] *mf*: **tener ~** unbeholfen sein
malaria [ma'larja] *f* Malaria *f*
malcriado, -a [malkri'aðo] *adj* ungezogen
malcriar [malkri'ar] <*1. pres* malcrío> *vt* verziehen
maldad [mal̪'daᶞ] *f* Bosheit *f*
maldecir [mal̪de'θir] *irr* **I.** *vt* verfluchen; **¡te maldigo!** Fluch über dich! **II.** *vi* fluchen
maldición [mal̪di'θjon] *f* Fluch *m*
maldito, -a [mal̪'dito] *adj:* **¡maldita sea!** (*fam*) verdammt noch mal!
maleante [male'an̪te] *mf* Gauner(in) *m(f)*
malecón [male'kon] *m* Damm *m*; (*rompeolas*) Kai *m*
maleducado, -a [maleðu'kaðo] *adj:* **tu amigo es muy ~** dein Freund hat überhaupt keine Manieren
maleducar [maleðu'kar] *vt* verziehen
maleficio [male'fiθjo] *m* Zauber *m*
malentendido [malen̪ten̪'diðo] *m* Missverständnis *nt*
malestar [males'tar] *m* Unwohlsein *nt*
maleta [ma'leta] *f* Koffer *m*; **hacer la ~** den Koffer packen
maletero [male'tero] *m* Kofferraum *m*
maletín [male'tin] *m:* **~ (de viaje)** Handkoffer *m*
maleza [ma'leθa] *f* Gestrüpp *nt*
malgastar [malɣas'tar] *vt* verschwenden; **~ una oportunidad** eine Chance vertun
malhechor(a) [male'ʧor] *m(f)* Verbrecher(in) *m(f)*
malherir [male'rir] *irr como sentir vt* schwer verletzen
malhumorado, -a [malumo'raðo] *adj:* **estar ~** schlechte Laune haben
malicia [ma'liθja] *f:* **tener mucha ~** sehr verschlagen sein; **no tener ~** naiv sein
malicioso, -a [mali'θjoso] *adj* boshaft
maligno, -a [ma'liɣno] *adj* bösartig
malintencionado, -a [malin̪ten̪θjo'naðo] *adj* arglistig
malinterpretar [malin̪terpre'tar] *vt* missverstehen
malla ['maʎa] *f* Netz *nt*
malo, -a ['malo] **I.** *adj* <peor, pésimo> (*precediendo un sustantivo masculino:*

mal) ❶ *(en general)* schlecht; **mala gestión** Misswirtschaft *f;* **de mala gana** widerwillig; **hace un tiempo malísimo** das Wetter ist miserabel ❷ *(malévolo)* böse; **una mala persona** ein schlechter Mensch ❸ **caer ~** krank werden ❹ *(travieso)* ungezogen **II.** *adv*: **podemos llegar a un acuerdo por las buenas o por las malas** wir können uns im Guten oder im Bösen einigen

maloliente [malo'ljeṇte] *adj* stinkend

malparar [malpa'rar] *vt* übel zurichten; **salir malparado de un asunto** bei einer Sache schlecht wegkommen

malpensado, -a [malpen'saðo] *adj* argwöhnisch

malsano, -a [mal'sano] *adj* ungesund

malsonante [malso'naṇte] *adj* unangenehm (klingend); *(palabra)* unanständig

malta ['maḷta] *f* Malz *nt*

maltratar [maḷtra'tar] *vt* misshandeln

maltrato [maḷ'trato] *m* Misshandlung *f*

maltrecho, -a [maḷ'tretʃo] *adj* übel zugerichtet

malva ['malβa] *adj* (blass)lila

malvado, -a [mal'βaðoa] *adj* ruchlos; **una persona malvada** ein durch und durch schlechter Mensch

malvender [malβeṇ'der] *vt* unter Wert verkaufen

malversar [malβer'sar] *vt* unterschlagen

Malvinas [mal'βinas] *f pl* Falklandinseln *fpl*

mama ['mama] *f* Brust(drüse) *f*

mamá [ma'ma] *f (fam)* Mama *f*

mamar [ma'mar] **I.** *vi, vt* ❶ **no le des de ~ tanto al niño** still das Kind nicht so oft ❷ *(vulg)*: **mamársela a alguien** jdm einen blasen **II.** *vr:* **~se** *(vulg)* sich volllaufen lassen *fam*

mamarracho [mama'rratʃo] *m* Witzfigur *f fam*

mamífero [ma'mifero] *m* Säugetier *nt*

mamón, -ona [ma'mon] *m, f (vulg)* Wichser *m*, Fotze *f*

mampara [mam'para] *f* Wandschirm *m*

mamporro [mam'porro] *m (fam)* Schlag *m*

manada [ma'naða] *f* Herde *f*

manantial [manaṇ'tjal] *m* Quelle *f;* **~ medicinal** Heilquelle *f*

manar [ma'nar] *vi* strömen

manazas [ma'naθas] *mf* Tölpel *m;* **ser un ~** zwei linke Hände haben

mancha ['mantʃa] *f* Fleck *m*

Mancha ['mantʃa] *f:* **canal de la ~** Ärmelkanal *m*

manchado, -a [man'tʃaðo] *adj* schmutzig

manchar(se) [man'tʃar(se)] *vt, vr* (sich) schmutzig machen

manchego, -a [man'tʃeɣo] *adj* aus der spanischen Region La Mancha

mancillar [maṇθi'ʎar] *vt* beflecken

manco, -a ['maŋko] *adj* einarmig

mancomunidad [maŋkomuni'ða[ð]] *f* Gemeinschaft *f*

mandamás [maṇda'mas] *mf (pey fam)* befehlshaberische Person *f*

mandamiento [maṇda'mjeṇto] *m:* **~ de detención** Haftbefehl *m;* **~ judicial** gerichtliche Verfügung

mandar [maṇ'dar] *vt* befehlen; **~ a alguien que...** *+subj* jdm befehlen zu ... *+inf*

mandarina [maṇda'rina] *f* Mandarine *f*

mandatario, -a [maṇda'tarjo] *m, f*: **primer ~** Staatschef *m*

mandato [maṇ'dato] *m* Mandat *nt*

mandíbula [maṇ'diβula] *f* Kiefer *m*

mandil [maṇ'dil] *m* Schürze *f;* AM Satteldecke *f*

mandinga [maṇ'diŋga] *m* AM *(fam)* Teufel *m*

mando ['maṇdo] *m* ❶ MIL Kommando *nt;* **don de ~** Führungsqualitäten *fpl*; **estar al ~ de** das Kommando haben über ❷ **~ a distancia** Fernsteuerung *f*

mandón, -ona [maṇ'don] *adj* herrschsüchtig

manecilla [mane'θiʎa] *f* Zeiger *m*

manejable [mane'xaβle] *adj* handlich

manejar [mane'xar] **I.** *vt* ❶ handhaben; (*fig*) umgehen (mit +*dat*); **saber ~ el dinero** gut mit Geld umgehen können ❷ AM lenken **II.** *vr:* **~se** zurechtkommen; **manejárselas** (*fam*) sich *dat* zu helfen wissen

manejo [ma'nexo] *m* Handhabung *f;* (*fig*) Umgang *m* (*de* mit +*dat*)

manera [ma'nera] *f* Art *f*, Weise *f;* **a mi ~** auf meine Art; **de ~ que** so dass; **de ninguna ~** keinesfalls; **de una ~ o de otra** so oder so; **en cierta ~** in gewisser Weise; **no hay ~ de...** es ist unmöglich zu ...; **¡qué ~ de llover!** so ein Regen!

manga ['maŋga] *f* Ärmel *m;* **de ~s cortas** kurzärm(e)lig

mangante [maŋ'gaṇte] *mf* (*fam*) Gauner(in) *m(f)*

manganzón, -ona [maŋgaṇ'θon] *m, f* AM Faulenzer(in) *m(f)*

mangar [maŋ'gar] <g → gu> *vt* (*fam*) klauen

mango ['maŋgo] *m* ❶ Griff *m;* (*alargado*) Stiel *m* ❷ (*fruta*) Mango *f*

mangonear [maŋgone'ar] *vi* (*fam*) sich einmischen (*en* in +*akk*); (*vaguear*) sich herumtreiben

mangoneo [maŋgo'neo] *m* (*fam*) Einmischung *f*

manguera [maŋ'gera] *f* Schlauch *m*

maní [ma'ni] *m* Erdnuss *f*

manía [ma'nia] *f:* **tener(le) ~ a alguien** jdn nicht leiden können

maniaco, -a [ma'njako], **maníaco, -a** [ma'niako] *m, f:* **~ sexual** Triebtäter *m*

maniatar [manja'tar] *vt* an den Händen fesseln

maniático, -a [ma'njatiko] *m, f:* **un ~ de fútbol** ein Fußballfreak

manicomio [mani'komjo] *m* Irrenanstalt *f*

manicura [mani'kura] *f* Maniküre *f*

manifestación [manifesta'θjon] *f* ❶ **como ~ de cariño** als Ausdruck der Zuneigung ❷ (*reunión*) Demo(nstration) *f*

manifestante [manifes'taṇte] *mf* Demonstrant(in) *m(f)*

manifestarse [manifes'tarse] <e → ie> *vr* ❶ (*declararse*) sich äußern; **~ a favor/en contra de algo** sich für/gegen etw aussprechen ❷ (*política*) demonstrieren

manifiesto, -a [mani'fjesto] *adj:* **poner de ~** zum Ausdruck bringen

manija [ma'nixa] *f* (*palanca*) Griff *m*

manilla [ma'niʎa] *f* Uhrzeiger *m*

manillar [mani'ʎar] *m* Lenker *m*

maniobra [mani'oβra] *f:* **estar de ~s** MIL im Manöver sein

maniobrar [manjo'βrar] *vt* steuern

manipulación [manipula'θjon] *f* Manipulation *f*

manipular [manipu'lar] *vt* manipulieren

maniquí [mani'ki] <maniquíes> *m* Schaufensterpuppe *f*

manirroto, -a [mani'rroto] *adj* verschwenderisch

manita [ma'nita] *f:* **hacer ~s** Händchen halten; **ser un ~s** handwerklich geschickt sein

manivela [mani'βela] *f* Kurbel *f*

manjar [maŋ'xar] *m* Delikatesse *f*

mano ['mano] *f* ❶ ANAT Hand *f;* **a ~s llenas** großzügig; **bajo ~** unter der Hand; **cogidos de las ~s** Hand in Hand; **echar una ~ a alguien** jdm helfen; **~ a ~** (*fig*) gleichzeitig; **¡~s a la obra!** ans Werk! ❷ **una ~ de pintura** ein Anstrich ❸ **~ de obra** Arbeitskraft *f;* **~ de obra especializada** Facharbeiter(in) *m(f)*

manojo [ma'noxo] *m:* **~ de llaves** Schlüsselbund *m o nt;* **ser un ~ de nervios** ein Nervenbündel sein

manopla [ma'nopla] *f* Fäustling *m*

manosear [manose'ar] *vt* (*fam pey*) betatschen

mansión [man'sjon] *f* Villa *f*

manso, -a ['manso] *adj* zahm

manta ['maṇta] *f* Decke *f;* **~ de cama** Tagesdecke *f*

manteca [maṇ'teka] *f* Fett *nt;* **~ de**

cerdo Schweineschmalz *nt*

mantel [man̪'tel] *m* Tischdecke *f*

mantener [man̪te'ner] *irr como tener vt* ❶ halten; (*relaciones*) aufrechterhalten; ~ **la línea** fit bleiben ❷ (*perseverar*) beharren (auf +*dat*) ❸ (*sustentar*) unterhalten; ~ **correspondencia con alguien** mit jdm in Briefkontakt stehen ❹ ~ **una conversación con alguien** mit jdm ein Gespräch führen

mantenimiento [man̪teni'mjen̪to] *m* ❶ (*alimentos*) Unterhalt *m* ❷ TÉC Wartung *f;* **sin** ~ wartungsfrei

mantequilla [man̪te'kiʎa] *f* Butter *f*

mantilla [man̪'tiʎa] *f* Mantille *f*

manto ['man̪to] *m* Umhang *m*

mantón [man̪'ton] *m* Umschlagtuch *nt*

manual [manu'al] *m* Handbuch *nt;* ~ **de referencia** Nachschlagewerk *nt*

manufacturar [manufaktu'rar] *vt* herstellen

manuscrito, -a [manus'krito] *adj* handschriftlich

manutención [manuten̪'θjon] *f* Unterhalt *m*

manzana [man̪'θana] *f* Apfel *m*

manzanilla [man̪θa'niʎa] *f* Kamille *f*

manzano [man̪'θano] *m* Apfelbaum *m*

maña ['maɲa] *f* ❶ (*habilidad*) Geschicklichkeit *f;* **darse [*o* tener] ~ para algo** etw gut können ❷ **más vale ~ que fuerza** List geht über Kraft

mañana [ma'ɲana] **I.** *f* (*temprana*) Morgen *m;* (*hasta el mediodía*) Vormittag *m* **II.** *adv* morgen; **¡hasta ~!** bis morgen!; **pasado** ~ übermorgen

maño, -a ['maɲo] *adj* aus Aragonien

mañoso, -a [ma'ɲoso] *adj* geschickt

mapa ['mapa] *m* (Land)karte *f;* ~ **astronómico** Himmelskarte *f;* **desaparecer del** ~ verschwinden

mapache [ma'paʧe] *m*, **mapachín** [mapa'ʧin] *m* AM Waschbär *m*

maqueta [ma'keta] *f* (Entwurfs)modell *nt*

maquillaje [maki'ʎaxe] *m* Make-up *nt*

maquillar(se) [maki'ʎar(se)] *vt, vr* (sich) schminken

máquina ['makina] *f* ❶ (*artefacto*) Maschine *f;* ~ **de afeitar** Rasierapparat *m;* ~ **de coser** Nähmaschine *f* ❷ ~ **de tabaco** Zigarettenautomat *m;* ~ **tragaperras** (*fam*) Spielautomat *m*

maquinar [maki'nar] *vt* aushecken

maquinilla [maki'niʎa] *f* Rasierapparat *m*

mar [mar] *m o f* ❶ GEO Meer *nt*, See *f;* **Mar Báltico** Ostsee *f;* **Mar Mediterráneo** Mittelmeer *nt;* **en alta** ~ auf hoher See; ~ **adentro** seewärts ❷ (*fam*) Unmenge *f;* **hay la ~ de...** es gibt ... in Hülle und Fülle; **llueve a ~es** es schüttet; **ser la ~ de aburrido** entsetzlich langweilig sein

maratón [mara'ton] *m o f* Marathon *m;* ~ **contrarreloj** Wettlauf mit der Zeit

maravilla [mara'βiʎa] *f* Wunder *nt;* **a las mil ~s, de** ~ wunderbar

maravillar [maraβi'ʎar] *vt* in Bewunderung versetzen

maravilloso, -a [maraβi'ʎoso] *adj* wunderbar

marca ['marka] *f* Marke *f;* ~ **registrada** eingetragenes Warenzeichen; **ropa de** ~ Designerkleider *ntpl*

marcación *f* Anwählen *nt;* ~ **por voz** TEL Sprachanwahl *f*

marcador [marka'ðor] *m* Anzeigetafel *f*

marcapaso(s) [marka'paso(s)] *m* (Herz)schrittmacher *m*

marcar [mar'kar] <c → qu> *vt* ❶ markieren; (*mercancías*) auszeichnen; ~ **el compás** den Takt (an)geben ❷ (*teléfono*) wählen ❸ DEP: ~ **un gol** ein Tor schießen

marcha ['marʧa] *f* ❶ (*movimiento*) Gang *m;* **poner en** ~ in Gang setzen ❷ (*caminata*) Lauf *m* ❸ (*curso*) Verlauf *m;* **sobre la** ~ zum richtigen Zeitpunkt ❹ (*velocidad*) Gang *m;* ~ **atrás** Rückwärtsgang *m* ❺ *t.* MIL Marsch *m* ❻ (*salida*) Abreise *f;* **¡en ~!** los geht's! ❼ (*argot*): **¡aquí hay mucha ~!** hier ist die Hölle los!; **ir de** ~ ausgehen

marchar [mar'ʧar] **I.** *vi* ❶ (*ir*) gehen;

¡**marchando!** los geht's! ❷ (*funcionar*) laufen **II.** *vr:* **~se** (weg)gehen; ¿**os marcháis?** geht ihr (schon)?
marchitarse [martʃi'tarse] *vr* verwelken
marchito, -a [mar'tʃito] *adj* welk
marchoso, -a [mar'tʃoso] *adj* unternehmungslustig
marcial [mar'θjal] *adj:* **artes ~es** Kampfsportarten *fpl*
marco ['marko] *m* Rahmen *m;* (HIST: *moneda*) Mark *f*
marea [ma'rea] *f* Gezeiten *pl*; **~ alta** Flut *f;* **~ baja** Ebbe *f;* **~ negra** Ölpest *f*
mareado, -a [mare'aðo] *adj* ❶ krank; (*al viajar*) reisekrank; **estoy ~** mir ist übel ❷ (*aturdido*) schwind(e)lig; **estoy ~** mir ist schwind(e)lig
marear [mare'ar] **I.** *vt* ❶ (*fam*) auf die Nerven gehen *+dat* ❷ (*aturdir*) schwind(e)lig machen **II.** *vr:* **~se** ❶ krank werden; (*al viajar*) reisekrank werden ❷ **me mareo** mir wird schwind(e)lig

marejada [mare'xaða] *f* hoher Seegang *m*
maremoto [mare'moto] *m* Seebeben *nt*
mareo [ma'reo] *m* ❶ (*malestar*) Übelkeit *f* ❷ (*loc*): ¡**qué ~ de hombre!** was für ein unausstehlicher Kerl!
marfil [mar'fil] *m* Elfenbein *nt*
margarina [marɣa'rina] *f* Margarine *f*
margarita [marɣa'rita] *f* Margerite *f;* (*menor*) Gänseblümchen *nt*
margen ['marxen] *m o f* ❶ (*borde*) Rand *m;* **el ~ del río** das Flussufer; **dejar al ~** ausschließen ❷ (*página*) (Seiten)rand *m* ❸ **dar ~** Gelegenheit geben ❹ (*ganancia*) Spanne *f;* **~ de costos** Kostenrahmen *m*
marginado, -a [marxi'naðo] *adj* diskriminiert
marginar [marxi'nar] *vt* ❶ (*ignorar algo*) beiseitelassen; (*a alguien*) ausgrenzen ❷ (*acotar*) mit Randbemerkungen versehen
marica [ma'rika] *m* (*vulg*) Schwule(r) *m fam*
maricón [mari'kon] *m* (*vulg*) *v.* **marica**
mariconada [mariko'naða] *f* (*vulg*) ❶ (*acción malintencionada*) Schweinerei *f fam;* **hacer una ~ a alguien** jdn reinlegen ❷ (*tontería*) Blödsinn *m fam*
marido [ma'riðo] *m* Ehegatte *m;* **mi ~** mein Mann
mariguana [mari'ɣwana] *f sin pl,* **marihuana** [mari'wana] *f* Marihuana *nt*
marina [ma'rina] *f* Marine *f*
marinero[1] [mari'nero] *m* Seemann *m*
marinero, -a[2] [mari'nero] *adj* See-; **pueblo ~** Fischerdorf *nt*
marino, -a [ma'rino] *adj* See-
marioneta [marjo'neta] *f* Marionette *f*
mariposa [mari'posa] *f* Schmetterling *m;* **~ nocturna** Nachtfalter *m*
mariquita[1] [mari'kita] *f* Marienkäfer *m*
mariquita[2] [mari'kita] *m* (*fam*) Schwule(r) *m*
marisco [ma'risko] *m* Meeresfrucht *f*
marisma [ma'risma] *f* Marschland *nt*
marisquería [mariske'ria] *f* Spezialitätenrestaurant *nt* für Meeresfrüchte
marital [mari'tal] *adj:* **vida ~** Eheleben *nt*
marítimo, -a [ma'ritimo] *adj:* **ciudad marítima** Küstenstadt *f*
mármol ['marmol] *m* Marmor *m*
marmota [mar'mota] *f* Murmeltier *nt*
marqués, -esa [mar'kes] *m, f* Marquis(e) *m(f)*
marquesina [marke'sina] *f* Markise *f*
marranada [marra'naða] *f* (*fam*) Schweinerei *f*
marrano, -a [ma'rrano] *adj* dreckig
marrón [ma'rron] *adj* braun
marroquí [marro'ki] *adj* marokkanisch
Marruecos [ma'rrwekos] *m* Marokko *nt*
Marsella [mar'seʎa] *f* Marseille *nt*
marsellés, -esa [marse'ʎes] *adj* aus Marseille
marsupial [marsu'pjal] *adj:* (**animal**) **~** Beuteltier *nt*
marta ['marta] *f* Marder *m*
Marte ['marte] *m* Mars *m*

martes ['martes] *m* Dienstag *m;* **¡~ y trece!** ≈Freitag, der 13.; *v.t.* **lunes**
martill(e)ar [marti'ʎar] *vt* hämmern (auf +*akk*)
martillo [mar'tiʎo] *m* Hammer *m*
mártir ['martir] *mf* Märtyrer(in) *m(f)*
martirio [mar'tirjo] *m* (*t. fig*) Marter *f*
martirizar [martiri'θar] <z → c> *vt* martern
marzo ['marθo] *m* März *m;* **en ~** im März
mas [mas] *conj* aber, jedoch
más [mas] *adv* ❶ (*cantidad*): **~ dinero** mehr Geld ❷ (*comparativo*): **esto me gusta ~** das gefällt mir besser ❸ (*superlativo*): **la ~ bella** die Schönste; **lo que ~ me gusta** was mir am besten gefällt ❹ (*con numerales/cantidad*): **son ~ de las diez** es ist 10 Uhr vorbei ❺ (*tan*): **¡está ~ guapa!** wie gut sie aussieht! ❻ (*con pronombre interrogativo/indefinido*): **¿algo ~?** noch etwas?; **no, nada ~** nein, nichts mehr ❼ (*en frases negativas*) nicht mehr; **nunca ~** nie wieder ❽ MAT plus ❾ (*loc*): **el ~ allá** das Jenseits; **a lo ~** höchstens; **a ~ tardar** spätestens; **cada día [*o* vez] ~** immer mehr; **~ bien** vielmehr; **~ o menos** ungefähr; **¿qué ~ da?** was macht das schon?
masa ['masa] *f* Teig *m*
masacrar [masa'krar] *vt* massakrieren
masacre [ma'sakre] *f* Massaker *nt*
masaje [ma'saxe] *m* Massage *f;* **dar ~s** massieren; **darse ~s** sich massieren lassen
masajista [masa'xista] *mf* Masseur(in) *m(f)*
mascar [mas'kar] <c → qu> *vt* kauen
máscara ['maskara] *f* Maske *f*
mascarilla [maska'riʎa] *f* ❶ (*protección*) Mundschutz *m* ❷ **~ facial** Gesichtsmaske *f*
mascota [mas'kota] *f* Maskottchen *nt*
masculinidad [maskulini'ða^{ð}] *f* Männlichkeit *f*
masculino, -a [masku'lino] *adj* ❶ **moda masculina** Herrenmode *f* ❷ LING: **género ~** maskuliner Genus *m*
mascullar [masku'ʎar] *vt* murmeln
masivo, -a [ma'siβo] *adj* massiv; (*de masas*) Massen-
masón, -ona [ma'son] *m, f* Freimaurer(in) *m(f)*
masoquista [maso'kista] *adj* masochistisch
masticar [masti'kar] <c → qu> *vt* kauen
mástil ['mastil] *m* Mast *m*
mastín [mas'tin] *m* Bulldogge *f*
masturbación [masturβa'θjon] *f* Masturbation *f*
masturbarse [mastur'βarse] *vr* masturbieren
mata ['mata] *f* Gestrüpp *nt*
matadero [mata'ðero] *m* Schlachthof *m*
matador(a) [mata'ðor] *m(f)* Matador(a) *m(f)*
matamoscas [mata'moskas] *m inv* Insektenspray *nt;* (*objeto*) Fliegenklatsche *f*
matanza [ma'taṇθa] *f:* **hacer la ~** das Schlachtfest feiern
matar [ma'tar] **I.** *vt* ❶ (*quitar la vida*) töten; **~ a golpes** erschlagen; **~ a palos** zu Tode prügeln; **~ a tiros** erschießen ❷ (*carnear*) schlachten **II.** *vr:* **~se** ❶ (*suicidarse*) sich *dat* das Leben nehmen ❷ **~se por algo** für etw leben und sterben
matarife [mata'rife] *mf* Schlachter(in) *m(f)*
matasanos [mata'sanos] *mf inv* (*fam irón*) Arzt, Ärztin *m, f;* (*pey*) Quacksalber(in) *m(f)*
matasellos [mata'seʎos] *m* Poststempel *m*
match [matʃ] *m* Spiel *nt*
mate ['mate] *m:* **jaque ~** Schachmatt *nt*
matemáticas [mate'matikas] *f pl* Mathematik *f*
materia [ma'terja] *f* ❶ *t.* FÍS Materie *f;* **~ gris** ANAT graue Substanz; **~ prima** Rohstoff *m* ❷ (*tema*) Materie *f;* **en ~ de** hinsichtlich +*gen*

material [mate'rjal] **I.** *adj* materiell; **daño ~** Sachschaden *m* **II.** *m* Material *nt;* **~ de oficina** Büroartikel *m pl*
materialista [materja'lista] *adj* materialistisch
materializar [materjali'θar] <z → c> *vt* materialisieren
materialmente [materjal'mente] *adv*: **ser ~ posible** durchaus möglich sein
maternal [mater'nal] *adj* mütterlich
maternidad [materni'ða^ð] *f* Mutterschaft *f*
materno, -a [ma'terno] *adj:* **abuelo ~** Großvater mütterlicherseits; **lengua materna** Muttersprache *f*
matinal [mati'nal] *adj* morgendlich
matiz [ma'tiθ] *m* Nuance *f*
matizar [mati'θar] <z → c> *vt* nuancieren (*de* mit +*dat*)
matón, -ona [ma'ton] *m, f* Killer(in) *m(f)*
matorral [mato'rral] *m* Dickicht *nt*

matrícula [ma'trikula] *f* ❶ Anmeldung *f;* UNIV Immatrikulation *f* ❷ AUTO Nummernschild *nt;* **número de la ~** Autonummer *f* ❸ (*loc*): **aprobar con ~ de honor** mit summa cum laude bestehen
matricularse [matriku'larse] *vr*: **~ en la Universidad** sich an der Universität immatrikulieren
matrimonial [matrimo'njal] *adj* ehelich; **agencia ~** Heiratsinstitut *nt;* **vida ~** Eheleben *nt*
matrimonio [matri'monjo] *m* ❶ (*institución*) Ehe *f;* **~ de conveniencia** [*o* **blanco**] Scheinehe *f* ❷ (*ceremonia*) Heirat *f;* **~ canónico** kirchliche Trauung; **~ civil** standesamtliche Trauung; **contraer ~** heiraten ❸ (*marido y mujer*) Ehepaar *nt;* **cama de ~** Ehebett *nt*
matriz [ma'triθ] *f* Gebärmutter *f*
matrona [ma'trona] *f* Hebamme *f*
matutino, -a [matu'tino] *adj:* **sesión matutina** Vormittagsvorstellung *f*
maullar [mau̯'ʎar] *irr como aullar vi* miauen
mauritano, -a [mau̯ri'tano] *adj* mauretanisch
mausoleo [mau̯so'leo] *m* Mausoleum *nt*
maxilar [ma^γsi'lar] *m* Kiefer *m*
máxima ['ma^γsima] *f* Maxime *f*
máxime ['ma^γsime] *adv* vor allem
máximo, -a ['ma^γsimo] **I.** *adj:* **rendimiento ~** Höchstleistung *f;* **pon la radio al ~** lass das Radio ganz laut laufen **II.** *m, f*: **como ~** höchstens; (*temporal*) spätestens
mayo ['maɟo] *m* Mai *m; v.t.* **marzo**
mayonesa [maɟo'nesa] *f* Majonäse *f*
mayor [ma'ɟor] *adj* ❶ (*tamaño*): **~ que** größer als; **mal ~** Unannehmlichkeit *f;* **comercio al por ~** Großhandel *m* ❷ (*edad*): **~ que** älter als; **mi hermano ~** mein älterer Bruder; **persona ~** älterer Mensch
mayordomo, -a [maɟor'ðomo] *m, f* Hausverwalter(in) *m(f);* (*de una mansión*) Gutsverwalter(in) *m(f)*
mayoría [maɟo'ria] *f* Mehrheit *f;* **~ de edad** Volljährigkeit *f;* **~ relativa** einfache Mehrheit
mayorista [maɟo'rista] *mf* Großhändler(in) *m(f)*
mayormente [maɟor'mente] *adv* hauptsächlich
mayúscula [ma'ɟuskula] *f* Großbuchstabe *m*
mazacotudo, -a [maθako'tuðo] *adj* AM plump
mazapán [maθa'pan] *m* Marzipan *nt*
mazazo [ma'θaθo] *m* Schlag *m*
mazmorra [maθ'morra] *f* Verlies *nt*
mazo ['maθo] *m* Stößel *m*
mazorca [ma'θorka] *f* Maiskolben *m*
me [me] **I.** *pron pers* ❶ (*objeto directo*) mich; **¡mira~!** sieh mich an! ❷ (*objeto indirecto*) mir; **da~ el libro** gib mir das Buch **II.** *pron refl*: **~ lavo** ich wasche mich; **~ voy** ich gehe; **~ lavo el pelo** ich wasche mir die Haare
meada [me'aða] *f:* **echar una ~** pinkeln
meadero [mea'ðero] *m* (*vulg*) Pissbecken *nt*
mear [me'ar] **I.** *vi* (*fam*) pinkeln **II.** *vr*:

~se de risa sich totlachen

mecánico, -a [me'kaniko] *adj* mechanisch

mecanismo [meka'nismo] *m* Mechanismus *m*

mecano [me'kano] *m* Baukasten *m*

mecanografía [mekanoɣra'fia] *f* Maschineschreiben *nt*

mecedora [meθe'ðora] *f* Schaukelstuhl *m*

mecenas [me'θenas] *mf* Mäzen(in) *m(f)*

mecer [me'θer] <c → z> *vt* wiegen

mecha ['metʃa] *f:* **a toda ~** wie der geölte Blitz

mechero [me'tʃero] *m* Feuerzeug *nt*

mechón [me'tʃon] *m* Büschel *nt*

Mecklemburgo-Pomerania Occidental [meklem'burɣo pome'ranja oᵞθiðen̩'tal] *m* Mecklenburg-Vorpommern *nt*

medalla [me'ðaʎa] *f* Medaille *f;* **~ militar** Orden *m*

medallón [me'ðaʎon] *m* Medaillon *nt*

media ['meðja] *f* Strumpf *m;* AM Socke *f*

mediación [meðja'θjon] *f* Vermittlung *f*

mediado, -a [me'ðjaðo] *adj:* **a ~s de semana** Mitte der Woche

mediador(a) [meðja'ðor] *m(f)* Vermittler(in) *m(f)*

mediano, -a [me'ðjano] *adj* von mittlerer Größe

medianoche [meðja'notʃe] *f* Mitternacht *f*

mediante [me'ðjan̩te] **I.** *adj:* **Dios ~** so Gott will **II.** *prep* mittels *+gen;* (*a través de*) durch *+akk*

mediar [me'ðjar] *vi* vermitteln

medicamento [meðika'men̩to] *m* Medikament *nt*

medicar [meði'kar] <c → qu> *vt* Medikamente verabreichen *+dat*

medicina [meði'θina] *f* Medizin *f;* **~ naturista** Naturheilkunde

medicinal [meðiθi'nal] *adj* medizinisch

médico, -a ['meðiko] **I.** *adj* ärztlich; **cuerpo ~** Ärzteschaft *f* **II.** *m, f* Arzt, Ärztin *m, f;* **Colegio de Médicos** Ärztekammer *f;* **~ de cabecera** Hausarzt *m;* **~ forense** Gerichtsmediziner *m;* **~ naturista** Naturheilkundler *m*

medida [me'ðiða] *f* ① (*medición*) Messung *f* ② (*dimensión*) Maß *nt;* **a la ~** maßgeschneidert; **a ~ que** in dem Maße wie ③ (*moderación*) Maß *nt;* **sin ~** maßlos ④ **tomar ~s** Maßnahmen ergreifen

medieval [meðje'βal] *adj* mittelalterlich

medio[1] ['meðjo] *m* ① (*mitad*) Mitte *f;* **en ~ de** zwischen *+dat* ② (*instrumento*) Mittel *nt;* **~ de transporte** Verkehrsmittel *nt;* **por ~ de** mittels *+gen* ③ **~s de comunicación** Massenmedien *ntpl* ④ (*entorno*) Milieu *nt;* **~ ambiente** Umwelt *f*

medio, -a[2] ['meðjo] **I.** *adj* ① (*mitad*) halb; **a las cuatro y media** um halb fünf; **litro y ~** anderthalb Liter ② (*promedio*): **ciudadano ~** Durchschnittsbürger *m* **II.** *adv* halb; **~ vestido** halb nackt

medioambiental [meðjoambjen̩'tal] *adj* Umwelt-; **contaminación ~** Umweltverschmutzung *f*

mediocre [me'ðjokre] *adj* mittelmäßig

mediodía [meðjo'dia] *m* Mittag *m*

medir(se) [me'ðir(se)] *irr como pedir vi, vt, vr* (sich) messen

meditación [meðita'θjon] *f* Meditation *f*

meditar [meði'tar] *vi, vt* meditieren (*en/sobre* über *+akk*)

mediterráneo, -a [meðite'rraneo] *adj:* **isla mediterránea** Mittelmeerinsel *f*

Mediterráneo [meðite'rraneo] *m* Mittelmeer *nt*

médula ['meðula] *f* (Knochen)mark *nt;* **~ espinal** Rückenmark *nt*

medusa [me'ðusa] *f* Qualle *f*

megáfono [me'ɣafono] *m* Megaphon *nt*

mejicano, -a [mexi'kano] *adj* mexikanisch

Méjico ['mexiko] *m* Mexiko *nt*

mejilla [me'xiʎa] *f* Wange *f*

mejillón [mexi'ʎon] *m* Miesmuschel *f*

mejor [me'xor] **I.** *adj* ❶ (*comparativo*) besser; (**es**) ~ **que...** +*subj* es ist besser, wenn ... ❷ (*superlativo*): **el ~ alumno** der beste Schüler; **el/la/lo ~** der/die/das Beste **II.** *adv* besser; **a lo ~** womöglich; **~ que ~** umso besser
mejora [me'xora] *f* Verbesserung *f*; **~ salarial** Gehaltsaufbesserung *f*
mejorable [mexo'raβle] *adj* verbesserungsfähig
mejoramiento [mexora'mjen̦to] *m* Verbesserung *f*
mejorar [mexo'rar] **I.** *vt* verbessern **II.** *vi, vr:* **~se** ❶ (*enfermo*) genesen; **¡que se mejore!** gute Besserung! ❷ (*tiempo*) besser werden
mejoría [mexo'ria] *f* Besserung *f*
melancolía [melaŋko'lia] *f* Melancholie *f*
melancólico, -a [melaŋ'koliko] *adj* melancholisch
melena [me'lena] *f* lange Haare *ntpl*

mella ['meʎa] *f*: **hacer ~** beeindrucken
mellizo, -a [me'ʎiθo] *m, f* Zwilling *m*
melocotón [meloko'ton] *m* Pfirsich *m*
melodía [melo'ðia] *f* (*sucesión de sonidos*) Melodie *f*; (*del móvil*) Klingelton *m*
melódico, -a [me'loðiko] *adj* melodisch
melón [me'lon] *m* Melone *f*
membrana [mem'brana] *f* Membran *f*; **~ mucosa** Schleimhaut *f*
membresía [membre'sia] *f* AM Mitgliedschaft *f*
membrete [mem'brete] *m* Briefkopf *m*
membrillo [mem'briʎo] *m* Quitte *f*; **dulce de ~** Quittenbrot *nt*
memorable [memo'raβle] *adj* denkwürdig
memoria [me'morja] *f* Gedächtnis *nt*; **a la [*o* en] ~ de** im Gedenken an +*akk*; **de ~** auswendig
memorizar [memori'θar] <z → c> *vt* auswendig lernen
menaje [me'naxe] *m* Hausrat *m*
mención [men̦'θjon] *f* Erwähnung *f*; **digno de ~** erwähnenswert; **hacer ~ de** erwähnen
mencionar [men̦θjo'nar] *vt* erwähnen
menda ['men̦da] **I.** *pron pers* (*fam*) ich; **aquí el [*o* este] ~ no dijo nada** ich habe nichts gesagt **II.** *pron indef* (*fam*): **un ~** irgendjemand
mendigar [men̦di'ɣar] <g → gu> *vi, vt* betteln (um +*akk*)
mendigo, -a [men̦'diɣo] *m, f* Bettler(in) *m(f)*
mendrugo [men̦'druɣo] *m* Stück *nt* trockenes Brot; (*fam*) Trottel *m*
menear [mene'ar] *vt*: **~ la cola** mit dem Schwanz wedeln
menestra [me'nestra] *f* (Gemüse)eintopf *m*
mengano, -a [meŋ'gano] *m, f*: **fulano y ~** Herr X und Herr Y
menguar [meŋ'gwar] <gu → gü> *vi* abnehmen
meningitis [meniŋ'xitis] *f inv* Hirnhautentzündung *f*
menisco [me'nisko] *m* Meniskus *m*
menopausia [meno'pau̯sja] *f* Wechseljahre *ntpl*
menor [me'nor] *adj* ❶ (*tamaño*): **Asia Menor** Kleinasien *nt*; **~ que** kleiner als; (*número*) niedriger als ❷ (*edad*): **~ que** jünger als; **~ de edad** minderjährig; **el ~ de mis hermanos** mein jüngster Bruder
menos ['menos] *adv* ❶ (*contrario de más*) weniger; **a ~ que** es sei denn; **eso es lo de ~** das ist nicht so wichtig; **lo ~** das Mindeste; **al [*o* por lo] ~** wenigstens; **aún ~** erst recht nicht; **echar de ~** vermissen; **~ de** weniger als; **~ mal** Gott sei Dank; **¡ni mucho ~!** auf keinen Fall! ❷ MAT minus ❸ (*excepto*) außer; **todo ~ eso** alles, nur das nicht
menospreciar [menospre'θjar] *vt* verachten
menosprecio [menos'preθjo] *m* Verachtung *f*
mensaje [men'saxe] *m* Botschaft *f*; **~ multimedia** Multimedianachricht

f, Multimediamessage *f;* ~ (**de texto**) Textnachricht *f*
mensajero, -a [mensa'xero] *m, f* Bote, -in *m, f*
menstruación [meⁿstrwa'θjon] *f* Menstruation *f*
menstruar [meⁿstru'ar] <*1. pres* menstrúo> *vi* die Menstruation haben
mensual [mensu'al] *adj* monatlich
mensualidad [menswali'ðaᵈ] *f* ❶ (*sueldo*) Monatseinkommen *nt* ❷ (*paga*) monatliche Zahlung *f;* ~ **del alquiler** Monatsmiete *f*
menta ['meṇta] *f* Minze *f*
mental [meṇ'tal] *adj* geistig; **cálculo** ~ Kopfrechnen *nt*
mentalidad [meṇtali'ðaᵈ] *f* Mentalität *f*
mentar [meṇ'tar] <e → ie> *vt* erwähnen
mente ['meṇte] *f:* **tener en** (**la**) ~ vorhaben; **tener la ~ en blanco** sich nicht erinnern (können); **traer a la** ~ ins Gedächtnis rufen
mentecato, -a [meṇte'kato] *m, f* Dummkopf *m*
mentir [meṇ'tir] *irr como sentir vi* lügen
mentira [meṇ'tira] *f* Lüge *f;* **¡parece ~!** unglaublich!
mentiroso, -a [meṇti'roso] *m, f* Lügner(in) *m(f)*
mentol [meṇ'tol] *m* Menthol *nt*
mentón [meṇ'ton] *m* Kinn *nt*
menú [me'nu] <menús> *m* ❶ (*comida*) Menü *nt* ❷ INFOR: ~ **de navegación** Navigationsmenü *nt*
menudo, -a [me'nuðo] *adj* ❶ (*minúsculo*) winzig ❷ **¡menuda película!** was für ein toller Film!
meñique [me'ɲike] *m* kleiner Finger
meollo [me'oʎo] *m* Kern *m*
mequetrefe [meke'trefe] *m* (*fam*) Volltrottel *m*
meramente [mera'meṇte] *adv* nur
mercadillo [merka'ðiʎo] *m* Flohmarkt *m*
mercado [mer'kaðo] *m* Markt *m*
mercancía [merkaṇ'θia] *f* Ware *f*
mercantil [merkaṇ'til] *adj* Handels-; **derecho** ~ Handelsrecht *nt*
merced [mer'θeᵈ] *f* Gnade *f;* ~ **a** dank *+gen;* **estar a ~ de alguien** jdm ausgeliefert sein
mercenario, -a [merθe'narjo] *m, f* Söldner(in) *m(f)*
mercería [merθe'ria] *f* Kurzwarenhandlung *f*
mercurio [mer'kurjo] *m* Quecksilber *nt*
Mercurio [mer'kurjo] *m* Merkur *m*
merecer [mere'θer] *irr como crecer* **I.** *vt:* **no merece la pena** es lohnt sich nicht **II.** *vr:* **~se** verdienen
merecido [mere'θiðo] *m:* **se llevó su ~** es geschah ihm/ihr recht
merendar [mereṇ'dar] <e → ie> *vi, vt* vespern
merengue [me'reŋge] *m* Baiser *nt*
meridiano [meri'djano] *m* Meridian *m*
meridional [meridjo'nal] *adj* südlich; **Andalucía está en la España ~** Andalusien liegt in Südspanien
merienda [me'rjeṇda] *f* Vesper *f*
mérito ['merito] *m:* **hacer ~s** sich dienstbeflissen zeigen
merlo ['merlo] *m* AM Dummkopf *m*
merluza [mer'luθa] *f* Seehecht *m*
mermar [mer'mar] *vt* verringern; ~ **peso** an Gewicht verlieren
mermelada [merme'laða] *f* Marmelade *f*
mero, -a ['mero] *adj:* **la mera verdad** die reine Wahrheit
merodear [meroðe'ar] *vi* herumstreichen (*por* in *+dat*)
mes [mes] *m* Monat *m;* **a fin(al)es de ~** Ende des Monats; **todos los ~es** (all)monatlich; **hace un ~** vor einem Monat
mesa ['mesa] *f* ❶ (*mueble*) Tisch *m;* ~ **de despacho** Schreibtisch *m;* ~ **de tertulia** Stammtisch *m;* **vino de ~** Tafelwein *m;* **poner la ~** den Tisch decken; **¡a la ~!** zu Tisch, bitte! ❷ ~ **electoral** Wahlausschuss *m*
meseta [me'seta] *f* Hochebene *f*
mesías [me'sias] *m* Messias *m*
mesilla [me'siʎa] *f:* ~ **de noche** Nacht-

tisch *m*

mesón [me'son] *m* Gasthaus *nt*

mesonero, -a [meso'nero] *m, f* (Gast)wirt(in) *m(f)*

mestizo, -a [mes'tiθo] *m, f* Mestize, -in *m, f*

mesura [me'sura] *f* Maß *nt*

meta ['meta] *f* Ziel *nt;* **fijarse una ~** sich *dat* ein Ziel setzen

metabolismo [metaβo'lismo] *m* Stoffwechsel *m*

metafísica [meta'fisika] *f* ❶ FILOS Metaphysik *f* ❷ (*pedantería*) Pedanterie *f*

metafísico, -a [meta'fisiko] *adj* metaphysisch

metáfora [me'tafora] *f* Metapher *f*

metafórico, -a [meta'foriko] *adj* metaphorisch

metal [me'tal] *m* Metall *nt;* **~ noble** Edelmetall *nt;* **~ pesado** Schwermetall *nt*

metálico [me'taliko] *m:* **en ~** (in) bar

M

metalúrgico, -a [meta'lurxiko] *adj:* **industria metalúrgica** Metallindustrie *f*

metamorfosis [metamor'fosis] *f inv* Metamorphose *f*

metano [me'tano] *m* Methan *nt*

metástasis [me'tastasis] *f inv* Metastase *f*

metedura [mete'ðura] *f:* **¡vaya ~ de pata!** was für eine Blamage!

meteorito [meteo'rito] *m* Meteorit *m*

meteoro [mete'oro] *m* Meteor *m*

meteorología [meteorolo'xia] *f* Wetterkunde *f*

meteorológico, -a [meteoro'loxiko] *adj:* **informe ~** Wetterbericht *m;* **estación meteorológica** Wetterwarte *f*

meteorólogo, -a [meteo'roloɣo] *m, f* Meteorologe, -in *m, f*

meter [me'ter] **I.** *vt* ❶ (*introducir*) (hinein)stecken; (*en una bolsa*) (hinein)legen; **~ el coche en el garaje** das Auto in die Garage fahren ❷ (*persona*): **~ a alguien en la cárcel** jdn ins Gefängnis stecken ❸ (*invertir*) investieren; **~ en el banco** auf die Bank bringen ❹ (*en costura*) enger machen ❺ DEP: **~ un gol** ein Tor schießen ❻ (*argot*) aufschwatzen ❼ (*argot: pegar*): **~ un puñetazo a alguien** jdm einen Fausthieb verpassen ❽ (*provocar*): **~ prisa a alguien** jdn zur Eile antreiben; **~ ruido** Lärm machen ❾ (*loc*): **~ la pata** ins Fettnäpfchen treten; **a todo ~** (*argot*) ganz schnell **II.** *vr:* **~se** ❶ (*fam: aceptar algo*): **¿cuándo se te ~á esto en la cabeza?** wann wirst du das je kapieren? ❷ (*introducirse*) hineinkommen; **~se algo en la cabeza** sich *dat* etw in den Kopf setzen ❸ **le vi ~se en un cine** ich sah ihn ins Kino hineingehen ❹ (*inmiscuirse*) sich einmischen; **~se donde no lo/la llaman** sich in etwas einmischen, das einen nichts angeht ❺ (*provocar*): **~se con alguien** jdn ärgern ❻ (*comenzar un oficio*): **~se monja** ins Kloster gehen ❼ (*loc*): **¡métetelo donde te quepa!** (*argot*) steck's dir sonst wohin!

meticuloso, -a [metiku'loso] *adj* kleinlich

metido, -a [me'tiðo] *adj:* **una mujer metida en años** eine Frau im fortgeschrittenen Alter; **la llave está metida** der Schlüssel steckt

metódico, -a [me'toðiko] *adj* methodisch

método ['metoðo] *m* (Lehr)methode *f*

metodología [metoðolo'xia] *f* Methodologie *f;* (*referente a la enseñanza*) Methodik *f*

metralleta [metra'ʎeta] *f* Schnellfeuerwaffe *f*

metro ['metro] *m* ❶ (*unidad*) Meter *m o nt;* **~ cuadrado** Quadratmeter *m o nt;* **~ cúbico** Kubikmeter *m o nt* ❷ (*metropolitano*) U-Bahn *f*

metrópoli [me'tropoli] *f* Weltstadt *f*

metropolitano[1] [metropoli'tano] *m* U-Bahn *f*

metropolitano, -a[2] [metropoli'tano] *adj* hauptstädtisch; (*de la urbe*) weltstädtisch

mexicano, -a [mexi'kano] *adj o m, f v.* **mejicano**
México ['mexiko] *m* Mexiko *nt v.* **Méjico**
mezcla ['meθkla] *f* Mischung *f*
mezclar [meθ'klar] **I.** *vt* (ver)mischen **II.** *vr:* **~se** ❶ (*inmiscuirse*) sich einmischen ❷ **~se con gente de mucho dinero** mit sehr reichen Leuten zusammenkommen
mezcolanza [meθko'lanθa] *f* (*fam*) Mischmasch *m*
mezquino, -a [meθ'kino] *adj* gemein
mezquita [meθ'kita] *f* Moschee *f*
mi [mi] *adj pos* (*antepuesto*) mein(e); **~ amigo/amiga/casa** mein Freund/meine Freundin/mein Haus; **~s amigos/amigas** meine Freunde/Freundinnen
mí [mi] *pron pers*: **a ~** (*objeto directo*) mich; (*indirecto*) mir; **para ~** für mich; **¿y a ~ qué?** na und?; **para ~ (que)...** meiner Meinung nach ...; **por ~** von mir aus; **por ~ mismo** allein; **¡a ~ con esas!** erzähl das deiner Großmutter!; **¡a ~!** (*¡socorro!*) (zu) Hilfe!
micro ['mikro] *m* Mikro *nt*
microbio [mi'kroβjo] *m* Mikrobe *f*
microbús [mikro'βus] *m* Kleinbus *m*
microchip [mikro'ʧip] *m* Mikrochip *m*
microficha [mikro'fiʧa] *f* Mikrofiche *f*
microfilm [mikro'film] *m* Mikrofilm *m*
micrófono [mi'krofono] *m* Mikrofon *nt*
microonda [mikro'onda] *f* Mikrowelle *f*; **horno (de) ~s** Mikrowellenherd *m*
microorganismo [mikro(o)rɣa'nismo] *m* Mikrobe *f*
microscópico, -a [mikros'kopiko] *adj*: **de tamaño ~** mikroskopisch klein
microscopio [mikros'kopjo] *m* Mikroskop *nt*
microtenis [mikro'tenis] *m inv* AM Tischtennis *nt*
miedo ['mjeðo] *m* ❶ (*angustia*) Angst *f* (*a/de* vor +*dat*); **por ~ a**[*o* **de**] aus Angst vor; **por ~ de que...** +*subj* aus Angst davor, dass ...; **meter ~ a alguien** jdm Angst einjagen; **dar ~** Angst machen; **me entró [*o* dio] ~** ich bekam Angst ❷ (*fam: maravilloso*): **de ~** toll; **el concierto estuvo de ~** das Konzert war sagenhaft ❸ (*fam: terrible*): **de ~** schrecklich; **hace un frío de ~** es ist hundekalt
miedoso, -a [mje'ðoso] *adj* ängstlich
miel [mjel] *f* Honig *m*; **luna de ~** Flitterwochen *fpl*
miembro ['mjembro] **I.** *m* ❶ *pl* (*extremidades*) Glieder *ntpl* ❷ (*pene*): **~ (viril)** (männliches) Glied *nt* ❸ (*socio*) Mitglied *nt*; **hacerse ~ de** Mitglied werden in +*dat* **II.** *adj*: **los Estados ~s** die Mitglied(s)staaten
mientras ['mjentras] **I.** *adv* währenddessen; **~ (tanto)** inzwischen **II.** *conj:* **~ (que)** während; **~ (que)** +*subj* solange
miércoles ['mjerkoles] *m inv* Mittwoch *m*; **~ de ceniza** Aschermittwoch *m*; *v.t.* **lunes**
mierda ['mjerða] *f* (*vulg*) ❶ (*heces*) Scheiße *f* ❷ (*porquería*) Dreck *m fam* ❸ (*loc*): **es una ~ de coche** das ist ein Scheißauto; **mandar a la ~** zum Teufel jagen; **¡~!** Scheiße!

miga ['miɣa] *f* Krume *f*; **hacer buenas ~s con alguien** mit jdm gut auskommen
migaja [mi'ɣaxa] *f* ❶ (*trocito*) Stückchen *nt*; **una ~ de algo** ein ganz klein wenig von etw +*dat* ❷ *pl* (*sobras*) Reste *mpl*
migración [miɣra'θjon] *f* Auswanderung *f*; **~ ilegal** illegale Zuwanderung; ZOOL Migration *f*
migrante [mi'ɣrante] *mf* Migrant(in) *m(f)*, Zuwanderer, Zuwanderin *m, f*
migraña [mi'ɣraɲa] *f* Migräne *f*
mijo ['mixo] *m* Hirse *f*
mil [mil] *adj* tausend; *v.t.* **ocho**
milagro [mi'laɣro] *m* Wunder *nt*; **hacer ~s** Wunder vollbringen; **~ (sería) que...** +*subj* es wäre ein Wunder, wenn ...
Milán [mi'lan] *m* Mailand *nt*

milanés, -esa [mila'nes] *adj* mailändisch
milenario, -a [mile'narjo] *adj* tausendjährig
milenio [mi'lenjo] *m* Jahrtausend *nt*
mili ['mili] *f* (*fam*) Wehrdienst *m*
milicia [mi'liθja] *f* Miliz *f;* ~ **nacional** Bürgerwehr *f*
miligramo [mili'ɣramo] *m* Milligramm *nt*
mililitro [mili'litro] *m* Milliliter *m*
milímetro [mi'limetro] *m* Millimeter *m o nt*
militar [mili'tar] **I.** *adj* Militär-; **vehículo** ~ Militärfahrzeug *nt;* **los altos mandos ~es** die Militärs **II.** *m* Soldat *m*
milla ['miʎa] *f* Meile *f;* ~ **marina** Seemeile *f*
millar [mi'ʎar] *m* Tausend *nt*
millón [mi'ʎon] *m* Million *f;* **mil millones** Milliarde *f;* **un ~ de gracias** tausend Dank

millonario, -a [miʎo'narjo] *m, f* Millionär(in) *m(f)*
milpa ['milpa] *f* AM Mais *m*
milpiés [mil'pjes] *m* Tausendfüß(l)er *m*
mimar [mi'mar] *vt* verwöhnen
mimbre ['mimbre] *m:* **de ~** geflochten; **muebles de ~** Rattanmöbel *ntpl*; **silla de ~** Korbstuhl *m*
mimeógrafo [mime'oɣrafo] *m* AM Kopiergerät *nt*
mímica ['mimika] *f* Mimik *f*
mimo ['mimo] *m* ❶ (*actor*) Mime, -in *m, f* ❷ (*caricia*) Zärtlichkeit *f;* **necesitar mucho ~** viele Streicheleinheiten brauchen ❸ (*condescencia*) Verhätschelung *f;* **le dan demasiado ~** er/sie wird zu sehr verhätschelt
mimoso, -a [mi'moso] *adj* verschmust
mina ['mina] *f* ❶ MIN Bergwerk *nt;* **~ de carbón** Kohlenbergwerk *nt;* **este negocio es una ~** dieses Geschäft ist eine (wahre) Goldgrube ❷ (*explosivo*) Mine *f;* **~ de mar** Seemine *f;* **~ de tierra** Landmine *f* ❸ (*de lápiz/bolígrafo*) Mine *f*
mineral [mine'ral] **I.** *adj:* **agua ~** Mineralwasser *nt* **II.** *m* Mineral *nt;* MIN Erz *nt*
minería [mine'ria] *f* Bergbau *m*
minero, -a [mi'nero] *m, f* Bergarbeiter(in) *m(f)*
miniatura [minja'tura] *f* Miniatur *f*
minibús [mini'βus] *m* Kleinbus *m*
minifalda [mini'falda] *f* Minirock *m*
minifundio [mini'fundjo] *m* landwirtschaftlicher Kleinbetrieb *m*
minigolf [mini'ɣolf] *m* Minigolf *nt*
mínimo[1] ['minimo] *m:* **como ~** (*cantidad*) mindestens
mínimo, -a[2] ['minimo] *adj superl de* **pequeño** Mindest-; **sueldo ~** Mindestgehalt *nt;* **las temperaturas mínimas** die Tiefstwerte
ministerio [minis'terjo] *m* Ministeramt *nt*
ministro, -a [mi'nistro] *m, f* Minister(in) *m(f);* **primera ministra** Ministerpräsidentin *f*
minoría [mino'ria] *f* Minderheit *f;* **~ de edad** Minderjährigkeit *f*
minorista [mino'rista] *mf* Einzelhändler(in) *m(f)*
minoritario, -a [minori'tarjo] *adj* Minderheits-
minucioso, -a [minu'θjoso] *adj* minuziös
minúscula [mi'nuskula] *f* Kleinbuchstabe *m*
minúsculo, -a [mi'nuskulo] *adj* winzig
minusvalía [minusβa'lia] *f* Wertverlust *m*
minusválido, -a [minus'βaliðo] *adj* körperbehindert
minusvalorar [minusβalo'rar] *vt* unterbewerten
minuta [mi'nuta] *f* Honorarrechnung *f*
minutero [minu'tero] *m* Minutenzeiger *m*
minuto [mi'nuto] *m* Minute *f;* **vuelvo en un ~** ich bin gleich wieder da
mío, -a ['mio] *pron pos* ❶ (*de mi propiedad*): **el libro es ~** das Buch gehört mir; **¡ya es ~!** geschafft! ❷ (*tras ar-*

tículo): **el ~/la mía/lo ~** meine(r, s) ❸ (*tras sustantivo*) mein(e), von mir; **una amiga mía** eine Freundin von mir; **¡amor ~!** mein Liebes!

miocardio [mjo'karðjo] *m* Herzmuskel *m*

mioma [mi'oma] *m* Myom *nt*

miope [mi'ope] *adj* kurzsichtig

miopía [mjo'pia] *f* Kurzsichtigkeit *f*

mira ['mira] *f*: **con ~s a** im Hinblick auf +*akk*

mirada [mi'raða] *f* Blick *m;* **apartar la ~** wegsehen

mirado, -a [mi'raðo] *adj:* **bien ~,...** eigentlich ...

mirador [mira'ðor] *m* Aussichtspunkt *m*

mirar [mi'rar] **I.** *vt* (an)schauen; (*observar*) beobachten; **~ atrás** zurückblicken; **~ alrededor** um sich schauen; **~ por encima** kurz überfliegen **II.** *vi* ❶ (*aviso*): **¡mira! ya llega** schau! da kommt er/sie schon ❷ (*amenaza*): **¡pero mira lo que estás haciendo!** Mensch, schau mal, was du da machst! ❸ (*tener en cuenta*): **mira, que no nos queda mucho tiempo** denk daran, wir haben nicht mehr viel Zeit ❹ (*ir a ver*): **mira (a ver) si han llegado ya** geh mal schauen, ob sie schon gekommen sind **III.** *vr:* **~se** sich anschauen; **~se en el espejo** sich im Spiegel betrachten

mirilla [mi'riʎa] *f* (*en la puerta*) Spion *m*

mirlo ['mirlo] *m* Amsel *f*

misa ['misa] *f* Gottesdienst *m;* **~ de difuntos** Totenmesse *f;* **~ del gallo** Christmette *f;* **ir a ~** in die Kirche gehen

miserable [mise'raβle] *adj* ❶ (*lamentable*) erbärmlich ❷ **un sueldo ~** ein Hungerlohn

miseria [mi'serja] *f* Elend *nt;* **vivir en la ~** in Armut leben

misericordia [miseri'korðja] *f* Erbarmen *nt*

misericordioso, -a [miserikor'ðjoso] *adj* ❶ (*que siente*) teilnahmsvoll ❷ (*que perdona*) gnädig (*con/para (con)* mit +*dat*)

misil [mi'sil] *m* Rakete *f;* **~ antiaéreo** Flugabwehrrakete *f*

misión [mi'sjon] *f* Mission *f*

misionero, -a [misjo'nero] *m, f* Missionar(in) *m(f)*

mismamente [misma'mente] *adv*: **ayer ~ estuvimos hablando de ello** gestern erst haben wir darüber geredet

mismo^{1} ['mismo] *adv* ❶ (*incluso*) selbst ❷ (*manera*): **así ~** genauso ❸ (*justamente*): **ahí ~** genau da; **aquí ~** gleich hier; **ayer ~** gerade gestern

mismo, -a^{2} ['mismo] *adj* ❶ (*idéntico*): **el/lo ~** derselbe/dasselbe; **la misma** dieselbe; **al ~ tiempo** gleichzeitig; **da lo ~** das ist egal ❷ (*semejante*): **el ~/la misma/lo ~** der/die/das Gleiche; **llevar la misma falda** den gleichen Rock tragen ❸ (*reflexivo*) selbst; **yo misma lo vi** ich habe es selbst gesehen ❹ (*precisamente*): **¡eso ~!** genau! ❺ (*hasta*) selbst; **el ~ embajador asistió a la fiesta** der Botschafter selbst nahm an der Feier teil

miss [mis] *f* Schönheitskönigin *f;* **~ Alemania** Miss Germany

misterio [mis'terjo] *m* Geheimnis *nt*

misterioso, -a [miste'rjoso] *adj* geheimnisvoll

mística ['mistika] *f* Mystik *f*

mitad [mi'ta^{ð}] *f* ❶ (*parte igual*) Hälfte *f;* **a ~ de precio** zum halben Preis ❷ (*medio*) Mitte *f;* **en ~ del bosque** mitten im Wald; **cortar por la ~** in der Mitte durchschneiden

mítico, -a ['mitiko] *adj* mythisch, Sagen-

mitigar [miti'ɣar] <g → gu> **I.** *vt* lindern **II.** *vr:* **~se** nachlassen

mitin ['mitin] *m* Treffen *nt*

mito ['mito] *m* Mythos *m*

mitología [mitolo'xia] *f* Mythologie *f*

mitológico, -a [mito'loxiko] *adj* mythologisch

mixto, -a ['misto] *adj* gemischt

mobiliario [moβi'ljarjo] *m* Mobiliar *nt*

mochila [mo'ʧila] *f* Rucksack *m*

mochuelo [mo'ʧwelo] *m* Kauz *m*

moción [mo'θjon] *f:* **presentar una ~ de censura** einen Misstrauensantrag einbringen

moco ['moko] *m:* **limpiarse los ~s** sich *dat* die Nase putzen

moda ['moða] *f* Mode *f;* **estar de ~** (in) Mode sein

modal [mo'ðal] *m pl* Manieren *fpl;* **¡qué ~es son estos!** so was gehört sich nicht!

modalidad [moðali'ða^{ð}] *f:* **~es de un contrato** Vertragsbestimmungen *fpl*

modelar [moðe'lar] *vt* modellieren

modelo[1] [mo'ðelo] *m* Vorbild *nt*

modelo[2] [mo'ðelo] *mf* Model(l) *nt*

módem ['moðen] *m* Modem *nt o m*

moderación [moðera'θjon] *f:* **comer con ~** sich beim Essen mäßigen

moderado, -a [moðe'raðo] *adj* gemäßigt

moderador(a) [moðera'ðor] *m(f)* Moderator(in) *m(f)*

moderarse [moðe'rarse] *vr* sich mäßigen

modernismo [moðer'nismo] *m* ARTE, LIT Modernismus *m;* ARQUIT Jugendstil *m*

modernizar [moðerni'θar] <z → c> **I.** *vt* modernisieren **II.** *vr:* **~se** moderner werden

moderno, -a [mo'ðerno] *adj* modern

modestia [mo'ðestja] *f* Bescheidenheit *f*

modesto, -a [mo'ðesto] *adj* bescheiden

módico, -a ['moðiko] *adj* gering; (*precio*) angemessen

modificar(se) [moðifi'kar(se)] <c → qu> *vt, vr* (sich) verändern

modismo [mo'ðismo] *m* (Rede)wendung *f*

modista [mo'ðista] *mf* Damenschneider(in) *m(f)*

modisto [mo'ðisto] *m* Modemacher *m*

modo ['moðo] *m* ❶ (*manera*) Art *f;* **~ de andar** Gang *m;* **~ de hablar** Sprechweise *f;* **hazlo a tu ~** mach es auf deine Art; **a mi ~ de pensar** nach meiner Auffassung ❷ LING, INFOR Modus *m* ❸ (*loc*): **de ningún ~** auf keinen Fall; **en cierto ~** gewissermaßen

modorra [mo'ðorra] *f* Schläfrigkeit *f*

módulo ['moðulo] *m* Modul *nt*

mofar(se) [mo'far(se)] *vi, vr* sich lustig machen (*de* über +*akk*)

mofeta [mo'feta] *f* Stinktier *nt*

moflete [mo'flete] *m* Pausbacke *f*

mogollón [moɣo'ʎon] *m* Haufen *m;* **había ~ de gente en la fiesta** es waren unheimlich viele Leute auf dem Fest *fam*

moho ['mo(o)] *m* Moder *m*

mohoso, -a [mo'oso] *adj* mod(e)rig

mojarse [mo'xarse] *vr:* **~ los pies** nasse Füße bekommen

mojigato, -a [moxi'ɣato] *adj* duckmäuserisch; (*hipócrita*) heuchlerisch

molar [mo'lar] **I.** *adj:* **diente ~** Backenzahn *m* **II.** *vi* (*fam*) ❶ (*gustar*) gefallen +*dat;* **me molan las rubias** ich stehe auf Blondinen ❷ (*llevarse*) in (Mode) sein; **ahora mola llevar pelo corto** kurze Haare sind jetzt in

Moldavia [mol̩'daβja] *f* Moldawien *nt*

molde ['mol̩de] *m:* **pan de ~** Kastenbrot *nt;* **letras de ~** Druckbuchstaben *mpl*

moldear [mol̩de'ar] *vt* formen

mole ['mole] *f* Masse *f*

molécula [mo'lekula] *f* Molekül *nt*

molecular [moleku'lar] *adj* molekular

moler [mo'ler] <o → ue> *vt* ❶ (*café*) mahlen; (*caña de azúcar*) auspressen; **~ a alguien a palos** jdn windelweich prügeln ❷ (*fatigar*) erschöpfen; **estoy molido de la excursión** dieser Ausflug hat mich völlig geschafft

molestar [moles'tar] **I.** *vt* belästigen **II.** *vr:* **~se** sich *dat* die Mühe machen

molestia [mo'lestja] *f* ❶ (*fastidio*) Belästigung *f;* **no es ninguna ~** das stört überhaupt nicht ❷ (*inconveniente*) Unannehmlichkeit *f;* **no es ninguna ~ (para mí)** das macht mir keine Umstände; **tomarse la ~** sich *dat* die Mühe machen; **perdonen las ~s** bitte entschuldigen Sie die Störung

molesto, -a [mo'lesto] *adj* ❶ *ser* unangenehm ❷ *estar* verärgert

molido, -a [mo'liðo] *adj* (*fam*): **estoy ~** ich bin fix und fertig

molinero, -a [moli'nero] *m, f* Müller(in) *m(f)*

molinillo [moli'niʎo] *m:* **~ de café** Kaffeemühle *f*

molino [mo'lino] *m* Mühle *f*

mollera [mo'ʎera] *f:* **ser duro de ~** schwer von Begriff sein

molusco [mo'lusko] *m* Weichtier *nt*

momentáneo, -a [momen̪'taneo] *adj* augenblicklich

momento [mo'men̪to] *m* ❶ (*instante*) Augenblick *m*, Moment *m;* **¡espera un ~!** Augenblick!; **de un ~ a otro** jeden Augenblick ❷ (*período*) Zeitraum *m;* **atravieso un mal ~** ich mache gerade eine schwere Zeit durch ❸ (*actualidad*) Gegenwart *f;* **la música del ~** die Musik von heute

momia ['momja] *f* Mumie *f*

mona ['mona] *f* ❶ ZOOL Äffin *f* ❷ (*fam*) Rausch *m;* **dormir la ~** seinen Rausch ausschlafen

Mónaco ['monako] *m* Monaco *nt*

monada [mo'naða] *f:* **¡qué ~ de vestido!** was für ein entzückendes Kleid!; **este bebé es una ~** dieses Baby ist goldig

monaguillo, -a [mona'ɣiʎo] *m, f* Ministrant(in) *m(f)*

monarca [mo'narka] *mf* Monarch(in) *m(f)*

monarquía [monar'kia] *f* Monarchie *f*

monárquico, -a [mo'narkiko] *adj* monarchi(sti)sch

monasterio [monas'terjo] *m* Kloster *nt*

mondadientes [mon̪da'ðjen̪tes] *m* Zahnstocher *m*

mondar [mon̪'dar] **I.** *vt* schälen **II.** *vr:* **~se** ❶ (*pelarse*) sich schälen ❷ (*loc*): **~se los dientes** sich *dat* in den Zähnen stochern; **~se de risa** (*fam*) sich totlachen

moneda [mo'neða] *f* ❶ (*pieza*) Münze *f;* **~ de dos euros** Zweieurostück *nt* ❷ (*de un país*) Währung *f;* **~ extranjera** Devisen *fpl*

monedero [mone'ðero] *m* Geldbeutel *m*

monetario, -a [mone'tarjo] *adj* Währungs-; **acuerdo ~** Währungsabkommen *nt*

mongólico, -a [moŋ'goliko] *adj* mongoloid

mongolismo [moŋgo'lismo] *m* Mongolismus *m*

monitor[1] [moni'tor] *m* Monitor *m*

monitor(a)[2] [moni'tor] *m(f)* (Gruppen)leiter(in) *m(f);* **~ de natación** Schwimmlehrer *m*

monja ['moŋxa] *f* Nonne *f*

monje ['moŋxe] *m* Mönch *m*

mono[1] ['mono] *m* ❶ ZOOL Affe *m* ❷ **en esta casa soy el último ~** in diesem Haus bin ich ein Nichts ❸ (*traje*) Overall *m;* (*de mecánico*) Blaumann *m fam* ❹ (*argot*) Turkey *m;* **tener el ~** auf Turkey sein; **le entra el ~** er bekommt Entzugserscheinungen

mono, -a[2] ['mono] *adj* süß

monogamia [mono'ɣamja] *f* Monogamie *f*

monógamo, -a [mo'noɣamo] *adj* monogam

monografía [monoɣra'fia] *f* Monographie *f*

monólogo [mo'noloɣo] *m* Monolog *m*

monopatín [monopa'tin] *m* Skateboard *nt*

monopolio [mono'poljo] *m* Monopol *nt*

monosílabo [mono'silaβo] *m* einsilbiges Wort *nt*

monotonía [monoto'nia] *f* Eintönigkeit *f*

monótono, -a [mo'notono] *adj* eintönig

monóxido [mo'noˠsiðo] *m* Monoxid *nt*

monstruo ['moⁿstrwo] *m* Ungeheuer *nt*

monstruoso, -a [moⁿstru'oso] *adj* abscheulich

monta ['mon̪ta] *f:* **de poca ~** unbedeutend

montacargas [mon̪ta'karɣas] *m* Lastenaufzug *m;* MIN Förderkorb *m*

montaje [mon̪'taxe] *m* Montage *f*

montaña [mon̪'taɲa] *f* Berg *m;* (*zona*) Gebirge *nt;* **~ rusa** Achterbahn *f*

montañero, **-a** [moṇtaˈɲero] *m, f* Bergsteiger(in) *m(f)*
montañoso, **-a** [moṇtaˈɲoso] *adj* gebirgig
montar [moṇˈtar] **I.** *vi* ❶ aufsteigen (*en* auf +*akk*); (*en un coche*) einsteigen (*en* in +*akk*) ❷ (*ir a caballo*) reiten; **~ en bici** Rad fahren ❸ (*loc*): **~ en cólera** in Zorn geraten **II.** *vr:* **~se** hinaufsteigen
monte [ˈmoṇte] *m* ❶ (*montaña*) Berg *m;* **el ~ de los Olivos** der Ölberg ❷ (*bosque*) Wald *m;* **~ alto** (Hoch)wald *m;* **~ bajo** Unterholz *nt* ❸ (*loc*): **~ de piedad** Pfandhaus *nt*
montículo [moṇˈtikulo] *m* Hügel *m*
monto [ˈmoṇto] *m* Gesamtbetrag *m*
montón [moṇˈton] *m* Haufen *m;* **un ~ de ropa** ein Haufen Wäsche; **ser del ~** ein Durchschnittsmensch sein
montura [moṇˈtura] *f* (*arnés*) Geschirr *nt*
monumental [monumeṇˈtal] *adj:* **el Madrid ~** die Sehenswürdigkeiten Madrids
monumento [monuˈmeṇto] *m* Denkmal *nt*
moño [ˈmoɲo] *m* ❶ (*pelo*) Haarknoten *m* ❷ **estar hasta el ~ de algo** (*fam*) die Nase gestrichen voll von etw *dat* haben
moqueta [moˈketa] *f* Teppichboden *m*
mora [ˈmora] *f* Brombeere *f*
morada [moˈraða] *f* ❶ (*casa*) Wohnung *f* ❷ (*residencia*) Wohnsitz *m* ❸ (*estancia*) Aufenthalt *m;* **la eterna ~** das Jenseits
morado, **-a** [moˈraðo] *adj* dunkelviolett
moral [moˈral] *f* Moral *f;* **levantar la ~ a alguien** jdn aufrichten
moraleja [moraˈlexa] *f* Moral *f*
moralidad [moraliˈða^ð] *f* (*cualidad*) Sittlichkeit *f*
morbo [ˈmorβo] *m* krankhaftes Interesse
morboso, **-a** [morˈβoso] *adj* krankhaft
morcilla [morˈθiʎa] *f* ❶ GASTR Blutwurst *f* ❷ (*loc*): **¡que te den ~!** (*vulg*) du kannst mich mal! *fam*
mordaz [morˈðaθ] *adj* bissig
mordaza [morˈðaθa] *f* Knebel *m*
mordedura [morðeˈðura] *f* Biss *m*
morder(se) [morˈðer(se)] <o → ue> *vt, vr* beißen; **~se las uñas** Nägel kauen
mordisco [morˈðisko] *m* Bissen *m*
mordisquear [morðiskeˈar] *vt* knabbern (an +*dat*)
moreno[1] [moˈreno] *m* Bräune *f*
moreno, **-a**[2] [moˈreno] *adj* dunkel; (*de piel*) braun
morete [moˈrete] *m* AMC, **moretón** [moreˈton] *m* (*fam*) blauer Fleck *m*
morfema [morˈfema] *m* Morphem *nt*
morfina [morˈfina] *f* Morphium *nt*
morgue [ˈmorɣe] *f* AM Leichenschauhaus *nt*
moribundo, **-a** [moriˈβuṇdo] *m, f* Sterbende(r) *f(m)*
morir [moˈrir] *irr* **I.** *vi* sterben (*de* an +*dat*); (*en guerra*) umkommen; (*en un accidente*) tödlich verunglücken; **~ de viejo** an Altersschwäche sterben; **~ a causa de las graves heridas** seinen schweren Verletzungen erliegen **II.** *vr:* **~se** ❶ sterben; (*planta*) eingehen; **¡así te mueras!** (*fam*) hoffentlich krepierst du! ❷ (*con 'de'*): **~se de sed** verdursten; **~se de frío** erfrieren; **~se de pena** vor Kummer sterben ❸ (*con 'por'*): **me muero por conocer a tu nueva novia** ich brenne darauf, deine neue Freundin kennen zu lernen
moro, **-a** [ˈmoro] *m, f* Maure, -in *m, f*
moroso, **-a** [moˈroso] *m, f* säumiger Zahler, säumige Zahlerin *m, f*
morral [moˈrral] *m* ❶ (*de las caballerías*) Futtersack *m* ❷ (*zurrón*) Rucksack *m*
morro [ˈmorro] *m* Schnauze *f;* **beber a ~** aus der Flasche trinken; **estar de ~(s)** schmollen; **tiene un ~ que se lo pisa** (*fam*) er/sie ist unglaublich unverschämt
morrón [moˈrron] *adj:* **pimiento ~** gebratene rote Paprika
morsa [ˈmorsa] *f* Walross *nt*
morse [ˈmorse] *m* Morsealphabet *nt;* **señal ~** Morsezeichen *nt*

mortadela [morta'ðela] *f* Mortadella *f*
mortaja [mor'taxa] *f* AM Zigarettenpapier *nt*
mortal [mor'tal] *adj:* **pecado ~** Todsünde *f;* **peligro ~** Lebensgefahr *f*
mortalidad [mortali'ða^ð] *f* Sterblichkeit(srate) *f*
mortero [mor'tero] *m* Mörser *m*
mortificar [mortifi'kar] <c → qu> *vt* quälen
mortuorio, -a [mortu'orjo] *adj* Todes-; **esquela mortuoria** Todesanzeige *f*
mosaico [mo'sai̯ko] *m* Mosaik *nt*
mosca ['moska] *f* ❶ ZOOL Fliege *f;* **por si las ~s** (*fam*) für alle Fälle ❷ (*persona*): **~ cojonera** (*vulg*) Nervensäge *f,* Plagegeist *m fam*
moscada [mos'kaða] *adj:* **nuez ~** Muskatnuss *f*
moscovita [mosko'βita] *adj* moskauisch
Moscú [mos'ku] *m* Moskau *nt*
Mosela [mo'sela] *m* Mosel *f*
mosqueado, -a [moske'aðo] *adj:* **estar ~ con alguien** auf jdn sauer sein
mosquearse [moske'arse] *vr* (*fam*) beleidigt sein
mosquita [mos'kita] *f:* **~ muerta** Duckmäuser *m*
mosquitero [moski'tero] *m* Moskitonetz *nt*
mosquito [mos'kito] *m* Stechmücke *f*
mostaza [mos'taθa] *f* Senf *m*
mosto ['mosto] *m* Most *m*
mostrador [mostra'ðor] *m* Theke *f*
mostrar [mos'trar] <o → ue> *vt* (vor)zeigen
mota ['mota] *f:* **~ (de polvo)** Staubkorn *nt*
mote ['mote] *m:* **~ cariñoso** Kosename *m*
moteado, -a [mote'aðo] *adj* gesprenkelt
motín [mo'tin] *m* Meuterei *f*
motivación [motiβa'θjon] *f* Motivation *f*
motivar [moti'βar] *vt* motivieren (*a* zu +*dat*)
motivo [mo'tiβo] *m* Grund *m;* **con ~ de...** anlässlich ... +*gen;* **por este ~** deshalb; **carecer de ~ alguno** unbegründet sein
moto ['moto] *f* (*fam*) Motorrad *nt;* **ir en ~** Motorrad fahren; **vender la ~ a alguien** (*fig fam*) jdm einen Bären aufbinden, jdm etwas weismachen
motocicleta [motoθi'kleta] *f* Motorrad *nt;* **ir en ~** Motorrad fahren
motociclismo [motoθi'klismo] *m* Motorradsport *m*
motociclista [motoθi'klista] *mf* Motorradfahrer(in) *m(f)*
motoneta [moto'neta] *f* AM Motorroller *m*
motor [mo'tor] *m* Motor *m*
motora [mo'tora] *f* Motorboot *nt*
motorista [moto'rista] *mf* Motorradfahrer(in) *m(f)*
motriz [mo'triθ] *adj:* **fuerza ~** Triebkraft *f*
movedizo, -a [moβe'ðiθo] *adj:* **arenas movedizas** Treibsand *m*
mover [mo'βer] <o → ue> **I.** *vt* ❶ (*desplazar*) bewegen; **~ la cabeza** den Kopf schütteln ❷ (*ajedrez*) ziehen ❸ (*incitar*) bewegen **II.** *vr:* **~se** sich bewegen; **¡venga, muévete!** los, nun mach schon!
movida [mo'βiða] *f* (*argot*) Szene *f*
movido, -a [mo'βiðo] *adj:* **he tenido un día muy ~** heute war bei mir viel los
móvil ['moβil] *m* Handy *nt*
movilización [moβiliθa'θjon] *f* ❶ (*recursos, tropas*) Mobilisierung *f* ❷ (*huelga*) Streik *m*
movilizar [moβili'θar] <z → c> *vt* mobilisieren
movimiento [moβi'mjen̪to] *m* Bewegung *f;* **poner en ~** in Gang setzen
mozo, -a ['moθo] *m, f* junger Mann *m,* junge Frau *f*
mu [mu] *m:* **no decir ni ~** keinen Pieps sagen
mucamo, -a [mu'kamo] *m, f* AM Diener *m,* Dienstmädchen *nt*
muchacho, -a [mu'ʧaʧo] *m, f* Junge *m,* Mädchen *nt*

muchedumbre [mutʃe'ðumbre] *f* (Menschen)menge *f*
mucho, -a ['mutʃo] **I.** *adj* viel; **esto es ~ para ella** das ist zu viel für sie; **hace ya ~ tiempo que...** es ist schon lange her, dass ...; **muchas veces** oft **II.** *adv* (*intensidad*) sehr; (*cantidad*) viel; (*mucho tiempo*) lange; (*muchas veces*) oft; **es con ~ el más simpático** er ist mit Abstand der Netteste; **tener cincuenta años, como ~** höchstens fünfzig (Jahre alt) sein
mucosa [mu'kosa] *f* Schleimhaut *f*
mucosidad [mukosi'ðað] *f* Schleim *m*
muda ['muða] *f* Unterwäsche *f;* (*cama*) Bettwäsche *f*
mudanza [mu'ðaṇθa] *f* (*de casa*) Umzug *m;* **camión de ~s** Möbelwagen *m;* **estar de ~** umziehen
mudar [mu'ðar] **I.** *vi, vt* ❶ ändern; (*por uno nuevo*) wechseln (*(de) +akk*); **~ (de) piel** sich häuten; **~ de voz** im Stimmbruch sein ❷ (*de ropa*) umziehen **II.** *vr:* **~se** ❶ (*casa*) umziehen; **~se a una casa nueva** in ein neues Haus ziehen ❷ (*ropa*): **~se (de ropa)** sich umziehen
mudo, -a ['muðo] *adj* stumm; **cine ~** Stummfilm *m*
mueble ['mweβle] *m* ❶ (*pieza*) Möbelstück *nt;* **~ bar** Hausbar *f* ❷ *pl* Möbel *pl*; **~s de cocina** Einbauküche *f;* **~s de época** antike Möbel; **~s tapizados** Polstermöbel *pl*
mueca ['mweka] *f* Grimasse *f;* **hacer ~s** Grimassen schneiden
muela ['mwela] *f* Backenzahn *m;* **~s del juicio** Weisheitszähne *mpl*; **~ picada** kariöser Zahn
muelle ['mweʎe] *m* Sprungfeder *f;* (*puerto*) Kai *m*
muérdago ['mwerðaɣo] *m* Mistel *f*
muerte ['mwerte] *f* Tod *m;* (*asesinato*) Mord *m;* **~ a traición** Meuchelmord *m;* **pena de ~** Todesstrafe *f;* **morir de ~ natural** eines natürlichen Todes sterben; **a ~** erbarmungslos; **de mala ~** elend
muerto, -a ['mwerto] *adj* tot; **horas muertas** Mußestunden *fpl*; **naturaleza muerta** Stillleben *nt;* **estar ~ (de cansancio)** todmüde sein
muestra ['mwestra] *f* ❶ (*mercancía*) Muster *nt;* **~ gratuita** Gratisprobe *f;* **feria de ~s** Messe *f* ❷ (*prueba*) Probe *f;* **~ hecha al azar** Stichprobe *f* ❸ (*demostración*) Beweis *m;* **dar ~(s) de valor** seinen Mut beweisen
muestrario [mwes'trarjo] *m* Katalog *m*
muestreo [mwes'treo] *m* Stichprobenentnahme *f*
mugir [mu'xir] <g → j> *vi* muhen
mugre ['muɣre] *f* Schmutz *m*
mugriento, -a [mu'ɣrjeṇto] *adj* schmutzig
mujer [mu'xer] *f* Frau *f;* **~ de edad** alte Frau; **~ fácil** leichtes Mädchen
mujeriego [muxe'rjeɣo] *m* Frauenheld *m*
mulato, -a [mu'lato] *m, f* Mulatte, -in *m, f*
muleta [mu'leta] *f* Krücke *f;* **andar con ~s** an Krücken gehen
muletilla [mule'tiʎa] *f* Flickwort *nt*
mullido, -a [mu'ʎiðo] *adj* weich
mulo, -a ['mulo] *m, f* Maultier *nt*
multa ['muḷta] *f* Geldstrafe *f;* **poner una ~ a alguien** jdn mit einer Geldstrafe belegen
multar [muḷ'tar] *vt* mit einer Geldstrafe belegen
multicolor [muḷtiko'lor] *adj* bunt
multilingüe [muḷti'liŋgwe] *adj* mehrsprachig
multimedia [muḷti'medja] *adj* multimedial
multinacional [muḷtinaθjo'nal] *f* multinationaler Konzern *m*
múltiple ['muḷtiple] *adj* mehrfach; **~s veces** mehrmals
multiplicación [muḷtiplika'θjon] *f* Multiplikation *f*
multiplicar [muḷtipli'kar] <c → qu> *vi, vt* multiplizieren (*por* mit *+dat*); **la tabla**

de ~ das Einmaleins
multitud [muḷti'tu^ð] *f* Menge *f*
multitudinario, -a [muḷtituði'narjo] *adj* Massen-
multiuso [muḷti'uso] *adj* Mehrzweck-
mundanal [muṇda'nal] *adj*, **mundano, -a** [muṇ'dano] *adj* weltlich; (*terrenal*) irdisch; (*extravagante*) mondän
mundial [muṇ'djal] *adj* weltweit; **guerra** ~ Weltkrieg *m;* **a nivel** ~ weltweit
mundo ['muṇdo] *m* ❶ Welt *f;* (*planeta*) Erde *f;* **el otro** ~ das Jenseits; **dar la vuelta al** ~ eine Weltreise machen; **venir al** ~ auf die Welt kommen; **irse de este** ~ sterben; **no es nada del otro** ~ das ist nichts Besonderes; **por nada del** ~ um nichts auf der Welt ❷ (*humanidad*) Welt *f;* **todo el** ~ **sabe que...** jedermann weiß, dass ... ❸ (*experiencia*) Weltkenntnis *f;* **Lola tiene mucho** ~ Lola ist eine Frau von Welt
Munich ['munitʃ] *m* München *nt*
munición [muni'θjon] *f* Munition *f*
municipal [muniθi'pal] *adj* städtisch; **parque** ~ Stadtpark *m;* **término** ~ Gemeindebezirk *m*
municipio [muni'θipjo] *m* Gemeinde *f*, Gemeindebezirk *m*
muniqués, -esa [muni'kes] *adj* münchnerisch
muñeca [mu'ɲeka] *f* Handgelenk *nt;* (*juguete*) Puppe *f*
muñeco [mu'ɲeko] *m:* ~ **de nieve** Schneemann *m*
muñón [mu'ɲon] *m* Stumpf *m*
mural [mu'ral] *m* Wandbild *nt*
muralla [mu'raʎa] *f* Mauer *f*
murciano, -a [mur'θjano] *adj* aus Murcia
murciélago [mur'θjelaɣo] *m* Fledermaus *f*
murmullo [mur'muʎo] *m* Gemurmel *nt*
murmuración [murmura'θjon] *f* üble Nachrede *f;* (*cotilleo*) Klatsch *m fam*
murmurar [murmu'rar] *vi, vt* (*entre dientes*) murmeln; ~ **al oído** ins Ohr flüstern
muro ['muro] *m* Mauer *f*
musa ['musa] *f* Muse *f*
musaraña [musa'raɲa] *f:* **pensar en las** ~**s** (*fig*) in Gedanken woanders sein
muscular [musku'lar] *adj* Muskel-; **fuerza** ~ Muskelkraft *f*
musculatura [muskula'tura] *f* Muskulatur *f*
músculo ['muskulo] *m* Muskel *m*
musculoso, -a [musku'loso] *adj* muskulös
museo [mu'seo] *m* Museum *nt*
musgo ['musɣo] *m* Moos *nt*
música ['musika] *f* Musik *f;* ~ **folclórica** Volksmusik *f;* **banda de** ~ (Musik)kapelle *f;* **caja de** ~ Spieldose *f;* **¡vete con la** ~ **a otra parte!** lass mich in Ruhe!
musical [musi'kal] *adj* musikalisch; **composición** ~ Musikstück *nt*
músico, -a ['musiko] *m, f* Musiker(in) *m(f);* ~ **ambulante** (Straßen)musikant *m*
musitar [musi'tar] *vi* ❶ (*balbucear*) murmeln; (*susurrar*) flüstern; ~ **al oído** ins Ohr flüstern ❷ (*hojas*) rauschen

muslo ['muslo] *m* Oberschenkel *m*
mustio, -a ['mustjo] *adj* welk
musulmán, -ana [musul'man] *adj* moslemisch
mutación [muta'θjon] *f* Mutation *f*
mutilado, -a [muti'laðo] *m, f* Krüppel *m;* ~ **de guerra** Kriegsversehrte(r) *m*
mutilar [muti'lar] *vt* ❶ (*cuerpo*) verstümmeln ❷ (*recortar*) kürzen
mutis ['mutis] *m inv* ❶ TEAT Abgang *m;* **hacer** ~ abgehen ❷ (*loc*): **¡~!** Ruhe!
mutualidad [mutwali'ða^ð] *f:* ~ **de accidentes de trabajo** Berufsgenossenschaft *f;* ~ **obrera** Arbeiterhilfe *f*
mutuo, -a ['mutwo] *adj* gegenseitig
muy [mwi] *adv* sehr; **es** ~ **improbable que...** *+subj* es ist höchst unwahrscheinlich, dass ...; ~ **de tarde en tarde** sehr selten; ~ **de mañana** sehr früh morgens; **le saluda** ~ **atentamente,...** hochachtungsvoll, ...

N

N, n ['ene] *f* N, n *nt*
nácar ['nakar] *m* Perlmutt *nt*
nacer [na'θer] *irr como crecer vi* geboren werden
nacido, -a [na'θiðo] *m, f*: **recién ~** Neugeborene(s) *nt*
nacimiento [naθi'mjen̩to] *m* Geburt *f*; (*comienzo*) Anfang *m*
nación [na'θjon] *f* Nation *f*
nacional [naθjo'nal] *adj* national; (*instituciones*) Staats-; **moneda ~** Landeswährung *f*; **biblioteca ~** Staatsbibliothek *f*
nacionalidad [naθjonali'ðaᵈ] *f* Staatsangehörigkeit *f*
nacionalismo [naθjona'lismo] *m* Nationalismus *m*
nacionalista [naθjona'lista] *adj* nationalistisch
nacionalizar [naθjonali'θar] <z → c> **I.** *vt* ❶ (*ente*) verstaatlichen ❷ (*persona*) einbürgern **II.** *vr*: **~se alemán** die deutsche Staatsangehörigkeit annehmen
nada ['naða] **I.** *pron indef* nichts; **¡gracias! – ¡de ~!** danke! – keine Ursache! **II.** *adv* nichts; **~ más** (*solo*) nur; (*no más*) nichts mehr; **¡~ más!** das wär's!; **~ de ~** überhaupt nichts; **¡~ de eso!** nichts da! *fam*; **para ~** umsonst; **a cada ~** AM dauernd
nadador(a) [naða'ðor] *m(f)* Schwimmer(in) *m(f)*
nadar [na'ðar] *vi* schwimmen
nadie ['naðje] *pron indef* niemand
nailon ['nai̯lon] *m* Nylon® *nt*
naipe ['nai̯pe] *m* (Spiel)karte *f*
nalga ['nalɣa] *f*: **~s** Gesäß *nt*
nana ['nana] *f* Wiegenlied *nt*
nanay [na'nai̯] *interj* (*fam*) kommt nicht in die Tüte!
napia(s) ['napja(s)] *f* (*pl*) (*fam*) Zinken *m*
Nápoles ['napoles] *m* Neapel *nt*
naranja [na'raŋxa] **I.** *f* Orange *f*; **tu media ~** deine bessere Hälfte **II.** *adj*: (**de color**) **~** orange(n)
naranjada [naraŋ'xaða] *f* Orangenlimonade *f*
naranjo [na'raŋxo] *m* Orangenbaum *m*
narcisismo [narθi'sismo] *m* Narzissmus *m*
narcosis [nar'kosis] *f inv* Narkose *f*
narcótico, -a [nar'kotiko] *adj* betäubend
narcotraficante [narkotrafi'kan̩te] *mf* Drogenhändler(in) *m(f)*
narcotráfico [narko'trafiko] *m* Drogenhandel *m*
nariz [na'riθ] *f* Nase *f*; **estar hasta las narices** (*fam*) die Nase voll haben; **por narices** (*fam*) auf jeden Fall
narración [narra'θjon] *f* Erzählung *f*
narrador(a) [narra'ðor] *m(f)* Erzähler(in) *m(f)*
narrar [na'rrar] *vt* erzählen
narrativa [narra'tiβa] *f* Prosa *f*
nasal [na'sal] *adj* Nasen-; LING nasal; **sonido ~** Nasallaut *m*
nata ['nata] *f* Sahne *f*; **~ montada** Schlagsahne *f*
natación [nata'θjon] *f* Schwimmen *nt*
natal [na'tal] *adj* Geburts-; **ciudad ~** Heimatstadt *f*
natalidad [natali'ðaᵈ] *f* Geburtenrate *f*
natillas [na'tiʎas] *f pl* ≈Cremespeise *f*
nativo, -a [na'tiβo] *m, f* Einheimische(r) *f(m)*
natural [natu'ral] *adj* natürlich
naturaleza [natura'leθa] *f* Natur *f*
naturalidad [naturali'ðaᵈ] *f* Natürlichkeit *f*
naufragar [nau̯fra'ɣar] <g → gu> *vi* Schiffbruch erleiden; (*fracasar*) scheitern
naufragio [nau̯'fraxjo] *m* Schiffbruch *m*
náufrago, -a ['nau̯fraɣo] *m, f* Schiffbrüchige(r) *f(m)*
nauseabundo, -a [nau̯sea'βun̩do] *adj* Ekel erregend
náuseas ['nau̯seas] *f pl* Übelkeit *f*; **tengo ~** mir ist schlecht; **dar ~ a alguien** jdn anekeln
náutico, -a ['nau̯tiko] *adj* Schifffahrts-

navaja [na'βaxa] *f* Taschenmesser *nt*
navarro, -a [na'βarro] *adj* aus Navarra
nave ['naβe] *f* Schiff *nt;* (*almacén*) (Lager)halle *f*
navegable [naβe'ɣaβle] *adj* schiffbar
navegación [naβeɣa'θjon] *f* Schifffahrt *f*
navegante [naβe'ɣan̩te] *mf* Seefahrer(in) *m(f)*
navegar [naβe'ɣar] <g → gu> *vi, vt* (mit einem Schiff) fahren; ~ **por la Web** im Internet surfen
Navidad [naβi'ðað] *f* Weihnachten *nt;* **¡feliz ~!** fröhliche Weihnachten!
navideño, -a [naβi'ðeɲo] *adj* Weihnachts-; (*ambiente*) weihnachtlich
navío [na'βio] *m* Schiff *nt*
nazi ['naθi] *mf* Nazi *m*
nazismo [na'θismo] *m* Nationalsozialismus *m*
neblina [ne'βlina] *f* Bodennebel *m*
necedad [neθe'ðað] *f* Dummheit *f*
necesario, -a [neθe'sarjo] *adj* notwendig
neceser [neθe'ser] *m* Kulturbeutel *m*
necesidad [neθesi'ðað] *f* Notwendigkeit *f;* **hacer sus ~es** seine Notdurft verrichten
necesitado, -a [neθesi'taðo] *m, f* Bedürftige(r) *f(m)*
necesitar [neθesi'tar] **I.** *vt* ❶ (*precisar*) brauchen ❷ +*inf* (*tener que*) müssen **II.** *vi* brauchen (*de* +*akk*)
necio, -a ['neθjo] *adj* dumm
necrológico, -a [nekro'loxiko] *adj* Todes-; **nota necrológica** Todesanzeige *f*
néctar ['nektar] *m* Nektar *m*
nectarina [nekta'rina] *f* Nektarine *f*
neerlandés, -esa [ne(e)rlan̩'des] *adj* niederländisch
nefasto, -a [ne'fasto] *adj* unheilvoll
nefrítico, -a [ne'fritiko] *adj* Nieren-; **cólico ~** Nierenkolik *f*
negación [neɣa'θjon] *f* (Ver)leugnen *nt;* (*denegar*) Verweigerung *f*
negado, -a [ne'ɣaðo] *adj* ungeeignet
negar [ne'ɣar] *irr como fregar* **I.** *vt* ❶ (ver)leugnen; (*decir que no*) verneinen ❷ (*rehusar*) verweigern; (*rechazar*) abschlagen **II.** *vr:* **~se** sich weigern
negativo, -a [neɣa'tiβo] *adj* negativ
negligente [neɣli'xen̩te] *adj* nachlässig; JUR fahrlässig
negociable [neɣo'θjaβle] *adj* verhandelbar; **el precio es ~** Preis nach Vereinbarung
negociación [neɣoθja'θjon] *f* Verhandlung *f*
negociar [neɣo'θjar] **I.** *vi* handeln (*en/con* mit +*dat*) **II.** *vi, vt* verhandeln **III.** *vt* aushandeln
negocio [ne'ɣoθjo] *m* Geschäft *nt;* ~ **al detalle** Einzelhandel *m;* ~ **redondo** (*fam*) Bombengeschäft *nt*
negrilla [ne'ɣriʎa] *f,* **negrita** [ne'ɣrita] *f* halbfette Schrift *f*
negro, -a ['neɣro] *adj* schwarz; **estar ~** (*fam*) wütend sein; **las pasé negras** (*fam*) es ging mir dreckig
nene, -a ['nene] *m, f* (*fam*) Junge *m*, Mädchen *nt*
neocapitalismo [neokapita'lismo] *m* Neokapitalismus *m*
neoclásico, -a [neo'klasiko] *adj* ARTE, LIT klassizistisch; ARQUIT neoklassizistisch

neón [ne'on] *m* Neon *nt*
nervio ['nerβjo] *m* ❶ (*conductor*) Nerv *m;* **ataque de ~s** Nervenzusammenbruch *m* ❷ (*tendón*) Sehne *f*
nerviosismo [nerβjo'sismo] *m* Nervosität *f*
nervioso, -a [ner'βjoso] *adj* nervös
neto, -a ['neto] *adj* netto
neumático [neu̯'matiko] *m* Reifen *m*
neumonía [neu̯mo'nia] *f* Lungenentzündung *f*
neural [neu̯'ral] *adj* Nerven-; **impulso ~** Nervenimpuls *m*
neurología [neu̯rolo'xia] *f* Neurologie *f*
neurólogo, -a [neu̯'roloɣo] *m, f* Neurologe, -in *m, f*
neurona [neu̯'rona] *f* Neuron *nt*
neurótico, -a [neu̯'rotiko] *adj* neurotisch
neutral [neu̯'tral] *adj* neutral
neutralidad [neu̯trali'ðað] *f* Neutralität *f*
neutralizar(se) [neu̯trali'θar(se)] <z → c> *vt, vr* (sich) neutralisieren

neutro, -a ['neu̯tro] *adj* neutral; ZOOL geschlecht(s)los; LING sächlich; **género ~** Neutrum *nt*
neutrón [neu̯'tron] *m* Neutron *nt*
nevada [ne'βaða] *f* Schnee(fall) *m*
nevar [ne'βar] <e → ie> *vimpers* schneien
nevera [ne'βera] *f* Kühlschrank *m*
neviscar [neβis'kar] <c → qu> *vimpers* leicht schneien
nexo ['neˠso] *m* Verbindung *f*
ni [ni] *conj:* **~... ~** weder ... noch ...; **no fumo ~ bebo** ich rauche und trinke nicht; **~ (siquiera)** nicht einmal; **¡~ lo pienses!** auf gar keinen Fall!; **~ bien...** ARG sobald (als) ...
Nicaragua [nika'raɣwa] *f* Nicaragua *nt*
nicaragüense [nikara'ɣwense] *adj* nicaraguanisch
nicho ['nitʃo] *m* (Grab)nische *f*
nicotina [niko'tina] *f* Nikotin *nt*
nido ['niðo] *m* Nest *nt;* **caerse del ~** naiv sein
niebla ['njeβla] *f* Nebel *m;* **hace ~** es ist neb(e)lig
nieto, -a ['njeto] *m, f* Enkel(in) *m(f)*
nieve ['njeβe] *f* Schnee *m*
ningún [niŋ'gun] *adj indef v.* **ninguno**
ninguno, -a [niŋ'guno] **I.** *adj indef* (*precediendo un sustantivo masculino singular: ningún*) keine(r, s); **por ningún lado** nirgends; **de ninguna manera** keinesfalls; **ninguna vez** nie; **en sitio ~** nirgendwo **II.** *pron indef* keine (r, s); (*personas*) niemand
niña ['niɲa] *f* Kind *nt;* (*chica*) Mädchen *nt*
niñera [ni'ɲera] *f* Kindermädchen *nt*
niñez [ni'ɲeθ] *f* Kindheit *f*
niño ['niɲo] *m* Kind *nt;* (*chico*) Junge *m;* **¡no seas ~!** sei nicht kindisch!
nipón, -ona [ni'pon] *adj* japanisch
níquel ['nikel] *m* Nickel *nt*
niqui ['niki] *m* T-Shirt *nt*
nitidez [niti'ðeθ] *f* Klarheit *f;* FOTO Schärfe *f*
nítido, -a ['nitiðo] *adj* klar; FOTO scharf
nitrato [ni'trato] *m* Nitrat *nt*
nítrico, -a ['nitriko] *adj:* **ácido ~** Salpetersäure *f*
nitrógeno [ni'troxeno] *m* Stickstoff *m*
nivel [ni'βel] *m:* **sobre el ~ del mar** über dem Meer(esspiegel); **~ de vida** Lebensstandard *m*
nivelar(se) [niβe'lar(se)] *vt, vr* (sich) ausgleichen
no [no] *adv* ❶ (*respuesta*) nein; **¡que ~!** nein, und nochmals nein! ❷ (+ *verbo/adjetivo*) nicht ❸ (*loc*): **¡a que ~!** wetten, dass nicht!; **~... nada** nichts; **~... nadie** niemand; **~... nunca** niemals; **~ bien...** +*subj* sobald ...; **o, si ~** anderenfalls; **ya ~** nicht mehr
NO [noro'este] *abr de* **Noroeste** NW
nº ['numero] *abr de* **número** Nr.
noble ['noβle] <nobilísimo> *adj* ad(e)lig; *t.* QUÍM edel; (*bueno*) gutmütig
nobleza [no'βleθa] *f* Adel *m;* (*bondad*) Gutmütigkeit *f*
noche ['notʃe] *f* ❶ (*noche tardía*) Nacht *f;* **noche cerrada** stockfinstere Nacht; **media ~** Mitternacht *f;* **a media ~** mitten in der Nacht ❷ (*noche temprana*) Abend *m;* **por la ~** abends ❸ (*oscuridad*) Dunkelheit *f;* **es de ~** es ist dunkel
Nochebuena [notʃe'bwena] *f* Heiligabend *m*
Nochevieja [notʃe'βjexa] *f* Silvester *m o nt*
noción [no'θjon] *f* Vorstellung *f*
nocivo, -a [no'θiβo] *adj:* **~ para la salud** gesundheitsschädlich
noctámbulo, -a [nok'tambulo] *m, f* (*sonámbulo*) Schlafwandler(in) *m(f)*
nocturno, -a [nok'turno] *adj* Nacht-; **tarifa nocturna** Nachttarif *m*
nodo ['noðo] *m* Knoten *m*
nogal [no'ɣal] *m* (Wal)nussbaum *m*
nómada ['nomaða] *mf* Nomade, -in *m, f*
nomás [no'mas] *adv* ❶ AM nur; (*apenas*) kaum ❷ (*loc*): **~ que** +*subj* sobald; **¡pase ~!** kommen Sie nur herein!
nombrado, -a [nom'braðo] *adj* berühmt
nombramiento [nombra'mjen̩to] *m* Ernennung *f*

nombrar [nom'brar] *vt* (be)nennen; (*designar*) ernennen (zu +*dat*)

nombre ['nombre] *m* ❶ Name *m;* ~ **y apellido** Vor- und Zuname *m;* ~ **de pila** Vorname *m;* **tu conducta no tiene** ~ dein Verhalten ist unerhört ❷ LING Substantiv *nt;* ~ **propio** Eigenname *m*

nomenclatura [nomeŋkla'tura] *f* Nomenklatur *f*

nomeolvides [nomeol'βiðes] *f* Vergissmeinnicht *nt*

nómina ['nomina] *f* Gehalt *nt*

nominación [nomina'θjon] *f* Ernennung *f*

nominal [nomi'nal] *adj* Namen(s)-; **relación** ~ Namenverzeichnis *nt; t.* LING nominal

nominativo [nomina'tiβo] *m* Nominativ *m*

non [non] *adj* ungerade

noquear [noke'ar] *vt* k.o. schlagen

nordeste [nor'ðeste] *m* Nordosten *m*

nórdico, -a ['norðiko] *adj* nordisch

noria ['norja] *f* Wasserrad *nt;* (*columpio*) Riesenrad *nt*

norma ['norma] *f* Regel *f;* (*general*) Norm *f;* **como** ~ (**general**) in der Regel

normal [nor'mal] *adj* normal

normalizar [normali'θar] <z → c> *vt* normalisieren; (*reglar*) normen

normalmente [normal'mente] *adv* normal(erweise)

normativa [norma'tiβa] *f* (gesetzliche) Regelungen *fpl*

normativo, -a [norma'tiβo] *adj* maßgebend

noroeste [noro'este] *m* Nordwesten *m*

norte ['norte] *m* Norden *m;* METEO Nord *m;* **el** ~ **de España** Nordspanien *nt*

norteafricano, -a *adj* nordafrikanisch

norteamericano, -a *adj* nordamerikanisch

Noruega [no'rweɣa] *f* Norwegen *nt*

noruego, -a [no'rweɣo] *adj* norwegisch

nos [nos] **I.** *pron pers* (*objeto*) uns; (*mayestático*) wir **II.** *pron refl* uns

nosocomio [noso'komjo] *m* AM Krankenhaus *nt*

nosotros, -as [no'sotros] *pron pers 1. pl* wir; (+ *preposición*) uns

nostalgia [nos'talxja] *f* Sehnsucht *f* (*de* nach +*dat*)

nostálgico, -a [nos'talxiko] *adj:* **estar** ~ Heimweh haben

nota ['nota] *f* ❶ Vermerk *m;* (*advertencia*) Hinweis *m* ❷ (*apunte*) Notiz *f;* **tomar** ~ sich *dat* Notizen machen ❸ (*calificación*) Note *f* ❹ (*cuenta*) Rechnung *f* ❺ MÚS Note *f* ❻ (*fam*): **dar la** ~ unangenehm auffallen

notable [no'taβle] **I.** *adj* beachtlich; (*suma*) beträchtlich **II.** *m* Note *f* 'gut'

notación [nota'θjon] *f* ❶ (*sistema*) Zeichensystem *nt;* ~ **fonética** phonetische Umschrift ❷ MAT, QUÍM Formel *f*

notar [no'tar] *vt* (be)merken

notaría [nota'ria] *f* Notariat *nt*

notarial [nota'rjal] *adj* notariell

notario, -a [no'tarjo] *m, f* Notar(in) *m(f)*

noticia [no'tiθja] *f* Nachricht *f;* **no tener** ~ **de alguien** lange nichts von jdm gehört haben; **tener** ~ **de algo** Kenntnis von etw *dat* haben

noticiario [noti'θjarjo] *m:* ~ **deportivo** Sportnachrichten *fpl*

notificación [notifika'θjon] *f* Mitteilung *f*

notificar [notifi'kar] <c → qu> *vt* mitteilen

novatada [noβa'taða] *f:* **gastar la** ~ **a alguien** jdm einen Streich spielen

novato, -a [no'βato] *m, f* Neuling *m*

novecientos, -as [noβe'θjentos] *adj* neunhundert; *v.t.* **ochocientos**

novedad [noβe'ða[ð]] *f:* **¿hay alguna ~?** gibt es was Neues?

novedoso, -a [noβe'ðoso] *adj* neuartig

novela [no'βela] *f* Roman *m;* ~ **corta** Novelle *f;* ~ **policíaca** Krimi *m*

novelista [noβe'lista] *mf* Romanautor(in) *m(f)*

noveno, -a [no'βeno] **I.** *adj* neunte(r, s); (*parte*) neuntel **II.** *m, f* Neuntel *nt; v.t.* **octavo**

noventa [no'βeṇta] *adj inv* neunzig; *v.t.* **ochenta**

noviazgo [no'βjaθɣo] *m* Brautzeit *f*

novicio, -a [no'βiθjo] *m, f* Novize, -in *m, f*

noviembre [no'βjembre] *m* November *m; v.t.* **marzo**

novillada [noβi'ʎaða] *f* Stierkampf *m* (*mit Jungstieren*)

novillo, -a [no'βiʎo] *m, f* (*fam*): **hacer ~s** (die Schule) schwänzen

novio, -a ['noβjo] *m, f* Freund(in) *m(f)*; **los ~s** das Brautpaar; **viaje de ~s** Hochzeitsreise *f*; **echarse novia** (*fam*) sich *dat* eine Freundin zulegen

nube ['nuβe] *f* Wolke *f*; **estar por las ~s** entsetzlich teuer sein; **vivir en las ~s** völlig realitätsfern sein

nublar(se) [nu'βlar(se)] *vt, vr* (sich) bewölken; **se me nubla la vista** mir wird schwarz vor Augen

nubosidad [nuβosi'ðaᵈ] *f* Bewölkung *f*

nuboso, -a [nu'βoso] *adj* bewölkt

nuca ['nuka] *f* Genick *nt*, Nacken *m*

nuclear [nukle'ar] *adj*: **energía ~** Kernenergie *f*

núcleo ['nukleo] *m* Kern *m*

nudillo [nu'ðiʎo] *m* (Finger)knöchel *m*

nudo ['nuðo] *m* Knoten *m*

nuera ['nwera] *f* Schwiegertochter *f*

nuestro, -a ['nwestro] **I.** *adj pos* (*antepuesto*) unser(e) **II.** *pron pos* ❶ (*propiedad*): **la casa es nuestra** das Haus gehört uns ❷ (*tras artículo*): **el ~/la nuestra/lo ~** unsere(r, s) ❸ (*tras sustantivo*) unser(e), von uns; **una amiga nuestra** eine Freundin von uns; **es culpa nuestra** es ist unsere Schuld

nuevamente [nweβa'meṇte] *adv* ❶ (*otra vez*) nochmals ❷ (*últimamente*) neuerdings

nueve ['nweβe] *adj* neun; *v.t.* **ocho**

nuevo, -a ['nweβo] *adj* neu; **de ~** von neuem; **¿qué hay de ~?** was gibt's Neues?

nuez [nweθ] *f* ❶ BOT Walnuss *f*; **~ moscada** Muskatnuss *f* ❷ ANAT Adamsapfel *m*

nulidad [nuli'ðaᵈ] *f* Ungültigkeit *f*; **ser una ~** eine Null sein

nulo, -a ['nulo] *adj* ungültig; **declarar ~** für nichtig erklären

núm. ['numero] *abr de* **número** Nr.

numeración [numera'θjon] *f* Dezimalsystem *nt*

numeral [nume'ral] **I.** *adj* Zahl(en)- **II.** *m* Zahlwort *nt*

numerar [nume'rar] *vt* ❶ (*poner números*) nummerieren ❷ (*contar*) zählen

numérico, -a [nu'meriko] *adj* numerisch

número ['numero] *m* ❶ MAT Zahl *f*; **~ cardinal** Grundzahl *f*; **~ primo** Primzahl *f*; **~ quebrado** Bruchzahl *f*; **en ~s redondos** aufgerundet; **hacer ~s** Berechnungen anstellen ❷ (*cantidad*) (An)zahl *f* ❸ (*cifra*) Nummer *f* ❹ LING Numerus *m*

numeroso, -a [nume'roso] *adj* zahlreich

nunca ['nuŋka] *adv* nie; **~ jamás** niemals; **más que ~** mehr denn je

nupcial [nuβ'θjal] *adj* Hochzeits-; **tarta ~** Hochzeitstorte *f*

nurse ['nurse] *f* AM Kindermädchen *nt*; (*enfermera*) Krankenschwester *f*

nutria ['nutrja] *f* Fischotter *m*

nutrición [nutri'θjon] *f* Ernährung *f*

nutrido, -a [nu'triðo] *adj* ❶ (*alimentado*) genährt ❷ (*numeroso*) zahlreich

nutrir [nu'trir] *vt* (er)nähren

nutritivo, -a [nutri'tiβo] *adj* nahrhaft

Ñ

Ñ, ñ ['eɲe] *f fünfzehnter Buchstabe des spanischen Alphabets*

ñata ['ɲata] *f* AM (*fam*) Nase *f*

ñoño, -a ['ɲoɲo] **I.** *adj* (*fam*) ❶ (*soso*) fade ❷ (*tonto*) blöd **II.** *m, f* (*fam*) ❶ (*aburrido*) Langweiler(in) *m(f)* ❷ (*dengoso*) Zimperliese *f*

O

O, o [o] *f* O, o *nt*

o, ó [o] *conj* oder; **~..., ~...** entweder ..., oder ...; **~ sea** das heißt; **~ bien** oder auch

O [o'este] *abr de* **oeste** W

oasis [o'asis] *m inv* Oase *f*

obedecer [oβeðe'θer] *irr como crecer vt* gehorchen *+dat*

obediencia [oβe'ðjeṇθja] *f* Gehorsam *m*

obediente [oβe'ðjeṇte] *adj* gehorsam

obesidad [oβesi'ða^{ð}] *f* Fettleibigkeit *f*

obeso, -a [o'βeso] *adj* fett(leibig)

obispo [o'βispo] *m* Bischof *m*

objeción [oβxe'θjon] *f* Einwand *m*

objetar [oβxe'tar] *vt* einwenden; **tengo algo que ~** ich habe etwas dagegen (einzuwenden)

objetividad [oβxetiβi'ða^{ð}] *f* Objektivität *f*

objetivo[1] [oβxe'tiβo] *m* ① Ziel *nt;* **tener como ~** zum Ziel haben ② FOTO Objektiv *nt* ③ (*blanco*) Ziel *nt*

objetivo, -a[2] [oβxe'tiβo] *adj* objektiv

objeto [oβ'xeto] *m* ① Gegenstand *m;* **~ de lujo** Luxusartikel *m* ② (*motivo*) Zweck *m;* **con** (**el**) [*o* **al**] **~ de...** um zu ...

objetor(**a**) [oβxe'tor] *m(f)*: **~ de conciencia** Kriegsdienstverweigerer *m* aus Gewissensgründen

obligación [oβliɣa'θjon] *f* Verpflichtung *f;* **contraer una ~** eine Verpflichtung eingehen; **tener la ~ de algo** zu etw *dat* verpflichtet sein

obligado, -a [oβli'ɣaðo] *adj estar* (*fuerza*) gezwungen (*a* zu *+dat*); (*deber*) verpflichtet (*a* zu *+dat*)

obligar [oβli'ɣar] <g → gu> **I.** *vt* zwingen (*a* zu *+dat*); (*comprometer*) verpflichten (*a* zu *+dat*) **II.** *vr:* **~se** sich verpflichten (*a* zu *+dat*)

obligatorio, -a [oβliɣa'torjo] *adj* obligatorisch; **asignatura obligatoria** Pflichtfach *nt*

oboe [o'βoe] *m* ① Oboe *f* ② (*músico*) Oboist *m*

obra ['oβra] *f* ① Werk *nt;* **~ benéfica** Wohltätigkeit *f;* **~ de teatro** Theaterstück *nt* ② (*construcción*) Bau *m;* (*edificio*) Bauwerk *nt;* **~s públicas** öffentliche Bauten; **mano de ~** Arbeitskraft *f*

obrar [o'βrar] **I.** *vi* handeln **II.** *vi, vt* bauen

obrero, -a [o'βrero] *m, f* Arbeiter(in) *m(f);* **~ agrícola** Landarbeiter *m;* **~ asalariado** Lohnarbeiter *m;* **~ especializado** Facharbeiter *m;* **~ fijo** feste Arbeitskraft

obsceno, -a [o^{β}s'θeno] *adj* obszön

obsequiar [oβse'kjar] *vt* ① (*con regalos*) beschenken ② (*agasajar*) zuvorkommend behandeln ③ AM schenken

obsequio [oβ'sekjo] *m* Geschenk *nt*

observación [oβserβa'θjon] *f* ① (*contemplación*) Beobachtung *f* ② (*comentario*) Bemerkung *f*

observar [oβser'βar] *vt* ① (*contemplar*) beobachten ② (*cumplir*) beachten

observatorio [oβserβa'torjo] *m* Observatorium *nt;* **~ astronómico** Sternwarte *f;* **~ meteorológico** Wetterwarte *f*

obsesión [oβse'sjon] *f* Besessenheit *f*

obsesionarse [oβsesjo'narse] *vr* besessen sein (*con* von *+dat*)

obstáculo [o^{β}s'takulo] *m* Hindernis *nt;* **salvar un ~** ein Hindernis nehmen

obstante [o^{β}s'taṇte] *adv*: **no ~** trotzdem

obstinado, -a [o^{β}sti'naðo] *adj* hartnäckig

obstrucción [o^{β}stru^{ɣ}'θjon] *f* Blockierung *f;* MED Verstopfung *f*

obstruir [o^{β}stru'ir] *irr como huir* **I.** *vt* ① (*el paso, acción*) blockieren ② (*una tubería*) verstopfen **II.** *vr:* **~se** sich verstopfen

obtención [oβteṇ'θjon] *f* Erlangung *f;* QUÍM Gewinnung *f*

obtener [oβte'ner] *irr como tener vt* erlangen; QUÍM gewinnen; (*ganancia*) erzielen

O

obvio, -a ['oββjo] *adj* offensichtlich; **es ~** das liegt auf der Hand

oca ['oka] *f* ❶ ZOOL Gans *f* ❷ (*juego*) *spanisches Brettspiel*

ocasión [oka'sjon] *f* Gelegenheit *f;* **coche de ~** Gebrauchtwagen *m;* **aprovechar la ~** die Gelegenheit nutzen; **con ~ de** anlässlich *+gen*

ocasional [okasjo'nal] *adj* gelegentlich; **trabajo ~** Gelegenheitsarbeit *f*

ocasionar [okasjo'nar] *vt* verursachen

occidental [o^{γ}θiðen̩'tal] *adj* westlich; **potencias ~es** Westmächte *fpl*

occidente [o^{γ}θi'ðen̩te] *m* Westen *m*

Oceanía [oθea'nia] *f* Ozeanien *nt*

océano [o'θeano] *m* Ozean *m*

ochenta [o'ʧen̩ta] *adj* achtzig; **los años ~** die Achtzigerjahre

ocho ['oʧo] *adj* acht; **jornada de ~ horas** Achtstundentag *m;* **~ veces mayor/menor que...** achtmal so groß wie .../kleiner als ...; **a las ~** um acht Uhr; **son las ~ y media de la tarde** es ist halb neun (Uhr) abends; **las ~ y cuarto/menos cuarto** viertel nach acht/vor acht; **las ~ en punto** Punkt acht Uhr; **el ~ de agosto** der achte August; **dentro de ~ días** in acht Tagen

ochocientos, -as [oʧo'θjen̩tos] *adj* achthundert

ocio ['oθjo] *m* Muße *f;* **horas de ~** Freizeit *f*

octágono [ok'taγono] *m* Achteck *nt*

octavilla [okta'βiʎa] *f* Flugblatt *nt*

octavo, -a [ok'taβo] *adj* achte(r, s); **en ~ lugar** an achter Stelle; (*enumeración*) achtens; **la octava parte** ein Achtel

octubre [ok'tuβre] *m* Oktober *m; v.t.* **marzo**

oculista [oku'lista] *mf* Augenarzt, -ärztin *m, f*

ocultar [okul̩'tar] **I.** *vt* (*esconder*) verbergen (*de* vor *+dat*); (*disimular*) verheimlichen (*de* (vor) *+dat*) **II.** *vr:* **~se** sich verstecken

oculto, -a [o'kul̩to] *adj* verborgen; (*secreto*) geheim

ocupación [okupa'θjon] *f* ❶ Beschäftigung *f;* **sin ~** arbeitslos ❷ (*apoderamiento*) Besetzung *f;* **~ hotelera** Hotelbelegung *f*

ocupar [oku'par] **I.** *vt* ❶ (*sitio*) einnehmen ❷ (*un cargo*) innehaben ❸ MIL besetzen ❹ (*a una persona*) beschäftigen **II.** *vr:* **~se** sich beschäftigen (*con/en/de* mit *+dat*); (*cuidar*) sich kümmern (*de* um *+akk*); **ella se ocupó de todo** sie hat alles arrangiert

ocurrencia [oku'rren̩θja] *f* Idee *f;* **tener la ~ de...** auf die Idee kommen zu ...

ocurrir [oku'rrir] **I.** *vi* geschehen; **¿qué ocurre?** was ist los?; **¿qué te ocurre?** was hast du? **II.** *vr:* **~se** einfallen *+dat;* **no se me ocurre nada** mir fällt nichts ein

odiar [o'ðjar] *vt* hassen; **~ a muerte** auf den Tod hassen

odio ['oðjo] *m* Hass *m*

odioso, -a [o'ðjoso] *adj* gehässig; AM lästig

odisea [oði'sea] *f* Odyssee *f*

odontólogo, -a [oðon̩'toloγo] *m, f* Zahnarzt, -ärztin *m, f*

oeste [o'este] *m* Westen *m*

ofender [ofen̩'der] **I.** *vt* beleidigen **II.** *vr:* **~se** beleidigt sein; **¡no te ofendas conmigo!** sei mir nicht böse!

ofensa [o'fensa] *f* Beleidigung *f*

ofensiva [ofen'siβa] *f* Angriff *m;* **tomar la ~** zum Angriff übergehen

ofensivo, -a [ofen'siβo] *adj* ❶ (*hiriente*) beleidigend ❷ (*dañino*) schädlich

oferta [o'ferta] *f* Angebot *nt;* **~ de empleo** Stellenangebot *nt;* **~ especial** Sonderangebot *nt*

ofertar [ofer'tar] *vt* anbieten

oficial [ofi'θjal] *adj* offiziell; **boletín ~** Amtsblatt *nt*

oficina [ofi'θina] *f* Büro *nt;* **~ de correos** Postamt *nt;* **~ de empleo** Arbeitsamt *nt*

oficinista [ofiθi'nista] *mf* Büroangestellte(r) *f(m)*

oficio [o'fiθjo] *m* ❶ Beruf *m;* **ejercer un ~** einem Beruf nachgehen ❷ **de ~** von Amts wegen
ofrecer [ofre'θer] *irr como crecer* **I.** *vt* anbieten; (*presentar, dar*) bieten; REL darbringen **II.** *vr:* **~se** sich anbieten; **¿se le ofrece algo?** was darf es sein?
ofrenda [o'freṇda] *f* (milde) Gabe *f;* (*sacrificio*) Opfergabe *f*
oftalmólogo, -a [oftal'moloɣo] *m, f* Augenarzt, -ärztin *m, f*
ogro ['oɣro] *m* Scheusal *nt*
oída [o'iða] *f:* **de ~s** vom Hörensagen
oído [o'iðo] *m* ❶ (*sentido*) Gehör *nt;* **tener buen ~** ein gutes Gehör haben ❷ ANAT Ohr *nt;* **cera de ~s** Ohrenschmalz *nt;* **zumbido de ~s** Ohrensausen *nt;* **me zumban los ~s** mir klingen die Ohren; **ser todo ~s** ganz Ohr sein
oír [o'ir] *irr vt* hören; (*escuchar*) anhören; **¡oye!** na hör mal!; **¡oiga!** hallo!
ojalá [oxa'la] *interj* hoffentlich
ojeada [oxe'aða] *f:* **¿puedes echar una ~ a mi maleta?** kannst du bitte meinen Koffer im Auge behalten?
ojeras [o'xeras] *f pl* Augenringe *mpl;* **tener ~** Ringe unter den Augen haben
ojo ['oxo] *m* Auge *nt;* **~ de gallo** Hühnerauge *nt;* **a ~** nach Augenmaß; **no pegar ~** kein Auge zutun; **¡~!** Vorsicht!
okupa [o'kupa] *mf* (*argot*) Hausbesetzer(in) *m(f)*
ola ['ola] *f* Welle *f;* **~ de calor** Hitzewelle *f*
olé [o'le] *interj* bravo; TAUR olé
oleada [ole'aða] *f:* **~ de gente** Menschenmenge *f*
óleo ['oleo] *m:* **pintar al ~** in Öl malen
oler [o'ler] *irr* **I.** *vi* riechen; **~ (bien)** duften; **~ (mal)** stinken **II.** *vt* riechen
olfato [ol'fato] *m* Geruchssinn *m;* **tener (buen) ~** (*fig*) einen guten Riecher haben
olimpiada [olim'pjaða] *f,* **olimpíada** [olim'piaða] *f* Olympiade *f*
olímpico, -a [o'limpiko] *adj* olympisch
olivo [o'liβo] *m* Olivenbaum *m*
olla ['oʎa] *f* Kochtopf *m;* **~ exprés** Dampfkochtopf *m*
olmo ['olmo] *m* Ulme *f;* **pedir peras al ~** etwas Unmögliches verlangen
olor [o'lor] *m* Geruch *m;* **(buen) ~** Duft *m;* **(mal) ~** Gestank *m*
oloroso, -a [olo'roso] *adj* duftend
olvidar(se) [olβi'ðar(se)] *vt, vr* vergessen; (*idioma*) verlernen; **no ~ que...** bedenken, dass ...; **dejar olvidado** liegen lassen
olvido [ol'βiðo] *m:* **caer en (el) ~** in Vergessenheit geraten
ombligo [om'bliɣo] *m* (Bauch)nabel *m*
omisión [omi'sjon] *f* ❶ (*supresión*) Auslassung *f* ❷ (*negligencia*) Unterlassung *f;* **~ de auxilio** unterlassene Hilfeleistung
omiso, -a [o'miso] *adj:* **hacer caso ~ de algo** etw nicht beachten
omitir [omi'tir] *vt* ❶ (*no hacer*) unterlassen ❷ (*pasar por alto*) auslassen
ómnibus ['omniβus] *m* AUTO (Omni)bus *m*
omnipotente [omnipo'teṇte] *adj* allmächtig
omnipresente [omnipre'seṇte] *adj* allgegenwärtig
omoplato [omo'plato] *m,* **omóplato** [o'moplato] *m* Schulterblatt *nt*
once ['oṇθe] *adj* elf; *v.t.* **ocho**
ONCE ['oṇθe] *f abr de* **Organización Nacional de Ciegos Españoles** *spanische Blindenorganisation* (*Lotterie*)
onceno, -a [oṇ'θeno] *adj* elfte(r, s); *v.t.* **octavo**
onda ['oṇda] *f* ❶ *t.* FÍS, RADIO Welle *f* ❷ AM: **¡qué buena ~!** klasse!; **tener ~ con alguien** auf jdn scharf sein *fam*
ondear [oṇde'ar] *vi* sich wellen; (*bandera*) flattern
ondulado, -a [oṇdu'laðo] *adj* wellig; **cartón ~** Wellpappe *f*
ONU ['onu] *f abr de* **Organización de las Naciones Unidas** UNO *f*
opaco, -a [o'pako] *adj* ❶ (*no transpa-*

rente) lichtundurchlässig ❷ (*sin brillo*) matt

opción [oβ'θjon] *f* ❶ (*elección*) Wahl (möglichkeit) *f*; **a ~** nach Wahl ❷ (*derecho*) Anrecht *nt* (*a* auf +*akk*)

opcional [oβθjo'nal] *adj* nach Wahl

ópera ['opera] *f* Oper *f*

operación [opera'θjon] *f* Operation *f*

operar [ope'rar] **I.** *vi* ❶ (*actuar*) vorgehen ❷ COM handeln **II.** *vt* operieren **III.** *vr*: **~se** sich operieren lassen

operario, -a [ope'rarjo] *m, f* Arbeiter(in) *m(f)*

operativo, -a [opera'tiβo] *adj*: **sistema ~** Betriebssystem *nt*

opinar [opi'nar] *vi, vt* ❶ meinen; (*creer*) glauben; **~ bien/mal de algo/alguien** über etw/von jdm eine gute/schlechte Meinung haben ❷ (*expresar*) sich äußern (*sobre/en/de* über +*akk*); **¿puedo ~?** darf ich meine Meinung dazu äußern?

opinión [opi'njon] *f* Meinung *f*; **en mi ~** meiner Meinung nach; **cambiar de ~** seine Meinung ändern

opio ['opjo] *m* Opium *nt*

oponente [opo'neṇte] *mf* Gegner(in) *m(f)*

oponer [opo'ner] *irr como poner* **I.** *vt* ❶ entgegensetzen; (*confrontar*) gegenüberstellen ❷ (*objetar*) einwenden (*a/contra* gegen +*akk*) **II.** *vr*: **~se** ❶ (*rechazar*) dagegen sein; **~se a algo** gegen etw sein ❷ (*obstaculizar*) behindern

oportunidad [oportuni'ðaᵈ] *f* Gelegenheit *f*; **a la primera ~** bei der ersten Gelegenheit; **una segunda ~** eine zweite Chance; **aprovechar la ~** die Gelegenheit nutzen

oportuno, -a [opor'tuno] *adj* angebracht; (*propicio*) günstig; **es muy ~** das kommt sehr gelegen

oposición [oposi'θjon] *f* ❶ (*resistencia*) Widerstand *m*; **presentar ~** Widerstand leisten ❷ POL Opposition *f* ❸ (*pl*): **presentarse a unas oposiciones** an Auswahlprüfungen für den öffentlichen Dienst teilnehmen

opositar [oposi'tar] *vi* sich bewerben (*a* um +*akk*), an den Auswahlprüfungen für den öffentlichen Dienst teilnehmen

opositor(a) [oposi'tor] **I.** *adj* oppositionell; **partido ~** Oppositionspartei *f* **II.** *m(f)* ❶ (*oponente*) Gegner(in) *m(f)* ❷ (*candidato*) Bewerber(in) *m(f)* (*für eine Stelle im öffentlichen Dienst, der/die an den Auswahlprüfungen teilnimmt*)

opresión [opre'sjon] *f* Unterdrückung *f*

opresor(a) [opre'sor] **I.** *adj* unterdrückend **II.** *m(f)* Unterdrücker(in) *m(f)*

oprimir [opri'mir] *vt* ❶ (*presionar*) drücken; (*comprimir*) einengen ❷ (*agobiar*) bedrücken ❸ (*reprimir*) unterdrücken

optar [op'tar] *vi* ❶ (*decidirse*) sich entscheiden ❷ (*aspirar*) (für sich) beanspruchen (*a* +*akk*)

óptica ['optika] *f* ❶ FÍS Optik *f* ❷ (*establecimiento*) Optikergeschäft *nt*

óptico, -a ['optiko] **I.** *adj* optisch **II.** *m, f* Optiker(in) *m(f)*

optimismo [opti'mismo] *m* Optimismus *m*

optimista [opti'mista] *adj* optimistisch

óptimo, -a ['optimo] **I.** *superl de* **bueno** **II.** *adj* optimal; (*excelente*) ausgezeichnet

opuesto, -a [o'pwesto] **I.** *pp de* **oponer** **II.** *adj* ❶ (*enfrente*) gegenüberliegend; **en dirección opuesta** in der Gegenrichtung ❷ (*enfrentado*) entgegengesetzt; **polo ~** (*t. fig*) Gegenpol *m*; **el sexo ~** das andere Geschlecht ❸ (*enemigo*) gegnerisch

oración [ora'θjon] *f* ❶ REL Gebet *nt* ❷ (*frase*) Satz *m*

orador(a) [ora'ðor] *m(f)* Redner(in) *m(f)*

oral [o'ral] *adj* mündlich; **vista ~** Verhör *nt*; **por vía ~** zum Einnehmen

orar [o'rar] *vi* (*elev*) beten (*por* für +*akk*); (*rogar*) flehen (*por* um +*akk*)

órbita ['orβita] *f* ❶ ASTR Umlaufbahn *f* ❷ ANAT Augenhöhle *f*

orden[1] ['orðen] <órdenes> *m* ❶ (*colocación*) Ordnung *f;* **llamar al ~** zur Ordnung rufen; **poner en ~** in Ordnung bringen ❷ (*sucesión*) Reihenfolge *f;* **en [***o* **por] su (debido) ~** wie es sich gehört; **por ~** der Reihe nach ❸ (*categoría*) Rang *m;* **del ~ de** etwa

orden[2] ['orðen] <órdenes> *f* ❶ Befehl *m;* (*disposición*) Verfügung *f;* **~ de arresto** Haftbefehl *m;* **¡a la ~!** zu Befehl!; **hasta nueva ~** bis auf Widerruf ❷ COM Order *f;* **~ de entrega** Lieferschein *m;* **~ de giro** Überweisungsauftrag *m;* **~ de pago** Zahlungsanweisung *f;* **~ permanente** Dauerauftrag *m;* **por ~ de** im Auftrag von ❸ REL Orden *m* ❹ (*condecoración*) Orden *m*

ordenado, -a [orðe'naðo] *adj* ❶ *estar* ordentlich ❷ *ser* (*persona*) ordentlich

ordenador [orðena'ðor] *m* Computer *m;* **~ personal** PC *m;* **~ portátil** Notebook *nt,* Laptop *nt*

ordenar [orðe'nar] **I.** *vi* aufräumen **II.** *vt* ❶ ordnen; (*habitación*) aufräumen ❷ (*mandar*) anordnen

ordinal [orði'nal] *m* Ordnungszahl *f*

ordinario, -a [orði'narjo] *adj* ❶ (*t.* JUR: *regular*) ordentlich ❷ (*habitual*) gewöhnlich; **de ~** üblicherweise ❸ (*grosero*) ordinär

orégano [o'reɣano] *m* Oregano *m*

oreja [o'rexa] *f* Ohr *nt;* (*sentido*) Gehör *nt;* **ser todo ~s** ganz Ohr sein

orfanato [orfa'nato] *m* Waisenhaus *nt*

orfebre [or'feβre] *mf* Kunstschmied(in) *m(f)*

orgánico, -a [or'ɣaniko] *adj* organisch; **Ley Orgánica del Estado** Grundgesetz *nt*

organismo [orɣa'nismo] *m* ❶ Organismus *m* ❷ (*institución*) Einrichtung *f;* **~ oficial** Behörde *f*

organización [orɣaniθa'θjon] *f* Organisation *f;* **~ central** Dachverband *m*

organizado, -a [orɣani'θaðo] *adj* ❶ *estar* organisiert ❷ *ser* ordentlich

organizar [orɣani'θar] <z → c> **I.** *vt* ❶ (*preparar*) organisieren ❷ (*ordenar*) ordnen ❸ (*celebrar*) veranstalten **II.** *vr:* **~se** ❶ (*asociarse*) sich zusammenschließen ❷ (*surgir*) zustande kommen; **¡menuda se organizó!** da war der Teufel los! ❸ (*ordenar*) haushalten (mit +*dat*); **~se el tiempo** sich *dat* die Zeit einteilen

órgano ['orɣano] *m* ❶ *t.* ANAT Organ *nt;* **~s sexuales** Geschlechtsorgane *ntpl* ❷ MÚS Orgel *f*

orgasmo [or'ɣasmo] *m* Orgasmus *m*

orgía [or'xia] *f* Orgie *f*

orgullo [or'ɣuʎo] *m* ❶ (*satisfacción*) Stolz *m* (*por/de* auf +*akk*) ❷ (*soberbia*) Hochmut *m*

orgulloso, -a [orɣu'ʎoso] *adj* ❶ *estar* stolz (*con/de* auf +*akk*); **sentirse ~ de algo/alguien** stolz auf etw/jdn sein ❷ *ser* stolz; (*soberbio*) hochmütig

orientación [orjeņta'θjon] *f* ❶ (*situación*) Orientierung *f* ❷ (*tendencia*) Tendenz *f;* **tu ~ política** deine politische Einstellung

oriental [orjeņ'tal] *adj* ❶ östlich ❷ (*Oriente Medio/Próximo*) orientalisch ❸ (*Extremo Oriente*) fernöstlich

orientar [orjeņ'tar] **I.** *vt* ❶ (*dirigir*) ausrichten (*a/hacia* auf +*akk*); **orientado a la práctica** praxisorientiert ❷ (*asesorar*) beraten **II.** *vr:* **~se** sich ausrichten; (*fig*) sich orientieren; **se orientó muy bien en el trabajo** er/sie fand sich sehr gut in die Arbeit hinein

oriente [o'rjeņte] *m* Osten *m;* (*países*) Orient *m;* **el Oriente Próximo** der Nahe Osten; **el Extremo Oriente** der Ferne Osten

origen [o'rixen] *m* ❶ (*principio*) Ursprung *m* ❷ (*causa*) Ursache *f* ❸ (*ascendencia*) Abstammung *f* ❹ (*procedencia*) Herkunft *f;* **ser de ~ español** gebürtiger Spanier/gebürtige Spanierin sein

original [orixi'nal] *adj* ❶ (*auténtico*) original; **versión ~** Originalfassung *f*

❷ (*primigenio*) ursprünglich ❸ (*originario*) stammend (*de* aus +*dat*) ❹ (*creativo*) originell
originalidad [orixinali'ðaᶞ] *f* ❶ (*autenticidad*) Originalität *f* ❷ (*del origen*) Ursprünglichkeit *f*
originar [orixi'nar] **I.** *vt* verursachen; (*provocar*) hervorrufen **II.** *vr:* **~se** entstehen; (*proceder*) herrühren (*en* von +*dat*)
orilla [o'riʎa] *f* ❶ (*borde*) Rand *m* ❷ (*ribera*) Ufer *nt;* **~ de** (*fam*) bei ❸ *pl* AM Stadtrand *m*
orina [o'rina] <orines> *f* Urin *m*
orinal [ori'nal] *m* Nachttopf *m*
orinar [ori'nar] *vi, vt* urinieren; **ir a ~** (*fam*) aufs Klo gehen
oro ['oro] *m* Gold *nt;* **~ de ley** Feingold *nt;* **bañado en ~** vergoldet; **de ~** golden; **color ~** goldfarben
orquesta [or'kesta] *f* Orchester *nt*
orquídea [or'kiðea] *f* Orchidee *f*
ortiga [or'tiɣa] *f* Brennnessel *f*
ortodoncia [orto'ðon̦θja] *f* Kieferorthopädie *f*
ortodoxo, -a [orto'ðoᵞso] *adj* orthodox
ortografía [ortoɣra'fia] *f* Rechtschreibung *f;* **falta de ~** Rechtschreibfehler *m*
ortográfico, -a [orto'ɣrafiko] *adj* orthographisch
ortopeda [orto'peða] *mf* Orthopäde, -in *m, f*
ortopedia [orto'peðja] *f* Orthopädie *f*
ortopédico, -a [orto'peðiko] **I.** *adj:* **pierna ortopédica** Beinprothese *f* **II.** *m, f* Orthopäde, -in *m, f*
oruga [o'ruɣa] *f* Raupe *f*
orujo [o'ruxo] *m* Trester(schnaps) *m*
os [os] **I.** *pron pers* (*objeto*) euch **II.** *pron refl*: **¿~ marcháis?** geht ihr?
osado, -a [o'saðo] *adj* kühn
osar [o'sar] *vi* wagen
oscilar [osθi'lar] *vi* pendeln; (*variar*) schwanken
oscurecer [oskure'θer] *irr como crecer* **I.** *vimpers* dunkel werden **II.** *vt, vr:* **~se** (sich) verdunkeln
oscuridad [oskuri'ðaᶞ] *f* Dunkelheit *f;* **en la ~** im Dunkeln
oscuro, -a [os'kuro] *adj* dunkel; **a oscuras** im Dunkeln
oso ['oso] *m* Bär *m;* **~ de peluche** Teddy(bär) *m*
ostentar [osten̦'tar] *vt* ❶ zur Schau stellen; (*jactarse*) prahlen (mit +*dat*) ❷ (*poseer*) aufweisen; (*puesto*) innehaben
ostra ['ostra] *f* Auster *f;* **aburrirse como una ~** sich zu Tode langweilen; **¡~s!** herrje!
OTAN [o'tan] *f abr de* **Organización del Tratado del Atlántico Norte** NATO *f*
otitis [o'titis] *f inv* Ohrenentzündung *f;* **~ media** Mittelohrentzündung *f*
otomano, -a [oto'mano] *adj* osmanisch
otoño [o'toɲo] *m* Herbst *m;* **a fin(al)es de ~** im Spätherbst
otorgar [otor'ɣar] <g → gu> *vt* ❶ verleihen; (*conceder*) erteilen; (*ayudas*) gewähren; **~ poderes** eine Vollmacht erteilen ❷ (*acceder*) bewilligen; **~ su consentimiento** seine Zustimmung geben
otorrinolaringólogo, -a [otorrinolariŋ'goloɣo] *m, f* Hals-Nasen-Ohren-Arzt, -Ärztin *m, f*
otro, -a ['otro] *adj o pron indef* ❶ (*distinto*) ein anderer, eine andere; **~s** andere; **el ~/la otra/lo ~** der/die/das andere; **otra persona, ~** jemand anders; **ninguna otra persona, ningún ~** kein anderer; **~ tanto** noch einmal so viel; **el ~ día** neulich; **en otra ocasión** ein anderes Mal; **otra cosa** etwas anderes; **¡otra vez será!** ein anderes Mal!; **otra vez** noch (ein)mal; **¡hasta otra (vez)!** bis zum nächsten Mal! ❷ (*uno más*) noch eine(r, s); **otras tres personas** noch drei (weitere) Personen; **¡otra, otra!** Zugabe!
ovación [oβa'θjon] *f* Beifall *m*
oval [o'βal], **ovalado, -a** [oβa'laðo] *adj* oval

ovario [o'βarjo] *m* Eierstock *m*
oveja [o'βexa] *f* Schaf *nt*
ovillo [o'βiʎo] *m* Knäuel *m o nt*
ovino, -a [o'βino] *adj:* **ganado** ~ Schafe *ntpl*
ovni ['oβni] *m* UFO *nt*
ovulación [oβula'θjon] *f* Eisprung *m*
óvulo ['oβulo] *m* Eizelle *f*
oxidación [oˠsiða'θjon] *f* ❶ QUÍM Oxidation *f* ❷ (*metal*) (Ver)rosten *nt*
oxidar [oˠsi'ðar] **I.** *vt* ❶ QUÍM oxidieren ❷ (*metal*) rosten lassen; **un hierro oxidado** ein Stück rostiges Eisen **II.** *vr:* **~se** ❶ (*metal*) rosten; (*mente*) verkalken ❷ QUÍM oxidieren
óxido ['oˠsiðo] *m* ❶ QUÍM Oxid *nt* ❷ (*orín*) Rost *m*
oxígeno [oˠ'sixeno] *m* Sauerstoff *m*
oyente [o'ɟen̪te] *mf* (Zu)hörer(in) *m(f)*
ozono [o'θono] *m* Ozon *nt*

P

P, p [pe] *f* P, p *nt*
paciencia [pa'θjeṇθja] *f* Geduld *f;* **se me acabó la ~** meine Geduld ist am Ende
paciente [pa'θjeṇte] **I.** *adj* geduldig; **ser ~ con alguien** mit jdm viel Geduld haben **II.** *mf* Patient(in) *m(f)*
pacífico, -a [pa'θifiko] *adj* friedfertig; (*estado*) ruhig
Pacífico [pa'θifiko] *m* Pazifik *m*
pacifista [paθi'fista] *adj* pazifistisch
pactar [pak'tar] *vt* einen Pakt schließen
pacto ['pakto] *m* Pakt *m;* (*contrato*) Vertrag *m*
padecer [paðe'θer] *irr como crecer vi, vt* leiden
padrastro [pa'ðrastro] *m* Stiefvater *m*
padre ['paðre] *m* ❶ Vater *m;* **¡tu ~!** (*fam*) verdammt noch mal! ❷ *pl* (*padre y madre*) Eltern *pl*
padrenuestro [paðre'nwestro] *m* Vaterunser *nt*
padrino [pa'ðrino] *m* (Tauf)pate *m;* **~ (de boda)** Trauzeuge *m*
paella [pa'eʎa] *f* Paella *f*
pág. ['paxina] *abr de* **página** S.
paga ['paɣa] *f* Lohn *m*
pagano, -a [pa'ɣano] *adj* heidnisch
pagar [pa'ɣar] <g → gu> *vt* ❶ bezahlen; (*sueldo que se debe*) auszahlen; (*una deuda*) begleichen ❷ (*expiar*) büßen; **¡me las ~ás!** das wirst du mir büßen! ❸ (*recompensar*) vergelten; (*una visita*) erwidern; **¡Dios se lo pague!** vergelt's Gott!
pagaré [paɣa're] *m* Schuldschein *m*
página ['paxina] *f* Seite *f;* **~ web** Webseite *f*
pago ['paɣo] *m* ❶ (*reintegro*) Zahlung *f;* **~ a plazos** Ratenzahlung *f* ❷ (*salario*) Lohn *m;* **~ anticipado** Vorschuss *m;* **~ por hora** Stundenlohn *m* ❸ (*fig*) Vergeltung *f;* **¿éste es el ~ que me das?** so dankst du es mir?
paila ['pai̯la] *f* AM Pfanne *f*
país [pa'is] *m* Land *nt;* **~ en vías de desarrollo** Entwicklungsland *nt*
paisa ['pai̯sa] *m* AM *v.* **paisano**
paisaje [pai̯'saxe] *m* Landschaft *f*
paisano, -a [pai̯'sano] *m, f* ❶ (*no militar*) Zivilist(in) *m(f)* ❷ (*compatriota*) Landsmann, -männin *m, f*
Países Bajos [pa'ises 'βaxos] *m pl* Niederlande *pl*
paja ['paxa] *f* Stroh *nt*, Strohhalm *m;* **hacerse una ~** (*vulg*) sich *dat* einen runterholen
pajar [pa'xar] *m* Scheune *f*
pajarita [paxa'rita] *f* Fliege *f*
pájaro ['paxaro] *m* Vogel *m;* **~ carpintero** Specht *m;* **~ gordo** (*fig*) hohes Tier
Pakistán [pakis'tan] *m* Pakistan *nt*
pakistaní [pakista'ni] *adj* pakistanisch
pala ['pala] *f* Schaufel *f;* (*cuadrada*) Spaten *m;* AM Bulldozer *m*
palabra [pa'laβra] *f* Wort *nt;* **~s mayores** Schimpfwörter *ntpl*; **libertad de ~** Redefreiheit *f;* **de pocas ~s** wortkarg
palabrota [pala'βrota] *f* Schimpfwort *nt*
palacio [pa'laθjo] *m* Palast *m;* **Palacio de Justicia** Gerichtsgebäude *nt*
paladar [pala'ðar] *m* Gaumen *m;* **tener buen ~** ein Feinschmecker sein
palanca [pa'laŋka] *f* Hebel *m*
palco ['palko] *m* AM Tribüne *f;* TEAT Loge *f*
palestino, -a [pales'tino] *adj* palästinensisch
paleta [pa'leta] *f* ❶ kleine Schaufel *f;* (*del albañil*) Maurerkelle *f* ❷ (*del pintor*) Palette *f* ❸ (*omóplato*) Schulterblatt *nt*
palidecer [paliðe'θer] *irr como crecer vi* ❶ (*persona*) erblassen ❷ (*cosa*) verblassen
pálido, -a ['paliðo] *adj* blass
palillo [pa'liʎo] *m* Zahnstocher *m*
paliza [pa'liθa] *f* (Tracht *f*) Prügel *mpl;*

(*esfuerzo*) Anstrengung *f*
palma ['palma] *f* ❶ (*palmera*) Palme *f* ❷ ANAT Handfläche *f* ❸ *pl* Händeklatschen *nt;* (*aplauso*) Beifall *m*
palmada [pal'maða] *f* (*golpe*) Schlag *m*
palmera [pal'mera] *f* Palme *f*
palmo ['palmo] *m:* ~ **a** ~ Schritt für Schritt
palo ['palo] *m* ❶ Stock *m;* (*garrote*) Knüppel *m;* NÁUT Mast *m;* ~ **de la escoba** Besenstiel *m* ❷ (*paliza*) Schlag *m;* **echar a alguien a ~s** jdn gewaltsam rausschmeißen
paloma [pa'loma] *f* Taube *f;* ~ **mensajera** Brieftaube *f*
palomita [palo'mita] *f* Popcorn *nt*
palpar [pal'par] *vt* abtasten
palpitar [palpi'tar] *vi* zucken; (*corazón*) schlagen
paludismo [palu'ðismo] *m* Malaria *f*
pampa ['pampa] *f* Pampa *f*
pampero, -a [pam'pero] *adj* aus der Pampa
pamplina [pam'plina] *f* (*fam*) Unsinn *m*
pamplonés, -esa [pamplo'nes] *adj* aus Pamplona
pan [pan] *m* Brot *nt;* ~ **bimbo®** Toastbrot *nt;* ~ **integral** Vollkornbrot *nt;* ~ **rallado** Semmelbrösel *m pl*; **ser ~ comido** kinderleicht sein
pana ['pana] *f* Kord(samt) *m*
panadería [panaðe'ria] *f* Bäckerei *f*
panadero, -a [pana'ðero] *m, f* Bäcker(in) *m(f)*
panal [pa'nal] *m* Wabe *f*
Panamá [pana'ma] *m* Panama *nt*
panameño, -a [pana'meɲo] *adj* aus Panama
pancarta [paŋ'karta] *f* Plakat *nt*
pancho, -a ['pantʃo] *adj* ruhig
páncreas ['paŋkreas] *m* Bauchspeicheldrüse *f*
panda[1] ['paṇda] *m* ZOOL Panda *m*
panda[2] ['paṇda] *f v.* **pandilla**
pandereta [paṇde'reta] *f,* **pandero** [paṇ'dero] *m* Tamburin *nt*
pandilla [paṇ'diʎa] *f* Bande *f;* (*de amigos*) Clique *f;* ~ **de ladrones** Verbrecherbande *f*
panecillo [pane'θiʎo] *m* Brötchen *nt*
panel [pa'nel] *m* ❶ (*carpintería*) Paneel *nt* ❷ TÉC Tafel *f;* ~ **de control** Steuerpult *nt*
panfleto [paɱ'fleto] *m* Pamphlet *nt*
pánico ['paniko] *m* Panik *f;* **tener ~ a algo** panische Angst vor etw *dat* haben
panoli [pa'noli] *mf* (*fam*) Simpel *m*
panorama [pano'rama] *m* Panorama *nt;* (*fig*) Überblick *m*
pantalla [paṇ'taʎa] *f* ❶ Lampenschirm *m* ❷ (*protección*) Abschirmung *f* ❸ INFOR, TV Bildschirm *m* ❹ CINE Leinwand *f;* **pequeña** ~ (*fam*) Fernsehen *nt*
pantalón [paṇta'lon] *m* Hose *f;* ~ **de pinzas** Bundfaltenhose *f;* ~ **pitillo** Röhrenhose *f;* ~ **tejano**[*o* **vaquero**] Jeans(hose) *f*
pantano [paṇ'tano] *m* Sumpf *m;* (*embalse*) Stausee *m*
panteón [paṇte'on] *m* Pantheon *nt;* (*sepultura*) Grabstätte *f;* AM Friedhof *m*
pantera [paṇ'tera] *f* Panther *m*
pantimedia(s) [paṇti'meðja(s)] *f* (*pl*) MÉX Strumpfhose *f*
pantis ['paṇtis] *m pl* (*fam*) Nylonstrumpfhose *f*
pantomima [paṇto'mima] *f* Pantomime *f*
pantorrilla [paṇto'rriʎa] *f* Wade *f*
pantufla [paṇ'tufla] *f m* Pantoffel *m*
panza ['paṇθa] *f* Bauch *m;* **llenarse la** ~ sich *dat* den Wanst vollschlagen *fam*
pañal [pa'ɲal] *m* Windel *f*
paño ['paɲo] *m* ❶ (*tejido*) Stoff *m* ❷ (*trapo*) Tuch *nt;* ~ **de cocina** Küchenhandtuch *nt*
pañoleta [paɲo'leta] *f* Halstuch *nt*
pañuelo [pa'ɲwelo] *m* ❶ (*moquero*) Taschentuch *nt* ❷ (*pañoleta*) Halstuch *nt;* (*de cabeza*) Kopftuch *nt*
papa[1] ['papa] *m* Papst *m*
papa[2] ['papa] *f* ❶ AM Kartoffel *f;* **no entender ni ~** überhaupt nichts ver-

P

stehen ❷ *pl* (*comida*) Brei *m*

papá [pa'pa] *m* (*fam*) Papa *m;* **Papá Noel** Weihnachtsmann *m*

papagayo [papa'ɣaɟo] *m* ❶ (*loro*) Papagei *m* ❷ (*hablador*) Schwätzer *m*

papaya [pa'paɟa] *f* (*fruta*) Papaya *f*

papel [pa'pel] *m* ❶ Papier *nt;* (*escritura*) Schriftstück *nt;* **~ de calcar** Pauspapier *nt;* **~ cebolla** Durchschlagpapier *nt;* **~ continuo** Endlospapier *nt;* **~ de envolver** Einschlagpapier *nt;* **~ de estraza** Packpapier *nt;* **~ higiénico** Toilettenpapier *nt;* **~ pintado** Tapete *f;* **~ de plata** Aluminiumfolie *f;* **~ reciclado** Umweltschutzpapier *nt* ❷ (*rol*) Rolle *f* ❸ *pl* Dokumente *ntpl*; (*de identidad*) (Ausweis)papiere *ntpl*

papeleo [pape'leo] *m* Papierkram *m fam*

papelera [pape'lera] *f* ❶ (*cesto*) Papierkorb *m* ❷ (*fábrica*) Papierfabrik *f*

papelería [papele'ria] *f* Schreibwarengeschäft *nt*

papeleta [pape'leta] *f* Zettel *m;* **menuda ~ le ha tocado** er steht vor einer ganz schön schwierigen Aufgabe

papera [pa'pera] *f pl* Mumps *m*

papilla [pa'piʎa] *f* Brei *m;* **estar hecho ~** (*fig*) völlig fertig sein

papiro [pa'piro] *m* Papyrus *m*

papo ['papo] *m* Wamme *f*

paquete [pa'ket] *m* Paket *nt*

paquidermo [paki'ðermo] *m* Dickhäuter *m*

par [par] **I.** *adj* ❶ (*número*) gerade ❷ (*igual*) gleich; **a la ~** gleichzeitig; **sin ~** unvergleichlich **II.** *m* ❶ (*dos cosas*) Paar *nt;* **un ~ de pantalones** eine Hose ❷ (*algunos*): **un ~ de minutos** ein paar Minuten

para ['para] **I.** *prep* ❶ (*destino*) für +*akk* ❷ (*finalidad*) für +*akk*, zu +*dat;* **¿~ qué es esto?** wozu ist das gut? ❸ (*dirección*) nach +*dat;* **mira ~ acá** schau hierher ❹ (*duración*) für +*akk;* (*plazo*) an +*dat;* **~ siempre** für immer; **vendrá ~ Navidad** er/sie kommt zu Weihnachten; **diez minutos ~ las once** AM zehn (Minuten) vor elf ❺ (*contraposición*) für +*akk;* **es muy activo ~ la edad que tiene** für sein Alter ist er noch sehr aktiv ❻ (*trato*): **~ (con)** zu +*dat;* **es muy amable ~ con nosotros** er/sie ist sehr freundlich zu uns ❼ (*loc*): **estar ~...** im Begriff sein zu ...; **no estoy ~ bromas** ich bin nicht zu Späßen aufgelegt **II.** *conj* ❶ +*inf* um ... zu ❷ +*subj* damit

parábola [pa'raβola] *f* Gleichnis *nt*

parabólica [para'βolika] *f* Parabolantenne *f*

parabrisas [para'βrisas] *m* Windschutzscheibe *f*

paracaídas [paraka'iðas] *m* Fallschirm *m*

parachoques [para'ʧokes] *m* Stoßstange *f*

parada [pa'raða] *f* Haltestelle *f*

paradero [para'ðero] *m* ❶ (*en una autopista*) Rastplatz *m* ❷ (*de una persona*) Aufenthaltsort *m;* **está en ~ desconocido** sein/ihr Aufenthaltsort ist unbekannt

parado, -a [pa'raðo] **I.** *adj* ❶ stillstehend; (*fábrica*) stillgelegt; **estar ~** stillstehen ❷ (*sin empleo*) arbeitslos ❸ (*remiso*) träge ❹ (*tímido*) scheu ❺ (*loc*): **salir mal ~ de un asunto** bei einer Sache schlecht wegkommen **II.** *m, f* Arbeitslose(r) *f(m);* **~ de larga duración** Langzeitarbeitslose(r) *m*

paradoja [para'ðoxa] *f* Widerspruch *m;* **esto es una ~** das ist doch widersinnig

parador [para'ðor] *m* Hotel *nt*

parágrafo [pa'raɣrafo] *m* Absatz *m*

paraguas [pa'raɣwas] *m* Regenschirm *m*

paraguayo, -a [para'ɣwaɟo] *adj* aus Paraguay

paraíso [para'iso] *m* Paradies *nt*

paraje [pa'raxe] *m* Ort *m;* (*paisaje*) Gegend *f*

paralelo, -a [para'lelo] *adj* parallel (*a* zu +*dat*)

P

paralimpiada [paralim'pjaðа] *f*, **paralimpíada** [paralim'piaða] *f* Paralympics *fpl*, Paraolympiade *f*

paralímpico, -a *adj* paralympisch

parálisis [pa'ralisis] *f inv* Lähmung *f;* ~ **infantil** Kinderlähmung *f*

paralítico, -a [para'litiko] *adj* gelähmt

paralización [paraliθa'θjon] *f* ① (*del cuerpo*) Lähmung *f* ② (*de un proyecto*) Abbrechen *nt;* (*de un proceso*) Behinderung *f*

paralizar [parali'θar] <z → c> **I.** *vt* lähmen; (*cosa*) lahmlegen **II.** *vr:* **~se** zum Erliegen kommen

páramo ['paramo] *m* unfruchtbares Land *nt;* (*lugar desamparado*) (Ein)öde *f*

paranoia [para'noja] *f* Paranoia *f*

paranoico, -a [para'noi̯ko] *adj* ① (*loco*) paranoid ② (*relativo a la paranoia*) paranoisch

parapléjico, -a [para'plexiko] *adj* querschnittsgelähmt

para(p)sicología [para(β)sikolo'xia] *f* Parapsychologie *f*

parar ['parar] **I.** *vi* ① (*detenerse*) anhalten ② (*terminar*) aufhören; **ha parado de llover** es hat aufgehört zu regnen ③ (*acabar*) enden; **¿en qué irá a ~ esto?** wohin soll das führen? ④ (*vivir*) sich aufhalten; **no sé dónde para** ich weiß nicht, wo er/sie sich gerade aufhält **II.** *vt* anhalten; (*un golpe*) abwehren; (*el motor*) abstellen; **cuando se enfada no hay quien lo pare** wenn er wütend ist, ist er nicht zu bremsen **III.** *vr:* **~se** ① anhalten; (*reloj*) stehen bleiben ② (AM: *levantarse*) aufstehen

pararrayos [para'rraɟos] *m* Blitzableiter *m*

parásito, -a [pa'rasito] *m, f* Parasit *m;* (*persona*) Schmarotzer(in) *m(f)*

parasol [para'sol] *m* ① Sonnenschirm *m* ② (*umbela*) Markise *f*

parcela [par'θela] *f* Grundstück *nt;* ~ **de cultivo** Feld *nt;* ~ **edificable** Baugrundstück *nt*

parcelar [parθe'lar] *vt* parzellieren

parche ['partʃe] *m:* ~ **para el ojo** Augenklappe *f;* **poner un** ~ flicken

parchís [par'tʃis] *m* Mensch-ärgere-dich-nicht *nt*

parcial [par'θjal] *adj* ① (*de una parte*) teilweise ② (*incompleto*) unvollständig ③ (*arbitrario*) parteiisch

parco, -a ['parko] *adj* ① (*moderado*) bescheiden; (*sobrio*) nüchtern ② (*escaso*) spärlich; ~ **en palabras** wortkarg

pardiez [par'ðjeθ] *interj* Donnerwetter!

pardillo, -a [par'ðiʎo] *m, f* Tölpel *m*

pardo, -a ['parðo] *m, f* AM Mulatte, -in *m, f*

parear [pare'ar] *vt* paarweise zusammentun; BIOL paaren

parecer [pare'θer] **I.** *vi irr como crecer* aussehen; (*aparentar*) scheinen; **tu idea me parece bien** ich bin mit deiner Idee einverstanden; **parece mayor de lo que es** er/sie sieht älter aus als er/sie ist; **parece mentira que...** +*subj* (es ist) kaum zu glauben, dass ...; **parece que va a llover** es sieht nach Regen aus; **¿qué te parece?** was hältst du davon?; **si te parece bien,...** wenn du einverstanden bist, ... **II.** *vr irr como crecer:* **~se** sich *dat* ähneln; **te pareces mucho a tu madre** du ähnelst deiner Mutter sehr **III.** *m* ① Meinung *f;* (*juicio*) Urteil *nt;* **a mi** ~ meiner Meinung nach ② (*aspecto*) Aussehen *nt;* (*apariencia*) Anschein *m;* **al** ~ anscheinend

parecido, -a [pare'θiðo] *adj* ähnlich

pared [pa'reð] *f* Wand *f*

pareja [pa'rexa] *f* ① (*par*) Paar *nt;* **hacen buena** ~ sie passen gut zusammen ② (*compañero*) Partner(in) *m(f)*

parentesco [paren̪'tesko] *m* Verwandtschaft *f*

paréntesis [pa'ren̪tesis] *m inv* ① (*signo*) Klammer *f;* **entre ~,...** (*fig*) übrigens ... ② (*interrupción*) Unterbrechung *f;* **hicimos un ~ para almorzar** wir legten eine Frühstückspause ein

pariente, **-a** [pa'rjeṇte] *m, f* Verwandte(r) *f(m)*
parir [pa'rir] *vt* gebären; (*animal*) werfen
París [pa'ris] *m* Paris *nt*
parisiense [pari'sjense] **I.** *adj* pariserisch **II.** *mf* Pariser(in) *m(f)*
parking ['parkiŋ] <parkings> *m* Parkhaus *nt*
parlamentario, **-a** [parlameṇ'tarjo] **I.** *adj* parlamentarisch; **debate ~** Parlamentsdebatte *f* **II.** *m, f* ❶ (*diputado*) Parlamentarier(in) *m(f)*
parlamento [parla'meṇto] *m* Parlament *nt*
parlanchín, **-ina** [parlan'tʃin] *adj* (*fam*) geschwätzig
paro ['paro] *m* ❶ Stillstand *m*; **~ cardíaco** Herzstillstand *m* ❷ (*una máquina*) Abstellen *nt*; (*una fábrica*) Stilllegung *f* ❸ (*huelga*): **~ laboral** Streik *m* ❹ (*desempleo*) Arbeitslosigkeit *f*; **~ forzoso** Arbeitslosigkeit *f*; **estar en ~** arbeitslos sein
parodia [pa'roðja] *f* Parodie *f* (*de* auf +*akk*)
parpadear [parpaðe'ar] *vi* ❶ (*ojos*) blinzeln; **sin ~** (*fig*) ohne mit der Wimper zu zucken ❷ (*luz*) flimmern; (*llama*) flackern
párpado ['parpaðo] *m* (Augen)lid *nt*
parque ['parke] *m* ❶ (*jardín*) Park *m*; **~ de atracciones** Vergnügungspark *m*; **~ eólico** Windpark *m*; **Parque Natural** Naturschutzgebiet *nt*; **~ zoológico** Zoo *m* ❷ (*depósito*) Lager *nt*; **~ de bomberos** Feuerwehrhaus *nt* ❸ (*para niños*) Laufstall *m*
parqué [par'ke] *m* Parkett *nt*
parqueadero [parkea'ðero] *m* AM Parkplatz *m*
parquet [par'ke(t)] *m* Parkett *nt*
parra ['parra] *f* Weinstock *m*
párrafo ['parrafo] *m v.* **parágrafo**
parranda [pa'rraṇda] *f* Trubel *m*; (*de bar en bar*) Kneipentour *f*
parrilla [pa'rriʎa] *f* (Grill)rost *m*
parrillada [parri'ʎaða] *f* Grillplatte *f*; **~ de pescado/de carne** gegrillte Fisch-/Fleischspezialitäten
párroco ['parroko] *m* Pfarrer *m*
parroquia [pa'rrokja] *f* Gemeinde *f*
parte[1] ['parte] *f* ❶ (Bestand)teil *m*; **una cuarta ~** ein Viertel; **en ~** teilweise; **en gran ~** zu einem großen Teil; **por ~s** der Reihe nach ❷ (*repartición*) Anteil *m* (*de* an +*dat*) ❸ (*lugar*) Ort *m*; **a ninguna ~** nirgendwohin; **en cualquier ~** irgendwo; **en otra ~** woanders ❹ *t.* JUR Partei *f*; (*en un negocio*) Teilhaber(in) *m(f)* ❺ (*lado*) Seite *f*; **~ de delante** Vorderseite *f*; **dale recuerdos de mi ~** grüß ihn/sie von mir; **por otra ~** and(e)rerseits; (*además*) außerdem
parte[2] ['parte] *m* Bericht *m*; RADIO, TV Nachrichten *fpl*; **~ meteorológico** Wetterbericht *m*
participación [partiθipa'θjon] *f* ❶ Teilnahme *f* (*en* an +*dat*); **~ en los beneficios** Gewinnbeteiligung *f* ❷ (*parte*) Anteil *m* (*en* an +*dat*)
participar [partiθi'par] *vi* teilnehmen (*en* an +*dat*); (*tener parte*) beteiligt sein (*en* an +*dat*)
participio [parti'θipjo] *m* Partizip *nt*
particular [partiku'lar] *adj* ❶ (*propio*) eigen ❷ (*raro*) eigenartig ❸ (*extraordinario*) besondere(r, s) ❹ (*privado*) privat ❺ (*determinado*) bestimmt
particularmente [partikular'meṇte] *adv* vor allem
partida [par'tiða] *f* ❶ (*salida*) Abfahrt *f* ❷ (*envío*) Sendung *f* ❸ (*juego*) Partie *f*; **jugar una ~ de ajedrez** eine Partie Schach spielen
partidario, **-a** [parti'ðarjo] *m, f* Anhänger(in) *m(f)*; (*afiliado*) Mitglied *nt*; **ser ~ de algo** etw befürworten
partido [par'tiðo] *m* ❶ POL Partei *f*; **~ obrero** Arbeiterpartei *f* ❷ (*grupo*) (Interessen)gruppe *f*; **formar ~** sich zusammenschließen ❸ DEP Spiel *nt*; **~ amistoso** Freundschaftsspiel *nt* ❹ (*equipo*) Mannschaft *f* ❺ (*para ca-*

P

sarse) Partie *f* ❻ ADMIN Bezirk *m* ❼ (*determinación*) Stellungnahme *f;* **tomar ~** (*inclinarse*) Partei ergreifen (*a favor de* für +*akk*) ❽ (*provecho*) Nutzen *m* ❾ AM Scheitel *m*

partir [par'tir] **I.** *vt* ❶ teilen (*en* in +*akk*); MAT dividieren (*en* durch +*akk*); **~ por la mitad** halbieren ❷ (*romper*) zerbrechen ❸ TÉC spalten ❹ (*repartir*) aufteilen **II.** *vi* ❶ (*tomar como base*) ausgehen (*de* von +*dat*); **a ~ de ahora** von nun an; **a ~ de mañana** ab morgen ❷ (*ponerse en marcha*) abreisen **III.** *vr:* **~se** zerbrechen; **~se de risa** sich vor Lachen biegen

parto ['parto] *m* Geburt *f;* (*de un animal*) Werfen *nt;* **estar de ~** in den Wehen liegen

parvulario [parβu'larjo] *m* Kindergarten *m*

pasa ['pasa] *f* Rosine *f*

pasable [pa'saβle] *adj* passabel

pasada [pa'saða] *f* ❶ (*paso*) Vorbeigehen *nt* ❷ (*mano*) Durchgang *m* ❸ (*fam*) Gemeinheit *f;* **¡vaya (mala) ~!** so eine Gemeinheit!

pasadizo [pasa'ðiθo] *m* Durchgang *m;* (*entre dos calles*) Passage *f;* **~ secreto** Geheimgang *m*

pasado[1] [pa'saðo] *m* Vergangenheit *f;* **en el ~** früher

pasado, -a[2] [pa'saðo] *adj* ❶ vergangen; **el año ~** letztes Jahr; **~ mañana** übermorgen ❷ (*estropeado*) kaputt; (*alimentos*) verdorben

pasajero, -a [pasa'xero] *m, f* Passagier(in) *m(f);* **tren de ~s** Personenzug *m*

pasaporte [pasa'porte] *m* (Reise)pass *m*

pasar [pa'sar] **I.** *vi* ❶ vorbeigehen; (*en coche*) vorbeifahren; **~ corriendo** vorbeilaufen ❷ (*por un hueco*) durchgehen; (*en coche*) durchfahren ❸ (*acaecer*) passieren; **¿qué pasa?** was ist los?; **¿qué te pasa?** was hast du? ❹ (*acabar*) vorübergehen ❺ (*el tiempo*) vergehen ❻ MED sich übertragen ❼ (*poder existir*) auskommen ❽ (*aparentar*) durchgehen (*por* als +*nom*); **hacerse ~ por médico** sich als Arzt ausgeben ❾ (*cambiar*) übergehen (*a* zu +*dat*); **~ a mayores** sich verschlimmern ❿ (*ser admisible*) durchgehen ⓫ (*no jugar*) passen ⓬ (*fam: no necesitar*) verzichten (können) (*de* auf +*akk*); **yo paso de salir** ich möchte nicht ausgehen ⓭ (*loc*): **~ por alto** auslassen **II.** *vt* ❶ überqueren ❷ (*por un hueco*) (durch)führen ❸ (*trasladar*) verlegen; **~ a limpio** ins Reine schreiben ❹ (*dar*) reichen ❺ (*una temporada*) verbringen; **~lo bien** sich amüsieren; **¡que lo paséis bien!** viel Spaß! ❻ (*sufrir*) leiden; **~ frío** frieren ❼ (*transmitir*) übertragen; **le paso a la Sra. Ortega** ich verbinde Sie mit Fr. Ortega ❽ übertreffen; (*cierta edad*) überschreiten ❾ (*hacer deslizar*): **~ la aspiradora** Staub saugen ❿ (*tolerar*) durchgehen lassen **III.** *vr:* **~se** ❶ verstreichen; (*dolor*) nachlassen; **ya se le ~á el enfado** sein/ihr Ärger wird schon verfliegen; **~se de fecha** das Verfallsdatum überschreiten ❷ (*exagerar*) übertreiben ❸ (*por un sitio*) vorbeigehen; **me pasé un rato por casa de mi tía** ich habe kurz bei meiner Tante vorbeigeschaut ❹ (*cambiar*) wechseln (*a* zu +*dat*) ❺ (*olvidarse*) entfallen; **se me pasó tu cumpleaños** ich habe deinen Geburtstag vergessen ❻ (*alimentos*) schlecht werden ❼ (*escaparse*) entgehen; **se me pasó la oportunidad** ich verpasste die Chance ❽ (*loc*): **~se de moda** aus der Mode kommen

pasarrato [pasa'rrato] *m* MÉX, PRICO, **pasatiempo** [pasa'tjempo] *m* (*diversión*) Zeitvertreib *m;* (*hobby*) Freizeitbeschäftigung *f*

Pascua ['paskwa] *f* ❶ (*de resurrección*) Ostern *nt* ❷ *pl* (*navidad*) Weihnachten *nt*

pase ['pase] *m* ❶ Modenschau *f* ❷ DEP Pass *m* ❸ CINE (Film)vorführung *f* ❹ (*licencia*) Lizenz *f;* (*gratis*) Freikarte *f*

❺ AM (Reise)pass *m*

pasear [pase'ar] **I.** *vt* spazieren fahren; (*a pie*) spazieren führen; ~ **al perro** mit dem Hund Gassi gehen *fam* **II.** *vi, vr:* ~**se** spazieren gehen

paseo [pa'seo] *m* ❶ Spaziergang *m;* (*en coche/barco*) Spazierfahrt *f;* (*a caballo*) Ausritt *m;* **dar un** ~ spazieren gehen ❷ (*para pasear*) Promenade *f*

pasillo [pa'siʎo] *m* Korridor *m*, Gang *m*

pasión [pa'sjon] *f* ❶ (*ardor*) Leidenschaft *f* ❷ (*afecto*) Liebe *f;* (*preferencia*) Vorliebe *f;* **sentir** ~ **por el fútbol** passionierter Fußballfan sein

pasivo, -a [pa'siβo] *adj* ❶ passiv ❷ LING passivisch; **verbo** ~ Verb im Passiv; **voz pasiva** Passiv *nt*

pasmar [pas'mar] *vt* verblüffen; **me has dejado pasmado** ich bin sprachlos

paso ['paso] *m* ❶ Vorbeiziehen *nt;* **ceder el** ~ vorlassen; **estar de** ~ auf der Durchreise sein; **de** ~ nebenbei ❷ (*movimiento*) Schritt *m;* (*progreso*) Fortschritt *m* ❸ (*velocidad*) Tempo *nt* ❹ (*sonido*) Schritt *m* ❺ (*manera de andar*) Gang *m* ❻ (*distancia*) Schritt *m;* **vive a dos ~s de mi casa** er/sie wohnt gleich bei mir um die Ecke ❼ (*pasillo*) Durchgang *m;* **¡prohibido el ~!** kein Zutritt! ❽ (*para atravesar algo*) Übergang *m;* ~ **de cebra** Zebrastreifen *m;* ~ **a nivel** (Eisen)bahnübergang *m;* **¡~!** Platz da! ❾ (*medida*) Schritt *m;* **dar todos los ~s necesarios** alle erforderlichen Schritte unternehmen ❿ (*de un contador*) Zählereinheit *f*

pasota [pa'sota] *mf*: **ser un** ~ (*fig*) über den Dingen stehen

pasta ['pasta] *f* ❶ Paste *f;* (*para un pastel*) Teig *m;* ~ **de dientes** Zahnpasta *f* ❷ (*fideos*) Nudeln *fpl* ❸ (*pastelería*) Kleingebäck *nt* ❹ (*fam*) Knete *f*

pastar [pas'tar] *vi, vt* weiden (lassen)

pastel [pas'tel] *m* ❶ Gebäckstück *nt;* (*de carne/pescado*) Pastete *f* ❷ (*pintura*) Pastell *nt*

pastelería [pastele'ria] *f* Konditorei *f*

pastilla [pas'tiʎa] *f* ❶ (*medicina*) Tablette *f;* ~ **contra el dolor** Schmerztablette *f;* **la** ~ **azul** (*Viagra®*) die blaue Potenzpille; (*tipo de droga*): ~ **de éxtasis** Ecstasypille *f* ❷ (*trozo*) Stück *nt;* ~ **de caldo** Brühwürfel *m;* ~ **de chocolate** Tafel Schokolade; ~ **de jabón** Stück Seife ❸ (*loc*): **ir a toda** ~ (*fam*) einen Affenzahn draufhaben

pasto ['pasto] *m* Weide *f;* (*hierba*) Weidegras *nt*

pastor[1] [pas'tor] *m* ❶ Pastor *m;* (*obispo*) Bischof *m* ❷ ZOOL: ~ **alemán** Schäferhund *m*

pastor(a)[2] [pas'tor] *m(f)* Schäfer(in) *m(f)*

pata ['pata] *f* ANAT (*fam*) Bein *nt;* (*de un perro*) Pfote *f;* (*de una silla*) Stuhlbein *nt;* **mala** ~ (*fam*) Pech *nt;* **meter la** ~ ins Fettnäpfchen treten

patada [pa'taða] *f* (Fuß)tritt *m;* **romper una puerta a ~s** eine Tür eintreten

patata [pa'tata] *f* Kartoffel *f;* **~s fritas** Pommes frites *pl*

patatús [pata'tus] *m inv* (*fam*) ❶ (*desmayo*) Ohnmachtsanfall *m;* **le dio un** ~ er/sie wurde ohnmächtig ❷ (*síncope*) Zusammenbruch *m*

patear [pate'ar] **I.** *vt* ❶ treten (gegen +*akk*) ❷ (*pisotear*) zertrampeln ❸ (*tratar rudamente*) mit Füßen treten **II.** *vi* ❶ trampeln; (*estar enfadado*) (vor Wut) außer sich *dat* sein ❷ (*andar mucho*) viel herumlaufen

patentar [patenˌ'tar] *vt* patentieren (lassen)

patente [pa'tenˌte] **I.** *adj* sichtbar; (*evidente*) eindeutig **II.** *f* Patent *nt*

paternal [pater'nal] *adj* väterlich; **amor** ~ Vaterliebe *f*

paternidad [paterni'ðað] *f* ❶ (*relación*) Vaterschaft *f* ❷ (*calidad*) Väterlichkeit *f*

paterno, -a [pa'terno] *adj* väterlich; **casa paterna** Elternhaus *nt*

patín [pa'tin] *m* (*de hielo*) Schlittschuh

m; (*de ruedas*) Rollschuh *m;* **patines en línea** Inlineskates *mpl*

patinar [pati'nar] *vi* ❶ eislaufen; (*sobre patines de ruedas*) Rollschuh laufen ❷ (*deslizarse*) ausrutschen; (*un vehículo*) ins Schleudern geraten

patinete [pati'nete] *m* Roller *m*

patio ['patjo] *m* ❶ Hof *m;* (*interior*) Innenhof *m;* (*entre dos casas*) Hinterhof *m;* ~ **de recreo** Schulhof *m* ❷ TEAT Parkett *nt*

pato, -a ['pato] *m, f* Ente *f*

patológico, -a [pato'loxiko] *adj* pathologisch

patoso, -a [pa'toso] *adj* ungeschickt

patraña [pa'traɲa] *f* Lüge *f*

patria ['patrja] *f* Heimat *f;* **madre ~** Mutterland *nt;* AM Spanien *nt*

patrimonio [patri'monjo] *m* ❶ Erbe *nt;* ~ **cultural** Kulturgut *nt* ❷ (*riqueza*) Vermögen *nt*

patriota [pa'trjota] *mf* Landsmann, -männin *m, f*

patriotismo [patrjo'tismo] *m* ❶ (*del patriota*) Patriotismus *m* ❷ (*del patriotero*) Chauvinismus *m*

patrocinador(a) [patroθina'ðor] *m(f)* Schirmherr(in) *m(f);* DEP Sponsor(in) *m(f)*

patrocinar [patroθi'nar] *vt* sponsern

patrón[1] [pa'tron] *m* (*modelo*) Muster *nt*

patrón, -ona[2] [pa'tron] *m, f* ❶ (*que protege*) Beschützer(in) *m(f)* ❷ (*jefe*) Chef(in) *m(f)* ❸ (*santo*) Schutzheilige(r) *f(m)*

patronal [patro'nal] *f* Arbeitgeberverband *m*

patrono, -a [pa'trono] *m, f* ❶ (*jefe*) Arbeitgeber(in) *m(f)* ❷ REL Schutzheilige(r) *f(m)*

patrulla [pa'truʎa] *f* Patrouille *f;* (*de policía*) (Polizei)streife *f*

pausa ['pau̯sa] *f* Pause *f*

pauta ['pau̯ta] *f:* **marcar la ~** eine Regel aufstellen

pava ['paβa] *f* ❶ *v.* **pavo** ❷ (AM: *olla*) Kessel *m;* (*tetera*) Teekanne *f* ❸ (AM: *sombrero*) Strohhut *m*

pavimento [paβi'men̪to] *m* ❶ (*recubrimiento: en una casa*) Estrich *m;* (*en la carretera*) Unterbau *m* ❷ (*material: en una casa*) (Fuß)bodenbelag *m;* (*en una carretera*) Straßenbelag *m*

pavo, -a ['paβo] *m, f* Truthahn *m;* ~ **real** Pfau *m*

payaso, -a [pa'ɟaso] *m, f* ❶ (*del circo*) Clown *m* ❷ (*bromista*) Spaßvogel *m;* **¡deja de hacer el ~!** hör auf den Kasper zu spielen!

paz [paθ] *f* Frieden *m;* **hacer las paces** sich versöhnen

P.C. [pe'θe] *m abr de* **Partido Comunista** KP *f*

P.D. [pos'ðata] *abr de* **posdata** PS

pe [pe] *f* P *nt*

peaje [pe'axe] *m* Autobahngebühr *f*

peatón, -ona [pea'ton] *m, f* Fußgänger(in) *m(f)*

peca ['peka] *f* Sommersprosse *f*

pecado [pe'kaðo] *m* Sünde *f;* ~ **capital** Todsünde *f;* ~ **original** Erbsünde *f*

pecar [pe'kar] <c → qu> *vi* sündigen; ~ **por exceso** es übertreiben

pecho ['petʃo] *m* Brust *f;* **dar el ~ al bebé** das Baby stillen

pechuga [pe'tʃuɣa] *f* Geflügelbrust *f;* ~ **de pollo** Hähnchenbrust *f*

pechugón, -ona [petʃu'ɣon] *m, f* AM freche Person *f*

pecoso, -a [pe'koso] *adj* sommersprossig

peculiar [peku'ljar] *adj* besondere(r, s); (*raro*) sonderbar

peculiaridad [pekuljari'ða[ð]] *f* ❶ (*singularidad*) Besonderheit *f* ❷ (*distintivo*) Eigentümlichkeit *f*

pedagogía [peðaɣo'xia] *f* Pädagogik *f*

pedagógico, -a [peða'ɣoxiko] *adj* pädagogisch

pedal [pe'ðal] *m* Pedal *nt;* **pisar el ~** Gas geben

pedante [pe'ðan̪te] *adj* besserwisserisch

pedazo [pe'ðaθo] *m* ❶ Stück *nt;* **hacer ~s** kaputtmachen ❷ (*persona*): **ser un ~ de pan** sehr gutmütig sein

pedestal [peðes'tal] *m:* **tener a alguien en un ~** jdn sehr hoch schätzen

pediatra [pe'ðjatra] *mf* Kinderarzt, -ärztin *m, f*

pedicura [peði'kura] *f* Fußpflege *f;* **hacerse la ~** zur Fußpflege gehen

pedida [pe'ðiða] *f:* **~ de mano** Heiratsantrag *m*

pedido[1] [pe'ðiðo] *m* Auftrag *m*

pedido, -a[2] [pe'ðiðo] *adj* bestellt; **el armario ya está ~** der Schrank ist schon in Auftrag gegeben

pedigrí [peði'ɣri] *m* Stammbaum *m*

pedir [pe'ðir] *irr vt* ❶ (*rogar*) bitten; **~ algo a alguien** jdn um etw bitten ❷ (*exigir*) verlangen; (*solicitar*) beantragen ❸ (*encargar*) bestellen ❹ (*limosna*) betteln

pedo ['peðo] *m* (*vulg*) ❶ Furz *m;* **tirarse un ~** einen fahren lassen *fam* ❷ (*fam: borrachera*) Suff *m*

pega ['peɣa] *f* ❶ Haken *m;* **poner ~s a alguien** jdn kritisieren ❷ (*falso*): **de ~** falsch

pegadizo, -a [peɣa'ðiθo] *adj:* **melodía pegadiza** Ohrwurm *m fam*

pegajoso, -a [peɣa'xoso] *adj* aufdringlich

pegamento [peɣa'mento] *m* Kleber *m*

pegar [pe'ɣar] <g → gu> **I.** *vt* ❶ kleben; (*madera*) leimen; **~ un sello** eine Briefmarke aufkleben ❷ (*contagiar*) anstecken ❸ (*golpear*) schlagen; **~ una paliza a alguien** jdn grün und blau schlagen ❹ **~ un salto** aufspringen; **~ un susto a alguien** jdm einen Schrecken einjagen ❺ AM (*argot*): **~la** Schwein haben **II.** *vi* ❶ (gut) zusammenpassen; **esto no pega ni con cola** das passt überhaupt nicht zusammen ❷ (*rozar*) stoßen (*en* an +*akk*) ❸ (*golpear*) schlagen (*en* gegen +*akk*) ❹ (*argot*) malochen ❺ (*loc*): **¡cómo pega el sol hoy!** heute ist es ganz schön heiß in der Sonne! **III.** *vr:* **~se** ❶ (*con algo*) sich stoßen ❷ (*acompañar siempre*) sich hängen (*a* an +*akk*); **~se a alguien** sich an jds Fersen heften ❸ (*fam: loc*): **pegársela a alguien** jdn auf den Arm nehmen; **pegársela al marido/a la mujer** fremdgehen; **~se un tiro** sich erschießen

pegatina [peɣa'tina] *f* Aufkleber *m*

peinado [pei̯'naðo] *m* Frisur *f*

peinar(se) [pei̯'nar(se)] *vt, vr* (sich) kämmen

peine ['pei̯ne] *m* Kamm *m*

p.ej. [por e'xemplo] *abr de* **por ejemplo** z. B.

pelado, -a [pe'laðo] *adj* kahl (geschoren); AM (*fam*) knapp bei Kasse

pelar [pe'lar] **I.** *vt* ❶ schneiden; (*rapar*) scheren; (*frutas*) schälen ❷ (*difícil*): **duro de ~** ein harter Brocken ❸ AM (*argot*) verprügeln **II.** *vi* (*fam*): **hace un frío que pela** es ist saukalt **III.** *vr:* **~se** ❶ (*el pelo*) sich *dat* die Haare schneiden lassen ❷ (*la piel*) sich schälen ❸ (*vulg*): **pelársela** sich *dat* einen runterholen ❹ (*fam: loc*): **corre que se las pela** er/sie rennt wie der Teufel

peldaño [pel'daɲo] *m* (Treppen)stufe *f*

pelea [pe'lea] *f* Streit *m;* (*lucha: personas*) Schlägerei *f;* (*animales*) Kampf *m*

pelear [pele'ar] **I.** *vi* kämpfen; (*discutir*) streiten **II.** *vr:* **~se** ❶ sich streiten (*por* um +*akk*) ❷ (*con violencia*) sich prügeln (*por* um +*akk*) ❸ (*enemistarse*) sich zerstreiten

pelele [pe'lele] *m* (Stroh)puppe *f;* (*fam*) Hampelmann *m*

pelicano [peli'kano] *m,* **pelícano** [pe'likano] *m* Pelikan *m*

película [pe'likula] *f* Film *m;* **~ en blanco y negro** Schwarzweißfilm *m*

peligro [pe'liɣro] *m* Gefahr *f;* **~ de incendio** Brandgefahr *f;* **correr (un gran) ~** in (großer) Gefahr sein; **fuera de ~** außer Gefahr; **poner en ~** gefährden

peligroso, -a [peli'ɣroso] *adj* gefährlich

pelillo [pe'liʎo] *m:* **¡~s a la mar!** Schwamm drüber!

pelirrojo, -a [peli'rroxo] *adj* rothaarig

pellejo [pe'ʎexo] *m* Fell *nt;* (*de persona*) Haut *f;* **arriesgarse el ~** Kopf und Kragen riskieren; **quitar el ~ a alguien** über jdn lästern

pellizcar [peʎiθ'kar] <c → qu> **I.** *vt* kneifen; (*fam*) abzwacken **II.** *vr:* **~se** sich *dat* einklemmen

pellizco [pe'ʎiθko] *m* ❶ Kneifen *nt;* **dar un ~ a alguien** jdn kneifen ❷ (*poquito*) Stückchen *nt;* (*de sal*) Prise *f*

pelma ['pelma] *m* (*fam*), **pelmazo** [pel'maθo] *m* (*fam*) Nervensäge *f*

pelo ['pelo] *m* ❶ Haar *nt;* (*de animal*) Fell *nt;* **tener el ~ rubio** blondes Haar haben; **tomarle el ~ a alguien** jdn auf den Arm nehmen ❷ (*loc,* (*fam*): **a ~** ohne Kopfbedeckung; **venir al ~** sehr gelegen kommen; **sin venir al ~** völlig unangebracht

pelota[1] [pe'lota] *f* ❶ (*balón*) Ball *m* ❷ *pl* (*vulg: testículos*) Eier *ntpl*; **tocar las ~s** auf die Eier gehen ❸ (*argot: loc*): **en ~s** splitter(faser)nackt; **dejar a alguien en ~s** jdn völlig ausnehmen; **hacer la ~ a alguien** bei jdm schleimen

pelota[2] [pe'lota] *m* (*fam*) Schleimer *m*

pelotera [pelo'tera] *f* (*fam*) Auseinandersetzung *f*

pelotudo, -a [pelo'tuðo] **I.** *adj* CSUR (*vulg*) saublöd *fam* **II.** *m, f* CSUR (*vulg*) Vollidiot(in) *m(f)*

peluca [pe'luka] *f* Perücke *f;* **usar ~** eine Perücke tragen

peluche [pe'lutʃe] *m* Plüschtier *nt*

peludo, -a [pe'luðo] *adj* stark behaart; (*con una barba*) bärtig

peluquería [peluke'ria] *f* Friseursalon *m;* **~ de señoras/señores** Damen-/Herrensalon *m;* **ir a la ~** zum Friseur gehen

peluquero, -a [pelu'kero] *m, f* Friseur, -euse *m, f*

pelusa [pe'lusa] *f* ❶ (*vello*) Flaum *m;* (*tejido*) Flor *m* ❷ (*de polvo*) Staubfussel *f* ❸ (*envidia*) Neid *m;* **sentir ~** neidisch sein

pelvis ['pelβis] *f inv* ANAT Becken *nt*

pena ['pena] *f* ❶ (*tristeza*) Kummer *m* ❷ **ser una ~** schade sein; **¡qué ~!** schade! ❸ (*sanción*) Strafe *f* ❹ (*dificultad*) Mühsal *f;* **a duras ~s** mit Mühe und Not; **valer la ~** sich lohnen ❺ AM Scham *f;* **tener ~** sich schämen

penal [pe'nal] *adj* Straf-; **antecedentes ~es** Vorstrafen *fpl*; **código ~** Strafgesetzbuch *nt*

penalizar [penali'θar] <z → c> *vt* bestrafen

penalti [pe'nalti] *m* ❶ Foul *nt;* **área de ~s** Strafraum *m* ❷ (*sanción*) Elfmeter *m* ❸ (*loc,* (*fam*): **casarse de ~** *heiraten müssen, weil die Frau schwanger ist*

penar [pe'nar] **I.** *vt* ❶ (*castigar*) bestrafen ❷ (*prever la ley*) unter Strafe stellen **II.** *vi* ❶ (*padecer*) leiden ❷ (*ansiar*) sich sehnen (*por* nach +*dat*)

pender [pen'der] *vi* hängen (*de/en* an +*dat*); JUR abhängen (*ante* von +*dat*)

pendiente[1] [pen'djente] **I.** *adj* ❶ steigend; (*hacia abajo*) fallend ❷ (*asunto*) offen; (*trabajo*) unerledigt; **una cuenta ~ de pago** eine fällige Rechnung **II.** *m* Ohrring *m*

pendiente[2] [pen'djente] *f* Abhang *m*

péndulo ['pendulo] *m* Pendel *nt*

pene ['pene] *m* Penis *m*

penetrante [pene'trante] *adj* ❶ tief gehend; (*dolor*) stark ❷ (*frío*) beißend; (*hedor*) penetrant

penetrar [pene'trar] **I.** *vi* eindringen (*en/entre/por* in +*akk*) **II.** *vt* durchdringen

penicilina [peniθi'lina] *f* Penizillin *nt*

península [pe'ninsula] *f* Halbinsel *f*

penitencia [peni'tenθja] *f* Sühne *f;* REL Buße *f;* **hacer ~** Buße tun

penitenciario, -a [peniten'θjarjo] *adj* (*relativo a la penitencia*) Straf-; **sistema ~** Strafsystem *nt*

penoso, -a [pe'noso] *adj* ❶ (*arduo*) heikel ❷ (*dificultoso*) mühselig ❸ (*con pena*) traurig ❹ AM scheu

pensado, -a [pen'saðo] *adj* ❶ überdacht; **lo tengo bien ~** ich habe mir das genau überlegt; **tener ~ hacer algo** vorhaben etw zu tun ❷ (*persona*): **ser un mal ~** immer gleich das Schlimmste vermuten

pensamiento [pensa'mjeṇto] *m* ❶ (*objeto*) Gedanke *m* ❷ BOT Stiefmütterchen *nt*

pensar [pen'sar] <e → ie> **I.** *vi, vt* ❶ denken (*en* an +*akk*); (*considerar*) bedenken; **¡ni ~lo!** nicht im Traum! ❷ (*reflexionar*) nachdenken; **pensándolo bien** bei genauerer Betrachtung **II.** *vi* (sich) denken können; (*suponer*) annehmen **III.** *vt* vorhaben; (*tramar*) sich *dat* ausdenken

pensativo, -a [pensa'tiβo] *adj* nachdenklich

pensión [pen'sjon] *f* ❶ (Alters)rente *f;* **~ de viudez** Witwenrente *f* ❷ (*para huéspedes*) Pension *f;* **~ completa** Vollpension *f*

pensionista [pensjo'nista] *mf* Rentner(in) *m(f)*

pentágono [peṇ'taɣono] *m* Fünfeck *nt*

pentagrama [peṇta'ɣrama] *m* Notenlinien *fpl*

Pentecostés [peṇtekos'tes] *m* Pfingsten *nt*

penúltimo, -a [pe'nuḷtimo] *adj* vorletzte (r, s)

penumbra [pe'numbra] *f* Halbdunkel *nt;* ASTR Halbschatten *m*

penuria [pe'nurja] *f* ❶ Mangel *m;* **pasar muchas ~s** viel durchmachen ❷ (*pobreza*) Armut *f*

peña ['peɲa] *f* ❶ Fels(en) *m* ❷ (*tertulia*) Stammtisch *m;* (*de jóvenes*) Clique *f*

peñasco [pe'ɲasko] *m* Felsblock *m*

peñón [pe'ɲon] *m:* **el Peñón** Gibraltar *nt*

peón [pe'on] *m* ❶ (*obrero*) Hilfsarbeiter *m* ❷ (*en juegos*) Stein *m;* **~ de ajedrez** Bauer *m* ❸ (*juguete*) Brummkreisel *m*

peonza [pe'oṇθa] *f* (*juguete*) Kreisel *m*

peor [pe'or] *adv o adj compar de* **mal(o)** schlechter; (*condición*) schlimmer; **el ~ de la clase** der Schlechteste in der Klasse; **~ es nada** besser als gar nichts

pepinillo [pepi'niʎo] *m* Essiggurke *f*

pepino [pe'pino] *m* Gurke *f*

pepita [pe'pita] *f* Kern *m*

pequeñez [peke'ɲeθ] *f* Kleinigkeit *f*

pequeño, -a [pe'keɲo] *adj* klein

pequinés, -esa [peki'nes] *adj* Pekinger

pera ['pera] *f* Birne *f*

percance [per'kaṇθe] *m* Zwischenfall *m*

per cápita [per 'kapita] *adv:* **consumo ~** Pro-Kopf-Verbrauch *m*

percatarse [perka'tarse] *vr* merken (*de* +*akk*)

percepción [perθeβ'θjon] *f* ❶ (*acción*) Wahrnehmung *f;* **~ de(l) riesgo** Risikowahrnehmung *f* ❷ (*idea*) Gedanke *m;* (*impresión*) Eindruck *m*

percha ['pertʃa] *f* Kleiderbügel *m*

perchero [per'tʃero] *m* Garderobe *f*

percibir [perθi'βir] *vt* ❶ (*notar*) wahrnehmen ❷ (*darse cuenta*) sehen ❸ (*cobrar*) beziehen

percusión [perku'sjon] *f* Percussion *f;* **instrumento de ~** Schlaginstrument *nt*

perder [per'ðer] <e → ie> **I.** *vt* ❶ verlieren; **~ la cuenta** sich verrechnen ❷ (*malgastar*) vergeuden ❸ (*peso*) abnehmen ❹ (*tren*) verpassen; **~ el curso** das Schuljahr wiederholen müssen ❺ (*ocasionar daños*) zerstören; **el juego le ~á** das Spiel wird ihn noch ins Unglück stürzen **II.** *vi* ❶ verlieren; **Portugal perdió por 1 a 2 frente a Italia** Portugal verlor 1 zu 2 gegen Italien; **tener buen ~** ein guter Verlierer sein ❷ (*decaer*) einbüßen (*en* an +*dat*); **por mi profesión he perdido mucho en salud** durch meinen Beruf habe ich meine Gesundheit vernachlässigt **III.** *vr:* **~se** ❶ (*extraviarse*) abhandenkommen; **¿qué se le habrá perdido por allí?** (*fig*) was hat er/sie dort bloß verloren? ❷ (*por el camino*) sich verlaufen (*en/por* in +*dat*) ❸ (*desaparecer*) verschwinden ❹ (*ocasión*) verpassen; **si no te vienes, tú te lo pierdes** wenn du nicht mitkommst, bist du selbst schuld ❺ (*exceso*) (ganz) verrückt sein (*por* nach +*dat*)

pérdida ['perðiða] *f* Verlust *m;* ~ **de cabellos** Haarausfall *m;* **esto es una ~ de tiempo** das ist reine Zeitverschwendung; **es fácil de encontrar, no tiene ~** es ist leicht zu finden, man kann es gar nicht verfehlen

perdido, -a [per'ðiðo] *adj* ❶ verloren; **dar a alguien por ~** jdn für vermisst erklären; **estar ~** in einer ausweglosen Lage sein ❷ (*vicioso, sin salida*) hoffnungslos; **estar loco ~** (*fam*) vollkommen verrückt sein ❸ (*loc,* (*fam*): **poner algo ~** etw ganz dreckig machen

perdiz [per'ðiθ] *f* Rebhuhn *nt*

perdón [per'ðon] *m* ❶ Verzeihung *f;* (*de pecados*) Vergebung *f* ❷ (*indulto*) Begnadigung *f* ❸ (*disculpa*): **¡~!** Entschuldigung!; **¿~?** (wie) bitte?; **¡con ~!** Verzeihung, darf ich?; **pedir ~ a alguien** jdn um Verzeihung bitten

perdonar [perðo'nar] *vt* verzeihen; (*pecado*) vergeben; (*pena*) erlassen; **no te perdono** ich verzeihe dir nicht; **perdona que te interrumpa** entschuldige, dass ich dich unterbreche

perdurar [perðu'rar] *vi* ❶ (*todavía*) anhalten ❷ (*indefinidamente*) Bestand haben; **su recuerdo ~á para siempre entre nosotros** er/sie wird uns für immer in Erinnerung bleiben

perecedero, -a [pereθe'ðero] *adj* leicht verderblich

perecer [pere'θer] *irr como crecer vi* ums Leben kommen

peregrinación [pereɣrina'θjon] *f* REL Wallfahrt *f;* **ir en ~** pilgern

peregrinar [pereɣri'nar] *vi* pilgern

peregrino, -a [pere'ɣrino] *m, f* Pilger(in) *m(f)*

perejil [pere'xil] *m* Petersilie *f*

pereza [pe'reθa] *f* Faulheit *f*

perezoso, -a [pere'θoso] *adj* faul

perfección [perfeʸ'θjon] *f* Vollkommenheit *f;* **hacer algo a la ~** etw perfekt tun

perfeccionamiento [perfeʸθjona'mjento] *m* Vervollkommnung *f*, Perfektionierung *f;* (*profesional*) Fortbildung *f*

perfeccionar [perfeʸθjo'nar] *vt* vervollkommnen

perfecto, -a [per'fekto] *adj* ❶ *ser* perfekt; **nadie es ~** nobody is perfect; **eres un ~ idiota** du bist ein Vollidiot ❷ *estar* einwandfrei ❸ **pretérito ~** Perfekt *nt*

perfil [per'fil] *m* Profil *nt;* (*de personalidad*) Grundzug *m;* **el ~ del candidato** das Anforderungsprofil des Bewerbers

perforar [perfo'rar] *vt* durchstechen; (*papel*) lochen; (*para decorar*) perforieren

perfume [per'fume] *m* Parfüm *nt*

pericial [peri'θjal] *adj* sachkundig; **informe ~** Sachverständigengutachten *nt*

periferia [peri'ferja] *f* Stadtrand *m*

perilla [pe'riʎa] *f* Kinnbart *m*

perímetro [pe'rimetro] *m* Umfang *m*

periódico[1] [pe'rjoðiko] *m* Zeitung *f*

periódico, -a[2] [pe'rjoðiko] *adj* regelmäßig; **sistema ~** Periodensystem *nt*

periodismo [perjo'ðismo] *m* Journalismus *m*

periodista [perjo'ðista] *mf* Journalist(in) *m(f)*

periodo [pe'rjoðo] *m*, **período** [pe'rioðo] *m* ❶ (*tiempo*) Zeitraum *m;* **~ de prueba** Probezeit *f* ❷ (*época*) Zeit *f;* **~ glacial** Eiszeit *f* ❸ (*menstruación t.* MAT) Periode *f*

periquete [peri'kete] *m:* **estoy lista en un ~** ich bin gleich fertig

periquito [peri'kito] *m* Wellensittich *m*

periscopio [peris'kopjo] *m* Fernrohr *nt*

perito, -a [pe'rito] *m, f* Sachverständige(r) *f(m)*

perjudicar [perxuði'kar] <c → qu> **I.** *vt* ❶ schaden +*dat*, beschädigen ❷ (*cau-*

P

sar desventaja) benachteiligen **II.** *vr:* **~se** sich *dat* (selbst) schaden

perjudicial [perxuði'θjal] *adj* ❶ schädlich (*a/para* für +*akk*); **~ para la salud** gesundheitsschädlich ❷ (*desventajoso*) nachteilig (*a/para* für +*akk*)

perjuicio [per'xwiθjo] *m* ❶ (*daño*) Schaden *m* (*a* an +*dat*); (*de imagen*) Schädigung *f;* (*de objeto*) Beschädigung *f* ❷ (*detrimento*) Nachteil *m;* **ir en ~ de alguien** jdm zum Nachteil gereichen

perjurio [per'xurjo] *m* Meineid *m;* (*faltar al juramento*) Eidbruch *m*

perla ['perla] *f* Perle *f;* **~ cultivada** Zuchtperle *f*

permanecer [permane'θer] *irr como crecer vi* ❶ (*estar*): **~ quieto** stehen bleiben ❷ (*seguir*): **~ sentado** sitzen bleiben

permanencia [perma'nen̩θja] *f* ❶ (*estancia*) Aufenthalt *m;* (*duración*) Dauerhaftigkeit *f* ❷ (*persistencia*) Beständigkeit *f*

permanente [perma'nen̩te] **I.** *adj* ständig; (*relación*) dauerhaft **II.** *f* Dauerwelle *f*

permeable [perme'aβle] *adj* durchlässig; **~ al agua** wasserdurchlässig

permiso [per'miso] *m* ❶ Erlaubnis *f;* **~ de trabajo** Arbeitserlaubnis *f;* **pedir ~ a alguien** jdn um Erlaubnis bitten ❷ (*licencia*) Schein *m;* **~ de conducir** Führerschein *m* ❸ (*vacaciones*) Urlaub *m;* **pedir ~** Urlaub beantragen; **estar de ~** MIL auf Urlaub sein

permitir [permi'tir] **I.** *vt* ❶ erlauben; **¿me permite pasar?** darf ich bitte durch?; **no está permitido fumar** Rauchen ist verboten ❷ (*autorizar*) genehmigen ❸ (*tolerar*) zulassen; **no permito que me levantes la voz** diesen Ton lasse ich mir nicht gefallen **II.** *vr:* **~se** sich *dat* erlauben

pernoctar [pernok'tar] *vi* übernachten

pero ['pero] **I.** *conj* aber; (*sin embargo*) jedoch; **¿~ qué es lo que quieres?** was willst du eigentlich? **II.** *m* Aber *nt;* **el proyecto tiene sus ~s** das Projekt hat so seine Tücken; **¡no hay ~ que valga!** keine Widerrede!; **poner ~s a todo** an allem etwas auszusetzen haben

peroné [pero'ne] *m* Wadenbein *nt*

perpetuo, -a [per'petwo] *adj* fortwährend; (*vitalicio*) lebenslänglich

perplejo, -a [per'plexo] *adj* verwirrt

perra ['perra] *f* ❶ ZOOL Hündin *f* ❷ (*obstinación*) Fimmel *m fam* ❸ (*fam*) Wutanfall *m;* **coger una ~** einen Wutanfall bekommen

perrera [pe'rrera] *f* (*casa*) Hundehütte *f;* (*edificio*) Hundezwinger *m*

perro[1] ['perro] *m* (*t. pey*) Hund *m;* **~ callejero** Promenadenmischung *f;* **humor de ~s** Hundslaune *f;* **tiempo de ~s** Hundewetter *nt;* **ser ~ viejo** ein alter Hase sein

perro, -a[2] ['perro] *adj* gemein; **llevar una vida perra** ein Hundeleben führen

persa ['persa] *adj* persisch

persecución [perseku'θjon] *f* Verfolgung *f*

perseguir [perse'ɣir] *irr como seguir vt* verfolgen

perseverante [perseβe'ran̩te] *adj* ❶ (*insistente*) beharrlich ❷ (*constante*) ausdauernd

perseverar [perseβe'rar] *vi* beharren (*en* auf +*dat*); **~ en algo** bei etw *dat* nicht aufgeben

Persia ['persja] *f* Persien *nt*

persiana [per'sjana] *f* Rollladen *m*

persignarse [persiɣ'narse] *vr* sich bekreuzigen

persistencia [persis'ten̩θja] *f* ❶ (*insistencia*) Beharrlichkeit *f* ❷ (*perduración*) Anhalten *nt* ❸ (*en trabajo, actividad*) Ausdauer *f*

persistente [persi'ten̩te] *adj* beharrlich; (*acción*) anhaltend

persistir [persis'tir] *vi* beharren (*en* auf +*dat*); (*perdurar*) anhalten

persona [per'sona] *f* Person *f;* ~ **de contacto** Ansprechpartner *m;* **en ~** persönlich; **ser buena/mala ~** ein guter/böser Mensch sein

personaje [perso'naxe] *m* Persönlichkeit *f;* TEAT Person *f*

personal [perso'nal] **I.** *adj* persönlich; **datos ~es** Personalien *fpl*; **pronombre ~** Personalpronomen *nt* **II.** *m* Personal *nt*, Belegschaft *f;* ~ **de a bordo** AERO Flugzeugbesatzung *f;* ~ **docente** Lehrkräfte *fpl*

personalidad [personali'ða[ð]] *f* Persönlichkeit *f*

personalizable [personali'θaβle] *adj t.* INFOR personalisierbar; **productos ~s** INFOR personalisierbare Produkte

personarse [perso'narse] *vr* persönlich erscheinen (*en* bei +*dat*); ~ **en juicio** vor Gericht erscheinen

personificar [personifi'kar] <c → qu> *vt* verkörpern

perspectiva [perspek'tiβa] *f* ❶ Perspektive *f* ❷ (*vista*) Anblick *m* ❸ *pl* (*posibilidad*) Aussichten *fpl* ❹ (*distancia*): **aún no disponemos de la ~ adecuada para valorar este periodo** wir haben noch nicht die nötige Distanz, um diese Periode zu beurteilen

persuadir [perswa'ðir] **I.** *vt* überreden; (*convencer*) überzeugen **II.** *vr:* **~se** sich überzeugen

persuasión [perswa'sjon] *f* ❶ (*acto*) Überredung *f;* **emplear todo su poder de ~** seine ganze Überredungskunst aufbieten ❷ (*convencimiento*) Überzeugung *f*

pertenecer [pertene'θer] *irr como crecer vi* gehören (*a* +*dat*)

perteneciente [pertene'θjente] *adj* (da)zugehörig; **los países ~s a la ONU** die Mitglied(s)staaten der UNO

pertinente [perti'nente] *adj:* **en lo ~ a...** was ... betrifft

perturbado, -a [pertur'βaðo] *m, f:* ~ (**mental**) Geistesgestörte(r) *m*

perturbar [pertur'βar] *vt* stören; (*confundir*) verwirren; (*alterar*) aus der Ruhe bringen

Perú [pe'ru] *m* Peru *nt*

peruano, -a [pe'rwano] *adj* peruanisch

perversidad [perβersi'ða[ð]] *f* Bösartigkeit *f*

perversión [perβer'sjon] *f:* ~ **de menores** Verführung von Minderjährigen

perverso, -a [per'βerso] *adj* böse; (*moral*) verkommen; (*sexual*) pervers

pervertido, -a [perβer'tiβo] *adj* pervers

pesa ['pesa] *f* Hantel *f;* **levantamiento de ~s** Gewichtheben *nt*

pesadez [pesa'ðeθ] *f* ❶ (*de objeto*) Schwere *f* ❷ (*de movimiento*) Schwerfälligkeit *f* ❸ (*de tarea*) Lästigkeit *f*

pesadilla [pesa'ðiʎa] *f* Alptraum *m*

pesado, -a [pe'saðo] *adj* ❶ schwer; **tengo el estómago ~** das Essen liegt mir schwer im Magen ❷ (*lento*) schwerfällig ❸ (*molesto*) lästig ❹ (*duro*) mühsam

pésame ['pesame] *m* Beileid *nt;* **dar el ~** sein Beileid aussprechen

pesar [pe'sar] **I.** *vi* ❶ wiegen; **esta caja pesa mucho** diese Kiste ist sehr schwer ❷ (*cargo*) (schwer) lasten (auf +*dat*); (*problemas*) belasten +*akk* ❸ (*hipoteca*) lasten (*sobre* auf +*dat*) **II.** *vt* ❶ wiegen ❷ (*ventajas*) abwägen ❸ (*disgustar*): **me pesa haberte mentido** ich bedauere es, dich belogen zu haben; **pese a que...** obwohl ... **III.** *m* ❶ (*pena*) Kummer *m;* **muy a ~ mío** zu meinem großen Bedauern ❷ (*remordimiento*) Gewissensbisse *mpl* ❸ (*loc*): **a ~ de...** trotz ... +*gen;* **a ~ de todo lo quiere intentar** er/sie will es trotz allem versuchen

pesca ['peska] *f* ❶ Fischfang *m;* **ir de ~** auf Fischfang gehen ❷ (*oficio, industria*) Fischerei *f* ❸ (*captura*) Fang *m*

pescadería [peskaðe'ria] *f* Fischgeschäft *nt*

pescado [pes'kaðo] *m* Fisch *m*

pescador(a) [peska'ðor] *m(f)* Fischer(in) *m(f)*

P

pescar [pes'kar] <c → qu> *vt* angeln

pescuezo [pes'kweθo] *m* Nacken *m*

pese ['pese] *adv*: ~ **a** trotz +*gen*

pesebre [pe'seβre] *m* Krippe *f*

peseta [pe'seta] *f* HIST Pesete *f*

pesimismo [pesi'mismo] *m* Pessimismus *m*

pesimista [pesi'mista] *adj* pessimistisch

pésimo, -a ['pesimo] *adj* sehr schlecht

peso ['peso] *m* ❶ Gewicht *nt;* **coger/perder ~** zu-/abnehmen ❷ (*pesadez*) Schwere *f;* **tener ~ en las piernas** schwere Beine haben ❸ (*importancia*) Bedeutung *f;* **tener una razón de ~** einen gewichtigen Grund haben ❹ (*carga*) Last *f;* **llevar el ~ de algo** die Verantwortung für etw tragen

pesquisa [pes'kisa] *f* Nachforschung *f;* (*de la policía*) Ermittlung *f;* **hacer ~s** Nachforschungen anstellen

pestaña [pes'taɲa] *f* Wimper *f*

peste ['peste] *f* ❶ MED Pest *f* ❷ (*olor*) Gestank *m* ❸ (*plaga*) Plage *f* ❹ (*loc*): **echar ~s de alguien** jdn schlechtmachen

pestillo [pes'tiʎo] *m* Riegel *m;* (*tirador*) (Tür)klinke *f;* **echar el ~** die Tür verriegeln

petaca [pe'taka] *f* ❶ (*para tabaco*) Tabakbeutel *m* ❷ AM Lederkoffer *m;* (*baúl*) Schrankkoffer *m*

pétalo ['petalo] *m* Blütenblatt *nt*

petardo [pe'tarðo] *m* ❶ Böller *m;* **tirar ~s** böllern ❷ (*loc*): **alguien es un ~** jd ist hässlich wie die Nacht

petate [pe'tate] *m* (*de soldado*) Gepäck *nt;* (*de marinero*) Seesack *m;* **liar el ~** (*fig*) sein Bündel schnüren

petición [peti'θjon] *f* ❶ Bitte *f;* (*formal*) Ersuchen *nt;* **a ~ de...** auf Ersuchen von ... ❷ (*escrito*) Gesuch *nt* ❸ (*solicitud*) Antrag *m*

petiso, -a [pe'tiso] **I.** *adj* ARG, URUG ❶ (*pequeño*) klein; (*muy pequeño*) winzig ❷ (*enano*) kleinwüchsig **II.** *m, f* kleinwüchsige Person *f*

peto ['peto] *m* Latz *m*

petróleo [pe'troleo] *m* (Erd)öl *nt*

peyorativo, -a [peɟora'tiβo] *adj* abwertend

pez [peθ] *m* Fisch *m*

pezón [pe'θon] *m* ❶ BOT Stiel *m* ❷ (*de mujer*) Brustwarze *f* ❸ (*de animal*) Zitze *f*

pezuña [pe'θuɲa] *f* ❶ Klaue *f;* (*de caballo*) Huf *m* ❷ *pl* (*fam*) Quanten *pl*

piadoso, -a [pja'ðoso] *adj* ❶ barmherzig; (*bondadoso*) gutherzig ❷ (*devoto*) fromm

pialar [pja'lar] *vt* AM mit dem Lasso einfangen

pianista [pja'nista] *mf* Pianist(in) *m(f)*

piano [pi'ano] *m* Klavier *nt;* ~ **de cola** Flügel *m*

piar [pi'ar] <*1. pres* pío> *vi* piep(s)en

PIB [pei'βe] *m abr de* **Producto Interior Bruto** BIP *nt*

picada [pi'kaða] *f* ❶ (*de avispa*) Stich *m;* (*de serpiente*) Biss *m;* (*de pez*) Anbiss *m* ❷ (CSUR: *tapas*) Häppchen *nt*

picadero [pika'ðero] *m* Reitschule *f*

picadillo [pika'ðiʎo] *m* Hackfleisch *nt;* GASTR Haschee *nt*

picadura [pika'ðura] *f* Stich *m;* (*de serpiente*) Biss *m*

picante [pi'kaṇte] *adj* pikant

picaporte [pika'porte] *m* Türklopfer *m;* (*tirador*) Türklinke *f*

picar [pi'kar] <c → qu> **I.** *vi* ❶ (*ojos*) brennen ❷ (*pimienta*) scharf sein ❸ (*pez*) anbeißen *fam* ❹ (*de la comida*) kleine Mengen essen ❺ (*tener picazón*) jucken; **me pica la espalda** es juckt mich am Rücken ❻ (*loc*): ~ **muy alto** hoch hinaus wollen **II.** *vt* ❶ (*con punzón*) stechen ❷ (*sacar*): ~ **una oliva de la lata** eine Olive aus der Dose picken ❸ (*insecto*) stechen; (*serpiente*) beißen ❹ (*ave*) picken ❺ (*desmenuzar*) zerkleinern; **carne picada** Hackfleisch *nt* ❻ (*ofender*) verletzen; **¿qué mosca te ha picado?** welche Laus ist dir über die Leber gelaufen? ❼ (*incitar*) anspornen **III.** *vr:*

~se ❶ (*muela*) faul werden; (*vino*) einen Stich bekommen ❷ (*mar*) kabbelig werden ❸ (*ofenderse*) gekränkt sein; **~se por nada** schnell beleidigt sein ❹ AM sich betrinken

picardía [pikar'ðia] *f* ❶ (*malicia*) Verschmitztheit *f;* **lo dije con ~** ich habe mir meinen Teil gedacht, als ich das sagte ❷ (*travesura*) Streich *m* ❸ (*broma*) Spaß *m*

picaresco, -a [pika'resko] *adj* schelmisch

pícaro, -a ['pikaro] *adj* betrügerisch; (*astuto*) schelmisch

picatoste [pika'toste] *m* geröstetes Brot *nt*

picazón [pika'θon] *f* Jucken *nt*

picha ['pitʃa] *f* (*vulg*) Schwanz *m fam*

pichín [pi'tʃin] *m* CSUR (*fam: pipí*) Pipi *nt*

picnic ['piɣniᵞ] *m* Picknick *nt*

pico ['piko] *m* ❶ (*pájaro*) Specht *m* ❷ (*del pájaro*) Schnabel *m* ❸ (*fig: boca*) Mund *m;* **~ de oro** ausgezeichneter Redner; **alguien se fue del ~** jd hat sich verplappert ❹ (*herramienta*) Spitzhacke *f* ❺ (*montaña*) Spitze *f* ❻ (*loc*): **llegar a las cuatro y ~** um kurz nach vier kommen

picor [pi'kor] *m* Jucken *nt*

picotear [pikote'ar] *vi* ≈knabbern

pie [pje] *m* ❶ Fuß *m;* **~s planos** Plattfüße *mpl*; **¿qué ~ calza Ud.?** welche Schuhgröße haben Sie?; **al ~ del árbol** am Baumstamm; **quedarse de ~** stehen bleiben; **estar de ~** stehen; **ponerse de ~** aufstehen; **parar los ~s** zur Räson bringen ❷ TIPO: **~ de página** Fußzeile *f* ❸ (*loc*): **de a ~** normal

piedad [pje'ðaᵈ] *f* ❶ Frömmigkeit *f;* **¡ten ~ de nosotros!** erbarme dich unser! ❷ (*loc*): **monte de ~** Pfandhaus *nt*

piedra ['pjeðra] *f* ❶ Stein *m;* **~ pómez** Bimsstein *m;* **~ preciosa** Edelstein *m;* **edad de ~** Steinzeit *f* ❷ (*granizo*) Hagel *m*

piel [pjel] *f* ❶ (*de persona*) Haut *f* ❷ (*de animal*) Pelz *m;* (*cuero*) Leder *nt* ❸ (*de fruta*) Schale *f*

pienso ['pjenso] *m* Futter *nt;* **~ completo** Fertigfutter *nt*

pierna ['pjerna] *f* Bein *nt;* **~ ortopédica** Beinprothese *f*

pieza ['pjeθa] *f* ❶ Stück *nt*, Teil *nt;* (*reproducción*) Exemplar *nt;* **~ de recambio** Ersatzteil *nt;* **~ suelta** Einzelteil *nt;* **~ por ~** Stück für Stück; **¡menuda ~ está hecho ese!** das ist mir ein sauberer Vogel! ❷ (*caza*) Stück *nt* Wild; (*pesca*) Fisch *m* ❸ TEAT Stück *nt* ❹ AM Zimmer *nt*

pigmento [piɣ'men̩to] *m* BIOL Pigment *nt*, Farbstoff *m*

pignorar [piɣno'rar] *vt* verpfänden

pijada [pi'xaða] *f* (*argot*) Blödsinn *m;* **¡eso son ~s!** das ist doch ausgemachter Blödsinn!

pijama [pi'xama] *m* Schlafanzug *m*

pijo, -a ['pixo] *m, f* (*argot*) Yuppie *m*

pila ['pila] *f* ❶ (Spül)becken *nt;* (*bautismal*) Taufbecken *nt;* **nombre de ~** Taufname *m* ❷ FÍS Batterie *f;* **~ reversible** Akku(mulator)batterie *f* ❸ (*montón*) Stapel *m;* **una ~ de libros** ein Stapel Bücher

pilar [pi'lar] *m* ❶ (*camino*) Wegweiser *m* ❷ (*columna*) Säule *f*

píldora ['pil̩dora] *f* Pille *f;* **la ~** (**anticonceptiva**) die (Antibaby)pille; **la ~ del día después** die Pille danach

pillar [pi'ʎar] *vt* ❶ antreffen; **tu casa nos pilla de camino** dein Haus liegt für uns auf dem Weg ❷ (*atropellar*) überfahren ❸ (*entender*) verstehen ❹ (*robar*) rauben

pillastre [pi'ʎastre] *m* (*fam*) Gauner *m*

pillín, -ina [pi'ʎin] *adj* schlau

pillo, -a ['piʎo] **I.** *adj* (*fam*) schlau **II.** *m, f* (*fam*) Gauner(in) *m(f)*

pilotar [pilo'tar] *vt* steuern

piloto [pi'loto] **I.** *mf* ❶ NÁUT Steuermann *m*, Lotse, -in *m, f* ❷ AERO Pilot(in) *m(f);* **poner el ~ automático** den Autopiloten einschalten ❸ AUTO Fahrer(in) *m(f);* **~ de carreras** Rennfahrer(in) *m(f)* **II.** *adj* (*de prueba*) Pilot-

versuch *m*
pimentón [pimeṇ'ton] *m* Paprika *m*
pimienta [pi'mjeṇta] *f* Pfeffer *m*
pimiento [pi'mjeṇto] *m* Paprika *m*
pinacoteca [pinako'teka] *f* Pinakothek *f*
pincel [piṇ'θel] *m* Pinsel *m*
pinchar [pin'ʧar] **I.** *vi* ❶ (*rueda*) einen Platten haben ❷ (*fracasar*) versagen **II.** *vt* ❶ (*alfiler*) stechen ❷ (*estimular*) aufreizen ❸ (*inyección*) eine Spritze geben +*dat* ❹ (*teléfono*) anzapfen **III.** *vr:* **~se** ❶ (*alfiler*) sich stechen ❷ **se nos ha pinchado una rueda** wir haben einen Platten *fam* ❸ (*insulina*) sich *dat* spritzen
pinchazo [pin'ʧaθo] *m* ❶ Stich *m;* **me dieron unos ~s insoportables en el estómago** ich spürte heftige Stiche im Magen ❷ (*neumático*) Reifenpanne *f;* **tuvimos un ~ tras la curva** nach der Kurve hatten wir einen Platten *fam*
pinche ['pinʧe] *mf* Küchenhilfe *f*
pinchito [pin'ʧito] *m* Snack *m*
pincho ['pinʧo] *m* ❶ Stachel *m;* (*rosa*) Dorn *m* ❷ *v.* **pinchito**
pingo ['piŋgo] *m* ❶ (*fam: harapo*) Fetzen *m* ❷ (*fam pey: mujer*) Schlampe *f* ❸ (CSUR: *caballo*) Pferd *nt*
ping-pong [piŋ'poŋ] *m* Tischtennis *nt*
pingüino [piŋ'gwino] *m* Pinguin *m*
pino ['pino] *m* ❶ Kiefer *f;* **~ piñonero** Pinie *f* ❷ (*loc*): **hacer el ~** einen Handstand machen; **vivir en el quinto ~** sehr weit weg wohnen
pinta ['piṇta] *f* ❶ (*mancha*) Flecken *m;* (*animal*) Tüpfel *m o nt;* **a ~s** getupft ❷ (*fam: aspecto*) Aussehen *nt;* **tener ~ de caro** teuer aussehen; **tener buena ~** GASTR lecker aussehen; (*persona*) gut aussehen
pintado, -a [piṇ'taðo] *adj* gesprenkelt; **papel ~** Tapete *f*
pintalabios [piṇta'laβjos] *m* Lippenstift *m*
pintar [piṇ'tar] **I.** *vi* malen **II.** *vt* ❶ (*pared*) (an)streichen; (*con dibujos*) bemalen; **~ de azul** blau (an)streichen; **¡recién pintado!** frisch gestrichen! ❷ (*cuadro*) malen; **¿qué pinta ese aquí?** (*fig*) was hat der denn hier zu suchen? **III.** *vr:* **~se** sich schminken
pinto, -a ['piṇto] *adj* gesprenkelt
pintor(a) [piṇ'tor] *m(f)* Maler(in) *m(f)*
pintoresco, -a [piṇto'resko] *adj* malerisch
pintura [piṇ'tura] *f* ❶ (*arte*) Malerei *f;* **~ al óleo** Ölmalerei *f* ❷ (*cuadro*) Gemälde *nt* ❸ **caja de ~s** Malkasten *m*
pinza(s) ['piṇθa(s)] *f* (*pl*) Zange *f;* (*para la ropa*) Wäscheklammer *f;* (*para depilar*) Pinzette *f*
piña ['piɲa] *f* ❶ (*pino*) Kiefernzapfen *m* ❷ (*fruta*) Ananas *f*
piñón [pi'ɲon] *m* ❶ Pinienkern *m* ❷ TÉC Zahnrad *nt*
pío [pio] *m* Piepen *nt;* **no decir ni ~** keinen Piep sagen *fam;* **¡~, ~, ~!** put, put, put!
piojo ['pjoxo] *m* Laus *f*
piojoso, -a [pjo'xoso] *adj* ❶ verlaust, schmutzig ❷ (*pey*) gemein
piola ['pjola] *f* (AMS: *cuerda*) Schnur *f*
pionero, -a [pjo'nero] *m, f* Pionier(in) *m(f)*
pipa ['pipa] *f* ❶ Pfeife *f* ❷ (*tonel*) Weinfässchen *nt* ❸ (*fruta*) Kern *m* ❹ (*argot*) Ballermann *m* ❺ *pl* (*de girasol*) (geröstete) Sonnenblumenkerne *mpl* ❻ (*loc*, (*fam*): **lo pasamos ~** wir haben uns sehr gut amüsiert
pipí [pi'pi] *m* (*fam*) Pipi *nt*
pique ['pike] *m* ❶ Groll *m;* **menudo ~ se traían entre ellos** sie waren ziemlich wütend aufeinander ❷ AM Schneise *f* ❸ (*loc*): **irse a ~** NÁUT sinken; (*plan*) scheitern
piqueta [pi'keta] *f* Spitzhacke *f*
piquete [pi'kete] *m* Streikposten *m*
pira ['pira] *f* Lagerfeuer *nt;* **~ funeraria** Scheiterhaufen *m*
pirado, -a [pi'raðo] *adj* (*argot*) bekloppt
piragua [pi'raɣwa] *f* Kanu *nt*
pirámide [pi'ramiðe] *f* Pyramide *f*
piraña [pi'raɲa] *f* Piranha *m*

pirarse [pi'rarse] *vr* (*argot*) verschwinden; ~ **de la clase** den Unterricht schwänzen

pirata [pi'rata] **I.** *mf* Pirat(in) *m(f)* **II.** *adj* Raub-; **copia** ~ Raubkopie *f*

pirenaico, -a [pire'nai̯ko] *adj* Pyrenäen-

Pirineos [piri'neos] *m pl* Pyrenäen *pl*

piripi [pi'ripi] *adj* (*fam*) leicht beschwipst

pirómano, -a [pi'romano] *m, f* Pyromane, -in *m, f*

piropo [pi'ropo] *m* (*fam: lisonja*) Kompliment *nt;* **echar ~s** Komplimente machen

pirotecnia [piro'teɣnja] *f* Pyrotechnik *f*

pirrarse [pi'rrarse] *vr* (*argot*) verrückt sein (*por* nach +*dat*)

pirueta [pi'rweta] *f* Pirouette *f*

piruleta [piru'leta] *f*, **pirulí** [piru'li] <pirulís> *m* Lutscher *m*

pis [pis] *m* (*fam*) Pipi *nt*

pisada [pi'saða] *f* Fußstapfen *m*

pisar [pi'sar] *vt* ❶ treten; **¡no pises las flores!** tritt nicht auf die Blumen! ❷ (*entrar*) betreten ❸ (*uvas*) keltern; (*tierra*) stampfen ❹ (*humillar*) schikanieren ❺ (*fam: planes*) vereiteln; **me han pisado el tema** sie sind mir mit dem Thema zuvorgekommen

piscina [pis'θina] *f* Schwimmbad *nt;* ~ **cubierta** Hallenbad *nt*

Piscis ['pisθis] *m inv* ASTR Fische *m pl*

piso ['piso] *m* ❶ (Fuß)boden *m;* (*calle*) Pflaster *nt* ❷ (*planta*) Stock *m;* **de dos ~s** zweistöckig ❸ *t.* MIN Sohle *f* ❹ (*vivienda*) Wohnung *f*

pisotear [pisote'ar] *vt* niedertreten; (*fig*) mit Füßen treten

pisotón [piso'ton] *m* Tritt *m;* **dar un ~ a alguien** jdm auf den Fuß treten

pista ['pista] *f* ❶ (*huella*) Spur *f;* **estar sobre la buena ~** auf der richtigen Spur sein ❷ *t.* AERO Piste *f;* (*de baile*) Tanzfläche *f*

pistacho [pis'taʧo] *m* Pistazie *f*

pistola [pis'tola] *f* Pistole *f*

pistón [pis'ton] *m* Kolben *m*

pita ['pita] *f* ❶ BOT Agave *f* ❷ (*fam*) Henne *f;* **¡~, ~, ~!** put, put, put!

pitar [pi'tar] **I.** *vi, vt* pfeifen **II.** *vi* ❶ (*fam: funcionar*) gut laufen ❷ (*loc*): **salir pitando** eilig davonlaufen; **¡con la mitad vas que pitas!** mit der Hälfte hast du mehr als genug!

piti ['piti] *m* (*argot: tabaco*) Kippe *f*

pitido [pi'tiðo] *m* Pfiff *m*

pitillera [piti'ʎera] *f* Zigarettenetui *nt*

pitillo [pi'tiʎo] *m* Zigarette *f*

pito ['pito] *m* ❶ Pfeife *f;* (*claxon*) Hupe *f;* **no me importa un ~** (*fam*) das ist mir schnuppe ❷ (*cigarro*) Zigarette *f* ❸ (*fam: pene*) Pimmel *m*

pitón [pi'ton] *m* Pythonschlange *f*

pitorrearse [pitorre'arse] *vr* (*fam*) sich lustig machen (*de* über +*akk*)

pitorreo [pito'rreo] *m* (*fam*) Spott *m;* **¡esto es un ~!** das ist ja der reine Hohn!

pitufo [pi'tufo] *m* (*fam*) Schlumpf *m*

piyama [pi'ɟama] *m* AM Schlafanzug *m*

pizarra [pi'θarra] *f* ❶ Schiefer *m* ❷ (*encerado*) (Schiefer)tafel *f*

pizarrón [piθa'rron] *m* (AM: *encerado*) (Wand)tafel *f*

pizca ['piθka] *f*: **una ~** ein bisschen; **una ~ de sal** eine Prise Salz

pizza ['pitsa] *f* Pizza *f*

placa ['plaka] *f* ❶ *t.* FOTO Platte *f;* ~ **giratoria** Drehscheibe *f* ❷ (*cartel*) Schild *nt;* ~ **conmemorativa** Gedenktafel *f* ❸ MED: ~ **dental** Zahnbelag *m*

placenta [pla'θen̪ta] *f* Plazenta *f*

placentero, -a [plaθen̪'tero] *adj* angenehm

placer [pla'θer] **I.** *m* ❶ Freude *f;* **con sumo ~** mit großem Vergnügen ❷ (*sexual*) Lust *f* **II.** *vi irr como crecer* gefallen +*dat;* **¡haré lo que me plazca!** ich werde das tun, wozu ich Lust habe!

placero, -a [pla'θero] *m, f* AM Straßenverkäufer(in) *m(f)*

plácido, -a ['plaθiðo] *adj* ruhig

plaga ['plaɣa] *f* Plage *f*

plagado, -a [pla'ɣaðo] *adj* voll (*de* mit +*dat*); **la casa está plagada de cuca-**

rachas das Haus ist voller Kakerlaken

plagiar [pla'xjar] *vt* ❶ (*copiar*) abschreiben ❷ AM entführen

plagio ['plaxjo] *m* ❶ Plagiat *nt* ❷ (AM: *secuestro*) Entführung *f*

plan [plan] *m* ❶ Plan *m;* ~ **de emergencia** Notstandsplan *m* ❷ (*argot*) (Liebes)bekanntschaft *f* ❸ (*loc*): **esto no es ~** (*argot*) so geht es nicht (weiter)

plancha ['plantʃa] *f* ❶ *t.* TIPO (Druck)platte *f* ❷ (*para ropa*) Bügeleisen *nt* ❸ GASTR: **a la ~** gegrillt

planchar [plan'tʃar] *vt* bügeln

planeador [planea'ðor] *m* Segelflugzeug *nt*

planear [plane'ar] **I.** *vi* schweben **II.** *vt* planen

planeta [pla'neta] *m* Planet *m*

planetario, -a [plane'tarjo] *adj* Planeten-; **sistema ~** Planetensystem *nt*

planicie [pla'niθje] *f* Ebene *f*

planificación [planifika'θjon] *f* Planung *f;* ~ **regional** Raumplanung *f*

planificar [planifi'kar] <c → qu> *vt* planen

plano[1] ['plano] *m* ❶ MAT Ebene *f* ❷ (*mapa*) Plan *m* ❸ CINE: **primer ~** Großaufnahme *f;* **en primer ~** (*delante*) im Vordergrund

plano, -a[2] ['plano] *adj* flach; **superficie plana** Ebene *f*

planta ['plaṇta] *f* ❶ BOT Pflanze *f;* ~ **de interior** Zimmerpflanze *f;* ~ **medicinal** Arzneipflanze *f* ❷ (*pie*) Fußsohle *f* ❸ (*fábrica*) Anlage *f* ❹ AM ELEC: ~ **de energía atómica/hidráulica** Atomkraft-/Wasserkraftwerk *nt* ❺ (*piso*) Stockwerk *nt;* ~ **alta/baja** Ober-/Erdgeschoss *nt*

plantación [plaṇta'θjon] *f* Plantage *f*

plantar [plaṇ'tar] **I.** *vt* ❶ pflanzen ❷ (*clavar*) befestigen; ~ **una tienda de campaña** ein Zelt aufschlagen ❸ (*fam: tortazo*) versetzen ❹ (*fam: cita*) versetzen ❺ (*abandonar*) aufgeben **II.** *vr:* **~se** ❶ (*resistirse*) sich widersetzen (*ante +dat*) ❷ (*perro*) nicht von der Stelle wollen ❸ (*aparecer*) auftauchen; **se ~on en mi casa en un periquete** sie waren blitzschnell bei mir ❹ (*negarse*) sich hartnäckig weigern

planteamiento [plaṇtea'mjeṇto] *m* Gesichtspunkt *m;* MAT Ansatz *m*

plantear [plaṇte'ar] **I.** *vt* ❶ angehen; **este problema está mal planteado** dieses Problem ist falsch angegangen worden ❷ (*causar*) verursachen; (*discusión*) auslösen **II.** *vr:* **~se** überdenken; (*cuestión*) aufwerfen

plantilla [plaṇ'tiʎa] *f* ❶ Belegschaft *f;* ~ **de profesores** Lehrerschaft *f* ❷ (*zapato*) Einlegesohle *f* ❸ (*patrón*) Schablone *f* ❹ (*equipo*) Mannschaft *f*

plantón [plaṇ'ton] *m* (*loc*): **dar un ~ a alguien** jdn versetzen

plasmar [plas'mar] *vt* gestalten; (*representar*) widerspiegeln

plástico ['plastiko] *m* Kunststoff *m*

plata ['plata] *f* ❶ Silber *nt;* ~ **de ley** Feinsilber *nt;* **bodas de ~** Silberhochzeit *f* ❷ AM Geld *nt;* **¡adiós mi ~!** CSUR (*fam*) jetzt ist alles verloren! ❸ (*loc*): **hablar en ~** Klartext reden

plataforma [plata'forma] *f* ❶ (*estrado*) Podium *nt* ❷ (*tranvía*) Plattform *f;* ~ **giratoria** Drehscheibe *f* ❸ POL Forum *nt* ❹ GEO: ~ **continental** Kontinentalsockel *m*

plátano ['platano] *m* Banane(nstaude) *f;* (*fruta*) Banane *f*

plateado, -a [plate'aðo] *adj* silbern

plática ['platika] *f* ❶ Unterhaltung *f;* **estar de ~** plaudern ❷ (*sermón*) Predigt *f*

platillo [pla'tiʎo] *m* MÚS Becken *nt*

platino [pla'tino] *m* Platin *nt*

plato ['plato] *m* ❶ Teller *m*, Untertasse *f;* **tiro al ~** Tontaubenschießen *nt* ❷ (*comida*) Gericht *nt*

plató [pla'to] *m* Kulisse *f*

platónico, -a [pla'toniko] *adj* platonisch

platudo, -a [pla'tuðo] *adj* AM steinreich

plausible [plau̯'siβle] *adj* plausibel

playa ['plaɟa] *f* ❶ (*mar*) Strand *m;* ~ **naturista** FKK-Strand *m* ❷ AM Gelände *nt*

playeras [pla'ɟeras] *f pl* ≈Turnschuhe *m pl*

plaza ['plaθa] *f* ❶ (Markt)platz *m;* (*de toros*) Arena *f;* ~ **de abastos** Markt *m* ❷ (*empleo*) Stelle *f*

plazo ['plaθo] *m* ❶ Frist *f;* ~ **de entrega** Lieferzeit *f* ❷ (*cantidad*) Rate *f;* **a ~s** auf Raten

plebeyo, **-a** [ple'βeɟo] **I.** *adj* ❶ *t.* HIST plebejisch ❷ (*sin linaje*) bürgerlich ❸ (*grosero*) ungehobelt **II.** *m, f* ❶ *t.* HIST Plebejer(in) *m(f)* ❷ (*sin linaje*) Bürgerliche(r) *f(m)*

plebiscito [pleβis'θito] *m* Volksbefragung *f*

plegable [ple'ɣaβle] *adj* (*papel*) faltbar; (*mueble*) zusammenklappbar; **silla ~** Klappstuhl *m*

plegar [ple'ɣar] *irr como fregar* **I.** *vt* ❶ zusammenfalten; (*muebles*) zusammenklappen ❷ (*imprenta*) falzen **II.** *vr:* **~se** sich fügen

plegaria [ple'ɣarja] *f* Gebet *nt*

pleito ['plei̯to] *m* Prozess *m*

plenario, **-a** [ple'narjo] *adj:* **asamblea plenaria** Vollversammlung *f;* **sesión plenaria** Plenarsitzung *f*

plenitud [pleni'tuᵈ] *f* Höhepunkt *m*

pleno[1] ['pleno] *m* Plenum *nt;* **el ayuntamiento en ~** die gesamte Stadtverwaltung

pleno, **-a**[2] ['pleno] *adj* voll; ~ **empleo** Vollbeschäftigung *f;* **en ~ verano** im Hochsommer

pliego ['pljeɣo] *m* Bogen *m*

pliegue ['pljeɣe] *m* Falte *f*

plin ['plin]: **a mí(,) plin** (*fam*) das ist mir schnurzegal

plomo ['plomo] *m* ❶ (*metal*) Blei *nt;* **gasolina sin ~** bleifreies Benzin; **ser un ~** sehr lästig sein ❷ *pl* ELEC Sicherung *f*

pluma ['pluma] *f* Feder *f;* ~ **estilográfica** Füllfederhalter *m*

plumear [plume'ar] *vt* AM schreiben

plumero [plu'mero] *m:* **a ése se le ve el ~** der ist leicht zu durchschauen

plural [plu'ral] *m* Plural *m*

plus [plus] *m* Zulage *f;* (*ventaja*) Vorteil *m*

pluscuamperfecto [pluskwamper'fekto] *m* Plusquamperfekt *nt*

plusmarquista [plusmar'kista] *mf* Rekordhalter(in) *m(f)*

plusvalía [plusβa'lia] *f* Mehrwert *m*

plutonio [plu'tonjo] *m* Plutonium *nt*

PN ['peso 'neto] *m abr de* **peso neto** Nettogewicht *nt*

PNB [pe(e)ne'be] *m abr de* **producto nacional bruto** BSP *nt*

PNN [pe'nene] *m abr de* **producto nacional neto** Nettosozialprodukt *nt*

PNV [pene'uβe] *m abr de* **Partido Nacionalista Vasco** *Baskische Nationalistische Partei*

p.o. [por 'orðen] *abr de* **por orden** i. A.

población [poβla'θjon] *f* ❶ Bevölkerung *f;* ~ **activa** ECON erwerbstätige Bevölkerung ❷ (*localidad*) Ort *m* ❸ BIOL Population *f*

poblado, **-a** [po'βlaðo] *adj* bewohnt

poblar [po'βlar] <o → ue> **I.** *vi, vt* besiedeln; (*habitar*) bewohnen **II.** *vr:* **~se** sich füllen

pobre ['poβre] *adj* arm (*de* an +*dat*); (*desgraciado*) unglücklich; (*humilde*) elend; **¡~ de ti si dices mentiras!** wehe dir, wenn du lügst!

pobreza [po'βreθa] *f* Armut *f*

pocho, **-a** ['potʃo] *adj* verdorben

pocilga [po'θilɣa] *f* Schweinestall *m*

pócima ['poθima] *f*, **poción** [po'θjon] *f* Arznei *f;* (*pey: brebaje*) Gesöff *nt;* **la ~ mágica** der Zaubertrank

poco[1] ['poko] **I.** *m* ❶ (*cantidad*): **un ~ de azúcar** ein bisschen Zucker; **espera un ~** warte ein wenig ❷ *pl* wenige; **los ~s que vinieron...** die wenigen, die kamen ... **II.** *adv* wenig; **escribir ~** wenig schreiben; **~ a ~** Schritt für Schritt; **~ después** bald darauf;

P

dentro de ~ bald; **desde hace** ~ seit kurzem; **hace** ~ vor kurzem; **y por si fuera** ~**...** und obendrein ...

poco, -a[2] ['poko] <poquísimo> *adj* wenig; **tiene pocas probabilidades de aprobar** er/sie hat wenig Chancen zu bestehen

podar [po'ðar] *vt* beschneiden

poder [po'ðer] **I.** *vi irr* können; **yo a ti te puedo** (*fam*) ich bin stärker als du; **no puedes cogerlo sin permiso** du darfst das nicht unerlaubt nehmen; **no pude menos que preguntarle qué hacía por allí** ich konnte nicht umhin ihn/sie zu fragen, was er/sie dort tat **II.** *vimpers irr*: **puede ser que después vuelva** vielleicht komme ich später zurück; **¡puede!** kann sein!; **¿se puede?** darf man (hereinkommen)? **III.** *m* ❶ (*autoridad*) Macht *f;* **el partido en el** ~ die Regierungspartei; **subir al** ~ die Macht übernehmen ❷ (*autorización*) Vollmacht *f* ❸ ~ **adquisitivo** Kaufkraft *f*

poderoso, -a [poðe'roso] *adj* mächtig

podio ['poðjo] *m* Podium *nt;* DEP Podest *nt*

podrido, -a [po'ðriðo] *adj* faul; (*fig*) verdorben; **estar** ~ **de dinero** stinkreich sein

poema [po'ema] *m* Gedicht *nt*

poesía [poe'sia] *f* Poesie *f;* (*poema*) Gedicht *nt*

poeta, -isa [po'eta, poe'tisa] *m, f* Dichter(in) *m(f)*

poética [po'etika] *f* Poetik *f*

poético, -a [po'etiko] *adj* dichterisch; (*t. fig*) poetisch

póker ['poker] *m* Poker *nt o m*

polaco, -a [po'lako] *adj* polnisch

polar [po'lar] *adj* polar; **Círculo Polar Ártico/Antártico** nördlicher/südlicher Polarkreis

polarizar [polari'θar] <z → c> *vt* FÍS polarisieren; (*fig*) anziehen; **el espectáculo polarizó la atención de los visitantes** das Stück zog die Zuschauer in seinen Bann

polémico, -a [po'lemiko] *adj* strittig

polen ['polen] *m* Pollen *m;* **tengo alergia al** ~ ich habe eine Pollenallergie

polera [po'lera] *f* ❶ CHIL T-Shirt *nt* ❷ ARG Rollkragenpulli *m*

poli ['poli] *f* (*fam*) Polente *f*

policía[1] [poli'θia] *f* Polizei *f;* **agente de** ~ Polizist(in) *m(f);* **coche de** ~ Streifenwagen *m;* **comisaría de** ~ Polizeiwache *f;* **jefatura de** ~ Polizeipräsidium *nt*

policía[2] [poli'θia] *mf* Polizist(in) *m(f);* **perro** ~ Polizeihund *m*

policiaco, -a [poli'θjako] *adj*, **policíaco, -a** [poli'θiako] *adj* polizeilich; **Estado** ~ Polizeistaat *m*

policial [poli'θjal] *adj v.* **policiaco**

policlínica [poli'klinika] *f*, **policlínico** [poli'kliniko] *m* Poliklinik *f*

polideportivo [poliðepor'tiβo] *m* Sportzentrum *nt*

polifacético, -a [polifa'θetiko] *adj* vielseitig

poligamia [poli'ɣamja] *f sin pl* Polygamie *f*

políglota [po'liɣlota] *adj* polyglott

polígono [po'liɣono] *m:* ~ **industrial** Industriegebiet *nt*

polilla [po'liʎa] *f* Motte *f*

polinesio, -a [poli'nesjo] *adj* polynesisch

polio ['poljo] *f* Kinderlähmung *f*

pólipo ['polipo] *m* Polyp *m*

polisemia [poli'semja] *f* Polysemie *f*

política [po'litika] *f* Politik *f;* ~ **exterior** Außenpolitik *f*

político, -a [po'litiko] **I.** *adj* ❶ POL politisch; **ciencias políticas** Politikwissenschaften *fpl* ❷ (*parentesco*) Schwieger-; **hermano** ~ Schwager *m* **II.** *m, f* Politiker(in) *m(f)*

póliza ['poliθa] *f* Police *f;* **me he hecho una** ~ **de seguros** ich habe eine Versicherungspolice abgeschlossen

polizón [poli'θon] *mf* blinder Passagier *m*

polla ['poʎa] *f* ❶ (*vulg: pene*) Schwanz

m fam ❷ AM Pferderennen *nt*

pollo ['poʎo] *m* Hähnchen *nt;* ~ **asado** Brathähnchen *nt*

polo ['polo] *m* ❶ *t.* GEO Pol *m;* ~ **ártico** [*o* **boreal**] Nordpol *m;* ~ **antártico** [*o* **austral**] Südpol *m* ❷ DEP Polo *nt* ❸ (*camiseta*) Polohemd *nt* ❹ (*helado*) Eis *nt* am Stiel

Polonia [po'lonja] *f* Polen *nt*

polución [polu'θjon] *f* Verschmutzung *f;* ~ **ambiental** Umweltverschmutzung *f*

polvareda [polβa'reða] *f* Staubwolke *f;* **levantar una** ~ (*fig*) viel Staub aufwirbeln

polvo ['polβo] *m* ❶ Staub *m;* **quitar el** ~ abstauben; **estoy hecho** ~ (*fam*) ich bin fix und fertig ❷ (*sustancia*) Pulver *nt;* **levadura en** ~ Backpulver *nt* ❸ (*vulg: coito*) Nummer *f fam*; **echar un** ~ eine Nummer schieben *fam* ❹ *pl* (*cosmética*) Puder *m*

pólvora ['polβora] *f* (Schieß)pulver *nt*

polvorín [polβo'rin] *m* Pulverkammer *f*

polvorón [polβo'ron] *m* ≈Schmalzgebäck *nt*

polvoso, -a [pol'βoso] *adj* AM staubig

pomada [po'maða] *f* Salbe *f*

pomelo [po'melo] *m* Grapefruit *f*

pómez ['pomeθ] *f* Bimsstein *m*

pompa ['pompa] *f* ❶ (*burbuja*) Blase *f* ❷ (*esplendor*) Pracht *f;* (*ostentación*) Pomp *m;* **~s fúnebres** Bestattungsinstitut *nt*

pompis ['pompis] *m inv* (*fam*) Po(po) *m*

pomposo, -a [pom'poso] *adj* pompös

pómulo ['pomulo] *m* Backenknochen *m*

ponche ['pontʃe] *m* Punsch *m*

poncho[1] ['pontʃo] *m* Poncho *m*

poncho, -a[2] ['pontʃo] *adj* AM faul

ponderar [poṇde'rar] *vt* abwägen

ponencia [po'neṇθja] *f* Referat *nt;* (*informe*) Bericht *m*

poner [po'ner] *irr* **I.** *vt* ❶ (*colocar*) stellen; (*horizontalmente*) legen; (*inyección*) geben; (*sellos*) aufkleben; (*huevos*) legen; **¿dónde habré puesto...?** wo habe ich nur ... gelassen? ❷ (*la mesa*) decken ❸ (*encender*) anmachen; **pon el despertador para las cuatro** stell den Wecker auf vier Uhr; ~ **en marcha** in Gang bringen ❹ (*convertir*) machen; ~ **de mal humor a alguien** jdm die Laune verderben ❺ (*exponer*): ~ **la leche al fuego** die Milch auf den Herd stellen; ~ **en peligro** aufs Spiel setzen ❻ (*contribuir*) beitragen; (*juego*) setzen; **pusimos todo de nuestra parte** wir haben von uns aus alles getan ❼ (*una expresión*) machen; ~ **mala cara** ein böses Gesicht machen ❽ (*tratar*) behandeln; ~ **a alguien a parir** jdn übel beschimpfen ❾ (*denominar*) nennen; **¿qué nombre le van a ~?** welchen Namen soll er/sie bekommen? ❿ (*espectáculo*) zeigen; **¿qué ponen hoy en el cine?** was läuft heute im Kino? ⓫ (*imponer*): ~ **una multa** eine Strafe auferlegen ⓬ (*escribir*) schreiben; (*un telegrama*) aufgeben; ~ **un anuncio** inserieren ⓭ (*estar escrito*) stehen ⓮ (*vestido*) anziehen; (*gafas*) aufsetzen ⓯ (*teléfono*) verbinden ⓰ (*loc*): ~ **atención** aufpassen; ~ **al día** auf den neuesten Stand bringen; ~ **a la venta** verkaufen **II.** *vr:* **~se** ❶ (*vestido*) sich anziehen; **ponte guapo** mach dich hübsch ❷ ASTR untergehen; **el sol se pone por el oeste** die Sonne geht im Westen unter ❸ (*mancharse*): **se pusieron perdidos de barro** sie waren von oben bis unten voller Matsch ❹ (*comenzar*) anfangen; **por la tarde se puso a llover** nachmittags fing es an zu regnen ❺ (*con adjetivo*) werden; **estás en tu casa, ponte cómodo** fühl dich wie zu Hause, mach es dir bequem ❻ (*loc*): **¡no te pongas así que no es para tanto!** stell dich doch nicht so an!; **díle que se ponga al teléfono** sag ihm/ihr, er/sie soll ans Telefon kommen; **¡póngase en mi lugar!** versetzen Sie sich in meine Lage!

poni ['poni] *m* Pony *nt*

poniente [po'njeṇte] *m* Westen *m*
popa ['popa] *f* Heck *nt;* **viento en ~** Rückenwind *m*
popular [popu'lar] *adj* volkstümlich; (*conocido*) populär
popularidad [populari'ðaᵈ] *f* Popularität *f*
por [por] *prep* ❶ (*lugar: a través de*) durch +*akk;* (*vía*) über +*akk;* (*en*) in +*dat;* **~ aquí** hier entlang; **adelantar ~ la izquierda** links überholen; **ese pueblo está ~ Castilla** das Dorf liegt irgendwo in Kastilien; **la cogió ~ la cintura** er/sie fasste sie um die Taille ❷ (*tiempo*) für +*akk,* um +*akk;* **mañana ~ la mañana** morgen früh; **~ la tarde** nachmittags; **ayer ~ la noche** gestern Abend; **~ noviembre** im November; **~ fin** endlich ❸ (*a cambio de*) für +*akk;* (*en lugar de*) statt +*gen;* (*sustituyendo a alguien*) anstelle +*gen;* **le cambié el libro ~ el álbum** ich habe das Buch gegen das Album getauscht ❹ (*agente*) von +*dat* ❺ MAT mal ❻ (*reparto*) pro; **el ocho ~ ciento** acht Prozent ❼ (*finalidad*) für +*akk* ❽ (*causa*) wegen +*gen/dat;* (*en cuanto a*) von ... aus; **lo hago ~ ti** ich tue es dir zuliebe; **~ desesperación** aus Verzweiflung; **~ consiguiente** folglich; **~ eso** deshalb; **~ mí que se vayan** meinetwegen können sie gehen ❾ (*preferencia*) für +*akk;* **estar loco ~ alguien** verrückt nach jdm sein ❿ (*dirección*): **voy** (**a**) **~ tabaco** ich gehe Zigaretten holen ⓫ (*pendiente*): **este pantalón está ~ lavar** diese Hose muss gewaschen werden ⓬ (*aunque*) trotz +*gen;* **~ muy cansado que esté no lo dejará a medias** trotz seiner Müdigkeit wird er es fertig stellen ⓭ (*medio*) per +*akk;* (*alguien*) durch +*akk;* **poner ~ escrito** aufschreiben ⓮ (*interrogativo*): **¿~** (**qué**)**?** warum? ⓯ (*final*): **~ que** +*subj* damit; **lo hago ~ si acaso** ich mache es vorsichtshalber ⓰ (*casi*): **~ poco** fast

porcelana [porθe'lana] *f* Porzellan *nt*
porcentaje [porθeṇ'taxe] *m* Prozentsatz *m*
porcentual [porθeṇtu'al] *adj* prozentual
porche ['portʃe] *m* Vorhalle *f;* (*cobertizo*) Veranda *f*
porción [por'θjon] *f* Teil *m*, Portion *f*
pordiosero, -a [porðjo'sero] *m, f* Bettler(in) *m(f)*
pormenorizado, -a [pormenori'θaðo] *adj* detailliert
pornografía [pornoɣra'fia] *f* Pornografie *f*
pornográfico, -a [porno'ɣrafiko] *adj* pornografisch
poro ['poro] *m* Pore *f*
poroso, -a [po'roso] *adj* porös
poroto [po'roto] *m* AMS Bohne *f*, Bohnengericht *nt*
porque ['porke] *conj* ❶ (*causal*) weil; **lo hizo ~ sí** er/sie tat es aus Eigensinn ❷ +*subj* (*final*) damit; **recemos ~ llueva** lasst uns um Regen beten
porqué [por'ke] *m* Grund *m*
porquería [porke'ria] *f* (*fam*) Dreck *m;* (*cacharro*) Mistding *nt*
porra ['porra] *f* ❶ (*bastón*) Schlagstock *m* ❷ (*churro*) *gebratenes Spritzgebäck* ❸ (*loc,* (*fam*): **¡vete a la ~!** scher dich zum Teufel!
porrazo [po'rraθo] *m* Schlag *m*
porro ['porro] *m* (*argot*) Joint *m*
porrón [po'rron] *m* Wasserkrug *m;* (*para vino*) *Trinkgefäß für Wein mit langer Tülle*
porsiaca [porsi'aka] *adv* (*fam*) vorsichtshalber; **compra dos latas de cerveza más, ~** kauf vorsichtshalber noch zwei Dosen Bier mehr
portada [por'taða] *f* ❶ (*fachada*) Portal *nt* ❷ TIPO Titelblatt *nt*
portaequipaje(**s**) [portaeki'paxe(s)] *m* (*inv*) ❶ (*maletero*) Kofferraum *m* ❷ (*baca, de bicicleta*) Gepäckträger *m*
portafolios [porta'foljos] *m* Aktentasche *f*
portal [por'tal] *m* Eingangsbereich *m;*

(*soportal*) Vorhalle *f;* ~ **de Belén** Krippe *f*

portamaletas [portama'letas] *m* Kofferraum *m*

portaminas [porta'minas] *m* Drehbleistift *m*

portarse [por'tarse] *vr* sich benehmen; **el niño se porta bien/mal** das Kind ist artig/unartig

portátil [por'tatil] *adj:* **ordenador** ~ Laptop *m*

portavoz [porta'βoθ] *mf* Sprecher(in) *m(f)*

portazo [por'taθo] *m:* **dar un** ~ die Tür heftig zuschlagen

porte ['porte] *m* Beförderung *f;* ~ **aéreo** Luftfracht *f;* **gastos de** ~ Frachtspesen *pl*

portería [porte'ria] *f* ❶ Pförtnerloge *f* ❷ DEP Tor *nt*

portero, -a [por'tero] *m, f* ❶ (*conserje*) Pförtner(in) *m(f);* ~ **automático** (Gegen)sprechanlage *f* ❷ DEP Torwart, -frau *m, f*

portorriqueño, -a [portorri'keɲo] *adj* puerto-ricanisch

Portugal [portu'γal] *m* Portugal *nt*

portugués, -esa [portu'γes] *adj* portugiesisch

porvenir [porβe'nir] *m* Zukunft *f*

pos [pos] *adv*: **ir en** ~ **de algo** hinter etw *dat* hergehen; **ir en** ~ **de alguien** jdm nachgehen

posada [po'saða] *f* ❶ Raststätte *f*, Gasthof *m*, Pension *f* ❷ (*hospedaje*) Beherbergung *f*

posarse [po'sarse] *vr* sich setzen; **la golondrina se posó en el árbol** die Schwalbe landete auf dem Baum

posdata [pos'ðata] *f* Postskriptum *nt*

pose ['pose] *f* Pose *f*

poseer [po'ser] *irr como leer vt* besitzen

poseído, -a [pose'iðo] *adj* besessen (*de/por* von +*dat*); ~ **de odio** hasserfüllt

posesión [pose'sjon] *f* (*propiedad*) Besitz *m;* **estoy en** ~ **de su atenta carta...** ich habe Ihr freundliches Schreiben erhalten ...

posguerra [pos'γerra] *f* Nachkriegszeit *f*

posibilidad [posiβili'ða^ð] *f* ❶ Möglichkeit *f* ❷ (*aptitud*) Eignung *f;* **tienes ~es de llegar a ser un buen actor** du hast das Zeug zu einem guten Schauspieler ❸ (*facultad*) Fähigkeit *f;* **esto está por encima de mis ~es** das übersteigt meine Kräfte ❹ *pl* Vermögen *nt;* **estás viviendo por encima de tus ~es** du lebst über deine Verhältnisse

posibilitar [posiβili'tar] *vt* ermöglichen

posible [po'siβle] *adj* möglich; **hacer** ~ ermöglichen; **hacer lo** ~ **para que...** +*subj* sich anstrengen, um zu ... +*inf*; **hacer todo lo** ~ sein Möglichstes tun; **es** ~ **que...** +*subj* vielleicht ...; **es muy** ~ **que...** +*subj* es ist sehr wahrscheinlich, dass ...; **¡no es ~!** das kann nicht wahr sein!; **¿será ~?** soll man es für möglich halten?; **si es** ~ wenn möglich; **en lo** ~ nach Möglichkeit; **lo antes** ~ möglichst bald; **no lo veo** ~ ich sehe keine Möglichkeit

posición [posi'θjon] *f* Stellung *f*

positivo, -a [posi'tiβo] *adj* positiv

poso ['poso] *m* Bodensatz *m*

posponer [pospo'ner] *irr como poner vt* zurückstellen; (*aplazar*) verschieben

postal [pos'tal] *f* Postkarte *f*

poste ['poste] *m* Pfosten *m;* ELEC Mast *m*

póster ['poster] *m* Poster *nt o m*

postergar [poster'γar] <g → gu> *vt* verschieben; ~ **la fecha** zurückdatieren

posteridad [posteri'ða^ð] *f* ❶ (*descendencia*) Nachkommenschaft *f* ❷ (*futuro*) Zukunft *f* ❸ (*loc*): **pasar a la** ~ berühmt werden

posterior [poste'rjor] *adj* ❶ (*de tiempo*) spätere(r, s); ~ **a** nach +*dat* ❷ (*de lugar*) hintere(r, s); ~ **a alguien** hinter jdm

postizo, -a [pos'tiθo] *adj* künstlich; **dentadura postiza** (falsches) Gebiss *nt*

postor(a) [pos'tor] *m(f)* Bieter(in) *m(f);* **mejor** ~ Meistbietende(r) *m*

postrado, -a [pos'traðo] *adj:* ~ **de dolor**

P

schmerzgebeugt; ~ **en cama** bettlägerig; **quedar ~ por una enfermedad** daniederliegen

postre ['postre] *m* Nachtisch *m*

postular [postu'lar] *vt* ① (*pedir*) bitten (um +*akk*); (*donativos*) sammeln ② (*solicitar*) sich bewerben (um +*akk*)

póstumo, -a ['postumo] **I.** *adj* post(h)um; (*hijo*) nachgeboren; **fama póstuma** Nachruhm *m* **II.** *m, f* Nachgeborene(r) *f(m)*

postura [pos'tura] *f* (Ein)stellung *f*

post-venta [pos'βeṇta] *adj:* **servicio ~** Kundendienst *m*

potable [po'taβle] *adj:* **agua ~** Trinkwasser *nt*

potaje [po'taxe] *m* (Gemüse)eintopf *m*

potasio [po'tasjo] *m* Kalium *nt*

pote ['pote] *m* Eintopf *m*

potencia [po'teṇθja] *f* ① (*fuerza*) Kraft *f;* (*capacidad*) Vermögen *nt;* ~ **intelectual** geistiges Leistungsvermögen; ~ **del motor** Motorleistung *f* ② (*poder*) Macht *f;* **gran ~** Großmacht *f* ③ **en ~** potenziell ④ MAT: **elevar a ~s** potenzieren

potencial [poteṇ'θjal] *adj* leistungsstark; (*posible*) potenziell

potente [po'teṇte] *adj* ① (*poderoso*) mächtig ② (*eficiente*) leistungsfähig ③ (*sexualidad*) potent

potro ['potro] *m* ① ZOOL Fohlen *nt* ② DEP (Turn)bock *m* ③ (*de tortura*) Folterbank *f*

pozo ['poθo] *m* ① (*manantial*) Brunnen *m* ② (*hoyo profundo*) Schacht *m* ③ (CSUR: *bache*) Schlagloch *nt*

p.p. [por po'ðer] *abr de* **por poder** pp.

práctica ['praktika] *f* ① Praxis *f;* **adquirir ~** Erfahrung sammeln; **perder la ~** aus der Übung kommen ② (*ejercitación*) Übung *f* ③ (*ejercicio de algo*) Ausübung *f;* ~ **profesional** Berufsausübung *f* ④ (*cursillo*) Praktikum *nt* ⑤ (*realización*) Ausführung *f;* **en la ~** in der Praxis; **llevar a la ~** in die Praxis umsetzen; **poner en ~** realisieren

practicar [prakti'kar] <c → qu> **I.** *vi* ein Praktikum absolvieren **II.** *vt* praktizieren; ~ **deporte** Sport treiben; ~ **el español** die spanische Sprache sprechen

práctico, -a ['praktiko] *adj* praktisch; (*experimentado*) erfahren

pradera [pra'ðera] *f* große Wiese *f*

prado ['praðo] *m* Weide *f*

Praga ['praɣa] *f* Prag *nt*

pragmático, -a [praɣ'matiko] *adj* pragmatisch

praguense [pra'ɣense] *adj* Prager

preámbulo [pre'ambulo] *m* Präambel *f;* **sin ~s** (*fig*) ohne Umschweife

precalentar [prekaleṇ'tar] <e → ie> **I.** *vt* vorwärmen **II.** *vr:* **~se** sich aufwärmen

precaución [prekau̯'θjon] *f* Vorsicht *f;* **tomar precauciones** Vorkehrungen treffen

precaver [preka'βer] **I.** *vt* vorbeugen +*dat;* (*evitar*) verhindern **II.** *vr:* **~se** sich schützen (*de* vor +*dat*, *contra* gegen +*akk*)

precavido, -a [preka'βiðo] *adj* vorsichtig

precedente [preθe'ðeṇte] *m* Präzedenzfall *m;* **sentar un ~** einen Präzedenzfall schaffen; **sin ~s** beispiellos

preceder [preθe'ðer] *vt* ① (*anteceder*) vorausgehen +*dat;* **un banquete precedido de varios discursos** ein Festessen, dem mehrere Reden vorausgehen ② (*tener primacía*) Vorrang haben (*a* vor +*dat*)

precio ['preθjo] *m* Preis *m;* ~ **al consumidor** Verbraucherpreis *m;* ~ **al por mayor** Mengenpreis *m;* ~ **recomendado** Preisempfehlung *f;* ~ **de venta al público** Verkaufspreis *m;* **a buen ~** günstig; **a mitad de ~** zum halben Preis

precioso, -a [pre'θjoso] *adj* kostbar

precipicio [preθi'piθjo] *m* Abgrund *m;* **estar al borde del ~** (*fig*) am Rande des Abgrunds stehen

precipitación [preθipita'θjon] *f* ① Hast *f;* **con ~** übereilt ② METEO Niederschlag *m*

precipitadamente [preθipitaða'men̪te] *adv* überstürzt

precisamente [preθisa'men̪te] *adv* genau; **¿tiene que ser ~ hoy?** muss es ausgerechnet heute sein?; **~ por eso** eben deshalb

precisar [preθi'sar] **I.** *vi* unbedingt nötig sein **II.** *vt* ❶ (*determinar*) präzisieren ❷ (*necesitar*) benötigen; **preciso tu ayuda** ich brauche deine Hilfe

precisión [preθi'sjon] *f* ❶ (*exactitud*) Genauigkeit *f* ❷ (*determinación*) Bestimmtheit *f* ❸ (*necesidad*) Notwendigkeit *f*

preciso, -a [pre'θiso] *adj* ❶ (*necesario*) notwendig; **es ~ que...** *+subj* es ist notwendig, dass ...; **si es ~...** falls erforderlich ... ❷ (*exacto*) genau; (*estilo*) klar; **a la hora precisa** pünktlich

precocinado, -a [prekoθi'naðo] *adj* vorgekocht; **plato ~** Fertiggericht *nt*

precoz [pre'koθ] *adj* frühreif

precursor(a) [prekur'sor] *m(f)* Vorläufer(in) *m(f)*

predecesor(a) [preðeθe'sor] *m(f)* Vorgänger(in) *m(f)*

predecir [preðe'θir] *irr como decir vt* voraussagen

predeterminar [preðetermi'nar] *vt* vorausbestimmen

predicado [preði'kaðo] *m* LING Prädikat *nt*

predicar [preði'kar] <c → qu> *vt* ❶ (*sermonear*) predigen; **hay que ~ con el ejemplo** man muss mit gutem Beispiel vorangehen ❷ (*publicar*) verkünden ❸ (*elogiar*) überschwänglich loben ❹ (*amonestar*) die Leviten lesen *+dat fam*

predicción [preði^{ɣ}'θjon] *f* Vorhersage *f*; **~ económica** Wirtschaftsprognose *f*

predilecto, -a [preði'lekto] *adj* bevorzugt; **hijo ~** Lieblingskind *nt*

predisponer [preðispo'ner] *irr como poner* **I.** *vt* ❶ (*fijar por anticipado*) im Voraus festlegen ❷ (*influir*) beeinflussen ❸ MED anfällig machen (*a* für *+akk*) **II.** *vr:* **~se** ❶ (*prepararse*) sich einstellen (*a* auf *+akk*) ❷ (*tomar partido*) sich *dat* vorschnell ein Urteil bilden (*respecto a/de* über *+akk*)

predominio [preðo'minjo] *m* Vorherrschaft *f* (*en* in *+dat*); (*superioridad*) Vorrang *m* (*sobre* vor *+dat*)

preescolar [pre(e)sko'lar] *adj* vorschulisch; **edad ~** Vorschulalter *nt*

preestreno [pre(e)s'treno] *m* Voraufführung *f*

prefabricado, -a [prefaβri'kaðo] *adj* vorgefertigt; **casa prefabricada** Fertighaus *nt*

preferencia [prefe'ren̪θja] *f* ❶ (*elección, trato*) Bevorzugung *f* (*por +gen*); **mostrar ~ por alguien** jdn bevorzugen ❷ (*predilección*) Vorliebe *f* (*por* für *+akk*); **sentir ~ por alguien** eine Vorliebe für jdn haben ❸ (*prioridad*) Vorrang *m;* **dar ~** den Vorzug geben

preferible [prefe'riβle] *adj* vorzuziehen; **sería ~ que lo hicieras** du solltest es besser tun

preferiblemente [preferiβle'men̪te] *adv* besser

preferido, -a [prefe'riðo] *adj* bevorzugt

preferir [prefe'rir] *irr como sentir vt* vorziehen; **prefiero que...** *+subj* es ist mir lieber, wenn ...

prefijo [pre'fixo] *m* Vorwahl(nummer) *f*

pregón [pre'ɣon] *m* öffentliche Bekanntmachung *f*

pregunta [pre'ɣun̪ta] *f* (Ab)frage *f*

preguntar [preɣun̪'tar] **I.** *vt* fragen; **~ la lección** abfragen; **~ por alguien** nach jdm fragen **II.** *vr:* **~se** sich fragen

prehistórico, -a [preis'toriko] *adj* prähistorisch

prejuicio [pre'xwiθjo] *m* Vorurteil *nt*

prejuzgar [prexuθ'ɣar] <g → gu> *vt* vorschnell beurteilen

prematuro, -a [prema'turo] *adj* ❶ frühreif ❷ (*antes de tiempo*) vorzeitig; (*apresurado*) voreilig; **detección pre-**

matura del cáncer Krebsfrüherkennung *f;* **nacimiento** ~ Frühgeburt *f*

premeditación [premeðita'θjon] *f* Vorsatz *m;* **con** ~ vorsätzlich

premeditar [premeði'tar] *vt* sich *dat* vorher überlegen; JUR vorsätzlich planen

premiar [pre'mjar] *vt* belohnen

premio ['premjo] *m* ❶ Preis *m;* **conceder un** ~ einen Preis verleihen ❷ (*recompensa*) Belohnung *f* ❸ (*remuneración*) Prämie *f* ❹ (*lotería*) Lotteriegewinn *m;* **el** ~ **gordo** der Haupttreffer

premisa [pre'misa] *f* Voraussetzung *f*

premonición [premoni'θjon] *f* Vorahnung *f*

prenda ['preṇda] *f* Pfand *nt;* **en** ~ als Pfand; **no soltar** ~ (*fam*) nichts herauslassen

prendedor [preṇde'ðor] *m* (*broche*) Brosche *f;* (*de corbata*) Krawattennadel *f*

prender [preṇ'der] **I.** *vi* (*planta*) Wurzeln schlagen; (*ideas*) sich verbreiten **II.** *vt* ❶ (*sujetar*) befestigen ❷ (*detener*) festnehmen ❸ (*fuego*): **el coche prendió fuego** das Auto fing Feuer ❹ AM anzünden; (*luz*) anmachen; ~ **un cigarillo** eine Zigarette anstecken

prensa ['prensa] *f* ❶ Presse *f* ❷ (*imprenta*) Druckerei *f;* **estar en** ~ sich im Druck befinden ❸ PREN Presse *f;* **tener buena/mala** ~ (*fig*) einen guten/schlechten Ruf haben

prensar [pren'sar] *vt* pressen; (*uvas*) keltern

preñada [pre'ɲaða] *adj* (*mujer*) schwanger

preocupación [preokupa'θjon] *f* ❶ (*desvelo*) Sorge *f* (*por* um +*akk,* (wegen +*gen/dat*); **sin preocupaciones** sorglos ❷ (*pesadumbre*) Kummer *m;* **causar preocupaciones a alguien** jdm Kummer bereiten ❸ (*obsesión*) fixe Idee *f;* **tu única** ~ **es el dinero** du denkst nur ans Geld

preocupado, -a [preoku'paðo] *adj* besorgt (*por* wegen +*gen/dat,* (über +*akk*)

preocupante [preoku'paṇte] *adj* Besorgnis erregend

preocupar [preoku'par] **I.** *vt* Sorgen machen +*dat* **II.** *vr:* **~se** ❶ (*inquietarse*) sich *dat* Sorgen machen (*por* um +*akk,* (wegen +*gen/dat*); **¡no te preocupes tanto!** mach dir nicht so viele Gedanken! ❷ (*encargarse*) sich kümmern (*de* um +*akk*)

preparación [prepara'θjon] *f* ❶ (*de un asunto*) Vorbereitung *f* ❷ (*de la comida*) Zubereitung *f* ❸ (*formación*) Ausbildung *f;* ~ **académica** Hochschulausbildung *f;* ~ **profesional** Berufsausbildung *f;* **sin** ~ ohne Vorbildung

preparado, -a [prepa'raðo] *adj* bereit; **tener** ~ bereithalten

preparar [prepa'rar] **I.** *vt* ❶ vorbereiten; (*la comida*) zubereiten ❷ INFOR aufbereiten; (*programa*) erstellen **II.** *vr:* **~se** sich vorbereiten (*para/a* auf/für +*akk*); **se prepara una tormenta** es braut sich ein Unwetter zusammen

preparativo [prepara'tiβo] *m* Vorbereitung *f*

preposición [preposi'θjon] *f* Präposition *f*

prepotente [prepo'teṇte] *adj* überheblich

presa ['presa] *f* ❶ (*acción*) (Ein)fangen *nt;* **las llamas hicieron** ~ **en la casa** das Haus wurde ein Opfer der Flammen ❷ (*objeto*) Beute *f;* **ser** ~ **del terror** von Panik ergriffen werden ❸ ZOOL: **animal de** ~ Raubtier *nt* ❹ (*dique*) Staudamm *m*

presagio [pre'saxjo] *m* Vorahnung *f*

prescindible [presθiṇ'diβle] *adj* entbehrlich

prescindir [presθiṇ'dir] *vi* ❶ (*renunciar a*) verzichten (*de* auf +*akk*); **no podemos** ~ **de él** wir kommen ohne ihn nicht zurecht ❷ (*pasar por alto*) übergehen (*de* +*akk*) ❸ (*no contar*) nicht rechnen (*de* mit +*dat*)

prescripción [preskriβ'θjon] *f* ❶ (*indicación*) Vorschrift *f* ❷ MED Verordnung *f;*

(*receta*) Rezept *nt* ❸ (*de delito*) Verjährung *f*

presencia [pre'seṇθja] *f:* **sin la ~ del ministro** ohne Beisein des Ministers

presencial [preseṇ'θjal] *adj:* **testigo ~** Augenzeuge, -in *m, f*

presenciar [preseṇ'θjar] *vt* beiwohnen *+dat*

presentación [preseṇta'θjon] *f* ❶ Präsentation *f;* (*de una máquina*) Vorführung *f;* TEAT Inszenierung *f* ❷ (*de instancia*) Einreichen *nt;* **el plazo de ~ de solicitudes finaliza hoy** die Frist für die Antragstellung läuft heute ab ❸ (*de argumentos*) Vorbringen *nt* ❹ (*de un libro*) Aufmachung *f* ❺ AM Gesuch *nt*

presentador(a) [preseṇta'ðor] *m(f)* Moderator(in) *m(f)*

presentar [preseṇ'tar] *vt* ❶ vorstellen; (*moda*) vorführen ❷ (*ofrecer*) aufweisen ❸ TV präsentieren; TEAT aufführen; (*presentador*) moderieren ❹ (*instancia*) einreichen ❺ (*argumentos*) vorbringen; (*pruebas*) beibringen; (*propuesta*) unterbreiten ❻ (*documento*) vorlegen ❼ (*persona*) vorstellen; **te presento a mi marido** darf ich dir meinen Mann vorstellen? ❽ (*candidato*) vorschlagen

presente [pre'seṇte] **I.** *adj* ❶ (*que está*) anwesend; **¡~!** hier! ❷ (*actual*) gegenwärtig ❸ (*este*): **la ~ edición** diese Ausgabe ❹ (*loc*): **por la ~ deseo comunicarle que...** hiermit möchte ich Ihnen mitteilen, dass ... **II.** *m* ❶ Gegenwart *f;* **hasta el ~** bis jetzt; **por el ~** augenblicklich ❷ LING Präsens *nt*

presentimiento [preseṇti'mjeṇto] *m* Vorahnung *f;* **tengo el ~ de que...** ich habe das Gefühl, dass ...

presentir [preseṇ'tir] *irr como sentir vt* vorausahnen

preservativo [preserβa'tiβo] *m* Präservativ *nt*

presidencia [presi'ðeṇθja] *f* ❶ (*mandato*) Präsidentschaft *f;* **asumir la ~** das Präsidentenamt antreten ❷ (*edificio*) Amtssitz *m* des Präsidenten ❸ (*de organización/asamblea: conjunto*) Präsidium *nt;* (*individuo*) Vorsitzende(r) *f(m)*

presidente [presi'ðeṇte] *mf* ❶ POL Präsident(in) *m(f);* **~ del gobierno Aznar** Ministerpräsident Aznar ❷ (*de asociación*) Vorsitzende(r) *f(m)*

presidio [pre'siðjo] *m* Gefängnis *nt*

presidir [presi'ðir] *vt* den Vorsitz (inne)haben (in *+dat*); (*mandar*) leiten

presión [pre'sjon] *f* Druck *m;* **~ arterial** Blutdruck *m;* **~ fiscal** Steuerbelastung *f;* **~ social** sozialer Zwang; **cerrar a ~** unter Druck verschließen; **estar bajo ~** unter Druck stehen; **hacer ~ sobre alguien** jdn unter Druck setzen

presionar [presjo'nar] *vt* drücken; (*coaccionar*) unter Druck setzen

preso, -a ['preso] *m, f* Häftling *m*

prestación [presta'θjon] *f* ❶ Leistung *f;* **~ por desempleo** Arbeitslosengeld *nt;* **Prestación Social Sustitutoria** Zivildienst *m* ❷ *pl* Extras *nt pl*; **un coche con todas las prestaciones técnicas** ein Auto mit allen technischen Finessen

préstamo ['prestamo] *m* Darlehen *nt;* **~ hipotecario** Bauspardarlehen *nt;* **~ a interés fijo** Darlehen mit festen Zinssätzen; **la duración de un ~** die Laufzeit eines Darlehens

prestar [pres'tar] **I.** *vt* ❶ (*dejar*) (aus)leihen, borgen; (*pagando a cambio*) (ver)leihen ❷ (*dedicar*): **~ ayuda** Hilfe leisten ❸ (*declaración*) abgeben; (*juramento*) leisten ❹ (*silencio*) bewahren; **~ oídos** Aufmerksamkeit schenken **II.** *vr:* **~se** ❶ (*ofrecerse*) sich anbieten (*para* für *+akk*); **se prestó a ayudarme en la mudanza** er/sie bot mir seine/ihre Hilfe beim Umzug an ❷ (*avenirse*) sich bequemen (*a* zu *+dat*) ❸ (*dar motivo*) verursachen; **tus palabras se prestan a confusión** deine Worte stiften Verwirrung

P

prestigio [pres'tixjo] *m* Ansehen *nt*

presumido, **-a** [presu'miðo] *adj* arrogant; (*vanidoso*) eitel

presumir [presu'mir] *vi* angeben (*de* mit +*dat*)

presunto, **-a** [pre'suṇto] *adj* ❶ (*supuesto*) vermutlich; **el ~ asesino** der mutmaßliche Mörder ❷ (*equivocadamente*) vermeintlich

presuntuoso, **-a** [presuṇtu'oso] *adj* eitel

presuponer [presupo'ner] *irr como poner vt* voraussetzen

presupuesto [presu'pwesto] *m* ❶ POL, ECON Haushalt(splan) *m* ❷ (*cálculo*) (Kosten)voranschlag *m*

pretender [preteṇ'der] *vt* ❶ (*aspirar a*) streben (nach +*dat*); **~ subir de categoría** eine Beförderung anstreben ❷ (*pedir*) beanspruchen; **¿qué pretendes que haga?** was soll ich tun? ❸ (*tener intención*) vorhaben; **no pretendía molestar** ich wollte nicht stören ❹ (*intentar*) versuchen

pretendiente [preteṇ'djeṇte] *m* Verehrer *m*

pretensión [preten'sjon] *f* ❶ (*derecho*) Anspruch *m;* **~ económica** Gehaltsforderung *f* ❷ (*ambición*) Ehrgeiz *m;* (*aspiración*) Streben *nt;* **es una persona con muchas pretensiones** er/sie will hoch hinaus ❸ *pl* (*vanidad*): **tiene pretensiones de actor** er spielt sich als Schauspieler auf

pretérito [pre'terito] *m* LING Präteritum *nt*

pretexto [pre'testo] *m* Vorwand *m;* **a ~ de...** unter dem Vorwand ...

prevalecer [preβale'θer] *irr como crecer vi* ❶ (*imponerse*) sich durchsetzen (*entre/sobre* gegenüber +*dat*); **la verdad prevaleció sobre la mentira** die Wahrheit siegte über die Lüge ❷ (*predominar*) vorherrschen; **en esta ciudad prevalecen los de derechas sobre los de izquierdas** in dieser Stadt gibt es mehr Rechte als Linke

prevaricación [preβarika'θjon] *f* Rechtsbeugung *f*

prevención [preβeṇ'θjon] *f:* **~ de accidentes** Unfallverhütung *f;* **~ del cáncer** Krebsvorsorge *f*

prevenido, **-a** [preβe'niðo] *adj* ❶ *estar*: **estar ~** auf der Hut sein ❷ *ser* vorsichtig

prevenir [preβe'nir] *irr como venir* **I.** *vt* ❶ (*preparar*) vorbereiten ❷ (*proveer*) versorgen (*de* mit +*dat*) ❸ (*protegerse de*) vorbeugen +*dat;* (*evitar*) verhindern ❹ (*advertir*) warnen ❺ (*predisponer*): **~ a alguien a favor/en contra de alguien** jdn für/gegen jdn einnehmen **II.** *vr:* **~se** ❶ (*proveerse*) sich versorgen (*de* mit +*dat*) ❷ (*tomar precauciones*) Vorkehrungen treffen

preventivo, **-a** [preβeṇ'tiβo] *adj* vorbeugend

prever [pre'βer] *irr como ver vt* vorhersehen

previo, **-a** ['preβjo] *adj:* (**sin**) **~ aviso** (ohne) Vorankündigung; **previa presentación del DNI** bei Vorlage des Personalausweises

previsible [preβi'siβle] *adj* ❶ voraussichtlich ❷ (*que se puede prever*) voraussehbar; **era ~** das war vorauszusehen

previsión [preβi'sjon] *f* ❶ (*de prever*) Vorhersage *f;* **esto supera todas las previsiones** das übertrifft alle Erwartungen ❷ (*precaución*) Vorsorge *f*

previsor(a) [preβi'sor] *adj* vorausschauend; (*precavido*) vorsorglich

previsto, **-a** [pre'βisto] *adj:* **el éxito estaba ~** der Erfolg war zu erwarten; **todo lo necesario está ~** es ist für alles Notwendige gesorgt

prima ['prima] *f* ❶ (*pariente*) Kusine *f* ❷ FIN Prämie *f*

primacía [prima'θia] *f* ❶ (*supremacía*) Vorrangstellung *f;* POL Vormachtstellung *f* ❷ (*prioridad*) Vorrang *m*

primario, **-a** [pri'marjo] *adj* primär; **necesidades primarias** Grundbedürfnisse *ntpl*

primavera [prima'βera] *f* Frühling *m*

primer [pri'mer] *adj v.* **primero, -a**

primera [pri'mera] *f* ❶ AUTO erster Gang *m* ❷ FERRO, AERO: **viajar en ~** erster Klasse reisen ❸ (*loc*): **de ~** erstklassig

primero[1] [pri'mero] *adv* ❶ (*en primer lugar*) zuerst; **~..., segundo...** erstens ..., zweitens ... ❷ (*antes*) lieber

primero, -a[2] [pri'mero] *adj* (*ante sustantivo masculino: primer*) erste(r, s); **primera edición** Erstausgabe *f;* **a ~s de mes** am Monatsanfang; **de primera calidad** erstklassig; **en primer lugar** zuerst

primitivo, -a [primi'tiβo] *adj* primitiv; **los habitantes ~s** die Ureinwohner; **lotería primitiva** (*spanisches*) *Lotto*

primo[1] ['primo] *m* Cousin *m*

primo, -a[2] ['primo] *adj* ❶ **materia prima** Rohstoff *m* ❷ **número ~** Primzahl *f*

primogénito, -a [primo'xenito] *adj* erstgeboren

primor [pri'mor] *m* Sorgfältigkeit *f*

primordial [primor'ðjal] *adj* vorrangig; (*fundamental*) wesentlich

princesa [prin̩'θesa] *f v.* **príncipe**

principado [prin̩θi'paðo] *m* Fürstentum *nt;* **el Principado de Andorra** Andorra *nt*

principal [prin̩θi'pal] *adj* hauptsächlich; (*esencial*) wesentlich

príncipe, princesa ['prin̩θipe, prin̩'θesa] *m, f* ❶ (*soberano*) Fürst(in) *m(f)* ❷ (*hijo del rey*) Prinz, Prinzessin *m, f;* **~ heredero** Kronprinz *m;* **el Príncipe de Asturias** der spanische Kronprinz; **el ~ azul** der Märchenprinz

principiante [prin̩θi'pjan̩te] *mf* Anfänger(in) *m(f)*

principio [prin̩'θipjo] *m* ❶ (*comienzo*) Anfang *m;* **al ~** am Anfang; **desde un ~** von Anfang an; **a ~s de diciembre** Anfang Dezember ❷ (*causa*) Ursache *f;* (*origen*) Ursprung *m* ❸ **en ~** im Prinzip

pringar [priŋ'gar] <g → gu> I. *vt* ❶ (*manchar*) beschmieren (*de/con* mit +*dat*) ❷ (*mojar*) eintauchen (*en* in +*akk*) **II.** *vi* ❶ (*fam*) schuften ❷ AM nieseln **III.** *vr:* **~se** ❶ (*mancharse*) sich beschmieren (*de/con* mit +*dat*) ❷ (*loc*): **se ha pringado en 100 euros** er/sie hat 100 Euro mitgehen lassen

pringoso, -a [priŋ'goso] *adj* schmierig

prioridad [prjori'ðað] *f* ❶ (*anterioridad*) Vorzeitigkeit *f* ❷ (*urgencia*) Priorität *f;* **de máxima ~** von allerhöchster Dringlichkeit; **dar ~ a un asunto** eine Angelegenheit vorrangig behandeln ❸ AUTO Vorfahrt *f*

prioritario, -a [prjori'tarjo] *adj* vorrangig

prisa ['prisa] *f* Eile *f;* **a toda ~** in aller Eile; **no corre ~** es hat Zeit; **¡date ~!** beeil dich!; **meter ~** zur Eile drängen; **tengo ~** ich habe es eilig; **no tengas ~** lass dir Zeit

prisión [pri'sjon] *f* ❶ Haft *f;* (*de guerra*) Gefangenschaft *f;* **~ preventiva** Untersuchungshaft *f* ❷ (*edificio*) Gefängnis *nt*

prisionero, -a [prisjo'nero] *m, f* Gefangene(r) *f(m);* (*convicto*) Häftling *m*

prisma ['prisma] *m* (*figura*) Prisma *nt*

prismáticos [pris'matikos] *m pl* Fernglas *nt*

privado, -a [pri'βaðo] *adj* ❶ (*fiesta*) privat; (*sesión*) nicht öffentlich ❷ (*personal*) privat; **vida privada** Privatleben *nt* ❸ (*falto*): **~ de...** ohne ...; **~ de medios** mittellos

privar [pri'βar] **I.** *vt* ❶ (*desposeer*): **~ a alguien de libertad** jdn seiner Freiheit berauben ❷ (*prohibir*) verbieten **II.** *vr:* **~se** verzichten (*de* auf +*akk*); **no se privan de nada** es fehlt ihnen an nichts

privatizar [priβati'θar] <z → c> *vt* privatisieren

privilegio [priβi'lexjo] *m* Privileg *nt*

pro [pro] **I.** *m o f* Pro *nt;* **valorar los ~s y los contras** Pro und Kontra abwägen; **en ~ de** zugunsten +*gen* **II.** *prep* für +*akk*, pro +*akk*

P

proa ['proa] *f* Bug *m*

probabilidad [proβaβili'ða^{d}] *f* Wahrscheinlichkeit *f;* **con toda ~** aller Wahrscheinlichkeit nach

probable [pro'βaβle] *adj* ❶ wahrscheinlich; **un resultado ~** ein mögliches Ergebnis ❷ (*que se puede probar*) nachweisbar

probablemente [proβaβle'mente] *adv* wahrscheinlich

probador [proβa'ðor] *m* Umkleidekabine *f*

probar [pro'βar] <o → ue> **I.** *vt* ❶ (*demostrar*) beweisen ❷ (*experimentar*) ausprobieren; (*aparato*) (aus)testen ❸ (*a alguien*) auf die Probe stellen ❹ (*vestido*) anprobieren ❺ GASTR probieren; **no he probado nunca una paella** ich habe noch nie Paella gegessen **II.** *vi* (*intentar*) versuchen

problema [pro'βlema] *m* ❶ (*cuestión*) Frage *f* ❷ (*dificultad*) Problem *nt* ❸ (*ejercicio*) Aufgabe *f*

problemático, -a [proβle'matiko] *adj* problematisch

procedencia [proθe'ðenθja] *f* Herkunft *f*

procedente [proθe'ðente] *adj* ❶ (*oportuno*) angebracht ❷ (*proveniente*) aus ❸ JUR berechtigt

proceder [proθe'ðer] *vi* ❶ abstammen (*de* von +*dat*); (*de un lugar*) kommen (*de* aus +*dat*) ❷ (*actuar*) verfahren ❸ (*ser oportuno*) angebracht sein ❹ (*pasar a*) schreiten (*a* zu +*dat*)

procedimiento [proθeði'mjento] *m* ❶ (*actuación*) Vorgehen *nt* ❷ (*método*) Verfahren *nt* ❸ JUR Gerichtsverfahren *nt*

procesado, -a [proθe'saðo] *m, f* Angeklagte(r) *f(m)*

procesamiento [proθesa'mjento] *m* ❶ JUR Prozessführung *f* ❷ INFOR Verarbeitung *f*

procesar [proθe'sar] *vt* ❶ JUR prozessieren (*a* gegen +*akk*) ❷ TÉC verarbeiten

procesión [proθe'sjon] *f* ❶ Marsch *m;* REL Prozession *f* ❷ (*hilera*) Reihe *f;* (*de personas*) Schlange *f*

proceso [pro'θeso] *m* ❶ Prozess *m;* **~ de una enfermedad** Krankheitsentwicklung *f* ❷ (*procedimiento*) Verfahren *nt* ❸ JUR Prozess *m*

proclamación [proklama'θjon] *f* Verkündigung *f*

proclamar [prokla'mar] **I.** *vt* ❶ (*hacer público*) verkünden; **~ la República** die Republik ausrufen ❷ (*aclamar*) zujubeln +*dat* ❸ (*sentimiento*) offenbaren ❹ (*ganador*) ausrufen **II.** *vr:* **~se presidente** sich zum Präsidenten erklären; **~se ganador** gewinnen

procurador(a) [prokura'ðor] *m(f)* Bevollmächtigte(r) *f(m);* (*en tribunal*) Klagevertreter(in) *m(f)*

procurar [proku'rar] **I.** *vt* ❶ (*intentar*) versuchen ❷ (*proporcionar*) verschaffen **II.** *vr:* **~se** sich *dat* verschaffen, sich *dat* besorgen

prodigio [pro'ðixjo] *m* Wunder *nt;* **niño ~** Wunderkind *nt*

producción [proðu$^{\gamma}$'θjon] *f* ❶ (*de frutos*) Hervorbringung *f* ❷ (*de cereales*) Produktion *f* ❸ (*cuadro*) Anfertigung *f;* (*libro*) Herstellung *f;* **~ en cadena** Fließbandfertigung *f;* **~ por encargo** Auftragsfertigung *f;* **~ en masa** Massenproduktion *f;* **~ a medida** Fertigung nach Maß

producir [proðu'θir] *irr como traducir* **I.** *vt* ❶ (*frutos*) hervorbringen ❷ (*fabricar*) produzieren; (*energía*) erzeugen ❸ (*beneficios*) (ein)bringen; (*intereses*) tragen ❹ (*alegría*) bereiten; (*impresión*) machen; **~ tristeza** traurig stimmen **II.** *vr:* **~se** ❶ (*fabricarse*) produziert werden ❷ (*tener lugar*) sich ereignen ❸ (*ocurrir*) sich ergeben

productivo, -a [proðuk'tiβo] *adj* produktiv; (*máquina*) leistungsfähig; (*negocio*) einträglich; (*tierra*) ertragreich

producto [pro'ðukto] *m* ❶ (*objeto*) Produkt *nt;* **~ agrícola** Agrarprodukt *nt;* **~ alimenticio** Nahrungsmittel *nt* ❷ (*de un negocio*) Ertrag *m;* (*de una* *venta*) Erlös *m;* **Producto Nacional Bruto** Bruttosozialprodukt *nt*

profano, -a [pro'fano] *adj* ❶ (*secular*) weltlich ❷ (*ignorante*) unerfahren

profecía [profe'θia] *f* Prophezeiung *f*

profesión [profe'sjon] *f* Beruf *m*

profesional [profesjo'nal] **I.** *adj* ❶ (*de la profesión*) beruflich; **ética ~** Berufsethos *nt;* **secreto ~** Schweigepflicht *f* ❷ (*no aficionado*) professionell; **deportista ~** Profi *m* **II.** *mf* Profi *m*

profesor(a) [profe'sor] *m(f)* Lehrer(in) *m(f);* (*universitario*) Dozent(in) *m(f)*

profeta, -isa [pro'feta] *m, f* Prophet(in) *m(f)*

profundidad [profuṇdi'ðaᵈ] *f* Tiefe *f;* **analizar en ~** ergründen

profundizar [profuṇdi'θar] <z → c> **I.** *vt* vertiefen **II.** *vi:* **~ en algo** etw vertiefen

profundo, -a [pro'fuṇdo] *adj* tief (liegend); (*observación*) tiefsinnig

progenitor(a) [proxeni'tor] *m(f)* Vater, Mutter *m, f;* **los ~es** die Eltern

programa [pro'ɣrama] *m* Programm *nt;* **~ de estudios** Lehrplan *m;* **~ de tratamiento de textos** Textverarbeitungsprogramm *nt*

programar [proɣra'mar] *vt* programmieren

progresar [proɣre'sar] *vi* Fortschritte machen (*en* in +*dat,* (bei +*dat*); (*ciencia*) sich weiterentwickeln; **~ profesionalmente** beruflich vorwärtskommen

progresión [proɣre'sjon] *f* ❶ Fortschreiten *nt* ❷ MAT Reihe *f* ❸ MÚS Sequenz *f*

progresista [proɣre'sista] *adj* fortschrittlich

progresivo, -a [proɣre'siβo] *adj* (*que progresa*) fortschreitend; (*que aumenta*) zunehmend; FIN progressiv; **aspecto ~** LING Verlaufsform *f*

progreso [pro'ɣreso] *m* Fortschritt *m*

prohibición [proi̯βi'θjon] *f* Verbot *nt*

prohibir [proi̯'βir] *irr vt* verbieten

prohibitivo, -a [proi̯βi'tiβo] *adj* Verbots-; **derecho ~** ECON Prohibitivzoll *m*

prójimo ['proximo] *m* Mitmensch *m;* **amor al ~** Nächstenliebe *f*

proletario, -a [prole'tarjo] *m, f* Proletarier(in) *m(f)*

proliferar [prolife'rar] *vi* ❶ (*en cantidad*) sich vermehren ❷ (*incontroladamente*) wuchern ❸ (*epidemia*) um sich greifen

prólogo ['proloɣo] *m* Vorwort *nt*

prolongar [proloŋ'gar] <g → gu> **I.** *vt* verlängern; (*decisión*) hinauszögern **II.** *vr:* **~se** sich verlängern; (*un estado*) sich in die Länge ziehen; (*reunión*) länger dauern

promedio [pro'meðjo] *m* Durchschnitt *m*

promesa [pro'mesa] *f* Versprechen *nt*

prometedor(a) [promete'ðor] *adj* viel versprechend

prometer [prome'ter] **I.** *vt* versprechen **II.** *vi:* **este negocio promete** das ist ein viel versprechendes Geschäft **III.** *vr:* **~se** sich verloben

prometido, -a [prome'tiðo] *m, f* Verlobte(r) *f(m)*

promiscuidad [promiskwi'ðaᵈ] *f* ❶ (*mezcla*) Mischung *f* ❷ (*de sexos*): **aboga a favor de la ~ de sexos en las escuelas** er/sie ist für gemischte Schulen ❸ (*sexual*) Promiskuität *f*

promoción [promo'θjon] *f* ❶ (Be)förderung *f* ❷ (*de producto*) Promotion *f* ❸ (*de licenciados*) Jahrgang *m*

promocionar [promoθjo'nar] *vt* (be)fördern; (*producto*) werben (für +*akk*)

promotor(a) [promo'tor] *m(f)* Förderer, -in *m, f;* (*artístico*) Promoter(in) *m(f)*

promover [promo'βer] <o → ue> *vt* ❶ (*querella*) erheben; (*proceso*) anstrengen; (*recurso*) einlegen ❷ (*en el cargo*) befördern ❸ (*escándalo, aplausos*) auslösen; (*altercado*) anfangen

promulgar [promul'ɣar] <g → gu> *vt* verkünden

pronombre [pro'nombre] *m* Pronomen *nt*

pronosticar [pronosti'kar] <c → qu> *vt*

vorhersagen

pronóstico [pro'nostiko] *m* Voraussage *f; t.* MED Prognose *f*

pronto ['proṇto] **I.** *adv* ❶ (*rápido*) prompt ❷ (*enseguida*) bald; (*inmediatamente*) gleich ❸ (*temprano*) früh ❹ (*loc*): **de ~** auf einmal; **¡hasta ~!** bis bald!; **por de [*o* lo] ~** fürs Erste **II.** *conj*: **tan ~ como** sobald

pronunciación [pronuṇθja'θjon] *f* Aussprache *f*

pronunciar [pronuṇ'θjar] **I.** *vt* ❶ (*articular*) aussprechen; **~ un discurso** eine Rede halten; **~ sentencia** das Urteil verkünden ❷ (*resaltar*) betonen **II.** *vr:* **~se** ❶ (*levantarse*) putschen ❷ (*apoyar*) sich aussprechen ❸ (*opinar*) Stellung nehmen (*sobre* zu +*dat*) ❹ (*acentuarse*) ausgeprägter werden

propaganda [propa'ɣaṇda] *f* POL Propaganda *f;* (*publicidad*) Werbung *f*

propagar [propa'ɣar] <g → gu> **I.** *vt* ❶ vermehren; (*reproducir*) fortpflanzen ❷ (*extender*) verbreiten; **~ un rumor** ein Gerücht in die Welt setzen **II.** *vr:* **~se** ❶ sich vermehren; (*reproducirse*) sich fortpflanzen ❷ (*extenderse, divulgarse*) sich verbreiten ❸ (*transmitirse*) sich übertragen

propano [pro'pano] *m* Propan(gas) *nt*

propasarse [propa'sarse] *vr* (*extralimitarse*) zu weit gehen

propenso, -a [pro'penso] *adj* anfällig (*a* für +*akk*); **ser ~ a algo** zu etw *dat* neigen

propiamente [propja'meṇte] *adv* eigentlich; (*realmente*) wirklich; **~ dicho** genau genommen

propicio, -a [pro'piθjo] *adj* ❶ (*favorable*) günstig; **en el momento ~** im günstigsten Moment ❷ (*dispuesto*) bereit (*a* zu +*dat*); **mostrarse (poco) ~ a/para...** sich (wenig) geneigt zeigen zu ...

propiedad [propje'ða$^{\eth}$] *f* ❶ Eigentum *nt;* (*inmuebles*) Besitz *m* ❷ *t.* FÍS Eigenschaft *f;* **~es** Beschaffenheit *f*

propietario, -a [propje'tarjo] *m, f* Eigentümer(in) *m(f)*

propina [pro'pina] *f* Trinkgeld *nt*

propio, -a ['propjo] *adj* ❶ (*de uno mismo*) eigene(r, s); **con sus propias manos** mit eigenen Händen; **en defensa propia** in Notwehr ❷ (*mismo*) selbst; **lo ~** dasselbe; **el ~ interesado** der Interessent selbst ❸ (*característico*) eigen(tümlich); **los productos ~s del país** die heimischen Produkte des Landes; **eso (no) es ~ de ti** das passt (nicht) zu dir ❹ (*apropiado*) angemessen

proponer [propo'ner] *irr como poner* **I.** *vt* ❶ (*sugerir, presentar*) vorschlagen (*como* als +*akk, para* für +*akk*); **~ un brindis por alguien** auf jdn ein Hoch ausbringen ❷ (*plantear*) stellen ❸ (*solicitar*) beantragen **II.** *vr:* **~se** sich *dat* vornehmen; (*tener intención*) vorhaben; **¿qué te propones?** was hast du eigentlich vor?

proporción [propor'θjon] *f* ❶ (*relación*) Verhältnis *nt;* **no guardar ~ con algo** in keinem Verhältnis zu etw *dat* stehen ❷ (*porcentaje*) Anteil *m* ❸ *pl* (*dimensión*) Ausmaß *nt;* **un accidente de enormes proporciones** ein Unfall größten Ausmaßes

proporcional [proporθjo'nal] *adj:* **reparto ~** proportionale Verteilung

proporcionar [proporθjo'nar] *vt* ❶ beschaffen; (*procurar*) verschaffen; (*crear*) schaffen ❷ (*ocasionar*) bewirken

proposición [proposi'θjon] *f* Antrag *m;* (*oferta*) Angebot *nt;* **~ de ley** Gesetzesvorlage *f*

propósito [pro'posito] **I.** *m* ❶ Absicht *f;* (*plan*) Plan *m;* **buenos ~s** gute Vorsätze; **tener el ~ de...** vorhaben zu ... ❷ (*objetivo*) Ziel *nt* ❸ (*loc*): **a ~** (*adrede*) absichtlich; (*adecuado*) angemessen; (*por cierto*) übrigens **II.** *prep*: **a ~ de** über +*akk*

propuesta [pro'pwesta] *f* Vorschlag *m;* (*solicitud*) Antrag *m;* (*oferta*) Angebot *nt*

prórroga ['prorroɣa] *f* ❶ (*prolongación*) Verlängerung *f;* ~ **de pago** Zahlungsaufschub *m* ❷ (*dilatoria*) Aufschub *m;* (*retraso*) Verschiebung *f*

prosa ['prosa] *f* Prosa *f;* **texto en** ~ Prosatext *m*

proseguir [prose'ɣir] *irr como seguir* **I.** *vi* (*alguien*) weitermachen; METEO anhalten; ~ **con [*o* en] algo** (*mantener*) etw beibehalten; (*continuar con*) etw fortsetzen **II.** *vt* ❶ (*continuar*) fortsetzen ❷ (*un fin*) verfolgen

prospecto [pros'pekto] *m* Prospekt *m o nt;* (*informativo*) Broschüre *f;* (*de un medicamento*) Packungsbeilage *f*

prosperar [prospe'rar] *vi* ❶ gut vorankommen; (*florecer*) florieren; (*tener éxito*) Erfolg haben ❷ (*imponerse*) sich einbürgern

prosperidad [prosperi'ða^ð] *f* Wohlstand *m*

próspero, -a ['prospero] *adj:* **¡P~ Año Nuevo!** frohes neues Jahr!

próstata ['prostata] *f* Prostata *f*

prostitución [prostitu'θjon] *f* Prostitution *f;* **ejercer la** ~ der Prostitution nachgehen

prostituto, -a [prosti'tuto] *m, f* Prostituierte(r) *f(m)*

protagonista [protaɣo'nista] *adj:* **el papel** ~ die Hauptrolle

protagonizar [protaɣoni'θar] <z → c> *vt* (*un papel*) spielen; **un gran actor protagoniza esta película** in diesem Film spielt ein namhafter Schauspieler die Hauptrolle

protección [prote^ɣ'θjon] *f* Schutz *m;* MIL Deckung *f;* ~ **de menores** Jugendschutz *m*

protector[1] [protek'tor] *m* Schutz *m;* ~ **labial** Lippen(schutz)pomade *f;* ~ **solar** Sonnen(schutz)creme *f*

protector(a)[2] [protek'tor] **I.** *adj* schützend; **casco** ~ Schutzhelm *m;* **sociedad ~a de animales** Tierschutzverein *m* **II.** *m(f)* Beschützer(in) *m(f)*

proteger [prote'xer] <g → j> **I.** *vt* ❶ (*resguardar*) (be)schützen (*de/contra* vor +*dat*) ❷ (*asegurar*) (ab)sichern **II.** *vr:* **~se** sich schützen (*de/contra* vor +*dat*); **~se los ojos** seine Augen schützen

proteína [prote'ina] *f* Protein *nt*

prótesis ['protesis] *f inv* Prothese *f*

protesta [pro'testa] *f* ❶ Protest *m* ❷ JUR Einspruch *m*

protestante [protes'tan̪te] *mf* Protestant(in) *m(f)*

protestar [protes'tar] *vi* protestieren

protocolo [proto'kolo] *m* Protokoll *nt*

protón [pro'ton] *m* Proton *nt*

provecho [pro'βeʧo] *m* ❶ Vorteil *m;* (*producto*) Ertrag *m;* (*beneficio*) Gewinn *m;* **propio** ~ Eigennutz *m;* **de** ~ von Nutzen; **nada de** ~ nichts Brauchbares; **sacar** ~ **de algo** aus etw *dat* Nutzen ziehen ❷ (*progreso*) Fortschritt *m* ❸ **¡buen ~!** guten Appetit!

proveedor(a) [proβe(e)'ðor] *m(f)* Lieferant(in) *m(f)*

proveer [pro'βer] *irr* **I.** *vi* sorgen (*a* für +*akk*); **¡Dios ~á!** der Herrgott wird's schon richten! **II.** *vt* versorgen (*de* mit +*dat*); (*equipar*) ausstatten (*de* mit +*dat*); (*suministrar*) beliefern (*de* mit +*dat*) **III.** *vr:* **~se** sich eindecken (*de* mit +*dat*)

proveniente [proβe'njen̪te] *adj:* **el tren** ~ **de Madrid** der Zug aus Madrid

proverbio [pro'βerβjo] *m* Sprichwort *nt*, Spruch *m*

provincia [pro'βin̪θja] *f* Provinz *f;* **ciudad de ~s** Kleinstadt *f*

provisión [proβi'sjon] *f* ❶ (*reserva*) Vorrat *m;* **provisiones** Proviant *m* ❷ (*suministro*) Versorgung *f* ❸ (*comisión*) Provision *f*

provisional [proβisjo'nal] *adj* provisorisch; (*temporal*) vorläufig

provisto, -a [pro'βisto] **I.** *pp de* **proveer** **II.** *adj:* ~ **al efecto** dafür vorgesehen

provocar [proβo'kar] <c → qu> **I.** *vt* provozieren; (*instigar*) anstiften **II.** *vi* AM: **(no) me provoca** ich habe (keine)

P

Lust

provocativo, -a [proβoka'tiβo] *adj* provokativ

próximamente [proɣsima'meṇte] *adv* demnächst

próximo, -a ['proɣsimo] *adj* ❶ nahe (*a* bei/zu +*dat*); (*local*) nahe gelegen; (*temporal*) nahe bevorstehend; **en fecha próxima** demnächst ❷ (*siguiente*) nächste(r, s); **la próxima vez** nächstes Mal; **¡hasta la próxima!** bis bald!

proyectar [proɟek'tar] *vt* ❶ *t.* CINE projizieren ❷ (*planear*) planen ❸ (*proponerse*) vorhaben

proyecto [pro'ɟekto] *m* Projekt *nt;* (*borrador*) Entwurf *m;* (*propuesta*) Vorschlag *m;* ~ **de ley** Gesetz(es)entwurf *m;* **en** ~ geplant; **tener ~s** Pläne haben; **tener algo en** ~ etw vorhaben

proyector [proɟek'tor] *m* Projektor *m*

prudencia [pru'ðeṇθja] *f* ❶ (*precaución*) Vorsicht *f;* (*cautela*) Behutsamkeit *f* ❷ (*cordura*) Vernunft *f* ❸ (*moderación*) Mäßigkeit *f*

prudente [pru'ðeṇte] *adj* ❶ vorsichtig; (*previsor*) bedacht ❷ (*razonable*) vernünftig

prueba ['prweβa] *f* ❶ Prüfung *f;* (*test*) Test *m;* (*experimento*) Versuch *m;* (*comprobación*) Probe *f;* (*de ropa*) Anprobe *f;* ~ **de acceso** Aufnahmeprüfung *f;* ~ **de alcoholemia** (Blut)alkoholtest *m;* ~ **de aptitud** Eignungstest *m;* **período de** ~ Probezeit *f;* **poner a** ~ auf die Probe stellen; **someter a** ~ einer Prüfung unterziehen ❷ (*testimonio*) Beweis *m;* (*verificación*) Nachweis *m;* **tener ~s de que...** beweisen können, dass ...

Prusia ['prusja] *f* Preußen *nt*

P.S. [pos es'kriptun] *abr de* **post scriptum** PS

(p)seudónimo ['seu̯'ðonimo] *m* Pseudonym *nt*

(p)sicoanálisis [sikoa'nalisis] *m* Psychoanalyse *f*

(p)sicoanalista [sikoana'lista] *mf* Psychoanalytiker(in) *m(f)*

(p)sicología [sikolo'xia] *f* Psychologie *f*

(p)sicológico, -a [sikolo'xiko] *adj* psychologisch; **terror** ~ Psychoterror *m*

(p)sicólogo, -a [si'koloɣo] *m, f* Psychologe, -in *m, f*

(p)sicópata [si'kopata] *mf* Psychopath(in) *m(f);* ~ **sexual** Triebtäter *m*

(p)sicosis [si'kosis] *f inv* Psychose *f;* ~ **colectiva** Massenpsychose *f*

(p)sicosomático, -a [sikoso'matiko] *adj* psychosomatisch

(p)sicoterapia [sikote'rapja] *f* Psychotherapie *f*

(p)sique ['sike] *f* Psyche *f*

(p)siquiatra [si'kjatra] *mf* Psychiater(in) *m(f)*

(p)siquiatría [sikja'tria] *f* Psychiatrie *f*

(p)síquico, -a [si'kiko] *adj* psychisch

PSOE [pe'soe] *m abr de* **Partido Socialista Obrero Español** *sozialistische spanische Arbeiterpartei*

pta. [pe'seta] *f* <pt(a)s.> HIST *abr de* **peseta** Pesete *f*

púa ['pua] *f* ❶ Stachel *m* ❷ (*del peine*) Zinke *f*

pub [paβ] <pubs> *m* Pub *m o nt*

pubertad [puβer'tað] *f* Pubertät *f*

pubis ['puβis] *m inv* Scham(gegend) *f*

publicación [puβlika'θjon] *f* ❶ Veröffentlichung *f;* (*anuncio*) Bekanntmachung *f* ❷ (*edición*) Publikation *f*

publicar [puβli'kar] <c → qu> **I.** *vt* veröffentlichen; (*anunciar*) bekannt geben; JUR offenlegen; (*proclamar*) verkünden **II.** *vr:* **~se** erscheinen

publicidad [puβliθi'ðað] *f* Werbung *f*

público[1] ['puβliko] *m* ❶ Öffentlichkeit *f;* **en** ~ in aller Öffentlichkeit; **aparecer en** ~ öffentlich auftreten; **el gran** ~ die breite Masse ❷ (*asistente*) Publikum *nt*

público, -a[2] ['puβliko] *adj* ❶ öffentlich; (*estatal*) staatlich; **deuda pública** öffentliche Anleihe; **relaciones públicas** Publicrelations *pl*; **transporte** ~ öffentliche Verkehrsmittel ❷ (*común*) allgemein; **de utilidad pública** gemeinnützig ❸ (*conocido*) allgemein bekannt; **ser del dominio ~** allgemein bekannt sein

pucha ['putʃa] *interj* (CSUR: *caramba*): **¡la ~!** Donnerwetter!

puchero [pu'tʃero] *m* ❶ (*olla*) Kochtopf *m* ❷ GASTR ≈Eintopf *m* ❸ (*loc*): **hacer ~s** eine Schnute ziehen

pudor [pu'ðor] *m* Sittsamkeit *f;* (*vergüenza*) Schamhaftigkeit *f*

pudrirse [pu'ðrirse] *irr vr* (ver)faulen; (*fig*) verderben; **¡ahí te pudras!** (*vulg*) von mir aus kannst du verrecken! *fam*

pueblo ['pweβlo] *m* ❶ (*nación*) Volk *nt* ❷ (*población*) Dorf *nt;* **~ de mala muerte** (*fam*) trostloses Kaff; **~ joven** AM Slums *pl*

puente ['pwente] *m* Brücke *f*

puenting ['pwentiŋ] *m* Bungeejumping *nt*

puerco, -a ['pwerko] **I.** *adj* ❶ *estar* (*fam*) saudreckig ❷ *ser* schweinisch *fam* **II.** *m, f:* **~ espín** Stachelschwein *nt*

puericultor(a) [pwerikul'tor] *m(f)* Kindergärtner(in) *m(f)*

pueril [pwe'ril] *adj* ❶ (*infantil*) kindlich; **edad ~** Kindesalter *nt* ❷ (*inmaduro*) kindisch

puerro ['pwerro] *m* Lauch *m*

puerta ['pwerta] *f* Tür *f;* (*portal*) Pforte *f;* (*acceso*) Zugang *m;* **~ corredera** Schiebetür *f;* **~ de socorro** Notausgang *m*

puerto ['pwerto] *m* Hafen *m;* (*de montaña*) Bergpass *m*

puertorriqueño, -a [pwertorri'keɲo] *adj* puerto-ricanisch

pues [pwes] **I.** *adv* ❶ dann; (*así que*) also; **~ entonces, nada** dann eben nicht ❷ (*ilativo*) also; **~ bien** also gut ❸ (*causal*) nämlich; **estudio alemán – ¡ah, ~ yo también!** ich lerne Deutsch – ach, ich auch! ❹ (*expletivo*) doch; **¿estuvisteis por fin en Toledo? – ~ no/sí** wart ihr schließlich in Toledo? – nein, doch nicht/ja ❺ (*exclamativo*): **¡~ no faltaría más!** das wäre ja noch schöner! ❻ (*interrogativo*): **¿y ~?** ja, und?; **¿~ qué ha pasado?** was ist denn passiert? ❼ (*atenuación*): **¿nos vemos mañana? – ~ no sé todavía** sehen wir uns morgen? – tja, ich weiß noch nicht ❽ (*insistencia*): **~ claro** aber klar **II.** *conj* (*causal*): **no voy de viaje, ~ no tengo dinero** ich mache keine Reise, denn ich habe kein Geld

puesta ['pwesta] *f:* **~ al día** Aktualisierung *f;* **~ en escena** TEAT Inszenierung *f*

puesto[1] ['pwesto] *m* ❶ (*lugar*) Platz *m;* (*posición*) Stellung *f* ❷ (*empleo*) (Arbeits)stelle *f;* (*cargo*) Amt *nt* ❸ (*tenderete*) (Markt)stand *m;* **~ de periódicos** Zeitungskiosk *m* ❹ MIL Posten *m* ❺ (*guardia*) Wache *f;* **~ de policía** Polizeiwache *f;* **~ de socorro** Rettungswache *f*

puesto, -a[2] ['pwesto] **I.** *pp de* **poner** **II.** *adj* (*loc*): **~ al día** auf dem neuesten Stand; **estar ~ en un tema** (*fam*) sich in einem Thema auskennen **III.** *conj:* **~ que** da

pujar [pu'xar] *vi* ❶ (*esforzarse*) sich anstrengen; **~ por** sich bemühen zu ❷ (*en una subasta*) höher bieten

pulcro, -a ['pulkro] *adj* ❶ (*aseado*) reinlich ❷ (*cuidadoso*) sorgfältig; (*fino*) fein

pulga ['pulɣa] *f* Floh *m*

pulgada [pul'ɣaða] *f* (*medida*) Zoll *m;* (*fam*) Daumenbreite *f*

pulgar [pul'ɣar] *m* Daumen *m*

pulir [pu'lir] *vt* ❶ polieren; (*esmerilar*) schleifen ❷ (*perfeccionar*) den letzten Schliff geben +*dat*

pulla ['puʎa] *f* Stichelei *f*

pulmón [pul'mon] *m* Lunge *f*

pulmonía [pulmo'nia] *f* Lungenentzündung *f*

pulóver [pu'loβer] *m* (AM: *jersey*) Pullover *m*

pulpa ['pulpa] *f* ❶ ANAT Mark *nt* [illegible]

P

fruta) Fruchtfleisch *nt*

púlpito ['pulpito] *m* Kanzel *f*

pulpo ['pulpo] *m* Krake *m*

pulsar [pul'sar] **I.** *vi* pulsieren **II.** *vt* drücken; (*teclado*) anschlagen

pulsera [pul'sera] *f* Armband *nt;* **reloj de ~** Armbanduhr *f*

pulso ['pulso] *m* Puls *m;* (*fig*) Behutsamkeit *f;* **con ~** behutsam; **echar un ~ a alguien** mit jdm Arm drücken; **tomar el ~ a alguien** jdm den Puls fühlen

pulverizador [pulβeriθa'ðor] *m* Sprühflasche *f;* (*atomizador*) Zerstäuber *m*

pulverizar [pulβeri'θar] <z → c> **I.** *vt* ❶ (*reducir a polvo*) pulverisieren; (*rallar*) zerreiben; (*moler*) zermahlen ❷ (*atomizar*) zerstäuben **II.** *vr:* **~se** zu Staub werden

puma ['puma] *m* Puma *m*

punta ['pun̪ta] *f* Spitze *f;* (*extremo*) Ende *nt;* **a ~ de navaja** mit gezücktem Messer; **de ~ a ~** restlos; **de ~ en blanco** (*fam*) herausgeputzt; **hora**(**s**) **~** Stoßzeit *f;* **sacar ~** anspitzen

puntapié [pun̪ta'pje] *m* Fußtritt *m*

puntería [pun̪te'ria] *f:* **tener buena ~** ein guter Schütze sein

puntiagudo, -a [pun̪tja'ɣuðo] *adj* spitz

puntilla [pun̪'tiʎa] *f* ❶ (*encaje*) Spitzenbordüre *f* ❷ (*loc*): **de ~s** auf Zehenspitzen

punto ['pun̪to] *m* ❶ (*general*) Punkt *m;* **~ y aparte** neuer Absatz; **~ cardinal** Himmelsrichtung *f;* **~ y coma** Semikolon *nt;* **sin ~ de comparación** ohne möglichen Vergleich; **~ de destino** Bestimmungsort *m;* **~ a tratar** Tagesordnungspunkt *m;* **~ de venta** Verkaufsstelle *f;* **~ de vista** Standpunkt *m;* **poner ~ final a algo** den Schlussstrich unter etw ziehen; **tener a ~** bereithalten; **hasta tal ~ que...** dermaßen, dass ...; **la una en ~** Punkt ein Uhr; **hasta cierto ~** gewissermaßen; **¿hasta qué ~?** inwiefern?; **¡y ~!** und damit basta! ❷ (*puntada*) Stich *m;* **~ de sutura** Stich *m*

puntocom [pun̪to'kom] *f* INFOR: (**compañía**) [*o* **empresa**] **~** Dotcom-Unternehmen *nt*

puntuación [pun̪twa'θjon] *f* ❶ LING Zeichensetzung *f;* **signo de ~** Satzzeichen *nt* ❷ (*calificación*) Bewertung *f;* (*escuela*) Benotung *f*

puntual [pun̪tu'al] *adj* ❶ (*concreto*) punktuell ❷ (*sin retraso*) pünktlich

puntualidad [pun̪twali'ðaᵈ] *f* Pünktlichkeit *f;* **falta de ~** Unpünktlichkeit *f*

punzada [pun̪'θaða] *f* stechender Schmerz *m*

puñado [pu'ɲaðo] *m* Handvoll *f;* **a ~s** haufenweise; **un ~** (*argot*) total

puñal [pu'ɲal] *m* Dolch *m*

puñeta [pu'ɲeta] *f* (*vulg*) ❶ **¡**(**qué**) **~**(**s**)**!** so ein Scheiß!; **hacer la ~ a alguien** jdn schikanieren ❷ AM Wichsen *nt;* **¡vete a hacer ~s!** scher dich zum Teufel! *fam*

puñetazo [puɲe'taθo] *m* Faustschlag *m*

puño ['puɲo] *m* Faust *f;* **~ cerrado** geballte Faust; **apretar los ~s** (*fig*) die Zähne zusammenbeißen; **como un ~** faustgroß; **de su ~ y letra** eigenhändig

pupa ['pupa] *f* ❶ Lippenbläschen *nt;* (*heridilla*) kleine Wunde *f* ❷ (*fam*) Wehweh(chen) *nt*

pupila [pu'pila] *f* Pupille *f*

pupitre [pu'pitre] *m* ❶ (*en la escuela*) Schulbank *f* ❷ TÉC Pult *nt*

puré [pu're] *m* Püree *nt*

pureza [pu'reθa] *f* Reinheit *f*

purgante [pur'ɣan̪te] **I.** *adj* ❶ MED abführend ❷ TÉC reinigend **II.** *m* ❶ MED Abführmittel *nt* ❷ TÉC Reinigungsmittel *nt*

purgar [pur'ɣar] <g → gu> **I.** *vt* ❶ säubern; (*fig*) reinigen ❷ MED purgieren ❸ (*expiar*) büßen; JUR verbüßen **II.** *vr:* **~se** sich reinigen; MED ein Abführmittel einnehmen

purgatorio [purɣa'torjo] *m* Fegefeuer *nt*

purificar [purifi'kar] <c → qu> **I.** *vt* (*limpiar*) reinigen; (*fig*) befreien **II.** *vr:* **~se** sich läutern; (*fig*) sich befreien

puro[1] ['puro] *m* Zigarre *f*

puro, -a[2] ['puro] *adj* rein; (*inmaculado*) makellos; (*auténtico*) echt; **por pura cortesía** aus reiner Höflichkeit; **pura lana** reine Schurwolle; **la pura verdad** die reine Wahrheit; **pura casualidad** purer Zufall; **de ~ miedo** vor lauter Angst

pus [pus] *m* Eiter *m*

puta ['puta] *f* (*vulg*) Nutte *f fam*; **casa de ~s** Puff *m fam*

putada [pu'taða] *f* (*vulg*) Sauerei *f fam*; **hacer una ~ a alguien** jdm übel mitspielen *fam*

putear [pute'ar] *vt* (*argot*) schikanieren; **¡te han puteado bien!** die haben dich ganz schön angeschmiert!

puticlub [puti'kluᵝ] *m* (*argot*) Bumslokal *nt*

puto, -a ['puto] *adj* (*vulg*): **¡de puta madre!** geil! *fam*; **el ~ coche no arranca** das Scheißauto springt nicht an; **ni puta idea** keinen blassen Schimmer *fam*; **las estoy pasando putas** es geht mir völlig dreckig *fam*

puzzle ['puθle] *m* Puzzle *nt;* **hacer un ~** puzzeln

P.V.P. ['preθjo ðe 'βeṇta (a)l 'puβliko] *m abr de* **Precio de Venta al Público** Ladenverkaufspreis *m*

P

Q

Q, q [ku] *f* Q, q *nt*

que [ke] **I.** *pron rel* ❶ (*con antecedente*) der/die/das; **la pelota ~ compraste** der Ball, den du gekauft hast ❷ (*sin antecedente*): **el/la/lo ~...** der(jenige)/die(jenige)/das(jenige), der/die/das ...; **los ~ hayan terminado** diejenigen, die fertig sind; **es de los ~...** er gehört zu denen, die ...; **el ~ más y el ~ menos** jeder; **es todo lo ~ sé** das ist alles, was ich weiß **II.** *conj* ❶ (*completivo*) dass; **me pidió ~ le ayudara** er/sie bat mich um Hilfe ❷ (*estilo indirecto*): **ha dicho ~...** er/sie hat gesagt, dass ... ❸ (*comparativo*): **más alto ~** größer als; **lo mismo ~** genauso viel wie ❹ (*porque*) denn ❺ (*de manera que*): **corre ~ vuela** er/sie ist äußerst schnell ❻ (*o, ya*): **~ paguen, ~ no paguen, eso ya se verá** ob sie zahlen oder nicht, werden wir ja sehen ❼ (*explicativo*): **es ~, hoy no vendré, es ~ estoy cansado** ich komme heute nicht, ich bin nämlich müde ❽ (*enfático*): **¡~ sí/no!** aber ja doch!/nein, auf keinen Fall! ❾ (*de duda*): **¿~ no está en casa?** er/sie soll nicht zu Hause sein? ❿ (*con verbo*): **hay ~ trabajar más** man muss mehr arbeiten ⓫ (*loc*): **antes ~** bevor; **a menos ~...** +*subj* es sei denn, ...; **con tal (de) ~...** +*subj* vorausgesetzt, dass ...; **yo ~ tú...** ich an deiner Stelle ...

qué [ke] *adj o pron inter* ❶ was; (*cuál*) welche(r, s); (*qué clase de*) was für eine(r, s); **¿por ~?** warum?; **¿en ~ piensas?** woran denkst du?; **¿para ~?** wozu?, wofür?; **¿de ~ hablas?** wovon redest du?; **¿a ~ esperas?** worauf wartest du?; **¿~ día llega?** an welchem Tag kommt er/sie? ❷ (*exclamativo*): **¡~ suerte!** welch ein Glück! ❸ (*cuán*): **¡mira ~ contento está!** sieh, wie glücklich er ist! ❹ (*cuánto*): **¡~ de gente!** wie viele Leute! ❺ (*loc*): **¿~?** wie bitte?, was? *fam*; **¿~ tal?** wie geht's?; **¿~ tal si...?** wie wär's, wenn ...?; **¿y ~?** na und?; **¿y a mí ~?** was geht mich das an?; **~, ¿vienes o no?** was ist nun, kommst du oder nicht?

quebradizo, -a [keβra'ðiθo] *adj* ❶ (*objeto*) zerbrechlich ❷ (*de salud*) kränklich ❸ (*voz*) brüchig

quebrado [ke'βraðo] *m* MAT Bruch *m*

quebrantar [keβran̩'tar] *vt* ❶ zerbrechen; (*cascar*) (auf)knacken ❷ (*ley*) brechen; (*obligación*) nicht nachkommen +*dat*

quebrar [ke'βrar] <e → ie> **I.** *vt* ❶ (*romper*) zerbrechen ❷ (*interrumpir*) unterbrechen **II.** *vi* Konkurs machen

quechua ['ketʃwa] *m* (*lengua*) Quechua *nt*

quedar [ke'ðar] **I.** *vi* ❶ bleiben; **¿cuánta gente queda?** wie viele Leute sind noch da?; **~ a deber algo** etw schulden ❷ (*sobrar*) übrig bleiben; **no queda pan** es gibt kein Brot mehr ❸ (*resultar*): **~ eliminado** ausscheiden; **~ fuera de servicio** den Betrieb einstellen ❹ (*acordar*) vereinbaren (*en* +*akk*); **¿en qué habéis quedado?** wie seid ihr verblieben? ❺ (*estar situado*) liegen; **~ por [*o* hacia] el norte** im Norden liegen ❻ (*faltar*): **aún queda mucho por hacer** es gibt noch viel zu tun ❼ (+ *por*): **~ por cobarde** für einen Feigling gehalten werden ❽ (*loc*): **por mí que no quede** an mir soll es nicht liegen; **~ bien/mal** einen guten/schlechten Eindruck hinterlassen **II.** *vr:* **~se** ❶ (*permanecer*) bleiben; **~se atrás** zurückbleiben ❷ (*resultar*): **~se ciego** blind werden; **~se viudo** verwitwen; **~se en blanco** ein Blackout haben ❸ (*conservar, adquirir*): **quédate el libro** du kannst das Buch behalten ❹ (*burlarse*): **~se con alguien** jdn an der Nase herumführen

quehacer [kea'θer] *m* Aufgabe *f;* **los ~es de la casa** die Hausarbeit

queja ['kexa] *f* Klage *f;* **no tengo ~ de él** ich kann mich über ihn nicht beklagen

quejarse [ke'xarse] *vr* sich beklagen; **se queja del frío** er/sie jammert über die Kälte

quejica [ke'xika] **I.** *adj* (*por dolor*) wehleidig; (*por manera de ser*) nörg(e)lig; **¡no seas ~, hombre!** hör auf zu meckern! **II.** *mf* Jammerlappen *m;* (*criticón*) Nörgler(in) *m(f)*

quejido [ke'xiðo] *m* Jammern *nt;* (*constante*) Gejammer *nt;* **~ de dolor** Schmerzensschrei *m;* **dar ~s** jammern

quelite [ke'lite] *m* MÉX Gemüse *nt*

quemadura [kema'ðura] *f* Brandwunde *f*

quemar [ke'mar] **I.** *vi* brennen; **cuidado, esta sopa quema** Vorsicht, diese Suppe ist heiß **II.** *vt* ❶ verbrennen; (*completamente*) niederbrennen ❷ (*comida*) anbrennen lassen ❸ (*sol*) verbrennen ❹ (*fastidiar*) ärgern **III.** *vr:* **~se** (ver)brennen

quemarropa [kema'rropa]: **disparar a ~** aus kürzester Entfernung schießen; **hacer preguntas a ~** rundheraus fragen

quepo ['kepo] *1. pres de* **caber**

querella [ke'reʎa] *f* Klage *f;* **~ criminal** Anklage *f*

querer [ke'rer] *irr* **I.** *vt* ❶ wollen; (*más suave*) mögen; **como tú quieras** wie du willst ❷ (*amar*) gernhaben, mögen; (*más fuerte*) lieben ❸ (*pedir*) wollen, verlangen **II.** *vimpers*: **parece que quiere llover** es sieht (ganz) nach Regen aus

querido, -a [ke'riðo] **I.** *adj* lieb **II.** *m, f* Geliebte(r) *f(m);* (*como vocativo*) Liebling *m*

queroseno [kero'seno] *m* Kerosin *nt*

queso ['keso] *m* Käse *m;* **~ rallado** Reibkäse *m*

quicio ['kiθjo] *m* ❶ Türangel *f,* Fensterangel *f* ❷ (*loc*): **sacar de ~** auf die Palme bringen; **no saques las cosas de ~** übertreibe nicht

quiebra ['kjeβra] *f* Konkurs *m;* **dar en ~** Konkurs machen

quien [kjen] *pron rel* ❶ (*con antecedente*) der/die/das, welche(r, s); **el chico de ~...** der Junge, von dem ... ❷ (*sin antecedente*) der(jenige)/die(jenige)/das(jenige), der/die/das ...; **hay ~ dice que...** manche sagen, dass ...; **~ opine eso...** wer das meint, ...

quién [kjen] *pron inter* wer; **¿~ es?** (*llama*) wer ist da?; **¿a ~ has visto?** wen hast du gesehen?; **¿por ~ me tomas?** für wen hältst du mich?

quienquiera [kjeŋ'kjera] <quienesquiera> *pron indef* (irgend)wer; **~ que sea que pase** wer auch immer da ist, er/sie soll eintreten

quieto, -a [kjeto] *adj* ruhig; **no puede estar nunca ~** (*niño*) er kann nicht stillsitzen; **quedarse ~** sich nicht bewegen

quietud [kje'tu^{ð}] *f* ❶ (*calma*) Ruhe *f* ❷ (*inmovilidad*) Unbeweglichkeit *f*

quijada [ki'xaða] *f* Kiefer *m*

quilate [ki'late] *m* Karat *nt;* **de muchos ~s** (*t. fig*) hochkarätig

quilla ['kiʎa] *f* NÁUT Kiel *m*

quilo ['kilo] *m* ❶ Kilo *nt* ❷ (*fam*) Million *f* Peseten

quilombo [ki'lombo] *m* ❶ (CHIL: *burdel*) Puff *m o nt fam* ❷ (VEN: *choza*) Hütte *f* ❸ (ARG: *jaleo*) Durcheinander *nt*

quimba ['kimba] *f* AM ❶ (*garbo*) Anmut *f* ❷ (*sandalia*) Sandale *f*

química ['kimika] *f* Chemie *f*

químico, -a ['kimiko] *adj* chemisch

quince ['kiṇθe] *adj* fünfzehn; **dentro de ~ días** in vierzehn Tagen; *v.t.* **ocho**

quincena [kiṇ'θena] *f* vierzehn Tage *mpl*

quiniela [ki'njela] *f* (Fußball)toto *nt*

quinientos, -as [ki'njeṇtos] *adj* fünfhundert; *v.t.* **ochocientos**

quinta ['kiṇta] *f* ❶ MIL: **entrar en ~s** einberufen werden; **ese es de mi ~** er gehört zu meinem Jahrgang ❷ (*casa*) Landhaus *nt*

quintal [kiṇ'tal] *m* Zentner *m*

quinto, -a ['kiṇto] I. *adj* fünfte(r, s); (*parte*) fünftel II. *m, f* Fünftel *nt; v.t.* **octavo**

quiosco ['kjosko] *m* Kiosk *m*

quirófano [ki'rofano] *m* Operationssaal *m*

quirúrgico, -a [ki'rurxiko] *adj* chirurgisch

quiso ['kiso] *3. pret de* **querer**

quiste ['kiste] *m* Zyste *f*

quitamanchas [kita'mantʃas] *m inv* Fleck(en)entferner *m*

quitar [ki'tar] I. *vt* ❶ abziehen; (*sombrero*) abnehmen; (*jersey*) ausziehen; **~ la mesa** den Tisch abräumen ❷ (*desposeer*) wegnehmen; (*robar*) stehlen ❸ (*obstáculo*) beseitigen; (*vida*) nehmen ❹ (*de horario*) streichen ❺ (*regla*) abschaffen ❻ (*apartar*) wegnehmen II. *vr:* **~se** ❶ (*gafas*) abnehmen; (*jersey*) ausziehen; (*vida*) sich *dat* nehmen; **~se de la bebida** sich *dat* das Trinken abgewöhnen ❷ (*loc*): **~se de encima algo/a alguien** sich *dat* etw/jdn vom Halse schaffen; **quítate de mi vista** geh mir aus dem Weg; **~se años** (**de encima**) sich jünger machen

quizá(s) [ki'θa(s)] *adv* vielleicht

R

R, r ['erre] *f* R, r *nt*
rábano ['rraβano] *m* Rettich *m*
rabia ['rraβja] *f* ❶ Tollwut *f* ❷ (*furia*) Wut *f*
rabieta [rra'βjeta] *f* Wutanfall *m*
rabioso, -a [rra'βjoso] *adj* ❶ tollwütig ❷ (*furioso*) wütend
rabo ['rraβo] *m* Schwanz *m*
racha ['rratʃa] *f* ❶ (*de aire*) Windstoß *m* ❷ (*fase*) Phase *f*
racimo [rra'θimo] *m* Traube *f*
ración [rra'θjon] *f* ❶ Portion *f* ❷ MIL Ration *f*
racional [rraθjo'nal] *adj* rational
racionalizar [rraθjonali'θar] <z → c> *vt* rationalisieren
racionar [rraθjo'nar] *vt* ❶ (*repartir*) in Rationen aufteilen ❷ (*limitar*) rationieren
racismo [rra'θismo] *m* Rassismus *m*
racista [rra'θista] **I.** *adj* rassistisch **II.** *mf* Rassist(in) *m(f)*
radar [rra'ðar] *m* Radar *m o nt*
radiación [rraðja'θjon] *f* (Aus)strahlung *f*; (*tratamiento*) Bestrahlung *f*; ~ **solar** Sonnen(ein)strahlung *f*
radiador [rraðja'ðor] *m* ❶ Heizkörper *m* ❷ AUTO Kühler *m*
radiante [rra'ðjaṇte] *adj* glänzend; ~ **de alegría** freudestrahlend
radical [rraði'kal] **I.** *adj* ❶ radikal ❷ *t.* BOT Wurzel- **II.** *mf* POL Radikale(r) *f(m)*
radicalizar [rraðikali'θar] <z → c> **I.** *vt* radikalisieren **II.** *vr:* **~se** ❶ (*extremar*) sich radikalisieren ❷ (*agudizarse*) sich verschärfen
radicar [rraði'kar] <c → qu> *vi* beruhen (*en* auf +*dat*)
radio[1] ['rraðjo] *f* ❶ (*radiodifusión*) Rundfunk *m* ❷ (*receptor*) Radio(gerät) *nt*
radio[2] ['rraðjo] *m* ❶ MAT Radius *m* ❷ (*ámbito*) Bereich *m*; (*esfera*) Kreis *m*; ~ **de alcance** Reichweite *f*; ~ **visual** Sichtfeld *nt*; **en un ~ de varios kilómetros** im Umkreis von mehreren Kilometern
radioactivo, -a [rraðjoak'tiβo] *adj* radioaktiv
radiografía [rraðjoɣra'fia] *f* Röntgenaufnahme *f*
radioterapia [rraðjote'rapja] *f* Bestrahlung *f*
R.A.E. ['rrae] *f abr de* **Real Academia Española de la Lengua** Spanische Sprachakademie *f*
ráfaga ['rrafaɣa] *f* Windstoß *m*
raíl [rra'il] *m* Schiene *f*
raíz [rra'iθ] *f* ❶ *t.* ANAT Wurzel *f* ❷ (*origen*) Ursprung *m*
raja ['rraxa] *f* ❶ (*grieta*) Riss *m*; (*resquebrajadura*) Sprung *m* ❷ (*rodaja*) Scheibe *f*
rajar [rra'xar] **I.** *vi* (*fam*) quatschen **II.** *vt* ❶ schneiden (in +*akk*); (*abrir*) (auf)schlitzen ❷ (*fam: apuñalar*) einstechen (auf +*akk*) **III.** *vr:* **~se** ❶ aufplatzen; (*agrietarse*) aufspringen ❷ (*argot*) kneifen
rajatabla [rraxa'taβla]: **a ~** sehr streng; (*exactamente*) haargenau
rallador [rraʎa'ðor] *m* Raspel *f*
ralladura [rraʎa'ðura] *f* Raspel *m*
rallar [rra'ʎar] *vt* raspeln; **pan rallado** Semmelbrösel *pl*
rama ['rrama] *f* ❶ *t.* BOT Ast *m*; **~s secas** Reisig *nt*; **canela en ~** Zimtstangen *fpl*; **irse por las ~s** abschweifen ❷ ECON Branche *f*
ramera [rra'mera] *f* Hure *f*
ramificarse [rramifi'karse] <c → qu> *vr* sich verzweigen
ramo ['rramo] *m* ❶ (*de flores*) Strauß *m* ❷ (*de árbol*) Zweig *m*; ECON Branche *f*
rampa ['rrampa] *f* Rampe *f*; (*en carretera*) Auffahrt *f*
rana ['rrana] *f* Frosch *m*
rancho ['rrantʃo] *m* ❶ (*t.* MIL: *comida*) Verpflegung; (*pey: de mala calidad*) Fraß *m* ❷ (*granja*) Ranch *f*
rancio, -a ['rraṇθjo] *adj* ranzig

R

rango ['rraŋgo] *m* Rang *m*, Rangordnung *f;* **de primer ~** erstrangig

rapar [rra'par] *vt* ❶ (*pelo*) stutzen ❷ (*fam*) klauen

rapaz [rra'paθ] *adj:* **ave ~** Greifvogel *m*

rape ['rrape] *m* Seeteufel *m*

rapidez [rrapi'ðeθ] *f* Schnelligkeit *f*

rápido, -a ['rrapiðo] *adj* schnell

raptar [rrap'tar] *vt* entführen

rapto ['rrapto] *m* ❶ (*secuestro*) Entführung *f;* **~ de un niño** Kindesentführung *f* ❷ **en un ~ de celos** in einem Anfall von Eifersucht

raptor(a) [rrap'tor] *m(f)* Entführer(in) *m(f)*

raqueta [rra'keta] *f* DEP Schläger *m*

raquítico, -a [rra'kitiko] *adj* ❶ MED rachitisch ❷ (*fam*) mick(e)rig

raramente [rrara'meṇte] *adv* ❶ selten ❷ (*extrañamente*) seltsamerweise

rareza [rra'reθa] *f* ❶ (*escasez*) Seltenheit *f* ❷ (*curiosidad*) Rarität *f* ❸ Eigenartigkeit *f;* (*manía*) Marotte *f;* **tener sus ~s** (*ser caprichoso*) seine Launen haben

raro, -a ['rraro] *adj* ❶ (*extraño*) seltsam; **¡(qué) cosa más rara!** (wie) komisch! ❷ (*inusual*) selten; (*escaso*) rar; **rara vez** selten

ras [rras] *m:* **a(l) ~ de** auf der Höhe von

rascacielos [rraska'θjelos] *m* Wolkenkratzer *m*

rascar [rras'kar] <c → qu> *vt* (ab)kratzen

rasgar [rras'ɣar] <g → gu> **I.** *vt* ❶ einreißen; (*en pedazos*) zerreißen; **ojos rasgados** Schlitzaugen *ntpl* ❷ (*cortar*) aufschlitzen **II.** *vr:* **~se** ❶ (*desgarrarse*) reißen ❷ AM (*vulg*) abkratzen *fam*

rasgo ['rrasɣo] *m* ❶ Gesichtszug *m;* (*del carácter*) Charakterzug *m* ❷ (*acción*) Handlung *f;* **un ~ de generosidad** eine großzügige Geste ❸ (*trazo*) Linienführung *f;* **a grandes ~s** in großen Zügen

rasguño [rras'ɣuɲo] *m* Kratzer *m;* (*rasponazo*) Schramme *f;* **sin un ~** (*fig*) völlig unversehrt

raso, -a ['rraso] *adj* ❶ glatt; (*llano*) flach ❷ (*cielo*) klar; **al ~** im Freien ❸ (*al borde*) randvoll; **una cucharada rasa** ein gestrichener Esslöffel

raspar [rras'par] **I.** *vi* kratzen **II.** *vt* ❶ (*rascar*) abkratzen ❷ MED ausschaben ❸ (*rozar*) streifen ❹ AM (*fam*) klauen

rastra ['rrastra] *f:* **a ~s** widerwillig

rastrear [rrastre'ar] *vt* ❶ (*seguir*) nachspüren *+dat* ❷ (*registrar*) durchkämmen

rastrillo [rras'triʎo] *m* Harke *f*

rastro ['rrastro] *m* ❶ Spur *f;* **ni ~** keine Spur; **sin dejar (ni) ~** spurlos; **seguir el ~ a [*o* de] alguien** jdm nachspüren ❷ (*mercadillo*) Flohmarkt *m*

rata ['rrata] *f* Ratte *f*

ratero, -a [rra'tero] *m, f* Dieb(in) *m(f)*

ratificar [rratifi'kar] <c → qu> *vt* ❶ JUR, POL ratifizieren ❷ (*confirmar*) bestätigen

rato ['rrato] *m* Weile *f*, Augenblick *m;* **a ~s** von Zeit zu Zeit; **al (poco) ~** (kurz) darauf; **todo el ~** die ganze Zeit; **un buen ~** eine ganze Weile; **pasar el ~** sich *dat* die Zeit vertreiben

ratón [rra'ton] *m t.* INFOR Maus *f*

raudal [rrau̯'ðal] *m* Flut *f;* **a ~es** (*fig*) in Hülle und Fülle

raya ['rraɟa] *f* ❶ Strich *m;* **pasar(se) de la ~** (*fig*) zu weit gehen; **tener a alguien a ~** jdn im Zaume halten ❷ (*franja*) Streifen *m* ❸ (*del pelo*) Scheitel *m* ❹ ZOOL Rochen *m* ❺ (*doblez*) (Bügel)falte *f*

rayar [rra'ɟar] *vi* ❶ (*lindar*) (an)grenzen (*con* an *+akk*) ❷ **~ el alba** dämmern; **al ~ el día** bei Tagesanbruch

rayo ['rraɟo] *m* ❶ (*de luz*) Strahl *m* ❷ (*radiación*): **~s infrarrojos** Infrarotstrahlen *mpl;* **~s X** Röntgenstrahlen *mpl* ❸ (*relámpago*) Blitz *m;* **como un ~** (*fig*) blitzschnell

raza ['rraθa] *f* ❶ Rasse *f;* (*estirpe*) Geschlecht *nt* ❷ **de (pura) ~** rassig

razón [rra'θon] *f* ❶ Vernunft *f*, Verstand *m;* **entrar en** ~ zur Vernunft kommen; **meter en** ~ zur Vernunft bringen ❷ (*argumento*) Begründung *f;* (**no**) **atender a razones** sich (nicht) überzeugen lassen ❸ (*motivo*) Grund *m;* (*justificación*) Berechtigung *f;* ~ **de más para...** +*inf*, ~ **de más para que...** +*subj* ein Grund mehr zu ... +*inf*; **la** ~ **por la que...** der Grund, aus dem ...; **por razones de seguridad** aus Sicherheitsgründen; **por una u otra** ~ aus dem einen oder anderen Grund; **tener razones para...** +*inf* Grund haben zu ... +*inf* ❹ (*acierto*) Recht *nt;* **dar la** ~ **a alguien** jdm Recht geben; **tener** (**mucha**) ~ (vollkommen) Recht haben ❺ (*información*) Auskunft *f;* ~ **aquí** Näheres hier ❻ MAT Verhältnis *nt;* **a** ~ **de tres por persona** drei pro Kopf ❼ JUR: ~ **social** Firma *f*

razonable [rraθo'naβle] *adj* ❶ (*sensato*) vernünftig ❷ (*justo*) angemessen

razonamiento [rraθona'mjen̩to] *m* ❶ Gedankengang *m* ❷ (*argumentación*) Argumentation *f;* (*exposición*) Erörterung *f*

razonar [rraθo'nar] *vi* ❶ (nach)denken; (*juzgar*) urteilen ❷ (*argumentar*) argumentieren ❸ (*conversar*) diskutieren ❹ (*corresponder*) eingehen (*con* auf +*akk*); **es inútil tratar de** ~ **con él** es bringt nichts, sich mit ihm auseinanderzusetzen

reabrir [rrea'βrir] *irr como abrir vt* JUR wieder aufnehmen

reacción [rrea^{γ}'θjon] *f* Reaktion *f;* ~ **en cadena** Kettenreaktion *f;* **avión a** ~ Düsenflugzeug *nt*

reaccionar [rrea^{γ}θjo'nar] *vi* reagieren (*a/ante* auf +*akk*)

reacio, -a [rre'aθjo] *adj* abgeneigt (*a* +*dat*)

reactivar [rreakti'βar] *vt* reaktivieren; ECON ankurbeln

reactor [rreak'tor] *m* ❶ Reaktor *m* ❷ (*propulsor*) Düsentriebwerk *nt*

readaptación [rreaðapta'θjon] *f* Wiederanpassung *f* (*a* an +*akk*); (*reintegración*) Wiedereingliederung *f* (*a* in +*akk*); ~ **profesional** Umschulung *f*

readmitir [rreaðmi'tir] *vt* wieder zulassen; (*despedidos*) wieder einstellen

reafirmar [rreafir'mar] **I.** *vt* ❶ (*apoyar*) bekräftigen ❷ (*poner firme*) stärken; (*la piel*) straffen ❸ (*insistir*) beharren (auf +*dat*) **II.** *vr:* **~se** ❶ (*confirmarse*) sich erneut behaupten ❷ (*insistir*) beharren (*en* auf +*dat*)

reagrupar [rreaɣru'par] **I.** *vt* umgruppieren; (*redistribuir*) neu einteilen **II.** *vr:* **~se** sich neu gruppieren

reajuste [rrea'xuste] *m* ❶ (*adaptación*) Neuanpassung *f* ❷ ECON Angleichung *f;* ~ **salarial** Lohnausgleich *m*

real [rre'al] *adj* ❶ wirklich; (*verídico*) wahr; (*auténtico*) echt ❷ (*del rey*) königlich; **Alteza** ~ Königliche Hoheit

realidad [rreali'ða^{ð}] *f* Realität *f;* (*verdad*) Wahrheit *f;* **en** ~ in Wirklichkeit; **hacer**(**se**) ~ sich verwirklichen

realismo [rrea'lismo] *m* ❶ ARTE, LIT, FILOS Realismus *m* ❷ (*ideología*) Realistik *f*

realista [rrea'lista] *adj* realistisch

realización [rrealiθa'θjon] *f* ❶ (*materialización*) Verwirklichung *f* ❷ (*ejecución*) Durchführung *f* ❸ ECON Realisierung *f* ❹ CINE Realisation *f*

realizar [rreali'θar] <z → c> **I.** *vt* ❶ (*hacer realidad*) verwirklichen; (*sueños*) erfüllen ❷ (*efectuar*) durchführen ❸ ECON realisieren ❹ CINE realisieren ❺ AM (be)merken **II.** *vr:* **~se** ❶ (*desarrollarse*) sich selbst verwirklichen ❷ (*hacerse realidad*) Wirklichkeit werden

realmente [rreal'men̩te] *adv* (*en efecto*) wirklich; (*auténticamente*) echt; (*de hecho*) tatsächlich

realquilar [rrealki'lar] *vt* untervermieten

reanimar [rreani'mar] **I.** *vt* ❶ (*reavivar*) wieder beleben ❷ (*reactivar*) reaktivieren **II.** *vr:* **~se** ❶ (*recuperar el conocimiento*) wieder zu sich *dat* kommen

❷ (*animarse*) neuen Mut schöpfen

reanudar [rreanu'ðar] *vt* wieder aufnehmen

reapertura [rreaper'tura] *f* Wiedereröffnung *f;* JUR Wiederaufnahme *f*

reavivar [rreaβi'βar] **I.** *vt* wieder beleben **II.** *vr:* **~se** wieder aufleben

rebaja [rre'βaxa] *f* ❶ Sonderangebot *nt;* **~s de verano** Sommerschlussverkauf *m* ❷ (*descuento*) Rabatt *m;* (*reducción*) Preisnachlass *m*

rebajar [rreβa'xar] **I.** *vt* ❶ (*abaratar*) reduzieren ❷ (*humillar*) demütigen **II.** *vr:* **~se** ❶ (*humillarse*) sich herabwürdigen ❷ (*condescender*) sich herablassen (*a* zu *+dat*)

rebanada [rreβa'naða] *f* Scheibe *f*

rebaño [rre'βaɲo] *m* Herde *f*

rebasar [rreβa'sar] *vt* überschreiten; **esto rebasa los límites de mi paciencia** ich bin mit meiner Geduld am Ende

rebatir [rreβa'tir] *vt* widerlegen

rebelarse [rreβe'larse] *vr* sich auflehnen

rebelde [rre'βel̩de] *adj* ❶ (*fig*) widerspenstig ❷ (*persistente*) hartnäckig

rebeldía [rreβel̩'dia] *f* ❶ (*fig*) Widerspenstigkeit *f* ❷ (*insubordinación*) Aufsässigkeit *f*

rebelión [rreβe'ljon] *f* Rebellion *f*

rebobinar [rreβoβi'nar] *vt* zurückspulen

rebosar [rreβo'sar] *vi:* (**lleno**) **a ~** brechend voll

rebotar [rreβo'tar] **I.** *vi* ❶ (*botar*) (ab)prallen ❷ INFOR (als unzustellbar) zurückkommen; **me rebota el mensaje que he enviado** die Mail, die ich geschickt habe, kommt als unzustellbar zurück **II.** *vr:* **~se** (*fam*) sauer werden

rebote [rre'βote] *m* DEP Abpraller *m;* **de ~** als indirekte Folge

rebozar [rreβo'θar] <z → c> *vt* panieren

recado [rre'kaðo] *m* ❶ Nachricht *f;* **dar el ~ a alguien** jdm Bescheid geben ❷ (*encargo*) Besorgung *f*

recaer [rreka'er] *irr como caer vi* einen Rückfall erleiden

recaída [rreka'iða] *f* Rückfall *m*

recalentar [rrekalen̩'tar] <e → ie> **I.** *vt* überhitzen **II.** *vr:* **~se** heiß laufen

recambio [rre'kambjo] *m* Ersatz *m;* (*envase*) Nachfüllpackung *f*

recapacitar [rrekapaθi'tar] **I.** *vt* überdenken **II.** *vi* nachdenken

recapitulación [rrekapitula'θjon] *f* Zusammenfassung *f*

recargar [rrekar'ɣar] <g → gu> *vt* überladen; **~ de trabajo** mit Arbeit überhäufen

recargo [rre'karɣo] *m* Zuschlag *m*

recatado, -a [rreka'taðo] *adj* ❶ sittsam; (*modesto*) bescheiden ❷ (*cauto*) zurückhaltend

recaudación [rrekau̯ða'θjon] *f* ❶ Einnehmen *nt;* (*cantidad*) Einnahmen *fpl* ❷ (*de impuestos*) Steuererhebung *f*

recaudar [rrekau̯'ðar] *vt* (*impuestos*) erheben; (*dinero*) einziehen

recelo [rre'θelo] *m* Argwohn *m*

recepción [rreθeβ'θjon] *f* Empfang *m,* Rezeption *f*

recepcionista [rreθeβθjo'nista] *mf* Empfangschef, -dame *m, f*

receptor(a) [rreθep'tor] *m(f)* Empfänger(in) *m(f)*

recesión [rreθe'sjon] *f* Rezession *f*

receso [rre'θeso] *m* AM Urlaub *m*

receta [rre'θeta] *f* Rezept *nt;* **con ~ médica** auf Rezept

recetar [rreθe'tar] *vt* verordnen

rechazar [rretʃa'θar] <z → c> *vt* ablehnen; (*órgano*) abstoßen

rechazo [rre'tʃaθo] *m* Zurückweisung *f;* (*denegación*) Ablehnung *f*

rechinar [rretʃi'nar] *vi* knarren; **~ los dientes** mit den Zähnen knirschen

rechistar [rretʃis'tar] *vi* (sich) mucksen

rechupete [rretʃu'pete]: **de ~** ausgezeichnet

recibimiento [rreθiβi'mjen̩to] *m* Empfang *m*

recibir [rreθi'βir] *vt* ❶ (*tomar*) erhalten ❷ (*personas*) empfangen ❸ (*aceptar*) aufnehmen

recibo [rre'θiβo] *m* Rechnung *f*

reciclaje [rreθi'klaxe] *m* Recycling *nt;* **~ profesional** Umschulung *f*

reciclar [rreθi'klar] *vt* wieder verwerten

recién [rre'θjen] *adv* ❶ (*acabado de*) soeben; **el ~ nacido** das Neugeborene ❷ AM sobald

reciente [rre'θjen̪te] *adj* ❶ (*nuevo*) neu ❷ (*que acaba de suceder*) jüngst

recientemente [rreθjen̪te'men̪te] *adv* vor kurzem

recinto [rre'θin̪to] *m* Gelände *nt*

recipiente [rreθi'pjen̪te] *m* Behälter *m*

recíproco, -a [rre'θiproko] *adj* gegenseitig

recitar [rreθi'tar] *vt* vortragen

reclamación [rreklama'θjon] *f* ❶ (*de defectos*) Reklamation *f* ❷ (*exigencia*) Forderung *f*

reclamar [rrekla'mar] **I.** *vi* (*protestar*) Einspruch erheben; (*defectos*) reklamieren **II.** *vt* fordern; (*una deuda*) anmahnen

reclinar [rrekli'nar] **I.** *vt* anlehnen; (*hacia atrás*) zurücklehnen; **reclinó su cabeza contra [*o* en] mis hombros** er/sie lehnte seinen/ihren Kopf an meine Schulter **II.** *vr:* **~se** (*inclinarse*) sich (an)lehnen (*contra/en/sobre* an/gegen +*akk*); (*apoyarse*) sich (auf)stützen (*en/sobre* auf +*akk*)

recluir [rreklu'ir] *irr como huir* **I.** *vt* einsperren **II.** *vr:* **~se** sich zurückziehen

reclusión [rreklu'sjon] *f* ❶ JUR Haft *f* ❷ (*aislamiento*) Zurückgezogenheit *f*

recluso, -a [rre'kluso] *m, f* Häftling *m*

recluta [rre'kluta] *mf* Rekrut(in) *m(f)*

recobrar [rreko'βrar] **I.** *vt* wiederbekommen; **~ las fuerzas** wieder zu Kräften kommen; **~ el sentido** wieder zu sich *dat* kommen; **~ las ganas de vivir** neuen Lebensmut schöpfen **II.** *vr:* **~se** sich erholen

recogedor [rrekoxe'ðor] *m* Kehrschaufel *f*

recoger [rreko'xer] <g → j> *vt* ❶ (*buscar*) abholen; **te voy a ~ a la estación** ich hole dich vom Bahnhof ab ❷ (*coger*) einsammeln; (*ordenar*) aufräumen; **~ del suelo** vom Boden aufheben ❸ (*juntar*) sammeln ❹ (*cosecha*) ernten; **~ la fruta de su trabajo** die Früchte seiner Arbeit ernten

recogida [rreko'xiða] *f* (*juntar*) Einsammeln *nt;* (*buscar*) Abholen *nt*

recomendable [rrekomen̪'daβle] *adj* ratsam

recomendación [rrekomen̪da'θjon] *f* Empfehlung *f*

recomendado, -a [rrekomen̪'daðo] *adj:* **precio de venta al público ~** unverbindliche Preisempfehlung

recomendar [rrekomen̪'dar] <e → ie> *vt* empfehlen

recompensa [rrekom'pensa] *f* Belohnung *f;* **en ~** als Belohnung

recompensar [rrekompen'sar] *vt* belohnen; **~ de un daño** entschädigen

reconciliación [rrekon̪θilja'θjon] *f* Versöhnung *f*

reconciliar [rrekon̪θi'ljar] *vi, vt:* **~se** sich versöhnen

reconocer [rrekono'θer] *irr como crecer* **I.** *vt* ❶ (*identificar*) erkennen ❷ (*admitir*) zugestehen; (*un error*) zugeben ❸ MED untersuchen **II.** *vr:* **~se** sich bekennen; **~se culpable** sich schuldig bekennen

reconocimiento [rrekonoθi'mjen̪to] *m* ❶ POL Anerkennung *f* ❷ **~ médico** ärztliche Untersuchung ❸ (*gratitud*) Dankbarkeit *f;* **en ~ de mi labor** als Dank für meine Leistungen

reconquista [rrekoŋ'kista] *f* Wiedereroberung *f*

reconquistar [rrekoŋkis'tar] *vt* zurückerobern; (*fig*) wiedergewinnen

reconstituir [rreko^{n}stitu'ir] *irr como huir* *vt* wiederherstellen

reconstruir [rreko^{n}stru'ir] *irr como huir* *vt* wieder aufbauen

recopilación [rrekopila'θjon] *f* Sammlung *f*

récord ['rrekor$^{(ð)}$] <récords> *m* Rekord *m*

recordar [rrekor'ðar] <o → ue> *vi, vt* sich erinnern (an +*akk*)

recorrer [rreko'rrer] *vt* ① durchqueren; (*viajar por*) bereisen; ~ **Europa en bicicleta** mit dem Fahrrad durch Europa reisen ② (*trayecto*) zurücklegen; **recorrimos tres kilómetros a pie** wir sind drei Kilometer zu Fuß gelaufen

recortar [rrekor'tar] *vt* (aus)schneiden; (*disminuir*) kürzen

recorte [rre'korte] *m* ① (*periódico*) Ausschnitt *m* ② (*rebajamiento*) Kürzung *f;* ~ **de personal** Personalabbau *m* ③ *pl*: ~**s de tela** Stoffreste *mpl*

recostar [rrekos'tar] <o → ue> **I.** *vt* (*apoyar*) (auf)stützen (*en/sobre* auf +*akk*) **II.** *vr:* ~**se** (*inclinarse*) sich (an)lehnen (*contra/en* an/gegen +*akk*)

recreativo, -a [rrekrea'tiβo] *adj:* (**salón de juegos**) ~**s** Spielhölle *f*

recreo [rre'kreo] *m* (Schul)pause *f*

recriminar [rrekrimi'nar] *vt* beschuldigen

recrudecer(se) [rrekruðe'θer(se)] *irr como crecer vi, vr* sich verschärfen

recta ['rrekta] *f* Gerade *f*

rectángulo [rrek'taŋgulo] *m* Rechteck *nt*

rectificar [rrektifi'kar] <c → qu> *vt* berichtigen

recto, -a ['rrekto] *adj* ① *t.* MAT gerade; **ángulo** ~ rechter Winkel; **línea recta** Gerade *f* ② (*sin desviarse*) geradewegs; (*dirección*) geradeaus; **siga todo** ~ gehen Sie geradeaus weiter ③ (*honrado*) rechtschaffen

rector(a) [rrek'tor] *m(f)* Rektor(in) *m(f)*

rectorado [rrekto'raðo] *m* Rektorat *nt*

recuadro [rre'kwaðro] *m* Kästchen *nt*

recubrir [rreku'βrir] *irr como abrir vt* überziehen

recuento [rre'kwento] *m:* ~ **de votos** Stimmenauszählung *f*

recuerdo [rre'kwerðo] *m* ① (*evocación*) Erinnerung *f;* **tener un buen** ~ **de algo** etw in guter Erinnerung haben ② (*de un viaje*) Souvenir *nt* ③ *pl* (*saludos*) Grüße *mpl*; **María te manda muchos** ~**s** Maria lässt dich herzlich grüßen

recuperación [rrekupera'θjon] *f* ① (*recobrar*) Wiedergewinnung *f;* ~ **de datos** INFOR Datenwiederherstellung *f* ② ECON Aufschwung *m* ③ (*enfermo*) Genesung *f* ④ (*materiales*) Recycling *nt* ⑤ (*asignatura*) Bestehen *nt;* **examen de** ~ Wiederholungsklausur *f* ⑥ (*rescate*) Bergung *f*

recuperar [rrekupe'rar] **I.** *vt* ① wiedererlangen; MIL zurückerobern ② (*tiempo*) nachholen ③ (*papel*) wieder verwerten ④ (*rescatar*) bergen ⑤ (*asignatura*) (im zweiten Anlauf) bestehen **II.** *vr:* ~**se** sich erholen

recurrir [rreku'rrir] *vi* ① JUR Beschwerde einlegen ② (*dirigirse*) sich wenden (*a* an +*akk*); (*acudir*) zurückgreifen (*a* auf +*akk*); ~ **a la justicia** den Rechtsweg beschreiten; **no tener a quien** ~ niemanden haben, an den man sich wenden kann

recurso [rre'kurso] *m* ① JUR: ~ (**de apelación**) Berufung *f;* **interponer un** ~ **contra la sentencia** gegen das Urteil Einspruch erheben ② (*remedio*) Hilfe *f;* (*expediente*) Zuflucht *f;* **no me queda otro** ~ **que...** es bleibt mir nichts anderes übrig als ... ③ *pl* (*bienes*) Mittel *ntpl*; **familias sin** ~**s** mittellose Familien; ~**s humanos** Personalwesen *nt;* **departamento de** ~**s humanos** Personalabteilung *f* ④ *pl* (*reservas*) Vorräte *mpl*; ~**s naturales** natürliche Ressourcen ⑤ (*loc*): **ser una persona de** ~**s** ein findiger Kopf sein

red [rre^{ð}] *f* Netz *nt*

redacción [rreða^{ʏ}'θjon] *f* ① ENS Aufsatz *m* ② PREN Redaktion *f*

redactar [rreðak'tar] *vt* verfassen

redactor(a) [rreðak'tor] *m(f)* Verfasser(in) *m(f);* PREN Redakteur(in) *m(f)*

redada [rre'ðaða] *f* Razzia *f*

rededor [rreðe'ðor] *m:* **al** [*o* **en**] ~ ringsherum

redención [rreðeņ'θjon] *f* ❶ REL Erlösung *f* ❷ (*cautivo*) Befreiung *f*

redistribución [rreðistriβu'θjon] *f* Umverteilung *f*

redonda [rre'ðoņda] *f*: **en tres kilómetros a la ~** im Umkreis von drei Kilometern

redondear [rreðoņde'ar] *vt* (ab)runden

redondel [rreðoņ'del] *m* Kreis *m*

redondo, -a [rre'ðoņdo] *adj* rund; **hacer un negocio ~** ein gutes Geschäft machen

reducción [rreðu^y'θjon] *f* ❶ (*disminución*) Reduktion *f;* (*de precios*) Senkung *f;* (*de personal*) Abbau *m;* **~ de la jornada laboral** Arbeitszeitverkürzung *f* ❷ ECON Kürzung *f*

reducir [rreðu'θir] *irr como traducir* **I.** *vt* ❶ reduzieren; (*personal*) abbauen ❷ (*someter*) unterwerfen; **la policía redujo al agresor** die Polizei überwältigte den Täter ❸ (*convertir*) verwandeln (*a* in *+akk*); **el fuego redujo la casa a cenizas** bei dem Feuer brannte das Haus völlig nieder ❹ (*acortar*) kürzen **II.** *vr:* **~se** sich beschränken (*a* auf *+akk*)

redundar [rreðuņ'dar] *vi*: **eso redunda en beneficio nuestro** das liegt in unserem eigenen Interesse

reedificar [rre(e)ðifi'kar] <c → qu> *vt* wieder aufbauen

reelección [rre(e)le^y'θjon] *f* Wiederwahl *f*

reembolso [rre(e)m'bolso] *m* Rückerstattung *f;* **me enviarán el paquete contra ~** ich bekomme das Paket per Nachnahme geschickt

reemplazar [rre(e)mpla'θar] <z → c> *vt* ersetzen

reemplazo [rre(e)m'plaθo] *m* ❶ (*sustitución*) Austausch *m;* DEP Auswechseln *nt* ❷ (*tropas*) Reserve *f;* **ser del mismo ~** demselben Jahrgang angehören

reencontrar [rre(e)ŋkoņ'trar] <o → ue> *vt* wieder treffen

reestructurar [rre(e)struktu'rar] *vt* umstrukturieren

referencia [rrefe'reņθja] *f* ❶ Bezug *m;* (*alusión*) Anspielung *f* (*a* auf *+akk*); (*indicación*) Hinweis *m* (*a* auf *+akk*); **punto de ~** Anhaltspunkt *m;* **con ~ a** bezüglich *+gen* ❷ *pl* (*informes*) Referenzen *fpl* ❸ **nuestra/su ~** (*en un escrito*) unser/Ihr Zeichen

referéndum [rrefe'reņdun] <referéndums> *m* Volksabstimmung *f*

referente [rrefe'reņte] *adj* bezüglich (*a* *+gen*); (**en lo**) **~ a su queja** mit Bezug auf Ihre Klage

referirse [rrefe'rirse] *irr como sentir vr* sich beziehen (*a* auf *+akk*)

refinado, -a [rrefi'naðo] *adj* raffiniert

reflector [rreflek'tor] *m* (*foco*) Rückstrahler *m*

reflejar(se) [rrefle'xar(se)] *vi, vt, vr* (sich) (wider)spiegeln

reflejo [rre'flexo] *m* ❶ (*luz*) Reflex *m* ❷ (*imagen*) (Wider)spiegelung *f* ❸ MED, PSICO Reflex *m;* **para ello hay que ser rápido de ~s** dafür braucht man sehr gute Reflexe

reflexión [rrefle^y'sjon] *f* ❶ (*consideraciones*) Überlegung *f* ❷ (*rayos*) Reflexion *f*

reflexionar [rrefle^ysjo'nar] *vi, vt* nachdenken (*sobre/en* über *+akk*); **reflexiona bien antes de dar ese paso** überleg es dir gut, bevor du diesen Schritt unternimmst

reflexivo, -a [rrefle^y'siβo] *adj* ❶ nachdenklich ❷ LING reflexiv

reforma [rre'forma] *f* ❶ Verbesserung *f;* (*modificación*) Reform *f;* **~ educativa** Schulreform *f* ❷ ARQUIT Umbau *m* ❸ REL: **Reforma Protestante** Reformation *f*

reformar [rrefor'mar] **I.** *vt* ❶ verbessern; (*modificar*) reformieren ❷ (*a alguien*) umerziehen ❸ ARQUIT umbauen; (*renovar*) renovieren ❹ REL reformieren **II.** *vr:* **~se** sich bessern

reforzar [rrefor'θar] *irr como forzar vt* verstärken

refrán [rre'fran] *m* Sprichwort *nt*

refrescante [rrefres'kaṇte] *adj* erfrischend

refrescar [rrefres'kar] <c → qu> **I.** *vt* ❶ abkühlen; (*a alguien*) erfrischen ❷ (*lo olvidado*) auffrischen; (*sentimiento*) neu aufleben lassen; **~ la memoria** dem Gedächtnis nachhelfen **II.** *vi* ❶ (*reponerse*) sich ausruhen ❷ (*viento*) auffrischen **III.** *vr:* **~se** ❶ (*cosa*) (sich) abkühlen ❷ (*persona*) sich erfrischen; (*beber*) eine Erfrischung zu sich *dat* nehmen ❸ (*reponerse*) sich ausruhen ❹ (*tomar el fresco*) an die frische Luft gehen ❺ (*viento*) auffrischen **IV.** *vimpers*: **por la tarde refresca** abends kühlt es ab

refresco [rre'fresko] *m* Erfrischung *f;* (*gaseosa*) Erfrischungsgetränk *nt*

refrigerador [rrefrixera'ðor] *m* ❶ Kühlschrank *m;* (*cámara*) Kühlkammer *f* ❷ (*de un automóvil*) Kühler *m*

refrigerarse [rrefrixe'rarse] *vr* (sich) abkühlen

refuerzo [rre'fwerθo] *m* Verstärkung *f*

refugiado, -a [rrefu'xjaðo] *m, f* Flüchtling *m*

refugiarse [rrefu'xjarse] *vr* sich in Sicherheit bringen

refugio [rre'fuxjo] *m* Zufluchtsort *m*

refunfuñar [rrefuɱfu'ɲar] *vi* murren

refutar [rrefu'tar] *vt* widerlegen

regadera [rreɣa'ðera] *f* Gießkanne *f;* **estar como una ~** (*fam*) spinnen

regadío [rreɣa'ðio] *m* Bewässerungsgelände *nt;* **estos campos son de ~** diese Felder werden (künstlich) bewässert

regalar [rreɣa'lar] *vt* schenken; **en esta tienda regalan la fruta** (*fig*) in diesem Laden ist Obst spottbillig

regaliz [rreɣa'liθ] *m* Lakritze *f*

regalo [rre'ɣalo] *m* Geschenk *nt*

regañar [rreɣa'ɲar] **I.** *vt* (*fam*) schimpfen (mit +*dat*) **II.** *vi* (sich) (zer)streiten

regar [rre'ɣar] *irr como fregar vt* gießen

regatear [rreɣate'ar] *vt* ❶ (*debatir*) aushandeln ❷ (*escasear*) geizen (mit +*dat*); **no ~ esfuerzos** keine Mühen scheuen

regazo [rre'ɣaθo] *m* Schoß *m*

regenerarse [rrexene'rarse] *vr* sich regenerieren

regentar [rrexeṇ'tar] *vt* leiten

regente [rre'xeṇte] *mf* ❶ (*que gobierna*) Herrscher(in) *m(f)* ❷ (*que dirige*) Leiter(in) *m(f);* (*un negocio*) Geschäftsführer(in) *m(f)*

régimen ['rreximen] <regímenes> *m* ❶ System *nt;* **~ legal de la seguridad social para jubilación e invalidez** gesetzliche Rentenversicherung ❷ POL Regierungssystem *nt* ❸ (*dieta*) Diät *f*

región [rre'xjon] *f* Region *f*

regional [rrexjo'nal] *adj* regional

regir [rre'xir] *irr como elegir* **I.** *vt* regieren **II.** *vr:* **~se** sich richten (*por* nach +*dat*)

registrar [rrexis'trar] **I.** *vt* ❶ (*examinar*) durchsuchen ❷ (*inscribir*) registrieren; (*un patente*) anmelden *f* ❸ (*incluir*) aufnehmen ❹ (*grabar*) aufzeichnen **II.** *vr:* **~se** sich einschreiben

registro [rre'xistro] *m* ❶ Durchsuchung *f* ❷ (*inscripción*) Registrierung *f;* (*una patente*) Anmeldung *f* ❸ (*libro*) Register *nt;* **~ de autores** Autorenkatalog *m;* **~ de entradas/salidas** Eingangs-/Ausgangsbuch *nt* ❹ (*oficina*) Amt *nt;* (*archivo*) Registratur *f;* **~ civil** Standesamt *nt;* **~ de la propiedad** Grundbuchamt *nt;* **~ de la propiedad industrial** Patentamt *nt*

regla ['rreɣla] *f* ❶ (*instrumento*) Lineal *nt;* **~ de cálculo** Rechenschieber *m* ❷ (*norma*) Regel *f;* **por ~ general** in der Regel; **estar en ~** in Ordnung sein; **poner en ~** regeln ❸ MAT: **~ de tres** Dreisatz *m* ❹ (*menstruación*) Regel *f*

reglamento [rreɣla'meṇto] *m* Vorschriften *fpl;* JUR Verfügung *f;* DEP Reglement *nt;* (*de una organización*) Statut *nt;* **~ de tráfico** Straßenverkehrsordnung *f*

regocijo [rreɣo'θixo] *m* Jubel *m*

regresar [rreɣre'sar] **I.** *vi* zurückkehren **II.** *vr:* **~se** AM zurückkehren

regresivo, -a [rreɣre'siβo] *adj* rückläufig

regreso [rre'ɣreso] *m* Rückkehr *f*

regulación [rreɣula'θjon] *f* ❶ Regelung *f* ❷ *t.* TÉC Regulierung *f*

regular [rreɣu'lar] **I.** *vt* ❶ *t.* TÉC regulieren ❷ (*poner en orden*) in Ordnung bringen **II.** *adj* regulär; **por lo ~** gewöhnlich **III.** *adv* mittelmäßig

regularidad [rreɣulari'ðaᶞ] *f* ❶ (*conformidad*) Ordnungsmäßigkeit *f* ❷ (*periodicidad*) Regelmäßigkeit *f;* **con ~** regelmäßig

rehabilitación [rreaβilita'θjon] *f* Rehabilitierung *f*

rehacer [rrea'θer] *irr como hacer vt* ❶ (*volver a hacer*) noch einmal machen ❷ (*reconstruir*) wiederherstellen

rehén [rre'en] *m* Geisel *f*

rehuir [rreu'ir] *irr como huir vt*: **~ a alguien** jdm aus dem Weg gehen

rehusar [rreu'sar] *vt* verweigern

reina ['rrei̯na] *f* Königin *f*

reinado [rrei̯'naðo] *m* Herrschaft *f*

reinar [rrei̯'nar] *vi* herrschen

reincidente [rreiṇθi'ðeṇte] *adj* rückfällig

reincorporarse [rreiŋkorpo'rarse] *vr*: **~ al trabajo** wieder arbeiten (gehen)

reino ['rrei̯no] *m* (König)reich *nt;* **Reino Unido** Vereinigtes Königreich

reintegrar [rreiṇte'ɣrar] **I.** *vt* ❶ (*reincorporar*) wieder aufnehmen; (*en un cargo*) wieder einsetzen ❷ (*devolver*) zurückgeben; (*dinero*) erstatten **II.** *vr:* **~se** sich wieder eingliedern

reintegro [rreiṇ'teɣro] *m* Erstattung *f*

reír [rre'ir] *irr* **I.** *vi* lachen; **echarse a ~** auflachen **II.** *vr:* **~se** lachen (*de* über *+akk*); **~se a carcajadas** aus vollem Hals lachen

reiteradamente [rreiteraða'meṇte] *adv* wiederholt

reivindicar [rreiβiṇdi'kar] <c → qu> *vt* ❶ (*pedir*) fordern ❷ (*una acción*) sich bekennen; **~ un atentado** sich zu einem Attentat bekennen

reja ['rrexa] *f* Gitter *nt;* **estar entre ~s** (*fam fig*) hinter Gittern sitzen

rejuvenecer [rrexuβene'θer] *irr como crecer vt* verjüngen; **este peinado te rejuvenece** diese Frisur macht dich jünger

relación [rrela'θjon] *f* ❶ (*entre cosas*) Zusammenhang *m;* **con ~ [*o* en ~] a su escrito** bezüglich Ihres Schreibens ❷ (*entre dos magnitudes*) Verhältnis *nt;* **~ calidad-precio** Preis-Leistungs-Verhältnis *nt* ❸ (*entre personas*) Beziehung *f;* **relaciones públicas** Public Relations *fpl* ❹ *pl* (*noviazgo*) Verlobung *f;* **han roto sus relaciones** sie haben ihre Verlobung gelöst ❺ *pl* (*amorío*) Verhältnis *nt;* **mantienen relaciones** sie haben ein Verhältnis miteinander ❻ (*lista*) Verzeichnis *nt*

relacionar [rrelaθjo'nar] **I.** *vt* in Zusammenhang bringen **II.** *vr:* **~se** zusammenhängen; (*mantener relaciones*) Kontakt haben (*con* zu *+dat*)

relajarse [rrela'xarse] *vr* sich entspannen

relámpago [rre'lampaɣo] *m* Blitz *m*

relatar [rrela'tar] *vt* schildern

relatividad [rrelatiβi'ðaᶞ] *f* Relativität *f*

relativo, -a [rrela'tiβo] *adj* ❶ (*referente*) betreffend; **un artículo ~ a...** ein Artikel über ... ❷ (*dependiente*) relativ

relato [rre'lato] *m* Schilderung *f*

relevancia [rrele'βaṇθja] *f* Wichtigkeit *f*

relevante [rrele'βaṇte] *adj* wichtig

relevar [rrele'βar] **I.** *vt* ❶ (*acentuar*) hervorheben ❷ (*liberar*) befreien ❸ JUR entheben; **~ a alguien de un cargo** jdn eines Amtes entheben ❹ (*reemplazar*) ersetzen **II.** *vr:* **~se** sich abwechseln

relevo [rre'leβo] *m:* **carrera de ~s** Staffellauf *m*

relieve [rre'ljeβe] *m* ❶ ARTE Relief *nt;* **en bajo ~** vertieft ❷ (*renombre*) Ansehen *nt;* **de ~** bedeutend ❸ (*loc*): **poner de ~** hervorheben

religión [rreli'xjon] *f* Religion *f;* **sin ~** konfessionslos

religioso, -a [rreli'xjoso] *adj* religiös; (*que cree*) gläubig

rellenar [rreʎe'nar] *vt* füllen

relleno[1] [rre'ʎeno] *m t.* GASTR Füllung *f*

relleno, -a[2] [rre'ʎeno] *adj* ❶ (*lleno*) gefüllt; (*demasiado*) vollgestopft ❷ (*fam: gordo*) pummelig

reloj [rre'lox] *m* Uhr *f*

reluciente [rrelu'θeṇte] *adj* glänzend; **~ de limpio** blitzblank

relucir [rrelu'θir] *irr como lucir vi* glänzen; **salir a ~** zur Sprache kommen

remanente [rrema'neṇte] *m* Rest *m*

remangarse [rremaŋ'garse] <g → gu> *vr* sich *dat* die Ärmel hochkrempeln

remar [rre'mar] *vi* rudern

rematar [rrema'tar] *vt* beenden; (*terminar de hacer*) fertig stellen

remate [rre'mate] *m* ❶ Beendigung *f;* (*de un producto*) Fertigstellung *f* ❷ (*final, extremo*) Abschluss *m* ❸ **estar loco de ~** vollkommen verrückt sein; **para ~** zu allem Unglück

remediar [rreme'ðjar] *vt* ❶ vermeiden; (*un perjuicio*) verhindern; **no me cae bien, no puedo ~lo** ich kann mir nicht helfen, er/sie ist mir nicht sympathisch ❷ (*reparar*) beheben; (*compensar*) wieder gutmachen; **llorando no remedias nada** davon, dass du weinst, wird es auch nicht besser

remedio [rre'meðjo] *m* ❶ Behebung *f;* (*compensación*) Wiedergutmachung *f;* **eso tiene fácil ~** dem ist leicht abzuhelfen ❷ (*de un perjuicio*) Verhinderung *f;* **sin ~** unvermeidlich ❸ (*ayuda*) Hilfe *f* ❹ (*medio*) Mittel *nt;* **~ naturalista** Naturheilmittel *nt*

remite [rre'mite] *m* Absender *m*

remitente [rremi'teṇte] *mf* Absender(in) *m(f)*

remitir [rremi'tir] **I.** *vt* ❶ (ab)senden; FIN überweisen; **~ algo a alguien** jdm etw (zu)schicken ❷ (*referirse*) verweisen (*a* auf +*akk*) **II.** *vi* nachlassen **III.** *vr:* **~se** sich beziehen (*a* auf +*akk*)

remo ['rremo] *m* Ruder *nt*

remodelar [rremoðe'lar] *vt* umgestalten

remojar [rremo'xar] **I.** *vt* ❶ (*mojar*) nass machen; (*humedecer*) anfeuchten; (*ablandar*) einweichen ❷ (*celebrar*) begießen **II.** *vr:* **~se** (*mojarse*) nass werden

remolacha [rremo'latʃa] *f* Rübe *f*

remolcar [rremol'kar] <c → qu> *vt* abschleppen

remolino [rremo'lino] *m* Wirbel *m;* (*de agua*) Strudel *m;* **~ de viento** Wirbelwind *m*

remolque [rre'molke] *m* Anhänger *m*

remontarse [rremoṇ'tarse] *vr* ❶ (*volar*) aufsteigen; (*ave*) sich in die Lüfte erheben ❷ (*gastos*) sich belaufen (*a* auf +*akk*) ❸ (*retroceder*) zurückgehen; **la construcción de la iglesia se remonta al siglo pasado** der Bau der Kirche geht ins letzte Jahrhundert zurück

remorder(se) <o → ue> *vt, vr:* **me remuerde la conciencia** ich habe ein schlechtes Gewissen

remordimiento [rremorði'mjeṇto] *m* Gewissensbiss *m*

remoto, -a [rre'moto] *adj* ❶ fern; (*hechos*) weit zurückliegend; **en tiempos ~s** in ferner Vergangenheit ❷ (*improbable*) unwahrscheinlich; **no tener ni la más remota idea** nicht die blasseste Ahnung haben

remover [rremo'βer] <o → ue> **I.** *vt* ❶ entfernen; (*dificultades*) aus dem Weg räumen ❷ (*agitar*) aufwühlen ❸ (*activar*) aufrühren **II.** *vi* herumwühlen

remuneración [rremunera'θjon] *f* Bezahlung *f;* (*sueldo*) Lohn *m*

remunerar [rremune'rar] *vt* bezahlen; (*un trabajo*) vergüten; **~ a alguien por un servicio** jdn für eine Dienstleistung entlohnen

renacimiento [rrenaθi'mjeṇto] *m* Renaissance *f*

renal [rre'nal] *adj* Nieren-

Renania [rre'nanja] *f* Rheinland *nt*

Renania-Palatinado [rre'nanja-palati'naðo] *m* Rheinland-Pfalz *nt*

Renania-Westfalia [rre'nanja-βes'falja] *f* Nordrhein-Westfalen *nt*

renano, -a [rre'nano] *adj* (*del Rin*) rheinisch; (*de Renania*) rheinländisch

rencor [rreŋ'kor] *m* Groll *m;* **guardar ~ a alguien** (mit) jdm böse sein

rencoroso, -a [rreŋko'roso] *adj* ❶ (*vengativo*) nachtragend ❷ (*resentido*) verärgert

rendido, -a [rreṇ'diðo] *adj* ❶ (*cansado*) todmüde ❷ (*sumiso*) ergeben

rendimiento [rreṇdi'mjeṇto] *m* ❶ Leistung *f;* ECON Kapazität *f;* **a pleno ~** voll ausgelastet ❷ (*beneficio*) Ertrag *m;* **de gran ~** sehr ertragreich

rendir [rreṇ'dir] *irr como pedir* **I.** *vt* ❶ (*rentar*) einbringen ❷ (*trabajar*) leisten ❸ (*tributar*) erweisen ❹ **~ cuentas** abrechnen; (*fig*) Rechenschaft ablegen **II.** *vr:* **~se** sich ergeben; **~se al enemigo** vor dem Feind kapitulieren; **~se a la evidencia de algo** etw einsehen

renegar [rrene'ɣar] *irr como fregar vi:* **~ de la fe** vom Glauben abfallen; **~ del partido** aus der Partei austreten

RENFE ['rreɱfe] *f abr de* **Red Nacional de Ferrocarriles Españoles** *spanische Eisenbahngesellschaft*

renglón [rreŋ'glon] *m* Zeile *f*

renombrado, -a [rrenom'braðo] *adj* renommiert, angesehen

renombre [rre'nombre] *m* (guter) Ruf *m*

renovar [rreno'βar] <o → ue> *vt* renovieren

renta ['rreṇta] *f* ❶ (*ingresos*) Einkommen *nt;* **~ per cápita** Pro-Kopf-Einkommen *nt* ❷ (*pensión*) Rente *f;* **~ de viudez** Witwenrente *f* ❸ (*alquiler*) Miete *f;* **en ~** zur Miete

rentable [rreṇ'taβle] *adj* rentabel

renuncia [rre'nuṇθja] *f* ❶ (*abandono*) Verzicht *m* (*a/de* auf +*akk*); **~ del cargo** Amtsniederlegung *f;* **presentar su ~** kündigen ❷ (*escrito*) Entlassungsurkunde *f*

renunciar [rrenuṇ'θjar] *vi* verzichten (*a* auf +*akk*); **~ al trono** abdanken; **~ a un cargo** ein Amt niederlegen; **~ a una herencia** ein Erbe ausschlagen

reñir [rre'ɲir] *irr como ceñir* **I.** *vi* streiten **II.** *vt* schelten

reo, -a ['rreo] *m, f* Angeklagte(r) *f(m)*

reojo [rre'oxo] *m:* **mirar de ~** schief ansehen

reorganizar [rreorɣani'θar] <z → c> *vt* reorganisieren

reparación [rrepara'θjon] *f* ❶ (*arreglo*) Reparatur *f* ❷ (*indemnización*) Entschädigung *f;* **~ de perjuicios** Schaden(s)ersatz *m*

reparar [rrepa'rar] *vt* ❶ (*arreglar*) reparieren; **~ el daño** den Schaden beheben ❷ (*indemnizar*) ersetzen ❸ **no ~ en gastos** keine Kosten scheuen

reparo [rre'paro] *m* ❶ (*arreglo*) Ausbesserung *f* ❷ (*inconveniente*) Bedenken *nt;* **sin ~ alguno** ganz ungeniert ❸ (*objeción*) Einwand *m* (*a* gegen +*akk*); **sin ~** anstandslos; **no andar con ~s** sich *dat* seiner Sache sicher sein; **poner ~s a algo** Einwände gegen etw haben

repartir [rrepar'tir] **I.** *vt* verteilen; (*correos*) zustellen; **~ leña** (*fig*) Prügel austeilen **II.** *vr:* **~se** aufteilen

reparto [rre'parto] *m* Aufteilung *f*

repasar [rrepa'sar] *vt* nachprüfen

repatriar [rrepa'trjar] *vt* in die Heimat zurückschicken

repelente [rrepe'leṇte] *adj* abstoßend

repente [rre'peṇte]: **de ~** plötzlich

repercusión [rreperku'sjon] *f* (Aus)wirkung *f;* **tener gran ~** großen Anklang finden

repercutir [rreperku'tir] *vi* sich auswirken (*en* auf +*akk*); **~ en la salud** der Gesundheit schaden

repertorio [rreper'torjo] *m* Repertoire *nt*

repetición [rrepeti'θjon] *f* Wiederholung *f*

repetido, -a [rrepe'tiðo] *adj* wiederholt; **repetidas veces** mehrmals; **tengo muchos sellos ~s** ich habe viele Briefmarken doppelt

repetir [rrepe'tir] *irr como pedir* **I.** *vi* aufstoßen; **los ajos repiten mucho** Knoblauch stößt einem immer wieder auf **II.** *vt* wiederholen; **~ curso** sitzen bleiben **III.** *vr:* **~se** sich wiederholen

repicar [rrepi'kar] <c → qu> *vi, vt* läuten

repisa [rre'pisa] *f* Konsole *f*

replantear [rreplan̦te'ar] *vt* neu konzipieren

repleto, -a [rre'pleto] *adj* prall gefüllt

réplica ['rreplika] *f* ❶ Antwort *f;* (*objeción*) Widerrede *f* ❷ ARTE Nachbildung *f*

replicar [rrepli'kar] <c → qu> **I.** *vt* erwidern **II.** *vi* ❶ (*contestar*) antworten ❷ (*contradecir*) widersprechen; **obedecer sin ~** ohne Widerspruch gehorchen

repoblar [rrepo'βlar] <o → ue> *vt* wieder bevölkern; (*de árboles*) wieder aufforsten

repollo [rre'poʎo] *m* Kohl *m*

reponerse [rrepo'nerse] *irr como poner vr* sich erholen

reportaje [rrepor'taxe] *m* Bericht *m;* **~ gráfico** Bildbericht *m*

repórter [rre'porter] *m* AM, **reportero, -a** [rrepor'tero] *m, f* Reporter(in) *m(f)*

reposar [rrepo'sar] **I.** *vi* (aus)ruhen; **aquí reposan los restos mortales de...** hier ruht in Frieden ... **II.** *vt:* **~ la comida** Mittagsruhe halten

reposo [rre'poso] *m* Ruhe *f;* (*descanso*) Erholung *f;* **~ en cama** Bettruhe *f*

repostar [rrepos'tar] *vt* ❶ (*provisiones*) sich neu versorgen (mit +*dat*) ❷ (*combustible*) auftanken

repostería [rreposte'ria] *f* Feingebäck *nt*

reprender [rrepren̦'der] *vt* tadeln; **~le algo a alguien** jdm etw vorwerfen

represalia [rrepre'salja] *f* Repressalie *f*

representación [rrepresen̦ta'θjon] *f* ❶ Vertretung *f;* **por [*o* en] ~** stellvertretend ❷ TEAT Aufführung *f* ❸ (*reproducción*) Darstellung *f*

representante [rrepresen̦'tan̦te] *mf* Vertreter(in) *m(f)*

representar [rrepresen̦'tar] *vt* ❶ (*sustituir*) vertreten ❷ (*actuar*) spielen; (*una obra*) aufführen ❸ (*significar*) bedeuten ❹ (*reproducir*) darstellen

representativo, -a [rrepresen̦ta'tiβo] *adj* repräsentativ; **gobierno ~** parlamentarische Regierung

represión [rrepre'sjon] *f* Unterdrückung *f*

reprimenda [rrepri'men̦da] *f* Tadel *m*

reprimir [rrepri'mir] **I.** *vt* unterdrücken **II.** *vr:* **~se** sich beherrschen

reprochar [rrepro'ʧar] *vt* vorwerfen

reproche [rre'proʧe] *m* Vorwurf *m*

reproducción [rreproðuʸ'θjon] *f* ❶ (*procreación*) Fortpflanzung *f* ❷ (*repetición*) Reproduktion *f;* (*copia*) Vervielfältigung *f* ❸ (*representación*) Wiedergabe *f*

reproducir [rreproðu'θir] *irr como traducir* **I.** *vt* ❶ (*procrear*) fortpflanzen ❷ (*repetir*) reproduzieren; (*copiar*) vervielfältigen ❸ (*representar*) wiedergeben **II.** *vr:* **~se** sich fortpflanzen

reptil [rrep'til] *m* Reptil *nt*

república [rre'puβlika] *f* Republik *f;* **República Federal de Alemania** Bundesrepublik Deutschland

repudiar [rrepu'ðjar] *vt* verstoßen

repuesto [rre'pwesto] *m* Ersatzteil *nt*

repugnante [rrepuɣ'nan̦te] *adj* ekelhaft

repugnar [rrepuɣ'nar] *vi* ❶ abstoßen; (*asquear*) anekeln; **me repugna la carne grasosa** fettes Fleisch finde ich ekelhaft ❷ (*disgustar*) widerstreben +*dat*

repulsa [rre'pulsa] *f* Ablehnung *f*

reputación [rreputa'θjon] *f* Ruf *m;* **tener muy buena ~** höchst angesehen angesehen sein; **un local con mala ~** ein berüchtigtes Lokal

requerir [rreke'rir] *irr como sentir vt* ❶ (*necesitar*) erfordern; **esto requiere toda la atención** hier ist höchste Aufmerksamkeit geboten ❷ (*intimar*) auffordern; ~ **a alguien que...** +*subj* jdn auffordern zu ... +*inf*

requisar [rreki'sar] *vt* beschlagnahmen

requisito [rreki'sito] *m* Anforderung *f;* (*condición*) Voraussetzung *f;* ~ **previo** Vorbedingung *f*

res [rres] *f* ❶ Vieh *nt* ❷ (AM: *vaca*) Rind *nt*

resaca [rre'saka] *f* ❶ (*fam*) Kater *m* ❷ (*olas*) Brandung *f*

resaltar [rresal̩'tar] *vi*: (**hacer**) ~ hervorheben

resarcir [rresar'θir] <c → z> *vt* entschädigen

resbaladizo, -a [rresβala'ðiθo] *adj* rutschig

resbalar [rresβa'lar] *vi* (aus)rutschen, gleiten

rescatar [rreska'tar] *vt* ❶ befreien; (*con dinero*) auslösen ❷ (*a un náufrago*) retten

rescate [rres'kate] *m* ❶ Befreiung *f;* (*con dinero*) Auslösung *f* ❷ (*de un náufrago*) Rettung *f* ❸ (*dinero para rescatar*) Lösegeld *nt*

rescindir [rresθin̩'dir] *vt* (*la ley*) aufheben; (*un contratante*) (auf)kündigen

rescisión [rresθi'sjon] *f* (*la ley*) Ungültigkeitserklärung; (*un contratante*) Kündigung *f*

resentido, -a [rresen̩'tiðo] *adj* ❶ *estar* (*ofendido*) beleidigt ❷ *estar* (*débil*) angeschlagen ❸ *ser* nachtragend

resentirse [rresen̩'tirse] *irr como sentir vr* ❶ (*ofenderse*) sich ärgern (*por/de* über +*akk*) ❷ (*sentir dolor*) leiden (*de/con* unter +*dat*); **todavía se resiente de las heridas del accidente** die Unfallverletzungen machen ihm/ihr immer noch zu schaffen ❸ (*debilitarse*) nachgeben

reseña [rre'seɲa] *f* ❶ Rezension *f* ❷ (*narración*) Bericht *m*

reserva [rre'serβa] *f* ❶ Vorrat *m;* FIN Reserve *f;* (*fondos*) Rücklage *f* ❷ (*de plazas*) Reservierung *f* ❸ (*biológica*) Reservat *nt* ❹ MIL Reserve *f* ❺ (*discreción*) Zurückhaltung *f* ❻ **sin la menor** ~ vorbehaltlos

reservado, -a [rreser'βaðo] *adj* ❶ (*derecho*) vorbehalten; **quedan ~s todos los derechos** alle Rechte vorbehalten ❷ (*callado*) reserviert

reservar [rreser'βar] **I.** *vt* ❶ (*retener plaza*) reservieren ❷ (*guardar*) zurückbehalten; (*dinero*) zurücklegen ❸ (*ocultar*) verheimlichen (*de* vor +*dat*) **II.** *vr:* **~se** sich zurückhalten

resfriado [rresfri'aðo] *m* Erkältung *f*

resfriar [resfri'ar] <*3. pres* resfría> **I.** *vi, vt* abkühlen **II.** *vr:* **~se** sich erkälten

resfrío [rres'frio] *m* AM Erkältung *f*

resguardarse [rresɣwar'ðarse] *vr* sich schützen (*de* vor +*dat*)

residencia [rresi'ðen̩θja] *f* ❶ (*domicilio*) Wohnsitz *m;* ~ **habitual** ständiger Wohnsitz; **cambiar de** ~ den Wohnort wechseln ❷ (*estancia*) Aufenthalt *m* ❸ (*casa lujosa*) Residenz *f* ❹ (*internado*) Heim *nt;* (*colegio*) Internat *nt;* ~ **de ancianos** Altersheim *nt;* ~ **de huérfanos** Waisenhaus *nt*

residente [rresi'ðen̩te] *adj* wohnhaft

residuo [rre'siðwo] *m* ❶ Rest *m;* QUÍM Rückstand *m* ❷ *pl* (*basura*) Abfall *m;* **~s tóxicos** Giftmüll *m*

resignación [rresiɣna'θjon] *f* Resignation *f*

resignar [rresiɣ'nar] **I.** *vt* niederlegen **II.** *vr:* **~se** resignieren; **~se con [o a] algo** sich mit etw *dat* abfinden

resistencia [rresis'ten̩θja] *f* Widerstand *m* (*a* gegen +*akk*); ~ **al frío** Kältebeständigkeit *f;* **carrera de** ~ Dauerlauf *m;* **oponer** ~ Widerstand leisten

resistente [rresis'ten̩te] *adj* widerstandsfähig (*a* gegen +*akk*); ~ **al calor** hitzebeständig; ~ **a la luz** lichtecht

resistir [rresis'tir] **I.** *vi, vt* standhalten +*dat;* ~ **a una tentación** einer Versuchung widerstehen; **¡no resisto más!** ich halte das nicht länger aus! **II.** *vr:* **~se** sich weigern

resolución [rresolu'θjon] *f* ❶ Entschlossenheit *f* ❷ (*decisión*) Entschluss *m;* POL Resolution *f;* **tomar una ~** einen Beschluss fassen

resolver [rresol'βer] *irr como volver* **I.** *vt* ❶ (*acordar*) beschließen ❷ (*solucionar*) lösen; (*dudas*) beseitigen ❸ (*decidir*) beschließen **II.** *vr:* **~se** ❶ (*solucionarse*) sich klären ❷ (*decidirse*) sich entscheiden

resonar [rreso'nar] <o → ue> *vi* (wider)hallen

respaldar [rrespal̥'dar] *vt* ❶ (*apoyar*) unterstützen ❷ (*proteger*) decken

respaldo [rres'pal̥do] *m* Unterstützung *f*

respectar [rrespek'tar] *vi* betreffen; **por [*o* en] lo que respecta a él...** was ihn betrifft ...

respectivamente [rrespektiβa'men̥te] *adv*: **Anne y María compran la fruta y el pan, ~** Anne und Maria kaufen ein, die eine das Obst und die andere das Brot

respectivo, -a [rrespek'tiβo] *adj* betreffende(r, s)

respecto [rres'pekto] *m* Hinsicht *f;* **(con) ~ a** bezüglich *+gen;* **con ~ a eso, al ~** diesbezüglich; **a este ~** in dieser Hinsicht; **al ~ de** im Verhältnis zu *+dat*

respetable [rrespe'taβle] *adj* ❶ (*digno de respeto*) achtbar *f* ❷ (*notable*) beachtlich

respetar [rrespe'tar] *vt* ❶ (*honrar*) respektieren; **hacerse ~** sich *dat* Respekt verschaffen ❷ (*considerar*) Rücksicht nehmen (auf *+akk*) ❸ (*cumplir*) beachten

respeto [rres'peto] *m* Respekt *m;* **falta de ~** Respektlosigkeit *f*

respetuoso, -a [rrespetu'oso] *adj* respektvoll

respiración [rrespira'θjon] *f* Atmung *f;* (*aliento*) Atem *m;* **~ artificial** künstliche Beatmung

respirar [rrespi'rar] *vi* atmen; **~ aliviado** erleichtert aufatmen; **sin ~** (*fig*) pausenlos

resplandecer [rresplan̥de'θer] *irr como crecer vi* leuchten; (*reflejar*) glänzen; **~ de alegría** vor Glück strahlen

responder [rrespon̥'der] *vi* ❶ (*contestar*) antworten; **el perro responde por el nombre de...** der Hund hört auf den Namen ... ❷ (*contradecir*) widersprechen *+dat* ❸ (*corresponder*) entsprechen *+dat;* (*cumplir con*) erfüllen *+akk* ❹ (*ser responsable*) verantwortlich sein (*por* für *+akk*) ❺ (*garantizar*) einstehen (*de/por/con* für *+akk*); (*con dinero*) haften (*de/por/con* für *+akk*); **~ de una deuda** für eine Schuld aufkommen

responsabilidad [rresponsaβili'ðað] *f* ❶ (*por un niño*) Verantwortung *f* (*de/por* für *+akk*); **exigir ~** zur Verantwortung ziehen ❷ (*por un daño*) Haftung *f* (*de/por* für *+akk*); **~ civil** Haftpflicht *f*

responsabilizar [rresponsaβili'θar] <z → c> **I.** *vt* verantwortlich machen (*de* für *+akk*) **II.** *vr:* **~se** (*asumir la responsabilidad*) die Verantwortung übernehmen (*de* für *+akk*); (*garantizar*) einstehen (*de* für *+akk*); JUR die Haftung übernehmen (*de* für *+akk*)

responsable [rrespon'saβle] *adj* verantwortlich (*de* für *+akk*)

respuesta [rres'pwesta] *f* Antwort *f* (*a* auf *+akk*)

restablecer [rrestaβle'θer] *irr como crecer* **I.** *vt* wiederherstellen **II.** *vr:* **~se** sich erholen

restante [rres'tan̥te] *adj* restlich

restar [rres'tar] **I.** *vi* übrig bleiben; **aún restan algunos días para finalizar el año** bis zum Jahresende fehlen noch einige Tage **II.** *vt* abziehen

restauración [rrestau̯ra'θjon] *f* Wiederherstellung *f;* ARTE Restauration *f*

restaurante [rrestau̯'ran̥te] *m* Restaurant *nt*

restaurar [rrestau̯'rar] *vt* wiederherstellen; ARTE restaurieren

resto ['rresto] *m* Rest *m;* **los ~s morta-**

les die sterblichen Überreste
restregar [rrestre'ɣar] *irr como fregar* **I.** *vt* scheuern; **~le a alguien algo por las narices** (*fig*) jdm etw unter die Nase reiben **II.** *vr*: **~se los ojos** sich *dat* die Augen reiben
restricción [rrestriʸ'θjon] *f* Beschränkung *f*; (*recorte*) Kürzung *f*; **sin restricciones** unbeschränkt
resucitar [rresuθi'tar] **I.** *vi* auferstehen **II.** *vt* neu beleben
resuelto, -a [rre'swelto] **I.** *pp de* **resolver** **II.** *adj* resolut
resultado [rresul'taðo] *m* Ergebnis *nt*; **tener por ~** zur Folge haben
resultar [rresul'tar] *vi* ❶ (*deducirse*) sich ergeben (*de* aus +*dat*) ❷ (*surtir*) sein ❸ (*tener éxito*) erfolgreich sein ❹ (*comprobarse*) sich erweisen (als +*nom*)
resumen [rre'sumen] *m* Zusammenfassung *f*
resumir [rresu'mir] *vt* zusammenfassen
resurrección [rresurreʸ'θjon] *f* Auferstehung *f*; **Pascua de Resurrección** Ostern *nt*
retar [rre'tar] *vt* herausfordern (*a* zu +*dat*)
retardar(se) [rretar'dar(se)] *vt, vr* (sich) verzögern
retención [rreten'θjon] *f* ❶ Einbehaltung *f*; (*deducción*) Abzug *m*; **~ fiscal** Steuerabzug *m* ❷ (*moderación*) Zurückhaltung *f* ❸ (*tráfico*) Stau *m*
retener [rrete'ner] *irr como tener* **I.** *vt* zurückhalten; (*la respiración*) anhalten **II.** *vr*: **~se** sich zurückhalten
retina [rre'tina] *f* Netzhaut *f*
retirada [rreti'raða] *f* ❶ Rücktritt *m*; MIL Rückzug *m* ❷ (*eliminación*) Beseitigung *f*
retirado, -a [rreti'raðo] *adj* ❶ (*lejos*) abgelegen ❷ (*jubilado*) pensioniert
retirar [rreti'rar] **I.** *vt* ❶ (*apartar*) weglegen; (*tropas*) abziehen; (*dinero*) abheben ❷ (*echar*) verweisen ❸ (*recoger*) abholen ❹ (*quitar*) entziehen ❺ (*desdecirse*) zurücknehmen ❻ (*negar*) verweigern ❼ (*jubilar*) in den Ruhestand versetzen **II.** *vr*: **~se** ❶ (*t.* MIL: *abandonar*) sich zurückziehen (*de* aus +*dat*) ❷ (*retroceder*) zurücktreten (*de* von +*dat*) ❸ (*jubilarse*) in den Ruhestand treten
reto ['rreto] *m* Herausforderung *f*
retocar [rreto'kar] <c → qu> *vt* überarbeiten; (*perfeccionar*) ausbessern; FOTO retuschieren
retoño [rre'toɲo] *m* ❶ Spross *m* ❷ (*persona*) Sprössling *m*
retoque [rre'toke] *m* Ausbesserung *f*; FOTO Retusche *f*
retórica [rre'torika] *f* Rhetorik *f*
retornar [rretor'nar] **I.** *vi* zurückkehren **II.** *vt* ❶ (*devolver*) zurückgeben ❷ (*retroceder*) umwenden, umdrehen
retorno [rre'torno] *m* Rückkehr *f*
retortijón [rretorti'xon] *m*: **tengo un ~ de estómago** ich habe Magenkrämpfe
retractar [rretrak'tar] **I.** *vt* zurücknehmen (*de* +*akk*); JUR widerrufen (*de* +*akk*) **II.** *vr*: **~se** widerrufen (*de* +*akk*)
retransmisión [rretraⁿsmi'sjon] *f* Übertragung *f*; **~ deportiva** Sportberichterstattung *f*; **~ por televisión** Fernsehübertragung *f*
retrasado, -a [rretra'saðo] *adj* ❶ (*atrasado*) verspätet ❷ (*anticuado*) rückständig ❸ (*no actual*) alt ❹ (*subdesarrollado*) zurückgeblieben; **~ mental** geistig zurückgeblieben

retrasar [rretra'sar] **I.** *vt* ❶ (*demorar*) verzögern ❷ (*el reloj*) zurückstellen **II.** *vi* ❶ (*el reloj*) nachgehen ❷ (*no estar al día*) zurückbleiben **III.** *vr*: **~se** sich verspäten
retraso [rre'traso] *m* ❶ (*demora*) Verspätung *f* ❷ (*del desarrollo*) Rückständigkeit *f*
retratar [rretra'tar] *vt* porträtieren
retrato [rre'trato] *m* Porträt *nt*
retrete [rre'trete] *m* Toilette *f*
retribución [rretriβu'θjon] *f* Vergütung *f*; (*sueldo*) Gehalt *nt*
retroactivo, -a [rretroak'tiβo] *adj* rück-

wirkend

retroceder [rretroθe'ðer] *vi* zurückgehen

retroceso [rretro'θeso] *m* Rückgang *m*

retrospectivo, -a [rretrospek'tiβo] *adj* retrospektiv

retrovisor [rretroβi'sor] *m* Rückspiegel *m*

retumbar [rretum'bar] *vi* dröhnen

reuma ['rreuma] *m o f* Rheuma *nt*

reumatismo [rreuma'tismo] *m sin pl* Rheumatismus *m*

reunificación [rreunifika'θjon] *f* Wiedervereinigung *f*

reunión [rreu'njon] *f* Versammlung *f;* **~ de los trabajadores** Betriebsversammlung *f*

reunir [rreu'nir] *irr* **I.** *vt* (ver)sammeln **II.** *vr:* **~se** sich versammeln; (*unir*) sich vereinigen

revalidar [rreβali'ðar] *vt* bestätigen

revancha [rre'βantʃa] *f:* **tomarse la ~** sich rächen

revelación [rreβela'θjon] *f* ❶ Enthüllung *f* ❷ REL Offenbarung *f*

revelar [rreβe'lar] *vt* ❶ enthüllen; (*un secreto*) lüften ❷ FOTO entwickeln ❸ REL offenbaren

reventa [rre'βenta] *f* Wiederverkauf *m*

reventar [rreβen'tar] <e → ie> **I.** *vi* ❶ (*romperse*) platzen (*de/por* vor *+dat*); **lleno hasta ~** zum Bersten voll ❷ (*vulg*) verrecken *fam;* **¡que reviente!** soll er/sie doch von mir aus verrecken! *fam* **II.** *vt* zum Platzen bringen

reverencia [rreβe'renθja] *f* Hochachtung *f;* **Su Reverencia** Euer Hochwürden

reversible [rreβer'siβle] *adj* umkehrbar; (*prenda de vestir*) Wende-; **chaqueta ~** Wendejacke *f*

reverso [rre'βerso] *m* Rückseite *f*

revés [rre'βes] *m* Rückseite *f;* **al [***o* **del] ~** umgekehrt; **te has puesto el jersey del ~** du hast deinen Pullover linksherum angezogen

revisar [rreβi'sar] *vt* überprüfen

revisor(a) [rreβi'sor] *m(f)* Schaffner(in) *m(f)*

revista [rre'βista] *f* ❶ PREN Zeitschrift *f;* **~ especializada** Fachzeitschrift *f* ❷ (*inspección*) Überprüfung *f;* **pasar ~ a las tropas** die Truppe besichtigen ❸ (*espectáculo*) Revue *f*

revocar [rreβo'kar] <c → qu> *vt* widerrufen

revoltoso, -a [rreβol'toso] *adj* unbändig

revolución [rreβolu'θjon] *f* ❶ *t.* POL Revolution *f* ❷ (*inquietud*) Aufruhr *m* ❸ (*rotación*) Umdrehung *f;* **número de revoluciones** Drehzahl *f*

revolucionar [rreβoluθjo'nar] *vt* ❶ (*amotinar*) aufwiegeln ❷ (*transformar*) revolutionieren ❸ (*excitar*) in Aufregung versetzen

revolucionario, -a [rreβoluθjo'narjo] *adj* revolutionär

revolver [rreβol'βer] *irr como volver* **I.** *vt* durcheinanderbringen **II.** *vr:* **~se** ❶ (*moverse*) sich wälzen; **se me revuelve el estómago** da dreht sich mir der Magen um ❷ (*enfrentarse*) sich widersetzen (*contra +dat*)

revuelo [rre'βwelo] *m:* **causar ~** für Aufruhr sorgen

revuelta [rre'βwelta] *f* ❶ (*tumulto*) Tumult *m* ❷ (*rebelión*) Revolte *f*

revuelto, -a [rre'βwelto] **I.** *pp de* **revolver II.** *adj* ❶ (*agitado*) aufgewühlt ❷ (*desordenado*) durcheinander ❸ (*tiempo*) wechselhaft

rey [rrei] *m* König *m;* **los Reyes Magos** die Heiligen Drei Könige

rezar [rre'θar] <z → c> *vt* beten (*a* zu *+dat, por* für *+akk*); **~ una oración** ein Gebet sprechen

RFA [erre(e)fe'a] *f* BRD *f*

riada [rri'aða] *f* Hochwasser *nt*

ribera [rri'βera] *f* Uferlandschaft *f;* (*vega*) Aue *f*

rico, -a ['rriko] *adj* ❶ reich; **es muy ~** er ist steinreich ❷ (*sabroso*) lecker; **la comida está muy rica** das Essen schmeckt sehr gut ❸ (*abundante*) reich (*en* an *+dat*) ❹ (*simpático*) reizend

ridículo, -a [rri'ðikulo] *adj* lächerlich

riego ['rrjeɣo] *m* Bewässerung *f;* ~ **sanguíneo** Durchblutung *f*
riel [rrjel] *m* Schiene *f*
rienda ['rrjen̪da] *f* Zügel *m;* **a ~ suelta** zügellos
riesgo ['rrjesɣo] *m* Risiko *nt;* **a ~ de que...** *+subj* auf die Gefahr hin, dass ...; **por cuenta y ~ propios** auf eigene Gefahr; **asumir un ~** ein Risiko eingehen; **correr el ~ de...** Gefahr laufen zu ...; **estar asegurado a todo ~** vollkaskoversichert sein
rifa ['rrifa] *f* (*sorteo*) Verlosung *f*
rifar [rri'far] *vt* verlosen
rifle ['rrifle] *m* Gewehr *nt*
rígido, -a ['rrixiðo] *adj* ❶ (*inflexible*) starr ❷ (*severo*) streng
rigor [rri'ɣor] *m* ❶ (*severidad*) Strenge *f* ❷ (*exactitud*) Genauigkeit *f* ❸ **~ del invierno** Strenge des Winters ❹ **de ~** unerlässlich
riguroso, -a [rriɣu'roso] *adj* rigoros
rima ['rrima] *f* Reim *m*
rimar [rri'mar] *vi, vt* (sich) reimen
Rin [rrin] *m* Rhein *m*
rincón [rriŋ'kon] *m* Ecke *f*
rinoceronte [rrinoθe'ron̪te] *m* Nashorn *nt*
riña ['rriɲa] *f* Streit *m*
riñón [rri'ɲon] *m* ❶ Niere *f;* **tener piedras en el ~** Nierensteine haben; **costar un ~** eine (schöne) Stange Geld kosten ❷ *pl* (*parte de la espalda*) Kreuz *nt*
río ['rrio] *m* Fluss *m;* **~ abajo** flussabwärts; **~ arriba** flussaufwärts
riojano, -a [rrio'xano] *adj* aus Rioja
riqueza [rri'keθa] *f* Reichtum *m*
risa [rri'sa] *f* Lachen *nt;* **mondarse de ~** sich kaputtlachen
risueño, -a [rri'sweɲo] *adj* heiter
ritmo ['rri^ðmo] *m* Rhythmus *m*
rito ['rrito] *m* Ritual *nt*
ritual [rritu'al] *m* Ritual *nt*
rival [rri'βal] *mf* Rivale, -in *m, f*
rizado, -a [rri'θaðo] *adj* lockig
rizo ['rriθo] *m* Locke *f;* **rizar el ~** (*complicar*) die Sache unnötig komplizieren
RNE ['rraðjo naθjo'nal̪ de (e)s'paɲa] *f abr de* **Radio Nacional de España** Staatlicher Spanischer Rundfunk *m*
robar [rro'βar] *vt* stehlen
roble ['rroβle] *m* Eiche *f*
robo ['rroβo] *m* Raub *m;* **~ a mano armada** bewaffneter Raubüberfall
robot [rro'βo^t] <robots> *m* Roboter *m;* **~ de cocina** Küchenroboter *m*
robusto, -a [rro'busto] *adj* robust
roca ['rroka] *f* Felsen *m*
roce ['rroθe] *m* ❶ (*fricción*) Reibung *f* ❷ (*contacto*) Umgang *m;* **tener mucho ~ con alguien** mit jdm gut bekannt sein
rocío [rro'θio] *m* Tau *m*
rodaja [rro'ðaxa] *f* Scheibe *f*
rodaje [rro'ðaxe] *m* Dreharbeiten *fpl*
rodar [rro'ðar] <o → ue> **I.** *vi* ❶ (*dar vueltas*) rollen; (*girar sobre el eje*) rotieren ❷ (*ir*) umherlaufen **II.** *vt* (*película*) drehen
rodear [rroðe'ar] **I.** *vi* einen Umweg machen **II.** *vt, vr:* **~se** (sich) umgeben (*de* mit *+dat*)
rodeo [rro'ðeo] *m* ❶ Umweg *m;* **dar un ~** einen Umweg machen ❷ (*evasiva*) Ausflucht *f;* **sin ~s** ohne Umschweife
rodilla [rro'ðiʎa] *f* Knie *nt;* **de ~s** kniend; **ponerse de ~s** sich hinknien
rodillo [rro'ðiʎo] *m* Nudelholz *nt*
roer [rro'er] *irr vt* nagen (*a* an *+dat*)
rogar [rro'ɣar] <o → ue> *vt* bitten; JUR beantragen
rojo, -a ['rroxo] *adj t.* POL rot; **al ~ (vivo)** rot glühend
rollo ['rroʎo] *m* ❶ Rolle *f;* FOTO Rollfilm *m* ❷ (*fam*) langweilige Sache *f;* **¡qué ~ de película!** so ein langweiliger Film! ❸ (*argot*) Lebensweise *f;* (*asunto*) Geschichte *f;* **ir a su ~** nur an sich selbst denken; **tener un ~ con alguien** etw mit jdm haben, mit jdm liiert sein; **¿de qué va el ~?** worum geht es?
románico, -a [rro'maniko] *adj* roma-

nisch

romano, -a [rro'mano] *adj* römisch

romanticismo [rromanṭi'θismo] *m* Romantik *f*

romántico, -a [rro'manṭiko] *adj* romantisch

rombo ['rrombo] *m* Raute *f*

romería [rrome'ria] *f* Wallfahrt *f*

romerito [rrome'rito] *m* MÉX Gemüse *nt*

romero [rro'mero] *m* Rosmarin *m*

rompecabezas [rrompeka'βeθas] *m* Rätsel *nt*

romper [rrom'per] **I.** *vi* ❶ (*las olas*) brechen ❷ (*empezar bruscamente*) (plötzlich) anfangen (*a* zu + *inf*); **~ a llorar** in Tränen ausbrechen ❸ (*el día*) anbrechen; **al ~ el día** bei Tagesanbruch ❹ (*separarse*) sich trennen **II.** *vt* ❶ (*destrozar*) kaputtmachen *fam*; **~ la cara a alguien** (*fam*) jdm den Schädel einschlagen ❷ (*negociaciones*) abbrechen; (*promesa*) brechen **III.** *vr:* **~se** ❶ (*hacerse pedazos*) zerbrechen ❷ (*fracturarse*) sich *dat* brechen; **¿qué tripa se te ha roto?** (*fam fig*) warum bist du so schlecht drauf?

ron [rron] *m* Rum *m*

roncar [rroŋ'kar] <c → qu> *vi* schnarchen

roncha ['rrontʃa] *f* (*hinchazón*) Schwellung *f;* (*cardenal*) blauer Fleck *m;* (*picadura*) Quaddel *f*

R

ronco, -a ['rroŋko] *adj* heiser

ronda ['rroṇda] *f* ❶ (*de vigilancia*) Streife *f* ❷ (*de copas*) Runde *f;* **pagar una ~ de vino** eine Runde Wein ausgeben

roñoso, -a [rro'ɲoso] *adj* ❶ (*sucio*) schmutzig ❷ (*tacaño*) geizig

ropa ['rropa] *f* ❶ Wäsche *f;* **~ blanca** Kochwäsche *f;* **~ de color** Buntwäsche *f* ❷ (*vestidos*) Kleidung *f*

ropero [rro'pero] *m* Kleiderschrank *m*

rosa ['rrosa] **I.** *adj* rosa; **~ pálido** hellrosa **II.** *f* Rose *f*

rosado, -a [rro'saðo] *adj:* **vino ~** Rosé(wein) *m*

rosario [rro'sarjo] *m* REL Rosenkranz *m*

rosca ['rroska] *f* ❶ TÉC Gewinde *nt;* **pasarse de ~** (*fig*) zu weit gehen ❷ (*forma de espiral*) Windung *f* ❸ (*bollo*) Kringel *m;* **no comerse una ~** (*fig*) keinen Erfolg bei Männern/Frauen haben ❹ (*loc*): **hacer la ~ a alguien** jdm schmeicheln

roscón [rros'kon] *m:* **~ de Reyes** Dreikönigskuchen *m*

rosquilla [rros'kiʎa] *f* Kringel *m;* **venderse como ~s** (*fig*) weggehen wie warme Semmeln

rostro ['rrostro] *m* Gesicht *nt;* **tener mucho ~** sehr dreist sein

rotación [rrota'θjon] *f* Umdrehung *f;* FÍS Rotation *f*

roto, -a ['rroto] *adj* kaputt

rotulador [rrotula'ðor] *m* Filzstift *m*

rotundo, -a [rro'tuṇdo] *adj:* **un éxito ~** ein durchschlagender Erfolg

r(o)uter [rr(o)'uter] *m* INFOR Router *m*

rozar [rro'θar] <z → c> *vi, vt* streifen

rte. [rremi'teṇte] *abr de* **remitente** Abs.

RTVE [erreteuβe'e] *f abr de* **Radio Televisión Española** Spanische Rundfunk- und Fernsehanstalt *f*

ruana ['rrwana] *f* AMS Poncho *m*

rubéola [rru'βeola] *f* Röteln *pl*

rubí [rru'βi] *m* Rubin *m*

rubio, -a ['rruβjo] *adj* blond

ruborizar [rruβori'θar] <z → c> **I.** *vt* zum Erröten bringen **II.** *vr:* **~se** erröten

rúbrica ['rruβrika] *f* Namenszeichen *nt;* (*después del nombre*) (Unterschrifts)schnörkel *m*

rudo, -a ['rruðo] *adj* ❶ rau; (*sin trabajar*) roh ❷ (*persona*) plump; (*brusca*) grob; (*torpe*) ungeschickt

rueda ['rrweða] *f* ❶ Rad *nt;* **~ de repuesto** Ersatzreifen *m* ❷ **~ de prensa** Pressekonferenz *f*

ruego ['rrweɣo] *m* Bitte *f*

rugir [rru'xir] <g → j> *vi* (*león*) brüllen; (*estómago*) knurren

ruido ['rrwiðo] *m* Lärm *m*

ruin [rrwin] *adj* ❶ (*malvado*) niederträchtig; (*vil*) gemein ❷ (*tacaño*) knauserig

ruina ['rrwina] *f* ❶ ARQUIT Ruine *f* ❷ (*perdición*) Ruin *m*

ruiseñor [rrwise'ɲor] *m* Nachtigall *f*

ruleta [rru'leta] *f* Roulette *nt*

rulo ['rrulo] *m* ❶ (*del cabello*) Locke *f* ❷ (*rizador*) Lockenwickler *m*

Rumania [rru'manja] *f*, **Rumanía** [rruma'nia] *f* Rumänien *nt*

rumano, -a [rru'mano] *adj* rumänisch

rumba ['rrumba] *f* Rumba *f*

rumbo ['rrumbo] *m* (Fahrt)richtung *f;* (*t. fig*) Kurs *m;* **tomar ~ a un puerto** einen Hafen ansteuern; **dar otro ~ a la conversación** dem Gespräch eine neue Wendung geben

rumor [rru'mor] *m* ❶ (*chisme*) Gerücht *nt* ❷ (*de las olas*) Brausen *nt;* (*del bosque*) Rauschen *nt;* **~ de voces** Stimmengewirr *nt*

rumorearse [rrumore'arse] *vr*: **se rumorea que...** es geht das Gerücht um, dass ...

ruptura [rrup'tura] *f* (Ab)bruch *m*

rural [rru'ral] *adj* ländlich

Rusia ['rrusja] *f* Russland *nt*

ruso, -a ['rruso] *adj* russisch; **ensaladilla rusa** ≈Kartoffelsalat *m*

rústico, -a ['rrustiko] *adj* rustikal; **finca rústica** Bauernhof *m*

ruta ['rruta] *f* Weg *m;* **~ de vuelo** Flugstrecke *f*

rutina [rru'tina] *f* Routine *f*

S

S, s ['ese] *f* S, s *nt*
S. [san] *abr de* **San** St.
S.A. [ese'a] *f abr de* **Sociedad Anónima** AG *f*
sábado ['saβaðo] *m* Samstag *m; v.t.* **lunes**
sabana [sa'βana] *f* Savanne *f*
sábana ['saβana] *f* (Bett)laken *nt;* ~ **ajustable** Spannbetttuch *nt*
sabelotodo [saβelo'toðo] *mf inv* (*fam*) Besserwisser(in) *m(f)*
saber [sa'βer] *irr* **I.** *vt* ❶ (*estar informado*) wissen; **a ~** nämlich; **que yo sepa** soweit ich weiß ❷ (*habilidad*) können; **él sabe ruso** er kann Russisch ❸ (*conocer un arte*) sich auskennen ((*de*) mit/in +*dat*); ~ **mucho de literatura** sich in der Literatur gut auskennen ❹ (*noticia*) erfahren (*por* durch +*akk,* (aus +*dat*); **lo supe por el periódico** ich habe es aus der Zeitung erfahren **II.** *vi* ❶ (*tener sabor*) schmecken (*a* nach +*dat*); **(me) supo a quemado** es schmeckte verbrannt ❷ (*tener noticia*) unterrichtet sein (*de* über +*akk*); **no sé nada de mi hermano** ich habe nichts von meinem Bruder gehört ❸ (*tener la habilidad*) fähig sein; **él no sabe resolver ni los ejercicios más fáciles** er ist nicht einmal fähig die einfachsten Aufgaben zu lösen **III.** *vr*: **ésa se las sabe todas** (*fam*) der kann keiner etwas vormachen **IV.** *m* Wissen *nt*
sabiduría [saβiðu'ria] *f* (*conocimientos*) Wissen *nt;* (*sensatez*) Weisheit *f*
sabiendas [sa'βjeṇdas]: **a ~** bewusst
sabio, -a ['saβjo] *adj* weise
sabor [sa'βor] *m* Geschmack *m*
saborear [saβore'ar] *vt* auskosten
sabotaje [saβo'taxe] *m* Sabotage *f*
sabroso, -a [sa'βroso] *adj* schmackhaft
sacacorchos [saka'kortʃos] *m* Korkenzieher *m*
sacapuntas [saka'puṇtas] *m* (Bleistift)spitzer *m*
sacar [sa'kar] <c → qu> **I.** *vt* ❶ (*de un sitio*) herausnehmen; (*agua*) schöpfen; (*diente, espada*) ziehen; ~ **a bailar** zum Tanz auffordern; **¿de dónde lo has sacado?** wo hast du es her? ❷ (*de una situación*) retten; ~ **adelante** (*persona, negocio*) vorwärtsbringen ❸ (*solucionar*) lösen ❹ (*entrada*) lösen ❺ (*obtener*) erreichen; (*información*) entlocken; **no ~ ni para vivir** kaum genug zum Leben verdienen ❻ (*foto*) machen **II.** *vr*: **~se los zapatos** sich *dat* die Schuhe ausziehen
sacarina [saka'rina] *f* Süßstoff *m*
sacerdote [saθer'ðote] *m* Priester *m*
saciar [sa'θjar] *vt* (*hambre*) stillen; (*instintos sexuales*) befriedigen
saco ['sako] *m* Sack *m*
sacramento [sakra'meṇto] *m* Sakrament *nt*
sacrificar [sakrifi'kar] <c → qu> **I.** *vt* opfern; (*animal*) schlachten **II.** *vr:* **~se** (*t. fig*) sich (auf)opfern (*por* für +*akk*)
sacrificio [sakri'fiθjo] *m* Opfer *nt*
sacudir [saku'ðir] *vt* schütteln; (*noticia*) erschüttern; (*pegar*) verprügeln; (*alfombras*) ausklopfen
sádico, -a ['saðiko] *adj* sadistisch
Sagitario [saxi'tarjo] *m inv* ASTR Schütze *m*
sagrado, -a [sa'ɣraðo] *adj* heilig
sajón, -ona [sa'xon] *adj* sächsisch
Sajonia [sa'xonja] *f* Sachsen *nt;* **Baja ~** Niedersachsen *nt*
Sajonia-Anhalt [sa'xonja-'aŋxal̩ᵗ] *f* Sachsen-Anhalt *nt*
sal [sal] *f* ❶ Salz *nt;* ~ **común** Speisesalz *nt* ❷ *pl* (*perfume*): **~es de baño** Badesalz *nt* ❸ AM Pech *nt*
sala ['sala] *f* ❶ Raum *m;* (*grande*) Saal *m;* ~ **de espera** Wartezimmer *nt;* ~ **de estar** Wohnzimmer *nt* ❷ JUR Kammer *f;* **Sala de lo Penal** Strafkammer *f*

salado, -a [sa'laðo] *adj* ① (*comida*) salzig ② (*gracioso*) witzig ③ AM unglücklich

salar [sa'lar] *vt* ① salzen ② (*para conservar*) (ein)pökeln ③ AM verderben

salario [sa'larjo] *m* Lohn *m*

salchicha [sal'ʧiʧa] *f* Wurst *f*

salchichón [salʧi'ʧon] *m* ≈Salami *f*

saldar [sal̪'dar] *vt* ① (*cuenta*) begleichen ② (*mercancía*) ausverkaufen

saldo ['sal̪do] *m* Saldo *m;* (*pago*) Zahlung *f;* ~ **de cuenta** Kontostand *m*

salero [sa'lero] *m* ① Salzstreuer *m* ② (*encanto*) Charme *m*

salida [sa'liða] *f* ① Ausgang *m;* (*coches*) Ausfahrt *f;* **callejón sin** ~ Sackgasse *f* ② (*de un tren*) Abfahrt *f* ③ (*astro*) Aufgang *m* ④ DEP Start *m;* **dar la** ~ das Startzeichen geben ⑤ COM Absatz *m* ⑥ (*fam: ocurrencia*) Einfall *m;* **¡menuda ~!** was für eine Schnapsidee! ⑦ (*pretexto*) Ausrede *f*

salir [sa'lir] *irr* **I.** *vi* ① herauskommen (*de* aus +*dat*); (*ir fuera*) gehen (*de* aus +*akk*) ② (*de viaje*) abfahren ③ (*aparecer*) erscheinen; (*sol*) aufgehen; ~ **a la luz** ans Licht kommen ④ (*parecerse*) ähneln (*a* +*dat*); **este niño ha salido a su padre** der Junge kommt ganz nach seinem Vater ⑤ INFOR verlassen (*de* +*akk*) ⑥ DEP starten ⑦ (*loc*): ~ **adelante** (irgendwie) weiterkommen; ~ **con alguien** (*fam*) mit jdm gehen **II.** *vr:* **~se** verlassen; (*líquido*) überlaufen; **~se de la Iglesia** aus der Kirche austreten

saliva [sa'liβa] *f* Speichel *m*

salmo ['salmo] *m* Psalm *m*

salmón [sal'mon] *m* Lachs *m*

salón [sa'lon] *m* ① Wohnzimmer *nt* ② (*local*) Salon *m;* ~ **de baile** Tanzsaal *m*

salpicar [salpi'kar] <c → qu> *vt* ① (*rociar*) bespritzen ② (*manchar*) beschmutzen

salsa ['salsa] *f* ① GASTR Soße *f;* (*caldo*) Brühe *f* ② (*gracia*) Reiz *m* ③ MÚS Salsa *f*

saltamontes [sal̪ta'mon̪tes] *m inv* Heuschrecke *f*

saltar [sal̪'tar] **I.** *vi* ① springen; (*chispas*) sprühen; ~ **a la cuerda** seilspringen ② (*lanzarse*) springen; ~ **al agua** ins Wasser springen ③ (*explotar*) platzen ④ **eso salta a la vista** das ist offensichtlich ⑤ (*irrumpir*) herausplatzen (*con* mit +*dat*) **II.** *vt* springen (über +*akk*) **III.** *vr:* **~se** ① (*ley*) missachten ② (*línea, párrafo*) überspringen ③ (*desprenderse*) abspringen; **se me ~on las lágrimas** mir kamen die Tränen; ~ **la banca** die Bank sprengen

salto ['sal̪to] *m* ① Sprung *m;* ~ **de agua** Wasserfall *m;* **de [*o* en] un** ~ schnell ② INFOR: ~ **de página** Seitenumbruch *m* ③ DEP Sprung *m;* ~ **de altura** Hochsprung *m;* ~ **de longitud** Weitsprung *m*

salud [sa'lu^{ð}] *f* Gesundheit *f;* **a la ~ de...** auf das Wohl von ...

saludar [salu'ðar] *vt* (be)grüßen; (*mandar saludos*) einen Gruß bestellen +*dat*

saludo [sa'luðo] *m* Gruß *m;* (*recibimiento*) Begrüßung *f;* **¡déle ~s de mi parte!** grüßen Sie ihn/sie von mir!

salvación [salβa'θjon] *f* Rettung *f;* REL Erlösung *f*

salvadoreño, -a [salβaðo'reɲo] *adj* salvadorianisch

salvaguardar [salβaɣwar'ðar] *vt* beschützen; (*derechos*) wahren

salvaje [sal'βaxe] *adj* wild; (*persona*) unzivilisiert; (*acto*) grausam

salvamento [salβa'men̪to] *m* Rettung *f;* (*naufragio*) Bergung *f*

salvar [sal'βar] **I.** *vt* ① retten (*de* vor +*dat*); REL erlösen ② (*obstáculo*) überwinden; ~ **las apariencias** den Schein wahren **II.** *vr:* **~se** sich retten (*de* vor +*dat*); REL erlöst werden; **~se por los pelos** nur knapp entkommen

salvavidas [salβa'βiðas] *m* Rettungsring *m;* **bote** ~ Rettungsboot *nt;* **chaleco** ~

Schwimmweste *f*
salvo ['salβo] *prep* außer +*dat;* **~ que** [*o* **si**]**...** +*subj* es sei denn, dass ...
san [san] *adj v.* **santo**
sanar [sa'nar] **I.** *vi* genesen **II.** *vt* heilen
sanatorio [sana'torjo] *m* Sanatorium *nt*
sanción [san̪'θjon] *f* Strafe *f;* ECON Sanktion *f*
sancionar [san̪θjo'nar] *vt* bestrafen; ECON Sanktionen verhängen (*a* gegen +*akk*)
sancocho [saŋ'kotʃo] *m* ① AM Durcheinander *nt* ② AND, VEN ≈Eintopf *m*
sandalia [san̪'dalja] *f* Sandale *f*
sandez [san̪'deθ] *f* Dummheit *f;* **no decir más que sandeces** nur Unsinn reden
sandía [san̪'dia] *f* Wassermelone *f*
sanear [sane'ar] *vt* sanieren
Sanfermines [samfer'mines] *m pl* San-Fermín-Fest *nt* (*Volksfest in Pamplona am 7. Juli*)
sangrar [saŋ'grar] *vi* bluten; **estar sangrando por la nariz** Nasenbluten haben
sangre ['saŋgre] *f* Blut *nt;* (*linaje*) Abstammung *f;* (*carácter*) Gemüt *nt;* **a ~ fría** kaltblütig; (**caballo de**) **pura ~** Vollblut(pferd) *nt*
sangría [saŋ'gria] *f* Sangria *f*
sangriento, -a [saŋ'grjen̪to] *adj* blutig
sanguijuela [saŋgi'xwela] *f* Blutegel *m;* (*pey*) Blutsauger *m*
sanguíneo, -a [saŋ'gineo] *adj* Blut-; **grupo ~** Blutgruppe *f*
sanidad [sani'ðað] *f:* **~** (**pública**) (öffentliches) Gesundheitswesen *nt*
sanitario[1] [sani'tarjo] *m* Toilette *f*
sanitario, -a[2] [sani'tarjo] **I.** *adj* gesundheitlich, sanitär **II.** *m, f* Sanitäter(in) *m(f)*
sano, -a ['sano] *adj* ① gesund ② (*no roto*) heil
santiaguino, -a [san̪tja'ɣino] *adj* aus Santiago de Chile
santiamén [san̪tja'men] *m:* **en un ~** im Nu
santidad [san̪ti'ðað] *f* Heiligkeit *f*
santiguarse [san̪ti'ɣwarse] <gu → gü> *vr* sich bekreuzigen
santo, -a ['san̪to] **I.** *adj* heilig, fromm; **campo ~** Friedhof *m;* **Jueves Santos** Gründonnerstag *m;* **Semana Santa** Karwoche *f* **II.** *m, f* ① Heilige(r) *f(m);* **día de Todos los Santos** Allerheiligen *nt* ② (*fiesta*) Namenstag *m*
santuario [san̪tu'arjo] *m* ① (*templo*) Tempel *m;* (*capilla*) Kapelle *f* ② COL Schatz *m*
saña ['saɲa] *f* Wut *f;* (*rencor*) Hass *m*
sapo ['sapo] *m* Kröte *f*
saque ['sake] *m* (*fútbol*) Anstoß *m;* (*tenis*) Aufschlag *m*
saquear [sake'ar] *vt* plündern
sarampión [saram'pjon] *m* Masern *pl*
sarape [sa'rape] *m* MÉX Poncho *m*
sarcasmo [sar'kasmo] *m* Sarkasmus *m*
sarcástico, -a [sar'kastiko] *adj* sarkastisch
sardina [sar'ðina] *f* Sardine *f;* **entierro de la ~** ≈Aschermittwochstreffen *nt*
sargento [sar'xen̪to] *m* Feldwebel *m*
sarpullido [sarpu'ʎiðo] *m* Hautausschlag *m*
Sarre ['sarre] *m* Saarland *nt;* (*río*) Saar *f*
sarro ['sarro] *m* Zahnstein *m*
SARS ['sars] *m* (MED: *síndrome respiratorio agudo severo*) SARS *nt*
sarta ['sarta] *f* ① (*hilo*) Schnur *f* ② (*serie*) Reihe *f;* **decir una ~ de tonterías** eine Dummheit nach der anderen sagen
sartén [sar'ten] *f* Pfanne *f*
sastre, -a ['sastre] *m, f* Schneider(in) *m(f);* **traje ~** Kostüm *nt*
satánico, -a [sa'taniko] *adj* teuflisch
satélite [sa'telite] *m* Satellit *m;* (**país**) **~** Satellitenstaat *m*
sátira ['satira] *f* Satire *f*
satírico, -a [sa'tiriko] *adj* satirisch
satisfacción [satisfaɣ'θjon] *f* ① (*pago*) Bezahlung *f* ② REL Buße *f* ③ (*estado*) Zufriedenheit *f;* **a mi entera ~** zu meiner vollen Zufriedenheit ④ (*de deseos*) Befriedigung *f*

satisfacer [satisfa'θer] *irr como hacer* **I.** *vt* ① (*pagar*) (be)zahlen ② (*deseo*) befriedigen; (*hambre*) stillen; (*demanda*) decken ③ (*requisitos*) entsprechen +*dat* ④ (*agravio*) wieder gutmachen **II.** *vr:* **~se** ① (*contentarse*) zufrieden sein ② (*agravio*) sich *dat* Genugtuung verschaffen

satisfactorio, -a [satisfak'torjo] *adj* befriedigend; **no ser ~** unbefriedigend sein

satisfecho, -a [satis'fetʃo] *adj* (*contento*) zufrieden; (*exigencias*) befriedigt; **~ de sí mismo** selbstzufrieden

saturar [satu'rar] *vt* sättigen

Saturno [sa'turno] *m* ASTR Saturn *m*

sauce ['sau̯θe] *m* Weide *f;* **~ llorón** Trauerweide *f*

saúco [sa'uko] *m* Holunder *m*

saudí [sau̯'ði] <saudíes>, **saudita** [sau̯'ðita] *adj* saudi-arabisch; **Arabia Saudí** Saudi-Arabien *nt*

sauna ['sau̯na] *f* Sauna *f*

saxo ['saˠso] *m* (*fam*), **saxofón** [saˠso'fon] *m* Saxophon *nt*

sazonar [saθo'nar] *vt* würzen

se [se] *pron pers* ① (*forma reflexiva*) sich ② (*objeto indirecto*): **mi hermana ~ lo prestó a su amiga** meine Schwester hat es ihrer Freundin geliehen ③ (*oración impersonal*) man ④ (*oración pasiva*): **~ ruega no fumar** bitte nicht rauchen

sé [se] *1. pres de* **saber**

sebo ['seβo] *m* Fett *nt*

secador [seka'ðor] *m:* **~ (de mano)** Föhn *m*

secar [se'kar] <c → qu> **I.** *vt* (ab)trocknen **II.** *vr:* **~se** (aus)trocknen; (*enjugar*) sich abtrocknen

sección [seˠ'θjon] *f* ① (*parte*) Abschnitt *m* ② (*departamento*) Abteilung *f*

seco, -a ['seko] *adj* ① trocken; **golpe ~** dumpfer Schlag; **a secas** nur; **estar ~** großen Durst haben; **frutos ~s** Trockenfrüchte *fpl* ② (*marchito*) verwelkt

secretaría [sekreta'ria] *f* ① Sekretariat *nt* ② AM Ministerium *nt*

secretario, -a [sekre'tarjo] *m, f* ① Sekretär(in) *m(f)* ② AM Minister(in) *m(f)*

secreto[1] [se'kreto] *m* Geheimnis *nt;* **~ profesional** Schweigepflicht *f;* **~ a voces** offenes Geheimnis; **en ~** heimlich; **mantener en ~** geheim halten; **guardar un ~** ein Geheimnis hüten

secreto, -a[2] [se'kreto] *adj* geheim

secta ['sekta] *f* Sekte *f*

sector [sek'tor] *m t.* MAT Sektor *m;* **~ hotelero** Hotelgewerbe *nt;* **~ servicios** Dienstleistungssektor *m*

secuela [se'kwela] *f* Folge *f;* **dejar ~s** Spuren hinterlassen

secuencia [se'kwen̩θja] *f* ① Reihe *f* ② CINE Sequenz *f*

secuestrar [sekwes'trar] *vt* entführen

secuestro [se'kwestro] *m* Entführung *f*

secular [seku'lar] *adj* säkular

secundar [sekun̩'dar] *vt* unterstützen

secundario, -a [sekun̩'darjo] *adj* zweitrangig; (*cargo*) untergeordnet; **papel ~** Nebenrolle *f*

sed [seᶞ] *f* Durst *m*

seda ['seða] *f* Seide *f*

sedante [se'ðan̩te] *m* Schmerzmittel *nt*

sede ['seðe] *f* Sitz *m*

sediento, -a [se'ðjen̩to] *adj* durstig (*de* nach +*dat*)

sedimento [seði'men̩to] *m* Sediment *nt*

seducción [seðuˠ'θjon] *f* Verführung *f;* (*tentación*) Verlockung *f*

seducir [seðu'θir] *irr como traducir vt* verführen; (*fascinar*) verlocken

seductor(a) [seðuk'tor] *adj* verführerisch

sefardí **I.** *adj* sephardisch **II.** *mf* <sefardíes> Spaniole *mf;* **los ~es** die Sephardim

segar [se'ɣar] *irr como fregar vt* mähen

seglar [se'ɣlar] *adj* weltlich

segmento [seɣ'men̩to] *m* Teil *m;* MAT Segment *nt*

segregar [seɣre'ɣar] <g → gu> *vt* trennen

seguido, -a [se'ɣiðo] *adj* ① ununterbrochen; **un año ~** ein ganzes Jahr ② (*en* *línea recta*) geradeaus; **por aquí** ~ auf diesem Weg

seguidor(a) [seɣi'ðor] *m(f)* Anhänger(in) *m(f)*

seguimiento [seɣi'mjento] *m* ❶ (*cumplimiento*) Befolgung *f* ❷ (*persecución*) Verfolgung *f* ❸ (*control*): ~ **médico** medizinische Überwachung

seguir [se'ɣir] *irr* **I.** *vt* ❶ (*ser adepto*) folgen +*dat* ❷ (*perseguir*) verfolgen ❸ ~ **un curso de informática** einen Informatikkurs besuchen ❹ (*acompañar*) folgen +*dat* ❺ ~ **adelante** weitermachen; **¡que sigas bien!** lass es dir weiterhin gut gehen! **II.** *vi*: **sigue por esta calle** geh diese Straße entlang

según [se'ɣun] **I.** *prep* gemäß +*dat*, laut +*gen/dat*; ~ **la ley** laut Gesetz **II.** *adv* ❶ (*como*) wie; ~ **lo convenido** wie vereinbart ❷ (*mientras*) während; **podemos hablar ~ vamos andando** wir können uns beim Laufen unterhalten ❸ ~ (**y como**) je nachdem

segundo[1] [se'ɣundo] *m* Sekunde *f*

segundo, -a[2] [se'ɣundo] *adj* zweite(r, s); *v.t.* **octavo**

seguramente [seɣura'mente] *adv* ❶ (*seguro*) mit Sicherheit ❷ (*probablemente*) sicherlich

segurata [seɣu'rata] *mf* (*fam*) Sicherheitsmann *m*

seguridad [seɣuri'ða^{ð}] *f* ❶ (*protección*) Sicherheit *f*; **Seguridad Social** Sozialversicherungssystem *nt*; **agentes de ~** Sicherheitspolizei *f* ❷ (*certeza*) Sicherheit *f*; **para mayor ~** sicherheitshalber; **habla con mucha ~** er/sie ist sehr sicher im Sprechen ❸ (*garantía*) Garantie *f*

seguro[1] [se'ɣuro] **I.** *m* ❶ Versicherung *f*; ~ **médico** Krankenversicherung *f* ❷ (*mecanismo*) Sicherung *f* **II.** *adv* sicher(lich) *f*

seguro, -a[2] [se'ɣuro] *adj* ❶ (*exento de peligro*) sicher ❷ (*firme*) fest ❸ (*sólido*) solide ❹ (*convencido*) sicher; ~ **de sí mismo** selbstsicher; **¿estás ~?** bist du (dir) sicher?

seis [seis] *adj* sechs; *v.t.* **ocho**

seiscientos, -as [seis'θjentos] *adj* sechshundert; *v.t.* **ochocientos**

seísmo [se'ismo] *m* Erdbeben *nt*

selección [sele$^{\gamma}$'θjon] *f* Auswahl *f*; ~ **natural** natürliche Auslese

seleccionar [sele$^{\gamma}$θjo'nar] *vt* auswählen

selectividad [selektiβi'ða^{ð}] *f* *Eignungsprüfung für die Aufnahme an einer spanischen Universität*

selecto, -a [se'lekto] *adj* erlesen

sellar [se'ʎar] *vt* ❶ stempeln ❷ (*concluir*) besiegeln ❸ (*precintar*) siegeln; (*cerrar*) versiegeln; ~ **los labios** Stillschweigen bewahren

sello ['seʎo] *m* ❶ Stempel *m*; ~ **de garantía** Gütezeichen *nt*; ~ **oficial** Dienststempel *m* ❷ ~ (**postal**) Briefmarke *f* ❸ (*precinto*) Siegel *nt* ❹ (*distintivo*) Kennzeichen *nt* ❺ (*anillo*) Siegelring *m*

selva ['selβa] *f*: ~ (**virgen**) (Ur)wald *m*

semáforo [se'maforo] *m* (Verkehrs)ampel *f*

semana [se'mana] *f* Woche *f*; **Semana Santa** Karwoche *f*; **fin de ~** Wochenende *nt*; **entre ~** unter der Woche

semanal [sema'nal] *adj* wöchentlich

semanario [sema'narjo] *m* Wochenzeitung *f*

semántica [se'mantika] *f* Semantik *f*

semblante [sem'blante] *m* ❶ Gesicht *nt* ❷ (*expresión*) Gesichtsausdruck *m*

sembrar [sem'brar] <e → ie> *vt* ❶ säen ❷ (*esparcir*) streuen; ~ **para el futuro** für die Zukunft vorsorgen; ~ **el terror** Angst verbreiten

semejante [seme'xante] **I.** *adj* ❶ ähnlich ❷ (*tal*) solch; ~ **persona** solch eine Person **II.** *m* Mitmensch *m*

semejanza [seme'xanθa] *f* (*similitud*) Ähnlichkeit *f*

semen ['semen] *m* Sperma *nt*

semental [semen'tal] *adj*: **caballo ~** Zuchthengst *m*

semestre [se'mestre] *m* Halbjahr *nt*;

UNIV Semester *nt*

semicírculo [semi'θirkulo] *m* Halbkreis *m*; **semidesnatado, -a** [semiðesna'taðo] *adj* halbfett; **semielaborado, -a** [semielaβo'raðo] *adj* halb fertig; **semifinal** [semifi'nal] *f* Halbfinale *nt*

semilla [se'miʎa] *f* Samen *m;* (*fig*) Keim *m*

seminario [semi'narjo] *m* Seminar *nt*

sémola ['semola] *f* Grieß *m*

Sena ['sena] *m* Seine *f*

senado [se'naðo] *m* Senat *m*

senador(a) [sena'ðor] *m(f)* Senator(in) *m(f)*

sencillamente [sen̪θiʎa'men̪te] *adv* schlichtweg

sencillez [sen̪θi'ʎeθ] *f* Einfachheit *f;* (*naturalidad*) Schlichtheit *f;* (*candidez*) Einfältigkeit *f*

sencillo, -a [sen̪'θiʎo] *adj* einfach; (*natural*) schlicht; (*cándido*) einfältig

senda ['sen̪da] *f* Pfad *m*

senderismo [sen̪de'rismo] *m* Wandern *nt*

sendero [sen̪'dero] *m* Pfad *m*

sendos, -as ['sen̪dos] *adj:* **llegamos en ~ coches** wir kamen jeder mit seinem Wagen

senegalés, -esa [seneɣa'les] *adj* senegalesisch

senil [se'nil] *adj* greisenhaft, senil

senilidad [senili'ða^ð] *f* (*decrepitud*) Senilität *f*

seno ['seno] *m* ① Vertiefung *f* ② ANAT, MAT Sinus *m* ③ (*matriz*) Schoß *m* ④ (*pecho*) Brust *f*

sensación [sensa'θjon] *f* ① Gefühl *nt* ② (*novedad*) Sensation *f* ③ **causar ~** Aufsehen erregen

sensacional [sensaθjo'nal] *adj* sensationell

sensatez [sensa'teθ] *f* Besonnenheit *f*

sensato, -a [sen'sato] *adj* besonnen

sensibilidad [sensiβili'ða^ð] *f* Sensibilität *f*

sensibilizar [sensiβili'θar] <z → c> *vt* sensibilisieren

sensible [sen'siβle] *adj* ① empfindlich (*a* gegen +*akk*); (*impresionable*) sensibel; **~ a los cambios de tiempo** wetterfühlig; **~ a la luz** lichtempfindlich ② (*perceptible*) wahrnehmbar

sensitivo, -a [sensi'tiβo] *adj* ① (*sensorial*) Sinnes-; **tacto ~** Gefühlssinn *m* ② (*sensible*) sensibel

sensorial [senso'rjal] *adj* sensorisch; **órgano ~** Sinnesorgan *nt*

sensual [sensu'al] *adj* sinnlich

sensualidad [senswali'ða^ð] *f* Sinnlichkeit *f*

sentar [sen̪'tar] <e → ie> **I.** *vi:* **~ bien/mal** (*comida*) gut/schlecht bekommen; (*vestidos*) gut/schlecht stehen **II.** *vt* setzen; **estar sentado** sitzen **III.** *vr:* **~se** sich setzen; **¡siéntese!** nehmen Sie Platz!

sentencia [sen̪'ten̪θja] *f* ① (Sinn)spruch *m* ② JUR Urteil *nt;* **dictar ~** das Urteil sprechen

sentenciar [sen̪ten̪'θjar] *vt* ① (*decidir*) urteilen (über +*akk*) ② (*condenar*) verurteilen (*a* zu +*dat*)

sentido [sen̪'tiðo] *m* ① Sinn *m;* **~ común** gesunder Menschenverstand; **~ del deber** Pflichtgefühl *nt;* **~ del humor** Sinn für Humor; **estar sin ~** bewusstlos sein; **perder el ~** in Ohnmacht fallen ② (*dirección*) Richtung *f;* **en el ~ de las agujas del reloj** im Uhrzeigersinn

sentimental [sen̪timen̪'tal] *adj* sentimental

sentimiento [sen̪ti'mjen̪to] *m* ① Gefühl *nt;* **sin ~s** gefühllos ② (*pena*) Bedauern *nt;* **le acompaño en el ~** (mein) herzliches Beileid

sentir [sen̪'tir] *irr* **I.** *vt* ① fühlen; **siento frío** mir ist kalt ② (*opinar*) meinen ③ (*lamentar*) bedauern; **lo siento mucho** es tut mir sehr leid; **siento que...** +*subj* schade, dass ... **II.** *vr:* **~se** sich fühlen

seña ['seɲa] *f* ① Zeichen *nt;* **hacer ~s** winken ② (*particularidad*) Kennzeichen *nt* ③ *pl* (*dirección*) Adresse *f*

señal [se'ɲal] *f* ❶ (*particularidad*) Kennzeichen *nt* ❷ (*signo*) Zeichen *nt;* **en ~ de** als Zeichen *+gen;* **dar ~es de vida** (*fig*) von sich *dat* hören lassen ❸ (*teléfono*) Freizeichen *nt* ❹ (*huella*) Spur *f* ❺ (*cicatriz*) Narbe *f* ❻ (*adelanto*) Anzahlung *f;* **dejar una ~** eine Anzahlung leisten

señalar [seɲa'lar] *vt* ❶ (*anunciar*) signalisieren ❷ (*marcar*) kennzeichnen ❸ (*estigmatizar*) brandmarken ❹ (*mostrar*) zeigen ❺ (*indicar*) hinweisen (auf *+akk*) ❻ (*fijar*) festlegen

señalización [seɲaliθa'θjon] *f* Beschilderung *f*

señor(a) [se'ɲor] **I.** *adj* (*fam*) ❶ (*noble*) vornehm ❷ (*enorme*) gewaltig; **~a casa** Mordshaus *nt* **II.** *m(f)* ❶ (*dueño*) Herr(in) *m(f)* (*de* über *+akk*) ❷ (*hombre*) Mann *m;* (*mujer*) Frau *f;* (*dama*) Dame *f;* **¡~as y ~es!** meine Damen und Herren! ❸ (*título*) Herr *m*, Frau *f;* **el ~/la ~a García** Herr/Frau García; **¡no, ~!** keineswegs!; **¡sí, ~!** aber natürlich!

señoría [seɲo'ria] *f:* **Su Señoría** Euer Gnaden

señori(a)l [seɲo'ril/seɲo'rjal] *adj* herrschaftlich

señorita [seɲo'rita] *f* Fräulein *nt*

señorito [seɲo'rito] *m* junger Herr *m*

señuelo [se'ɲwelo] *m* Lockvogel *m;* (*fig*) Köder *m*

S

separación [separa'θjon] *f* Trennung *f*

separado [sepa'raðo] *adv*: **por ~** getrennt

separar(se) [sepa'rar(se)] *vt, vr* (sich) trennen (*de* von *+dat*)

septentrional [septen̩trjo'nal] *adj* nördlich

septiembre [sep'tjembre] *m* September *m; v.t.* **marzo**

séptimo, -a ['septimo] **I.** *adj* siebte(r, s); (*parte*) siebtel **II.** *m, f* Siebtel *nt; v.t.* **octavo**

sepulcro [se'pulkro] *m* Grab *nt*

sepultar [sepul̩'tar] *vt* begraben

sepultura [sepul̩'tura] *f* Begräbnis *nt;* (*tumba*) Grab *nt;* **dar ~ a alguien** jdn zu Grabe tragen

sequía [se'kia] *f* Dürre *f*

séquito ['sekito] *m* Gefolge *nt*

ser [ser] *irr* **I.** *aux* (*pasiva*): **las casas fueron vendidas** die Wohnungen wurden verkauft **II.** *vi* ❶ sein; **¿quién es?** wer ist da?; **es de noche** es ist Nacht; **son las cuatro** es ist vier Uhr ❷ (*tener lugar*): **el examen es mañana** die Klausur ist morgen ❸ (*costar*): **¿cuánto es todo?** wie viel macht alles zusammen? ❹ (*estar*): **el cine es en la otra calle** das Kino ist in der anderen Straße ❺ (*convertirse en*): **¿qué quieres ~ de mayor?** was willst du werden, wenn du groß bist? ❻ (*con 'de': posesión*): **¿de quién es esto?** wem gehört das?; **el coche es de color azul** das Auto ist blau ❼ (*con 'para'*): **¿para quién es el vino?** wer bekommt den Wein? ❽ (*con 'que'*): **es que ahora no puedo** ich kann jetzt nämlich nicht ❾ (*oraciones enfáticas, interrogativas*): **¡como debe ~¡** wie es sich gehört!; **¡no puede ~!** das kann doch nicht wahr sein! ❿ (*en futuro*): **¿~á capaz?** wird er/sie das können?; **¡~á capaz!** der Typ ist echt dreist *fam* ⓫ (*en infinitivo*): **a no ~ que...** *+subj* es sei denn, dass ...; **todo puede ~** alles ist möglich ⓬ (*indicativo*): **es más** ja mehr noch; **siendo así** wenn das so ist; **es igual** macht nichts ⓭ (*en subjuntivo*): **si yo fuera tú** wenn ich du wäre; **si no fuera por eso...** wenn das nicht wäre ...; **si por mí fuera** wenn es nach mir ginge; **sea lo que sea** wie dem auch sei **III.** *m* Wesen *nt;* **~ vivo** Lebewesen *nt;* FILOS Sein *nt*

Serbia ['serβja] *f* Serbien *nt*

serbio, -a ['serβjo] *adj* serbisch

serenata [sere'nata] *f* Serenade *f*

sereno, -a [se'reno] *adj* (*sosegado*) ruhig; (*sin nubes*) heiter

serie ['serje] *f* ❶ Serie *f;* **~ televisiva**

Fernsehserie *f;* **fuera de ~** herausragend ❷ (*gran cantidad*) Reihe *f*

seriedad [serje'ða^{ð}] *f* Ernsthaftigkeit *f*

serio, -a ['serjo] *adj* ernst(haft); (*severo*) streng; (*formal*) seriös; **¿en ~?** wirklich?

sermón [ser'mon] *m* Predigt *f;* **echar un ~ a alguien** jdm eine Standpauke halten

seropositivo, -a [seroposi'tiβo] *adj* HIV-positiv

serpiente [ser'pjeṇte] *f* Schlange *f;* **~ de cascabel** Klapperschlange *f*

serrano, -a [se'rrano] *adj* Gebirgs-; **jamón ~** luftgetrockneter Schinken; **en un pueble ~** in einem Gebirgsdorf

serrar [se'rrar] <e → ie> *vt* sägen

serrín [se'rrin] *m* Sägemehl *nt*

servicial [serβi'θjal] *adj* zuvorkommend

servicio [ser'βiθjo] *m* ❶ Dienst *m;* **~ civil sustitutorio** Zivildienst *m;* **~ militar** Wehrdienst *m;* **estar de ~** im Dienst sein ❷ (*servidumbre*) Hauspersonal *nt* ❸ (*cubierto*) Geschirr *nt;* **~ de té** Teeservice *nt* ❹ (*retrete*) Toilette *f*

servidor(a) [serβi'ðor] *m(f)* Diener(in) *m(f);* **¿quién es el último? – ~** wer ist der Letzte? – ich

servilleta [serβi'ʎeta] *f* Serviette *f*

servir [ser'βir] *irr como pedir* **I.** *vi* ❶ (*ser útil*) nützen; **no sirve de nada** es bringt nichts ❷ (*ser soldado*) dienen ❸ (*ayudar*) behilflich sein; **¿en qué puedo ~le?** womit kann ich Ihnen dienen?; **¡para ~le!** zu Ihren Diensten! ❹ (*atender a alguien*) bedienen ❺ (*suministrar*) (aus)liefern ❻ (*poner en el plato*) auftun ❼ (*en el vaso*) einschenken **II.** *vr:* **~se** ❶ sich bedienen (*de* +*gen*) ❷ **sírvase cerrar la ventana** seien Sie so freundlich und schließen Sie bitte das Fenster

sésamo ['sesamo] *m* BOT Sesam *m;* **barrio ~** Sesamstraße *f*

sesenta [se'seṇta] *adj* sechzig; *v.t.* **ochenta**

sesión [se'sjon] *f* ❶ Sitzung *f;* **~ a puerta cerrada** nichtöffentliche Sitzung; **abrir/levantar la ~** die Sitzung eröffnen/schließen ❷ (*representación*) Vorstellung *f;* **~ de noche** Spätvorstellung *f*

seso ['seso] *m* ❶ Gehirn *nt* ❷ (*inteligencia*) Verstand *m* ❸ *pl* GASTR Hirn *nt*

sesudo, -a [se'suðo] *adj* (*inteligente*) intelligent; (*sensato*) vernünftig

set [set] <sets> *m* ❶ DEP Satz *m* ❷ (*conjunto*) Set *nt*

seta ['seta] *f* Pilz *m*

setecientos, -as [sete'θjeṇtos] *adj* siebenhundert; *v.t.* **ochocientos**

setenta [se'teṇta] *adj inv* siebzig; *v.t.* **ochenta**

setiembre [se'tjembre] *m v.* **septiembre**

seto ['seto] *m* Zaun *m*

seudónimo [seu̯'ðonimo] *m* Pseudonym *nt*

Seúl [se'ul] *m* Seoul *nt*

severidad [seβeri'ða^{ð}] *f sin pl* Strenge *f*

severo, -a [se'βero] *adj* streng (*con* zu +*dat*)

sevillano, -a [seβi'ʎano] *adj* aus Sevilla

sexista [se^{γ}'sista] *adj* sexistisch

sexo ['se^{γ}so] *m* ❶ *t.* BIOL Geschlecht *nt* ❷ ANAT Geschlechtsorgane *ntpl* ❸ (*actividad*) Sex *m*

sexto, -a ['sesto] **I.** *adj* sechste(r, s); (*parte*) sechstel **II.** *m, f* Sechstel *nt; v.t.* **octavo**

sexual [se^{γ}su'al] *adj* ❶ BIOL geschlechtlich; **órganos ~es** Geschlechtsorgane *ntpl* ❷ (*sexualidad*) sexuell

sexualidad [se^{γ}swali'ða^{ð}] *f* Sexualität *f*

shock [ʃo^{k}/tʃo^{k}] *m* Schock *m*

si [si] *conj* ❶ (*condicional*) wenn; **~ acaso** wenn etwa; **~ no** sonst, andernfalls; **por ~...** für den Fall, dass ...; **por ~ acaso** für alle Fälle ❷ (*en preguntas indirectas*) ob ❸ (*en oraciones concesivas*): **~ bien** obwohl ❹ (*comparación*): **como ~...** +*subj* als ob ... ❺ (*en frases desiderativas*): **¡~ hiciera un poco más de calor!** wenn es nur

S

ein bisschen wärmer wäre! ❻ (*protesta, sorpresa*) doch; **¡pero ~ ella se está riendo!** aber sie lacht doch! ❼ (*énfasis*): **fíjate ~ es tonto que...** er ist so einfältig, dass ...

sí [si] **I.** *adv* ja; **¡~, señor!** jawohl, der Herr!; **porque ~** einfach so; **¡(claro) que ~!** aber ja doch!; **creo que ~** ich denke schon; **¡eso ~ que no!** das kommt nicht in Frage!; **¡~ que está buena la tarta!** Mensch, schmeckt der Kuchen gut! **II.** *pron pers* sich; **a ~ mismo** zu sich*dat*; **de ~** von sich *dat* aus; **dar de ~** genügen; **en [*o* de por] ~** an sich; **estar fuera de ~** außer sich *dat* sein **III.** *m* Ja *nt*

Siberia [si'βerja] *f* Sibirien *nt*

siberiano, -a [siβe'rjano] *adj* sibirisch

Sicilia [si'θilja] *f* Sizilien *nt*

siciliano, -a [siθi'ljano] *adj* sizilianisch

sicoanalisis [sikoa'nalisis] *f v.* **(p)sicoanálisis**

sicología [sikolo'xia] *f v.* **(p)sicología**

sicológico, -a [sikolo'xiko] *adj v.* **(p)sicológico**

sicólogo, -a [si'koloɣo] *m, f v.* **(p)sicólogo**

sicópata [si'kopata] *mf v.* **(p)sicópata**

sicosis [si'kosis] *f v.* **(p)sicosis**

sicoterapia [sikote'rapja] *f v.* **(p)sicoterapia**

sida, SIDA ['siða] *m abr de* **síndrome de inmunodeficiencia adquirida** Aids *nt*

siderurgia [siðe'rurxja] *f* Eisenindustrie *f*

sidra ['siðra] *f* Apfelwein *m*

siega ['sjeɣa] *f* Mähen *nt;* (*tiempo*) Mähzeit *f*

siembra ['sjembra] *f* Aussaat *f;* (*tiempo*) Saatzeit *f*

siempre ['sjempre] *adv* immer; **de ~** seit jeher; **a la hora de ~** zur gewohnten Zeit; **¡hasta ~!** leb(e) wohl!; **por ~** auf ewig; **~ que [*o* y cuando]...** +*subj* vorausgesetzt, dass ...

sien [sjen] *f* Schläfe *f*

sierra ['sjerra] *f* ❶ (*herramienta*) Säge *f;* **~ mecánica** Motorsäge *f* ❷ GEO Gebirgskette *f*

siervo, -a ['sjerβo] *m, f* ❶ (*esclavo*) Sklave, -in *m, f* ❷ (*servidor*) Diener(in) *m(f)*

siesta ['sjesta] *f* Mittagsschlaf *m;* **echar [*o* dormir] la ~** einen Mittagsschlaf halten

siete ['sjete] *adj* sieben; *v.t.* **ocho**

sigilo [si'xilo] *m* Verschwiegenheit *f;* (*secreto*) Geheimnis *nt*

sigla ['siɣla] *f* Akronym *nt*

siglo ['siɣlo] *m* Jahrhundert *nt;* **el ~ XX** das 20. Jahrhundert

signar [siɣ'nar] *vt* (*marcar*) abzeichnen; (*firmar*) unterschreiben

signatura [siɣna'tura] *f* ❶ Unterschrift *f* ❷ TIPO Signatur *f*

significación [siɣnifika'θjon] *f* Bedeutung *f*

significado [siɣnifi'kaðo] *m* Bedeutung *f*

significar [siɣnifi'kar] <c → qu> *vi, vt* bedeuten; **¿qué significa eso?** was soll das bedeuten?

significativo, -a [siɣnifika'tiβo] *adj* bezeichnend

signo ['siɣno] *m* ❶ Zeichen *nt;* **~ de enfermedad** Krankheitssymptom *nt;* **~ de puntuación** Satzzeichen *nt* ❷ ASTR Sternzeichen *nt*

siguiente [si'ɣjen̩te] **I.** *adj* folgende(r, s); **de la ~ manera** folgendermaßen **II.** *mf*: **¡el ~!** der Nächste, bitte!

sílaba ['silaβa] *f* Silbe *f*

silbar [sil'βar] *vi, vt* ❶ pfeifen; (*serpiente*) zischen; (*sirena*) heulen ❷ (*abuchear*) auspfeifen

silbato [sil'βato] *m* Pfeife *f*

silbido [sil'βiðo] *m* Pfiff *m;* (*serpiente*) Zischen *nt;* (*viento*) Pfeifen *nt*

silenciador [silen̩θja'ðor] *m* Schalldämpfer *m*

silenciar [silen̩'θjar] *vt* ❶ (*callar*) verschweigen ❷ (*hacer callar*) zum Schweigen bringen

silencio [si'len̩θjo] *m* ❶ Stille *f;* **¡~!** Ruhe! ❷ (*el callar*) Schweigen *nt;* **en ~** stillschweigend

silencioso, -a [sileṇ'θjoso] *adj* schweigsam; (*sin ruido*) still

Silesia [si'lesja] *f* Schlesien *nt*

silesio, -a [si'lesjo] *adj* schlesisch

silla ['siʎa] *f* ❶ Stuhl *m;* ~ **plegable** Klappstuhl *m;* ~ **de ruedas** Rollstuhl *m* ❷ (*montura*) Sattel *m*

sillín [si'ʎin] *m* Sattel *m*

sillón [si'ʎon] *m* (Arm)sessel *m*

silueta [si'lweta] *f* Silhouette *f;* **cuidar la** ~ auf die Figur achten

silvestre [sil'βestre] *adj* wild

silvicultura [silβikuḷ'tura] *f* Forstwirtschaft *f*

simbólico, -a [sim'boliko] *adj* symbolisch

simbolismo [simbo'lismo] *m* Symbolik *f;* ARTE, LIT Symbolismus *m*

simbolizar [simboli'θar] <z → c> *vt* symbolisieren

símbolo ['simbolo] *m* Symbol *nt*

simetría [sime'tria] *f* Symmetrie *f*

simétrico, -a [si'metriko] *adj* symmetrisch

similar [simi'lar] *adj* ähnlich

similitud [simili'tu^ð] *f* Ähnlichkeit *f*

simio ['simjo] *m* Affe *m*

simpatía [simpa'tia] *f* Sympathie *f*

simpático, -a [sim'patiko] *adj* sympathisch

simpatizante [simpati'θaṇte] *mf* Sympathisant(in) *m(f)*

simpatizar [simpati'θar] <z → c> *vi* sympathisieren

simple ['simple] *adj* leicht, einfach; (*mero*) bloß; **a** ~ **vista** mit bloßem Auge

simplemente [simple'meṇte] *adv* bloß

simplificar [simplifi'kar] <c → qu> *vt* vereinfachen

simulacro [simu'lakro] *m* Trugbild *nt;* (*acción simulada*) Übung *f*

simular [simu'lar] *vt* vortäuschen

simultáneo, -a [simuḷ'taneo] *adj* gleichzeitig

sin [sin] **I.** *prep* ohne *+akk;* ~ **dormir** ohne zu schlafen; ~ **querer** ungewollt, ohne Absicht; ~ **más** ohne weiteres **II.** *adv:* ~ **embargo** trotzdem

sinagoga [sina'ɣoɣa] *f* Synagoge *f*

sincerarse [siṇθe'rarse] *vr* sich aussprechen (*ante* bei *+dat*)

sinceridad [siṇθeri'ða^ð] *f* Aufrichtigkeit *f*

sincero, -a [siṇ'θero] *adj* aufrichtig

sincrónico, -a [siŋ'kroniko] *adj* synchron

sincronizar [siŋkroni'θar] <z → c> *vt* synchronisieren

sindical [siṇdi'kal] *adj* Gewerkschafts-

sindicalismo [siṇdika'lismo] *m* Gewerkschaftsbewegung *f*

sindicalista [siṇdika'lista] *mf* Gewerkschaft(l)er(in) *m(f)*

sindicato [siṇdi'kato] *m* Gewerkschaft *f*

síndrome ['siṇdrome] *m t.* MED Syndrom *nt;* ~ **de abstinencia** Entzugserscheinungen *fpl;* ~ **de burnout**|*o* **del trabajador quemado**| Burnout-Syndrom *nt*

sinfín [siɱ'fin] *m* Unmenge *f* (*de* an/von *+dat, de +gen*)

sinfonía [siɱfo'nia] *f* Sinfonie *f*

sinfónico, -a [siɱ'foniko] *adj:* **orquesta sinfónica** Sinfonieorchester *nt*

singular [siŋgu'lar] *m* Einzahl *f*

singularidad [siŋgulari'ða^ð] *f* Einmaligkeit *f;* (*excepcionalidad*) Einzigartigkeit *f;* (*distinción*) Besonderheit *f*

siniestro [si'njestro] *m* Unfall *m;* (*catástrofe*) Unglück *nt*

sinnúmero [sin'numero] *m* Unzahl *f* (*de* an/von *+dat, de +gen*)

sino ['sino] **I.** *m* Schicksal *nt* **II.** *conj* ❶ (*al contrario*) sondern ❷ (*solamente*): **no espero** ~ **que me creas** ich hoffe nur, dass du mir glaubst ❸ (*excepto*) außer *+dat*

sinónimo [si'nonimo] *m* Synonym *nt*

sinopsis [si'noβsis] *f inv* Zusammenfassung *f;* (*esquema*) Diagramm *nt*

sin papeles [sin pa'peles] *mf inv* (*fam*) illegaler Einwanderer, illegale Einwanderin *m, f*

sinrazón [sinrra'θon] *f* Unrecht *nt*

sinsentido [sinseṇ'tiðo] *m* Unsinn *m*

sintaxis [siṇ'taˠsis] *f inv* Syntax *f*
síntesis ['siṇtesis] *f inv* Synthese *f;* **en ~** kurzum
sintético, -a [siṇ'tetiko] *adj* synthetisch
sintetizador [siṇtetiθa'ðor] *m* Synthesizer *m*
sintetizar [siṇteti'θar] <z → c> *vt* synthetisieren; (*resumir*) zusammenfassen
síntoma ['siṇtoma] *m* Symptom *nt*
sinvergüenza [simber'ɣweṇθa] *mf* unverschämte Person *f*
siquiatra [si'kjatra] *mf v.* **(p)siquiatra**
siquiatría [sikja'tria] *f v.* **(p)siquiatría**
síquico, -a ['sikiko] *adj v.* **(p)síquico**
siquiera [si'kjera]: **ni ~** nicht einmal
sirena [si'rena] *f* Sirene *f*
sirviente [sir'βjeṇte] *mf* Bedienstete(r) *f(m)*
sismo ['sismo] *m* Erdbeben *nt*
sistema [sis'tema] *m* System *nt;* **~ de alarma** Alarmanlage *f;* **~ operativo** INFOR Betriebssystem *nt;* **~ periódico** Periodensystem *nt;* **~ planetario** Planetensystem *nt;* **por ~** grundsätzlich
sistemático, -a [siste'matiko] *adj* systematisch
sistematizar [sistemati'θar] <z → c> *vt* systematisieren
sitiar [si'tjar] *vt* belagern; (*fig*) in die Enge treiben
sitio ['sitjo] *m* Platz *m;* **en ningún ~** nirgends; **en todos los ~s** überall; **hacer ~** Platz machen
sito, -a ['sito] *adj* gelegen
situación [sitwa'θjon] *f* Lage *f*, Situation *f*
situado, -a [situ'aðo] *adj* gelegen; **estar ~** liegen; **estar bien ~** gut situiert sein
situar [situ'ar] <*1. pres* sitúo> **I.** *vt* stellen, platzieren **II.** *vr:* **~se** ❶ sich stellen ❷ (*abrirse paso*) eine gehobene Position erreichen ❸ DEP sich platzieren
SME [ese(e)me'e] *m abr de* **Sistema Monetario Europeo** EWS *nt*
smog [es'moɣ] *m* Smog *m*
snorkeling [es'norkelin] *m* Schnorcheln *nt;* **practicar ~** schnorcheln
so [so] **I.** *interj* brr! **II.** *prep* unter +*dat;* **~ pena de...** sonst droht die Strafe, dass ...; **~ pretexto de que...** unter dem Vorwand, dass ...
SO [suðo'este] *abr de* **sudoeste** SW
sobaco [so'βako] *m* Achsel(höhle) *f*
sobar [so'βar] *vt* betasten; (*pegar*) prügeln; (*molestar*) belästigen
soberanamente [soβerana'meṇte] *adv* äußerst; **divertirse ~** sich köstlich amüsieren
soberanía [soβera'nia] *f* Souveränität *f;* **~ territorial** Gebietshoheit *f*
soberano, -a [soβe'rano] *m, f* Herrscher(in) *m(f)*
soberbia [so'βerβja] *f* Hochmut *m;* (*suntuosidad*) Pracht *f*
soberbio, -a [so'βerβjo] *adj* hochmütig; (*fam*) gewaltig
sobornar [soβor'nar] *vt* bestechen
soborno [so'βorno] *m* Bestechung *f;* (*dinero*) Bestechungsgeld *nt*
sobra ['soβra] *f* ❶ (*exceso*) Überfluss *m;* **de ~** (*en abundancia*) im Überfluss ❷ *pl* (*desperdicios*) Abfall *m*, Reste *mpl*
sobrante [so'βraṇte] *adj* (*que sobra*) übrig; COM, FIN überschüssig
sobrar [so'βrar] *vi* ❶ (*quedar*) übrig bleiben ❷ (*abundar*) zu viel sein ❸ (*estar de más*) überflüssig sein; **creo que sobras aquí** ich glaube, du bist hier fehl am Platz
sobre ['soβre] **I.** *m* (Brief)umschlag *m* **II.** *prep* ❶ (*local: encima de*) auf +*dat;* (*por encima de*) über +*dat* ❷ (*poner, movimiento*) auf +*akk;* **deja el periódico ~ la mesa** leg die Zeitung auf den Tisch ❸ (*cantidad aproximada*): **pesar ~ los cien kilos** (so) um die hundert Kilo wiegen ❹ (*aproximación temporal*): **llegar ~ las tres** (so) gegen drei Uhr (an)kommen ❺ (*tema, asunto*) über +*akk;* **~ ello** darüber
sobreabundancia [soβreaβuṇ'daṇθja] *f* Überfluss *m* (*de* an +*dat*)

sobrealimentación [soβrealimeṇta'θjon] *f* Überernährung *f*

sobrecarga [soβre'karɣa] *f* Über(be)lastung *f*

sobrecargar [soβre'karɣar] **I.** *vt* überladen; (*por esfuerzo*) überbeanspruchen **II.** *vr:* **~se** sich übernehmen

sobrecoger [soβre'koxer] **I.** *vt* ❶ (*sorprender*) überraschen ❷ (*espantar*) erschrecken **II.** *vr:* **~se** ❶ (*asustarse*) sich erschrecken ❷ (*sorprenderse*) erstaunt sein

sobredosis [soβre'ðosis] *f inv* Überdosis *f*

sobreentender [soβre(e)ṇteṇ'der] <e → ie> **I.** *vt* ❶ (*adivinar*) zwischen den Zeilen lesen ❷ (*presuponer*) voraussetzen **II.** *vr:* **~se** sich von selbst verstehen

sobreestimar [soβre(e)sti'mar] *vt* überschätzen

sobreexceder [soβre(e)sθe'ðer] **I.** *vt* übertreffen **II.** *vr:* **~se** ausschweifen

sobrehumano, -a [soβreu'mano] *adj* übermenschlich

sobrellevar [soβreʎe'βar] *vt* ertragen; **~ bien** mit Fassung tragen

sobremanera [soβrema'nera] *adv* außerordentlich

sobremesa [soβre'mesa] *f* ❶ (*mantel*) Tischtuch *nt* ❷ (*postre*) Nachtisch *m* ❸ (*loc*): **de ~** nach dem Essen; **conversación de ~** Tischgespräch *nt;* **programa de ~** (Nach)mittagsprogramm *nt*

sobrenatural [soβrenatu'ral] *adj* ❶ übernatürlich; **ciencias ~es** Okkultismus *m* ❷ (*extraordinario*) unglaublich

sobrenombre [soβre'nombre] *m* Beiname *m;* (*apodo*) Spitzname *m*

sobrepasar [soβrepa'sar] *vt* ❶ übersteigen; (*límite*) überschreiten ❷ (*aventajar*) übertreffen

sobreponerse [soβrepo'nerse] *irr como poner vr* ❶ (*calmarse*) sich beherrschen ❷ (*al enemigo*) besiegen; (*al miedo*) überwinden

sobresaliente [soβresa'ljeṇte] *adj* hervorragend; ENS sehr gut

sobresalir [soβresa'lir] *irr como salir vi* ❶ herausragen (*de* aus +*dat*) ❷ (*distinguirse*) sich abheben (*entre/por/de* von +*dat*) ❸ (*ser excelente*) sich auszeichnen (*en* durch +*akk*)

sobresaltar [soβresal̪'tar] **I.** *vi* hervorstechen **II.** *vt* erschrecken **III.** *vr:* **~se** (sich) erschrecken (*con/de* bei +*dat*)

sobresalto [soβre'sal̪to] *m* Schrecken *m;* (*turbación*) Bestürzung *f*

sobrestimar [soβresti'mar] *vt* überschätzen

sobresueldo [soβre'swel̪do] *m* Gehaltszulage *f*

sobretasa [soβre'tasa] *f* Zuschlag *m;* **~ por retraso** Säumniszuschlag *m*

sobrevenir [soβreβe'nir] *irr como venir vi* (plötzlich) aufkommen; (*guerra*) hereinbrechen

sobrevida [soβre'biða] *f* MED Überlebenszeit *f*

sobreviviente [soβreβi'βjeṇte] *mf* Überlebende(r) *f(m)*

sobrevivir [soβreβi'βir] *vi* überleben (*a* +*akk*), weiterleben

sobrevolar [soβreβo'lar] <o → ue> *vt* überfliegen

sobriedad [soβrje'ðaᵈ] *f* Nüchternheit *f;* (*moderación*) Genügsamkeit *f;* (*estilo*) Schlichtheit *f*

sobrino, -a [so'βrino] *m, f* Neffe *m,* Nichte *f*

sobrio, -a ['soβrjo] *adj* ❶ (*no borracho*) nüchtern ❷ (*moderado*) genügsam ❸ **~ de palabras** wortkarg ❹ (*estilo*) nüchtern

sociable [so'θjaβle] *adj* ❶ gesellig; (*que no discute*) verträglich ❷ (*comunicativo*) kontaktfreudig ❸ (*afable*) kameradschaftlich

social [so'θjal] *adj* ❶ gesellschaftlich; (*convivencia*) sozial ❷ **asistencia ~** Sozialhilfe *f;* **Estado Social** Wohlfahrtsstaat *m* ❸ JUR Gesellschafts-

socialismo [soθja'lismo] *m* Sozialismus *m*

socialista [soθja'lista] *mf* Sozialist(in) *m(f)*

sociedad [soθje'ða^ð] *f* ❶ Gesellschaft *f;* ~ **del bienestar** Wohlstandsgesellschaft *f* ❷ **la ~ con la que tratas** der Umgang, den du hast ❸ (*empresa*) Gesellschaft *f;* ~ **anónima** Aktiengesellschaft *f* ❹ (*asociación*) Verein *m* ❺ **la buena [***o* **alta]** ~ die Highsociety

socio, -a ['soθjo] *m, f* ❶ (*de una asociación*) Mitglied *nt* ❷ COM Gesellschafter(in) *m(f)* ❸ (*argot*) Kumpel *m*

sociología [soθjolo'xia] *f* Soziologie *f*

sociólogo, -a [so'θjoloɣo] *m, f* Soziologe, -in *m, f*

socorrer [soko'rrer] *vt* helfen *+dat;* ~ **a alguien con algo** jdm mit etw *dat* aushelfen

socorrista [soko'rrista] *mf* Rettungsschwimmer(in) *m(f);* (*en piscinas*) Bademeister(in) *m(f)*

socorro [so'korro] *m* Hilfe *f;* (*salvamento*) Rettung *f;* **pedir** ~ um Hilfe rufen

soda ['soða] *f* Sodawasser *nt*

sodio ['soðjo] *m* Natrium *nt*

sofá [so'fa] <sofás> *m* Sofa *nt*

sofá-cama [so'fa-'kama] <sofás-cama> *m* Schlafsofa *nt*

sofisticado, -a [sofisti'kaðo] *adj* hoch entwickelt

sofocado, -a [sofo'kaðo] *adj:* **estar** ~ außer Atem sein

sofocante [sofo'kan̪te] *adj* ❶ beklemmend; (*ambiente, aire*) stickig; **hace un calor** ~ es ist unerträglich schwül ❷ (*avergonzante*) beschämend

sofocar [sofo'kar] <c → qu> **I.** *vt* ❶ (*asfixiar*) ersticken ❷ (*impedir*) hemmen; (*fuego*) ersticken; (*epidemia*) unterdrücken ❸ (*avergonzar*) beschämen ❹ (*enojar*) aufregen *fam* **II.** *vr:* **~se** ❶ (*ahogarse*) keine Luft (mehr) bekommen ❷ (*sonrojar*) sich schämen ❸ (*excitarse*) sich aufregen

sofoco [so'foko] *m* ❶ Atemnot *f;* (*después de un esfuerzo*) Kurzatmigkeit *f* ❷ (*excitación*) Aufregung *f* ❸ (*calor*) Hitzewallung *f*

software *m sin pl*: ~ **de autor** Autorensoftware *f*

soga ['soɣa] *f* Seil *nt*

sois [soi̯s] *2. pres pl de* **ser**

soja ['soxa] *f* Soja *f;* ~ **transgénica** Gensoja *nt*

sol [sol] *m* Sonne *f;* (*luz*) Sonnenschein *m;* **de ~ a ~** von (früh)morgens bis (spät)abends; **tomar el ~** sich sonnen; **hoy hace ~** heute scheint die Sonne

solamente [sola'men̪te] *adv* nur; (*expresamente*) einzig und allein

solana [so'lana] *f* Südseite *f;* (*en montañas*) Südhang *m*

solapa [so'lapa] *f* Revers *nt o m;* (*libro*) Klappe *f*

solapar [sola'par] *vi, vt* (sich) überlappen

solar [so'lar] *m* Grundstück *nt*

soldado, -a [sol̪'daðo] *m, f* Soldat(in) *m(f)*

soldador [sol̪da'ðor] *m* Lötkolben *m*

soldar [sol̪'dar] <o → ue> *vt* (zusammen)löten; (*mediante el calor*) (ver)schweißen

soleado, -a [sole'aðo] *adj* sonnig

soledad [sole'ða^ð] *f* Einsamkeit *f*

solemne [so'lemne] *adj* feierlich

soler [so'ler] <o → ue> *vi*: ~ **hacer** gewöhnlich tun; **suele ocurrir que...** es kommt oft vor, dass ...

solera [so'lera] *f:* **con mucha ~** traditionsreich

solfeo [sol'feo] *m* Solfeggieren *nt*

solicitante [soliθi'tan̪te] *mf* ❶ Antragsteller(in) *m(f);* ~ **de asilo** Asylbewerber(in) *m(f)* ❷ (*para un trabajo*) Bewerber(in) *m(f)*

solicitar [soliθi'tar] *vt* bitten (um *+akk*); (*un trabajo*) sich bewerben (um *+akk*)

solicitud [soliθi'tu^ð] *f:* ~ **de empleo** Bewerbung *f*

solidaridad [soliðari'ða^ð] *f* Solidarität *f;* **por ~ con** aus Solidarität mit *+dat*

solidario, -a [soli'ðarjo] *adj* solidarisch

solidarizarse [soliðari'θarse] <z → c> *vr* sich solidarisieren

solidez [soli'ðeθ] *f* Festigkeit *f;* (*estabilidad*) Haltbarkeit *f*

solidificar [soliðifi'kar] <c → qu> **I.** *vt* fest werden lassen; (*fig*) festigen **II.** *vr:* **~se** sich verfestigen

sólido, -a ['soliðo] *adj t.* FÍS fest; (*ingreso*) sicher; (*precios*) stabil

solista [so'lista] *mf* Solist(in) *m(f)*

solitaria [soli'tarja] *f* Bandwurm *m*

solitario[1] [soli'tarjo] *m* Patience *f*

solitario, -a[2] [soli'tarjo] *adj* allein; (*abandonado*) einsam

sollozar [soʎo'θar] <z → c> *vi* schluchzen

sollozo [so'ʎoθo] *m* Schluchzen *nt*

solo, -a ['solo] *adj* ① allein (stehend); (*abandonado*) einsam; **a solas** ganz allein; **por sí ~** von selber ② (*único*) einzig; **ni una sola vez** nicht ein einziges Mal ③ (*café*) schwarz

sólo ['solo] *adv* nur; **~ que...** es ist nur so, dass ...; **tan ~** wenigstens

solomillo [solo'miʎo] *m* Filet *nt*

solsticio [sols'tiθjo] *m* Sonnenwende *f*

soltar [sol̩'tar] *irr* **I.** *vt* loslassen; (*liberar*) freilassen; (*dejar caer*) fallen lassen **II.** *vr:* **~se** ① sich befreien; (*de unas ataduras*) sich losmachen ② (*al hablar*) sich gehen lassen ③ (*desenvoltura*) sicher werden ④ (*para independizarse*) sich lösen

soltero, -a [sol̩'tero] **I.** *adj* ledig **II.** *m, f* Junggeselle, -in *m, f*

solterón, -ona [sol̩te'ron] *m, f* alter Junggeselle, alte Junggesellin *m, f;* (*pey: mujer*) alte Jungfer *f*

soltura [sol̩'tura] *f* Gewandtheit *f;* (*al hablar*) Redegewandtheit *f*

soluble [so'luβle] *adj* löslich; **~ en agua** wasserlöslich

solución [solu'θjon] *f* Lösung *f*

solucionar [soluθjo'nar] *vt* lösen

solvencia [sol'βen̩θja] *f* Zahlungsfähigkeit *f*

solvente [sol'βen̩te] *adj* ① FIN zahlungsfähig ② (*sin deudas*) schuldenfrei

sombra ['sombra] *f* ① Schatten *m;* **~ de ojos** Lidschatten *m* ② ARTE Schattierung *f* ③ (*fam*): **a la ~** im Knast

sombrero [som'brero] *m* Hut *m*

sombrilla [som'briʎa] *f* Sonnenschirm *m*

sombrío, -a [som'brio] *adj* ① schattig; (*oscuro*) dunkel ② (*triste*) düster; (*pesimista*) schwermütig

someter [some'ter] **I.** *vt* ① unterwerfen; (*subyugar*) unterjochen; **~ la voluntad** den Willen brechen ② unterziehen (*a +dat*); (*a efectos*) aussetzen (*a +dat*) ③ (*proyecto*) unterbreiten *+dat* ④ (*encomendar*): **el asunto es sometido a los Tribunales** das Gericht hat über die Angelegenheit zu befinden ⑤ (*subordinar*) unterordnen **II.** *vr:* **~se** ① (*en una lucha*) sich ergeben ② (*a una acción*) sich unterziehen (*a +dat*) ③ (*a una opinión*) sich beugen (*a +dat*); **~se a la voluntad de alguien** sich jds Willen fügen

somier [so'mjer] <somieres> *m* (Sprungfeder)rahmen *m*

somnífero [som'nifero] *m* Schlafmittel *nt*

somnolencia [somno'len̩θja] *f* Schläfrigkeit *f*

somnoliento, -a [somno'ljen̩to] *adj* schläfrig; (*al despertarse*) verschlafen

somos ['somos] *1. pres pl de* **ser**

son [son] **I.** *m* ① (*sonido*) Klang *m* ② (*rumor*) Gerücht *nt* ③ (*loc*): **¿a ~ de qué?, ¿a qué ~?** warum?; **hablar sin ton ni ~** zusammenhangloses Zeug reden **II.** *3. pres pl de* **ser**

sonajero [sona'xero] *m* Rassel *f*

sonámbulo, -a [so'nambulo] *m, f* Schlafwandler(in) *m(f)*

sonante [so'nan̩te] *adj:* **dinero contante y ~** Bargeld *nt*

sonar [so'nar] <o → ue> **I.** *vi* ① (*timbre*) klingeln; (*campanas*) läuten; **me suenan las tripas** mir knurrt der Magen ② *t.* MÚS klingen; **~ a hueco** hohl klingen; **esto me suena** das kommt mir bekannt vor **II.** *vt, vr:* **~se** (sich) schnäuzen

sonata [so'nata] *f* Sonate *f*

sonda ['soṇda] *f* ❶ (*acción*) Sondieren *nt* ❷ (*catéter*) Sonde *f*

sondeo [soṇ'deo] *m* ❶ MED Sondierung *f* ❷ MIN (Probe)bohrungen *fpl* ❸ (*averiguación*) Erforschung *f;* ~ **de mercado** ECON Marktforschung *f*

soneto [so'neto] *m* Sonett *nt*

songo, -a ['soŋgo] *adj* COL, MÉX ❶ (*tonto*) blöd ❷ (*taimado*) hinterlistig

sonido [so'niðo] *m* ❶ (*ruido*) Ton *m* ❷ *t.* MÚS Klang *m* ❸ (*fonema*) Laut *m* ❹ FÍS Schall *m*

sonoro, -a [so'noro] *adj* ❶ klingend; (*acústico*) akustisch ❷ LING stimmhaft ❸ TÉC Schall-; **banda sonora** CINE Filmmusik *f*, Soundtrack *m;* **ondas sonoras** Schallwellen *fpl*; **película sonora** CINE Tonfilm *m*

sonorreductor(a) [sonorreðuk'tor] *adj* geräuschdämmend

sonreír(se) [sonrre'ir(se)] *irr como reír vi, vr* lächeln

sonrisa [son'rrisa] *f* Lächeln *nt*

sonrojar [sonrro'xar] **I.** *vt* erröten lassen **II.** *vr:* **~se** erröten

sonsacar [sonsa'kar] <c → qu> *vt* herausbekommen (*a* aus +*dat*); (*secreto*) entlocken

sonso, -a ['sonso] *m, f* (CSUR: *tonto*) Dumme(r) *f(m)*

soñado, -a [so'ɲaðo] *adj* erträumt; **el hombre** ~ der Traummann

soñador(a) [soɲa'ðor] *m(f)* Träumer(in) *m(f)*

soñar [so'ɲar] <o → ue> *vi, vt* träumen (*con* von +*dat*); ~ **despierto** tagträumen; **¡ni ~lo!** nie im Leben!

soñoliento, -a [soɲo'ljeṇto] *adj* schläfrig

sopa ['sopa] *f* ❶ (*caldo*) Suppe *f* ❷ (*fam*): **como una ~, hecho una ~** völlig durchnässt

sopapo [so'papo] *m* (*fam*): **te voy a dar un ~** ich knall dir gleich eine!

sopera [so'pera] *f* Suppenschüssel *f*

sopero, -a [so'pero] *adj* Suppen-; **plato ~** Suppenteller *m*

sopesar [sope'sar] *vt* (in der Hand) wiegen; (*fig*) abwägen

sopetón [sope'ton] *m:* **de ~** völlig unvermittelt

soplar [so'plar] **I.** *vi* blasen; (*viento*) wehen; **¡sopla!** sag bloß! **II.** *vt* ❶ blasen; (*velas*) ausblasen ❷ (*en un examen*) vorsagen; TEAT soufflieren ❸ (*delatar*) verraten

soplo ['soplo] *m* ❶ (*acción*) Blasen *nt* ❷ (*viento leve*) Hauch *m;* ~ **de viento** Windstoß *m*

soplón, -ona [so'plon] *m, f* Verräter(in) *m(f)*

sopor [so'por] *m* Schläfrigkeit *f*

soportable [sopor'taβle] *adj* erträglich

soportal [sopor'tal] *m* überdachter (Haus)eingang *m*

soportar [sopor'tar] *vt* (aus)halten

soporte [so'porte] *m* Stütze *f;* (*pilar*) Träger *m;* (*de madera*) Balken *m*

soprano [so'prano] *m* Sopran *m*

soquete [so'kete] *m* AM Socke *f*

sor [sor] *f* (Ordens)schwester *f*

sorber [sor'βer] *vt* ❶ schlürfen; (*por una pajita*) trinken ❷ (*empaparse de*) aufsaugen

sorbete [sor'βete] *m* Sorbet(t) *m o nt*

sorbo ['sorβo] *m* Schluck *m;* **beber a ~s** in kleinen Schlucken trinken; **tomar de un ~** in einem Schluck trinken

sordera [sor'ðera] *f* Taubheit *f;* (*disminución*) Schwerhörigkeit *f*

sordo, -a ['sorðo] *adj* ❶ (*que no oye*) taub; ~ **como una tapia** stocktaub ❷ (*que oye mal*) schwerhörig ❸ (*de timbre oscuro*) dumpf ❹ LING stumm

sordomudo, -a [sorðo'muðo] *adj* taubstumm

sorprendente [sorpreṇ'deṇte] *adj* ❶ überraschend; (*asombroso*) erstaunlich ❷ (*que salta a la vista*) auffallend ❸ (*extraordinario*) außergewöhnlich

sorprender [sorpreṇ'der] **I.** *vt* ❶ überraschen; (*asombrar*) erstaunen; (*extrañar*) wundern ❷ (*descubrir algo*) entdecken ❸ (*pillar*) erwischen ❹ (MIL:

atacar) überfallen **II.** *vr:* **~se** überrascht sein; (*asombrarse*) erstaunt sein (*de* über +*akk*); (*extrañarse*) sich wundern

sorpresa [sor'presa] *f* ❶ (*acción*) Überraschen *nt;* **coger a alguien de [***o* **por] ~** jdn überraschen ❷ (*efecto*) Überraschung *f*

sortear [sorte'ar] *vt* (ver)losen

sorteo [sor'teo] *m* Verlosung *f;* (*lotería*) Ziehung *f*

sortija [sor'tixa] *f* (*joya*) Ring *m*

sosegado, -a [sose'ɣaðo] *adj* friedfertig; (*tranquilo*) ruhig

sosiego [so'sjeɣo] *m* Ruhe *f*

soslayo, -a [sos'laɟo] *adj* schräg; **mirar a alguien de ~** jdn aus den Augenwinkeln betrachten

soso, -a ['soso] *adj* fade; (*sin sal*) ungesalzen

sospecha [sos'peʧa] *f* ❶ (*suposición*) Vermutung *f* ❷ (*desconfianza*) Misstrauen *nt* ❸ **bajo ~ de asesinato** unter Mordverdacht

sospechar [sospe'ʧar] **I.** *vt* ❶ (*creer posible*) vermuten; **¡ya lo sospechaba!** das hatte ich mir schon gedacht! ❷ (*recelar*) befürchten **II.** *vi* verdächtigen (*de* +*akk*)

sospechoso, -a [sospe'ʧoso] *m, f* Verdächtige(r) *f(m)*

sostén [sos'ten] *m* ❶ (*t. fig*) Stütze *f* ❷ (*prenda*) BH *m* ❸ (*de familia*) Unterhalt *m*

sostener [soste'ner] *irr como tener* **I.** *vt* ❶ (*sujetar*) (fest)halten; (*por debajo*) tragen; (*por los lados*) stützen ❷ (*afirmar*) behaupten; (*idea, teoría*) vertreten ❸ (*persona*) unterstützen **II.** *vr:* **~se** ❶ (*sujetarse*) sich festhalten ❷ (*aguantarse*) sich halten ❸ (*económicamente*): **apenas me puedo ~** ich kann kaum meinen Lebensunterhalt bestreiten ❹ (*en opinión*) beharren (*en* auf/bei +*dat*)

sótano ['sotano] *m* Keller *m*

soterrar [sote'rrar] <e → ie> *vt* ❶ (*enterrar*) vergraben ❷ (*esconder*) verstecken; (*sentimientos*) verbergen

soy [soi̯] *1. pres de* **ser**

spaghetti [ᵊspa'ɣeti] *m pl* Spaghetti *pl*

spam [es'pam] *m* INFOR Spam *nt*

spot [es'poᵗ] <spots> *m* (Werbe)spot *m*

spray [es'prai̯] <sprays> *m* Spray *m o nt*

sprint [es'prin̪ᵗ] *m* Sprint *m;* **hacer un ~** sprinten

squash [es'kwaʃ] *m* Squash *nt*

Sr. [se'ɲor] *abr de* **señor** H.

Sra. [se'ɲora] *abr de* **señora** Fr.

Srta. [seɲo'rita] *f abr de* **señorita** Frl.

Sta. ['san̪ta] *f abr de* **santa** St.

stand [es'tan] <stands> *m* (Messe)stand *m*

status [es'tatus] *m inv* Status *m*

Sto. ['san̪to] *abr de* **santo** St.

stop [es'top] *m* Stopp *m;* (*señal*) Stoppschild *nt*

su [su] *adj pos* (*de él*) sein(e); (*de ella*) ihr(e); **~ familia** seine/ihre Familie

Suabia ['swaβja] *f* Schwaben *nt*

suabo, -a ['swaβo] *adj* schwäbisch

suave [su'aβe] *adj* ❶ (*superficie*) glatt; (*piel*) zart; (*jersey*) weich; (*noche*) mild ❷ (*carácter*) sanft; (*palabras*) freundlich

suavidad [swaβi'ðaᵈ] *f sin pl* ❶ Glätte *f;* (*de piel*) Zartheit *f;* (*de jersey*) Weichheit *f;* (*de temperatura*) Milde *f* ❷ (*de carácter*) Sanftheit *f;* (*de palabras*) Freundlichkeit *f*

suavizante [swaβi'θan̪te] **I.** *adj:* **crema ~** Hautcreme *f* **II.** *m* ❶ (*para la ropa*) Weichspüler *m* ❷ (*para el cabello*) Spülung *f*

suavizar [swaβi'θar] <z → c> *vt* ❶ (*hacer suave*) weicher machen ❷ (*expresión, posición*) mildern ❸ (*persona*) besänftigen

subalimentación [suβalimen̪ta'θjon] *f* Unterernährung *f*

subarrendar [suβarren̪'dar] <e → ie> *vt* untervermieten; (*finca*) unterverpachten

subasta [su'βasta] *f* Versteigerung *f*

subastar [suβas'tar] *vt* versteigern

subcampeón, **-ona** [suβkampe'on] *m, f* Vizemeister(in) *m(f)*; ~ **mundial** Vizeweltmeister *m*

subconsciencia [suβko^{n}s'θjeṇθja] *f* Unterbewusstsein *nt*

subconsciente [suβko^{n}s'θjeṇte] *adj* unterbewusst

subdesarrollado, **-a** [suβðesarro'ʎaðo] *adj* unterentwickelt

subdirector(**a**) [suβðirek'tor] *m(f)* stellvertretender Direktor, stellvertretende Direktorin *m, f*

súbdito, **-a** ['suβðito] *m, f* Staatsbürger(in) *m(f)*

subdividir [suβðiβi'ðir] *vt* unterteilen

subestimar(**se**) [suβesti'mar(se)] *vt, vr* (sich) unterschätzen

subida [su'βiða] *f* ① Steigung *f*; (*de un río*) Anstieg *m* ② (*de precios*) Steigerung *f*; (*efecto*) Anstieg *m* ③ (*en coche*) Auffahrt *f* ④ POL: ~ **al poder** Machtergreifung *f*; ~ **al trono** Thronbesteigung *f*

subir [su'βir] **I.** *vi* ① (*ascender*) ansteigen; ~ **a la cima** zum Gipfel aufsteigen ② (*andando*) hochgehen; (*en ascensor*) hochfahren ③ (*aumentar*) steigen (*en* um +*akk*); **la gasolina ha subido** das Benzin ist teurer geworden ④ (*montar*) einsteigen (*a* in +*akk*) **II.** *vt* ① (*precio*) erhöhen ② (*música*) lauter stellen; (*voz*) erheben ③ (*andando*) hinauflaufen; (*en coche*) hinauffahren ④ (*brazos*) heben ⑤ (*llevar*) hinauftragen **III.** *vr*: **~se** ① (*al coche*) einsteigen (*en* in +*akk*); (*a una bici*) aufsteigen (*en* auf +*akk*) ② (*loc*): **se me ha subido el vino a la cabeza** der Wein ist mir zu Kopf gestiegen

súbito ['suβito] *adv*: **de** ~ plötzlich

subjetividad [suβxetiβi'ða^{ð}] *f* Subjektivität *f*

subjetivo, **-a** [suβxe'tiβo] *adj* subjektiv

subjuntivo [suβxuṇ'tiβo] *m* ≈Konjunktiv *m*

sublevación [suβleβa'θjon] *f* Aufstand *m*

sublevarse [suβle'βarse] *vr* sich auflehnen

sublime [su'βlime] *adj* erhaben

submarinista [su^{β}mari'nista] *mf* (Sport)taucher(in) *m(f)*

submarino [su^{β}ma'rino] *m* U-Boot *nt*

subnormal [suβnor'mal] *mf* geistig Behinderte(r) *f(m)*

subordinación [suβorðina'θjon] *f* Unterordnung *f*; (*obediencia*) Gehorsam *m*

subordinado, **-a** [suβorði'naðo] *m, f* Untergebene(r) *f(m)*

subordinar [suβorði'nar] *vt* unterordnen

subrayar [suβrra'ɟar] *vt* ① (*con raya*) unterstreichen ② (*recalcar*) betonen

subsanar [suβsa'nar] *vt* ① (*falta*) hinwegsehen (über +*akk*) ② (*error*) wieder gutmachen; (*defecto*) beheben

subscripción [su^{β}skriβ'θjon] *f v.* **suscripción**

subsecretario, **-a** [suβsekre'tarjo] *m, f* Staatssekretär(in) *m(f)*

subsidiar [suβsi'ðjar] *vt* unterstützen

subsidio [suβ'siðjo] *m* Beihilfe *f*; ~ **de paro** Arbeitslosengeld *nt*

subsistencia [suβsis'teṇθja] *f* ① (*hecho*) Existenz *f* ② *pl* (*alimentos*) Nahrung *f* ③ (*material*) Lebensunterhalt *m*

subsistir [suβsis'tir] *vi* ① (*vivir*) leben ② (*perdurar*) anhalten; (*empresa*) weiterbestehen

substancia [su$^{(β)}$s'taṇθja] *f v.* **sustancia**

substantivo [su$^{(β)}$staṇ'tiβo] *adj o m v.* **sustantivo**

substitución [su$^{(β)}$stitu'θjon] *f v.* **sustitución**

substraer [su$^{(β)}$stra'er] *irr como traer vt v.* **sustraer**

subsuelo [suβ'swelo] *m* Untergrund *m*; **riquezas del** ~ Bodenschätze *mpl*

subterráneo, **-a** [suβte'rraneo] *adj* unterirdisch

subtítulo [suβ'titulo] *m* Untertitel *m*

subtropical [suβtropi'kal] *adj* subtropisch

suburbio [su'βurβjo] *m* ① (*alrededores*)

Vorstadt *f;* **vivir en los ~s de París** am Stadtrand von Paris wohnen ② (*barrio*) Vorort *m*

subvención [suββeṇ'θjon] *f* Zuschuss *m;* POL Subvention *f*

subvencionar [suββeṇθjo'nar] *vt* finanziell unterstützen; POL subventionieren

subversivo, -a [suββer'siβo] *adj* umstürzlerisch

subyacente [suβɟa'θeṇte] *adj* zugrunde liegend

subyugar [suβɟu'ɣar] <g → gu> *vt* ① (*oprimir*) unterwerfen ② (*sugestionar*) bezaubern

sucedáneo [suθe'ðaneo] *m* Ersatz *m*

suceder [suθe'ðer] **I.** *vi* ① (*seguir*) folgen (*a* auf +*akk*) ② (*en cargo*) nachfolgen **II.** *vt* geschehen; **¿qué sucede?** was ist los?; **por lo que pueda ~** für alle Fälle; **sucede que...** die Sache ist die, dass ...

sucesión [suθe'sjon] *f* ① (*acción*) Folge *f* ② (*serie*) Aufeinanderfolge *f* ③ (*en el cargo*) Nachfolge *f;* (*de título*) Erbfolge *f;* (*del trono*) Thronfolge *f*

sucesivo, -a [suθe'siβo] *adj* (aufeinander) folgend; **en lo ~** von nun an

suceso [su'θeso] *m* ① Ereignis *nt;* (*repentino*) Vorfall *m* ② (*transcurso*) Verlauf *m*

sucesor(a) [suθe'sor] *m(f)* ① Nachfolger(in) *m(f);* (*al trono*) Thronfolger(in) *m(f)* ② (*heredero*) Erbe, -in *m, f*

suciedad [suθje'ða^{ð}] *f* Schmutzigkeit *f;* (*porquería*) Schmutz *m*

sucio[1] ['suθjo] *adv:* **jugar ~** unfair spielen

sucio, -a[2] ['suθjo] *adj* schmutzig; (*jugado*) unfair; **hacer el trabajo ~** die Drecksarbeit machen

suculento, -a [suku'leṇto] *adj* (*sabroso*) schmackhaft; (*nutritivo*) nahrhaft

sucumbir [sukum'bir] *vi* ① erliegen +*dat;* JUR unterliegen +*dat* ② (*morir*) ums Leben kommen

sucursal [sukur'sal] *f* ① Niederlassung *f;* (*de negocio*) Filiale *f* ② (*negociado*) Geschäftsstelle *f*

Sudáfrica [su'ðafrika] *f* Südafrika *nt*

sudafricano, -a [suðafri'kano] *adj* südafrikanisch

Sudamérica [suða'merika] *f* Südamerika *nt*

sudamericano, -a [suðameri'kano] *adj* südamerikanisch

sudar [su'ðar] *vi, vt* schwitzen; **me sudan los pies** ich schwitze an den Füßen

sudeste [su'ðeste] *m* Südosten *m*

sudoeste [suðo'este] *m* Südwesten *m*

sudor [su'ðor] *m* Schweiß *m*

Suecia ['sweθja] *f* Schweden *nt*

sueco, -a ['sweko] *adj* schwedisch; **hacerse el ~** sich dumm stellen

suegro, -a ['sweɣro] *m, f* Schwiegervater, Schwiegermutter *m, f;* **los ~s** die Schwiegereltern

suela ['swela] *f* (Schuh)sohle *f*

sueldo ['swel̪do] *m* (*por horas*) Lohn *m;* (*de empleado*) Gehalt *nt;* (*de funcionario*) Bezüge *mpl;* MIL Sold *m*

suelo ['swelo] *m* ① (*de la tierra*) (Erd)boden *m* ② (*de casa*) (Fuß)boden *m* ③ (*terreno*) Grundstück *nt;* **~ edificable** Bauland *nt* ④ (*loc*): **estar por los ~s** (*deprimido*) am Boden zerstört sein; **los pisos están por los ~s** (*fam*) die Wohnungen sind äußerst günstig

suelto[1] ['swel̪to] *m* Kleingeld *nt*

suelto, -a[2] ['swel̪to] *adj* ① (*desenganchado*) locker ② (*desatado*) lose ③ (*no sujeto*) lose; **dinero ~** Kleingeld *nt* ④ (*separado*) einzeln; **pieza suelta** Einzelteil *nt* ⑤ (*vestido*) weit ⑥ (*incontrolado*): **tener la lengua suelta** ein loses Mundwerk haben ⑦ (*estilo*) gewandt; (*lenguaje*) flüssig ⑧ (*loc*): **voy ~ de vientre** ich habe Durchfall

sueño ['sweɲo] *m* ① (*acto de dormir*) Schlaf *m;* **me cogió el ~** der Schlaf überkam mich ② (*ganas de dormir*) Müdigkeit *f;* **tener ~** müde sein; **caerse de ~** vor Müdigkeit fast umfallen; **quitar el ~** den Schlaf rauben ③ (*fantasía*) Traum *m;* **ni en ~s haces tú eso** das schaffst du im Traum nicht

suerte ['swerte] *f* ❶ (*fortuna*) Glück *nt;* **¡buena ~!** viel Glück!; **tener buena/mala ~** Glück/Pech haben; **por ~** zum Glück; **probar ~** sein Glück versuchen; **ser cuestión de ~** Glückssache sein ❷ (*destino*) Schicksal *nt;* **echar algo a ~(s)** etw durch Los entscheiden ❸ (*casualidad*) Zufall *m*

suéter ['sweter] *m* Pullover *m*

suficiente [sufi'θjeṇte] **I.** *adj* (*bastante*) genug; **ser ~** genügen **II.** *m* Note *f* 'ausreichend'

sufijo [su'fixo] *m* Suffix *nt*

sufragar [sufra'ɣar] <g → gu> **I.** *vt* ❶ (*ayudar*) unterstützen ❷ (*costear: gastos*) bestreiten; (*tasa*) entrichten; (*beca*) finanzieren **II.** *vi* AM stimmen (*por* für +*akk*)

sufragio [su'fraxjo] *m* ❶ (*voto*) Stimme *f* ❷ (*derecho*) Wahlrecht *nt;* **~ universal** allgemeines Wahlrecht ❸ (*sistema*) Wahlsystem *nt*

sufrido, -a [su'friðo] *adj* ❶ (*persona*) ergeben ❷ **una tela sufrida** ein strapazierfähiger Stoff

sufrimiento [sufri'mjeṇto] *m* ❶ (*acción*) Leiden *nt* ❷ (*moral*) Leid *nt;* (*físico*) Schmerz *m*

sufrir [su'frir] *vt* ❶ ertragen; (*peso*) tragen; (*a alguien*) ausstehen können ❷ (*padecer*) erleiden; (*enfermedad*) leiden (*de* an +*dat*); **~ de la espalda** Rückenschmerzen haben; **~ las consecuencias** unter den Folgen leiden ❸ (*experimentar*) erleiden; (*examen*) ablegen; (*desengaño*) erleben; (*accidente*) haben; (*pena*) büßen; **~ una operación** sich einer Operation unterziehen

sugerencia [suxe'reṇθja] *f* ❶ (*inspiración*) Anregung *f* ❷ (*propuesta*) Vorschlag *m*

sugerir [suxe'rir] *irr como sentir vt* ❶ (*inspirar*) anregen ❷ (*proponer*) vorschlagen ❸ (*insinuar*) andeuten

sugestión [suxes'tjon] *f* ❶ (*inspiración*) Anregung *f* ❷ (*propuesta*) Vorschlag *m* ❸ (*de sugestionar*) Suggestion *f*

suicida [swi'θiða] *mf* Selbstmörder(in) *m(f)*

suicidarse [swiθi'ðarse] *vr* sich umbringen

suicidio [swi'θiðjo] *m* Selbstmord *m*

suite [swit] *f* Suite *f*

Suiza ['swiθa] *f* Schweiz *f*

suizo, -a ['swiθo] *adj* schweizerisch; **chocolate ~** Schweizer Schokolade

sujetador [suxeta'ðor] *m* BH *m*

sujetar [suxe'tar] **I.** *vt* ❶ (*dominar*) beherrschen ❷ (*someter*) unterwerfen ❸ (*agarrar*) festhalten (*por* an +*dat*) ❹ (*asegurar*) befestigen **II.** *vr:* **~se** sich (fest)halten (*a* an +*dat*)

sujeto, -a [su'xeto] *adj* verpflichtet (*a* zu +*dat*); (*a revisión/restricciones*) unterworfen (*a* +*dat*)

sulfato [sul'fato] *m* Sulfat *nt*

sulfuro [sul'furo] *m* Schwefel *m*

sultán, -ana [sul̦'tan, -ana] *m, f* Sultan(in) *m(f)*

suma ['suma] *f* ❶ Addition *f;* (*resultado*) Summe *f;* **~ y sigue** (*fig fam*) und so weiter und so fort ❷ (*cantidad*) Summe *f*

sumamente [suma'meṇte] *adv* äußerst

sumar [su'mar] **I.** *vt* ❶ MAT addieren ❷ (*hechos*) summieren **II.** *vr:* **~se** sich anschließen (*a* +*dat*); (*a una discusión*) sich beteiligen (*a* an +*dat*)

sumario [su'marjo] *m* Ermittlungsverfahren *nt*

sumergible [sumer'xiβle] *adj* wasserdicht

sumergir [sumer'xir] <g → j> **I.** *vt* (ein)tauchen **II.** *vr:* **~se** versinken

sumidero [sumi'ðero] *m* Abflussgitter *nt;* (*de la calle*) Gully *m o nt*

suministrar [suminis'trar] *vt* liefern; (*abastecer*) versorgen

suministro [sumi'nistro] *m* Lieferung *f;* (*abastecimiento*) Versorgung *f*

sumiso, -a [su'miso] *adj* unterwürfig; (*que no rechista*) gehorsam

sumo, -a ['sumo] *adj:* **a lo ~** höchstens

suntuoso, -a [sun̩tu'oso] *adj* luxuriös; (*opulento*) üppig

supeditar [supeðiˈtar] **I.** *vt* unterwerfen; (*subordinar*) unterordnen **II.** *vr:* **~se** sich unterordnen

súper[1] ['super] **I.** *adj* (*fam*) super **II.** *m* Supermarkt *m*

súper[2] ['super] *f* Super(benzin) *nt*

superabundancia [superaβun̩'dan̩θja] *f* Überfluss *m* (*de* an +*dat*); (*en diversidad*) Überfülle *f*

superación [supera'θjon] *f* Verbesserung *f;* (*de situación*) Überwindung *f*

superar [supe'rar] **I.** *vt* ① (*sobrepasar: a alguien*) übertreffen; (*límite*) überschreiten; (*récord*) brechen ② (*prueba*) bestehen ③ (*situación*) überwinden **II.** *vr:* **~se** sich selbst übertreffen

superávit [supe'raβit] <superávit(s)> *m* Überschuss *m*

superdotado, -a [superðo'taðo] *adj* hochbegabt

superficial [superfi'θjal] *adj* oberflächlich

superficie [super'fiθje] *f* ① (*parte externa*) Oberfläche *f* ② MAT Fläche *f;* (*área*) Flächeninhalt *m*

superfluo, -a [su'perflwo] *adj* überflüssig

superior[1] [supe'rjor] *adj* ① (*más alto*) obere(r, s) *m* ② (*en calidad*) besser; (*en rango*) höher; (*en inteligencia*) überlegen ③ (*excelente*) hervorragend

superior(a)[2] [supe'rjor] *m(f)* Vorgesetzte(r) *f(m)*

superioridad [superjori'ða^{ð}] *f* Überlegenheit *f*

superlativo [superla'tiβo] *m* Superlativ *m*

supermercado [supermer'kaðo] *m* Supermarkt *m*

superpoblación [superpoβla'θjon] *f* Übervölkerung *f*

superpotencia [superpo'ten̩θja] *f* Großmacht *f*

supersónico, -a [super'soniko] *adj* Überschall-; **avión ~** Überschallflugzeug *nt*

superstición [supersti'θjon] *f* Aberglaube *m*

supersticioso, -a [supersti'θjoso] *adj* abergläubisch

supervisar [superβi'sar] *vt* beaufsichtigen; (*en un examen*) Aufsicht führen (über +*akk*)

supervisión [superβi'sjon] *f* Beaufsichtigung *f;* (*en examen*) Aufsicht *f*

supervisor(a) [superβi'sor] *m(f)* Aufseher(in) *m(f)*

supervivencia [superβi'βen̩θja] *f* Überleben *nt*

superviviente [superβi'βjen̩te] *mf* Überlebende(r) *f(m)*

suplantar [suplan̩'tar] *vt* unbefugt vertreten

suplementario, -a [suplemen̩'tarjo] *adj* ergänzend; **tomo ~** Ergänzungsband *m*

suplemento [suple'men̩to] *m* ① (*complemento*) Ergänzung *f* ② (*tomo*) Ergänzungsband *m* ③ (*de periódico*) Beilage *f* ④ (*precio*) Aufpreis *m;* (*del tren*) Zuschlag *m;* (*plus*) Zulage *f*

suplencia [su'plen̩θja] *f* Vertretung *f*

suplente [su'plen̩te] *mf* Vertretung *f*

súplica ['suplika] *f* Flehen *nt;* (*escrito*) Bittgesuch *nt*

suplicar [supli'kar] <c → qu> *vt* anflehen; (*algo*) inständig bitten (um +*akk*); **~ de rodillas** auf Knien anflehen

suplicio [su'pliθjo] *m* ① (*tortura*) Folter *f* ② (*tormento*) Qual *f;* **el viaje fue un ~** die Reise war eine einzige Strapaze

suplir [su'plir] *vt* ergänzen; (*sustituir*) ersetzen

supo ['supo] *3. pret de* **saber**

suponer [supo'ner] *irr como poner vt* ① (*dar por sentado*) annehmen; **vamos a ~ que...** nehmen wir an, dass ...; **se supone que...** es ist anzunehmen, dass ...; **suponiendo que...** in der Annahme, dass ... ② (*figurar*) annehmen; **no supongo que...** +*subj* ich glaube nicht, dass ...

suposición [suposi'θjon] *f* Annahme *f;* (*presunción*) Mutmaßung *f*

supositorio [suposi'torjo] *m* Zäpfchen *nt*

supremacía [suprema'θia] *f* Überlegenheit *f;* (*política*) Vorherrschaft *f*

supremo, -a [su'premo] *adj* höchste(r, s); (*fig*) äußerste(r, s)

suprimir [supri'mir] *vt* ❶ (*poner fin*) abschaffen; (*fronteras*) abbauen; (*controles*) beseitigen; (*regla*) aufheben ❷ (*omitir*) streichen

supuesto, -a [su'pwesto] *adj* (*asesino*) mutmaßlich; (*nombre*) angeblich; (*causa*) vermutlich; **por ~** selbstverständlich; **dar algo por ~** etw für selbstverständlich halten

supurar [supu'rar] *vi* eitern

sur [sur] *m* Süden *m;* METEO Süd *m;* **el ~ de España** Südspanien *nt*

surafricano, -a [surafri'kano] *adj* südafrikanisch

surco ['surko] *m* Furche *f*

sureste [sur'este] *m* Südosten *m*

surf [surf] *m* Surfing *nt;* **hacer ~** surfen

surfear [surfe'ar] *vi* INFOR surfen

surfista [sur'fista] *mf* Surfer(in) *m(f)*

surgir [sur'xir] <g → j> *vi* ❶ (*agua*) herausquellen ❷ (*aparecer: dificultades*) aufkommen; (*posibilidad*) sich ergeben; (*pregunta*) sich stellen; (*persona*) auftauchen

suroeste [suro'este] *m* Südwesten *m*

surrealismo [surrea'lismo] *m* ARTE Surrealismus *m*

surrealista [surrea'lista] *adj* surrealistisch

surtido[1] [sur'tiðo] *m* Sortiment *nt*

surtido, -a[2] [sur'tiðo] *adj* ❶ (*mezclado*) gemischt; **galletas surtidas** Keksmischung *f* ❷ (*variado*) sortiert

surtidor [surti'ðor] *m* ❶ Fontäne *f;* (*fuente*) Springbrunnen *m* ❷ (*de gasolina*) Zapfsäule *f*

surtir [sur'tir] I. *vt* ❶ (*proveer*) versorgen (*de* mit +*dat*) ❷ (*loc*): **~ efecto** Wirkung haben II. *vr:* **~se** sich versorgen (*de* mit +*dat*)

susceptible [susθep'tiβle] *adj* ❶ (*cosa*): **~ de mejora** verbesserungsfähig ❷ (*persona*) (über)empfindlich; (*irritable*) reizbar

suscitar [susθi'tar] *vt* (*sospecha*) (er)wecken; (*discusión*) auslösen; (*comentarios*) provozieren; (*problema*) schaffen; (*conflicto*) anstiften; (*antipatías*) hervorrufen

suscribir [suskri'βir] *irr como escribir* I. *vt* ❶ (*escrito*) unterschreiben ❷ (*opinión*) teilen ❸ (*acciones*) zeichnen II. *vr:* **~se a una revista** eine Zeitschrift abonnieren

suscripción [suskriβ'θjon] *f* ❶ (*firma*) Unterzeichnung *f* ❷ (*a una revista*) Abonnement *nt*

suscri(p)tor(a) [suskri(p)'tor] *m(f)* Abonnent(in) *m(f)*

suspender [suspen̩'der] *vt* ❶ (*trabajador*) suspendieren ❷ (*en un examen*) durchfallen; **he suspendido matemáticas** ich bin in Mathe durchgefallen ❸ (*interrumpir*) unterbrechen; (*embargo*) aufheben; **se ha suspendido la función de esta noche** die heutige Nachtvorstellung fällt aus

suspense [sus'pense] *m* Spannung *f;* **una película de ~** ein spannender Film

suspenso [sus'penso] *m* ❶ **sacar un ~** durchfallen ❷ AM *v.* **suspense**

suspensores [suspen'sores] *m pl* AM Hosenträger *mpl*

suspicacia [suspi'kaθja] *f* Misstrauen *nt*

suspicaz [suspi'kaθ] *adj* misstrauisch

suspirar [suspi'rar] *vi* ❶ (*dar suspiros*) seufzen ❷ (*anhelar*) sich sehnen

suspiro [sus'piro] *m* Seufzer *m*

sustancia [sus'tan̩θja] *f* ❶ (*materia*) Substanz *f;* **~ activa** Wirkstoff *m;* **la ~ gris** die graue Substanz ❷ (*de alimentos*) Nährwert *m*

sustancial [sustan̩'θjal] *adj* ❶ (*esencial*) wesentlich; (*fundamental*) grundlegend ❷ (*comida*) nahrhaft ❸ (*libro*) gehaltvoll

sustancioso, -a [sustan̩'θjoso] *adj* nahrhaft; (*libro*) gehaltvoll

sustantivo [sustan̩'tiβo] *m* Substantiv *nt*

sustentar [susten̩'tar] *vt* ❶ halten; (*co-*

lumna) stützen ❷ (*esperanza*) aufrechterhalten ❸ (*familia*) unterhalten

sustento [sus'teṇto] *m* (Lebens)unterhalt *m*

sustitución [sustitu'θjon] *f* Ersatz *m;* (*temporal de alguien*) Vertretung *f*

sustituir [sustitu'ir] *irr como huir vt* ❶ (*algo*) ersetzen ❷ DEP auswechseln ❸ (*a alguien*) vertreten; (*definitivamente*) ersetzen

susto ['susto] *m* Schreck(en) *m;* **dar un ~** einen Schreck einjagen; **pegarse un ~** erschrecken; **pegarle un ~ a alguien** jdn erschrecken

sustraer [sustra'er] *irr como traer* **I.** *vt* ❶ (*restar*) abziehen ❷ (*robar*) stehlen ❸ (*privar*) entziehen **II.** *vr:* **~se de algo** sich etw *dat* entziehen

susurrar [susu'rrar] *vi* ❶ (*hablar bajo*) flüstern; (*no claro*) murmeln; **~ algo a alguien** jdm etw zuflüstern ❷ (*viento*) rauschen

susurro [su'surro] *m* ❶ (*al hablar*) Flüstern *nt;* (*no claro*) Murmeln *nt* ❷ (*del viento*) Rauschen *nt*

sutil [su'til] *adj* ❶ (*hilo*) fein; (*rebanada*) dünn ❷ (*sabor*) fein; (*aroma*) zart ❸ (*ironía*) subtil; (*sistema*) raffiniert ❹ (*persona*) spitzfindig

sutileza [suti'leθa] *f f* ❶ (*de hilo*) Feinheit *f* ❷ (*de sabor*) Feinheit *f;* (*de aroma*) Zartheit *f* ❸ (*de ironía*) Subtilität *f;* (*de sistema*) Raffiniertheit *f* ❹ (*de persona*) Spitzfindigkeit *f*

suyo, -a ['suɟo] *adj o pron* (*de él*) seine(r); (*de ella, ellos, ellas*) ihre(r); (*de usted, ustedes*) Ihre(r); **el regalo es ~** das Geschenk ist von ihm/ihr; **ya ha hecho otra de las suyas** (*fam*) er/sie hat schon wieder was Schönes angerichtet; **Albert es muy ~** Albert ist sehr eigen; **eso es muy ~** das ist typisch für ihn/sie; **ir a lo ~** eigene Wege gehen

S

T

T, t [te] *f* T, t *nt*

tabaco [ta'βako] *m* Tabak; **¿tienes ~?** hast du Zigaretten?

taberna [ta'βerna] *f* Kneipe *f*

tabique [ta'βike] *m* Trennwand *f*

tabla ['taβla] *f* ❶ (*plancha*) Brett *nt* ❷ (*lista*) Tabelle *f;* (*cuadro*) Tafel *f* ❸ (*loc*): **a raja ~** koste es, was es wolle

tablado [ta'βlaðo] *m* ❶ (*suelo*) Holzboden *m* ❷ (*entarimado*) Podium *nt* ❸ (*del escenario*) Bühne *f*

tablao [ta'βlao] *m* Flamencolokal *nt*

tablero [ta'βlero] *m:* **~ de ajedrez/damas** Schach-/Damebrett *nt*

tableta [ta'βleta] *f* Tablette *f*

tablón [ta'βlon] *m* ❶ Brett *nt;* **~ de anuncios** schwarzes Brett ❷ AM Beet *nt*, Feld *nt*

tabú [ta'βu] <tabúes> *m* Tabu *nt*

taburete [taβu'rete] *m* Hocker *m*

tacaño, -a [ta'kaɲo] *adj* knauserig

tachar [ta'ʧar] *vt* (durch)streichen

tacho ['taʧo] *m* AM Kessel *m;* (*hojalata*) Blech *nt;* (*cubo*) Mülleimer *m*

tachón [ta'ʧon] *m* (*borrón*) Strich *m*

taco ['tako] *m* ❶ (*pedazo*) Block *m* ❷ (*de papel*) Block *m* ❸ (*fam: palabrota*) Schimpfwort *nt;* **decir** [*o* **soltar**] **~s** fluchen ❹ *pl* (*fam: años*) Jahre *ntpl*

tacón [ta'kon] *m* Absatz *m*

taconeo [tako'neo] *m* Aufstampfen *nt*

táctica ['taktika] *f* Taktik *f*

táctico, -a ['taktiko] *adj* taktisch

tacto ['takto] *m* ❶ (*sentido*) Tastsinn *m* ❷ (*habilidad*) Takt *m;* **no tener ~** taktlos sein

tajada [ta'xaða] *f* ❶ Scheibe *f;* **sacar ~ de algo** von etw *dat* profitieren ❷ (*fam*) Rausch *m*

tajante [ta'xaṇte] *adj* unnachgiebig; (*medidas*) drastisch

tajo ['taxo] *m* ❶ (*corte*) Schnitt *m;* **darse un ~ en el dedo** sich *dat/akk* in den Finger schneiden ❷ (*fam*) Arbeit *f;* **ir al ~** arbeiten gehen

tal [tal] **I.** *adj* ❶ (*igual*) so; **~ día hace un año** heute vor einem Jahr; **en ~ caso** in so einem Fall; **no digas ~ cosa** sag so etwas nicht ❷ (*tanto*) so; **la distancia es ~ que...** die Entfernung ist so groß, dass ... ❸ (*cierto*) gewiss **II.** *pron* ❶ (*alguien*): **~ o cual** irgendjemand ❷ (*cosa*): **no haré ~** ich mache so etwas nicht; **¡no hay ~!** das ist nicht wahr!; **... y ~** (*enumeración*) ... und dergleichen **III.** *adv* ❶ (*así*) so ❷ (*de la misma manera*) genauso; **~ y como** genauso wie ❸ (*cómo*): **¿qué ~ (te va)?** wie geht's (dir)?; **¿qué ~ te lo has pasado?** wie war's? **IV.** *conj*: **con ~ de...** +*inf*, **con ~ de que...** +*subj* (*mientras*) wenn nur ...; (*condición*) vorausgesetzt, dass ...

tala ['tala] *f* (*de árboles*) Fällen *nt;* (*destrucción*) Verwüstung *f*

taladro [ta'laðro] *m* Bohrer *m*

talante [ta'laṇte] *m* ❶ (*modo*) Art *f* ❷ (*humor*) Laune *f;* **de buen/mal ~** gut/schlecht gelaunt ❸ (*gana*): **de buen ~** gerne

talar [ta'lar] *vt* (*árboles*) fällen; (*destruir*) verwüsten

talco ['talko] *m* Talk *m;* (*polvos*) Puder *m o nt*

talego [ta'leɣo] *m* (*argot*) Knast *m*

talento [ta'leṇto] *m* Talent *nt;* **de gran ~** hochbegabt; **tener ~ para los idiomas** sprachbegabt sein

talentoso, -a [taleṇ'toso] *adj* begabt

Talgo ['talɣo] *m abr de* **Tren Articulado Ligero Goicoechea Oriol** Talgo *m* (*spanischer Intercityzug*)

talismán [talis'man] *m* Talisman *m*

talla ['taʎa] *f* ❶ (*de diamante*) Schliff *m* ❷ (*en madera*) Schnitzerei *f* ❸ (*estatura*) Körpergröße *f;* **no dar la ~** MIL wehrdienstuntauglich sein; (*fig*) der Situation nicht gewachsen sein ❹ (*de vestido*) (Konfektions)größe *f* ❺ (*mo-*

T

ral) Format *nt*

tallar [ta'ʎar] *vt* ❶ (*diamante*) schleifen ❷ (*madera*) schnitzen; (*en piedra*) meißeln

talle ['taʎe] *m* (*cintura*) Taille *f;* (*figura*) Figur *f*

taller [ta'ʎer] *m* Werkstatt *f;* ~ **artesanal** Handwerksbetrieb *m*

tallo ['taʎo] *m* BOT Stiel *m;* (*renuevo*) Schössling *m;* (*germen*) Keim *m*

talón [ta'lon] *m* ❶ Ferse *f* ❷ (*cheque*) Scheck *m;* **hazme un** ~ stell mir einen Scheck aus

talonario [talo'narjo] *m* Scheckheft *nt*

tamaño [ta'maɲo] *m* Größe *f;* (*formato*) Format *nt*

tambalear(se) [tambale'ar(se)] *vi, vr* schwanken; (*fig*) ins Wanken geraten

tambarria [tam'barrja] *f* AM Rummel *m*, Fest *nt*

también [tam'bjen] *adv* auch

tambo ['tambo] *m* (AM: *vaquería*) Molkerei *f*

tambor [tam'bor] *m* Trommel *f;* **tocar el** ~ trommeln

Támesis ['tamesis] *m:* **el** ~ die Themse

tamiz [ta'miθ] *m* Sieb *nt*

tampoco [tam'poko] *adv* auch nicht

tampón [tam'pon] *m* Stempelkissen *nt;* (*para la mujer*) Tampon *m*

tan [tan] *adv* so; **~... como...** so ... wie ...; **ni ~ siquiera** nicht einmal

tanda ['taṇda] *f* ❶ (*turno*) Reihe *f* ❷ (*serie*) Reihe *f;* **por ~s** reihenweise

tangente [taŋ'xeṇte] *f* Tangente *f*

tangible [taŋ'xiβle] *adj* berührbar; (*fig*) handfest

tango ['taŋgo] *m* Tango *m*

tanque ['taŋke] *m* MIL Panzer *m;* (*cisterna*) Tank *m;* AM Teich *m*

tantear [taṇte'ar] *vt* ❶ (*calcular*) (grob) berechnen; (*tamaño*) (grob) ausmessen ❷ (*probar*) prüfen; (*sondear a alguien*) vorfühlen (bei +*dat*); ~ **el terreno** (*fig*) die Lage sondieren

tanto, -a[1] ['taṇto] I. *adj* ❶ (*comparativo*) so viel; **no tengo ~s años como tú** ich bin nicht so alt wie du ❷ (*tal cantidad*) so viel; **¡hace ~ tiempo que no te veo!** ich habe dich so lange nicht mehr gesehen!; ~ **gusto en conocerle** ich habe mich sehr gefreut, Sie kennen zu lernen; **¿a qué se debe tanta risa?** worüber wird hier so gelacht? ❸ *pl* (*indefinido*): **tener 40 y ~s años** über vierzig sein; **venir a las tantas** (*fam*) sehr spät kommen II. *pron dem*: **~s** so viele; **coge ~s como quieras** nimm, so viel du möchtest; **no llego a ~** da bin ich überfordert

tanto[2] ['taṇto] I. *m* ❶ bestimmte Menge *f;* COM Teilbeitrag *m* ❷ (*loc*): **estar al ~ de algo** über etw auf dem Laufenden sein II. *adv* ❶ (*de tal modo*) so (sehr); **no es para ~** so schlimm ist es nun auch wieder nicht ❷ (*de duración*) so lange; **tu respuesta tardó ~ que...** deine Antwort kam so spät, dass ... ❸ (*comparativo*) (genau)so viel; ~ **mejor/peor** umso besser/schlechter; ~ **como** (+ *subst*) genau(so) wie; ~ **si llueve como si no...** egal, ob es regnet oder nicht, ... ❹ (*loc*): **entre ~** währenddessen, inzwischen; **por (lo) ~** also; **~... como...** sowohl ..., als auch ...; **en ~ (que)** +*subj* (*mientras*) solange

tapa ['tapa] *f* ❶ (*cubierta*) Deckel *m;* ~ **de rosca** Schraubverschluss *m;* **libro de ~s duras** Hardcover *nt* ❷ (*de zapato*) Absatz *m* ❸ GASTR Snack *m;* **una ~ de aceitunas** eine Portion Oliven

tapadera [tapa'ðera] *f* Deckel *m*

tapar [ta'par] I. *vt* ❶ bedecken; (*en cama*) zudecken ❷ (*agujero*) zustopfen; (*botella*) verschließen II. *vr:* **~se** ❶ (*en cama*) sich zudecken ❷ (*oídos, ojos*) sich *dat* zuhalten; **~se la cara** sich *dat* die Hände vor das Gesicht halten

tapete [ta'pete] *m* Tischdecke *f*

tapia ['tapja] *f* Gartenmauer *f;* **estar más sordo que una ~** stocktaub sein

tapiz [ta'piθ] *m* Wandteppich *m;* (*con dibujos*) Gobelin *m*

tapón [ta'pon] *m* ❶ Verschluss *m* ❷ MED Tampon *m*

taponar [tapo'nar] *vt* ❶ (*cerrar*) verschließen ❷ (*herida*) tamponieren

tapujo [ta'puxo] *m:* **andar con ~s** heimlich tun

taquear [take'ar] **I.** *vi* AM Billard spielen; (*arma*) schießen; (*llenar*) vollstopfen **II.** *vr:* **~se** AM sich vollstopfen

taquilla [ta'kiʎa] *f* ❶ (*armario*) Schließfach *nt* ❷ TEAT, CINE, DEP Kasse *f;* FERRO (Fahrkarten)schalter *m;* **éxito de ~** Kassenerfolg *m*

taquillero, -a [taki'ʎero] *adj:* **artista ~/película taquillera** Kassenmagnet *m*

tara ['tara] *f* Mangel *m*

tarado, -a [ta'raðo] *adj* schadhaft; (*alocado*) verrückt

tarántula [ta'ran̩tula] *f* Tarantel *f*

tararear [tarare'ar] *vt* trällern

tardanza [tar'ðan̩θa] *f* Verspätung *f*

tardar [tar'ðar] *vi* ❶ (*emplear tiempo*) brauchen; **a más ~** spätestens; **sin ~** unverzüglich; **no tardo nada** ich brauche nicht lange ❷ (*demasiado tiempo*): **~ en llegar** zu spät kommen; **¡no tardes!** komm bald zurück!

tarde ['tarðe] **I.** *f* ❶ (*primeras horas*) Nachmittag *m;* **por la ~** nachmittags; **¡buenas ~s!** guten Tag! ❷ (*últimas horas*) Abend *m;* **¡buenas ~s!** guten Abend! **II.** *adv* spät; **~ o temprano** früher oder später; **de ~ en ~** von Zeit zu Zeit; **se me hace ~** ich bin spät dran

tardío, -a [tar'ðio] *adj* spät; (*lento*) langsam

tarea [ta'rea] *f* ❶ (*faena*) Aufgabe *f* ❷ (*trabajo*) Arbeit *f;* **~s de la casa** Hausarbeit *f* ❸ *pl* ENS Hausaufgaben *fpl*

tarifa [ta'rifa] *f* Tarif *m;* TEL, INFOR: **~ plana** Internet-Flatrate *f*

tarima [ta'rima] *f* Podium *nt*

tarjeta [tar'xeta] *f* Karte *f;* **~ de embarque** AERO Bordkarte *f;* **~ de sonido** INFOR Soundkarte *f*

tarro ['tarro] *m* ❶ Becher *m;* (*de cristal*) Glas *nt* ❷ (*fam*) Schädel *m;* **comer el ~ a alguien** auf jdn einschwätzen

tarta ['tarta] *f* Torte *f*

tartamudear [tartamuðe'ar] *vi* stottern

tartamudo, -a [tarta'muðo] *m, f* Stotterer, -in *m, f*

tasa ['tasa] *f* ❶ (*valoración*) Schätzung *f* ❷ (*precio*) Preis *m;* (*derechos*) Gebühr *f* ❸ (*de joya*) Schätzwert *m* ❹ (*porcentaje*) Rate *f;* **~ de desempleo** Arbeitslosenquote *f*

tasar [ta'sar] *vt* ❶ den Preis festsetzen (für +*akk*); (*impuesto*) besteuern ❷ (*valorar*) schätzen (*en* auf +*akk*)

tasca ['taska] *f* Kneipe *f*

tata ['tata] *m* AM Vati *m*

tatarabuelo, -a [tatara'βwelo] *m, f* Ururgroßvater, Ururgroßmutter *m, f*

tataranieto, -a [tatara'njeto] *m, f* Ururenkel(in) *m(f)*

tatuaje [tatu'axe] *m* Tätowierung *f*

tatuar [tatu'ar] <*1. pres* tatúo> *vt* tätowieren

taurino, -a [tau̯'rino] *adj* Stier(kampf)-

Tauro ['tau̯ro] *m inv* ASTR Stier *m;* **soy ~** ich bin Stier

taxi ['taʸsi] *m* Taxi *nt*

taxista [taʸ'sista] *mf* Taxifahrer(in) *m(f)*

taza ['taθa] *f* ❶ (*de café*) Tasse *f* ❷ (*del wáter*) Klobecken *nt*

te [te] **I.** *f* T *nt* **II.** *pron pers* ❶ (*objeto directo*) dich; **¡míra~!** schau dich mal an! ❷ (*objeto indirecto*) dir **III.** *pron refl:* **~ levantas** du stehst auf; **¿~ has lavado los dientes?** hast du dir die Zähne geputzt?

té [te] *m* Tee *m*

teatral [tea'tral] *adj* Theater-; (*efecto*) Bühnen-; (*fig*) theatralisch

teatro [te'atro] *m* (*t. fig*) Theater *nt;* **obra de ~** Theaterstück *nt;* LIT Schauspiel *nt;* **hacer ~** (*t. fig*) Theater spielen; (*exagerar*) Theater machen

tebeo [te'βeo] *m* Comic(heft) *nt*

T

techo ['tetʃo] *m* (Zimmer)decke *f*
tecla ['tekla] *f* Taste *f*
teclado [te'klaðo] *m* Tastatur *f*
teclear [tekle'ar] *vi* (*piano*) die Tasten anschlagen; (*ordenador*) tippen
técnica ['teɣnika] *f* Technik *f*
tecnicismo [teɣni'θismo] *m* Fachausdruck *m*
técnico, -a ['teɣniko] **I.** *adj* ❶ (*de la técnica*) technisch ❷ (*de especialidad*) fachlich **II.** *m, f* (*especialista*) Fachmann, -frau *m, f;* TÉC Techniker(in) *m(f)*
tecnología [teɣnolo'xia] *f* ❶ TÉC Technologie *f;* ~ **punta** Spitzentechnologie *f* ❷ (*técnica*) Technik *f*
tecnológico, -a [teɣno'loxiko] *adj* ❶ TÉC Technologie-; (*desarrollo*) technologisch; **parque** ~ Technologiepark ❷ (*técnico*) technisch
tecolote [teko'lote] *m* AMC, MÉX Uhu *m*
tedioso, -a [te'ðjoso] *adj* langweilig
teja ['texa] *f* Dachziegel *m*
tejado [te'xaðo] *m* Dach *nt*
tejano, -a [te'xano] *adj:* **pantalón** ~ Jeans(hose) *f*
tejanos [te'xanos] *m pl* Jeans *f*
tejer [te'xer] *vt* weben; (*cestos, trenzas*) flechten; ZOOL spinnen; (*intrigas, plan*) schmieden
tejido [te'xiðo] *m* Gewebe *nt;* (*tela*) Stoff *m*
tejón [te'xon] *m* Dachs *m*
tela ['tela] *f* ❶ (*tejido*) Stoff *m;* ~ **de araña** Spinnennetz *nt;* ~ **metálica** Maschendraht *m* ❷ (*fam: asunto*) Thema *nt;* **este asunto trae** ~ es steckt einiges hinter dieser Sache ❸ (*lienzo*) Leinwand *f* ❹ (*fam: dinero*) Kohle *f* ❺ (*loc*): **poner algo en** ~ **de juicio** (*dudar*) etw in Frage stellen
telar [te'lar] *m* Webstuhl *m*
telaraña [tela'raɲa] *f* Spinnennetz *nt*
tele ['tele] *f* (*fam*) *abr de* **televisión**: **ver la** ~ Fernsehen gucken
telebanco [tele'βaŋko] *m* Telebanking *nt*
telecabina [teleka'βina] *f* Seilbahn *f*
telecompra [tele'compra] *f* Teleshopping *nt*
telecomunicación [telekomunika'θjon] *f* ❶ (*sistema*) Nachrichtentechnik *f* ❷ *pl* (*empresa*) Fernmeldewesen *nt*
telediario [teleði'arjo] *m* (Fernseh)nachrichten *fpl*
teledirigir [telediri'xir] <g → j> *vt* fernsteuern
teleférico [tele'feriko] *m* (Draht)seilbahn *f*
telefonear [telefone'ar] **I.** *vt* ❶ (*comunicar*) telefonisch mitteilen ❷ (*fam: a alguien*) anrufen **II.** *vi* telefonieren
telefonía [telefo'nia] *f* Fernmeldewesen *nt*
Telefónica [tele'fonika]: **la** ~ *die spanische Telefongesellschaft*
telefónico, -a [tele'foniko] *adj* telefonisch; **cabina telefónica** Telefonzelle *f;* **guía telefónica** Telefonbuch *nt;* **llamada telefónica** Anruf *m*
telefonista [telefo'nista] *mf* Telefonist(in) *m(f)*
teléfono [te'lefono] *m* Telefon *nt;* ~ **de tarjeta** Kartentelefon *nt;* ~ **público** öffentlicher Fernsprecher; **por** ~ telefonisch; **hablar por** ~ telefonieren; **llamar por** ~ anrufen
telegrafía [teleɣra'fia] *f* Telegrafie *f*
telegrafiar [teleɣrafi'ar] <*3. pret* telegrafió> *vi, vt* telegrafieren
telegrama [tele'ɣrama] *m* Telegramm *nt*
telemática [tele'matika] *f* Datenfernübertragung *f*
telenovela [teleno'βela] *f* Seifenoper *f*
teleobjetivo [teleoβxe'tiβo] *m* Teleobjektiv *nt*
telepatía [telepa'tia] *f* Telepathie *f*
telescopio [teles'kopjo] *m* Teleskop *nt*
telespectador(a) [telespekta'ðor] *m(f)* Fernsehzuschauer(in) *m(f)*
teletexto [tele'testo] *m* Videotext *m*
teletienda [tele'tjeṇda] *f* Teleshopping *nt*
teletipo [tele'tipo] *m* Fernschreiber *m*

teletrabajo [teletra'βaxo] *m* Tele(heim)arbeit *f*

televisar [teleβi'sar] *vt* senden; (*en directo*) übertragen

televisión [teleβi'sjon] *f* ❶ (*sistema*) Fernsehen *nt;* ~ **digital** digitales Fernsehen; ~ **de pago** Pay-TV *nt* ❷ (*fam: televisor*) Fernseher *m;* ~ **en color** Farbfernseher *m*

televisor [teleβi'sor] *m* Fernsehgerät *nt*

telón [te'lon] *m* Vorhang *m;* ~ **de fondo** Hintergrund *m*

tema ['tema] *m* Thema *nt*

temblar [tem'blar] <e → ie> *vi* zittern; ~ **de miedo** vor Angst zittern; ~ **por alguien** um jdn zittern

temblor [tem'blor] *m* Zittern *nt;* (*escalofrío*) Schauder *m;* ~ **de frío** Schüttelfrost *m;* ~ (**de tierra**) Erdbeben *nt*

temer [te'mer] **I.** *vi* sich fürchten; ~ **por alguien** um jdn bangen **II.** *vt, vr:* **~se** (be)fürchten

temerario, -a [teme'rarjo] *adj* waghalsig; (*sin fundamento*) unüberlegt

temeroso, -a [teme'roso] *adj* ❶ (*medroso*) ängstlich ❷ (*temible*) Furcht erregend

temible [te'miβle] *adj* Furcht erregend

temor [te'mor] *m* Furcht *f* (*a/de* vor +*dat*); (*sospecha*) Befürchtung *f*

témpano ['tempano] *m:* **quedarse como un** ~ starr vor Kälte sein

temperamento [tempera'men̪to] *m* Temperament *nt;* **tener mucho** ~ sehr temperamentvoll sein

temperatura [tempera'tura] *f* (Körper)temperatur *f;* (*fiebre*) Fieber *nt;* **tengo algo de** ~ ich habe (erhöhte) Temperatur

tempestad [tempes'ta^ð] *f* Gewitter *nt;* (*marejada*) Sturm *m*

templado, -a [tem'plaðo] *adj* ❶ (*tibio*) lau(warm) ❷ (*temperado*) mild ❸ (*moderado*) maßvoll

temple ['temple] *m* ❶ (*valentía*) Mut *m* ❷ (*carácter*) Gemüt *nt*

templo ['templo] *m* Tempel *m;* **una verdad como un** ~ (*fam*) eine unumstößliche Wahrheit

temporada [tempo'raða] *f* Zeit *f;* (*época*) Saison *f;* **fruta de** ~ Obst der Jahreszeit

temporal [tempo'ral] *m* Gewitter *nt;* (*marejada*) Sturm *m*

temporalidad *f* befristetes Arbeitsverhältnis *nt;* **tasa de** ~ Anteil *m* befristeter Arbeitsverhältnisse

temporario, -a [tempo'rarjo] *adj* AM zeitweilig

temprano[1] [tem'prano] *adv* ❶ (*a primera hora*) früh; ~ **por la mañana** frühmorgens ❷ (*antes*) vorzeitig; **llegar** (**demasiado**) ~ zu früh sein

temprano, -a[2] [tem'prano] *adj* früh; **a edad temprana** in jungen Jahren

tenaz [te'naθ] *adj* beharrlich; (*persistente*) hartnäckig

tenaza(**s**) [te'naθa(s)] *f* (*pl*) Zange *f*

tendencia [ten̪'den̪θja] *f* ❶ (*inclinación*) Neigung *f* (*a* zu +*dat*); **tener ~ a algo** zu etw *dat* neigen ❷ (*dirección*) Tendenz *f* ❸ (*aspiración*) Streben *nt* (*a* nach +*dat*); **~s autonomistas** Autonomiebestreben *nt*

tender [ten̪'der] <e → ie> **I.** *vt* ❶ (*desdoblar*) ausbreiten (*sobre* auf +*dat*); ~ **la mesa** AM den Tisch decken ❷ (*tumbar*) hinlegen (*sobre/en* auf +*akk*) ❸ (*ropa*) aufhängen ❹ (*aproximar*) reichen; ~ **la mano a alguien** (*fig*) jdm helfen **II.** *vi* tendieren; (*inclinarse*) neigen (*a* zu +*dat*)

tendido [ten̪'diðo] *m* AM Bettwäsche *f*

tendón [ten̪'don] *m* Sehne *f*

tenebroso, -a [tene'βroso] *adj* finster; (*tétrico*) düster

tenedor [tene'ðor] *m* Gabel *f*

tener [te'ner] *irr* **I.** *vt* ❶ (*poseer, disfrutar, sentir, padecer*) haben; ~ **29 años** 29 (Jahre alt) sein; **¿**(**con que**) **ésas tenemos?** so ist das also!; ~ **la culpa de algo** an etw *dat* schuld sein; **¿tienes frío?** ist dir kalt?; ~ **sueño** müde sein ❷ (*considerar*) halten (*por* für

+*akk*) ❸ (*guardar*) aufbewahren ❹ (*contener*) beinhalten ❺ (*coger*) nehmen ❻ (*sujetar*) festhalten ❼ (*recibir*) bekommen; **ha tenido un niño** sie hat ein Kind gekriegt *fam* ❽ (*hacer sentir*): **me tienes preocupada** ich mache mir deinetwegen Sorgen ❾ (*loc*): ~ **cuidado** vorsichtig sein; **me tiene sin cuidado** das ist mir egal; ~ **prisa** es eilig haben; ~ **en cuenta** berücksichtigen **II.** *vr:* **~se** ❶ (*considerarse*) sich halten (*por* für +*akk*); **~se en mucho** viel auf sich halten ❷ (*sostenerse*) sich halten; **~se de pie** stehen (bleiben); **estoy que no me tengo** ich bin todmüde **III.** *aux* ❶ (*con participio concordante*): ~ **pensado hacer algo** vorhaben etw zu tun ❷ (*obligación, necesidad*): ~ **que** müssen; ~ **mucho que hacer** viel zu tun haben; **¿qué tiene que ver esto conmigo?** was hat das mit mir zu tun?

Tenerife [tene'rife] *m* Teneriffa *nt*

tenia ['tenja] *f* Bandwurm *m*

teniente [te'njente] *m* Leutnant *m;* ~ **coronel** Oberstleutnant *m*

tenis ['tenis] *m* Tennis *nt*

tenista [te'nista] *mf* Tennisspieler(in) *m(f)*

tenor [te'nor] *m* Tenor *m;* **a ~ de** gemäß +*dat*

tensar [ten'sar] *vt* straffen

tensión [ten'sjon] *f* ❶ FÍS Spannung *f* ❷ (*piel*) Straffheit *f;* (*nervios*) (An)spannung *f;* **película de ~** Thriller *m* ❸ MED: ~ **arterial** Blutdruck *m* ❹ *pl* (*conflicto*) Spannungen *fpl*

tenso, -a ['tenso] *adj* (an)gespannt; (*cuerda*) straff

tentación [tenta'θjon] *f* Versuchung *f*

tentar [ten'tar] <e → ie> *vt* (ver)locken; (*seducir*) verführen (*a* zu +*dat*); **no me tientes** führe mich nicht in Versuchung

tentativa [tenta'tiβa] *f* Versuch *m;* ~ **de robo** versuchter Diebstahl

tentempié [tentem'pje] *m* (*fam*) Snack *m*

tenue ['tenwe] *adj* ❶ dünn; (*delicado*) fein ❷ (*sutil*) zart; (*débil*) schwach; **luz ~** Dämmerlicht *nt*

teñir(se) [te'ɲir(se)] *irr como ceñir vt, vr* (sich) färben; ~ **de rojo** (sich) rot färben; ~ **de tristeza** mit Trauer erfüllen

teología [teolo'xia] *f* Theologie *f*

teólogo, -a [te'oloɣo] **I.** *adj* theologisch **II.** *m, f* Theologe, -in *m, f*

teoría [teo'ria] *f* Theorie *f;* **en ~** theoretisch

teórico, -a [te'oriko] *adj* theoretisch

tequila [te'kila] *m* Tequila *m*

TER [ter] *m abr de* **Tren Español Rápido** TER *m* (*spanischer IC*)

terapeuta [tera'peu̯ta] *mf* Therapeut(in) *m(f)*

terapéutico, -a [tera'peu̯tiko] *adj* therapeutisch

terapia [te'rapja] *f* Therapie *f*

tercer [ter'θer] *adj v.* **tercero, -a**

Tercer Mundo [ter'θer 'mundo] *m* Dritte Welt *f*

tercero, -a [ter'θero] *adj* (*delante de un sustantivo masculino: tercer*) dritte(r, s); **terceras personas** Dritte *pl*; **en tercer lugar** drittens; *v.t.* **octavo**

terciar [ter'θjar] **I.** *vi* eingreifen; (*mediar*) vermitteln (*con* bei +*dat*) **II.** *vr, vimpers:* **~se** sich ergeben; **si se tercia** wenn es sich ergibt

tercio ['terθjo] *m* Drittel *nt; v.t.* **octavo**

terciopelo [terθjo'pelo] *m* Samt *m*

terco, -a ['terko] *adj* stur; (*niño*) trotzig; (*animal*) störrisch

tergiversar [terxiβer'sar] *vt* verfälschen; (*la verdad*) verdrehen

termal [ter'mal] *adj* thermal; **aguas ~es** Thermalquelle *f*

terminación [termina'θjon] *f* Abschluss *m;* (*producción*) Fertigstellung *f*

terminal[1] [termi'nal] *adj:* **un enfermo ~** ein sich im Endstadium befindender Kranker

terminal[2] [termi'nal] *f:* ~ **aérea** Flugha-

T

fenterminal *m o nt*

terminar [termi'nar] **I.** *vt* ❶ beenden; (*proyecto*) abschließen; **¿cuándo terminas?** wann bist du fertig? ❷ (*producir*) fertig stellen ❸ (*consumir*) aufbrauchen **II.** *vi* ❶ enden; (*plazo*) ablaufen; **¿cuándo termina la película?** wann ist der Film zu Ende? ❷ (*acercarse al final*) zu Ende gehen; **ya termina la película** der Film ist bald zu Ende ❸ (*poner fin*) aufhören ❹ (*destruir*) vernichten (*con +akk*); **el tabaco va a ~ contigo** das Rauchen macht dich noch kaputt ❺ (*de hacer algo*): **~ de hacer** fertig machen ❻ (*separarse*) Schluss machen ❼ (*llegar a*): **~ por hacer algo** schließlich etw tun ❽ (*haber hecho*): **~ de hacer algo** gerade etwas getan haben **III.** *vr:* **~se** zu Ende gehen; (*no haber más*) ausgehen

término ['termino] *m* ❶ (*fin*) Ende *nt;* **llevar a ~** zu Ende bringen ❷ (*plazo*) Zeitraum *m;* **en el ~ de quince días** innerhalb von zwei Wochen ❸ (*linde*) Grenze *f* ❹ ADMIN Bezirk *m* ❺ LING Terminus *m;* **en otros ~s** mit anderen Worten ❻ (*loc*): **por ~ medio** durchschnittlich; **en primer ~** an erster Stelle; **en último ~** letztendlich

terminología [terminolo'xia] *f* Fachwortschatz *m*

terminológico, -a [termino'loxiko] *adj* fachsprachlich; **diccionario ~** Fachwörterbuch *nt*

terminótica [termi'notika] *f* LING computerunterstützte Terminologiearbeit

termita [ter'mita] *f* Termite *f*

termo ['termo] *m* Thermosflasche *f*

termómetro [ter'mometro] *m* Thermometer *nt*

termostato [termos'tato] *m* Thermostat *m*

ternera [ter'nera] *f* Kalbfleisch *nt*

ternero, -a [ter'nero] *m, f* Kalb *nt*

ternilla [ter'niʎa] *f* Knorpel *m*

ternura [ter'nura] *f* ❶ (*cariño*) Zärtlichkeit *f* ❷ (*dulzura*) Lieblichkeit *f* ❸ (*delicadeza*) Zartheit *f*

Terranova [terra'noβa] *f* Neufundland *nt*

terraplén [terra'plen] *m* (Erd)aufschüttung *f;* (*protección*) (Erd)wall *m*

terráqueo, -a [te'rrakeo] *adj* Erd-; **globo ~** Erdkugel *f*

terrateniente [terrate'njente] *mf* Großgrundbesitzer(in) *m(f)*

terraza [te'rraθa] *f* Terrasse *f*

terremoto [terre'moto] *m* Erdbeben *nt*

terrenal [terre'nal] *adj* irdisch

terreno [te'rreno] *m* ❶ (*suelo*) (Erd)boden *m;* **~ arcilloso** Tonboden *m* ❷ (*espacio*) Gelände *nt;* (*parcela*) Grundstück *nt;* **~ edificable** Bauland *nt;* **vehículo todo ~** Geländefahrzeug *nt* ❸ (*esfera*) Gebiet *nt;* **~ desconocido** Neuland *nt* ❹ (*loc*): **sobre el ~** an Ort und Stelle; **ganar/perder ~** an Boden gewinnen/verlieren

terrestre [te'rrestre] *adj* ❶ (*de la Tierra*) Erd-; **globo ~** Erdkugel *f* ❷ (*en la tierra*) Land-; **animal ~** Landlebewesen *nt* ❸ (*terrenal*) irdisch

terrible [te'rriβle] *adj* schrecklich; **hace un frío ~** es ist schrecklich kalt; **tener un hambre ~** furchtbar hungrig sein

territorial [territo'rjal] *adj* ❶ GEO, POL territorial; **división ~** Gebietsteilung *f* ❷ ZOOL Revier-

territorio [terri'torjo] *m* ❶ Gebiet *nt;* POL Territorium *nt;* JUR Bezirk *m;* **~ jurisdiccional** Gerichtsbezirk *m* ❷ ZOOL Revier *nt*

terrón [te'rron] *m* Klumpen *m;* **~ (de azúcar)** Stück Zucker; **~ (de tierra)** Erdklumpen *m*

terror [te'rror] *m* ❶ (*miedo*) (panische) Angst *f;* **película de ~** Horrorfilm *m* ❷ (*que provoca miedo*) Schrecken *m*

terrorismo [terro'rismo] *m* Terrorismus *m*

terrorista [terro'rista] **I.** *adj* terroristisch; **organización ~** Terrororganisation *f* **II.** *mf* Terrorist(in) *m(f)*

terso, -a ['terso] *adj* glatt; (*tirante*) straff

tertulia [ter'tulja] *f* (Gesprächs)kreis *m;* (*en un bar*) Stammtisch *m*
tesina [te'sina] *f* Diplomarbeit *f;* (*en Letras*) Magisterarbeit *f*
tesis ['tesis] *f inv* These *f;* (*trabajo*) Dissertation *f*
tesón [te'son] *m* Beharrlichkeit *f;* **trabajar con ~** hart arbeiten
tesorería [tesore'ria] *f* ❶ (*cargo*) Schatzmeisteramt *nt* ❷ (*despacho t.* FIN) Kasse *f*
tesorero, -a [teso'rero] *m, f* Schatzmeister(in) *m(f)*
tesoro [te'soro] *m* ❶ (*de gran valor*) Schatz *m* ❷ (*fortuna*) Vermögen *nt;* **~ (público)** Fiskus *m* ❸ (*cariño*) Schatz *m*
test [tes[t]] *m* Test *m*
testamento [testa'mento] *m* Testament *nt*
testarudo, -a [testa'ruðo] *adj* dickköpfig
testículo [tes'tikulo] *m* Hoden *m*
testificar [testifi'kar] <c → qu> **I.** *vt* erklären; (*testigo*) aussagen **II.** *vi* (als Zeuge) aussagen
testigo [tes'tiɣo] *mf* Zeuge, -in *m, f;* **~ de cargo/de descargo** Belastungs-/Entlastungszeuge *m;* **~ de matrimonio** Trauzeuge *m;* **~ ocular** Augenzeuge *m*
testimoniar [testimo'njar] **I.** *vt* ❶ (*declarar*) aussagen ❷ (*afirmar*) bezeugen ❸ (*dar muestra*) bekunden **II.** *vi* (als Zeuge) aussagen
testimonio [testi'monjo] *m* ❶ (*declaración*) Aussage *f;* **dar ~** aussagen ❷ (*afirmación*) Bezeugung *f* ❸ (*muestra*) Bekundung *f* ❹ (*prueba*) Beweis *m*
teta ['teta] *f* Brust *f;* (*ubre*) Euter *m*
tétano(s) ['tetano(s)] *m* Wundstarrkrampf *m*
tetera [te'tera] *f* ❶ (*para té*) Teekanne *f* ❷ AM Sauger *m* ❸ AM *v.* **tetero**
tetero [te'tero] *m* AM (Saug)flasche *f*
textil [tes'til] *adj* textil
texto ['testo] *m* Text *m;* **libro de ~** Schulbuch *nt*
textual [testu'al] *adj* ❶ (*relativo al texto*) textuell ❷ (*conforme al texto*) textgemäß; (*literal*) wörtlich
tez [teθ] *f* (Gesichts)haut *f;* **de ~ morena** dunkelhäutig
ti [ti] *pron pers*: **a ~** (*objeto directo*) dich; (*indirecto*) dir; **de ~** von dir; **para ~** für dich; **por ~** deinetwegen
tía ['tia] *f* ❶ Tante *f;* **¡(cuéntaselo a) tu ~!** (*fam*) das kannst du deiner Großmutter erzählen!; **no hay tu ~** (*fam*) da ist nichts zu machen ❷ (*fam: mujer*) Frau *f;* (*pey*) Tante *f;* **¡qué ~ más buena!** so ein Klasseweib! ❸ (*fam: tratamiento*): **pero ~, ¿qué te pasa, ~?** Mensch, was ist denn mit dir los?
tibetano, -a [tiβe'tano] *adj* tibetisch
tibia ['tiβja] *f* Schienbein *nt*
tibio, -a ['tiβjo] *adj* lau(warm); AM (*fam*) sauer
tiburón [tiβu'ron] *m* Hai(fisch) *m*
tic [ti[k]] *m* <tics> Tick *m*
tiempo ['tjempo] *m* ❶ (*momento, duración, periodo*) Zeit *f;* **~ libre** Freizeit *f;* **a ~** rechtzeitig; **a su ~** zu gegebener Zeit; **todo a su ~** alles zu seiner Zeit; **al (mismo) ~** gleichzeitig; **al ~ que...** während ...; **antes de ~** vorzeitig; **hace ~ que...** es ist schon lange (Zeit) her, dass ...; **hacer ~** sich *dat* die Zeit vertreiben; **hay ~** wir haben genug Zeit; **si me da ~...** wenn ich Zeit habe, ... ❷ (*época*) Zeit *f* ❸ METEO Wetter *nt;* **cerveza del ~** ungekühltes Bier; **hoy hace mal ~** heute ist schlechtes Wetter ❹ LING Tempus *nt*
tienda ['tjenda] *f* ❶ (*establecimiento*) Laden *m;* **~ de comestibles** Lebensmittelgeschäft *nt* ❷ **~ (de campaña)** Zelt *nt*
tierno, -a ['tjerno] *adj* ❶ zart; (*pan, dulces*) mürb(e) ❷ (*cariñoso*) zärtlich
tierra ['tjerra] *f* ❶ (*planeta*) Erde *f;* **echar ~ a algo** (*fig*) etw vertuschen ❷ (*firme*) (Fest)land *nt;* **~ adentro** landeinwärts; **tomar ~** landen ❸ (*región*) Gegend *f;* **Tierra Santa** Heiliges Land

❹ (*hacienda*) Land *nt*

tieso, -a ['tjeso] *adj* ❶ (*rígido*) steif ❷ (*erguido*) aufrecht; (*orejas*) gespitzt ❸ (*engreído*) arrogant

tiesto ['tjesto] *m* Blumentopf *m*

tifón [ti'fon] *m* Taifun *m*

tifus ['tifus] *m* Typhus *m*

tigre, -a[1] ['tiɣre] *m, f* AM Jaguar *m*

tigre(sa)[2] ['tiɣre, ti'ɣresa] *m(f)* Tiger(in) *m(f)*

tijera(s) [ti'xera(s)] *f* (*pl*) Schere *f*

tijereta [tixe'reta] *f* Ohrwurm *m*

tila ['tila] *f* Lindenblütentee *m*

tilde ['ti̯lde] *f* Akzent *m;* (*de la ñ*) Tilde *f*

tiliches [ti'litʃes] *m pl* AMC, MÉX Gerümpel *nt*

tilo ['tilo] *m* Linde *f*

timador(a) [tima'ðor] *m(f)* Betrüger(in) *m(f)*

timar [ti'mar] *vt* ❶ (*estafar*) ergaunern ❷ (*engañar*) betrügen

timbre ['timbre] *m* Klingel *f;* **han tocado el ~** es hat geklingelt

timidez [timi'ðeθ] *f* Schüchternheit *f*

tímido, -a ['timiðo] *adj* schüchtern

timo ['timo] *m* Betrug *m*

timón [ti'mon] *m* Steuer *nt*

tímpano ['timpano] *m* Trommelfell *nt;* (*instrumento*) Pauke *f*

tina ['tina] *f* Kübel *m;* AM Badewanne *f*

tinga ['tiŋga] *f* MÉX Remmidemmi *nt fam*

tiniebla [ti'njeβla] *f* Finsternis *f*

tino ['tino] *m* ❶ (*puntería*) Treffsicherheit *f* ❷ (*destreza*) Geschicklichkeit *f* ❸ (*moderación*) Mäßigkeit *f;* **sin ~** ohne Maß und Ziel; **estar a ~** gelegen sein

tinta ['ti̯nta] *f* Tinte *f;* **~ china** Tusche *f;* **~ de imprenta** Druckfarbe *f;* **saber algo de buena ~** etw aus guter Quelle haben; **sudar ~** sich abmühen

tinte ['ti̯nte] *m* Färbemittel *nt;* (*tintorería*) Reinigung *f*

tinto, -a ['ti̯nto] *adj* (wein)rot; **vino ~** Rotwein *m*

tintorería [ti̯ntore'ria] *f* (chemische) Reinigung *f*

tío, -a ['tio] *m, f* ❶ (*pariente*) Onkel, Tante *m, f* ❷ (*fam: hombre*) Kerl *m;* **¡oye ~ !** Mensch!

tiovivo [tio'βiβo] *m* Karussell *nt*

típico, -a ['tipiko] *adj* typisch (*de* für +*akk*)

tipo, -a[1] ['tipo] *m, f* (*fam*) Mann, Frau *m, f;* (*pey*) Type *f*

tipo[2] ['tipo] *m* ❶ (*modelo*) Modell *nt* ❷ (*espécimen*) Typ(us) *m* ❸ (*cuerpo*) Körperbau *m;* **tener buen ~** eine gute Figur haben; **arriesgar el ~** (*fam*) sein Leben aufs Spiel setzen ❹ (*clase*) Art *f* ❺ **~ de cambio** Wechselkurs *m*

tíquet ['tike[t]] <tiquets> *m* Ticket *nt;* (*de viaje*) Fahrschein *m;* (*de espectáculos*) Eintrittskarte *f;* (*de compra*) Kassenzettel *m*

tira ['tira] *f* Band *nt*, Streifen *m;* **hacer ~s algo** etw zerreißen

tirachinas [tira'tʃinas] *m* Gummischleuder *f*

tirada [ti'raða] *f* Auflage *f;* **de una ~** (*fig*) auf einen Streich

tirado, -a [ti'raðo] *adj* (*fam: con estar: barato*) spottbillig; (*pey: con ser: descuidado*) schlampig; (*fam: fácil*) kinderleicht

tiránico, -a [ti'raniko] *adj* tyrannisch

tiranizar [tirani'θar] <z → c> *vt* tyrannisieren

tirano, -a [ti'rano] **I.** *adj* tyrannisch **II.** *m, f* Tyrann(in) *m(f)*

tirante [ti'ra̯nte] **I.** *adj* ❶ (*tieso*) straff ❷ (*conflictivo*) gespannt; **estar ~ con alguien** eine gespannte Beziehung zu jdm haben **II.** *m* Träger *m;* **~s** Hosenträger *m pl*

tirantez [tira̯n'teθ] *f* Spannung *f*

tirar [ti'rar] **I.** *vi* ❶ (*arrastrar*) ziehen (*de* an +*dat*); **tira y afloja** Tauziehen *nt* ❷ (*atraer*) anziehen ❸ (*sacar*) hervorziehen (*de* +*akk*) ❹ (*chimenea*) ziehen ❺ (*colores*): **~ a rojo** ins Rote spielen ❻ (*disparar*) schießen (*a* auf +*akk*); **~ al blanco** das Ziel treffen ❼ (*loc*):

¿cómo estás? – voy tirando wie geht's? – es geht so **II.** *vt* ❶ (*lanzar*) werfen; ~ **piedras a alguien** mit Steinen nach jdm werfen ❷ (*desechar*) wegwerfen ❸ (*disparar*) schießen ❹ (*derribar*) zu Boden werfen **III.** *vr:* **~se** ❶ (*lanzarse*) sich stürzen (*a* in *+akk, sobre* auf *+akk*) ❷ (*fam: pasar*) verbringen; **~se una hora esperando** eine ganze Stunde warten ❸ (*vulg*): **~se a alguien** es mit jdm treiben

tirita [ti'rita] *f* (Heft)pflaster *nt*

tiritar [tiri'tar] *vi* frösteln (*de* vor *+dat*)

tiro ['tiro] *m* ❶ (*lanzamiento*) Wurf *m;* ~ **a portería** Torwurf *m* ❷ (*disparo*) Schuss *m;* ~ **al aire** Warnschuss *m;* **a** ~ in Schussweite; (*fig*) erreichbar; **no van por ahí los ~s** (*fam*) die Sache verhält sich anders ❸ (*loc*): **ni a ~s** nicht um alles in der Welt; **sentar como un** ~ umhauen *+akk*

tiroides [ti'roi̯ðes] *m* Schilddrüse *f*

tirón [ti'ron] *m:* **de un** ~ in einem Zug

tisis ['tisis] *f inv* Schwindsucht *f*

titanio [ti'tanjo] *m* Titan *nt*

títere ['titere] *m* ❶ Handpuppe *f;* (*t. fig*) Marionette *f* ❷ *pl* (*espectáculo*) Puppentheater *nt*

titubear [tituβe'ar] *vi* schwanken; (*fig*) zögern

titubeo [titu'βeo] *m* ❶ (*vacilación*) Schwanken *nt;* (*fig*) Zögern *nt* ❷ (*balbuceo*) Stammeln *nt*

titulación [titula'θjon] *f* akademischer Titel *m*

titular[1] [titu'lar] *mf* Inhaber(in) *m(f)*

titular[2] [titu'lar] **I.** *m* Überschrift *f;* **aparecer en los ~es** Schlagzeilen machen **II.** *vt*: **el libro se titula...** das Buch trägt den Titel ...

título ['titulo] *m* Titel *m;* (*diploma*) Diplom *nt*

tiza ['tiθa] *f* Kreide *f;* ~ **electrónica** (**inalámbrica**) INFOR (drahtloser) elektronischer Griffel

toalla [to'aʎa] *f* Handtuch *nt*

tobillo [to'βiʎo] *m* (Fuß)knöchel *m*

tobogán [toβo'ɣan] *m* Rutschbahn *f*

tocadiscos [toka'ðiskos] *m* Plattenspieler *m*

tocado, -a [to'kaðo] *adj* verrückt; **estar** ~ nicht recht bei Verstand sein

tocador [toka'ðor] *m* (*mueble*) Toilettentisch *m;* (*habitación*) Toilette *f*

tocar [to'kar] <c → qu> **I.** *vt* ❶ (*contacto*) berühren; **¡toca madera!** klopf auf Holz!; ~ **un tema** ein Thema streifen ❷ MÚS spielen; (*campana*) läuten; ~ **a misa** zur Messe läuten; ~ **el timbre** klingeln **II.** *vi* ❶ (*corresponder*) zustehen; **te toca jugar** du bist dran ❷ (*obligación*): **me toca barrer el patio** es ist meine Aufgabe, den Hof zu kehren ❸ (*llegar el momento oportuno*) an der Zeit sein; **toca ir a la compra** es ist an der Zeit, einkaufen zu gehen ❹ (*caer en suerte*) entfallen (*a* auf *+akk*) **III.** *vr:* **~se** sich berühren

tocateja [toka'texa]: **a** ~ in bar

tocayo, -a [to'kaɟo] *m, f* Namensvetter(in) *m(f)*

tocino [to'θino] *m* Speck *m*

todavía [toða'βia] *adv* ❶ (*aún*) noch; ~ **no** noch nicht ❷ (*sin embargo*) trotzdem

todo[1] ['toðo] **I.** *pron indef* alles; ~ **lo que** [*o* **cuanto**]... alles, was ...; **ante** [*o* **sobre**] ~ vor allem; **después de** ~ (*fam*) letztendlich; **me invitó a comer y** ~ er/sie hat mich sogar zum Essen eingeladen **II.** *adv* (*fam*) ganz, völlig **III.** *m sin pl* Ganze(s) *nt;* **del** ~ ganz und gar; **no del** ~ nicht ganz

todo, -a[2] ['toðo] *adj indef* ❶ (*entero*) ganz; **toda la familia** die ganze Familie; **a toda prisa** in aller Eile ❷ (*cada*) jede(r, s); **a toda costa** um jeden Preis ❸ *pl* alle; **~s los niños** alle Kinder; **en todas partes** überall; **de ~s modos** auf alle Fälle; **de todas todas** so oder so ❹ (*intensificación*): **ser** ~ **nervios** ein einziges Nervenbündel sein

todoterreno [toðote'rreno] *m* Geländefahrzeug *nt*

toldo ['to̞ldo] *m* Sonnendach *nt;* (*en el balcón*) Markise *f*

toledano, -a [tole'ðano] *adj* aus Toledo

tolerancia [tole'ran̪θja] *f* Toleranz *f*

tolerante [tole'ran̪te] *adj* tolerant

tolerar [tole'rar] *vt* ❶ ertragen; (*alimentos, medicinas*) vertragen ❷ (*permitir*) dulden ❸ (*aceptar*) tolerieren

toma [toma] *f* ❶ (*adquisición*) Nehmen *nt;* ~ **de poder** Machtergreifung *f;* ~ **de posesión** Amtsübernahme *f* ❷ (*conquista*) Einnahme *f;* ~ **por asalto** Erstürmung *f* ❸ (*dosis*) Dosis *f* ❹ TÉC Anschluss *m* ❺ (*grabación*) Aufnahme *f*

tomadura [toma'ðura] *f:* ~ **de pelo** Scherz *m*

tomar [to'mar] **I.** *vt* ❶ (*coger*) nehmen; ~ **una decisión** eine Entscheidung treffen; ~ **el sol** sich sonnen ❷ (*comer, beber*) zu sich *dat* nehmen; ~ **café** Kaffee trinken ❸ (*interpretar*) auffassen; ~ **a la ligera** auf die leichte Schulter nehmen; ~ **a mal** übel nehmen; ~ **en serio** ernst nehmen ❹ (*adquirir*) erwerben; ~ **conciencia de algo** sich *dat* einer Sache bewusst werden ❺ (*sentir*) empfinden; ~ **confianza a alguien** zu jdm Vertrauen fassen ❻ (*conquistar*) einnehmen ❼ AM: **~la** sich betrinken ❽ (*loc*): **¡vete a ~ por culo!** (*vulg*) leck mich am Arsch!; **¡toma!** sieh mal an! **II.** *vr:* **~se** ❶ (*coger*) sich *dat* nehmen; **~se libertades** sich *dat* Freiheiten herausnehmen; **~se unas vacaciones** sich *dat* ein paar Tage Urlaub nehmen ❷ (*comer, beber*) zu sich *dat* nehmen; **me he tomado un vaso de leche** ich habe ein Glas Milch getrunken ❸ AM: **tomársela** sich betrinken

tomate [to'mate] *m* Tomate *f;* **ponerse rojo como un** ~ knallrot werden

tómbola ['tombola] *f* Tombola *f*

tomillo [to'miʎo] *m* Thymian *m*

tomo ['tomo] *m* Band *m;* **de cuatro ~s** vierbändig

tonalidad [tonali'ða^{ð}] *f* LING Tonfall *m;* MÚS Tonart *f;* ARTE Schattierung *f*

tonel [to'nel] *m* (*barril*) Fass *nt;* (*fam: gordo*) Tonne *f*

tonelada [tone'laða] *f* Tonne *f*

tónica ['tonika] *f* Tonic(water) *nt*

tono ['tono] *m* ❶ (*altura*) Tonlage *f;* ~ **agudo/grave** hohe/tiefe Tonlage ❷ (*señal*) Ton *m;* ~ **de marcar** Freizeichen *nt* ❸ (*intensidad*) Lautstärke *f;* **bajar el** ~ die Lautstärke dämpfen ❹ (*color*) Ton *m;* **en ~ de reproche** in vorwurfsvollem Ton; **bajar el** ~ seinen Ton mäßigen

tontear [ton̪te'ar] *vi* (herum)albern

tontería [ton̪te'ria] *f* Dummheit *f;* (*nadería*) Lappalie *f*

tonto, -a ['ton̪to] *adj* dumm

topacio [to'paθjo] *m* Topas *m*

topar [to'par] **I.** *vi* stoßen (*con* auf +*akk*) **II.** *vt* (*hallar: algo*) stoßen (auf +*akk*); (*a alguien*) treffen (*a* +*akk*) **III.** *vr:* **~se** (*chocar*) zusammenstoßen; (*encontrar*) zufällig treffen (*con* +*akk*)

tope ['tope] **I.** *adj* Höchst-; **velocidad ~** Höchstgeschwindigkeit *f* **II.** *m* Spitze *f;* **estar hasta el ~** überfüllt sein

tópico[1] ['topiko] *m* Klischee *nt*

tópico, -a[2] ['topiko] *adj:* **de uso ~** zur äußerlichen Anwendung

topo ['topo] *m* (*t. fig*) Maulwurf *m*

topografía [topoɣra'fia] *f* Topographie *f*

toque ['toke] *m* ❶ (*roce*) Berührung *f* ❷ (*golpe*) Klopfen *nt* ❸ (*sonido*): ~ **de atención** Warnsignal *nt* ❹ (*advertencia*) Hinweis *m* ❺ (*matiz*) Hauch *m* ❻ **dar los últimos ~s a algo** etw *dat* den letzten Schliff geben

toquilla [to'kiʎa] *f* Schultertuch *nt*

tórax ['tora^{ɣ}s] *m* Brustkorb *m*

torbellino [torβe'ʎino] *m* Wirbel *m;* **ser un ~** ein richtiger Wirbelwind sein

torcer [tor'θer] *irr como cocer* **I.** *vi* abbiegen; ~ **a la izquierda** nach links abbiegen **II.** *vt* ❶ (*encorvar*) biegen ❷ (*dar vueltas*) (ver)drehen ❸ (*referente al gesto*): ~ **el gesto** das Gesicht verziehen **III.** *vr:* **~se** ❶ (*encorvarse*) sich biegen ❷ (*dislocarse*) sich *dat* zerren; **me he torcido el pie** ich bin mit dem Fuß umgeknickt ❸ (*corromperse*) auf Abwege geraten

torcido, -a [tor'θiðo] *adj* schief; (*encorvado*) krumm

tordo ['torðo] *m* Drossel *f*

torear [tore'ar] **I.** *vi* (*lidiar*) mit Stieren kämpfen **II.** *vt* ❶ (*lidiar*) kämpfen (mit +*dat*) ❷ (*evitar*) geschickt aus dem Wege gehen +*dat* ❸ (*engañar*) etwas vormachen +*dat*

toreo [to'reo] *m* Stierkampfkunst *f;* (*lidia*) Stierkampf *m*

torero, -a [to'rero] *m, f* Stierkämpfer(in) *m(f)*

tormenta [tor'meṇta] *f* (*t. fig*) Gewitter *nt;* (*agitación*) Sturm *m*

tormento [tor'meṇto] *m* ❶ (*castigo*) Folter *f;* **potro de ~** Folterbank *f* ❷ (*congoja*) Qual *f*

tornado [tor'naðo] *m* Wirbelsturm *m*

tornar [tor'nar] **I.** *vi* zurückkehren; **~ en sí** wieder zu sich *dat* kommen **II.** *vt* (*devolver*) zurückgeben **III.** *vr:* **~se** sich verwandeln; **~se gris** grau werden

torneo [tor'neo] *m* Turnier *nt*

tornillo [tor'niʎo] *m* Schraube *f;* **apretar un ~** eine Schraube anziehen; **te falta un ~** bei dir ist eine Schraube locker

torno ['torno] *m* ❶ Drehbank *f;* (*de alfarero*) Drehscheibe *f* ❷ (*loc*): **en ~ a** um ... herum; **en ~ a ese tema** zu diesem Thema

toro ['toro] *m* Stier *m;* **coger el ~ por los cuernos** (*fig*) den Stier bei den Hörnern packen

torpe ['torpe] *adj* schwerfällig; (*inhábil*) ungeschickt

torpeza [tor'peθa] *f* Schwerfälligkeit *f;* (*inhabilidad*) Ungeschicklichkeit *f*

torre ['torre] *f* Turm *m;* **~ de alta tensión** Hochspannungsmast *m*

torrencial [torreṇ'θjal] *adj:* **lluvia ~** sündflutartiger Regen

torrente [to'rreṇte] *m* ❶ (*corriente*) Sturzbach *m* ❷ (*multitud*) Schwall *m*

torso ['torso] *m* Rumpf *m*

torta ['torta] *f* ❶ Kuchen *m;* AM Torte *f;* **no saber ni ~** (*fam*) keinen blassen Schimmer haben ❷ (*fam*) Ohrfeige *f;* **darse una ~** sich stoßen

tortazo [tor'taθo] *m* (*fam*) Ohrfeige *f;* **darse un ~** sich heftig stoßen

tortilla [tor'tiʎa] *f* Omelett(e) *nt;* AM Maisfladen *m*

tortillera [torti'ʎera] *m* (*vulg*) Lesbe *f fam*

tortuga [tor'tuɣa] *f* Schildkröte *f;* **a paso de ~** im Schneckentempo

tortura [tor'tura] *f* Folter *f;* **sufrir ~s** gefoltert werden

torturar [tortu'rar] *vt* foltern

tos [tos] *f* Husten *m;* **~ ferina** Keuchhusten *m*

tosco, -a ['tosko] *adj* grob

toser [to'ser] *vi* husten

tostada [tos'taða] *f* Toast *m*

tostador [tosta'ðor] *m* Toaster *m*

tostar [tos'tar] <o → ue> **I.** *vt* rösten; (*pan*) toasten **II.** *vr:* **~se** sich bräunen

total [to'tal] **I.** *adj* total; **importe ~** Gesamtbetrag *m;* **en ~** insgesamt **II.** *m* (Gesamt)summe *f* **III.** *adv* also

totalidad [totali'ða^{ð}] *f* Gesamtheit *f;* **en su ~** in vollem Umfang

totalitario, -a [totali'tarjo] *adj* (*completo*) umfassend; (*dictatorial*) totalitär

totalmente [total'meṇte] *adv* völlig

tóxico, -a ['to$^{\gamma}$siko] *adj* giftig

toxicómano, -a [to$^{\gamma}$si'komano] *adj* rauschgiftsüchtig

tozudo, -a [to'θuðo] *adj* dickköpfig

traba ['traβa] *f* Hindernis *nt*

trabajador(a) [traβaxa'ðor] **I.** *adj* fleißig **II.** *m(f)* Arbeiter(in) *m(f)*

trabajar [traβa'xar] **I.** *vi* arbeiten; **~ de vendedora** als Verkäuferin arbeiten **II.** *vt* bearbeiten **III.** *vr:* **~se a alguien** (*argot*) jdn anmachen, mit jdm anbändeln

trabajo [tra'βaxo] *m* Arbeit *f;* **~ en cadena** Fließbandarbeit *f;* **~ a destajo**

Akkordarbeit *f;* ~ **estacional** Saisonarbeit *f;* **costar** ~ Mühe kosten

trabajólico, -a [traβa'xoliko] **I.** *adj* arbeitssüchtig, workaholic **II.** *m, f* Workaholic *mf*

trabalenguas [traβa'leŋgwas] *m* Zungenbrecher *m*

trabarse [tra'βarse] *vr* sich verheddern; ~ **la lengua** stottern

tractor [trak'tor] *m* Traktor *m*

tradición [traði'θjon] *f* Tradition *f*

tradicional [traðiθjo'nal] *adj* traditionell

traducción [traðuᵞ'θjon] *f* Übersetzung *f;* ~ **al/del inglés** Übersetzung ins Englische/aus dem Englischen

traducir [traðu'θir] *irr vt* übersetzen

tradúctica [tra'ðuktika] *f* computerunterstützte Übersetzung

traductología [tra'ðuktolo'xia] *f* Übersetzungswissenschaften *fpl*

traductor(a) [traðuk'tor] *m(f)* Übersetzer(in) *m(f)*

traer [tra'er] *irr* **I.** *vt* ① (*llevar: a alguien*) bringen; (*consigo*) bei sich *dat* haben; **tengo una carta para ti – trae** ich habe einen Brief für dich – gib ihn her ② (*ir a por*) holen ③ (*ocasionar*) mit sich bringen ④ (*más adjetivo*): ~ **preocupado a alguien** jdm Sorgen machen; ~ **frito a alguien** (*fam*) jdn den letzten Nerv kosten ⑤ (*más sustantivo*): ~ **retraso** mit Verspätung kommen; ~ **prisa** es eilig haben; ~ **hambre** Hunger haben ⑥ (*loc*): **¿qué te trae por aquí?** was führt dich hierher?; **esto me trae sin cuidado** das ist mir egal **II.** *vr:* **~se** ① (*llevar a cabo*): **~se algo entre manos** etw laufen haben ② (*loc*): **este examen se las trae** diese Prüfung hat es in sich

traficante [trafi'kan̩te] *mf* Händler(in) *m(f);* (*de drogas*) Dealer(in) *m(f)*

traficar [trafi'kar] <c → qu> *vi* handeln (*en* mit +*dat*); (*con drogas*) dealen (*con/en* mit +*dat*)

tráfico ['trafiko] *m* ① COM Handel *m;* (*de drogas*) Drogenhandel *m;* ~ **de influencias** Vetternwirtschaft *f* ② (*de vehículos*) Verkehr *m;* ~ **por carretera** Straßenverkehr *m*

tragaperras [traɣa'perras] *f* Spielautomat *m*

tragar [tra'ɣar] <g → gu> **I.** *vt, vr:* **~se** (hinunter)schlucken; (*t. fig*) verschlingen **II.** *vt:* **no ~ a alguien** jdn nicht ausstehen können

tragedia [tra'xeðja] *f* Tragödie *f*

trágico, -a ['traxiko] *adj* tragisch; **no te pongas ~** stell dich nicht so an

trago ['traɣo] *m* Schluck *m;* **de un ~** in einem Zug

traición [trai̯'θjon] *f* Verrat *m;* **matar a ~** hinterrücks ermorden

traicionar [trai̯θjo'nar] *vt* verraten; (*adulterio*) betrügen; **la memoria me traiciona** mein Gedächtnis lässt mich im Stich

traicionero, -a [trai̯θjo'nero] **I.** *adj* (*persona*) verräterisch; (*acción*) heimtückisch; (*animal*) tückisch **II.** *m, f* Verräter(in) *m(f)*

traidor(a) [trai̯'ðor] *m(f)* Verräter(in) *m(f)*

traje ['traxe] *m* ① (*vestidura*) Kleidung *f;* ~ **de baño** Badeanzug *m;* ~ **de luces** Toreroanzug *m* ② (*de hombre*) Anzug *m;* ~ **hecho a la medida** Maßanzug *m* ③ (*de mujer*) Kleid *nt;* ~ **de noche** Abendkleid *nt*

trajín [tra'xin] *m:* **el ~ de la ciudad** das Gewühl in der Stadt

trama ['trama] *f* ① LIT Handlung *f* ② (*intriga*) Intrige *f*

tramar [tra'mar] *vt* anzetteln; (*intriga*) schmieden; **aquí se está tramando algo** hier ist etwas im Gange

tramitar [trami'tar] *vt* ① (*asunto*) erledigen; (*negocio*) abwickeln; **está tramitando el divorcio** er/sie hat die Scheidung eingereicht ② (*expediente*) bearbeiten

trámite ['tramite] *m* ① (*diligencias*): ~ **burocrático** Verfahrensweg *m* ② (*formalidad*) Formalität *f;* **¿has he-**

cho los ~s para el pasaporte? hast du schon deinen Pass beantragt?

tramo ['tramo] *m* Abschnitt *m*

trampa ['trampa] *f* ❶ Falle *f;* **caer en la ~** (*animal*) in die Falle gehen; (*persona*) hereinfallen ❷ (*engaño*) Schwindel *m;* **hacer ~** mogeln

trampolín [trampo'lin] *m* Trampolin *nt*

tramposo, -a [tram'poso] *adj* betrügerisch

tranca ['traŋka] *f:* **a ~s y barrancas** (*fam*) mit Müh und Not

trance ['tran̩θe] *m* ❶ **pasar un ~ difícil** Schweres durchmachen ❷ (*hipnótico*) Trance *f*

tranquilidad [traŋkili'ða^{ð}] *f* Ruhe *f;* (*despreocupación*) Unbekümmertheit *f;* **con mucha ~** seelenruhig; **trabajar con ~** ungestört arbeiten

tranquilizante [traŋkili'θan̩te] *m* Beruhigungsmittel *nt*

tranquilizar(se) [traŋkili'θar(se)] <z → c> *vt, vr* (sich) beruhigen

tranquilla [traŋ'kiʎa] *f* Riegel *m*

tranquillo [traŋ'kiʎo] *m:* **cogerle el ~ a algo** bei etw *dat* den Dreh heraushaben

tranquilo, -a [traŋ'kilo] *adj* ❶ (*no agitado*) ruhig; (*mar*) still; **¡déjame ~!** lass mich in Ruhe! ❷ (*persona*) ruhig

transacción [transak'θjon] *f* Geschäft *nt;* FIN Transaktion *f*

transar [tran'sar] *vi* AM Kompromisse eingehen

transatlántico, -a [transað'lan̩tiko] *adj* überseeisch; **barco ~** Passagierdampfer *m*

transbordar [tra^{n}sβor'ðar] *vi* umsteigen

transcurrir [tra^{n}sku'rrir] *vi* vergehen

transcurso [tra^{n}s'kurso] *m* Verlauf *m;* **en el ~ del día** im Laufe des Tages

transeúnte [transe'un̩te] *mf* Passant(in) *m(f)*

transferencia [tra^{n}sfe'ren̩θja] *f* Überweisung *f*

transformación [tra^{n}sforma'θjon] *f* Verwandlung *f;* (*de costumbres*) Veränderung *f*

transformar [tra^{n}sfor'mar] *vt* verwandeln; (*costumbres*) verändern

transfusión [tra^{n}sfu'sjon] *f* (Blut)transfusion *f*

transgresión [tra^{n}sɣre'sjon] *f* (*ley*) Übertretung *f;* (*orden*) Verstoß *m*

transición [transi'θjon] *f* Übergang *m*

transigente [transi'xen̩te] *adj* nachgiebig; (*tolerante*) tolerant

transigir [transi'xir] <g → j> *vi* nachgeben *+dat*

transitar [transi'tar] *vi:* **una calle muy transitada** eine viel befahrene Straße

transitivo, -a [transi'tiβo] *adj* transitiv

tránsito ['transito] *m* Verkehr *m;* **de mucho ~** verkehrsreich

transitorio, -a [transi'torjo] *adj* vergänglich

transmisión [tra^{n}smi'sjon] *f* ❶ (*de noticia*) Übermitt(e)lung *f* ❷ TV, RADIO, INFOR Übertragung *f* ❸ (*enfermedad*) Übertragung *f*

transmitir [tra^{n}smi'tir] *vt* übertragen

transparencia [tra^{n}spa'ren̩θja] *f* Durchsichtigkeit *f;* (*de intención*) Durchschaubarkeit *f;* (*proyector*) Folie *f*

transparente [tra^{n}spa'ren̩te] *adj* durchsichtig; (*intenciones*) durchschaubar

transpirar [tra^{n}spi'rar] *vi* schwitzen

transportar [tra^{n}spor'tar] *vt* bringen; (*en brazos*) tragen; (*en un vehículo*) befördern; **~ por barco** verschiffen

transporte [tra^{n}s'porte] *m* ❶ COM Transport *m;* (*de personas*) Beförderung *f;* **~ marítimo** Beförderung per Schiff; **~ por carretera** Beförderung per LKW; **compañía de ~s** Spedition *f* ❷ (*vehículo*): **~s públicos** öffentliche Verkehrsmittel *ntpl*

transpuesto, -a [tra^{n}s'pwesto] *adj:* **quedarse ~** einschlafen

tranvía [tram'bia] *m* Straßenbahn *f*

trapear [trape'ar] *vt* AM wischen

trapecio [tra'peθjo] *m* Trapez *nt*

trapo ['trapo] *m* ❶ (*tela*) Lumpen *m* ❷ (*para limpiar*) Lappen *m*

tráquea ['trakea] *f* Luftröhre *f*

tras [tras] *prep* ① (*temporal*) nach +*dat* ② (*espacial: detrás de*) hinter +*dat;* (*orden*) nach +*dat* ③ (*con movimiento*) hinter +*akk;* **ponerse uno ~ otro** sich hintereinander aufstellen ④ (*además de*) außer +*dat*

trascendencia [trasθen̪'den̪θja] *f* Bedeutung *f;* **no tener ~** unbedeutend sein; **un incidente sin más ~** ein Vorfall ohne schlimmere Folgen

trascendental [trasθen̪den̪'tal] *adj* von großer Bedeutung; FILOS transzendent(al)

trascender [trasθen̪'der] <e → ie> *vi* ① (*hecho, noticia*) durchsickern ② (*efecto, consecuencias*) sich auswirken (*a* auf +*akk*) ③ (*ir más allá*) hinausgehen (*de* über +*akk*)

trasera [tra'sera] *f* Rückseite *f*

trasero[1] [tra'sero] *m* (*fam*) Hintern *m*

trasero, -a[2] [tra'sero] *adj* hintere(r, s); **asiento ~** Rücksitz *m*

trasfondo [tras'fon̪do] *m* Hintergrund *m*

trasladar [trasla'ðar] **I.** *vt* ① (*cosas*) umstellen; (*tropa*) verlegen ② (*funcionario*) versetzen (*a* in +*akk,* (nach +*dat*) **II.** *vr:* **~se** ① (*ir a*) sich begeben; **~se en coche** mit dem Auto fahren ② (*mudarse*) umziehen (*a* nach +*dat*)

traslado [tras'laðo] *m* ① (*de cosas*) Umstellen *nt;* (*tropa*) Verlegung *f* ② (*de funcionario*) Versetzung *f* ③ (*mudanza*) Umzug *m*

trasluz [tras'luθ] *m:* **mirar al ~** gegen das Licht betrachten

trasmano [tras'mano]: **no puedo cogerlo, me pilla a ~** ich komme nicht ran, es ist zu weit weg

trasnochado, -a [trasno'ʧaðo] *adj* überholt; (*persona*) übernächtigt

trasnochar [trasno'ʧar] *vi* die ganze Nacht durchmachen

traspapelar [traspape'lar] **I.** *vt* verlegen **II.** *vr:* **~se** verloren gehen

traspasar [traspa'sar] *vt* ① (*arma*) durchbohren ② FIN überweisen (*a* auf +*akk*) ③ (*ley*) überschreiten

traspaso [tras'paso] *m* ① (*de arma*) Durchbohrung *f;* (*de líquido*) Durchsickern *nt* ② (*de piso, negocio*) Übertragung *f;* (*dinero*) Abstandssumme *f*

traspié(s) [tras'pje(s)] *m:* **dar un ~** (*tropezar*) stolpern

trasplante [tras'plan̪te] *m* Transplantation *f*

trastada [tras'taða] *f* (*fam*) (übler) Streich *m;* **hacerle una ~ a alguien** jdm einen Streich spielen

trastazo [tras'taθo] *m* (*fam*) heftiger Schlag *m*

trastero, -a [tras'tero] *adj:* **cuarto ~** Abstellkammer *f*

trasto ['trasto] *m* ① **tirarse los ~s a la cabeza** sich in die Haare kriegen ② *pl* (*para tirar*) Gerümpel *nt*

trastornado, -a [trastor'naðo] *adj* verwirrt; (*loco*) verrückt

trastorno [tras'torno] *m:* **ocasionar ~s** Unannehmlichkeiten verursachen

tratado [tra'taðo] *m* Vertrag *m;* **~ de no agresión** Nichtangriffspakt *m;* **~ comercial** Handelsabkommen *nt*

tratamiento [trata'mjen̪to] *m* ① (*de asunto*) Behandlung *f* ② *t.* INFOR Verarbeitung *f;* **~ de agua potable** Trinkwasseraufbereitung *f* ③ (*de cortesía*) Anrede *f*

tratante [tra'tan̪te] *mf* Händler(in) *m(f)*

tratar [tra'tar] **I.** *vt* ① (*manejar*) behandeln ② MED behandeln ③ *t.* INFOR verarbeiten ④ **~ de tú/usted** duzen/siezen **II.** *vi* ① (*libro*) handeln (*de/sobre* von +*dat*) ② (*intentar*) versuchen **III.** *vr:* **~se** ① (*tener trato*) miteinander verkehren; **no me trato con él** ich habe keinen Kontakt zu ihm ② (*ser cuestión de*) sich handeln (*de* um +*akk*); **¿de qué se trata?** worum geht es?

trato ['trato] *m* ① Behandlung *f;* **malos ~s** Misshandlungen *fpl*; **recibir un buen ~** gut behandelt werden ② (*contacto*) Umgang *m;* **no querer ~s con alguien** mit jdm nichts zu tun haben wollen ❸ **¡~ hecho!** abgemacht!

trauma ['trau̯ma] *m* Trauma *nt*

traumático, -a [trau̯'matiko] *adj* traumatisch

traumatismo [trau̯ma'tismo] *m* Verletzung *f;* MED Trauma *nt*

través [tra'βes] *prep*: **a ~ de** (*de un lugar*) quer über *+akk;* (*de la radio*) über *+akk*

travesti [tra'βesti] *mf m* Transvestit *m*

travesura [traβe'sura] *f* Streich *m*

travieso, -a [tra'βjeso] *adj* ungezogen

trayecto [tra'ɟekto] *m* Strecke *f*

trayectoria [traɟek'torja] *f* ❶ (*de cuerpo*) (Flug)bahn *f;* **~ de la Luna** Mondbahn *f* ❷ (*profesional*) Werdegang *m*

traza ['traθa] *f* ❶ (*plan*) Plan *m* ❷ (*habilidad*) Geschick *nt* ❸ (*aspecto*) Aussehen *nt;* **por las ~s** dem Aussehen nach

trazar [tra'θar] <z → c> *vt* ziehen; (*esquemáticamente*) skizzieren

trazo ['traθo] *m* ❶ (*de boli, lápiz*) Strich *m;* **dibujar al ~** skizzieren ❷ (*de escritura*) Schriftzug *m* ❸ (*dibujo*) Skizze *f*

trébol ['treβol] *m* Klee *m*

trece ['treθe] *adj* dreizehn; **seguir en sus ~** dabei bleiben; *v.t.* **ocho**

trecho ['tretʃo] *m* Strecke *f*

tregua ['treɣwa] *f* Waffenstillstand *m*

treinta ['trei̯n̪ta] *adj* dreißig; *v.t.* **ochenta**

treintavo, -a [trei̯n̪'taβo] *adj* dreißigstel

tremendo, -a [tre'men̪do] *adj* schrecklich

tren [tren] *m* ❶ FERRO Zug *m;* **~ de juguete** Spielzeugeisenbahn *f;* **~ rápido** D-Zug *m* ❷ TÉC: **~ de lavado** Autowaschanlage *f* ❸ (*lujo*): **~ de vida** Lebensstandard *m* ❹ (*loc*): **perder el último ~** (*fig*) den Anschluss verpassen; **estar como un ~** (*fam*) umwerfend sein

trenca ['treŋka] *f* Anorak *m*

trenza ['tren̪θa] *f* Zopf *m*

trepar [tre'par] *vi, vt* (hinauf)klettern (*a* auf *+akk*)

tres [tres] *adj* drei; *v.t.* **ocho**

trescientos, -as [tres'θjen̪tos] *adj* dreihundert; *v.t.* **ochocientos**

tresillo [tre'siʎo] *m* Couchgarnitur *f*

treta ['treta] *f* Trick *m*

Tréveris ['treβeris] *m* Trier *nt*

triángulo [tri'aŋɣulo] *m* ❶ (*figura*) Dreieck *nt;* AUTO: **~ de emergencia** Warndreieck *nt* ❷ MÚS Triangel *m*

tribu ['triβu] *f* Stamm *m*

tribuna [tri'βuna] *f* Tribüne *f*

tribunal [triβu'nal] *m* ❶ JUR Gericht *nt;* **Tribunal de Cuentas** Rechnungshof *m;* **Tribunal de Justicia Europeo** Europäischer Gerichtshof; **llevar a los ~es** verklagen ❷ **~ examinador** Prüfungsausschuss *m*

tributario, -a [triβu'tarjo] *adj* Steuer-; **sistema ~** Steuersystem *nt*

tributo [tri'βuto] *m* ❶ (*impuesto*) Steuer *f* ❷ (*homenaje*) Tribut *m;* **pagar ~** Tribut zollen

triciclo [tri'θiklo] *m* Dreirad *nt*

tricota [tri'kota] *f* AM Strickjacke *f*

trigo ['triɣo] *m* Weizen *m*

trillado, -a [tri'ʎaðo] *adj* (*fam: asunto*) abgedroschen

trimestral [trimes'tral] *adj* vierteljährlich

trinar [tri'nar] *vi* ❶ trillern; (*pájaro*) zwitschern ❷ (*fam: rabiar*): **está que trina** er/sie ist auf 180

trinchera [trin'tʃera] *f* Schützengraben *m*

trineo [tri'neo] *m* Schlitten *m*

trinidad [trini'ðað] *f* Dreifaltigkeit *f*

trío ['trio] *m* Trio *nt*

tripa ['tripa] *f* ❶ (*intestino*) Darm *m* ❷ *pl* (*vísceras*) Eingeweide *ntpl*; (*comestibles*) Innereien *fpl*; **echar las ~s** (*fam: vomitar*) sich übergeben; **me suenan las ~s** mir knurrt der Magen ❸ (*vientre*) Bauch *m*

triple ['triple] *adj* dreifach

tripulación [tripula'θjon] *f* Crew *f*

triste ['triste] *adj* traurig

tristeza [tris'teθa] *f* Traurigkeit *f*

tristura [tris'tura] *f* AM Traurigkeit *f*

triturar [tritu'rar] *vt* ❶ zerkleinern; (*mo-

ler) zermahlen ❷ (*maltratar*) zermalmen

triunfar [trjuɱ'far] *vi* siegen (*de/sobre* über +*akk*); (*tener éxito*) Erfolg haben

triunfo ['trjuɱfo] *m* ❶ Sieg *m;* (*éxito*) Erfolg *m* ❷ (*naipe*) Trumpf *m*

trivial [tri'βjal] *adj* trivial

trivialidad [triβjali'ða^{ð}] *f* Trivialität *f*

triza ['triθa] *f* Stück *nt;* **estar hecho ~s** fix und fertig sein; **hacerse ~s** völlig kaputtgehen

trocear [troθe'ar] *vt* zerstückeln

trofeo [tro'feo] *m* ❶ (*señal*) Trophäe *f;* **~ de guerra** Kriegsbeute *f* ❷ (*victoria*) Sieg *m;* (*éxito*) Erfolg *m*

trola ['trola] *f* (*fam*) Lüge *f*

tromba ['tromba] *f* METEO: **~ (de agua)** Wasserhose *f*

trombón [trom'bon] *m* MÚS ❶ (*instrumento*) Posaune *f* ❷ (*músico*) Posaunist(in) *m(f)*

trombosis [trom'bosis] *f inv* Thrombose *f*

trompa ['trompa] *f* ❶ ZOOL Rüssel *m* ❷ (*fam*) Rausch *m;* **estar ~** einen in der Kanne haben

trompear [trompe'ar] **I.** *vt* AM (*fam*) schlagen **II.** *vr:* **~se** AM sich prügeln

trompeta [trom'peta] *f* Trompete *f*

tronar [tro'nar] <o → ue> **I.** *vimpers* donnern **II.** *vi* donnern

troncharse [tron'ʧarse] *vr:* **~ de risa** (*fam*) sich totlachen

tronco ['troŋko] *m* Stamm *m;* **dormir como un ~** wie ein Stein schlafen

trono ['trono] *m* Thron *m;* **sucesor al ~** Thronfolger *m*

tropa ['tropa] *f* Truppe *f*

tropezar [trope'θar] *irr como empezar* **I.** *vi* stolpern (*en/contra* über +*akk*) **II.** *vr:* **~se** stoßen (*con* auf +*akk*)

tropical [tropi'kal] *adj* tropisch; **clima ~** Tropenklima *nt*

trópico ['tropiko] *m:* **~s** Tropen *pl*

tropiezo [tro'pjeθo] *m:* **dar un ~** stolpern

trotar [tro'tar] *vi* (*caballos*) traben; (*jinete*) Trab reiten

trote ['trote] *m* ❶ (*caballos*) Trab *m;* **ir al ~** traben ❷ (*con prisa*): **a(l) ~** schnell

trozo ['troθo] *m* Stück *nt;* **a ~s** in Stücken

trucha ['truʧa] *f* Forelle *f*

truco ['truko] *m* Trick *m;* **coger el ~** den Dreh heraushaben

trueno ['trweno] *m* Donner *m*

trueque ['trweke] *m* Austausch *m;* COM Tauschhandel *m*

trufa ['trufa] *f* Trüffel *m*

truncar [truŋ'kar] <c → qu> *vt* zunichtemachen

truyo [truɟo] *m* (*argot*) Knast *m*

tu [tu] *adj pos* dein(e); **~ libro** dein Buch; **~s hermanas** deine Schwestern

tú [tu] *pron pers 2. sg* du; **yo que ~** ich an deiner Stelle; **tratar de ~** duzen

tuba ['tuβa] *f* Tuba *f*

tubérculo [tu'βerkulo] *m* ❶ BOT Knolle *f* ❷ (*bulto t.* MED) Knoten *m*

tuberculosis [tuβerku'losis] *f inv* Tuberkulose *f*

tubería [tuβe'ria] *f* Rohr(e) *nt*(*pl*)

Tubinga [tu'βiŋga] *f* Tübingen *nt*

tubo ['tuβo] *m* ❶ (*para gases*) Rohr *nt;* **~ de chimenea** Ofenrohr *nt;* **~ digestivo** Verdauungstrakt *m;* **~ de ensayo** Reagenzglas *nt;* **~ de escape** Auspuff *m;* **~ de respiración** Luftröhre *f* ❷ AM TEL Hörer *m*

tucán [tu'kan] *m* Tukan *m*

tuerca ['twerka] *f* (Schrauben)mutter *f*

tuerto, -a ['twerto] *adj* einäugig

tulipa [tu'lipa] *f* Lampenschirm *m*

tulipán [tuli'pan] *m* Tulpe *f*

tumba ['tumba] *f* Grab *nt*

tumbar [tum'bar] **I.** *vt* ❶ (*tirar*) niederwerfen; **estar tumbado** liegen ❷ AM abholzen **II.** *vr:* **~se** sich hinlegen; **~se en la cama** sich auf das Bett legen

tumbona [tum'bona] *f* Liegestuhl *m*

tumor [tu'mor] *m* Tumor *m*

tumulto [tu'mul̩to] *m* Tumult *m*

tuna ['tuna] *f* Studentenkapelle *f*

tunda ['tun̩da] *f* Tracht *f* Prügel

T

tunecino, -a [tune'θino] *adj* tunesisch
túnel ['tunel] *m* Tunnel *m;* ~ **de lavado** Waschstraße *f*
Túnez ['tuneθ] *m* Tunesien *nt;* (*capital*) Tunis *nt*
túnica ['tunika] *f* Tunika *f*
tupé [tu'pe] *m* Toupet *nt*
tupido, -a [tu'piðo] *adj* dicht; AM verstopft
tupper® ['tuper/'taper] *m* (*fam*) Tupperware® *f*
turbación [turβa'θjon] *f* (*disturbio*) Störung *f;* (*alarma*) Unruhe *f*
turbante [tur'βan̪te] *m* Turban *m*
turbar [tur'βar] **I.** *vt* stören; (*alarmar*) beunruhigen; (*desconcertar*) verwirren **II.** *vr:* **~se** sich gestört fühlen; (*avergonzarse*) sich schämen; (*agua*) trüb werden
turbina [tur'βina] *f* Turbine *f*
turbio, -a ['turβjo] *adj* trübe; (*sin transparencia*) undurchsichtig; (*negocio*) schmutzig
turbulencia [turβu'len̪θja] *f* Turbulenz *f;* (*alboroto*) Unruhe *f*
turbulento, -a [turβu'len̪to] *adj* ❶ (*agua, aire*) turbulent ❷ (*alborotado*) unruhig; (*confuso*) wirr
turco, -a ['turko] *m, f* Türke, -in *m, f;* **cabeza de** ~ (*fig*) Sündenbock *m*
Turingia [tu'riŋxja] *f* Thüringen *nt*
turismo [tu'rismo] *m* ❶ Tourismus *m;* ~ **activo** Aktivtourismus *m;* **industria del** ~ Tourismusbranche *f;* **oficina de** ~ Fremdenverkehrsamt *nt;* **hacer** ~ als Tourist reisen ❷ AUTO Personenwagen *m*
turista [tu'rista] *mf* Tourist(in) *m(f)*
turístico, -a [tu'ristiko] *adj* touristisch; **viaje** ~ Urlaubsreise *f*
turnar(se) [tur'nar(se)] *vi, vr* sich abwechseln
turno ['turno] *m* ❶ (*en la fábrica*) Schicht *f;* **cambio de** ~ Schichtablösung *f* ❷ (*orden*) Reihenfolge *f;* **es tu** ~ du bist an der Reihe
turquesa [tur'kesa] *adj* türkis
Turquía [tur'kia] *f* Türkei *f*
turrón [tu'rron] *m* ≈Nugat *m o nt*
tutear(se) [tute'ar(se)] *vt, vr* (sich) duzen
tutela [tu'tela] *f* ❶ (*cargo*) Vormundschaft *f* (*de* über +*akk*); **poner bajo la ~ de alguien** unter jds Vormundschaft stellen ❷ (*amparo*) Schutz *m;* **estar bajo la ~ de alguien** unter jds Schutz stehen
tuteo [tu'teo] *m* Duzen *nt*
tutiplén [tuti'plen] *adv* (*fam*): **a** ~ reichlich
tutor(a) [tu'tor] *m(f)* ❶ JUR Vormund *m* ❷ ENS Tutor(in) *m(f)*
tutoría [tuto'ria] *f* Vormundschaft *f;* UNIV Sprechstunde *f*
tuyo, -a ['tuɟo] *pron pos* ❶ (*propiedad*): **el perro es** ~ der Hund gehört dir; **¡ya es ~!** du hast es geschafft! ❷ (*tras artículo*): **el ~/la tuya/lo** ~ deine(r, s); **los ~s** deine; (*parientes*) deine Angehörigen; **ésta es la tuya** (*fam fig*) das ist die Gelegenheit für dich ❸ (*tras sustantivo*) dein(e), von dir; **una amiga tuya** eine Freundin von dir; **es culpa tuya** es ist deine Schuld
TVE [teuβe'e] *f abr de* **Televisión Española** *staatlicher spanischer Fernsehsender*

U, u [u] <úes> *f* U, u *nt*
u [u] *conj* oder
ubicación [uβika'θjon] *f* ① (*lugar*) Stelle *f* ② (*situación*) Lage *f* ③ AM Platzierung *f*
ubicar [uβi'kar] <c → qu> **I.** *vi, vr:* **~se** sich befinden **II.** *vt* AM unterbringen
ubre [u'βre] *f* Zitze *f;* (*de la vaca*) Euter *nt*
Ucrania [u'kranja] *f* Ukraine *f*
ucrani(an)o, -a [ukra'nj(an)o] *adj* ukrainisch
Ud(s). [us'teð(es)] *abr de* **usted(es)** Sie
UE [u'e] *f abr de* **Unión Europea** EU *f*
úlcera ['uḷθera] *f* Geschwür *nt*
ulterior [uḷte'rjor] *adj* (*posterior*) spätere(r, s); (*más*) weitere(r, s)
últimamente [uḷtima'meṇte] *adv* in letzter Zeit
ultimar [uḷti'mar] *vt* abschließen; AM umbringen
ultimátum [uḷti'matun] *m* Ultimatum *nt*
último, -a ['uḷtimo] *adj* ① (*en orden*) letzte(r, s); **a ~s de mes** gegen Monatsende; **por última vez** zum letzten Mal; **la última moda** die neueste Mode ② (*espacio*): **la última fila** die hintere Reihe; **en el ~ piso** im obersten Stock ③ (*loc*): **por ~** schließlich; **en ~ caso** schlimmstenfalls
ultra ['uḷtra] *adj* rechtsradikal; **ultraconservador(a)** [uḷtrakonserβa'ðor] *adj* erzkonservativ
ultraje [uḷ'traxe] *m* Beleidigung *f*
ultramar [uḷtra'mar] *m* Übersee *f*; **ultramarinos** [uḷtrama'rinos] *m pl* Lebensmittel *nt pl*
ultranza [uḷ'tranθa]: **defender algo a ~** etw bis aufs Äußerste verteidigen; **luchar a ~** auf Leben und Tod kämpfen; **ser un ecologista a ~** ein überzeugter Umweltschützer sein
ultrarrápido, -a [uḷtra'rrapiðo] *adj* sehr schnell; **ultrasonido** [uḷtraso'niðo] *m* Ultraschall *m*; **ultravioleta** [uḷtraβjo'leta] *adj:* **rayos ~** UV-Strahlen *m pl*
umbral [um'bral] *m* (Tür)schwelle *f*
un, una [un, 'una] <unos, -as> **I.** *art indet* ① (*no determinado*) ein(e) ② *pl* (*algunos*) einige, ein paar ③ *pl:* **unos 1000 euros** ungefähr 1000 Euro **II.** *adj v.* **uno**
unánime [u'nanime] *adj* einstimmig
unanimidad [unanimi'ða$^{\eth}$] *f:* **aprobar algo por ~** etw einstimmig beschließen
ungir [uŋ'xir] <g → j> *vt* (*con aceite*) einölen; REL salben
ungüento [uŋ'gweṇto] *m* Salbe *f*
únicamente [unika'meṇte] *adv* nur
unicameral [unikame'ral] *adj* Einkammer-; **sistema ~** POL Einkammersystem *nt*
único, -a ['uniko] *adj* einzig(artig)
unicornio [uni'kornjo] *m* Einhorn *nt*
unidad [uni'ða$^{\eth}$] *f* Einheit *f;* **~ familiar** Haushalt *m*
unidimensional [uniðimensjo'nal] *adj* eindimensional
unido, -a [u'niðo] *adj* geeint; **estamos muy ~s** wir stehen uns sehr nahe
unifamiliar [unifami'ljar] *adj:* **casa ~** Einfamilienhaus *nt*
unificación [unifika'θjon] *f* Vereinigung *f*
unificar [unifi'kar] <c → qu> *vt* (*pueblos*) verein(ig)en; **~ posiciones** verschiedene Standpunkte in Einklang bringen
uniformar [unifor'mar] *vt* ① (*hacer unitario*) vereinheitlichen ② (*vestir*) uniformieren; **ir uniformado** Uniform tragen
uniforme [uni'forme] **I.** *adj* einheitlich **II.** *m:* **vestir de ~** Uniform tragen
uniformidad [uniformi'ða$^{\eth}$] *f* Einheitlichkeit *f*
unilateral [unilate'ral] *adj* unilateral
unión [u'njon] *f* Verbindung *f;* (*territorial*) Vereinigung *f;* **en ~ con** zusam-

men mit

unir [u'nir] I. *vt* vereinigen; *t.* TÉC verbinden II. *vr:* **~se** sich vereinigen; **~se en matrimonio** heiraten

unisex [uni'se^{y}s] *adj* unisex; **moda ~** Mode für Mann und Frau; **peluquería ~** Damen- und Herrensalon *m*

unísono [u'nisono] *m:* **protestaron al ~** sie klagten einstimmig

unitario, -a [uni'tarjo] *adj* einheitlich

universal [uniβer'sal] *adj* universell; **regla ~** allgemein gültige Regel

universalidad [uniβersali'ða^{ð}] *f* Allgemeingültigkeit *f*

universalizar [uniβersali'θar] <z → c> *vt* verallgemeinern

universalmente [uniβersal'mente] *adv:* **~ conocido** weltberühmt

universidad [uniβersi'ða^{ð}] *f* Universität *f;* **ir a la ~** auf die Universität gehen; **¿a qué ~ vas?** an welcher Universität bist du?

universitario, -a [uniβersi'tarjo] *adj* Universitäts-; **biblioteca universitaria** Universitätsbibliothek *f;* **catedrático ~** Professor *m;* **profesor ~** Dozent *m;* **tener estudios ~s** ein Hochschulstudium abgeschlossen haben

universo [uni'βerso] *m* Universum *nt*

unívoco, -a [u'niβoko] *adj* eindeutig

uno, -a ['uno] I. *adj* ❶ (*número*) eins; **a la una** (*hora*) um eins ❷ (*único*): **sólo hay una calle** es gibt nur eine einzige Straße II. *pron indef* ❶ (*alguno*) eine(r, s); **cada ~** jeder; **~s cuantos** einige ❷ *pl* (*algunos*) einige ❸ (*indeterminado*) man ❹ (*loc*) einzeln

untar [un'tar] *vt* (*con mantequilla*) bestreichen; (*con grasa*) (ein)fetten

uña ['uɲa] *f* Nagel *m;* **~s de los pies** Zehennägel *m pl*

upa ['upa] *interj* auf!, hoch!

upar [u'par] *vt* hochheben

Urales [u'rales] *m pl* Ural *m*

uranio [u'ranjo] *m* Uran *nt*

urbanícola [urβa'nikola] *mf* Stadtmensch *m*

urbanidad [urβani'ða^{ð}] *f* Höflichkeit *f*

urbanismo [urβa'nismo] *m* Stadtplanung *f*

urbanístico, -a [urβa'nistiko] *adj* städtebaulich; **plan ~** Bebauungsplan *m*

urbanización [urβaniθa'θjon] *f* (Wohn)siedlung *f*

urbanizar [urβani'θar] <z → c> *vt* bebauen

urbano, -a [ur'βano] *adj* städtisch; **conferencia urbana** Ortsgespräch *nt;* **planificación urbana** Stadtplanung *f*

urbe ['urβe] *f* Großstadt *f*

urdir [ur'ðir] *vt:* **~ intrigas** Intrigen spinnen

urgencia [ur'xenθja] *f* ❶ (*cualidad*) Dringlichkeit *f* ❷ (*caso*) Notfall *m;* **llamada de ~** Notruf *m;* **en caso de ~** im Notfall ❸ *pl* (*en hospital*) Notaufnahme *f;* **médico de ~s** Notarzt *m*

urgente [ur'xente] *adj* dringend; (*carta*) Eil-; **¿es ~?** eilt es?

urgir [ur'xir] <g → j> *vi* eilen

urinario [uri'narjo] *m* Pissoir *nt*

urna ['urna] *f* Urne *f;* **acudir a las ~s** zur Wahl gehen

urraca [u'rraka] *f* Elster *f*

URSS [urrs] *f abr de* **Unión de Repúblicas Socialistas Soviéticas** UdSSR *f*

uruguayo, -a [uru'ɣwaɟo] *adj* uruguayisch

usabilidad [usaβili'ðað] *f* Benutzerfreundlichkeit *f*

usado, -a [u'saðo] *adj* gebraucht

usanza [u'sanθa] *f* Brauch *m*

usar [u'sar] I. *vt* benutzen II. *vr:* **~se** benutzt werden

uso ['uso] *m* Benutzung *f;* **~ ilegal** Missbrauch *m;* **de ~ externo** zur äußerlichen Anwendung; **hacer ~ de la palabra** das Wort ergreifen

usted [us'te^{ð}] *pron* Sie; **~es** Sie; (AM: *vosotros*) ihr; **tratar de ~ a alguien** jdn siezen

usual [usu'al] *adj* gebräuchlich

usuario, -a [usu'arjo] *m, f* Benutzer(in) *m(f)*

U

usura [u'sura] *f* Wucher *m*

usurero, -a [usu'rero] *m, f* Wucherer, -in *m, f*

usurpar [usur'par] *vt* an sich reißen

utensilio [uten'siljo] *m* Gerät *nt*

útero ['utero] *m* Gebärmutter *f*

útil ['util] *adj* nützlich; (*persona*) geeignet

utilidad [utili'ða^{ð}] *f*: **ser de ~** nützlich sein

utilizable [utili'θaβle] *adj* benutzbar

utilización [utiliθa'θjon] *f* Benutzung *f*

utilizarse [utili'θarse] <z → c> *vt, vr* benutzen

utillaje [uti'ʎaxe] *m* Ausrüstung *f*

utopía [uto'pia] *f* Utopie *f*

utópico, -a [u'topiko] *adj* utopisch

uva ['uβa] *f* Traube *f*; **~ pasa** Rosine *f*; **estar de mala ~** schlecht gelaunt sein; **tener mala ~** übel gesinnt sein

uve ['uβe] *f* V *nt*; **~ doble** W *nt*

UVI ['uβi] *f abr de* **Unidad de Vigilancia Intensiva** Intensivstation *f*

Uzbekistán [uθβekis'tan] *m* Usbekistan *nt*

uzbeko, -a [uθ'βeko] *adj* usbekisch

V

V, v ['uβe] *f* V, v *nt*
vaca ['baka] *f* Kuh *f*
vacaciones [baka'θjones] *f pl* (*del trabajo*) Urlaub *m;* (*de la escuela*) Ferien *pl*; **estar de ~** im Urlaub sein
vacante [ba'kante] *f* freie Stelle *f*
vaciar [baθi'ar] *<1. pres vacío>* *vt* (aus)räumen, (aus)leeren
vacilar [baθi'lar] *vi* zögern; **no me vaciles** (*argot*) erzähl mir keine Märchen
vacío, -a [ba'θio] *adj* leer; **envasado al ~** vakuumverpackt
vacuna [ba'kuna] *f* Impfstoff *m;* (*vacunación*) Impfung *f*
vacunación [bakuna'θjon] *f:* **cartilla de ~** Impfpass *m*
vacunar(se) [baku'nar(se)] *vt, vr* (sich) impfen (lassen)
vacuno[1] [ba'kuno] *m* Rind *nt*
vacuno, -a[2] [ba'kuno] *adj* Rind(er)-; (**carne de**) **~** Rindfleisch *nt*
vado ['baðo] *m:* **~ permanente** Halteverbot *m*
vagabundear [baγaβunde'ar] *vi* vagabundieren
vagabundo, -a [baγa'βundo] *m, f* Landstreicher(in) *m(f)*
vagancia [ba'γanθja] *f* Faulheit *f*
vagar [ba'γar] *vi* umherirren
vagina [ba'xina] *f* Scheide *f*
vago, -a ['baγo] *adj* faul; **hacer el ~** faulenzen
vagón [ba'γon] *m* Waggon *m;* **~ cisterna** Tankwagen *m;* **~ restaurante** Speisewagen *m*
vaguada [ba'γwaða] *f* (Tal)sohle *f*
vaguear [baγe'ar] *vi* faulenzen
vaguedad [baγe'ða^ð] *f* ❶ (*imprecisión*) Unklarheit *f* ❷ (*palabras*) vages Gerede *nt*
vahído [ba'iðo] *m:* **me dio un ~** mir wurde schwind(e)lig
vaho ['bao] *m* Dampf *m;* (*aliento*) Atem *m*
vainilla [bai̯'niʎa] *f* Vanille *f*
vaivén [bai̯'βen] *m* Hin und Her *nt*
vajilla [ba'xiʎa] *f* Geschirr *nt*
vale ['bale] *m* Gutschein *m*
valedero, -a [bale'ðero] *adj:* **ser ~ por seis meses** sechs Monate gültig sein
valencia [ba'lenθja] *f* Valenz *f*
valenciano, -a [balen'θjano] *adj* aus Valencia
valentía [balen'tia] *f* Mut *m*
valer [ba'ler] *irr* **I.** *vt* kosten; (*funcionar*) nutzen; (*equivaler*) entsprechen *+dat;* **¡vale!** in Ordnung!; **¡vale ya!** jetzt ist's (aber) genug! **II.** *vi* ❶ (*ropa*) passen ❷ (*tener validez*) gültig sein; **no ~** ungültig sein ❸ (*tener mérito*) taugen; **~ poco** wenig taugen ❹ **¡eso no vale!** das gilt nicht! **III.** *vr:* **~se** zurückgreifen (*de* auf *+akk*)
valeriana [bale'rjana] *f* Baldrian *m*
valía [ba'lia] *f* Wert *m*
validez [bali'ðeθ] *f* Gültigkeit *f*
válido, -a ['baliðo] *adj* gültig; **no ser ~** ungültig sein
valiente [ba'ljente] *adj* mutig
valioso, -a [ba'ljoso] *adj* wertvoll
valla ['baʎa] *f* Zaun *m;* DEP Hürde *f*
vallar [ba'ʎar] *vt* einzäunen
valle ['baʎe] *m* Tal *nt*
valor [ba'lor] *m* ❶ (*valentía*) Mut *m;* **~ cívico** Zivilcourage *f;* **armarse de ~** Mut fassen ❷ (*t. com*) Wert *m;* (*cuantía*) Geldbetrag *m;* **~ nutritivo** Nährwert *m* ❸ *pl* FIN Wertpapiere *ntpl*; **~es bursátiles** Börsenpapiere *ntpl*
valoración [balora'θjon] *f* Bewertung *f;* (*del precio*) Schätzung *f;* (*análisis*) Auswertung *f*

valorar [balo'rar] *vt* schätzen (*en* auf *+akk*)
vals [bals] *m* Walzer *m*
válvula ['balβula] *f* Ventil *nt;* ANAT Klappe *f*
vampiro [bam'piro] *m* Vampir *m*
vanagloriarse [banaγlo'rjarse] *vr* prah-

len (*de* mit +*dat*)

vanamente [bana'meṇte] *adv* vergeblich

vandalismo [baṇda'lismo] *m* Vandalismus *m*

vándalo, -a ['baṇdalo] **I.** *adj* vandalisch **II.** *m, f* Vandale, -in *m, f*

vanguardia [baŋ'gwarðja] *f* Avantgarde *f*

vanguardista [baŋgwar'ðista] *adj* avantgardistisch

vanidad [bani'ða^{ð}] *f* Eitelkeit *f*

vanidoso, -a [bani'ðoso] *adj* eingebildet

vano, -a ['bano] *adj* vergeblich

vapor [ba'por] *m* Dampf *m;* (**barco de**) ~ Dampfer *m;* **cocer al** ~ dünsten

vaporizador [baporiθa'ðor] *m* Zerstäuber *m*

vaporizar(se) [bapori'θar(se)] <z → c> *vt, vr* verdunsten (lassen)

vaquero, -a [ba'kero] *m, f* Cowboy *m;* (*sudamericano*) Gaucho *m*

vaquero(s) [ba'kero(s)] *m* (*pl*) Jeans *pl*

vara ['bara] *f* Rute *f;* (*palo*) Stab *m*

variable [ba'rjaβle] *adj* veränderlich

variación [barja'θjon] *f* Schwankung *f*

variado, -a [ba'rjaðo] *adj* verschieden

variante [ba'rjaṇte] *f* Variante *f*

variar [bari'ar] <*1. pres* varío> **I.** *vi* wechseln; (*ser distinto*) sich unterscheiden; (*cambiar*) ändern; ~ **de peinado** die Haare anders tragen **II.** *vt* (ver)ändern; (*dar variedad*) variieren; **y para ~...** und zur Abwechslung ...

varicela [bari'θela] *f* Windpocken *pl*

variedad [barje'ða^{ð}] *f* Sorte *f;* (*pluralidad*) Vielfalt *f;* **una gran ~ de ofertas** ein breites Angebot

vario, -a ['barjo] *adj pl* einige; **varias veces** mehrmals

variz [ba'riθ] *f* Krampfader *f*

varón [ba'ron] *m* Mann *m*

varonil [baro'nil] *adj* männlich; **voz ~** Männerstimme *f*

Varsovia [bar'soβja] *f* Warschau *nt*

vasallo, -a [ba'saʎo] *m, f* Vasall *m*

vasco, -a ['basko] *adj* baskisch; **País Vasco** Baskenland *nt*

Vascongadas [baskoŋ'gaðas] *f pl* ≈Baskenland *nt*

vascuence [bas'kweṇθe] *m* Baskisch(e) *nt*

vaselina [base'lina] *f* Vaseline *f*

vasija [ba'sixa] *f* Gefäß *nt*

vaso ['baso] *m* Glas *nt;* ~ **de papel** (Papp)becher *m*

váter ['bater] *m* WC *nt*

Vaticano [bati'kano] *m:* **la Ciudad del ~** die Vatikanstadt

vaticinar [batiθi'nar] *vt* prophezeien

vatio ['batjo] *m* Watt *nt*

Vd. [us'te^{ð}] *pron pers abr de* **usted** Sie

vecindad [beθiṇ'da^{ð}] *f* Nachbarschaft *f*

vecindario [beθiṇ'darjo] *m* Nachbarn *m*

vecino, -a [be'θino] *m, f* Nachbar(in) *m(f)*

vedado [be'ðaðo] *m* Sperrgebiet *nt;* ~ **de caza** Jagdrevier *nt*

vedar [be'ðar] *vt* verbieten

vega ['beɣa] *f* (Fluss)aue *f*

vegetación [bexeta'θjon] *f* ❶ BOT Vegetation *f* ❷ *pl* ANAT Wucherungen *fpl*

vegetal [bexe'tal] *adj:* **aceite ~** Pflanzenöl *nt;* **carbón ~** Holzkohle *f*

vegetar [bexe'tar] *vi* BOT wachsen; (*enfermo*) dahinvegetieren; (*pey: persona*) vegetieren

vegetariano, -a [bexeta'rjano] *adj* vegetarisch

vehemente [be(e)'meṇte] *adj* (*impetuoso*) vehement; (*ardiente*) leidenschaftlich

vehículo [be'ikulo] *m:* ~ **industrial** Nutzfahrzeug *nt;* ~ **de motor** Kraftfahrzeug *nt*

veinte ['beiṇte] *adj* zwanzig; *v.t.* **ochenta**

vejar [be'xar] *vt* schikanieren

vejatorio, -a [bexa'torjo] *adj* demütigend

vejez [be'xeθ] *f* Alter *nt*

vejiga [be'xiɣa] *f* Blase *f*

vela ['bela] *f* ❶ (*luz*) Kerze *f;* **estar a dos ~s** (*fig*) arm wie eine Kirchenmaus sein ❷ NÁUT Segel *nt* ❸ **pasar la noche en ~** die ganze Nacht kein Auge zutun

velada [be'laða] *f* Abend *m*

veladora [bela'ðora] *f* AM Kerze *f*

velamen [be'lamen] *m* Segelwerk *nt*

velar [be'lar] **I.** *vi* wachen; **~ bien por sus intereses** seine Interessen vertreten **II.** *vt*: **~ a un muerto** Totenwache halten

velatorio [bela'torjo] *m* Totenwache *f*

velero [be'lero] *m* Segelschiff *nt*

veleta [be'leta] *f* Windfahne *f*

vello ['beʎo] *m* (Körper)behaarung *f;* **~ de las axilas** Achselhaare *ntpl*

velludo, -a [be'ʎuðo] *adj* stark behaart

velo ['belo] *m* Schleier *m;* **~ del paladar** ANAT Gaumensegel *nt*

velocidad [beloθi'ðaᵈ] *f* ❶ Geschwindigkeit *f;* **exceso de ~** überhöhte Geschwindigkeit; **a toda ~** (*fam*) sehr schnell ❷ (*marcha*) Gang *m;* **cambio de ~es** Gangschaltung *f*

velódromo [be'loðromo] *m* Radrennbahn *f*

veloz [be'loθ] *adj* flink

vena ['bena] *f* Ader *f*, Vene *f;* **~ yugular** Drosselvene *f*

venado [be'naðo] *m* Hirsch *m*

vencedor(a) [beṇθe'ðor] *m(f)* Sieger(in) *m(f);* **~ vencedor** Siegermannschaft

vencejo [beṇ'θexo] *m* Mauersegler *m*

vencer [beṇ'θer] <c → z> **I.** *vi* siegen; (*plazo*) ablaufen **II.** *vt* ❶ (*enemigos*) besiegen; **¡no te dejes ~!** lass dich nicht unterkriegen! ❷ (*dificultad*) meistern; **me venció el sueño** ich wurde vom Schlaf übermannt

vencimiento [beṇθi'mjeṇto] *m* Fälligkeit *f*

venda ['beṇda] *f* Binde *f*

vendaje [beṇ'daxe] *m* Verband *m*

vendar [beṇ'dar] *vt* verbinden

vendaval [beṇda'βal] *m* Sturm *m*

vendedor(a) [beṇde'ðor] *m(f)* Verkäufer(in) *m(f);* **~ ambulante** Straßenhändler *m;* **~ a domicilio** Vertreter *m*

vender [beṇ'der] **I.** *vt* verkaufen (*por/en/a* für *+akk*) **II.** *vr:* **~se** ❶ verkauft werden; **se vende** zu verkaufen; **~se muy caro** (*fig*) sich sehr bitten lassen ❷ (*alguien*) sich verkaufen

vendimia [beṇ'dimja] *f* Weinlese *f*

vendimiar [beṇdi'mjar] *vt* (ver)lesen

Venecia [be'neθja] *f* Venedig *nt*

veneciano, -a [bene'θjano] *adj* venezianisch

veneno [be'neno] *m* Gift *nt*

venenoso, -a [bene'noso] *adj* giftig; **serpiente venenosa** Giftschlange *f*

venerable [bene'raβle] *adj* ehrwürdig

veneración [benera'θjon] *f sin pl* (*adoración*) Verehrung *f;* (*respeto*) Ehrfurcht *f*

venerar [bene'rar] *vt* verehren

venéreo, -a [be'nereo] *adj* Geschlechts-; **enfermedad venérea** Geschlechtskrankheit *f*

venezolano, -a [beneθo'lano] *adj* venezolanisch

Venezuela [bene'θwela] *f* Venezuela *nt*

vengador(a) [beŋga'ðor] *m(f)* Rächer(in) *m(f)*

venganza [beŋ'gaṇθa] *f* Rache *f;* **deseo de ~** Rachgier *f*

vengarse [beŋ'garse] <g → gu> *vr* (sich) rächen

vengativo, -a [beŋga'tiβo] *adj* rachsüchtig

venia ['benja] *f* Erlaubnis *f*

venida [be'niða] *f* (*llegada*) Ankunft *f;* (*vuelta*) Rückkehr *f*

venidero, -a [beni'ðero] *adj* kommend

venir [be'nir] *irr* **I.** *vi* ❶ kommen; (*llegar*) ankommen; **vengo (a) por la leche** ich komme die Milch holen ❷ (*ocurrir*) geschehen; **vino la guerra** es gab Krieg ❸ (*proceder*) herkommen ❹ (*loc*): **el dinero me viene muy bien** das Geld kommt mir wie gerufen; **¡venga esa mano!** schlag ein! **II.** *vr:* **~se** ❶ (*ir a*) kommen ❷ (*hundirse*): **~se abajo** scheitern

venta ['beṇta] *f* Verkauf *m;* **~ callejera**

Straßenverkauf *m;* ~ **a domicilio** Haus-zu-Haus-Verkauf *m;* **precio de ~ al público** Verkaufspreis *m;* **en ~** zu verkaufen
ventaja [ben̪'taxa] *f* Vorteil *m;* DEP Vorsprung *m*
ventajoso, -a [ben̪ta'xoso] *adj* vorteilhaft
ventana [ben̪'tana] *f* Fenster *nt*
ventanilla [ben̪ta'niʎa] *f* Schalter *m*
ventilación [ben̪tila'θjon] *f* Lüftung *f*
ventilador [ben̪tila'ðor] *m* Ventilator *m*
ventilar(se) [ben̪ti'lar(se)] *vt, vr* lüften
ventisca [ben̪'tiska] *f* Schneetreiben *nt*
ventosear [ben̪tose'ar] *vi* Blähungen haben
ventura [ben̪'tura] *f* Glück *nt;* **mala ~** Pech *nt;* **a la (buena) ~** auf gut Glück
Venus ['benus] *m* ASTR Venus *f*
ver [ber] *irr* **I.** *vi, vt* ❶ sehen; **a ~** lass/lasst mal sehen ❷ (*reconocer*) (ein)sehen; **a mi modo de ~** meiner Ansicht nach; **¿no ves que...?** siehst du denn nicht, dass ...?; **ya lo veo** jetzt sehe ich es auch ein ❸ (*documentos*) durchsehen ❹ (*visitar*) besuchen ❺ (*comprobar*) nachschauen ❻ (*temer*) befürchten; **te veo venir** ich weiß, was du vorhast ❼ JUR verhandeln ❽ (*loc*): **tener que ~ con algo** mit etw *dat* zu tun haben; **eso está por ~** das bleibt abzuwarten; **bueno, ya ~emos** nun, das sehen wir dann; **¡hay que ~!** das gibt's doch gar nicht!; **veamos,...** schauen wir mal, ...; **¡~ás!** na warte!; **¡para que veas!** so, da hast du's! **II.** *vr:* **~se** ❶ (*encontrarse*) sich sehen ❷ (*estado*) sich fühlen; **~se apurado** sich in Schwierigkeiten befinden ❸ AM aussehen
veracidad [beraθi'ða^{ð}] *f* Wahrhaftigkeit *f;* (*de una declaración*) Richtigkeit *f*
veraneante [berane'an̪te] *mf* Sommerurlauber(in) *m(f)*
veranear [berane'ar] *vi:* **~ en Ibiza** den Sommer(urlaub) auf Ibiza verbringen
veraneo [bera'neo] *m* Sommerurlaub *m;* **lugar de ~** Urlaubsort *m;* **estar de ~** im Urlaub sein
veraniego, -a [bera'njeɣo] *adj* sommerlich; **tiempo ~** Sommerwetter *nt*
verano [be'rano] *m* Sommer *m*
veras ['beras] *f:* **de ~** wirklich; **esto va de ~** jetzt mal im Ernst
verbalizar [berβali'θar] <z → c> *vt* (*expresar*) in Worte fassen
verbena [ber'βena] *f* Fest *nt*
verbo ['berβo] *m* Verb *nt;* **~ auxiliar** Hilfsverb *nt*
verdad [ber'ða^{ð}] *f* Wahrheit *f;* **bien es ~ que...** es stimmt zwar, dass ...; **bueno, a decir ~,...** nun, ehrlich gesagt, ...; **¡de ~!** (das stimmt) wirklich!; **¡es ~!** stimmt!; **ser ~** wahr sein; **¿~?** stimmt's?; **¿~ que no fuiste tú?** du warst es doch nicht, oder?; **la ~ es que hace frío** Tatsache ist, dass es kalt ist
verdaderamente [berðaðera'men̪te] *adv* wirklich
verdadero, -a [berða'ðero] *adj* wahr
verde ['berðe] *adj* ❶ *t.* POL grün ❷ BOT unreif; **estar ~** ein Grünschnabel sein ❸ (*chistes*) unanständig ❹ (*personas*) lüstern; **viejo ~** Lustmolch *m* ❺ **poner ~ a alguien** (*fam*) jdn herunterputzen
verdugo [ber'ðuɣo] *m* Scharfrichter *m*
verdura [ber'ðura] *f* Gemüse *nt*
vereda [be'reða] *f* Pfad *m;* AM Gehsteig *m*
veredicto [bere'ðikto] *m* Urteil *nt;* **~ de culpabilidad** Schuldspruch *m;* **~ de inculpabilidad** Freispruch *m*
verga ['berɣa] *f* Stange *f;* ANAT Glied *nt*
vergonzoso, -a [berɣon̪'θoso] *adj* schüchtern; (*acción*) schändlich
vergüenza [ber'ɣwen̪θa] *f* ❶ Scham *f;* **me da ~** es ist mir peinlich; **pasar ~** sich schämen; **¡qué ~!** (mein Gott) wie peinlich! ❷ (*pundonor*) Anstand *m;* **tener poca ~** unverschämt sein
verídico, -a [be'riðiko] *adj* wahr
verificación [berifika'θjon] *f* ❶ (*inspección*) (Über)prüfung *f;* (*test*) Test *m*

❷ (*prueba*) Beweis *m*

verificar [berifi'kar] <c → qu> *vt* (über)prüfen

verja ['berxa] *f* Gatter *nt*

vermú [ber'mu] <vermús> *m*, **vermut** [ber'mu] *m* Wermut *m*

vernáculo, -a [ber'nakulo] *adj:* **lengua vernácula** Landessprache *f*

verosímil [bero'simil] *adj* wahrscheinlich

verruga [be'rruɣa] *f* Warze *f*

versar [ber'sar] *vi* handeln (*sobre* von +*dat*)

versátil [ber'satil] *adj* wankelmütig

versículo [ber'sikulo] *m* Bibelspruch *m*

versión [ber'sjon] *f* Version *f;* ~ **resumida** Kurzfassung *f*

verso ['berso] *m* Vers *m;* **en ~s** in Versform

vértebra ['berteβra] *f* Wirbel *m*

vertebrado [berte'βraðo] *m* Wirbeltier *nt*

vertebral [berte'βral] *adj:* **columna ~** Wirbelsäule *f*

vertedero [berte'ðero] *m* Mülldeponie *f;* ~ **ilegal** wilde Müllkippe

verter [ber'ter] <e → ie> **I.** *vt* (ver)schütten **II.** *vi* fließen

vertical [berti'kal] *adj* senkrecht

vértice ['bertiθe] *m* Scheitel *m*

vertiente [ber'tjen̩te] *f* Abhang *m*

vértigo ['bertiɣo] *m* Schwindelgefühl *nt*

vesícula [be'sikula] *f* Blase *f*

vespertino, -a [besper'tino] *adj* Abend-, abendlich

vestíbulo [bes'tiβulo] *m* Empfangshalle *f*

vestido [bes'tiðo] *m* Kleid *nt*

vestigio [bes'tixjo] *m* ❶ (*huella*) Spur *f* ❷ (*señal*) Anzeichen *nt*

vestir [bes'tir] *irr como pedir* **I.** *vt* (be)kleiden; (*ponerse*) anziehen **II.** *vi* sich kleiden **III.** *vr:* **~se** sich anziehen

vestuario [bes'twarjo] *m* Umkleidekabine *f*

veta ['beta] *f* (Erz)ader *f*

vetar [be'tar] *vt* sein Veto einlegen (gegen +*akk*)

veterano, -a [bete'rano] *adj* erfahren

veterinaria [beteri'narja] *f* Tiermedizin *f*

veterinario, -a [beteri'narjo] *m, f* Tierarzt, -ärztin *m, f*

veto ['beto] *m:* **(inter)poner (su) ~ a algo** sein Veto gegen etw einlegen

vez [beθ] *f* Mal *nt;* **a la ~** gleichzeitig; **a veces** manchmal; **cada ~ que...** jedes Mal, wenn ...; **de ~ en cuando** ab und zu; **esta ~** diesmal; **muchas veces** oft; **tal ~** vielleicht; **érase una ~...** es war einmal ...

vía ['bia] *f* ❶ Weg *m;* ~ **aérea** Luftpost *f;* ~ **láctea** Milchstraße *f;* ~ **pública** Bürgersteig *m* ❷ (*ruta*) via; **a Madrid ~ Paris** nach Madrid via Paris ❸ (*carril*) Spur *f;* ~ **férrea** Eisenbahn *f* ❹ ANAT: **~s respiratorias** Luftröhre *f;* **~s urinarias** Harnröhre *f;* **por ~ oral** oral ❺ **por ~ judicial** auf dem Rechtsweg ❻ **país en ~s de desarrollo** Entwicklungsland *nt*

viaducto [bja'ðukto] *m* Viadukt *m o nt*

viajante [bja'xan̩te] *mf* (Handels)reisende(r) *f(m)*

viajar [bja'xar] *vi* reisen; ~ **en avión** fliegen

viaje [bi'axe] *m* Reise *f;* ~ **de novios** Hochzeitsreise *f;* **estar de ~** verreist sein; **irse de ~** verreisen; **salir de ~** abreisen

viajero, -a [bja'xero] *m, f* Reisende(r) *f(m)*

vial [bi'al] *adj:* **circulación ~** Straßenverkehr *m;* **reglamento ~** Straßenverkehrsordnung *f*

viaraza [bja'raθa] *f* AM Wutanfall *m;* **me dio la ~** ich tobte vor Wut

víbora ['biβora] *f* Viper *f*

vibración [biβra'θjon] *f* Vibration *f;* (*agitación*) (leichte) Erschütterung *f*

vibrante [bi'βran̩te] *adj* ❶ (*sonoro*) kraftvoll ❷ (*entusiasta*) schwungvoll

vibrar [bi'βrar] *vi* vibrieren

vicario [bi'karjo] *m* Vikar *m*

vicepresidente, -a [biθepresi'ðen̩te] *m, f* POL Vizepräsident(in) *m(f);* (*en juntas*) stellvertretender Vorsitzender *m,*

stellvertretende Vorsitzende *f*
vicerrector(a) [biθerrek'tor] *m(f)* ❶ UNIV Prorektor(in) *m(f)* ❷ ENS Konrektor(in) *m(f)*
viceversa [biθe'βersa] *adv* umgekehrt
viciado, -a [bi'θjaðo] *adj* stickig
viciarse [bi'θjarse] *vr* süchtig sein
vicio ['biθjo] *m* Sucht *f;* **el ~ de siempre** das alte Laster
vicioso, -a [bi'θjoso] *adj* lasterhaft
víctima ['biktima] *f* Betroffene(r) *f(m);* **ser ~ de un fraude** Opfer eines Betrugs werden
victimar [bikti'mar] *vt* AM verwunden
victoria [bik'torja] *f* Sieg *m;* **~ por puntos** Sieg nach Punkten
victorioso, -a [bikto'rjoso] *adj* siegreich
vid [bi^{ð}] *f* (Wein)rebe *f*
vida ['biða] *f* ❶ Leben *nt;* **~ afectiva** Gefühlsleben *nt;* **~ íntima** Privatleben *nt;* **¿cómo te va la ~?** wie geht's dir?; **complicarse la ~** sich *dat* das Leben schwer machen; **perder la ~** ums Leben kommen; **¿qué es de tu ~?** was gibt's Neues bei dir?; **quitarle la ~ a alguien** jdn töten; **de por ~** zu Lebzeiten ❷ (*sustento*) Lebensunterhalt *m;* **buscarse la ~** sich durchschlagen ❸ **de toda la ~** schon immer; **¡mi ~!** (mein) Schatz!
vidente [bi'ðente] *mf* (Hell)seher(in) *m(f)*
vídeo ['biðeo] *m* Video *nt*, Videorekorder *m;* **cámara de ~** Videokamera *f*
videocámara [biðeo'kamara] *f* Videokamera *f*
videocasete [biðeoka'sete] *f* Videokassette *f*
videojuego [biðeo'xweɣo] *m* Videospiel *nt*
vidriera [bi'ðrjera] *f:* **puerta ~** Glastür *f;* AM Schaufenster *nt*
vidrio ['biðrjo] *m* (Glas)scheibe *f*
viejo, -a ['bjexo] *adj* alt
Viena ['bjena] *f* Wien *nt*
vienés, -esa [bje'nes] *adj* wienerisch
viento ['bjento] *m* Wind *m;* **~ de frente** Gegenwind *m;* **~ huracanado** (Wirbel)sturm *m;* **instrumento de ~** Blasinstrument *nt;* **hace ~** es ist windig
vientre ['bjentre] *m* ❶ (*abdomen*) Unterleib *m;* **hacer de ~** Stuhlgang haben ❷ (*barriga*) Bauch *m*
viernes ['bjernes] *m inv* Freitag *m;* **Viernes Santo** Karfreitag *m; v.t.* **lunes**
vietnamita [bje^{ð}na'mita] *adj* vietnamesisch
viga ['biɣa] *f* Balken *m*
vigencia [bi'xenθja] *f:* **estar en ~** in Kraft sein; **entrar en ~** in Kraft treten; **perder ~** ungültig werden
vigente [bi'xente] *adj* gültig
vigía [bi'xia] *f* Wach(t)turm *m*
vigilancia [bixi'lanθja] *f:* **tener a alguien bajo ~** jdn überwachen
vigilante [bixi'lante] *mf* Wächter(in) *m(f);* **~ de seguridad** Wachmann *m*
vigilar [bixi'lar] *vi, vt* überwachen
vigilia [bi'xilja] *f* Wachen *nt;* **día de ~** Fastentag *m*
vigor [bi'ɣor] *m* ❶ Energie *f;* **con ~** kraftvoll ❷ **entrar en ~** in Kraft treten
vigoroso, -a [biɣo'roso] *adj* stark; (*protesta*) energisch
vigués, -esa [bi'ɣes] *adj* aus Vigo
VIH [uβei'atʃe] *m abr de* **virus de inmunodeficiencia humana** HIV *nt*
vil [bil] *adj* gemein
vileza [bi'leθa] *f* Gemeinheit *f*
villa ['biʎa] *f* Kleinstadt *f*
villancico [biʎan'θiko] *m* Weihnachtslied *nt*
villano, -a [bi'ʎano] *adj* gemein
vilo ['bilo] *adv*: **estar en ~** gespannt sein
vinagre [bi'naɣre] *m* Essig *m*
vinagreta [bina'ɣreta] *f* Vinaigrette *f*
vinculación [biŋkula'θjon] *f* (Ver)bindung *f*
vincular [biŋku'lar] *vt* (ver)binden; (*obligar*) verpflichten
vínculo ['biŋkulo] *m* ❶ (*unión*) (Ver)bindung *f;* **el ~ conyugal** das Band der Ehe; **~s familiares** Familienbande *pl;* **~s naturales** Blutsverwandtschaft *f*

❷ (*obligación*) Verpflichtung *f* ❸ INFOR Link *m;* ~ **caduco** veralteter Link
vinícola [bi'nikola] *adj* Wein(bau)-
vinicultor(a) [binikul̩'tor] *m(f)* Winzer(in) *m(f)*
vino ['bino] *m* Wein *m;* ~ **de mesa** Tafelwein *m;* ~ **peleón** Fusel *m;* ~ **rosado** Rosé(wein) *m;* ~ **tinto** Rotwein *m*
viña ['biɲa] *f* Weinberg *m*
viñedo [bi'ɲeðo] *m* (*monte*) Weinberg *m;* (*planta*) Weinstock *m*
viola ['bjola] *f* Bratsche *f*
violación [bjola'θjon] *f* Vergewaltigung *f;* ~ **de contrato** Vertragsbruch *m*
violar [bjo'lar] *vt* vergewaltigen; (*ley*) verstoßen
violencia [bjo'len̪θja] *f* Gewalt *f;* **no** ~ Gewaltlosigkeit *f;* **con** ~ gewaltsam
violentar [bjolen̪'tar] *vt* ❶ (*obligar*) zwingen; (*sexualmente*) vergewaltigen ❷ (*puerta*) auftreten ❸ (*una casa*) einbrechen (in +*akk*)
violento, -a [bjo'len̪to] *adj* ❶ gewaltig; (*discusión*) heftig ❷ (*brutal*) brutal; **acto** ~ Gewalttat *f* ❸ AM plötzlich
violeta [bjo'leta] **I.** *adj* violett **II.** *f* BOT Veilchen *nt*
violín [bjo'lin] *m* Geige *f*
violón [bjo'lon] *m* (*instrumento*) Bassgeige *f*
violonc(h)elo [bjolon̪'θelo/bjolon'ʧelo] *m* Cello *nt*
viraje [bi'raxe] *m* Wendung *f;* **hacer un** ~ eine Kurve nehmen
virar [bi'rar] *vi, vt* wenden
virgen ['birxen] **I.** *adj* rein; (*cinta*) unbespielt **II.** *f:* **la Virgen** die Jungfrau
virginal [birxi'nal] *adj* (*inmaculado*) unberührt; (*puro*) rein
virginidad [birxini'ðaᶞ] *f* Jungfräulichkeit *f*
Virgo ['birɣo] *m inv* ASTR Jungfrau *f*
viril [bi'ril] *adj* ❶ (*masculino*) männlich ❷ (*enérgico*) mannhaft
virrey, -reina [bi'rrei̯] *m, f* Vizekönig(in) *m(f)*
virtual [birtu'al] *adj* virtuell
virtud [bir'tuᶞ] *f* ❶ Tugend *f;* (*poder*) Fähigkeit *f* ❷ (*loc*): **en** ~ **de** aufgrund +*gen*
virtuoso, -a [birtu'oso] *adj* virtuos
viruela [bi'rwela] *f* Pocken *pl;* ~ **loca** Windpocken *pl*
virus ['birus] *m* Virus *nt o m*
viruta [bi'ruta] *f* Span *m*
visa ['bisa] *m o f* AM, **visado** [bi'saðo] *m* Visum *nt;* ~ **de entrada** Einreisevisum *nt;* ~ **de salida** Ausreisevisum *nt*
víscera ['bisθera] *f* Eingeweide *nt*
viscoso, -a [bis'koso] *adj* schleimig
visibilidad [bisiβili'ðaᶞ] *f* (*cualidad*) Sichtbarkeit *f;* (*distancia*) Sichtverhältnisse *nt pl*
visible [bi'siβle] *adj* sichtbar
visillo [bi'siʎo] *m* Gardine *f*
visión [bi'sjon] *f* ❶ Sicht *f* ❷ (*aptitud*) Sehvermögen *nt* ❸ (*aparición*) Vision *f* ❹ (*punto de vista*) Sichtweise *f*
visita [bi'sita] *f* Besuch *m;* ~ **del médico** Visite *f;* ~ **guiada** Führung *f;* ~ **oficial** Staatsbesuch *m;* **ir de** ~ jdn besuchen gehen
visitante [bisi'tan̪te] *mf* Besucher(in) *m(f)*
visitar [bisi'tar] *vt* besuchen; (*ciudad*) besichtigen
vislumbrar [bislum'brar] *vt* durchschimmern lassen
visón [bi'son] *m* Nerz *m*
víspera ['bispera] *f:* **en ~s de** kurz vor +*dat*
vista ['bista] *f* Sehvermögen *nt;* (*mirada*) Blick *m;* **al alcance de la** ~ in Sicht(weite); **a la** ~ anscheinend; **a la** ~ **está** sieht ganz so aus; **apartar la** ~ wegschauen; **a primera** ~ auf den ersten Blick; **con ~s a...** im Hinblick auf ... +*akk;* **corto de** ~ kurzsichtig; **de** ~ vom Sehen; ~ **panorámica** Panoramablick *m;* ~ **aérea** Luftaufnahme *f;* ~ **general** Gesamtbild *nt;* ~ **oral** Hauptverhandlung *f*
vistazo [bis'taθo] *m:* **de un** ~ mit einem Blick; **echar un** ~ **a algo** einen Blick

auf etw werfen; **voy a dar un** ~ ich gehe mal nachschauen

visto, -a ['bisto] **I.** *adj:* ~ **para sentencia** hauptverhandlungsfähig; **por lo** ~ allem Anschein nach **II.** *conj:* ~ **que...** angesichts der Tatsache, dass ...

visto bueno ['bisto 'βweno] *m* Sichtvermerk *m;* **dar el** ~ **a algo** sein Plazet zu etw *dat* geben

visual [bi'swal] *adj* visuell; **campo** ~ Gesichtsfeld *nt*

visualización [biswaliθa'θjon] *f* Veranschaulichung *f;* (*display t.* INFOR) Anzeige *f*

visualizar [biswali'θar] <z → c> *vt* veranschaulichen; AM erblicken

vital [bi'tal] *adj:* **constantes ~es** Vitalfunktionen *f;* **fuerza** ~ Lebenskraft *f*

vitalicio, -a [bita'liθjo] *adj:* **renta vitalicia** Leibrente *f;* **seguro** ~ Lebensversicherung *f*

vitalidad [bitali'ðað] *f* Lebensfreude *f*

vitalizar [bitali'θar] <z → c> *vt* (*vivificar*) beleben; (*fortalecer*) kräftigen

vitamina [bita'mina] *f* Vitamin *nt;* **rico en ~s** vitaminreich

vítor ['bitor] *m* Hochruf *m*

vitorear [bitore'ar] *vt* hochleben lassen

vitrina [bi'trina] *f* Vitrine *f;* AM Schaufenster *nt*

viudedad [bjuðe'ðað] *f*, **viudez** [bju'ðeθ] *f* Witwenstand *m*

viudo, -a ['bjuðo] *m, f* Witwer, Witwe *m, f;* **quedarse** ~ verwitwen

viva ['biβa] *interj* hoch; **¡~n los novios!** ein Hoch dem Brautpaar!

vivacidad [biβaθi'ðað] *f* Lebhaftigkeit *f*

vivaz [bi'βaθ] *adj* voller Lebenskraft

vivencia [bi'βeṇθja] *f* Erlebnis *nt*

víveres ['biβeres] *m pl* Lebensmittel *ntpl;* MIL Proviant *m*

vivero [bi'βero] *m* Baumschule *f;* (*de peces*) Zuchtteich *m*

viveza [bi'βeθa] *f* ❶ (*celeridad*) Behändigkeit *f* ❷ (*energía*) Lebendigkeit *f* ❸ (*agudeza*) Aufgewecktheit *f*

vivienda [bi'βjeṇda] *f* Wohnung *f;* **sin** ~ obdachlos; AM Lebensweise *f*

viviente [bi'βjeṇte] *adj* lebendig

vivir [bi'βir] **I.** *vi* leben; (*habitar*) wohnen **II.** *vt* erleben **III.** *m:* **de mal** ~ anrüchig

vivo, -a ['biβo] *adj* ❶ lebend(ig); **ser** ~ Lebewesen *nt;* **a fuego** ~ bei starker Hitze; **en** ~ live; **estar** ~ am Leben sein ❷ (*vivaz*) lebhaft ❸ (*color*) leuchtend ❹ (*avispado*) aufgeweckt

vizcaíno, -a [biθka'ino] *adj* aus Biscaya

Vizcaya [biθ'kaɟa] *f* Biscaya *nt*

vocablo [bo'kaβlo] *m* Vokabel *f*

vocabulario [bokaβu'larjo] *m* Wortschatz *m;* ~ **especializado** Fachwortschatz *m*

vocación [boka'θjon] *f* Berufung *f;* ~ **artística** künstlerische Ader; **por** ~ aus Berufung

vocal [bo'kal] *f* Vokal *m*

vocerío [boθe'rio] *m* Geschrei *nt*

vocero, -a [bo'θero] *m, f* AM Sprecher(in) *m(f)*

vociferar [boθife'rar] **I.** *vi* brüllen **II.** *vt* herausschreien

volante [bo'laṇte] *m* ❶ AUTO Lenkrad *nt;* **ir al** ~ am Steuer sitzen ❷ (*adorno*) Volant *m*

volar [bo'lar] <o → ue> **I.** *vi* ❶ fliegen; **echar a** ~ losfliegen; ~ **y conducir** (*en turismo*) Fly and Drive ❷ (*desaparecer*) verschwinden; **el dinero ha volado** das Geld ist weg ❸ (*apresurarse*) eilen; **¡voy volando!** ich fliege! **II.** *vt* sprengen; (*hacer volar*) fliegen lassen

volcán [bol'kan] *m* Vulkan *m*

volcánico, -a [bol'kaniko] *adj* ❶ GEO vulkanisch ❷ (*ardiente*) feurig

volcar [bol'kar] *irr* **I.** *vi* (um)kippen **II.** *vr:* **~se con alguien en atenciones** jdm gegenüber extrem aufmerksam sein

voleibol [boleiˈβol] *m* Volleyball *m*

voleo [bo'leo] *m:* **a** ~ aufs Geratewohl

voltaje [bol'taxe] *m* Spannung *f*

voltereta [bolte'reta] *f* Purzelbaum *m*

voltio ['boltjo] *m* Volt *nt*

volumen [bo'lumen] *m* ❶ Volumen *nt;* (*cantidad*) Menge *f;* ~ **de ventas** Umsatz *m* ❷ (*sonido*) Lautstärke *f;* **a todo** ~ sehr laut ❸ (*tomo*) Band *m*

voluminoso, -a [bolumi'noso] *adj* umfangreich

voluntad [bolun̩'tad] *f* Wille *m;* **mala** ~ Böswilligkeit *f;* **a** ~ nach Belieben; **contra su** ~ widerwillig; **por propia** ~ freiwillig

voluntario, -a [bolun̩'tarjo] *adj* freiwillig

voluntarioso, -a [bolun̩ta'rjoso] *adj* willensstark

voluptuoso, -a [boluptu'oso] *adj* (*apasionado*) wollüstig; (*sensual*) sinnlich

volver [bol'βer] *irr* **I.** *vi* ❶ umdrehen; ~ **atrás** umkehren ❷ (*regresar*) zurückkehren; ~ **a casa** heimkehren ❸ ~ **a** +*inf* wieder +*inf* **II.** *vt* ❶ (*dar la vuelta*) umdrehen ❷ (*poner del revés*) wenden ❸ (*transformar*) verwandeln (in +*akk*) **III.** *vr:* ~**se** sich umdrehen; (*dirigirse*) sich wenden; (*convertirse*) sich verwandeln (in +*akk*); ~**se viejo** alt werden

vomitar [bomi'tar] **I.** *vi* sich übergeben **II.** *vt* erbrechen

vomitivo, -a [bomi'tiβo] *adj* Brechreiz erregend; **ese es** ~ (*argot*) der Typ ist ein echter Kotzbrocken

vómito ['bomito] *m:* ~ **de sangre** Blutsturz *m;* **provocar ~s a alguien** jdn zum Erbrechen bringen

voraz [bo'raθ] *adj:* **apetito** ~ Heißhunger *m*

vos [bos] *pron pers* AM du

vosotros, -as [bo'sotros] *pron pers* ihr; (*tras preposición*) euch

votación [bota'θjon] *f* Abstimmung *f;* **someter algo a** ~ über etw abstimmen (lassen)

votar [bo'tar] *vi, vt* (ab)stimmen; ~ **una ley** ein Gesetz verabschieden

voto ['boto] *m* Stimme *f;* (*acción*) Abstimmung *f;* ~ **a favor** Jastimme *f*

voy [boi̯] *1. pres de* **ir**

voz [boθ] *f* ❶ Stimme *f;* ~ **cantante** Solostimme *f;* ~ **de mando** Kommando *nt;* **a media** ~ halblaut; **leer en** ~ **alta** vorlesen ❷ (*grito*) Ruf *m;* **voces** Geschrei *nt;* **a voces** schreiend; **dar voces** schreien ❸ (*rumor*) Gerücht *nt* ❹ (*del verbo*): ~ **activa** Aktiv *nt;* ~ **pasiva** Passiv *nt*

vuelco ['bwelko] *m:* **me dio un** ~ **el corazón** mir blieb das Herz stehen

vuelo ['bwelo] *m* Flug *m;* ~ **en globo** Ballonfahrt *f;* ~ **nacional** Inlandflug *m;* ~ **regular** Linienflug *m;* **cogerlas al** ~ (*fig*) im Nu kapieren

vuelta ['bwel̩ta] *f* ❶ (*giro*) (Um)drehung *f;* **dar la** ~ wenden; **darse la** ~ sich umdrehen; **dar(se) una** ~ spazieren gehen ❷ (*regreso*) Rückkehr *f;* (*viaje*) Rückfahrt *f;* **estar de** ~ zurück(gekehrt) sein ❸ (*dinero*) Wechselgeld *nt;* **dar la** ~ herausgeben ❹ DEP: ~ **ciclista** Tour *f* ❺ (*loc*): **a la** ~ **de** (*lugar*) um +*akk;* (*tiempo*) nach +*dat*

vuestro, -a ['bwestro] **I.** *adj* (*antepuesto*) euer, eu(e)re; ~ **coche** euer Auto **II.** *pron pos* ❶ (*de vuestra propiedad*) euer(e); **¿es ~?** gehört es euch? ❷ (*tras artículo*): **el ~/la vuestra/lo ~** eure(r, s); **los ~s** eure, eure Angehörigen ❸ (*tras sustantivo*) eure(r), von euch; **un amigo** ~ ein Freund von euch

vulgar [bul'ɣar] *adj* vulgär

vulgaridad [bulɣari'ða^ð] *f* Derbheit *f*

vulgarizar [bulɣari'θar] <z → c> **I.** *vt* ❶ (*simplificar*) vereinfachen ❷ (*popularizar*) popularisieren **II.** *vr:* ~**se** ❶ (*pey: persona*) vulgär werden ❷ (*trivializarse*) abflachen

vulnerable [bulne'raβle] *adj* verletzlich

vulnerar [bulne'rar] *vt* verletzen

W

W, w ['uβe 'ðoβle] *f* W, w *nt*
wampa ['wampa] *f* (MÉX: *ciénaga*) Sumpf *m*
wáter ['bater] *m*, **water-closet** ['bater'klose^t] *m* Toilette *f*
waterpolo [bater'polo] *m* Wasserball *m*
watt [ba^t] *m* Watt *nt*
W.C. ['uβe θe] *m abr de* **water-closet** WC *nt*
windsurf ['win̪^{d}surf] *m* (Wind)surfen *nt*
WWW *f abr de* **World Wide Web** WWW *nt*

X, x ['ekis] *f* X, x *nt;* **rayos ~** Röntgenstrahlen *mpl*
xenofobia [seno'foβja] *f* Fremdenfeindlichkeit *f*
xenófobo, -a [se'nofoβo] *adj* fremdenfeindlich
xilófono [si'lofono] *m* Xylophon *nt*
xilografía [siloγra'fia] *f* Holzschnitt *m*

Y, y [i 'γrjeγa] *f* Y, y *nt*
y [i] *conj* und; **¿~ qué?** na und?; **~ eso que** obwohl
ya [ɟa] **I.** *adv* ❶ (*pasado*) schon ❷ (*pronto*) sofort; **¡~ voy!** ich komme schon!; **~ verás** du wirst schon (noch) sehen ❸ (*negación*): **~ no fumo** ich rauche nicht mehr **II.** *conj*: **~ que** da, weil **III.** *interj* ach so!
yacer [ɟa'θer] *irr vi* (*estar echado*) liegen; (*estar enterrado*) ruhen
yacimiento [ɟaθi'mjen̪to] *m* Vorkommen *nt*
yaguré [ɟaγu're] *m* AM Stinktier *nt*
yanqui ['ɟaŋki] *adj* (nord)amerikanisch
yapa ['ɟapa] *f* AM: **de ~** zudem
yate ['ɟate] *m* Jacht *f*
yayo, -a ['ɟaɟo] *m, f* (*fam*) Opa, Oma *m, f*
yedra ['ɟeðra] *f* Efeu *m*
yegua ['ɟeγwa] *f* Stute *f*
yelmo ['ɟelmo] *m* Helm *m*
yema ['ɟema] *f* Eigelb *nt;* (*dedo*) Fingerkuppe *f*
yerbear [ɟerβe'ar] *vi* AM Mate(tee) trinken
yergo ['ɟerγo] *1. pres de* **erguir**
yermo, -a ['ɟermo] *adj:* **dejar ~** brachlegen
yerno ['ɟerno] *m* Schwiegersohn *m*
yeso ['ɟeso] *m* Gips *m*
yeta ['ɟeta] *f* ARG, URUG Pech *nt*
yin ['jin] <yines> *m* Jeans *f*
yo [ɟo] *pron pers* ich; **~ que tú...** ich an deiner Stelle ...
yodo ['ɟoðo] *m* Jod *nt*
yoga ['ɟoγa] *m* Joga *nt o m*
yogur ['ɟoγur] <yogures> *m* Joghurt *m*
yogurín [joγu'rin] *m* (*fam*) *junger aufstrebender Typ*
yonqui ['ɟoŋki] *mf* (*argot*) Junkie *m*
yóquei ['ɟokei̯] *m*, **yoqui** ['ɟoki] *m* DEP Jockei *m*
yoyó [ɟo'ɟo] *m* Jo-Jo *nt*
yuca ['ɟuka] *f* Yucca(palme) *f*
yudo ['ɟuðo] *m* Judo *nt*
yugo ['ɟuγo] *m* Joch *nt*
Yugoslavia [ɟuγos'laβja] *f* HIST Jugoslawien *nt*
yugoslavo, -a [ɟuγos'laβo] *adj* HIST jugoslawisch
yugular [ɟuγu'lar] *adj* Hals-; **arteria ~** Halsschlagader *f*
yunque ['ɟuŋke] *m* Amboss *m*
yuppy ['ɟupi] *mf* Yuppie *m*
yute ['ɟute] *m* Jute *f*

yuxtaponer [ɟustapo'ner] *irr como poner* **I.** *vt* (*a otra cosa*) stellen (*a* neben +*akk*); (*dos cosas*) nebeneinanderstellen **II.** *vr:* **~se** hinzukommen (*a* zu +*dat*)

yuxtaposición [ɟustaposi'θjon] *f* LING, GEO Juxtaposition *f*

yuxtapuesto, -a [ɟusta'pwesto] *adj* nebeneinanderliegend; LING aneinandergereiht

yuyo ['ɟuɟo] *m* ❶ CSUR Unkraut *nt* ❷ *pl* COL, ECUA Gewürzkräuter *ntpl*; PERÚ Gemüse *nt*

Z

Z, z ['θeta] *f* Z, z *nt*

zabuir [θa'bwir] *vi* COL, PRICO eintauchen

zacate [θa'kate] *m* AM Stroh *nt*

zafacón [θafa'kon] *m* PRICO, RDOM Abfalleimer *m*

zafado, -a [θa'faðo] *adj* ARG frech

zafar [θa'far] **I.** *vt* NÁUT klar machen **II.** *vr:* **~se** ❶ (*de una persona*) loswerden (*de +akk*) ❷ (*de un compromiso*) sich drücken (*de* vor *+dat*) ❸ (AM: *dislocarse*) sich *dat* ausrenken

zafiro [θa'firo] *m* Saphir *m*

zaga ['θaɣa] *f:* **ir a la ~ de alguien** hinter jdm hergehen

zalamero, -a [θala'mero] *adj* schmeichlerisch

zamarra [θa'marra] *f* ❶ (*de pastor*) Hirtenjacke *f* (*aus Schaffell*) ❷ (*chaqueta*) pelzgefütterte Jacke *f*

zambo, -a ['θambo] *adj* X-beinig

zambullir(se) [θambu'ʎir(se)] <*3. pret* (se) zambulló> *vt, vr* eintauchen

zamorano, -a [θamo'rano] *adj* aus Zamora

zampabollos [θampa'βoʎos] *mf inv* (*fam*) Vielfraß *m*

zampar [θam'par] *vt* verschlingen

zampón, -ona [θam'pon] **I.** *adj* (*fam*) gefräßig **II.** *m, f* (*fam*) Vielfraß *m*

zanahoria [θana'orja] *f* Mohrrübe *f*

zanca ['θaŋka] *f* ❶ (*del ave*) Vogelbein *nt* ❷ (*fam: del hombre*) langes Bein *nt*

zancada [θaŋ'kaða] *f:* **dar ~s** große Schritte machen

zancadilla [θaŋka'ðiʎa] *f:* **poner la ~ a alguien** jdm ein Bein stellen

zanco ['θaŋko] *m* Stelze *f*

zancudo [θaŋ'kuðo] *m* AM Moskito *m*

zanganear [θaŋgane'ar] *vi* (*fam*) faulenzen

zángano ['θaŋgano] *m* Drohne *f*

zanja ['θaŋxa] *f* Graben *m*

zanjar [θaŋ'xar] *vt* Gräben ziehen; (*disputa*) beilegen

zapallo [θa'paʎo] *m* AM Kürbis *m*

zapata [θa'pata] *f* AUTO Bremsschuh *m*

zapatear [θapate'ar] *vt* (*golpear*) mit einem Schuh schlagen; (*bailando*) mit dem Fuß (auf)stampfen

zapatería [θapate'ria] *f* Schuhgeschäft *nt*

zapatero, -a [θapa'tero] *m, f* Schuhmacher(in) *m(f)*

zapatilla [θapa'tiʎa] *f* Hausschuh *m;* **~s de tenis** Tennisschuhe *mpl*

zapato [θa'pato] *m* Schuh *m*

zapear [θape'ar] *vi* zappen

zar, zarina [θar, θa'rina] *m, f* Zar(in) *m(f)*

zaragozano, -a [θaraɣo'θano] *adj* aus Zaragoza

zarandear [θaran̩de'ar] *vt* schubsen; AM bloßstellen

zarina [θa'rina] *f v.* **zar**

zarpa ['θarpa] *f* Pranke *f;* (*fam*) Pfote *f*

zarpar [θar'par] *vi* auslaufen

zarrapastroso, -a [θarrapas'troso] *adj* (*fam*) schlampig

zarza ['θarθa] *f* Dornbusch *m*

zas [θas] *interj* (*de rapidez*) zack; (*de golpe*) peng

zeta ['θeta] *f* Z *nt*

zigzag [θiˠ'θaˠ] <zigzagues> *m* Zickzack *m*

zinc [θiŋ] <cines> *m* Zink *nt;* **óxido de ~** Zinkoxid *nt*

zipear [θipe'ar] *vt* INFOR (*fam: comprimir*) zippen

zíper ['θiper] *m* MÉX Reißverschluss *m*

zócalo ['θokalo] *m* Sockel *m*

zodíaco [θo'diako] *m* Tierkreis *m;* **signos del ~** Sternzeichen *ntpl*

zombi ['θombi] *m* Zombie *m;* **estar ~** völlig benommen sein

zona ['θona] *f:* **~ franca** Zollfreigebiet *nt;* **~ peatonal** Fußgängerzone *f;* **~ verde** Grünzone *f*

zoncera [θon̩'θera] *f* AM, **zoncería** [θon̩θe'ria] *f* Albernheit *f*

zonzo, -a ['θoṇθo] *adj* AM dumm

zoo ['θoo] *m* Zoo *m*

zoología [θo(o)lo'xia] *f* Zoologie *f*

zoológico, -a [θo(o)'loxiko] *adj:* **parque ~** Zoo *m*

zoólogo, -a [θo'oloɣo] *m, f* Zoologe, -in *m, f*

zopenco, -a [θo'peŋko] *adj* dumm

zopilote [θopi'lote] *m* Geier *m*

zoquete [θo'kete] *m* Dummkopf *m*

zorra ['θorra] *f* Füchsin *f;* (*fam*) Hure *f*

zorrillo [θo'rriʎo] *m* AM Stinktier *nt*

zorro ['θorro] *m* Fuchs *m*

zote ['θote] *adj* schwer von Begriff

zozobrar [θoθo'brar] *vi* kentern; (*plan*) scheitern

zueco ['θweko] *m* Clog *m*

zumba ['θumba] *f* AM Tracht *f* Prügel

zumbado, -a [θum'baðo] *adj:* **estar ~** (*fam*) spinnen

zumbar [θum'bar] **I.** *vi* ❶ summen; **salir zumbando** davoneilen ❷ (*oídos*) dröhnen **II.** *vt* ❶ (*golpe*) versetzen ❷ AM (weg)schmeißen; (*expulsar*) (raus)schmeißen

zumbido [θum'biðo] *m* Summen *nt;* **~ de los oídos** Ohrensausen *nt*

zumo ['θumo] *m* Saft *m*

zupay [θu'pai̯] *m* AM Teufel *m*

zuque ['θuke] *m* COL Schlag *m;* **estar ~** MÉX (*fam*) pleite sein

zurcir [θur'θir] <c → z> *vt* stopfen; **¡que te zurzan!** (*fam*) du kannst mich mal!

zurdo, -a ['θurðo] *adj* linkshändig

zurra ['θurra] *f:* **dar una ~ a alguien** jdn verprügeln

zurrar [θu'rrar] *vt* (*fam*) versohlen

Grundlegende Informationen auf einen Blick
Informaciones básicas a simple vista

Landesvorwahl/ Prefijo internacional de teléfono	+34
Notruf/ Teléfonos de emergencia	Polizei: 091 Feuerwehr, Rettungsdienst/erste Hilfe: 112
Touristeninformationen/ Información de Turismo	www.spain.info
Währung/Moneda	el euro (1 euro = 100 céntimos)
Feiertage in Spanien/ Días festivos en España	Día de Año Nuevo/Neujahrstag: 1. Januar Día de los Reyes Magos/Heilige Drei Könige: 6. Januar Viernes Santo/Karfreitag: beweglich Día del Trabajo/Tag der Arbeit: 1. Mai Día de la Asunción/Mariä Himmelfahrt: 15. August Día del Pilar/„Tag der Jungfrau von El Pilar“: 12. Oktober Día de Todos los Santos/Allerheiligen: 1. November Día de la Constitución/„Tag der Verfassung“: 6. Dezember Día de la Inmaculada Concepción/„Tag der unbefleckten Empfängnis“: 8. Dezember Día de Navidad/Weihnachten: 25. Dezember
Öffnungszeiten/ Horarios de apertura	Banken: 8:30–14:00 Montag–Freitag Geschäfte: 16:30–20:00 Montag; 9:30–13:30, 16:30–20:00 Dienstag–Samstag Postämter: 8:30–20:30 Montag–Freitag; 9:30–13:00 Samstag

Strom/Corriente eléctrica	Standardnetzspannung: 220/230 V, 50 Hz Ein Adapter kann unter Umständen notwendig sein.
Diplomatische Vertretungen/ Representaciones diplomáticas	Deutsche Botschaft C/Fortuny 8 28010 Madrid Spanien Tel.: 0034-91-557 90 00 Fax: 0034-91-310 21 04 www.madrid.diplo.de Österreichische Botschaft Paseo de la Castellana 91, 9.° 28046 Madrid Spanien Tel.: 0034-91-556 53 15 Fax: 0034-91-597 35 79 www.bmaa.gv.at/madrid
Diplomatische Vertretungen/ Representaciones diplomáticas	Schweizer Botschaft C/Nuñez de Balboa 35 A, 7.° Edificio Goya 28001 Madrid Spanien Tel.: 0034-91-436 39 60 Fax: 0034-91-436 39 80 www.eda.admin.ch/madrid

Reisen

Flugzeug

Spanische Flughäfen/ Aeropuertos españoles	Die Betreibergesellschaft der spanischen Flughäfen ist AENA. In ihrer Homepage www.aena.es findet man Information zu den jeweiligen Flughäfen. Telefonische Auskunft diesbezüglich ist auch unter 902 404 704 zu bekommen.

Auto

Geschwindigkeitsbegrenzungen/Límites de velocidad	Autobahn/autopista: 120 km/h Landstraßen: 90–100 km/h Innerorts: 50 km/h
Promillebestimmung/ Límites de alcoholemia	0,5 Promille
Autobahnmaut/ Peaje de autopistas	Fast alle Autobahnstrecken sind mautpflichtig und ebenso verschiedene Tunnels und Brücken. Die Preise betragen für PKW ca. 8 Euro pro 100 Autobahnkilometer. Die Bezahlung ist mit allen gängigen Kreditkarten möglich.

Interkulturelle Tipps für die spanischsprachigen Länder
Consejos interculturales sobre los países de habla española

Allgemeine Tipps
Consejos en general

Für die Verständigung mit Menschen aus anderen Ländern sind Fremdsprachenkenntnisse unentbehrlich – aber sie allein reichen noch nicht aus. Damit die Kommunikation wirklich gelingen kann, ist es notwendig, auch etwas über die „Alltagskultur" des betreffenden Landes und die Mentalität seiner Bewohner zu wissen. Nur wer über Sprach- und Landeskenntnisse verfügt, kann verstehen, sich verständlich machen, sich angemessen verhalten und sicher auftreten.

Die folgenden hilfreichen Hinweise wollen Sie mit einigen Besonderheiten in den spanischsprachigen Ländern vertraut machen:

Anrede, Begrüßung und Abschied

Anrede

In Spanien duzt man sich verhältnismäßig schnell. Das gilt besonders für junge Leute. Wenn man ältere Leute höflich ansprechen will, benutzt man **usted** (Singular) oder **ustedes** (Plural).

Wundern Sie sich nicht, wenn Sie in Geschäften, Kneipen oder auf der Straße als **guapa** (Hübsche), **guapo** (Hübscher) oder **reina** (Königin) angesprochen werden. Normalerweise ist das keine „Anmache", sondern nur freundlich gemeint.

Familienname

Spanier haben immer zwei Nachnamen: Der erste Nachname stammt vom Vater und der zweite von der Mutter. Heiraten Frauen, nehmen sie üblicherweise nicht den Namen ihres Mannes an, sondern behalten beide Geburtsnamen. Der Sohn von **Carmen <u>Hierro</u> García** und **Pepe <u>Díaz</u> Solano** hieße also **Juan <u>Díaz</u> <u>Hierro</u>**.

Titel

In Spanien gibt es zwar viele Titel, sie werden jedoch in der Anrede so gut wie nie verwendet. Männer werden mit **señor** (Herr) und Damen mit **señora** (Frau) angesprochen. **Señorita** (Fräulein), eigentlich die Anrede für eine unverheiratete Frau, wird in der Regel nur noch für junge Frauen benutzt oder als Kompliment.

Die etwas veralteten Formen **don** (Herr) und **doña** (Frau) werden im Spanischen nur vor dem Vornamen verwendet. Es handelt sich dabei um eine respektvolle Anrede, die aber in der Regel nur gegenüber bekannten Personen benutzt wird. Generationen ab etwa Mitte 40 verwenden diese Anrede gegenüber älteren Personen, sowie die Älteren untereinander.

Begrüßung

Bis ca. 13 Uhr grüßt man mit **buenos días** (guten Morgen/Tag). Spätestens ab dem Mittagessen geht man zu **buenas tardes** (guten Tag) über und bleibt dabei bis ca. 21 Uhr. Ab 21 Uhr, spätestens aber nach dem Abendessen, freut man sich über Ihr **buenas noches** (eigentlich: gute Nacht). Im Gegenteil zum Deutschen benutzt man im Spanischen auch diese Form als Begrüßung.

Hola (hallo) ist eine übliche informelle Begrüßung. Die Frage **¿cómo estás?** (wie geht es dir?) ist eine rhetorische Frage und wird normalerweise nur mit **bien** (gut) oder **muy bien** (sehr gut) beantwortet. Nur unter sehr guten Freunden oder nach wiederholter Nachfrage darf man offen über körperliche oder seelische Leiden sprechen.

Körper-, Blickkontakt und Gestik

Besos (Begrüßungsküsse), eigentlich ein Streifen der Wangen, sind in Spanien (zwei Küsse) und Lateinamerika (ein Kuss) in informellen Situationen üblich, z. B. wenn man von Freunden vorgestellt wird. Unter Männern aber wird nur in der Familie geküsst, ansonsten umarmen sie sich oder klopfen sich auf die Schulter. Das Händeschütteln gehört eher zu einem formellen oder beruflichen Kontext.

Für Spanier spielt die Körpersprache – und dabei die Gestik – beim Reden eine wichtige Rolle. Nichts anderes gilt für die beim Reden meist recht temperamentvollen Lateinamerikaner. Fühlen Sie sich nicht bedroht, wenn keine 50 cm Distanz beim Gespräch eingehalten werden, da dies üblich ist. Den Blickkontakt zu halten ist ein Zeichen von Höflichkeit und Aufmerksamkeit; dieser sollte jedoch nicht all zu aufdringlich sein, vor allem Frauen gegenüber, da es missverstanden werden könnte.

Abschied

Um sich zu verabschieden, kann man den Ausdruck **adiós** (tschüss) allein oder kombiniert mit **buenos días**, **buenas tardes** oder **buenas noches** benutzen, z. B. **¡Adiós, buenas tardes!** Andere übliche Ausdrücke sind: **hasta la vista** (auf Wiedersehen), **hasta pronto** (bis bald), **hasta luego** (bis später), **hasta mañana** (bis morgen), **hasta la próxima** (bis zum nächsten Mal) oder formeller **que le(s) vaya bien** (alles Gute).

Höfliche Umgangsformen

Sich entschuldigen

Mit folgenden Ausdrücken kann man sich im Spanischen entschuldigen: **perdón** (Entschuldigung), **lo siento** (es tut mir leid), **disculpe** (verzeihen Sie), **disculpa** (entschuldige), **perdone/perdóneme** (entschuldigen Sie), **perdona/perdóname** (entschuldige). Dazu antwortet man **no te preocupes, no tiene importancia** oder **no es nada** (das macht nichts).

In ernsten Situationen kann man **le/te pido disculpas** (ich bitte Sie/dich um Entschuldigung) oder **lo lamento de verdad** (ich bedaure es sehr) benutzen. Man antwortet mit **acepto sus/tus disculpas** (ich nehme Ihre/deine Entschuldigung an).

Um etwas bitten

Mit folgenden Ausdrücken kann man im Spanischen um etwas bitten: **¿puede/podría Ud....?** (könn(t)en Sie ...?), **¿le/te importaría si...?** (hätten Sie/hättest du etwas dagegen, wenn ...?), **¿sería posible...?** (wäre es möglich ...?), **¿puedo pedirle(s) un favor?** (darf ich Sie um einen Gefallen bitten?).

Die Benutzung des **condicional simple** (≈ Konjunktiv II) wird als höflicher empfunden. Nett ausgedrückte direkte Aufforderungen, meist in der Du-Form, gelten jedoch nicht als unhöflich: **Cierra la puerta, por favor.** (Kannst du bitte die Tür schließen?)

Sich bedanken

Im Spanischen bedankt man sich mit **gracias** (danke), **muchas gracias** (danke sehr) o **se/te lo agradezco (mucho)** (danke vielmals). Dazu antwortet man **de nada** (bitte sehr), **no hay de qué** (nichts zu danken) oder man lächelt einfach nett zurück.

Will man sich schriftlich bedanken, benutzt man: **quería/quisiera darle(s)/darte/daros las gracias por...** (ich möchte mich bei Ihnen/dir/euch für ... bedanken).

Höflichkeit

Unbekannte Leute, die sich in einem Fahrstuhl oder im Treppenhaus treffen, grüßen sich immer mit **buenos días** oder **buenas tardes**. Das Halten einer Tür für eine ältere Person oder eine Frau wird auch als höflich wahrgenommen. **Gracias** (danke) und **de nada** (bitte sehr) sollte man stetig benutzen. Die Einhaltung der Reihenfolge an jeglichen Schlangen, ob im Geschäft oder an der Bushaltestelle, ist nicht nur ein Zeichen von Höflichkeit, sondern ein Muss. Wenn jemand geniest hat, sagt man **¡Jesús!** oder man wünscht **¡salud!** (Gesundheit).

Essen und Trinken

Die Mahlzeiten

Im Allgemeinen nimmt man in Spanien sehr wenig beim **desayuno** (Frühstück) zu sich. Spät morgens oder vormittags trinkt man einen **café con leche** (Milchkaffee) oder einen **café solo** (Espresso) in einer **bar** oder einer **cafetería**, dazu gibt es eine **pasta** (süßes Stückchen), eine **tostada** (Toast) oder **churros** (frittiertes Gebäck).

Die Essenszeiten weichen stark von den Unseren ab: Man isst zwischen 13:30 und 15:00 Uhr zu Mittag, das Abendessen nimmt man zwischen 21:00 Uhr und 22:30 Uhr ein. Das Mittagessen wird als **comida** oder **almuerzo**, das Abendessen als **cena** bezeichnet. Mittag- und Abendessen sind im Allgemeinen warme Mahlzeiten, wobei das Abendessen etwas leichter gestaltet wird. Diese bestehen in der Regel aus zwei Gängen und **postre** (Nachtisch). Zum Essen wird stets Weißbrot gereicht, als Getränke stehen in der Regel **agua natural** (Wasser ohne Kohlensäure), **vino** (Wein) und gelegentlich auch **cerveza** (Bier) zur Verfügung. Der erste Gang besteht meist aus **ensalada** (Salat), **verduras** (Gemüse), **sopa** (Suppe) oder **potaje** (Eintopf). Der zweite Gang besteht aus **carne** oder **pescado** (Fleisch oder Fisch), die oftmals mit **patatas** (Kartoffeln) serviert werden. Zum Nachtisch werden **flan** (≈ Karamellpudding), **fruta** (Obst) oder **yogur** (Joghurt) gereicht.

Außerhalb der normalen Essenszeiten besteht in Spanien die Gewohnheit, in Kneipen zum Bier oder Wein eine **tapa** oder einen **pincho** (Kleinigkeit) zu sich zu nehmen, vor allem in der **merienda** (Nachmittagspause) zwischen 17:00 und 19:00 Uhr.

Im Restaurant

In fast allen spanischen Restaurants bekommt man mittags ein Tagesmenü: **plato del día** oder **menú del día**. Es ist meistens recht preiswert und besteht aus drei Gängen: **primer plato** (Vorspeise), **segundo plato** (Hauptgericht) und **postre** (Nachtisch). Oft können Sie zwischen mehreren Gerichten auswählen. **Pan** (Brot) und eine **bebida** (Getränk) sind im Preis inbegriffen. Wollen Sie nur eine Kleinigkeit essen, sind die **cafeterías** oder **bares** mit ihren **platos combinados** zu empfehlen, die ungefähr unseren Tellergerichten entsprechen.

Beachten Sie auch, dass es nicht üblich ist, sich an bereits besetzte Tische zu setzen, selbst wenn es die einzigen noch freien Plätze im Lokal sind; das gilt vor allem in Restaurants.

In Spanien wird die Rechnung für den ganzen Tisch ausgestellt, getrennt wird nie abgerechnet. Bei einer großen Runde ist es üblich, sich den Betrag zu teilen, und zwar unabhängig davon, was der Einzelne gegessen und getrunken hat.

Auch in Lateinamerika wird normalerweise nicht einzeln abgerechnet. Man kann jedoch getrennte Rechnungen verlangen. Allerdings empfiehlt es sich dann, gleich zu Beginn anzukündigen, dass separat bezahlt wird, da es sonst zu endlosen Verzögerungen bei der Rechnungsstellung kommen kann.

Trinkgeld ist keine Pflicht, wird in Restaurants aber als üblich empfunden. Die Höhe des Trinkgelds bleibt Ihnen überlassen. Möchten Sie Trinkgeld geben, legen Sie es einfach auf den Unterteller, auf dem Sie **la cuenta** (die Rechnung) erhalten haben. Nun können Sie das Lokal verlassen, ohne noch einmal auf die Bedienung zu warten.

Private Einladung

Spanier und Lateinamerikaner laden gern zu sich ein. In Spanien erfolgen die Einladungen meist zum Mittagsessen am Wochenende. Erscheinen Sie nicht allzu pünktlich, da man dies üblicherweise nicht von Ihnen erwartet – keinesfalls aber zu früh. Es wird als höflich empfunden, einen **postre** (Nachtisch) mit zu bringen, gleichwohl die Gastgeber sicherlich schon ausgiebig für Nachtisch gesorgt haben. Wenn Sie bei den Gastgebern und insbesondere bei der Köchin oder dem Koch einen guten Eindruck hinterlassen wollen, sollten Sie den Teller leer essen. Um einen „Nachschlag" (**un poco más**) können Sie ganz unbefangen bitten, denn dies wird als Kompliment für die Köchin bzw. den Koch verstanden.

Telefonieren

Sich melden

In Spanien meldet man sich am Telefon nicht mit Namen, sondern mit **¿diga?**, **¿dígame?** oder auch nur mit einem kurzen **¿sí?** In Lateinamerika verwendet man auch **¡Aló!** oder **¡Olá!** Es ist keine Unhöflichkeit, die Frage **¿con quién hablo?** (mit wem spreche ich?) am Apparat zu stellen, da weder Sprecher noch Hörer sich mit dem eigenen Namen gemeldet haben. Im Übrigen ist es nicht üblich, sich beispielsweise mit „Müller, Apparat Schmidt" zu melden, um Telefonate von einem Kollegen bzw. einer Kollegin entgegenzunehmen. Man nennt einfach seinen eigenen Namen.

Generelle Informationen

In Spanien findet man noch genügend **cabinas telefónicas** (Telefonhäuschen), wobei die meisten mit **tarjetas telefónicas** (Telefonkarten) funktionieren. Möchten Sie länger und ungestört telefonieren, so empfiehlt es sich, zu einem **cibercafé** (Internetcafé) zu gehen, da Ihnen dort meist auch **teléfonos** (Telefonapparate) zur Verfügung stehen.

Wenn Sie von Deutschland, Österreich oder der Schweiz nach Spanien telefonieren möchten, wählen Sie zuerst 0034, dann die Provinzkennzahl (mit der 9) und schließlich die gewünschte Telefonnummer. Um von Spanien ins Ausland zu telefonieren, wählen Sie zunächst die 00, anschließend für Deutschland die Kennzahl 49, dann die der entsprechenden Stadt (ohne 0) und die gewünschte Telefonnummer. Das Gleiche gilt für Österreich (Landeskennzahl 43) und die Schweiz (Landeskennzahl 41).

Weitere Hinweise zu den Besonderheiten und kulturspezifischen Umgangsformen

Zwischenmenschliches

Die Spanier halten sich gern auf der Straße und an öffentlichen Orten auf. Wenn Spanier aufeinandertreffen, dann reden sie auch miteinander. Deshalb hört man in Parks, Zügen und Restaurants ein ständiges Stimmengewirr. Schweigen, sei es auch noch so kurz, wird als unangenehm empfunden. Um solche Situationen erst gar nicht aufkommen zu lassen, spricht man ausführlich über das Wetter oder über Fußball.

Komplimente

In Spanien und Lateinamerika werden gern und häufig Komplimente gemacht. Dies beginnt bereits auf der Straße, wenn ein Mann einer unbekannten Frau ein Kompliment zukommen lässt. Die Frau erwidert in der Regel nichts. Natürlich gibt es verschiedene Register, meistens jedoch wird es einfach als Kompliment aufgefasst, deswegen sollte man nicht gleich pikiert reagieren.

Macht Ihnen ein Bekannter ein Kompliment, z. B. dass Sie etwas Hübsches tragen, antworten Sie nicht mit **gracias** (danke). Benutzen Sie stattdessen eine Bescheidenheitsfloskel wie: **pero si ya es viejo** (es ist schon alt), **es de las rebajas** (es war ein Sonderangebot) oder **¿de verdad te parece...?** (meinst du es wirklich ...?)

Abend- und Nachtveranstaltungen

Während des Sommers feiern Straßenzeilen, Stadtteile, Dörfer und Städte in ganz Spanien Feste. Dort erwarten Sie kulinarische Genüsse und Tanz und Musik bis in den frühen Morgen. Zudem ist der Sommer die Zeit der großen Freiluftkonzerte und der Theater- und Filmfestivals.

Das Nachtleben beginnt in Spanien sehr spät – oft erst um Mitternacht – und kann bis zum Morgen dauern. Mit Freunden isst man zunächst im Restaurant, danach geht man etwas trinken und anschließend in die Disko. Wer dann immer noch nicht genug hat, geht zum krönenden Abschluss **chocolate con churros** frühstücken.

Spanien ist generell ein sehr kinderfreundliches Land. Auch bei festlichen Anlässen (Stadtfest, Hochzeit, Geburtstag) feiern Kinder bis spät in die Nacht mit.

Öffnungszeiten

Schon an den Essenszeiten hat man sehen können, dass in Spanien die Uhren anders gehen als im übrigen Europa. Das merkt man auch an den Öffnungszeiten der Geschäfte: Die meisten öffnen um 9 Uhr und machen um 14 Uhr Mittagspause. Nach Mittagessen und **siesta** (Mittagspause) kann man frühestens ab

16 Uhr wieder einkaufen, dafür aber bis 20 Uhr. Große Kaufhäuser, die in allen größeren Städten vertreten sind, haben durchgehend bis mindestens 20 Uhr geöffnet.

In Lateinamerika gibt es keine festen Ladenöffnungszeiten. Normalerweise sind die Geschäfte von 9 Uhr bis 22 Uhr geöffnet. In manchen Großstädten können Sie auch Läden finden, die rund um die Uhr geöffnet sind.

Geld

In Spanien kann man fast überall bargeldlos bezahlen; die in Deutschland üblichen **tarjetas de crédito** (Kreditkarten: Master, Visa, American Express) werden akzeptiert. An den Automaten der **bancos** (Banken) und **cajas de ahorro** (Sparkassen) können Sie gegen Gebühr mit Ihrer **tarjeta maestro/de débito** (EC-Karte) Euro abheben.

Straßenverkehr

Autopistas (Autobahnen) in Spanien sind gebührenpflichtig und sehr teuer; **autovías** (Schnellstraßen) und **carreteras nacionales** (≈ Bundesstraßen) sind dagegen kostenlos.

In den größeren Städten ist der Verkehr dicht, aber nicht chaotisch. Man fährt schnell, passt jedoch auf die anderen Auto- und Motorradfahrer auf. Beachten Sie aber, dass die Spanier das Rot einer Ampel zwar sehen, es aber nicht unbedingt für verbindlich halten. Das gilt erst recht für Zebrastreifen!

Sie werden schnell feststellen, dass die Spanier Motorräder lieben: Die Straßen sind voll davon. Fahrräder werden übrigens nicht primär als Transportmittel angesehen; man benutzt sie vorwiegend in der Freizeit.

Parkprobleme gibt es überall – auch in Spanien. Zum Teil wird wild, oft in zweiter, ja in dritter Reihe geparkt, aber die **grúas** (Abschleppkräne) sind dauernd unterwegs. Am besten Sie parken in der Nähe eines der Parkautomaten, die fast überall auf den Gehsteigen aufgestellt sind (**zona azul**). Parkuhren wie in Deutschland gibt es nicht. Gelb angestrichene Bordsteine markieren absolutes Halteverbot.

Trampen ist in Spanien nicht üblich. Nur unter außergewöhnlichen Umständen (überhaupt kein Geld, Zug verpasst) wird getrampt. Auch Mitfahrzentralen sind weitgehend unbekannt.

Der **código de circulación** (Straßenverkehrsordnung) ist zwar in ganz Lateinamerika derselbe, die Verkehrs- und Straßenverhältnisse variieren jedoch stark von Land zu Land. Es empfiehlt sich, vorsichtig zu fahren, da in den meisten Ländern das Verhalten der Verkehrsteilnehmer nicht immer vorschriftsmäßig ist.

Glücksspiele und Blindenlotterie

Die Spanier sind begeisterte Lotteriespieler. Das höchstdotierte Lotteriespiel der **Lotería Nacional** (staatlichen Lotteriegesellschaft) ist die **Lotería de Navidad** (Weihnachtslotterie), bei der der Hauptgewinn tatsächlich bis zu zwei Millionen

Euro betragen kann. Neben der staatlichen Lotteriegesellschaft organisiert auch die **ONCE** (**Organización Nacional de Ciegos Españoles**) – der spanische Blindenverband – Lotteriespiele. Die Lose werden von Blinden und Schwerbehinderten an Straßenecken, in Lokalen oder auch in den vielen kleinen Lotteriekiosken der **ONCE** verkauft. Diese Organisation wird nach Kriterien moderner Geschäftsführung mit viel Erfolg geleitet; sie hat für die Blinden zahlreiche Sozialeinrichtungen geschaffen, die Losverkäufer erhalten ein monatliches Festgehalt.

Die Presse

Neben der **prensa rosa** oder auch **prensa del corazón** (Regenbogenpresse) verfügt Spanien natürlich auch über eine seriöse Presse. Dazu zählt z. B. **El País –** eine überregionale Tageszeitung von internationalem Ruf. Besonders beliebt sind die **suplementos**, die nicht nur am Sonntag erscheinen – *El País* beinhaltet z. B. mehrmals in der Woche eine Beilage (*Babelia* über Literatur am Samstag, *CiberP@ís* über EDV am Donnerstag, *EPS* am Sonntag). Üblicherweise kaufen die Spanier die Zeitung jeden Morgen am Kiosk und beziehen sie nicht, wie wir das aus Deutschland, der Schweiz und Österreich kennen, über ein Abonnement.

Spezielle Tipps für das Geschäftsleben Consejos específicos para los negocios

In Ergänzung zu den allgemeinen landesspezifischen Hinweisen finden Sie hier noch einige Tipps für das Geschäftsleben. Gerade auf diesem Gebiet ist es wichtig, die Vorgehensweise der Gesprächspartner richtig zu deuten und sich selbst angemessen zu verhalten. Wenn Sie um die kulturellen Unterschiede wissen, können Sie die Entwicklung und den Verlauf Ihrer Geschäftskontakte besser verstehen und Ihre geschäftlichen Beziehungen erfolgreicher gestalten. Nicht zuletzt wird es Ihnen möglich sein, die „Fettnäpfchen", die es in der Geschäftswelt gibt, spielend zu umgehen und sich sicher zu bewegen.

Namen

Im beruflichen Kontext nennt man in Spanien entweder nur den Familiennamen (**me llamo González**) oder den Familiennamen mitsamt dem Vornamen (**me llamo Juan González**).

In Lateinamerika stellt man sich üblicherweise mit seinem vollen Namen, d. h. mit Vor- und beiden Zunamen vor: **me llamo Jorge Prado Carbajal**.

Man wird in der Regel vom Vorgesetzten mit dem Nachnamen ohne „Herr" oder „Frau" genannt. Auch Vorgesetzte und deren Mitarbeiter nennen sich in spanischsprachigen Ländern jedoch schneller beim Vornamen, was aber nicht notwendigerweise die Anbahnung einer freundschaftlichen Beziehung bedeutet. Dennoch ist es im Geschäftsleben immer gut, wenn Sie sich zunächst mit Ihrem vollständigen Namen vorstellen, z. B.:

Hola, buenos días, mi nombre es Andreas Berg.	*Guten Morgen, ich heiße Andreas Berg.*

Nun kann Ihr Geschäftspartner wählen, wie er Sie zukünftig ansprechen möchte, z. B.:

Buenos días (Sr.) Berg/Andreas.	*Guten Morgen, Herr Berg/Andreas.*

Falls Sie sich nicht sicher sind, wie Sie einen Geschäftspartner ansprechen sollen, den Sie zum ersten Mal treffen, sprechen Sie ihn am besten mit dem Nachnamen an, z. B.:

Buenos días, Sr. González.	*Guten Tag, Herr González.*

Falls Herr González gerne möchte, dass man sich gleich mit Vornamen anspricht, wird er Ihnen dies ungefähr folgendermaßen mitteilen:

¡Llámame Juan, por favor!	*Nenne mich bitte einfach Juan!*

Und Sie können antworten:

Muy bien, pues yo soy Andreas.	*In Ordnung, ich bin Andreas.*

Titel und Berufsbezeichnungen

Jemanden mit **señor doctor Fernández** anzusprechen, wirkt in Spanien eher lächerlich. Seien Sie daher nicht überrascht, wenn Sie einen Doktortitel haben und einfach mit **señor** (Herr) oder **señora** (Frau) angesprochen werden.

Auch in Lateinamerika werden in aller Regel nur Ärzte mit **señor doctor** angesprochen; mit **licenciado/a** jedoch werden Personen üblicherweise angesprochen, die ein Studium abgeschlossen haben.

Anrede

Duzen oder Siezen? In Spanien kommt man schnell zum **tú** (du), auch unter Kollegen oder in Geschäftsbeziehungen mit Kunden. In Lateinamerika wird öfter gesiezt als in Spanien.

In Spanien und Lateinamerika findet der Übergang zum Duzen (mit Vorname) im Alltag sehr schnell statt. Auch unter Geschäftspartnern wird recht schnell das Du angeboten. Um jedoch sicher zu sein, keinen Fehler zu begehen, empfiehlt es sich, so lange beim **usted** zu bleiben, bis der Gesprächspartner das Du anbietet.

Kleiderordnung für das Büro

Spanier legen sehr viel Wert auf Kleidung. Als Faustregel könnte gelten: „leger aber chic". Im Zweifelsfall oder bei Gesprächen auf höherer Ebene sollten Sie sich immer für einen Anzug bzw. ein Kostüm entscheiden. Klassische, eher gedeckte Farben sind empfehlenswert.

Die Lateinamerikaner sind in Kleiderfragen förmlich und konservativ. Bei geschäftlichen Besprechungen ist ein Anzug oder eine Kombination mit Krawatte unerlässlich. Legere Kleidung ohne Krawatte ist nur bei informellen Treffen während der Freizeit angebracht. Ausnahme sind Länder Mittelamerikas und der Karibik, wo aufgrund des Klimas leichte und etwas legerere Kleidung passender ist.

Bei Frauen wird großer Wert auf ein gepflegtes Äußeres gelegt. Sehr modische Kleidung hinterlässt nicht unbedingt einen guten Eindruck.

Blick- und Körperkontakt

In einem Gespräch wird regelmäßiger, direkter Blickkontakt erwartet. Bleibt er aus, so wird dies als Zeichen von Unsicherheit und Unehrlichkeit verstanden.

In formellen Situationen sowie bei Beglückwünschungen und bei feierlichen Anlässen begrüßt man sich mit einem kurzen festen Händedruck – auch Frauen. Bei zwanglosen Gelegenheiten und Veranstaltungen begrüßen sich die Gesprächspartner oft nur mit einem einfachen **¡hola!** Küsschen an Frauen, die an beiden Wangen vorbeigehaucht werden, sind in diesem Kontext eher unüblich. Männer küssen sich nie, jedoch ist es unter Männern nicht ungewöhnlich, dem Gesprächspartner auf die Schulter oder den Rücken zu klopfen, um eine kollegiale Atmosphäre zu schaffen.

Höflichkeit

Bei der Arbeit wird die schöne Krawatte eines Mitarbeiters gelobt oder der neue Pullover einer Kollegin. Eine höfliche Reaktion besteht darin, dass man das Lob relativiert, z. B. mit Fragen wie **¿en serio te gusta?** (es gefällt dir wirklich?) oder **¿tú crees?** (meinst du?).

Spanier und Lateinamerikaner sprechen manchmal Einladungen nur der Höflichkeit wegen aus. Wenn ein Kollege zu Ihnen sagt: **„tenemos que tomarnos una copa juntos"** (wir sollten mal zusammen etwas trinken gehen), antworten Sie nicht mit **„¿cuándo te va bien?"** (wann passt es dir?). Es handelt sich mit hoher Wahrscheinlichkeit um eine Höflichkeitsfloskel. Vergewissern Sie sich, ob Einladungen ernst gemeint werden, bevor Sie sie annehmen oder abschlagen. Letzteres übrigens gilt als unhöflich. Im Zweifelsfall sagen Sie einfach: **„claro que sí"** (ja, klar, gern), damit Sie sich nicht sofort festlegen müssen.

Geschäftliches Verhandeln

Typisch für Verhandlungen ist die Verwendung des **condicional simple** (≈ Konjunktiv II), z. B.:

Statt: **Creo que eso <u>es</u>...** → **Creo que eso <u>sería</u> ...**
Das wäre ...

Oder Sie benutzen die Vergangenheitsform, z. B.:

Statt: **¿En qué <u>piensa</u>?** → **¿En qué <u>había pensado</u>?**
An was hatten Sie gedacht?

Spanier und, vor allem, Lateinamerikaner gehen grundsätzlich davon aus, handeln zu müssen, und werden deshalb Ihr erstes Angebot wahrscheinlich nicht für endgültig halten. Planen Sie deshalb einen möglichst großen Verhandlungsspielraum ein. Anzeichen von Frustration oder Unmut werden als Schwäche ausgelegt. Es ist daher ratsam, auf solche Taktiken zu verzichten. Wundern Sie sich nicht, wenn eine Verhandlung einen etwas aggressiven oder lauten Ton annimmt, da lautes und aggressives Reden meist als Zeichen von Stärke gedeutet wird.

Gestik

Vermeiden Sie möglichst folgende Gesten:

- erhobener, belehrender Zeigefinger
- auf jemanden mit dem Finger zeigen; stattdessen die offene Hand benutzen
- auf den Tisch klopfen (z. B. nach einer gelungenen Präsentation); diese Geste wird nur benutzt, um aufgekommene Unruhe bei einer Besprechung zu beseitigen. Übrigens: Auch Applaus ist nach einer gelungenen Präsentation nicht üblich. Stattdessen bedankt man sich verbal beim Redner.

Eine lebhafte Gestik beim Reden ist nicht nur erlaubt, sondern erwünscht.

Pünktlichkeit

Treffen Sie bei geschäftlichen Besprechungen zur verabredeten Zeit ein, Pünktlichkeit wird auch im spanischsprachigen Raum geschätzt.

Einige Minuten Verspätung sind in Spanien aber durchaus akzeptabel. Bei privaten Einladungen ist es sogar unhöflich, vorzeitig zu erscheinen.

Auch in Lateinamerika gilt ein anderes Verständnis von Pünktlichkeit. Beim Zeitgefühl der Lateinamerikaner variieren die Gewohnheiten von Land zu Land. Seriöse Geschäftspartner werden sich bemühen, bis zu einem gewissen Grad pünktlich zu sein. Kleinere Verspätungen sollten aber nicht als Unhöflichkeit verstanden werden.

Smalltalk

Um das Eis zu brechen, ist ein Smalltalk üblich, der um so länger dauert, je besser sich die Geschäftspartner kennen. Zu den sicheren Gesprächsthemen gehören das Wetter, die Verkehrslage, aktuelle Ereignisse, TV-Sendungen, Sportergebnisse – Thema Nr. 1 in Spanien ist Fußball –, Wirtschaft und das Unternehmen selbst.

Eher heikle Themen sind nationale Gesinnungen, religiöse Überzeugungen und, in Spanien, die Separationsbewegungen (einschließlich Terrorismus) und Stierkämpfe. Auch von einem Ausländer geübte Kritik wird in der Regel nicht gerne gehört, in Lateinamerika noch viel weniger, wenn sie von einem Europäer kommt.

Die Familie und die Kinder sind sowohl in Spanien als auch in Lateinamerika ein zentrales Thema, das nicht unerwähnt bleiben sollte!

Die Verwendung von **palabrotas** (Schimpfwörtern), obwohl sie in Spanien in informellen Kontexten gesellschaftsfähig sind, ist nicht ratsam, zumal ein Ausländer nur selten die Wirkung eines bestimmten Schimpfwortes in der Fremdsprache beurteilen kann. Die Lateinamerikaner gehen nicht mit derselben Natürlichkeit wie die Nord- oder Mitteleuropäer mit Begriffen um, die mit Sex oder Geschlechtlichkeit zu tun haben. In Lateinamerika sollten Tabuwörter in keiner Form ausgesprochen werden.

Geschäftsessen

In Spanien kann man sich beim Essen zwar auch über geschäftliche Themen unterhalten, als Tabu gilt jedoch, Verhandlungen führen oder Geschäfte abschließen zu wollen. Mittags bestellt man in Spanien übrigens eher von der Tageskarte, abends wählt man aus der Speisekarte. Da man in Spanien auch noch zu sehr später Stunde zu Abend isst, sollten Sie sich bei einer Abendeinladung vergewissern, ob Sie bereits gegessen haben sollten oder Ihren Appetit besser noch etwas zügeln.

Werden Sie in Lateinamerika zu einem Mittagessen eingeladen, ist dies in aller Regel ein Geschäftsessen. Werden Sie zum Abendessen eingeladen, dient das mehr dem Vergnügen.

In vielen lateinamerikanischen Ländern werden Entscheidungen über einen Geschäftsabschluss beim Mittagessen getroffen. Ihr Geschäftspartner wird Sie zum Mittagessen einladen, wo in angenehmer Atmosphäre die Themen besprochen werden, die anschließend im Büro nochmals offiziell festgehalten oder bestätigt werden. Es empfiehlt sich, eine Einladung zum Essen auf jeden Fall anzunehmen, auch wenn Sie nach den Besprechungen im Büro zunächst den Eindruck haben, dass kein Geschäft zustande kommen wird.

Beim Essen kann man schon mal auf die gute Zusammenarbeit anstoßen. Will man einen Geschäftsabschluss feiern, so ist sowohl in Spanien wie auch in Lateinamerika der geeignete Zeitpunkt dafür vor dem Nachtisch.

Im Restaurant

Geschäftsleute gehen meist ins Restaurant. In Spanien wird dann das Geschäftliche vorübergehend „vergessen", man unterhält sich über Allerweltsthemen. Für ein Geschäftsessen wird normalerweise ein Restaurant gehobeneren Standards gewählt, das den Gesprächspartnern ein Mindestmaß an „Privatsphäre" bietet, um ungestört sprechen zu können.

Für den Spanier ist das Essen nicht nur eine Notwendigkeit, sondern vor allem ein Genuss. Spanier reden gern über die kulinarischen Besonderheiten ihres Landes, über Gerichte und wie sie zubereitet werden. Um sie nicht in ihrem „gastronomischen" Stolz zu verletzen, sollten Sie sich jeder kritischen Bemerkung enthalten und auch bei **mejillones** (Miesmuscheln) oder anderen für Sie ungewohnten Speisen nicht skeptisch sein.

Normalerweise bezahlt der Gastgeber. Häufen sich die Restaurantbesuche, so darf sich auch der Gast anbieten, die Rechnung zu übernehmen. Zahlt man mit Karte, so legt man sie auf den Tisch, ohne sich die Rechnung anzusehen. Wer bar bezahlt, legt die Scheine unter die Rechnung, damit niemand die Höhe des Betrags sieht. Trinkgeld ist keine Pflicht, wird in Restaurants aber als üblich empfunden. Die Höhe des Trinkgelds bleibt Ihnen überlassen.

In der Bar

Arbeitskollegen treffen sich häufig in der Bar auf eine **copa** (Gläschen), bevor sie sich auf den Heimweg machen. Außer Getränken bieten Bars leckere **tapas** oder **pinchos** für den kleinen Hunger.

Wenn Sie in einer Gruppe sind, erwartet man von Ihnen, dass Sie eine Runde ausgeben. Versäumnisse dieser Art werden nicht übersehen!

Private Einladungen

Geschäftspartner werden anfangs in der Regel nicht ins private Heim eingeladen, der Gastgeber und seine Frau gehen eher mit ihnen aus. Spanische Gastgeber legen großen Wert darauf, dass ihre Geschäftspartner einen angenehmen Aufenthalt haben. Dafür scheuen sie keine Mittel und haben für ihre Gäste ein oft komplettes Freizeitprogramm parat. Einladungen sollten Sie daher stets annehmen, um Ihre Gastgeber nicht vor den Kopf zu stoßen. Zu häuslichen Treffen kommt es meist erst, wenn eine sehr gute Vertrauensbasis geschaffen wurde. Mit Blumen oder Pralinen aus der Konditorei als Gastgeschenk liegt man nie falsch. Mitbringsel aus der Heimat sind ebenfalls sehr willkommen. Beginnen Sie nicht vor Ihren Gastgebern mit dem Essen.

Allgemeine interkulturelle Tipps für die deutschsprachigen Länder (Deutschland, Österreich und Schweiz) Consejos interculturales generales sobre los países de habla alemana (Alemania, Austria y Suiza)

Para poder comunicarse con personas de otros países es imprescindible tener algún conocimiento en la lengua extranjera, aunque esto de por sí no sea suficiente. Para que la comunicación pueda llevarse a cabo realmente con éxito es necesario tener alguna noción sobre la cultura “cotidiana” del país y conocer la mentalidad de sus habitantes. Sólo aquellos que conozcan el lenguaje y las costumbres del país extranjero podrán entender a su gente y se harán entender, comportándose apropiadamente y gozando en todo momento de la seguridad necesaria. Estos consejos útiles a continuación le ayudarán a familiarizarse con algunas de las peculiaridades propias de los países de habla alemana:

Fórmulas de tratamiento, saludo y despedida

Fórmulas de tratamiento

La fórmula de tratamiento corriente entre extraños en los países de habla alemana es **Sie** (usted/ustedes). Los jóvenes, entre ellos, suelen tutearse y, en el ámbito profesional, lo normal es que la persona de mayor edad o rango ofrezca al que es más joven u ocupa un cargo inferior la posibilidad de tutearse. En Austria es frecuente el tuteo entre compañeros de trabajo o personas de la misma edad. En las zonas rurales es habitual tutear al extraño desde el primer momento. En el norte de Alemania se suele tutear con más frecuencia que en el sur.

A la hora de dirigirse a alguien, en alemán, se antepone a su apellido el título **Frau** (señora) o **Herr** (señor). La expresión **Fräulein** (señorita) para mujeres mayores de edad ya no se utiliza en Alemania, sin embargo se sigue usando ocasionalmente en Austria. En los comercios de Viena es frecuente que se utilice la expresión **Gnädige Frau** o, de forma abreviada, **Gnä‘ Frau** para dirigirse a las señoras y preguntarles qué desean.

Títulos académicos

Los títulos académicos tienen una gran importancia en Alemania. Una vez que alguien se ha doctorado, por ejemplo, recibe siempre el tratamiento de doctor pospuesto al de señor o señora: **Frau/Herr Doktor** (señor/a doctor/a). En Suiza no se le da tanto valor a los títulos; en Austria, sin embargo, juegan un papel importante en la sociedad. Existen títulos académicos como **Magister** (o **Magistra** en su forma femenina), que significa licenciado/a, **Doktor** (doctor/a), **Diplomingenieur(in)** (ingeniero/a) o **Professor(in)** (catedrático/a); y también títulos honoríficos otorgados a funcionarios con méritos específicos como son **Hofrat(in)**, **Studienrat(in)**, **Oberstudienrat(in)**, **Kommerzialrat(in)** o **Professor(in)**.

El saludo

La forma para saludar más extendida en los países de habla alemana es **Guten Tag** (buenos días) y, menos formal, **Hallo** (hola). Entre amigos y conocidos se utiliza también la fórmula **Grüß dich** (hola) para preguntar a continuación **Wie geht's?** (¿qué tal?). **Guten Tag** suele utilizarse después del mediodía (no es correcto decir **Guten Nachmittag**), de ahí que por la mañana lo adecuado sea saludar con **Guten Morgen** (buenos días). Por las tardes se emplea **Guten Abend** (buenas tardes).

Estos son los saludos más extendidos en todo el ámbito de habla alemana, sin embargo, cada región o país tiene además sus propias y genuinas formas para el saludo. En el sur de Alemania o en Austria, por ejemplo, se oye con frecuencia **Grüß Gott**, que equivaldría a decir "buenas", es decir, se utiliza en vez de buenos días, buenas tardes o buenas noches. Del norte de Alemania es característica la expresión **Moin, Moin** como saludo. También los suizos tienen sus propias expresiones, entre ellas: **Grüezi** o, si uno se tutea, **Hoi** o **Salü**. Otras formas para saludar utilizadas en Austria son **Servus** (hola/adiós) o, menos frecuente, **Habe die Ehre** (es un honor).

La expresión **Gute Nacht** (buenas noches) sólo se utiliza, al contrario que en español, para despedirse y se usa o bien cuando ya es muy tarde o la despedida se produce inmediatamente antes de ir a dormir.

El contacto físico y visual, gesticulación

En los países de habla alemana se gesticula mucho menos que en los países de habla hispana. De la misma forma, el tono de la voz al hablar suele ser, por lo general, bastante más bajo. Se saluda con un apretón de manos; esto sirve también para las mujeres, sobre todo si uno acaba de ser presentado. Entre jóvenes y si se trata de amigos, sin embargo, es frecuente besarse en las mejillas. La distancia física al conversar con una persona suele ser de unos 50 cm o más, sensiblemente mayor que en España o Latinoamérica. Al brindar en bares o restaurantes es importante mirar, uno por uno, a los ojos de la persona con la que se brinda.

Despedirse

En cuanto a las despedidas, las expresiones más comunes en todos los países de habla alemana son **Auf Wiedersehen** (hasta la vista) o **Tschüss** (adiós). Si se está entre amigos es habitual emplear coloquialmente la palabra italiana **Ciao** (chao).

Después los interlocutores se suelen desear unos a otros **Mach's gut** (que vaya bien).

La expresión **Tschüss** no es muy común en Austria. En su lugar se emplea **Pfiat' Di**, que viene a significar "que Dios te proteja". Del mismo modo, los suizos se despiden con **Auf Wiederluege** o **Adieu**.

Cortesía y buenos modales

Disculparse

En los países de habla alemana uno se disculpa con **Entschuldigung** (perdón), **Verzeihung** (disculpe), **Entschuldigen Sie** (perdone) o **Entschuldige** (perdona). Una disculpa suele encabezar también una pregunta a una persona desconocida o un inciso al interrumpir a alguien que está hablando.

Mostrar agradecimiento y responder a él

En los países de habla alemana, para dar las gracias, basta con decir **Danke** (gracias) o, si se quiere ser especialmente cortés, **Vielen Dank**, **Dankeschön** o **Danke vielmals**. A estas fórmulas se responde con: **Bitte**, **Bitteschön**, **Bitte sehr** (de nada/no hay de qué) o **Gern geschehen** (ha sido un placer). Los suizos, en lugar de **Danke**, utilizan las expresiones **Merci** o **Merci vielmals**.

Cortesía y buenas maneras

Las normas de cortesía en los países de habla alemana se han relajado algo en los últimos años. Sin embargo, siguen existiendo pautas de comportamiento que pertenecen a un buen tono: ceder el asiento a una mujer o a una persona mayor, también mantener la puerta abierta para que pueda pasar alguien o ayudar a una persona a ponerse el abrigo o la chaqueta. En las escaleras mecánicas uno se coloca siempre en la parte derecha para no obstaculizar el paso de las personas que deseen seguir caminando. Al estornudar se desea salud con **Gesundheit**. La puntualidad extrema, especialmente si se trata de una cita, sigue teniendo gran importancia y es un signo de respeto hacia la otra persona. También es importante tener en cuenta que los tacos en los países de habla alemana no están en absoluto socialmente aceptados y son un signo de mala educación.

Comer y beber

Comidas y bebidas

El día suele comenzar temprano con un desayuno fuerte, **Frühstück**, consistente en una bebida caliente, café o té, zumo, pan negro o panecillos con mantequilla, mermelada, queso y diferentes embutidos, así como un huevo duro y cereales con yogur o leche. En Alemania lo normal es tomar una comida caliente al día, entre 11:30 y 13:30 h, es el **Mittagessen** o **Mittagbrot**. Típicamente consta de un plato único que incluye carne y suele ir acompañado por una guarnición de arroz, pasta o patatas. A menudo se sirve también una pequeña ensalada para acompañar y no es usual comer pan. La última comida del día se realiza entre 18:00 y 21:00 h y se denomina **Abendessen** o **Abendbrot**; una cena, por lo general, fría consistente en pan negro con mantequilla y queso con embutidos. A veces también se sirve una sopa, un consomé o una ensalada. Un hábito moderno de comida, sobre todo en los fines de semana y días festivos, es el **Brunch**. Consiste en combinar el desayuno con el almuerzo antes del mediodía mezclando las comidas, saladas y dulces, de ambas partes del día; en bares y hoteles se suele servir a modo de bufé libre con comidas calientes y frías.

En Suiza el desayuno recibe los nombres de: **Morgenessen** o **Zmorge**; la comida del mediodía: **Zmittag**; la cena: **Nachtessen** o **Znacht**.

Al sentarse a la mesa los comensales se desean buen provecho diciendo **Guten Appetit** o **Mahlzeit** y se responde con **Danke, gleichfalls** (gracias, igualmente). Cuando el motivo de la reunión es tomar juntos una bebida se utilizan las expresiones **Prost!** o **Zum Wohl!** (¡salud!) mientras se brinda mirando a los ojos de los comensales. En Alemania es muy común tomar grandes cantidades de cerveza en reunión. En Suiza, para desearse buen provecho, se emplea: **Guten Appetit** o **En Guete**.

Bares y restaurantes

El escenario de la vida social en Alemania no es la calle, sino principalmente los bares por las tardes. Allí se reúnen amigos o colegas para tomar algo en torno a una mesa de forma distendida. El ambiente de estos locales, generalmente, está amenizado por música de fondo.

Si se acude al bar con amigos o conocidos no es costumbre el que uno invite a todos los demás. El camarero sirve las bebidas y, tradicionalmente, hace una marca sobre el posavasos del cliente con cada bebida servida o, alternativamente, escribe su precio. A la hora de pagar se cuentan las rayas hechas en el posavasos y se pregunta si se desea pagar **zusammen** (todo junto) o **getrennt** (por separado).

Se considera descortés no dejar propina, ya que significaría que se está insatisfecho con el servicio recibido. No hay ninguna regla fija acerca de la suma exacta de la propina, pero en la mayoría de los casos se suele dejar en torno a un 10 % del importe total de la cuenta o simplemente se redondea. Por ejemplo, si el importe a pagar es de 19 euros se le dan al camarero 20 y se dice (**es**) **stimmt so!** (está bien así), o se le da un billete de 50 euros y se le dice: **Machen Sie zwanzig** (cóbrese 20).

En Alemania no es extraño ni descortés compartir mesa con desconocidos en un bar, de hecho es bastante habitual. De todas formas, antes de sentarse, se suele pedir permiso a las personas que ya ocupan la mesa.

En las zonas vitícolas de Austria es costumbre ir al **Heurige**, donde se puede probar el vino de la última cosecha (el **Heurige**) al tiempo que se degusta una **Jause** (merienda) o **Hausmannskost** (comida casera).

En Suiza los bares o tabernas reciben el nombre de **Beiz**. A la camarera se la nombra con la expresión **Serviertochter**. En estos locales se puede pedir **Panaschee** (cerveza con limonada), una **Stange** (cerveza pequeña) o un **Jus** (zumo de fruta).

Es posible que en el menú aparezca la expresión **à discrétion**, esto significa que el cliente puede obtener por el precio indicado la cantidad de bebida que él desee.

Al teléfono

Contestar al teléfono

En una conversación telefónica el receptor de la llamada se suele dar a conocer por el apellido, rara vez por el nombre, nada más descolgar el auricular. También es normal decir **Hallo** (hola) y **Ja, bitte** (sí, por favor). Estas dos fórmulas son especialmente habituales si se está utilizando un teléfono móvil. La persona que ha llamado, en primer lugar y antes de empezar a hablar, también indica su nombre y apellido, o sólo su nombre de pila si el receptor es amigo o conocido.

Despedirse por teléfono

La expresión correcta para despedir la conversación telefónica es **Auf Wiederhören** y no **Auf Wiedersehen**, aunque pueda parecer extraño para un hispanohablante.

Otras características generales sobre lengua y costumbres

La lengua

El alemán no se habla sólo en Alemania, sino también en Suiza y Austria. Sin embargo, hay pequeñas diferencias entre el alemán que se habla en cada uno de estos países y sus regiones.

Los austríacos y suizos hablan, en general, más lentamente que los alemanes. Su pronunciación es más suave y apenas diferencian entre la "b" y la "p". Por lo tanto, la palabra "Gepäck" (equipaje) en labios de un austríaco puede ser entendida como "equipaje" (Ge**p**äck) o como "producto de pastelería o bollería" (Ge**b**äck).

Al contrario de lo que sucede con los dialectos del alemán en Alemania y Austria, las distintas modalidades regionales del alemán en Suiza tienen estatus de lengua y se usan en cada cantón tanto en radio y TV como en entrevistas, anuncios publicitarios y, aunque resulte sorprendente, en la escuela.

Muchas de las palabras que se utilizan en el alemán suizo proceden originariamente del francés. Estas palabras experimentan, al ser empleadas en alemán, un cambio en la posición de su acento, que pasa de la última sílaba a la primera. En el lenguaje deportivo, sin embargo, se utilizan muchas palabras procedentes del inglés: **goal** en vez de **Tor** o **corner** en lugar de **Ecke**. En lo que se refiere a la ortografía es importante reseñar que en Suiza no se utiliza la letra **ß**. Todas las palabras que en alemán se escriben con **ß**, incluso después de la reforma ortográfica, se escriben con **ss**, por ejemplo: **Grüsse** en lugar de **Grüße** (saludos) o **Füsse** en lugar de **Füße** (pies). También es destacable el hecho de que los suizos cambien el género de algunas palabras. Es lo que ocurre en: "**der** Dessert" (el postre), "**der** Butter" (la mantequilla) y "**das** Tram" (el tranvía).

Números

En Alemania, para señalar una clara distinción entre el 1 y el 7, se suele añadir una rayita horizontal a la rayita vertical del siete.

Los decimales se escriben con coma sin espacio: "3,14" y debe decirse "drei Komma eins vier", aunque cada vez es más común escuchar, sobre todo en cuanto a sumas de dinero, "drei Komma vierzehn". Normalmente hay un espacio entre el número y el signo para el euro (€); éste puede posponerse o anteponerse a la cifra completa: € 98,90 ó 98,90 € (achtundneunzig Euro, neunzig).

El correo postal

Al escribir la fecha en una carta lo habitual es escribir primero el lugar desde donde se escribe y, seguido de una coma, la fecha: "Stuttgart, den 31. Juli 2009".

Al escribir el nombre del destinatario en la carta o el sobre se emplea, en una primera línea, **Herrn** o **Frau** seguido, en la línea siguiente, por el nombre completo. El **Absender** (remitente) se abrevia **Abs.**; su nombre y datos pueden escribirse en la parte superior izquierda o en la parte posterior del sobre.

La hora

Dividir el cómputo de las horas del día en 24 unidades está muy extendido en los países de habla alemana. Es completamente normal escuchar "**18 Uhr**" (**achtzehn Uhr**) por "las seis de la tarde".

Hay que tener cuidado al decir la hora: **halb zwei** no significa "las dos y media" sino "la una y media". En el sur de Alemania, a menudo, también se oye **viertel zwei** para señalar "la una y cuarto" o **drei viertel zwei** para decir "las dos menos cuarto.

Asuntos domésticos

Las bolsas de plástico se pagan en los supermercados alemanes y se denominan **Plastiktüte** o, en Austria, **Sackerl** o **Plastiksackerl**. También se paga **Pfand** por el envase de las cervezas, las bebidas no alcohólicas y algunos productos lácteos, ya se trate de botellas de plástico, envases de vidrio o latas. El establecimiento reembolsa el dinero cuando se devuelven los envases vacíos. Las normativas exactas, sin embargo, varían entre los diferentes países de habla alemana.

La basura suele clasificarse en los propios hogares para el reciclado, por regla general, en cinco tipos diferentes: papel y cartón; vidrio reciclable; envases de plástico, tetra pack y latas; basura orgánica; el resto de basura inclasificable. Si un hogar quiere deshacerse de algún objeto voluminoso o mueble, deberá esperar a las fechas de **Sperrmüll** escogidas por el ayuntamiento para apilarlos en la acera cerca de la entrada a la casa o al edificio donde se encuentra la vivienda. No hay que avergonzarse si uno desea llevarse algún objeto o mueble de la pila de **Sperrmüll**, ya que está socialmente muy aceptado. Lo importante es reciclar el mayor número de objetos posibles que puedan servir en vez de tirarlos a la basura.

Zahlwörter

Los numerales

Grundzahlen

Los numerales cardinales

null	0	cero
einer, eine, eins; ein, eine, ein	1	uno (*apócope* un), una
zwei	2	dos
drei	3	tres
vier	4	cuatro
fünf	5	cinco
sechs	6	seis
sieben	7	siete
acht	8	ocho
neun	9	nueve
zehn	10	diez
elf	11	once
zwölf	12	doce
dreizehn	13	trece
vierzehn	14	catorce
fünfzehn	15	quince
sechzehn	16	dieciséis
siebzehn	17	diecisiete
achtzehn	18	dieciocho
neunzehn	19	diecinueve
zwanzig	20	veinte
einundzwanzig	21	veintiuno (*apócope* veintiún), -a
zweiundzwanzig	22	veintidós
dreiundzwanzig	23	veintitrés
vierundzwanzig	24	veinticuatro
fünfundzwanzig	25	veinticinco
dreißig	30	treinta
einunddreißig	31	treinta y uno (*apócope* treinta y un), -a
zweiunddreißig	32	treinta y dos
dreiunddreißig	33	treinta y tres
vierzig	40	cuarenta

einundvierzig	41	cuarenta y uno (*apócope* cuarenta y un), -a
zweiundvierzig	42	cuarenta y dos
fünfzig	50	cincuenta
einundfünfzig	51	cincuenta y uno (*apócope* cincuenta y un), -a
zweiundfünfzig	52	cincuenta y dos
sechzig	60	sesenta
einundsechzig	61	sesenta y uno (*apócope* sesenta y un), -a
zweiundsechzig	62	sesenta y dos
siebzig	70	setenta
einundsiebzig	71	setenta y uno (*apócope* setenta y un), -a
zweiundsiebzig	72	setenta y dos
fünfundsiebzig	75	setenta y cinco
neunundsiebzig	79	setenta y nueve
achtzig	80	ochenta
einundachtzig	81	ochenta y uno (*apócope* ochenta y un), -a
zweiundachtzig	82	ochenta y dos
fünfundachtzig	85	ochenta y cinco
neunzig	90	noventa
einundneunzig	91	noventa y uno (*apócope* noventa y un), -a
zweiundneunzig	92	noventa y dos
neunundneunzig	99	noventa y nueve
hundert	100	cien
hundert(und)eins	101	ciento uno (*apócope* ciento un), -a
hundert(und)zwei	102	ciento dos
hundert(und)zehn	110	ciento diez
hundert(und)zwanzig	120	ciento veinte
hundert(und)neunund-neunzig	199	ciento noventa y nueve
zweihundert	200	doscientos, -as
zweihundert(und)eins	201	doscientos, -as uno (*apócope* doscientos un), -a

zweihundert(und)zweiund-zwanzig	222	doscientos, -as veintidós
dreihundert	300	trescientos, -as
vierhundert	400	cuatrocientos, -as
fünfhundert	500	quinientos, -as
sechshundert	600	seiscientos, -as
siebenhundert	700	setecientos, -as
achthundert	800	ochocientos, -as
neunhundert	900	novecientos, -as
tausend	1 000	mil
tausend(und)eins	1 001	mil uno (*apócope* mil un), -a
tausend(und)zehn	1 010	mil diez
tausend(und)einhundert	1 100	mil cien
zweitausend	2 000	dos mil
zehntausend	10 000	diez mil
hunderttausend	100 000	cien mil
eine Million	1 000 000	un millón
zwei Millionen	2 000 000	dos millones
zwei Millionen fünf hunderttausend	2 500 000	dos millones quinientos, -as mil
eine Milliarde	1 000 000 000	mil millones
eine Billion	1 000 000 000 000	un billón

Ordnungszahlen (der, die, das)

Los numerales ordinales (el, la)

erste	1.	1º, 1ª	primero (*apócope* primer), -a
zweite	2.	2º, 2ª	segundo, -a
dritte	3.	3º, 3ª	tercero (*apócope* tercer), -a
vierte	4.	4º, 4ª	cuarto, -a
fünfte	5.	5º, 5ª	quinto, -a
sechste	6.	6º, 6ª	sexto, -a
siebte	7.	7º, 7ª	séptimo, -a
achte	8.	8º, 8ª	octavo, -a
neunte	9.	9º, 9ª	noveno, -a
zehnte	10.	10º, 10ª	décimo, -a
elfte	11.	11º, 11ª	undécimo, -a

zwölfte	12.	12º, 12ª	duodécimo, -a
dreizehnte	13.	13º, 13ª	decimotercero, -a
vierzehnte	14.	14º, 14ª	decimocuarto, -a
fünfzehnte	15.	15º, 15ª	decimoquinto, -a
sechzehnte	16.	16º, 16ª	decimosexto, -a
siebzehnte	17.	17º, 17ª	decimoséptimo, -a
achtzehnte	18.	18º, 18ª	decimoctavo, -a
neunzehnte	19.	19º, 19ª	decimonoveno, -a
zwanzigste	20.	20º, 20ª	vigésimo, -a
einundzwanzigste	21.	21º, 21ª	vigésimo, -a primero, -a (o vigesimoprimero, -a)
zweiundzwanzigste	22.	22º, 22ª	vigésimo, -a segundo, -a (o vigesimosegundo, -a)
dreiundzwanzigste	23.	23º, 23ª	vigésimo, -a tercero, -a (o vigesimotercero, -a)
dreißigste	30.	30º, 30ª	trigésimo, -a
einunddreißigste	31.	31º, 31ª	trigésimo, -a primero, -a
zweiunddreißigste	32.	32º, 32ª	trigésimo, -a segundo, -a
vierzigste	40.	40º, 40ª	cuadragésimo, -a
fünfzigste	50.	50º, 50ª	quincuagésimo, -a
sechzigste	60.	60º, 60ª	sexagésimo, -a
siebzigste	70.	70º, 70ª	septuagésimo, -a
einundsiebzigste	71.	71º, 71ª	septuagésimo, -a primero, -a
zweiundsiebzigste	72.	72º, 72ª	septuagésimo, -a segundo, -a
neunundsiebzigste	79.	79º, 79ª	septuagésimo, -a noveno, -a
achtzigste	80.	80º, 80ª	octogésimo, -a
einundachtzigste	81.	81º, 81ª	octogésimo, -a primero, -a
zweiundachtzigste	82.	82º, 82ª	octogésimo, -a segundo, -a
neunzigste	90.	90º, 90ª	nonagésimo, -a
einundneunzigste	91.	91º, 91ª	nonagésimo, -a primero, -a
neunundneunzigste	99.	99º, 99ª	nonagésimo, -a noveno, -a
hundertste	100.	100º, 100ª	centésimo, -a
hundertunderste	101.	101º, 101ª	centésimo, -a primero -a
hundertundzehnte	110.	110º, 110ª	centésimo, -a décimo, -a
hundertundfünfund- neunzigste	195.	195º, 195ª	centésimo, -a nonagésimo, -a quinto, -a
zweihundertste	200.	200º, 200ª	ducentésimo, -a
dreihundertste	300.	300º, 300ª	tricentésimo, -a

fünfhundertste	500.	500º, 500ª	quingentésimo, -a
tausendste	1 000.	1 000º, 1 000ª	milésimo, -a
zweitausendste	2 000.	2 000º, 2 000ª	dosmilésimo, -a
millionste	1 000 000.	1 000 000º, 1 000 000ª	millonésimo, -a
zehnmillionste	10 000 000.	10 000 000º, 10 000 000ª	diezmillonésimo, -a

Die Bruchzahlen

Números fraccionarios (o quebrados)

ein halb	$^{1}/_{2}$	mitad; medio, -a
ein Drittel	$^{1}/_{3}$	un tercio
ein Viertel	$^{1}/_{4}$	un cuarto
ein Fünftel	$^{1}/_{5}$	un quinto
ein Zehntel	$^{1}/_{10}$	un décimo
ein Hundertstel	$^{1}/_{100}$	un céntesimo
ein Tausendstel	$^{1}/_{1000}$	un milésimo
ein Millionstel	$^{1}/_{1\,000\,000}$	un millonésimo
zwei Drittel	$^{2}/_{3}$	dos tercios
drei Viertel	$^{3}/_{4}$	tres cuartos
zwei Fünftel	$^{2}/_{5}$	dos quintos
drei Zehntel	$^{3}/_{10}$	tres décimos
anderthalb, ein(und)einhalb	$1\ ^{1}/_{2}$	uno y medio
zwei(und)einhalb	$2\ ^{1}/_{2}$	dos y medio
fünf drei Achtel	$5\ ^{3}/_{8}$	cinco tres octavos
eins Komma eins	1,1	uno coma uno

Maße und Gewichte
Medidas y pesos

Dezimalsystem
Sistema (de numeración) decimal

Mega-	1 000 000	M	mega-
Hektokilo-	100 000	hk	hectokilo
Myria-	10 000	Ma	miria-
Kilo-	1 000	K	kilo
Hekto-	100	H	hecto-
Deka-	10	da	deca- (o decá-)
Dezi-	0,1	d	deci- (o decí-)
Zenti-	0,01	c	centi- (o centí-)
Milli-	0,001	m	mili-
Dezimilli-	0,000 1	dm	decimili-
Zentimilli-	0,000 01	cm	centimili-
Mikro-	0,000 001	µ	micro-

Längenmaße
Medidas de longitud

Seemeile	1 852 m	–	milla marina
Kilometer	1 000 m	km	kilómetro
Hektometer	100 m	hm	hectómetro
Dekameter	10 m	dam	decámetro
Meter	1 m	m	metro
Dezimeter	0,1 m	dm	decímetro
Zentimeter	0,01 m	cm	centímetro
Millimeter	0,001 m	mm	milímetro
Mikron, My	0,000 001 m	µ	micrón, micra
Millimikron, -my	0,000 000 001 m	mµ	milimicrón
Ångströmeinheit	0,000 000 000 1 m	Å	ángstrom

Flächenmaße
Medidas de superficie

Quadratkilometer	1 000 000 m^2	km^2	kilómetro cuadrado
Quadrathektometer Hektar	10 000 m^2	hm^2 ha	hectómetro cuadrado hectárea
Quadratdekameter Ar	100 m^2	dam^2 a	decámetro cuadrado área
Quadratmeter	1 m^2	m^2	metro cuadrado
Quadratdezimeter	0,01 m^2	dm^2	decímetro cuadrado
Quadratzentimeter	0,000 1 m^2	cm^2	centímetro cuadrado
Quadratmillimeter	0,000 001 m^2	mm^2	milímetro cuadrado

Kubik- und Hohlmaße
Medidas de volumen y capacidad

Kubikkilometer	1 000 000 000 m^3	km^3	kilómetro cúbico
Kubikmeter Ster	1 m^3	m^3 st	metro cúbico estéreo
Hektoliter	0,1 m^3	hl	hectolitro
Dekaliter	0,01 m^3	dal	decalitro
Kubikdezimeter Liter	0,001 m^3	dm^3 l	decímetro cúbico itro
Deziliter	0,000 1 m^3	dl	decilitro
Zentiliter	0,000 01 m^3	cl	centilitro
Kubikzentimeter	0,000 001 m^3	cm^3	centímetro cúbico
Milliliter	0,000 001 m^3	ml	mililitro
Kubikmillimeter	0,000 000 001 m^3	mm^3	milímetro cúbico

Gewichte
Pesos

Tonne	1 000 kg	t	tonelada
Doppelzentner	100 kg	q	quintal métrico
Kilogramm	1 000 g	kg	kilogramo
Hektogramm	100 g	hg	hectogramo
Dekagramm	10 g	dag	decagramo
Gramm	1 g	g	gramo
Karat	0,2 g	–	quilate
Dezigramm	0,1 g	dg	decigramo (o decagramo)
Zentigramm	0,01 g	cg	centigramo
Milligramm	0,001 g	mg	miligramo
Mikrogramm	0,000 001 g	µg, g	microgramo

Nützliche Redewendungen für unterwegs
Expresiones útiles para el camino

Uhrzeit
La hora

Wie viel Uhr ist es?	¿Qué hora es?
Können Sie mir bitte sagen, wie spät es ist?	¿Me puede decir qué hora es, por favor?
Es ist genau ein Uhr.	Es la una en punto.
Es ist (fast) …	Son (casi)…
drei Uhr.	las tres (en punto).
fünf nach drei.	las tres y cinco.
Viertel nach drei [*o* viertel vier].	las tres y cuarto.
fünf vor halb vier.	las tres y veinticinco.
halb vier.	las tres y media.
fünf nach halb vier.	las cuatro menos veinticinco.
Viertel vor vier [*o* drei viertel vier].	las cuatro menos cuarto.
zwölf Uhr Mittag/nachts.	las doce del mediodía/de la noche.
Es ist schon nach vier.	Pasa de las cuatro. Son las cuatro pasadas.
Komm (so) zwischen vier und fünf Uhr.	Ven entre las cuatro y las cinco.

Begrüßung, Vorstellung, Verabschiedung
Saludos, presentaciones, despedidas

Guten Morgen!	¡Buenos días!
Guten Tag!	¡Buenos días! (bis ca. 14 Uhr) ¡Buenas tardes! (ab ca. 14 Uhr)
Grüß Gott! (*südd*)	¡Buenos días! (bis ca. 14 Uhr) ¡Buenas tardes! (ab ca. 14 Uhr)
Guten Abend!	¡Buenas tardes! (bis ca. 21 Uhr) ¡Buenas noches! (ab ca. 21 Uhr)
Hallo!	¡Hola!
Grüß dich!	Hola, ¿qué tal?
Mein Name ist Becker.	Me llamo Becker.

Wie geht es Ihnen/dir?	¿Cómo está(n) usted(es)/estás? ¿Cómo le(s)/te va?
Wie geht's?	¿Qué hay? ¿Qué tal? ¿Cómo te va?
Danke, gut. Und Ihnen/dir?	Bien, gracias, ¿y usted(es)/tú?
Auf Wiedersehen!	¡Adiós! ¡Hasta la vista!
Tschüss!	¡Adiós! ¡Hasta luego!
Bis morgen!	¡Hasta mañana!
Bis später!	¡Hasta luego!
Viel Vergnügen!/Viel Spaß!	¡Que te lo pases/os lo paséis bien!
Gute Nacht!	¡Buenas noches!
Grüßen Sie/Grüß(e) Frau Gonzalez von mir.	Salude(n)/Saluda a la señora Gonzalez de mi parte.

Verabredung
Citas

Darf ich Sie/dich zum Essen einladen?	¿Le(s)/Te puedo invitar a comer?
Haben Sie/Hast du für morgen schon etwas vor?	¿Tiene(n)/Tienes algo planeado para mañana?
Wann treffen wir uns?	¿A qué hora quedamos?
Darf ich Sie/dich abholen?	¿Le(s)/Te puedo pasar a recoger?
Wir treffen uns um neun Uhr vor dem Kino.	Nos encontramos a las nueve delante del cine.

Bitte und Danke
Por favor y gracias

Ja, bitte.	Sí, gracias.
Nein, danke.	No, gracias.
Danke, sehr gern!	¡Gracias, con mucho gusto!
Danke, gleichfalls!	¡Gracias, igualmente!
Könnten Sie mir bitte helfen?	¿Me podría ayudar?

Bitte sehr [*o* Gern geschehen].	De nada [*o* No hay de qué].
Vielen Dank.	Muchas gracias.
Das ist doch nicht der Rede wert.	No es nada. No hay de qué.

Entschuldigung, Bedauern
Pedir perdón, expresiones de lamento

Entschuldigung!	¡Perdón!
Ich muss mich entschuldigen.	Debo disculparme.
Es [*o* Das] tut mir sehr leid.	Lo siento mucho.
Es war nicht so gemeint.	No era esa mi/nuestra intención.
Schade!	¡Qué pena!
Das ist traurig.	¡Es una pena [*o* lástima]!

Glückwünsche zu verschiedenen Anlässen
Felicitaciones en distintas ocasiones

Herzlichen Glückwunsch!	¡Felicidades!
Viel Erfolg!	¡Mucho éxito!
Viel Glück!	¡Mucha suerte!
Gute Besserung!	¡Que se mejore/te mejores pronto!
Schöne Ferien!	¡Que pases/paséis unas buenas vacaciones!
Frohe Ostern!	¡Felices Pascuas!
Frohe Weihnachten und ein gutes neues Jahr!	¡Feliz Navidad y próspero Año Nuevo!
Alles Gute zum Geburtstag!	¡Feliz cumpleaños!
Meine besten Wünsche zum Geburtstag!	¡Feliz cumpleaños!
Ich drücke dir die Daumen.	Te deseo mucha suerte.

Nach dem Weg fragen
Preguntar por el camino, por la dirección

Entschuldigung, wie komme ich bitte nach Magdeburg/zum Prado?	Perdone(n), ¿cómo puedo ir a Magdeburgo/al Prado?
Können Sie mir sagen, wie ich zum Prado komme?	¿Me podría(n) decir cómo puedo ir al Prado?
Immer geradeaus bis zu … *+dat.*	Todo recto hasta…
Dann bei der Ampel rechts abbiegen.	Cuando llegue al semáforo gire a la derecha.
Folgen Sie den Schildern.	Siga(n) las indicaciones.
Sie können es nicht verfehlen.	No tiene(n) pérdida.
Welcher Bus fährt nach … *+dat?*	¿Qué autobús va a…?
Ist dies der richtige Bus nach … *+dat?*	¿Es éste el autobús que va a…?
Wie weit ist das?	¿Está muy lejos?
Sie sind hier falsch. Sie müssen zurückfahren bis zu … *+dat.*	Por aquí no es. Debe(n) volver hasta…

Im Restaurant
En el restaurante

Ich möchte einen Tisch für vier Personen reservieren.	Quisiera reservar una mesa para cuatro personas.
Einen Tisch für zwei Personen, bitte.	Una mesa para dos personas, por favor.
Ist dieser Tisch/Platz noch frei?	¿Está libre esta mesa/este asiento?
Ich nehme …	Tomaré…
Könnten wir noch etwas Brot bekommen?	¿Nos podría traer un poco más de pan?
Bezahlen, bitte.	La cuenta, por favor.
Bitte alles zusammen.	Todo junto, por favor.
Getrennte Rechnungen, bitte.	Cuentas separadas, por favor.

Einkaufen
De compras

Wo finde ich …?	¿Dónde puedo encontrar …?
Können Sie mir ein Feinkost-/Lebensmittelgeschäft empfehlen?	¿Me podría recomendar una tienda de exquisiteces/de alimentación?
Werden Sie schon bedient?	¿Le(s) atienden?
Danke, ich sehe mich nur um.	Gracias, sólo quería mirar.
Was darf es sein?	¿Qué le(s) pongo?
Geben Sie mir bitte …	Póngame, por favor,…
Ich möchte …	Quisiera…
Darf es sonst noch etwas sein?	¿Algo más?
Nehmen Sie Kreditkarten?	¿Aceptan tarjetas de crédito?
Können Sie es mir einpacken?	¿Me lo puede envolver?

Auf der Bank
En el banco

Ich möchte 50 Euro in Dollar wechseln.	Quisiera cambiar 50 euros en dólares.
Ich möchte diesen Reisescheck einlösen.	Quisiera cobrar este cheque de viaje.
Auf welchen Betrag kann ich den Scheck ausstellen?	¿Cuál es el importe máximo por el que puedo extender el talón?
Ich möchte 100 Euro von meinem Konto abheben.	Quisiera sacar 100 euros de mi cuenta.
Darf ich bitte Ihren Ausweis sehen?	¿Me enseña su carnet, por favor?
Ihre Unterschrift, bitte.	Firme, por favor.

Auf der Post
En Correos

Wo ist der nächste Briefkasten/ das nächste Postamt?	¿Dónde está el buzón más cercano/ la oficina de Correos más cercana?
Was kostet ein Brief nach Deutschland?	¿Cuánto vale una carta para Alemania?
Drei Briefmarken zu 55 Cent, bitte.	Tres sellos de 55 centímos, por favor.

Ich möchte ein Telegramm aufgeben.	Quisiera enviar un telegrama.
Ich möchte eine Telefonkarte.	Quisiera una tarjeta de teléfono.
Kann ich von hier aus ein Fax nach Stuttgart schicken?	¿Puedo enviar desde aquí un fax a Stuttgart?

Telefonieren
Llamar por teléfono

Wo ist die nächste Telefonzelle?	¿Dónde está la cabina de teléfonos más próxima?
Wie ist die Vorwahl von Spanien?	¿Cuál es el prefijo de España?
Ich möchte ein R-Gespräch anmelden.	Quisiera hacer una llamada a cobro revertido.
Hallo, mit wem spreche ich?	¿Sí?, ¿con quién hablo?
Kann ich bitte Frau Wagner sprechen?	Quisiera hablar con la señora Wagner.
Ich verbinde.	Le pongo. Le paso.
Bleiben Sie bitte am Apparat.	Espere, no cuelgue.
Tut mir leid, sie ist nicht da.	Lo siento pero no está.
Möchten Sie eine Nachricht hinterlassen?	¿Quiere dejar un mensaje?
Ich rufe später noch mal an.	Volveré a llamar más tarde.
Kein Anschluss unter dieser Nummer.	Este abonado ha cambiado de número.

Internet und E-Mail
Internet y correo electrónico

Sich im Internet bewegen
Navegar por internet

im Internet surfen	navegar en internet
einen Internetzugang beantragen	pedir acceso a internet
Internetbenutzer/in	usuario/-a de internet/de las páginas web
eine Verbindung ins Internet herstellen	conectarse a internet
die Verbindung zum Internet trennen	desconectarse de internet
Besuchen Sie unsere Webseite www. ...!	¡Visite la página web www. ...!

Kommunizieren per E-Mail
Comunicarse por e-mail

E-Mail-Adresse	dirección de correo electrónico, dirección electrónica
Internetadresse	dirección de internet
eine Nachricht/Mail empfangen/ senden/beantworten/weiterleiten	recibir/enviar/contestar/reenviar un mensaje/e-mail
Dateien in einem anderen Format/in demselben Format importieren	importar archivos en formatos distintos/en su propio formato

E-Mail- und Internetadressen angeben
Dar la dirección de correo electrónico o de internet

Meine E-Mail-Adresse ist: tobias.mustermann@t-online.de (sprich: tobias punkt mustermann at t (binde)strich/Minus online punkt d e)	Mi dirección de correo electrónico es (la siguiente): tobias.mustermann@t-online.de (es decir, tobias punto mustermann arroba t guión online punto d e)
Meine Homepage-Adresse ist: http://www.t-online.de/~mustermann (sprich: h t t p doppelpunkt doppelslash w w w punkt t (binde)strich/Minus online punkt d e slash tilde mustermann)	Mi página web es: http://www.t-online.de/~mustermann (es decir, h t t p dos puntos dos barras w w w punto t guión online punto d e barra tilde mustermann)

Im Internetcafé
En el cibercafé

Wo gibt es in der Nähe ein Internetcafé?	¿Dónde hay por aquí cerca un cibercafé/internet café?
Wie viel kostet eine Stunde?/ Viertelstunde?	¿Cuánto cuesta una hora?/¿Un cuarto de hora?
Ich möchte eine E-Mail senden.	Querría enviar un e-mail/correo electrónico.
Kann ich einen Speicherstick anschließen?/Kann ich einen einen Laptop anschließen?	¿Puedo conectar un pendrive/una memoria USB?/¿Puedo conectar un (ordenador) portátil?
Bei mir klappt die Verbindung nicht.	Aquí la conexión (con Internet) no funciona.
Ich habe Probleme mit dem Computer.	Tengo problemas con el ordenador.
Es gibt Probleme mit der Maus/mit dem Browser/Monitor.	Tengo problemas con el ratón/ navegador (web)/con la pantalla.

Stil und Gestaltung einer geschäftlichen E-Mail
Estilo y estructura de un e-mail comercial

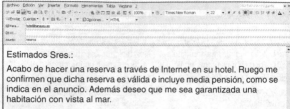

Archivo Edición Ver Insertar Formato Herramientas Tabla Ventana ?

Para... hotel@tanausu.es
CC...
Asunto: reserva

Estimados Sres.:

Acabo de hacer una reserva a través de Internet en su hotel. Ruego me confirmen que dicha reserva es válida e incluye media pensión, como se indica en el anuncio. Además deseo que me sea garantizada una habitación con vista al mar.

Somos dos personas y llevamos un pequeño perro. Me consta que eso no es ningún problema, pero de todas formas deseo que me lo confirmen para evitar malentedidos.

Agradeciéndoles de antemano su amable atención,
les saluda atentamente

Juan Carlos Acosta
C/Camelias, 16
20842 Madrid

Stil und Gestaltung einer privaten E-Mail
Estilo y estructura de un e-mail privado

Archivo Edición Ver Insertar Formato Herramientas Tabla Ventana ?

Para... j.salgado@terra.es
CC...
Asunto: encuentro

Hola José:

hablé con los chicos el otro día y quedamos para encontrarnos todos en la casa de campo el fin de semana.
Apúntate si tienes ganas, ¡nos lo vamos a pasar bomba! Será emocionante vernos todos después de tanto tiempo.
Ah, y quedamos en que cada uno traiga alguna cosita para comer o para beber, una tortilla o una botella de vino, por ejemplo. Y también un saco de dormir, por si acaso, porque no sé cuántas camas y mantas hay ahí arriba.
Si te decides, dame un toque, y te explicaré cómo llegar, ¿vale?

Un saludo,

Miguel

Allgemeine Geschäftssituationen
Situaciones de negocios en general

Firmenbesuche | Visita a una empresa

Einen Termin vereinbaren | Concertar una cita

Einen Termin vereinbaren	Concertar una cita
Ich möchte einen Termin mit Herrn/ Frau … vereinbaren.	Querría concertar una cita con el Sr./ la Sra.…
Wann würde es Ihnen passen?	¿Cuándo le(s) vendría bien?
Wie wäre es mit dem letzen Mittwoch dieses Monats?	¿Qué le(s) parece el último miércoles de este mes?
Ich könnte am kommenden Dienstag.	Yo podría el martes que viene.
Sagen wir um 10 Uhr?	¿Digamos a las 10 (de la mañana)?
Könnten wir uns nach dem Mittagessen treffen? ¿Gegen 16 Uhr?	¿Podríamos encontrarnos después de almorzar/comer? ¿Hacia las cuatro?
Ich muss gerade einmal in meinem Kalender nachsehen.	Déjeme que compruebe un momento mi agenda.
Das ginge in Ordnung.	Me iría bien.
Ich schicke Ihnen eine Anfahrtsbeschreibung.	Le enviaré una descripción del camino.
Dann treffen/sehen wir uns also am 14.	Entonces nos encontramos/vemos a las dos.

Einen Termin verschieben | Aplazar una cita

Einen Termin verschieben	Aplazar una cita
Leider kann ich nun doch den Donnerstag nicht einhalten.	Lo siento pero ahora me resulta imposible mantener la cita del jueves.
Könnten wir das auf Montag vorziehen/verschieben?	¿La podríamos adelantar/aplazar al lunes?
Leider bin ich dann außer Haus/ im Urlaub.	Lamentablemente ya no estaré en el despacho/estaré de vacaciones.
Ich habe zu der Zeit schon einen anderen Termin.	A esa hora (ese día) ya tengo otra cita.

Einen Besuch bestätigen | **Confirmar una visita**

Ich rufe an, um meinen Besuch am ... zu bestätigen.	Le llamo para confirmar mi visita del día...
Wie komme ich am besten vom Flughafen zu Ihnen?	¿Cuál es la mejor forma de llegar del aeropuerto hasta ustedes?
Sie nehmen am besten ein Taxi.	Lo mejor será que tome un taxi.
Wir holen Sie ab.	Iremos a recogerlo/recogerla.
Sollen wir für Sie ein Hotelzimmer reservieren?	¿Quiere que le reservemos una habitación de hotel?
Wie lange werden Sie bleiben?	¿Cuántos días se quedará(n)?
Wir haben für Sie ein Zimmer im Hotel ... reserviert.	Le hemos reservado una habitación en el Hotel...
Herr/Frau ... wird Sie um 8.30 Uhr vom Hotel abholen.	El Sr./La Sra.... lo/la recogerá a las 8 y media de la mañana del hotel.

Willkommen heißen und betreuen | **Dar la bienvenida y acompañar**

Herzlich willkommen bei ...	Sea bienvenido/bienvenida a...
Sagen Sie bitte Sandra zu mir.	Por favor, llámeme Sandra.
Haben Sie gut hergefunden?	¿Ha sido fácil encontrar el sitio?
Hatten Sie eine angenehme Reise?	¿Ha tenido un viaje agradable?
Wo übernachten Sie?	¿Dónde se hospeda?
Ist das Hotel in Ordnung?	¿Está satisfecho/satisfecha con el hotel?
Wir tagen in einem anderen Gebäude.	Las reuniones tendrán lugar en otro edificio.
Wenn Sie mir bitte folgen würden ...	Si es tan amable de acompañarme...

Im Büro | **En la oficina**

Da wären wir. Möchten Sie ablegen?	Hemos llegado. ¿Quiere quitarse el abrigo/la chaqueta?
Nehmen Sie doch Platz.	Tome asiento, por favor.
Darf ich Ihnen etwas zu trinken anbieten?	¿Puedo ofrecerle algo para beber?
Danke, im Augenblick nicht.	No, gracias, por ahora no.
Ein Kaffee/Glas Wasser wäre schön.	Un café/un vaso de agua estaría bien.

Um etwas bitten / Formular una petición

Könnte ich bitte schnell (ein)mal telefonieren?	¿Podría hacer una llamada ahora mismo, por favor?
Könnte ich ein paar Fotokopien machen?	¿Podría hacer unas (foto)copias, por favor?
Könnte ich meine (Akten)Tasche bitte irgendwo unterstellen?	¿Podría dejar mi maletín/cartera en alguna parte?
Wo ist die Toilette, bitte?	¿Dónde están los baños/servicios, por favor?

Das Programm vorstellen / Presentar el programa

Wir haben Folgendes arrangiert.	Hemos organizado lo siguiente.
Für heute Morgen habe ich … vorbereitet/organisiert.	Para hoy por la mañana he preparado/ organizado…
Wir werden in der Kantine zu Mittag essen.	Al mediodía comeremos en los comedores de la empresa.
Dann werden wir …, so dass Sie … sehen können.	A continuación…, de modo que tendrán la oportunidad de ver…
Ich weiß, dass Sie nicht deswegen hier sind, aber …	Sé muy bien que no han venido con ese propósito, pero…
Und wir könnten dann mit … abschließen.	Por último podríamos concluir con…
Ist das so weit in Ihrem Sinne?	¿Es hasta el momento de su agrado?

Eine Führung leiten / Guiar una visita

Hier sehen Sie …	Aquí puede(n) ver/observar…
Hier fertigen/produzieren wir …	Aquí fabricamos/elaboramos/ producimos…
Das Gebäude da drüben ist …	El edificio de (ahí) enfrente es…
Vor uns sehen Sie …	Delante de nosotros pueden ver…
Dahinter kann man (gerade noch) … sehen.	Detrás se puede ver (con dificultad)…

Vorschriften — Prescripciones

Leider …	Lamentablemente…
… dürfen wir da nicht rein.	… no podemos entrar ahí.
… darf man hier keine Fotos machen.	… aquí no se pueden hacer fotos.
… sind Handys in diesem Gebäude nicht erlaubt.	… los móviles no están permitidos en este edificio.
… darf man hier nicht rauchen.	… no está permitido fumar aquí.
… müssen wir hier die (Schutz)Helme tragen.	… es obligatorio llevar los cascos (protectores) en esta zona.

Den Besuch beenden — Concluir la visita

Ich denke, ich sollte mich langsam auf den Weg machen.	Creo que ya es hora de ir despidiéndome.
Ich bringe Sie zum Parkplatz.	Le(s) acompaño al aparcamiento.
Wie kommen Sie zum Flughafen?	¿Cómo piensa(n) ir al aeropuerto?
Grüßen Sie bitte Herrn/Frau …	Transmita(n) mis saludos al Sr./a la Sra.…
Ich halte Sie auf dem Laufenden.	Le(s) mantendré al corriente.
Ich werde mich melden. Kommen Sie gut nach Hause.	Tendrá(n) noticias mías. Que tenga(n) un buen viaje de regreso.
Nochmals vielen Dank.	Y de nuevo muchas gracias.

Zusammenarbeiten — Cooperar

Pläne erklären — Definir los planes

Was können wir für Sie tun?	¿Qué podemos hacer por usted(es)?
So wie ich das sehe, suchen Sie nach …	Según mi opinión está(n) buscando…
Im Augenblick überprüfen wir …	Por el momento estamos comprobando …
Wie Sie wissen, ziehen wir in Betracht …	Como ya sabe(n) estamos considerando…
Wir planen/haben beschlossen …	Estamos planeando/hemos decidido …

Verständigungsschwierigkeiten — Problemas en la comunicación

Mein Englisch ist leider nicht so gut/ etwas eingerostet.	Mi inglés no es por desgracia muy bueno/está un poco oxidado.
Würden Sie das bitte wiederholen?	¿Podría repetir lo dicho, por favor?
Ich habe das leider nicht verstanden.	Lo siento, no lo he entendido.

Das habe ich akustisch nicht verstanden.	No lo he oído bien, lo siento.
Könnten Sie bitte etwas lauter sprechen?	¿Podría hablar algo más alto, por favor?
Könnten Sie bitte etwas langsamer sprechen?	¿Podría hablar algo más despacio, por favor?
Könnten Sie das noch einmal erklären?	¿Podría volver al explicarlo, por favor?

Abklären — Aclarar algo

Könnten Sie das bitte genauer beschreiben?	¿Podría describirlo de forma más precisa, por favor?
Was genau haben Sie sich vorgestellt?	¿Qué es lo que se ha(n) imaginado exactamente?
Um was für ein(e) … handelt es sich?	¿De qué clase de … se trata?/¿A qué tipo de … pertenece?
Könnten Sie uns bitte mehr Informationen über … geben?	¿Podría(n) proporcionarnos más información acerca de…?

Reagieren — Mostrar una reacción

Das ist ein sehr interessanter Vorschlag.	Esa es una propuesta muy interesante.
Das könnte für uns von Interesse sein.	Eso podría resultar de (gran) interés para nosotros.
Wir haben dort leider schon eine Vertretung.	Lo lamentamos, pero allí ya poseemos una representación.
Leider fällt das nicht in unseren Bereich.	Lamentablemente está fuera de nuestra competencia.
Zur Zeit ist bei uns nichts dergleichen geplant.	Por el momento no tenemos planeado nada parecido.

Probleme besprechen — Discutir algún problema

Um ehrlich zu sein, …	Para ser sincero/sincera,…
Wir haben ein Problem mit …	Tenemos un problema con…
Wir sind eigentlich nicht zufrieden mit …	La verdad es que no estamos satisfechos con…
Mit … scheint es Missverständnisse zu geben.	Parece existir algún malentendido con…
Wir hatten uns das etwas anders vorgestellt.	Nos lo habíamos imaginado algo diferente.
Laut Vertrag/Vertragsbedingungen …	Según el contrato/las condiciones estipuladas en el contrato…

Sie sind verpflichtet … zu …/ Sie haben sich verpflichtet … zu …	Está(n) obligado(s) a…/Se ha(n) comprometido a…
Wir sind nicht dazu verpflichtet … zu …	No estamos obligados a…
Unsere Haftung beschränkt sich auf …	Nuestra responsabilidad se limita a…
Vielleicht sollten wir … neu überdenken.	Quizá tendríamos que volver a reflexionar acerca de…
Wir müssen … neu verhandeln.	Tenemos que renegociar…

Besprechungen — Reuniones

Begrüßen, Smalltalk — Saludos, pequeñas charlas

Peter! Lange nicht gesehen! Wie läuft das Geschäft?	¡Hombre, Peter! ¡Hace tiempo que no te veía! ¿Qué tal andan los negocios?
Sehr gut./Nicht schlecht./Ich kann nicht klagen.	Muy bien./No van mal./No puedo quejarme.
Und wie geht's der/Ihrer Familie?	¿Y qué tal está la/su familia?
Danke, bestens. Und wie steht's bei Ihnen?	Muy bien, gracias. ¿Y cómo está la suya?

Sich und andere vorstellen — Presentaciones

Ich bin Peter Ross von der Firma …	Mi nombre es Peter Ross de la empresa…
Peter, das ist meine Kollegin Gill Hill. Gill, das ist Peter Ross.	Peter, ella es mi colega Gill Hill. Gill, él es Peter Ross.
Herr Ross, ich möchte Ihnen Frau Hill, unsere Verkaufsleiterin, vorstellen. Frau Hill, das ist Herr Ross.	Sr. Ross, quiero presentarle a la Sra. Hill, la directora del departamento de ventas. Sra. Hill, él es el Sr. Ross.

Die Besprechung eröffnen — Comenzar la reunión

Also, sind wir so weit? Dann können wir ja anfangen.	Si estamos todos preparados, podríamos comenzar.
Wer führt das Protokoll?	¿Quién se encargará de elaborar el acta/protocolo?
Bevor wir richtig beginnen, möchte ich gerne Herrn/Frau … vorstellen.	Antes de dar comienzo a la reunión, me gustaría presentar al Sr./a la Sra.…
Ich glaube, Sie kennen alle Herrn/ Frau …	Creo que todos ustedes conoces al Sr./ a la Sra.…

Die Tagesordnung / El orden del día

Wir haben heute drei Punkte auf der Tagesordnung.	El orden del día de hoy consta de tres puntos.
Es ist allen bekannt, worum es geht.	Todos conocen de qué se trata.
Heute müssen wir über … entscheiden.	Hoy tenemos que tomar una decisión respecto a…
Würden Sie bitte anfangen?	¿Sería tan amable de empezar?

Meinungen einholen und äußern / Recabar y expresar opiniones

Möchten Sie dazu Stellung nehmen?	¿Le(s) gustaría hacer algún comentario al respecto?
Noch irgendwelche Anmerkungen?	¿Alguna otra observación?
Meiner Ansicht/Erfahrung/Meinung nach …	Según mi parecer/experiencia/opinión…
Ich bin davon überzeugt, dass …	Estoy convencido/convencida de que…
Ich bin der gleichen Ansicht.	Soy de la misma opinión./Estoy de acuerdo.
Dabei bin ich mir nicht so sicher.	No estoy tan seguro/segura al respecto.
Ja, aber haben Sie bedacht, dass …	Sí, pero tenga(n) en cuenta que…
Dem kann ich leider nicht zustimmen.	No puedo estar de acuerdo con eso.
Es hängt davon ab, wie man es betrachtet.	Depende de cómo se mire.

Bündeln und abklären / Enfocar y aclarar el tema

Ich möchte gerne zwei Anmerkungen machen. Erstens, …; zweitens …	Querría hacer dos observaciones. En primer lugar…; en segundo lugar…
Es gibt hier verschiedene Gesichtspunkte: …	Nos hayamos ante diferentes puntos de vista.
Tatsache ist …/Das Hauptproblem ist …	Es un hecho que…/El problema principal es…
Wir müssen akzeptieren, dass …	Tenemos que aceptar que…
Können Sie das bitte erläutern?	¿Podría(n) explicar/aclarar ese punto, por favor?
Was verstehen Sie genau unter …?	¿Qué entiende(n) exactamente por…?
Was ich sagen wollte ist, …	Lo que quería decir es que…
Lassen Sie es mich folgendermaßen ausdrücken …	Déje(n)me que lo exprese/formule de la manera siguiente

Unterbrechen — Interrumpir

Entschuldigen Sie bitte, aber …	Disculpe, pero…
Kann ich hierzu kurz etwas anmerken?	¿Podría señalar algo brevemente?
Wenn Sie sich noch einen Moment gedulden würden, …	Si pudiera(n) tener todavía un poco de paciencia…
Könnte ich bitte zu Ende ausführen?	¿Podría dejarme acabar, por favor?
Einen Augenblick noch, Herr/Frau …	Un momento (todavía) Sr./Sra…., por favor.
Herr/Frau …, ich glaube, Sie wollten dazu noch etwas anmerken.	Sr./Sra…., creo que usted quería añadir algo al respecto.
Könnten wir jetzt auf das Thema zurückkommen?	¿Podríamos (ahora) retomar el tema?
Können wir uns bitte an die Tagesordnung halten?	¿Podríamos atenernos al orden del día, por favor?

Überleiten, zusammenfassen und schließen — Pasar a otra cosa, resumir y concluir

Kommen wir nun zu Punkt zwei.	Pasemos ahora al segundo punto.
Ich gebe jetzt an Herrn/Frau … weiter.	Le doy la palabra al Sr./Sra….
Ich fasse noch einmal zusammen: …	Resumiendo de nuevo:…
Wer ist dafür? Dagegen? Irgendwelche Enthaltungen?	¿Quién está a favor? ¿En contra? ¿Alguna abstención?
Nun, weiter kommen wir im Augenblick wohl nicht.	Bueno, por el momento parece ser que no avanzamos.
Wir brauchen dann nur noch das Datum für unsere nächste Besprechung festzusetzen.	Ahora sólo necesitamos fijar la fecha para nuestra próxima reunión.
Also, das wär's dann.	Entonces esto ha sido todo.
Gut, Ihnen allen vielen Dank.	Bueno, muchísimas gracias a todos/todas.

Verhandeln — Negociaciones

Vorschläge und Angebote besprechen — Discutir propuestas y ofertas

Wir wären in der Lage Ihnen … anzubieten.	Estaríamos en condiciones de ofrecerle(s)…
… so etwa um die …	… aproximadamente (unos)…
Wir dachten eher an …	Habíamos pensado más bien en…
Ist das Ihr äußerstes Angebot?	¿Es esa su última oferta?

Weiter können wir nicht gehen.	No podemos ir más lejos/allá.
Das steht nicht zur Verhandlung.	Eso no es negociable.
Ich fürchte, dass unser Vorstand damit nicht einverstanden sein wird.	Me temo que nuestra (junta) directiva no estará de acuerdo con esto.
Wir werden sicherlich eine gemeinsame Lösung finden.	Estoy seguro/segura de que llegaremos a una solución común.
Betrachten wir die Sache doch einmal aus einem anderen Blickwinkel.	Consideremos el caso de nuevo desde otro ángulo diferente.
Konzentrieren wir uns doch zunächst auf das Wesentliche.	Concentrémonos primero en lo (más) esencial.
Das Wichtigste für uns ist …	Lo más importante para nosotros/ nosotras es…
Wenn Sie …, könnten wir eventuell …	Si usted(es)…, nosotros posiblemente podríamos…
Wäre … eher akzeptabel?	Entonces, ¿sería… aceptable?

Um Zeit bitten **Peticiones respecto al tiempo**

Könnten wir eine halbe Stunde Pause machen?	¿Podríamos hacer un descanso de media hora?
Ich brauche etwas Zeit, um das auszuarbeiten.	Necesito algo de tiempo para elaborarlo/elaborarla.
Könnten wir eine Pause machen? Wir bräuchten etwas Bedenkzeit.	¿Podríamos tomar un descanso? Necesitamos un momento de reflexión/reconsideración.
Ich muss das mit meiner Firma abklären.	Tengo que discutirlo con mi empresa.
Ich überprüfe das und komme dann wieder auf Sie zu.	Lo comprobaré y volveré a hablar con usted(es).

Das Geschäft abschließen **Cerrar el negocio**

Das entspricht eher unseren Vorstellungen.	Más bien eso se corresponde con nuestras espectativas.
Damit könnten wir leben.	Eso podríamos aceptarlo.
Also, dann hätten wir's, oder?	Entonces, estamos de acuerdo, ¿no?
Fassen wir noch einmal zusammen. Sie werden …	Resumamos una vez más. Usted(es)…
Auf eine erfolgreiche Zusammenarbeit!	¡Por una cooperación fructífera!

Messen — Ferias de muestras

Einen Stand reservieren — Reservar un stand

Wir möchten einen Stand für die … Messe reservieren.	Queremos reservar un stand para la feria (de muestras)…
Wann ist Anmeldeschluss?	¿Cuándo se cierra el plazo para la inscripción?
Würden Sie uns bitte ein Anmeldeformular per Fax schicken?	¿Podría(n) enviarnos un impreso de inscripción por fax, por favor?
Wir brauchen einen Stand mit einer Fläche von ungefähr … Quadratmetern.	Necesitamos un stand con una superficie aproximada de … metros cuadrados.
Ab wann steht er uns zur Verfügung?	¿Cuándo lo tendremos a nuestra disposición?
Ich nehme an, dass Telefon- und Internetanschluss dabei sind.	Supongo que la línea telefónica y la conexión a Internet están incluidas.
Wir werden unser eigenes Mobiliar mitbringen.	Traeremos nuestro propio mobiliario.
Könnten Sie uns bei der Zollabfertigung helfen?	¿Nos podría(n) ayudar con los trámites aduaneros/de la aduana?
Organisieren Sie auch Dolmetscher/innen?	¿Nos podría(n) proporcionar también traductores simultáneos?
Können Sie uns mit Erfrischungen versorgen?	¿Nos podrían proveer con refrescos/bebidas?

Kunden ansprechen — Dirigirse a los clientes

Kann ich Ihnen behilflich sein?	¿Puedo servile(s) en algo?
Wie haben Sie von uns/unserer Firma erfahren?	¿Cómo supo de nosotros/de nuestra empresa?
Ich hätte gern einige Informationen über …	Quisiera algo de información sobre…
Das finden Sie in unserer Broschüre auf Seite …	Lo encontrará en nuestro folleto en la página…
Ich führe es Ihnen vor.	Se lo mostraré.
Und wie schneidet es im Vergleich mit … ab?	¿Y cuál es la calidad en comparación con…?
Ab wann ist es lieferbar?	¿A partir de cuándo podrán suministrarlo/suministrarla?
Könnten Sie uns ausführliches Material über … zusenden?	¿Podrían enviarnos material detallado sobre…?

Wir können Ihnen gerne Informationsmaterial zusenden.	Con gusto le(s) podemos enviar material informativo.
Haben Sie eine Visitenkarte?	¿Tiene una tarjeta de visita?
Könnten Sie uns ein Angebot zukommen lassen?	¿Podría hacernos llegar su oferta?
Haben Sie eine Vertretung/eine Geschäftsstelle/ein Werk/einen Vertrieb in ...?	¿Poseen alguna representación/sucursal/fábrica/distribuidora en...?

Produkte beschreiben — Describir los productos

Darf ich Ihnen ... zeigen?	¿Me permite(n) que le(s) muestre...?
Haben Sie unser neustes Modell gesehen?	¿Han visto ya nuestro último modelo?
Dies ist unser Flaggschiff-/Spitzenmodell.	Este modelo es nuestro récord de ventas/mejor modelo.
... ist bestimmt etwas für Sie.	... es seguramente de su agrado.
Wir haben eine Reihe von verschiedenen Modellen für unterschiedliche User entwickelt.	Hemos desarrollado una serie de modelos diferentes para usuarios distintos.
Dieses Modell ist für den Geschäftsreisenden gedacht.	Este modelo está pensado para los viajes de negocios.
Wir verkaufen es bereits seit zwei Jahren erfolgreich im asiatischen Markt.	Lo venimos vendiendo con éxito desde hace dos años en el mercado asiático.
Es gab schon viele Anfragen aus/von .../In ... besteht großes Interesse daran.	Se han dado hasta el momento muchos pedidos de.../En ... se aprecia un gran interés por él/ella.
Es entspricht den höchsten technischen Standards.	Cumple con los estándares técnicos más punteros.

Kunden weitervermitteln — Atender a los clientes

Ansprechpartner für ... ist eigentlich Herr/Frau ...	La persona a contactar es en realidad el Sr./la Sra....
Er/Sie ist gerade in einer Besprechung.	Él/Ella se encuentra reunido en este momento.
Er/Sie ist bald wieder da.	Él/Ella no tardará en regresar.

In Verbindung bleiben — Permanecer en contacto

In Verbindung bleiben	Permanecer en contacto
Könnten Sie heute um 14 Uhr noch einmal kommen?	¿Podría(n) volver hoy mismo a las dos de la tarde?
Wir würden Sie gerne zu einem Besuch in unser Werk einladen.	Estaríamos encantados de invitarle(s) a visitar nuestra fábrica.
Ich bin im nächsten Monat in ... Ich könnte Sie dann besuchen.	El mes que viene estaré en... Podría hacerle(s) una visita.
Hier ist meine Karte.	Aquí tiene mi tarjeta.
Wann sind Sie wieder im Büro?	¿Cuándo estará de nuevo en la oficina?
Ich rufe Sie gleich nach der Messe an.	Lo/la llamaré justo tras finalizar la feria de muestras.

Smalltalk — Charlas breves

Ein Gespräch einleiten — Iniciar una conversación

Ein Gespräch einleiten	Iniciar una conversación
Schönes Wetter heute, nicht wahr?	¿Hace buen tiempo hoy, no es verdad?
Ja, sehr schön.	Sí, un tiempo muy bonito.
Tut mir Leid, dass ich mich verspätet habe, aber ich bin im Stau stecken geblieben.	Lamento el retraso, pero quedé atrapado por un atasco de tráfico.
Ist das wieder ein Verkehr heute Morgen!	¡Cuánto tráfico esta mañana también!
Stimmt. Ist das immer so schlimm?	Es cierto, ¿siempre es tan terrible?
Haben Sie die Zeitung heute schon gelesen?	¿Ha(n) leído hoy ya el periódico?
Nein, noch nicht. Gibt's irgendwas Neues?	No, todavía no. ¿Hay algo de nuevo?
Haben Sie gestern das Spiel gesehen?	¿Vio/Vieron ayer el partido?
Aber sicher. Wie fanden Sie es denn?	Claro, ¿qué le(s) pareció?
Stimmt es, dass ...?	¿Es verdad que...?
Bei uns ist der Eindruck entstanden, dass .... Sind Sie auch der Meinung?	A nosotros nos ha dado la impresión de que... ¿Opina usted lo mismo?
Laut unseren Medien .... Was meinen Sie dazu?	De acuerdo con nuestros medios de comunicación... ¿Qué opina(n) usted(es)?

Geschäft | Negocios

Sind Sie geschäftlich hier?	¿Está aquí por negocios?
In welcher Branche sind Sie tätig?	¿Para qué sector trabaja(n) usted(es)?
Wie viele Mitarbeiter hat Ihre Firma?	¿Cuántos empleados tiene su empresa?
Wo ist Ihr Firmensitz?	¿Dónde se encuentra la sede de su empresa?
Sind Sie schon lange bei der Firma?	¿Hace mucho que trabaja para la empresa?
Darf ich Ihnen meine Visitenkarte geben?	Me permite darle mi tarjeta de visita.

Tätigkeiten | Actividades profesionales

Was sind Sie von Beruf?	¿Cuál es su profesión?
Ich bin Sachbearbeiter(in).	Soy administrativo/administrativa.
Ich bin im Personalbereich tätig.	Trabajo en el departamento de recursos humanos.
Ich bin Leiter/in der Werbeabteilung.	Soy director(a) del departamento de publicidad/marketing.
Ich bin für das Lager zuständig.	Soy el encargado del almacén.

Geschäftsbereiche | Sectores de los negocios

Wir sind im Einzelhandel/Großhandel tätig.	Trabajamos en el sector del comercio minorista/mayorista.
Unser Schwerpunkt liegt im Dienstleistungsbereich.	Nuestro negocio se centra en el sector de los servicios.
Wir stellen Einzelteile für die Autobranche her.	Fabricamos piezas para la industria del automóvil.
Wir konzipieren/entwickeln Software.	Diseñamos/desarrollamos software.
Wir handeln mit Baustoffen.	Comerciamos con materiales para la construcción.
Wir importieren/exportieren Lederwaren.	Importamos/exportamos artículos de piel y cuero.
Wir geben unter anderem technische Handbücher heraus.	Publicamos, entre otras cosas, manuales técnicos.
Wir sind Unternehmensberater.	Somos asesores de empresa/consultores.

Familie **Familia**

Ich habe vor zwei Monaten geheiratet.	Me casé hace dos meses.
Haben Sie Kinder?	¿Tiene hijos?
Sie gehen noch in den Kindergarten./ Sie studieren schon.	Todavía van a la guardería./Ya están estudiando.
Wir erwarten unser erstes Kind.	Estamos esperando nuestro primer hijo.
Wie geht es Ihrer Frau/Ihrem Mann/ Ihren Kindern?	¿Cómo está(n) su mujer/su marido/sus hijos?

Länder und Städte **Países y ciudades**

Sind Sie zum ersten Mal in ...?	¿Es la primera vez que viene a...?
Und woher kommen Sie?	¿Y de dónde (pro)viene usted?
Ich komme aus einer Kleinstadt/Großstadt.	(Pro)vengo de una pequeña/gran ciudad.
Es liegt an der Küste/im Landesinneren.	Está situada en la costa/el interior del país.
Es hat ungefähr ... Einwohner.	Tiene aproximadamente ... habitantes.
Der Hauptwirtschaftszweig ist ...	El sector económico principal es...
Viele Leute pendeln nach ...	Hay mucha gente que viaja diariamente a ... por el trabajo.

Sehenswürdigkeiten und Andenken **Lugares de interés y recuerdos**

Was ist besonders sehenswert hier?	¿Qué es digno de ver en el lugar?
Sie müssen unbedingt ... besichtigen/ besuchen.	Tiene(n) que ver/visitar...
Wie komme ich am besten dorthin?	¿Cuál es la mejor manera de llegar?
Der Bus Nr. 7 fährt direkt dorthin.	El autobús número 7 va directamente allí.
Ich würde meiner Familie gern etwas mitbringen. Was ist typisch für diese Gegend?	Me gustaría llevarle algo a mi familia. ¿Qué es típico de esta zona?
Diese Gegend ist sehr bekannt für Wein/Töpferei/Glas.	Esta zona es muy conocida por su vino/ alfarería/vidrio.

Hobbys **Aficiones**

Hobbys	Aficiones
Ich spiele Saxophon/singe in einem Chor.	Toco el saxofón./Canto en un coro.
Meine Frau und ich sind Mitglieder eines Tanzvereins.	Mi mujer y yo somos miembros de un club de baile.
Ich lese viel/male ein wenig.	Leo mucho./Pinto un poco.
Ich bastele ein wenig/arbeite gerne im Garten.	Hago algo de bricolaje./Me gusta trabajar en el jardín.
Ich sammle Antiquitäten/Briefmarken/alte Bücher.	Colecciono antigüedades/sellos/libros antiguos.
Ich interessiere mich für …	Me interesa…
Ich bin bei … aktiv.	Participo/colaboro activamente en/con…

Präsentationen / Exposiciones

Sich und andere vorstellen / Presentarse a sí mismo y a otros

Guten Morgen. Ich möchte mich zunächst kurz vorstellen. Mein Name ist ...	Buenos días, permitan que me presente. Me llamo...
Ich glaube, Sie kennen alle Herrn Weber, unser Marketingleiter.	Creo que todos conocen al señor Weber, nuestro director de marketing.
Ich möchte Ihnen gerne Frau Yoshi vorstellen, Geschäftsführerin der Sumo Bank in Tokyo.	Me gustaría presentarles a la señora Yoshi, Directora del Sumo Bank en Tokio.
Entschuldigen Sie bitte, mein Englisch ist leider nicht mehr so flüssig.	Ruego me disculpen, mi inglés ya no es tan fluido.
Es freut mich sehr, Sie heute Morgen hier begrüßen zu dürfen.	Es para mí un placer darles la bienvenida en el día de hoy.
Ich möchte Sie heute über ... informieren/den neuesten Stand der/des ... in Kenntnis setzen.	Estoy aquí para hablarles sobre.../ponerles al corriente sobre el estado actual de...
Vielen Dank, dass Sie mich zum Thema ... eingeladen haben.	Agradezco me hayan invitado a participar en el asunto...
Ziel dieser Präsentation ist, ... darzustellen/zu erläutern.	El objeto de esta presentación es exponer/explicar...
Ich werde drei Hauptbereiche behandeln.	Trataré tres aspectos fundamentales.

Einleitung zur Präsentation / Introducción a la presentación

Ich habe den Vortrag in vier Abschnitte gegliedert.	He subdivido la presentación en cuatro puntos.
Ich werde ... erklären/behandeln.	Aclararé/trataré...
Wir sollten ... betrachten.	Deberíamos tener en cuenta...
Alles in allem wird das ungefähr ... Minuten in Anspruch nehmen.	En total llevará unos... minutos aproximadamente.
Ich versuche mich, so kurz wie möglich zu fassen!	¡Haré lo que esté en mi mano por ser lo más escueto posible!

Bitte unterbrechen Sie mich, falls irgendetwas nicht klar sein sollte.	Les ruego me interrumpan si algo no está claro.
Ich stehe Ihnen dann nach dem Vortrag gern für Fragen zur Verfügung.	Al término de la presentación responderé con gusto a sus preguntas.

Die Botschaft — El mensaje

Also, ich werde zunächst mit ... beginnen.	Bien, quiero comenzar con…
Wie Sie wissen, ...	Como ya saben…
Hinzukommt, dass ...	A ello hay que añadir que…
Im Gegensatz dazu ...	Por el contrario…
Vier Hauptaspekte sollten dabei in Betracht gezogen werden: ...	Deben considerarse cuatro aspectos fundamentales…
Erstens ... Zweitens ... Drittens ... Und letztlich ...	En primer lugar… en segundo lugar… y por último…
Einerseits .../Andererseits ...	Por un lado,…/por otro,…
Daraus resultiert, .../Das hat zur Folge, ...	Esto da como resultado,…/Esto tiene como consecuencia…
Bevor ich fortfahre, wollen wir noch einmal ... betrachten.	Antes de continuar, volvamos a considerar ...
Was bedeutet das also für uns? Nun, ...	¿Qué supone eso para nosotros? Bien, ...
Es gibt verschiedene Möglichkeiten: Erstens, ...	Existen varias posibilidades: primera,…
Wir haben zwei Möglichkeiten zur Auswahl: ...	Tenemos dos opciones:…
Eine Möglichkeit wäre ...	Una opción sería…
Aus unserer Sicht wäre es am besten ...	Desde nuestro punto de vista lo mejor sería…
Ich schlage vor .../Wir würden empfehlen ...	Propongo…/Recomendaríamos…

Brücken schlagen — Crear puentes

Gut. Kommen wir nun zu (den Verkaufszahlen).	Bien. Pasemos a (las cifras de ventas).
So weit also zu (den Kosten) ... Was (den Gewinn) angeht ...	Esto en lo que concierne a (los gastos)… con respecto a (los beneficios):…

Dies bringt mich zu meinem nächsten Punkt.	Con ello paso al siguiente punto.
Ich möchte mich nun gerne, … widmen	Me gustaría ahora concentrarme en…

Auf einen vorhergegangenen Punkt verweisen — Remitirse a un punto tratado anteriormente

Wie ich vorhin bereits sagte/ erwähnte, …	Como ya he dicho/mencionado…
Wie ich zu Beginn meiner Präsentation sagte, …	Como ya dije al comienzo de mi presentación…
Um nochmals auf … zurückzukommen, …	Volviendo a…

Diagramme erklären und kommentieren — Explicar y comentar diagramas

Das Diagramm zeigt …	El diagrama muestra…
Schauen Sie sich einmal … an.	Observen…
Hier sehen Sie …	Aquí pueden ver…
Das Interessante/Ermutigende/Besorgniserregende ist hier zu sehen: …	Lo interesante/alentador/preocupante es ver…
Was können wir daraus erkennen?	¿Qué quiere decir esto?
Wenn wir diese beiden Punkte vergleichen, dann …	Si comparamos ambos puntos, entonces…
Was können wir daraus folgern?	¿Qué conclusiones podemos sacar de ello?
Nun, Tatsache ist, dass …	Bien, de hecho…
Es gibt hierfür nur eine mögliche Erklärung: …	Sólo existe una explicación posible…

Zusammenfassen und beenden — Resumir y concluir

Ich fasse dann noch einmal zusammen: …	En resumen…
Mit anderen Worten …	Con otras palabras…

Abschließend möchte ich …	Para concluir me gustaría…
Schließlich …	Por último…
Vielen Dank für Ihre Aufmerksamkeit.	Gracias por su atención.
Falls jetzt noch Fragen offen sind …	Si alguien tiene preguntas…

Fragen zur Präsentation

Preguntas sobre la presentación

Dann fange ich einfach (ein)mal an. Ich hätte eine Frage zu …	Entonces comienzo yo preguntando…
Wenn ich Sie richtig verstanden habe, …	Si le he entendido bien…
Als Sie … erwähnten, meinten Sie damit …?	Cuando ha mencionado…, ¿quería decir con ello …?
Das ist eine interessante Frage.	Esa es una pregunta interesante.
Gut, dass Sie das ansprechen.	Me alegro de que toque ese punto.
Was ich damit sagen will, ist …	Lo que quiero decir es que…
Ich meine damit …	Quiero decir con ello que…
Ich kann dem eigentlich nichts mehr hinzufügen.	No tengo más que añadir al respecto.
Leider gibt es darauf bis jetzt noch keine Antwort.	Desafortunadamente hasta el momento no hay respuesta para eso.
Ich glaube, Herr/Frau … könnte das am besten beantworten.	Creo que el señor/la señora… es la persona más indicada para responder a eso.
Kommen wir nun zur nächsten Frage.	Pasemos a la siguiente pregunta.
Leider haben wir nur noch für eine Frage Zeit.	Lamentablemente sólo queda tiempo para una pregunta.
Gut, das wär's. Vielen Dank.	Eso ha sido todo. Muchas gracias.
Vielen Dank für Ihre Aufmerksamkeit.	Gracias por su atención.
Ich möchte mich nur noch bei Ihnen bedanken, dass Sie heute gekommen sind.	Por último quiero agradecerles su presencia hoy aquí.

A, a [a:] *nt* <-, -> A, a *f*; **das ~ und O einer Sache** (*fam*) lo esencial de una cosa; **von ~ bis Z** (*fam*) de cabo a rabo

à [a:] *präp +akk* a... (cada uno); **10 Stück ~ drei Euro** 10 unidades a tres euros cada una

Aachen ['a:xən] *nt* <-s> Aquisgrán *m*

Aal [a:l] *m* <-(e)s, -e> anguila *f*

Aargau ['a:ɐgaʊ] *m* <-s> Argovia *f*

Aas [a:s] *nt* <-es, -e> carroña *f*

ab [ap] **I.** *präp +dat;* (*räumlich*) desde; (*zeitlich*) a partir de; **~ Hamburg** desde Hamburgo; **~ sofort** desde ya; **Kinder ~ 12 Jahren** niños de 12 años en adelante **II.** *adv*: **die dritte Straße rechts ~** hay que torcer la tercera calle a la derecha; **~ und zu** de vez en cuando; **ab|ändern** *vt* modificar; **ab|arbeiten** *vr:* **sich ~** matarse trabajando

Abb. *Abk. von* **Abbildung** ilust.

Abbau *m* <-[e]s, *ohne pl*> ❶ (*Auseinandernehmen*) desmontaje *m* ❷ (*Reduzierung*) reducción *f* ❸ BERGB explotación *f*; **ab|bauen I.** *vi* debilitarse **II.** *vt* (*zerlegen*) desmontar; (*verringern*) disminuir; BERGB explotar

ab|beißen *irr vi, vt* morder; **ab|bestellen*** *vt* anular; **ab|bezahlen*** *vt:* (**in Raten**) **~** pagar a plazos; **ab|biegen** *irr vi sein* torcer; **nach rechts ~** doblar a la derecha

ab|bilden *vt* reproducir; **er ist in der Zeitschrift abgebildet** hay una foto suya en el periódico; **Abbildung** *f* <-en> ilustración *f*

ab|blasen *irr vt* (*fam*) suspender

Abblendlicht *nt* <-(e)s, *ohne pl*> luz *f* de cruce

ab|brechen *irr* **I.** *vi sein* romperse **II.** *vt haben* (*Zweig*) romper; (*Gespräch*) interrumpir; **ab|bremsen** *vi, vt* frenar; **ab|brennen** *irr vi sein* quemarse; **ab|bringen** *irr vt:* **jdn von etw ~** disuadir a alguien de algo

Abbruch *m* <-(e)s, -brüche> ❶ (*Beendigung*) ruptura *f* ❷ *ohne pl* (*Haus*) derribo *m*

ab|buchen *vt* FIN cargar (en cuenta)

ab|decken *vt* (*bedecken*) tapar; (*frei machen*) destapar; (*Tisch*) quitar; (*Thema*) cubrir; **Abdeckung** *f* <-en> cubierta *f*

ab|dichten *vt* aislar; **ab|drehen** *vt* (*ausschalten*) apagar; (*zudrehen*) cerrar

Abdruck[1] *m* <-(e)s, -e> reproducción *f*

Abdruck[2] *m* <-(e)s, -drücke> impresión *f*; (*Spur*) huella *f*

ab|drucken *vt* imprimir

abend[ALT] *adv s.* **Abend**

Abend ['a:bənt] *m* <-s, -e> (*bis gegen 21 Uhr*) tarde *f*; (*ab etwa 21 Uhr*) noche *f*; **gegen ~** al atardecer; **es wird ~** atardece; **zu ~ essen** cenar; **Abendbrot** *nt*, **Abendessen** *nt* cena *f*;

Abendland *nt* <-(e)s> Occidente *m*

abendlich *adj* vespertino; **zu ~er Stunde** por la tarde

Abendmahl *nt* <-[e]s, *ohne pl*> REL comunión *f*; **Abendrot** *nt* <-[e]s, *ohne pl*> crepúsculo *m*

abends ['a:bənts] *adv* (*bis gegen 21 Uhr*) por la tarde; (*ab etwa 21 Uhr*) por la noche; **um acht Uhr ~** a las ocho de la tarde

Abendschule *f* colegio *m* nocturno

Abenteuer ['a:bəntɔɪɐ] *nt* <-s, -> aventura *f*

abenteuerlich *adj* fantástico

aber ['a:bɐ] *konj* pero

Aber *nt* <-s, -, *fam*: -s> pero *m*; **kein ~!** ¡y no hay peros que valgan!

Aberglaube(n) *m* superstición *f*; **abergläubisch** *adj* supersticioso

ab|erkennen* *irr vt:* **jdm Rechte ~** privar a alguien de derechos

ab|fahren *irr* **I.** *vi sein* salir **II.** *vt haben o sein* (*Strecke*) recorrer; **Abfahrt** *f* partida *f*; (*Zug*) salida *f*

Abfall *m* basura *f*; **Abfalleimer** *m* cubo *m* de la basura

ab|fallen *irr vi sein* caerse; (*Gelände*) descender; (*fam: übrig bleiben*) sobrar
abfällig *adj* despectivo; **sich ~ über jdn äußern** hablar despectivamente de alguien
ab|färben *vi* desteñir; **auf jdn ~** contagiar a alguien; **ab|finden** *irr vr:* **sich ~** conformarse (**mit** con)
Abfindung *f* <-en> indemnización *f*
ab|flauen ['apflaʊən] *vi sein* calmarse
ab|fließen *irr vi sein* (*Wasser, Geld*) salir
Abflug *m* salida *f*
Abfluss[RR] *m* desagüe *m*; **Abflussrohr**[RR] *nt* cañería *f* de desagüe
ab|fragen *vt* preguntar; **ab|führen** I. *vi* tener un efecto purgante II. *vt* (*Verbrecher*) llevar detenido; **ab|füllen** *vt* (*in Flaschen*) embotellar; (*in Gefäße*) envasar
Abgabe *f* (*Steuer*) impuesto *m*; **Abgabetermin** *m* fecha *f* de entrega
Abgas *nt* (gas *m* de) escape *m*; **Abgasnorm** *f* AUTO norma *f* de emisión (de gases)
ab|geben *irr* I. *vt* entregar; (*Erklärung*) dar; (*Urteil*) emitir II. *vr:* **sich mit jdm ~** tener trato con alguien
abgebrüht *adj* (*fam*) curado de espantos
abgedroschen *adj* (*fam*) trillado
ab|gehen *irr vi sein* (*Farbe*) irse; (*Knopf*) caerse
abgelegen *adj* distante
abgeneigt *adj*: **nicht ~ sein etw zu tun** no tener inconveniente en hacer algo
Abgeordnete(r) *mf* <-n, -n; -n> diputado, -a *m, f*
abgeschieden ['apgəʃi:dən] *adj* (*geh*) retirado; (*einsam*) solitario
abgeschlossen *adj* cerrado; (*isoliert*) aislado; (*vollendet*) acabado
abgespannt *adj* fatigado
abgestanden ['apgəʃtandən] *adj* (*Wasser*) reposado; (*Bier*) insípido
ab|gewöhnen* *vt:* **sich** *dat* **das Rauchen ~** dejar de fumar; **ab|grenzen** I. *vt* delimitar II. *vr:* **sich ~** distanciarse
Abgrund *m* precipicio *m*; (*a. fig*) abismo *m*
ab|gucken *vi, vt* (*fam*): (**etw**) **bei jdm ~** copiar (algo) de alguien; **ab|haken** *vt* marcar (con una cruz); (*fig: als erledigt ansehen*) dar por resuelto; **ab|halten** *irr vt:* **jdn von etw ~** impedir a alguien que haga algo; **ab|handeln** *vt* tratar
abhandenkommen [ap'handənkɔmən] *vt* extraviarse
Abhandlung *f* <-en> tratado *m* (**über** sobre); **Abhang** *m* pendiente *f*
ab|hängen[1] *irr vi* depender (**von** de)
ab|hängen[2] *vt* (*Bild*) descolgar; (*fam: Verfolger*) dejar atrás
abhängig *adj* dependiente; **~ sein von** depender de
Abhängigkeit *f* <-en> dependencia *f*; **gegenseitige ~** interdependencia *f*
ab|härten *vt, vr:* **sich ~** endurecer(se);
ab|hauen *irr vi sein* (*fam*) largarse;
ab|heben *irr* I. *vi* (*Flugzeug*) despegar II. *vt* (*Deckel*) destapar; (*Telefonhörer*) descolgar; (*Geld*) retirar III. *vr:* **sich von jdm/etw ~** destacar entre alguien/algo; **ab|heilen** *vi* curarse
Abhilfe *f* remedio *m*; **etw** *dat* **~ schaffen** poner remedio a algo
ab|holen *vt* recoger; **ab|hören** *vt* (*Anrufbeantworter*) escuchar
Abi ['abi:] *nt* <-s, -s> (*fam*), **Abitur** [abi'tu:ɐ] *nt* <-s, -e> bachillerato *m*
Abiturient(in) [abituri'ɛnt] *m(f)* <-en, -en; -nen> preuniversitario, -a *m, f*, bachiller *mf*
Abiturzeugnis *nt* título *m* de bachiller
Abk. *Abk. von* **Abkürzung** abr
ab|kapseln *vr:* **sich ~** aislarse; **ab|kassieren*** *vt* (*fam*) cobrar; **ab|kaufen** *vt:* **jdm etw ~** comprar algo a alguien; (*fam: glauben*) tragarse algo; **ab|klappern** *vt* (*fam*) recorrer; **ab|klären** *vt* aclarar; **ab|klingen** *irr vi sein* (*Lärm*) disminuir; (*Begeisterung*) reducirse; **ab|kochen** *vt* hervir; (*keimfrei machen*) esterilizar; **ab|kommen** *irr vi*

sein: **vom Weg ~** perderse
Abkommen *nt* <-s, -> acuerdo *m*
ab|kriegen *vt* (*fam*) ❶ (*erhalten*) llevarse su parte (de) ❷ (*erleiden*) sufrir; **er hat ganz schön was abgekriegt** ha recibido lo suyo; **ab|kühlen** *vr:* **sich ~** (*Wetter*) refrescar; (*Beziehungen*) enfriarse
ab|kürzen *vt* acortar; (*Weg*) atajar; (*Wort*) abreviar; **Abkürzung** *f* <-en> (*Weg*) atajo *m*
ab|laden *irr vt* descargar
Ablage *f* <-n> archivo *m*
ab|lagern I. *vi* (*Wein*) añejarse II. *vr:* **sich ~** posarse; **Ablagerung** *f* <-en> sedimento *m*
Ablauf *m* (*Verlauf*) (trans)curso *m*; (*einer Frist*) vencimiento *m*; **ab|laufen** *irr sein* I. *vi* (*Flüssigkeit*) escurrirse; (*Pass*) caducar; (*Frist*) expirar; (*verlaufen*) transcurrir II. *vt* (*Strecke*) recorrer (**nach** en busca de)
ab|lecken *vt* lamer; **ab|legen** I. *vi* (*Schiff*) zarpar II. *vt* (*Kleidung, Gewohnheit*) quitarse; **Vorurteile ~** deshacerse de prejuicios; **ab|lehnen** *vt* rechazar
ablehnend *adj* negativo; **etw** *dat* **eher ~ gegenüberstehen** no estar mucho por algo
Ablehnung *f* <-en> rechazo *m*; **auf ~ stoßen** ser rechazado
ab|leiten *vt* derivar (**aus** de)
ab|lenken *vt* distraer; **Ablenkung** *f* distracción *f*
ab|lesen *irr vi, vt* leer; **vom Blatt ~** leer la hoja; **ab|liefern** *vt* entregar; **ab|machen** *vt* (*vereinbaren*) acordar; (*Termin, Preis*) fijar; (*fam: entfernen*) quitar
Abmachung *f* <-en> acuerdo *m*
ab|magern *vi sein* adelgazar; **bis auf die Knochen abgemagert sein** estar en los huesos; **ab|melden** *vt, vr:* **sich ~** dar(se) de baja; **das Telefon ~** dar de baja el teléfono; **ab|messen** *irr vt* medir; **ab|montieren*** *vt* desmontar;
ab|mühen *vr:* **sich ~** esforzarse mucho; **ab|nabeln** *vr:* **sich ~** independizarse
Abnahme *f* <-n> ❶ (*Verminderung*) disminución *f*; (*der Temperatur*) descenso *m* ❷ (*Kauf*) compra *f*; **~ finden** tener salida; **ab|nehmen** *irr* I. *vi* (*Interesse*) disminuir; (*Gewicht verlieren*) adelgazar; TEL descolgar; **es nimmt keiner ab** no contesta nadie II. *vt* (*wegnehmen*) quitar; (*Hut*) quitar(se); (*Blut*) sacar; (*fam: glauben*) creer
Abnehmer(in) *m(f)* <-s, -; -nen> comprador(a) *m(f)*
Abneigung *f* antipatía *f* (**gegen** hacia)
ab|nutzen *vt, vr:* **sich ~** (des)gastar(se); **Abnutzung** *f* <-en> desgaste *m*
Abo ['abo] *nt* <-s, -s> (*fam*), **Abonnement** [abɔn(ə)'mɑ̃:] *nt* <-s, -s> suscripción *f*
Abonnent(in) [abɔ'nɛnt] *m(f)* <-en, -en; -nen> suscriptor(a) *m(f)*
abonnieren* [abɔ'ni:rən] *vt* suscribirse (a)
ab|passen *vt:* **den richtigen Augenblick ~** aguardar el momento oportuno; **jdn ~** salir al paso de alguien; **ab|plagen** *vr:* **sich ~** afanarse (**mit** en); **ab|prallen** *vi sein* rebotar; **die Kritik prallte an ihr ab** la crítica le resbaló; **ab|putzen** *vt* limpiar; **ab|quälen** *vr:* **sich ~** desriñonarse; **ab|rackern** *vr:* **sich ~** (*fam*) matarse a trabajar; **ab|raten** *irr vi:* **jdm von etw ~** desaconsejar algo a alguien; **ab|räumen** *vt* (*Teller*) retirar; **den Tisch ~** recoger la mesa; **ab|reagieren*** I. *vt* (*Ärger*) descargar (**an** en) II. *vr:* **sich ~** desfogarse
ab|rechnen *vi* echar la cuenta; **mit jdm ~** ajustarle las cuentas a alguien; **Abrechnung** *f* <-en> (*Bilanz*) cuenta *f*; **die ~ machen** hacer las cuentas
Abreibung *f*: **jdm eine ~ verpassen** (*fam*) dar una paliza a alguien
Abreise *f* partida *f*; **ab|reisen** *vi sein* partir (**nach** para)
ab|reißen *irr vt* arrancar; (*Gebäude*)

derribar; **Abriss**RR *m* <-es, -e> (*Übersicht*) compendio *m*

ab|rufen *irr vt* (*Daten*) pedir; **ab|runden** *vt a.* MATH redondear; (*ausgewogener machen*) completar

abrupt [ap'rʊpt] *adj* abrupto

ab|rüsten *vi* desarmar; **Abrüstung** *f* desarme *m*

ab|rutschen *vi sein* resbalar(se)

Abs. ❶ *Abk. von* **Absender** Rte. ❷ *Abk. von* **Absatz** párrafo *m*

Absage ['apza:gə] *f* (respuesta *f*) negativa *f*; **ab|sagen** I. *vi:* **jdm ~** anular una cita con alguien II. *vt* (*Treffen*) anular

ab|sahnen I. *vi* (*fam*) hacer su agosto II. *vt* (*fam: Profit*) forrarse (con)

Absatz *m* (*am Schuh*) tacón *m*; (*im Text*) párrafo *m*

ab|schaffen *vt* (*aufheben*) abolir; **Abschaffung** *f* <-en> abolición *f*

ab|schalten I. *vi* (*fam: unaufmerksam werden*) desconectar; (*sich entspannen*) relajarse II. *vt* (*ausmachen*) apagar; **ab|schätzen** *vt* calcular

abschätzig ['apʃɛtsɪç] *adj* despectivo

abscheulich [ap'ʃɔɪlɪç] *adj* repugnante

ab|schicken *vt* enviar

ab|schieben *irr vt* expulsar; **Abschiebung** *f* <-en> expulsión *f*

Abschied ['apʃi:t] *m* <-(e)s, -e> despedida *f*

ab|schießen *irr vt* disparar; (*Rakete*) lanzar; (*Flugzeug*) derribar; **ab|schlagen** *irr vt* (*ablehnen*) rechazar; **jdm eine Bitte ~** negarle a alguien un favor; **ab|schleppen** *vt* (*Auto*) remolcar

Abschleppseil *nt* cuerda *f* de remolcar; **Abschleppwagen** *m* grúa *f*

ab|schließen *irr vt* (*Tür*) cerrar con llave; (*beenden*) concluir; (*Studium*) terminar

abschließend ['apʃli:sənt] I. *adj* último II. *adv* por último

AbschlussRR *m* término *m*; (*Examen*) título *m*; **Abschlussprüfung**RR *f* examen *m* final; **Abschlusszeugnis**RR *nt* diploma *m*; SCH título *m* de graduado escolar; (*Abitur*) título *m* de bachiller

ab|schminken *vt, vr:* **sich ~** desmaquillar(se); **das kannst du dir ~!** ¡eso te lo puedes quitar de la cabeza!; **ab|schnallen** *vt, vr:* **sich ~** desabrochar(se); **ab|schneiden** *irr* I. *vi:* **gut/schlecht ~** tener/no tener éxito II. *vt* cortar; **von der Außenwelt abgeschnitten sein** estar incomunicado

Abschnitt *m* (*im Text*) párrafo *m*

ab|schotten ['apʃɔtən] *vt, vr:* **sich ~** aislar(se)

ab|schrauben *vt* desatornillar; **ab|schrecken** *vt* desanimar; (*Nudeln*) pasar por agua fría

abschreckend *adj* intimidatorio

Abschreckung *f* <-en> intimidación *f*

ab|schreiben *irr vt* copiar; **ich hatte ihn längst abgeschrieben** (*fam*) hacía tiempo que le había borrado de mi lista; **Abschrift** *f* <-en> copia *f*

abschüssig ['apʃʏsɪç] *adj* empinado; (*Küste*) escarpado

ab|schütteln *vt* (*entfernen*) sacudir; (*Person*) librarse (de); **ab|schwächen** I. *vt* ❶ (*Wirkung*) debilitar ❷ (*Eindruck*) atenuar II. *vr:* **sich ~** debilitarse; **ab|schweifen** ['apʃvaɪfən] *vi sein* (*geh: vom Weg*) desviarse; (*Gedanke*) divagar; **ab|schwellen** *irr vi sein* deshincharse; (*Lärm*) disminuir; **der Finger ist abgeschwollen** la inflamación del dedo ha bajado

absehbar *adj* previsible; **in ~er Zeit** en breve

ab|sehen *irr* I. *vi* (*verzichten*) prescindir (**von** de); **abgesehen von ...** a excepción de...; **abgesehen davon** aparte de eso II. *vt* (*voraussehen*) prever; **es ist abzusehen, dass ...** es de prever que...; **es auf jdn abgesehen haben** (*gernhaben wollen*) pretender conseguir a alguien; (*schikanieren*) tomarla con alguien

abseits ['apzaɪts] I. *präp +gen* lejos de

II. *adv* (*fern*) alejado
ab|senden *irr vt* enviar; **Absender(in)** *m(f)* <-s, -; -nen> remitente *mf*
ab|setzen I. *vt* (*hinstellen*) poner (**auf** en); (*Brille*) quitarse II. *vr:* **sich ~** (*fam: verschwinden*) escaparse; **ab|sichern** *vt, vr:* **sich ~** asegurar(se)
Absicht *f* <-en> propósito *m*; **mit/ohne ~** a propósito/sin querer; **die ~ haben etw zu tun** tener la intención de hacer algo
absichtlich I. *adj* intencionado II. *adv* a propósito
ab|sitzen *irr vt* (*fam: Strafe*) cumplir
absolut [apzo'lu:t] *adj* absoluto; **~ nichts** nada en absoluto
absolvieren* [apzɔl'vi:rən] *vt* (*Studium*) terminar; (*Prüfung*) aprobar
ab|sondern *vr:* **sich ~** apartarse
ab|speichern *vt* INFOR almacenar (**auf** en)
ab|sperren *vt* (*Straße*) cortar; (ÖSTERR, SÜDD: *abschließen*) cerrar (con llave); **Absperrung** *f* <-en> ❶ (*das Absperren*) bloqueo *m*; (*von Straßen*) corte *m* de carreteras ❷ (*Sperre*) barrera *f*
ab|spielen *vr:* **sich ~** ocurrir
Absprache *f* <-n>: **nach vorheriger ~** según acuerdo previo; **eine ~ treffen** llegar a un acuerdo; **ab|sprechen** *irr vt* (*vereinbaren*) acordar; (*aberkennen*) privar (de)
ab|springen *irr vi sein* saltar (**von** de); **Absprung** *m* <-(e)s, -sprünge> salto *m*; **den ~ schaffen** (*fam fig*) aprovechar el momento adecuado
ab|stammen *vi* descender (**von** de)
Abstand *m* distancia *f*; **in regelmäßigen Abständen** a intervalos regulares
ab|stauben ['apʃtaʊbən] *vt* ❶ (*putzen*) desempolvar, quitar el polvo (a) ❷ (*schnorren*) gorronear
Abstecher *m* <-s, -> excursión *f*; (*Umweg*) vuelta *f*
ab|stehen *irr vi* destacarse; **~de Ohren** orejas de soplillo; **ab|steigen** *irr vi sein* descender; (*vom Pferd*) bajar; **in einer Pension ~** parar en una pensión; **ab|stellen** *vt* (*hinstellen*) colocar; (*ausmachen*) apagar; (*Strom*) cortar
Abstellraum *m* (cuarto *m*) trastero *m*
ab|sterben *irr vi sein* (*Zellen, Blätter*) morirse; (*Glieder*) entumecerse
Abstieg ['apʃti:k] *m* <-(e)s, -e> bajada *f*
ab|stimmen I. *vi* votar (**über** sobre) II. *vt* (*harmonisieren*) ajustar (**auf** a); **sich mit jdm ~** ponerse de acuerdo con alguien; **Abstimmung** *f* <-en> votación *f*
ab|stoßen *irr vt* asquear
abstoßend *adj* repugnante
abstrakt [ap'strakt] *adj* abstracto
ab|streiten *irr vt* negar; **ab|stumpfen** ['apʃtʊmpfən] I. *vi sein* (*fig*) embrutecerse; (*Gefühl*) embotarse II. *vt* truncar; (*fig*) embrutecer
Absturz *m* caída *f*; INFOR fallo *m* general; **ab|stürzen** *vi sein* (*Flugzeug*) estrellarse; (*Bergsteiger*) caer; INFOR producirse un error de tipo general (en)
ab|stützen *vt, vr:* **sich ~** apoyar(se); **ab|suchen** *vt* buscar por todas partes
absurd [ap'zʊrt] *adj* absurdo
Abt, Äbtissin [apt, ɛp'tɪsɪn] *m, f* <-(e)s, Äbte; -nen> abad(esa) *m(f)*
ab|tasten *vt* (*befühlen*) tentar
Abtei [ap'taɪ] *f* <-en> abadía *f*
Abteil [ap'taɪl] *nt* compartim(i)ento *m*
Abteilung [-'--] *f* <-en> (*im Kaufhaus*) sección *f*; (*im Krankenhaus*) unidad *f*; **Abteilungsleiter(in)** *m(f)* jefe, -a *m, f* de sección
ab|töten *vt* matar
ab|treiben *irr* I. *vi* ❶ *sein* (*Boot*) derivar ❷ (*Schwangerschaft abbrechen*) abortar II. *vt* (*Schwangerschaft abbrechen*) abortar; **Abtreibung** *f* <-en> aborto *m*
ab|trennen *vt* (*Angenähtes*) descoser; (*abteilen*) separar; **ab|trocknen** *vt* secar; **ab|tun** *irr vt* rechazar; **etw als belanglos ~** minimizar algo; **ab|wägen** ['apvɛ:gən] <wägt ab, wog ab, abgewogen> *vt* ponderar; **ab|wälzen**

vt (*Schuld*) echar (**auf** a); (*Arbeit*) descargar (**auf** en); **ab|wandeln** *vt* modificar; **ab|wandern** *vi sein* emigrar; **ab|warten** *vi, vt* esperar

abwärts ['apvɛrts] *adv* hacia abajo

ab|waschen *irr vi, vt* fregar

Abwasser *nt* <-s, -wässer> aguas *fpl* residuales

ab|wechseln *vi, vr:* **sich ~** alternar(se)

abwechselnd *adv* por turnos

Abwechs(e)lung *f* <-en> cambio *m*; **zur ~** para variar

abwechslungsreich *adj* variado

abwegig ['apve:gɪç] *adj* desacertado

Abwehr ['pve:ɐ] *f* defensa *f*; **ab|wehren** *vt* (*fernhalten*) mantener a distancia; (*Angriff*) rechazar; **Abwehrkräfte** *f pl* defensas *fpl* (del organismo)

ab|weichen *irr vi sein* (*vom Kurs, Thema*) desviarse; (*sich unterscheiden*) divergir; (*Meinung*) discrepar

Abweichung *f* <-en> ❶ (*das Abweichen*) desviación *f* ❷ TECH anomalía *f*, irregularidad *f*

ab|weisen *irr vt* rechazar; (*wegschicken*) no recibir; **ab|wenden** *irr* **I.** *vt* (*Blick*) apartar; (*Gefahr*) evitar **II.** *vr:* **sich ~** apartarse; **ab|werfen** *irr vt* (*Bomben*) lanzar; **ab|werten** *vt* despreciar; FIN devaluar

abwesend ['apve:zənt] *adj* ausente

Abwesenheit *f* <-en> ausencia *f*

ab|wiegen *irr vt* pesar; **ab|wischen** *vt* limpiar; **ab|zahlen** *vt* (*in Raten*) pagar a plazos; **ab|zählen** *vt* contar; **ab|zeichnen** **I.** *vt* (*kopieren*) copiar; (*signieren*) firmar **II.** *vr:* **sich ~** perfilarse; **ab|ziehen** *irr* **I.** *vi* (*Rauch*) salir(se); (*Gewitter*) alejarse **II.** *vt:* **das Bett ~** quitar las sábanas; **ab|zielen** *vi* referirse (**auf** a)

Abzocke *f ohne pl* (*pej fam*) abuso *m*, clavada *f*

Abzug *m* FOTO copia *f*

ab|zweigen **I.** *vi sein* desviarse **II.** *vt haben* (*Geld*) apartar

Achse ['aksə] *f* <-n> eje *m*

Achsel ['aksəl] *f* <-n> axila *f*; **mit den ~n zucken** encogerse de hombros; **Achselhöhle** *f* sobaco *m*; **Achselzucken** *nt* <-s, *ohne pl*> encogimiento *m* de hombros

acht[1] [axt] *adj inv* ocho; **es ist gleich ~ (Uhr)** van a ser las ocho (horas); **um/gegen ~ (Uhr)** a las/sobre las ocho (horas); **mit ~ (Jahren)** a los ocho años; **vor ~ Tagen** hace ocho días; **in ~ Tagen** dentro de ocho días; **heute/morgen in ~ Tagen** de hoy en/mañana en ocho días

acht[ALT2] *s.* **Acht**

Acht [axt] *f* atención *f*; **~ geben** prestar atención (**auf** a) (*auf Personen*) cuidar (**auf** de); **etw außer ~ lassen** prescindir de algo; **sich (vor jdm) in ~ nehmen** cuidarse (de alguien); **gib ~, wohin du trittst!** ¡ten cuidado de dónde pisas!

achtbar *adj* respetable

achte(r, s) *adj* octavo; **der ~/am ~n Dezember** el ocho de diciembre; **das ~ Mal** la octava vez; **jeden ~n Tag** cada ocho días

achtel *adj inv* octavo; **ein ~ Zentner** la octava parte de un quintal

Achtel ['axtəl] *nt* <-s, -> octavo, -a *m, f*, octava parte *f*

achten ['axtən] **I.** *vi* atender (**auf** a); (*auf den Weg*) fijarse (**auf** en); **auf jdn ~** cuidar de alguien **II.** *vt:* **jdn ~** respetar a alguien

achtens ['axtəns] *adv* en octavo lugar; (*bei einer Aufzählung*) octavo

Achterbahn *f* montaña *f* rusa

achterlei *adj inv* de ocho clases diferentes, ocho clases (diferentes) de; **auf ~ Weise** de ocho formas diferentes

achtfach *adj* óctuplo; **die ~e Menge** ocho veces la cantidad

acht|geben *irr vi s.* **Acht**

achthundert ['-'--] *adj inv* ochocientos; **~ Personen** ochocientas personas

achtjährig ['axtjɛ:rɪç] *adj* (*acht Jahre alt*) de ocho años; (*acht Jahre dauernd*) de

ocho años de duración

achtlos *adj* desconsiderado; ~ **mit etw umgehen** tratar algo con descuido

achtmal *adv* ocho veces; ~ **so viel(e)** ocho veces más; ~ **täglich** ocho veces al día

Achtung ['axtʊŋ] *f* (*Aufmerksamkeit*) atención *f*; (*Wertschätzung*) respeto *m* (**vor** a); ~ **Stufe!** ¡cuidado con el escalón!; ~ **, fertig, los!** ¡preparados, listos, ya!; **sich** *dat* ~ **verschaffen** hacerse respetar

achtzehn *adj inv* dieciocho; **wann wirst du ~?** ¿cuándo cumples los 18?; *s.a.* **acht**[1]

achtzig ['axtsɪç] *adj inv* ochenta; **etwa ~ (Jahre alt)** sobre los ochenta (años); **über/unter ~** más de/menos de ochenta; **die ~er Jahre** los años ochenta

achtzigste(r, s) *adj* octogésimo; **heute ist ihr ~r Geburtstag** hoy es su octogésimo aniversario

ächzen ['ɛçtsən] *vi* (*Person*) gemir (**vor** de)

Acker ['akɐ] *m* <-s, Äcker> campo *m*; **Ackerbau** *m* <-s, *ohne pl*> agricultura *f*

ADAC [a:de:ʔa:'tse:] *m* <-> *Abk. von* **Allgemeiner Deutscher Automobil-Club** *Automóvil Club de Alemania*

addieren* [a'di:rən] *vt* sumar (**zu** a)

Addition [adi'tsjo:n] *f* <-en> adición *f* (**zu** a)

Adel ['a:dəl] *m* <-s, *ohne pl*> nobleza *f*

ad(e)lig ['a:d(ə)lɪç] *adj* noble

Ader ['a:dɐ] *f* <-n> (*a. fig*) vena *f*

Adjektiv ['atjɛkti:f] *nt* <-s, -e> adjetivo *m*

Adler ['a:dlɐ] *m* <-s, -> águila *f*

Administration [atminɪstra'tsjo:n] *f* <-en> administración *f*

adoptieren* [adɔp'ti:rən] *vt* adoptar

Adoption [adɔp'tsjo:n] *f* <-en> adopción *f*

Adoptiveltern *pl* padres *m pl* adoptivos; **Adoptivkind** *nt* hijo, -a *m, f* adoptivo, -a

Adr. *Abk. von* **Adresse** dir.

Adressat(in) [adrɛ'sa:t] *m(f)* <-en, -en; -nen> destinatario, -a *m, f*

Adresse [a'drɛsə] *f* <-n> dirección *f*

Adria ['a:dria] *f* Adriático *m*

Advent [at'vɛnt] *m* <-(e)s, -e> Adviento *m*

Adverb [at'vɛrp] *nt* <-s, -verbien> adverbio *m*

Affäre [a'fɛ:rə] *f* <-n> (*Liebesabenteuer*) aventura *f* amorosa; (*Skandal*) affaire *m*; **sich mit etw aus der ~ ziehen** salir del apuro con algo

Affe ['afə] *m* <-n, -n> mono *m*

affig *adj* (*fam*) afectado

Afrika ['a(:)frika] *nt* <-s> África *f*

Afrikaner(in) [afri'ka:nɐ] *m(f)* <-s, -; -nen> africano, -a *m, f*

afrikanisch *adj* africano

After ['aftɐ] *m* <-s, -> ano *m*

AG [a:'ge:] *f* <-(s)> *Abk. von* **Aktiengesellschaft** S.A. *f*

Ägäis [ɛ'gɛ:ɪs] *f* Egeo *m*

Agentur *f* <-en> agencia *f*

Aggression [agrɛ'sjo:n] *f* <-en> ❶ (*Angriff*) agresión *f* ❷ (*Angriffslust*) agresividad *f*

aggressiv *adj* agresivo

Aggressivität *f* agresividad *f*

Agrarwirtschaft *f ohne pl* economía *f* agrícola

Ägypten [ɛ'gʏptən] *nt* <-s> Egipto *m*

ähneln ['ɛ:nəln] *vi*: **jdm ~** parecerse a alguien

ahnen ['a:nən] *vt* (*voraussehen*) prever; (*vorausfühlen*) presentir; (*vermuten*) sospechar; **nichts ~d** sin sospechar nada; **ich habe es geahnt** ya me lo había figurado

ähnlich ['ɛ:nlɪç] *adj* parecido; **bei ~er Gelegenheit** en semejantes circunstancias; **das sieht ihm ~** (*fam*) ¡seguro que es una de las suyas!

Ähnlichkeit *f* <-en> parecido *m*

Ahnung *f* <-en> (*Vorgefühl*) presentimiento *m*; (*Wissen*) idea *f*; **keine ~!** ¡ni idea!; **ahnungslos** *adj* (*nichts ah-*

nend) desprevenido; (*unwissend*) ignorante

Aids [ɛɪts] *nt* <-, *ohne pl*> SIDA *m*; **Aidskranke(r)** *mf* enfermo, -a *m, f* de SIDA; **Aidsvirus** *nt* virus *m* del SIDA

Airbag ['ɛɐbɛ:k] *m* <-s, -s> AUTO airbag *m*, bolsa *f* de aire

Akademie [akade'mi:] *f* <-n> academia *f*

Akademiker(in) [aka'de:mikɐ] *m(f)* <-s, -; -nen> académico, -a *m, f*

akklimatisieren* [aklimati'zi:rən] *vr:* **sich ~** aclimatarse

Akkord [a'kɔrt] *m* <-(e)s, -e> ❶ MUS acorde *m* ❷ WIRTSCH: **im ~ arbeiten** trabajar a destajo

Akkordeon [a'kɔrdeɔn] *nt* <-s, -s> acordeón *m*

akkurat [aku'ra:t] *adj* meticuloso

Akkusativ ['akuzati:f] *m* <-s, -e> acusativo *m*

Akne ['a:knə] *f* <-n> acné *m*

Akrobat(in) [akro'ba:t] *m(f)* <-en, -en; -nen> acróbata *mf*

Akt [akt] *m* <-(e)s, -e> acto *m*; KUNST desnudo *m*

Akte ['aktə] *f* <-n> acta *f*; **etw zu den ~n legen** (*fig*) dar carpetazo a algo; **Aktenordner** *m* archivador *m*

Aktie ['aktsjə] *f* <-n> acción *f*; **Aktiengesellschaft** *f* sociedad *f* anónima; **Aktienspekulation** *f* especulación *f* bursátil

Aktion [ak'tsjo:n] *f* <-en> acción *f*; **in ~ treten** entrar en acción

aktiv [ak'ti:f] *adj* activo

Aktivität *f* <-en> actividad *f*

aktualisieren* [aktuali'zi:rən] *vt* actualizar

Aktualität [aktuali'tɛ:t] *f* actualidad *f*

aktuell [aktu'ɛl] *adj* actual

Akustik [a'kʊstɪk] *f* acústica *f*

akustisch *adj* acústico

akut [a'ku:t] *adj* agudo

Akzent [ak'tsɛnt] *m* <-(e)s, -e> acento *m* (**auf** en); **~e setzen** (*fig*) marcar la pauta

akzeptabel [aktsɛp'ta:bəl] *adj* aceptable

akzeptieren* *vt* aceptar

Alarm [a'larm] *m* <-(e)s, -e> alarma *f*; **~ schlagen** tocar la alarma; **Alarmanlage** *f* sistema *m* de alarma; **Alarmbereitschaft** *f* estado *m* de alerta

alarmieren* *vt* alarmar

Albanien [al'ba:niən] *nt* <-s> Albania *f*

albanisch *adj* albanés

Alben *pl von* **Album**

albern ['albɐn] *adj* (*abw*) tonto; (*kindisch*) pueril; **sich ~ benehmen** hacer el bobo

Albtraum[RR] *m s.* **Alptraum**

Album ['albʊm] *nt* <-s, Alben> álbum *m*

Alge ['algə] *f* <-n> alga *f*

Algebra ['algebra] *f* álgebra *f*

Algerien [al'ge:riən] *nt* <-s> Argelia *f*

Alibi ['a:libi] *nt* <-s, -s> coartada *f*

Alimente [ali'mɛntə] *pl* manutención *f*

Alkohol ['alkoho:l] *m* <-s, -e> alcohol *m*; **alkoholfrei** *adj* sin alcohol

Alkoholiker(in) [alko'ho:likɐ] *m(f)* <-s, -; -nen> alcohólico, -a *m, f*

alkoholisch [--'--] *adj* alcohólico

Alkoholismus *m* <-, *ohne pl*> alcoholismo *m*

Alkoholtest *m* prueba *f* de alcoholemia

all [al] *pron indef* todo; **~ die Mühe** todo el esfuerzo; *s.a.* **alle(r, s)**

All [al] *nt* <-s, *ohne pl*> espacio *m*

alle ['alə] *adv* (*fam*): **es ist ~** se acabó; **ich bin total ~** (*fam*) estoy hecho polvo

alle(r, s) *pron indef* ❶ *sg* todo; **wer war ~s da?** ¿quiénes estaban?; **~s in ~m** (*insgesamt*) en total; (*kurzum*) en resumen; **~s Mögliche** de todo; **vor ~m** sobre todo ❷ *pl* todos; **~ auf einmal** todos a la vez; **~ zehn Minuten** cada diez minutos; **auf ~ Fälle** de todos modos; **für ~ Zeiten** para siempre

Allee [a'le:] *f* <-n> avenida *f*

allein(e) [a'laɪn(ə)] I. *adj* solo; **kann ich dich einen Augenblick ~(e) sprechen?** ¿te puedo hablar un momento

a solas? **II.** *adv* (*nur*) sólo; **du ~(e) bist schuld daran** sólo tú tienes la culpa; **einzig und ~(e)** únicamente; **Alleinerziehende(r)** *mf* <-n, -n; -n> padre *m* soltero, madre *f* soltera; **alleinstehend** *adj* soltero

allenfalls ['alən'fals] *adv* en el mejor de los casos

allerbeste(r, s) ['alɐ'bɛstə, -tɐ, -təs] *adj* mejor (de todos); **es wäre am ~n, wenn ...** lo mejor sería, si... *+subj*

allerdings ['alɐ'dɪŋs] *adv* (*einschränkend*) no obstante; (*bekräftigend*) naturalmente

allererste(r, s) ['--'--] *adj* primero (de todos)

Allergie [alɛr'gi:] *f* <-n> alergia *f* (**gegen** a)

Allergiker(in) [a'lɛrgikɐ] *m(f)* <-s, -; -nen> alérgico, -a *m, f*

allergisch *adj* alérgico (**gegen** a)

allerhand ['--'-] *adj inv* (*fam: allerlei*) de toda clase; **dort gab es ~ Leute** allí había gente de todo tipo; **das ist ~ Geld** eso es bastante dinero

allerlei ['alɐ'laɪ] *adj inv*: **~ Tiere** animales de todas clases; **es wird ~ geredet** se dice de todo

allerletzte(r, s) ['--'--] *adj* último (de todos); **das ist das Allerletzte!** ¡esto es lo último!; **allermeiste(r, s)** ['--'--] *adj*: **die ~n Menschen** la mayor parte de la gente; **am ~n** sobre todo

allg. *Abk. von* **allgemein** general

Allgäu ['algɔɪ] *nt* <-s> Algoia *f*

allgegenwärtig ['-----] *adj* omnipresente

allgemein [algə'maɪn] *adj* general; **im Allgemeinen** en general; **~ gültig** universal; **~ üblich** generalizado; **~ verständlich** comprensible para todos; **es ist ~ bekannt, dass ...** es de todos sabido que...; **Allgemeinbildung** [--'---] *f* cultura *f* general; **allgemeingültig** [--'---] *adj s.* **allgemein**

Allgemeinheit [--'--] *f* público *m*; **im Interesse der ~** para el interés general

Allgemeinmedizin [--'----] *f* medicina *f* general; **allgemeinverständlich** [--'----] *adj s.* **allgemein**

Alliierte(r) *mf* <-n, -n; -n> aliado, -a *m, f*

All-Inclusive-Angebot *nt* <-(e)s, -e> paquete *m* [*o* oferta *f*] (especial) todo incluido; **All-inclusive-Urlaub** [ɔ:lɪn'klu:sɪfu:ɐlaup] *m* pack *m* de vacaciones

alljährlich [-'--] **I.** *adj* anual **II.** *adv* cada año

allmählich [al'mɛ:lɪç] **I.** *adj* paulatino **II.** *adv* poco a poco; **es wird ~ Zeit!** (*iron*) ¡ya va siendo hora!

Alltag ['alta:k] *m* <-(e)s, *ohne pl*> vida *f* cotidiana; **alltäglich** [-'--] *adj* diario; (*gewöhnlich*) banal

allwissend ['-'--] *adj* omnisciente; **allzu** ['--] *adv* demasiado

Alm [alm] *f* <-en> pasto *m* de alta montaña

Almosen ['almo:zən] *nt* <-s, -> limosna *f*

Alpen ['alpən] *pl* Alpes *m pl*

Alphabet [alfa'be:t] *nt* <-(e)s, -e> alfabeto *m*

alphabetisch *adj* alfabético

Alptraum *m* pesadilla *f*

als [als] *konj* ❶ (*gleichzeitig*) (justo) cuando; **~ der Krieg ausbrach, ...** al estallar la guerra... ❷ (*als ob*) como si; **es sieht nicht so aus, ~ würden wir das Spiel verlieren** no parece que vayamos a perder el partido; **er ist zu anständig, ~ dass er so etwas tun könnte** es demasiado correcto como para hacer una cosa así ❸ (*bei Vergleichen*) que; **ich bin klüger ~ vorher** soy más listo que antes ❹ (*in der Eigenschaft*) como; **~ Belohnung waren 1.000 Euro ausgesetzt** fijaron 1.000 euros de recompensa

also ['alzo] *adv* (*folglich*) por consiguiente; (*das heißt*) o sea

alt [alt] *adj* <älter, am ältesten> viejo; (*gebraucht*) usado; **wie ~ bist du?** ¿cuántos años tienes?; **ich bin 17 Jahre ~** tengo 17 años; **es bleibt alles**

beim Alten todo sigue igual

Altar [al'ta:ɐ] *m* <-s, Altäre> altar *m*

Altenheim *nt* residencia *f* de ancianos;

Altenpflege *f* cuidados *m pl* a ancianos

Alter ['altɐ] *nt* <-s, *ohne pl*> edad *f*; (*Lebensabschnitt*) vejez *f*; **im ~ von drei Jahren** a la edad de tres años; **er ist in deinem ~** es de tu edad

altern ['altɐn] *vi sein* envejecer

alternativ *adj* alternativo

Alternative *f* <-n> alternativa *f*

Altersheim *nt* residencia *f* de ancianos

Altersteilzeit *f ohne pl tipo de jubilación anticipada que permite reducir la jornada laboral (adaptando también el sueldo) a los trabajadores de más de 55 años*

Altertum ['altɐtu:m] *nt* <-s, *ohne pl*> antigüedad *f*

Altglas *nt* <-[e]s, *ohne pl*> (botellas *fpl* de) vidrio *m* reciclable; **Altglascontainer** *m* contenedor *m* de vidrio reciclable

altmodisch *adj* chapado a la antigua

Altpapier *nt* <-s, *ohne pl*> papel *m* reciclable; **Altstadt** *f* casco *m* antiguo

Alu ['a:lu] *nt* <-[s], *ohne pl*> *Abk. von* **Aluminium** aluminio *m*; **Alufolie** ['a:lufo:liə] *f* papel *m* de aluminio

Aluminium [alu'mi:niʊm] *nt* <-s, *ohne pl*> aluminio *m*

am [am] I. (*Superlativbildung*): **Lothar fährt ~ schnellsten** Lothar es el que más rápido conduce II. = **an dem** *s.* **an** III. (*fam: Verlaufsform*): **ich bin ~ Arbeiten** estoy trabajando

Amateur(in) [ama'tø:ɐ] *m(f)* <-(e)s, -e; -nen> aficionado, -a *m, f*

ambulant [ambu'lant] *adj* ambulante; **~e Behandlung** tratamiento ambulatorio

Ambulanz [ambu'lants] *f* <-en> (*Klinikstation*) ambulatorio *m*

Ameise ['a:maɪzə] *f* <-n> hormiga *f*

Amerika [a'me:rika] *nt* <-s> América *f*

Amerikaner(in) [ameri'ka:nɐ] *m(f)* <-s, -; -nen> americano, -a *m, f*

amerikanisch *adj* americano

Amok ['a:mɔk] *m*: **~ laufen/fahren** *ir enloquecido, destruyendo o matando*

Ampel ['ampəl] *f* <-n> semáforo *m*

amputieren* [ampu'ti:rən] *vt* amputar

Amsel ['amzəl] *f* <-n> mirlo *m*

Amt [amt] *nt* <-(e)s, Ämter> (*Stellung*) cargo *m*; (*Behörde*) departamento *m*; **im ~ sein** estar en funciones; **Auswärtiges ~** Ministerio de Asuntos Exteriores

amtlich *adj* oficial; **~es Kennzeichen** matrícula *f*

Amtssprache *f* idioma *m* oficial; EU lengua *f* oficial

amüsant [amy'zant] *adj* entretenido; (*lustig*) divertido

amüsieren* [amy'zi:rən] *vt, vr*: **sich ~** divertir(se)

an [an] I. *präp +dat* ❶ (*nahe bei*) junto a; **~ der Ecke** en la esquina; **er geht ~ mir vorbei** pasa por mi lado ❷ (*geographisch gelegen*) (a orillas) de; **Frankfurt ~ der Oder/am Main** Francfort del Oder/del Meno ❸ (*zeitlich*) a; **am Abend** por la tarde; **am Anfang** al principio; **am 29. November 1991** el 29 de noviembre de 1991 II. *präp +akk* ❶ (*in Richtung auf*) a; **sich ~ die Wand lehnen** apoyarse contra la pared; **er trat ~s Fenster** fue hacia la ventana; **~ die Arbeit!** ¡al trabajo! ❷ (*für*) para; **ein Brief ~ seinen Sohn** una carta a su hijo; **ich habe eine Frage ~ dich** tengo una pregunta que hacerte; **~ (und für) sich** de por sí ❸ (*ungefähr*) aproximadamente; **sie verdient ~ die 4.000 Euro** cobra unos 4.000 euros III. *adv* (*eingeschaltet*) encendido; **von ... ~** a partir de...; **von Anfang ~** desde el principio

analog [ana'lo:k] *adj* análogo

Analphabet(in) ['analfabe:t] *m(f)* <-en, -en; -nen> analfabeto, -a *m, f*

Analyse [ana'ly:zə] *f* <-n> análisis *m inv*

analysieren* [analy'zi:rən] *vt* analizar

Ananas ['ananas] *f* <-(se)> piña *f*, ananá(s) *m*

Anatomie [anato'mi:] *f* anatomía *f*

an|bahnen *vt, vr:* **sich ~** iniciar(se)

Anbau *m* <-(e)s, -ten> ❶ (*Nebengebäude*) anexo *m* ❷ *ohne pl* AGR cultivo *m*; **aus kontrolliert-biologischem ~** de cultivo biológico controlado; **an|bauen** *vt* AGR cultivar

anbei [-'-] *adv* adjunto

an|beißen *irr* I. *vi* (*Fisch*) picar; (*fam: Person*) aceptar II. *vt* morder (en); **an|beten** *vt* adorar

Anbetracht ['anbətraxt]: **in ~** *+gen* en vista de

an|biedern *vr:* **sich ~** congraciarse (**bei** con)

an|bieten *irr* I. *vt* ofrecer II. *vr:* **sich ~** (*zur Verfügung stellen*) ofrecerse (**als** como/de); (*geeignet sein*) ser apropiado; **sie bot sich an ihm zu helfen** se brindó a ayudarle; **Anbieter** *m* <-s, -> WIRTSCH vendedor *m*; (*Ausschreibung*) licitador *m*; **Anbieterwechsel** *m* <-s, -> cambio *m* de proveedor

an|binden *irr vt* atar (a)

Anblick *m* aspecto *m*; **an|blicken** *vt* mirar

an|brechen *irr* I. *vi sein* (*geh: Tag*) rayar; (*Nacht*) entrar II. *vt haben* (*Vorrat*) empezar; (*Packung*) abrir; **an|brennen** *irr vi sein* (*Speisen*) quemarse; **an|bringen** *irr vt* (*befestigen*) colocar; (*installieren*) instalar

Anbruch *m* <-(e)s, *ohne pl*> comienzo *m*; **bei ~ der Nacht** al caer la noche

Andacht ['andaxt] *f* <-en> ❶ (*Gottesdienst*) misa *f* ❷ *ohne pl* (*Versenkung*) recogimiento *m*

Andalusien [anda'lu:ziən] *nt* <-s> Andalucía *f*

andalusisch *adj* andaluz

an|dauern *vi* durar; (*weitergehen*) seguir

andauernd *adj* continuo

Anden ['andən] *pl* Andes *mpl*

Andenken *nt* <-s, -> ❶ (*Souvenir*) recuerdo *m* ❷ *ohne pl* (*Erinnerung*) memoria *f* (**an** de)

andere(r, s) *pron indef* ❶ (*verschieden*) otro; **alle ~n** todos los demás; **jemand ~s** otra persona; **einer nach dem ~n** uno tras otro ❷ (*folgend*) siguiente; **von einem Tag auf den ~n** de la noche a la mañana; **am ~n Tag** al día siguiente

ander(e)nfalls *adv* en caso contrario

and(e)rerseits *adv* por otro lado; **einerseits ..., ~ ...** por una parte..., por otra, ...

andermal *adv*: **ein ~** en otra ocasión

ändern ['ɛndɐn] *vt, vr:* **sich ~** cambiar

anders ['andɐs] *adv* de otro modo (**als** que); (*unterschiedlich*) distinto (**als** a/de); **~ Denkender** persona de diferente parecer; **ich habe es mir ~ überlegt** cambié de opinión; **Andersdenkende(r)** *mf* <-n, -n; -n> *s.* **anders**; **anderswo** ['--(')-] *adv* en (cualquier) otra parte

anderthalb ['andɐt'halp] *adj inv* uno y medio

Änderung ['ɛndərʊŋ] *f* <-en> (*Umgestaltung*) modificación *f*; (*Wechsel*) cambio *m*

an|deuten I. *vt* (*kurz erwähnen*) aludir (a); (*zu verstehen geben*) dar a entender II. *vr:* **sich ~** vislumbrarse; **Andeutung** *f* <-en> ❶ (*Anspielung*) alusión *f*; **~en über etw machen** hacer alusiones respecto a algo ❷ (*Anzeichen*) asomo *m*

Andorra [an'dɔra] *nt* <-s> Andorra *f*

andorranisch *adj* andorrano

Andrang *m* <-(e)s, *ohne pl*> (*Gedränge*) aglomeración *f* de gente

an|drehen *vt:* **jdm etw ~** (*fam*) endosar algo a alguien; **an|drohen** *vt:* **jdm etw ~** amenazar a alguien con algo; **an|eignen** *vt:* **sich** *dat* **etw ~** (*Gegenstand*) apropiarse de algo; (*Wissen*) adquirir

aneinander [--'--] *adv* el uno al otro; **~ denken** pensar el uno en el otro

Anekdote [anɛk'do:tə] *f* <-n> anécdota *f*

an|ekeln *vt* repugnar

anerkannt *adj* (*angesehen*) reconocido

an|erkennen* *irr vt* reconocer; (*Schuld*) confesar; **Anerkennung** *f* reconocimiento *m*; ~ **finden** hallar aprobación

an|fahren *irr* **I.** *vi sein* (*starten*) arrancar **II.** *vt haben* (*ansteuern*) parar (en); (*Hafen*) arribar (a); (*anstoßen*) chocar (contra); (*Person*) atropellar

Anfall *m* ataque *m*; **in einem ~ von Zorn** en un ataque de cólera

anfällig ['anfɛlɪç] *adj* propenso (**für** a)

Anfang ['anfaŋ] *m* <-(e)s, -fänge> comienzo *m*; ~ **nächster Woche** a principios de la próxima semana; **von ~ an** desde un principio; **an|fangen** *irr vi, vt* empezar; **es fing an zu regnen** empezó a llover; **damit kann ich nichts ~** no me sirve para nada; **Anfänger(in)** *m(f)* <-s, -; -nen> principiante *mf*

anfänglich ['anfɛŋlɪç] *adj* primero, inicial; **nach ~em Zögern** tras los titubeos iniciales

anfangs ['anfaŋs] *adv* al principio

an|fassen **I.** *vi* (*mithelfen*) echar una mano **II.** *vt* (*berühren*) tocar; **jdn hart ~** tratar a alguien con dureza; **an|fertigen** *vt* (*machen*) hacer; (*herstellen*) fabricar; **an|feuchten** ['anfɔɪçtən] *vt* humedecer; **an|feuern** *vt* (*anspornen*) enardecer; **an|flehen** *vt* implorar

Anflug *m* <-(e)s, -flüge> (*Andeutung*) asomo *m* (**von** de)

an|fordern *vt* pedir; **Anforderung** *f* (*Anspruch*) exigencia *f*; **den ~en nicht entsprechen** no reunir los requisitos

Anfrage *f* <-n> pregunta *f* (**bei** a); **auf ~** a petición

an|freunden *vr:* **sich ~** (*Freundschaft schließen*) trabar amistad; (*sich gewöhnen*) familiarizarse

an|fühlen *vr:* **sich hart/weich ~** ser duro/blando al tacto

an|führen *vt* (*vorangehen*) encabezar; (*vorbringen*) aducir; **Anführer(in)** *m(f)* jefe, -a *m, f*; POL líder *mf*

Anführungsstrich *m* comilla *f*; **~e unten/oben** abrir/cerrar comillas

Angabe *f* ❶ (*Information*) indicación *f*; **~n zur Person** datos personales; **nähere ~n** más detalles ❷ *ohne pl* (*Prahlerei*) fanfarronería *f*; **an|geben** *irr* **I.** *vi* (*fam: prahlen*) fanfarronear (**mit** de) **II.** *vt* (*nennen*) indicar; (*Gründe*) alegar; **Angeber(in)** *m(f)* <-s, -; -nen> (*fam*) fanfarrón, -ona *m, f*

angeblich ['ange:plɪç, -'--] **I.** *adj* supuesto **II.** *adv* al parecer

angeboren *adj* de nacimiento

Angebot *nt* oferta *f*; (*Auswahl*) surtido *m*

angebracht ['angəbraxt] *adj* oportuno

an|gehen *irr* **I.** *vi sein* (*fam: Licht*) encenderse **II.** *vt haben* (*betreffen*) afectar; **das geht ihn gar nichts an** eso no es asunto suyo

angehende(r, s) *adj* futuro

an|gehören* *vi* pertenecer (a)

Angehörige(r) *mf* <-n, -n; -n> familiar *mf*

Angeklagte(r) *mf* <-n, -n; -n> acusado, -a *m, f*

Angel ['aŋəl] *f* <-n> (*für Fischfang*) caña *f* de pescar; **zwischen Tür und ~** (*fam*) deprisa y corriendo

Angelegenheit *f* asunto *m*; **sich in fremde ~en mischen** meterse en asuntos ajenos

angeln ['aŋəln] *vi, vt* pescar (con caña)

angemessen *adj* adecuado; (*Preis*) razonable

angenehm ['angəne:m] *adj* agradable; (*Unterhaltung*) ameno; **~!** (*bei einer Begrüßung*) ¡encantado!

angepasst[RR] ['angəpast] *adj* (*Person*) conformista

angeregt ['angəre:kt] *adj* animado

angeschlagen *adj* (*erschöpft*) agotado; **seine Gesundheit ist ~** su salud está quebrantada

angesehen *adj* estimado
angesichts *präp +gen* (*geh*) ante; ~ **der Tatsache, dass ...** en vista del hecho de que...
angespannt ['angəʃpant] *adj* tenso
Angestellte(r) *f(m)* *dekl wie adj* empleado, -a *m, f*
angetrunken *adj* achispado
angewiesen ['angəvi:zən] *adj*: **auf jdn/etw ~ sein** depender de alguien/algo
an|gewöhnen* *vt:* **sich** *dat* **etw ~** acostumbrarse a algo; **Angewohnheit** *f* costumbre *f* (adquirida)
an|gleichen *irr vt* ❶ (*vereinheitlichen*) igualar ❷ (*anpassen*) adaptar (**an** a); (*Gehälter*) reajustar (**an** a)
Angler(in) ['aŋlɐ] *m(f)* <-s, -; -nen> pescador(a) *m(f)* de caña
an|greifen *irr vt* atacar; (*Gesundheit*) perjudicar; **an|grenzen** *vi* limitar (**an** con)
Angriff *m* ataque *m*; **etw in ~ nehmen** emprender algo; **angriffslustig** *adj* agresivo
Angst [aŋst] *f* <Ängste> miedo *m* (**vor** a/de); **jdm ~ einjagen** meterle miedo a alguien
ängstigen ['ɛŋstɪgən] I. *vt* amedrentar; (*beunruhigen*) inquietar II. *vr:* **sich ~** tener miedo (**vor** a/de); (*sich sorgen*) inquietarse (**um** por)
ängstlich ['ɛŋstlɪç] *adj* miedoso; (*besorgt*) preocupado
Ängstlichkeit *f* pusilanimidad *f*, apocamiento *m*
an|gucken *vt* (*fam*): **sich** *dat* **etw ~** mirar algo; **an|haben** *irr vt* llevar (puesto); **an|halten** *irr* I. *vi* (*andauern*) perdurar; (*stoppen*) parar(se) II. *vt* (*Fahrzeug*) parar; (*Atem*) contener
anhaltend *adj* continuo
Anhalter(in) *m(f)* auto(e)stopista *mf*
Anhaltspunkt *m* punto *m* de referencia
anhand [an'hant] *präp +gen* mediante
Anhang *m* <-(e)s, -hänge> apéndice *m*; **an|hängen** *vt* colgar (**an** de/en); (*anfügen*) añadir (**an** a)
Anhänger[1] *m* <-s, -> AUTO remolque *m*; (*Schmuckstück*) colgante *m*
Anhänger(in)[2] *m(f)* <-s, -; -nen> seguidor(a) *m(f)*; SPORT aficionado, -a *m, f*
Anhänglichkeit *f* apego *m*
an|häufen *vt, vr:* **sich ~** acumular(se); **an|heben** *irr vt* (*hochheben*) levantar; (*erhöhen*) aumentar
Anhieb ['anhi:p] *m*: **auf ~** (*fam*) al primer intento
an|hören *vt* escuchar; **das hört sich gut an** esto suena bien
Animateur(in) [anima'tø:ɐ] *m(f)* <-s, -e; -nen> animador(a) *m(f)*
Anis [a'ni:s, 'a:nɪs] *m* <-(es), -e> anís *m*
Anker ['aŋkɐ] *m* <-s, -> ancla *f*; **den ~ auswerfen/lichten** echar/levar anclas
Anklage *f* <-n> acusación *f*; **an|klagen** *vt* acusar (**wegen** de)
Anklang *m*: **großen ~ finden** tener éxito
an|kleben *vt* pegar (**an** a/en); **an|kleiden** *vt, vr:* **sich ~** (*geh*) vestir(se); **an|klopfen** *vi* llamar (a la puerta); **an|knipsen** *vt* (*fam*) encender; **an|knüpfen** I. *vt* (*Gespräch*) entablar II. *vi:* **an etw ~** fundarse en algo; (*fortführen*) continuar (algo); **an|kommen** *irr vi sein* (*eintreffen*) llegar; (*abhängen*) depender (**auf** de); (*fam: Resonanz finden*) gustar; **bei jdm gut ~** tener buena acogida entre alguien; **ich würde es nicht darauf ~ lassen** (*fam*) yo no esperaría sentado; **es kommt darauf an, dass ...** es importante que...; **an|kreiden** ['ankraɪdən] *vt:* **jdm etw ~** tomar a mal algo a alguien; **an|kreuzen** *vt* marcar con una cruz
an|kündigen *vt, vr:* **sich ~** anunciar(se); **Ankündigung** *f* anuncio *m*
Ankunft ['ankʊnft] *f* llegada *f*
an|lächeln *vt* mirar sonriendo; **jdn ~** sonreír a alguien
Anlage *f* (*Begabung*) talento *m*; (*Bau*) construcción *f*; (*Park*) jardín *m*; (*Stereoanlage*) equipo *m*; **sanitäre ~n** ins-

talaciones sanitarias

Anlass[RR] ['anlas] *m* <-es, -lässe> (*Grund*) motivo *m* (**zu** para); (*Gelegenheit*) ocasión *f*

an|lassen *irr vt* (*Motor*) poner en marcha; (*Licht*) dejar encendido; (*fam: Kleidung*) dejar puesto

Anlasser *m* <-s, -> motor *m* de arranque

anlässlich[RR] ['anlɛslɪç] *präp +gen* con motivo de

Anlauf *m* <-(e)s, -läufe>: **~ nehmen** tomar carrerilla; **an|laufen** *irr* I. *vi sein*: **rot ~** enrojecer; **blau ~** amoratarse II. *vt haben*: **einen Hafen ~** tocar en un puerto

an|legen I. *vi* (*Schiff*) atracar II. *vt* (*Maßstab*) aplicar; (*Garten*) plantar; (*Vorräte*) almacenar; (*Geld*) invertir; **letzte Hand ~** dar los últimos toques; **jdm einen Verband ~** aplicar una venda a alguien III. *vr:* **sich ~** (*streiten*) pelearse (**mit** con); **an|lehnen** *vt, vr:* **sich ~** apoyar(se) (**an** en); **die Tür ~** entornar la puerta

an|leiten *vt* guiar; **Anleitung** *f* (*Text*) instrucciones *fpl*

Anliegen *nt* <-s, -> (*Wunsch*) deseo *m*; (*Bitte*) petición *f*

Anlieger *m* <-s, -> vecino *m*

an|locken *vt* atraer; **an|lügen** *irr vt* mentir (a); **an|machen** *vt* (*einschalten*) encender; (*Salat*) aderezar; **an|malen** *vt* pintar

anmaßend ['anma:sənt] *adj* arrogante

an|melden I. *vt* (*ankündigen*) anunciar; (*Fahrzeug*) matricular; **ein Ferngespräch ~** pedir conferencia II. *vr:* **sich ~** matricularse; (*Wohnsitz*) empadronarse; **Anmeldung** *f* <-en> ❶ (*Ankündigung*) aviso *m* ❷ (*Schule*) matrícula *f*; (*Kurs*) inscripción *f* ❸ (*fam: Rezeption*) recepción *f*

an|merken *vt* (*notieren*) señalar; (*ergänzend bemerken*) añadir; (*bemerken*) notar; **ich ließ mir nichts ~** procuré que no se me notase nada

Anmerkung *f* <-en> observación *f*

Anmut ['anmu:t] *f* (*geh*) gracia *f*

an|nähern *vt, vr:* **sich ~** acercar(se) (**an** a)

annähernd ['annɛ:ɐnt] I. *adj* aproximado II. *adv* alrededor de

Annäherung *f* <-en> aproximación *f*; (*an einen Menschen*) acercamiento *m*

Annahme ['anna:mə] *f* <-n> suposición *f*

annehmbar *adj* aceptable

an|nehmen *irr* I. *vt* (*akzeptieren*) aceptar; (*vermuten*) suponer; **etw nimmt Gestalt an** algo va tomando forma; **angenommen, dass ...** en el caso de que... *+subj* II. *vr:* **sich jds/etw** *gen* **~** cuidar de alguien/encargarse de algo

Annehmlichkeit *f* <-en> amenidad *f*; (*Vorteil*) ventaja *f*

Annonce [a'nɔ̃sə] *f* <-n> anuncio *m*

an|öden ['anø:dən] *vt* (*fam*) aburrir

anonym [ano'ny:m] *adj* anónimo; **~ bleiben** quedar(se) en el anonimato

Anorak ['anorak] *m* <-s, -s> anorak *m*

an|ordnen *vt* (*befehlen*) ordenar; (*aufstellen*) colocar; **Anordnung** *f* <-en> (*Befehl*) orden *f*; (*Aufstellung*) colocación *f*; (*Verteilung*) distribución *f*

an|packen I. *vi* (*helfen*) echar una mano II. *vt* (*anfassen*) agarrar; (*handhaben*) abordar; **an|passen** I. *vt* adaptar (**an** a) II. *vr:* **sich ~** amoldarse (**an** a)

anpassungsfähig *adj* flexible

an|pflanzen *vt* cultivar; **an|probieren** *vt* probar(se); **an|rechnen** *vt* ❶ (*in Rechnung stellen*) cargar en cuenta ❷ (*gutschreiben*) abonar (**auf** en)

Anrecht *nt* derecho *m* (**auf** a)

Anrede *f* tratamiento *m*; (*im Brief*) encabezamiento *m*; **an|reden** *vt* hablar (a); **jdn mit Du/mit Sie ~** tratar a alguien de tú/de Ud.

an|regen *vi, vt* estimular

anregend *adj* estimulante

Anregung *f* <-en> (*Vorschlag*) sugerencia *f*; (*Inspiration*) inspiración *f*; **auf jds ~** por sugerencia de alguien

an|reisen *vi sein* llegar; **mit dem Zug ~** llegar en tren

Anreiz *m* aliciente *m*; (*finanziell*) incentivo *m*

an|richten *vt* (*Speisen*) aderezar; (*Schaden*) causar

Anruf *m* TEL llamada *f*; **Anrufbeantworter** *m* <-s, -> contestador *m* automático

an|rufen *irr vt* llamar (por teléfono)

ans [ans] = **an das** *s.* **an**

Ansage ['anza:gə] *f* anuncio *m*; TV presentación *f*; **an|sagen** *vt* anunciar; TV presentar

an|sammeln I. *vt* amontonar; (*Reichtümer*) atesorar II. *vr:* **sich ~** amontonarse; **Ansammlung** *f* (*Menschen*) aglomeración *f*; (*Dinge*) montón *m*

ansässig ['anzɛsɪç] *adj* (*Person*) residente; (*Firma*) establecido

Ansatz *m* (*Anzeichen*) comienzo *m*

an|schaffen *vt* adquirir

Anschaffung *f* <-en> adquisición *f*

an|schalten *vt* encender; **an|schauen** *vt* mirar

anschaulich *adj* plástico; **etw ~ machen** ilustrar algo

Anschauung *f* <-en> (*Vorstellung*) concepto *m*; (*Ansicht*) opinión *f*; **etw aus eigener ~ wissen** saber algo por experiencia propia

Anschein *m* <-(e)s, *ohne pl*> apariencia *f*; **allem ~ nach** aparentemente; **anscheinend** *adv* al parecer

Anschlag *m* (*Plakat*) cartel *m*; (*Überfall*) atentado *m* (**auf** contra); **einen ~ auf jdn verüben** atentar contra alguien; **an|schlagen** *irr* I. *vi* (*Tabletten*) surtir efecto II. *vt* (*Plakat*) fijar (**an** a/en); (*beschädigen*) romper

an|schließen *irr* I. *vt* (*Gerät*) conectar (**an** a) II. *vr:* **sich jdm ~** (*sich zugesellen*) unirse a alguien

anschließend I. *adj* posterior II. *adv* a continuación

Anschluss[RR] *m* (*an ein Netz*) conexión *f* (**an** con); TEL comunicación *f* (**an** con); (*Verkehr*) enlace *m*; (*Kontakt*) compañía *f*; **~ finden** integrarse

an|schnallen I. *vt* atar II. *vr:* **sich ~** ponerse el cinturón de seguridad; **an|schneiden** *irr vt* (*Brot*) cortar; (*Thema*) abordar; **an|schrauben** *vt* atornillar; **an|schreien** *irr vt* gritar (a)

Anschrift *f* señas *fpl*

Anschuldigung *f* <-en> inculpación *f*

an|schwellen *irr vi sein* (*Körperteil*) hincharse; (*Lärm*) crecer

an|sehen *irr vt* (*betrachten*) mirar; (*erachten*) considerar (**als**); (*anmerken*) notar; **man sieht dir dein Alter nicht an** no aparentas la edad que tienes; **ich kann das nicht länger mit ~** no puedo soportarlo más

Ansehen *nt* <-s, *ohne pl*> reputación *f*

ansehnlich ['anze:nlɪç] *adj* (*beträchtlich*) considerable

an|setzen I. *vi* comenzar (**zu** a); **die Maschine setzt zur Landung an** el avión inicia el aterrizaje II. *vt* (*Termin*) fijar

Ansicht *f* opinión *f*; **meiner ~ nach** en mi opinión; **Ansichtskarte** *f* (tarjeta *f*) postal *f*

ansonsten [an'zɔnstən] *adv* ❶ (*im Übrigen*) por lo demás ❷ (*andernfalls*) en caso contrario; (*wenn nicht*) si no

Anspannung *f* tensión *f*

an|spielen *vi* aludir (**auf** a)

Anspielung *f* <-en> alusión *f* (**auf** a)

Ansporn ['anʃpɔrn] *m* <-(e)s, *ohne pl*> estímulo *m*; **an|spornen** *vt* estimular (**zu** a)

Ansprache *f* discurso *m*; **an|sprechen** *irr* I. *vi* MED reaccionar (**auf** a) II. *vt* (*erwähnen*) mencionar; (*gefallen*) gustar (a); **jdn ~** hablar a alguien; **ansprechend** *adj* agradable

an|springen *irr vi sein* (*Motor*) arrancar

Anspruch *m* (*Anrecht*) derecho *m* (**auf** a); (*Anforderung*) exigencia *f* (**auf** de);

hohe Ansprüche an jdn stellen ser muy exigente con alguien; **etw in ~ nehmen** hacer uso de algo; **anspruchslos** *adj* poco exigente; **anspruchsvoll** *adj* exigente

an|stacheln ['anʃtaxəln] *vt* incitar (**zu** a)

Anstalt ['anʃtalt] *f* <-en> institución *f*; (*fam: Psychiatrie*) centro *m* (p)siquiátrico

Anstand *m* <-(e)s, *ohne pl*> decencia *f*

anständig ['anʃtɛndɪç] *adj* (*sittsam*) decente; (*ehrlich*) honrado; (*fam: zufrieden stellend*) aceptable; **sie wird ~ bezahlt** le pagan bien

an|starren *vt* mirar fijamente

anstatt [an'ʃtat] *präp +gen* en vez de

an|stecken I. *vt* (*befestigen*) poner; (REG: *anzünden*) prender fuego (a); (*Zigarette*) encender; **jdn mit etw ~** contagiarle algo a alguien II. *vr:* **sich ~** contagiarse

ansteckend *adj* contagioso

an|stehen *irr vi* (*Schlange stehen*) hacer cola; **an|steigen** *irr vi sein* (*a. fig*) subir

anstelle [an'ʃtɛlə] *präp +gen* en lugar de

an|stellen I. *vt* (*Maschine*) poner en marcha; (*Fernseher*) encender; (*beschäftigen*) contratar; **Vermutungen ~** hacer conjeturas; **was hast du da wieder angestellt?** (*fam*) ¿qué has hecho ahora? II. *vr:* **sich ~** (*in einer Schlange*) ponerse a la cola; (*fam: sich zieren*) hacer melindres; **stell dich nicht so an!** ¡déjate de comedias!; **Anstellung** *f* (*Stelle*) empleo *m*

Anstieg ['anʃti:k] *m* <-(e)s, -e> (*Zunahme*) subida *f*

Anstoß *m* (*Ruck*) empujón *m*; (*Impuls*) impulso *m*; **an etw ~ nehmen** escandalizarse por algo; **an|stoßen** *irr* I. *vi* ❶ *sein* (*gegenstoßen*) golpearse (**an** en/contra) ❷ *haben* (*mit den Gläsern*) brindar (**auf** por) II. *vt haben* empujar

anstößig ['anʃtø:sɪç] *adj* indecente

an|streben *vt* aspirar (a); **an|streichen** *irr vt* (*mit Farbe*) pintar; **etw gelb ~** pintar algo de amarillo; **an|strengen** ['anʃtrɛŋən] I. *vi* (*ermüden*) fatigar II. *vr:* **sich ~** esforzarse

anstrengend *adj* agotador

Anstrengung *f* <-en> esfuerzo *m*

Ansturm *m* (*Andrang*) concurrencia *f*; (*von Kunden*) afluencia *f*

Antarktis [ant'arktɪs] *f* Antártida *f*

Anteil *m* parte *f*; **an etw ~ nehmen** (*Mitgefühl*) compartir algo

Anteilnahme ['antaɪlna:mə] *f* interés *m* (**an** por); (*Beileid*) pésame *m*

Antenne [an'tɛnə] *f* <-n> antena *f*

antialkoholisch *adj* antialcohólico; **Antibabypille** *f* píldora *f* anticonceptiva

Antibiotikum [antibi'o:tikʊm] *nt* <-s, -biotika> antibiótico *m*

antik [an'ti:k] *adj* antiguo

Antike [an'ti:kə] *f* Antigüedad *f*

antiquiert *adj* (*abw*) anticuado

Antiquität *f* <-en> antigüedad *f*

Antisemitismus [antizemi'tɪsmʊs] *m* <-, *ohne pl*> antisemitismo *m*

Antrag ['antra:k] *m* <-(e)s, -träge> solicitud *f* (**auf** de); (*Heiratsantrag*) propuesta *f* de matrimonio; **einen ~ auf etw stellen** presentar una solicitud de algo

Antragsteller(in) *m(f)* <-s, -; -nen> solicitante *mf*

an|treffen *irr vt* encontrar(se); **an|treiben** *irr vt* impulsar; **sie trieb ihn zur Eile an** le metió prisa; **an|treten** *irr vt* (*Reise*) emprender; (*Stelle*) incorporarse (a)

Antrieb *m* (*Impuls*) estímulo *m*; **aus eigenem ~** por iniciativa propia

an|tun *irr vt:* **jdm etw ~** hacer(le) algo a alguien; **sich** *dat* **etwas ~** atentar contra la propia vida; **diese Gegend hat es ihm angetan** esta región le ha encantado

Antwort ['antvɔrt] *f* <-en> respuesta *f* (**auf** a)

antworten ['antvɔrtən] *vt* responder (**auf** a)

an|vertrauen* *vt, vr:* **sich ~** confiar(se);

jdm etw ~ (*Gegenstand*) encomendarle algo a alguien; (*Geheimnis*) revelarle algo a alguien; **an|wachsen** *irr vi sein* (*zunehmen*) crecer

Anwalt, **-wältin** ['anvalt] *m, f* <-(e)s, -wälte; -nen> abogado, -a *m, f*

an|weisen *irr vt* (*anleiten*) instruir; **Anweisung** *f* <-en> (*Befehl*) orden *f*; (*Gebrauchsanweisung*) instrucciones *fpl* de uso

an|wenden *irr vt* (*Technik, Heilmittel*) aplicar; (*List, Gewalt*) recurrir (a)

Anwender(in) *m(f)* <-s, -; -nen> usuario, -a *m, f*

Anwendung *f* aplicación *f*

an|werben *irr vt* (*Soldaten*) reclutar; (*Arbeitskräfte*) contratar

anwesend *adj* presente

Anwesenheit *f* presencia *f*; **in jds ~** en presencia de alguien

an|widern ['anvi:dɐn] *vt* dar asco (a)

Anwohner(in) *m(f)* <-s, -; -nen> vecino, -a *m, f*

Anzahl *f* número *m*

an|zahlen *vt* pagar el primer plazo (de); **Anzahlung** *f* <-en> ❶ (*Rate*) primer plazo *m* ❷ (*Teilbetrag*) depósito *m*

an|zapfen *vt* (*Fass*) espitar; (*fam: Leitung*) interceptar

Anzeichen *nt* indicio *m*

Anzeige ['antsaɪgə] *f* <-n> (*Inserat*) anuncio *m*; TECH indicador *m*; JUR denuncia *f*; **~ erstatten** formular una denuncia

an|zeigen *vt* JUR denunciar; **an|ziehen** *irr* **I.** *vt* (*ankleiden*) vestir; (*Kleidungsstück*) poner; (*festziehen*) apretar; (*Anziehungskraft ausüben*) atraer **II.** *vr:* **sich ~** vestirse; **sich warm ~** abrigarse

anziehend *adj* atractivo

Anziehung *f* <-en>, **Anziehungskraft** *f* atracción *f*

Anzug *m* traje *m*

anzüglich ['antsy:klɪç] *adj* (*frech*) mordaz; (*zweideutig*) picante

an|zünden *vt* (*Zigarette*) encender; **an|zweifeln** *vt* poner en duda

Apartment [a'partmənt] *nt* <-s, -s> apartamento *m*, departamento *m*

Aperitif [aperi'ti:f] *m* <-s, -s *o* -e> aperitivo *m*

Apfel ['apfəl] *m* <-s, Äpfel> manzana *f*

Apfelsine [apfəl'zi:nə] *f* <-n> naranja *f*

Apostroph [apo'stro:f] *nt* <-s, -e> apóstrofo *m*

Apotheke [apo'te:kə] *f* <-n> farmacia *f*

Apotheker(in) [--'--] *m(f)* <-s, -; -nen> farmacéutico, -a *m, f*

Apparat [apa'ra:t] *m* <-(e)s, -e> aparato *m*; **am ~!** (*Telefon*) ¡al habla!

Appartement [apartə'mɑ̃:] *nt* <-s, -s> apartam(i)ento *m*, departamento *m*

Appell [a'pɛl] *m* <-s, -e> (*Aufruf*) llamamiento *m*

appellieren* *vi* apelar (**an** a)

Appenzell ['apəntsɛl, --'-] *nt* <-s> (*Kanton*) Appenzell *m*

Appetit [ape'ti:t] *m* <-(e)s, *ohne pl*> apetito *m* (**auf** de); **guten ~!** ¡que aproveche!

appetitlich *adj* apetitoso

Appetitlosigkeit *f* inapetencia *f*

applaudieren* [aplaʊ'di:rən] *vi* aplaudir

Applaus [a'plaʊs] *m* <-es, -e> aplauso(s) *m(pl)*

Aprikose [apri'ko:zə] *f* <-n> albaricoque *m*, damasco *m*

April [a'prɪl] *m* <-(s), -e> abril *m*; *s.a.* **März**

Aquädukt [akvɛ'dʊkt] *m o nt* <-(e)s, -e> acueducto *m*

Aquarium [a'kva:riʊm] *nt* <-s, Aquarien> acuario *m*

Äquator [ɛ'kva:to:ɐ] *m* <-s, *ohne pl*> ecuador *m*

Ära ['ɛ:ra] *f* <Ären> era *f*

arabisch *adj* árabe

aragonesisch [arago'ne:zɪʃ] *adj* aragonés

Aragonien [ara'go:niən] *nt* <-s> Aragón *m*

Arbeit ['arbaɪt] *f* <-en> trabajo *m*; (*Arbeitsplatz*) empleo *m*

arbeiten ['arbaɪtən] *vi* trabajar; **die ~de Bevölkerung** la población activa

Arbeiter(in) ['arbaɪtɐ] *m(f)* <-s, -; -nen> trabajador(a) *m(f)*

Arbeitgeber(in) ['arbaɪtge:bɐ] *m(f)* <-s, -; -nen> patrón, -ona *m, f*; **Arbeitnehmer(in)** ['arbaɪtne:mɐ] *m(f)* <-s, -; -nen> (*Angestellter*) empleado, -a *m, f*; (*Arbeiter*) trabajador(a) *m(f)*

Arbeitsamt *nt* oficina *f* de empleo; **Arbeitsbedingungen** *f pl* condiciones *fpl* de trabajo; **Arbeitserlaubnis** *f* permiso *m* de trabajo; **Arbeitskraft** *f* ❶ (*Personal*) mano *f* de obra ❷ *ohne pl* (*Leistungskraft*) capacidad *f* productiva; **arbeitslos** *adj* parado

Arbeitslose(r) *f(m) dekl wie adj* parado, -a *m, f*; **Arbeitslosengeld** *nt* subsidio *m* de desempleo; **Arbeitslosenhilfe** *f* ayuda *f* a los parados; **Arbeitslosenquote** *f* tasa *f* de desempleo, índice *m* de paro

Arbeitslosigkeit *f* desempleo *m*

Arbeitsmarkt *m* mercado *m* de trabajo; **Arbeitsoberfläche** *f* INFOR escritorio *m*; **Arbeitsplatz** *m* puesto *m* de trabajo; **Arbeitsspeicher** *m* INFOR memoria *f* de trabajo; **Arbeitsstelle** *f* puesto *m* de trabajo; **Arbeitstag** *m* jornada *f* (de trabajo); **Arbeitsunfähigkeit** *f* incapacidad *f* laboral; **Arbeitsvertrag** *m* contrato *m* de trabajo; **Arbeitszeit** *f* horario *m* de trabajo; **verkürzte ~** jornada reducida; **Arbeitszimmer** *nt* cuarto *m* de trabajo; (*Büro*) despacho *m*

Archäologe, Archäologin [arçεo'lo:gə] *m, f* <-n, -n; -nen> arqueólogo, -a *m, f*

Archäologie [arçεolo'gi:] *f* arqueología *f*

archäologisch *adj* arqueológico

Architekt(in) [arçi'tεkt] *m(f)* <-en, -en; -nen> arquitecto, -a *m, f*

architektonisch *adj* arquitectónico

Architektur *f* arquitectura *f*

Archiv [ar'çi:f] *nt* <-s, -e> archivo *m*

Ären *pl von* **Ära**

arg [ark] <ärger, am ärgsten> *adj* REG malo; **der ärgste Feind** el peor enemigo; **jdm ~ mitspielen** jugar una mala pasada a alguien; **in ~e Verlegenheit kommen** verse en un grave apuro

Argentinien [argεn'ti:niən] *nt* <-s> Argentina *f*

argentinisch *adj* argentino

Ärger ['εrgɐ] *m* <-s, *ohne pl*> (*Zorn*) enojo *m*; (*Wut*) rabia *f*; (*Schwierigkeiten*) dificultades *fpl*; **mit jdm ~ haben** tener problemas con alguien

ärgerlich *adj* (*verärgert*) enfadado; (*unerfreulich*) desagradable

ärgern ['εrgɐn] **I.** *vt* fastidiar **II.** *vr*: **sich ~** enfadarse (**über** por); **sich schwarz ~** (*fam*) ponerse negro

Ärgernis *nt*: **Erregung öffentlichen ~ses** provocación de escándalo público

arglos *adj* sin malicia; (*naiv*) ingenuo

Argument [argu'mεnt] *nt* <-(e)s, -e> argumento *m*

argumentieren* *vi* argumentar

argwöhnisch *adj* (*geh*) receloso

Aristokrat(in) [arɪsto'kra:t] *m(f)* <-en, -en; -nen> aristócrata *mf*

aristokratisch *adj* aristocrático

Arktis ['arktɪs] *f* Ártico *m*

arktisch *adj* ártico

arm [arm] *adj* <ärmer, am ärmsten> pobre; **du Ärmste!** ¡pobrecita de ti!

Arm *m* <-(e)s, -e> brazo *m*; **jdn auf den ~ nehmen** (*fig fam*) tomar el pelo a alguien

Armband *nt* pulsera *f*; **Armbanduhr** *f* reloj *m* de pulsera

Armee [ar'me:] *f* <-n> ejército *m*

Ärmel ['εrməl] *m* <-s, -> manga *f*; **die ~ hochkrempeln** (*a. fig*) arremangarse

Ärmelkanal *m* <-s> Canal *m* de la Mancha

ärmlich ['εrmlɪç] *adj* (*arm*) humilde; (*elend*) mísero

armselig ['armse:lɪç] *adj* ❶ *s.* **ärmlich** ❷ (*unbedeutend*) insignificante

Armut ['armu:t] *f* pobreza *f*; **Armutsgrenze** *f* umbral *m* de pobreza

Aroma [a'ro:ma] *nt* <-s, -s *o* Aromen *o*

Aromata> aroma *m*

arrangieren* [arã'ʒi:rən] **I.** *vt* organizar; (*zusammenstellen*) combinar **II.** *vr:* **sich ~** llegar a un acuerdo

arrogant [aro'gant] *adj* arrogante

Arroganz *f* arrogancia *f*

Arsch [arʃ] *m* <-(e)s, Ärsche> (*vulg*) culo *m*; **Arschloch** *nt* (*vulg*) (*Schimpfwort*) cabrón, -ona *m, f*

Art [art] *f* <-en> ❶ (*Klasse*) clase *f*; BIOL especie *f* ❷ (*Weise*) modo *m* ❸ *ohne pl* (*Wesensart*) naturaleza *f*; **das ist nun mal meine ~** yo soy así

Art. *Abk. von* **Artikel** art.

Arterie [ar'te:riə] *f* <-n> arteria *f*

artig ['artɪç] *adj* obediente

Artikel [ar'ti:kəl, ar'tɪkəl] *m* <-s, -> artículo *m*

Artischocke [arti'ʃɔkə] *f* <-n> alcachofa *f*

Arznei [arts'naɪ] *f* <-en>, **Arzneimittel** *nt* medicamento *m*

Arzt, Ärztin [artst, 'ɛrtstɪn] *m, f* <-es, Ärzte; -nen> médico, -a *m, f*; **Arztbesuch** *m* visita *f* médica; **Arzthelfer(in)** *m(f)* asistente *mf* médico, -a

ärztlich *adj* médico; **~es Attest** certificado médico

Arztpraxis *f* consulta *f* médica

AsALT *nt s.* **Ass**

Asche ['aʃə] *f* ceniza *f*; **Aschenbecher** *m* cenicero *m*

Asiat(in) *m(f)* <-en, -en; -nen> asiático, -a *m, f*

asiatisch *adj* asiático

Asien ['a:ziən] *nt* <-s> Asia *f*

asozial ['azotsia:l] *adj* asocial; (*rücksichtslos*) incívico

Aspekt [as'pɛkt] *m* <-(e)s, -e> aspecto *m*

Asphalt [as'falt] *m* <-(e)s, -e> asfalto *m*

asphaltieren* *vt* asfaltar

AssRR *nt* <-es, -e> as *m*

aß [a:s] *3. imp von* **essen**

Assistent(in) [asɪs'tɛnt] *m(f)* <-en, -en; -nen> asistente *mf*

assoziieren* [asotsi'i:rən] *vt* asociar

Ast [ast] *m* <-(e)s, Äste> rama *f*

ästhetisch *adj* estético

Asthma ['astma] *nt* <-s, *ohne pl*> asma *m o f*

astrein *adj* (*fam*) genial; **die Sache ist nicht ganz ~** aquí hay gato encerrado

Astrologie *f* astrología *f*

Astronaut(in) [astro'naʊt] *m(f)* <-en, -en; -nen> astronauta *mf*

Astronomie *f* astronomía *f*

astronomisch *adj* (*a. fig*) astronómico

Asturien [as'tu:riən] *nt* <-s> Asturias *f*

asturisch *adj* asturiano

Asyl [a'zy:l] *nt* <-(e)s, -e> asilo *m*

Asylant(in) [azy'lant] *m(f)* <-en, -en; -nen> asilado, -a *m, f*

Asylbewerber(in) *m(f)* solicitante *mf* de asilo

Atelier [atə'lje:] *nt* <-s, -s> estudio *m*

Atem ['a:təm] *m* <-s, *ohne pl*> aliento *m*; (*Atmung*) respiración *f*; **den ~ anhalten** contener la respiración; **~ holen** tomar aliento; **jdn in ~ halten** tener a alguien en vilo; **das verschlägt mir den ~** eso me deja sin palabras; **atemberaubend** *adj* sensacional; **atemlos** *adj* (*außer Atem*) sin aliento; (*gespannt*) absorto; **~ lauschen** escuchar sin parpadear; **Atempause** *f* descanso *m*

atheistisch *adj* ateo

Athlet(in) [at'le:t] *m(f)* <-en, -en; -nen> atleta *mf*

athletisch *adj* atlético

Atlanten *pl von* **Atlas**

Atlantik [at'lantɪk] *m* <-s> Atlántico *m*

atlantisch *adj* atlántico; **der Atlantische Ozean** el Océano Atlántico

Atlas ['atlas] *m* <-(ses), Atlanten> atlas *m*

atmen ['a:tmən] *vi, vt* respirar

Atmosphäre [atmo'sfɛ:rə] *f* (*Erdatmosphäre*) atmósfera *f*; (*Stimmung*) ambiente *m*

Atmung ['a:tmʊŋ] *f* respiración *f*

Atoll [a'tɔl] *nt* <-s, -e> atolón *m*

Atom [a'to:m] *nt* <-s, -e> átomo *m*; **Atombombe** *f* bomba *f* atómica;

Atomenergie *f* energía *f* nuclear; **Atomindustrie** *f* industria *f* atómica

Atomkraft *f* energía *f* nuclear; **Atomkraftwerk** *nt* central *f* nuclear

Atommüll *m* residuos *m pl* radi(o)activos; **Atomreaktor** *m* reactor *m* nuclear; **Atomwaffe** *f* arma *f* nuclear

Attacke [a'takə] *f* <-n> ataque *m*

Attentat ['atəntaːt] *nt* <-(e)s, -e> atentado *m*; **ein ~ auf jdn verüben** atentar contra (la vida de) alguien

Attentäter(in) ['atəntɛːtɐ, --'--] *m(f)* autor(a) *m(f)* del atentado

Attest [a'tɛst] *m* <-(e)s, -e> certificado *m* médico

Attraktion [atrak'tsjoːn] *f* <-en> (*Glanznummer*) atracción *f*

attraktiv [atrak'tiːf] *adj* atractivo

Attraktivität [atraktivi'tɛːt] *f* atractivo *m*

Attrappe [a'trapə] *f* <-n> objeto *m* de pega

ätzend *adj* ❶ (*Lauge*) cáustico; (*Säure*) corrosivo ❷ (*nervtötend*) cabreante

Aubergine [obɛr'ʒiːnə] *f* <-n> berenjena *f*

auch [aʊx] *adv* ❶ (*ebenfalls*) también; **~ nicht** tampoco; **~ das noch!** ¡lo que faltaba! ❷ (*sogar*) incluso; **ohne ~ nur zu fragen** sin ni siquiera preguntar; **~ wenn es regnen sollte** incluso si lloviese ❸ (*tatsächlich*) en efecto; **das hat ~ niemand behauptet** de hecho nadie lo ha dicho ❹ (*außerdem*) además; **wo ~ immer** dondequiera que (sea)

audiovisuell [aʊdiovizu'ɛl] *adj* audiovisual

auf [aʊf] **I.** *präp +dat* ❶ (*oben darauf*) sobre; **~ dem Tisch/dem Boden** encima de la mesa/en el suelo ❷ (*darauf befindlich*) en; **~ Mallorca** en Mallorca; **~ der Straße** en la calle ❸ (*drinnen*) en; **~ der Post** en Correos; **~ dem Land(e)** en el campo; **~ meinem Konto** en mi cuenta ❹ (*während*) durante; **~ Reisen** de viaje; **~ der Geburtstagsfeier** en la fiesta de cumpleaños **II.** *präp +akk* ❶ (*nach oben*) en; **~ einen Berg steigen** subir a un monte ❷ (*hin zu*) hacia; **sich ~ den Weg machen** ponerse en camino; **~ die Erde fallen** caer al suelo; **er kam ~ mich zu** vino hacia mí ❸ (*zeitlich*): **~ einmal** de repente; **~ lange Sicht** a la larga ❹ (*in einer bestimmten Art*) de; **~ diese Weise** de esta manera; **~ gut Glück** a la buena de Dios; **~ seinen Rat (hin)** siguiendo su consejo; **~ dein Wohl!** ¡a tu salud! **III.** *adv* (*hinauf*) arriba; (*offen*) abierto; **~ und ab** arriba y abajo; **er ist ~ und davon** (*fam*) puso pies en polvorosa

auf|atmen *vi* respirar hondamente

Aufbau *m* <-(e)s, -ten> ❶ (*das Aufgebaute*) construcción *f* adicional ❷ *ohne pl* (*Tätigkeit*) construcción *f* ❸ (*Gliederung*) estructura *f*; **auf|bauen** *vt* (*errichten*) construir; (*Zelt*) montar; (*gliedern*) estructurar; (*aufmuntern*) animar

auf|bereiten* *vt* (*Trinkwasser*) depurar; (*Rohstoffe*) preparar; **auf|bessern** *vt* (*Gehalt*) aumentar; (*Kenntnisse*) perfeccionar; **auf|bewahren*** *vt* guardar; (*Lebensmittel*) conservar; **auf|bieten** *irr vt* emplear; **auf|blasen** *irr* **I.** *vt* inflar **II.** *vr:* **sich ~** (*fam*) hincharse; **auf|bleiben** *irr vi sein* ❶ (*Person*) no acostarse ❷ (*Tür*) quedar abierto; **auf|blicken** *vi* alzar la vista (**zu** hacia); (*bewundernd*) admirar (**zu** a); **auf|brechen** *irr* **I.** *vi sein* (*weggehen*) marcharse **II.** *vt haben* (*Schloss, Auto*) forzar; **auf|bringen** *irr vt* (*Geld, Geduld*) reunir; (*in Wut bringen*) enfurecer

Aufbruch *m* <-(e)s, -brüche> ❶ (*geh: geistiges Erwachen*) auge *m* ❷ *ohne pl* (*Abreise*) partida *f*

auf|decken *vt* (*Zusammenhänge*) descubrir; (*Bett*) abrir; (*Geheimnis*) revelar; **auf|drängen** **I.** *vt* (*aufzwingen*) imponer **II.** *vr:* **sich ~** (*Gedanke*) imponerse; (*zudringlich sein*) importunar; **auf|drehen** *vt* (*Verschluss*) desenroscar; (*fam: Wasserhahn*) abrir

aufdringlich ['aʊfdrɪŋlɪç] *adj* (*Person*) pesado; (*Geruch*) intenso

aufeinander [aʊfaɪ'nandɐ] *adv* (*räumlich*) uno encima del otro; (*zeitlich*) uno tras otro; **aufeinander|folgen** *vi sein* sucederse; **aufeinander|häufen** *vt, vr:* **sich ~** amontonar(se)

Aufenthalt ['aʊfənthalt] *m* <-(e)s, -e> estancia *f*; (*kurze Unterbrechung*) parada *f*; **Aufenthaltserlaubnis** *f* permiso *m* de residencia; **Aufenthaltsraum** *m* sala *f* de descanso

Auferstehung *f* <-en> resurrección *f*

auf|essen *irr* I. *vi* comer(se) todo II. *vt* comerse

Auffahrt *f* subida *f*; (*Zufahrt*) entrada *f*; (*zur Autobahn*) acceso *m* a la autopista

auf|fallen *irr vi sein* llamar la atención; (*bemerkt werden*) notarse; **unangenehm ~** causar mala impresión

auffallend *adj* (*auffällig*) vistoso, llamativo; (*beeindruckend*) espectacular; (*sonderbar*) raro

auffällig ['aʊffɛlɪç] *adj* llamativo

auf|fangen *irr vt* (*Ball*) recoger; (*Gesprächsfetzen*) pillar

auf|fassen *vt* (*auslegen*) interpretar; **Auffassung** *f* parecer *m*; **er ist der ~, dass ...** opina que...

auf|finden *irr vt* encontrar

auf|fordern *vt* (*bitten*) requerir (**zu** para); (*befehlen*) mandar (a); (*ermuntern*) animar; **er forderte sie zum Tanz auf** la sacó a bailar; **Aufforderung** *f* requerimiento *m*

Aufforstung *f* <-en> repoblación *f* forestal

auf|frischen *vt* (*Kenntnisse*) refrescar

auf|führen I. *vt* (*Theaterstück*) representar II. *vr:* **sich ~** (*sich benehmen*) (com)portarse; **Aufführung** *f* THEAT representación *f*; FILM proyección *f*; MUS actuación *f*

auf|füllen *vt* ❶ (*Behälter*) rellenar (**mit** de/con) ❷ (*Flüssigkeit*) echar ❸ (*Vorräte*) reponer

Aufgabe ['aʊfga:bə] *f* (*Auftrag*) tarea *f*; (*Übung*) ejercicio *m*; **auf|geben** *irr* I. *vi* rendirse II. *vt* (*Paket*) expedir; (*Koffer*) facturar; (*Anzeige*) poner; (*Widerstand*) abandonar; (*Hoffnung*) perder; (*Beruf*) dejar

aufgebracht *adj* (*wütend*) enojado

aufgedreht *adj* (*fam*) pasado de rosca

aufgedunsen ['aʊfgədʊnzən] *adj* (*Körper*) abultado; (*Gesicht*) hinchado

auf|gehen *irr vi sein* (*Sonne*) salir; (*Tür*) abrirse

aufgelegt ['aʊfgəle:kt] *adj*: **gut/schlecht ~ sein** estar de buen/mal humor

aufgeregt ['aʊfgəre:kt] *adj* excitado; (*nervös*) nervioso

aufgeschlossen ['aʊfgəʃlɔsən] *adj* abierto; **~ für etw sein** ser receptivo a algo; **etw** *dat* **~ gegenüberstehen** estar abierto a algo

aufgeschmissen ['aʊfgəʃmɪsən] *adj* (*fam*): **ohne sie sind wir völlig ~** sin ella estamos perdidos

aufgeweckt ['aʊfgəvɛkt] *adj* (*geistig*) despierto; (*Kind*) avispado

auf|greifen *irr vt* (*Idee*) retomar

aufgrund [aʊf'grʊnt] *präp +gen* a causa de

auf|haben *irr* I. *vi* (*Geschäfte*) estar abierto II. *vt* (*Hut*) tener puesto; **auf|halten** *irr* I. *vt* (*zurückhalten*) detener; (*Entwicklung*) impedir; (*Verkehr*) parar; (*stören*) molestar II. *vr:* **sich ~** (*bleiben*) quedarse; (*wohnen*) encontrarse; (*Zeit verschwenden*) demorarse; **auf|hängen** I. *vt* (*Bild, Telefonhörer*) colgar; (*Wäsche*) tender II. *vr:* **sich ~** ahorcarse; **auf|heben** *irr vt* (*vom Boden*) recoger; (*aufbewahren*) guardar; (*Verbot*) levantar; **gut aufgehoben sein** estar en buenas manos

auf|heitern ['aʊfhaɪtɐn] I. *vt* (*Person*) animar II. *vr:* **sich ~** (*Himmel*) despejarse

auf|hellen I. *vt* (*Haar*) aclarar II. *vr:* **sich ~** (*Gesicht*) alegrarse; (*Himmel*) despejarse; **auf|hetzen** *vt* incitar; **auf|holen** *vt* (*Verspätung*) recuperar; **auf|hören** *vi* terminar; **hör doch endlich auf!** ¡déjalo ya!; **auf|kaufen** *vt* acaparar

auf|klären I. *vt* (*Missverständnis*) poner en claro; (*Verbrechen*) esclarecer; (*belehren*) informar (**über** de/sobre) II. *vr:* **sich ~** (*Rätsel*) resolverse; (*Himmel*) despejarse; **Aufklärung** *f* (*Klärung*) esclarecimiento *m*; (*eines Verbrechens*) resolución *f*; (*Belehrung*) instrucción *f* (**über** de/sobre); **sexuelle ~** educación sexual

auf|kleben *vt* pegar (**auf** a/en); **Aufkleber** *m* <-s, -> pegatina *f*

auf|kommen *irr vi sein* (*entstehen*) surgir; (*Gewitter*) levantarse; (*bezahlen*) pagar (**für**); **auf|krempeln** *vt* arremangar(se); **auf|laden** *irr vt* (*Batterie*) recargar; (*Ladegut*) cargar

Auflage *f* (*Bedingung*) condición *f*

auf|lassen *irr vt* (*fam*) ❶ (*Tür*) dejar abierto ❷ (*Mütze*) dejar puesto

Auflauf *m* (*Menschenauflauf*) gentío *m*; (*Speise*) gratinado *m*

auf|leben *vi sein* (*Mensch*) despabilar (se); (*Bräuche*) reavivarse; **auf|legen** I. *vi* (*Telefongespräch beenden*) colgar II. *vt* (*Schallplatte*) poner; (*Hörer*) colgar; **auf|lehnen** *vr:* **sich ~** sublevarse; **auf|leuchten** *vi* destellar; (*Blitz*) fulgurar; **auf|listen** ['aʊflɪstən] *vt* listar; **auf|lockern** I. *vt* (*Atmosphäre*) relajar II. *vr:* **sich ~** (*Bewölkung*) despejarse

auf|lösen I. *vt* (*Pulver, Versammlung*) disolver; (*Haushalt*) liquidar; (*Konto*) cancelar II. *vr:* **sich ~** disolverse; (*Nebel*) disiparse; **Auflösung** *f* <-en> ❶ (*eines Vertrags*) disolución *f* ❷ (*Lösung*) (re)solución *f*

auf|machen *vt* (*fam: Tür, Geschenk*) abrir; (*Knoten*) deshacer

aufmerksam ['aʊfmɛrkza:m] *adj* atento; **jdn auf jdn/etw ~ machen** llamar la atención de alguien sobre alguien/algo; **vielen Dank, sehr ~ von Ihnen!** ¡muchas gracias, es Ud. muy amable!

Aufmerksamkeit *f* <-en> (*Wachsamkeit*) atención *f*; (*Zuvorkommenheit*) amabilidad *f*; (*Geschenk*) obsequio *m*

auf|muntern ['aʊfmʊntɐn] *vt* (*fam*) reconfortar

Aufnahme ['aʊfna:mə] *f* <-n> (*auf Tonband*) grabación *f*; FOTO foto *f*; **aufnahmefähig** *adj* receptivo

auf|nehmen *irr vt* (*beginnen*) iniciar; (*auf Tonband*) grabar (**auf** en); **ein Gespräch wieder ~** reanudar una conversación; **auf|opfern** *vr:* **sich ~** sacrificarse (**für** por); **auf|passen** *vi* (*aufmerksam sein*) tener cuidado; (*beaufsichtigen*) cuidar (**auf** a); **aufgepasst!** ¡atención!

Aufprall ['aʊfpral] *m* <-(e)s, -e> choque *m*

auf|pumpen *vt* inflar; **auf|raffen** *vr:* **sich ~** (*fam: sich entschließen*) animarse (**zu** a); (*mühsam aufstehen*) levantarse a duras penas; **auf|räumen** *vi, vt* recoger; **mit etw ~** acabar con algo

aufrecht ['aʊfrɛçt] *adj* (*gerade*) erguido; (*ehrlich*) íntegro; **aufrecht|erhalten*** *irr vt* mantener

auf|regen *vt, vr:* **sich ~** ((*sich*) *erregen*) alterar(se) (**über** por); ((*sich*) *ärgern*) irritar(se) (**über** por)

aufregend *adj* excitante

Aufregung *f* excitación *f*; (*Sorge*) zozobra *f*

auf|reißen *irr vt* (*Fenster*) abrir de un golpe; (*Brief*) rasgar; (*Straße*) abrir

aufreizend *adj* provocador; (*erregend*) excitante

auf|richten I. *vt* (*gerade stellen*) enderezar; (*seelisch*) fortalecer II. *vr:* **sich ~** (*hinsetzen*) enderezarse; (*hinstellen*) ponerse de pie

aufrichtig *adj* sincero

Aufruf *m* llamamiento *m*; **auf|rufen** *irr*

vt (*Schüler, Zeugen*) llamar; (INFOR: *Programm*) acceder (a); **zum Streik ~** convocar una huelga

Aufruhr ['aʊfruːɐ] *m* <-(e)s, *ohne pl*> (*Revolte*) rebelión *f*; (*Tumult*) tumulto *m*; (*Erregung*) agitación *f*

auf|runden *vt* redondear

auf|rüsten *vt* MIL rearmar; **Aufrüstung** *f* rearme *m*

auf|rütteln *vt* (*fig*) arrancar (**aus** de)

aufs [aʊfs] (*fam*) = **auf das** *s.* **auf**

auf|sagen *vt* decir (de memoria); (*Gedicht*) recitar; **auf|sammeln** *vt* recoger

aufsässig ['aʊfzɛsɪç] *adj* rebelde

Aufsatz *m* <-es, -sätze> (*in der Schule*) redacción *f*; (*Abhandlung*) artículo *m*

auf|saugen *vt* absorber; **auf|scheuchen** *vt* espantar; **auf|schieben** *irr vt* (*verzögern*) aplazar

Aufschlag *m* (*Zuschlag*) suplemento *m*; **auf|schlagen** *irr* I. *vi sein* (*anschlagen*) dar (**auf** contra/en) II. *vt haben* (*Buch, Augen*) abrir; (*Bettdecke*) quitar; (*Ei*) romper; (*Zelt*) montar

auf|schließen *irr vt* abrir (con llave)

aufschlussreich[RR] *adj* revelador

auf|schneiden *irr* I. *vi* (*fam abw: prahlen*) fanfarronear II. *vt* (*Verpackung*) cortar; (*Braten*) trinchar; **Aufschnitt** *m* <-(e)s, *ohne pl*> embutido *m*

auf|schrecken *vt* espantar

Aufschrei *m* grito *m*

auf|schreiben *irr vt* apuntar; **Aufschrift** *f* inscripción *f*; (*Etikett*) etiqueta *f*

auf|schwatzen *vt* endilgar

Aufschwung *m* <-(e)s, -schwünge> (*innerer Antrieb*) impulso *m*; WIRTSCH auge *m*

auf|sehen *irr vi s.* **aufblicken**

Aufsehen *nt* <-s, *ohne pl*> sensación *f*; (*negativ*) escándalo *m*; **~ erregend** llamativo; (*negativ*) escandaloso; **aufsehenerregend** *adj s.* **Aufsehen**

aufseiten[RR] *adv*: **~ der Schwächeren** de parte de los más débiles

auf|setzen I. *vi* (*Flugzeug*) aterrizar II. *vt* (*Essen*) poner al fuego; (*Hut*) ponerse; **eine unfreundliche Miene ~** poner cara de disgusto

Aufsicht *f* <-en> ❶ (*Leitung*) dirección *f* ❷ (*Person*) vigilante *mf* ❸ *ohne pl* (*Überwachung*) vigilancia *f*; **unter ~ stehen** estar bajo vigilancia

auf|spannen *vt* (*Schirm*) abrir; **auf|sperren** *vt* (*fam: weit öffnen*) abrir de par en par; (SÜDD, ÖSTERR: *aufschließen*) abrir con llave; **auf|spielen** *vr:* **sich ~** (*fam*) darse (mucho) tono; **auf|springen** *irr vi sein* (*hochspringen*) saltar; (*sich plötzlich öffnen*) abrirse de golpe

Aufstand *m* sublevación *f*

auf|stauen *vr:* **sich ~** acumularse; (*Wasser*) estancarse; **auf|stehen** *irr vi sein* (*sich erheben*) ponerse de pie; (*aus dem Bett*) levantarse; **auf|steigen** *irr vi sein* (*Nebel, Rauch*) subir; (*Flugzeug*) tomar altura; (*auf ein Fahrrad*) montar(se)

auf|stellen *vt* (*aufbauen*) colocar; (*Zelt*) montar; (*aufrichten*) levantar; **Aufstellung** *f* (*Liste*) relación *f*; (*Tabelle*) tabla *f*

Aufstieg ['aʊfʃtiːk] *m* <-(e)s, -e> ascenso *m*

auf|stoßen *irr* I. *vi* (*rülpsen*) eructar II. *vt* (*öffnen*) abrir de un empujón; **auf|stützen** *vt, vr:* **sich ~** apoyar(se) (**auf** en/sobre); **auf|suchen** *vt* ir a ver; (*Arzt*) consultar; **auf|tanken** *vt* repostar (combustible); **auf|tauchen** *vi sein* emerger; (*fig*) aparecer; **auf|tauen** I. *vi sein* (*Eis*) derretirse; (*See*) deshelarse; (*gesprächig werden*) soltarse II. *vt haben* descongelar

auf|teilen *vt* (*verteilen*) repartir (**unter** entre, **an** a); (*unterteilen*) dividir (**in** en); **Aufteilung** *f* <-en> (*Verteilung*) distribución *f*; (*Unterteilung*) división *f*

Auftrag ['aʊftraːk] *m* <-(e)s, -träge> (*Anweisung*) orden *f*; (*Bestellung*) pedido *m*; (*Aufgabe*) misión *f*; **im ~ von ...** por orden de...; **etw in ~ geben** encomendar algo

auf|treiben *irr vt* (*fam*) encontrar;

(*Geld*) reunir; **auf|treten** *irr vi sein* (*erscheinen*) presentarse; (*Schauspieler*) actuar; **sicher ~** actuar con aplomo

Auftreten *nt* <-s, *ohne pl*> ① (*Erscheinung*) aparición *f* ② (*Benehmen*) conducta *f*

Auftrieb *m* <-(e)s, *ohne pl*> (*Schwung*) ánimo(s) *m*(*pl*)

Auftritt *m* <-(e)s, -e> THEAT entrada *f* en escena; (*Vorstellung*) actuación *f*

auf|wachen *vi sein* despertarse; **auf|wachsen** *irr vi sein* criarse

Aufwand ['aʊfvant] *m* <-(e)s, *ohne pl*> (*Einsatz*) esfuerzo *m*; (*Kosten*) gastos *mpl*; **viel ~ mit etw treiben** hacer mucha ceremonia con algo

aufwändig[RR] *adj* costoso

auf|wärmen *vt* (*Essen*) recalentar

aufwärts ['aʊfvɛrts] *adv* (hacia) arriba

auf|wecken *vt* despertar; **auf|weichen** ['aʊfvaɪçən] I. *vi sein* reblandecer II. *vt haben* ablandar; **auf|weisen** ['aʊfvaɪzən] *irr vt* presentar; **auf|wenden** *irr vt* invertir

aufwendig *adj s.* **aufwändig**

auf|werfen *irr vt* (*Probleme*) plantear; **auf|werten** *vt* (*Währung*) revalorizar; **auf|wickeln** *vt* devanar; **auf|wirbeln** *vt* arremolinar; **viel Staub ~** (*a. fig*) levantar una gran polvareda; **auf|wischen** *vt* limpiar (con un trapo); **auf|wühlen** *vt* (*Erde*) (re)mover; (*erregen*) emocionar

auf|zählen *vt* enumerar; **Aufzählung** *f* <-en> enumeración *f*; (*Liste*) lista *f*

auf|zeichnen *vt* (*Plan*) trazar; (*Sendung*) grabar; **Aufzeichnung** *f* ① *pl* (*Notizen*) apuntes *mpl* ② (*Bild-, Tonaufnahme*) grabación *f*

auf|zeigen *vt* (*geh: darlegen*) mostrar; (*klarmachen*) demostrar; **auf|ziehen** *irr vt* (*Vorhang*) descorrer; (*Uhr*) dar cuerda (a); (*Kind, Tier*) criar

Aufzug *m* (*Lift*) ascensor *m*; (*abw: Kleidung*) pinta *f*

auf|zwingen *irr vt*: **jdm etw ~** imponer algo a alguien

Auge ['aʊgə] *nt* <-s, -n> ojo *m*; **etw ins ~ fassen** proponerse hacer algo; **beide ~n zudrücken** hacer la vista gorda; **jdn unter vier ~n sprechen** hablar a alguien a solas; **ins ~ gehen** (*fam fig*) acabar mal; **mit einem blauen ~ davonkommen** (*fam fig*) salir bien parado; **Augenarzt, -ärztin** *m, f* oculista *mf*; **Augenblick** *m* momento *m*

augenblicklich *adj* (*gegenwärtig*) momentáneo; (*unverzüglich*) inmediato

Augenbraue ['aʊgənbraʊə] *f* ceja *f*; **Augenfarbe** *f* color *m* de los ojos; **Augenzeuge, Augenzeugin** *m, f* testigo *mf* ocular; **Augenzwinkern** *nt* <-s, *ohne pl*> guiño *m*

August [aʊ'gʊst] *m* <-(e)s, -e> agosto *m*; *s.a.* **März**

Auktion [aʊk'tsjo:n] *f* <-en> subasta *f*

Aula ['aʊla] *f* <Aulen> salón *m* de actos; (*einer Universität*) paraninfo *m*

aus [aʊs] I. *präp +dat* ① (*heraus*) por; **er sah ~ dem Fenster** miró por la ventana; **~ der Flasche trinken** beber de la botella; **~ der Mode kommen** pasar de moda ② (*herkommend von*) de; **er ist ~ Leipzig** es de Leipzig ③ (*beschaffen*) de; **~ Glas** de cristal ④ (*mittels, infolge von*) por; **~ Erfahrung** por experiencia; **~ Angst** por miedo; **~ diesem Anlass** por este motivo II. *adv* (*ausgeschaltet*) apagado; **das Spiel ist ~** (*fam*) el partido ha terminado; **zwischen ihnen ist es ~** (*fam*) han cortado; **auf etw ~ sein** ir detrás de algo; **von hier ~** desde aquí; **von mir ~** (*fam*) por mí

aus|arbeiten *vt* (*Plan*) elaborar; **aus|arten** ['aʊsartən] *vi sein* degenerar (**in** en); **aus|atmen** *vi, vt* espirar; **aus|baden** *vt* (*fam*): **etw ~ müssen** tener que pagar los platos rotos

Ausbau *m* <-[e]s, *ohne pl*> ampliación *f*; **aus|bauen** *vt* (*Gebäude*) ampliar; (*vertiefen*) intensificar

aus|bessern *vt* (*Kleidung*) arreglar; (*flicken*) remendar; **aus|beuten** *vt* explotar

Ausbeutung *f* explotación *f*
aus|bilden *vt* (*Lehrling*) formar; (*Fähigkeiten*) desarrollar
Ausbildung *f* <-en> formación *f* (profesional); **Ausbildungsplatz** *m* puesto *m* de aprendizaje
aus|bleiben *irr vi sein* (*nicht eintreten*) no darse; (*fernbleiben*) no aparecer
Ausblick *m* (*in die Ferne*) vista *f* (**auf** de); (*in die Zukunft*) perspectiva *f* (**auf** de)
aus|borgen *vt* REG prestar; **sich** *dat* **etw** ~ tomar algo prestado; **aus|brechen** *irr vi sein* (*Krieg*) estallar; (*Vulkan*) entrar en erupción; (*sich befreien*) escapar(se) (**aus** de); **in Tränen** ~ romper a llorar; **aus|breiten** I. *vt* (*Landkarte*) abrir; (*Decke, Arme*) extender; (*einzelne Gegenstände*) exponer II. *vr:* **sich** ~ (*Nachricht, Feuer*) propagarse; (*sich erstrecken*) extenderse
Ausbreitung *f* <-en> ❶ (*Nachricht, Feuer*) propagación *f* ❷ (*Größe*) ampliación *f*
Ausbruch *m* <-(e)s, -brüche> ❶ (*Flucht*) fuga *f* (**aus** de) ❷ (*Eruption*) erupción *f*; (*Gefühlsentladung*) arrebato *m*
aus|bürsten *vt* cepillar
Ausdauer *f* (*Beharrlichkeit*) perseverancia *f*; (*körperlich*) resistencia *f*; (*Zähigkeit*) tenacidad *f*; **ausdauernd** *adj* perseverante
aus|dehnen I. *vt* (*dehnen*) ensanchar; (*erweitern*) ampliar; (*verlängern*) prolongar II. *vr:* **sich** ~ (*größer werden*) dilatarse; (*zeitlich*) prolongarse; **aus|denken** *irr vt:* **sich** *dat* **etw** ~ imaginar algo
Ausdruck[1] *m* <-(e)s, -drücke> ❶ (*Wort*) palabra *f*; (*Wendung*) expresión *f* ❷ *ohne pl* (*Stil*) expresión *f*; **etw zum ~ bringen** expresar algo
Ausdruck[2] *m* <-(e)s, -e> impreso *m*
aus|drucken *vt* imprimir; **aus|drücken** I. *vt* (*Frucht*) exprimir; (*Zigarette*) apagar; (*äußern*) expresar II. *vr:* **sich** ~ expresarse
ausdrücklich ['aʊsdrʏklɪç, -'--] *adj* expreso; (*Verbot*) categórico
ausdruckslos *adj* inexpresivo; **ausdrucksvoll** *adj* expresivo; **auseinander|bringen** *irr vt* (*fam*) separar; **auseinander|fallen** *irr vi sein* caerse en pedazos; **auseinander|gehen** *irr vi sein* (*sich trennen*) separarse; (*fam: kaputtgehen*) romperse; **auseinander|halten** *irr vt* distinguir; **auseinander|setzen** *vr:* **sich mit etw** ~ ocuparse de algo
Auseinandersetzung *f* <-en> (*Beschäftigung*) análisis *m inv* (**mit** de); (*Diskussion*) discusión *f* (**über** acerca de); (*Streit*) conflicto *m*
Ausfahrt *f* salida *f*
aus|fallen *irr vi sein* (*herausfallen*) caerse; (*nicht funktionieren*) fallar; (*nicht stattfinden*) suspenderse; **der Unterricht fällt aus** no hay clase; **ausfallend** *adj* (*grob*) agresivo; (*beleidigend*) grosero
aus|fertigen *vt* (*Pass*) expedir; (*Dokument*) extender; **Ausfertigung** *f*: **in doppelter** ~ por duplicado
ausfindig ['aʊsfɪndɪç] *adv*: **jdn/etw** ~ **machen** localizar a alguien/algo
aus|flippen ['aʊsflɪpən] *vi sein* (*fam*) flipar; (*durch Drogen*) fliparse
Ausflucht ['aʊsflʊxt] *f* <-flüchte> excusa *f*
Ausflug *m* excursión *f*
aus|fragen *vt:* **jdn** (**über etw**) ~ interrogar a alguien (sobre algo); **aus|fransen** ['aʊsfranzən] *vi sein* deshilacharse
Ausfuhr ['aʊsfu:ɐ] *f* <-en> exportación *f*; **aus|führen** *vt* (*spazieren führen*) llevar de paseo; (*Auftrag*) cumplir; (*erklären*) exponer
ausführlich ['aʊsfy:ɐlɪç, -'--] I. *adj* detallado II. *adv* con todo detalle
Ausführung *f* ❶ (*Typ*) modelo *m* ❷ *pl* (*Darlegung*) explicaciones *fpl*
aus|füllen *vt* (*Formular*) cumplimentar; (*befriedigen*) satisfacer
Ausgabe *f* ❶ (*eines Buches*) edición *f*;

(*Zeitschrift*) número *m* ❸ *pl* (*Kosten*) gastos *mpl*

Ausgang *m* ❶ (*Tür*) salida *f* ❷ *ohne pl* (*Ergebnis*) desenlace *m*

aus|geben *irr* I. *vt* (*austeilen*) distribuir; (*Geld*) gastar (**für** en) II. *vr:* **sich ~** hacerse pasar (**als/für** por)

ausgebucht ['aʊsgəbu:xt] *adj* completo

ausgefallen *adj* extravagante

ausgeglichen ['aʊsgəglɪçən] *adj* equilibrado

aus|gehen *irr vi sein* (*weggehen*) salir; (*erlöschen*) apagarse; (*enden*) acabar; **wir können davon ~, dass ...** podemos partir de la base de que...; **leer ~** irse con las manos vacías

ausgehungert *adj* hambriento; (*Hunger leidend*) famélico

ausgekocht *adj* (*fam abw*) taimado

ausgelassen *adj* muy alegre; (*Kind*) retozón

ausgemergelt ['aʊsgəmɛrgəlt] *adj* demacrado

ausgenommen ['aʊsgənɔmən] I. *präp +akk* a excepción de II. *konj*: **~, dass ...** a no ser que... *+subj*

ausgeprägt *adj* pronunciado

ausgerechnet ['--'--] *adv* (*fam*) precisamente; **muss das ~ heute sein?** ¿tiene que ser precisamente hoy?

ausgeschlossen ['aʊsgəʃlɔsən] *adj* imposible; **es ist nicht ~, dass ...** no se excluye que... *+subj*

ausgesprochen ['aʊsgəʃprɔxən] *adv* (*sehr*) realmente

ausgestorben ['aʊsgəʃtɔrbən] *adj* extinguido; (*Ort*) desierto

ausgewachsen *adj* desarrollado

ausgewogen ['aʊsgəvo:gən] *adj* armonioso

ausgezeichnet ['----, '--'--] *adj* excelente

ausgiebig ['aʊsgi:bɪç] I. *adj* abundante; (*Essen*) opulento; **einen ~en Mittagsschlaf halten** echarse una larga siesta II. *adv* con abundancia

Ausgleich ['aʊsglaɪç] *m* <-(e)s, *ohne pl*> compensación *f* (**für** por)

aus|gleichen *irr vt* (*Unterschiede*) nivelar; (*Mangel*) compensar

aus|graben *irr vt* desenterrar; **Ausgrabung** *f* <-en> excavación *f*

aus|grenzen *vt* excluir

Ausguss[RR] *m* pila *f*

aus|haben *irr vi* (*fam: Schluss haben*) terminar; **aus|halten** *irr vt* (*ertragen*) soportar; (*standhalten*) resistir; (*fam abw: Lebensunterhalt bezahlen*) mantener

aus|händigen ['aʊshɛndɪgən] *vt* (*Urkunde, Geld*) entregar

Aushang *m* anuncio *m*

aus|hängen[1] *irr vi* (*aufgehängt sein*) estar colgado (en el tablón de anuncios)

aus|hängen[2] *vt* (*aufhängen*) hacer público

aus|harren ['aʊsharən] *vi* (*geh*) perseverar; **aus|hecken** ['aʊshɛkən] *vt* (*fam*) tramar

aus|helfen *irr vi* ayudar; **sie half ihm mit Werkzeug aus** le ayudó aportando herramientas; **Aushilfe** *f* auxiliar *mf*

aus|holen *vi* tomar impulso; **aus|horchen** *vt* tantear; **aus|kennen** *irr vr:* **sich ~** conocer bien (**mit/in**); (*in einem Fach*) estar versado (**in/mit** en); **damit kenne ich mich gar nicht aus** de eso no entiendo nada; **aus|klammern** *vt* dejar de lado; **aus|kommen** *irr vi sein* (*sich vertragen*) entenderse; (*zurechtkommen*) arreglarse; (*ausreichend haben*) alcanzar; **wir kommen gut miteinander aus** nos llevamos bien; **mit ihm kann man nicht ~** no hay quien le aguante; **aus|kundschaften** ['aʊskʊntʃaftən] *vt* indagar; (*Gegend*) explorar

Auskunft ['aʊskʊnft] *f* <-künfte> información *f*

aus|kurieren* *vt, vr:* **sich ~** (*fam*) curar(se) (completamente); **aus|lachen** *vt* reírse (de); **aus|laden** *irr vt* (*Fracht, Fahrzeug*) descargar; **jdn ~** retirar a alguien la invitación

Auslagen *f pl* desembolso *m*
Ausland *nt* <-(e)s, *ohne pl*> (país *m*) extranjero *m*
Ausländer(in) *m(f)* <-s, -; -nen> extranjero, -a *m, f*; **ausländerfeindlich** *adj* xenófobo; **Ausländerfeindlichkeit** *f* xenofobia *f*
ausländisch *adj* extranjero
Auslandsaufenthalt *m* estancia *f* en el extranjero
aus|lassen *irr vt* omitir; (*Laune*) descargar (**an** sobre); **aus|laufen** *irr vi sein* (*Flüssigkeit*) derramarse; (*Gefäß*) vaciarse; (*aufhören*) terminar; (*Vertrag*) expirar; **aus|leeren** *vt* (*Gefäß*) vaciar; (*Flüssigkeit*) verter; **aus|legen** *vt* (*Köder*) poner; (*Kabel*) tender; (*Geld*) adelantar; (*Worte*) interpretar; **aus|leiern** *vi sein* (*fam*) dar(se) de sí; **aus|leihen** *irr vt* (*verleihen*) prestar; (*sich borgen*) tomar prestado; **aus|liefern** *vt* entregar; **jdm ausgeliefert sein** (*fam*) estar en manos de alguien; **aus|löschen** *vt* (*geh: Menschenleben*) extinguir; **aus|losen** ['aʊslo:zən] *vt* rifar; **aus|lösen** *vt* (*hervorrufen*) provocar
Auslöser *m* <-s, -> ❶ TECH mecanismo *m* de disparo ❷ (*Anlass*) (factor *m*) desencadenante *m* (**für** de)
aus|machen *vt* (*vereinbaren*) concertar; (*bedeuten*) importar; (*fam: ausschalten*) apagar; **aus|malen** *vt* colorear (**mit** de); **sich** *dat* **etw ~** imaginarse algo
Ausmaß *nt* dimensión *f*; **bis zu einem gewissen ~** hasta (un) cierto punto; **in großem ~** a gran escala; **aus|messen** *irr vt* medir
Ausnahme *f* <-n> excepción *f*; **mit ~ von ...** a excepción de...; **Ausnahmefall** *m* caso *m* excepcional
ausnahmslos *adj* sin excepción; **ausnahmsweise** ['----, '--'--] *adv* excepcionalmente
aus|nehmen *irr vt* (*Fisch*) limpiar; (*Geflügel*) destripar; (*ausschließen*) exceptuar; **aus|nutzen** *vt* (*Gelegenheit*) aprovechar; (*Notlage*) aprovecharse (de); **aus|packen** *vt* (*Koffer*) deshacer; (*Geschenk*) desenvolver; (*Paket*) desembalar; **aus|pressen** *vt* (*Saft*) extraer; (*Frucht*) exprimir; **aus|probieren*** *vt* probar
Auspuff ['aʊspʊf] *m* <-(e)s, -e> escape *m*; **Auspuffrohr** *nt* tubo *m* de escape
aus|quartieren* ['aʊskvarti:rən] *vt* desalojar; **aus|quetschen** *vt* (*fam: ausfragen*) acosar a preguntas; **aus|radieren*** *vt* borrar; **aus|rangieren*** ['aʊsraŋʒi:rən] *vt* (*fam*) desechar; **aus|rauben** *vt* desvalijar; **aus|räumen** *vt* vaciar; (*Missverständnis*) arreglar; (*Zweifel*) disipar; **aus|rechnen** *vt* calcular
Ausrede *f* pretexto *m*; **aus|reden** I. *vi* acabar de hablar II. *vt:* **jdm etw ~** disuadir a alguien de algo
aus|reichen *vt* bastar
ausreichend *adj* suficiente
Ausreise *f* salida *f*
aus|reißen *irr* I. *vi sein* (*fam*) escapar (se) II. *vt haben* arrancar; **aus|renken** ['aʊsrɛŋkən] *vt* dislocar; **aus|richten** *vt* (*Nachricht*) dar; **soll ich ihr etwas ~?** ¿quiere que le dé algún recado?; **aus|rotten** ['aʊsrɔtən] *vt* exterminar
Ausruf *m* exclamación *f*; **aus|rufen** *irr vt* (*rufend nennen*) llamar; (*Abflug*) anunciar (por altavoz); (*Notstand*) proclamar
Ausrufezeichen *nt* signo *m* de exclamación
aus|ruhen *vi, vr:* **sich ~** descansar
aus|rüsten *vt* equipar; **Ausrüstung** *f* equipo *m*
aus|rutschen *vi sein* resbalar
Aussage ['aʊsza:gə] *f* JUR declaración *f*; **aus|sagen** I. *vi* JUR declarar II. *vt* (*ausdrücken*) expresar
aus|schalten *vt* (*Licht*) apagar; (*Gegner*) eliminar
Ausschau *f*: **nach jdm/etw ~ halten** buscar a alguien/algo con la vista
aus|schlafen *irr* I. *vi, vr:* **sich ~** dormir

a su gusto **II.** *vt:* **seinen Rausch ~** dormir la mona

Ausschlag *m* MED erupción *f* cutánea; **aus|schlagen** *irr vt* (*Angebot*) rehusar

ausschlaggebend *adj* decisivo

aus|schließen *irr vt* (*Irrtum*) descartar; (*im Widerspruch stehen*) excluir; (*aus einer Gemeinschaft*) expulsar (**aus** de)

ausschließlich **I.** *adj* exclusivo **II.** *adv* únicamente **III.** *präp +gen* con exclusión de

Ausschluss[RR] *m* <-es, -schlüsse> exclusión *f* (**aus** de); **unter ~ der Öffentlichkeit** JUR a puerta cerrada

aus|schneiden *irr vt* recortar (**aus** de); **Ausschnitt** *m* (*Teil*) parte *f*; (*aus einem Film*) escena *f*; (*bei Kleidung*) escote *m*

Ausschreitungen ['aʊsʃraɪtʊŋən] *f pl* disturbios *m pl*

Ausschuss[RR] *m* ❶ (*Komitee*) comisión *f* ❷ *ohne pl* (*minderwertige Ware*) desecho *m*

aus|schütteln *vt* sacudir; **aus|schütten** *vt* (*Flüssigkeit*) verter; **jdm sein Herz ~** abrir su corazón a alguien

ausschweifend ['aʊsʃvaɪfənt] *adj* (*Leben*) libertino; (*Fantasie*) desenfrenado

aus|sehen *irr vi* parecer; **gut ~** tener buen aspecto; (*Person*) estar guapo; **es sieht nach Regen aus** parece que va a llover; **er sieht aus wie sein Vater** se parece a su padre

Aussehen *nt* <-s, *ohne pl*> aspecto *m*

außen ['aʊsən] *adv* fuera; **von ~** por fuera

Außenhandel *m* comercio *m* exterior; **Außenminister(in)** *m(f)* ministro, -a *m, f* de Asuntos Exteriores, canciller *m* ; **Außenministerium** *nt* Ministerio *m* de Asuntos Exteriores; **Außenpolitik** *f* política *f* exterior; **außenpolitisch** *adj* referente a la política exterior; **Außenseite** *f* (parte *f*) exterior *m*

Außenseiter(in) *m(f)* <-s, -; -nen> marginado, -a *m, f*

außer ['aʊsɐ] **I.** *präp +dat* fuera de; (*ausschließlich*) a excepción de; (*abgesehen von*) aparte de; **~ Sicht sein** no ser visible; **~ Haus** fuera de casa; **~ Betrieb** fuera de servicio; **~ Atem** sin aliento; **~ sich** *dat* **sein** estar fuera de sí **II.** *präp +gen* fuera de; **~ Landes** fuera del país **III.** *konj* excepto; **~ dass** excepto que *+subj*; **~ wenn** excepto si

außerdem ['aʊsɐde:m, --'-] *adv* además

äußere(r, s) *adj* exterior

Äußere(s) *nt* <-n, *ohne pl*> aspecto *m*; (*Gesicht, Körper*) físico *m*

außergewöhnlich *adj* excepcional

außerhalb **I.** *präp +gen* fuera de; **~ der Stadt** fuera de la ciudad **II.** *adv* fuera; **wir wohnen ~** vivimos en las afueras

außerirdisch *adj* extraterrestre

äußerlich ['ɔɪsɐlɪç] *adj* externo; (*oberflächlich*) superficial; **nur ~ anwenden** (*Medikamente*) sólo para uso externo

äußern ['ɔɪsɐn] **I.** *vt* expresar **II.** *vr:* **sich ~** (*seine Meinung sagen*) pronunciarse; (*sich zeigen*) mostrarse

außerordentlich **I.** *adj* extraordinario **II.** *adv* (*sehr*) sumamente

außerorts *adv* SCHWEIZ, ÖSTERR en las afueras

äußerst ['ɔɪsɐst] *adv* muy

außerstande [aʊsɐ'ʃtandə] *adv:* **~ sein etw zu tun** no estar en condiciones de hacer algo

äußerste(r, s) ['ɔɪsɐstə, -tɐ, -təs] *adj* (*größtmöglich*) máximo; (*weit entfernt*) extremo; **am ~n Ende der Stadt** en el límite de la ciudad

Äußerung ['ɔɪsərʊŋ] *f* <-en> declaración *f*; (*Bemerkung*) observación *f*

aus|setzen **I.** *vi* (*Atmung*) cesar **II.** *vt* (*Tier*) abandonar; (*bemängeln*) poner reparos (**an** a); **jdn etw** *dat* **~** exponer a alguien a algo

Aussicht *f* vista *f* (**auf** de); (*Zukunftsmöglichkeit*) perspectiva *f* (**auf** de); **etw hat ~ auf Erfolg** algo tiene probabilidad de éxito; **aussichtslos** *adj* inútil;

Aussichtspunkt *m* mirador *m*; **aussichtsreich** *adj* prometedor; **Aussichtsturm** *m* mirador *m*

Aussiedler(in) *m(f)* expatriado, -a *m, f*

aus|sortieren* *vt* separar; **aus|spannen** I. *vi* (*sich erholen*) descansar II. *vt* (*fam*): **jdm den Freund ~** quitar(le) a alguien el novio; **aus|sperren** I. *vt* (*aus der Wohnung*) cerrar la puerta (a) II. *vr:* **sich ~** quedarse fuera sin llaves

Aussprache *f* (*Artikulation*) pronunciación *f*; (*Akzent*) acento *m*; (*Unterredung*) discusión *f*; **eine ~ mit jdm haben** hablar francamente con alguien; **aus|sprechen** *irr* I. *vi* (*zu Ende sprechen*) terminar (la frase) II. *vt* (*Wörter*) pronunciar; (*Lob*) expresar III. *vr:* **sich ~** (*sein Herz ausschütten*) desahogarse (**bei** con); (*befürworten*) abogar (**für** por)

aus|spucken *vi, vt* escupir; **aus|spülen** *vt* enjuagar

Ausstand *m* <-(e)s, *ohne pl*> (*Streik*) huelga *f*

aus|statten ['aʊsʃtatən] *vt* proveer (**mit** de)

Ausstattung *f* <-en> (*mit Geräten*) equipo *m*

aus|stehen *irr* I. *vi* (*fehlen*) estar pendiente II. *vt* (*ertragen*) soportar; **ich kann ihn nicht ~** no le soporto; **aus|steigen** *irr vi sein* (*aus einem Fahrzeug*) bajar (**aus** de)

aus|stellen *vt* (*Bilder*) exponer; (*Bescheinigung*) expedir; (*Scheck*) extender; **Ausstellung** *f* exposición *f*

aus|sterben *irr vi sein* desaparecer; (*Brauch*) caer en desuso; **aus|stoßen** *irr vt* expulsar; (*Seufzer*) lanzar

aus|strahlen *vt* (*Licht, Wärme*) emitir; (*Ruhe, Heiterkeit*) irradiar; **Ausstrahlung** *f* carisma *m*

aus|strecken *vt, vr:* **sich ~** estirar(se); **aus|suchen** *vt* escoger

Austausch *m* <-(e)s, *ohne pl*> (intercambio *m*

austauschbar *adj* (inter)cambiable; (*ersetzbar*) sustituible

aus|tauschen *vt* cambiar; (*Erfahrungen*) intercambiar; **aus|teilen** *vt* repartir

Auster ['aʊstɐ] *f* <-n> ostra *f*

aus|tragen *irr vt* (*Briefe*) repartir; (*Konflikt*) poner en claro; **ein Kind ~** (decidir) tener el niño

Australien [aʊs'tra:liən] *nt* <-s> Australia *f*

Australier(in) *m(f)* <-s, -; -nen> australiano, -a *m, f*

australisch *adj* australiano

aus|treten *irr* I. *vi sein* (*Gas*) escaparse (**aus** por); (*aus der Kirche, Partei*) salir (**aus** de); (*fam: zur Toilette gehen*) ir al servicio II. *vt haben* (*Feuer*) apagar con los pies; (*Zigarette*) pisar; **aus|trinken** *irr vi, vt* terminar(se) de beber; **aus|trocknen** *vi sein vt haben* secar (se); **aus|üben** *vt* (*Macht, Einfluss*) ejercer (**auf** sobre); (*Amt*) desempeñar; **einen Beruf ~** ejercer una profesión

Ausverkauf *m* rebajas *fpl*

ausverkauft *adj* agotado

Auswahl *f* ❶ (*Angebot*) surtido *m* ❷ *ohne pl* (*Wahl*) selección *f*; **zur ~** a escoger; **aus|wählen** *vt* escoger

Auswanderer, Auswanderin *m, f* <-s, -; -nen> emigrante *mf*; **aus|wandern** *vi sein* emigrar (**nach** a)

auswärtig ['aʊsvɛrtɪç] *adj* (*nicht einheimisch*) de fuera; (*das Ausland betreffend*) exterior

auswärts ['aʊsvɛrts] *adv* fuera (de casa); **von ~** de fuera

aus|waschen *irr vt* lavar; **aus|wechseln** *vt* (re)cambiar

Ausweg *m* salida *f* (**aus** de); **ausweglos** *adj* sin salida

aus|weichen *irr vi sein*: **jdm ~** hacer sitio a alguien; **etw** *dat* **~** (*fig*) evitar algo; **eine ~de Antwort geben** responder con una evasiva

Ausweis ['aʊsvaɪs] *m* <-es, -e> documento *m*; (*Personalausweis*) documento *m* nacional de identidad;

aus|weisen ['aʊsvaɪzən] *irr* I. *vt* (*fortschicken*) expulsar (**aus** de) II. *vr:* **sich** ~ identificarse

Ausweispapiere *nt pl* documentación *f*

aus|weiten I. *vt* ampliar II. *vr:* **sich** ~ (*weiter werden*) ensancharse; (*sich auswachsen*) llegar a convertirse (**zu** en)

auswendig ['aʊsvɛndɪç] *adv* de memoria; **etw** ~ **können** saberse algo de memoria

aus|werten *vt* analizar; **aus|wickeln** *vt* desenvolver

aus|wirken *vr:* **sich** ~ repercutir (**auf** en); **Auswirkung** *f* repercusión *f* (**auf** en)

aus|wringen ['aʊsvrɪŋən] *irr vt* escurrir; **aus|zahlen** I. *vt* pagar II. *vr:* **sich** ~ merecer la pena; **aus|zählen** *vt* (*Stimmen*) escrutar

aus|zeichnen I. *vt* (*ehren*) honrar II. *vr:* **sich** ~ destacarse (**durch** por); **Auszeichnung** *f* <-en> (*Ehrung*) distinción *f*; **mit** ~ con mención honorífica

aus|ziehen *irr* I. *vi sein* (*Wohnung räumen*) mudarse II. *vt haben* (*Kleidung ablegen*) quitar; (*Tisch*) alargar III. *vr haben*: **sich** ~ desnudarse

Auszubildende(r) ['aʊstsubɪldəndɐ] *f(m) dekl wie adj* aprendiz(a) *m(f)*

Auszug *m* (*aus der Wohnung*) mudanza *f* (**aus** de); (*Extrakt*) extracto *m*

authentisch [aʊ'tɛntɪʃ] *adj* auténtico

Auto ['aʊto] *nt* <-s, -s> coche *m*; (**mit dem**) ~ **fahren** ir en coche

Autobahn *f* autopista *f*

Autobahnauffahrt *f* entrada *f* a la autopista; **Autobahnausfahrt** *f* salida *f* de la autopista

Autobus ['aʊtobʊs] *m* autobús *m*; **Autofahrer(in)** *m(f)* conductor(a) *m(f)*

Autogramm [aʊto'gram] *nt* <-s, -e> autógrafo *m*

Automat [aʊto'maːt] *m* <-en, -en> autómata *m*; (*Getränkeautomat*) distribuidor *m* automático; (*Geldautomat*) cajero *m* (automático)

automatisch *adj* automático

Automatisierung *f* <-en> automatización *f*

Automechaniker(in) *m(f)* mecánico, -a *m, f* de coches

autonom [aʊto'noːm] *adj* autónomo

Autonummer *f* matrícula *f* del coche

Autor(in) ['aʊtoːɐ] *m(f)* <-s, -en; -nen> autor(a) *m(f)*

autoritär [aʊtori'tɛːɐ] *adj* autoritario

Autorität *f* <-en> autoridad *f*

Autounfall *m* accidente *m* de automóvil;

Autowerkstatt *f* taller *m* de coches

Aversion [avɛr'zjoːn] *f* <-en> aversión *f*

Avocado [avo'kaːdo] *f* <-s> aguacate *m*

Axt [akst] *f* <Äxte> hacha *f*

Azteke, Aztekin [ats'teːkə] *m, f* <-n, -n; -nen> azteca *mf*

Azubi [a'tsuːbi] *mf* <-s, -s; -s> (*fam*) *Abk. von* **Auszubildende(r)** aprendiz(a) *m(f)*

B

B, b [be:] *nt* <-, -> B, b *f*

Baby ['be:bi, 'bɛɪbi] *nt* <-s, -s> bebé *m*; **Babyfon** [be:bi'fo:n] *nt* <-s, -e> intercomunicador *m* para bebés; **Babysitter(in)** *m(f)* <-s, -; -nen> canguro *mf*

Bach [bax] *m* <-(e)s, Bäche> arroyo *m*

Backblech *nt* bandeja *f* de horno

Backe ['bakə] *f* <-n> (*fam: Wange*) carrillo *m*; (*Pausbacke*) moflete *m*

backen ['bakən] <backt *o* bäckt, backte, gebacken> *vt* hacer (en el horno)

Backenzahn *m* muela *f*

Bäcker(in) ['bɛkɐ] *m(f)* <-s, -; -nen> panadero, -a *m, f*

Bäckerei *f* <-en> panadería *f*

Backofen *m* horno *m*; **Backpulver** *nt* levadura *f* en polvo

bäckt [bɛkt] *3. präs von* **backen**

Bad [ba:t] *nt* <-(e)s, Bäder> (*Badezimmer*) (cuarto *m* de) baño *m*; (*Heilbad*) balneario *m*; **ein ~ nehmen** tomar un baño

Badeanstalt *f* piscina *f* (municipal); **Badeanzug** *m* traje *m* de baño; **Badehose** *f* bañador *m*; **Badekappe** *f* gorro *m* de baño; **Bademantel** *m* albornoz *m*

baden ['ba:dən] *vi* (*schwimmen*) bañarse; (*ein Bad nehmen*) tomar un baño

Baden-Württemberg ['ba:dən'vʏrtəmbɛrk] *nt* <-s> Baden-Wurtemberg *m*

Badeschuhe *m pl* chancletas *fpl* de baño; **Badetuch** *nt* <-(e)s, -tücher> toalla *f* de baño; **Badewanne** *f* bañera *f*; **Badewasser** *nt* <-s, *ohne pl*> agua *f* para el baño; **Badezimmer** *nt* cuarto *m* de baño

Bafög ['ba:føk], **BAföG** *nt* <-(s)> *Abk. von* **Bundesausbildungsförderungsgesetz** Ley *f* Federal de Promoción de la Enseñanza

Bagatelle [baga'tɛlə] *f* <-n> bagatela *f*

Bagger ['bagɐ] *m* <-s, -> excavadora *f*; **Baggersee** *m* lago *m* (artificial)

Baguette [ba'gɛt] *nt* <-s, -s> barra *f* de pan (*blanco, estilo francés*)

Bahn [ba:n] *f* <-en> (*Weg*) camino *m*; (*Zug*) tren *m*; **freie ~ haben** tener vía libre; **auf die schiefe ~ geraten** ir por mal camino; **Bahnbeamte(r)** *m*, **-beamtin** *f* (empleado, -a *m, f*) ferroviario, -a *m, f*; **Bahndamm** *m* terraplén *m* de vías férreas; **Bahnfahrt** *f* viaje *m* en tren; **Bahngleis** *nt* raíl *m*; **Bahnhof** *m* estación *f* (de ferrocarril); **Bahnlinie** *f* línea *f* ferroviaria; **Bahnschranke** *f* barrera *f* de un paso a nivel; **Bahnsteig** ['ba:nʃtaɪk] *m* <-(e)s, -e> andén *m*; **Bahnübergang** *m* paso *m* a nivel; **Bahnverbindung** *f* comunicación *f* ferroviaria

Bahre ['ba:rə] *f* <-n> camilla *f*; (*für Tote*) féretro *m*

Bakterie [bak'te:riə] *f* <-n> bacteria *f*

Balance [ba'lã:s(ə)] *f* <-n> equilibrio *m*

balancieren* I. *vi sein* hacer equilibrios II. *vt haben* equilibrar

bald [balt] <eher, am ehesten> *adv* pronto; **so ~ wie möglich** cuanto antes; **~ darauf** poco después; **bis ~!** ¡hasta pronto!

Balearen [bale'a:rən] *pl*: **die ~** las Baleares

Balkan ['balka:n] *m* <-s>: **der ~** los Balcanes; **auf dem ~** en los Balcanes; **Balkanländer** *nt pl* países *mpl* balcánicos

Balken ['balkən] *m* <-s, -> viga *f*

Balkon [bal'kɔŋ, bal'ko:n] *m* <-s, -e *o* -s> balcón *m*

Ball [bal] *m* <-(e)s, Bälle> SPORT balón *m*; (*Tanzball*) baile *m*; **~ spielen** jugar a la pelota

Ballast ['balast, -'-] *m* <-(e)s, -e> carga *f*

ballen ['balən] I. *vt* (*Faust*) apretar; **die Hand zur Faust ~** cerrar los puños II. *vr*: **sich ~** (*Menschenmenge*) aglomerarse; (*Verkehr*) concentrarse

Ballett [ba'lɛt] *nt* <-(e)s, -e> ballet *m*

Ballon [ba'lɔŋ, ba'lo:n] *m* <-s, -s *o* -e>

AERO globo *m*

Ballspiel *nt* juego *m* de pelota

Ballungsgebiet *nt* zona *f* de aglomeración

Baltikum ['baltikʊm] *nt* <-s> países *mpl* bálticos

baltisch *adj* báltico

Bambus ['bambʊs] *m* <-(ses), -se> bambú *m*

banal [ba'na:l] *adj* banal

Banane [ba'na:nə] *f* <-n> plátano *m*, banana *f*

band [bant] *3. imp von* **binden**

Band[1] [bant] *m* <-(e)s, Bände> (*Buch*) tomo *m*

Band[2] *nt* <-(e)s, Bänder> (*Stoffband*) cinta *f*; (*Fließband*) cadena *f* de fabricación; (*Tonband*) cinta *f* magnetofónica; **am laufenden ~** (*fam*) continuamente; **ich habe dir aufs ~ gesprochen** (*fam*) te dejé un mensaje (en el contestador)

Bandage [ban'da:ʒə] *f* <-n> vendaje *m*

bandagieren* [banda'ʒi:rən] *vt* vendar

Bandbreite *f* (*fig: Vielfalt*) diversidad *f*

Bande ['bandə] *f* <-n> (*abw: Gruppe*) banda *f*

bändigen ['bɛndɪgən] *vt* (*Tier*) domar; (*Mensch*) calmar; (*Gefühle*) refrenar

Bandit(in) [ban'di:t] *m(f)* <-en, -en; -nen> bandido, -a *m, f*

bang(e) [baŋ(ə)] *adj* REG miedoso; **mir ist ~ (zumute)** tengo miedo

bangen ['baŋən] *vi* (*geh*) temer (**um** por)

Bank[1] [baŋk] *f* <Bänke> (*Sitzbank*) banco *m*; **etw auf die lange ~ schieben** dar largas a algo

Bank[2] *f* <-en> (*Kreditinstitut*) banco *m*

Bankangestellte(r) *mf* empleado, -a *m, f* de banco; **Bankautomat** *m* cajero *m* automático

Bankenkrise *f* WIRTSCH crisis *f* bancaria

Bankkauffrau *f* empleada *f* titulada bancaria; **Bankkaufmann** *m* empleado *m* titulado bancario; **Bankkonto** *nt* cuenta *f* bancaria; **Bankleitzahl** *f* código *m* de identificación bancaria; **Bankräuber(in)** *m(f)* atracador(a) *m(f)* de bancos

bankrott [baŋk'rɔt] *adj* en bancarrota, en quiebra

Banküberfall *m* atraco *m* a un banco; **Bankverbindung** *f* FIN cuenta *f* bancaria

Bann [ban] *m*: **jdn in seinen ~ ziehen** cautivar a alguien; **in jds ~ geraten** estar hechizado por alguien

bar [ba:ɐ] *adj* FIN en efectivo; **etw (in) ~ bezahlen** pagar algo al contado

Bar [ba:ɐ] *f* <-s> (*Lokal*) bar *m*; (*Theke*) barra *f*

Bär [bɛ:ɐ] *m* <-en, -en> oso *m*; **jdm einen ~en aufbinden** (*fam*) contar a alguien un cuento chino

Baracke [ba'rakə] *f* <-n> chabola *f*

barbarisch *adj* bárbaro

Barcode ['ba:ko:t] *m* INFOR código *m* de barras

barfuß *adj* descalzo

barg [bark] *3. imp von* **bergen**

Bargeld *nt* dinero *m* al contado

Barkeeper ['ba:ɐki:pɐ] *m* <-s, -> barman *m*

barmherzig [barm'hɛrtsɪç] *adj* misericordioso

Barmherzigkeit *f* misericordia *f*

Barock [ba'rɔk] *m o nt* <-s, *ohne pl*> barroco *m*

Barometer [baro'me:tɐ] *nt* <-s, -> barómetro *m*

Barriere [ba'rje:rə] *f* <-n> barrera *f*

Barrikade [bari'ka:də] *f* <-n> barricada *f*; **für etw auf die ~n gehen** luchar por algo

barsch [barʃ] *adj* rudo

Barsch [barʃ] *m* <-(e)s, -e> perca *f*

Barscheck *m* cheque *m* abierto

Bart [ba:ɐt] *m* <-(e)s, Bärte> barba *f*; (*bei Katzen*) bigote(s) *m(pl)*

Basar [ba'za:ɐ] *m* <-s, -e> bazar *m*

Baseball ['beɪsbɔ:l] *m* <-s, *ohne pl*> SPORT béisbol *m*

Basel ['ba:zəl] *nt* <-s> Basilea *f*

Basen *pl von* **Basis**

basieren* [ba'zi:rən] *vi* basarse (**auf** en)

Basis ['ba:zɪs] *f* <Basen> base *f*

Baskenland *nt* <-(e)s> País *m* Vasco

Basketball ['ba:skətbal] *m* <-(e)s, *ohne pl*> baloncesto *m*

baskisch *adj* vasco; (*Sprache*) vascuence

Bass[RR] [bas] *m* <-es, Bässe> bajo *m*

basteln ['bastəln] **I.** *vi* hacer trabajos manuales **II.** *vt* hacer (a mano)

bat [ba:t] *3. imp von* **bitten**

Batterie [batə'ri:] *f* <-n> pila *f*; AUTO batería *f*

Bau[1] [baʊ] *m* <-(e)s, Bauten> ① (*Gebäude*) edificio *m* ② *ohne pl* (*das Bauen*) construcción *f*; **auf dem ~ arbeiten** trabajar en la construcción

Bau[2] *m* <-(e)s, -e> (*Erdhöhle*) madriguera *f*

Bauarbeiten *f pl* obras *fpl* de construcción; **Bauarbeiter(in)** *m(f)* obrero, -a *m, f* de la construcción

Bauch [baʊx] *m* <-(e)s, Bäuche> vientre *m*; **einen ~ bekommen** echar barriga; **Bauchnabel** *m* ombligo *m*; **Bauchredner(in)** *m(f)* ventrílocuo, -a *m, f*; **Bauchschmerzen** *m pl* dolores *mpl* de barriga; **Bauchtanz** *m* danza *f* oriental; **Bauchweh** *nt* <-s, *ohne pl*> (*fam*) dolor *m* de barriga

bauen ['baʊən] *vt* construir; (*Nest*) hacer

Bauer, Bäuerin ['baʊɐ, 'bɔɪərɪn] *m, f* <-n *o* -s, -n; -nen> campesino, -a *m, f*

bäuerlich *adj* (*abw*) rústico

Bauernhof *m* granja *f*

baufällig *adj* en ruina

Baufirma *f* empresa *f* constructora; **Baugenehmigung** *f* permiso *m* de edificación; **Baugrundstück** *nt* solar *m*; **Bauingenieur(in)** *m(f)* ingeniero, -a *m, f* civil; **Baujahr** *nt* (*von Fahrzeugen*) año *m* de fabricación; **Baukasten** *m* juego *m* de construcción (con cubos)

Baum [baʊm] *m* <-(e)s, Bäume> árbol *m*; **Bäume ausreißen können** (*fam*) rebosar de vitalidad

Baumarkt *m* mercado *m* de materiales para la construcción

baumeln ['baʊməln] *vi* (*fam*) bambolearse

Baumkrone *f* copa *f*; **Baumschule** *f* plantel *m*; **Baumstamm** *m* tronco *m*; **Baumwolle** *f* algodón *m*

Baustein *m* ARCHIT piedra *f* de construcción; (*Bestandteil*) componente *m*; **elektronischer ~** chip *m*; **Baustelle** *f* obras *fpl*

Bauten ['baʊtən] *pl von* **Bau**[1]

Bauunternehmer(in) *m(f)* contratista *mf* de obras; **Bauwerk** *nt* edificio *m*, construcción *f*

bay(e)risch ['baɪ(ə)rɪʃ] *adj* bávaro

Bayern ['baɪɐn] *nt* <-s> Baviera *f*

beabsichtigen* *vt* tener la intención (de); **das war nicht beabsichtigt!** ¡no fue intencionado!

beachten* *vt* (*Vorschrift*) cumplir (con); (*Person*) fijarse (en); (*berücksichtigen*) considerar; **beachtenswert** *adj* notable

beachtlich *adj* (*beträchtlich*) considerable

Beachtung *f* atención *f*; **etw** *dat* **keine ~ schenken** no hacer caso a algo

Beamte(r) *m dekl wie adj*, **Beamtin** *f* <-nen> funcionario, -a *m, f* del Estado

beängstigend *adj* alarmante

beanspruchen* [bə'ʔanʃprʊxən] *vt* (*Zeit, Platz*) requerir; (*Hilfe*) recurrir (a); (*Person*) ocupar

beanstanden* *vt* objetar

beantragen* *vt* solicitar

beantworten* [bə'ʔantvɔrtən] *vt* contestar

bearbeiten* *vt* (*Antrag*) tramitar

Bearbeitung *f* <-en> (trabajo *m* de) elaboración *f*; **etw ist in ~** algo está en tramitación

beatmen* *vt* practicar la respiración artificial

beaufsichtigen* *vt* (*Schüler*) vigilar; (*Arbeit*) supervisar

beauftragen* *vt* encargar; **jdn mit**

etw ~ encomendar algo a alguien

Beauftragte(r) *mf* <-n, -n; -n> encargado, -a *m, f*, comisionado, -a *m, f*

bebauen* *vt* (*verstädtern*) urbanizar; (*Acker*) cultivar

beben ['be:bən] *vi* temblar

Beben *nt* <-s, -> seísmo *m*, terremoto *m*

bebildern* *vt* ilustrar

Becher ['bɛçɐ] *m* <-s, -> vaso *m*

Becken ['bɛkən] *nt* <-s, -> (*Spülbecken*) pila *f*; (*Schwimmbecken*) piscina *f*; ANAT pelvis *f inv*

bedacht [bə'daxt] I. *pp von* **bedenken** II. *adj*: ~ **handeln** actuar premeditadamente; **darauf ~ sein, dass ...** cuidar de que... +*subj*

bedächtig [bə'dɛçtɪç] *adj* (*langsam*) mesurado; (*vorsichtig*) prudente

bedanken* *vr:* **sich bei jdm für etw ~** dar las gracias a alguien por algo

Bedarf [bə'darf] *m* <-(e)s, *ohne pl*> necesidad *f*; COM demanda *f*; **bei ~** cuando sea necesario; (**je**) **nach ~** según las necesidades

bedauerlich [bə'daʊɐlɪç] *adj* lamentable

bedauerlicherweise [-'----'--] *adv* lamentablemente

bedauern* [bə'daʊɐn] *vt* (*Verlust*) lamentar; (*Mensch*) compadecer (a); **bedaure!** ¡lo lamento!

Bedauern *nt* <-s, *ohne pl*> pesar *m*; **zu meinem größten ~ ...** muy a pesar mío...

bedauernswert *adj* (*Sache*) lamentable; (*Mensch*) digno de lástima

bedecken* *vt* cubrir

bedeckt *adj* (*Himmel*) encapotado

bedenken* *irr vt* pensar(se); **wenn man es recht bedenkt** considerándolo bien

Bedenken *nt pl* (*Zweifel*) duda *f*; **ohne ~** sin reparos; **bedenkenlos** *adj* ❶ (*ohne zu zögern*) sin vacilar; **da kannst du ~ hingehen** no dudes en pasarte por allí ❷ (*ohne Überlegung*) irreflexivo ❸ (*skrupellos*) sin escrúpulos

bedenklich *adj* (*zweifelhaft*) dudoso; (*Besorgnis erregend*) preocupante

bedeuten* *vt* significar; **das hat nichts zu ~** no quiere decir nada

bedeutend *adj* (*wichtig*) importante; (*beachtlich*) considerable

Bedeutung *f* <-en> ❶ (*Sinn*) significado *m*; **in übertragener/wörtlicher ~** en sentido figurado/literal ❷ *ohne pl* (*Wichtigkeit*) importancia *f*; **bedeutungslos** *adj* insignificante

bedienen* *vt* (*im Geschäft*) atender; (*im Restaurant*) servir; (*Maschinen*) manejar; **werden Sie schon bedient?** ¿ya le atienden?

Bedienung *f* <-en> ❶ (*Kellner*) camarero, -a *m, f* ❷ *ohne pl* (*eines Gastes*) servicio *m*; (*eines Gerätes*) manejo *m*;

Bedienungsanleitung *f* instrucciones *fpl* de manejo

bedingt *adj* relativo; (*beschränkt*) limitado; **~ durch ...** debido a...; **das ist nur ~ richtig** esto sólo es correcto hasta cierto punto

Bedingung *f* <-en> condición *f*; **unter der ~, dass ...** a condición de que... +*subj*; **~en stellen** poner condiciones; **unter erschwerten ~en arbeiten** trabajar bajo condiciones difíciles; **bedingungslos** *adj* sin condiciones

bedrängen* *vt* acosar

bedrohen* *vt* amenazar

bedrohlich *adj* amenazante, amenazador

Bedrohung *f* amenaza *f*

bedrucken* *vt* estampar

bedrücken* *vt* oprimir

bedrückend *adj* opresivo; (*beklemmend*) oprimente

bedrückt *adj* deprimido

bedürfen* *irr vi* (*geh*) necesitar (de); **das bedarf keiner weiteren Erklärung** eso no requiere (de) más explicaciones

Bedürfnis *nt* <-ses, -se> necesidad *f*; **jds ~se befriedigen** satisfacer las necesidades de alguien

bedürftig *adj* necesitado
beeilen* *vr:* **sich ~** darse prisa
beeindrucken* *vt* impresionar
beeindruckend *adj* impresionante
beeinflussen* [bə'ʔaɪnflʊsən] *vt* influir (en/sobre)
beeinträchtigen* [bə'ʔaɪntrɛçtɪgən] *vt* perjudicar
Beeinträchtigung *f* <-en> perjuicio *m*
beenden* *vt* acabar (con)
Beendigung *f* término *m*, fin *m*; **nach ~ des Kurses** al finalizar el curso
beerdigen* [bə'ʔe:ɐdɪgən] *vt* enterrar
Beerdigung *f* <-en> entierro *m*
Beere ['be:rə] *f* <-n> baya *f*
Beet [be:t] *nt* <-(e)s, -e> (*Gemüsebeet*) bancal *m*; (*Blumenbeet*) arriate *m*
befahl *3. imp von* **befehlen**
befahrbar *adj* transitable
befahren* *irr vt* circular (por); (*Schiff*) navegar (por); **die Strecke wird wenig ~** este trecho está poco transitado
befallen* *irr vt* (*Schädlinge*) infestar
befangen *adj* (*gehemmt*) inhibido; JUR parcial
befassen* *vr:* **sich ~** ocuparse (**mit** de)
Befehl [bə'fe:l] *m* <-(e)s, -e> orden *f*; INFOR comando *m*
befehlen <befiehlt, befahl, befohlen> *vi, vt* ordenar
befestigen* *vt* sujetar (**an** a)
befiehlt [bə'fi:lt] *3. präs von* **befehlen**
befinden* *irr vr:* **sich ~** encontrarse; **meine Wohnung befindet sich im zweiten Stock** mi apartamento está en el segundo piso
Befinden *nt* <-s, *ohne pl*> (*Gesundheitszustand*) (estado *m* de) salud *f*
befohlen [bə'fo:lən] *pp von* **befehlen**
befolgen* *vt* (*Befehl*) cumplir; (*Ratschlag*) seguir; (*Gesetz*) obedecer
befördern* *vt* (*Waren*) transportar; (*im Beruf*) ascender (**zu** a)
Beförderung *f* <-en> (*Transport*) transporte *m*; (*beruflich*) ascenso *m*
befragen* *vt* interrogar; (*Arzt*) consultar
befreien* *vt* liberar; (*freistellen*) dispensar
Befreiung *f* <-en> liberación *f*; (*von einer Pflicht*) exención (**von** de)
befreunden* [bə'frɔɪndən] *vr:* **sich mit jdm ~** hacerse amigo de alguien
befreundet *adj* amigo (**mit** de); **sie sind (eng) ~** son amigos (íntimos); **ein ~es Paar** una pareja amiga
befriedigen* [bə'fri:dɪgən] **I.** *vt* satisfacer **II.** *vr:* **sich ~** masturbarse
befriedigend *adj* satisfactorio
Befriedigung *f* <-en> satisfacción *f*
befristen* *vt* limitar (**auf** a/hasta)
befristet *adj* limitado; **jdn ~ einstellen** contratar a alguien por un plazo limitado
Befruchtung *f* <-en> fecundación *f*; **künstliche ~** inseminación artificial
Befugnis [bə'fu:knɪs] *f* <-se> autorización *f*; **keine ~ zu etw haben** no estar autorizado para algo
befugt *adj*: **zu etw (nicht) ~ sein** (no) estar autorizado para hacer algo
Befund *m* <-(e)s, -e> diagnóstico *m*
befunden [bə'fʊndən] *pp von* **befinden**
befürchten* *vt* temer; **es ist zu ~, dass ...** es de temer que... *+subj*
Befürchtung *f* <-en> temor *m*; **die ~ haben, dass ...** sospechar que...
befürworten* [bə'fy:ɐvɔrtən] *vt* aprobar
Befürworter(in) *m(f)* <-s, -; -nen> defensor(a) *m(f)*
begabt [bə'ga:pt] *adj* dotado; **hoch ~** superdotado
Begabung [bə'ga:bʊŋ] *f* <-en> talento *m*
begangen [bə'gaŋən] *pp von* **begehen**
begann [bə'gan] *3. imp von* **beginnen**
begeben* *irr vr* (*geh*): **sich auf den Heimweg ~** dirigirse a casa; **sich in Gefahr ~** ponerse en peligro
Begebenheit *f* <-en> suceso *m*
begegnen* [bə'ge:gnən] *vi sein*: **jdm/etw** *dat* **~** encontrarse a alguien/con algo; **einander ~** encontrarse; **man begegnete ihr mit Achtung** la trataban con respeto

Begegnung *f* <-en> encuentro *m*

begehen* *irr vt* (*Fehler*) cometer; (*geh: Jubiläum*) celebrar; **Selbstmord ~** suicidarse; **ein Verbrechen ~** cometer un crimen

begehren* [bə'ge:rən] *vt* (*geh*) ansiar; (*sexuell*) desear; **begehrenswert** *adj* deseable

begehrt *adj* solicitado; (*Ferienort*) popular

begeistern* [bə'gaɪstɐn] *vt, vr:* **sich ~** entusiasmar(se) (**für** por)

Begeisterung *f* entusiasmo *m*

Begierde [bə'gi:ɐdə] *f* <-n> ansias *fpl* (**nach** de)

begierig *adj* ansioso (**auf** de/por)

begießen* *irr vt* (*fam: feiern*) celebrar con una copa

Beginn [bə'gɪn] *m* <-(e)s, *ohne pl*> comienzo *m*; **zu ~** al inicio

beginnen <beginnt, begann, begonnen> *vi, vt* comenzar (a)

beglaubigen* [bə'glaʊbɪgən] *vt* (*Urkunde*) certificar (de); (*Kopie*) compulsar

Beglaubigung *f* <-en> (*Schriftstück*) certificación *f*; (*einer Kopie*) autentificación *f*

begleichen* *irr vt* (*geh*) saldar

begleiten* *vt a.* MUS acompañar

Begleiter(in) *m(f)* <-s, -; -nen> acompañante *mf*

Begleiterscheinung *f* efecto *m* secundario; **Begleitperson** *f* acompañante *mf*, compañía *f*

Begleitung *f* <-en> *a.* MUS acompañamiento *m*; (*Begleiter*) acompañante *mf*; **in jds ~** acompañado de alguien

beglichen *pp von* **begleichen**

beglückwünschen* *vt* felicitar (**zu** por)

begnadigen* *vt* indultar

Begnadigung *f* <-en> amnistía *f*

begnügen* [bə'gny:gən] *vr:* **sich ~** conformarse (**mit** con)

begonnen [bə'gɔnən] *pp von* **beginnen**

begossen *pp von* **begießen**

begraben* *irr vt* (*Tote*) sepultar; (*Hoffnung*) renunciar (a); **lass uns unseren Streit ~** echemos tierra a nuestra disputa

Begräbnis [bə'grɛ:pnɪs] *nt* <-ses, -se> entierro *m*

begreifen* *irr vt* comprender

begreiflich *adj* comprensible; **jdm etw ~ machen** hacer comprender algo a alguien

begrenzen* *vt* limitar (**auf** a); (*Gebiet*) delimitar

begrenzt *adj* limitado; **er hat einen ~en Horizont** tiene una visión limitada

Begriff *m* (*Ausdruck*) concepto *m*; **sich** *dat* **einen ~ von etw machen** hacerse una idea de algo; **das ist mir ein ~** me suena; **im ~ sein etw zu tun** estar a punto de hacer algo; **schwer von ~ sein** (*fam*) ser corto de mollera

begriffen *pp von* **begreifen**

begriffsstutzig *adj* tardo (en comprender)

begründen* *vt* (*gründen*) fundar; (*Gründe aufführen*) justificar; **womit willst du das ~?** ¿en qué lo quieres basar?; **Begründer(in)** *m(f)* <-s, -; -nen> iniciador(a) *m(f)*, fundador(a) *m(f)*; **Begründung** *f* <-en> motivo *m*

begrüßen* *vt* (*Gast*) saludar; (*Vorschlag*) celebrar; **ich würde es ~, wenn ...** celebraría que... *+subj*

Begrüßung *f* <-en> saludo *m*; (*Empfang*) recibimiento *m*

begünstigen* [bə'gʏnstɪgən] *vt* favorecer

begutachten* *vt* emitir un dictamen (sobre)

begütert [bə'gy:tɐt] *adj* acaudalado

behäbig [bə'hɛ:bɪç] *adj* (*phlegmatisch*) indolente

behagen* [bə'ha:gən] *vi:* **etw behagt jdm** algo agrada a alguien

behaglich [bə'ha:klɪç] *adj* (*Wärme*) agradable; (*bequem*) confortable; (*Leben*) desahogado

behalten* *irr vt* guardar; (*nicht abge-*

ben) quedarse (con); (*gute Laune*) mantener; (*im Kopf*) retener (en la cabeza); **die Nerven ~** no perder los nervios

Behälter [bə'hɛltɐ] *m* <-s, -> recipiente *m*

behandeln* *vt* tratar; **Behandlung** *f* (*Umgang*) trato *m*; (*eines Themas a.* MED) tratamiento *m*

beharren* [bə'harən] *vi* insistir (**auf** en)

beharrlich *adj* (*nachdrücklich*) insistente; (*standhaft*) perseverante

Beharrlichkeit *f* (*Nachdruck*) insistencia; (*Standhaftigkeit*) perseverancia *f*

behaupten* [bə'haʊptən] *vt* (*These*) afirmar; **es wird behauptet, dass ...** se dice que...

Behauptung *f* <-en> afirmación *f*

Behausung [bə'haʊzʊŋ] *f* <-en> morada *f*

beheben* *irr vt* eliminar; (*Missstand*) remediar; (*Schaden*) reparar

beheizen* *vt* calentar

behelfen* *irr vr:* **sich ~** defenderse

behelfsmäßig *adj* provisorio

behelligen* [bə'hɛlɪgən] *vt* molestar

beherbergen* [bə'hɛrbɛrgən] *vt* alojar

beherrschen* *vt, vr:* **sich ~** dominar(se); **eine Sprache ~** dominar un idioma

beherrscht *adj* controlado

Beherrschung *f* (*Selbstbeherrschung*) autocontrol *m*; **die ~ verlieren** perder el control

beherzigen* [bə'hɛrtsɪgən] *vt* tomar en consideración

behilflich *adj*: **jdm** (**bei etw**) **~ sein** ayudar(le) a alguien (en algo)

behindern* *vt* estorbar; (*Verkehr*) impedir; (*Sicht*) dificultar

behindert *adj* (*körperlich*) minusválido; (*geistig*) retrasado

Behinderte(**r**) *f*(*m*) *dekl wie adj* minusválido, -a *m, f*; **behindertengerecht** *adj* acondicionado para disminuidos

Behinderung *f* <-en> (*des Verkehrs*) impedimento *m*; (*einer Sache*) estorbo *m*; MED minusvalía *f*

behoben *pp von* **beheben**

beholfen *pp von* **behelfen**

Behörde [bə'hø:ɐdə] *f* <-n> (*Amt*) autoridad *f*

behüten* *vt* proteger (**vor** de)

behutsam [bə'hu:tza:m] **I.** *adj* cuidadoso **II.** *adv* con cautela

bei [baɪ] *präp +dat* ❶ (*räumlich*): **~ Dortmund** cerca de Dortmund; **~ Tisch** a la mesa; **~m Bäcker** en la panadería; **sie arbeitet ~ der Post** trabaja en Correos; **er wohnt ~ seinen Eltern** vive con sus padres; **ich habe kein Geld ~ mir** no llevo dinero encima ❷ (*zeitlich*): **~ der Arbeit** durante el trabajo; **Vorsicht ~m Aussteigen!** ¡cuidado al bajar!; **~ Gelegenheit** en alguna ocasión ❸ (*jemanden betreffend*): **~ Kräften sein** estar robusto; **du bist nicht recht ~ Trost** (*fam*) no estás en tus cabales ❹ (*mit*) con; **~ offenem Fenster schlafen** dormir con la ventana abierta ❺ (*falls*) en caso de

bei|behalten* *irr vt* mantener; **bei|bringen** *irr vt* (*lehren*) enseñar; (*mitteilen*) comunicar

Beichte ['baɪçtə] *f* <-n> confesión *f*

beichten *vi, vt* confesar(se)

beide ['baɪdə] *adj* ambos; **keiner von ~n** ninguno de los dos; **ihre ~n Schwestern** sus dos hermanas; **~ Mal** en ambas ocasiones; **beidemal**ALT *adv s.* **beide**

beiderlei ['baɪdɐlaɪ, '--'-] *adj inv* de los dos; **~ Geschlechts** de ambos sexos

beiderseitig *adj* de ambas partes; **in ~em Einvernehmen** de mutuo acuerdo

beieinander [--'--] *adv* junto

Beifahrer(**in**) *m*(*f*) copiloto *mf*; **Beifall** *m* <-(e)s, *ohne pl*> (*Applaus*) ovación *f*; (*Zustimmung*) aprobación *f*; **jds ~ finden** lograr la aprobación de alguien; **~ klatschen** aplaudir

beige [be:ʃ] *adj* beige

Beigeschmack *m* <-(e)s, *ohne pl*>

gustillo *m*; **Beihilfe** *f* <-n> ❶ (*finanziell*) subsidio *m* ❷ *ohne pl* JUR complicidad *f*

B

Beil [baɪl] *nt* <-(e)s, -e> hacha *f*

Beilage *f* PUBL suplemento *m*; GASTR guarnición *f*

beiläufig ['baɪlɔɪfɪç] *adj* casual; ~ **gesagt** dicho sea de paso

bei|legen *vt* (*beenden*) poner fin (a); (*hinzulegen*) adjuntar

Beileid *nt* <-(e)s, *ohne pl*> pésame *m*; **jdm sein ~ ausdrücken** dar el pésame a alguien

beiliegend *adj* adjunto

beim [baɪm] = **bei dem** *s.* **bei**

bei|messen *irr vt* atribuir

Bein [baɪn] *nt* <-(e)s, -e> pierna *f*; (*eines Tieres*) pata *f*; **etw auf die ~e stellen** (*fam*) montar algo

beinah(e) ['baɪna:(ə), '-'-(-)] *adv* casi

Beinbruch *m* fractura *f* de la pierna; **Hals- und ~!** ¡(buena) suerte!

beinhalten* [bə'ɪnhaltən] *vt* incluir

bei|pflichten ['baɪpflɪçtən] *vi*: **jdm ~** secundar a alguien

beirren* [bə'ɪrən] *vt* desconcertar; **lass dich dadurch nicht ~!** ¡no te dejes confundir por eso!

beisammen [baɪ'zamən] *adv* juntos

Beischlaf *m* (*geh*) coito *m*; **Beisein** ['baɪzaɪn] *nt*: **in jds ~** en presencia de alguien

beiseite [baɪ'zaɪtə] *adv* aparte

beiseite|legen *vt* (*Geld*) ahorrar dinero

bei|setzen *vt* (*geh*) inhumar

Beisetzung *f* <-en> (*geh*) inhumación *f*

Beispiel *nt* ejemplo *m*; **zum ~** por ejemplo; **jdm ein ~ geben** dar ejemplo a alguien; **mit gutem ~ vorangehen** predicar con el ejemplo; **beispielhaft** *adj* ejemplar; **beispiellos** *adj* sin precedente; (*unerhört*) inaudito; (*unvergleichbar*) sin igual; **beispielsweise** *adv* por ejemplo

beißen ['baɪsən] <beißt, biss, gebissen> *vi, vt* morder

Beistand *m* apoyo *m*; **jdm ~ leisten** prestar ayuda a alguien

bei|stehen *irr vi*: **jdm ~** apoyar a alguien

bei|steuern *vt* contribuir con

bei|stimmen *vi* aprobar

Beitrag ['baɪtra:k] *m* <-(e)s, -träge> (*Anteil*) contribución *f*; (*Geldbetrag*) cuota *f*; (*Aufsatz*) artículo *m*; **seinen ~ zu etw leisten** contribuir a algo

bei|tragen *irr vt* contribuir (**zu** a)

bei|treten *irr vi sein* ❶ (*einem Pakt*) adherirse (a) ❷ (*einer Organisation*) ingresar (en); (*einer Partei*) afiliarse (a)

Beiwagen *m* sidecar *m*

beizeiten [baɪ'tsaɪtən] *adv* a tiempo

bejahen* [bə'ja:ən] *vt* (*Frage*) contestar afirmativamente; (*Leben, Vorschlag*) decir que sí (a)

bekämpfen* *vt* combatir

Bekämpfung *f* <-en> lucha *f* (**von** contra)

bekannt [bə'kant] **I.** *pp von* **bekennen II.** *adj* conocido; **~ geben** dar a conocer; (*veröffentlichen*) hacer público; **~ machen** hacer saber; (*öffentlich*) publicar; **das kommt mir ~ vor** me suena de algo; **darf ich Sie mit Herrn X ~ machen?** ¿puedo presentarle al señor X?

Bekannte(r) *f(m) dekl wie adj* conocido, -a *m, f*; **Bekanntenkreis** *m* (círculo *m* de) conocidos *mpl*

Bekanntgabe *f* <-n> notificación *f*; (*in einer Zeitung*) publicación *f*; **bekannt|geben** *irr vt s.* **bekannt II.**

bekanntlich *adv* como es sabido

bekannt|machen *vt s.* **bekannt II.**

Bekanntschaft *f* <-en> (*persönliche Beziehung*) amistad *f*; (*Bekannter*) conocido, -a *m, f*; **jds ~ machen** conocer a alguien

bekennen* *irr* **I.** *vt* reconocer; **Farbe ~** (*fam*) quitarse la careta **II.** *vr*: **sich ~** declararse (**zu** en favor de)

beklagen* *vt, vr*: **sich ~** lamentar(se) (**über** de); **ich kann mich nicht ~** no me puedo quejar

bekleckern* *vt, vr*: **sich ~** (*fam*) manchar(se)

bekleiden* *vt* (*anziehen*) vestir; (*geh: Amt*) ocupar; **leicht bekleidet** con ropa ligera

Bekleidungsstück *nt* prenda *f* de vestir

beklemmend *adj* angustioso; (*bedrückend*) oprimente

bekommen* *irr* **I.** *vt haben* recibir; (*Krankheit*) contraer; (*Komplexe*) desarrollar; (*Zähne*) echar; **sie bekommt 20 Euro die Stunde** le pagan 20 euros la hora; **ich habe es geschenkt ~** me lo han regalado; **ein Kind ~** tener un hijo; **er bekommt eine Glatze** se está quedando calvo; **er bekam Angst** le entró miedo **II.** *vi sein* (*Speisen*): **jdm gut/schlecht ~** sentar(le) bien/mal a alguien

bekömmlich [bəˈkœmlɪç] *adj* (*Speisen*) ligero; **schwer ~** indigesto

bekräftigen* *vt* confirmar

bekümmern* *vt* preocupar

bekümmert *adj* (*besorgt*) preocupado (**über** por); (*betrübt*) afligido (**über** por)

bekunden* [bəˈkʊndən] *vt* manifestar

belächeln* *vt* mofarse (de)

beladen* *irr vt, vr:* **sich ~** cargar(se)

Belag [bəˈlaːk] *m* <-(e)s, -läge> (*Zungenbelag*) saburra *f*; (*Zahnbelag*) sarro *m*; (*Straßenbelag*) pavimento *m*; (*Bremsbelag*) revestimiento *m*

belagern* [bəˈlaːgɐn] *vt* (*fam: sich drängen*) acorralar; **Belagerung** *f* <-en> sitio *m*

Belang [bəˈlaŋ] *m*: **etw ist von/ohne ~ für jdn** algo es de/carece de importancia para alguien; **belanglos** *adj* sin importancia

Belanglosigkeit *f* <-en> insignificancia *f*; **über ~en sprechen** hablar de naderías

belassen* *irr vt* dejar; **wir wollen es dabei ~** dejémoslo así

belastbar *adj* ❶ (*Material*) resistente ❷ (*Mensch*) fuerte, resistente; **die Umwelt ist nicht weiter ~** no se puede sobrecargar más el medio ambiente

Belastbarkeit *f* (capacidad *f* de) resistencia *f*

belasten* *vt* (*mit Gewicht*) cargar; (*bedrücken*) pesar; ÖKOL contaminar

belästigen* [bəˈlɛstɪgən] *vt* molestar

Belästigung *f* <-en> molestia *f*; **sexuelle ~** acoso sexual

Belastung [bəˈlastʊŋ] *f* <-en> PSYCH carga *f*; JUR cargo *m*; ÖKOL perjuicio *m* para el medio ambiente

belaufen* *irr vr:* **sich ~** elevarse (**auf** a)

belauschen* *vt* escuchar; (*spionieren*) espiar

beleben* **I.** *vt* estimular; **wieder ~** (*Wirtschaft*) reactivar **II.** *vr:* **sich ~** (*Straße*) animarse

belebt *adj* ❶ (*lebendig*) animado ❷ (*Straße*) concurrido

Beleg [bəˈleːk] *m* <-(e)s, -e> recibo *m*; (*Beweis*) prueba *f*

belegen* *vt* (*Platz*) ocupar; (*Seminar*) inscribirse (en); (*Behauptung*) documentar; (*Brot*) cubrir

belegt *adj* ❶ (*Hotel*) completo; (*Zimmer*) ocupado ❷ (*Stimme*): **~e Stimme** voz tomada ❸ (*Brot*) untado; **~es Brötchen** bocadillo *m* ❹ (*Zunge*) saburroso

belehren* *vt* instruir (**über** sobre)

beleibt [bəˈlaɪpt] *adj* corpulento

beleidigen* [bəˈlaɪdɪgən] *vt* ofender

beleidigend *adj* ofensivo

Beleidigung *f* <-en> ofensa *f*

beleuchten* *vt* iluminar

Beleuchtung *f* <-en> iluminación *f*

Belgien [ˈbɛlgiən] *nt* <-s> Bélgica *f*

Belgier(in) *m(f)* <-s, -; -nen> belga *mf*

belgisch *adj* belga

Belieben *nt*: **nach ~** al gusto

beliebig *adj* cualquiera; **in ~er Reihenfolge** por el orden que se desee

beliebt *adj* (*Person*) apreciado; (*Thema*) popular; **sich ~ machen** hacerse querer

Beliebtheit *f* popularidad *f*

bellen ['bɛlən] *vi* ladrar

belogen *pp von* **belügen**

belohnen* *vt* recompensar (**für** por)

Belohnung *f* <-en> recompensa *f*

belügen* *irr vt* mentir

bemächtigen* [bə'mɛçtɪgən] *vr:* **sich etw** *gen*/**jds** ~ apoderarse de algo/alguien

bemalen* *vt, vr:* **sich** ~ pintar(se)

bemängeln* [bə'mɛŋəln] *vt* criticar

bemerkbar *adj* perceptible; **sich ~ machen** hacerse notar

bemerken* *vt* (*wahrnehmen*) notar; (*äußern*) decir; **nebenbei bemerkt** dicho sea de paso; **bemerkenswert** *adj* notable

Bemerkung *f* <-en> observación *f*

bemessen* *irr vt* medir; **meine Zeit ist knapp** ~ estoy corto de tiempo

bemitleiden* [bə'mɪtlaɪdən] *vt* compadecer; **sich selbst** ~ autocompadecerse; **bemitleidenswert** *adj* deplorable

bemühen* [bə'my:ən] *vr:* **sich** ~ esforzarse (**um** por)

Bemühung *f* <-en> ❶ (*Anstrengung*) molestia *f* ❷ *pl* (*Dienstleistungen*) diligencia *f*

bemuttern* [bə'mʊtɐn] *vt* mimar

benachbart [bə'naxba:ɐt] *adj* vecino

benachrichtigen* [bə'na:xrɪçtɪgən] *vt* informar

Benachrichtigung *f* <-en> aviso *m*; (*offiziell*) parte *m*

benachteiligen* [bə'na:xtaɪlɪgən] *vt* perjudicar

Benachteiligte(r) *mf* <-n, -n; -n> perjudicado, -a *m, f*

Benachteiligung *f* <-en> discriminación *f*

benehmen* *irr vr:* **sich** ~ (com)portarse; **benimm dich!** ¡pórtate bien!

Benehmen *nt* <-s, *ohne pl*> comportamiento *m*; **kein ~ haben** no tener modales

beneiden* [bə'naɪdən] *vt* envidiar (**um** por); **beneidenswert** *adj* envidiable

Beneluxländer *nt pl* (Estados *mpl* del) Benelux *m*

benennen* *irr vt* nombrar

benommen [bə'nɔmən] **I.** *pp von* **benehmen II.** *adj* aturdido (**von** por)

benoten* *vt* calificar

benötigen* [bə'nø:tɪgən] *vt* necesitar

benutzen* *vt*, **benützen*** *vt* REG usar; **etw als Vorwand** ~ poner algo como excusa

Benutzer(in) *m(f)* <-s, -; -nen> *a.* INFOR usuario, -a *m, f*; **benutzerfreundlich** *adj* de fácil manejo para el usuario; **Benutzername** *m* INFOR nombre *m* del usuario

Benutzung *f* <-en> uso *m*, empleo *m*; **etw in ~ haben/nehmen** tener/tomar algo en uso

Benzin [bɛn'tsi:n] *nt* <-s, -e> gasolina *f*; **Benzinkanister** *m* bidón *m* de gasolina

beobachten* [bə'ʔo:baxtən] *vt* observar

Beobachtung *f* <-en> observación *f*

bepacken* *vt* cargar

bepflanzen* *vt* plantar (**mit** de)

bequem [bə'kve:m] *adj* cómodo; **machen Sie es sich ~!** ¡póngase cómodo!

Bequemlichkeit *f* <-en> ❶ (*Komfort*) comodidad *f* ❷ *ohne pl* (*Trägheit*) pereza *f*

beraten* *irr* **I.** *vt* (*Rat geben*) aconsejar; (*besprechen*) deliberar (**über** sobre) **II.** *vr:* **sich** ~ (*sich besprechen*) consultarse

Berater(in) *m(f)* <-s, -; -nen> asesor(a) *m(f)*

Beratung *f* <-en> (*fachlich*) asesoramiento *m*

berauben* *vt* robar; (*eines Rechtes*) privar (de)

berauschend *adj* (*Droge*) embriagador; **diese Aussichten sind nicht gerade** ~ las perspectivas no son precisamente muy risueñas

berechenbar [bə'rɛçənba:ɐ] *adj* previsible

berechnen* *vt* calcular; (*in Rechnung stellen*) cobrar (**für** por)

berechnend *adj* (*abw*) calculador
Berechnung *f* cálculo *m*; (*abw: Eigennutz*) interés *m*
berechtigen* [bəˈrɛçtɪgən] *vt* autorizar (**zu** para); **berechtigt sein etw zu tun** tener derecho a hacer algo
berechtigt *adj* (*Zweifel*) fundado
Berechtigung *f* derecho *m* (**zu** a)
Bereich [bəˈraɪç] *m* <-(e)s, -e> área *f*; (*Sachgebiet*) sector *m*; **das liegt im ~ des Möglichen** esto está dentro de lo posible
bereichern* *vt, vr:* **sich ~** enriquecer(se) (**mit/an** con)
bereinigen* *vt* (*Missverständnis*) aclarar; (*Angelegenheit*) arreglar
bereisen* *vt* viajar (por)
bereit [bəˈraɪt] *adj* (*fertig*) preparado; (*gewillt*) dispuesto; **sich ~ erklären etw zu tun** mostrarse dispuesto a hacer algo
bereiten* *vt* (*Speisen, Bad*) preparar; (*Überraschung, Ärger*) dar; (*Schwierigkeiten*) crear; **das bereitet mir großes Vergnügen** esto me causa un gran placer; **etw** *dat* **ein Ende ~** poner fin a algo
bereit|halten *irr* **I.** *vt* tener preparado **II.** *vr:* **sich ~** estar a disposición; **bereit|legen** *vt* preparar; **bereit|liegen** *irr vi* estar preparado, estar listo; **bereit|machen** *vt, vr:* **sich ~** preparar(se) (**für** para)
bereits [bəˈraɪts] *adv* ya
Bereitschaft *f* <-en> disposición *f*; **~ haben** (*Arzt*) estar de servicio; (*Apotheke*) estar de guardia
bereit|stehen *irr vi* estar preparado, estar listo; **bereit|stellen** *vt* poner a disposición; **bereitwillig I.** *adj* solícito **II.** *adv* de buena gana
bereuen* [bəˈrɔɪən] *vt* arrepentirse (de)
Berg [bɛrk] *m* <-(e)s, -e> montaña *f*; (*Menge*) montón *m*; **bergab** [bɛrkˈʔap] *adv* cuesta abajo; **es geht ~ mit ihm** (*fam*) va de mal en peor; **Bergarbeiter(in)** *m(f)* minero, -a *m, f*; **bergauf** [bɛrkˈʔaʊf] *adv* cuesta arriba; **langsam geht es wieder ~ mit ihm** (*fam*) se va recuperando poco a poco; **Bergbahn** *f* ferrocarril *m* de montaña; **Bergbau** *m* <-(e)s, *ohne pl*> minería *f*
bergen [ˈbɛrgən] <birgt, barg, geborgen> *vt* (*retten*) rescatar
bergig *adj* montañoso
Bergkette *f* cadena *f* montañosa; **Bergrutsch** *m* desprendimiento *m*; **Bergsteigen** *nt* <-s, *ohne pl*> alpinismo *m*, andinismo *m*; **Bergsteiger(in)** *m(f)* <-s, -; -nen> alpinista *mf*, andinista *mf*
Bergung [ˈbɛrgʊŋ] *f* <-en> salvamento *m*
Bergwerk *nt* mina *f*
Bericht [bəˈrɪçt] *m* <-(e)s, -e> informe *m*; **jdm über etw ~ erstatten** informar a alguien sobre algo
berichten* *vi, vt* informar (**über** sobre/de)
berichtigen* [bəˈrɪçtɪgən] *vt* corregir
Berichtigung *f* <-en> rectificación *f*
Berlin [bɛrˈliːn] *nt* <-s> Berlín *m*
Bern [bɛrn] *nt* <-s> Berna *f*
Bernhardiner [bɛrnharˈdiːnɐ] *m* <-s, -> (*Hund*) (perro *m* de) San Bernardo *m*
berüchtigt [bəˈrʏçtɪçt] *adj* de mala fama
berücksichtigen* [bəˈrʏkzɪçtɪgən] *vt* tener en cuenta
Berücksichtigung *f* consideración *f*; **unter ~ aller Umstände** considerando todas las circunstancias
Beruf [bəˈruːf] *m* <-(e)s, -e> profesión *f*
berufen[1] *adj*: **sich zu etw ~ fühlen** sentirse designado para algo
berufen*[2] *irr* **I.** *vt* (*in ein Amt*) designar; **sie haben ihn zum Minister ~** lo han nombrado ministro **II.** *vr:* **sich ~** remitirse (**auf** a)
beruflich *adj* profesional; **ihr ~er Werdegang** su carrera profesional
Berufsakademie *f* <-n> SCH ≈Escuela *f* Superior (*tipo de Escuela Superior que alterna los estudios con la formación profesional práctica en una empresa*);

Berufsausbildung *f* formación *f* profesional; **Berufsberatung** *f* orientación *f* profesional; **Berufserfahrung** *f* experiencia *f* profesional; **Berufsleben** *nt* <-s, *ohne pl*> vida *f* profesional; **noch im ~ stehen** estar todavía en activo; **Berufsschule** *f* escuela *f* de formación profesional; **berufstätig** *adj*: **~ sein** trabajar; **Berufstätige(r)** *mf* <-n, -n; -n> empleado, -a *m, f*, activo, -a *m, f*; **Berufsverkehr** *m* tráfico *m* en las horas punta

beruhen* *vi* basarse (**auf** en); **unser Vertrauen beruht auf Gegenseitigkeit** nuestra confianza es mutua; **etw auf sich ~ lassen** dejar las cosas como están

beruhigen* [bəˈruːɪgən] *vt, vr:* **sich ~** tranquilizar(se)

Beruhigung *f* <-en> apaciguamiento *m*; (*der Lage*) estabilización *f*; **zu Ihrer ~ kann ich sagen ...** para su tranquilidad le puedo decir...; **Beruhigungsmittel** *nt* tranquilizante *m*

berühmt [bəˈryːmt] *adj* famoso (**für** por)

Berühmtheit *f* <-en> FILM estrella *f*

berühren* *vt* (*anfassen*) tocar; (*bewegen*) conmover

Berührung *f* <-en> ❶ (*das Anfassen*) toque *m*; (*Streifen*) roce *m* ❷ (*Kontakt*) contacto *m*; **mit etw** *dat*/**jdm in ~ kommen** entrar en contacto con algo/alguien; **Berührungspunkt** *m* punto *m* de contacto

besagen* *vt* (querer) decir; **das besagt nichts** esto no significa nada

besänftigen* [bəˈzɛnftɪgən] *vt* calmar

Besatzung *f* <-en> NAUT, AERO tripulación *f*

besaufen* *irr vr:* **sich ~** (*fam*) emborracharse

beschädigen* *vt* deteriorar; **Beschädigung** *f* <-en> deterioro *m*

beschaffen[1] *adj*: **so ~ sein, dass ...** estar hecho de manera que...

beschaffen*[2] *vt* proporcionar

Beschaffenheit *f* estado *m*; (*Art*) naturaleza *f*

Beschaffung *f* aprovisionamiento *m*

beschäftigen* [bəˈʃɛftɪgən] **I.** *vt* (*einstellen*) emplear; (*mit einer Aufgabe*) ocupar; (*gedanklich*) preocupar **II.** *vr:* **sich ~** dedicarse (**mit** a)

beschäftigt *adj* ❶ (*befasst*) ocupado (**mit** con), atareado; **viel ~** muy ocupado ❷ (*angestellt*) empleado (**bei** en)

Beschäftigung *f* <-en> (*Tätigkeit*) ocupación *f*; (*Beruf*) trabajo *m*; (*geistig*) dedicación *f* (**mit** a)

beschämen* *vt* avergonzar

beschämt *adj* avergonzado; (*gedemütigt*) humillado

beschaulich *adj* apacible

Bescheid [bəˈʃaɪt] *m* <-(e)s, -e> (*Auskunft*) información *f*; (*Nachricht*) aviso *m*; **~ sagen, dass ...** avisar que...; **Sie bekommen ~** le informaremos; **er weiß gut ~** está bien informado

bescheiden *adj* modesto

Bescheidenheit *f* modestia *f*

bescheinigen* [bəˈʃaɪnɪgən] *vt* certificar; **den Empfang von etw ~** acusar recibo de algo

Bescheinigung *f* <-en> (*Schriftstück*) certificado *m*

bescheißen* *irr vt* (*fam*) estafar

Bescherung *f* <-en> reparto *m* de regalos; **das ist ja eine schöne ~!** (*fam*) ¡maldita la gracia!

bescheuert [bəˈʃɔɪɐt] *adj* (*fam*) como una cabra; **eine ~e Situation** una situación sin pies ni cabeza

beschildern* *vt* señalizar

beschimpfen* *vt* insultar

beschissen [bəˈʃɪsən] *pp von* **bescheißen**

Beschlag *m*: **jdn/etw in ~ nehmen** acaparar a alguien/algo

beschlagnahmen* *vt* confiscar

beschleunigen* [bəˈʃlɔɪnɪgən] *vi, vt* acelerar

Beschleunigung *f* <-en> aceleración *f*

beschließen* *irr vt* decidir; (*gemeinsam*) acordar

beschlossen *pp von* **beschließen**

BeschlussRR *m* resolución *f*; **einen ~ fassen** tomar una decisión

beschmieren* *vt* (*mit Fett*) pringar; (*mit Dreck*) enlodar

beschmutzen* *vt* ensuciar (**mit** de)

beschnuppern* *vt* olisquear

beschönigen* [bəˈʃøːnɪgən] *vt* disimular

beschränken* [bəˈʃrɛŋkən] *vt, vr:* **sich ~** limitar(se) (**auf** a)

beschränkt *adj* limitado; (*abw: dumm*) de pocas luces

Beschränkung *f* <-en> restricción *f* (**auf** a)

beschreiben* *irr vt* (*darstellen*) describir

Beschreibung *f* <-en> descripción *f*

beschrieben *pp von* **beschreiben**

beschriften* [bəˈʃrɪftən] *vt* rotular

beschuldigen* [bəˈʃʊldɪgən] *vt* inculpar; **er wurde des Diebstahls beschuldigt** fue acusado de robo

beschützen* *vt* proteger (**vor** de/contra)

Beschützer(in) *m(f)* <-s, -; -nen> protector(a) *m(f)*

Beschwerde [bəˈʃveːɐdə] *f* <-n> ❶ *pl* MED molestia *f* ❷ (*Klage*) queja *f*; **~ einlegen** elevar una protesta

beschweren* [bəˈʃveːrən] *vr:* **sich ~** quejarse (**über** de)

beschwichtigen* [bəˈʃvɪçtɪgən] *vt* tranquilizar

beschwindeln* *vt* (*fam*) engañar

beschwingt [bəˈʃvɪŋt] *adj* animado; **mit ~en Schritten** con paso ligero

beschwipst [bəˈʃvɪpst] *adj* (*fam*) achispado

beschworen *pp von* **beschwören**

beschwören* *irr vt* (*beeiden*) jurar; (*anflehen*) implorar

beseitigen* [bəˈzaɪtɪgən] *vt* eliminar; (*Schaden*) reparar

Beseitigung *f* <-en> ❶ (*das Entfernen*) eliminación *f*; (*von Schaden*) arreglo *m* ❷ (*Ermordung*) eliminación *f*

Besen [ˈbeːzən] *m* <-s, -> escoba *f*

besessen [bəˈzɛsən] **I.** *pp von* **besitzen** **II.** *adj* obsesionado (**von** con)

besetzen* *vt a.* MIL ocupar; **es ist besetzt** TEL está comunicando

besichtigen* [bəˈzɪçtɪgən] *vt* visitar

Besichtigung *f* <-en> ❶ (*von Sehenswürdigkeiten*) visita *f* ❷ (*Begutachtung*) inspección *f*

besiedeln* *vt* colonizar

besiegen* *vt* vencer

besinnen* *irr vr:* **sich ~** (*überlegen*) reflexionar; (*sich erinnern*) acordarse (**auf** de); **sie besann sich eines Besseren** cambió de opinión

besinnlich *adj* contemplativo

Besinnung *f* (*Verstand*) juicio *m*; (*Nachdenken*) reflexión *f*; **die ~ verlieren** perder el juicio; **besinnungslos** *adj* sin conocimiento

Besitz *m* <-es, *ohne pl*> posesión *f*; (*Eigentum*) propiedad *f*; **von etw ~ ergreifen** tomar posesión de algo

besitzen* *irr vt* poseer

Besitzer(in) *m(f)* <-s, -; -nen> dueño, -a *m, f*

besoffen [bəˈzɔfən] *adj* (*fam*) como una cuba

besondere(r, s) [bəˈzɔnderə, -rɐ, -rəs] *adj* (*speziell*) especial; (*eigentümlich*) peculiar; **im Besonderen** en particular; **nichts Besonderes** nada de particular

Besonderheit *f* <-en> peculiaridad *f*

besonders [bəˈzɔndɐs] *adv* especialmente; **wie geht es dir? – nicht ~** ¿cómo estás? – regular

besonnen [bəˈzɔnən] **I.** *pp von* **besinnen** **II.** *adj* sensato

besorgen* *vt* conseguir

Besorgnis [bəˈzɔrknɪs] *f* <-se> preocupación *f*; **~ erregend** preocupante; **besorgniserregend** *adj* preocupante; **höchst ~** muy preocupante

besorgt [bəˈzɔrkt] *adj* preocupado (**über/wegen** por)

Besorgung *f* <-en>: **~en machen** hacer compras

besprechen* *irr vt* (*Angelegenheit*) discutir; **wie besprochen** según lo con-

venido
Besprechung *f* <-en> (*Unterredung*) conferencia *f*; (*Sitzung*) reunión *f*
bespritzen* *vt* salpicar (**mit** de)
besprochen *pp von* **besprechen**
besser ['bɛsɐ] *adj kompar von* **gut** mejor (**als** que); **das gefällt mir ~** eso me gusta más; **~ gehen** estar mejor; **~ werden** mejorar; **~ gesagt** mejor dicho; **besser|gehen** *irr vunpers sein s.* **besser**
bessern *vt, vr:* **sich ~** mejorar
Besserung *f* mejora *f*; (*gesundheitlich*) mejoría *f*; **gute ~!** ¡que se mejore!, ¡que te mejores!
Besserwisser(in) *m(f)* <-s, -; -nen> sabelotodo *mf*
Bestand *m* ❶ (*Vorrat*) existencias *fpl* (**an** en) ❷ *ohne pl* (*Bestehen*) existencia *f*; (*Fortdauer*) continuidad *f*; **~ haben** perdurar
bestanden *pp von* **bestehen**
beständig *adj* (*dauernd*) continuo; (*Material*) resistente (**gegen** a/contra); (*Wetter*) estable
Bestandteil *m* componente *m*; **etw in seine ~e zerlegen** desmontar algo
bestärken* *vt* fortalecer (**in**); (*unterstützen*) consolidar
bestätigen* [bə'ʃtɛ:tɪgən] *vt* (*These*) confirmar; (*amtlich*) certificar
Bestätigung *f* <-en> (*einer These*) confirmación *f*; (*Bescheinigung*) certificado *m*
bestatten* [bə'ʃtatən] *vt* (*geh*) dar sepultura
Bestattung *f* <-en> (*geh*) sepelio *m*
beste(r, s) ['bɛstə, -tɐ, -təs] *adj superl von* **gut** mejor; **ich werde mein Bestes tun** haré todo lo que pueda; **etw zum Besten geben** contar algo
bestechen* *irr* **I.** *vt* (*mit Geld*) sobornar **II.** *vi* (*beeindrucken*) convencer (**durch** por)
bestechlich [bə'ʃtɛçlɪç] *adj* sobornable
Bestechung *f* <-en> soborno *m*
Besteck [bə'ʃtɛk] *nt* <-(e)s, -e> cubiertos *mpl*
bestehen* *irr* **I.** *vi* existir; (*sich zusammensetzen*) consistir (**in** en); (*beharren*) insistir (**auf** en); **~ bleiben** mantenerse; **worin besteht das Problem?** ¿en qué consiste el problema? **II.** *vt* (*Prüfung*) aprobar; **nicht ~** suspender; **bestehen|bleiben**[ALT] *irr vi sein s.* **bestehen I.**
bestehlen* *irr vt* robar (**um**)
besteigen* *irr vt* subir (a)
bestellen* *vt* (*Essen, Waren*) pedir; (*reservieren*) reservar; (*kommen lassen*) hacer venir; (*mit Termin*) citar; **jdm Grüße ~** dar(le) recuerdos a alguien
Bestellung *f* <-en> (*Auftrag*) encargo *m*; (*bestellte Ware*) pedido *m*; **eine ~ aufgeben** hacer un pedido
besten *superl von* **gut**: **am ~** lo (que) mejor; **am ~ würden wir gleich gehen** lo mejor sería que nos fuéramos enseguida; **bestenfalls** *adv* en el mejor de los casos
bestens ['bɛstəns] *adv* estupendamente
bestialisch [bɛs'tja:lɪʃ] *adj* bestial
Bestie ['bɛstjə] *f* <-n> bestia *f*
bestiegen *pp von* **besteigen**
bestimmen* **I.** *vi* (*entscheiden*) decidir; (*befehlen*) mandar; (*verfügen*) disponer (**über** de) **II.** *vt* (*Termin, Preis*) determinar; (*Stadtbild, Epoche*) caracterizar; (*ausersehen*) destinar (**für/zu** para)
bestimmt **I.** *adj* (*feststehend*) determinado; (*sicher*) seguro; (*entschieden*) decidido; **niemand weiß etwas Bestimmtes** nadie sabe nada concreto; **höflich, aber ~** amable pero decidido **II.** *adv* (*sicherlich*) seguro
Bestimmung *f* (*Vorschrift*) disposición *f*
bestmögliche(r, s) ['-'---] *adj* el mejor posible; **sein Bestmögliches tun** hacer todo lo que está al alcance de su mano
bestochen *pp von* **bestechen**
bestohlen *pp von* **bestehlen**
bestrafen* *vt* castigar (**wegen** por)
bestreichen* *irr vt* (*mit Butter*) untar

(**mit** con)

bestreiten* *irr vt* (*abstreiten*) negar

bestrichen *pp von* **bestreichen**

bestritten *pp von* **bestreiten**

Bestseller ['bɛstsɛlɐ] *m* <-s, -> best seller *m*

bestürmen* *vt* (*bedrängen*) asediar

bestürzt [bə'ʃtʏrtst] *adj* atónito

Bestürzung *f* (*Fassungslosigkeit*) consternación *f*; (*Schrecken*) sobresalto *m*

Besuch [bə'zu:x] *m* <-(e)s, -e> visita *f*; **jdm einen ~ abstatten** hacer una visita a alguien

besuchen* *vt* visitar; **gut besucht** muy concurrido; **eine Schule ~** ir a un colegio

Besucher(in) *m(f)* <-s, -; -nen> visitante *mf*

betagt [bə'ta:kt] *adj* (*geh*) de avanzada edad

betätigen* [bə'tɛ:tɪgən] *vt* accionar

Betätigung *f* <-en> ❶ (*Tätigkeit*) actividad *f*, función *f* ❷ *ohne pl* (*einer Maschine*) puesta *f* en marcha

betäuben* [bə'tɔɪbən] *vt* aturdir; (*Schmerz*) mitigar; MED anestesiar; **ein ~der Duft** un perfume embriagador; **er betäubte seinen Kummer mit Alkohol** ahogó sus penas en alcohol

Betäubung *f* <-en> ❶ MED anestesia *f*; **örtliche ~** anestesia local ❷ (*Benommenheit*) aturdimiento *m*

beteiligen* [bə'taɪlɪgən] **I.** *vt* hacer participar (**an/bei** en) **II.** *vr:* **sich ~** participar (**an** en)

beteiligt *adj* ❶ (*Plan, Unfall*) implicado (**an** en) ❷ (*Konzern*) partícipe, participante; **sie ist mit 49 % an seiner Firma ~** participa en su empresa con un 49%

Beteiligung *f* <-en> participación *f*; **eine schwache ~** poca concurrencia

beten ['be:tən] *vi, vt* rezar

beteuern* [bə'tɔɪɐn] *vt* proclamar

Beton [be'tɔŋ] *m* <-s, -s> hormigón *m*

betonen* [bə'to:nən] *vt* (*Silbe*) acentuar; (*nachdrücklich*) subrayar

Betonung *f* <-en> (*Akzent*) acentuación *f*; (*einer Tatsache*) insistencia *f*

betören* [bə'tø:rən] *vt* (*geh: entzücken*) fascinar; (*verführen*) seducir

betr. COM *Abk. von* **betrifft, betreffend** respecto a

Betracht [bə'traxt] *m*: **etw in ~ ziehen** tomar algo en consideración; **etw außer ~ lassen** dejar algo de lado; **(nicht) in ~ kommen** (no) entrar en consideración

betrachten* *vt* (*anschauen*) contemplar; (*einschätzen*) considerar (**als** como); **genau betrachtet** mirándolo bien; **etw aus der Nähe ~** examinar algo de cerca

beträchtlich [bə'trɛçtlɪç] *adj* considerable

Betrachtung *f* <-en> ❶ (*Überlegung*) reflexión *f*; **philosophische ~en anstellen** hacer reflexiones filosóficas ❷ *ohne pl* (*eines Bildes*) contemplación *f*; **bei näherer/flüchtiger ~** mirándolo de cerca/por encima

Betrag [bə'tra:k] *m* <-(e)s, -träge> importe *m*

betragen* *irr* **I.** *vi* (*sich belaufen auf*) ascender (a); (*Rechnung*) elevarse (a) **II.** *vr:* **sich ~** (*sich benehmen*) comportarse

Betragen *nt* <-s, *ohne pl*> comportamiento *m*

betrauen* *vi:* **jdn mit etw ~** encomendar algo a alguien

Betreff [bə'trɛf] *m* <-(e)s, -e> (*Briefkopf*) asunto *m*

betreffen* *irr vt* concernir; (*seelisch*) afectar; **was mich betrifft ...** en lo que a mí se refiere...

betreffend *adj* respectivo; **der oder die Betreffende möge sich bitte melden** que se presente la persona en cuestión

betreiben* *irr vt* (*Studien, Politik*) dedicarse (a); (*Handwerk*) ejercer; (*Geschäft*) regentar

betreten[1] *adj* (*verlegen*) turbado; **es herrschte ~es Schweigen** reinaba un silencio embarazoso

betreten*[2] *irr vt* (*Raum*) entrar (en); (*Rasen*) pisar

betreuen* [bəˈtrɔɪən] *vt* (*Kranke*) cuidar; (*Reisegruppe*) acompañar

Betreuung *f* asistencia *f*; SCH, UNIV tutoría *f*

Betrieb *m* <-(e)s, -e> ❶ (*Unternehmen*) empresa *f* ❷ *ohne pl* (*Tätigkeit*) marcha *f*; (*fam: Treiben*) tumulto *m*; **in ~ sein** estar en funcionamiento; **etw außer ~ setzen** poner algo fuera de servicio

betrieben *pp von* **betreiben**

Betriebsanleitung *f* instrucciones *fpl* de servicio; **Betriebssystem** *nt* INFOR sistema *m* operativo; **Betriebswirtschaft** *f* ciencias *fpl* empresariales

betrinken* *irr vr:* **sich ~** emborracharse

betroffen [bəˈtrɔfən] **I.** *pp von* **betreffen II.** *adj* (*von Maßnahmen*) afectado (**von** por); (*bestürzt*) consternado

Betroffenheit *f* consternación *f*

betrogen *pp von* **betrügen**

betrüben* *vt* afligir

betrüblich [bəˈtry:plɪç] *adj* triste

betrübt *adj* (*geh*) afligido (**über** de/por)

Betrug [bəˈtru:k] *m* <-(e)s, *ohne pl*> fraude *m*

betrügen* [bəˈtry:gən] *irr vt* engañar; **sich um etw betrogen fühlen** sentirse decepcionado por algo

Betrüger(in) *m(f)* <-s, -; -nen> estafador(a) *m(f)*

betrügerisch *adj* fraudulento

betrunken [bəˈtrʊŋkən] **I.** *pp von* **betrinken II.** *adj* borracho

Bett [bɛt] *nt* <-(e)s, -en> cama *f*; **ans ~ gefesselt sein** estar postrado en cama; **ins ~ gehen** ir(se) a la cama; **mit jdm ins ~ gehen** (*fam*) acostarse con alguien; **Bettbezug** *m* funda *f* de edredón; **Bettcouch** *f* sofá-cama *m*; **Bettdecke** *f* (*Federbett*) edredón *m*

bettelarm [ˈ--ˈ-] *adj* pobre como una rata

betteln *vi* mendigar

Bettlaken *nt* sábana *f*

Bettler(in) [ˈbɛtlɐ] *m(f)* <-s, -; -nen> mendigo, -a *m, f*

Bettruhe *f* reposo *m* en cama; **Bettwäsche** *f* ropa *f* de cama, sábanas *fpl*; **Bettzeug** *nt* (*fam*) ropa *f* de cama

beugen [ˈbɔɪgən] **I.** *vt* (*Arm*) doblar; (*Recht*) violar **II.** *vr:* **sich ~** (*sich neigen*) inclinarse (**über** sobre); (*sich fügen*) someterse (a)

Beule [ˈbɔɪlə] *f* <-n> (*Verletzung*) chichón *m*; (*Delle*) abolladura *f*

beunruhigen* [bəˈʔʊnru:ɪgən] *vt* inquietar

beunruhigend *adj* inquietante

Beunruhigung *f* <-en> inquietud *f*

beurlauben* *vt* conceder vacaciones

beurteilen* *vt* juzgar

Beurteilung *f* <-en> ❶ (*Einschätzung*) juicio *m*, apreciación *f* ❷ (*Gutachten*) dictamen *m*

Beute [ˈbɔɪtə] *f* botín *m*; (*eines Tieres*) presa *f*

Beutel [ˈbɔɪtəl] *m* <-s, -> bolsa *f*

bevölkern* [bəˈfœlkɐn] *vt* poblar; **dicht bevölkert** densamente poblado

Bevölkerung *f* <-en> población *f*

bevollmächtigen* [bəˈfɔlmɛçtɪgən] *vt* apoderar (**zu** a)

bevor [bəˈfo:ɐ] *konj* antes de +*inf*, antes de que +*subj*; **ruf mich an, ~ du gehst** llámame antes de irte; **ich will fertig sein, ~ sie kommen** quiero haber terminado antes de que lleguen; **bevormunden*** [bəˈfɔ:ɐmʊndən] *vt* poner bajo tutela; **bevor|stehen** *irr vi* ser inminente; **die Wahlen stehen unmittelbar bevor** las elecciones están muy próximas

bevorzugen* [bəˈfo:ɐtsu:gən] *vt* preferir

bewachen* *vt* vigilar

bewaffnen* [bəˈvafnən] *vt* armar (**mit** con)

bewahren* [bəˈva:rən] *vt* (*beschützen*) proteger (**vor** de); (*Stillschweigen*) guardar; (*in Erinnerung*) recordar

bewähren* [bə'vɛ:rən] *vr:* **sich ~** (*Person*) acreditarse; (*Sache*) dar buen resultado

bewährt [bə'vɛ:ɐt] *adj* (*Methode*) probado

Bewährung *f* <-en> prueba *f*; JUR libertad *f* condicional

bewältigen* [bə'vɛltɪgən] *vt* (*Problem*) superar; (*Aufgabe*) llevar a cabo

bewandert [bə'vandɐt] *adj* experto (**in** en)

bewässern* [bə'vɛsɐn] *vt* regar; **Bewässerung** *f* <-en> riego *m*

bewegen*[1] [bə've:gən] **I.** *vt* mover; (*innerlich*) conmover **II.** *vr:* **sich ~** moverse; **endlich bewegt sich etwas!** ¡por fin ocurre algo!; **die Preise ~ sich um die 100 Euro** los precios se sitúan sobre los 100 euros

bewegen[2] <bewegt, bewog, bewogen> *vt* (*veranlassen*) inducir (**zu** a); **was hat dich dazu bewogen?** ¿qué te movió a hacerlo?

beweglich [bə've:klɪç] *adj* (*flexibel*) móvil; (*geistig*) flexible

bewegt [bə've:kt] *adj* ❶ (*See*) agitado ❷ (*fig: Person*) conmovido; (*Zeiten*) turbulento

Bewegung *f* <-en> *a.* POL movimiento *m*; **etw in ~ bringen** poner algo en marcha; **sich** *dat* **~ verschaffen** hacer ejercicio; **Bewegungsfreiheit** *f* libertad *f* de acción; **bewegungslos** *adj* inmóvil

Beweis [bə'vaɪs] *m* <-es, -e> prueba *f*

beweisbar *adj* demostrable

beweisen* *irr vt* probar

bewenden *vi:* **es bei etw ~ lassen** darse por satisfecho con algo

bewerben* *irr vr:* **sich ~** solicitar (**bei** en); **sich als Sekretärin ~** solicitar un puesto de secretaria; **Bewerber(in)** *m(f)* <-s, -; -nen> solicitante *mf*; (*um eine Stelle*) aspirante *mf*

Bewerbung *f* <-en> solicitud *f*; **Bewerbungsgespräch** *nt* entrevista *f* personal

bewerkstelligen* [bə'vɛrkʃtɛlɪgən] *vt* realizar

bewerten* *vt* evaluar

Bewertung *f* <-en> evaluación *f*

bewiesen *pp von* **beweisen**

bewilligen* [bə'vɪlɪgən] *vt* (*Kredit*) conceder; (*Antrag*) aprobar

bewirken* *vt* (*verursachen*) provocar; (*erreichen*) conseguir

bewirten* [bə'vɪrtən] *vt* atender; **wir wurden fürstlich bewirtet** nos trataron a cuerpo de rey

Bewirtung *f* <-en> agasajo *m*

bewog [bə'vo:k] *3. imp von* **bewegen**[2]

bewogen [bə'vo:gən] *pp von* **bewegen**[2]

bewohnbar *adj* habitable

bewohnen* *vt* habitar

Bewohner(in) *m(f)* <-s, -; -nen> habitante *mf*

bewölken* [bə'vœlkən] *vr:* **sich ~** nublarse

bewölkt *adj* nuboso

Bewölkung *f* nubosidad *f*

beworben *pp von* **bewerben**

Bewunderer, Bewunderin *m, f* <-s, -; -nen> admirador(a) *m(f)*

bewundern* *vt* admirar (**wegen** por); **bewundernswert, bewundernswürdig** *adj* admirable

Bewunderung *f* admiración *f*

bewusst[RR] [bə'vʊst] **I.** *adj* (*wissend*) consciente; (*absichtlich*) intencionado; (**sich** *dat*) **~ machen** concienciar(se); **sich** *dat* **etw** *gen* **~ werden** tomar conciencia de algo **II.** *adv* (*absichtlich*) a propósito; (*überlegt*) conscientemente; **bewusstlos**[RR] *adj* sin conocimiento

Bewusstlosigkeit[RR] *f* pérdida *f* del conocimiento; (*Ohnmacht*) desmayo *m*; **bewusst|machen**[RR] *vt s.* **bewusst I.**

Bewusstsein[RR] *nt* <-s, *ohne pl*> conocimiento *m*; **das ~ verlieren** perder el conocimiento

bez. ❶ *Abk. von* **bezahlt** pagado ❷ *Abk. von* **bezüglich** referente a

bezahlen* *vt* pagar; **sich (nicht) be-**

zahlt machen (no) valer la pena; **Bezahlung** *f* (*Lohn*) paga *f*; (*Vergütung*) remuneración *f*; **gegen ~** por dinero

bezaubern* *vt* fascinar; **ein ~des Mädchen** una chica encantadora

bezeichnen* *vt* denominar (**als** como); **wie bezeichnet man es, wenn ...?** ¿cómo se dice cuando...?; **bezeichnend** *adj* típico (**für** de); **Bezeichnung** *f* denominación *f*

bezeugen* [bəˈtsɔɪgən] *vt* atestiguar

bezichtigen* [bəˈtsɪçtɪgən] *vt* acusar

beziehen* *irr* I. *vt* (*überziehen*) revestir (**mit** de); (*Bett*) poner ropa limpia (a); (*Haus*) instalarse (en) II. *vr:* **sich ~** (*sich berufen*) referirse (**auf** a)

Beziehung *f* <-en> relación *f*; **seine ~en spielen lassen** (*fam*) tocar todos los resortes; **er hat in jeder ~ Recht** tiene razón en todos los aspectos; **eine ~ eingehen** empezar una relación; **beziehungsweise** *konj* (*genauer gesagt*) mejor dicho; (*oder, und*) respectivamente

Bezirk [bəˈtsɪrk] *m* <-(e)s, -e> distrito *m*

bezogen *pp von* **beziehen**

bezug[ALT] *s.* **Bezug 3.**

Bezug [bəˈtsuːk] *m* ❶ (*Überzug*) funda *f* ❷ *pl* (*Gehalt*) sueldo *m* ❸ (*Wend*): **in ~ auf** (con) respecto a

bezüglich [bəˈtsyːklɪç] I. *adj* al respecto II. *präp +gen* respecto a; **~ Ihres Schreibens vom ...** en relación a su escrito del...

bezwecken* [bəˈtsvɛkən] *vt* perseguir; **was willst du damit ~?** ¿qué persigues con esto?

bezweifeln* *vt* poner en duda

BH [beːˈhaː] *m* <-s, -s> (*fam*) *Abk. von* **Büstenhalter** sujetador *m*

Bhf. *Abk. von* **Bahnhof** estación *f* de ferrocarril

Bibel [ˈbiːbəl] *f* <-n> Biblia *f*

Biber [ˈbiːbɐ] *m* <-s, -> castor *m*

Bibliothek [biblioˈteːk] *f* <-en> biblioteca *f*

biblisch [ˈbiːblɪs] *adj* bíblico

Bidet [biˈdeː] *nt* <-s, -s> bidé *m*

bieder [ˈbiːdɐ] *adj* (*abw*) conservador

biegen [ˈbiːgən] <biegt, bog, gebogen> I. *vi sein* torcer; **um die Ecke ~** doblar la esquina; **auf Biegen und Brechen** (*fam*) a toda costa II. *vt, vr haben*: **sich ~** doblar(se); **sie bog sich vor Lachen** (*fam*) se partió de (la) risa

biegsam *adj* flexible

Biegung *f* <-en> curvatura *f*; (*Kurve*) curva *f*

Biene [ˈbiːnə] *f* <-n> abeja *f*; **Bienenschwarm** *m* enjambre *m*; **Bienenstock** *m* <-(e)s, -stöcke> colmena *f*

Bier [biːɐ] *nt* <-(e)s, -e> cerveza *f*; **das ist nicht mein ~** (*fig fam*) eso no es asunto mío; **Bierdeckel** *m* posavasos *m inv* de cartón; **Biergarten** *m* cervecería *f* al aire libre

Biest [biːst] *nt* <-(e)s, -er> (*fam: Tier*) bicho *m*; (*Mensch*) mal bicho *m*

bieten [biːtən] <bietet, bot, geboten> I. *vt* ofrecer; **das lasse ich mir nicht ~** esto no se lo permito a nadie; **jdm die Stirn ~** hacer frente a alguien II. *vr:* **sich ~** presentarse; **bei der nächsten sich ~den Gelegenheit** en la próxima ocasión que se presente

Bikini [biˈkiːni] *m* <-s, -s> biquini *m*

Bilanz [biˈlants] *f* <-en> *a.* WIRTSCH balance *m*; **eine ~ aufstellen** confeccionar un balance; **die ~ ziehen** hacer (el) balance

Bild [bɪlt] *nt* <-(e)s, -er> ❶ (*Gemälde*) cuadro *m*; **ein ~ für die Götter** (*fam*) una escena graciosísima ❷ TV imagen *f*; FOTO foto *f*; **ein ~ machen** sacar una foto ❸ (*Vorstellung*) idea *f*; **sich** *dat* **ein ~ von etw machen** hacerse una idea de algo; **im ~e sein** estar al corriente

bilden [ˈbɪldən] *vt, vr:* **sich ~** (*a. geistig*) formar(se)

Bilderbuch *nt* libro *m* de dibujos; **Bilderrahmen** *m* marco *m* para cuadros

Bildhauer(in) [ˈbɪlthaʊɐ] *m(f)* <-s, -; -nen> escultor(a) *m(f)*; **bildhübsch**

['-'-] *adj* precioso

bildlich *adj* (*Darstellung*) gráfico; (*Ausdruck*) metafórico

Bildschirm *m a.* INFOR pantalla *f*; **bildschön** ['-'-] *adj* bellísimo

Bildung ['bɪldʊŋ] *f* (*a. geistig*) formación *f*; (*Schaffung*) creación *f*; (*Gründung*) fundación *f*; **Bildungslücke** *f* laguna *f* cultural; **Bildungspolitik** *f* política *f* educativa; **Bildungssystem** *nt* sistema *m* de educación

Billard ['bɪljart] *nt* <-s, *ohne pl*> billar *m*

Billiarde [bɪ'ljardə] *f* <-n> mil billones *mpl*

billig ['bɪlɪç] *adj* barato; ~ **abzugeben** se vende barato; ~ **davonkommen** (*fam*) salir bien parado

billigen ['bɪlɪgən] *vt* aprobar

Billigfluglinie *f* compañía *f* aérea barata

Billion [bɪ'ljo:n] *f* <-en> billón *m*

bin [bɪn] *1. präs von* **sein**

Binde ['bɪndə] *f* <-n> (*Verband*) venda *f*; (*Monatsbinde*) compresa *f*; **Bindeglied** *nt* vínculo *m*

binden ['bɪndən] <bindet, band, gebunden> **I.** *vt* (*zusammenbinden*) atar; (*Strauß*) hacer; (*Krawatte*) anudar; (*verpflichten*) comprometer; **eine ~de Zusage** una promesa vinculante **II.** *vr:* **sich** ~ vincularse (**an** a)

Bindestrich *m* guión *m*

Bindfaden *m* cordón *m*

Bindung ['bɪndʊŋ] *f* <-en> (*feste Beziehung*) compromiso *m*; (*an Heimat, Person*) apego *m*

binnen ['bɪnən] *präp +dat/gen* en (el transcurso de); ~ **kurzem** en breve; ~ **einiger Stunden** en algunas horas

Binnenhafen *m* puerto *m* fluvial; **Binnenmarkt** *m* mercado *m* interior

Binse ['bɪnzə] *f* <-n> junco *m*; **etw geht in die ~n** (*fam*) algo se echa a perder; **Binsenweisheit** *f* <-en> perogrullada *f*

Bioabfall *m* <-(e)s, -abfälle> basura *f* orgánica

Biografie[RR] [biogra'fi:] *f* <-n>, **Biographie** *f* <-n> biografía *f*

Biokraftstoff *m* biocombustible *m*, biocarburante *m*; **Bioladen** ['----] *m* (*fam*) tienda *f* de productos naturales; **Biolandbau** *m* <-s, *kein pl*> agricultura *f* ecológica

Biologe, **Biologin** [bio'lo:gə] *m, f* <-n, -n; -nen> biólogo, -a *m, f*

Biologie [biolo'gi:] *f* biología *f*

biologisch *adj* biológico

biometrisch [bio'me:trɪʃ] *adj* biométrico; **~e Daten** datos biométricos

Biomüll ['---] *m* basura *f* orgánica; **Biotonne** ['----] *f* contenedor *m* para la basura orgánica

Biotop [bio'to:p] *nt o m* <-s, -e> biótopo *m*

birgt [bɪrkt] *3. präs von* **bergen**

Birke ['bɪrkə] *f* <-n> abedul *m*

Birne ['bɪrnə] *f* <-n> pera *f*; (*Glühbirne*) bombilla *f*

bis [bɪs] **I.** *präp +akk;* (*räumlich, zeitlich*) hasta; **von Freitag ~ Sonntag** de viernes a domingo; ~ **morgen!** ¡hasta mañana!; ~ **jetzt** hasta ahora; ~ **dahin** hasta ahí; **Jugendliche ~ zu 18 Jahren** jóvenes hasta los 18 años; **drei ~ vier Tage** de tres a cuatro días; ~ **auf** excepto; ~ **auf ihren Bruder waren alle da** aparte de su hermano estaban todos; ~ **zu** como máximo **II.** *konj* hasta *+inf*, hasta que *+subj*; **ich warte, ~ er zurückkommt** espero hasta que vuelva

Bischof, **Bischöfin** ['bɪʃɔf, 'bɪʃœfɪn] *m, f* <-s, -schöfe; -nen> obispo, -a *m, f*

bisexuell ['bi:sɛksuɛl, 'bi:zɛksuɛl] *adj* bisexual

bisher [bɪs'he:ɐ] *adv* hasta ahora

bisherige(r, s) [bɪs'he:rɪgə, -gɐ, -gəs] *adj* anterior; **der ~ Minister** el ex ministro; **sein ~s Verhalten** su comportamiento hasta ese momento

Biskaya [bɪs'ka:ja] *f* Golfo *m* de Vizcaya

Biskuit [bɪs'kvi:t] *nt o m* <-(e)s, -e *o* -s> bizcocho *m*

bislang [bɪs'laŋ] *adv s.* **bisher**

biss[RR] [bɪs] *3. imp von* **beißen**

Biss[RR] [bɪs] *m* <-es, -e> ① (*das Zubeißen*) mordisco *m* ② (*Wunde*) mordedura *f*

bisschen[RR] ['bɪsçən] *adj inv*: **ein ~** un poco; **ich habe kein ~ Zeit** no tengo nada de tiempo

Bissen ['bɪsən] *m* <-s, -> bocado *m*

bissig *adj* (*Hund*) mordedor; (*Bemerkung*) mordaz

bist [bɪst] *2. präs von* **sein**

bisweilen [bɪs'vaɪlən] *adv* a veces

Bit [bɪt] *nt* <-(s), -(s)> INFOR bit *m*

bitte *adv* por favor; (**wie**) **~?** ¿cómo dice?; **na ~!** ¿lo ves?; **~, wie du willst** bueno, como quieras

Bitte *f* <-n> ruego *m*; **ich habe eine große ~ an dich** quisiera pedirte un favor muy grande

bitten ['bɪtən] <bittet, bat, gebeten> *vt* pedir (**um**); **er bat um Verzeihung** pidió disculpas

bitter ['bɪtɐ] *adj* amargo; **~e Armut** extremada pobreza; **etw ~ nötig haben** estar necesitadísimo de algo; **bitterkalt** ['--'-] *adj* terriblemente frío

bizarr [bi'tsar] *adj* (*seltsam*) raro

Black-out[RR] [blɛk'ʔaʊt, '--] *nt o m* <-(s), -s> laguna *f*; **ein ~ haben** quedarse en blanco

blähen ['blɛ:ən] I. *vt, vr:* **sich ~** hinchar (se) II. *vi* provocar gases

Blähung *f* <-en> flato *m*

blamabel [bla'ma:bəl] *adj* vergonzoso

Blamage [bla'ma:ʒə] *f* <-n> plancha *f fam*

blamieren* I. *vt* poner en ridículo II. *vr:* **sich ~** hacer el ridículo

blank [blaŋk] *adj* (*glänzend*) reluciente; (*unbedeckt*) desnudo; **ich bin völlig ~** (*fam*) estoy sin blanca

Blankoscheck ['blaŋko-] *m* cheque *m* en blanco

Blase [bla:zə] *f* <-n> (*Luftblase*) burbuja *f*; (*Hautblase*) ampolla *f*; (*Harnblase*) vejiga *f*; **Blasebalg** *m* <-(e)s, -bälge> fuelle *m*

blasen ['bla:zən] <bläst, blies, geblasen> *vi* (*Wind*) soplar

Blasinstrument ['bla:s-] *nt* instrumento *m* de viento

blass[RR] [blas] *adj* pálido; **keinen ~en Schimmer von etw haben** (*fam*) no tener ni idea de algo

Blässe ['blɛsə] *f* palidez *f*

bläst [blɛ:st] *3. präs von* **blasen**

Blatt [blat] *nt* <-(e)s, Blätter> *a.* BOT hoja *f*; **kein ~ vor den Mund nehmen** (*fam*) no tener pelos en la lengua

blättern ['blɛtɐn] *vi:* **in einem Buch ~** hojear un libro

Blätterteig *m* <-(e)s, *ohne pl*> hojaldre *m*

blau [blaʊ] *adj* azul; (*Lippen*) amoratado; (*fam: betrunken*) borracho; **~es Auge** ojo morado; **~er Fleck** moratón *m*

blauäugig ['blaʊʔɔɪgɪç] *adj* de ojos azules; (*leichtgläubig*) confiado

Blaue ['blaʊə] *nt*: **eine Fahrt ins ~ machen** (*fam*) hacer un viaje al azar

Blauhelm *m* (*UNO-Soldat*) casco *m* azul; **Blaulicht** *nt* sirena *f*; **blau|machen** *vi* (*fam: Schule*) fumarse la clase; (*Arbeit*) no ir al trabajo

Blazer ['ble:zɐ, 'blɛɪzɐ] *m* <-s, -> blazer *m*

Blech *nt* <-(e)s, -e> chapa *f* de metal; (*Backblech*) bandeja *f* del horno; **Blechdose** *f* lata *f*

blechen ['blɛçən] *vi, vt* (*fam*) apoquinar

Blechschaden *m* daños *m pl* de carrocería

Blei [blaɪ] *nt* <-(e)s, *ohne pl*> plomo *m*

bleiben ['blaɪbən] <bleibt, blieb, geblieben> *vi sein* quedarse; **hängen ~** (*Wissen*) quedar en la memoria; **an etw hängen ~** engancharse en algo; **wo bleibt er nur?** ¿dónde estará?; **das bleibt unter uns!** ¡esto queda entre nosotros!; **gleich ~** no cambiar; **gleich ~d** constante; **es bleibt dabei** no hay cambios; **hier ist alles beim Alten geblieben** aquí sigue todo como antes; **am Leben ~** quedar con vida; **liegen ~** (*Person*) quedarse tumbado; (*Arbeit*) quedar sin hacer; **offen ~** (*Tür*) quedar abierto; **stehen ~** quedarse de pie; (*anhalten*) detenerse; **stecken ~** (*festsitzen*) quedar fijo; (*beim Sprechen*) atascarse; **es bleibt mir nichts anderes übrig, als ...** no me queda otro remedio que...

bleich [blaɪç] *adj* pálido

bleichen *vt* (*Wäsche*) blanquear

bleifrei *adj* sin plomo; **bleihaltig** *adj* plomífero; **Bleistift** *m* lápiz *m*

Blende ['blɛndə] *f* <-n> FOTO diafragma *m*

blenden ['blɛndən] **I.** *vt* (*beeindrucken*) deslumbrar **II.** *vi, vt* (*blind machen*) cegar

blendend *adj* (*großartig*) estupendo; **sich ~ amüsieren** divertirse estupendamente

Blick [blɪk] *m* <-(e)s, -e> ❶ (*Hinsehen*) mirada *f*; **einen ~ auf etw werfen** echar un vistazo a algo; **auf den ersten ~** a primera vista; **jdn keines ~es würdigen** hacer caso omiso de alguien ❷ *ohne pl* (*Aussicht*) vista *f*; **mit ~ auf den Dom** con vistas a la catedral

blicken ['blɪkən] *vi* mirar; **sich ~ lassen** aparecer

Blickkontakt *m* contacto *m* visual; **Blickwinkel** *m* punto *m* de vista

blieb [bli:p] *3. imp von* **bleiben**

blies [bli:s] *3. imp von* **blasen**

blind [blɪnt] *adj* ciego; **~ werden** perder la vista

Blinddarm *m* apéndice *m*; **Blinddarmentzündung** *f* apendicitis *f inv*

Blind Date ['blaɪnd 'de:t] *nt* <- -(s), - -s> cita *f* a ciegas

Blinde(r) *f(m) dekl wie adj* ciego, -a *m, f*; **Blindenhund** *m* (perro *m*) lazarillo *m*; **Blindenschrift** *f* (alfabeto *m*) Braille *m*

Blindheit *f* ceguera *f*; **mit ~ geschlagen sein** tener una venda en los ojos

blindlings ['blɪntlɪŋs] *adv* (*unüberlegt*) a ciegas

blinken ['blɪŋkən] *vi* AUTO poner el intermitente

Blinker *m* <-s, -> AUTO intermitente *m*

blinzeln ['blɪntsəln] *vi* parpadear

Blitz [blɪts] *m* <-es, -e> METEO rayo *m*; FOTO flash *m*; **Blitzableiter** *m* pararrayos *m inv*

blitzen *vi* (*strahlen*) relucir; (*beim Gewitter*) relampaguear

blitzsauber ['-'--] *adj* (*fam*) limpio como una patena; **Blitzschlag** *m* rayo *m*; **blitzschnell** ['-'-] *adj* (*fam*) (rápido) como un rayo

Block[1] [blɔk] *m* <-(e)s, Blöcke> *a.* POL bloque *m*

Block[2] *m* <-(e)s, -s *o* Blöcke> (*Häuserblock*) manzana *f*; (*Schreibblock*) bloc *m*

Blockade [blɔ'ka:də] *f* <-n> bloqueo *m*

blockieren* [blɔ'ki:rən] *vi, vt* bloquear

blöd(e) [blø:t, 'blø:də] *adj* (*fam*) tonto

blödeln ['blø:dəln] *vi* hacer el tonto

Blödheit *f* <-en> estupidez *f*, tontería *f*

Blödmann *m* imbécil *m*; **Blödsinn** *m* <-(e)s, *ohne pl*> (*fam*) disparate *m*

Blog [blɔg] *nt o m* <-s, -s> *Abk. von* **Weblog(book)** INFOR blog *m*, bitácora *f*

Blogger(in) ['blɔgɐ] *m(f)* <-s, -; -nen> INFOR blogger *mf*

blond [blɔnt] *adj* rubio

Blondine [blɔn'di:nə] *f* <-n> rubia *f*

bloß [blo:s] **I.** *adj* (*unbedeckt*) descubierto; (*nichts als*) mero; **mit ~em Auge** a simple vista; **der ~e Gedanke macht mich nervös** sólo pensar en ello, me pone nervioso **II.** *adv* (*fam: nur*) sólo; **was hast du ~?** ¿pero qué te pasa?; **sag ~!** ¡no me digas!

Blöße ['blø:sə] *f*: **sich** *dat* **eine ~ geben** mostrar su punto débil

bloß|stellen I. *vt* desenmascarar **II.** *vr*: **sich ~** exponerse

bluffen ['blʊfən, 'blœfən] *vi* (*abw*) fanfarronear

blühen ['bly:ən] *vi* (*Pflanzen*) florecer; (*Geschäft*) prosperar

blühend ['bly:ənt] *adj* ❶ (*Pflanze, Sprache*) florido ❷ (*Geschäft, Stadt*) próspero; (*Fantasie*) exuberante

Blume ['blu:mə] *f* <-n> flor *f*; **Blumenkohl** *m* coliflor *f*; **Blumenstrauß** *m* <-es, -sträuße> ramo *m* de flores; **Blumentopf** *m* maceta *f*; **Blumenvase** *f* florero *m*

Bluse ['blu:zə] *f* <-n> blusa *f*

Blut [blu:t] *nt* <-(e)s, *ohne pl*> sangre *f*; **~ und Wasser schwitzen** (*fam*) sudar la gota gorda; **Blutbad** *nt* derramamiento *m* de sangre; **Blutdruck** *m* <-(e)s, *ohne pl*> tensión *f* arterial; **hohen/niedrigen ~ haben** tener la tensión alta/baja

Blüte ['bly:tə] *f* <-n> flor *f*; (*Höhepunkt*) apogeo *m*

bluten ['blu:tən] *vi* sangrar; **mir blutet das Herz** (*fig*) se me rompe el corazón

Bluterguss[RR] ['blu:tʔɛɐgʊs] *m* MED derrame *m* sanguíneo

Blütezeit *f* floración *f*; (*fig*) apogeo *m*

Blutgruppe *f* grupo *m* sanguíneo

blutig *adj* ensangrentado; (*Kampf*) sangriento; **ein ~er Anfänger** un novato

blutjung ['-'-] *adj* muy joven

Blutkreislauf *m* circulación *f* sanguínea; **Blutprobe** *f* prueba *f* de sangre

blutrünstig ['blu:trʏnstɪç] *adj* sangriento

Blutspender(in) *m(f)* donante *mf* de sangre

blutsverwandt *adj* consanguíneo

Blutung *f* <-en> hemorragia *f*; **die monatliche ~** la menstruación

Blutvergießen *nt* <-s, *ohne pl*> (*geh*) derramamiento *m* de sangre

Blutwurst *f* morcilla *f*

BLZ [be:ʔɛl'tsɛt] *Abk. von* **Bankleitzahl** código *m* de identificación bancaria

Bö [bø:] *f* <-en> racha *f*

Bock [bɔk] *m* <-(e)s, Böcke> (*Ziegenbock*) macho *m* cabrío; (*Gestell*) caballete *m*

bocken *vi* (*Kind, Tier*) ponerse terco

bockig *adj* tozudo

Bockwurst *f* salchicha *f* cocida

Boden ['bo:dən] *m* <-s, Böden> (*Erdboden*) tierra *f*; (*Fußboden*) suelo *m*; (*Gelände*) terreno *m*; (*von Gefäß, Meer*) fondo *m*; **auf italienischem ~** en territorio italiano; **am ~ zerstört sein** estar con el ánimo por los suelos; **bodenlos** *adj* sin fondo; (*fam: unerhört*) increíble; **eine ~e Frechheit** una desfachatez sin nombre; **Bodenpersonal** *nt* personal *m* de tierra; **Bodensatz** *m* poso *m*; **Bodenschätze** *m pl* riquezas *fpl* naturales; **Bodensee** *m* <-s> lago *m* de Constanza; **bodenständig** *adj* arraigado

Bodybuilding ['bɔdibɪldɪŋ] *nt* <-s, *ohne pl*> culturismo *m*

bog [bo:k] *3. imp von* **biegen**

Bogen ['bo:gən] *m* <-s, -> (*Kurve*) curva *f*; (*Sportgerät a.* ARCHIT) arco *m*; **einen großen ~ um jdn/etw machen** (*fam*) evitar a alguien/algo; **er hat den ~ raus** (*fam*) ya sabe por dónde van los tiros; **den ~ überspannen** (*fam*) ir demasiado lejos

Böhmen ['bø:mən] *nt* <-s> Bohemia *f*

böhmisch ['bø:mɪʃ] *adj* bohemio; **das sind ~e Dörfer für mich** (*fam*) esto me suena a chino

Bohne ['bo:nə] *f* <-n> judía *f*; (*Kaffeebohne*) grano *m* de café; **nicht die ~!** (*fam*) ¡ni pizca!; **Bohnenkaffee** *m* <-s, *ohne pl*> café *m* en grano

bohren ['bo:rən] **I.** *vt* perforar; (*mit Bohrer*) taladrar; **ein Loch ~** hacer un agujero; **in der Nase ~** meterse el dedo en la nariz **II.** *vi* (*fam: fragen*) insistir; (*Öl*) buscar (**nach**)

Bohrer *m* <-s, -> taladro *m*

Bohrinsel ['bo:ɐʔɪnzəl] *f* plataforma *f* de sondeo; **Bohrmaschine** *f* taladradora *f*

Boiler ['bɔɪlɐ] *m* <-s, -> calentador *m* (de agua)

Boje ['bo:jə] *f* <-n> boya *f*

bolivianisch *adj* boliviano

Bolivien [bo'li:viən] *nt* <-s> Bolivia *f*

bombardieren* [bɔmbar'di:rən] *vt* MIL bombardear; (*fam: überhäufen*) acribillar (**mit** a)

Bombe ['bɔmbə] *f* <-n> bomba *f*; **Bom-**

benangriff *m* bombardeo *m*; **Bombenanschlag** *m* atentado *m* con bomba(s); **Bombenerfolg** ['---'-] *m* (*fam*) éxito *m* rotundo; **Bombenstimmung** ['--'--] *f ohne pl* (*fam*) ambiente *m* fantástico

Bon [bɔŋ, bõ:] *m* <-s, -s> (*Gutschein*) vale *m*; (*Kassenzettel*) tíquet *m*

Bonbon [bɔŋ'bɔŋ, bõ'bõ:] *m o nt* <-s, -s> caramelo *m*

Bonus ['bo:nʊs] *m* <-(ses), -(se) *o* Boni> gratificación *f*; **Bonusmeilen** *f pl* puntos *mpl* obtenidos por vuelo (*que se acumulan y que la compañía aérea abona en forma de vuelo gratuito*)

Bonze ['bɔntsə] *m* <-n, -n> (*abw*) cacique *m*

Boom [bu:m] *m* <-s, -s> boom *m*

Boot [bo:t] *nt* <-(e)s, -e> barca *f*; **wir sitzen alle im gleichen ~** (*fam*) todos tiramos de una cuerda

Bord[1] [bɔrt] *m*: **an ~** a bordo; **über ~ gehen** caer por la borda; **von ~ gehen** desembarcar; **alle Bedenken über ~ werfen** olvidarse de todas las dudas

Bord[2] *nt* <-(e)s, -e> (*Wandbrett*) estante *m*

Bordell [bɔr'dɛl] *nt* <-s, -e> burdel *m*

Bordkarte *f* tarjeta *f* de embarque; **Bordstein** *m* bordillo *m*

borgen ['bɔrgən] *vt* (*ausleihen*) tomar prestado; (*verleihen*) prestar

Börse ['bœrzə] *f* <-n> FIN bolsa *f*; **Börsengang** *m* <-(e)s, -gänge> salida *f* a la bolsa

Borste ['bɔrstə] *f* <-n> cerda *f*

bösartig ['bø:sʔa:ɐtɪç] *adj* malvado; (*Bemerkung*) malicioso; MED maligno

Böschung ['bœʃʊŋ] *f* <-en> (*an der Straße*) terraplén *m*; (*Abhang*) declive *m*

böse ['bø:zə] *adj* malo; **das wird ~ Folgen haben** eso tendrá graves consecuencias; **ich bin ~ auf ihn** estoy enojado con él; **es wird ~ enden** eso terminará mal; **das sieht ~ aus** eso tiene mal aspecto

boshaft ['bo:shaft] *adj* malvado

Bosheit *f* <-en> maldad *f*

Bosnien ['bɔsniən] *nt* <-s> Bosnia *f*; **Bosnien-Herzegowina** ['bɔsniən hɛrtse'go:vina] *nt* <-s> Bosnia-Herzegovina *f*

bosnisch *adj* bosnio

Boss[RR] [bɔs] *m* <-es, -e> jefe *m*

böswillig **I.** *adj* malévolo **II.** *adv* con mala intención

bot [bo:t] *3. imp von* **bieten**

Bote, Botin ['bo:tə] *m, f* <-n, -n; -nen> recadero, -a *m, f*

Botschaft ['bo:tʃaft] *f* <-en> (*geh: Nachricht*) mensaje *m*; POL embajada *f*

Botschafter(in) *m(f)* <-s, -; -nen> POL embajador(a) *m(f)*

Bottich ['bɔtɪç] *m* <-(e)s, -e> cuba *f*

Bouillon [bʊl'jɔŋ, bʊl'jõ:] *f* <-s> caldo *m*

Boulevardpresse *f* prensa *f* sensacionalista

Boutique [bu'ti:k] *f* <-n> boutique *f*

Box [bɔks] *f* <-en> (*für Pferde*) box *m*; (*Lautsprecher*) bafle *m*; (*Behälter*) caja *f*

boxen ['bɔksən] *vi* boxear

Boxen *nt* <-s, *ohne pl*> SPORT boxeo *m*

Boxer(in) *m(f)* <-s, -; -nen> boxeador(a) *m(f)*

Boykott [bɔɪ'kɔt] *m* <-(e)s, -e *o* -s> boicot *m*

boykottieren* *vt* boicotear

brach [bra:x] *3. imp von* **brechen**

brachte ['braxtə] *3. imp von* **bringen**

Brainstorming ['brɛɪnstɔ:mɪŋ] *nt* <-s, *ohne pl*> brainstorming *m*

Branche ['brã:ʃə] *f* <-n> ramo *m*

Brand [brant] *m* <-(e)s, Brände> incendio *m*; **etw in ~ setzen** pegar fuego a algo; **Brandanschlag** *m* atentado *m* de incendio

Brandenburg ['brandənbʊrk] *nt* <-s> Brandeburgo *m*

brandneu ['-'-] *adj* (*fam*) flamante; **Brandstifter(in)** *m(f)* <-s, -; -nen> incendiario, -a *m, f*; **Brandstiftung** *f* incendio *m* provocado

Brandung ['brandʊŋ] *f* <-en> oleaje *m*

brannte ['brantə] *3. imp von* **brennen**

Branntwein *m* aguardiente *m*

brasilianisch *adj* brasileño

Brasilien [bra'zi:liən] *nt* <-s> Brasil *m*

brät [brɛ:t] *3. präs von* **braten**

braten ['bra:tən] <brät, briet, gebraten> *vt* asar; (*in der Pfanne*) freír

Braten *m* <-s, -> asado *m*

Bratpfanne *f* sartén *f*; **Bratwurst** *f* salchicha *f* frita

Brauch [braʊx] *m* <-(e)s, Bräuche> uso *m*

brauchbar *adj* (*nützlich*) útil; (*geeignet*) apropiado

brauchen ['braʊxən] *vt* necesitar; **wie lange brauchst du dafür?** ¿cuánto tiempo necesitas para esto?; **du brauchst nicht gleich zu schreien** no es necesario que te pongas a chillar enseguida; **ich brauche heute nicht zu arbeiten** hoy no tengo que trabajar

Brauerei *f* <-en> fábrica *f* de cerveza

braun [braʊn] *adj* marrón; (*Haare*) castaño; (*Teint*) moreno; (*abw: nationalsozialistisch*) nazi

bräunen *vt, vr:* **sich ~** broncear(se)

Brause ['braʊzə] *f* <-n> (*Dusche*) ducha *f*; (*Limonade*) (limonada *f*) gaseosa *f*; **Brausetablette** *f* pastilla *f* efervescente

Braut [braʊt] *f* <Bräute> novia *f*

Bräutigam ['brɔɪtigam] *m* <-s, -e> novio *m*

Brautkleid *nt* traje *m* de novia; **Brautpaar** *nt* (*verlobt*) novios *mpl*; (*verheiratet*) pareja *f* de recién casados

brav [bra:f] *adj* bueno

BRD [be:ʔɛr'de:] *f Abk. von* **Bundesrepublik Deutschland** RFA *f*

brechen ['brɛçən] <bricht, brach, gebrochen> **I.** *vi* ① *sein* (*zerbrechen*) romperse ② *haben* (*fam: erbrechen*) vomitar **II.** *vt haben* romper; (*Rekord*) batir; (*Gesetz*) infringir; **in Stücke ~** romper en pedazos; **sein Wort ~** faltar a su palabra

Brechreiz *m* náuseas *fpl*

Brei [braɪ] *m* <-(e)s, -e> (*für Kinder*) papilla *f*

breit [braɪt] *adj* ancho; (*ausgedehnt*) amplio; **die ~e Öffentlichkeit** el gran público

Breitbandanschluss[RR] *m* INFOR conexión *f* de banda ancha; **Breitbandverbindung** *f* INFOR conexión *f* de banda ancha

Breite ['braɪtə] *f* <-n> anchura *f*; **in die ~ gehen** (*fam*) engordar

Bremen ['bre:mən] *nt* <-s> Brema *f*

Bremse ['brɛmzə] *f* <-n> AUTO freno *m*; ZOOL tábano *m*

bremsen *vi, vt* frenar; **scharf ~** frenar con fuerza; **er ist nicht zu ~** no hay quien le pare

Bremslicht *nt* luz *f* de freno

brennbar *adj* combustible

brennen ['brɛnən] <brennt, brannte, gebrannt> **I.** *vi* arder; (*Sonne*) quemar; (*Licht*) estar encendido; **wo brennt's denn?** (*fam*) ¿cuál es el problema?; **darauf ~ etw zu tun** morirse por hacer algo **II.** *vt* (*Schnaps*) destilar

brennend *adj* ① (*Holz*) ardiente; (*in Flammen*) en llamas ② (*Schmerz*) agudo ③ (*Frage*) candente; (*Interesse*) vivo; **das interessiert mich ~** me interesa vivamente

Brennessel[ALT] ['brɛnnɛsəl] *f s.* **Brennnessel**; **Brennholz** *nt* <-es, *ohne pl*> leña *f*; **Brennnessel**[RR] *f* ortiga *f*; **Brennpunkt** *m* foco *m*; **Brennstoff** *m* combustible *m*

brenzlig ['brɛntslɪç] *adj* (*fam*) crítico

Brett [brɛt] *nt* <-(e)s, -er> tabla *f*; (*Spielbrett*) tablero *m*; **schwarzes ~** tablón de anuncios

Bretterzaun *m* valla *f*

Brettspiel *nt* juego *m* de tablero

bricht [brɪçt] *3. präs von* **brechen**

Brief [bri:f] *m* <-(e)s, -e> carta *f*; **Brieffreund(in)** *m(f)* amigo, -a *m, f* por correspondencia; **Briefkasten** *m* buzón *m*; **Briefkopf** *m* membrete *m*; **Briefmarke** *f* sello *m*, estampilla *f* ; **Brieföffner** *m* abrecartas *m inv*; **Briefpapier** *nt* papel *m* de cartas; **Brieftasche** *f* cartera *f*; **Brieftaube** *f* paloma *f* mensajera; **Briefträger(in)** *m(f)* cartero, -a *m, f*; **Briefumschlag** *m* sobre *m*; **Briefwechsel** *m* correspondencia *f*; **in ~ mit jdm stehen** cartearse con alguien

briet [bri:t] *3. imp von* **braten**

brillant [brɪ'ljant] *adj* magnífico

Brillant [brɪ'ljant] *m* <-en, -en> brillante *m*

Brille ['brɪlə] *f* <-n> gafas *fpl*; **etw durch eine rosarote ~ sehen** ver algo de color de rosa; **Brillengestell** *nt* montura *f* de las gafas

bringen ['brɪŋən] <bringt, brachte, gebracht> *vt* ❶ (*herbringen*) traer; (*hinbringen*) llevar; (*Gewinn*) rendir; **etw in Ordnung ~** poner algo en orden; **Glück ~** traer buena suerte; **jdn aus dem Konzept ~** confundir a alguien; **etw zur Sprache ~** hablar de algo; **etw auf den Markt ~** lanzar algo al mercado; **ein Kind zur Welt ~** dar a luz un niño; **es zu etwas ~** hacer carrera; **etw mit sich ~** traer algo consigo; **etw hinter sich ~** conseguir terminar algo ❷ (*wegnehmen*) quitar (**um**); **jdn ums Leben ~** matar a alguien; **jdn um den Verstand** volver loco a alguien ❸ (*bekommen*) conseguir (**zu** +*inf*); **jdn zum Lachen ~** hacer reír a alguien; **etw nicht übers Herz ~** no ser capaz de hacer algo

brisant [bri'zant] *adj* explosivo

Brise ['bri:zə] *f* <-n> brisa *f*

Brite, **Britin** ['brɪtə, 'bri:tə] *m, f* <-n, -n; -nen> británico, -a *m, f*

britisch ['brɪtɪʃ] *adj* británico

Brocken ['brɔkən] *m* <-s, -> trozo *m*; **ein paar ~ Spanisch verstehen** entender un poco de español

Brokkoli ['brɔkoli] *pl* brécol *m*

Brombeere ['brɔmbe:rə] *f* (zarza)mora *f*

Bronchitis [brɔn'çi:tɪs] *f* <Bronchitiden> bronquitis *f inv*

Bronze ['brõ:sə] *f* <-n> bronce *m*

Brosche ['brɔʃə] *f* <-n> broche *m*

Broschüre [brɔ'ʃy:rə] *f* <-n> folleto *m*

Brösel ['brø:zəl] *m* <-s, -> miga *f*

Brot [bro:t] *nt* <-(e)s, -e> pan *m*

Brötchen ['brø:tçən] *nt* <-s, -> panecillo *m*

Bruch [brʊx] *m* <-(e)s, Brüche> rotura *f*; (MED: *Knochen*) fractura *f*; (*Eingeweide*) hernia *f*; **zu ~ gehen** hacerse añicos; **ihre Ehe ging in die Brüche** su matrimonio fracasó; **Bruchbude** *f* (*fam abw*) ruina *f*

brüchig ['brʏçɪç] *adj* quebradizo

Bruchlandung *f* aterrizaje *m* forzoso; **Bruchstück** *nt* fragmento *m*; **Bruchteil** *m* fracción *f*; **im ~ einer Sekunde** en una fracción de segundo

Brücke ['brʏkə] *f* <-n> puente *m*; **alle ~n hinter sich** *dat* **abbrechen** quemar las naves

Bruder ['bru:dɐ] *m* <-s, Brüder> hermano *m*

brüderlich *adj* fraternal

Brühe ['bry:ə] *f* <-n> GASTR caldo *m*; (*abw: Schmutzwasser*) agua *f* sucia

brüllen ['brʏlən] *vi* (*Stier*) bramar; (*Raubtier*) rugir; (*Mensch*) vociferar

brummen ['brʊmən] *vi* ❶ (*Bär, Mensch*) gruñir; (*Fliege*) zumbar; **mir brummt der Schädel** tengo la cabeza como un bombo ❷ (*fam: Geschäft, Wirtschaft*) ir viento en popa

Brunch [brantʃ] *m* <-(e)s, -(e)s *o* -e> brunch *m*

brünett [bry'nɛt] *adj* moreno

Brunnen ['brʊnən] *m* <-s, -> pozo *m*; (*Springbrunnen*) fuente *f*

brüsk [brʏsk] *adj* brusco

Brüssel ['brʏsəl] *nt* <-s> Bruselas *f*

Brust [brʊst] *f* <Brüste> pecho *m*; (*Geflügelbrust*) pechuga *f*; **Brustbein** *nt* esternón *m*

brüsten ['brʏstən] *vr:* **sich ~** (*abw*) presumir (**mit** de)

Brustkorb *m* tórax *m inv*; **Brustkrebs** *m* cáncer *m* de mama; **Brustschwimmen** *nt* <-s, *ohne pl*> estilo *m* braza

Brüstung ['brʏstʊŋ] *f* <-en> (*Balkonbrüstung*) pretil *m*; (*Fensterbrüstung*)

antepecho *m*

Brustwarze *f* (*bei Frauen*) pezón *m*; (*bei Männern*) tetilla *f*

brutal [bru'ta:l] *adj* brutal

Brutalität [brutali'tɛ:t] *f* <-en> brutalidad *f*

brüten ['bry:tən] *vi* (*Vögel*) empollar; (*nachgrübeln*) meditar (**über** sobre); **~de Hitze** calor aplastante

Brutkasten *m* incubadora *f*

brutto ['brʊto] *adv* bruto; **Bruttogehalt** *nt* sueldo *m* bruto; **Bruttolohn** *m* salario *m* bruto; **Bruttosozialprodukt** *nt* producto *m* nacional bruto

BSE [be:ʔɛs'ʔe:] *Abk. von* **Bovine Spongiforme Encephalopathie** (**Rinderwahnsinn**) encefalopatía *f* espongiforme bovina

Buch [bu:x] *nt* <-(e)s, Bücher> libro *m*

Buche ['bu:xə] *f* <-n> haya *f*

buchen ['bu:xən] *vt* (*Reise*) reservar

Bücherei *f* <-en> biblioteca *f*

Bücherregal *nt* estantería *f* de libros

Buchfink *m* pinzón *m*; **Buchhalter(in)** *m(f)* <-s, -; -nen> contable *mf*; **Buchhaltung** *f ohne pl* COM contabilidad *f*; **Buchhandlung** *f* librería *f*

Büchse ['bʏksə] *f* <-n> (*Konservendose*) lata *f*; **Büchsenöffner** *m* abrelatas *m inv*

Buchstabe ['bu:xʃta:bə] *m* <-n(s), -n> letra *f*

buchstabieren* [bu:xʃta'bi:rən] *vi, vt* deletrear

buchstäblich ['bu:xʃtɛ:plɪç] *adj* literal; **ich war ~ in Schweiß gebadet** estaba literalmente empapado en sudor

Bucht [bʊxt] *f* <-en> bahía *f*

Buchung ['bu:xʊŋ] *f* <-en> ❶ FIN asiento *m* ❷ (*Reservierung*) reserva *f*

Buchweizen *m* <-s, *ohne pl*> alforfón *m*

Buckel ['bʊkəl] *m* <-s, -> joroba *f*

bücken ['bʏkən] *vr:* **sich ~** (*nach unten*) agacharse; (*nach vorne*) inclinarse

Buddhismus [bʊ'dɪsmʊs] *m* <-, *ohne pl*> budismo *m*

Buddhist(in) *m(f)* <-en, -en; -nen> budista *mf*

Bude ['bu:də] *f* <-n> (*Kiosk*) chiringuito *m*; (*fam: Zimmer*) cuarto *m*

Budget [by'dʒe:, bʏ'dʒe:] *nt* <-s, -s> presupuesto *m*

Büfett [bʏ'fɛt, bʏ'fe:] *nt* <-(e)s, -e *o* -s> (*Anrichte*) bufet *m*; (*Theke*) mostrador *m*

Büffel ['bʏfəl] *m* <-s, -> búfalo *m*

Buffet *nt* <-s, -s>, **Buffett** *nt* <-s, -s> ÖSTERR, SCHWEIZ *s.* **Büfett**

Bug [bu:k] *m* <-(e)s, -e> NAUT proa *f*

Bügel ['by:gəl] *m* <-s, -> (*Kleiderbügel*) percha *f*; (*Brillenbügel*) patilla *f*

Bügelbrett *nt* tabla *f* de planchar; **Bügeleisen** *nt* plancha *f*; **bügelfrei** *adj* no necesita plancha

bügeln *vi, vt* planchar

Bühne ['by:nə] *f* <-n> escenario *m*

Bulette [bu'lɛtə] *f* <-n> REG albóndiga *f*

Bulgarien [bʊl'ga:riən] *nt* <-s> Bulgaria *f*

bulgarisch *adj* búlgaro

Bulle ['bʊlə] *m* <-n, -n> (*Rind*) toro *m*; (*fam abw: Polizist*) madero *m*

Bummel ['bʊməl] *m* <-s, -> (*fam*) vuelta *f*; **einen ~ durch die Stadt machen** dar una vuelta por la ciudad

bummeln *vi* (*fam*) ❶ *sein* (*spazieren gehen*) dar una vuelta ❷ *haben* (*abw: trödeln*) remolonear

bumsen ['bʊmzən] *vi* (*schlagen*) dar (**gegen** contra); (*vulg: Geschlechtsverkehr haben*) follar, coger

Bund[1] [bʊnt] *m* <-(e)s, Bünde> ❶ (*Vereinigung*) unión *f* ❷ (*an Hosen*) pretina *f* ❸ *ohne pl* POL confederación *f*; **~ und Länder** el Estado federal y los Länder ❹ (*fam: Bundeswehr*) mili *f*

Bund[2] *m* <-(e)s, -e> (*Karotten*) manojo *m*

Bündel ['bʏndəl] *nt* <-s, -> (*Packen*) lío *m*; (*Ballen*) fardo *m*; (*Geldscheine*) fajo *m*; **ein ~ an Maßnahmen** un paquete de medidas

Bundesbahn *f* Ferrocarriles *mpl* Federales; **Bundesbank** *f ohne pl* Banco *m* Federal; **Bundesbürger(in)**

m(f) ciudadano, -a *m, f* de la República Federal de Alemania; **Bundesgebiet** *nt* <-(e)s, *ohne pl*> territorio *m* federal; **Bundeskanzler(in)** *m(f)* canciller *mf* federal; **Bundesland** *nt* estado *m* federal; **Bundesliga** ['bʊndəsli:ga] *f* SPORT primera división *f*; **Bundespräsident(in)** *m(f)* (*in Deutschland*) Presidente, -a *m, f* de la República Federal de Alemania; (*in Österreich*) Presidente, -a *m, f* de la República; (*in der Schweiz*) Presidente, -a *m, f* de la Confederación; **Bundesrat** *m* <-[e]s, *ohne pl*> ❶ (*in Deutschland*) Bundesrat *m*, Cámara *f* Alta de la República Federal; (*in Österreich*) Cámara *f* de Representantes ❷ (*zentrale Regierung in der Schweiz*) Consejo *m* Federal; **Bundesregierung** *f* gobierno *m* federal; **Bundesrepublik** *f*: ~ **Deutschland** República *f* Federal de Alemania; **Bundesstraße** *f* carretera *f* federal; (*in Spanien*) ≈ carretera *f* nacional; **Bundestag** *m* <-[e]s, *ohne pl*> Cámara *f* Baja del Parlamento alemán; **Bundeswehr** *f ohne pl* ejército *m* de la República Federal de Alemania

bündig ['bʏndɪç] *adj* conciso; **kurz und ~** sin rodeos

Bündnis [bʏntnɪs] *nt* <-ses, -se> alianza *f*

Bungalow ['bʊŋgalo] *m* <-s, -s> bungalow *m*, bungaló *m*

Bungee-Springen ['bandʒiʃprɪŋən] *nt* <-s, *ohne pl*> salto *m* elástico

bunt [bʊnt] *adj* de varios colores; **jetzt wird's mir aber zu ~!** (*fam*) ¡eso pasa de castaño oscuro!; **Buntstift** *m* lápiz *m* de color

Burg [bʊrk] *f* <-en> castillo *m*

Bürge, Bürgin ['bʏrgə] *m, f* <-n, -n; -nen> fiador(a) *m(f)*

bürgen *vi* avalar; **ich bürge für ihn** respondo de él

Burgenland *nt* <-(e)s> Burgenland *m*

Bürger(in) ['bʏrgɐ] *m(f)* <-s, -; -nen> ciudadano, -a *m, f*; **Bürgerkrieg** *m* guerra *f* civil

bürgerlich *adj* burgués; JUR civil

Bürgermeister(in) *m(f)* alcalde(sa) *m(f)*; **Bürgersteig** ['bʏrgɐʃtaɪk] *m* <-(e)s, -e> acera *f*, vereda *f*

Bürgschaft ['bʏrkʃaft] *f* <-en> aval *m*

Büro [by'ro:] *nt* <-s, -s> oficina *f*; **Büroangestellte(r)** *mf* empleado, -a *m, f* de oficina, oficinista *mf*; **Bürobedarf** *m* material *m* de oficina; **Bürokauffrau** *f* administrativa *f*; **Bürokaufmann** *m* administrativo *m*; **Büroklammer** *f* sujetapapeles *m inv*

Bürokratie [byrokra'ti:] *f* burocracia *f*

bürokratisch *adj* burocrático, oficialista

Bursche ['bʊrʃə] *m* <-n, -n> chaval *m*

Bürste ['bʏrstə] *f* <-n> cepillo *m*

bürsten *vt* cepillar; **sich** *dat* **die Haare ~** cepillarse el pelo

Bus [bʊs] *m* <-ses, -se> autobús *m*; **Busbahnhof** *m* estación *f* de autobuses

Busch [bʊʃ] *m* <-(e)s, Büsche> (*Strauch*) mata *f*; (*in den Tropen*) selva *f*

Büschel ['bʏʃəl] *nt* <-s, -> (*Gras*) haz *m*; (*Haare*) mechón *m*

buschig *adj* peludo

Busen ['bu:zən] *m* <-s, -> seno *m*; (*Brust*) pecho *m*

Busfahrer(in) *m(f)* conductor(a) *m(f)* de autobús; **Bushaltestelle** *f* parada *f* de autobuses; **Buslinie** *f* línea *f* de autobuses

Buße ['bu:sə] *f* <-n> REL penitencia *f*; JUR multa *f*

büßen ['by:sən] *vt* expiar; **das wirst du mir ~** esto me lo vas a pagar

Bußgeld ['bu:s-] *nt* <-(e)s, -er> multa *f*

Büstenhalter *m* sostén *m*

Butter ['bʊtɐ] *f* mantequilla *f*; **es ist alles in ~** (*fam*) todo está en orden; **Butterbrot** *nt* (rebanada *f* de) pan *m* con mantequilla

Button ['batən] *m* <-s, -s> insignia *f*

b. w. *Abk. von* **bitte wenden** continúa al dorso

Byte [baɪt] *nt* <-(s), -(s)> byte *m*

bzw. *Abk. von* **beziehungsweise** o sea

C

C, c [tse:] *nt* <-, -> C, c *f*

ca. *Abk. von* **circa** cerca de

Cabriolet [kabrio'le:] *nt* <-s, -s> descapotable *m*

Café [ka'fe:] *nt* <-s, -s> café *m*

Cafeteria [kafete'ri:a] *f* <Cafeterien> cafetería *f*

Callcenter ['ko:lsɛntɐ] *nt* <-s, -> call center *m*

campen ['kɛmpən] *vi* (a)campar

Camping ['kɛmpɪŋ] *nt* <-s, *ohne pl*> camping *m*; **Campingplatz** *m* camping *m*

CD [tse:'de:] *f* <-(s)> *Abk. von* **Compact Disc** CD *m*

CD-Player [tse:'de:plɛɪɐ] *m* <-s, -> compact disc *m*

CD-ROM [tse:'de:rɔm] *f* <-s> INFOR CD-ROM *m*; **CD-ROM-Laufwerk** *nt* lector *m* de CD-ROM

Celsius ['tsɛlziʊs]: **30 Grad** ~ 30 grados centígrados

Champagner [ʃam'panjɐ] *m* <-s, -> champán *m*

Champignon ['ʃampɪnjɔŋ] *m* <-s, -s> champiñón *m*

Chance ['ʃã:s(ə)] *f* <-n> oportunidad *f* (**zu** de); **eine ~ wahrnehmen** aprovechar una ocasión; **~n bei jdm haben** (*fam*) tener buenas posibilidades con alguien

Chaos ['ka:ɔs] *nt* <-, *ohne pl*> caos *m inv*

Chaot(in) [ka'o:t] *m(f)* <-en, -en; -nen> ❶ (*unbeherrschter Mensch*) persona *f* caótica ❷ (*abw: Radikaler*) extremista *mf*

chaotisch [ka'o:tɪʃ] *adj* caótico; (*unordentlich*) desordenado; **es geht ~ zu** es un caos

Charakter [ka'raktɐ] *m* <-s, -e> carácter *m*; **sie sind ganz gegensätzliche ~e** son de naturaleza totalmente contraria;

Charaktereigenschaft *f* rasgo *m* característico

charakterisieren* [karakteri'zi:rən] *vt* caracterizar (**als** de)

charakteristisch *adj* característico (**für** de)

charakterlos *adj* sin carácter

Charakterzug *m* rasgo *m* (característico)

charmant [ʃar'mant] *adj* encantador

Charme [ʃarm] *m* <-s, *ohne pl*> encanto *m*

Charterflug ['tʃa:ɐtɐ-] *m* (vuelo *m*) chárter *m*

Chat ['tʃɛt] *m* <-s, -s> charla *f*

Chauffeur(in) [ʃɔ'fø:ɐ] *m(f)* <-s, -e; -nen> chófer *mf*

checken ['tʃɛkən] *vt* (*überprüfen*) revisar; (*fam: kapieren*) captar

Checkliste *f* (*Notizzettel*) recordatorio *m*

Chef(in) [ʃɛf] *m(f)* <-s, -s; -nen> jefe, -a *m, f*; **Chefarzt, -ärztin** *m, f* (*eines Krankenhauses*) director(a) *m(f)*; (*einer Station*) médico, -a *m, f* jefe

Chemie [çe'mi:] *f* química *f*

Chemiker(in) ['çe:mikɐ] *m(f)* <-s, -; -nen> químico, -a *m, f*

chemisch *adj* químico; **~e Reinigung** limpieza en seco

chic [ʃɪk] *adj* elegante; **sich ~ machen** vestirse elegantemente; **es gilt als ~, in dieses Lokal zu gehen** está de moda ir a este local

Chicorée [ʃiko're:] *m* <-s, *ohne pl*> *f ohne pl* achicoria *f* (amarga)

Chile ['çi:le, 'tʃi:le] *nt* <-s> Chile *m*

chilenisch *adj* chileno

China ['çi:na] *nt* <-s> China *f*

chinesisch *adj* chino

Chip [tʃɪp] *m* <-s, -s> ❶ (*Spielmarke*) ficha *f* ❷ *pl* GASTR patatas *fpl* fritas ❸ INFOR chip *m*

Chirurg(in) [çi'rʊrk] *m(f)* <-en, -en; -nen> cirujano, -a *m, f*

Chirurgie [çirʊr'gi:] *f* cirugía *f*

chirurgisch *adj* quirúrgico

Chlor [klo:ɐ] *nt* <-s, *ohne pl*> cloro *m*
Cholera ['ko:lera, 'kɔləra] *f* cólera *m*
cholerisch *adj* colérico
Chor [ko:ɐ] *m* <-(e)s, Chöre> coro *m*
Christ(in) [krɪst] *m(f)* <-en, -en; -nen> cristiano, -a *m, f*
Christentum *nt* <-s, *ohne pl*> cristianismo *m*
Christi *gen von* **Christus**
Christkind *nt* <-(e)s, *ohne pl*> niño *m* Jesús
christlich *adj* cristiano
Christus ['krɪstʊs] *m* <Christi> Cristo *m*
Chronik ['kro:nɪk] *f* <-en> crónica *f*
chronisch *adj* crónico
chronologisch [krono'lo:gɪʃ] *adj* cronológico; **in ~er Reihenfolge** por orden cronológico
circa ['tsɪrka] *adv* cerca de
Clique ['klɪkə] *f* <-n> (*Freunde*) pandilla *f*
Clou [klu:] *m* <-s, -s> (*fam*) atracción *f* principal; **das war der ~** eso fue lo mejor
Clown [klaʊn] *m* <-s, -s> payaso *m*
Club [klʊp] *m* <-s, -s> club *m*
cm *Abk. von* **Zentimeter** cm
Cockpit ['kɔkpɪt] *nt* <-s, -s> cabina *f* de pilotaje
Cocktail ['kɔktɛɪl] *m* <-s, -s> cóctel *m*
Code [ko:t] *m* <-s, -s> código *m*
Collage [kɔ'la:ʒə] *f* <-n> colage *m*
Comic ['kɔmɪk] *m* <-s, -s> cómic *m*; **Comicheft** *nt* tebeo *m*
Compact Disc [kɔm'paktdɪsk] *f* <- -s> disco *m* compacto
Computer [kɔm'pju:tɐ] *m* <-s, -> ordenador *m*, computadora *f*; **computeranimiert** *adj* INFOR animado por ordenador; **Computerspiel** *nt* juego *m* de ordenador; **Computervirus** *m* virus *m inv* informático

Container [kɔn'te:nɐ] *m* <-s, -> contenedor *m*
cool [ku:l] *adj* (*fam*) tranqui
Copyright ['kɔpiraɪt] *nt* <-s, -s> copyright *m*
Cord [kɔrt] *m* <-(e)s, -e *o* -s> pana *f*
Cornflakes ['kɔ:nflɛɪks] *pl* cereales *mpl*
Costa Rica ['kɔsta 'ri:ka] *nt* <- -s> Costa Rica *f*
costa-ricanisch *adj* costarricense
Couch [kaʊtʃ] *f* <-s *o* -en> diván *m*
Count-down[RR] ['kaʊnt'daʊn] *m* <-s, -s> cuenta *f* atrás
Coupon [ku'põ:] *m* <-s, -s> (*Beleg*) resguardo *m*
Cousin, e [ku'zɛ̃:] *m, f* <-s, -s; -n> primo, -a *m, f*
Couvert [ku've:ɐ] *nt* <-s, -s> (REG: *Briefumschlag*) sobre *m*
Cover ['kavɐ] *nt* <-s, -> (*CD, Zeitschrift*) portada *f*
Cowboy ['kaʊbɔɪ] *m* <-s, -s> vaquero *m*
Creme *f* <-s> crema *f*
cremig ['kre:mɪç] *adj* cremoso
Crew [kru:] *f* <-s> tripulación *f*
Croissant [kroa'sɔ̃:] *nt* <-s, -s> cruasán *m*, medialuna *f*
Cursor ['kœ:zɐ] *m* <-s, -s> cursor *m*
Cybercafé ['saɪbɐ-] *nt* ciberbar *m*; **Cyberspace** ['saɪbɐspɛɪs] *m* <-, *ohne pl*> ciberespacio *m*

D

D, d [deː] *nt* <-, -> D, d *f*

da [daː] **I.** *adv* ❶ (*dort*) allí; (*hier*) aquí; **gehen sie ~ herum** vaya por allí ❷ (*zeitlich*) entonces; **von ~ an** desde entonces ❸ (*in diesem Falle*) en este caso; **und ~ wagst du es noch zu kommen?** ¿y después de todo esto aún te atreves a venir? ❹ (*vorhanden*): **~ sein** estar presente; (*vorrätig*) haber; **es ist niemand ~** no hay nadie; **war Thomas gestern ~?** ¿estuvo Tomás ayer?; **ist noch Milch ~?** ¿queda leche todavía?; **er ist immer für mich ~** siempre está ahí cuando lo necesito **II.** *konj* (*weil*) ya que

dabei [da'baɪ, 'daːbaɪ] *adv* (*bei dieser Sache*) en esto; (*außerdem*) además; (*gleichzeitig*) a la vez; (*obgleich*) aunque; **sind die Lösungen ~?** ¿trae las soluciones incluidas?; **bei etw ~ sein** participar en algo; **ich bleibe ~, dass ...** mantengo que...; **sie fühlt sich wohl ~** se siente a gusto haciendo esto; **~ sein etw zu tun** estar haciendo algo; **dabei\|bleiben** *irr vi* (*Tätigkeit*) continuar (**bei** con); (*Mitgliedschaft*) permanecer (**bei** en); **dabei\|sein**ALT *irr vi sein s.* **dabei**; **dabei\|stehen** *irr vi* estar (ahí)

da\|bleiben *irr vi sein* quedarse (ahí)

Dach [dax] *nt* <-(e)s, Dächer> techo *m*; (*Ziegeldach*) tejado *m*; AUTO cubierta *f*; **unterm ~ wohnen** vivir en la buhardilla; **ein ~ über dem Kopf haben** (*fam*) tener una vivienda; **Dachboden** *m* desván *m*; **Dachdecker(in)** *m(f)* <-s, -; -nen> tejador(a) *m(f)*; **Dachgeschoss**RR *nt* ático *m*; **Dachrinne** *f* canalón *m*

Dachs [daks] *m* <-es, -e> tejón *m*

dachte ['daxtə] *3. imp von* **denken**

Dackel ['dakəl] *m* <-s, -> perro *m* salchicha

dadurch ['daːdʊrç] *adv* (*örtlich*) por allí; (*auf diese Weise*) de esta manera

dafür ['daːfyːɐ, da'fyːɐ] *adv* (*für das*) para esto; (*zum Ausgleich*) en cambio; (*im Hinblick darauf*) teniendo en cuenta que; **nichts ~ können** no tener la culpa; **wir haben kein Geld ~** no tenemos dinero para esto; **der Grund ~ ist, dass ...** la razón de esto es que...; **ich bin ~** estoy a favor; **dafür\|können**ALT *irr vi s.* **dafür**

dagegen ['daːgeːgən, da'geːgən] *adv* (*räumlich*) contra ello; (*ablehnend*) en contra; (*als Gegenmaßnahme*) contra; (*verglichen mit*) en comparación; (*im Gegensatz*) en cambio; **haben Sie was ~, wenn ich rauche?** ¿le molesta si fumo?; **es gibt kein Mittel ~** contra eso no hay remedio; **dagegen\|halten** *irr vt* objetar; **da kann man nichts ~** no hay nada que oponer

daheim [da'haɪm] *adv* SÜDD en casa

daher ['daːheːɐ, da'heːɐ] *adv* de ahí; **das kommt ~, dass ...** esto viene de que...; **von ~** de ahí que *+subj*

dahin ['daːhɪn, da'hɪn] *adv* allí; (*Richtung*) hacia allí; **bis ~** hasta entonces; **~ sein** estar perdido; **dahin\|sagen** [-'---] *vt:* **etw nur so ~** no decir algo en serio

dahinten [da'hɪntən] *adv* allí atrás

dahinter [da'hɪntɐ] *adv* detrás; **dahinter\|kommen** *irr vi, vt sein* (*fam: herausfinden*) averiguar; (*verstehen*) caer en la cuenta; **dahinter\|stecken** *vi:* **die Mafia steckt dahinter** (*fam*) la Mafia tiene algo que ver con eso

da\|lassen *irr vt* (*fam: hier*) dejar aquí; (*dort*) dejar allí

damalige(r, s) *adj* de entonces

damals ['daːmaːls] *adv* en aquel tiempo; **seit ~** desde entonces

Dame *f* <-n> señora *f*; **Damenbinde** *f* compresa *f*; **damenhaft** *adj* mujeril; **Damentoilette** *f* lavabo *m* para señoras

damit [da'mɪt, 'daːmɪt] **I.** *adv* con ello; **was soll ich ~?** ¿qué hago yo con esto?; **es fing ~ an, dass ...** empezó con que...; **ich bin ~ zufrieden, dass ...** estoy contento de que... *+subj* II. *konj* para *+inf*, para que *+subj*

dämlich ['dɛːmlɪç] *adj* (*fam*) tonto

Damm [dam] *m* <-(e)s, Dämme> (*Bahndamm*) terraplén *m*; (*Deich*) dique *m*; **wieder auf dem ~ sein** (*fam fig*) sentirse bien de nuevo

dämmern ['dɛmɐn] I. *vi* (*fam: bewusst werden*) darse cuenta (de); **der Abend/der Morgen dämmert** cae/apunta el día II. *vunpers:* **es dämmert** (*morgens*) amanece; (*abends*) atardece

Dämmerung ['dɛmərʊŋ] *f* <-en> crepúsculo *m*

dämonisch *adj* endemoniado

Dampf [dampf] *m* <-(e)s, Dämpfe> vapor *m*; **jdm ~ machen** (*fam*) meter prisa a alguien; **~ ablassen** (*fam fig*) desahogarse

dampfen ['dampfən] *vi* echar humo

dämpfen ['dɛmpfən] *vt* ❶ GASTR cocinar al vapor ❷ (*Lärm*) rebajar; (*Stoß*) amortiguar; (*Stimme*) bajar ❸ (*Ärger*) calmar

Dampfer ['dampfɐ] *m* <-s, -> buque *m* de vapor; **auf dem falschen/richtigen ~ sein** (*fam fig*) estar equivocado/en lo cierto

danach ['daːnaːx, da'naːx] *adv* (*zeitlich*) después; (*später*) más tarde; (*anschließend*) a continuación; (*räumlich*) detrás; **sie griff ~** lo cogió; **es sieht ganz ~ aus, als ob ...** tiene todo el aspecto como si... *+subj*; **richte dich bitte ~!** ¡compórtate de acuerdo con eso!

Däne, Dänin ['dɛːnə] *m, f* <-n, -n; -nen> danés, -esa *m, f*

daneben [da'neːbən, 'daːneːbən] *adv* (*räumlich*) al lado; (*verglichen mit*) por el contrario; (*außerdem*) además; (*gleichzeitig*) al mismo tiempo; **im Haus ~** en la casa de al lado; **daneben|benehmen*** *irr vr:* **sich ~** (*fam*) meter la pata; **daneben|gehen** [-'----] *irr vi sein* (*Schuss*) errar el blanco; (*fam: scheitern*) irse al traste; **daneben|liegen** *irr vi* (*fam*) estar equivocado

Dänemark ['dɛːnəmark] *nt* <-s> Dinamarca *f*

dänisch *adj* danés

dank [daŋk] *präp +gen/dat* gracias a

Dank *m* <-(e)s, *ohne pl*> gracias *fpl*; **vielen ~!** ¡muchas gracias!

dankbar *adj* agradecido; **ich bin Ihnen sehr ~** se lo agradezco mucho

Dankbarkeit *f* agradecimiento *m*, gratitud *f*

danke *interj* gracias; **~ schön!** ¡muchas gracias!

danken *vi, vt* agradecer (**für**); **wir ~ für die Einladung** agradecemos la invitación; **nichts zu ~!** ¡no hay de qué!

dann [dan] *adv* (*danach*) luego; (*Zeitpunkt*) entonces; (*zu dem Zeitpunkt*) en aquel momento; (*unter diesen Umständen*) entonces; **bis ~!** ¡hasta luego!; **selbst ~, wenn ...** incluso si... (*+subj*)

daran [da'ran, 'daːran] *adv* en esto; **im Anschluss ~** a continuación; **nahe ~** muy cerca; **er war nahe ~ das zu tun** estuvo a punto de hacerlo; **~ wird sich nichts ändern** esto no cambiará; **er ist ~ schuld** él tiene la culpa (de esto)

darauf ['daːraʊf, da'raʊf] *adv* (*räumlich*) encima; (*zeitlich*) después; **bald ~** poco después; **am ~ folgenden Tag** al día siguiente; **sich ~ verlassen, dass ...** contar con que... (*+subj*); **das kommt ~ an** depende; **lasst uns ~ anstoßen** brindemos por ello; **darauffolgende(r, s)** *adj s.* **darauf**; **daraufhin** ['---] *adv* (*infolgedessen*) en consecuencia

daraus ['daːraʊs, da'raʊs] *adv* de ello; **~ folgt, dass ...** de esto se deduce que...; **ich mache mir nichts ~** (*fam*) esto no me interesa

dar|bieten ['daːɐbiːtən] *irr vr:* **sich ~** (*geh: Gelegenheit*) presentarse

darf [darf] *3. präs von* **dürfen**

darin ['da:rɪn, da'rɪn] *adv* (*räumlich*) dentro; (*in dieser Beziehung*) en esto; **~ ist er ganz groß** es un experto en esto; **wir stimmen ~ überein, dass ...** estamos de acuerdo en que...

dar|legen ['da:ɐle:gən] *vt* (*Plan*) explicar; (*Gründe*) exponer

Darlehen ['da:ɐle:ən] *nt* <-s, -> préstamo *m*; **ein ~ aufnehmen/gewähren** tomar/conceder un préstamo

Darm [darm] *m* <-(e)s, Därme> intestino *m*

dar|stellen ['da:ɐʃtɛlən] *vt* (*schildern*) presentar; (*beschreiben*) describir; (*durch Symbole*) simbolizar; (*abbilden*) representar; (*bedeuten*) significar

Darsteller(in) *m(f)* <-s, -; -nen> actor, actriz *m, f*

Darstellung *f* <-en> ❶ THEAT representación *f* ❷ (*Schilderung*) exposición *f*; (*Beschreibung*) descripción *f*

darüber ['da:rybɐ, da'ry:bɐ] *adv* (*räumlich*) encima; (*über eine Angelegenheit*) sobre esto; **die Wohnung ~ steht leer** la vivienda de arriba está vacía; **~ hinaus** además; **er hat sich ~ beschwert** se quejó de esto; **~ nachdenken** pensarlo

darum ['da:rʊm, da'rʊm] *adv* (*deshalb*) por eso; (*räumlich*) alrededor; **red nicht lange ~ herum!** ¡no te vayas por otro camino!; **~ geht es mir gar nicht** no es eso lo que me importa; **ich bitte dich ~** te lo pido

darunter ['da:rʊntɐ, da'rʊntɐ] *adv* (*räumlich*) debajo; **die Wohnung ~ steht leer** la vivienda de abajo está vacía; **es waren viele Kinder ~** había muchos niños entre ellos; **was versteht man ~?** ¿qué quiere decir esto?

das [das] *art det o pron dem o pron rel s.* **der, die, das**

da|sein^RR ['da:zaɪn] *irr vi sein s.* **da I.4.**; **da|sitzen** *irr vi* estar sentado

dasjenige *pron dem s.* **derjenige, diejenige, dasjenige**

dass^RR [das] *konj* que; **ohne ~** sin que *+subj*; **so ~** de modo que (*+subj*); **so ..., ~ ...** tan(to)... que...; **es begann damit, ~ ...** empezó con que...

dasselbe [das'zɛlbə] *pron dem s.* **derselbe, dieselbe, dasselbe**

da|stehen *irr vi* (*örtlich*) estar allí (de pie); (*in einer Situation*) estar; **er steht gut da** está en una buena posición

Datei [da'taɪ] *f* <-en> fichero *m*

Daten ['da:tən] *pl* ❶ *pl von* **Datum** ❷ (*Angaben a.* INFOR) datos *mpl*; **Datenautobahn** *f* autopista *f* de datos; **Datenbank** *f* <-en> banco *m* de datos; **Datenschutz** *m* protección *f* de datos; **Datenübertragung** *f* transmisión *f* de datos; **Datenverarbeitung** *f* <-en> tratamiento *m* de datos

datieren* [da'ti:rən] **I.** *vt* fechar; **datiert sein auf ...** llevar fecha de... **II.** *vi* datar (**aus** de)

Dativ ['da:ti:f] *m* <-s, -e> dativo *m*

Dattel ['datəl] *f* <-n> dátil *m*

Datum ['da:tʊm] *nt* <-s, Daten> fecha *f*; **welches ~ haben wir heute?** ¿a qué fecha estamos hoy?

Dauer ['daʊɐ] *f* duración *f*; **für die ~ eines Jahres** por un período de un año; **von kurzer ~ sein** no durar mucho; **auf die ~** a la larga; **dauerhaft** *adj* duradero; **Dauerkarte** *f* (billete *m* de) abono *m*; **Dauerlauf** *m* carrera *f* de resistencia

dauern ['daʊɐn] *vi* durar; **das dauert und dauert** tarda horas y horas

dauernd ['daʊɐnt] *adv* a cada momento; (*unaufhörlich*) sin cesar

dauernde(r, s) *adj* permanente

Dauerwelle *f* permanente *f*; **Dauerzustand** *m* estado *m* permanente

Daumen ['daʊmən] *m* <-s, -> (dedo *m*) pulgar *m*; **jdm die ~ drücken** (*fam*) desearle suerte a alguien

Daunendecke *f* edredón *m*

davon ['da:fɔn, da'fɔn] *adv* (*räumlich*) de aquí; (*Sache*) de esto; **nicht weit ~** no muy lejos de aquí; **er ist auf und ~**

tomó las de Villadiego; **das hängt ~ ab, ob ...** esto depende de si...; **~ kannst du krank werden** con eso te puedes enfermar; **ich bin ~ aufgewacht** me desperté por eso; **das kommt ~, dass ...** esto viene de que...; **davon|kommen** *irr vi sein* salvarse; **mit einem blauen Auge ~** (*fig*) salir sin mayores perjuicios; **davon|laufen** *irr vi sein* echar a correr; **davon|machen** *vr:* **sich ~** (*fam*) largarse; **davon|tragen** *irr vt* (*Schaden*) sufrir

davor ['da:fo:ɐ, da'fo:ɐ] *adv* (*räumlich*) delante; (*zeitlich*) antes; (*Angelegenheit*) de esto; **kurz ~** poco antes; **sie hat keine Angst ~** esto no le da miedo

dazu ['da:tsu, da'tsu:] *adv* (*außerdem*) además; (*dafür*) para esto; (*darüber*) al respecto; **noch ~, wo ...** y además porque...; **das ist ~ da, um ...** esto está para...; **was meinst du ~?** ¿qué opinas al respecto?; **das führt ~, dass ...** esto lleva a que... +*subj*; **dazu|geben** [-'---] *irr vt* añadir (**zu** a); **dazu|gehören*** *vi* formar parte (**zu** de); **es gehört schon einiges dazu** se requiere cierta valentía para hacerlo

dazugehörige(r, s) *adj* correspondiente

dazu|kommen *irr vi sein* ❶ (*ankommen*) llegar (en el momento en que) ❷ (*hinzugefügt werden*) agregarse (**zu** a); **dazu kommt noch, dass er gelogen hat** y a esto hay que añadir que mintió; **dazu|lernen** *vt* aprender (algo nuevo); **dazu|tun** *irr vt* añadir

dazwischen ['da:tsvɪʃən, da'tsvɪʃən] *adv* en medio; **es liegen einige Jahre ~** hay un par de años de por medio; **dazwischen|kommen** *irr vi sein* (*Ereignis*) ocurrir; (*Problem*) surgir; **mir ist leider etwas dazwischengekommen** desgraciadamente me ha surgido un imprevisto; **dazwischen|reden** *vi* interrumpir

DB [de:'be:] *f Abk. von* **Deutsche Bahn** Ferrocarriles *mpl* Alemanes

DDR [de:de:'ʔɛr] *f Abk. von* **Deutsche Demokratische Republik** RDA *f*

Dealer(in) *m(f)* <-s, -; -nen> camello *m fam*

Debatte [de'batə] *f* <-n> debate *m*

Deck [dɛk] *nt* <-(e)s, -s> cubierta *f*

Decke ['dɛkə] *f* <-n> (*Bettdecke*) manta *f*; (*Tischdecke*) mantel *m*; (*Zimmerdecke*) techo *m*; **mit jdm unter einer ~ stecken** (*fam*) hacer causa común con alguien; **jdm fällt die ~ auf den Kopf** (*fam*) a alguien se le cae la casa encima

Deckel ['dɛkəl] *m* <-s, -> tapa *f*

decken ['dɛkən] **I.** *vt* (*bedecken, a. fig*) cubrir; **ein Tuch über etw ~** cubrir algo con un paño; **den Tisch ~** poner la mesa; **der Scheck ist nicht gedeckt** el cheque no está cubierto **II.** *vr:* **sich ~** (*übereinstimmen*) coincidir

Decoder *m* <-s, -> descodificador *m*

defekt [de'fɛkt] *adj* defectuoso

Defekt *m* <-(e)s, -e> TECH avería *f*

defensiv [defɛn'zi:f] *adj* defensivo

definieren* [defi'ni:rən] *vt* definir

Definition [defini'tsjo:n] *f* <-en> definición *f*

definitiv [defini'ti:f] *adj* definitivo

Defizit ['de:fitsɪt] *nt* <-s, -e> falta *f* (**an** de)

deftig ['dɛftɪç] *adj* (*Essen, Spaß*) fuerte

dehnbar ['de:nba:ɐ] *adj* elástico; (*in die Länge*) extensible; (*Begriff*) vago

dehnen ['de:nən] **I.** *vt* (*Material*) estirar; (*Laute*) alargar **II.** *vr:* **sich ~** (*weiter werden*) ensancharse; (*lange dauern*) dilatarse

Deich [daɪç] *m* <-(e)s, -e> dique *m*

dein, deine, dein [daɪn] *pron poss* (*adjektivisch*) tu *sg*, tus *pl*; **viele Grüße, ~ Peter** muchos saludos, Peter

deine(r, s) ['daɪnə, -nɐ, -nəs] *pron poss* (*substantivisch*) (el) tuyo *m*, (la) tuya *f*, (los) tuyos *mpl*, (las) tuyas *fpl* *s.a.* **dein, deine, dein**

deiner *pron pers gen von* **du** de ti

deinerseits ['daɪnɐzaɪts] *adv* de tu parte

deinetwegen *adv* por ti; (*negativ*) por tu culpa

deklinieren* [dekli'ni:rən] *vt* declinar

dekodieren* [deko'di:rən] *vt* descodificar

Dekolleté [dekɔl'te:] *nt* <-s, -s>, **Dekolletee**[RR] *nt* <-s, -s> escote *m*

Dekoration [dekora'tsjo:n] *f* <-en> decoración *f*

dekorieren* [deko'ri:rən] *vt* decorar

Delegation [delega'tsjo:n] *f* <-en> delegación *f*

Delegierte(r) [dele'gi:ɐtɐ] *mf* <-n, -n; -n> delegado, -a *m, f*

Delfin[RR] *m* <-s, -e> *s.* **Delphin**

Delikatesse [delika'tɛsə] *f* <-n> (*Leckerbissen*) exquisitez *f*

Delikt [de'lɪkt] *nt* <-(e)s, -e> delito *m*

Delphin [dɛl'fi:n] *m* <-s, -e> delfín *m*

Delta ['dɛlta] *nt* <-s, -s *o* Delten> delta *m*

dem [de(:)m] *art det o pron dem o pron rel s.* **der, die, das**

dementieren* *vt* desmentir

dementsprechend ['de:mʔɛnt'ʃprɛçənt] *adj* correspondiente; **sie wurden ~ behandelt** los trataron conforme a lo ocurrido

demnach ['--] *adv* por lo tanto

demnächst [de:m'nɛ:kst] *adv* próximamente

Demo ['de:mo] *f* <-s> (*fam*) manifestación *f*

Demo-CD ['de:motse:de:] *f* CD *m* de demostración

Demokrat(in) [demo'kra:t] *m(f)* <-en, -en; -nen> demócrata *mf*

Demokratie [demokra'ti:] *f* <-n> democracia *f*

demokratisch [demo'kra:tɪʃ] *adj* democrático

demolieren* [demo'li:rən] *vt* demoler

Demonstrant(in) [demɔn'strant] *m(f)* <-en, -en; -nen> manifestante *mf*

Demonstration [demɔnstra'tsjo:n] *f* <-en> (*Protestmarsch*) manifestación *f* (**für** a favor de, **gegen** en contra de)

demonstrativ [demɔnstra'ti:f] **I.** *adj* demostrativo **II.** *adv* ostensivamente

demonstrieren* **I.** *vi* (*protestieren*) manifestarse (**für** a favor de, **gegen** en contra de) **II.** *vt* (*bekunden*) demostrar

demütig ['de:my:tɪç] *adj* humilde; (*unterwürfig*) sumiso

demütigen *vt* humillar

demzufolge ['--'--] *adv* por consiguiente

den *art det o pron dem o pron rel s.* **der, die, das**

denen *pron dem o pron rel s.* **der, die, das**

Den Haag *nt* <- -s> La Haya *f*

denkbar **I.** *adj* posible **II.** *adv* sumamente

denken ['dɛŋkən] <denkt, dachte, gedacht> **I.** *vi* pensar (**an** en, **über/von** de); **ich denke nicht daran, dass zu tun!** ¡no pienso hacerlo!; **denk daran!** ¡recuérdalo!; **ich denke schon** creo que sí **II.** *vt* imaginarse; **das hätte ich nicht von ihm gedacht!** ¡no me hubiera imaginado esto de él!; **wie hast du dir das gedacht?** ¿cómo te lo has figurado?; **das kann ich mir ~** ya me lo imagino; **für jdn/etw gedacht sein** ser para alguien/algo

Denken *nt* <-s, *ohne pl*> ❶ (*Nachdenken*) reflexión *f* ❷ (*logisches Denken*) raciocinio *m*; **positives ~** pensamiento positivo

Denkmal ['dɛŋkma:l] *nt* <-s, -mäler *o* -e> monumento *m*; **denkwürdig** *adj* memorable; **Denkzettel** *m*: **jdm einen ~ verpassen** dar a alguien una lección

denn [dɛn] **I.** *part*: **warum ~?** pues ¿por qué?; **kannst du ~ nicht aufpassen?** ¿pero no puedes prestar atención? **II.** *konj* (*weil*) porque; **es sei ~, dass ...** a no ser que... +*subj*; **mehr ~ je** más que nunca

dennoch ['dɛnɔx] *adv* no obstante

Deo ['de:o] *nt* <-s, -s>, **Deodorant** [deodo'rant] *nt* <-s, -e *o* -s> desodorante *m*

Deponie [depo'ni:] *f* <-n> vertedero *m*

deponieren* *vt* depositar

deportieren* [depɔr'ti:rən] *vt* deportar

Depot [de'po:] *nt* <-s, -s> (*für Waren*) depósito *m*

Depression [deprɛ'sjo:n] *f* <-en> depresión *f*

depressiv *adj* depresivo

deprimieren* [depri'mi:rən] *vt* deprimir

der[1] *art det o pron dem gen/dat von* **die** *s.* **der, die, das**

der[2] *art det o pron dem gen von Pl* **die** *s.* **der, die, das**

der, die, das [de:ɐ, di:, das] <die> **I.** *art det* el *m*, la *f*, los *mpl*, las *fpl* **II.** *pron dem* ❶ (*adjektivisch: hier*) este *m*, esta *f*, estos *mpl*, estas *fpl*; (*da*) ese *m*, esa *f*, esos *mpl*, esas *fpl*; **das Kind dort** aquel niño ❷ (*substantivisch*) éste *m*, ésta *f*, esto *nt*, éstos *mpl*, éstas *fpl*; **was ist das?** ¿qué es eso?; **das bin ich** éste soy yo; ~ **mit dem Koffer** ése de la maleta; **wie dem auch sei** sea como sea; **ich bin mir dessen bewusst** soy consciente de esto; **nach dem, was ich gehört habe** según lo que me han dicho; *s.a.* **diese(r, s), jene(r, s), derjenige III.** *pron rel* que, quien, quienes *pl*; **der Mensch, ~ das getan hat** la persona que lo ha hecho; **der Mann, bei dem er wohnt** el hombre con quien vive; **der Nachbar, dessen Hund so oft bellt** el vecino cuyo perro ladra tan a menudo

derart ['--] *adv* tanto; **~, dass ...** de tal manera que...

derartig I. *adj* semejante **II.** *adv* tanto; **er schnarchte ~, dass ...** roncaba de tal manera que...

derb [dɛrp] *adj* (*kräftig*) recio; (*Ausdruck*) vulgar; (*Person*) grosero

deren ['de:rən] *pron dem o pron rel s.* **der, die, das**

derjenige, diejenige, dasjenige ['de:ɐje:nɪgə, 'di:je:nɪgə, 'dasje:nɪgə] <diejenigen> *pron dem* (*hier*) el *m*, la *f*, lo *nt*; (*weiter entfernt*) aquel *m*, aquella *f*, aquello *nt*; **~, der am lautesten schreit** el que más alto grita; **ist das ~, welcher ...?** (*fam*) ¿es aquél que...?

dermaßen ['de:ɐ'ma:sən] *adv* tanto; **~, dass ...** de tal modo que...

derselbe, dieselbe, dasselbe [de:ɐ'zɛlbə, di:'zɛlbə, das'zɛlbə] <dieselben> *pron dem* el mismo, la misma, lo mismo (**wie** que); **er ist immer noch ganz ~** es el mismo de siempre; **das ist doch ein und dasselbe** pero si es exactamente lo mismo

derzeit ['--] *adv* actualmente

derzeitig *adj* actual

des [dɛs] *art det s.* **der, die, das**

deshalb ['--] *adv* por eso; **ich habe das ~ getan, weil ...** lo hice porque...; **gerade ~** por eso mismo

Design [di'zaɪn] *nt* <-s, -s> diseño *m*

Desinfektion [dezɪnfɛk'tsjo:n] *f* desinfección *f*; **Desinfektionsmittel** *nt* desinfectante *m*

desinfizieren* *vt* desinfectar

Desinteresse ['dɛsʔɪntərɛsə] *nt* <-s, ohne pl> desinterés *m* (**an/für** por)

desorientiert *adj* desorientado

dessen ['dɛsən] *pron dem o pron rel s.* **der, die, das**

Dessert [dɛ'sɛ:ɐ] *nt* <-s, -s> postre *m*

Dessous [dɛ'su:] *nt* <-, -> ropa *f* interior

destillieren* [dɛstɪ'li:rən] *vt* destilar

desto ['dɛsto] *konj*: **je mehr ..., ~ mehr ...** cuanto más... (tanto) más...; **je früher, ~ besser** cuanto antes, mejor

deswegen ['dɛs've:gən] *adv s.* **deshalb**

Detail [de'taɪ] *nt* <-s, -s> detalle *m*; **ins ~ gehen** entrar en detalles

detailliert I. *adj* detallado **II.** *adv* con pormenores

Detektiv(in) [detɛk'ti:f] *m(f)* <-s, -e; -nen> detective *mf*

deuten ['dɔɪtən] **I.** *vi* señalar (**auf**); **alles deutet darauf hin, dass ...** todo indica que... **II.** *vt* interpretar

deutlich ['dɔɪtlɪç] **I.** *adj* claro; (*Hand-*

schrift) legible; **jdm etw ~ machen** explicar algo a alguien **II.** *adv* bastante

Deutlichkeit *f* claridad *f*; **etw mit aller ~ sagen** decir algo con toda franqueza

deutsch [dɔɪtʃ] *adj* alemán; **Deutsche Mark** HIST marco alemán

Deutsch *nt* <-(s), *ohne pl*> alemán *m*; **~ sprechen** hablar alemán; **auf gut ~ gesagt** dicho llanamente

Deutsche(r) *f(m) dekl wie adj* alemán, -ana *m, f*

Deutschland *nt* <-s> Alemania *f*; **das vereinte/vereinigte ~** la Alemania unida/reunificada

deutschsprachig ['dɔɪtʃʃpra:xɪç] *adj* de habla alemana

Deutung *f* <-en> interpretación *f*

Devise [de'vi:zə] *f* <-n> ❶ (*Wahlspruch*) lema *m* ❷ *pl* (*Währung*) divisas *fpl*

Dezember [de'tsɛmbɐ] *m* <-(s), -> diciembre *m*; *s.a.* **März**

dezent [de'tsɛnt] *adj* decente; (*Farbe*) discreto

dezimieren* [detsi'mi:rən] *vt* diezmar

DFÜ [de:ʔɛf'ʔy:] *f Abk. von* **Datenfernübertragung** transmisión *f* de datos

DGB [de:ge:'be:] *m* <-> *Abk. von* **Deutscher Gewerkschaftsbund** Confederación *f* de los Sindicatos Alemanes

d. h. *Abk. von* **das heißt** o sea

Dia ['di:a] *nt* <-s, -s> diapositiva *f*

Diabetiker(in) [dia'be:tikɐ] *m(f)* <-s, -; -nen> diabético, -a *m, f*

Diagnose [dia'gno:zə] *f* <-n> diagnóstico *m*

diagonal [diago'na:l] *adj* diagonal

Diagramm [dia'gram] *nt* <-s, -e> diagrama *m*

Dialekt [dia'lɛkt] *m* <-(e)s, -e> dialecto *m*

Dialog [dia'lo:k] *m* <-(e)s, -e> diálogo *m*

Diamant [dia'mant] *m* <-en, -en> diamante *m*

Diät [di'ɛ:t] *f* <-en> dieta *f*; **streng ~ leben** seguir un régimen estricto

dich [dɪç] **I.** *pron pers akk von* **du** te; (*betont*) a ti (te); (*mit Präposition*) ti; **ich sehe ~ nachher** luego te veo; **es geht um ~** se trata de ti **II.** *pron refl akk von* **du** te; **benimm ~!** ¡compórtate!

dicht [dɪçt] *adj* (*Verkehr, Nebel*) denso; (*Haar*) tupido; (*undurchlässig*) hermético; **~ gedrängt** apretado; **nicht ganz ~ sein** (*fam*) no estar muy bien de la cabeza; **~ davor/daneben** justo delante/al lado

Dichte *f* <-n> densidad *f*

dichten ['dɪçtən] *vi, vt* (*verfassen*) componer

Dichter(in) *m(f)* <-s, -; -nen> poeta, poetisa *m, f*

dichtgedrängt *adj s.* **dicht**; **dicht|machen** *vi, vt* (*fam: Laden*) cerrar; (*Strecke*) bloquear

Dichtung *f* <-en> TECH junta *f*

dick [dɪk] *adj* gordo; (*Flüssigkeit*) espeso; **~ werden** engordar; **~ auftragen** (*fig*) exagerar; **es herrscht ~e Luft** (*fam*) está la atmósfera cargada; **sie sind ~ befreundet** (*fam*) son íntimos amigos; **dickflüssig** *adj* espeso

Dickhäuter ['dɪkhɔɪtɐ] *m* <-s, -> paquidermo *m*

Dickicht ['dɪkɪçt] *nt* <-s, -e> maleza *f*

Dickkopf *m* (*fam*) cabezota *mf*; **einen ~ haben** ser un cabezota

dickschäd(e)lig *adj* (*fam*) cabezota

die [di(:)] *art det o pron dem o pron rel s.* **der, die, das**

Dieb(in) [di:p] *m(f)* <-(e)s, -e; -nen> ladrón, -ona *m, f*; **haltet den ~!** ¡al ladrón!; **Diebstahl** *m* <-(e)s, -stähle> robo *m*

diejenige(n) *pron dem s.* **derjenige, diejenige, dasjenige**

dienen ['di:nən] *vi* servir (**zu** para, **als** de); **das dient einem guten Zweck** esto es para una buena causa; **womit kann ich ~?** ¿en qué puedo servirle?

Diener(in) *m(f)* <-s, -; -nen> criado, -a *m, f*

Dienst [di:nst] *m* <-(e)s, -e> servicio *m*;

außer ~ jubilado; **zum ~ gehen** ir al trabajo; **~ habend** (*Arzt*) de turno; **jdm einen schlechten ~ erweisen** hacerle a alguien un flaco favor

Dienstag ['di:nsta:k] *m* martes *m*; *s.a.* **Montag**

dienstags *adv* los martes; *s.a.* **montags**

Dienstbote, Dienstbotin *m, f* doméstico, -a *m, f*; **diensthabend** ['di:nstha:bənt] *adj s.* **Dienst**; **Dienstleistung** *f* (prestación *f* de) servicio *m*; **dienstlich** *adj* oficial; **~ unterwegs sein** estar de viaje por razones de trabajo; **Dienstmädchen** *nt* criada *f*, muchacha *f*; **Dienststelle** *f* departamento *m*; **Dienstwagen** *m* coche *m* de servicio

dies [di:s] *pron dem s.* **diese(r, s)**

diesbezüglich ['----] **I.** *adj* correspondiente **II.** *adv* en relación a esto

diese(r, s) ['di:zə, -zɐ, -zəs] <diese> *pron dem* ❶ (*adjektivisch*) este *m*, esta *f*; (*weiter entfernt*) ese *m*, esa *f* ❷ (*substantivisch*) éste *m*, ésta *f*, esto *nt*; (*weiter entfernt*) ése *m*, ésa *f*, eso *nt*; **dies und das** esto y lo otro; **~s und jenes** esto y aquello

Diesel *m* <-(s), -> ❶ (*fam: Motor*) diesel *m* ❷ *ohne pl* (*Kraftstoff*) gasoil *m*

dieselbe(n) *pron dem s.* **derselbe, dieselbe, dasselbe**

diesig ['di:zɪç] *adj* brumoso

diesjährige(r, s) *adj* de este año

diesmal *adv* esta vez

diesseits ['di:szaɪts] *präp +gen adv* a este lado (de)

Differenz [dɪfə'rɛnts] *f* <-en> diferencia *f*; (*Streit*) disputa *f*

differenzieren* *vi, vt* diferenciar

differenziert *adj* (*geh: fein unterscheidend*) detallado

digital [digi'ta:l] *adj* digital

digitalisieren* *vt* digitalizar

Diktat [dɪk'ta:t] *nt* <-(e)s, -e> dictado *m*; **nach ~ schreiben** escribir al dictado

Diktatur [dɪkta'tu:ɐ] *f* <-en> dictadura *f*

diktieren* *vt* dictar

Dilemma [di'lɛma] *nt* <-s, -s *o* Dilemmata> dilema *m*

Dilettant(in) [dilɛ'tant] *m(f)* <-en, -en; -nen> diletante *mf*

Dimension [dimɛn'zjo:n] *f* <-en> dimensión *f*

Ding [dɪŋ] *nt* <-(e)s, -e> cosa *f*; **vor allen ~en** sobre todo; **so wie die ~e liegen ...** tal y como están las cosas...

dingfest *adj*: **jdn ~ machen** arrestar a alguien

Dinosaurier [dino'zaʊriɐ] *m* <-s, -> dinosaurio *m*

Diphtherie [dɪfte'ri:] *f* <-n> difteria *f*

Diplom [di'plo:m] *nt* <-s, -e> diploma *m*; **sein ~ machen (in etw)** licenciarse (en algo)

Diplomat(in) [diplo'ma:t] *m(f)* <-en, -en; -nen> diplomático, -a *m, f*

Diplomatie [diploma'ti:] *f* diplomacia *f*

diplomatisch *adj* diplomático

dir [di:ɐ] **I.** *pron pers dat von* **du** te; (*betont*) a ti (te); (*mit Präposition*) ti; **ich habe ~ etwas mitgebracht** te he traído una cosa; **vor ~** delante de ti **II.** *pron refl dat von* **du** te; **was hast du ~ gekauft?** ¿qué te has comprado?

direkt [di'rɛkt] *adj* directo; **~ vor dem Haus** justo delante de la casa

Direktbanking [di'rɛktbɛŋkɪŋ] *nt* <-s, *ohne pl*> banca *f* directa

Direktion [dirɛk'tsjo:n] *f* <-en> dirección *f*

Direktor(in) *m(f)* <-s, -en; -nen> director(a) *m(f)*

Dirigent(in) [diri'gɛnt] *m(f)* <-en, -en; -nen> director(a) *m(f)* de orquesta

dirigieren* *vt* dirigir

Dirne ['dɪrnə] *f* <-n> prostituta *f*

Disco *f* <-s> *s.* **Disko**

Discounter [dɪs'kauntɐ] *m* <-s, -> ECON tienda *f* de descuento

Discountgeschäft *nt* <-(e)s, -e> tienda *f* de ocasiones [*o* gangas *fam*]

Diskette [dɪs'kɛtə] *f* <-n> disquete *m*; **Diskettenlaufwerk** *nt* disquetera *f*

Diskjockey ['dɪskdʒɔki] *m* <-s, -s> disc-jockey *mf*

Disko ['dɪsko] *f* <-s> disco *f*

Diskothek [dɪsko'te:k] *f* <-en> discoteca *f*

Diskrepanz [dɪskre'pants] *f* <-en> discrepancia *f*

diskret [dɪs'kre:t] *adj* discreto

Diskretion [dɪskre'tsjo:n] *f* discreción *f*

diskriminieren* [dɪskrimi'ni:rən] *vt* discriminar

diskriminierend *adj* discriminatorio

Diskriminierung *f* <-en> discriminación *f*

Diskussion [dɪskʊ'sjo:n] *f* <-en> discusión *f*

diskutieren* [dɪsku'ti:rən] *vi, vt* discutir (**über** de/sobre)

Display [dɪs'plɛɪ] *nt* <-s, -s> display *m*

disqualifizieren* [dɪskvalifi'tsi:rən] *vt* descalificar

Distanz [dɪs'tants] *f* <-en> distancia *f*; **~ wahren** guardar las distancias

distanzieren* *vr:* **sich ~** distanciarse

Distel ['dɪstəl] *f* <-n> cardo *m*

Disziplin [dɪstsi'pli:n] *f* <-en> disciplina *f*

diszipliniert *adj* disciplinado

divers(e) *adj* (*geh*) diverso

dividieren* *vt* dividir

DM *f inv* HIST *Abk. von* **Deutsche Mark** marco *m* alemán

doch [dɔx] **I.** *adv* ① (*dennoch*) sin embargo; **er hatte ~ Recht** a pesar de todo tenía razón ② (*aber*) pero; **du weißt ~, wie ich das meine** pero ya sabes qué quiero decir ③ (*Antwort*) sí; **kommst du nicht mit? – ~!** ¿no vienes? – ¡que sí! ④ (*Betonung*) sí que...; **es schmeckt ~** sí que está bueno **II.** *part* ① (*verstärkend*) pero; **nehmen Sie ~ Platz!** ¡pero tome asiento! ② (*Zustimmung fordernd*) ¿verdad?; **hier darf man ~ rauchen?** aquí se puede fumar, ¿verdad? **III.** *konj* (*aber*) pero

Docht [dɔxt] *m* <-(e)s, -e> mecha *f*

Dock [dɔk] *nt* <-(e)s, -s> dique *m*

Doktor(in) ['dɔkto:ɐ] *m(f)* <-s, -en; -nen> doctor(a) *m(f)*; **sie ist ~ der Philosophie** es doctora en filosofía; **Doktorarbeit** *f* tesis *f inv* doctoral

Dokument [doku'mɛnt] *nt* <-(e)s, -e> documento *m*

Dokumentation [dokumɛnta'tsjo:n] *f* <-en> documentación *f*

dokumentieren* *vt* documentar

Dolch [dɔlç] *m* <-(e)s, -e> puñal *m*

Dollar ['dɔla:ɐ] *m* <-(s), -s> dólar *m*

dolmetschen ['dɔlmɛtʃən] **I.** *vi* hacer de intérprete **II.** *vt* traducir (oralmente)

Dolmetscher(in) *m(f)* <-s, -; -nen> intérprete *mf*

Dom [do:m] *m* <-(e)s, -e> catedral *f*

dominant [domi'nant] *adj* dominante

dominieren* *vi, vt* dominar

Dominikanische Republik *f* República *f* Dominicana

Donau ['do:naʊ] *f*: **die ~** el Danubio

Donner ['dɔnɐ] *m* <-s, -> trueno *m*

donnern ['dɔnɐn] *vunpers* tronar; **es donnert** truena

Donnerstag ['dɔnɐsta:k] *m* jueves *m*; *s.a.* **Montag**

donnerstags *adv* los jueves; *s.a.* **montags**

doof [do:f] <doofer *o* döfer, am doofsten *o* döfsten> *adj* (*fam*) tonto

Doping ['do:pɪŋ] *nt* <-s, -s> doping *m*

Doppel ['dɔpəl] *nt* <-s, -> (*Duplikat*) duplicado *m*

Doppelbett *nt* cama *f* de matrimonio

doppeldeutig ['dɔpəldɔɪtɪç] *adj* ambiguo

Doppelgänger(in) *m(f)* <-s, -; -nen> doble *mf*; **Doppelkinn** *nt* papada *f*; **Doppelpunkt** *m* dos puntos *mpl*

doppelt ['dɔpəlt] *adj* doble; **in ~er Ausführung** por duplicado; **ich bin ~ so alt wie er** le doblo la edad; **~ so viel** el doble

Doppelzimmer *nt* habitación *f* doble

Dorf [dɔrf] *nt* <-(e)s, Dörfer> pueblo *m*

Dorn [dɔrn] *m* <-(e)s, -en> BOT espina *f*

dornig *adj* espinoso

dort [dɔrt] *adv* allí; ~ **hinten** allí atrás; **dorther** ['-'-] *adv*: **von** ~ de allí; **dorthin** ['-'-] *adv* hasta allí

dortige(r, s) *adj* de allí

Dose ['do:zə] *f* <-n> (*Keksdose*) caja *f*; (*Bierdose*) bote *m*; (*Konservendose*) lata *f*

Dosen *pl von* **Dose, Dosis**

dösen ['dø:zən] *vi* (*fam*) dormitar

Dosenmilch *f* leche *f* condensada; **Dosenöffner** *m* abrelatas *m inv*

dosieren* [do'zi:rən] *vt* dosificar

Dosis ['do:zɪs] *f* <Dosen> dosis *f inv*

Dossier [dɔ'sje:] *nt* <-s, -s> expediente *m*

Dotter ['dɔtɐ] *m o nt* <-s, -> yema *f*

Download ['daʊnlɔʊt] *nt* <-(s), -s> INFOR carga *f* descendente, download *m* (*transferencia de un ordenador a otro*)

downloaden ['daʊnlɔʊdən] *vt* INFOR bajar

Dozent(in) [do'tsɛnt] *m(f)* <-en, -en; -nen> profesor(a) *m(f)* universitario, -a

Dr. *mf* <Dres.> *Abk. von* **Doktor** doctor(a) *m(f)*

Drache ['draxə] *m* <-n, -n> dragón *m*

Drachen *m* <-s, -> (*aus Papier*) cometa *f*; ~ **steigen lassen** echar (a volar) cometas; **Drachenflieger(in)** *m(f)* <-s, -; -nen> deportista *mf* de ala delta

Draht [dra:t] *m* <-(e)s, Drähte> alambre *m*; **Drahtseilbahn** *f* teleférico *m*

Drama ['dra:ma] *nt* <-s, Dramen> drama *m*

dramatisch *adj* dramático

dramatisieren* *vt* dramatizar

Dramen *pl von* **Drama**

dran [dran] *adv* (*fam*): **jetzt ist er** ~ ahora le toca a él; **er ist schlecht** ~ le va mal; **ich bin spät** ~ ya no tengo tiempo; *s.a.* **daran**; **dran|bleiben** *irr vi sein* (*fam*) ❶ (*verfolgen*) no soltar (**an**), seguir la pista (**an** de) ❷ (*Telefon*) no colgar (**an**)

drang [draŋ] *3. imp von* **dringen**

Drang [draŋ] *m* <-(e)s, *ohne pl*> impulso *m*

drängeln ['drɛŋəln] *vi, vt* (*fam*) empujar

drängen ['drɛŋən] **I.** *vi* (*eilen*) urgir; (*fordern*) insistir (**auf** en); **es drängt nicht** no corre prisa; **er drängt zur Eile** mete prisa **II.** *vt* (*schieben*) empujar; (*antreiben*) apremiar (**zu** para que +*subj*) **III.** *vr:* **sich** ~ apiñarse

drangsalieren* [draŋza'li:rən] *vt* torturar

dran|kommen *irr vi sein* (*fam*) tocar; **welches Thema kommt denn dran?** ¿qué tema toca hoy?

drastisch ['drastɪʃ] *adj* drástico

drauf ['draʊf] *adv* (*fam*): ~ **und dran sein zu ...** estar a punto de...; **schlecht ~ sein** estar de de mala leche

Draufgänger(in) ['draʊfgɛŋɐ] *m(f)* <-s, -; -nen> atrevido, -a *m, f*

drauf|gehen *irr vi sein* (*fam*) ❶ (*sterben*) palmarla ❷ (*Geld*) volar ❸ (*Sache*) romperse; **drauf|haben** *irr vt* (*fam*): **etw** ~ tener idea (de algo); **drauf|kommen** *irr vi sein* (*sich erinnern*): **ich komme nicht drauf!** ¡no se me ocurre!

drauflos [-'-] *adv* sin darle más vueltas

drauf|zahlen I. *vi* (*fam*) pagar más **II.** *vt* (*fam*) añadir

draußen ['draʊsən] *adv* fuera; (*im Freien*) al aire libre

Dreck [drɛk] *m* <-(e)s, *ohne pl*> (*fam*) suciedad *f*; **er hat ~ am Stecken** tiene las manos sucias

dreckig *adj* (*fam*) sucio; **es geht mir** ~ estoy fatal

Dreharbeiten *f pl* rodaje *m*

drehbar *adj* giratorio

Drehbuch *nt* guión *m*; **Drehbuchautor(in)** *m(f)* guionista *mf*

drehen ['dre:ən] **I.** *vt* girar; (*Zigarette*) liar; (*Film*) rodar; **den Kopf** ~ volver la cabeza **II.** *vr:* **sich** ~ girar; **sich auf den Rücken** ~ ponerse boca arriba

Drehtür *f* puerta *f* giratoria; **Drehzahl** *f* número *m* de revoluciones

drei [draɪ] *adj inv* tres; ~ **Viertel** tres cuartos; **nicht bis ~ zählen können**

(*fam*) no saber ni contar hasta diez; **aller guten Dinge sind ~** (*prov*) a la tercera va la vencida; *s.a.* **acht**[1]

Drei *f* <-en> tres *m*; (*Schulnote*) bien *m*

dreidimensional ['draɪdimɛnzjona:l] *adj* tridimensional; **Dreieck** ['draɪʔɛk] *nt* <-(e)s, -e> triángulo *m*; **dreieckig** *adj* triangular

dreierlei ['draɪɐ'laɪ] *adj inv* de tres clases diferentes, tres clases (diferentes) de

dreifach ['draɪfax] *adj* triple; **in ~er Ausfertigung** por triplicado; *s.a.* **achtfach**

dreihundert ['-'--] *adj inv* trescientos; *s.a.* **achthundert**

dreijährig *adj* trienal

dreimal *adv* tres veces; **Dreirad** *nt* triciclo *m*

dreispurig *adj* de tres carriles

dreißig ['draɪsɪç] *adj inv* treinta; *s.a.* **achtzig**

dreißigste(r, s) *adj* trigésimo; *s.a.* **achtzigste(r, s)**

dreist [draɪst] *adj* descarado

dreistellig *adj* de tres cifras

dreiviertel[ALT] ['draɪ'fɪrtəl] *adj inv s.* **drei**; **Dreiviertelstunde** ['draɪvɪrtəl'ʃtʊndə] *f* tres cuartos *mpl* de hora

dreizehn ['--] *adj inv* trece; *s.a.* **acht**[1]

dreizehnte(r, s) *adj* decimotercero; *s.a.* **achte(r, s)**

Dresden ['dre:sdən] *nt* <-s> Dresde *m*

dressieren* [drɛ'si:rən] *vt* adiestrar

Drilling ['drɪlɪŋ] *m* <-s, -e> trillizo *m*

drin [drɪn] *adv* (*fam*) dentro; **das ist nicht ~** (*fig*) esto no está previsto; *s.a.* **darin**

dringen ['drɪŋən] <dringt, drang, gedrungen> *vi* ❶ *sein*: **durch etw ~** atravesar algo; **in/bis zu etw ~** penetrar en/hasta algo; **aus etw ~** salir de algo ❷ *haben*: **auf etw ~** insistir en algo

dringend *adj* urgente; **~ davon abraten, etw zu tun** desaconsejar seriamente de hacer algo

drinnen ['drɪnən] *adv* dentro; **ich gehe nach ~** voy adentro

drin|stecken *vi* (*fam*) ❶ (*beschäftigt sein*) estar (muy) metido (**in** en) ❷ (*investiert sein*) costar; **da steckt eine Menge Arbeit drin** ha costado mucho trabajo ❸ (*verwickelt sein*) estar metido (**in** en)

dritt [drɪt] *adv*: **zu ~** los tres

dritte(r, s) ['drɪtə, -tɐ, -təs] *adj* tercero; *s.a.* **achte(r, s)**

drittel *adj inv* tercio; *s.a.* **achtel**

Drittel ['drɪtəl] *nt* <-s, -> tercio *m*, tercera parte *f*; *s.a.* **Achtel**

drittens ['drɪtəns] *adv* en tercer lugar; (*bei Aufzählung*) tercero; *s.a.* **achtens**

drittklassig *adj* (*abw*) malo; (*Beschaffenheit*) de mala calidad

Drittländer *nt pl* EU países *mpl* terceros

DRK [de:ʔɛr'ka:] *nt* <-> *Abk. von* **Deutsches Rotes Kreuz** Cruz *f* Roja Alemana

Droge ['dro:gə] *f* <-n> droga *f*; **drogenabhängig** *adj* drogadicto; **Drogenabhängigkeit** *f* drogadicción *f*; **Drogenfahnder**, **-fahnderin** *m, f* <-s, -; -nen> policía *mf* de narcóticos; **Drogenhandel** *m* narcotráfico *m*; **Drogenmissbrauch**[RR] *m* <-(e)s, *ohne pl*> abuso *m* de drogas

Drogerie [drogə'ri:] *f* <-n> droguería *f*

drohen ['dro:ən] *vi* amenazar; **er drohte einzuschlafen** era de temer que se durmiera

drohend *adj* (*Gebärde*) amenazador; (*Gefahr*) inminente

dröhnen ['drø:nən] *vi* (*Geräusch*) resonar; (*Ohren*) zumbar

Drohung ['dro:ʊŋ] *f* <-en> amenaza *f*

drollig ['drɔlɪç] *adj* (*Geschichte*) gracioso; (*Kind*) salado

Dromedar ['dro:meda:ɐ, drome'da:ɐ] *nt* <-s, -e> dromedario *m*

drosseln ['drɔsəln] *vt* (*Tempo*) moderar

drüben ['dry:bən] *adv* al otro lado; **da ~** allá enfrente

drüber ['dry:bɐ] *adv* (*fam*) *s.* **darüber**

Druck[1] [drʊk] *m* <-(e)s, Drücke> presión *f*; (*das Drucken*) impresión *f*; **durch einen ~ auf den Knopf** pulsando el botón; **unter ~ stehen** estar en pleno estrés; **jdn unter ~ setzen** presionar a alguien; **in ~ gehen** ser imprimido

Druck[2] *m* <-(e)s, -e> KUNST grabado *m*

drucken ['drʊkən] *vt* imprimir; **klein gedruckt** impreso en letras pequeñas

drücken ['drʏkən] **I.** *vi, vt* apretar; (*Schalter*) pulsar; **jdm die Hand ~** estrecharle la mano a alguien; **jdm etw in die Hand ~** dar algo a alguien **II.** *vr:* **sich ~** (*fam*) escaquearse (**vor** de)

Drucker *m* <-s, -> INFOR impresora *f*

Druckerei *f* <-en> imprenta *f*

Druckfehler *m* errata *f*; **Druckknopf** *m* botón *m* pulsador; **Druckluft** *f* aire *m* presión; **Druckmittel** *nt* (*Maßnahme*) medida *f* de presión; **Drucksache** *f* impreso *m*; **Druckschrift** *f* letra *f* de imprenta

drum [drʊm] *adv* (*fam*): **sei's ~** sea; **mit allem Drum und Dran** con pelos y señales; *s.a.* **darum**

drunter ['drʊntɐ] *adv* (*fam*): **es ging alles ~ und drüber** estaba todo revuelto; *s.a.* **darunter**

Drüse ['dry:zə] *f* <-n> glándula *f*

Dschungel ['dʒʊŋəl] *m* <-s, -> jungla *f*

dt. *Abk. von* **deutsch** alemán

du [du:] *pron pers 2. sg* tú; **wenn ich ~ wäre** yo que tú; **mit jdm per ~ sein** tutear a alguien

ducken ['dʊkən] *vr:* **sich ~** (*sich bücken*) agacharse

Dudelsack ['du:dəlzak] *m* gaita *f*

Duell [du'ɛl] *nt* <-s, -e> duelo *m*; **jdn zum ~ fordern** retar a alguien a duelo

Duft [dʊft] *m* <-(e)s, Düfte> aroma *m*

duften ['dʊftən] *vi* oler (**nach** a)

dulden ['dʊldən] *vt* tolerar; **die Sache duldet keinen Aufschub** el asunto no admite prórroga

duldsam [dʊltza:m] *adj* indulgente (**gegen** con/para/para con)

dumm [dʊm] *adj* <dümmer, am dümmsten> tonto; **~es Zeug reden** decir disparates; **jdn für ~ verkaufen** (*fam*) tratar a alguien como a un tonto; **jdm ~ kommen** (*fam*) fastidiar a alguien

dummerweise *adv* desafortunadamente

Dummheit *f* <-en> ❶ (*Handlung*) tontería *f* ❷ *ohne pl* (*Mangel an Intelligenz*) estupidez *f*; (*Unwissenheit*) ignorancia *f*

Dummkopf *m* tonto, -a *m, f*

dumpf [dʊmpf] *adj* (*Geräusch*) sordo; (*Ahnung*) vago

Düne ['dy:nə] *f* <-n> duna *f*

düngen ['dʏŋən] *vt* abonar

Dünger ['dʏŋɐ] *m* <-s, -> abono *m*

dunkel ['dʊŋkəl] *adj* oscuro; **es wird ~** está oscureciendo; **im Dunkeln** a oscuras; **im Dunkeln tappen** andar a tientas; **sich ~ an etw erinnern** acordarse vagamente de algo

Dunkelheit *f* oscuridad *f*; **bei Einbruch der ~** al anochecer

dünn [dʏn] *adj* (*Person*) delgado; (*Scheibe*) fino; (*Haar*) ralo; (*Stimme*) débil; (*Suppe*) aguado; (*Kaffee*) flojo; **sie ist sehr ~ geworden** ha adelgazado mucho; **dünnflüssig** *adj* (muy) fluido

Dunst [dʊnst] *m* <-(e)s, Dünste> ❶ (*Ausdünstung*) vaho *m*; (*Rauch*) humo *m* ❷ *ohne pl* (*Nebel*) neblina *f*

dünsten ['dʏnstən] *vt* rehogar

dunstig ['dʊnstɪç] *adj* (*neblig*) nebuloso

Duplikat [dupli'ka:t] *nt* <-(e)s, -e> duplicado *m*

durch [dʊrç] **I.** *präp +akk* por; **~ Zufall** por casualidad; **~ drei teilen** dividir por tres **II.** *adv* (*fam*): **es ist schon drei Uhr ~** ya son las tres pasadas; **das Fleisch ist ~** la carne está a punto; **ich hab das Buch ~** he acabado de leer el libro; **~ und ~** completamente; **durch|arbeiten I.** *vt* (*Buch*) estudiar a fondo **II.** *vi* (*ohne Pause*) trabajar sin descanso **III.** *vr:* **sich ~** (*Haufen Arbeit*) vencer (**durch**), acabar (**durch**); **durch|atmen** *vi* respirar hondo

durchaus ['--, -'-] *adv* absolutamente; **~ nicht** en absoluto; **das ist ~ nicht leicht** no es nada fácil

durch|blättern *vt* hojear; **Durchblick** *m* (*fam: Überblick*) visión *f* de conjunto; **den ~ haben** estar al corriente; **durch|blicken** *vi* mirar; **etw ~ lassen** dejar entrever algo

Durchblutung *f* riego *m* sanguíneo

durchbrechen*[1] *irr vt* ❶ (*durchdringen*) romper; (*Hindernis*) derribar ❷ (*Prinzip*) quebrantar; **durch|brechen**[2] *irr* **I.** *vi sein* (*entzweigehen*) romperse; (*Hass*) manifestarse **II.** *vt haben* (*zerbrechen*) romper

durch|brennen *irr vi sein* (*Sicherung*) fundirse; **durch|bringen** *irr vt* ❶ (*Kranke*) curar ❷ (*Prüfling*): **jdn ~** conseguir que apruebe alguien ❸ (*ernähren*) sustentar

durchbrochen *pp von* **durchbrechen**[1]

Durchbruch ['--] *m* <-(e)s, -brüche> ❶ (*eines Zahns*) aparición *f* ❷ (*Erfolg*) éxito *m*; **jdm zum ~ verhelfen** fomentar el éxito de alguien

durchdacht *pp von* **durchdenken**

durchdenken* *irr vt* examinar a fondo; **wohl durchdacht** (*geh*) (muy) bien reflexionado; **durch|drehen** *vi* ❶ *sein* (*Räder*) derrapar ❷ *haben o sein* (*fam: die Nerven verlieren*) volverse loco

durchdringen*[1] *irr vt* (*durchstoßen*) atravesar; (*Flüssigkeit*) penetrar

durch|dringen[2] *irr vi sein* (*Flüssigkeit*) penetrar; (*Gerücht*) trascender; (*hingelangen*) llegar (**bis zu** a)

durchdrungen *pp von* **durchdringen**[1]

durcheinander [dʊrçʔaɪ'nandɐ] *adv* revuelto; (*verwirrt*) confuso

Durcheinander ['----] *nt* <-s, *ohne pl*> (*Unordnung*) desorden *m*; (*Verwirrung*) confusión *f*

durcheinander|bringen *irr vt* (*in Unordnung bringen*) revolver; (*verwechseln*) confundir; (*verwirren*) desconcertar; **durcheinander|reden** *vi* hablar todos a la vez

durchfahren*[1] *irr vt* (*bereisen*) recorrer; (*durchqueren*) atravesar

durch|fahren[2] *irr vi sein* (*ohne Pause*) conducir sin parar; (*durchqueren*) pasar (**durch** por)

Durchfahrt ['--] *f* paso *m*; **auf der ~ sein** estar de paso

Durchfall *m* <-(e)s, *ohne pl*> diarrea *f*

durch|fallen *irr vi sein* (*durch ein Loch*) caer (**durch** por); (*durch eine Prüfung*) suspender (**durch**); **durch|fragen** *vr:* **sich ~** abrirse camino a preguntas; **durch|führen** *vt* (*verwirklichen*) realizar; (*veranstalten*) efectuar

Durchgang *m* paso *m*

durch|geben *irr vt* dar (**durch** por); (*übermitteln*) tra(n)smitir (**durch** por); **durchgefroren** *adj* completamente helado; **durch|gehen** *irr vi sein* pasar; (*toleriert werden*) ser tolerado; **wir lassen das nicht länger ~** ya no lo toleramos más

durchgehend *adj* (*Zug*) directo; **~ geöffnet** horario continuo

durch|greifen *irr vi* intervenir (enérgicamente); **durch|halten** *irr vi, vt* aguantar; **durch|kommen** *irr vi sein* (*durch einen Ort*) pasar; (*fam: überleben*) salvarse; **durchkreuzen*** *vt* (*Pläne*) contrariar; **durch|lassen** *irr vt* dejar pasar

durchlaufen*[1] *irr vt* (*absolvieren: Schule*) ir (a); (*Lehre*) hacer

durch|laufen[2] *irr vt* (*Schuhe*) (des)gastar

durchleben* *vt* vivir; **durch|lesen** *irr vt* leer; **durchleuchten*** *vt* MED examinar con rayos X; (*Angelegenheit*) analizar; **durch|machen** *vt* (*fam: erleiden*) sufrir

Durchmesser *m* <-s, -> diámetro *m*

durchnässen* *vt* empapar; **durch|nehmen** *irr vt* (*Lektion*) tratar; **durchqueren*** [dʊrç'kveːrən] *vt* atravesar

Durchreise ['---] *f* tránsito *m*; **auf der ~ sein** estar de paso

durch|reißen *irr* **I.** *vi sein* romperse, desgarrarse **II.** *vt* romper, desgarrar

durchs [dʊrçs] = **durch das** *s.* **durch**

Durchsage ['dʊrçza:gə] *f* aviso *m*

durchschauen* *vt:* **jdn** ~ descubrir(le) a alguien el juego; **durch|scheinen** *irr vi* (*Licht*) filtrarse; (*Muster*) tra(n)sparentarse; **durch|schlafen** *irr vi* dormir sin despertarse; **durch|schneiden** *irr vt* cortar; **in der Mitte** ~ cortar por la mitad

Durchschnitt ['dʊrçʃnɪt] *m* promedio *m*; **im** ~ por término medio

durchschnittlich ['dʊrçʃnɪtlɪç] **I.** *adj* medio; (*mittelmäßig*) mediano; (*gewöhnlich*) corriente **II.** *adv* por término medio

durch|sehen *irr vt* (*überprüfen*) revisar; (*durchblättern*) hojear; **durch|setzen** *vt, vr:* **sich** ~ imponer(se); **sie muss immer ihren Kopf** ~ siempre quiere salirse con la suya; **du musst dich gegen ihn** ~ tienes que imponerte a él

durchsichtig *adj* tra(n)sparente

durch|sickern *vi sein* (*Nachricht*) trascender; (*Flüssigkeit*) filtrarse (**durch** por/a través de); **durch|sprechen** *irr vt* discutir punto por punto; **durch|stehen** *irr vt* (*Krankheit*) aguantar; (*Qualen*) sufrir; **durchstöbern*** *vt* (*fam*) registrar; **durch|streichen** *irr vt* tachar; **durchsuchen*** [dʊrç'zu:xən] *vt* registrar; (*Person*) cachear

Durchsuchung [-'--] *f* <-en> (*von Personen*) cacheo *m*; (*von Gebäuden*) registro *m*

durchtrieben [dʊrç'tri:bən] *adj* astuto

durchwachsen [dʊrç'vaksən] *adj* (*fam: mittelmäßig*) mediocre

Durchwahl *f* TEL comunicación *f* automática

durchweg ['--, -'-] *adv* sin excepción

durch|zählen *vt* contar; **durch|ziehen** *irr vt haben vi sein* pasar (**durch** por)

Durchzug *m* <-(e)s, *ohne pl*> corriente *f* de aire

dürfen[1] ['dʏrfən] <darf, durfte, dürfen> *vt Modalverb* poder; **darf ich etwas fragen?** ¿puedo preguntar una cosa?; **darf man hier rauchen?** ¿está permitido fumar aquí?; **du darfst ihm das nicht übel nehmen** no debes tomárselo a mal

dürfen[2] <darf, durfte, gedurft> *vi* poder; **ich habe nicht gedurft** no me han dejado

durfte ['dʊrftə] *3. imp von* **dürfen**

dürftig ['dʏrftɪç] *adj* (*Unterkunft*) mísero; (*Gehalt*) miserable; (*Kenntnisse*) insuficiente

dürr [dʏr] *adj* (*vertrocknet*) seco; (*mager*) flaco

Dürre ['dʏrə] *f* <-n> (*Trockenheit*) sequía *f*

Durst [dʊrst] *m* <-(e)s, *ohne pl*> sed *f*

durstig *adj* sediento (**nach** de); ~ **sein** tener sed

Dusche ['du:ʃə] *f* <-n> ducha *f*

duschen ['du:ʃən] *vi, vt, vr:* **sich** ~ duchar(se)

Düsenflugzeug *nt* avión *m* a reacción

düster ['dy:stɐ] *adj* oscuro; (*Ort*) sombrío; (*Zukunft*) negro; (*Wesen*) melancólico; (*Stimmung*) tétrico

Dutzend ['dʊtsənt] *nt* <-s, -e> docena *f*; **~e von Büchern** montones de libros; **dutzendweise** *adv* por docenas; (*fam: in Mengen*) a docenas

duzen ['du:tsən] *vt, vr:* **sich** ~ tutear(se)

DVD-Brenner *m* regrabadora *f* de DVD, quemador *m* de DVD

Dynamik [dy'na:mɪk] *f* dinámica *f*

dynamisch *adj a.* PHYS dinámico

Dynamit [dyna'mi:t, dyna'mɪt] *nt* <-s, *ohne pl*> dinamita *f*

D-Zug ['de:tsu:k] *m* tren *m* rápido

E

E, e [e:] *nt* <-, -> E, e *f*

Ebbe ['ɛbə] *f* <-n> marea *f* baja

eben ['e:bən] **I.** *adj* (*flach*) llano **II.** *adv* (*gerade vorhin*) hace un momento; (*kurz*) un momento; (*knapp*) justo; **sie sind ~ angekommen** acaban de llegar; **~!** ¡justamente!; **das ist ~ so** esto es así

Ebene ['e:bənə] *f* <-n> (*Flachland*) llanura *f*; (*Niveau*) nivel *m*

ebenfalls *adv* asimismo

ebenso ['---] *adv* igualmente; **~ wie** así como; **~ gut** de igual manera; **~ oft wie** con la misma frecuencia que; **~ viel wie** tanto como; **~ wenig wie** tan poco como; **ebensogut**[ALT] *adv s.* **ebenso**; **ebensooft**[ALT] *adv s.* **ebenso**; **ebensoviel**[ALT] *adv s.* **ebenso**; **ebensowenig**[ALT] *adv s.* **ebenso**

ebnen ['e:bnən] *vt* allanar

EC [e:'tse:] *m* <-(s), -s> ❶ *Abk. von* **Eurocity(zug)** EISENB Eurocity *m* ❷ *Abk. von* **Eurocheque** FIN eurocheque *m*

Echo ['ɛço] *nt* <-s, -s> eco *m*

Echse ['ɛksə] *f* <-n> lagarto *m*

echt [ɛçt] **I.** *adj* (*Geldschein*) auténtico **II.** *adv* (*fam*) realmente; **~?** ¿de verdad?

EC-Karte [e'tse:-] *f* FIN tarjeta *f* para eurocheques

Ecke ['ɛkə] *f* <-n> (*außen*) esquina *f*; (*innen*) rincón *m*; (REG: *Gegend*) parte *f*

eckig *adj* (*Gegenstand*) cuadrado

Ecuador [eku̯a'do:ɐ] *nt* <-s> Ecuador *m*

ecuadorianisch *adj* ecuatoriano

edel ['e:dəl] *adj* (*Mensch, Tat*) noble

edelmütig ['e:dəlmy:tɪç] *adj* generoso

Edelstahl *m* acero *m* fino; **Edelstein** *m* piedra *f* preciosa

EDV [e:de:'faʊ] *f Abk. von* **elektronische Datenverarbeitung** proceso *m* electrónico de datos

Efeu ['e:fɔɪ] *m* <-s, *ohne pl*> hiedra *f*

Effekt [ɛ'fɛkt] *m* <-(e)s, -e> efecto *m*

effektiv [ɛfɛk'ti:f] *adj* (*wirksam*) efectivo; (*tatsächlich*) real

effizient [ɛfi'tsjɛnt] *adj* (*geh*) eficiente

EG [e:'ge:] *f Abk. von* **Europäische Gemeinschaft** CE *f*

egal [e'ga:l] *adj* igual; **das ist mir ganz ~** (*fam*) me da lo mismo; **~ wie/wer/was** (*fam*) sea como sea/sea quien sea/sea lo que sea

Egoismus [ego'ɪsmʊs] *m* <-, *ohne pl*> egoísmo *m*

Egoist(in) *m(f)* <-en, -en; -nen> egoísta *mf*

egoistisch *adj* egoísta

EG-Staat *m* estado *m* comunitario

eh [e:] **I.** *konj s.* **ehe II.** *adv* ÖSTERR, SÜDD (*fam: sowieso*) de todas formas; **seit ~ und je** desde siempre

ehe ['e:ə] *konj* antes de +*inf*; **~ ich es vergesse** antes de que se me olvide

Ehe *f* <-n> matrimonio *m*; **Ehebruch** *m* adulterio *m*; **Ehefrau** *f* esposa *f*; **Ehegatte, Ehegattin** *m, f* (*geh*) esposo, -a *m, f*; **Eheleute** *pl* cónyuges *mpl*

ehelich *adj* matrimonial; (*Kind*) legítimo; **nicht ~** ilegítimo

ehemalige(r, s) ['e:əma:lɪgə, -gɐ, -gəs] *adj* antiguo

Ehemann *m* esposo *m*; **Ehepaar** *nt* matrimonio *m*

eher ['e:ɐ] *adv kompar von* **bald** (*früher, lieber*) antes (**als** que); (*vielmehr*) más bien

Ehering *m* alianza *f*; **Ehescheidung** *f* divorcio *m*; **Eheschließung** *f* casamiento *m*

ehesten *superl von* **bald**: **am ~** lo más pronto posible; **in Physik werde ich am ~ bestehen** lo que es más probable que apruebe es la física; **ich würde am ~ hier wohnen** lo que preferiría sería vivir aquí

ehrbar ['e:ɐba:ɐ] *adj* honorable

Ehre ['e:rə] *f* <-n> honor *m*; (*Ruhm*) honra *f*

ehren *vt* honrar; **sehr geehrte Damen**

und Herren distinguidos señores y señoras; (*Briefanrede*) muy señores míos; **ehrenamtlich** *adj* honorífico; **Ehrengast** *m* invitado, -a *m, f* de honor; **Ehrenrettung** *f* salvación *f* del honor; **zu seiner ~ muss ich einräumen, dass ...** debo reconocer en su favor que...; **Ehrensache** *f* cuestión *f* de honor; **Ehrenwort** *nt* <-(e)s, -e> palabra *f* de honor

Ehrfurcht *f* profundo respeto *m* (**vor** hacia)

ehrfürchtig ['e:ɐfʏrçtiç] *adj*, **ehrfurchtsvoll** *adj* respetuoso

Ehrgefühl *nt* <-(e)s, *ohne pl*> sentimiento *m* del honor; **Ehrgeiz** *m* ambición *f*; **ehrgeizig** *adj* ambicioso

ehrlich *adj* sincero; **~ gesagt** a decir verdad; **wir haben ~ geteilt** compartimos honradamente

Ehrlichkeit *f* honradez *f*; (*Aufrichtigkeit*) sinceridad *f*

ehrlos *adj* deshonrado

Ehrung ['e:rʊŋ] *f* <-en> homenaje *m* (a)

ehrwürdig *adj* venerable

Ei [aɪ] *nt* <-(e)s, -er> huevo *m*

Eiche ['aɪçə] *f* <-n> roble *m*

Eichel ['aɪçəl] *f* <-n> BOT bellota *f*

Eichhörnchen *nt* ardilla *f*

Eid [aɪt] *m* <-(e)s, -e> juramento *m*

Eidechse ['aɪdɛksə] *f* <-n> lagarto *m*

Eidotter ['aɪdɔtɐ] *nt o m* yema *f* de huevo

Eierbecher *m* huevero *m*

Eifer ['aɪfɐ] *m* <-s, *ohne pl*> afán *m*; **im ~ des Gefechts** en el calor de la disputa; **Eifersucht** *f* celos *mpl*; **eifersüchtig** *adj* celoso (**auf** de)

eifrig ['aɪfrɪç] **I.** *adj* (*emsig*) diligente; (*fleißig*) aplicado **II.** *adv* con empeño

Eigelb *nt* <-(e)s, -e, *nach Zahlen:* -> yema *f*

eigen ['aɪgən] *adj* propio; **in ~er Person** personalmente; **sein ~er Herr sein** ser independiente; **Eigenart** *f* ❶ (*Besonderheit*) singularidad *f* ❷ *ohne pl* (*Eigentümlichkeit*) particularidad *f*; **eigenartig** *adj* raro; **Eigenbedarf** *m* (*an Gütern*) consumo *m* propio; (*einer Wohnung*) necesidad *f* propia

eigenhändig ['aɪgənhɛndɪç] *adv* con sus propias manos

Eigeninitiative *f* iniciativa *f* propia; **eigenmächtig** *adv*: **~ handeln** obrar por cuenta propia; **Eigenname** *m* nombre *m* propio

eigens ['aɪgəns] *adv* expresamente

Eigenschaft *f* <-en> cualidad *f*; (*Merkmal*) característica *f*

eigensinnig *adj* testarudo

eigenständig *adj* independiente

eigentlich ['aɪgəntlɪç] **I.** *adj* verdadero **II.** *adv* (*tatsächlich*) en realidad; (*im Grunde genommen*) en el fondo

Eigentum *nt* <-s, *ohne pl*> propiedad *f*

Eigentümer(in) ['aɪgənty:mɐ] *m(f)* <-s, -; -nen> propietario, -a *m, f*

eigentümlich *adj* (*sonderbar*) curioso

Eigentumswohnung *f* piso *m* propio

eigenwillig *adj* (*eigensinnig*) caprichoso

eignen ['aɪgnən] *vr:* **sich für etw ~** (*Person*) reunir las cualidades necesarias para algo; (*Sache*) prestarse para algo

Eilbote, Eilbotin *m, f* mensajero, -a *m, f*; **Eilbrief** *m* carta *f* urgente

Eile ['aɪlə] *f* prisa *f*; **das hat keine ~** eso no corre prisa

eilen ['aɪlən] *vi* ❶ *haben* (*dringend sein*) correr prisa ❷ *sein* (*Mensch*) ir corriendo (**zu** a)

eilig ['aɪlɪç] *adj* (*schnell*) rápido; (*dringend*) urgente; **es ~ haben** tener prisa

Eilmeldung *f* <-en> comunicación *f* urgente; **Eilzug** *m* (tren *m*) expreso *m*

Eimer ['aɪmɐ] *m* <-s, -> cubo *m*; **im ~ sein** (*fig*) haberse ido al traste

ein [aɪn] *adv*: **nicht mehr ~ noch aus wissen** estar totalmente desconcertado

ein, eine, ein *adj o art indet* un, una; **~ für allemal** de una vez por todas; **in ~em fort** de un tirón; **~es Tages** un día

einander [aɪ'nandɐ] *pron refl* el uno al otro; **sie helfen ~** se ayudan mutuamente; **zwei ~ widersprechende Aussagen** dos declaraciones contradictorias

ein|arbeiten I. *vt* iniciar (**in** en) II. *vr:* **sich ~** integrarse (**in** en); **ein|atmen** I. *vi* respirar II. *vt* inspirar

Einbahnstraße *f* calle *f* de sentido único

einbändig ['aɪnbɛndɪç] *adj* de un tomo

Einbau ['aɪnbaʊ] *m* <-(e)s, *ohne pl*> montaje *m*; **ein|bauen** *vt* (*montieren*) montar (**in** en)

ein|behalten* *irr vt* retener; **ein|beziehen*** *irr vt* incluir (**in** en); **ein|biegen** *irr vi sein* doblar

ein|bilden *vt:* **sich** *dat* **etw ~** imaginarse algo

Einbildung *f* (*Vorstellung*) imaginación *f*

Einblick *m* (*Einsicht*) idea *f*; **jdm ~ in etw gewähren** permitir a alguien que se entere de algo; **einen ~ in etw gewinnen** formarse una idea de algo

ein|brechen *irr vi* ❶ *sein* (*stürzen*) hundirse ❷ *sein* (*Dunkelheit*) irrumpir ❸ *haben o sein* (*eindringen*) entrar a robar

Einbrecher(in) *m(f)* <-s, -; -nen> ladrón, -ona *m, f*

ein|bringen *irr vt* ❶ (*Ernte*) recolectar ❷ (*Gewinn*) rendir ❸ (*Vorschläge*) aportar (**in** a)

ein|brocken ['aɪnbrɔkən] *vt* (*fam*): **jdm etwas ~** meter a alguien en un lío

Einbruch *m* (*in Gebäude*) robo *m*; (*Beginn*) comienzo *m*; **bei ~ der Dämmerung** a la caída de la tarde

ein|bürgern I. *vt* ❶ (*Person*) naturalizar ❷ (*Tiere, Pflanzen*) aclimatar ❸ (*Brauch*) introducir II. *vr:* **sich ~** generalizarse

Einbuße *f* <-n> pérdida *f*; **ein|büßen** *vt* perder (**an** parte de)

ein|cremen ['aɪnkre:mən] I. *vt* aplicar [*o* dar] crema (en) II. *vr:* **sich ~** darse crema; **ein|decken** *vr:* **sich ~** aprovisionarse (**mit** de)

eindeutig ['aɪndɔɪtɪç] *adj* inequívoco

eindimensional ['aɪndimɛnzjona:l] *adj* unidimensional

ein|dringen ['aɪndrɪŋən] *irr vi sein* penetrar (**in** en); **eindringlich** I. *adj* insistente II. *adv* con insistencia

Eindringling *m* <-s, -e> intruso, -a *m, f*

Eindruck *m* <-(e)s, -drücke> impresión *f*; **ich habe den ~, dass ...** tengo la impresión de que...

eindrücklich *adj* SCHWEIZ, **eindrucksvoll** *adj* impresionante

eine ['aɪnə] I. *adj o art indet s.* **ein, eine, ein** II. *pron indef s.* **eine(r, s)**

eine(r, s) *pron indef* uno, una; **weder der ~ noch der andere** ni el uno ni el otro

eineinhalb ['aɪnʔaɪn'halp] *adj inv* uno y medio

ein|engen *vt* (*einschränken*) limitar

einer I. *art indet gen/dat von* **eine** *s.* **ein, eine, ein** II. *pron indef gen/dat von* **eine** *s.* **eine(r, s)**

einerlei *adj inv* igual; **das ist mir ganz ~** me es igual

einerseits *adv* por un lado; **~ ..., andererseits ...** por una parte..., por la otra...

einfach ['aɪnfax] I. *adj* (*nur einmal*) simple; (*leicht*) fácil; (*schlicht*) sencillo; **eine ~e Fahrkarte** un billete de ida II. *adv* simplemente; **es klappt ~ nicht** sencillamente no funciona; **du kannst doch nicht ~ verschwinden** no puedes irte así porque así

ein|fahren *irr vi sein* (*Zug*) entrar (**in** a/en); **Einfahrt** *f* ❶ (*Weg*) entrada *f* ❷ *ohne pl* (*Ankunft*) llegada *f*

Einfall *m* (*Idee*) ocurrencia *f*; **ein|fallen** *irr vi sein* (*in den Sinn kommen*) ocurrir; (*in Erinnerung kommen*) venir a la memoria; (*zusammenstürzen*) derrumbarse; **was fällt Ihnen ein!** ¡qué se cree Ud.!

einfallslos *adj* (*ohne Ideen*) sin imaginación; (*langweilig*) aburrido

einfältig ['aɪnfɛltɪç] *adj* (*töricht*) simple; (*naiv*) ingenuo

Einfamilienhaus *nt* casa *f* unifamiliar

einfarbig *adj* unicolor
ein|fetten *vt* engrasar; **ein|finden** *irr vr:* **sich ~** presentarse (**in** en); **ein|flößen** *vt* (*Medizin*) administrar; (*Bewunderung*) causar; (*Furcht*) infundir; (*Vertrauen*) inspirar
Einfluss[RR] *m* influencia *f* (**auf** sobre); **unter dem ~ von Alkohol stehen** estar bajo los efectos del alcohol; **einflussreich**[RR] *adj* influyente
einförmig ['aɪnfœrmɪç] *adj* uniforme
ein|frieren *irr vi sein vt haben* congelar (se); **ein|fügen** *vr:* **sich ~** (*sich integrieren*) integrarse (**in** en)
einfühlsam *adj* (*Mensch*) comprensivo
Einfühlungsvermögen *nt* <-s, *ohne pl*> sensibilidad *f*
Einfuhr ['aɪnfu:ɐ] *f* <-en> importación *f*
ein|führen *vt* (*anleiten*) iniciar (**in** en); (*hineinschieben, etw Neues*) introducir (**in** en); COM importar (**nach** a); **Einführung** *f* introducción *f*
Eingang *m* entrada *f*
eingangs ['aɪngaŋs] *präp +gen adv* al principio (de)
ein|geben *irr vt* INFOR introducir (**in** en)
eingebildet *adj* (*abw: eitel*) presumido; (*nicht wirklich*) imaginario
Eingeborene(r) *f(m) dekl wie adj* indígena *mf*
eingefleischt ['aɪngəflaɪʃt] *adj* arraigado; **ein ~er Junggeselle** un solterón empedernido
ein|gehen *irr sein* **I.** *vi* (*sich auseinandersetzen*) ocuparse (**auf** de); (*Kleidung*) encoger; (*Tiere*) morir(se); **auf einen Vorschlag ~** aceptar una propuesta **II.** *vt* (*Risiko*) correr
eingehend *adj* exhaustivo
Eingemachte(s) *nt* <-n, *ohne pl*> confituras *fpl*
eingespannt *adj* (*beschäftigt*) ocupado
ein|gestehen* *irr vt* admitir
Eingeweide ['aɪngəvaɪdə] *nt pl* vísceras *fpl*
ein|gliedern *vt* incorporar (**in** a); **ein|graben** *irr vt* enterrar (**in** en); **ein|greifen** *irr vi* intervenir (**in** en); **ein|grenzen** *vt* (*Problem*) delimitar
Eingriff *m* <-(e)s, -e> MED intervención *f*; (*Übergriff*) intromisión *f* (**in** en)
ein|haken **I.** *vt* (*befestigen*) enganchar (**in** en) **II.** *vr:* **sich bei jdm ~** tomar a alguien del brazo
Einhalt *m* (*geh*): **jdm/etw** *dat* **~ gebieten** poner coto a alguien/a algo;
ein|halten *irr vt* (*Termin*) atenerse (a); (*Bedingung*) respetar; (*Versprechen*) cumplir (con); (*Diät*) seguir
einheimisch ['aɪnhaɪmɪʃ] *adj* autóctono, nativo ; (*Produkt*) nacional
Einheimische(r) *mf* <-n, -n; -n> autóctono, -a *m, f*, nativo, -a *m, f*
Einheit ['aɪnhaɪt] *f* <-en> unidad *f*
einheitlich *adj* uniforme
Einheitspreis *m* precio *m* único
ein|holen *vt* (*erreichen*) alcanzar; (*wettmachen*) recuperar; (*Netz*) recoger; (*Auskunft*) pedir; **ein|hüllen** *vt* envolver (**in** en/con)
einhundert ['-'--] *adj inv* cien; *s.a.* **achthundert**
einig ['aɪnɪç] *adj*: **sich** *dat* **über etw ~ sein/werden** estar/ponerse de acuerdo sobre algo
einige(r, s) ['aɪnɪgə, -gɐ, -gəs] *pron indef* algún *m*, alguno, -a *m, f*, algunos *mpl*, algunas *fpl*; **in ~r Entfernung** a cierta distancia; **das wird ~s kosten** esto va costar bastante
einigen ['aɪnɪgən] *vr:* **sich ~** llegar a un acuerdo
einigermaßen ['aɪnɪgɐ'ma:sən] *adv* bastante
Einigkeit *f* concordia *f*; **in diesem Punkt herrschte ~** hubo conformidad sobre este punto
Einigung *f* <-en> acuerdo *m*; **zu einer ~ kommen** llegar a un acuerdo
einjährig ['aɪnjɛ:rɪç] *adj* (*Kind, Kurs*) de un año
ein|kalkulieren* *vt* contar (con)
Einkauf *m* compra *f*; **ein|kaufen** *vi, vt* comprar; **~ gehen** ir de compras

Einkaufsbummel *m* vuelta *f* por las tiendas; **einen ~ machen** ir de tiendas; **Einkaufswagen** *m* carrito *m* de la compra; **Einkaufszentrum** *nt* centro *m* comercial

ein|kehren *vi sein* (*in Gasthof*) ir a tomar algo; **ein|klammern** *vt* poner entre paréntesis

E

Einklang *m* <-(e)s, *ohne pl*> armonía *f*; **in ~ mit etw stehen** armonizar con algo

ein|kleiden *vt* vestir; **ein|klemmen** *vt* pillar; **sich** *dat* **den Finger in der Tür ~** pillarse el dedo con la puerta

Einkommen *nt* <-s, -> ingresos *mpl*; **Einkommen(s)steuer** *f* impuesto *m* sobre la renta

ein|kreisen *vt* rodear

Einkünfte ['aɪnkʏnftə] *pl* ingresos *mpl*

ein|laden *irr vt* invitar (**zu** a); **Einladung** *f* invitación *f* (**zu** a)

Einlass[RR] ['aɪnlas] *m* <-es, *ohne pl*> (*Eingang*) entrada *f*; (*Zutritt*) admisión *f*

ein|lassen *irr* **I.** *vt* dejar entrar (**in** en); **sich** *dat* **ein Bad ~** prepararse un baño **II.** *vr:* **sich ~** (*Umgang pflegen*) mezclarse (**mit** con); (*mitmachen*) comprometerse (**auf** a); **ein|laufen** *irr vi sein* (*Schiff*) entrar (**in** en/a); (*Kleidung*) encoger; **ein|leben** *vr:* **sich ~** aclimatarse (**in** a); **ein|legen** *vt* (*Film*) poner; (*Protest*) interponer; (*Pause*) intercalar; **ein gutes Wort für jdn ~** hablar en favor de alguien; **ein|leiten** *vt* (*beginnen*) comenzar; **Schritte ~ um zu ...** hacer gestiones para...

einleitend **I.** *adj* preliminar; (*einführend*) introductorio **II.** *adv*: **~ möchte ich erwähnen, dass ...** para empezar quisiera mencionar que...

Einleitung *f* introducción *f*

ein|lenken *vi* ceder; **ein|leuchten** *vi* ser obvio; **das will mir nicht ~** esto no me convence; **einleuchtend** *adj* (*offensichtlich*) obvio, evidente; (*überzeugend*) convincente; **ein|liefern** *vt* ingresar (**in** en)

ein|loggen ['aɪnlɔgən] *vr:* **sich ~** INFOR entrar (**in** en)

ein|lösen *vt* (*Pfand*) desempeñar; (*Scheck*) cobrar; (*Gutschein*) canjear; (*geh: Versprechen*) cumplir; **ein|machen** *vt* (*Obst*) confitar

einmal ['aɪnma:l] *adv* (*ein Mal*) una vez; (*früher*) antes; (*irgendwann*) un día; **noch ~** otra vez; **auf ~** de repente; **es war ~ ...** érase una vez...; **er hat sie nicht ~ besucht** ni siquiera la fue a visitar

Einmaleins [aɪnma:l'ʔaɪns] *nt* <-, *ohne pl*> tabla *f* de multiplicar

einmalig ['---, -'--] *adj* (*außergewöhnlich*) excepcional; (*einzigartig*) único

ein|mischen *vr:* **sich ~** (entro)meterse (**in** en)

Einnahme ['aɪnna:mə] *f* <-n> (*Geld*) ingresos *mpl*

ein|nehmen *irr vt* (*Geld*) cobrar; (*Steuern*) recaudar; (*Arznei, Mahlzeit*) tomar; (*Standpunkt*) adoptar; (*Stellung*) ocupar; **seinen Platz ~** tomar asiento; **jdn für sich ~** ganarse las simpatías de alguien; **von sich** *dat* **eingenommen sein** tener un alto concepto de sí mismo; **ein|nisten** *vr:* **sich ~** anidar; (*abw: Person*) apalancarse (**bei** en casa de)

Einöde ['aɪnʔø:də] *f* <-n> soledad *f*

ein|ordnen **I.** *vt* (*in Regal*) poner en su sitio; (*in Gruppen*) clasificar **II.** *vr:* **sich ~** AUTO situarse en un carril; **sich falsch ~** equivocarse de carril; **ein|packen** *vt* (*in Papier*) envolver (**in** en); (*zum Versand*) empaquetar; **ein|parken** *vi, vt* aparcar; **ein|pendeln** *vr:* **sich ~** estabilizarse; **ein|pflanzen** *vt* plantar; MED implantar; **ein|prägen** **I.** *vt* (*ins Bewusstsein*) inculcar; **sich** *dat* **etw ~** grabarse algo en la memoria **II.** *vr:* **sich ~** (*Eindruck hinterlassen*) grabarse

einprägsam ['aɪnprɛ:kza:m] *adj* fácil de retener

ein|quartieren* ['aɪnkvarti:rən] **I.** *vt* (*un-*

terbringen) alojar (**bei** en casa de) II. *vr:* **sich** ~ hospedarse (**bei** en casa de); **ein|rahmen** *vt* enmarcar; **ein|rasten** *vi sein* encajar; **ein|räumen** *vt* (*Bücher*) guardar (**in** en); (*Wohnung*) amueblar; (*zugestehen*) admitir; (*Kredit*) conceder; **ein|reden** I. *vi:* **auf jdn** ~ tratar de convencer a alguien II. *vt:* **jdm etw** ~ hacer creer algo a alguien; **sich** *dat* **etw** ~ meterse algo en la cabeza; **ein|reiben** *irr vt* aplicar (en); (*mit Sonnenöl*) poner; **jdn mit etw** ~ dar a alguien fricciones con algo

Einreise *f* entrada *f*; **ein|reisen** *vi sein* entrar (**in/nach** en); **Einreisevisum** *nt* visado *m* de entrada

ein|reißen *irr vi sein* (*Papier*) romperse; (*Übel*) echar raíces; **ein|renken** ['aɪnrɛŋkən] *vt* MED componer; (*fam: in Ordnung bringen*) arreglar

ein|richten I. *vt* ❶ (*Konto*) abrir ❷ (*Wohnung*) amueblar ❸ (*einstellen*) ajustar (**auf** a) ❹ (*arrangieren*) arreglar II. *vr:* **sich** ~ prepararse (**auf** para); **Einrichtung** *f* (*Mobiliar*) mobiliario *m*; (*Institution*) institución *f*

ein|rosten *vi sein* oxidarse; (*fam: geistig*) anquilosarse

eins [aɪns] *adj inv* uno; **sie kam um (Punkt)** ~ vino a la una (en punto); *s.a.* **acht**[1]

Eins *f* <-en> uno *m*; (*Schulnote*) sobresaliente *m*

einsam ['aɪnza:m] *adj* solo; (*menschenleer*) desierto

Einsamkeit *f* soledad *f*

ein|sammeln *vt* recoger; (*Spenden*) recaudar

Einsatz *m* ❶ (*Geld*) apuesta *f* ❷ *ohne pl* (*Engagement*) esfuerzo *m*; (*von Polizei*) movilización *f*; **zum ~ kommen** entrar en acción; **unter ~ seines Lebens** arriesgando su vida; **Einsatzbereitschaft** *f* disponibilidad *f*

ein|schalten I. *vt* (*Radio*) poner; (*Maschine*) poner en marcha; (*Licht*) encender; (*hinzuziehen*) recurrir (a) II. *vr:* **sich** ~ intervenir (**in** en)

ein|schätzen *vt* valorar; **Einschätzung** *f* <-en> (*Meinung*) parecer *m*; **nach meiner** ~ según mis estimaciones

ein|schenken *vt* servir; **ein|schicken** *vt* enviar (**an** a)

ein|schiffen *vt, vr:* **sich** ~ embarcar(se)

ein|schlafen *irr vi sein* dormirse

Einschlag *m* (*eines Geschosses, Blitzes*) impacto *m*; (*Anteil*) matiz *m*; **ein|schlagen** *irr* I. *vi* (*Blitz*) caer; (*Geschoss*) hacer impacto; **auf jdn** ~ golpear a alguien II. *vt* (*Tür, Schädel*) romper; (*Zähne*) partir; (*Richtung*) tomar

ein|schleichen *irr vr:* **sich** ~ (*Person*) entrar a hurtadillas (**in** en); **ein|schließen** *irr* I. *vt* (*einsperren*) encerrar (**in** en); (*Gegenstand*) guardar bajo llave; (*mit einbeziehen*) incluir (**in** en) II. *vr:* **sich** ~ encerrarse

einschließlich ['---] *präp +gen/dat adv* inclusive, incluido; **bis 8. Mai** ~ hasta el 8 de mayo inclusive

ein|schmeicheln *vr:* **sich** ~ engatusar (**bei** a) *fam*; **ein|schnappen** *vi sein* (*fam abw: beleidigt sein*) mosquearse

einschneidend *adj* drástico

Einschnitt *m* (*im Leben*) hito *m*

ein|schränken ['aɪnʃrɛŋkən] I. *vt* restringir; (*reduzieren*) reducir; (*Freiheit*) coartar II. *vr:* **sich** ~ (*sparsam leben*) economizar

Einschränkung *f* <-en> ❶ (*Verringerung*) reducción *f*; (*von Rechten*) limitación *f* ❷ (*das Einsparen*) restricción *f* ❸ (*Vorbehalt*) reserva *f*; **ohne/mit** ~ sin/con reservas

Einschreiben *nt* <-s, -> certificado *m*; **etw per ~ schicken** mandar algo certificado

ein|schreiten *irr vi sein* intervenir; **ein|schüchtern** *vt* intimidar; **ein|schulen** *vt* escolarizar; **ein|sehen** *irr vt* (*verstehen*) comprender; (*Irrtum*) reconocer; **ich sehe nicht ein, warum ich das tun soll** no veo por qué he de hacerlo

ein|seifen *vt* enjabonar
einseitig ['aɪnzaɪtɪç] *adj* unilateral; (*Ernährung*) incompleto
ein|senden *irr vt* enviar (**an** a)
Einsendeschluss[RR] *m* <-es, *ohne pl*> plazo *m* de envío
ein|setzen I. *vi* (*beginnen*) empezar II. *vt* (*einfügen*) colocar (**in** en); (*ernennen*) designar; (*Hilfsmittel*) emplear; (*Polizei*) movilizar; (*Leben*) jugarse III. *vr:* **sich ~** emplearse a fondo; **sich für etw/jdn ~** interceder a favor de algo/alguien
Einsicht *f* <-en> (*Verständnis*) comprensión *f*; **ich bin zu der ~ gekommen, dass ...** he llegado a la conclusión de que...
einsichtig *adj* (*vernünftig*) razonable; (*verständnisvoll*) comprensivo
Einsiedler(in) *m(f)* eremita *mf*
ein|spannen *vt* ❶ (*Blatt*) introducir (**in** en) ❷ (*Tiere*) uncir; **er hat ihn für seine Zwecke eingespannt** (*fam*) se ha valido de él para sus propios fines; **ein|sparen** *vt* ahorrar; **ein|sperren** *vt* encerrar (**in** en)
einsprachig *adj* monolingüe
ein|springen *irr vi sein*: **für jdn ~** reemplazar a alguien
Einspruch *m* protesta *f*; **~ erheben** protestar
einspurig ['aɪnʃpu:rɪç] *adj* de un solo carril; (*abw: Denken*) de ideas fijas
einst ['aɪnst] *adv* (*geh: früher*) antiguamente; (*zukünftig*) algún día
Einstand *m* <-(e)s, -stände> (*Arbeitsstelle*) ingreso *m*; **seinen ~ geben** celebrar su ingreso
ein|stecken *vt* (*hineinstecken*) meter (**in** en); (*Stecker*) enchufar; (*mitnehmen*) llevar; (*ertragen*) tragar(se); **ein|steigen** *irr vi sein* (*in Fahrzeug*) subir (**in** a); **ein|stellen** I. *vt* (*anstellen*) contratar; (*beenden*) parar; (*regulieren*) ajustar; (*Sender*) sintonizar II. *vr:* **sich ~** (*sich richten nach*) adaptarse (**auf** a); (*sich vorbereiten*) prepararse (**auf** para)
einstellig *adj* de una cifra
Einstellung *f* (*Gesinnung*) opinión *f*
einstige(r, s) ['aɪnstɪgə, -gɐ, -gəs] *adj* anterior
ein|stimmen *vt* (*vorbereiten*) preparar (**auf** para); **einstimmig** I. *adj* (*ohne Gegenstimme*) unánime II. *adv* (*ohne Gegenstimme*) por unanimidad; **ein|studieren** *vt* (*Rolle*) estudiar; **ein|stufen** *vt* clasificar (**in** en); **ein|stürzen** *vi sein* (*Gebäude*) derrumbarse; (*Dach*) hundirse; **auf jdn ~** (*Ereignisse*) precipitarse sobre alguien
einstweilen ['aɪnst'vaɪlən] *adv* (*im Moment*) por el momento; (*unterdessen*) mientras tanto
ein|tauschen *vt* cambiar (**gegen** por)
eintausend ['-'--] *adj inv* mil
ein|teilen *vt* (*untergliedern*) dividir (**in** en); (*Geld, Zeit*) repartir; **Einteilung** *f* <-en> ❶ (*Untergliederung*) división *f*; (*Einsortierung*) clasificación *f* ❷ (*von Vorräten*) organización *f* ❸ (*für Arbeit*) designación *f*
eintönig ['aɪntø:nɪç] *adj* monótono
Eintopf *m* potaje *m*
Eintrag ['aɪntra:k] *m* <-(e)s, -träge> ❶ (*in Liste*) inscripción *f* ❷ (*Vermerk*) nota *f*
ein|tragen *irr vt, vr:* **sich ~** (*in eine Liste*) inscribir(se) (**in** en)
einträglich ['aɪntrɛ:klɪç] *adj* lucrativo
ein|treffen *irr vi sein* (*ankommen*) llegar (**in** a); (*sich bewahrheiten*) hacerse realidad; **ein|treten** *irr vi sein* (*hineingehen*) entrar (**in** a/en); (*Mitglied werden*) ingresar (**in** en); (*Ereignis*) suceder; (*sich einsetzen*) abogar (**für** por)
Eintritt *m* entrada *f*; **~ frei!** ¡entrada libre!; **Eintrittskarte** *f* entrada *f*, boleto *m*
ein|üben *vt* practicar
einverstanden ['aɪnfɛɐʃtandən] *adj* de acuerdo; **sich mit etw ~ erklären** declararse conforme con algo; **Einverständnis** ['aɪnfɛɐʃtɛntnɪs] *nt* <-ses, -se> ❶ (*Billigung*) conformidad *f*; (*Ei-*

nigkeit) acuerdo *m*; **in gegenseitigem ~** de mutuo acuerdo ❷ (*Übereinstimmung*) consentimiento *m*

Einwand ['aɪnvant] *m* objeción *f* (**gegen** a); **Einwände gegen etw erheben** poner reparos a algo

Einwanderer, **Einwanderin** *m, f* inmigrante *mf*

einwandfrei *adj* impecable

Einwegflasche *f* botella *f* no retornable

ein|weichen *vt* poner en remojo; **ein|weihen** *vt* (*eröffnen*) inaugurar; (*vertraut machen*) poner al corriente (**in** de); **ein|weisen** *irr vt* ❶ (*in Tätigkeit*) instruir (**in** en) ❷ (*ins Krankenhaus*) hospitalizar; **ein|wenden** *irr vt* objetar (**gegen** a); **dagegen lässt sich nichts ~** no hay nada que objetar a esto; **ein|werfen** *irr vt* (*Brief*) echar (**in** en); (*Geld*) introducir (**in** en); (*Scheibe*) romper; (*bemerken*) mencionar; **ein|wickeln** *vt* (*einpacken*) envolver (**in** en); (*fam: überreden*) embaucar; **ein|willigen** ['aɪnvɪlɪgən] *vi* consentir (**in** en)

Einwilligung *f* <-en> consentimiento *m*

ein|wirken *vi* actuar (**auf** sobre); (*beeinflussen*) influir (**auf** en)

Einwohner(in) *m(f)* <-s, -; -nen> habitante *mf*; **Einwohnermeldeamt** ['---'---] *nt* oficina *f* de empadronamiento

Einzahl *f* <-en> singular *m*

ein|zahlen *vt* pagar (**auf** a); **Geld aufs Konto ~** ingresar dinero en la cuenta; **ein|zäunen** ['aɪntsɔɪnən] *vt* cercar

Einzelfahrschein *m* billete *m* sencillo; **Einzelfall** *m* (*konkreter Fall*) caso *m* particular; (*Ausnahme*) caso *m* especial; **Einzelgänger(in)** ['aɪntsəlgɛŋɐ] *m(f)* <-s, -; -nen> solitario, -a *m, f*; **Einzelhändler(in)** *m(f)* minorista *mf*

Einzelheit *f* <-en> detalle *m*; **in allen ~en** (*fam*) con pelos y señales

Einzelkind *nt* hijo, -a *m, f* único, -a

einzeln ['aɪntsəln] *adv* uno por uno; (*getrennt*) por separado; **etw im Einzelnen besprechen** discutir algo detalladamente

einzelne(r, s) *adj* ❶ (*allein*) único, solo; **jeder/jede Einzelne** cada uno/una; **jede ~ Schülerin** cada una de las alumnas ❷ (*verschieden*) diferente; **die ~n Teile** las diferentes partes ❸ (*speziell*) particular ❹ (*separat*) separado ❺ *pl* (*einige*) algunos

Einzelteil *nt* elemento *m*; **etw in seine ~e zerlegen** desmontar algo en todos sus componentes; **Einzelzimmer** *nt* habitación *f* individual

ein|ziehen *irr* **I.** *vi sein* (*beziehen*) instalarse (**in** en); (*Creme*) ser absorbido (**in** por) **II.** *vt haben* (*Kopf*) bajar; (*Bauch*) meter; (*Führerschein*) retirar; (*Erkundigungen*) pedir

einzig ['aɪntsɪç] *adj* único; **~ und allein** únicamente; **ein ~es Mal** una sola vez; **einzigartig** *adj* único

Eis [aɪs] *nt* <-es, *ohne pl*> hielo *m*; (*Speiseeis*) helado *m*; **etw auf ~ legen** (*fig*) suspender algo; **Eisbär** *m* oso *m* polar; **Eisbein** *nt* lacón *m*; **Eisberg** *m* iceberg *m*; **Eisdiele** *f* heladería *f*

Eisen ['aɪzən] *nt* <-s, -> hierro *m*; **ein heißes ~ anfassen** (*fig*) tocar un tema delicado; **Eisenbahn** *f* ferrocarril *m*

eisern ['aɪzɐn] *adj* férreo; **~e Reserve** última reserva

Eishockey ['aɪshɔkɪ] *nt* hockey *m* sobre hielo

eisig ['aɪzɪç] *adj* (*Wasser*) helado; (*Kälte*, *a. fig*) glacial

eiskalt ['-'-] **I.** *adj* (*a. fig*) helado **II.** *adv* con frialdad

Eiskunstlauf *m* <-(e)s, *ohne pl*> patinaje *m* artístico (sobre hielo)

eis|laufen *irr vi* patinar sobre hielo

Eisschrank *m* frigorífico *m*; **Eiswürfel** *m* cubito *m* de hielo; **Eiszapfen** *m* carámbano *m*

eitel ['aɪtəl] *adj* vanidoso

Eitelkeit *f* <-en> vanidad *f*

Eiter ['aɪtɐ] *m* <-s, *ohne pl*> pus *m*

eit(e)rig ['aɪt(ə)rɪç] *adj* purulento

eitern ['aɪtɐn] *vi* supurar

Eiweiß *nt* <-es, -e, *nach Zahlen:* -> (*vom Ei*) clara *f*; BIOL proteína *f*

Ekel[1] ['e:kəl] *m* <-s, *ohne pl*> asco (**vor** a); ~ **erregend** asqueroso

Ekel[2] *nt* <-s, -> (*fam: Person*) asqueroso, -a *m, f*

ekelerregend *adj s.* **Ekel**[1]; **ekelhaft** *adj*, **ek(e)lig** ['e:k(ə)lɪç] *adj* asqueroso

ekeln *vr:* **er ekelt sich vor Ratten** las ratas le dan asco

Elan [e'la:n] *m* <-s, *ohne pl*> (*geh*) ímpetu *m*

elastisch [e'lastɪʃ] *adj* elástico

Elbe ['ɛlbə] *f*: **die** ~ el Elba

Elefant [ele'fant] *m* <-en, -en> elefante *m*

elegant [ele'gant] *adj* elegante

Eleganz *f* elegancia *f*

Elektriker(in) [e'lɛktrikɐ] *m(f)* <-s, -; -nen> electricista *mf*

elektrisch [e'lɛktrɪʃ] *adj* eléctrico

Elektrizität [elɛktritsi'tɛ:t] *f* electricidad *f*; **Elektrizitätswerk** *nt* central *f* eléctrica

Elektrogerät *nt* electrodoméstico *m*

Elektronik [elɛk'tro:nɪk] *f* electrónica *f*

elektronisch [elɛk'tro:nɪʃ] *adj* electrónico

Elektrotechnik *f ohne pl* electrotecnia *f*

Element [ele'mɛnt] *nt* <-(e)s, -e> elemento *m*

elementar [elemɛn'ta:ɐ] *adj* elemental

elend *adj* miserable

Elend ['e:lɛnt] *nt* <-(e)s, *ohne pl*> miseria *f*; **Elendsviertel** *nt* barrio *m* de chabolas

elf [ɛlf] *adj inv* once; *s.a.* **acht**[1]

Elfenbein ['ɛlfənbaɪn] *nt* <-(e)s, *ohne pl*> marfil *m*

elfte(r, s) *adj* undécimo; *s.a.* **achte(r, s)**

eliminieren* [elimi'ni:rən] *vt* eliminar

Elite [e'li:tə] *f* <-n> élite *f*

Ell(en)bogen ['ɛl(ən)-] *m* <-s, -> codo *m*

El Salvador [ɛl zalva'do:ɐ] *nt* <- -s> El Salvador *m*

Elsass[RR] ['ɛlzas] *nt* <-(es)> Alsacia *f*

Elster ['ɛlstɐ] *f* <-n> urraca *f*

Eltern ['ɛltɐn] *pl* padres *m pl*; **Elterngeld** *nt kein pl ayuda familiar que se percibe al nacer un hijo por un periodo máximo de doce meses*; **Elternzeit** *f* (*Mutter*) baja *f* por maternidad; (*Vater*) baja *f* por paternidad

Email [e'maɪ] *nt* <-s, -s> esmalte *m*

E-Mail ['i:mɛɪl] *f* <-s> correo *m* electrónico; **E-Mail-Adresse** *f* INFOR dirección *f* de correo electrónico

Emanzipation [emantsipa'tsjo:n] *f* <-en> emancipación *f*

emanzipieren* *vr:* **sich** ~ emanciparse

Embargo [ɛm'bargo] *nt* <-s, -s> embargo *m*

Embryo ['ɛmbryo] *m* <-s, -nen *o* -s> embrión *m*

Emigrant(in) [emi'grant] *m(f)* <-en, -en; -nen> (*aus politischen Gründen*) emigrado, -a *m, f*; (*aus wirtschaftlichen Gründen*) emigrante *mf*

Emotion [emo'tsjo:n] *f* <-en> emoción *f*

emotional [emotsjo'na:l] *adj* emocional

empfahl [ɛm'pfa:l] *3. imp von* **empfehlen**

empfand [ɛm'pfant] *3. imp von* **empfinden**

Empfang [ɛm'pfaŋ] *m* <-(e)s, -fänge> recepción *f*; (*Begrüßung*) recibimiento *m*

empfangen <empfängt, empfing, empfangen> *vt* recibir

Empfänger(in) [ɛm'pfɛŋɐ] *m(f)* <-s, -; -nen> receptor(a) *m(f)*; (*von Post*) destinatario, -a *m, f*

empfänglich *adj* sensible (**für** a)

Empfängnis *f* concepción *f*; **Empfängnisverhütung** *f* anticoncepción *f*

Empfangsbescheinigung *f* acuse *m* de recibo

empfängt [ɛm'pfɛŋt] *3. präs von* **empfangen**

empfehlen [ɛm'pfe:lən] <empfiehlt, empfahl, empfohlen> **I.** *vt* recomendar **II.** *vr:* **sich** ~ (*geeignet sein*) ser apto; **es empfiehlt sich, das zu tun** conviene hacerlo

empfehlenswert *adj* recomendable
Empfehlung *f* <-en> recomendación *f*
empfiehlt [ɛm'pfi:lt] *3. präs von* **empfehlen**
empfinden [ɛm'pfɪndən] <empfindet, empfand, empfunden> *vt* sentir
empfindlich [ɛm'pfɪntlɪç] *adj* sensible (**gegen** a); **sei nicht so ~!** ¡no seas tan susceptible!
empfindsam [ɛm'pfɪntza:m] *adj* sensible
Empfindung *f* <-en> ❶ (*Wahrnehmung*) sensación *f* ❷ (*Gefühl*) sentimiento *m*
empfing [ɛm'pfɪŋ] *3. imp von* **empfangen**
empfohlen [ɛm'pfo:lən] *pp von* **empfehlen**
empfunden [ɛm'pfʊndən] *pp von* **empfinden**
empören* [ɛm'pø:rən] *vt, vr:* **sich ~** indignar(se) (**über** por)
empörend *adj* escandaloso
empört [ɛm'pø:ɐt] *adj* indignado
Empörung *f* (*Entrüstung*) indignación *f* (**über jdn** con alguien, **über etw** por algo)
emsig ['ɛmzɪç] *adj* laborioso
Ende ['ɛndə] *nt* <-s, -n> ❶ (*Endstück*) extremo *m*; **am anderen ~ der Stadt** en el otro extremo de la ciudad ❷ *ohne pl* (*Endpunkt*) final *m*; (*Film, Buch, zeitlich*) fin *m*; **~ des Jahres** a finales de año; **der Film ist zu ~** la película se ha acabado; **ein Buch zu ~ lesen** terminar de leer un libro; **der Tag geht zu ~** el día llega a su fin; **letzten ~s** al fin y al cabo
Endeffekt *m*: **im ~** al fin y al cabo
enden ['ɛndən] *vi* acabar
endgültig *adj* definitivo
endlich ['ɛntlɪç] *adv* por fin; **hör ~ damit auf!** ¡deja eso de una vez!
endlos *adj* ilimitado
Endstadium *nt* última fase *f*; **Endstation** *f* (estación *f*) terminal
Endung *f* <-en> LING desinencia *f*
Energie [enɛr'gi:] *f* <-n> energía *f*; **Energiequelle** *f* fuente *f* energética; **Energieverbrauch** *m* consumo *m* de energía; **Energieversorgung** *f* abastecimiento *m* de energía
energisch [e'nɛrgɪʃ] *adj* enérgico
eng [ɛŋ] *adj* (*Straße*) estrecho; (*Kleidung*) ajustado; (*Beziehung*) íntimo; **~ befreundet sein** ser íntimos amigos

Engagement [ãgaʒə'mã:] *nt* <-s, *ohne pl*> compromiso *m*; (*Begeisterung*) entusiasmo *m*
engagieren* [ãga'ʒi:rən] **I.** *vt* contratar **II.** *vr:* **sich ~** intervenir (**für** a favor de)
engagiert *adj* comprometido
Enge ['ɛŋə] *f* estrechez *f*; **jdn in die ~ treiben** poner a alguien entre la espada y la pared
Engel ['ɛŋəl] *m* <-s, -> ángel *m*
England ['ɛŋlant] *nt* <-s> Inglaterra *f*
Engländer(in) ['ɛŋlɛndɐ] *m(f)* <-s, -; -nen> inglés, -esa *m, f*
englisch ['ɛŋlɪʃ] *adj* inglés
Engpass[RR] *m* (*in Versorgung*) dificultades *fpl*
engstirnig *adj* (*abw*) estrecho de miras
Enkel(in) ['ɛŋkəl] *m(f)* <-s, -; -nen>, **Enkelkind** *m(f)* nieto, -a *m, f*
enorm [e'nɔrm] *adj* enorme
entbehren* [ɛnt'be:rən] *vt* (*verzichten*) prescindir (de)
entbehrlich [ɛnt'be:ɐlɪç] *adj* prescindible
entbinden* *irr* **I.** *vi* (*gebären*) dar a luz **II.** *vt* (*von einer Pflicht*) eximir (**von** de); **Entbindung** *f* parto *m*
entblößen* [ɛnt'blø:sən] **I.** *vt* descubrir **II.** *vr:* **sich ~** desnudarse
entbunden *pp von* **entbinden**
entdecken* *vt* descubrir; **Entdeckung** *f* <-en> descubrimiento *m*
Ente ['ɛntə] *f* <-n> ZOOL pato *m*
enteignen* [ɛnt'ʔaɪgnən] *vt* expropiar; **enterben*** *vt* desheredar; **entfallen*** *irr vi sein* (*wegfallen*) suprimirse; (*zukommen*) corresponder; (*vergessen*) olvidarse; **entfalten*** **I.** *vt* (*Talent*) revelar **II.** *vr:* **sich ~** (*Fähigkeiten*) desa-

rrollar(se)

entfernen* [ɛnt'fɛrnən] I. *vt* quitar II. *vr:* **sich ~** alejarse

entfernt [ɛnt'fɛrnt] *adj* (*fern*) distante; (*abgelegen*) alejado; (*Ähnlichkeit*) vago; **300 Meter von hier ~** a 300 metros de aquí; **er ist ~ mit mir verwandt** es un pariente lejano

Entfernung *f* <-en> distancia *f*

entfliehen* *irr vi sein* huir (**aus** de); **entflohene Sträflinge** presos fugados

entflohen *pp von* **entfliehen**

entfremden* [ɛnt'frɛmdən] *vt* distanciar; **etw seinem Zweck ~** hacer mal uso de algo

entführen* *vt* secuestrar; **Entführer(in)** *m(f)* <-s, -; -nen> secuestrador(a) *m(f)*; **Entführung** *f* secuestro *m*

entgangen *pp von* **entgehen**

entgegen [ɛnt'ge:gən] I. *adv* (*Richtung*) en la dirección (de); **der Zukunft ~** hacia el futuro II. *präp +dat;* (*im Gegensatz*) en contra de; **entgegen|bringen** *irr vt* (*Interesse*) mostrar; **entgegen|gehen** *irr vi sein* (*einer Person*) avanzar (hacia); **dem Ende ~** ir terminando; **entgegengesetzt** *adj* contrario; **in ~er Richtung** en sentido contrario; **entgegen|halten** *irr vt* (*darbieten*) ofrecer; (*einwenden*) oponer; **entgegen|kommen** *irr vi sein* (*sich nähern: Person*) salir al encuentro (de); (*Fahrzeug*) venir de frente; (*nachgeben*) hacer concesiones; **entgegenkommend** *adj* (*gefällig*) complaciente; (*zuvorkommend*) servicial; **entgegen|nehmen** *irr vt* (*Waren*) recibir; (*Aufgabe*) hacerse cargo (de); **entgegen|sehen** *irr vi* aguardar; **entgegen|setzen** *vt* oponer (a); **entgegen|stehen** *irr vi* ❶ (*hinderlich sein*) obstaculizar ❷ (*im Gegensatz stehen*) oponerse (a); **dem steht nichts entgegen** no hay inconvenientes; **entgegen|wirken** *vi* contrarrestar

entgegnen* [ɛnt'ge:gnən] *vt* contestar; (*schärfer*) replicar

entgehen* *irr vi sein* (*unbemerkt bleiben*) escaparse; **sich** *dat* **etw (nicht) ~ lassen** (no) perderse algo

entgeistert [ɛnt'gaɪstɐt] *adj* atónito

Entgelt [ɛnt'gɛlt] *nt* <-(e)s, -e> retribución *f*; **ohne/gegen ~** gratis/pagando

entgleisen* [ɛnt'glaɪzən] *vi sein* descarrilar; (*Mensch*) salirse de tono

enthaaren* [ɛnt'ha:rən] *vt, vr:* **sich ~** depilar(se)

enthalten* *irr* I. *vt* (*beinhalten*) contener; (*einschließen*) incluir II. *vr:* **sich ~** abstenerse

enthaltsam [ɛnt'haltza:m] *adj* abstinente; (*vom Alkohol*) abstemio; (*sexuell*) continente

enthüllen* *vt* (*Denkmal*) descubrir; (*geh: Geheimnis*) revelar; (*Skandal*) destapar

Enthusiasmus [ɛntuzi'asmʊs] *m* <-, *ohne pl*> entusiasmo *m*

enthusiastisch I. *adj* entusiasta II. *adv* con entusiasmo

entkoffeiniert [ɛntkɔfei'ni:ɐt] *adj* descafeinado

entkommen* *irr vi sein* escaparse (**aus** de)

entkräften* [ɛnt'krɛftən] *vt* (*Person*) debilitar; (*Verdacht, Behauptung*) invalidar

entladen* *irr vt, vr:* **sich ~** descargar(se)

entlang [ɛnt'laŋ] *präp +gen/dat präp +akk adv* a lo largo de; **~ des Weges** a lo largo del camino; **die Wand ~** a lo largo de la pared; **am Fluss ~** a lo largo del río; **hier ~** (siguiendo) por aquí; **entlang|gehen** *irr* I. *vi sein*: **an etw** *dat* **~** caminar a lo largo de algo II. *vt sein* (*Straße*) pasar (por); (*folgen*) seguir

entlarven* [ɛnt'larfən] *vt* descubrir

entlassen* *irr vt* (*kündigen*) despedir; (*aus Krankenhaus*) dar de alta; (*aus Gefängnis*) soltar

Entlassung *f* <-en> despido *m*; (*aus Gefängnis*) excarcelación *f*

entlasten* *vt* (*Balken*) descargar; (*Ver-*

kehr) descongestionar; (*Person, Gewissen*) aliviar; (*Angeklagte*) exculpar; **entlaufen*** *irr vi sein* (*Tier*) extraviarse; **entleeren*** *vt* vaciar

entlegen [ɛnt'le:gən] *adj* (*entfernt*) distante; (*abgelegen*) retirado

entlocken* *vt:* **jdm etw ~** arrebatar algo a alguien; **entlohnen*** *vt* remunerar

entmachten* [ɛnt'maxtən] *vt* derrocar

entmündigen* [ɛnt'mʏndɪgən] *vt* poner bajo tutela

entmutigen* [ɛnt'mu:tɪgən] *vt* desanimar

entnehmen* *irr vt* (*herausnehmen*) sacar; (*folgern*) deducir

entnommen *pp von* **entnehmen**

entpuppen* [ɛntpʊpən] *vr:* **sich ~** descubrirse (**als** como); **er hat sich als Betrüger entpuppt** resultó ser un estafador

entrüsten* [ɛnt'rʏstən] *vt, vr:* **sich ~** indignar(se) (**über** por)

entschädigen* *vt* indemnizar (**für** por); **Entschädigung** *f* <-en> indemnización *f*

entschärfen* *vt* (*Bombe*) desactivar; (*Krise*) apaciguar

entscheiden* *irr* I. *vi, vt* decidir (**über** sobre) II. *vr:* **sich ~** decidirse (**für** por, **gegen** en contra de)

entscheidend *adj* decisivo

Entscheidung *f* decisión *f*; **eine ~ treffen** tomar una decisión

entschieden [ɛnt'ʃi:dən] *pp von* **entscheiden**

Entschiedenheit *f* <-en> firmeza *f*; **etw mit aller ~ zurückweisen** rechazar algo categóricamente

entschließen* *irr vr:* **sich ~** decidirse (**zu** a); **sich anders ~** cambiar de opinión

entschlossen [ɛnt'ʃlɔsən] I. *pp von* **entschließen** II. *adj* decidido; **kurz ~** sin vacilar; **fest ~** absolutamente decidido; **sie war zu allem ~** estaba dispuesta a todo

Entschlossenheit *f* resolución *f*; (*Entschiedenheit*) firmeza *f*

Entschluss[RR] *m* decisión *f*; **einen ~ fassen** tomar una decisión

entschuldigen* [ɛnt'ʃʊldɪgən] *vt, vr:* **sich ~** disculpar(se) (**bei** ante, **für** por)

Entschuldigung *f* <-en> disculpa *f*; **~!** ¡perdón!

entsetzen* *vt* horrorizar; **ich war völlig entsetzt** me quedé totalmente horrorizado

Entsetzen *nt* <-s, *ohne pl*> horror *m*

entsetzlich [ɛnt'zɛtslɪç] I. *adj* horrible II. *adv* (*fam: sehr*) terriblemente; **~ viel Geld** un dineral terrible

entsorgen* *vt* (*Müll*) eliminar

entspannen* I. *vt* (*Körper*) relajar; (*Lage*) calmar II. *vr:* **sich ~** (*Mensch, Muskeln*) relajarse; (*Lage*) normalizarse; **Entspannung** *f* <-en> ❶ (*von Mensch*) relajación *f* ❷ POL distensión *f*

entsprechen* *irr vi* (*übereinstimmen*) corresponder (a); (*Bitte*) acceder (a); (*Anforderungen*) satisfacer

entsprechend I. *adj* correspondiente; (*jeweilig*) respectivo II. *adv* debidamente III. *präp +dat* conforme a

entsprochen *pp von* **entsprechen**

entstanden *pp von* **entstehen**

entstehen* *irr vi sein* surgir (**aus** de); **es werden für Sie keine Kosten daraus ~** a Ud. no le producirá gasto alguno; **für den entstandenen Schaden** por el daño ocasionado

Entstehung *f* <-en> ❶ (*Ursprung*) origen *m*; (*Anfang*) comienzo *m* ❷ (*das Werden*) formación *f*

entstellen* *vt* (*verunstalten*) desfigurar

enttäuschen* *vt* decepcionar; (*Hoffnung*) frustrar

enttäuscht *adj* decepcionado; (*desillusioniert*) desilusionado

Enttäuschung *f* decepción *f*

Entwarnung *f* <-en> cese *m* de alarma

entweder ['ɛntve:dɐ, -'--] *konj:* **~ ... oder ...** o (bien)... o...

entweichen* *irr vi sein* escapar (**aus** de);

entwerfen* *irr vt* (*in Gedanken, zeichnerisch*) proyectar; (*schriftlich*) hacer un borrador (de); (*Plan*) trazar; **entwerten*** *vt* (*Fahrschein*) picar; (*im Wert mindern*) devaluar
entwichen *pp von* **entweichen**
entwickeln* **I.** *vt* (*Theorie*) desarrollar; FOTO revelar **II.** *vr:* **sich ~** desarrollarse; (*Rauch*) producirse
Entwicklung *f* <-en> desarrollo *m*; **Entwicklungshilfe** *f* ayuda *f* al desarrollo; **Entwicklungsland** *nt* país *m* en (vías de) desarrollo
entworfen *pp von* **entwerfen**
entwürdigen* *vt* humillar
Entwurf *m* <-(e)s, -würfe> ❶ (*Konzept*) borrador *m*; (*Projekt*) proyecto *m* ❷ (*Zeichnung*) diseño *m* ❸ (*Skizze*) bosquejo *m*
entwurzelt *adj* desarraigado
entziehen* *irr* **I.** *vt* (*Erlaubnis*) quitar; (*Führerschein*) retirar; (*Nährstoffe*) extraer **II.** *vr:* **sich ~** (*einer Verpflichtung*) sustraerse (a); (*einer Person*) rehuir; (*verborgen bleiben*) escaparse (a)
entziffern* [ɛnt'tsɪfɐn] *vt* descifrar
entzogen *pp von* **entziehen**
entzücken* *vt* encantar
entzückend *adj* encantador
entzünden* *vr:* **sich ~** *a.* MED inflamarse
entzündet *adj* inflamado
Entzündung *f* MED inflamación *f*
entzwei [ɛnt'tsvaɪ] *adj inv* (*kaputt*) roto
entzweien* *vt, vr:* **sich ~** enemistar(se)
entzwei|gehen *irr vi sein* romperse (en pedazos)
Epidemie [epide'mi:] *f* <-n> epidemia *f*
Epilepsie [epilɛ'psi:] *f* <-n> epilepsia *f*
Episode [epi'zo:də] *f* <-n> episodio *m*
Epoche [e'pɔxə] *f* <-n> época *f*
er [e:ɐ] *pron pers 3. sg m* él
erachten* [ɛɐ'ʔaxtən] *vt* (*geh*) considerar (**für/als**)
Erachten *nt*: **meines ~s** en mi opinión
erbarmen* [ɛɐ'barmən] *vr:* **sich** (**jds**) **~** compadecerse (de alguien)
Erbarmen [ɛɐ'barmən] *nt* <-s, *ohne pl*> compasión *f*; **mit jdm ~ haben** compadecerse de alguien
erbärmlich [ɛɐ'bɛrmlɪç] *adj* (*jämmerlich*) lamentable
erbarmungslos *adj* despiadado
Erbe[1] *nt* <-s, *ohne pl*> herencia *f*
Erbe, **Erbin**[2] ['ɛrbə] *m, f* <-n, -n; -nen> heredero, -a *m, f*
erben ['ɛrbən] *vi, vt* heredar
erbittert *adj* enconado
Erbkrankheit *f* enfermedad *f* hereditaria
erblassen* *vi sein* palidecer (**vor** de)
erblich ['ɛrplɪç] *adj* hereditario
erblicken* *vt* (*geh*) ver; (*in der Ferne*) divisar
erblinden* *vi sein* quedarse ciego
erbrechen* *irr vi* vomitar; **bis zum Erbrechen** (*fam*) hasta la saciedad
erbrochen *pp von* **erbrechen**
Erbschaft *f* <-en> herencia *f*; **eine ~ machen** heredar
Erbse ['ɛrpsə] *f* <-n> guisante *m*, arveja *f*
Erdball *m* <-(e)s, *ohne pl*> globo *m* terrestre; **Erdbeben** *nt* terremoto *m*; **Erdbeere** *f* fresa *f*; **Erdboden** *m* <-s, *ohne pl*> suelo *m*
Erde ['e:ɐdə] *f* tierra *f*; **auf die ~ fallen** caer al suelo
erdenklich *adj* concebible; **sich** *dat* **alle ~e Mühe geben** hacer todo lo posible
Erderwärmung *f ohne pl* calentamiento *m* de la Tierra; **Erdgas** *nt* gas *m* natural; **Erdgeschoss**[RR] *nt* planta *f* baja; **Erdkugel** *f ohne pl* globo *m* terráqueo; **Erdkunde** *f* geografía *f*; **Erdnuss**[RR] *f* cacahuete *m*; **Erdöl** *nt* petróleo *m*; **Erdreich** *nt* tierra *f*
erdrosseln* *vt* estrangular; **erdrücken*** *vt* (*zu Tode*) aplastar; (*Sorgen*) abrumar
Erdteil *m* continente *m*
erdulden* *vt* soportar; **ereignen*** [ɛɐ'ʔaɪgnən] *vr:* **sich ~** suceder
Ereignis *nt* <-ses, -se> acontecimiento *m*; **ereignisreich** *adj* movido
Erektion [erɛk'tsjo:n] *f* <-en> erección *f*
Eremit(in) [ere'mi:t] *m(f)* <-en, -en;

-nen> eremita *mf*

erfahren[1] *adj* experimentado

erfahren*[2] *irr vt* (*Nachricht*) enterarse (de); (*geh: erleben*) experimentar; (*Leid*) padecer; **wir haben ~, dass ...** supimos que...

Erfahrung *f* <-en> experiencia *f*; (*praktische*) práctica *f*; **die ~ machen, dass ...** comprobar que...; **etw in ~ bringen** enterarse de algo; **erfahrungsgemäß** *adv* por experiencia

erfassen* *vt* (*mitreißen*) arrastrar; (*Angst*) sobrevenir; (*begreifen*) concebir; (*registrieren*) registrar; **erfinden*** *irr vt* inventar

Erfinder(in) *m(f)* <-s, -; -nen> inventor(a) *m(f)*

erfinderisch *adj* ingenioso

Erfindung *f* <-en> invención *f*; (*Produkt*) invento *m*

Erfolg [ɛɐ'fɔlk] *m* <-(e)s, -e> éxito *m*; **~ versprechend** prometedor

erfolgen* *vi sein* realizarse

erfolglos I. *adj* infructuoso II. *adv* sin éxito; (*vergeblich*) en vano; **erfolgreich** I. *adj* (*Person*) triunfante; (*Maßnahme*) eficaz II. *adv* con éxito

Erfolgserlebnis *nt* (sensación *f* de) éxito *m*

erfolgversprechend *adj* prometedor

erforderlich [ɛɐ'fɔrdɐlɪç] *adj* necesario; **unbedingt ~** indispensable

erfordern* *vt* requerir

erforschen* *vt* investigar; (*Weltraum*) explorar; **Erforschung** *f* <-en> (*Nachforschung*) investigación *f*; (*von Land*) exploración *f*

erfreuen* I. *vt* alegrar; **sehr erfreut!** ¡encantado! II. *vr:* **sich ~** (*sich freuen*) alegrarse (**an** ante); (*geh: genießen*) gozar (de)

erfreulich *adj* agradable; (*Nachricht*) grato

erfreulicherweise [-'---'--] *adv* afortunadamente

erfrieren* *irr vi sein* (*Person, Tier*) morirse de frío; (*Pflanze*) helarse

erfrischen* *vi, vt, vr:* **sich ~** refrescar(se)

erfrischend *adj* refrescante

Erfrischung *f* <-en> (*Getränk*) refresco *m*

erfroren *pp von* **erfrieren**

erfüllen* I. *vt* (*aus-, anfüllen*) llenar (**mit** de); (*Bedingung*) cumplir (con); (*Versprechen*) cumplir; (*Wunsch*) corresponder (a); (*Erwartungen*) satisfacer; (*Aufgabe*) desempeñar II. *vr:* **sich ~** (*wahr werden*) realizarse

erfunden *pp von* **erfinden**

ergangen *pp von* **ergehen**

ergänzen* [ɛɐ'gɛntsən] *vt, vr:* **sich ~** complementar(se)

ergeben[1] *adj* (*untertänig*) sumiso; (*demütig*) devoto; (*treu*) leal

ergeben*[2] *irr* I. *vt* (*Ergebnis*) dar como resultado; (*Untersuchung*) demostrar II. *vr:* **sich ~** (*kapitulieren*) rendirse; (*sich herausstellen*) producirse; (*Schwierigkeit*) surgir; (*folgen*) resultar (**aus** de)

Ergebnis [ɛɐ'ge:pnɪs] *nt* <-ses, -se> resultado *m*; **wir sind zu dem ~ gekommen, dass ...** hemos llegado a la conclusión de que...; **ergebnislos** *adj* sin resultado; **ergebnisorientiert** *adj* orientado hacia el resultado [*o* los resultados]

ergehen* *irr vunpers sein* (*geschehen*): **ihr ist es dort gut/schlecht ergangen** le ha ido bien/mal allí; **etw über sich ~ lassen** soportar algo

ergiebig [ɛɐ'gi:bɪç] *adj* productivo

ergreifen* *irr vt* (*Furcht*) acometer; (*Maßnahmen, Partei*) tomar; (*Gelegenheit*) aprovechar; (*erschüttern*) conmover; **sie ergriff das Wort** tomó la palabra

ergriffen [ɛɐ'grɪfən] *pp von* **ergreifen**

erhalten* *irr vt* (*bekommen*) recibir; (*Genehmigung*) obtener; (*Gehalt*) cobrar; (*bewahren*) conservar; **jdn am Leben ~** mantener a alguien con vida; **etw ist gut ~** algo está bien conservado

erhältlich [ɛɐ'hɛltlɪç] *adj* en venta

erhängen* *vt, vr:* **sich ~** ahorcar(se); **erheben*** *irr* I. *vt* (*hochheben*) alzar; (*Steuern*) imponer; (*Eintritt*) cobrar; (*Protest*) levantar; (*Einwände*) poner (**gegen** a); (*Forderungen*) formular II. *vr:* **sich ~** (*aufstehen*) levantarse

erheblich [ɛɐ'he:plɪç] *adj* notable; **~ besser** mucho mejor

erhitzen* [ɛɐ'hɪtsən] *vt, vr:* **sich ~** ❶ (*Speisen*) calentar(se) ❷ ((*sich*) *erregen*) excitar(se)

erhoben *pp von* **erheben**

erhoffen* *vt:* **sich** *dat* **etw von jdm/etw** *dat* **~** esperar algo de alguien/algo

erhöhen* [ɛɐ'hø:ən] *vt* aumentar; (*Preis*) subir (**auf** a, **um** en)

Erhöhung *f* <-en> (*der Preise, Geschwindigkeit*) aumento *m*

erholen* *vr:* **sich ~** (*ausspannen*) reponerse; (*von Krankheit*) restablecerse

erholsam [ɛɐ'ho:lza:m] *adj* tranquilo

Erholung *f* (*Ruhe*) descanso *m*; (*Genesung*) restablecimiento *m*

erinnern* [ɛɐ'ʔɪnɐn] I. *vi, vt* recordar (**an** a) II. *vr:* **sich ~** acordarse (**an** de); **soweit ich mich ~ kann** por lo que yo recuerdo

Erinnerung *f* <-en> (*Gedächtnis*) memoria *f*; (*Zurückdenken, Andenken*) recuerdo *m* (**an** de); **zur ~ an jdn** en recuerdo de alguien

erkälten* [ɛr'kɛltən] *vr:* **sich ~** resfriarse

erkältet *adj* resfriado

Erkältung *f* <-en> resfriado *m*

erkannt *pp von* **erkennen**

erkennbar *adj* reconocible (**an** por); (*wahrnehmbar*) perceptible

erkennen* *irr vt* (*wahrnehmen*) ver; (*identifizieren*) reconocer (**an** por); **sich zu ~ geben** identificarse

erkenntlich [ɛɐ'kɛntlɪç] *adj*: **sich** (**bei jdm**) **~ zeigen** mostrarse agradecido (a alguien)

Erkenntnis *f* conocimiento(s) *m*(*pl*); (*Einsicht*) comprensión *f*; **zu der ~ kommen, dass ...** llegar a la conclusión de que...

erklären* I. *vt* (*erläutern*) explicar; **jdn für schuldig ~** declarar a alguien culpable II. *vr:* **sich einverstanden ~** manifestarse de acuerdo; **Erklärung** *f* <-en> (*Erläuterung*) explicación *f*; **eine ~ abgeben** prestar declaración

erkranken* *vi sein* enfermar (**an** de)

Erkrankung *f* <-en> enfermedad *f*

erkunden* [ɛɐ'kʊndən] *vt* (*Geheimnis*) averiguar; (*Lage*) sondear; (*Gelände*) explorar

erkundigen* [ɛɐ'kʊndɪgən] *vr:* **sich ~** informarse (**nach/über** sobre)

erlangen* [ɛɐ'laŋən] *vt* (*bekommen*) obtener; (*erreichen*) alcanzar

Erlass[RR] [ɛɐ'las] *m* <-es, -e> (*Verordnung*) orden *f*; (*einer Strafe*) remisión *f*

erlassen* *irr vt* (*Gesetz*) promulgar; **jdm etw ~** eximir a alguien de algo

erlauben* [ɛɐ'laʊbən] *vt* permitir

Erlaubnis *f* <-se> permiso *m*

erläutern* [ɛɐ'lɔɪtɐn] *vt* explicar

Erläuterung *f* <-en> (*Erklärung*) explicación *f*; (*Kommentar*) comentario *m*

erleben* *vt* (*Freude*) vivir; (*Enttäuschung*) llevarse; **so habe ich ihn noch nie erlebt** nunca le he visto así

Erlebnis *nt* <-ses, -se> (*Erfahrung*) experiencia *f*; (*Ereignis*) acontecimiento *m*; **Erlebnistourismus** *m* <-, *kein pl*> turismo *m* de aventura

erledigen* [ɛɐ'le:dɪgən] I. *vt* (*Auftrag*) hacer; (*Angelegenheit*) resolver; **ich habe noch etwas zu ~** aún tengo que hacer algo; **die Sache ist für mich erledigt** para mí el asunto está concluido II. *vr:* **sich ~** arreglarse

erleichtern* [ɛɐ'laɪçtɐn] *vt* aliviar; (*um Gewicht*) aligerar; (*Arbeit*) facilitar; **sein Herz ~** desahogarse; **erleichtert atmete er auf** respiró con alivio

Erleichterung *f* alivio *m*

erleiden* *irr vt* (*Schmerzen*) soportar; (*Niederlage*) sufrir; **erlernen*** *vt*

aprender; **erleuchten*** *vt* iluminar

Erleuchtung *f* <-en> (*Beleuchten*) iluminación *f*; (*Inspiration*) inspiración *f*

erlitten *pp von* **erleiden**

Erlös [ɛɐ'lø:s] *m* <-es, -e> ingreso *m*

erlösen* *vt* librar; **Erlösung** *f* <-en> (*Rettung*) salvación *f*; (*Befreiung*) liberación *f*; REL redención *f*

ermächtigen* [ɛɐ'mɛçtɪgən] *vt* autorizar (**zu** para)

ermahnen* *vt* exhortar (**zu** a)

ermäßigen* [ɛɐ'mɛ:sɪgən] *vt* reducir; **Ermäßigung** *f* <-en> ❶ (*Senkung*) reducción *f* ❷ (*Preisnachlass*) rebaja *f*

Ermessen *nt* <-s, *ohne pl*> juicio *m*; **nach menschlichem ~** según el parecer común

ermitteln* [ɛɐ'mɪtəln] *vt* (*Täter*) averiguar; (*Sieger*) determinar; **Ermittlung** *f* <-en> (*polizeilich*) pesquisa *f*

ermöglichen* [ɛɐ'mø:klɪçən] *vt* posibilitar

ermorden* *vt* asesinar

Ermordung *f* <-en> asesinato *m*

ermüden* [ɛɐ'my:den] *vt* cansar

ermüdend *adj* fatigoso

ermuntern* [ɛɐ'mʊntɐn] *vt* estimular (**zu** a)

ermutigen* [ɛɐ'mu:tɪgən] *vt* alentar (**zu** a)

ernähren* I. *vt* alimentar; (*sorgen für*) mantener II. *vr:* **sich ~** alimentarse

Ernährung *f* alimentación *f*

ernannt *pp von* **ernennen**

ernennen* *irr vt* nombrar (**zu**)

erneuern* [ɛɐ'nɔɪɐn] *vt* (*Vertrag*) renovar; (*Maschinenteil*) cambiar

erneut [ɛɐ'nɔɪt] *adv* de nuevo

erniedrigen* [ɛɐ'ni:drɪgən] *vt, vr:* **sich ~** (*demütigen*) humillar(se) (**vor** ante)

ernst [ɛrnst] *adj* serio; (*Lage, Krankheit*) grave; **jdn/etw ~ nehmen** tomar a alguien/algo en serio

Ernst *m* <-es, *ohne pl*> ❶ (*ernster Wille*) seriedad *f*; **im ~** en serio ❷ (*Gewichtigkeit*) gravedad *f*; **ernsthaft** *adj* serio; (*Verletzung*) grave

Ernte ['ɛrntə] *f* <-n> (*Vorgang*) recolección *f*; (*das Geerntete*) cosecha *f*

ernten ['ɛrntən] *vt* (*a. fig*) cosechar

Ernüchterung *f* <-en> desilusión *f*

erobern* [ɛɐ'ʔo:bɐn] *vt* (*a. fig*) conquistar

Eroberung *f* <-en> conquista *f*

eröffnen* I. *vt* (*Konto, Geschäft*) abrir; (*einweihen*) inaugurar; **jdm etw ~** (*mitteilen*) comunicar algo a alguien II. *vr:* **sich ~** (*Perspektiven*) abrirse; **Eröffnung** *f* <-en> (*Einweihung*) inauguración *f*

erörtern* [ɛɐ'œrtɐn] *vt* discutir

Erörterung *f* <-en> (*das Erörtern*) discusión *f*; (*Text*) comentario *m*

Erotik [e'ro:tɪk] *f* erotismo *m*

erotisch *adj* erótico

erpicht [ɛɐ'pɪçt] *adj*: **auf etw ~ sein** estar ansioso por algo

erpressen* *vt* (*Person*) chantajear; (*Lösegeld*) extorsionar

Erpresser(in) *m(f)* <-s, -; -nen> chantajista *mf*, extorsionista *mf*

Erpressung *f* <-en> chantaje *m*

erraten* [ɛɐ'ra:tən] *irr vt* adivinar

errechnen* *vt* calcular

erregbar [ɛɐ're:kba:ɐ] *adj* irritable

erregen* [ɛɐ're:gən] I. *vt* (*emotional, sexuell*) excitar; (*hervorrufen*) provocar; (*Interesse*) despertar; (*Ärger*) desatar II. *vr:* **sich ~** excitarse (**über** con); (*Gemüter*) acalorarse

Erreger *m* <-s, -> MED germen *m* patógeno

erreichbar *adj* alcanzable; (*Ort*) accesible

erreichen* *vt* (*Person*) localizar; (*Zug, Alter*) alcanzar; (*Ort*) llegar (a); (*zustande bringen*) lograr; **errichten*** *vt* (*Gebäude*) levantar; (*Denkmal*) erigir; (*gründen*) establecer; **erröten*** [ɛɐ'rø:tən] *vi sein* sonrojarse

Errungenschaft [ɛɐ'rʊŋənʃaft] *f* <-en> (*Erfolg*) logro *m*; (*Eroberung*) conquista *f*

Ersatz [ɛɐ'zats] *m* <-es, *ohne pl*> ❶ (*Aus-

wechselung) sustitución *f* ❷ (*Entschädigung*) indemnización *f*; **Ersatzreifen** *m* rueda *f* de recambio; **Ersatzteil** *nt* (pieza *f* de) repuesto *m*; **ersatzweise** [ɛɐ'zatsvaɪzə] *adv* como alternativa

erschaffen* *irr vt* (*geh*) crear

erscheinen* *irr vi sein* (*sichtbar werden*) aparecer; (*sich einfinden*) presentarse; (*Buch*) publicarse; **es erscheint mir wünschenswert, dass ...** me parece conveniente que... +*subj*

Erscheinung *f* <-en> (*Tatsache*) fenómeno *m*; (*Gestalt*) figura *f*; (*äußere*) apariencia *f*; **in ~ treten** manifestarse

erschienen *pp von* **erscheinen**

erschießen* *irr vt* matar de un tiro; (*hinrichten*) fusilar

erschlagen[1] *adj* (*fam: erschöpft*) hecho polvo; (*fassungslos*) atónito

erschlagen*[2] *irr vt* matar a golpes

erschließen* *irr vt* (*Land*) explotar; (*Märkte*) abrir

erschlossen *pp von* **erschließen**

erschöpfen* *vt* agotar; **Erschöpfung** *f* <-en> agotamiento *m*

erschossen *pp von* **erschießen**

erschrak *3. imp von* **erschrecken**[2] *s.* **erschrecken**[3]

erschrecken*[1] *vt haben* asustar

erschrecken[2] <erschrickt, erschrak, erschrocken> *vi sein* asustarse (**über/vor** de)

erschrecken[3] <erschreckt *o* erschrickt, erschreckte *o* erschrak, erschreckt *o* erschrocken> *vr haben*: **sich ~** (*fam*) asustarse (**über/vor** de)

erschreckend *adj* alarmante

erschrickt *3. präs von* **erschrecken**[2] *s.* **erschrecken**[3]

erschrocken [ɛɐ'ʃrɔkən] *pp von* **erschrecken**[2] *s.* **erschrecken**[3]

erschüttern* [ɛɐ'ʃʏtɐn] *vt* ❶ (*Explosion*) hacer temblar ❷ (*Glauben*) quebrantar; (*Vertrauen*) poner en duda ❸ (*Nachricht*) conmocionar

erschütternd *adj* conmovedor

erschweren* [ɛɐ'ʃveːrən] *vt* dificultar

erschwinglich [ɛɐ'ʃvɪŋlɪç] *adj* asequible

ersetzen* *vt* (*auswechseln*) cambiar; (*Person*) sustituir; (*Ausgaben*) reembolsar; **jdm einen Schaden ~** indemnizar a alguien por un daño

ersichtlich [ɛɐ'zɪçtlɪç] *adj* evidente; **ohne ~en Grund** sin motivo aparente

ersparen* *vt* (*Ärger*) evitar; **ihr bleibt aber auch nichts erspart** (*fam*) a ella le toca todo

Ersparnis *f* <-se> ahorro *m*

erst [eːɐst] **I.** *adv* (*zuerst*) primero; (*an erster Stelle*) en primer lugar; (*zu Beginn*) al principio; (*nicht früher als*) no hasta; (*nur*) sólo; **er kam ~ gestern** no vino hasta ayer **II.** *part*: **gerade ~** ahora mismo; **jetzt ~ recht!** ¡ahora más que nunca!

erstarren* *vi sein* (*vor Kälte*) helarse; (*vor Schreck*) quedarse de piedra

erstatten* [ɛɐ'ʃtatən] *vt* (*Kosten*) reembolsar

erstaunen* *vt* sorprender

Erstaunen *nt* <-s, *ohne pl*> asombro *m*; **zu meinem größten ~** para mi gran sorpresa

erstaunlich *adj* asombroso

erste(r, s) ['eːɐstə, -tɐ, -təs] *adj* primero; **das ~ Mal** la primera vez; **zum ~n Mal** por primera vez; **fürs Erste** de momento; *s.a.* **achte(r, s)**

erstechen* *irr vt* acuchillar

erstellen* *vt* hacer

erste(n)mal[ALT] ['eːɐstəmaːl, 'eːɐstən'maːl] *adv s.* **erste(r, s)**

erstens ['eːɐstəns] *adv* en primer lugar; (*bei Aufzählung*) primero; *s.a.* **achtens**

ersticken* [ɛɐ'ʃtɪkən] *vi sein* asfixiarse

erstklassig ['eːɐstklasɪç] *adj* excelente

erstmalig ['eːɐstmaːlɪç] **I.** *adj* primero **II.** *adv* por primera vez

erstmals ['eːɐstmaːls] *adv* por primera vez

erstochen *pp von* **erstechen**

erstrebenswert *adj* que vale la pena

erstrecken* *vr*: **sich ~** (*räumlich*) extenderse (**über** por); (*zeitlich*) durar (**über**); (*betreffen*) referirse (**auf** a); **ertappen*** *vt* pillar; **jdn auf frischer Tat ~** sorprender a alguien en flagrante; **erteilen*** *vt* (*Erlaubnis*) conceder; (*Rat*) dar; (*Unterricht,*) impartir; **sie erteilte ihm das Wort** le concedió la palabra

Ertrag [ɛɐ̯'tra:k] *m* <-(e)s, -träge> (*Produktmenge*) rendimiento *m*; (*Gewinn*) beneficio *m*; AGR cosecha *f*

ertragen* *irr vt* soportar

erträglich [ɛɐ̯'trɛ:klɪç] *adj* soportable; (*fam: recht gut*) pasable

ertränken* *vt* ahogar; **erträumen*** *vt* soñar (con); **ertrinken*** *irr vi sein* ahogarse

ertrunken *pp von* **ertrinken**

erübrigen* [ɛɐ̯'y:brɪgən] **I.** *vt* (*haben*) tener **II.** *vr:* **sich ~** ser superfluo

erwachen* *vi sein* (*geh*) despertar

erwachsen [ɛɐ̯'vaksən] *adj* adulto

Erwachsene(r) *f(m) dekl wie adj* adulto, -a *m, f*

erwägen [ɛɐ̯'vɛ:gən] <erwägt, erwog, erwogen> *vt* considerar

Erwägung *f* <-en> consideración *f*; **etw in ~ ziehen** tomar algo en consideración

erwähnen* [ɛɐ̯'vɛ:nən] *vt* mencionar

erwärmen* *vt* calentar

erwarten* *vt* esperar; **sie kann es kaum noch ~** casi no puede aguardar; **das war zu ~** esto era de esperar; **etw von jdm ~** esperar algo de alguien

Erwartung *f* <-en> expectativa *f*; **den ~en entsprechen** ser conforme a lo esperado; **erwartungsvoll I.** *adj* ilusionado **II.** *adv* lleno de expectación

erwecken* *vt* (*Zweifel*) dar lugar (a); (*Vertrauen*) inspirar; **Vertrauen ~d** que inspira confianza; **erweisen*** [ɛɐ̯'vaɪzən] *irr* **I.** *vt* (*nachweisen*) comprobar; (*Gefallen*) hacer; (*Dankbarkeit*) mostrar **II.** *vr:* **sich ~** resultar; **erweitern*** [ɛɐ̯'vaɪtɐn] *vt, vr:* **sich ~** ampliar (se) (**um** en); **Erweiterung** *f* <-en> ❶ (*Anlage, Kenntnisse*) ampliación *f* ❷ (*Kapazität*) aumento *m* ❸ (*Adern*) dilatación *f*

Erwerb [ɛɐ̯'vɛrp] *m* <-(e)s, -e> adquisición *f*

erwerben* *irr vt* (*Waren, Kenntnisse*) adquirir; (*Anerkennung*) ganarse

erwerbstätig *adj* activo; **~ sein** estar en activo; **Erwerbstätigkeit** *f* actividad *f* remunerada

erwidern* [ɛɐ̯'vi:dɐn] *vt* (*antworten*) contestar (**auf** a); (*Gruß, Besuch*) devolver

erwiesen *pp von* **erweisen**

erwirtschaften* *vt* producir

erwischen* *vt* (*fam*) pillar

erwog [ɛɐ̯'vo:k] *3. imp von* **erwägen**

erwogen *pp von* **erwägen**

erworben [ɛɐ̯'vɔrbən] *pp von* **erwerben**

erwünscht [ɛɐ̯'vʏnʃt] *adj* deseado

erwürgen* [ɛɐ̯'vʏrgən] *vt* estrangular

erzählen* *vt* contar; **mir kannst du nichts ~** (*fam*) a mí no me puedes engañar; **Erzähler(in)** *m(f)* <-s, -; -nen> narrador(a) *m(f)*; **Erzählung** *f* <-en> LIT narración *f*; (*Bericht*) relato *m*

erzeugen* *vt* (*herstellen*) producir; (*hervorrufen*) provocar; **Erzeuger(in)** *m(f)* <-s, -; -nen> ❶ BIOL progenitor(a) *m(f)* ❷ AGR productor(a) *m(f)*; **Erzeugnis** *nt* <-ses, -se> producto *m*

erziehen* *irr vt* educar (**zu** para)

Erzieher(in) *m(f)* <-s, -; -nen> educador(a) *m(f)*; (*Kindergärtner*) maestro, -a *m, f* de un jardín de infancia

Erziehung *f* educación *f*; **Erziehungsberechtigte(r)** *mf* <-n, -n; -n> titular *mf* de la patria potestad

erzielen* *vt* obtener; **eine Einigung ~** llegar a un acuerdo

erzogen *pp von* **erziehen**

erzwingen* *irr vt* conseguir por la fuerza

erzwungen *pp von* **erzwingen**

es [ɛs] **I.** *pron pers 3. sg nt* ❶ *nom* ello; (*Mensch*) él, ella; **~ ist sehr hübsch** es muy bonito ❷ *akk* lo; **ich weiß ~**

nicht no lo sé **II.** (*unpersönlich*): **~ regnet** llueve; **ich bin ~** soy yo

Esche ['ɛʃə] *f* <-n> fresno *m*

Esel ['e:zəl] *m* <-s, -> burro *m*; **Eselsbrücke** *f* (*fam*) regla *f* mnemotécnica

eskalieren* [ɛska'li:rən] *vi sein* agravarse

Eskimo ['ɛskimo] *m* <-s, -s> esquimal *m*

essbar[RR] ['ɛsba:ɐ] *adj* comestible

essen ['ɛsən] <isst, aß, gegessen> *vi, vt* comer; **zu Mittag/Abend ~** almorzar/cenar

Essen *nt* <-s, -> comida *f*; (*Gericht*) plato *m*

Essig ['ɛsɪç] *m* <-s, -e> vinagre *m*

Esslöffel[RR] *m* cuchara *f*; **ein ~ Mehl** una cucharada de harina; **Esszimmer**[RR] *nt* comedor *m*

Estland ['ɛstlant] *nt* <-s> Estonia *f*

estnisch ['ɛstnɪʃ] *adj* estonio

Estremadura [ɛstrema'du:ra] *f* Extremadura *f*

etablieren* [eta'bli:rən] *vt, vr:* **sich ~** establecer(se)

Etage [e'ta:ʒə] *f* <-n> piso *m*

Etappe [e'tapə] *f* <-n> etapa *f*

Etat [e'ta:] *m* <-s, -s> presupuesto *m*

etc. [e:te:'tse:] *Abk. von* **et cetera** etc.

Ethik ['e:tɪk] *f* ética *f*

ethisch *adj* ético

Etikett [eti'kɛt] *nt* <-(e)s, -e(n)> rótulo *m*

etliche(r, s) ['ɛtlɪçə, -çɐ, -çəs] *pron indef* (*geh*) algunos *mpl*, algunas *fpl*; **er ist um ~s älter als ich** es bastante mayor que yo

Etui [ɛt'vi:, ety'i:] *nt* <-s, -s> estuche *m*

etwa ['ɛtva] *adv* aproximadamente

etwas ['ɛtvas] *pron indef* algo; (*ein bisschen*) un poco; **ohne ~ zu sagen** sin decir nada; **das ist ~ anderes** esto es otra cosa

EU [e:'ʔu:] *f Abk. von* **Europäische Union** UE *f*; **EU-Asylpolitik** *f* política *f* de asilo de la UE; **EU-Außengrenze** *f* frontera *f* exterior de la UE; **EU-Außenminister** *m* ministro, -a *m, f* de política exterior de la UE

euch [ɔɪç] **I.** *pron pers mfpl dat/akk von* **ihr** os; (*betont*) a vosotros/vosotras... (os); (*mit Präposition*) vosotros/vosotras; **gehören ~ die Räder?** ¿son vuestras las bicis? **II.** *pron refl mfpl dat/akk von* **ihr** os; **setzt ~!** ¡sentaos!

euer ['ɔɪɐ] *pron pers pl gen von* **ihr** de vosotros/vosotras

euer, euere, euer *pron poss* (*adjektivisch*) vuestro *m*, vuestra *f*, vuestros *mpl*, vuestras *fpl*; **~ Sohn** vuestro hijo

euere(r, s) *pron poss* (*substantivisch*) (el) vuestro *m*, (la) vuestra *f*, (los) vuestros *mpl*, (las) vuestras *fpl s.a.* **euer, euere, euer**

Eule ['ɔɪlə] *f* <-n> lechuza *f*

EU-Osterweiterung *f ohne pl* ampliación *f* comunitaria al Este

Euphorie [ɔɪfo'ri:] *f* <-n> euforia *f*

euphorisch [ɔɪ'fo:rɪʃ] *adj* eufórico

EU-Ratspräsident(in) *m(f)* <-en, -en; -nen> EU presidente, -a *m, f* del Consejo Europeo

eure(r, s) ['ɔɪrə, -rɐ, -rəs] *pron poss o pron pers s.* **euer**

euresgleichen ['--'--] *pron indef* de vuestra condición

euretwegen ['ɔɪrətve:gən] *adv* por vosotros; (*negativ*) por vuestra culpa

Euro ['ɔɪro] *m* <-(s), -(s)> euro *m*

Eurocheque *m* <-s, -s> eurocheque *m*

Europa [ɔɪ'ro:pa] *nt* <-s> Europa *f*

Europäer(in) [ɔɪro'pɛ:ɐ] *m(f)* <-s, -; -nen> europeo, -a *m, f*

europäisch *adj* europeo

Europameisterschaft *f* campeonato *m* de Europa

Euter ['ɔɪtɐ] *m* <-s, -> ubre *f*

EU-Verfassung *f* constitución *f* europea

ev. REL *Abk. von* **evangelisch** protestante

e. V., E. V. *Abk. von* **eingetragener Verein** sociedad *f* registrada

evakuieren* [evaku'i:rən] *vt* evacuar

evangelisch [evaŋ'ge:lɪʃ] *adj* evangélico

eventuell [evɛntu'ɛl] *adj* eventual

Evolution [evolu'tsjo:n] *f* <-en> evolución *f*

evtl. *Abk. von* **eventuell** eventual

ewig ['e:vɪç] *adj* eterno; (*fam: ständig*) continuo; **für immer und ~** para siempre jamás; **das dauert ja ~** esto dura una eternidad

Ewigkeit *f* <-en> eternidad *f*

exakt [ɛ'ksakt] *adj* exacto

Examen [ɛ'ksa:mən] *nt* <-s, - *o* Examina> examen *m*

Exemplar [ɛksɛm'pla:ɐ] *nt* <-s, -e> ejemplar *m*

Exil [ɛ'ksi:l] *nt* <-s, -e> exilio *m*; **ins ~ gehen** exiliarse

Existenz [ɛksɪs'tɛnts] *f* <-en> ❶ (*berufliche Stellung*) sustento *m*; **sich** *dat* **eine ~ aufbauen** montar un negocio ❷ *ohne pl* (*Dasein*) existencia *f*; **Existenzgründer(in)** *m(f)* trabajador(a) *m(f)* que se hace autónomo y crea una empresa nueva; **Existenzgrundlage** *f* base *f* de vida; **Existenzminimum** *nt* <-s, *ohne pl*> mínimo *m* vital

existieren* [ɛksɪs'ti:rən] *vi* existir

exklusiv [ɛksklu'zi:f] *adj* exclusivo

exotisch [ɛ'kso:tɪʃ] *adj* exótico

expandieren* [ɛkspan'di:rən] *vi* expandir

Expansion [ɛkspan'zjo:n] *f* <-en> expansión *f*

Expedition [ɛkspedi'tsjo:n] *f* <-en> expedición *f*

Experiment [ɛksperi'mɛnt] *nt* <-(e)s, -e> experimento *m*

experimentieren* *vi* experimentar

Experte, Expertin [ɛks'pɛrtə] *m, f* <-n, -n; -nen> experto, -a *m, f*

explodieren* [ɛksplo'di:rən] *vi sein* explotar

Explosion [ɛksplo'zjo:n] *f* <-en> explosión *f*; **Explosionsgefahr** *f* peligro *m* de explosión

Export [ɛks'pɔrt] *m* <-(e)s, -e> exportación *f*

exportieren* [ɛkspɔr'ti:rən] *vt* exportar

Exportschlager *m* producto *m* de gran exportación

extern [ɛks'tɛrn] *adj* externo

extra ['ɛkstra] **I.** *adj inv* (*fam: zusätzlich*) adicional; (*gesondert*) separado; **auf einem ~ Blatt** en hoja aparte **II.** *adv* (*gesondert*) separado; (*zusätzlich*) extra; (*eigens*) especialmente; **das hast du ~ gemacht** (*fam*) esto lo has hecho a propósito

Extrakt [ɛks'trakt] *m o nt* <-(e)s, -e> extracto *m*

extravagant ['ɛkstravagant, ---'-] *adj* extravagante

extrem [ɛks'tre:m] **I.** *adj* extremo **II.** *adv* en extremo

extremistisch *adj* extremista

extrovertiert [ɛkstrovɛr'ti:ɐt] *adj* extravertido

exzellent [ɛkstsɛ'lɛnt] *adj* excelente

exzentrisch [ɛks'tsɛntrɪʃ] *adj* excéntrico

Exzess[RR] [ɛks'tsɛs] *m* <-es, -e> exceso *m*; **etw bis zum ~ treiben** excederse en algo

E

F

F, f [ɛf] *nt* <-, -> F, f *f*
Fabel ['fa:bəl] *f* <-n> fábula *f*; **fabelhaft** *adj* fabuloso
Fabrik [fa'bri:k] *f* <-en> fábrica *f*; **Fabrikarbeiter(in)** *m(f)* obrero, -a *m, f* de fábrica
Facette [fa'sɛtə] *f* <-n> faceta *f*
Fach [fax] *nt* <-(e)s, Fächer> (*im Schrank, Postfach*) casilla *f*; (*Fachgebiet*) especialidad *f*; (*Unterrichtsfach*) asignatura *f*; **Facharbeiter(in)** *m(f)* obrero, -a *m, f* cualificado, -a; **Facharzt, -ärztin** *m, f* (médico, -a *m, f*) especialista *mf*; **Fachausdruck** *m* <-(e)s, -drücke> término *m* técnico
Fächer ['fɛçɐ] *m* <-s, -> abanico *m*
Fachfrau *f* experta *f*; **Fachgebiet** *nt* especialidad *f*; **Fachgeschäft** *nt* tienda *f* especializada; **Fachhandel** *m* comercio *m* especializado; **Fachhochschule** *f* escuela *f* técnica superior; **Fachkenntnisse** *f pl* conocimientos *m pl* técnicos; **fachkundig** ['faxkʊndɪç] *adj* competente
fachlich *adj* profesional
Fachmann *m* <-(e)s, -leute *o* -männer> experto *m*
fachmännisch ['faxmɛnɪʃ] *adj* profesional
fachsimpeln ['-zɪmpəln] *vi* (*fam*) hablar de asuntos profesionales
Fachsprache *f* lenguaje *m* técnico
Fachwerkhaus *nt* casa *f* de paredes entramadas
Fackel ['fakəl] *f* <-n> antorcha *f*
fad(e) [fa:t, 'fa:də] *adj* soso
Faden ['fa:dən] *m* <-s, Fäden> hilo *m*; **der rote ~** (*fig*) el hilo conductor; **nach Strich und ~** (*fam*) totalmente
fähig ['fɛ:ɪç] *adj* capaz (**zu** de)
Fähigkeit *f* <-en> ❶ (*Begabung*) talento *m* ❷ *ohne pl* (*das Imstandesein*) capacidad *f* (**zu** para)
fahnden ['fa:ndən] *vi*: **nach jdm ~** buscar a alguien
Fahndung *f* <-en> búsqueda *f* (**nach** de)
Fahne ['fa:nə] *f* <-n> bandera *f*; **eine ~ haben** (*fam*) apestar a alcohol
Fahrbahn *f* vía *f*; **von der ~ abkommen** salirse de la carretera
Fähre ['fɛ:rə] *f* <-n> ferry *m*
fahren ['fa:rən] <fährt, fuhr, gefahren> **I.** *vi sein* (*losfahren*) salir; (*sich fortbewegen*) ir (**mit** en); (*verkehren*) circular; (*reisen*) ir (**nach** a); **Ski ~** esquiar; **sie fuhr ihm durch die Haare** le pasó la mano por el pelo **II.** *vt* ❶ *haben o sein* (*Straße, Umleitung*) ir (por) ❷ *haben* (*befördern*) transportar; **ich fahre dich nach Hause** te llevo a casa ❸ *haben* (*steuern*) conducir
Fahrer(in) ['fa:rɐ] *m(f)* <-s, -; -nen> (*Autofahrer, Busfahrer*) conductor(a) *m(f)*; (*Chauffeur*) chófer *mf*
Fahrgast *m* pasajero, -a *m, f*
Fahrkarte *f* billete *m*, boleto *m* ; **Fahrkartenautomat** *m* distribuidor *m* automático de billetes; **Fahrkartenschalter** *m* ventanilla *f* de venta de billetes
fahrlässig ['fa:ɐlɛsɪç] *adj* negligente; **Fahrlässigkeit** *f* <-en> negligencia *f*
Fahrplan *m* horario *m*; **fahrplanmäßig** *adj* conforme al horario previsto
Fahrrad ['fa:ɐra:t] *nt* bicicleta *f*; **Fahrradweg** *m* carril *m* para bicicletas
Fahrschein *m s.* **Fahrkarte**; **Fahrschule** *f* autoescuela *f*; **Fahrstuhl** *m* ascensor *m*
Fahrt [fa:ɐt] *f* <-en> (*Reise*) viaje *m*; **auf der ~** durante el viaje; **freie ~ haben** tener el paso libre; **er kommt richtig in ~** (*fam*) se está animando
fährt [fɛ:ɐt] *3. präs von* **fahren**
Fährte ['fɛ:ɐtə] *f* <-n> pista *f*
Fahrtkosten *pl* gastos *m pl* de viaje; **Fahrtrichtung** *f* sentido *m* de marcha; **in ~ Süden** en dirección al Sur; **Fahrtwind** *m* viento *m* en contra
Fahrzeit *f* duración *f* del trayecto; **nach einer ~ von drei Stunden** después de

tres horas de viaje

Fahrzeug *nt* <-(e)s, -e> vehículo *m*; **Fahrzeughalter(in)** *m(f)* titular *mf* del vehículo; **Fahrzeugschein** *m* documentación *f* del vehículo

Faible ['fɛɪbəl] *nt* <-s, -s> (*geh*) afición *f* (**für** a)

fair [fɛːɐ] *adj* (*gerecht*) justo

faken ['feɪkn̩] *vt* (*fam*) fingir

Fakten ['faktən] *pl von* **Faktum**

Faktor ['fakto:ɐ] *m* <-s, -en> factor *m*

Faktum ['faktʊm] *nt* <-s, Fakten> hecho *m*; **sich auf die Fakten stützen** basarse en los hechos

Falke ['falkə] *m* <-n, -n> halcón *m*

Fall [fal] *m* <-(e)s, Fälle> *a.* LING caso *m*; **gesetzt den ~, dass ...** pongamos por caso que... *+subj*; **auf gar keinen ~** de ninguna manera; **auf jeden ~** en cualquier caso; **auf alle Fälle** de todas maneras; **für alle Fälle** por si acaso

Falle ['falə] *f* <-n> trampa *f*

fallen ['falən] <fällt, fiel, gefallen> *vi sein* (*hinabfallen*) caer; (*sinken*) descender; **~ lassen** (*Dinge*) dejar caer; (*Plan*) abandonar; **eine Bemerkung ~ lassen** dejar caer un comentario; **jdm um den Hals ~** echar(le) los brazos al cuello a alguien; **er fiel ihr ins Wort** la interrumpió; **im Preis ~** bajar de precio; **die Wahl fiel auf ihn** salió elegido él; **das fällt auch in diese Kategorie** esto también entra en esta categoría

fällen ['fɛlən] *vt* (*Baum*) talar; (*Entscheidung*) tomar; **ein Urteil über jdn ~** juzgar a alguien

fallen|lassen *irr vt s.* **fallen**

fällig ['fɛlɪç] *adj* ① (FIN: *Zinsen*) pagadero; **morgen wird die Zahlung ~** mañana se cumple el plazo ② (*notwendig*) necesario

falls [fals] *konj* en caso de que *+subj*

Fallschirm *m* paracaídas *m inv*

fällt [fɛlt] *3. präs von* **fallen**

falsch [falʃ] **I.** *adj* (*unecht, hinterhältig*) falso; (*unrichtig*) incorrecto; **~er Alarm** falsa alarma; **~e Versprechungen machen** hacer promesas en vano **II.** *adv* mal; **Sie sind ~ verbunden** TEL se ha equivocado Ud. de número; **~ parken** aparcar en lugar prohibido

fälschen ['fɛlʃən] *vt* falsificar

Falschgeld *nt* dinero *m* falso

Fälschung ['fɛlʃʊŋ] *f* <-en> falsificación *f*

Faltblatt *nt* folleto *m*

Falte ['faltə] *f* <-n> (*in Stoff*) pliegue *m*; (*Hautfalte*) arruga *f*

falten ['faltən] *vt* (*Papier*) doblar; (*Stoff*) plegar; (*Hände*) juntar

Falter ['faltɐ] *m* <-s, -> mariposa *f*

faltig *adj* arrugado

familiär [fami'ljɛːɐ] *adj* familiar

Familie [fa'mi:ljə] *f* <-n> familia *f*; **eine ~ gründen** fundar un hogar; **Familienkreis** *m* familia *f*, seno *m* de la familia; **im engsten ~** (*privat*) en la más estricta intimidad; **Familienmitglied** *nt* miembro *m* de la familia; **Familienname** *m* apellido *m*; **Familienstand** *m* <-(e)s, *ohne pl*> estado *m* civil; **Familienvater** *m* padre *m* de familia

Fan [fɛn, fɛ:n] *m* <-s, -s> fan *mf*; (*Fußballfan*) hincha *mf*

Fanatiker(in) [fa'na:tikɐ] *m(f)* <-s, -; -nen> fanático, -a *m, f*

fanatisch [fa'na:tɪʃ] *adj* fanático

Fanatismus [fana'tɪsmʊs] *m* <-, *ohne pl*> fanatismo *m*

fand [fant] *3. imp von* **finden**

Fang [faŋ] *m* <-(e)s, *ohne pl*> ① (*Fischfang*) pesca *f* ② (*Beute*) presa *f*; (*Fische*) redada *f*; **einen guten ~ machen** hacer una buena presa

fangen ['faŋən] <fängt, fing, gefangen> **I.** *vt* (*Ball*) coger; (*Fisch*) pescar; (*Verbrecher*) apresar **II.** *vr:* **sich ~** (*seelisch*) dominarse

fängt [fɛŋt] *3. präs von* **fangen**

Fanklub *m* club *m* de fans

Fantasie [fanta'zi:] *f* <-n> fantasía *f*; **fantasielos**[RR] *adj* sin imaginación

fantasieren* [fanta'zi:rən] *vi* fantasear; MED delirar

fantasievoll[RR] *adj* con mucha imaginación

fantastisch *adj* fantástico

Farbe ['farbə] *f* <-n> ❶ (*Farbton*) color *m*; (*Gesichtsfarbe*) tez *f*; **~ bekommen** ponerse moreno ❷ (*zum Anstreichen*) pintura *f*; (*zum Färben*) tinte *m*

färben ['fɛrbən] *vt, vr:* **sich ~** teñir(se) (de)

farbenblind *adj* daltónico

Farbfoto *nt* foto *f* en color

farbig ['farbɪç] *adj* (*a. Hautfarbe*) de color; (*lebhaft*) pintoresco

Farbige(r) ['farbɪgɐ] *mf* <-n, -n; -n> ciudadano, -a *m, f* de color, trigueño, -a *m, f*

farblos *adj* descolorido; (*Lack*) tra(n)sparente; (*langweilig*) aburrido; **Farbstift** *m* lápiz *m* de color; **Farbstoff** *m* colorante *m*; **Farbton** *m* <-(e)s, -töne> matiz *m* (de color)

Färbung ['fɛrbʊŋ] *f* <-en> (*das Färben*) teñido *m*; (*Tönung*) tinte *m*

Farm [farm] *f* <-en> finca *f*, hacienda *f*

Farn [farn] *m* <-(e)s, -e> helecho *m*

Fasan [fa'za:n] *m* <-s, -e(n)> faisán *m*

Fasching ['faʃɪŋ] *m* <-s, -s *o* -e> ÖSTERR, SÜDD carnaval *m*

Faschismus [fa'ʃɪsmʊs] *m* <-, *ohne pl*> fascismo *m*

Faschist(in) [fa'ʃɪst] *m(f)* <-en, -en; -nen> fascista *mf*

faschistisch *adj* fascista

faseln ['fa:zəln] *vi* (*fam abw*) decir tonterías; **dummes Zeug ~** decir tonterías

Faser ['fa:zɐ] *f* <-n> fibra *f*

Fass[RR] [fas] *nt* <-es, Fässer> barril *m*

Fassade [fa'sa:də] *f* <-n> fachada *f*

fassbar[RR] *adj* concreto

fassen ['fasən] **I.** *vt* (*ergreifen*) coger; (*festnehmen*) detener; (*aufnehmen*) tener capacidad (para); (*Entschluss*) tomar; **etw ins Auge ~** tomar algo en consideración; **etw in Worte ~** expresar algo con palabras; **es ist nicht zu ~!** ¡es increíble! **II.** *vr:* **sich ~** (*sich beruhigen*) calmarse

Fassung ['fasʊŋ] *f* <-en> ❶ (*Glühbirne*) portalámparas *m inv*; (*Buch*) versión *f* ❷ *ohne pl* (*Beherrschung*) serenidad *f*; **die ~ verlieren/bewahren** perder/guardar calma; **jdn aus der ~ bringen** sacar de quicio a alguien; **fassungslos** *adj* desconcertado

fast [fast] *adv* casi

fasten ['fastən] *vi* ayunar

Fastenzeit *f* período *m* de ayuno; (*im Christentum*) cuaresma *f*

Fastfood[RR] [fa:st fu:t] *nt* <-, -(s)> comida *f* rápida

Fastnacht *f* carnaval *m*

Faszination [fatsina'tsjo:n] *f* fascinación *f*

faszinieren* [fastsi'ni:rən] *vt* fascinar

faszinierend *adj* fascinante

fatal [fa'ta:l] *adj* fatal

fauchen ['faʊxən] *vi* (*Katze*) bufar; (*abw: Mensch*) refunfuñar

faul [faʊl] *adj* (*verdorben*) podrido; (*träge*) perezoso; (*fam abw: zweifelhaft*) sospechoso; **sich auf die ~e Haut legen** tumbarse a la bartola; **an der Sache ist was ~** aquí hay gato encerrado; **eine ~e Ausrede** una excusa ridícula

faulen ['faʊlən] *vi sein* pudrirse

faulenzen ['faʊlɛntsən] *vi* holgazanear

Faulheit *f* pereza *f*

Fäulnis ['fɔɪlnɪs] *f* podredumbre *f*

Faulpelz *m* (*fam abw*) perezoso, -a *m, f*

Fauna ['faʊna] *f* <Faunen> fauna *f*

Faust [faʊst] *f* <Fäuste> puño *m*; **die ~ ballen** cerrar el puño; **auf eigene ~ handeln** actuar por su propia cuenta; **das passt wie die ~ aufs Auge** (*fam*) eso no pega ni con cola

Favorit(in) [favo'ri:t] *m(f)* <-en, -en; -nen> favorito, -a *m, f*

Fax ['faks] *nt* <-, -(e)> fax *m inv*

faxen *vt* mandar por fax

Fazit ['fa:tsɪt] *nt* <-s, -s> resultado *m*; **das ~ aus etw ziehen** sacar las conclusiones de algo

Februar ['fe:brua:ɐ] *m* <-(s), -e> febrero *m*; *s.a.* **März**

fechten ['fɛçtən] <ficht, focht, gefochten> *vi* practicar la esgrima

Feder ['fe:dɐ] *f* <-n> (*Vogelfeder*) pluma *f*; TECH resorte *m*; **sich mit fremden ~n schmücken** adornarse con los méritos de otros; **Federball** *m* ① (*Ball*) pelota *f* de bádminton ② *ohne pl* SPORT bádminton *m*; **Federbett** *nt* plumón *m*

federn *vi* (*schwingen*) ser elástico

Federung *f* <-en> (*bei Möbeln*) muelles *m pl*; AUTO suspensión *f*

Fee [fe:] *f* <-n> hada *f*

Feedback *nt* <-s, -s>, **Feed-back**[RR] [fi:t'bɛk] *nt* <-s, -s> feedback *m*

fegen ['fe:gən] **I.** *vi* ① *haben* (*kehren*) barrer ② *sein* (*rasen*) ir a toda mecha; (*Wind*) soplar con fuerza **II.** *vt haben* (*Zimmer*) barrer; (*Schornstein*) deshollinar

Fehde ['fe:də] *f* <-n> querella *f*

fehl [fe:l] *adv*: **~ am Platz sein** (*Person*) estar de más; (*Bemerkung*) no venir al caso

Fehlalarm *m* falsa alarma *f*; **Fehleinschätzung** *f* estimación *f* falsa

fehlen ['fe:lən] *vi* faltar; **du hast mir sehr gefehlt** te he echado mucho de menos; **was fehlt dir?** ¿qué te pasa?; **weit gefehlt!** ¡ni mucho menos!

Fehlentscheidung *f* decisión *f* equivocada

Fehler ['fe:lɐ] *m* <-s, -> (*Irrtum*) falta *f*; (*Mangel*) defecto *m*; **einen ~ machen** cometer un error; **das war nicht dein ~** no fue culpa tuya; **fehlerfrei** *adj* sin faltas; **fehlerhaft** *adj* (*kaputt*) defectuoso; (*falsch*) incorrecto; **Fehlermeldung** *f* INFOR aviso *m* de error

Fehlgeburt *f* aborto *m* involuntario; **Fehlinformation** *f* falsa información *f*

fehl|schlagen *irr vi sein* fracasar

Fehltritt *m* paso *m* en falso

Feier ['faɪɐ] *f* <-n> (*Fest*) fiesta *f*; (*Zeremonie*) festividad *f*; **zur ~ des Tages** para celebrar el día; **Feierabend** *m* fin *m* del trabajo; (*von Geschäften*) hora *f* de cierre; **~ haben** salir del trabajo

feierlich *adj* solemne

feiern ['faɪɐn] **I.** *vt* (*Party, Weihnachten*) celebrar; (*umjubeln*) aplaudir **II.** *vi* estar de fiesta

Feiertag *m* día *m* festivo; **feiertags** *adv* los festivos

feig(e) [faɪk, 'faɪgə] *adj* cobarde

Feige ['faɪgə] *f* <-n> higo *m*

Feigheit ['faɪkhaɪt] *f* cobardía *f*

Feigling ['faɪklɪŋ] *m* <-s, -e> cobarde *mf*

Feile ['faɪlə] *f* <-n> lima *f*

feilen ['faɪlən] *vt* limar

feilschen ['faɪlʃən] *vi* regatear (**um**)

fein [faɪn] *adj* ① (*zart*) fino; (*Strich*) delgado; (*Sand, Regen*) menudo ② (*vornehm*) fino; (*elegant*) elegante ③ (*genau*) preciso; **~ säuberlich** nítidamente; **eine ~e Nase haben** tener un olfato muy fino ④ (*fam: erfreulich*) bueno; **~, dass du wieder da bist** qué bien que ya hayas vuelto

Feind(in) [faɪnt] *m(f)* <-(e)s, -e; -nen> enemigo, -a *m, f*; **sich** *dat* **jdn zum ~ machen** enemistarse con alguien

feindlich *adj* enemigo

Feindschaft *f* enemistad *f*

feindselig ['-ze:lɪç] *adj* hostil

Feindseligkeit *f* hostilidad *f*

feinfühlig *adj* sensible, delicado

Feingefühl *nt* <-(e)s, *ohne pl*> tacto *m*

Feinschmecker(in) *m(f)* <-s, -; -nen> gourmet *mf*

Feld [fɛlt] *nt* <-(e)s, -er> campo *m*; (*auf Spielbrett, Formular*) casilla *f*; (SPORT: *Spielfeld*) terreno *m* de juego; **das ~ räumen** dejar el campo libre; **Feldflasche** *f* cantimplora *f*; **Feldweg** *m* camino *m* vecinal

Felge ['fɛlgə] *f* <-n> (*Radfelge*) llanta *f*

Fell [fɛl] *nt* <-(e)s, -e> piel *f*; **ein dickes ~ haben** (*fam fig*) tener una coraza en lugar de piel

Fels [fɛls] *m* <-ens, -en> (*geh*), **Felsen** ['fɛlzən] *m* <-s, -> roca *f*; **felsenfest**

['--'-] *adj* firme; **ich bin ~ davon überzeugt, dass ...** estoy firmemente convencido de que...

felsig ['fɛlzɪç] *adj* rocoso

feminin [femi'ni:n] *adj* femenino

Feminismus [femi'nɪsmʊs] *m* <-, *ohne pl*> feminismo *m*

Feminist(in) [femi'nɪst] *m(f)* <-en, -en; -nen> feminista *mf*

feministisch *adj* feminista

Fenchel ['fɛnçəl] *m* <-s, -> hinojo *m*

Fenster ['fɛnstɐ] *nt* <-s, -> *a.* INFOR ventana *f*; (*an Fahrzeugen*) ventanilla *f*; **zum ~ hinausschauen** mirar por la ventana; **Fensterbank** *f* <-bänke>, **Fensterbrett** *nt* antepecho *m*; **Fensterheber** ['fɛnstɐhe:bɐ] *m* <-s, -> elevalunas *m inv*; **Fensterladen** *m* contraventana *f*; **Fensterscheibe** *f* cristal *m*; (*Auto, Schaufenster*) luna *f*

Ferien ['fe:riən] *pl* vacaciones *fpl*; **die großen ~** las vacaciones de verano; **Ferienwohnung** *f* apartam(i)ento *m* para las vacaciones

Ferkel ['fɛrkəl] *nt* <-s, -> lechón *m*; (*fam: Mensch*) cochino, -a *m, f*

fern [fɛrn] **I.** *adj* lejano; **der Ferne Osten** el Extremo Oriente **II.** *adv* lejos; **Fernbedienung** *f* mando *m* a distancia; **fern|bleiben** *irr vi sein* (*geh*) no asistir (a)

Ferne ['fɛrnə] *f* lejanía *f*; **aus der ~ betrachtet** visto de lejos; **in weiter ~ liegen** estar lejos

ferner ['fɛrnɐ] *konj* (*außerdem*) además

Fernfahrer(in) *m(f)* camionero, -a *m, f*; **Ferngespräch** *nt* (*Inland*) llamada *f* interurbana; (*Ausland*) llamada *f* internacional; **ferngesteuert** ['fɛrngəʃtɔɪɐt] *adj* teledirigido; **Fernglas** *nt* prismáticos *mpl*; **fern|halten** *irr vt, vr:* (**sich**) **~ von etw/jdm** (*geh*) mantener (se) alejado de algo/alguien; **Fernlicht** *nt* <-(e)s, *ohne pl*> AUTO luz *f* larga; **fern|liegen** *irr vi:* **es liegt mir fern zu ...** no tengo la intención de...; **nichts liegt mir ferner als ...** nada más lejos de mi voluntad que...; **Fernost** [fɛrn'ʔɔst] *m* Extremo Oriente *m*; **Fernrohr** *nt* telescopio *m*; **Fernschule** *f* escuela *f* a distancia

Fernsehapparat *m* televisor *m*

fern|sehen *irr vi* ver la tele(visión)

Fernsehen *nt* <-s, *ohne pl*> televisión *f*; **im ~ übertragen** televisar

Fernseher *m* <-s, -> (*fam*) tele *f*

Fernsehfilm *m* película *f* de televisión; **Fernsehgerät** *nt* televisor *m*; **Fernsehprogramm** *nt* programa *m* de televisión; **Fernsehsender** *m* canal *m* de televisión; **Fernsehturm** *m* torre *f* de televisión

Fernsicht *f* vista *f* panorámica; **Fernsprecher** *m* <-s, -> teléfono *m*

fern|steuern *vt* teledirigir; **Fernsteuerung** *f* telemando *m*

Fernverkehr *m* AUTO tráfico *m* interurbano; **Fernweh** ['fɛrnve:] *nt* <-(e)s, *ohne pl*> (*geh*) nostalgia *f* de países lejanos

Ferse ['fɛrzə] *f* <-n> (*a. Strumpfferse*) talón *m*; **jdm** (**dicht**) **auf den ~n sein** ir pisando los talones a alguien

fertig ['fɛrtɪç] *adj* ❶ (*beendet*) terminado; (*vollendet*) listo; **halb ~** a medio hacer; **das Essen ist ~** la comida está lista; **etw ~ bekommen** (*fam*) terminar algo; **etw ~ machen** acabar algo; **sieh zu, wie du damit ~ wirst** (*fam*) arréglatelas como puedas ❷ (*bereit*) listo (**zu** para) ❸ (*fam: erschöpft*) rendido; **ich bin fix und ~** estoy hecho polvo; **fertig|bekommen*** *irr vt s.* **fertig 1.**; **fertig|bringen** *irr vt:* **etw nicht ~** (*fam*) no ser capaz de algo

fertigen ['fɛrtɪgən] *vt* fabricar

Fertiggericht *nt* plato *m* precocinado

Fertigkeit *f* <-en> ❶ (*Geschicklichkeit*) habilidad *f* ❷ *pl* (*Fähigkeit*) aptitudes *fpl*; (*Kenntnis*) conocimientos *mpl*

fertig|machen *vt, vr:* (**sich**) **~** (*fam*) preparar(se); **jdn ~** acabar con alguien; **fertig|stellen** *vt:* **etw ~** concluir algo

Fertigung *f* <-en> fabricación *f*

fertig|werden *vi:* **mit jdm ~ werden** (*fam*) arreglárselas con alguien

Fessel ['fɛsəl] *f* <-n> ❶ (*zum Festbinden*) atadura *f*; **jdm ~n anlegen** poner a alguien los grilletes ❷ (ANAT: *beim Menschen*) empeine *m* (del pie)

fesseln ['fɛsəln] *vt* (*festbinden*) atar; (*an den Händen*) maniatar; (*faszinieren*) fascinar; **ans Bett gefesselt sein** (*fig*) tener que guardar cama

fest [fɛst] *adj* ❶ (*kompakt*) sólido ❷ (*stabil*) robusto ❸ (*stark*) fuerte; **die Tür ~ schließen** cerrar la puerta con fuerza; **~ schlafen** dormir profundamente ❹ (*unerschütterlich*) firme; **sie ist ~ entschlossen** está firmemente decidida ❺ (*ständig*) fijo; **~ angestellt** con empleo fijo; **einen ~en Wohnsitz haben** tener un domicilio fijo; **er ist in ~en Händen** (*fam*) tiene novia

Fest [fɛst] *nt* <-(e)s, -e> fiesta *f*; **Frohes ~!** ¡Felices Fiestas!

festangestellt *adj s.* **fest 5.**; **fest|binden** *irr vt* atar (**an** a)

Festessen *nt* banquete *m*

fest|fahren *irr vr:* **sich ~** (*stecken bleiben*) atascarse (**in** en); (*Verhandlungen*) estancarse; **fest|halten** *irr* **I.** *vi* aferrarse (**an** a) **II.** *vt* (*halten*) sujetar; (*zurückhalten*) detener; (*aufzeichnen*) retener; (*mit Kamera*) fotografiar **III.** *vr:* **sich ~** sujetarse (**an** en/a)

festigen ['fɛstɪgən] *vt, vr:* **sich ~** consolidar(se)

Festiger *m* <-s, -> fijador *m* (para el pelo)

Festival ['fɛstivəl] *nt* <-s, -s> festival *m*

fest|kleben **I.** *vi sein* estar pegado (**an** en/a) **II.** *vt* pegar (**an** a/en); **Festland** *nt* ❶ (*Kontinent*) continente *m* ❷ *ohne pl* (*im Gegensatz zum Meer*) tierra *f* firme; **fest|legen** **I.** *vt* establecer **II.** *vr:* **sich ~** comprometerse (**auf** a)

festlich ['fɛstlɪç] *adj* de fiesta; (*feierlich*) ceremonioso; **etw ~ begehen** celebrar algo

Festlichkeit *f* <-en> festividad *f*

fest|machen *vt* (*vereinbaren*) concertar; (*befestigen*) fijar (**an** en/a); **fest|nageln** *vt* (*Bretter*) clavar (**an** a/en); (*fam: festlegen*) comprometer

Festnahme ['fɛstna:mə] *f* <-n> detención *f*; **vorläufige ~** detención provisional

fest|nehmen *irr vt* detener

Festnetzanschluss *m* <-es, -anschlüsse> TEL conexión *f* a la red fija (de teléfono)

Festplatte *f* disco *m* duro; **Festplattenlaufwerk** *nt* unidad *f* del disco duro

Festrede *f* discurso *m* solemne; **Festsaal** *m* salón *m* de fiestas

fest|schrauben *vt* apretar los tornillos; **fest|setzen** **I.** *vt* fijar **II.** *vr:* **sich ~** (*Schmutz*) pegarse (**auf** a, **in** en); (*Gedanke*) arraigarse; **fest|sitzen** *irr vi* ❶ (*befestigt sein*) estar fijo ❷ (*Fahrzeug*) estar atascado (**in** en); (*Schiff*) estar encallado

Festspiele *nt pl* festival *m*

fest|stehen *irr vi* (*festgelegt sein*) estar decidido; (*sicher sein*) ser seguro

fest|stellen *vt* ❶ (*ermitteln*) averiguar; (*Personalien*) tomar ❷ (*bemerken*) notar ❸ (*sagen*) manifestar; **Feststellung** *f* ❶ (*Ermittlung*) averiguación *f* ❷ (*Konstatierung*) comprobación *f*; (*Beobachtung*) observación *f*; **die ~ machen, dass ...** comprobar que... ❸ (*Aussage*) declaración *f*

Festung ['fɛstʊŋ] *f* <-en> fortaleza *f*

fett *adj* (*Speisen*) graso; (*Mensch*) gordo; **~ gedruckt** (impreso) en negrilla

Fett *nt* <-(e)s, -e> grasa *f*; **~ ansetzen** (*fam*) echar tripa; **Fettabsaugen** *nt* <-s, *kein pl*> *s.* **Fettabsaugung**; **Fettabsaugung** *f kein pl* MED liposucción *f*; **fettarm** *adj* pobre en grasas

fetten **I.** *vi* ser grasiento **II.** *vt* engrasar

fettgedruckt ['fɛtgədrʊkt] *adj s.* **fett**

Fettgehalt *m* contenido *m* en grasa

fettig *adj* grasiento; (*schmierig*) pringoso

fettleibig ['fɛtlaɪbɪç] *adj* obeso

Fettnäpfchen ['fɛtnɛpfçən] *nt*: **ins ~ treten** (*fam*) meter la pata

Fetzen ['fɛtsən] *m* <-s, -> (*Stofffetzen, Papierfetzen*) jirón *m*; **er riss es in ~** lo hizo trizas

fetzig *adj* (*fam: Musik*) marchoso

feucht [fɔɪçt] *adj* húmedo; **~ werden** humedecerse

Feuchtigkeit *f* humedad *f*

feuchtwarm ['-'-] *adj* de calor húmedo; (*schwül*) bochornoso

feudal [fɔɪ'da:l] *adj* (*fam: prächtig*) elegante

Feuer ['fɔɪɐ] *nt* <-s, -> fuego *m*; **~ fangen** (*in Brand geraten*) incendiarse; (*sich begeistern*) entusiasmarse; **haben Sie ~?** ¿tiene fuego?; **~ und Flamme für etw sein** (*fam*) entusiasmarse por algo; **Feueralarm** *m* alarma *f* de incendio; **feuerfest** *adj* a prueba de fuego; **feuergefährlich** *adj* inflamable; **Feuerleiter** *f* escalera *f* de incendios; **Feuerlöscher** *m* <-s, -> extintor *m* de incendios; **Feuermelder** *m* <-s, -> teléfono *m* para avisar a los bomberos

feuern I. *vi* (*schießen*) disparar **II.** *vt* (*fam: entlassen*) despedir con cajas destempladas; (*hinschleudern*) tirar; **jdm eine ~** pegarle a alguien una bofetada

feuerrot ['--'-] *adj* rojo encendido

Feuerwehr ['fɔɪɐve:ɐ] *f* <-en> cuerpo *m* de bomberos; **Feuerwehrfrau** *f* bombera *f*; **Feuerwehrmann** *m* <-(e)s, -männer *o* -leute> bombero *m*

Feuerwerk *nt* fuegos *mpl* artificiales; **Feuerzeug** *nt* <-(e)s, -e> mechero *m*

Feuilleton [fœjə'tõ:] *nt* <-s, -s> (*Zeitungsteil*) suplemento *m* cultural

feurig ['fɔɪrɪç] *adj* (*temperamentvoll*) impetuoso; (*leidenschaftlich*) apasionado

ff. *Abk. von* **folgende** (**Seiten**) y (páginas) siguientes

Fiasko ['fjasko] *nt* <-s, -s> fracaso *m*

ficht [fɪçt] *3. präs von* **fechten**

Fichte ['fɪçtə] *f* <-n> abeto *m* rojo

ficken ['fɪkən] *vi, vt* (*vulg*) joder

fidel [fi'de:l] *adj* (*fam*) alegre

Fieber ['fi:bɐ] *nt* <-s, -> fiebre *f*; **fieberhaft** *adj* febril; **wir haben ~ nach ihm gesucht** lo hemos buscado como locos; **Fieberthermometer** *nt* termómetro *m*

fiel [fi:l] *3. imp von* **fallen**

fies [fi:s] *adj* (*fam*) asqueroso

Figur [fi'gu:ɐ] *f* <-en> figura *f*; **auf seine ~ achten** cuidar la línea; **er machte eine gute ~** causó una buena impresión

Fiktion [fɪk'tsjo:n] *f* <-en> ficción *f*

fiktiv [fɪk'ti:f] *adj* ficticio

Filet [fi'le:] *nt* <-s, -s> filete *m*

Filiale [fi'lja:lə] *f* <-n> sucursal *f*

Film [fɪlm] *m* <-(e)s, -e> película *f*; FOTO carrete *m*; **Filmemacher**(**in**) *m(f)* <-s, -; -nen> director(a) *m(f)* de cine

filmen ['fɪlmən] *vi, vt* rodar (una película)

Filmkamera *f* cámara *f* de cine; **Filmmusik** *f* banda *f* sonora (de una película); **Filmschauspieler**(**in**) *m(f)* actor *m* de cine, actriz *f* de cine; **Filmstar** *m* <-s, -s> estrella *f* de cine

Filter ['fɪltɐ] *m* <-s, -> filtro *m*

filtern *vt* filtrar

Filterzigarette *f* cigarrillo *m* con filtro

filzen ['fɪltsən] *vt* (*fam: durchsuchen*) cachear

Filzstift *m* rotulador *m*

Fimmel ['fɪməl] *m* <-s, -> (*fam abw*) manía *f*

Finale [fi'na:lə] *nt* <-s, -> final *f*

Finanzamt [fi'nants-] *nt* Delegación *f* de Hacienda; **Finanzbeamte**(**r**) *m*, **-beamtin** *f* agente *mf* fiscal

Finanzen [fi'nantsən] *pl* finanzas *fpl*

finanziell [finan'tsjɛl] *adj* financiero

finanzieren* [finan'tsi:rən] *vt* financiar

Finanzminister(**in**) *m(f)* ministro, -a *m, f* de Hacienda; **Finanzpolitik** *f* <-en> *a.* WIRTSCH política *f* financiera

finden ['fɪndən] <findet, fand, gefunden> **I.** *vt* encontrar; (*unvermutet*) dar con; (*meinen*) opinar; **Anklang ~** encontrar aprobación; **Beachtung ~** recibir atención; **sie fand keine Ruhe** no halló reposo; **kein Ende ~** no acabar nunca; **ich finde es gut, dass ...** me parece bien que... *+subj* **II.** *vr:* **das wird sich alles ~** todo se arreglará

Finderlohn *m* <-(e)s, *ohne pl*> gratificación *f*

fing [fɪŋ] *3. imp von* **fangen**

Finger ['fɪŋɐ] *m* <-s, -> dedo *m;* **der kleine ~** el (dedo) meñique; **~ weg!** ¡no lo toques!; **da solltest du lieber die ~ von lassen** (*fam fig*) será mejor que no te metas en esto; **sich** *dat* **etw aus den ~n saugen** sacarse algo de la manga; **jdn um den ~ wickeln** (*fam*) ganarse a alguien; **keinen ~ krumm machen** (*fam*) no dar ni golpe; **Fingerabdruck** *m* <-(e)s, -drücke> huella *f* digital; **Fingerfertigkeit** *f* habilidad *f* manual; **Fingernagel** *m* uña *f*

Fingerspitze *f* punta *f* del dedo; **Fingerspitzengefühl** *nt* <-(e)s, *ohne pl*> tacto *m*

Fingerzeig ['fɪŋɐtsaɪk] *m* <-s, -e> señal *f*

fingieren* [fɪŋ'gi:rən] *vt* fingir

Fink [fɪŋk] *m* <-en, -en> pinzón *m*

Finne, Finnin ['fɪnə] *m, f* <-n, -n; -nen> finlandés, -esa *m, f*

finnisch *adj* finlandés

Finnland ['fɪnlant] *nt* <-s> Finlandia *f*

finster ['fɪnstɐ] *adj* oscuro; (*düster*) tenebroso; (*mürrisch*) huraño; **es sieht ~ aus** tiene muy mal aspecto

Finsternis *f* <-se> oscuridad *f*

Finte ['fɪntə] *f* <-n> artimaña *f*

Firma ['fɪrma] *f* <Firmen> empresa *f*

Fisch [fɪʃ] *m* <-(e)s, -e> ❶ ZOOL pez *m* ❷ (*Gericht*) pescado *m* ❸ *ohne pl* ASTR piscis *m inv*

fischen *vi, vt* pescar

Fischer(in) *m(f)* <-s, -; -nen> pescador(a) *m(f)*

Fischerei *f* pesca *f*

Fischfang *m* pesca *f*; **auf ~ gehen** ir de pesca; **Fischfilet** *nt* filete *m* de pescado

fit [fɪt] *adj* en (buena) forma

Fitness[RR] ['fɪtnɛs] *f* buena forma *f*; **Fitnesscenter**[RR] ['fɪtnɛssɛntɐ] *nt* <-s, -> gimnasio *m*

Fittich ['fɪtɪç] *m*: **jdn unter seine ~e nehmen** (*geh*) ocuparse de alguien

fix [fɪks] *adj* (*fest*) fijo; (*fam: schnell*) rápido; **eine ~e Idee** una obsesión

fixen ['fɪksən] *vi* (*sl*) pincharse

Fixer(in) *m(f)* <-s, -; -nen> (*sl*) drogadicto, -a *m, f*

fixieren* [fɪ'ksi:rən] *vt* fijar (**an** a/en); **jdn ~** clavar los ojos en alguien; **auf etw fixiert sein** depender emocionalmente de algo

Fjord [fjɔrt] *m* <-(e)s, -e> fiordo *m*

FKK [ɛfka:'ka:] *Abk. von* **Freikörperkultur** nudismo *m*

flach [flax] *adj* ❶ (*eben*) llano; **mit der ~en Hand** con la palma de la mano ❷ (*niedrig*) bajo; (*Gewässer*) poco profundo ❸ (*abw: oberflächlich*) banal

Flachbildfernseher *m* <-s, -> televisor *m* de pantalla plana

Fläche ['flɛçə] *f* <-n> superficie *f*

Flachland *nt* <-(e)s, *ohne pl*> llanura *f*; **flach|liegen** *irr vi* (*fam: krank sein*) estar enfermo

flackern ['flakɐn] *vi* (*Feuer*) llamear; (*Licht*) centellear

Fladenbrot *nt* pan *m* árabe

Flagge ['flagə] *f* <-n> bandera *f*

Flair [flɛ:ɐ] *nt o m* <-s, *ohne pl*> encanto *m*

flambieren* [flam'bi:rən] *vt* flamear

Flamingo [fla'mɪŋgo] *m* <-s, -s> flamenco *m*

flämisch ['flɛ:mɪʃ] *adj* flamenco

Flamme ['flamə] *f* <-n> llama *f*; **in ~n aufgehen** arder; **in ~n stehen** estar en llamas; **etw auf kleiner ~ kochen** cocinar algo a fuego lento

Flanell [fla'nɛl] *m* <-s, -e> franela *f*

flanieren* [fla'ni:rən] *vi haben o sein* callejear

flankieren* *vt* flanquear

flapsig ['flapsɪç] *adj* (*fam*) fresco

Flasche ['flaʃə] *f* <-n> botella *f*; (*für Babys*) biberón *m*, mamadera *f* ; (*fam: Versager*) cero *m* a la izquierda; **Flaschenöffner** *m* abrebotellas *m inv*

Flatrate ['flɛtreɪt] *f* <-s> INFOR, TEL tarifa *f* plana

flatterhaft *adj* (*abw*) veleidoso

flattern ['flatɐn] *vi sein* revolotear; (*Fahne*) ondear

flau [flaʊ] *adj* débil; **mir ist ~ im Magen** me mareo

Flause *f* <-n> (*fam*) tontería *f*; **sie hat nur ~n im Kopf** no tiene más que pájaros en la cabeza

Flaute ['flaʊtə] *f* <-n> NAUT calma *f* chicha; FIN periodo *m* de crisis

flechten ['flɛçtən] <flicht, flocht, geflochten> *vt* tejer; (*Haare*) trenzar; **einen Blumenkranz ~** hacer una corona de flores

Fleck [flɛk] *m* <-(e)s, -e> mancha *f*; (*fam: Stelle*) lugar *m*; **blauer ~** moratón *m*; **nicht vom ~ kommen** no avanzar; **das Herz auf dem rechten ~ haben** tener el corazón en su sitio

Flecken ['flɛkən] *m* <-s, -> (*Farbflecken*) mancha *f*

fleckig ['flɛkɪç] *adj* con manchas

Fledermaus ['fle:dɐmaʊs] *f* murciélago *m*

Flegel ['fle:gəl] *m* <-s, -> (*abw*) grosero, -a *m, f*

flehen ['fle:ən] *vi* suplicar (**um**); **um Gnade ~** implorar el perdón

Fleisch [flaɪʃ] *nt* <-(e)s, *ohne pl*> carne *f*; **~ fressend** carnívoro; **vom ~ fallen** (*fam*) quedarse en los huesos; **sich** *dat/akk* **ins eigene ~ schneiden** echar piedras contra el propio tejado; **Fleischbrühe** *f* caldo *m* de carne

Fleischer(in) *m(f)* <-s, -; -nen> carnicero, -a *m, f*

Fleischerei *f* <-en> carnicería *f*

fleischfressend *adj s.* **Fleisch**; **Fleischklößchen** ['flaɪʃklø:sçən] *nt* <-s, -> albóndiga *f*

fleischlich *adj* (*Begierde*) carnal

Fleiß [flaɪs] *m* <-es, *ohne pl*> aplicación *f*; (*Eifer*) empeño *m*

fleißig **I.** *adj* aplicado **II.** *adv* con empeño

flennen ['flɛnən] *vi* (*fam abw*) llorar

fletschen ['flɛtʃən] *vt*: **die Zähne ~** regañar los dientes

flexibel [flɛ'ksi:bəl] *adj* flexible

Flexibilität [flɛksibili'tɛ:t] *f* flexibilidad *f*

flicht [flɪçt] *3. präs von* **flechten**

flicken ['flɪkən] *vt* (*Reifen*) echar parches (a); (*Kleidung*) remendar

Flicken *m* <-s, -> remiendo *m*

Flieder ['fli:dɐ] *m* <-s, -> lila *f*

Fliege ['fli:gə] *f* <-n> ZOOL mosca *f*; (*Krawatte*) pajarita *f*; **zwei ~n mit einer Klappe schlagen** (*fam*) matar dos pájaros de un tiro

fliegen ['fli:gən] <fliegt, flog, geflogen> **I.** *vi sein* (*Tier, Flugzeug*) volar; (*Person*) ir en avión; **wann fliegt die nächste Maschine?** ¿cuándo sale el próximo avión?; **ich bin geflogen** (*fam: entlassen worden*) me han echado; **durchs Examen ~** (*fam*) cargar el examen **II.** *vt haben* (*Flugzeug*) pilotar; (*Route*) cubrir

Fliegenklatsche ['fli:gənklatʃə] *f* <-n> matamoscas *m inv*

fliehen ['fli:ən] <flieht, floh, geflohen> *vi sein* huir (**vor** de); (*aus dem Gefängnis*) escaparse (**aus** de)

Fliese ['fli:zə] *f* <-n> (*aus Stein*) baldosa *f*; (*Kachel*) azulejo *m*; **Fliesenleger(in)** *m(f)* <-s, -; -nen> embaldosador(a) *m(f)*

Fließband *nt* cadena *f* de fabricación; **am ~ arbeiten** trabajar en la cadena

fließen ['fli:sən] <fließt, floss, geflossen> *vi sein* fluir; (*Tränen*) correr; (*herausfließen*) salir; **die Elbe fließt in die Nordsee** el Elba desemboca en el Mar del Norte; **der Sekt floss in Strömen** el champán corrió a litros

fließend *adj* (*Wasser*) corriente; (*Grenze*) difuso; **~er Verkehr** tráfico fluido;

sie spricht ~ Katalanisch habla catalán con fluidez

flimmern ['flɪmɐn] *vi* relucir; **es flimmert mir vor den Augen** se me va la vista

flink [flɪŋk] *adj* (*schnell*) rápido; (*geschickt*) hábil

Flinte ['flɪntə] *f* <-n> escopeta *f*; **die ~ ins Korn werfen** (*fam*) arrojar la toalla

flippig ['flɪpɪç] *adj* (*fam*) pasota

Flirt [flœrt] *m* <-s, -s> ligue *m*

flirten ['flœrtən] *vi* flirtear

Flitterwochen *f pl* luna *f* de miel

flitzen ['flɪtsən] *vi sein* (*fam*) ir pitando

flocht [flɔxt] *3. imp von* **flechten**

Flocke ['flɔkə] *f* <-n> copo *m*

flog [flo:k] *3. imp von* **fliegen**

floh [flo:] *3. imp von* **fliehen**

Floh [flo:] *m* <-(e)s, Flöhe> pulga *f*; **jdm einen ~ ins Ohr setzen** (*fam*) ponerle a alguien la mosca detrás de la oreja; **Flohmarkt** *m* rastro *m*

Flop [flɔp] *m* <-s, -s> fracaso *m*

Flora ['flo:ra] *f* <Floren> flora *f*

florieren* [flo'ri:rən] *vi* prosperar

Floskel ['flɔskəl] *f* <-n> fórmula *f* de cortesía

floss[RR] [flɔs] *3. imp von* **fließen**

Floß [flo:s] *nt* <-es, Flöße> balsa *f*

Flosse ['flɔsə] *f* <-n> aleta *f*

Flöte ['flø:tə] *f* <-n> flauta *f*

flöten *vi* (*Flöte spielen*) tocar la flauta

flott [flɔt] *adj* (*fam: rasch*) rápido; (*Person*) atractivo; (*Kleidung*) de moda; (*Musik*) marchoso

Flotte ['flɔtə] *f* <-n> flota *f*

flott|machen *vt* (*Schiff*) desencallar; (*fam: Fahrzeug*) poner a punto

Fluch [flu:x] *m* <-(e)s, Flüche> (*Verwünschung*) maldición *f*; (*Schimpfwort*) taco *m*; **einen ~ ausstoßen** lanzar una maldición

fluchen ['flu:xən] *vi* soltar tacos; **auf etw ~** maldecir algo

Flucht [flʊxt] *f* huida (**aus/vor** de); **vor jdm/etw die ~ ergreifen** huir de alguien/algo; **auf der ~ sein** andar fugitivo; **fluchtartig** I. *adj* precipitado II. *adv* de prisa y corriendo

flüchten ['flʏçtən] I. *vi sein* huir (**aus/vor** de); (*aus dem Gefängnis*) fugarse (**aus** de) II. *vr haben*: **sich ~** refugiarse (**in** en); **sich in den Alkohol ~** refugiarse en la bebida

flüchtig ['flʏçtɪç] *adj* (*flüchtend*) fugitivo; (*kurz*) rápido; (*oberflächlich*) superficial; **einen ~en Blick auf jdn/etw werfen** echar un vistazo a alguien/algo; **etw ~ lesen** leer algo por encima

Flüchtling *m* <-s, -e> refugiado, -a *m, f*

Fluchtversuch *m* tentativa *f* de evasión; **Fluchtweg** *m* (*eines Verbrechers*) camino *m* de fuga; (*in Gebäuden*) lugar *m* destinado a la huida en caso de fuego

Flug [flu:k] *m* <-(e)s, Flüge> vuelo *m*; **die Zeit verging wie im ~(e)** el tiempo pasó volando; **Flugbegleiter(in)** *m(f)* auxiliar *mf* de vuelo; **Flugblatt** *nt* octavilla *f*

Flügel ['fly:gəl] *m* <-s, -> (*Vogel, Gebäude*) ala *f*; (*Windmühle*) aspa *f*; MUS piano *m* de cola; **mit den ~n schlagen** batir las alas

Fluggast *m* pasajero, -a *m, f* de un avión

flügge ['flʏgə] *adj*: **~ werden** (*fam: Kind*) independizarse

Fluggesellschaft *f* compañía *f* aérea; **Flughafen** *m* aeropuerto *m*; **auf dem ~** en el aeropuerto; **Fluglinie** *f* línea *f* aérea; **Fluglotse**, **Fluglotsin** *m, f* <-n, -n; -nen> controlador(a) *m(f)* aéreo, -a; **Flugplatz** *m* aeródromo *m*

flugs [flu:ks] *adv* (*geh*) en seguida

Flugticket *nt* <-s, -s> billete *m* de avión; **Flugverkehr** *m* tráfico *m* aéreo

Flugzeug ['flu:ktsɔɪk] *nt* <-(e)s, -e> avión *m*; **Flugzeugabsturz** *m* accidente *m* de aviación

flunkern ['flʊŋkɐn] *vi* (*fam*) contar una trola

Flur [flu:ɐ] *m* <-(e)s, -e> pasillo *m*

Fluse ['flu:zə] *f* <-n> pelusa *f*

Fluss^{RR} [flʊs] *m* <-es, Flüsse> río *m*; **flussabwärts**^{RR} [-'--] *adv* río abajo; **Flussarm**^{RR} *m* brazo *m* de río; **flussaufwärts**^{RR} [-'--] *adv* río arriba; **Flussbett**^{RR} *nt* cauce *m*

flüssig ['flʏsɪç] *adj* líquido; (*Stil, Verkehr*) fluido

Flüssigkeit *f* <-en> líquido *m*

Flussmündung^{RR} *f* desembocadura *f* (de un río), bocana *f*; **Flusspferd**^{RR} *nt* hipopótamo *m*; **Flussufer**^{RR} *nt* orilla *f* de un río

flüstern ['flʏstɐn] *vi, vt* susurrar

Flut [flu:t] *f* <-en> ❶ *ohne pl* (*im Gezeitenwechsel*) marea *f* alta ❷ (*geh: Wassermassen*) raudal *m* ❸ (*Menge*) aluvión *m*; **eine ~ von Briefen** una montaña de cartas; **Flutkatastrophe** *f* inundación *f*; **Flutwelle** *f* ola *f* de pleamar

focht [fɔxt] *3. imp von* **fechten**

Föderalismus [fødera'lɪsmʊs] *m* <-, *ohne pl*> federalismo *m*

Fohlen ['fo:lən] *nt* <-s, -> potro *m*

Föhn^{RR} [fø:n] *m* <-(e)s, -e> secador *m* de pelo

föhnen^{RR} ['fø:nən] *vt* secar (con el secador)

Fokus ['fo:kʊs] *m* <-, -se> foco *m*

Folge ['fɔlgə] *f* <-n> ❶ (*Wirkung*) consecuencia *f*; (*Ergebnis*) resultado *m*; **sie muss die ~n tragen** tiene que cargar con las consecuencias ❷ RADIO, TV capítulo *m*; (*Zeitung*) número *m* ❸ (*Aufeinanderfolge*) serie *f*; **Folgeerscheinung** *f* MED secuela *f*

folgen ['fɔlgən] *vi sein* seguir; (*sich ergeben*) deducirse (**aus** de); **können Sie mir ~?** ¿me comprende?; **er folgte ihrem Rat** siguió su consejo; **wie folgt** como sigue; **daraus folgt, dass ...** de ahí se deduce que...

folgend *adj* siguiente

folgendermaßen ['fɔlgəndɐ(')ma:sən] *adv* de la siguiente manera

folgenschwer *adj* de graves consecuencias

folgern ['fɔlgɐn] *vt* deducir (**aus** de)

folglich ['fɔlklɪç] *adv* por lo tanto

folgsam ['fɔlkza:m] *adj* obediente

Folie ['fo:liə] *f* <-n> (*Plastikfolie*) plástico *m*; (*aus Metall*) lámina *f*

Folklore [fɔlk'lo:rə] *f* folclore *m*

folkloristisch [fɔlklo'rɪstɪʃ] *adj* folclórico

Folter ['fɔltɐ] *f* <-n> tortura *f*; **jdn auf die ~ spannen** (*fig*) tener a alguien en vilo

foltern *vt* torturar

Folterung *f* <-en> tortura *f*

Fön® *m* <-(e)s, -e> *s.* **Föhn**

fönen^{ALT} *vt s.* **föhnen**

Fontäne [fɔn'tɛ:nə] *f* <-n> (*Wasserstrahl*) surtidor *m*; (*Springbrunnen*) fuente *f*

foppen ['fɔpən] *vt* tomar el pelo (a)

forcieren* [fɔr'si:rən] *vt* forzar

förderlich *adj* favorable (a)

fordern ['fɔrdɐn] *vt* exigir; (*Rechte*) reivindicar; **der Unfall forderte fünf Menschenleben** el accidente costó la vida a cinco personas

fördern ['fœrdɐn] *vt* (*unterstützen*) fomentar; (*Künstler*) patrocinar; (*Talent*) activar; (*begünstigen*) favorecer; (*Bodenschätze*) extraer

Forderung *f* <-en> exigencia *f*; (*von Rechten*) reivindicación *f*

Förderung *f* <-en> (*Unterstützung*) promoción *f*; (*finanziell*) subsidio *m*; (*von Bodenschätzen*) extracción *f*

Forelle [fo'rɛlə] *f* <-n> trucha *f*

Foren *pl von* **Forum**

Form [fɔrm] *f* <-en> ❶ (*Gestalt, Art und Weise*) forma *f*; **aus der ~ geraten** deformarse ❷ (*Backform*) molde *m* ❸ (*Umgangsform*) formas *fpl*; **in aller ~** en debida forma ❹ *ohne pl* (*Kondition*) forma *f*; **in ~ kommen/sein** ponerse/estar en forma

formal [fɔr'ma:l] *adj* formal

Formalität [fɔrmali'tɛ:t] *f* <-en> formalidad *f*

Format [fɔr'ma:t] *nt* <-(e)s, -e> ❶ (*Größe*) formato *m* ❷ *ohne pl* (*Persönlich* *keit*) personalidad *f* ❸ (*Bedeutung*) importancia *f*

formatieren* [fɔrma'ti:rən] *vt* formatear

Formel ['fɔrməl] *f* <-n> fórmula *f*; (*Redewendung*) modismo *m*

formell [fɔr'mɛl] *adj* formal

formen ['fɔrmən] *vt* formar

förmlich ['fœrmlɪç] **I.** *adj* formal **II.** *adv* (*regelrecht*) por así decirlo

formlos *adj* informe; (*zwanglos*) informal

Formular [fɔrmu'la:ɐ] *nt* <-s, -e> formulario *m*

formulieren* [fɔrmu'li:rən] *vt* formular

Formulierung *f* <-en> (*Ausdruck*) expresión *f*

forsch [fɔrʃ] *adj* enérgico

forschen ['fɔrʃən] *vi* investigar; **nach etw ~** indagar algo

Forscher(in) *m(f)* <-s, -; -nen> investigador(a) *m(f)*

Forschung *f* <-en> investigación *f*; **Forschungsergebnis** *nt* resultado *m* de la investigación; **Forschungszentrum** *nt* centro *m* de investigación

Förster(in) ['fœrstɐ] *m(f)* <-s, -; -nen> guardabosque *mf*

Forstwirtschaft *f* silvicultura *f*

fort [fɔrt] *adv* (*weg*) fuera; (*verschwunden*) desaparecido; (*verloren*) perdido; **er ist schon ~** ya se ha ido; **weit ~** muy lejos; **in einem ~** continuamente

Fort [fo:ɐ] *nt* <-s, -s> fuerte *m*

fortan [fɔrt'ʔan] *adv* de aquí en adelante

fort|bestehen* *irr vi* persistir; **fort|bewegen*** *vt, vr:* **sich ~** desplazar(se)

Fortbewegung *f* locomoción *f*

Fortbewegungsmittel *nt* medio *m* de locomoción

fort|bilden *vt, vr:* **sich ~** perfeccionar(se); **Fortbildung** *f* <-en> perfeccionamiento *m*

fort|bringen *irr vt* llevar(se)

fort|dauern *vi* persistir; **fort|fahren** *irr vi sein* (*wegfahren*) marcharse; (*weitermachen*) continuar; **fort|führen** *vt* (*wegbringen*) llevar(se); (*fortsetzen*) continuar

fort|gehen *irr vi sein* marcharse

fortgeschritten ['fɔrtgəʃrɪtən] *adj* avanzado; (*entwickelt*) desarrollado; **Deutschkurs für Fortgeschrittene** curso superior de alemán; **zu ~er Stunde** a altas horas de la mañana

fort|jagen *vt* (*Person*) echar; (*Tier*) ahuyentar

fort|kommen *irr vi sein* ❶ (*wegkommen*) irse; **mach, dass du fortkommst!** ¡lárgate! ❷ (*Fortschritte machen*) avanzar

fort|laufen *irr vi sein* echar a correr; (*ausreißen*) escaparse

fortlaufend *adv* sin cesar

fort|pflanzen *vr:* **sich ~** (*Lebewesen*) reproducirse; (*Gedanke*) transmitirse; **Fortpflanzung** *f ohne pl* reproducción *f*

fort|schicken *vt* (*Person*) echar; (*Post*) enviar

fort|schreiten *irr vi sein* avanzar; (*Zeit*) pasar; (*Verschmutzung*) extenderse

Fortschritt *m* progreso *m*

fortschrittlich *adj* progresista

fort|setzen **I.** *vt* (*weitermachen*) proseguir **II.** *vr:* **sich ~** (*räumlich*) extenderse; (*zeitlich*) prolongarse

Fortsetzung *f* <-en> continuación *f*

fortwährend **I.** *adj* continuo **II.** *adv* sin cesar

Forum ['fo:rʊm] *nt* <-s, Foren> foro *m*

Fossil [fɔ'si:l] *nt* <-s, -ien> fósil *m*

Föten *pl von* **Fötus**

Foto ['fo:to] *nt* <-s, -s> foto *f*; **Fotoalbum** *nt* álbum *m* de fotos; **Fotoapparat** *m* cámara *f* fotográfica

Fotograf(in) [foto'gra:f] *m(f)* <-en, -en; -nen> fotógrafo, -a *m, f*

Fotografie [fotogra'fi:] *f* <-n> fotografía *f*

fotografieren* *vi, vt* fotografiar

Fotokopie [fotoko'pi:] *f* fotocopia *f*; **fotokopieren*** *vi, vt* fotocopiar; **Fotokopierer** *m* fotocopiadora *f*; **Fotomodell** *nt* modelo *mf* de fotos

Fötus ['fø:tʊs] *m* <-(ses), -se *o* Föten> feto *m*
Foyer [fo̯a'je:] *nt* <-s, -s> vestíbulo *m*
Fr. *Abk. von* **Frau** Sra.
Fracht [fraxt] *f* <-en> (*Ladung*) carga *f*; NAUT flete *m*
Frachter *m* <-s, -> buque *m* de carga
Frack [frak] *m* <-(e)s, Fräcke> frac *m*
Frage ['fra:gə] *f* <-n> pregunta *f*; (*Problem*) cuestión *f*; **jdm eine ~ stellen** hacer una pregunta a alguien; **das kommt nicht in ~!** ¡ni hablar!; **das steht außer ~** de eso no cabe duda; **das ist eine ~ des Geldes** es una cuestión de dinero
fragen ['fra:gən] *vi, vt, vr:* **sich ~** preguntar(se) (**nach** por); **um Erlaubnis ~** pedir permiso; **da fragst du mich zu viel** (*fam*) a eso no te puedo contestar; **jdm Löcher in den Bauch ~** acribillar a alguien a preguntas; **sein Typ ist sehr gefragt** es una persona muy requerida; **es fragt sich, ob ...** habría que ver si...
Fragewort *nt* <-(e)s, -wörter> partícula *f* interrogativa; **Fragezeichen** *nt* (signo *m* de) interrogación *f*
fraglich ['fra:klɪç] *adj* (*zweifelhaft*) dudoso; (*ungewiss*) incierto; (*betreffend*) en cuestión; **es ist ~, ob ...** no se sabe si...
fraglos *adv* sin duda alguna
Fragment [fra'gmɛnt] *nt* <-(e)s, -e> fragmento *m*
fragwürdig *adj* dudoso; (*verdächtig*) sospechoso
Fraktion [frak'tsjo:n] *f* <-en> POL grupo *m* parlamentario
Franken[1] ['fraŋkən] *nt* <-s> Franconia *f*
Franken[2] *m* <-s, -> (*Währung*) franco *m* suizo
Frankfurt ['fraŋkfʊrt] *nt* <-s> Fráncfort *m*
frankieren* [fraŋ'ki:rən] *vt* franquear
fränkisch ['frɛŋkɪʃ] *adj* franco
Frankreich ['fraŋkraɪç] *nt* <-s> Francia *f*
Franse ['franzə] *f* <-n> fleco *m*
Franzose, -zösin [fran'tso:zə] *m, f* <-n, -n; -nen> francés, -esa *m, f*
französisch [fran'tsø:zɪʃ] *adj* francés
fraß [fra:s] *3. imp von* **fressen**
Fraß [fra:s] *m* <-es, -e> (*fam abw: Essen*) bazofia *f*
Fratze ['fratsə] *f* <-n> (*fam: Grimasse*) mueca *f*; (*abw: Gesicht*) facha *f*; **~n schneiden** hacer muecas
Frau [fraʊ] *f* <-en> mujer *f*; (*Ehefrau*) esposa *f*; (*Anrede: vor dem Nachnamen*) señora *f*; (*vor dem Vornamen*) doña *f*; **Frauenarzt, -ärztin** *m, f* ginecólogo, -a *m, f*; **Frauenbewegung** *f* movimiento *m* feminista; **frauenfeindlich** *adj* misógino; **Frauenhaus** *nt* casa *f* refugio para mujeres (maltratadas)
Fräulein ['frɔɪlaɪn] *nt* <-s, -> señorita *f*
fraulich *adj* femenino
Freak [fri:k] *m* <-s, -s> (*fam*) pasota *mf*
frech [frɛç] *adj* (*respektlos*) impertinente; (*keck*) atrevido
Frechheit *f* <-en> impertinencia *f*; **die ~ besitzen zu ...** tener la cara de...
frei [fraɪ] *adj* ❶ (*unabhängig*) libre; (*in Freiheit*) en libertad; **jdm ~e Hand lassen** dejar vía libre a alguien; **aus ~en Stücken** voluntariamente; **~ laufende Hühner** gallinas criadas en libertad; **der Verbrecher läuft ~ herum** el criminal anda suelto; **~ für Kinder ab 12 Jahren** permitido para niños a partir de los 12 años; **sich** *dat* **einen Tag ~ nehmen** tomar un día libre ❷ (*befreit*) exento (**von** de); **sie ist ~ von Vorurteilen** está libre de prejuicios ❸ (*offen*) descubierto; **unter ~em Himmel** al aire libre; **~ lassen** (*nicht besetzen*) dejar libre; (*nicht beschreiben*) dejar en blanco ❹ (*Stuhl*) libre; (*Arbeitsstelle*) vacante; **einen Platz ~ machen** hacer sitio ❺ (*kosten*) gratuito; **Eintritt ~** entrada gratuita ❻ (*freimütig*) franco; **ich bin so ~** me tomo la libertad; **Freibad** *nt* piscina *f* (descubierta); **freiberuflich** *adj* de profesión liberal

Freiburg ['fraɪbʊrk] *nt* <-s> Friburgo *m*

Freie ['fraɪə] *nt* <-n, -n> aire *m* libre; **im ~n** al aire libre

frei|geben *irr* **I.** *vt* (*Straße*) abrir al tráfico; (*Arzneimittel, Film*) autorizar; **den Weg ~** franquear el paso; **etw zum Verkauf ~** autorizar la venta de algo **II.** *vi:* **jdm ~** dar libre a alguien

freigebig ['fraɪge:bɪç] *adj* generoso

frei|haben *irr vi* (*fam*) tener libre; **frei|halten** *irr vt* (*reservieren*) guardar; (*Durchgang*) dejar libre

freihändig ['fraɪhɛndɪç] *adj* (*Fahrrad fahren*) sin manos

Freiheit ['fraɪhaɪt] *f* <-en> libertad *f*; **Freiheitsstrafe** *f* JUR reclusión *f*; **er muss eine ~ von drei Jahren abbüßen** le condenaron a tres años de prisión

Freikarte *f* entrada *f* gratuita

frei|kaufen *vt* pagar el rescate (para); **frei|lassen** *irr vt* dejar en libertad; **freilaufend** *adj s.* **frei 1.**; **frei|legen** *vt* poner al descubierto

freilich ['fraɪlɪç] *adv* sin embargo; (SÜDD: *selbstverständlich*) naturalmente

Freilichtbühne *f* teatro *m* al aire libre

frei|machen **I.** *vt* (*frankieren*) franquear; (*fam: nicht arbeiten*) tomar vacaciones; **eine Woche ~** tomar una semana de vacaciones **II.** *vr:* **sich ~** (*beim Arzt*) desnudarse

freimütig ['fraɪmy:tɪç] **I.** *adj* franco **II.** *adv* con franqueza

freischaffend *adj* independiente

frei|sprechen *irr vt* absolver; **Freispruch** *m* absolución *f*

frei|stehen *irr vi* (*leer stehen*) estar desocupado; (*überlassen sein*) ser libre de decidir; **es steht Ihnen frei, das zu tun** Ud. es el que decide si hacerlo o no; **frei|stellen** *vt* (*befreien*) dispensar (**von** de); **jdm ~ etw zu tun** dejar elegir a alguien si quiere hacer algo o no

Freitag ['fraɪta:k] *m* viernes *m*; *s.a.* **Montag**

freitags *adv* los viernes; *s.a.* **montags**

freiwillig *adj* voluntario; **etw ~ tun** hacer algo voluntariamente

Freiwillige(r) ['fraɪvɪlɪgɐ] *mf* <-n, -n; -n> voluntario, -a *m, f*

Freizeit *f* tiempo *m* libre; **Freizeitpark** *m* parque *m* de atracciones

freizügig ['fraɪtsy:gɪç] *adj* (*großzügig*) generoso; (*Film*) liberal

fremd [frɛmt] *adj* ❶ (*ausländisch*) extranjero; (*aus anderem Ort*) forastero; **ich bin hier ~** no soy de aquí ❷ (*anderen gehörend*) ajeno; **ohne ~e Hilfe** sin ayuda de otro(s) ❸ (*unbekannt*) desconocido; **das ist mir ~** no lo conocía ❹ (*fremdartig*) extraño; **fremdartig** ['frɛmta:ɐtɪç] *adj* (*ungewöhnlich*) extraño

Fremde[1] ['frɛmdə] *f* (*geh: Land*) (país *m*) extranjero *m*; **in der ~** en el extranjero

Fremde(r)[2] *f(m) dekl wie adj* (*aus einem anderem Land*) extranjero, -a *m, f*; (*aus einem anderem Ort*) forastero, -a *m, f*; (*Unbekannter*) desconocido, -a *m, f*

fremdenfeindlich *adj* xenófobo; **Fremdenfeindlichkeit** *f* xenofobia *f*; **Fremdenführer(in)** *m(f)* guía *mf* turístico, -a; **Fremdenverkehr** *m* turismo *m*; **Fremdenzimmer** *nt* habitación *f* de huéspedes

fremd|gehen *irr vi sein* (*fam*) ser infiel

Fremdkörper *m* cuerpo *m* extraño; **Fremdsprache** *f* lengua *f* extranjera; **Fremdwort** *nt* <-(e)s, -wörter> extranjerismo *m*; **Höflichkeit ist für ihn ein ~** no sabe lo que es la cortesía

Frequenz [fre'kvɛnts] *f* <-en> PHYS, MED frecuencia *f*; (*einer Veranstaltung*) asistencia *f*

fressen ['frɛsən] <frisst, fraß, gefressen> *vi, vt* (*Tier*) comer; (*fam: Mensch: gierig*) tragar; **den habe ich ge~** (*fam*) no lo puedo tragar

Fressen ['frɛsən] *nt* <-, *ohne pl*> (*Futter*) pasto *m*; **das ist ein gefundenes ~ für ihn** (*fam fig*) esto le viene a las mil maravillas

Freude ['frɔɪdə] *f* (*Fröhlichkeit*) alegría *f* (**über** por); (*Wonne*) gozo *m*; (*innere Freude*) satisfacción *f*; **jdm eine ~ machen** darle una alegría a alguien; **zu meiner größten ~** para mi gran satisfacción; **Freudenhaus** *nt* casa *f* de citas

freudestrahlend *adj* radiante (de alegría)

freudig ['frɔɪdɪç] **I.** *adj* (*froh*) contento; (*fröhlich*) alegre; (*Ereignis*) feliz **II.** *adv* (*begeistert*) con alegría; (*erfreut*) de buen grado

freudlos ['frɔɪtlo:s] *adj* triste

freuen ['frɔɪən] *vt, vr:* **sich ~** alegrar(se); **ich freue mich darauf, dich zu sehen** tengo ilusión de verte; **es freut mich, Sie kennen zu lernen** encantado de conocerle

Freund(in) [frɔɪnt] *m(f)* <-(e)s, -e; -nen> amigo, -a *m, f*; (*fester Freund*) novio, -a *m, f*; **gute ~e werden** hacerse buenos amigos

Freundeskreis ['frɔɪndəs-] *m* grupo *m* de amigos; **einen großen ~ haben** tener muchos amigos

freundlich ['frɔɪntlɪç] *adj* amable; (*angenehm*) agradable

Freundlichkeit *f* <-en> amabilidad *f*

Freundschaft *f* <-en> amistad *f*; **mit jdm ~ schließen** trabar amistad con alguien

freundschaftlich *adj* amistoso

Frieden *m* <-s, *ohne pl*> paz *f*; **~ schließen** hacer las paces; **lasst mich doch in ~!** (*fam*) ¡dejádme en paz!; **Friedensbewegung** *f* movimiento *m* pacifista; **Friedensvertrag** *m* tratado *m* de paz

friedfertig ['fri:tfɛrtɪç] *adj* pacífico; **Friedhof** ['fri:tho:f] *m* cementerio *m*

friedlich *adj* (*ruhig*) tranquilo

frieren [fri:rən] <friert, fror, gefroren> **I.** *vi* ❶ *sein* (*Wasser*) helarse ❷ *haben* (*Mensch*) tener frío **II.** *vunpers haben* helar

friesisch *adj* frisón

Friesland ['fri:slant] *nt* <-s> Frisia *f*

frigid(e) [fri'gi:t, fri'gi:də] *adj* frígido

Frikadelle [frika'dɛlə] *f* <-n> albóndiga *f*

frisch [frɪʃ] **I.** *adj* fresco; (*Kräfte*) nuevo; (*sauber*) limpio; **~e Luft schnappen** tomar aire fresco; **das Bett ~ beziehen** mudar la cama; **sich ~ machen** asearse **II.** *adv* (*eben erst*) recién; **~ gebackenes Brot** pan recién salido del horno

Frische ['frɪʃə] *f* (*Kühle*) frescura *f*; **in alter ~** (*iron*) tan frescos y sanos como siempre

frischgebacken *adj s.* **frisch II.**

Frischhaltebox *f* recipiente *m* hermético; **Frischhaltefolie** *f* celofán® *m*; **Frischzellenkur** *f* celuloterapia *f*

Friseur(in) [fri'zø:ɐ] *m(f)* <-s, -e; -nen> peluquero, -a *m, f*; **zum ~ gehen** ir a la peluquería

Friseuse [fri'zø:zə] *f* <-n> peluquera *f*

frisieren* [fri'zi:rən] *vt* (*kämmen*) peinar

frisiert *adj* ❶ (*Zahlen*) maquillado ❷ (*Mofa*) trucado

frisst[RR] [frɪst] *1. präs von* **fressen**

Frist [frɪst] *f* <-en> plazo *m*; **fristlos** *adj* inmediato; **jdn ~ entlassen** despedir a alguien de inmediato

Frisur [fri'zu:ɐ] *f* <-en> peinado *m*

fritieren*[ALT] *vt*, **frittieren***[RR] [fri'ti:rən] *vt* freír (con mucho aceite)

froh [fro:] *adj* ❶ (*fröhlich*) alegre; (*glücklich*) feliz; **Frohe Weihnachten!** ¡Feliz Navidad! ❷ (*fam: zufrieden*) contento; **seines Lebens nicht mehr ~ werden** no hallar sosiego

fröhlich ['frø:lɪç] *adj* alegre

Fröhlichkeit *f* alegría *f*

fromm [frɔm] *adj* <frommer *o* frömmer, am frommsten *o* frömmsten> devoto

frönen ['frø:nən] *vi* (*geh*) entregarse (a)

Front [frɔnt] *f* <-en> frente *m*; **klare ~en schaffen** establecer posiciones claras

frontal [frɔn'ta:l] *adj* frontal

Frontscheibe *f* parabrisas *m inv*

fror [fro:ɐ] *3. imp von* **frieren**
Frosch [frɔʃ] *m* <-(e)s, Frösche> rana *f*
Frost [frɔst] *m* <-(e)s, Fröste> helada *f*; **Frostbeule** *f* sabañón *m*
frostig *adj* (*Wetter*) helado; (*unfreundlich*) glacial
Frotté *m o nt* <-(s), -s>, **Frottee** ['frɔte:] *m o nt* <-(s), -s> rizo *m*
frottieren* [frɔ'ti:rən] *vt* frotar
frotzeln ['frɔtsəln] *vi* (*fam*) meterse (**über** con)
Frucht [frʊxt] *f* <Früchte> (*a. fig*) fruto *m*; (*Obst*) fruta *f*; **Früchte tragen** dar fruto; **fruchtbar** *adj* fecundo; (*Mensch*) fértil
Fruchtbarkeit *f* fecundidad *f*; (*eines Menschen*) fertilidad *f*
Fruchtfleisch *nt* pulpa *f*; **fruchtlos** *adj* inútil; **Fruchtsaft** *m* zumo *m* de frutas
früh [fry:] I. *adj* temprano; **in ~ester Kindheit** a temprana edad; **~ am Morgen** de madrugada; **ein ~er Tod** una muerte prematura; **er hat schon ~ erkannt, dass ...** muy pronto se dio cuenta de (que)... II. *adv* (*morgens*) (por la) mañana; **heute ~** esta mañana; **Dienstag ~** el martes por la mañana; **um 6 Uhr ~** a las 6 de la mañana
Frühaufsteher(in) *m(f)* <-s, -; -nen> madrugador(a) *m(f)*
Frühdienst *m* turno *m* de mañana
Frühe ['fry:ə] *f*: **in aller ~** de madrugada
früher ['fry:ɐ] *adj* (*ehemalig*) antiguo; (*vorhergehend*) anterior; (*vergangen*) pasado; **in ~en Zeiten** en tiempos pasados; **wir kennen uns von ~** nos conocemos de antes
frühestens ['fry:əstəns] *adv* como muy temprano; **~ in einer Woche** en una semana como muy temprano
Frühjahr *nt*, **Frühling** ['fry:lɪŋ] *m* <-s, -e> primavera *f*; **frühmorgens** [fry:'mɔrgəns] *adv* de madrugada; **frühreif** *adj* (*Kind*) precoz; **Frührentner(in)** *m(f)* pensionista *mf* que cobra la renta antes de lo que le correspondería
Frühstück *nt* desayuno *m*
frühstücken *vi, vt* desayunar
frühzeitig *adj* (*früh*) temprano; (*vorzeitig*) prematuro; (*voreilig*) precipitado
Frust [frʊst] *m* <-(e)s, *ohne pl*> (*fam*) chasco *m*
frustrieren* [frʊs'tri:rən] *vt* frustrar
frustrierend *adj* frustrante
Fuchs [fʊks] *m* <-es, Füchse> zorro *m*; (*Pferd*) alazán *m*; (*fam: Person*) zorro, -a *m, f*
fuchsen ['fʊksən] *vt* fastidiar
fuchsteufelswild ['-'--'-] *adj* (*fam*) rabioso
Fuchtel ['fʊxtəl] *f* (*fam*): **unter jds ~ stehen** estar bajo la férula de alguien
fuchteln *vi* (*fam*) gesticular; **mit den Armen ~** bracear
Fuge ['fu:gə] *f* <-n> (*Ritze*) ranura *f*; **aus den ~n geraten sein** estar fuera de quicio
fügen ['fy:gən] I. *vr:* **sich ~** (*unterordnen*) someterse (a); (*passen*) ajustarse (**in** a) II. *vt* juntar (**an/in** con/en); (*ineinander*) encajar
fügsam *adj* dócil
fühlbar *adj* ❶ (*merklich*) notable ❷ (*tastbar*) palpable
fühlen ['fy:lən] I. *vi, vt* (*empfinden*) sentir; (*tasten*) palpar II. *vr:* **sich ~** ❶ (*empfinden*) sentirse; **sich für jdn/etw verantwortlich ~** sentirse responsable de alguien/algo ❷ (*sich halten für*) tenerse (**als** por)
Fühler *m* <-s, -> antena *f*; **seine ~ ausstrecken** (*fam fig*) tantear el terreno
fuhr [fu:ɐ] *3. imp von* **fahren**
führen ['fy:rən] I. *vi* ❶ (*in Führung liegen*) ir a la cabeza; SPORT llevar ventaja ❷ (*verlaufen*) ir; **diese Straße führt nach Münster** esta carretera lleva a Münster ❸ (*ergeben*) llevar (**zu** a); **das führt doch zu nichts** esto no lleva a nada; **das führt zu weit** esto va demasiado lejos II. *vt* ❶ (*leiten*) dirigir; (*Gruppe*) guiar ❷ (*geleiten*) guiar; **was führt Sie zu mir?** ¿qué le trae por aquí? ❸ (*hinbewegen*) llevar (**zu/in** a); **etw mit sich** *dat* **~** llevar

algo consigo ❹ (*Namen*) llevar; (*Gespräch*) tener **III.** *vr:* **sich ~** (*sich benehmen*) comportarse

führend *adj* primero; **~e Persönlichkeiten** altos cargos

Führer[1] *m* <-s, -> (*Buch*) guía *f*

Führer(in)[2] ['fy:rɐ] *m(f)* <-s, -; -nen> (*Leiter*) líder *mf*; (*Fremdenführer*) guía *mf* (turístico, -a)

Führerschein *m* permiso *m* de conducir, licencia *f* ; **den ~ machen** sacar el carné (de conducir)

Führung ['fy:rʊŋ] *f* <-en> ❶ (*Besichtigung*) visita *f* (guiada) ❷ *ohne pl* (*Leitung*) dirección *f*; **unter jds ~** bajo la dirección de alguien ❸ (*Benehmen*) comportamiento *m*; **Führungskraft** *f* directivo, -a *m, f*

Fuhrwerk *nt* carruaje *m*

Fülle ['fʏlə] *f* (*Körperfülle*) corpulencia *f*; (*Menge*) montón *m*

füllen ['fʏlən] **I.** *vt* (*voll machen*) llenar (**mit** de/con); GASTR rellenar (**mit** de/con); (*einfüllen*) echar (**in** en); **Wein in Flaschen ~** embotellar vino **II.** *vr:* **sich ~** (*voll werden*) llenarse (**mit** de/con)

Füller ['fʏlɐ] *m* <-s, -> (*fam*) pluma *f*

Füllung *f* <-en> (*Zahnfüllung*) empaste *m*; GASTR relleno *m*

fummeln ['fʊməln] *vi* (*fam*) manosear (**an**)

Fund [fʊnt] *m* <-(e)s, -e> hallazgo *m*

Fundament [fʊnda'mɛnt] *nt* <-(e)s, -e> ARCHIT cimientos *mpl*; (*Grundlage*) fundamento *m*

Fundamentalismus [fʊndamɛnta'lɪsmʊs] *m* <-s, *ohne pl*> fundamentalismo *m*

Fundbüro *nt* oficina *f* de objetos perdidos

fundieren* [fʊn'di:rən] *vt* fundamentar; **eine fundierte Beurteilung** una valoración bien fundada

fündig ['fʏndɪç] *adj*: **~ werden** encontrar lo que se buscaba

Fundsache *f* objeto *m* perdido

fünf [fʏnf] *adj inv* cinco; **~(e) gerade sein lassen** (*fam*) hacer la vista gorda; *s.a.* **acht**[1]

Fünf *f* <-, -en> cinco *m*; (*Schulnote*) insuficiente *m*

fünffach **I.** *adj* quíntuplo **II.** *adv* cinco veces; *s.a.* **achtfach**

fünfhundert ['-'--] *adj inv* quinientos; *s.a.* **achthundert**

Fünftagewoche [-'----] *f* semana *f* laboral de cinco días

fünfte(r, s) *adj* quinto; **das ~ Rad am Wagen sein** ir de pegote; *s.a.* **achte(r, s)**

fünftel *adj inv* quinto; *s.a.* **achtel**

Fünftel ['fʏnftəl] *nt* <-s, -> quinto, -a *m, f*, quinta parte *f*; *s.a.* **Achtel**

fünfzehn *adj inv* quince; *s.a.* **acht**[1]

fünfzig ['fʏnftsɪç] *adj inv* cincuenta; *s.a.* **achtzig**

fungieren* [fʊŋ'gi:rən] *vi* hacer (**als** de)

Funk [fʊŋk] *m* <-s, *ohne pl*> radio *f*

Funke ['fʊŋkə] *m* <-ns, -n> chispa *f*; **~n sprühen** echar chispas; **ein ~ Hoffnung** un rayito de esperanza; **keinen ~n Anstand im Leib haben** no tener ni pizca de educación

funkeln ['fʊŋkəln] *vi* resplandear

funkelnagelneu ['--'--'-] *adj* (*fam*) flamante

funken ['fʊŋkən] **I.** *vt* (*Nachricht*) radiar **II.** *vi* chispear; **endlich hat es bei ihm gefunkt** (*fam*) por fin se le encendió la bombilla

Funkloch *nt* <-(e)s, -löcher> TEL zona *f* sin cobertura

Funkstille *f* silencio *m* de radio; (*fam fig*) silencio *m*

Funktion [fʊŋk'tsjo:n] *f* <-en> (*Amt*) cargo *m*; (*Zweck*) función *f*

funktionieren* *vi* funcionar

für [fy:ɐ] *präp +akk* para; **ich bin ~ deine Idee** estoy a favor de tu idea; **das Für und Wider** el pro y el contra; **das ist eine Sache ~ sich** esto es cosa aparte; **~ immer** para siempre; **~s Erste** por ahora; **was ~ ein Pilz ist**

das? ¿qué clase de seta es?

Furche ['fʊrçə] *f* <-n> (*Ackerfurche*) surco *m*; (*im Gesicht*) arruga *f*

Furcht [fʊrçt] *f* temor *m* (**vor** a/de); **~ erregend** espantoso; **jdm ~ einflößen** infundir miedo a alguien

furchtbar I. *adj* horroroso; (*fam: sehr groß*) enorme **II.** *adv* (*fam: sehr*) muy; **~ nett** simpatiquísimo

fürchten ['fʏrçtən] **I.** *vi, vt* temer (**um/für** por) **II.** *vr:* **sich ~** tener miedo (**vor** a/de)

fürchterlich ['fʏrçtɐlɪç] *adj s.* **furchtbar**

furchterregend *adj s.* **Furcht**; **furchtlos** *adj* intrépido

füreinander [fy:ɐʔaɪ'nandɐ] *adv* uno para el otro; **~ da sein** estar el uno para el otro

Furore [fu'ro:rə] *f:* **~ machen** causar sensación

Fürsorge ['---] *f* (*Betreuung*) asistencia *f*; (*fam: finanzielle Unterstützung*) pensión *f*; **von der ~ leben** vivir de la asistencia social

fürsorglich *adj* cariñoso

Fürsprache *f* intercesión *f*; **für jdn ~ einlegen** interceder a favor de alguien

Fürst(in) [fʏrst] *m(f)* <-en, -en; -nen> príncipe, princesa *m, f*

fürstlich *adj* (*prächtig*) regio; (*Essen*) opíparo

Furz [fʊrts] *m* <-es, Fürze> (*fam*) pedo *m*

furzen *vi* (*fam*) soltar un pedo

Fusion [fu'zjo:n] *f* <-en> fusión *f*

Fuß [fu:s] *m* <-es, Füße> pie *m*; **zu ~ gehen** ir andando; **auf großem ~ leben** vivir a lo grande; **auf eigenen Füßen stehen** (*fig*) ser independiente

Fußball *m* ❶ (*Ball*) pelota *f* de fútbol ❷ *ohne pl* SPORT fútbol *m*; **Fußballspiel** *nt* partido *m* de fútbol; **Fußballspieler(in)** *m(f)* futbolista *mf*

Fußboden *m* suelo *m*

Fussel ['fʊsəl] *m* <-s, -> *f* <-n> pelusa *f*

fusseln *vi* soltar pelo

Fußgänger(in) ['fu:sgɛŋɐ] *m(f)* <-s, -; -nen> peatón, -ona *m, f*; **Fußgängerüberweg** *m* paso *m* de peatones; **Fußgängerzone** *f* zona *f* peatonal

Fußnagel *m* uña *f* del pie

Fußsohle *f* planta *f* del pie; **Fußtritt** *m* puntapié *m*; **Fußweg** *m* ❶ (*Weg*) camino *m*, vereda *f*; (*Bürgersteig*) acera *f*, vereda *f* ❷ (*Entfernung*) camino *m*; **15 Minuten ~** 15 minutos andando

futsch [fʊtʃ] *adj inv* (*fam*) perdido

Futter ['fʊtɐ] *nt* <-s, -> ❶ (*in Kleidung*) forro *m* ❷ *ohne pl* (*Nahrung*) comida *f*

futtern ['fʊtɐn] *vi, vt* (*fam*) papar

füttern ['fʏtɐn] *vt* (*Tier, Baby*) dar de comer (a); (*Kleidung*) forrar

Futur [fu'tu:ɐ] *nt* <-s, -e> futuro *m*

G

G, g [ge:] *nt* <-, -> G, g *f*
gab [ga:p] *3. imp von* **geben**
Gabe ['ga:bə] *f* <-n> (*Talent*) don *m*; (*Geschenk*) regalo *m*; **milde ~** limosna *f*
Gabel ['ga:bəl] *f* <-n> tenedor *m*
gabeln ['ga:bəln] *vr:* **sich ~** bifurcarse
gaffen ['gafən] *vi* (*abw*) mirar boquiabierto
Gag [gɛk] *m* <-s, -s> ❶ FILM truco *m*, gag *m* ❷ (*Witz*) salida *f* chistosa
Gage ['ga:ʒə] *f* <-n> honorario *m*
gähnen ['gɛ:nən] *vi* bostezar
Gala ['ga:la] *f* vestido *m* de gala
galant [ga'lant] *adj* galante
Galerie [galə'ri:] *f* <-n> galería *f*
Galgen ['galgən] *m* <-s, -> patíbulo *m*
Galicien [ga'li:tsiən] *nt* <-s> Galicia *f*
galicisch *adj* gallego
Galle ['galə] *f* <-n> ❶ (*menschliches Sekret*) bilis *f inv* ❷ ANAT vesícula *f* biliar
Galopp [ga'lɔp] *m* <-s, -e *o* -s> galope *m*
galoppieren* *vi haben o sein* galopar
galt [galt] *3. imp von* **gelten**
gammeln ['gaməln] *vi* (*fam: Person*) gandulear
Gang[1] [gaŋ] *m* <-(e)s, Gänge> ❶ (*Gehweise*) (modo *m* de) andar *m* ❷ (*Spaziergang*) paseo *m*; (*Weg*) camino *m* ❸ (*Ablauf a.* AUTO) marcha *f*; **eine Maschine in ~ setzen** poner en marcha una máquina; **es ist etwas im ~e** algo flota en el aire; **etw ist in vollem ~(e)** algo está en plena marcha; **im zweiten ~ fahren** AUTO ir en segunda ❹ (*Flur*) pasillo *m* ❺ GASTR plato *m*
Gang[2] ['gɛŋ] *f* <-s> banda *f*
gängeln ['gɛŋəln] *vt* (*fam abw*) tener bajo su tutela
gängig ['gɛŋɪç] *adj* (*üblich*) usual
Gangschaltung *f* (*Auto*) (caja *f* de) cambios *m pl*; (*Fahrrad*) marchas *f pl*
Gangster ['gɛŋstɐ] *m* <-s, -> (*abw*) gángster *m*
Gangway *f* <-s> escalera *f* (para subir a bordo)
Ganove, Ganovin [ga'no:və] *m, f* <-n, -n; -nen> (*fam abw*) tunante *mf*
Gans [gans] *f* <Gänse> ganso *m*; (*Weibchen*) oca *f*
Gänseblümchen ['gɛnzəbly:mçən] *nt* <-s, -> maya *f*; **Gänsehaut** *f* carne *f* de gallina; **Gänsemarsch** *m*: **im ~** en fila india
ganz [gants] **I.** *adj* (*gesamt*) todo; (*vollständig*) completo; **die ~e Zeit über** durante todo el tiempo; **eine ~e Menge** bastante **II.** *adv* totalmente; **das ist etwas ~ anderes** esto es algo totalmente distinto; **~ und gar** completamente; **etw ~ aufessen** comerse algo del todo; **das gefällt mir ~ gut** esto me gusta bastante; **~ viel** muchísimo
Ganze(s) *nt* <-n, *ohne pl*> total *m*; **nichts Halbes und nichts ~s** ni fu ni fa; **aufs ~ gehen** (*fam*) jugarse el todo por el todo
ganztägig ['gantstɛ:gɪç] **I.** *adj* de todo el día **II.** *adv* todo el día
gar [ga:ɐ] **I.** *adj* (*Speise*) hecho (a punto) **II.** *adv*: **~ nichts** nada de nada; **auf ~ keinen Fall** en ningún caso; **das ist ~ nicht schlecht** no está nada mal
Garage [ga'ra:ʒə] *f* <-n> garaje *m*
Garant(in) [ga'rant] *m(f)* <-en, -en; -nen> garante *mf*
Garantie [garan'ti:] *f* <-n> garantía *f*
garantieren* *vi, vt* garantizar (**für**); **glaubst du er kommt? – garantiert!** ¿crees que vendrá? – ¡seguro!
Garderobe [gardə'ro:bə] *f* <-n> ❶ (*Kleiderablage*) perchero *m*; (*Raum*) guardarropa *m* ❷ *ohne pl* (*Kleidung*) ropa *f*
Gardine [gar'di:nə] *f* <-n> cortina *f*
garen ['ga:rən] *vt* cocer
Garn [garn] *nt* <-(e)s, -e> hilo *m*
Garnele [gar'ne:lə] *f* <-n> gamba *f*; (*kleiner*) camarón *m*

garnieren* [gar'ni:rən] *vt* guarnecer

Garnitur [garni'tu:ɐ] *f* <-en> conjunto *m*

Garten ['gartən] *m* <-s, Gärten> jardín *m*; **botanischer/zoologischer ~** jardín botánico/parque zoológico; **Gartenhaus** *nt* pabellón *m*; **Gartenzaun** *m* seto *m*

Gärtner(in) ['gɛrtnɐ] *m(f)* <-s, -; -nen> jardinero, -a *m, f*

Gärtnerei [gɛrtnə'raɪ] *f* <-en> jardinería *f*; (*für Nutzpflanzen*) establecimiento *m* de horticultura

Gärung ['gɛ:rʊŋ] *f* <-en> fermentación *f*

Gas [ga:s] *nt* <-es, -e> gas *m*; **~ geben** AUTO acelerar; **Gasflasche** *f* bombona *f* de gas; **Gasherd** *m* cocina *f* de gas; **Gasleitung** *f* conducción *f* del gas; **Gaspedal** *nt* acelerador *m*

Gasse ['gasə] *f* <-n> callejón *m*

Gast [gast] *m* <-(e)s, Gäste> huésped *mf*; (*eingeladener*) invitado, -a *m, f*; **bei jdm zu ~ sein** estar invitado a casa de alguien; **Gastarbeiter(in)** *m(f)* trabajador(a) *m(f)* extranjero, -a

Gästezimmer *nt* cuarto *m* de huéspedes

gastfreundlich *adj* hospitalario

Gastfreundschaft *f* hospitalidad *f*; **Gastgeber(in)** *m(f)* <-s, -; -nen> anfitrión, -ona *m, f*; **Gasthaus** *nt*, **Gasthof** *m* (*zum Übernachten*) fonda *f*; (*höhere Kategorie*) hostal *m*; (*nur Essen*) mesón *m*

gastlich *adj* hospitalario

Gastronomie [gastrono'mi:] *f* gastronomía *f*

Gaststätte *f* <-n> restaurante *m*; **Gastwirt(in)** *m(f)* dueño, -a *m, f* de un restaurante; **Gastwirtschaft** *f* <-en> mesón *m*, fonda *f*

Gatte, Gattin ['gatə] *m, f* <-n, -n; -nen> (*geh*) esposo, -a *m, f*

Gattung ['gatʊŋ] *f* <-en> ❶ BIOL especie *f* ❷ MUS, LIT género *m*; KUNST estilo *m*

Gaudi ['gaʊdi] *f* (*fam*) jolgorio *m*

Gaul [gaʊl] *m* <-(e)s, Gäule> (*abw*) rocín *m*

Gaumen ['gaʊmən] *m* <-s, -> paladar *m*

Gauner(in) ['gaʊnɐ] *m(f)* <-s, -; -nen> (*Dieb*) bribón, -ona *m, f*; (*fam: durchtriebener Mensch*) pícaro, -a *m, f*

geb. *Abk. von* **geboren** nacido; **Luise Reimann, ~ Klein** Luise Reimann, de soltera Klein

Gebäck [gə'bɛk] *nt* <-(e)s, -e> (*Kekse*) galletas *f*

gebacken [gə'bakən] *pp von* **backen**

gebar [gə'ba:ɐ] *3. imp von* **gebären**

Gebärde [gə'bɛ:ɐdə] *f* <-n> gesto *m*

gebärden* *vr:* **sich ~** comportarse

gebären [gə'bɛ:rən] <gebärt *o* gebiert, gebar, geboren> *vt* parir; (*Mensch*) dar a luz; **wo sind Sie geboren?** ¿dónde nació Ud.?

Gebäude [gə'bɔɪdə] *nt* <-s, -> edificio *m*

geben ['ge:bən] <gibt, gab, gegeben> **I.** *vt* dar; (*Kredit*) conceder; **Spanischunterricht ~** dar clases de español; **jdm etw zu verstehen ~** dar a entender algo a alguien; **etw von sich** *dat* **~** decir algo; **jdm Recht ~** dar(le) la razón a alguien **II.** *vunpers* haber; **was gibt's?** (*fam*) ¿qué hay?; **gibt es noch Eintrittskarten?** ¿quedan todavía entradas?

Gebet [gə'be:t] *nt* <-(e)s, -e> oración *f*

gebeten [gə'be:tən] *pp von* **bitten**

gebiert [gə'bi:ɐt] *3. präs von* **gebären**

Gebiet [gə'bi:t] *nt* <-(e)s, -e> (*Gesamtgebiet*) territorio *m*; (*Teilgebiet*) zona *f*; (*Sachbereich*) campo *m*

Gebilde [gə'bɪldə] *nt* <-s, -> figura *f*; (*der Fantasie*) producto *m*

gebildet [gə'bɪldət] *adj* culto

Gebirge [gə'bɪrgə] *nt* <-s, -> sierra *f*

gebirgig *adj* montañoso

Gebiss[RR] [gə'bɪs] *nt* <-es, -e> dentadura *f*; (*künstlich*) dentadura *f* postiza

gebissen [gə'bɪsən] *pp von* **beißen**

geblasen [gə'bla:zən] *pp von* **blasen**

geblieben [gə'bli:bən] *pp von* **bleiben**

gebogen [gə'bo:gən] *pp von* **biegen**

geboren [gə'bo:rən] *pp von* **gebären**

geborgen [gə'bɔrgən] **I.** *pp von* **bergen** **II.** *adj* protegido

Geborgenheit *f* seguridad *f*, (sensación *f* de) protección *f*

Gebot [gə'bo:t] *nt* <-(e)s, -e> (*Grundsatz*) mandamiento *m*; (*Vorschrift*) precepto *m*; **die Zehn ~e** los Diez Mandamientos; **Sicherheit ist oberstes ~** la seguridad ante todo

geboten [gə'bo:tən] *pp von* **bieten**

gebracht [gə'braxt] *pp von* **bringen**

gebrannt [gə'brant] *pp von* **brennen**

gebraten [gə'bra:tən] *pp von* **braten**

Gebrauch [gə'braʊx] *m* <-(e)s, *ohne pl*> (*Benutzung*) uso *m*; (*Verwendung*) empleo *m*; **von etw ~ machen** hacer uso de algo

gebrauchen* [gə'braʊxən] *vt* utilizar; (*Verstand*) emplear; **das kann ich gut ~** esto me sirve de mucho

gebräuchlich [gə'brɔɪçlɪç] *adj* común; **nicht mehr ~** fuera de uso

Gebrauchsanweisung *f* instrucciones *fpl* de uso

gebraucht [gə'braʊxt] *adj* usado; (*aus zweiter Hand*) de segunda mano; **Gebrauchtwagen** *m* coche *m* de segunda mano

gebrechlich [gə'brɛçlɪç] *adj* débil; (*altersschwach*) decrépito

gebrochen [gə'brɔxən] **I.** *pp von* **brechen** **II.** *adj* (*Stimme*) entrecortado; **~ deutsch sprechen** chapurrear el alemán

Gebrüll [gə'brʏl] *nt* <-(e)s, *ohne pl*> (*Mensch*) vocerío *m*; (*Tier*) rugido *m*

Gebühr [gə'by:ɐ] *f* <-en> tasa *f*; (*Abgabe*) derechos *mpl*; (*Telefongebühr*) tarifa *f*; (*Postgebühr*) porte *m*; **eine ~ erheben** introducir una tasa

gebühren* [gə'by:rən] *vi* (*geh*) corresponder; **seiner Leistung gebührt Anerkennung** su rendimiento merece ser reconocido

gebührenfrei *adj* exento de tasas; **gebührenpflichtig** *adj* sujeto a tasas

gebunden [gə'bʊndən] *pp von* **binden**

Geburt [gə'bu:ɐt] *f* <-en> (*Entbindung*) parto *m*; (*das Geborenwerden*) nacimiento *m*; **blind von ~ an** ciego de nacimiento

gebürtig [gə'bʏrtɪç] *adj* natural (**aus** de)

Geburtsdatum *nt* fecha *f* de nacimiento; **Geburtsort** *m* lugar *m* de nacimiento; **Geburtstag** *m* cumpleaños *m inv*; **Geburtsurkunde** *f* partida *f* de nacimiento

Gebüsch [gə'bʏʃ] *nt* <-(e)s, -e> matorral *m*

gedacht [gə'daxt] *pp von* **denken**

Gedächtnis [gə'dɛçtnɪs] *nt* <-ses, -se> memoria *f*; **sich** *dat* **etw ins ~ zurückrufen** recordar algo

gedämpft [gə'dɛmpft] *adj* (*Geräusch*) apagado; (*Licht*) suave

Gedanke [gə'daŋkə] *m* <-ns, -n> idea *f*; **sie kam auf den ~n, dass ...** se le ocurrió que...; **sich** *dat* (**über etw**) **~n machen** preocuparse (por algo); **in ~n vertieft** absorto en sus pensamientos; **jdn auf andere ~n bringen** distraer a alguien; **gedankenlos** *adj* (*unüberlegt*) irreflexivo; (*zerstreut*) distraído; **Gedankenstrich** *m* guión *m*; **Gedankenübertragung** *f ohne pl* telepatía *f*

gedanklich *adj* mental

Gedeck [gə'dɛk] *nt* <-(e)s, -e> cubierto *m*

gedeihen [gə'daɪən] <gedeiht, gedieh, gediehen> *vi sein* (*Pflanze*) crecer

Gedenkstätte *f* <-n> lugar *m* conmemorativo

Gedicht [gə'dɪçt] *nt* <-(e)s, -e> poema *m*

gedieh [gə'di:] *3. imp von* **gedeihen**

gediehen [gə'di:ən] *pp von* **gedeihen**

Gedränge [gə'drɛŋə] *nt* <-s, *ohne pl*> (*Drängelei*) apreturas *fpl*; (*Menschenmenge*) gentío *m*

gedrungen [gə'drʊŋən] **I.** *pp von* **dringen** **II.** *adj* regordete

Geduld [gə'dʊlt] *f* paciencia *f*

gedulden* [gə'dʊldən] *vr:* **sich ~** tener paciencia
geduldig I. *adj* paciente **II.** *adv* con paciencia
gedurft [gə'dʊrft] *pp von* **dürfen**[2]
geehrt [gə'ʔe:ɐt] *adj* (*in Briefen*) estimado; **sehr ~er Herr X** estimado Sr. X; (**meine**) **sehr ~e**(**n**) **Damen und Herren** muy Sres. míos
geeignet [gə'ʔaɪgnət] *adj* (*Mensch*) apto; (*Material*) adecuado; (*zweckmäßig*) oportuno; **jdn für ~ halten** considerar a alguien competente
Gefahr [gə'fa:ɐ] *f* <-en> peligro *m*; **auf eigene ~** por propia cuenta y riesgo
Gefährdung *f* <-en> amenaza *f*
gefahren [gə'fa:rən] *pp von* **fahren**
gefährlich [gəfɛ:ɐlɪç] *adj* peligroso
gefahrlos *adj* sin peligro
Gefährte, Gefährtin [gə'fɛ:ɐtə] *m, f* <-n, -n; -nen> (*geh*) compañero, -a *m, f*
Gefälle [gə'fɛlə] *nt* <-s, -> (*Neigung*) pendiente *f*
gefallen[1] [gə'falən] **I.** *pp von* **fallen, gefallen II.** *adj* (*gestorben*) caído
gefallen*[2] *irr vi* gustar; **sich** *dat* **etw ~ lassen** (*fam*) aguantar algo
Gefallen *m* <-s, -> ❶ (*Gefälligkeit*) favor *m* ❷ *ohne pl* (*Freude*) gusto *m*; **an etw ~ finden** tomarle gusto a algo
Gefälligkeit *f* <-en> (*Gefallen*) favor *m*; **jdm eine ~ erweisen** hacer un favor a alguien; **etw aus reiner ~ tun** hacer algo por complacer
gefangen [gə'faŋən] **I.** *pp von* **fangen II.** *adj* ❶ (*in Gefangenschaft*): **~ halten** tener encarcelado; **~ nehmen** tomar preso ❷ (*gebannt*) cautivado; **~ nehmen** tomar preso
Gefangene(**r**) *f*(*m*) *dekl wie adj* preso, -a *m, f*
gefangen|nehmen[ALT] *irr vt s.* **gefangen**
Gefangenschaft *f* <-en> prisión *f*
Gefängnis [gə'fɛŋnɪs] *nt* <-ses, -se> cárcel *f*; **im ~ sitzen** estar en la cárcel; **Gefängnisstrafe** *f* pena *f* de cárcel; **jdn zu einer ~ verurteilen** condenar a alguien a prisión
Gefäß [gə'fɛ:s] *nt* <-es, -e> (*Behälter*) recipiente *m*
gefasst[RR] [gə'fast] *adj* sereno; **sich auf etw ~ machen** prepararse para algo
Gefieder [gə'fi:dɐ] *nt* <-s, -> plumaje *m*
geflochten [gə'flɔxtən] *pp von* **flechten**
geflogen [gə'flo:gən] *pp von* **fliegen**
geflohen [gə'flo:ən] *pp von* **fliehen**
geflossen [gə'flɔsən] *pp von* **fließen**
Geflügel *nt* <-s, *ohne pl*> (*Fleisch*) carne *f* de ave
geflügelt *adj*: **ein ~es Wort** un dicho
gefochten [gə'fɔxtən] *pp von* **fechten**
gefragt [gə'fra:kt] *adj* (*Künstler*) solicitado; (*Ware*) de gran demanda
gefräßig [gə'frɛ:sɪç] *adj* (*abw*) voraz; (*verfressen*) glotón
gefressen [gə'frɛsən] *pp von* **fressen**
gefrieren* [gə'fri:rən] *irr vi sein* helarse; (*in Kühltruhe*) congelarse
Gefrierfach *nt* congelador *m*; **Gefrierschrank** *m* congelador *m*
gefroren [gə'fro:rən] *pp von* **frieren, gefrieren**
Gefüge [gə'fy:gə] *nt* <-s, -> (*Struktur*) estructura *f*; (*System*) sistema *m*
gefügig *adj* (*abw*) dócil; **sich** *dat* **jdn ~ machen** doblegarse a alguien
Gefühl [gə'fy:l] *nt* <-(e)s, -e> sensación *f*; (*seelisch*) sentimiento *m*; **kein ~ in den Fingern haben** no tener sensibilidad en los dedos; **etw mit ~ machen** hacer algo con finura; **das Höchste der ~e** el non plus ultra; **etw im ~ haben** intuir algo; **gefühllos** *adj* insensible; (*hartherzig*) impasible; **gefühlvoll** *adj* sentimental; (*liebevoll*) cariñoso
gefunden [gə'fʊndən] *pp von* **finden**
gegangen [gə'gaŋən] *pp von* **gehen**
gegeben [gə'ge:bən] **I.** *pp von* **geben II.** *adj* ❶ (*vorhanden*) dado; **unter den ~en Umständen** dadas las circunstancias ❷ (*geeignet*) apropiado; **zu ~er Zeit** en el momento oportuno
gegebenenfalls [gə'ge:bənənfals] *adv* dado el caso

G

Gegebenheit *f* <-en> (*Tatsache*) hecho *m*; (*Umstand*) circunstancia *f*

gegen ['ge:gən] *präp +akk* contra; (*verglichen mit*) en comparación con; (*zeitlich*) sobre; **~ die Wand** contra la pared; **etwas ~ Kopfschmerzen** algo contra el dolor de cabeza; **~ Vorlage des Personalausweises** presentando el carné de identidad; **~ Abend** al anochecer; **Gegenargument** *nt* contraargumento *m*

Gegend ['ge:gənt] *f* <-en> zona *f*; **in der ~ von Hamburg** cerca de Hamburgo; **die ~ um Madrid** los alrededores de Madrid

gegeneinander [ge:gən?aɪ'nandɐ] *adv* uno contra otro

Gegenfahrbahn *f* carril *m* contrario; **Gegenleistung** *f* contrapartida *f*; **Gegenmaßnahme** *f* contramedida *f*; **Gegensatz** *m* oposición *f*; **im ~ zu dir** a diferencia de ti; **einen ~ zu etw bilden** contrastar con algo

gegensätzlich ['--zɛtslɪç] *adj* (*entgegengesetzt*) contrario; (*widersprüchlich*) opuesto

Gegenseite *f* ① (*räumlich*) lado *m* opuesto ② POL (partido *m* de la) oposición *f* ③ JUR parte *f* contraria

gegenseitig ['ge:gənzaɪtɪç] *adj* recíproco; **sich** *dat* **~ helfen** ayudarse el uno al otro

Gegenseitigkeit *f* reciprocidad *f*; **das beruht auf ~** esto es recíproco

Gegenstand *m* objeto *m*; **gegenstandslos** *adj* sin validez; (*unbegründet*) sin fundamento

Gegenteil *nt* lo contrario; **(ganz) im ~!** ¡al contrario!

gegenteilig *adj* contrario

gegenüber [gegən'?y:bɐ] **I.** *präp +dat;* (*örtlich*) enfrente de; (*einer Person*) frente a; (*im Vergleich zu*) en comparación con **II.** *adv* enfrente; **gegenüberliegend** *adj* de enfrente; **auf der ~en Seite** en el lado opuesto; **gegenüber|stehen** *irr vi:* **etw** *dat* **positiv/negativ ~** defender/rechazar algo; **gegenüber|stellen** *vt* (*Person*) confrontar (con); (*vergleichen*) comparar (con)

Gegenverkehr *m* tráfico *m* en contra

Gegenwart ['ge:gənvart] *f a.* LING presente *m*; (*Anwesenheit*) presencia *f*; **die Kunst der ~** el arte contemporáneo

gegenwärtig ['ge:gənvɛrtɪç] *adj* actual

Gegenwert *m* contravalor *m*; **Gegenwind** *m* viento *m* en contra

gegessen [gə'gɛsən] *pp von* **essen**

geglichen [gə'glɪçən] *pp von* **gleichen**

geglitten [gə'glɪtən] *pp von* **gleiten**

geglommen [gə'glɔmən] *pp von* **glimmen**

Gegner(in) ['ge:gnɐ] *m(f)* <-s, -; -nen> adversario, -a *m, f*

gegnerisch *adj* contrario

gegolten [gə'gɔltən] *pp von* **gelten**

gegossen [gə'gɔsən] *pp von* **gießen**

gegraben [gə'gra:bən] *pp von* **graben**

gegriffen [gə'grɪfən] *pp von* **greifen**

Gehalt[1] [gə'halt] *m* <-(e)s, -e> (*Anteil*) contenido *m* (**an** de)

Gehalt[2] *nt* <-(e)s, -hälter> salario *m*

gehalten [gə'haltən] *pp von* **halten**

Gehaltserhöhung *f* aumento *m* salarial

gehaltvoll *adj* (*Essen*) sustancioso

gehangen [gə'haŋən] *pp von* **hängen**

gehässig [gə'hɛsɪç] *adj* (*abw: böswillig*) malévolo; (*feindselig*) hostil

gehauen [gə'haʊən] *pp von* **hauen**

gehäuft [gə'hɔɪft] *adj* ① (*Auftreten*) frecuente ② (*voll*) lleno; **ein ~er Löffel** una cucharada colmada

Gehäuse [gə'hɔɪzə] *nt* <-s, -> carcasa *f*

gehbehindert ['ge:bəhɪndɐt] *adj* inválido

Gehege [gə'he:gə] *nt* <-s, -> cercado *m*

geheim [gə'haɪm] *adj* secreto; (*Kräfte*) oculto; (*vertraulich*) confidencial; **etw ~ halten** mantener algo en secreto; **etw vor jdm ~ halten** ocultar algo a alguien; **Geheimdienst** *m* servicio *m* secreto; **geheim|halten**[ALT] *irr vt s.* **ge-**

heim

Geheimnis *nt* <-ses, -se> secreto *m*; **ein ~ verraten** revelar un secreto; **ein offenes ~** un secreto a voces; **er macht kein ~ daraus, dass ...** no oculta que...; **geheimnisvoll** *adj* misterioso

Geheimzahl *f* número *m* secreto

geheißen *pp von* **heißen**

gehen ['ge:ən] <geht, ging, gegangen> *vi sein* andar; (*weggehen*) irse; **zu Fuß ~** ir a pie; **das geht zu weit** eso pasa de la raya; **es geht mir schlecht** me encuentro mal; **so geht das nicht weiter** esto no puede seguir así; **mit der Zeit ~** estar al día; **die Uhr geht** (**falsch**) el reloj anda (mal); **ich zeige dir, wie das geht** te enseño cómo se hace; **gut ~** ir bien; **sich ~ lassen** descuidarse; **vor sich ~** (*fam*) ocurrir; **worum geht's denn?** ¿de qué se trata?; **gehen|lassen** *irr vr:* **sich ~** descuidarse

geheuer [gə'hɔɪɐ] *adj*: **das ist mir nicht ~** me da algo de miedo

Gehilfe, Gehilfin [gə'hɪlfə] *m, f* <-n, -n; -nen> ayudante *mf*

Gehirn [gə'hɪrn] *nt* cerebro *m*; **Gehirnerschütterung** *f* <-en> conmoción *f* cerebral

gehoben [gə'ho:bən] **I.** *pp von* **heben** **II.** *adj* (*Ausdrucksweise*) culto

geholfen [gə'hɔlfən] *pp von* **helfen**

Gehör [gə'hø:ɐ] *nt* <-(e)s, *ohne pl*> oído *m*; **jdm ~ schenken** prestar atención a alguien; **sich** *dat* **~ verschaffen** hacerse escuchar

gehorchen* *vi* obedecer

gehören* **I.** *vi* ❶ (*als Eigentum*) pertenecer (a); **das Auto gehört ihm** el coche es suyo ❷ (*zählen zu*) formar parte (**zu** de); **er gehört zur Familie** es de la familia; **wo gehört das hin?** ¿dónde se pone esto? ❸ (*nötig sein*) hacer falta; **dazu gehört Mut** esto requiere valentía **II.** *vr:* **sich ~** ser conveniente; **wie es sich gehört** como es debido

gehörig **I.** *adj* (*gehörend*) perteneciente (**zu** a); (*angemessen*) debido; (*fam: gründlich*) fuerte; **eine ~e Tracht Prügel** una buena paliza **II.** *adv* (*gebührend*) como es debido; **ich habe ihm ~ die Meinung gesagt** le dije mi opinión como se merecía

gehorsam *adj* obediente

Gehorsam [gə'ho:ɐza:m] *m* <-s, *ohne pl*> obediencia *f*

Gehsteig ['ge:ʃtaɪk] *m* <-(e)s, -e> acera *f*, vereda *f* ; **Gehweg** *m* ❶ (*Bürgersteig*) acera *f* ❷ (*Fußweg*) camino *m*

Geier ['gaɪɐ] *m* <-s, -> buitre *m*

Geige ['gaɪgə] *f* <-n> violín *m*

geil [gaɪl] *adj* (*fam: großartig*) guay; (*vulg: lüstern*) cachondo

Geisel ['gaɪzəl] *f* <-n> rehén *mf*; **~n nehmen** tomar rehenes; **Geiselnahme** ['--na:mə] *f* <-n> toma *f* de rehenes; **Geiselnehmer(in)** *m(f)* <-s, -; -nen> secuestrador(a) *m(f)*

Geist [gaɪst] *m* <-(e)s, -er> ❶ (*Denker*) espíritu *m* ❷ (*Gespenst*) fantasma *m* ❸ *ohne pl* (*Verstand*) mente *f*; **den ~ aufgeben** (*fam*) estropearse; **Geisterbahn** *f* tren *m* fantasma

geistesabwesend ['gaɪstəs-] *adj* distraído; **Geistesblitz** *m* (*fam*) ocurrencia *f*; **Geistesgegenwart** *f* presencia *f* de ánimo; **geistesgestört** *adj* perturbado mental; **geisteskrank** *adj* enfermo mental; **Geisteswissenschaften** *f pl* ciencias *fpl* humanas; **Geisteszustand** *m* estado *m* mental

geistig ['gaɪstɪç] *adj* (*Kräfte*) mental; **~ behindert** deficiente mental

geistlich ['gaɪstlɪç] *adj* espiritual; (*kirchlich*) eclesiástico; **~e Musik** música sacra

Geistliche(r) *m* <-n, -n> eclesiástico *m*

geistreich *adj* ingenioso

Geiz [gaɪts] *m* <-es, *ohne pl*> avaricia *f*

geizen *vi* cicatear

Geizhals *m* (*abw*) tacaño, -a *m, f*

geizig *adj* tacaño

Gejammer [gə'jamɐ] *nt* <-s, *ohne pl*>

G

(*fam abw*) quejas *fpl*

gekannt [gə'kant] *pp von* **kennen**

Gekicher [gə'kɪçɐ] *nt* <-s, *ohne pl*> (*fam abw*) risitas *fpl*

geklungen [gə'klʊŋən] *pp von* **klingen**

geknickt [gə'knɪkt] *adj* (*fam*) afligido

gekniffen [gə'knɪfən] *pp von* **kneifen**

gekommen [gə'kɔmən] *pp von* **kommen**

gekonnt [gə'kɔnt] **I.** *pp von* **können**[2] **II.** *adj* bien hecho

gekrochen [gə'krɔxən] *pp von* **kriechen**

gekünstelt [gə'kʏnstəlt] *adj* (*abw*) amanerado; (*Stil*) rebuscado

Gel [ge:l] *nt* <-s, -e> gel *m*

Gelächter [gə'lɛçtɐ] *nt* <-s, -> carcajada *f*

geladen [gə'la:dən] **I.** *pp von* **laden** **II.** *adj* (*fam: zornig*) furioso; **eine ~e Atmosphäre** un ambiente cargado

gelähmt [gə'lɛ:mt] *adj* paralizado

Gelände [gə'lɛndə] *nt* <-s, -> terreno *m*

Geländer [gə'lɛndɐ] *nt* <-s, -> barandilla *f*

Geländewagen *m* (vehículo *m*) todoterreno *m*

gelang [gə'laŋ] *3. imp von* **gelingen**

gelangen* [gə'laŋən] *vi sein* llegar (**zu/nach/an** a); **zu einer Überzeugung ~** llegar a una conclusión

gelassen [gə'lasən] **I.** *pp von* **lassen**[1] **II.** *adj* sereno **III.** *adv* con calma; **~ bleiben** no perder la calma

gelaufen [gə'laʊfən] *pp von* **laufen**

geläufig [gə'lɔɪfɪç] *adj* corriente; **dieses Wort ist mir nicht ~** no conozco esta palabra

gelaunt [gə'laʊnt] *adj*: **übel ~** malhumorado; **gut ~ sein** estar de buen humor

gelb [gɛlp] *adj* amarillo

Geld [gɛlt] *nt* <-(e)s, *ohne pl*> dinero *m*; **das geht ganz schön ins ~** esto cuesta un montón; **das ~ zum Fenster rauswerfen** (*fam*) tirar los cuartos por la ventana; **sie hat ~ wie Heu** (*fam*) le sale el dinero hasta por las orejas; **Geldautomat** *m* cajero *m* automático; **Geldbetrag** *m* importe *m*; **Geldbeutel** *m* monedero *m*

Gelder *nt pl* (*Mittel*) fondos *mpl*

geldgierig *adj* (*abw*) codicioso; **Geldinstitut** *nt* institución *f* bancaria; **Geldschein** *m* billete *m* de banco; **Geldstrafe** *f* multa *f*; **Geldwäsche** *f* (*fam*) blanqueo *m* de dinero

Gelee [ʒe'le:] *m o nt* <-s, -s> jalea *f*

gelegen [gə'le:gən] **I.** *pp von* **liegen** **II.** *adj* (*örtlich*) situado; (*passend*) oportuno; **zentral ~** céntrico **III.** *adv*: **das kommt mir sehr ~** esto me viene muy a propósito; **mir ist viel daran ~, dass ...** considero muy importante que... *+subj*

Gelegenheit *f* <-en> ocasión *f* (**zu** para); **wenn sich die ~ bietet** si se presenta la oportunidad

gelegentlich **I.** *adj* ocasional **II.** *adv* (*bei Gelegenheit*) cuando sea oportuno; (*manchmal*) de vez en cuando

gelehrig [gə'le:rɪç] *adj* que aprende fácilmente

gelehrt [gə'le:ɐt] *adj* erudito

Gelenk [gə'lɛnk] *nt* <-(e)s, -e> *a.* TECH articulación *f*

gelenkig *adj* ágil

gelesen [gə'le:zən] *pp von* **lesen**

Geliebte(r) [gə'li:ptɐ] *f(m) dekl wie adj* amante *mf*

geliehen [gə'li:ən] *pp von* **leihen**

gelingen [gə'lɪŋən] <gelingt, gelang, gelungen> *vi sein* lograr; **es gelingt mir nicht** no me sale

Gelingen *nt* <-s, *ohne pl*> éxito *m*; **auf gutes ~!** ¡por el éxito!

gelitten [gə'lɪtən] *pp von* **leiden**

gelogen [gə'lo:gən] *pp von* **lügen**

gelöst [gə'lø:st] *adj* relajado

gelten ['gɛltən] <gilt, galt, gegolten> *vi* (*gültig sein*) ser válido; (*zutreffen*) valer; **etw ~ lassen** dejar pasar algo; **und das gilt auch für dich** y esto también va por ti

Geltung *f* ❶ (*Gültigkeit*) validez *f*; **~ ha-**

ben ser válido ❷ (*Ansehen*) prestigio *m*; **sich** *dat* ~ **verschaffen** hacerse respetar; **zur ~ kommen** resaltar; **etw zur ~ bringen** acentuar algo; **Geltungsbedürfnis** *nt* <-ses, *ohne pl*> afán *m* de notoriedad

gelungen [gəˈlʊŋən] **I.** *pp von* **gelingen** **II.** *adj* (*gut*) estupendo; (*erfolgreich*) exitoso; **etw ist gut ~** algo ha salido bien

gemächlich [gəˈmɛ(:)çlɪç] *adj* (*ruhig*) tranquilo; (*langsam*) parsimonioso

Gemahl(in) [gəˈma:l] *m(f)* <-(e)s, -e; -nen> (*geh*) esposo, -a *m, f*

gemahlen [gəˈma:lən] *pp von* **mahlen**

Gemälde [gəˈmɛ:ldə] *nt* <-s, -> cuadro *m*

gemäß [gəˈmɛ:s] *präp +dat* según

gemäßigt [gəˈmɛ:sɪçt] *adj* moderado; (*Klima*) templado

Gemecker [gəˈmɛkɐ] *nt* <-(e)s, *ohne pl*> ❶ (*fam abw: von Mensch*) critiqueo *m* ❷ (*von Ziege*) balido *m*

gemein [gəˈmaɪn] *adj* (*niederträchtig*) infame; **etw mit jdm ~ haben** tener algo en común con alguien

Gemeinde [gəˈmaɪndə] *f* <-n> ADMIN municipio *m*; REL parroquia *f*; **Gemeinderat** *m* concejo *m* municipal

gemeingefährlich *adj* que constituye un peligro público; **Gemeingut** *nt* <-(e)s, *ohne pl*> (*geh*) patrimonio *m* público

Gemeinheit *f* infamia *f*

gemeinsam **I.** *adj* común **II.** *adv* en común; (*zusammen*) juntos; **etw ~ benutzen** utilizar algo conjuntamente; **sie haben viel ~** tienen mucho en común

Gemeinschaft *f* <-en> comunidad *f*; **die Europäische ~** la Comunidad Europea

gemeinschaftlich **I.** *adj* común **II.** *adv* conjuntamente

Gemeinschaftspraxis *f* consultorio *m* colectivo

Gemeinwohl *nt* bien *m* común

gemessen [gəˈmɛsən] *pp von* **messen**

gemieden [gəˈmi:dən] *pp von* **meiden**

Gemisch [gəˈmɪʃ] *nt* <-(e)s, -e> mezcla *f*

gemischt [gəˈmɪʃt] *adj* mixto; **mit ~en Gefühlen** con sentimientos encontrados

gemocht [gəˈmɔxt] *pp von* **mögen**[1]

gemolken [gəˈmɔlkən] *pp von* **melken**

Gemurmel [gəˈmʊrməl] *nt* <-s, *ohne pl*> murmullo *m*

Gemüse [gəˈmy:zə] *nt* <-s, -> verdura *f*; **das junge ~** (*fam*) la gente menuda; **Gemüsegarten** *m* huerto *m*

gemusst[RR] [gəˈmʊst] *pp von* **müssen**[2]

Gemüt [gəˈmy:t] *nt* <-(e)s, -er> ❶ (*Psyche*) ánimo *m*; **die Entscheidung erregte die ~er** la decisión excitó los ánimos ❷ (*Seele*) alma *m*; **das ist ihm aufs ~ geschlagen** esto le ha deprimido; **sich** *dat* **etw zu ~e führen** (*etw beherzigen*) tomar algo en consideración (*fam: sich etw gönnen*) obsequiarse con algo

gemütlich **I.** *adj* acogedor; **mach's dir ~** ponte cómodo; **in ~em Tempo** a un ritmo agradable **II.** *adv* a gusto

Gemütlichkeit *f* comodidad *f*; **in aller ~** a sus anchas

Gemütsbewegung *f* emoción *f*; **Gemütsverfassung** *f* estado *m* de ánimo

Gen [ge:n] *nt* <-s, -e> gen(e) *m*

genannt [gəˈnant] *pp von* **nennen**

genau [gəˈnaʊ] *adj* (*exakt*) exacto; (*sorgfältig*) escrupuloso; (*ausführlich*) detallado; **ich weiß nichts Genaueres darüber** no sé nada más concreto acerca de ello; **~ das Gegenteil** justo lo contrario; **es ist ~ 10 Uhr** son las diez en punto; **so ~ wollte ich es nicht wissen!** ¡tan detalladamente no quería saberlo!; **etw ~ nehmen** tomar algo al pie de la letra; **~ genommen ist das nicht richtig** en sentido estricto esto no es correcto; **genaugenommen** *adv s.* **genau**

Genauigkeit *f* precisión *f*

genauso [gəˈnaʊzo:] *adv* de igual modo;

~ **gut** de la misma manera; ~ **gut wie** igual de bien que; ~ **viel wie** tanto como; ~ **wie** así como; **genausogut**[ALT] *adv s.* **genauso**; **genausoviel**[ALT] *adv s.* **genauso**

genehmigen* [gə'ne:mɪgən] *vt* autorizar; (*Antrag*) aprobar; **sich** *dat* **etw ~** (*fam*) permitirse algo

Genehmigung *f* <-en> autorización *f*

geneigt [gə'naɪkt] *adj*: **zu etw** *dat* **~ sein** estar dispuesto a hacer algo

G

Genera *pl von* **Genus**

General(in) [genə'ra:l] *m(f)* <-s, -e *o* -räle; -nen> general *mf*; **Generalprobe** *f* ensayo *m* general

Generation [genəra'tsjo:n] *f* <-en> generación *f*

Generator [genə'ra:to:ɐ] *m* <-s, -en> generador *m*

generell [genə'rɛl] **I.** *adj* general **II.** *adv* en general

Genetik [ge'ne:tɪk] *f* genética *f*

genetisch [ge'ne:tɪʃ] *adj* genético

Genf [gɛnf] *nt* <-s> Ginebra *f*

Genforschung *f* investigación *f* genética

genial [ge'nja:l] *adj* genial

Genick [gə'nɪk] *nt* <-(e)s, -e> nuca *f*; **das bricht ihm das ~** (*fam*) esto le va a matar

Genie [ʒe'ni:] *nt* <-s, -s> genio *m*

genieren* [ʒe'ni:rən] *vr:* **sich ~** avergonzarse

genießbar *adj* comestible

genießen [gə'ni:sən] <genießt, genoss, genossen> *vt* disfrutar (de); **jds Vertrauen ~** gozar de la confianza de alguien; **das ist mit Vorsicht zu ~** hay que tener cuidado con esto

Genießer(in) *m(f)* <-s, -; -nen> sibarita *mf*

Genitalien [geni'ta:liən] *nt pl* (órganos *m pl*) genitales *m pl*

Genitiv ['ge:niti:f] *m* <-s, -e> genitivo *m*

genommen [gə'nɔmən] *pp von* **nehmen**

genormt [gə'nɔrmt] *adj* estandarizado

genoss[RR] [gə'nɔs] *3. imp von* **genießen**

Genosse, **Genossin** [gə'nɔsə] *m, f* <-n, -n; -nen> compañero, -a *m, f*

genossen [gə'nɔsən] *pp von* **genießen**

Genre ['ʒã:rə] *nt* <-s, -s> género *m*

Gentechnologie *f* ingeniería *f* genética

genug [gə'nu:k] *adv* bastante; **es ist ~ Platz** hay sitio suficiente; **jetzt ist es aber ~!** ¡ya basta!; **~ von etw haben** estar harto de algo

genügen* [gə'ny:gən] *vi* bastar; **den Anforderungen ~** satisfacer las exigencias

genügend *adj* bastante, suficiente

genügsam *adj* contentadizo

Genugtuung [gə'nu:ktu:ʊŋ] *f* <-en> satisfacción *f*

Genus ['gɛnʊs, 'ge:nʊs] *nt* <-, Genera> género *m*

Genuss[RR] [gə'nʊs] *m* <-es, -nüsse> ❶ (*Vergnügen*) placer *m* ❷ *ohne pl* (*Konsum*) consumo *m*

genüsslich[RR] **I.** *adj* gozoso **II.** *adv* con fruición

Genussmittel[RR] *nt* estimulante *m*

Geografie[RR] [geogra'fi:] *f* geografía *f*

geografisch[RR] *adj* geográfico

Geographie *f s.* **Geografie**

geographisch *adj s.* **geografisch**

Geologie [geolo'gi:] *f* geología *f*

Geometrie [geome'tri:] *f* geometría *f*

Georgien [ge'ɔrgiən] *nt* <-s> Georgia *f*

Gepäck [gə'pɛk] *nt* <-(e)s, *ohne pl*> equipaje *m*; **sein ~ aufgeben** facturar su equipaje; **Gepäckaufbewahrung** *f* consigna *f*; **Gepäckausgabe** *f* entrega *f* de equipajes

Gepäckträger[1] *m* (*am Fahrrad*) portaequipajes *m inv*

Gepäckträger(in)[2] *m(f)* mozo, -a *m, f* de equipajes

Gepäckwagen *m* (*im Bahnhof*) carrito *m* portaequipajes; (*des Zuges*) furgón *m* de equipajes

gepfeffert [gə'pfɛfɐt] *adj* (*fam: Preise*) exorbitante; (*Kritik*) duro; (*Strafe*) severo

gepfiffen [gə'pfɪfən] *pp von* **pfeifen**
gepflegt [gə'pfle:kt] *adj* cuidado; (*Restaurant*) elegante; (*Ausdrucksweise*) culto
Geplapper [gə'plapɐ] *nt* <-s, *ohne pl*> (*fam*) cháchara *f*
gepriesen [gə'pri:zən] *pp von* **preisen**
gequollen [gə'kvɔlən] *pp von* **quellen**
gerade [gə'ra:də] **I.** *adj* (*geradlinig*) recto; (*aufrecht*) derecho **II.** *adv* ❶ (*soeben*) ahora mismo; **sie duscht ~** se está duchando ❷ (*knapp*) justo; **er kam ~ noch rechtzeitig** llegó justo a tiempo ❸ (*ausgerechnet*) precisamente; **er ist nicht ~ eine Schönheit** (*fam*) no es precisamente una belleza
Gerade [gə'ra:də] *f* <-n> recta *f*
geradeaus [---'-] *adv* recto; **immer ~** todo seguido; **geradeheraus** [-'---'-] *adv* (*fam*) francamente
gerade|stehen *irr vi:* **für etw ~** responder de algo
geradewegs [-'---] *adv* directamente
geradezu [-'---] *adv* realmente
Geranie [ge'ra:niə] *f* <-n> geranio *m*
gerann [gə'ran] *3. imp von* **gerinnen**
gerannt [gə'rant] *pp von* **rennen**
gerät [gə'rɛ:t] *3. präs von* **geraten**[2]
Gerät [gə'rɛ:t] *nt* <-(e)s, -e> (*Apparat*) aparato *m*; (*Instrument*) instrumento *m*
geraten[1] [gə'ra:tən] *pp* **geraten**[2] *s.* **raten**
geraten[2] <gerät, geriet, geraten> *vi sein* llegar; **in Schwierigkeiten ~** caer en una situación difícil; **außer sich** *dat/akk* **~** salirse de sus casillas; **gut/schlecht ~** salir bien/mal; **das ist etwas kurz ~** eso ha quedado algo corto; **nach jdm ~** salir a alguien
Geratewohl [gə'ra:təvo:l, ---'-] *nt* (*fam*): **aufs ~** al azar
geräumig [gə'rɔɪmɪç] *adj* espacioso
Geräusch [gə'rɔɪʃ] *nt* <-(e)s, -e> ruido *m*; **Geräuschkulisse** *f* ruido *m* ambiente; **geräuschlos** *adj* silencioso
gerecht [gə'rɛçt] *adj* justo; (*Strafe*) merecido
Gerechtigkeit *f* justicia *f*; **jdm ~ widerfahren lassen** hacer justicia a alguien
Gerede [gə're:də] *nt* <-s, *ohne pl*> (*Geschwätz*) perorata *f*; (*Klatsch*) habladurías *fpl*
gereizt [gə'raɪtst] *adj* irritado
Gericht [gə'rɪçt] *nt* <-(e)s, -e> (*Speise*) plato *m*; (*Institution*) tribunal *m* (de justicia); (*Gebäude*) palacio *m* de justicia
gerichtlich *adj* judicial
Gerichtssaal *m* sala *f* de audiencia; **Gerichtsverhandlung** *f* juicio *m*
gerieben [gə'ri:bən] *pp von* **reiben**
geriet [gə'ri:t] *3. imp von* **geraten**[2]
gering [gə'rɪŋ] *adj* (*klein*) pequeño; (*wenig*) poco; (*knapp*) escaso; (*beschränkt*) limitado; (*Preis*) bajo; (*Entfernung*) corto; **jdn ~ schätzen** menospreciar a alguien; (*verachten*) despreciar a alguien; **die ~ste Kleinigkeit regt ihn auf** la pequeñez más nimia le enfada; **das stört mich nicht im Geringsten** no me molesta lo más mínimo; **geringfügig** [gə'rɪŋfy:gɪç] **I.** *adj* mínimo **II.** *adv* ligeramente; **gering|schätzen** *vt s.* **gering**; **geringschätzig** *adj* despectivo
gerinnen* [gə'rɪnən] *irr vi sein* (*Milch*) cuajar(se); (*Blut*) coagular(se)
Gerippe [gə'rɪpə] *nt* <-s, -> esqueleto *m*
gerissen [gə'rɪsən] **I.** *pp von* **reißen** **II.** *adj* (*fam*) astuto
geritten [gə'rɪtən] *pp von* **reiten**
Germanistik [gɛrma'nɪstɪk] *f* germanística *f*
gern(e) ['gɛrn(ə)] <lieber, am liebsten> *adv* con gusto; **sie liest ~** le gusta leer; **ein ~ gesehener Gast** un invitado bienvenido; **~ geschehen!** ¡no hay de qué!; **ich hätte ~ den Chef gesprochen** quisiera hablar con el jefe
gerochen [gə'rɔxən] *pp von* **riechen**
geronnen [gə'rɔnən] *pp von* **gerinnen, rinnen**

G

Gerste ['gɛrstə] *f* <-n> cebada *f*
Geruch [gə'rʊx] *m* <-(e)s, -rüche> olor *m*; **geruchlos** *adj* sin olor; **Geruchssinn** *m* <-(e)s, *ohne pl*> olfato *m*
Gerücht [gə'rʏçt] *nt* <-(e)s, -e> rumor *m*; **ein ~ in die Welt setzen** difundir un rumor
gerufen [gə'ru:fən] *pp von* **rufen**
geruhsam [gə'ru:za:m] *adj* sosegado
Gerümpel [gə'rʏmpəl] *nt* <-s, *ohne pl*> (*abw*) trastos *mpl*
G
gerungen [gə'rʊŋən] *pp von* **ringen**
Gerüst [gə'rʏst] *nt* <-(e)s, -e> (*Baugerüst*) andamio *m*; (*Aufbau*) estructura *f*
gesalzen [gə'zaltsən] *adj* (*fam: Preis*) exorbitante
gesamt [gə'zamt] *adj* todo; (*völlig*) total; (*vollständig*) completo; **Gesamtbetrag** *m* importe *m* total; **Gesamteindruck** *m* impresión *f* final
Gesamtheit *f* totalidad *f*; **in seiner/ihrer ~** en su totalidad
Gesamtschule *f* escuela *f* integrada
gesandt [gə'zant] *pp von* **senden**
Gesandte(r) [gə'zantɐ] *mf* <-n, -n; -n> enviado, -a *m, f*
Gesang [gə'zaŋ] *m* <-(e)s, -sänge> canto *m*; **Gesangverein** *m* orfeón *m*
Gesäß [gə'zɛ:s] *nt* <-es, -e> trasero *m*
geschaffen [gə'ʃafən] *pp von* **schaffen**[1]
Geschäft [gə'ʃɛft] *nt* <-(e)s, -e> negocio *m*; **morgen gehe ich nicht ins ~** (*fam*) mañana no voy al trabajo; **ein gutes ~ machen** hacer un buen negocio
geschäftig *adj* diligente
geschäftlich *adj* comercial; **~ unterwegs sein** estar en viaje de negocios
Geschäftsfrau *f* mujer *f* de negocios; **Geschäftsführer(in)** *m(f)* (*von Unternehmen*) gerente *mf*; **Geschäftsleitung** *f* gerencia *f*; **Geschäftsmann** *m* <-(e)s, -leute *o* -männer> hombre *m* de negocios; **Geschäftsreise** *f* viaje *m* de negocios; **Geschäftsschluss**[RR] *m* <-es, *ohne pl*> (hora *f* de) cierre *m* de los comercios; **Geschäftsstelle** *f* (*Büro*) despacho *m*; (*Filiale*) sucursal *f*; **geschäftstüchtig** *adj* hábil para el comercio
geschah [gə'ʃa:] *3. imp von* **geschehen**
geschehen [gə'ʃe:ən] <geschieht, geschah, geschehen> *vi sein* ocurrir; **als ob nichts ~ wäre** como si no hubiera pasado nada
gescheit [gə'ʃaɪt] *adj* listo; (*vernünftig*) sensato
Geschenk [gə'ʃɛŋk] *nt* <-(e)s, -e> regalo *m*; **Geschenkpapier** *nt* papel *m* de regalo
Geschichte [gə'ʃɪçtə] *f* <-n> ❶ (*Erzählung*) cuento *m* ❷ (*fam: Angelegenheit*) asunto *m*; **mach keine ~n!** ¡no hagas tonterías! ❸ *ohne pl* (*Entwicklungsprozess*) historia *f*
geschichtlich *adj* histórico
Geschichtsbuch *nt* libro *m* de historia
Geschick [gə'ʃɪk] *nt* <-(e)s, -e> (*geh: Schicksal*) suerte *f*
Geschicklichkeit *f* habilidad *f*
geschickt *adj* hábil
geschieden [gə'ʃi:dən] *pp von* **scheiden**
geschieht [gə'ʃi:t] *3. präs von* **geschehen**
geschienen [gə'ʃi:nən] *pp von* **scheinen**
Geschirr [gə'ʃɪr] *nt* <-(e)s, -e> ❶ (*Essgeschirr*) vajilla *f*; (*Kaffeegeschirr*) juego *m* de café ❷ *ohne pl* (*Gesamtheit*) platos *mpl*; **Geschirrspülmaschine** *f* lavavajillas *m inv*; **Geschirrtuch** *nt* paño *m* de cocina
geschissen [gə'ʃɪsən] *pp von* **scheißen**
geschlafen [gə'ʃla:fən] *pp von* **schlafen**
geschlagen [gə'ʃla:gən] *pp von* **schlagen**
Geschlecht [gə'ʃlɛçt] *nt* <-(e)s, -er> ❶ (*Gattung a.* LING) género *m* ❷ *ohne pl* BIOL sexo *m*; **beiderlei ~s** de ambos sexos
geschlechtlich *adj* sexual
Geschlechtskrankheit *f* enfermedad *f* venérea; **Geschlechtsorgan** *nt* órgano *m* sexual; **Geschlechtsverkehr** *m* rela-

ciones *fpl* sexuales

geschlichen [gəˈʃlɪçən] *pp von* **schleichen**

geschliffen [gəˈʃlɪfən] **I.** *pp von* **schleifen²** **II.** *adj* (*Ausdrucksweise*) pulido

geschlossen [gəˈʃlɔsən] **I.** *pp von* **schließen** **II.** *adj*: **~e Gesellschaft** reunión privada **III.** *adv* colectivamente; **~ für etw stimmen** votar por unanimidad a favor de algo

geschlungen [gəˈʃlʊŋən] *pp von* **schlingen**

Geschmack [gəˈʃmak] *m* <-(e)s, -schmäcke, *fam*:: -schmäcker> ❶ (*einer Speise*) sabor *m* ❷ (*ästhetisches Empfinden*) gusto *m*; **an etw ~ finden** cogerle el gusto a algo ❸ *ohne pl* (*Geschmackssinn*) gusto *m*; **geschmacklos** *adj* (*Speisen*) sin sabor; (*taktlos*) de mal gusto; **Geschmack(s)sache** *f* cuestión *f* de gusto; **geschmackvoll** **I.** *adj* de buen gusto **II.** *adv* con gusto

geschmissen [gəˈʃmɪsən] *pp von* **schmeißen**

geschmolzen [gəˈʃmɔltsən] *pp von* **schmelzen**

geschnitten [gəˈʃnɪtən] *pp von* **schneiden**

geschoben [gəˈʃoːbən] *pp von* **schieben**

gescholten [gəˈʃɔltən] *pp von* **schelten**

geschönt *adj* (*Statistik*) maquillado

Geschöpf [gəˈʃœpf] *nt* <-(e)s, -e> criatura *f*

geschoren [gəˈʃoːrən] *pp von* **scheren¹**

Geschoss[RR] [gəˈʃɔs] *nt* <-es, -e> proyectil *m*; (*Etage*) piso *m*

geschossen [gəˈʃɔsən] *pp von* **schießen**

Geschrei *nt* <-s, *ohne pl*> griterío *m*

geschrieben [gəˈʃriːbən] *pp von* **schreiben**

geschrie(e)n [gəˈʃriː(ə)n] *pp von* **schreien**

geschritten [gəˈʃrɪtən] *pp von* **schreiten**

geschunden [gəˈʃʊndən] *pp von* **schinden**

Geschwätz [gəˈʃvɛts] *nt* <-es, *ohne pl*> (*fam abw: Gerede*) palabrería *f*; (*Klatsch*) cotilleo *m*

geschwätzig *adj* (*abw*) chismoso

geschweige [gəˈʃvaɪgə] *konj*: **~ denn** ni mucho menos

geschwiegen [gəˈʃviːgən] *pp von* **schweigen**

geschwind [gəˈʃvɪnt] *adj* REG rápido

Geschwindigkeit [gəˈʃvɪndɪçkaɪt] *f* <-en> velocidad *f*; **Geschwindigkeitsbeschränkung** *f* limitación *f* de velocidad

Geschwister [gəˈʃvɪstɐ] *pl* hermanos *mpl*; (*Schwestern*) hermanas *fpl*

geschwollen [gəˈʃvɔlən] **I.** *pp von* **schwellen** **II.** *adj* (*abw: Stil*) ampuloso

geschwommen [gəˈʃvɔmən] *pp von* **schwimmen**

geschworen [gəˈʃvoːrən] *pp von* **schwören**

Geschworene(r) [gəˈʃvoːrənɐ] *mf* <-n, -n; -n> jurado, -a *m, f*

geschwunden [gəˈʃvʊndən] *pp von* **schwinden**

geschwungen [gəˈʃvʊŋən] *pp von* **schwingen**

Geschwür [gəˈʃvyːɐ] *nt* <-(e)s, -e> úlcera *f*

gesehen [gəˈzeːən] *pp von* **sehen**

Geselle, Gesellin [gəˈzɛlə] *m, f* <-n, -n; -nen> (*Handwerker*) oficial *mf*

gesellen* [gəˈzɛlən] *vr*: **sich ~** juntarse (**zu** con)

gesellig *adj* (*Mensch*) sociable

Gesellschaft [gəˈzɛlʃaft] *f* <-en> sociedad *f*; (*Begleitung*) compañía *f*; **jdm ~ leisten** hacer compañía a alguien

gesellschaftlich *adj* social

Gesellschaftsschicht *f* capa *f* social

gesessen [gəˈzɛsən] *pp von* **sitzen**

Gesetz [gəˈzɛts] *nt* <-es, -e> ley *f*; **Gesetzbuch** *nt* código *m*; **Gesetzentwurf** *m* proyecto *m* de ley; **Gesetzgeber** *m* <-s, -> legislador *m*; **Gesetzgebung** *f* legislación *f*

gesetzlich *adj* legal; **~er Feiertag** fiesta oficial

gesetzlos *adj* anárquico

gesetzmäßig *adj* legal; (*regelmäßig*) regular

gesetzt [gəˈzɛtst] *adj* (*ruhig*) sosegado; (*ernst*) serio; **~ den Fall, dass ...** suponiendo que... +*subj*

gesetzwidrig *adj* ilegal

Gesicht [gəˈzɪçt] *nt* <-(e)s, -er> cara *f*; **sein wahres ~ zeigen** quitarse la careta; **etw zu ~ bekommen** llegar a ver algo; **es steht ihm im ~ geschrieben** lo lleva escrito en la frente; **jdm wie aus dem ~ geschnitten sein** ser el vivo retrato de alguien; **Gesichtsausdruck** *m* <-(e)s, -drücke> (expresión *f* de la) cara *f*; **Gesichtspunkt** *m* punto *m* de vista; **Gesichtszüge** *m pl* facciones *fpl*

gesinnt [gəˈzɪnt] *adj*: **gleich ~** de la misma manera de pensar

Gesinnung [gəˈzɪnʊŋ] *f* <-en> (*Denkart*) ideas *fpl*; (*Überzeugung*) convicciones *fpl*; **politische ~** credo político; **Gesinnungswandel** *m* cambio *m* de opinión

gesittet [gəˈzɪtət] *adj* decente

gesoffen [gəˈzɔfən] *pp von* **saufen**

gesogen [gəˈzo:gən] *pp von* **saugen**[1]

gesondert [gəˈzɔndɐt] **I.** *adj* separado **II.** *adv* por separado

gesotten [gəˈzɔtən] *pp von* **sieden**

gespalten [gəˈʃpaltən] *pp von* **spalten**

gespannt [gəˈʃpant] *adj* (*neugierig*) curioso (**auf** por); (*Lage*) tenso

Gespenst [gəˈʃpɛnst] *nt* <-(e)s, -er> fantasma *m*

gespenstisch *adj* fantasmal

gesponnen [gəˈʃpɔnən] *pp von* **spinnen**

Gespött [gəˈʃpœt] *nt* <-(e)s, *ohne pl*> burla *f*; **sich zum ~ der Leute machen** ser el hazmerreír de la gente

Gespräch [gəˈʃprɛ:ç] *nt* <-(e)s, -e> conversación *f* (**über** de/sobre); TEL conferencia *f*; **mit jdm ins ~ kommen** trabar conversación con alguien; **im ~ sein** estar en boca de todos

gesprächig *adj* locuaz

Gesprächspartner(in) *m(f)* interlocutor(a) *m(f)*; **Gesprächsstoff** *m* tema *m* de conversación

gesprochen [gəˈʃprɔxən] *pp von* **sprechen**

gesprungen [gəˈʃprʊŋən] *pp von* **springen**

Gespür [gəˈʃpy:ɐ] *nt* <-s, *ohne pl*> sentido *m* (**für** de)

Gestalt [gəˈʃtalt] *f* <-en> (*Wuchs*) estatura *f*; (*Form*) forma *f*; (*Persönlichkeit*) personaje *m*; **~ annehmen** tomar cuerpo

gestalten* *vt* (*Wohnung*) distribuir; (*Freizeit*) organizar

Gestaltung *f* <-en> (*Wohnung*) distribución *f*; (*Freizeit*) organización *f*; (*Aufbau*) estructuración *f*

gestand [gəˈʃtant] *3. imp von* **gestehen**

gestanden [gəˈʃtandən] *pp von* **gestehen, stehen**

Geständnis [gəˈʃtɛntnɪs] *nt* <-ses, -se> confesión *f*; **ein ~ ablegen** confesar

Gestank [gəˈʃtaŋk] *m* <-(e)s, *ohne pl*> (*abw*) hedor *m*

gestatten* [gəˈʃtatən] *vt* permitir; **jdm etw ~** autorizar a alguien (para) algo; **Sie ~?** (con) permiso

Geste [ˈge:stə, ˈgɛstə] *f* <-n> gesto *m*

gestehen* *irr vt* confesar; **offen gestanden weiß ich es nicht** a decir verdad no lo sé

Gestein [gəˈʃtaɪn] *nt* <-(e)s, -e> mineral *m*; (*Fels*) roca *f*

Gestell [gəˈʃtɛl] *nt* <-(e)s, -e> (*Unterbau*) armazón *m o f*; (*Stütze*) soporte *m*

gestellt [gəˈʃtɛlt] *adj* (*Szene*) montado; (*Foto*) poco natural

gestern [ˈgɛstɐn] *adv* ayer; **~ Abend** ayer por la noche; **~ vor einer Woche** ayer hace ocho días; **ich bin doch nicht von ~** (*fam*) no nací ayer

gestiegen [gəˈʃti:gən] *pp von* **steigen**

gestikulieren* [gɛstikuˈli:rən, gestikuˈli:-

rən] *vi* gesticular

gestochen [gə'ʃtɔxən] *pp von* **stechen**

gestohlen [gə'ʃto:lən] *pp von* **stehlen**

gestorben [gə'ʃtɔrbən] *pp von* **sterben**

gestört [gə'ʃtø:ɐt] *adj* (*Verhältnis*) perturbado; (*Kind*) problemático

gestoßen [gə'ʃto:sən] *pp von* **stoßen**

gestreift [gə'ʃtraɪft] *adj* a rayas

gestresst[RR] [gə'ʃtrɛst] *adj* estresado

gestrichen [gə'ʃtrɪçən] **I.** *pp von* **streichen II.** *adj*: **ein ~er Teelöffel voll Zucker** una cucharilla rasa de azúcar; **ich hab die Schnauze ~ voll** (*fam*) estoy hasta las narices

gestrig ['gɛstrɪç] *adj* de ayer

gestritten [gə'ʃtrɪtən] *pp von* **streiten**

Gestrüpp [gə'ʃtrʏp] *nt* <-(e)s, -e> broza *f*

gestunken [gə'ʃtʊŋkən] *pp von* **stinken**

gesund [gə'zʊnt] *adj* sano; (*heilsam*) saludable; **wieder ~ werden** recobrar la salud; **Vitamin C ist ~** la vitamina C es buena para la salud; **~ aussehen** tener buen aspecto

Gesundheit *f* salud *f*; **auf Ihre ~!** ¡a su salud!; **~!** (*beim Niesen*) ¡Jesús!, ¡salud!

gesundheitlich *adj* de salud; **aus ~en Gründen** por razones de salud

Gesundheitsamt *nt* Departamento *m* de Sanidad; **gesundheitsschädlich** *adj* perjudicial para la salud

gesund|schreiben[RR] *irr vt* dar de alta

gesungen [gə'zʊŋən] *pp von* **singen**

gesunken [gə'zʊŋkən] *pp von* **sinken**

getan *pp von* **tun**

Getöse [gə'tø:zə] *nt* <-s, *ohne pl*> estruendo *m*

getragen [gə'tra:gən] **I.** *pp von* **tragen II.** *adj* (*Kleidung*) usado

Getränk [gə'trɛŋk] *nt* <-(e)s, -e> bebida *f*; **Getränkeautomat** *m* máquina *f* automática de bebidas

getrauen* *vr:* **sich ~** atreverse (**zu** a)

Getreide [gə'traɪdə] *nt* <-s, -> cereales *mpl o fpl*

getrennt [gə'trɛnt] **I.** *adj* separado **II.** *adv* por separado; **~ leben** vivir separados

getreten *pp von* **treten**

getreu [gə'trɔɪ] **I.** *adj* (*geh*) fiel **II.** *präp* +*dat* fiel a

Getriebe [gə'tri:bə] *nt* <-s, -> AUTO caja *f* de cambios

getrieben *pp von* **treiben**

getroffen *pp von* **treffen, triefen**

getrogen *pp von* **trügen**

getrost [gə'tro:st] *adv* tranquilamente

getrunken *pp von* **trinken**

Getto ['gɛto] *nt* <-s, -s> gueto *m*

Getue [gə'tu:ə] *nt* <-s, *ohne pl*> (*fam abw*) pose *f*; **ein zimperliches ~** remilgos *mpl*

geübt [gə'ʔy:pt] *adj* (*erfahren*) experto; (*geschickt*) hábil

Gewächs [gə'vɛks] *nt* <-es, -e> BOT planta *f*

gewachsen [gə'vaksən] **I.** *pp von* **wachsen II.** *adj*: **jdm/etw** *dat* **~ sein** estar a la altura de alguien/algo

Gewächshaus *nt* invernadero *m*

gewagt [gə'va:kt] *adj* arriesgado; (*moralisch bedenklich*) atrevido

gewählt [gə'vɛ:lt] *adj* (*elegant*) elegante

Gewähr [gə'vɛ:ɐ] *f* garantía *f*

gewähren* [gə'vɛ:rən] **I.** *vt* (*bewilligen*) conceder; (*geben*) proporcionar; (*erlauben*) permitir **II.** *vi:* **jdn ~ lassen** dejar plena libertad a alguien

gewährleisten* *vt* garantizar

Gewahrsam [gə'va:ɐza:m] *m* <-s, *ohne pl*> (*Obhut*) custodia *f*; **etw in ~ nehmen** tomar algo en custodia

Gewalt [gə'valt] *f* <-en> ❶ (*Macht*) poder *m*; **höhere ~** (caso de) fuerza mayor; **sich in der ~ haben** dominarse; **er verlor die ~ über seinen Wagen** perdió el control de su coche; **mit aller ~** a toda costa ❷ *ohne pl* (*Gewalttätigkeit*) violencia *f*; **~ anwenden** recurrir a la fuerza ❸ *ohne pl* (*Heftigkeit*) vehemencia *f*; **Gewaltherrschaft** *f* tiranía *f*

gewaltig **I.** *adj* (*mächtig*) poderoso; (*rie-

sig) enorme **II.** *adv* (*fam: sehr*) tremendamente

gewaltlos *adj* pacífico

gewaltsam I. *adj* violento **II.** *adv* a viva fuerza; **eine Tür ~ öffnen** forzar una puerta

Gewalttäter(in) *m(f)* criminal *mf* peligroso, -a; **gewalttätig** *adj* violento; **Gewaltverbrechen** *nt* crimen *m* violento

Gewand [gə'vant] *nt* <-(e)s, -wänder> (*geh: Kleidungsstück*) vestimenta *f*; (SCHWEIZ: *Kleidung*) vestido *m*

gewandt [gə'vant] **I.** *pp von* **wenden**[2] **II.** *adj* hábil; (*Auftreten*) seguro

gewann [gə'van] *3. imp von* **gewinnen**

gewaschen [gə'vaʃən] *pp von* **waschen**

Gewässer [gə'vɛsɐ] *nt* <-s, -> agua(s) *f* (*pl*)

Gewebe [gə've:bə] *nt* <-s, -> tejido *m*

Gewehr [gə've:ɐ] *nt* <-(e)s, -e> fusil *m*

Gewerbe [gə'vɛrbə] *nt* <-s, -> (*Tätigkeit*) oficio *m*; **ein ~ (be)treiben** dedicarse a un oficio; **Gewerbegebiet** *nt* polígono *m* industrial; **Gewerbesteuer** *f* impuesto *m* industrial

gewerblich [gə'vɛrplɪç] *adj* comercial; (*industriell*) industrial; **etw ~ nutzen** usar algo con fines comerciales

Gewerkschaft [gə'vɛrkʃaft] *f* <-en> sindicato *m*

gewesen [gə've:zən] *pp von* **sein**

gewichen [gə'vɪçən] *pp von* **weichen**

Gewicht [gə'vɪçt] *nt* <-(e)s, -e> ❶ (*für Waage*) pesa *f* ❷ *ohne pl* (*Schwere*) peso *m*; **sein ~ halten** mantener su peso ❸ *ohne pl* (*Bedeutung*) importancia *f*; **(nicht) ins ~ fallen** (no) tener importancia; **auf etw ~ legen** dar importancia a algo; **Gewichtheben** *nt* <-s, *ohne pl*> levantamiento *m* de pesas

gewieft [gə'vi:ft] *adj* (*fam*) astuto

gewiesen [gə'vi:zən] *pp von* **weisen**

gewillt [gə'vɪlt] *adj*: **~ sein etw zu tun** estar dispuesto a hacer algo

Gewimmel *nt* <-s, *ohne pl*> gentío *m*

Gewinn [gə'vɪn] *m* <-(e)s, -e> ❶ WIRTSCH ganancia *f*; (*in Lotterie*) premio *m*; **~ machen** obtener beneficios ❷ *ohne pl* (*Nutzen*) provecho *m*; **~ bringend** lucrativo; (*vorteilhaft*) ventajoso; **aus etw ~ schlagen** sacar provecho de algo; **gewinnbringend** *adj s.* **Gewinn 2.**

gewinnen* [gə'vɪnən] <gewinnt, gewann, gewonnen> **I.** *vt* ganar; (*Rohstoff*) sacar; (*Energie*) producir; **Zeit ~** ganar tiempo; **jdn für etw ~** ganar(se) a alguien para algo; **aus diesen Trauben wird Wein gewonnen** de estas uvas se hace vino **II.** *vi* ganar (**bei** +*dat* en); **an Bedeutung ~** ganar en importancia

gewinnend *adj* (*Wesen*) agradable

Gewinner(in) *m(f)* <-s, -; -nen> ganador(a) *m(f)*

Gewirr [gə'vɪr] *nt* <-(e)s, *ohne pl*> maraña *f*; (*von Stimmen*) confusión *f*; (*von Straßen*) laberinto *m*

gewiss[RR] [gə'vɪs] *adj* seguro; (*bestimmt*) cierto; **ein ~er Herr Müller** un tal señor Müller; **in ~em Maße** en cierta medida

Gewissen [gə'vɪsən] *nt* <-s, -> conciencia *f*; **ein schlechtes ~ haben** tener mala conciencia; **jdm ins ~ reden** apelar a la conciencia de alguien; **gewissenhaft** *adj* concienzudo; (*penibel*) escrupuloso; **gewissenlos** *adj* sin escrúpulo(s); **~ handeln** obrar de mala fe; **Gewissensbisse** *m pl* remordimientos *m pl* (de conciencia)

gewissermaßen [-'--'--] *adv* en cierto sentido

Gewissheit[RR] *f* <-en> certeza *f*; **sich** *dat* **~ über etw verschaffen** cerciorarse de algo

Gewitter [gə'vɪtɐ] *nt* <-s, -> tormenta *f*

gewitzt [gə'vɪtst] *adj* listo

gewoben [gə'vo:bən] *pp von* **weben**

gewogen [gə'vo:gən] **I.** *pp von* **wiegen**[2] **II.** *adj* (*geh*): **jdm ~ sein** tener simpatía por alguien

gewöhnen* [gə'vø:nən] *vt, vr:* **sich ~**

(**mit** que a); **Gleichstrom** *m* corriente *f* continua; **gleich|tun** *irr vt:* **es jdm ~** (*nachahmen*) imitar a alguien (en algo)
Gleichung *f* <-en> ecuación *f*
gleichwertig *adj* equivalente
gleichwohl ['-'-] *adv* no obstante
gleichzeitig **I.** *adj* simultáneo **II.** *adv* al mismo tiempo
Gleis [glaɪs] *nt* <-es, -e> vía *f*
gleiten ['glaɪtən] <gleitet, glitt, geglitten> *vi sein* (*fliegen*) planear; (*sich bewegen*) deslizarse (**über** por); (*Blick, Hand*) pasar (**über** por)
Gleitschirmfliegen *nt* <-s, *ohne pl*> parapente *m*
Gleitzeit *f* horario *m* (de trabajo) flexible
Gletscher ['glɛtʃɐ] *m* <-s, -> glaciar *m*
glich [glɪç] *3. imp von* **gleichen**
Glied [gli:t] *nt* <-(e)s, -er> (*Körperteil*) miembro *m*; (*Fingerglied*) falange *f*; (*Penis*) miembro *m* (viril); **der Schreck saß ihm in den ~ern** el susto le llegó hasta la médula
gliedern ['gli:dɐn] **I.** *vt* (*ordnen*) clasificar; (*unterteilen*) (sub)dividir (**in** en) **II.** *vr:* **sich ~** dividirse (**in** en)
Gliederung *f* <-en> (*das Gliedern*) clasificación *f*; (*Aufbau*) estructura *f*
Gliedmaßen ['gli:tma:sən] *f pl* extremidades *f pl*
glimmen ['glɪmən] <glimmt, glomm, geglommen> *vi* arder (sin llama)
glimpflich ['glɪmpflɪç] **I.** *adj* suave; (*Strafe*) leve **II.** *adv* (*ohne Schaden*) bien parado; **wir sind noch ~ davongekommen** aún salimos bien parados del asunto
glitschig ['glɪtʃɪç] *adj* (*fam: Weg*) resbaladizo; (*Fisch*) escurridizo
glitt [glɪt] *3. imp von* **gleiten**
glitzern ['glɪtsɐn] *vi* centellear
global [glo'ba:l] *adj* global
Globalisierung *f* <-en> globalización *f*
Globus ['glo:bʊs] *m* <-(ses), -se *o* Globen> globo *m*
Glocke ['glɔkə] *f* <-n> campana *f*; **etwas an die große ~ hängen** (*fam*) echar las campanas al vuelo; **Glockenturm** *m* campanario *m*
glomm [glɔm] *3. imp von* **glimmen**
glorreich ['glo:ɐraɪç] *adj* glorioso
glotzen ['glɔtsən] *vi* (*fam*) mirar; (*anstarren*) clavar la vista (**auf** en)
Glück [glʏk] *nt* <-(e)s, *ohne pl*> suerte *f*; (*Glücklichsein*) felicidad *f*; **sein ~ versuchen** probar fortuna; **auf gut ~** (*fam*) a la buena de Dios
glücken ['glʏkən] *vi sein* salir (bien)
glücklich *adj* feliz; (*vom Glück begünstigt*) afortunado; **ein ~er Zufall** una feliz coincidencia

glücklicherweise ['---'--] *adv* por suerte
Glücksbringer *m* <-s, -> talismán *m*; **Glücksfall** *m* golpe *m* de fortuna; **Glückspilz** *m* (*fam*) suertudo, -a *m, f*; **Glücksspiel** *nt* juego *m* de azar; **Glückssträhne** *f* racha *f* de suerte; **Glückwunsch** *m* felicitación *f*; **herzlichen ~!** ¡felicidades!; **herzlichen ~ zum Geburtstag!** ¡feliz cumpleaños!
Glühbirne *f* bombilla *f*
glühen ['gly:ən] *vi* (*Kohlen*) arder (sin llama)
glühend *adj* (*Wangen*) enrojecido; (*Verehrer*) ardiente; **~ heiß** abrasador
Glut [glu:t] *f* <-en> (*von Kohlen*) brasa *f*; (*von Zigarette*) ceniza *f* ardiente
GmbH [ge:ʔɛmbe:'ha:] *f* <-s> *Abk. von* **Gesellschaft mit beschränkter Haftung** S.L. *f*
Gnade ['gna:də] *f* <-n> (*Milde*) clemencia *f*; **um ~ bitten** pedir clemencia; **Gnadenfrist** *f* plazo *m* de gracia; **gnadenlos** *adj* sin piedad
gnädig ['gnɛ:dɪç] *adj* (*barmherzig*) misericordioso; (*wohlwollend*) benévolo; (*mild*) clemente; **~e Frau/~er Herr** señora/señor
Gold [gɔlt] *nt* <-(e)s, *ohne pl*> oro *m*
golden ['gɔldən] *adj* (*aus Gold*) de oro; (*goldfarben*) dorado; **die ~e Mitte wählen** optar por el justo medio
Goldgrube *f* (*a. fig fam*) mina *f* de oro
goldig *adj* (*fam: niedlich*) mono

Goldmedaille *f* medalla *f* de oro; **Goldschmied(in)** *m(f)* orfebre *mf*

Golf[1] [gɔlf] *m* <-(e)s, -e> GEO golfo *m*

Golf[2] *nt* <-s, *ohne pl*> SPORT golf *m*

Golfplatz *m* campo *m* de golf

Gondel ['gɔndəl] *f* <-n> (*Boot*) góndola *f*; (*am Ballon*) barquilla *f*; (*von Seilbahn*) cabina *f*

Gong [gɔŋ] *m* <-s, -s> gong *m*

gönnen ['gœnən] *vt* conceder de buen grado; **das gönne ich ihm** se lo merece; **jdm etw nicht ~** envidiar algo a alguien; **sich** *dat* **etw ~** permitirse algo

gönnerhaft *adj* (*abw*) displicente

Gorilla [go'rɪla] *m* <-s, -s> gorila *m*

goss[RR] [gɔs] *3. imp von* **gießen**

Gosse ['gɔsə] *f* <-n> arroyo *m*; **in der ~ landen** acabar en el arroyo

Gotik ['go:tɪk] *f* gótico *m*

Gott[1] [gɔt] *m* <-es, *ohne pl*> (*monotheistisch*) Dios *m*; **um ~es willen!** ¡por (el amor de) Dios!; **~ sei Dank!** (*fam*) ¡gracias a Dios!; **leider ~es** (*fam*) por desgracia; **über ~ und die Welt reden** hablar de lo divino y de lo humano; **leben wie ~ in Frankreich** (*fam*) vivir a cuerpo de rey

Gott, Göttin[2] [gɔt, 'gœtɪn] *m, f* <-es, Götter; -nen> (*polytheistisch*) dios(a) *m(f)*

Götterspeise *f* gelatina *f*

Gottesdienst *m* culto *m*; (*evangelisch*) servicio *m* religioso; (*katholisch*) misa *f*; **Gotteshaus** *nt* iglesia *f*; **Gotteslästerung** *f* blasfemia *f*

Gottheit *f* <-en> deidad *f*

göttlich *adj* divino

gottlob ['gɔtlo:p] *adv* gracias a Dios

gottlos *adj* impío

GPS-System [ge:pe:'ʔɛsʏste:m] *nt* sistema *m* GPS

Grab [gra:p] *nt* <-(e)s, Gräber> tumba *f*; **mit einem Bein im ~ stehen** estar con un pie en el hoyo

graben ['gra:bən] <gräbt, grub, gegraben> *vi, vt* cavar

Graben ['gra:bən] *m* <-s, Gräben> (*für Rohr*) zanja *f*; (*Bewässerungsgraben*) acequia *f*; (*Straßengraben*) cuneta *f*

Grabmal *nt* <-(e)s, -e *o* -mäler> sepulcro *m*; **Grabstein** *m* lápida *f*

gräbt [grɛ:pt] *3. präs von* **graben**

Grad [gra:t] *m* <-(e)s, -e> grado *m*; **bei fünf ~ Kälte** a cinco grados bajo cero; **bis zu einem gewissen ~** hasta cierto punto

Graf, Gräfin [gra:f, 'grɛ:fɪn] *m, f* <-en, -en; -nen> conde(sa) *m(f)*

Grafik ['gra:fɪk] *f* <-en> (*Kunstwerk*) dibujo *m* gráfico; (*Schaubild*) gráfico *m*; **Grafikkarte** *f* tarjeta *f* gráfica

grafisch *adj* gráfico

Gramm [gram] *nt* <-s, -e, *nach Zahlen:* -> gramo *m*

Grammatik [gra'matɪk] *f* <-en> gramática *f*

grammatisch *adj* gramatical; **~ richtig** gramaticalmente correcto

Granatapfel *m* granada *f*

Granate [gra'na:tə] *f* <-n> granada *f*

grandios [gran'djo:s] *adj* grandioso

Granit [gra'ni:t] *m* <-s, -e> granito *m*

Grapefruit ['gre:pfru:t, 'grɛɪpfru:t] *f* <-s> pomelo *m*

Graphik *f s.* **Grafik**

graphisch *adj s.* **grafisch**

Gras [gra:s] *nt* <-es, Gräser> (*Pflanze*) hierba *f*; (*Rasen*) césped *m*; **über etw ~ wachsen lassen** (*fam*) echar tierra sobre algo; **ins ~ beißen** (*fam*) irse al otro barrio

grasen ['gra:zən] *vi* pacer

Grashalm *m* paja *f*

grassieren* [gra'si:rən] *vi* extenderse

grässlich[RR] ['grɛslɪç] *adj* horrible; (*abscheulich*) atroz

Grat [gra:t] *m* <-(e)s, -e> *a.* ARCHIT cresta *f*

Gräte ['grɛ:tə] *f* <-n> espina *f*

gratinieren* [grati'ni:rən] *vt* gratinar

gratis ['gra:tɪs] *adv* gratis

Gratulation [gratula'tsjo:n] *f* <-en> felicitación *f*

gratulieren* *vi* felicitar (**zu** por); **gratuliere!** ¡enhorabuena!

grau [graʊ] *adj* gris; **~e Haare** canas *fpl*

Graubünden [graʊˈbʏndən] *nt* <-s> cantón *m* de los Grisones

Gräuel[RR] [ˈgrɔɪəl] *m* <-s, -> (*geh: Abscheu*) horror *m*; **Gräueltat**[RR] *f* atrocidad *f*

grauen [ˈgraʊən] *vunpers:* **mir graut vor der Prüfung** el examen me horroriza

Grauen [ˈgraʊən] *nt* <-s, -> horror *m*; **~ erregend** espantoso; **grauenerregend** *adj* espantoso; **grauenhaft** *adj*, **grauenvoll** *adj* (*Anblick*) aterrador; (*fam: unangenehm*) espantoso

grauhaarig *adj* canoso

gräulich[RR] *adj s.* **grässlich**

Graupel [ˈgraʊpəl] *f* <-n> granizo *m* fino

grausam [ˈgraʊza:m] *adj* cruel

Grausamkeit *f* <-en> crueldad *f*

grausen [ˈgraʊzən] *vunpers:* **es graust ihn vor Ratten** tiene miedo a las ratas

gravieren* [graˈvi:rən] *vt* grabar (**in** en)

gravierend *adj* (*Umstände*) agravante; (*Fehler*) grave

grazil [graˈtsi:l] *adj* grácil

greifbar *adj* (*zur Hand*) a mano; (*konkret*) concreto

greifen [ˈgraɪfən] <greift, griff, gegriffen> **I.** *vi* (*fassen*) agarrar (**nach**); (*zu bestimmten Mitteln*) recurrir (**zu** a); (*wirksam werden*) surtir efecto; **tief ~d** profundo; **um sich ~** propagarse; **das ist aus der Luft gegriffen** esto carece de base **II.** *vt* (*nehmen*) coger, tomar ; (*packen*) agarrar

Greis(**in**) [graɪs] *m(f)* <-es, -e; -nen> anciano, -a *m, f*

grell [grɛl] *adj* (*Stimme, Farbe*) chillón

Gremium [ˈgre:miʊm] *nt* <-s, Gremien> gremio *m*

Grenze [ˈgrɛntsə] *f* <-n> frontera *f* (**zu** con); (*Begrenzung*) límite *m*

grenzen *vi* limitar (**an** con); **grenzenlos** *adj* sin límites; (*sehr groß*) inmenso

Grenzgebiet *nt* zona *f* fronteriza; **Grenzkontrolle** *f* control *m* de fronteras; **Grenzübergang** *m* paso *m* fronterizo; **Grenzwert** *m* valor *m* límite

Greuel[ALT] *m s.* **Gräuel**; **Greueltat**[ALT] *f s.* **Gräueltat**

Grieche, Griechin [ˈgri:çə] *m, f* <-n, -n; -nen> griego, -a *m, f*; **Griechenland** *nt* <-s> Grecia *f*

griechisch *adj* griego

Grieß [gri:s] *m* <-es, -e> sémola *f*

griff [grɪf] *3. imp von* **greifen**

Griff [grɪf] *m* <-(e)s, -e> ❶ (*das Greifen*) agarre *m*; **etw im ~ haben** dominar algo; **etw in den ~ bekommen** conseguir dominar algo ❷ (*Messergriff*) mango *m*; (*Fenstergriff*) tirador *m*; (*Henkel*) asa *f*; (*Knauf*) puño *m* ❸ (*Handgriff*) maniobra *f*

griffbereit *adj* al alcance de la mano

Grill [grɪl] *m* <-s, -s> *a.* AUTO parrilla *f*; **vom ~** a la parrilla

Grille [ˈgrɪlə] *f* <-n> grillo *m*

grillen [ˈgrɪlən] **I.** *vt* asar a la parrilla **II.** *vi* hacer una barbacoa

Grimasse [griˈmasə] *f* <-n> mueca *f*; **~n schneiden** hacer muecas

grimmig *adj* furioso; (*Kälte*) crudo

grinsen [ˈgrɪnzən] *vi* sonreír(se)

Grippe [ˈgrɪpə] *f* <-n> gripe *f*

Grips [grɪps] *m* <-es, -e> (*fam*) sesos *mpl*; **seinen ~ anstrengen** estrujarse los sesos

grob [gro:p] *adj* <gröber, am gröbsten> (*Sand*) grueso; (*Gewebe*) basto; (*Gesichtszüge*) tosco; (*Arbeit*) sucio; (*Fehler*) grave; (*ungefähr*) aproximativo; (*abw: barsch*) basto; **aus dem Gröbsten heraus sein** (*fam*) haber pasado lo peor; **~ gerechnet** contado aproximadamente; **in ~en Zügen** a grandes rasgos; **sei nicht so ~ zu mir** no seas tan grosero conmigo

Grobian [ˈgro:bia:n] *m* <-(e)s, -e> (*abw*) grosero *m*

Grog [grɔk] *m* <-s, -s> grog *m*

grölen ['grø:lən] *vi* (*fam abw*) gritar
Groll [grɔl] *m* <-(e)s, *ohne pl*> (*geh*) rencor *m*; **einen ~ gegen jdn hegen** guardar rencor a alguien
grollen *vi* (*geh: Donner*) retumbar; (*Person*) estar enfadado (con)
groß [gro:s] <größer, am größten> *adj* gran(de); (*geräumig*) espacioso; (*Fläche*) extenso; (*hoch*) alto; (*älter*) mayor; (*bedeutend*) grande; **er ist fast zwei Meter ~** mide casi dos metros; **wenn ich ~ bin** cuando sea mayor; **eine ~e Familie** una familia numerosa; **ganz ~ rauskommen** (*fam*) hacerse famoso; **sein Geburtstag wurde ~ gefeiert** (*fam*) su cumpleaños fue celebrado por todo lo alto; **großartig** *adj* grandioso; (*ausgezeichnet*) excelente; **Großbritannien** [gro:sbri'tanjən] *nt* <-s> Gran Bretaña *f*; **Großbuchstabe** *m* (letra *f*) mayúscula *f*
Größe ['grø:sə] *f* <-n> ① (*Ausdehnung*) dimensión *f*; (*Format*) tamaño *m*; (*Rauminhalt*) volumen *m*; **das hängt von der ~ der Gruppe ab** esto depende de lo grande que sea el grupo; **in voller ~** (*Mensch*) de cuerpo entero ② (*Höhe*) altura *f*; (*Körpergröße*) estatura *f* ③ (*für Kleidung*) talla *f*; (*Schuhe*) número *m* ④ (*Bedeutsamkeit*) importancia *f*; (*Großartigkeit*) grandeza *f* ⑤ (*Persönlichkeit*) autoridad *f*
Großeltern *pl* abuelos *mpl*; **Großenkel(in)** *m(f)* bisnieto, -a *m, f*
Größenwahn *m* megalomanía *f*; **größenwahnsinnig** *adj* megalómano
Großfamilie *f* familia *f* numerosa; **großherzig** *adj* (*geh*) magnánimo; **Großmacht** *f* gran potencia *f*; **Großmaul** *nt* (*fam abw*) farolero, -a *m, f*; **Großmutter** *f* <-mütter> abuela *f*; **Großraum** *m* área *f*; **im ~ Köln** en el área de Colonia; **groß|schreiben**[RR] *irr vt* ① escribir con mayúsculas ②: **etw ~** (*fig*) conceder gran importancia a algo
großspurig ['gro:sʃpu:rɪç] *adj* (*abw*) arrogante; (*eingebildet*) presumido
Großstadt *f* metrópoli(s) *f* (*inv*); **Großteil** *m* mayor parte *f*; **zu einem ~** en su mayor parte
größtenteils ['grø:stən(')taɪls] *adv* en su mayor parte
Großvater *m* abuelo *m*; **Großveranstaltung** *f* acto *m* multitudinario; **groß|ziehen** *irr vt* criar; **großzügig** ['gro:stsʏ:gɪç] *adj* (*freigebig*) generoso; (*tolerant*) tolerante; (*weiträumig*) amplio; **Großzügigkeit** *f* ① (*Freigebigkeit*) generosidad *f* ② (*Toleranz*) tolerancia *f*
grotesk [gro'tɛsk] *adj* grotesco
Grotte ['grɔtə] *f* <-n> gruta *f*
grub [gru:p] *3. imp von* **graben**
Grube ['gru:bə] *f* <-n> fosa *f*; BERGB mina *f*
grübeln ['gry:bəln] *vi* cavilar
Gruft [grʊft] *f* <Grüfte> (*geh*) panteón *m*; (*in der Kirche*) cripta *m*
grün [gry:n] *adj* verde; **sich ~ und blau ärgern** (*fam*) ponerse furioso; **auf keinen ~en Zweig kommen** no salir adelante; **Grünanlage** *f* parque *m*
Grund [grʊnt] *m* <-(e)s, Gründe> ① (*Ursache*) razón *f*; **es besteht kein ~ zur Klage** no hay motivo de queja; **auf ~ von** a causa de ② *ohne pl* (*Erdboden*) suelo *m*; (*eines Gewässers*) fondo *m*; **~ und Boden** terrenos *mpl*; **auf ~ laufen** encallar; **zu ~e gehen** irse a pique; **etw** *dat* **auf den ~ gehen** averiguar algo; **jdn zu ~e richten** arruinar a alguien; **von ~ auf** desde el principio; **zu ~e liegen** basarse en; **Grundbesitz** *m* bienes *mpl* raíces
gründen ['grʏndən] **I.** *vt* fundar; (*stützen*) apoyar (**auf** en) **II.** *vr:* **sich ~** basarse (**auf** en)
Gründer(in) *m(f)* <-s, -; -nen> fundador(a) *m(f)*
Grundgebühr *f* tarifa *f* básica; **Grundgedanke** *m* idea *f* fundamental; **Grundgesetz** *nt* <-es, *ohne pl*> ley *f*

orgánica; (*Verfassung*) Constitución *f*; **Grundkenntnisse** *f pl* conocimientos *m pl* básicos; **Grundlage** *f* base *f*; **die ~n für etw schaffen** sentar las bases para algo

grundlegend ['grʊntle:gənt] *adj* fundamental

gründlich ['grʏntlɪç] I. *adj* (*sorgfältig*) cuidadoso; (*eingehend*) detenido; (*gewissenhaft*) concienzudo II. *adv* (*fam: sehr*) a fondo; **da hat sie sich ~ getäuscht** ahí se ha equivocado del todo

grundlos *adj* inmotivado

Grundnahrungsmittel *nt* producto *m* alimenticio básico; **Grundrecht** *nt* derecho *m* fundamental; **Grundregel** *f* regla *f* fundamental; **Grundriss**[RR] *m* ARCHIT planta *f*; **Grundsatz** *m* principio *m*; **sich** *dat* **etw zum ~ machen** tomar algo como divisa

grundsätzlich ['grʊntzɛtslɪç] I. *adj* (*Frage*) fundamental; (*aus Prinzip*) de principio II. *adv* (*immer*) por principio; (*eigentlich*) en principio

Grundschule *f* escuela *f* primaria; **Grundstück** *nt* terreno *m*

Gründung ['grʏndʊŋ] *f* <-en> fundación *f*

Grundwasser *nt* <-s, *ohne pl*> aguas *fpl* freáticas

Grüne[1] *nt*: **ins ~ fahren** ir al campo

Grüne(r)[2] *mf* <-n, -n; -n> miembro *m* del Partido Ecologista; **die ~n** los Verdes

Gruppe ['grʊpə] *f* <-n> grupo *m*; (*Arbeitsgruppe*) equipo *m*

grus(e)lig ['gru:z(ə)lɪç] *adj* horripilante

Gruß [gru:s] *m* <-es, Grüße> saludo *m*; **viele Grüße an deine Eltern!** ¡recuerdos a tus padres!; **mit freundlichen Grüßen** atentamente

grüßen ['gry:sən] *vt* saludar; **sie lässt (dich) schön ~** te manda saludos

Guatemala [guate'ma:la] *nt* <-s> Guatemala *f*

guatemaltekisch *adj* guatemalteco

gucken ['gʊkən, 'kʊkən] I. *vi* (*fam*) mirar II. *vt* (*fam*) ver; **Fernsehen ~** ver la televisión

Gully ['gʊli] *m o nt* <-s, -s> sumidero *m*

gültig ['gʏltɪç] *adj* válido; (*Gesetz*) vigente; (*Münze*) de curso legal; **die Fahrkarte ist nicht mehr ~** el billete está caducado

Gültigkeit *f* (*von Geld, Fahrkarte*) validez *f*; (*von Vertrag*) vigencia *f*

Gummi ['gʊmi] *m o nt* <-s, -(s)> goma *f*; **Gummiband** *nt* cinta *f* elástica; **Gummistiefel** *m* bota *f* de goma

Gunst [gʊnst] *f* favor *m*; **zu ~en ...** a favor de...

günstig ['gʏnstɪç] *adj* favorable; (*Augenblick*) oportuno; **im ~sten Fall** en el mejor de los casos

Gurgel ['gʊrgəl] *f* <-n> gaznate *m*

Gurke ['gʊrkə] *f* <-n> pepino *m*

Gurt [gʊrt] *m* <-(e)s, -e> correa *f*; (*Sicherheitsgurt*) cinturón *m*; **den ~ anlegen** abrocharse el cinturón

Gürtel ['gʏrtəl] *m* <-s, -> cinturón *m*

Guss[RR] [gʊs] *m* <-es, Güsse> (*Zuckerguss*) baño *m* de azúcar; (*fam: Regenguss*) chaparrón *m*

gut [gu:t] <besser, am besten> I. *adj* buen(o); **~e Besserung!** ¡que te mejores!; **lassen wir es damit ~ sein** (*fam*) dejémoslo estar; **wer weiß, wozu das ~ ist?** ¿quién sabe para qué sirve esto?; **eine ~e Stunde** una hora larga II. *adv* bien; **du hast ~ reden** (*fam*) tú bien puedes hablar; **so ~ wie nichts** (*fam*) casi nada; **mach's ~!** ¡que te vaya bien!

Gut *nt* <-(e)s, Güter> (*Besitz*) bienes *mpl*; (*Landgut*) finca *f*, hacienda *f*; **mein Hab und ~** todo lo que poseo

Gutachten ['gu:tʔaxtən] *nt* <-s, -> dictamen *m* (pericial)

Gutachter(in) *m(f)* <-s, -; -nen> perito, -a *m, f*

gutartig *adj* bueno; MED benigno

Gute(s) *nt* <-n, *ohne pl*> bueno *nt*; **~s**

tun hacer el bien; **alles ~!** ¡que vaya bien!; **es hat alles auch sein ~s** (*prov*) todo tiene su lado bueno

Güte ['gy:tə] *f* (*Freundlichkeit*) bondad *f*; (*Qualität*) calidad *f*; **ach du liebe ~!** (*fam*) ¡ay, Dios mío!; **das war ein Reinfall erster ~** (*fam*) fue un fracaso de primera

Güterzug *m* tren *m* de carga

gut|gehen *irr vi sein*: **wenn alles gutgeht, ...** si todo va bien...; **gutgelaunt** *adj s.* **gelaunt**; **gutgemeint** ['gu:tgəmaɪnt] *adj s.* **meinen**; **gutgläubig** *adj* de buena fe; **Guthaben** ['gu:tha:bən] *nt* <-s, -> haber *m*; **gut|heißen** *irr vt* aprobar

gütig ['gy:tɪç] *adj* bondadoso; (*nachsichtig*) indulgente

gütlich ['gy:tlɪç] *adj* amistoso; **sich ~ einigen** llegar a un acuerdo amistoso

gut|machen *vt* (*Schaden*) reparar; (*Fehler*) enmendar; **wieder ~** subsanar; **ich habe einiges bei dir gutzumachen** tengo que devolverte algunos favores

gutmütig ['gu:tmʏ:tɪç] *adj* bondadoso

Gutmütigkeit *f* bondad *f*

Gutschein *m* vale *m*; **gut|schreiben** *irr vt* abonar, acreditar; **Gutschrift** *f* abono *m* en cuenta

Gymnasiast(in) [gʏmnazi'ast] *m(f)* <-en, -en; -nen> alumno, -a *m, f* de Enseñanza Media

Gymnasium [gʏm'na:ziʊm] *nt* <-s, Gymnasien> instituto *m* de Enseñanza Media, liceo *m*

Gymnastik [gʏm'nastɪk] *f* gimnasia *f*

Gynäkologe, **Gynäkologin** [gynɛko'lo:gə] *m, f* <-n, -n; -nen> MED ginecólogo, -a *m, f*

Gynäkologie [gynɛkolo'gi:] *f* ginecología *f*

H, h [ha:] *nt* <-, -> H, h *f*

Haar [ha:ɐ] *nt* <-(e)s, -e> pelo *m*, cabello *m*; **mir stehen die ~e zu Berge** (*fam fig*) se me ponen los pelos de punta; **kein gutes ~ an jdm lassen** (*fam*) poner a alguien de vuelta y media; **sich** *dat* **in den ~en liegen** (*fam*) andar a la greña; **das ist an den ~en herbeigezogen** (*fam*) esto no tiene ni pies ni cabeza; **um ein ~** (*fam: beinahe*) por los pelos

haaren ['ha:rən] *vi* perder el pelo

Haaresbreite *f*: **um ~** por un pelo

Haarfarbe *f* color *m* del pelo; **Haarfestiger** *m* fijador *m* para el pelo; **haargenau** ['--'-] *adv* (*fam*) exactamente; (*ausführlich*) con pelos y señales

haarig ['ha:rɪç] *adj* (*heikel*) peliagudo

Haarreif *m* <-(e)s, -e> diadema *f*; **haarscharf** ['-'-] **I.** *adj* (*genau*) muy exacto **II.** *adv* (*nahe*) muy cerca; (*präzise*) exactamente; **Haarschnitt** *m* corte *m* de pelo

Haarspalterei [---'-] *f* <-en> (*abw*) sutileza *f*; **~ betreiben** rizar el rizo

Haarspange *f* pasador *m* (para el pelo); **Haarspray** *m o nt* laca *f*

haarsträubend ['ha:ɐʃtrɔɪbənt] *adj* espeluznante

Haarwaschmittel *nt* champú *m*

Hab [ha:p]: **~ und Gut** (*geh*) todos los bienes

Habe ['ha:bə] *f* (*geh*) bienes *mpl*

haben ['ha:bən] <hat, hatte, gehabt> **I.** *vt* tener; **lieber ~** preferir; **ich habe kein Geld dabei** no llevo dinero; **morgen ~ wir Mittwoch** mañana es miércoles; **und was habe ich davon?** ¿y qué saco yo de eso?; **was hast du?** ¿qué te pasa?; **er ist noch zu ~** (*fam*) aún está libre; **ich kann das nicht ~** (*fam*) eso no lo soporto; **etw hinter sich** *dat* **~** haber superado algo; **ich hätte gerne ...** quisiera...; **wie gehabt** como de costumbre; **ich habe noch sehr viel zu tun** aún tengo mucho que hacer; **hier hat er nichts zu suchen** aquí no tiene nada que hacer **II.** *vr*: **sich ~** (*fam abw: sich anstellen*) andar con remilgos; **hab dich nicht so** no te pongas así

Habgier *f* (*abw*) codicia *f*; **habgierig** *adj* (*abw*) codicioso

Habicht ['ha:bɪçt] *m* <-s, -e> azor *m* (común)

Habseligkeiten ['ha:pze:lɪçkaɪtən] *f pl* efectos *mpl* personales

hacken ['hakən] **I.** *vt* (*Holz*) partir; (*Zwiebeln*) picar **II.** *vi* (*Vogel*) picotear; INFOR violar datos

Hackfleisch *nt* carne *f* picada

hadern ['ha:dɐn] *vi* (*geh*) reñir (**mit** con); **mit dem Schicksal ~** luchar contra su destino

Hafen ['ha:fen] *m* <-s, Häfen> puerto *m*; **in den ~ einlaufen** entrar en el puerto; **Hafenstadt** *f* ciudad *f* portuaria

Hafer ['ha:fɐ] *m* <-s, -> avena *f*; **Haferflocke** *f* <-n> copo *m* de avena

Haft [haft] *f* arresto *m*; **in ~ nehmen** poner bajo arresto; **Haftanstalt** *f* penitenciaría *f*

haftbar *adj*: **jdn für etw ~ machen** hacer a alguien responsable de algo

haften ['haftən] *vi* (*kleben*) pegar (**an** a/en); (*aufkommen*) responder (**für** de/por)

Häftling ['hɛftlɪŋ] *m* <-s, -e> preso, -a *m, f*

Haftstrafe *f* condena *f*

Haftung *f* <-en> responsabilidad *f*; **die ~ übernehmen** asumir la responsabilidad

Hagel ['ha:gəl] *m* <-s, -> granizo *m*; (*Schauer*) granizada *f*

hageln ['ha:gəln] **I.** *vunpers* granizar **II.** *vi, vunpers* (*Vorwürfe*) llover

hager ['ha:gɐ] *adj* flaco

Hahn [ha:n] *m* <-(e)s, Hähne> gallo *m*; (*Wasserhahn*) grifo *m*; (*Gashahn*) llave *f*;

er ist der ~ im Korb (*fam*) es el dueño del cotarro
Hähnchen ['hɛ:nçən] *nt* <-s, -> pollo *m*
Hai [haɪ] *m* <-(e)s, -e> tiburón *m*
häkeln ['hɛ:kəln] I. *vi* hacer ganchillo II. *vt* hacer a ganchillo
Haken ['ha:kən] *m* <-s, -> gancho *m*; **die Sache hat einen ~** la cosa tiene un inconveniente; **Hakenkreuz** *nt* cruz *f* gamada
halb [halp] I. *adj* medio; **eine ~e Stunde** media hora; **die ~e Wahrheit** la verdad a medias; **zum ~en Preis** a mitad de precio; **es ist ~ drei** son las dos y media II. *adv* a medias; **~ öffnen** entreabrir; **~ so groß sein wie ...** ser la mitad de grande que...; **das ist ~ so schlimm** no es para tanto; **Halbbruder** *m* hermanastro *m*; **Halbdunkel** *nt* penumbra *f*

halber ['halbɐ] *präp +gen* (*geh*) por causa de; **der Ordnung ~** por el orden
Halbfinale *nt* semifinal *f*; **Halbgeschwister** *nt pl* hermanastros *mpl*; **halbherzig** *adj* poco decidido
halbieren* [hal'bi:rən] *vt* dividir (en dos partes iguales); (*reduzieren*) reducir a la mitad
Halbinsel *f* península *f*; **Halbjahr** *nt* semestre *m*; **das erste ~** la primera mitad del año; **Halbkreis** *m* semicírculo *m*; **Halbkugel** *f* GEO hemisferio *m*; **Halbmond** *m* media luna *f*; **Halbpension** *f ohne pl* media pensión *f*; **Halbschlaf** *m* duermevela *f*; **Halbschuh** *m* zapato *m* abotinado; **Halbschwester** *f* hermanastra *f*
halbtags ['halpta:ks] *adv*: **~ arbeiten** trabajar media jornada; **Halbtagskraft** *f* empleado, -a *m, f* de media jornada
halbvoll ['-'-] *adj s.* **voll I.**
halbwegs ['halpve:ks] *adv* más o menos
Halbwüchsige(r) ['-vy:ksɪgɐ] *f(m) dekl wie adj* adolescente *mf*
Halbzeit *f*: **erste/zweite ~** primer/segundo tiempo *m*; **in der ~** en el descanso
half [half] *3. imp von* **helfen**
Hälfte ['hɛlftə] *f* <-n> mitad *f*; **auf der ~ des Weges** a mitad de camino; **meine bessere ~** (*fam*) mi media naranja
Halle ['halə] *f* <-n> (*Hotelhalle*) hall *m*; (*Bahnhofshalle*) vestíbulo *m*; (*Flughafenhalle*) terminal *f*
hallen ['halən] *vi* resonar
Hallenbad *nt* piscina *f* cubierta
hallo ['halo, ha'lo:] *interj* hola
Halluzination [halutsina'tsjo:n] *f* <-en> alucinación *f*
Halm [halm] *m* <-(e)s, -e> paja *f*
Hals [hals] *m* <-es, Hälse> cuello *m*; (*Kehle*) garganta *f*; **~ über Kopf** (*fam*) de golpe y porrazo; **aus vollem ~** a grito pelado; **das hängt mir zum ~ heraus** (*fam*) estoy hasta el gorro; **etw in den falschen ~ bekommen** (*fam*) entender mal algo; **Halsband** *nt* (*Hundehalsband*) collar *m*; **Halskette** *f* collar *m*
Hals-Nasen-Ohren-Arzt, **-Ärztin** [---'---] *m, f* otorrinolaringólogo, -a *m, f*; **Halsschmerzen** *m pl* dolor *m* de garganta
halsstarrig *adj* (*abw*) tozudo
Halstuch *nt* <-(e)s, -tücher> pañuelo *m* (del cuello); (*Foulard*) fular *m*
halt [halt] I. *adv* (SCHWEIZ, ÖSTERR, SÜDD: *eben*) pues; **wir müssen es ~ versuchen** pues no tenemos más remedio que intentarlo II. *interj* alto
Halt *m* <-(e)s, -e *o* -s> ❶ (*Stopp*) parada *f*; **~ machen** parar; **vor nichts ~ machen** (*fam*) no retroceder ante nada ❷ *ohne pl* (*Stütze*) apoyo *m*; **den ~ verlieren** perder el equilibrio
hält [hɛlt] *3. präs von* **halten**
haltbar *adj* (*Lebensmittel*) conservable; (*strapazierfähig*) resistente; (*beständig*) duradero
Haltbarkeit *f* (*von Lebensmitteln*) tiempo *m* de conservación, durabilidad *f*; **Haltbarkeitsdatum** *nt* fecha *f* de caducidad
halten ['haltən] <hält, hielt, gehalten>

I. *vi* (*anhalten*) parar; (*festsitzen*) estar fijo; (*widerstandsfähig sein*) resistir; (*dauern*) durar; (*Konserven*) conservarse; (*Wetter*) mantenerse; **zu jdm ~** apoyar a alguien **II.** *vt* (*festhalten*) sujetar; (*zurückhalten*) retener; (*aufhalten*) detener; (*Kontakt*) mantener; (*Versprechen*) cumplir; (*Rede*) pronunciar; **die Beine ins Wasser ~** meter las piernas en el agua; **halt den Mund!** (*fam*) ¡cierra el pico!; **etw/jdn für etw ~** tener algo/a alguien por algo; **wofür ~ Sie mich?** ¿por quién me toma Ud.?; **was ~ Sie davon?** ¿qué le parece? **III.** *vr:* **sich ~** (*bleiben*) mantenerse; (*haltbar sein*) conservarse; (*sich orientieren*) atenerse (**an** a); (*sich festhalten*) agarrarse; **sich auf den Beinen ~** tenerse en pie

Halter(in) *m(f)* <-s, -; -nen> dueño, -a *m, f*

Haltestelle *f* parada *f*; **Halteverbot** *nt* estacionamiento *m* prohibido; (*Stelle*) zona *f* prohibida

haltlos *adj* (*Mensch*) inconstante; (*Argument*) endeble; (*Behauptung*) insostenible; **halt|machen** *vi s.* **Halt 1.**

Haltung *f* <-en> ❶ (*Körperhaltung*) postura *f* ❷ (*Einstellung*) posición *f*; **eine klare ~ zu etw einnehmen** adoptar una posición clara frente a algo ❸ *ohne pl* (*Fassung*) serenidad *f*; **~ bewahren** mantener la serenidad

Halunke [ha'lʊŋkə] *m* <-n, -n> (*fam a. abw*) canalla *m*

Hamburg ['hambʊrk] *nt* <-s> Hamburgo *m*

Hamburger *m* <-s, -> GASTR hamburguesa *f*

hämisch ['hɛ:mɪʃ] *adj* malicioso

Hammer ['hamɐ] *m* <-s, Hämmer> martillo *m*

hämmern ['hɛmɐn] *vi, vt* martillear

Hamster ['hamstɐ] *m* <-s, -> hámster *m*

Hand [hant] *f* <Hände> mano *f*; **an ~ von** por medio de; **jdm die ~ schütteln** estrechar la mano a alguien; **eine ~ voll** un puñado; **zwei linke Hände haben** (*fam*) ser un manazas; **das liegt auf der ~** es obvio; **von der ~ in den Mund leben** vivir al día; **Handarbeit** *f* ❶ (*kunstgewerblich*) artesanía *f*; (*textil*) labores *fpl* ❷ *ohne pl* (*Tätigkeit*) trabajo *m* manual; **etw in ~ anfertigen** hacer algo a mano; **Handball** *m* <-(e)s, *ohne pl*> balonmano *m*; **Handbremse** *f* freno *m* de mano; **Handbuch** *nt* manual *m*; **Handcreme** *f* crema *f* de manos

Händedruck *m* <-(e)s, -drücke> apretón *m* de manos

Handel ['handəl] *m* <-s, *ohne pl*> comercio *m*; (*Geschäft*) negocio *m*; (*verbotener Handel*) tráfico *m*; **im ~ sein** estar a la venta

handeln ['handəln] **I.** *vi* (*agieren*) actuar; (*Handel treiben*) comerciar (**mit** con); (*feilschen*) regatear; **er handelt mit Drogen** trafica con drogas; **von etw ~** tratar de algo **II.** *vunpers:* **sich ~** tratarse (**um** de)

Handelsbeziehungen *f pl* relaciones *fpl* comerciales; **Handelsschule** *f* academia *f* de comercio

Handfeger ['-fe:gɐ] *m* <-s, -> escobilla *f*; **handfest** *adj* (*Mahlzeit*) sustancioso; (*Argument*) contundente; **Handfläche** *f* palma *f* (de la mano); **Handgelenk** *nt* muñeca *f*; **etw aus dem ~ schütteln** (*fam*) hacer algo con soltura; **Handgemenge** *nt* pelea *f*; **Handgepäck** *nt* equipaje *m* de mano; **handgeschrieben** *adj* escrito a mano

handgreiflich *adj*: **~ werden** llegar a las manos

Handgriff *m* (*zum Festhalten*) asidero *m*; (*Bewegung*) maniobra *f*; **mit ein paar ~en** con pocas maniobras; **handhaben** ['hantha:bən] *vt* (*bedienen*) manejar; (*verfahren*) proceder; **Handkuss**[RR] *m* besamanos *m inv*

Handlanger(in) ['-laŋɐ] *m(f)* <-s, -;

-nen> (*Hilfsarbeiter*) obrero, -a *m, f* no cualificado, -a; (*abw: Verbündeter*) cómplice *mf*

Händler(**in**) ['hɛndlɐ] *m(f)* <-s, -; -nen> comerciante *mf*; **fliegender ~** vendedor ambulante

handlich ['hantlɪç] *adj* manejable

Handlung ['handlʊŋ] *f* <-en> acción *f*; (*von Buch, Film*) argumento *m*; **Handlungsfreiheit** *f* libertad *f* de acción; **Handlungsweise** *f* modo *m* de actuar; (*Vorgehensweise*) procedimiento *m*

Handrücken *m* dorso *m* de la mano; **Handschellen** *f pl* esposas *fpl*; **jdm ~ anlegen** esposar a alguien; **Handschlag** *m* apretón *m* de manos; **keinen ~ tun** (*fam*) no mover un dedo; **Handschrift** *f* (*von Person*) letra *f*; **handschriftlich I.** *adj* escrito a mano **II.** *adv* a mano, por escrito

Handschuh *m* guante *m*; **Handschuhfach** *nt* guantera *f*

Handstand *m* pino *m*; **Handtasche** *f* bolso *m* de mano; **Handtuch** *nt* toalla *f*; **Handumdrehen** *nt*: **im ~** en un santiamén; **Handvoll** *f s.* **Hand**; **Handwäsche** *f* lavado *m* a mano; **Handwerk** *nt* oficio *m* (manual); **jdm das ~ legen** poner fin a las actividades de alguien

Handwerker(**in**) *m(f)* <-s, -; -nen> trabajador(a) *m(f)* manual; (*Kunsthandwerker*) artesano, -a *m, f*

handwerklich *adj* artesanal

Handwerksbetrieb *m* taller *m* (de artesanía)

Handy ['hɛndi] *nt* <-s, -s> (teléfono *m*) móvil *m*

Hanf [hanf] *m* <-(e)s, *ohne pl*> cáñamo *m*

Hang [haŋ] *m* <-(e)s, Hänge> ❶ (*Abhang*) pendiente *f* ❷ *ohne pl* (*Tendenz*) inclinación *f*; **einen ~ zu etw haben** tener propensión a algo

Hängematte *f* hamaca *f*

hängen[1] ['hɛŋən] <hängt, hing, gehangen> *vi* colgar (**an** de/en); **an jdm ~** querer a alguien

hängen[2] *vt* colgar; (*an Haken*) enganchar; **sich an jdn ~** pegarse a alguien

hängen|bleiben *irr vi sein s.* **bleiben**

hänseln ['hɛnzəln] *vt* burlarse (de)

Hansestadt ['hanzə-] *f* ciudad *f* hanseática

hantieren* [han'ti:rən] *vi* trabajar (**mit** con)

hapern ['ha:pɐn] *vi* faltar (**an** de)

Happen ['hapən] *m* <-s, -> (*fam*) bocado *m*

happig ['hapɪç] *adj* (*fam*) exagerado

Happyend[RR] [hɛpi'ʔɛnt] *nt* <-(s), -s> final *m* feliz

Hardrock[RR] ['ha:trɔk] *m* <-s, *ohne pl*> rock *m* duro; **Hardware** ['ha:twɛ:ɐ] *f* <-s> hardware *m*

Harem ['ha:rɛm] *m* <-s, -s> harén *m*

harmlos ['harmlo:s] *adj* inofensivo

Harmonie [harmo'ni:] *f* <-n> armonía *f*

harmonieren* *vi* armonizar

harmonisch [har'mo:nɪʃ] *adj* armonioso

Harn [harn] *m* <-(e)s, -e> orina *f*

hart [hart] <härter, am härtesten> **I.** *adj* (*a. fig*) duro; (*Währung*) estable; **~ werden** endurecerse; (*Brot*) ponerse duro; (*Mensch*) volverse duro; **~ im Nehmen sein** encajar bien los golpes; **jdn ~ anfassen** tratar a alguien con dureza; **~ durchgreifen** adoptar medidas rigurosas; **~ bleiben** mantenerse firme; **jdm ~ zusetzen** apremiar a alguien **II.** *adv* (*nahe*) muy cerca (**an** de)

Härte ['hɛrtə] *f* <-n> dureza *f*; (*Strenge*) rigor *m*

härten ['hɛrtən] *vi, vt, vr:* **sich ~** endurecer(se)

hartgekocht *adj s.* **kochen II.**

hartherzig *adj* duro de corazón

hartnäckig ['hartnɛkɪç] *adj* (*stur*) terco; (*ausdauernd*) tenaz

Haschisch ['haʃɪʃ] *m o nt* <-(s), *ohne pl*> hachís *m inv*

Hase ['ha:zə] *m* <-n, -n> liebre *f*

Haselnuss[RR] ['ha:zəlnʊs] *f* avellana *f*

Hass[RR] [has] *m* <-es, *ohne pl*> odio *m*

hassen ['hasən] *vt* odiar

hässlich[RR] ['hɛslɪç] *adj* feo

Hässlichkeit[RR] *f* fealdad *f*

Hassliebe[RR] *f* amor-odio *m*

Hast [hast] *f* (*Eile*) prisa *f*

hastig *adj* (*eilig*) apresurado; (*überstürzt*) precipitado

hat [hat] *3. präs von* **haben**

hatte ['hatə] *3. imp von* **haben**

Haube ['haʊbə] *f* <-n> AUTO capó *m*

Hauch [haʊx] *m* <-(e)s, -e> (*geh: Anflug, Duft*) toque *m*; **hauchdünn** ['-'-] *adj* finísimo

hauchen ['haʊxən] I. *vi* (*ausatmen*) espirar II. *vt* (*Worte*) susurrar

hauen ['haʊən] <haut, haute *o* hieb, gehauen> I. *vt* (*fam: schlagen*) sacudir; (*Nagel*) clavar (**in** en) II. *vr:* **sich ~** (*fam*) pegarse

Haufen ['haʊfən] *m* <-s, -> montón *m*; **jdn über den ~ rennen** (*fam*) tumbar a alguien; **etw über den ~ werfen** (*fam*) arrojar por la borda algo

häufen ['hɔɪfən] *vt, vr:* **sich ~** amontonar(se); **zwei gehäufte Esslöffel Zucker** dos cucharadas colmadas de azúcar

haufenweise *adv* (*fam*) a montones

häufig ['hɔɪfɪç] I. *adj* frecuente II. *adv* a menudo

Häufigkeit *f* <-en> frecuencia *f*

Haupt [haʊpt] *nt* <-(e)s, Häupter> (*geh*) cabeza *f*; **gesenkten/erhobenen ~es** cabizbajo/con la cabeza alta; **Hauptbahnhof** *m* estación *f* central; **hauptberuflich** *adj* profesional; **Hauptdarsteller(in)** *m(f)* protagonista *mf*; **Haupteingang** *m* entrada *f* principal; **Hauptfach** *nt* SCH, UNIV asignatura *f* principal; **Hauptfigur** *f* personaje *m* principal; **Hauptgebäude** *nt* edificio *m* principal; **Hauptgericht** *nt* plato *m* principal; **Hauptgeschäftszeit** *f* horas *fpl* punta; **Hauptgewinn** *m* primer premio *m*

Häuptling ['hɔɪptlɪŋ] *m* <-s, -e> cacique *m*

Hauptrolle *f* papel *m* principal; **Hauptsache** *f* punto *m* principal; **die ~ ist, dass ...** lo principal es que... *+subj*; **hauptsächlich** ['haʊptzɛçlɪç] *adj* principal; **~ deshalb, weil ...** principalmente porque...; **Hauptsaison** *f* temporada *f* alta; **Hauptsatz** *m* oración *f* principal; **Hauptschule** *f* ≈escuela *f* de Enseñanza General Básica (*formación escolar mínima obligatoria entre los 10 y los 15 años de edad*); **Hauptspeise** *f* GASTR plato *m* principal; **Hauptstadt** *f* capital *f*; **Hauptstraße** *f* calle *f* principal; **Hauptverkehrszeit** *f* hora *f* punta; **Hauptversammlung** *f* asamblea *f* general; **Hauptwort** *nt* <-(e)s, -wörter> sustantivo *m*

Haus [haʊs] *nt* <-es, Häuser> casa *f*; (*Gebäude*) edificio *m*; **nach ~e** a casa; **zu ~e** en casa; **~ halten** economizar; **Hausapotheke** *f* botiquín *m*; **Hausarbeit** *f* (*im Haushalt*) quehaceres *mpl* domésticos; **Hausarrest** *m* arresto *m* domiciliario; **Hausarzt, -ärztin** *m, f* médico, -a *m, f* de cabecera; **Hausaufgaben** *f pl* SCH deberes *mpl*; **Hausbesitzer(in)** *m(f)* propietario, -a *m, f* de una casa; **Hausbewohner(in)** *m(f)* vecino, -a *m, f* de una casa; **Hausboot** *nt* barco *m* vivienda

Häuschen ['hɔɪsçən] *nt*: **aus dem ~ sein** (*fam*) estar fuera de sí

Hauseingang *m* entrada *f* de la casa

hausen ['haʊzən] *vi* (*fam abw: wohnen*) (mal)vivir (**in** en); (*wüten*) causar estragos (**in** en)

Hausflur *m* pasillo *m*; **Hausfrau** *f* ama *f* de casa; **Hausfriedensbruch** *m* allanamiento *m* de morada

Haushalt ['haʊshalt] *m* <-(e)s, -e> (*Hausgemeinschaft*) casa *f*; (*Etat*) presupuesto *m*; **jdm den ~ führen** llevar (le) la casa a alguien; **haus|halten** *irr vi* economizar (**mit**)

Haushälterin ['haʊshɛltərɪn] *f* <-nen> ama *f* de llaves

Haushaltsgeld *nt* dinero *m* para los gastos domésticos; **Haushaltsgerät** *nt* aparato *m* doméstico; **Haushaltshilfe** *f* empleada *f* de hogar, asistenta *f*; **Haushaltsplan** *m* POL presupuesto *m*

Hausherr(in) *m(f)* dueño, -a *m, f* de la casa, señor(a) *m(f)* de la casa

haushoch ['-'-] *adj* como una casa; **jdn ~ schlagen** derrotar a alguien aplastantemente

hausieren* [haʊ'zi:rən] *vi* ir vendiendo de casa en casa; **mit etw ~ gehen** (*fam*) contar algo a todo el mundo

häuslich ['hɔɪslɪç] *adj* (*Arbeiten*) doméstico; (*Familie betreffend*) familiar; (*Familienleben liebend*) casero; **sich ~ niederlassen** (*fam*) poner casa

Hausmann *m* amo *m* de casa; **Hausmannskost** *f* comida *f* casera

Hausmeister(in) *m(f)* conserje *mf*; **Hausmittel** *nt* remedio *m* casero; **Hausnummer** *f* número *m* de (la) casa; **Hausordnung** *f* <-en> reglamento *m* de la casa; **Hausschlüssel** *m* llave *f* de (la) casa; **Hausschuh** *m* zapatilla *f*; **Haustier** *nt* animal *m* doméstico; **Haustür** *f* puerta *f* de (la) casa; **Hauswirt(in)** *m(f)* propietario, -a *m, f* de una casa; **Hauswirtschaft** *f* economía *f* doméstica

Haut [haʊt] *f* <Häute> piel *f*; (*Gesichtshaut*) cutis *m inv*; **aus der ~ fahren** (*fam*) salirse de sus casillas; **das geht (mir) unter die ~** (*fam*) esto me llega al alma; **auf der faulen ~ liegen** (*fam*) estar tumbado a la bartola; **Hautarzt, -ärztin** *m, f* dermatólogo, -a *m, f*; **Hautcreme** *f* crema *f* para la piel; **hauteng** ['-'-] *adj* muy ceñido; **Hautfarbe** *f* color *m* de la piel; (*Teint*) tez *f*

Hbf. *Abk. von* **Hauptbahnhof** estación *f* central

Hebamme ['he:bamə] *f* <-n> comadrona *f*

Hebel ['he:bəl] *m* <-s, -> palanca *f*; **alle ~ in Bewegung setzen** (*fam*) tocar todas las teclas; **am längeren ~ sitzen** (*fam*) tener la sartén por el mango

heben ['he:bən] <hebt, hob, gehoben> **I.** *vt* (*hochheben*) alzar; (*steigern*) aumentar; (*verbessern*) mejorar **II.** *vr*: **sich ~** (*sich verbessern*) mejorarse

hebräisch [he'brɛ:ɪʃ] *adj* hebreo

Hecht [hɛçt] *m* <-(e)s, -e> lucio *m*

Heck [hɛk] *nt* <-(e)s, -e *o* -s> NAUT popa *f*; AUTO, AERO parte *f* trasera

Hecke ['hɛkə] *f* <-n> seto *m*

Heckscheibe *f* luneta *f* trasera

Heer [he:ɐ] *nt* <-(e)s, -e> MIL ejército *m*

Hefe ['he:fə] *f* <-n> levadura *f*

Heft [hɛft] *nt* <-(e)s, -e> cuaderno *m*; (*einer Zeitschrift*) número *m*

heften ['hɛftən] **I.** *vt* (*anbringen*) fijar (**an** en); (*Blick*) clavar (**auf** en) **II.** *vr*: **sich ~** (*Blick*) clavarse (**auf** en)

heftig ['hɛftɪç] *adj* (*stark*) fuerte; (*gewaltig*) vehemente; (*ungestüm*) impetuoso; (*unbeherrscht*) colérico; (*Ton*) duro

Heftpflaster *nt* tirita *f*

hegen ['he:gən] *vt* guardar; **Zweifel/Hoffnungen ~** (*geh*) abrigar dudas/esperanzas

Hehl [he:l] *m o nt*: **kein(en) ~ aus etw machen** no hacer un secreto de algo

Heide[1] *f* <-n> (*Landschaft*) brezal *m*

Heide, Heidin[2] ['haɪdə] *m, f* <-n, -n; -nen> REL pagano, -a *m, f*

Heidelbeere ['haɪdəlbe:rə] *f* arándano *m*

heidnisch ['haɪdnɪʃ] *adj* pagano

heikel ['haɪkəl] *adj* (*Angelegenheit*) delicado

heil [haɪl] *adj*: **~ ankommen** llegar sano y salvo; **mit ~er Haut davonkommen** salir bien librado; **die ~e Welt** el mundo intacto

Heiland ['haɪlant] *m* <-(e)s>: **der/unser ~** El Salvador/nuestro Redentor

Heilanstalt *f* sanatorio *m*; (*Irrenanstalt*) clínica *f* (p)siquiátrica; **heilbar** *adj* curable

heilen ['haɪlən] **I.** *vi sein* (*Wunde*) cicatrizarse; (*Verletzung*) curarse **II.** *vt* ha *ben* curar

heilfroh ['-'-] *adj* (*fam*) contentísimo

heilig ['haɪlɪç] *adj* (*Person*) santo; (*Ort*) sagrado; **die Heilige Jungfrau** la Santísima Virgen; **der Heilige Geist** el Espíritu Santo; **etw hoch und ~ versprechen** prometer algo por lo más sagrado; **Heiligabend** [haɪlɪç'ʔa:bənt] *m* Nochebuena *f*

Heiligtum *nt* <-(e)s, -tümer> santuario *m*; (*Reliquie*) reliquia *f*

heillos *adj* terrible; **Heilmittel** *nt* remedio *m*; **Heilpraktiker(in)** *m(f)* <-s, -; -nen> médico, -a *m, f* homeopático, -a

heilsam *adj* curativo

Heilung *f* <-en> cura *f*

heim [haɪm] *adv* a casa

Heim *nt* <-(e)s, -e> (*Zuhause*) hogar *m*; (*Studentenheim*) residencia *f*; (*Obdachlosenheim*) asilo *m*; (*Kinderheim*) hogar *m*

Heimat ['haɪma:t] *f* <-en> (*Heimatland*) patria *f*; (*Heimatregion*) tierra *f* (natal); **Heimatland** *nt* patria *f*; **heimatlos** *adj* sin patria

heim|fahren *irr* **I.** *vi sein* ir a casa; (*zurückfahren*) regresar a casa **II.** *vt* llevar a casa; **Heimfahrt** *f* regreso *m* a casa

heim|gehen *irr vi sein* volver a casa

heimisch *adj* (*einheimisch*) del país; (*vertraut*) familiarizado

Heimkehr ['haɪmke:ɐ] *f* regreso *m* a casa

heim|kommen *irr vi sein* volver a casa

heimlich ['haɪmlɪç] **I.** *adj* secreto; (*unerlaubt*) clandestino **II.** *adv* en secreto; (*versteckt*) a escondidas; **~ tun** (*abw*) andar con tapujos

Heimlichkeit *f* <-en> ❶ (*Geheimnis*) secreto *m* ❷ *ohne pl* (*Verborgenheit*) clandestinidad *f*

Heimreise *f* viaje *m* de regreso; **die ~ antreten** emprender el viaje de regreso; **Heimspiel** *nt* partido *m* en casa

heim|suchen *vt* (*Krankheit*) atacar; (*Katastrophe*) devastar; (*Alpträume*) invadir; **heimtückisch** *adj* pérfido; (*bösartig*) malicioso

heimwärts ['haɪmvɛrts] *adv* (en dirección) a casa

Heimweg *m* camino *m* de regreso; **Heimweh** *nt* <-s, *ohne pl*> nostalgia *f* (**nach** de); **heim|zahlen** *vt* vengarse; **das zahl ich dir heim!** ¡me las pagarás!

Heirat ['haɪra:t] *f* <-en> matrimonio *m*; (*Hochzeit*) boda *f*

heiraten ['haɪra:tən] *vi, vt* casarse (con)

Heiratsantrag *m* propuesta *f* de matrimonio

heiser ['haɪzɐ] *adj* ronco; (*stimmlos*) afónico

heiß [haɪs] *adj* caliente; (*Wetter*) caluroso; **brütend ~** (*fam*) achicharrante; **mir ist ~** tengo calor; **Vorsicht, das ist ~!** ¡cuidado, que quema!; **das Essen ~ machen** calentar la comida; **jdn ~ und innig lieben** (*fam*) querer a alguien ardientemente

heißen ['haɪsən] <heißt, hieß, geheißen> *vi* ❶ (*Namen haben*) llamarse; **wie ~ Sie?** ¿cómo se llama Ud.?; **was heißt „Kuss" auf griechisch?** ¿cómo se dice "beso" en griego? ❷ (*bedeuten*) significar; **das heißt** es decir; **was soll das ~?** ¿qué significa esto? ❸ (*geh: behauptet werden*) decirse; (*zu lesen sein*) estar escrito

Heißhunger *m* hambre *f* canina

heiter ['haɪtɐ] *adj* (*fröhlich*) alegre; (*Tag, Himmel*) despejado; **das kann ja ~ werden** (*fam*) esto se puede poner bien; **wie aus ~em Himmel** (*plötzlich*) de golpe y porrazo; (*unerwartet*) como caído del cielo

heizen ['haɪtsən] **I.** *vi* encender la calefacción; **wir ~ mit Gas** tenemos calefacción a gas **II.** *vt* (*Raum*) calentar

Heizkörper *m* radiador *m*; **Heizkosten** *pl* gastos *m pl* de calefacción; **Heizöl** *nt* <-(e)s, *ohne pl*> fuel *m* combustible; **Heizstrahler** *m* radiador *m* eléctrico

Heizung *f* <-en> calefacción *f*; (*fam: Heizkörper*) radiador *m*

Hektar ['hɛkta:ɐ] *nt o m* <-s, -e, *nach Zahlen:* ->, **Hektare** ['hɛkta:rə] *f* <-n> SCHWEIZ hectárea *f*

Hektik ['hɛktɪk] *f* ajetreo *m*; **nur keine ~!** ¡con calma!

hektisch ['hɛktɪʃ] *adj* inquieto

Held(in) [hɛlt] *m(f)* <-en, -en; -nen> héroe, heroína *m, f*; **heldenhaft** *adj* heroico

helfen ['hɛlfən] <hilft, half, geholfen> *vi* ayudar (**bei** en); (*heilsam sein*) ser bueno (**gegen** para); **man muss sich** *dat* **zu ~ wissen** hay que saber salir del paso; **es hilft uns nicht, wenn ...** no nos sirve de nada, si...

Helfer(in) *m(f)* <-s, -; -nen> ayudante *mf*; **ein ~ in der Not** un salvador

Helikopter [heli'kɔptɐ] *m* <-s, -> helicóptero *m*

hell [hɛl] *adj* claro; (*voller Licht*) luminoso; **es wird ~** amanece; **ein ~er Kopf** una cabeza inteligente; **der ~e Wahnsinn** la locura absoluta; **hellhörig** *adj* (*Raum*) de paredes finas; **~ werden** aguzar el oído

hellicht[ALT] *adj s.* **helllicht**

Helligkeit *f* claridad *f*; (*Lichtstärke*) luminosidad *f*

helllicht[RR] ['hɛlɪçt] *adj*: **am ~en Tag** en pleno día

hellsehen *vi* prever (el futuro); **Hellseher(in)** *m(f)* vidente *mf*; **hellwach** ['-'-] *adj* totalmente despierto

Helm [hɛlm] *m* <-(e)s, -e> casco *m*

Hemd [hɛmt] *nt* <-(e)s, -en> camisa *f*

hemmen ['hɛmən] *vt* (*aufhalten*) detener; (*hindern*) impedir; PSYCH inhibir

Hemmung *f* <-en> (*Beeinträchtigung*) impedimento *m*; PSYCH inhibición *f*; **~en haben** tener escrúpulos; **hemmungslos** *adj* (*zügellos*) desenfrenado; (*bedenkenlos*) sin escrúpulos

Hengst [hɛŋst] *m* <-(e)s, -e> semental *m*

Henkel ['hɛŋkəl] *m* <-s, -> asa *f*

Henker ['hɛŋkɐ] *m* <-s, -> verdugo *m*

Henne ['hɛnə] *f* <-n> gallina *f*

her [he:ɐ] *adv* ❶ (*räumlich*) hacia aquí; **von weit ~** de muy lejos; **komm ~!** ¡ven aquí!; **gib ~!** ¡trae! ❷ (*zeitlich*) hace; **das ist schon lange ~** de eso hace ya tiempo

herab [hɛ'rap] *adv* (*geh*) (hacia) abajo; **von oben ~** (*fig*) despectivamente; **herab|blicken** *vi* (*geh*) mirar (hacia) abajo; **auf jdn ~** (*fig*) mirar a alguien por encima del hombro; **herab|lassen** *irr vr:* **sich ~** rebajarse (**zu** a)

herablassend I. *adj* desdeñoso **II.** *adv* con aire de desprecio

herab|setzen *vt* (*reduzieren*) reducir; (*senken*) bajar; (*schmälern*) desprestigiar

heran [hɛ'ran] *adv* por aquí; **heran|kommen** *irr vi sein* (*sich nähern*) acercarse (**an** a); (*heranreichen*) alcanzar; (*Zugang haben*) tener acceso (**an** a); **nichts an sich ~ lassen** no dejarse afectar por nada; **heran|machen** *vr* **sich ~** (*fam: an Person*) rondar; **heran|wachsen** *irr vi sein* crecer

Heranwachsende(r) *f(m) dekl wie adj* adolescente *mf*

heran|wagen *vr:* **sich ~** (*räumlich*) atreverse a acercarse (**an** a); (*an Aufgabe*) atreverse a acometer (**an**); **heran|ziehen** *irr vt* (*näher holen*) acercar(se) (*Sachverständige*) consultar; (*Sache*) recurrir (a); (*Kind*) criar; **etw zum Vergleich ~** establecer una comparación con algo

herauf [hɛ'raʊf] *adv* hacia arriba; **herauf|beschwören*** *irr vt* provocar (*Erinnerung*) evocar; **herauf|kommen** *irr vi sein* (*Person*) subir

heraus [hɛ'raʊs] *adv* (hacia) fuera; **~ mit ihm!** ¡afuera con él!; **von innen ~** desde dentro; **aus einer Notlage ~** debido a un apuro; **~ mit der Sprache!** ¡suelta la lengua!; **heraus|bekommen*** *irr vt* (*Wechselgeld*) recibir la vuelta; (*Rätsel*) resolver; (*Geheimnis* descubrir; (*Fleck*) poder quitar; **heraus|finden** *irr vt* (*aus Ort*) saber salir; (*entdecken*) descubrir

heraus|fordern *vt* desafiar; (*provozieren*) provocar (**zu** a); **herausfordernd** *adj* desafiante; (*provozierend*) provocador; **Herausforderung** *f a.* SPORT desafío *m*; **eine ~ annehmen** responder a un reto

heraus|geben *irr vt* (*aushändigen*) entregar; (*Wechselgeld*) dar la vuelta; (*Buch*) editar; **Herausgeber(in)** *m(f)* <-s, -; -nen> (*von Buch*) editor(a) *m(f)*; (*von Zeitung*) director(a) *m(f)*

heraus|gehen *irr vi sein* salir (**aus** de); **aus sich** *dat* **~** abrirse; **heraus|halten** *irr vr:* **sich ~** mantenerse alejado; **sich aus etw ~** no meterse en algo; **heraus|holen** *vt* sacar (**aus** de); **das Letzte aus sich** *dat* **~** dar lo máximo; **heraus|kommen** *irr vi sein* ❶ (*aus Haus, Krankenhaus*) salir (**aus** de); **sie kam aus dem Lachen nicht mehr heraus** no pudo parar de reír ❷ (*fam: Resultat sein*) ser el resultado (**bei** de); **was soll dabei ~?** ¿qué va a resultar de ello?; **es kommt nichts dabei heraus** no conduce a nada; **es kommt auf dasselbe heraus** da lo mismo ❸ (*fam: Geheimnis*) llegarse a saber; **wenn das herauskommt, ...** si esto sale a la luz...; **ganz groß ~** tener mucho éxito; **heraus|nehmen** *irr vt* sacar (**aus** de); **sich** *dat* **~ etw zu tun** tomarse la libertad de hacer algo; **heraus|putzen** *vt, vr:* **sich ~** acicalar(se); **heraus|ragen** *vi* sobresalir (**aus** de); **heraus|reden** *vr:* **sich ~** (*fam*) poner excusas; **heraus|reißen** *irr vt* arrancar; **heraus|rücken** I. *vi sein* (*fam: zugeben*) soltar; **rück mit der Wahrheit heraus!** ¡desembucha ya! II. *vt haben* (*fam: hergeben*) soltar; **rück mal etwas Geld heraus!** ¡suelta un par de duros!; **heraus|rutschen** *vi sein* (*Wort*) escaparse; **heraus|springen** *irr vi sein* (*Sicherung*) saltar; (*fam: Gewinn*) sacar provecho (**bei** de); **und was springt dabei für mich heraus?** ¿y qué saco yo de esto?; **heraus|stellen** I. *vt* (*nach draußen stellen*) sacar II. *vr:* **sich ~** resultar; **es stellte sich heraus, dass ...** se ha comprobado que...; **heraus|ziehen** *irr vt* sacar (**aus** de)

herb [hɛrp] *adj* (*Geschmack*) acerbo; (*Wein*) seco; (*Enttäuschung*) amargo; (*Verlust*) doloroso; (*Kritik*) duro

herbei [hɛɐ'baɪ] *adv* hacia aquí; **herbei|eilen** *vi sein* venir corriendo; **herbei|führen** *vt* causar; (*Gelegenheit*) proporcionar

Herberge ['hɛrbɛrgə] *f* <-n> albergue *m*

Herbst [hɛrpst] *m* <-(e)s, -e> otoño *m*

herbstlich *adj* otoñal

Herd [heːɐt] *m* <-(e)s, -e> (*in Küche*) cocina *f*

Herde ['heːɐdə] *f* <-n> (*Schafe, Rinder*) rebaño *m*; (*Schweine*) piara *f*; (*wilde Tiere*) manada *f*

herein [hɛ'raɪn] *adv* hacia dentro; **~!** ¡adelante!; **herein|brechen** *irr vi sein* (*geh: Unglück*) sobrevenir; (*Nacht*) caer (**über** sobre); **herein|fallen** *irr vi sein* (*in Loch*) caer (**in** en); (*Licht*) entrar (**in** en/a); (*fam: sich täuschen lassen*) dejarse engañar (**auf** por); **herein|holen** *vt* entrar, meter; **jdn ~** hacer entrar a alguien; **herein|kommen** *irr vi sein* entrar (**in** a/en); **herein|lassen** *irr vt* dejar entrar; **herein|legen** *vt* (*fam: betrügen*) engañar

her|fallen *irr vi sein* (*a. fig*) atacar (**über**); **über etw ~** caer sobre algo

Hergang ['heːɐ-] *m* acontecimientos *mpl*; **den ~ schildern** contar lo que pasó

her|geben *irr* I. *vt* (*herausgeben*) entregar; **gib her!** ¡dame! II. *vr:* **sich ~** prestarse (**für** a); **her|gehen** *irr vi sein*: **neben/vor/hinter jdm ~** ir al lado de/delante de/detrás de alguien; **es ging hoch her** hubo mucho jaleo; **her|halten** *irr vi* servir (**als** de); **her|holen** *vt* ir a buscar, ir (por); **der Vergleich ist weit hergeholt** el ejemplo es muy rebuscado

Hering ['he:rɪŋ] *m* <-s, -e> (*Fisch*) arenque *m*; (*Zeltpflock*) estaquilla *f*

her|kommen *irr vi sein* (*hierher kommen*) venir; (*sich nähern*) acercarse; (*stammen*) ser (**aus** de); **wo kommen Sie her?** ¿de dónde es Ud.?

herkömmlich ['he:ɐkœmlɪç] *adj* convencional

Herkunft ['he:ɐkʊnft] *f* origen *m*; **arabischer ~** de origen árabe; **Herkunftsland** *nt* país *m* de origen

her|machen I. *vi:* **das macht viel her** esto causa buena impresión **II.** *vr:* **sich über das Essen ~** (*fam*) abalanzarse sobre la comida

Heroin [hero'i:n] *nt* <-s, *ohne pl*> heroína *f*

heroisch [he'ro:ɪʃ] *adj* (*geh*) heroico

Herr[1] *m* <-(e)n, -en> señor *m*; **„Herren"** "caballeros"; **~ Meier** el señor Meier; **~ Ober!** ¡camarero!

Herr(in)[2] [hɛr] *m(f)* <-(e)n, -en; -nen> amo, -a *m, f*; **er war nicht ~ der Lage** no era dueño de la situación; **aus aller ~en Länder** de todos los países

herrenlos *adj* sin dueño; **Herrenmode** *f* moda *f* masculina; **Herrentoilette** *f* servicio *m* de caballeros

her|richten *vt* (*vorbereiten*) preparar; (*reparieren*) arreglar

herrlich *adj* espléndido; (*wunderbar*) maravilloso

Herrlichkeit *f* <-en> esplendor *m*; (*Pracht*) suntuosidad *f*

Herrschaft *f* (*Befehlsgewalt*) poder *m* (**über** sobre); (*Kontrolle*) control *m* (**über** de)

herrschen ['hɛrʃən] *vi* ❶ (*Macht haben*) dominar; (*König*) reinar (**über** en/sobre) ❷ (*Chaos*) reinar; (*Not*) haber

Herrscher(in) *m(f)* <-s, -; -nen> soberano, -a *m, f*

her|rühren *vi* resultar (**von** de); **her|stellen** *vt* producir; (*Verbindung*) establecer

Hersteller(in) *m(f)* <-s, -; -nen> productor(a) *m(f)*

Herstellung *f* producción *f*; (*in Fabrik*) fabricación *f*

herüber [hɛ'ry:bɐ] *adv* hacia acá

herum [hɛ'rʊm] *adv* alrededor; **um ... ~** alrededor de...; **hier ~** por aquí; **links ~** por la izquierda; **herum|drehen I.** *vt* (*wenden*) dar vuelta(s) (a); (*Kopf*) volver; **jdm das Wort im Mund ~** dar la vuelta a las palabras de alguien **II.** *vr:* **sich ~** darse la vuelta; **herum|führen** *vt:* **jdn ~** (*als Führer*) hacer de guía para alguien; **jdn an der Nase ~** (*fam*) tomar el pelo a alguien; **herum|gehen** *irr vi sein* dar una vuelta (**um** por); (*fam: ziellos*) pasearse; (*fam: Gerücht*) circular; **herum|irren** *vi sein* errar; **herum|kommen** *irr vi sein* (*fam: reisen*) viajar; (*vermeiden können*) poder evitar (**um**); **sie ist viel in der Welt herumgekommen** ha corrido mucho mundo; **herum|kriegen** *vt* (*fam: Zeit*) pasar; **jdn ~** convencer a alguien; **herum|laufen** *irr vi sein* (*fam: ziellos*) correr de un lado para otro; **so kannst du doch nicht ~!** (*fam*) ¡así no puedes andar por ahí!; **herum|liegen** *irr vi* (*fam*) ❶ (*Sache*) estar tirado ❷ (*Person*) estar tumbado; **herum|lungern** [-'-lʊŋɐn] *vi* (*fam*) haraganear; **herum|schlagen** *irr vr* (*fam*): **sich mit jdm/etw ~** luchar con alguien/algo; **herum|sprechen** *irr vr:* **sich ~** divulgarse; **herum|stehen** *irr vi* (*fam*) estar por ahí (**um** alrededor de); **um jdn ~** rodear a alguien; **herum|treiben** *irr vr:* **sich ~** (*fam abw*) vagabundear; (*auf der Straße*) callejear; **wo hast du dich wieder herumgetrieben?** ¿por dónde te has metido?

herunter [hɛ'rʊntɐ] *adv* (hacia) abajo; **den Berg ~** monte abajo; **herunter|fallen** *irr vi sein* caerse; **heruntergekommen** *adj* (*fam*) venido a menos; **herunter|kommen** *irr vi sein* (*nach unten*) bajar; (*fam: verwahrlosen*) venir a menos; **herunter|laden** *vt* INFOR bajar; **herunter|machen** *vt* (*fam: kritisieren*) criticar; (*schlechtmachen*) difamar; **jdn ~** dejar a alguien como un trapo; **herunter|schlucken** *vt* (*fam*) ❶ (*Bissen*) tragar ❷ (*Wut*) tragarse

hervor [hɛɐ'fo:ɐ] *adv* (*geh*) hacia delante; (*heraus*) fuera; **hervor|bringen** *irr vt* producir; (*Wort*) decir; **hervor|gehen** *irr vi sein* (*geh: sich ergeben*) deducirse (**aus** de); **sie ging als Siegerin aus dem Wettkampf hervor** resultó vencedora en el campeonato; **hervor|heben** *irr vt* poner de relieve; **hervor|holen** *vt* sacar (**aus** de); **hervor|kommen** *irr vi sein* salir; **unter dem Tisch ~** salir de debajo de la mesa

hervorragend *adj* (*räumlich*) saliente; (*ausgezeichnet*) excelente

hervor|rufen *irr vt* provocar; (*Bewunderung*) causar; (*Protest*) promover; **hervor|tun** *irr vr:* **sich ~** (*durch Leistung*) distinguirse; (*angeben*) darse importancia

Herz [hɛrts] *nt* <-ens, -en> corazón *m*; **von ~en gern** con mil amores; **schweren ~ens** sintiéndolo en el alma; **ein ~ und eine Seele sein** ser uña y carne; **sich** *dat* **etw zu ~en nehmen** (*fam*) tomarse algo a pecho; **jdm sein ~ ausschütten** abrir el corazón a alguien; **jdn ins ~ schließen** cogerle cariño a alguien; **Herzanfall** *m* ataque *m* cardíaco

Herzenslust *f*: **nach ~** a placer; **Herzenswunsch** *m* sueño *m* dorado

herzergreifend *adj* conmovedor; **herzhaft** *adj* (*a.* GASTR: *kräftig*) fuerte; (*deftig*) sabroso

her|ziehen *irr* **I.** *vi sein*: **über jdn ~** (*fam*) hablar mal de alguien **II.** *vt:* **etw hinter sich** *dat* **~** arrastrar algo detrás de sí

Herzinfarkt *m* infarto *m* de miocardio; **Herzklopfen** *nt*: **~ haben** sentir palpitaciones

herzlich I. *adj* cariñoso; (*Gruß*) cordial; **~en Dank** muchísimas gracias **II.** *adv* de todo corazón; **~ willkommen!** ¡bienvenido!; **~ gern!** ¡con mucho gusto!

Herzlichkeit *f* cordialidad *f*

herzlos *adj* sin corazón; (*grausam*) cruel

Herzog(in) ['hɛrtso:k] *m(f)* <-s, -zöge; -nen> duque(sa) *m(f)*

Herzogtum *nt* <-s, -tümer> ducado *m*

Herzstillstand *m* paro *m* cardíaco; **Herzversagen** *nt* fallo *m* cardíaco

herzzerreißend I. *adj* desgarrador **II.** *adv* que le parte a uno el corazón

Hessen *nt* <-s> Hesse *f*

hessisch *adj* de Hesse

heterosexuell [heterozɛksu'ɛl, heterosɛksu'ɛl] *adj* heterosexual

hetzen ['hɛtsən] **I.** *vi* ❶ *sein* (*sich beeilen*) darse prisa ❷ *haben* (*abw: aufwiegeln*) agitar los ánimos **II.** *vt haben* (*jagen*) acosar; (*antreiben*) meter prisa **III.** *vr haben*: **sich ~** darse prisa

Heu [hɔɪ] *nt* <-(e)s, *ohne pl*> heno *m*

Heuchelei [hɔɪçə'laɪ] *f* <-en> (*abw*) hipocresía *f*

heucheln ['hɔɪçəln] *vi, vt* fingir

heuchlerisch *adj* hipócrita

heuer ['hɔɪɐ] *adv* SCHWEIZ, ÖSTERR, SÜDD este año

heulen ['hɔɪlən] *vi* (*fam*) llorar; (*Tier, Wind*) aullar

Heuschnupfen *m* alergia *f* al polen; **Heuschrecke** ['hɔɪʃrɛkə] *f* <-n> saltamontes *m inv*

heute ['hɔɪtə] *adv* hoy; **~ Morgen/Abend** esta mañana/noche; **~ Nacht habe ich schlecht geträumt** anoche tuve pesadillas; **von ~ auf morgen** de la noche a la mañana

heutig ['hɔɪtɪç] *adj* de hoy; (*gegenwärtig*) actual; **in der ~en Zeit** en nuestros tiempos

heutzutage ['hɔɪttsuta:gə] *adv* hoy (en) día

Hexe ['hɛksə] *f* <-n> bruja *f*

hexen ['hɛksən] *vi* hacer brujerías; **ich**

kann doch nicht ~ (*fam*) no puedo hacer milagros

Hexerei *f* <-en> brujería *f*

hieb [hi:p] *3. imp von* **hauen**

Hieb [hi:p] *m* <-(e)s, -e> (*Schlag*) golpe *m*; (*mit Faust*) puñetazo *m*

hielt [hi:lt] *3. imp von* **halten**

hier [hi:ɐ] *adv* aquí; (*bei Aufruf*) ¡presente!; **~ entlang** por aquí; **hieran** ['hi:ran, '-'-] *adv* (*räumlich*) aquí (mismo); **~ sieht man, dass ...** en esto se ve que...

Hierarchie [hierar'çi:] *f* <-n> jerarquía *f*

hierarchisch [hie'rarçɪʃ] *adj* jerárquico

hierauf ['hi:raʊf, '-'-] *adv* (*räumlich*) sobre esto; (*sodann*) a continuación; **hieraus** ['hi:raʊs, '-'-] *adv* (*räumlich*) de aquí; (*aus dieser Sache*) de ello; **hierbei** ['hi:ɐbaɪ] *adv* (*währenddessen*) en esto; (*in diesem Fall*) en este caso

hier|bleiben *irr vi sein* quedarse aquí

hierdurch ['hi:ɐdʊrç, '-'-] *adv* (*räumlich*) por aquí; (*auf Grund*) por ello; **hierfür** ['hi:ɐfy:ɐ, '-'-] *adv* (*zu diesem Zweck*) para esto; (*als Gegenwert*) por ello; **hierher** ['hi:ɐhe:ɐ, '-'-] *adv* (hacia) aquí; (*örtlich*) para acá; **bis ~ und nicht weiter!** ¡hasta aquí y ni un paso más!; **hierhin** ['hi:ɐhɪn, '-'-] *adv* aquí; **hiermit** ['hi:ɐmɪt, '-'-] *adv* con esto; **hiervon** ['hi:ɐfɔn, '-'-] *adv* de esto; **hierzu** ['hi:ɐtsu:, '-'-] *adv* (*für diesen Zweck*) para ello; (*betreffend*) con respecto a esto; (*zugehörig*) a esto

hierzulande ['hi:ɐtsu(')landə] *adv* en este país

hiesig ['hi:zɪç] *adj* de aquí

hieß [hi:s] *3. imp von* **heißen**

high [haɪ] *adj inv* (*berauscht*) colocado

High Society[RR] [haɪ sə'saɪəti] *f* alta sociedad *f*

Hilfe ['hɪlfə] *f* <-n> ayuda *f*; **~!** ¡socorro!; **erste ~** primeros auxilios; **~ leisten** prestar ayuda; **jdm zu ~ kommen** acudir en auxilio de alguien; **Hilferuf** *m* grito *m* de socorro

hilflos *adj* (*allein*) desamparado; (*ratlos*) desorientado; (*unbeholfen*) torpe

Hilflosigkeit *f* desamparo *m*; (*Ratlosigkeit*) desorientación *f*

hilfreich *adj* (*geh: nützlich*) útil; **er/es war uns sehr ~** nos sirvió de mucha ayuda

Hilfsaktion *f* acción *f* de socorro; **Hilfsarbeiter(in)** *m(f)* trabajador(a) *m(f)* auxiliar; **hilfsbedürftig** *adj* necesitado; **hilfsbereit** *adj* servicial; **Hilfsbereitschaft** *f ohne pl* solicitud *f*, comedimiento *m* ; **Hilfskraft** *f* auxiliar *mf*; **Hilfsmittel** *nt* recurso *m*; **Hilfsverb** *nt* verbo *m* auxiliar

hilft [hɪlft] *3. präs von* **helfen**

Himbeere ['hɪmbe:rə] *f* frambuesa *f*

Himmel ['hɪməl] *m* <-s, -> cielo *m*; **aus heiterem ~** (*plötzlich*) de golpe y porrazo; (*unerwartet*) inesperadamente; **unter freiem ~** a cielo raso; **um ~s willen!** ¡cielo santo!; **himmelschreiend** *adj* que clama al cielo

Himmelsrichtung *f* punto *m* cardinal

himmlisch ['hɪmlɪʃ] *adj* celestial; (*wunderbar*) maravilloso

hin [hɪn] **I.** *adv* (*in Richtung auf*) hacia allá; (*entlang*) a lo largo; **bis ... ~** hasta...; **~ und zurück** (*Fahrkarte*) ida y vuelta; **~ und her** de un lado para otro; **~ und wieder** de vez en cuando; **auf die Gefahr ~, dass ...** a riesgo de que... +*subj* **II.** *adj* (*fam: kaputt*) roto; **sein guter Ruf ist ~** su buena reputación está arruinada

Hin [hɪn] *nt*: **~ und Her** ir y venir *m*; (*Hickhack*) tira y afloja *m*; **nach langem ~ und Her** después de darle muchas vueltas

hinab [hɪ'nap] *adv* (hacia) abajo; **den Berg ~** monte abajo

hin|arbeiten *vi*: **auf etw ~** aspirar a algo

hinauf [hɪ'naʊf] *adv* arriba; **den Fluss ~** río arriba; **hinauf|gehen** *irr vi sein* subir; **hinauf|steigen** *irr vi sein* subir

hinaus [hɪ'naʊs] *adv* afuera; **~ mit dir!** ¡fuera contigo!; **wo geht es ~?** ¿por dónde se sale?; **dort ~** saliendo por allí;

auf Jahre ~ durante años; **über das Ziel ~** más allá de lo previsto; **darüber ~** aparte de esto; **hinaus|gehen** *irr vi sein* salir (**aus** de); (*überschreiten*) sobrepasar (**über**); **hinaus|laufen** *irr vi sein* salir (corriendo) (**aus** de); (*als Ergebnis haben*) acabar (**auf** en); **es läuft darauf hinaus, dass ...** esto terminará en que...; **hinaus|schicken** *vt:* **jdn ~** mandar salir a alguien; **hinaus|werfen** *irr vt* (*Sache*) tirar (**zu/aus** por); (*Person*) echar (**aus** de); **einen Blick ~** echar un vistazo por la ventana; **Geld zum Fenster ~** (*fam*) echar la casa por la ventana; **hinaus|wollen** *irr vi* (*fam*) querer salir (**aus** de); (*abzielen*) pretender (**auf**); **worauf willst du hinaus?** ¿qué es lo que pretendes?; **hoch ~** tener grandes ambiciones; **hinaus|zögern** I. *vt* aplazar II. *vr:* **sich ~** retrasarse

Hinblick *m*: **im ~ auf ...** (*in Bezug auf*) en cuanto a...; (*angesichts*) con vistas a...; **im ~ darauf, dass ...** considerando que...

hinderlich ['hɪndɐlɪç] *adj*: **~ sein** ser un estorbo

hindern ['hɪndɐn] *vt* impedir

Hindernis ['hɪndɐnɪs] *nt* <-ses, -se> obstáculo *m*; **ein ~ überwinden** salvar un obstáculo

hin|deuten *vi* (*zeigen*) señalar (con el dedo) (**auf**); (*hinweisen*) indicar (**auf**); **nichts deutet darauf hin, dass ...** nada indica que... *+subj*

Hinduismus [hɪndu'ɪsmʊs] *m* <-, *ohne pl*> hinduismo *m*

hindurch [hɪn'dʊrç] *adv* (*räumlich*) a través; (*zeitlich*) durante; **mitten ~** por el mismo medio

hinein [hɪ'naɪn] *adv* (hacia) adentro; **bis tief in die Nacht ~** hasta bien entrada la noche; **hinein|gehen** *irr vi sein* ❶ (*eintreten*) entrar (**in** en/a) ❷ (*hineinpassen*) caber (**in** en); **hinein|legen** *vt* ❶ (*nach innen legen*) meter (**in** en); (*aufbewahren*) guardar (**in** en) ❷ (*fam: betrügen*) engañar; **hinein|passen** *vi* caber (**in** en); **hinein|stecken** *vt* (*fam*) ❶ (*hineinlegen, -stellen*) meter (**in** en) ❷ (*investieren*) invertir (**in** en); **hinein|steigern** *vr:* **sich ~** (*in Kummer, Wut*) dejarse llevar (**in** por); (*in Vorstellung*) obsesionarse (**in** con); (*in Streit*) enfrascarse (**in** en); **hinein|versetzen*** *vr:* **sich in jdn ~** ponerse en el lugar de alguien

hin|fahren *irr* I. *vi sein* ir (en coche) II. *vt haben* llevar; **Hinfahrt** *f* (viaje *m* de) ida *f*; **Hin- und Rückfahrt** (viaje de) ida y vuelta; **auf der ~** a la ida

hin|fallen *irr vi sein* caerse

hinfällig *adj* (*ungültig*) nulo

Hinflug *m* <-(e)s, -flüge> vuelo *m* de ida

hin|führen *vi, vt* conducir; **wo soll das ~?** ¿adónde irá a parar esto?

hing [hɪŋ] *3. imp von* **hängen**[1]

Hingabe *f* (*Begeisterung*) entusiasmo *m*; (*Selbstlosigkeit*) entrega *f*; **hin|geben** *irr vr:* **sich ~** entregarse; **sich falschen Hoffnungen ~** abrigar falsas esperanzas

hingebungsvoll *adj* abnegado

hingegen [-'--] *adv* en cambio

hin|gehen *irr vi sein* ir (**zu** a); **hin|halten** *irr vt* ❶ (*Gegenstand*) ofrecer; (*Hand*) tender ❷ (*warten lassen*) dar largas, hacer esperar; **hin|hören** *vi* escuchar

hinken ['hɪŋkən] *vi* cojear

hin|knien *vi, vr:* **sich ~** arrodillarse; **hin|kriegen** *vt* (*fam: fertigbringen*) lograr; (*in Ordnung bringen*) arreglar; **hin|legen** I. *vt* poner; (*Kind*) acostar II. *vr:* **sich ~** tumbarse (**auf** en); (*ins Bett gehen*) acostarse; **hin|nehmen** *irr vt* (*Tatsache*) aceptar; (*erdulden*) aguantar; (*tolerieren*) tolerar

hinreichend ['hɪnraɪçənt] *adj* suficiente

Hinreise *f* (viaje *m* de) ida *f*

hin|reißen *irr vt:* **sich dazu ~ lassen, etw zu tun** dejarse convencer a hacer algo

hin|richten *vt* ejecutar; **Hinrichtung** *f* <-en> ejecución *f*

hin|schmeißen *irr vt* (*fam*) ❶ (*hinwerfen*) arrojar al suelo ❷ (*aufgeben*) abandonar; **hin|sehen** *irr vi* mirar (**zu** hacia); **hin|setzen** *vt, vr:* **sich** ~ sentar(se)

Hinsicht *f*: **in** ~ **auf ...** en cuanto a...; **in dieser** ~ en relación a esto; **in jeder/gewisser** ~ a todas luces/en cierto modo; **in finanzieller** ~ con respecto al dinero

hinsichtlich *präp +gen* en cuanto a

hin|stellen *vt, vr:* **sich** ~ poner(se)

hinten ['hɪntən] *adv* atrás; **ein Schlag von** ~ un golpe por detrás; **sich** ~ **anstellen** ponerse a la cola; **ganz** ~ **im Buch** al final del libro; **ihr Gehalt reicht vorne und** ~ **nicht** (*fam*) su sueldo no alcanza para nada; **hintenherum** ['----] *adv* (*a. fam: heimlich*) por detrás

hinter ['hɪntɐ] **I.** *präp +dat* ❶ (*dahinter*) tras; **das Schlimmste hast du schon** ~ **dir** ya has pasado lo peor; ~ **etw kommen** (*fam*) descubrir algo ❷ (*zeitlich*) después de ❸ (*Reihenfolge*) atrás; **er ließ ihn weit** ~ **sich** *dat* le dejó muy atrás **II.** *präp +akk* (hacia) atrás; **stell das Buch** ~ **die anderen** pon el libro detrás de los otros; **Hinterausgang** *m* salida *f* trasera

Hinterbliebene(r) [hɪntɐ'bli:bənɐ] *mf* <-n, -n; -n> pariente *mf* del difunto

hintere(r, s) ['hɪntərə, -rɐ, -rəs] *adj* de atrás

hintereinander [hɪntɐʔaɪ'nandɐ] *adv* (*räumlich*) uno detrás de otro; (*zeitlich*) uno después de otro; **vier Wochen** ~ cuatro semanas seguidas

hinterfragen* *vt* indagar

hintergangen *pp von* **hintergehen**

Hintergedanke *m* segunda intención *f*

hintergehen* *irr vt* engañar

Hintergrund *m* fondo *m*; (*Ursache*) causas *fpl*

hintergründig ['--grʏndɪç] *adj* enigmático

hinterhältig ['hɪntɐhɛltɪç] *adj* alevoso

hinterher [--'-, '---] *adv* (*räumlich*) detrás; (*zeitlich*) después; **hinterher|laufen** *irr vi sein* (*dahinter gehen*) ir detrás (de); (*folgen*) seguir; (*rennen*) correr detrás (de)

Hinterhof *m* patio *m* trasero; **Hinterkopf** *m* cogote *m*; **etw im** ~ **haben** tener algo en (la) mente

hinterlassen* *irr vt* dejar; **hinterlegen*** *vt* depositar

hinterlistig *adj* insidioso

hinterm ['hɪntɐm] (*fam*) = **hinter dem** detrás de

hintern ['hɪntɐn] (*fam*) = **hinter den** detrás de

Hintern ['hɪntɐn] *m* <-s, -> (*fam*) trasero *m*; **jdm in den** ~ **kriechen** lamer a alguien el culo

Hinterrad *nt* rueda *f* trasera

hinterrücks ['hɪntɐrʏks] *adv* (*abw*) por la espalda

hinters ['hɪntɐs] (*fam*) = **hinter das** detrás de

Hinterteil *nt* ❶ (*fam: Gesäß*) trasero *m* ❷ (*Teil*) parte *f* trasera; **Hintertreffen** *nt* (*fam*): **ins** ~ **geraten** perder terreno; **Hintertür** *f* puerta *f* trasera; **sich** *dat* **eine** ~ **offen halten** asegurarse una salida

hinterziehen* *irr vt* (*Steuern*) defraudar

hinterzogen *pp von* **hinterziehen**

hin|tun *irr vt* (*fam*) poner, meter

hinüber [hɪ'ny:bɐ] *adv* (*gegenüber*) al otro lado; (*nach dort*) hacia allá

hinunter [hɪ'nʊntɐ] *adv* (hacia) abajo; **den Berg** ~ monte abajo; **hinunter|fallen** *irr vi sein* caerse; **die Treppe** ~ caerse por la escalera; **hinunter|gehen** *irr vi sein* bajar; **hinunter|schlucken** *vt* tragar; (*Kritik*) tragarse

hinweg [hɪn'vɛk] *adv* (*geh*) ❶ (*räumlich*) fuera; **über jdn/etw** ~ por encima de alguien/algo ❷ (*zeitlich*) durante

Hinweg ['hɪnve:k] *m* ida *f*; **auf dem** ~ a

la ida

hinweg|fegen *vi* (*Wind, Sturm*): **über etw** *akk* ~ arrasar algo; **hinweg|gehen** *irr vi sein*: **über etw** ~ pasar algo por alto; **hinweg|hören** *vi* (*etw ignorieren*): **über etw** *akk* ~ hacer oídos sordos; **hinweg|kommen** *irr vi sein*: **über etw** ~ superar algo; **hinweg|sehen** *irr vi:* **über etw** ~ mirar por encima de algo; (*nicht beachten*) no hacer caso de algo; **hinweg|setzen** *vr:* **sich über etw** ~ no hacer caso a algo

Hinweis ['hɪnvaɪs] *m* <-es, -e> (*Tipp*) indicación *f*; (*Anzeichen*) indicio *m*

hin|weisen *irr* I. *vi:* **ausdrücklich darauf ~, dass ...** advertir expresamente que... II. *vt:* **jdn auf etw** ~ indicar algo a alguien

Hinweisschild *nt* letrero *m* indicador

hinzu [hɪn'tsu:] *adv* aparte de esto; (*überdies*) además; **hinzu|fügen** *vt* añadir (**zu** a); **hinzu|kommen** *irr vi sein* (*Person*) venir; (*Sache*) agregarse (**zu** a); **es kommt noch hinzu, dass ...** hay que añadir que...; **hinzu|ziehen** *irr vt* consultar

Hirn [hɪrn] *nt* <-(e)s, -e> ❶ GASTR sesos *mpl* ❷ (*fam: Verstand*) cerebro *m*; **Hirngespinst** ['hɪrngəʃpɪnst] *nt* <-(e)s, -e> (*abw*) quimera *f*; **hirnverbrannt** *adj* (*abw*) descerebrado

Hirsch [hɪrʃ] *m* <-(e)s, -e> ciervo *m*

Hirse ['hɪrzə] *f* <-n> mijo *m*

Hirte, Hirtin ['hɪrtə] *m, f* <-n, -n; -nen> pastor(a) *m(f)*

Historiker(in) [hɪs'to:rikɐ] *m(f)* <-s, -; -nen> historiador(a) *m(f)*

historisch [hɪs'to:rɪʃ] *adj* histórico

Hit [hɪt] *m* <-(s), -s> (*fam*) éxito *m*; **Hitparade** *f* (*Musiksendung*) programa *m* de éxitos musicales; (*Hitliste*) lista *f* de éxitos musicales

Hitze ['hɪtsə] *f* calor *m*; **eine drückende** ~ un calor agobiante; **hitzebeständig** *adj* resistente al calor; **Hitzewelle** *f* ola *f* de calor

hitzig ['hɪtsɪç] *adj* (*jähzornig*) colérico; (*heftig*) vehemente; (*Debatte*) acalorado

Hitzschlag *m* insolación *f*

HIV [ha:ʔi:'faʊ] *nt* <-(s), *ohne pl*> *Abk. von* **human immunodeficiency virus** VIH *m*; **HIV-infiziert** *adj* seropositivo

H-Milch ['ha:mɪlç] *f* leche *f* U.H.T.

HNO-Arzt, -Ärztin [ha:ʔɛn'ʔo:-] *m, f* otorrino, -a *m, f*

hob [ho:p] *3. imp von* **heben**

Hobby ['hɔbi] *nt* <-s, -s> hobby *m*

hoch [ho:x] <höher, am höchsten> I. *adj* alto; (*Ton*) agudo; **das ist drei Meter** ~ tiene una altura de tres metros; **hohe Ansprüche stellen** tener grandes exigencias II. *adv* (hacia) arriba; ~ **hinauswollen** (*fam*) tener altas miras; **wenn es** ~ **kommt** (*fam*) como mucho; **etw** ~ **und heilig versprechen** (*fam*) prometer solemnemente algo

Hoch *nt* <-s, -s> METEO altas presiones *fpl*

Hochachtung *f* respeto *m*; **hochachtungsvoll** *adv* (*im Brief*) atentamente

hochaktuell ['---'-] *adj* de gran actualidad; **hoch|arbeiten** *vr:* **sich** ~ ascender (a fuerza de trabajo); **hochbegabt** ['--'-] *adj s.* **begabt**; **Hochbetrieb** *m* <-(e)s, *ohne pl*> (*fam*) intensa actividad *f*; **hochdeutsch** *adj* alto alemán; **Hochdruck** *m* <-(e)s, *ohne pl*> PHYS presión *f* alta; METEO altas presiones *fpl*; **Hochebene** *f* meseta *f*; **hocherfreut** ['--'-] *adj* encantado; **Hochform** *f*: **in ~ sein** estar en plena forma; **Hochgebirge** *nt* alta montaña *f*; **Hochglanz** *m*: **etw auf ~ bringen** dar lustre a algo; **hochgradig** ['ho:xgra:dɪç] *adj* extremo

hoch|halten *irr vt* ❶ (*in die Höhe halten*) mantener en lo alto; (*hochheben*) levantar ❷ (*schätzen*) estimar (mucho); **Hochhaus** *nt* edificio *m* alto; **hoch|heben** *irr vt* alzar; **hochintelligent** ['----'-] *adj* muy inteligente; **hochinteressant** ['----'-] *adj* muy interesante

hochkant ['ho:xkant] *adv*: **jdn ~ rauswerfen** (*fam*) echar a alguien con cajas destempladas

Hochland *nt* altiplano *m*; **Hochleistungssport** *m* <-(e)s, -e> deporte *m* de alto rendimiento; **hochmodern** ['--'-] *adj* supermoderno; **Hochmut** *m* soberbia *f*

hochmütig ['-my:tɪç] *adj* soberbio; (*herablassend*) desdeñoso

hochprozentig *adj* (*Alkohol*) de alta graduación

Hochrechnung *f* cómputo *m* aproximado; **Hochsaison** *f* temporada *f* alta; **Hochschulabschluss**[RR] *m* título *m* universitario

Hochschule *f* escuela *f* superior; **Hochschulstudium** *nt* <-s, *ohne pl*> estudios *mpl* superiores

hochschwanger *adj* en avanzado estado de gestación; **Hochsee** *f* alta mar *f*; **Hochsommer** *m* pleno verano *m*; **Hochspannung** *f* alta tensión *f*

höchst [hø:kst, hø:çst] *adv* sumamente

Hochstapler(in) *m(f)* <-s, -; -nen> impostor(a) *m(f)*

höchste(r, s) ['hø:kstə, -tɐ, -təs, 'hø:çstə, -tɐ, -təs] *adj superl von* **hoch** ❶ (*räumlich*) más alto ❷ (*in Hierarchie*) superior; **die ~ Instanz** la instancia suprema ❸ (*äußerst*) extremo; **in ~m Maß(e)** extremadamente

höchstens ['hø:kstəns, 'hø:çstəns] *adv* como mucho; **~ wenn ...** a no ser que... +*subj*

Höchstgeschwindigkeit *f* velocidad *f* máxima; **höchstpersönlich** ['--'--] *adv* en persona; **höchstwahrscheinlich** ['--'--] *adv* con toda probabilidad

Hochtour *f*: **auf ~en laufen** trabajar a toda marcha

hochtrabend ['-tra:bənt] *adj* (*abw*) altisonante

Hochwasser *nt* (*eines Flusses*) crecida *f*; (*Überschwemmung*) inundación *f*

hochwertig *adj* de alta calidad

Hochzeit ['hɔxtsaɪt] *f* boda *f*; **silberne/goldene ~ feiern** celebrar las bodas de plata/de oro; **Hochzeitsfeier** *f* boda *f*; **Hochzeitsnacht** *f* noche *f* de bodas; **Hochzeitsreise** *f* viaje *m* de luna de miel; **Hochzeitstag** *m* aniversario *m* de boda

hocken ['hɔkən] *vi* (*fam: sitzen*) estar sentado

Hocker ['hɔkɐ] *m* <-s, -> taburete *m*

Hockey ['hɔki] *nt* <-s, *ohne pl*> hockey *m*

Hoden ['ho:dən] *m* <-s, -> testículo *m*

Hof [ho:f] *m* <-(e)s, Höfe> (*Innenhof, Hinterhof*) patio *m* (interior); (*Bauernhof*) granja *f*; (*Königshof*) corte *f*

hoffen ['hɔfən] *vi, vt* esperar; (*vertrauen*) confiar (**auf** en); **wir ~, dass ...** esperamos que... +*subj*

hoffentlich ['hɔfəntlɪç] *adv* ojalá +*subj*

Hoffnung ['hɔfnʊŋ] *f* <-en> esperanza *f*; **mach dir keine ~en** no te hagas ilusiones; **hoffnungslos** *adj* sin esperanza; **du bist ~** no tienes remedio

Hoffnungslosigkeit *f* desesperación *f*

hoffnungsvoll *adj* (*zuversichtlich*) lleno de esperanza; (*Erfolg versprechend*) esperanzador

höflich ['hø:flɪç] *adj* cortés

Höflichkeit *f* <-en> cortesía *f*

hohe(r, s) ['ho:ə, 'ho:ɐ, 'ho:əs] *adj s.* **hoch**

Höhe ['hø:ə] *f* <-n> altura *f*; **in die ~ gehen** (*Preise*) subir (*fam*) enfurecerse; **das ist doch die ~!** (*fam*) ¡esto es el colmo!

Hoheit ['ho:haɪt] *f* (*Staatsgewalt*) soberanía *f*; (*Anrede*) Alteza; **Hoheitsgebiet** *nt* territorio *m* nacional

Höhenangst *f* vértigo *m*; **Höhensonne** *f* lámpara *f* ultravioleta

Höhepunkt *m* punto *m* culminante; **den ~ erreichen** culminar

höher ['hø:ɐ] *adj kompar von* **hoch** más alto (**als** que)

hohl [ho:l] *adj* hueco; (*Wangen*) hundido; **~es Geschwätz** conversación vacía

Höhle ['hø:lə] *f* <-n> cueva *f*; (*Tierhöhle*) madriguera *f*; **sich in die ~ des Löwen begeben** (*fam*) meterse en la boca del lobo; **Höhlenmalerei** *f* pintura *f* rupestre

Hohlraum *m* cavidad *f*

Hohn [ho:n] *m* <-(e)s, *ohne pl*> burla *f*; (*bitterer Hohn*) sarcasmo *m*; **das ist der reinste ~** es una verdadera ironía

höhnisch ['hø:nɪʃ] *adj* burlón

holen ['ho:lən] *vt* (ir a) buscar; (*herbeischaffen*) traer; (*wegschaffen*) recoger; (*Arzt, Polizei*) llamar; **jdn aus dem Bett ~** sacar a alguien de la cama; **Luft ~** coger aire; **sich** *dat* **bei jdm einen Rat ~** pedir un consejo a alguien; **sich** *dat* **eine Erkältung ~** (*fam*) coger un catarro

Holland ['hɔlant] *nt* <-s> Holanda *f*

Holländer(in) ['hɔlɛndɐ] *m(f)* <-s, -; -nen> holandés, -esa *m, f*

holländisch *adj* holandés

Hölle ['hœlə] *f* infierno *m*; **jdm das Leben zur ~ machen** hacer a alguien la vida imposible

höllisch *adj* infernal; **das tut ~ weh** esto duele endemoniadamente; **~e Angst haben** tener un miedo infernal; **~ aufpassen** (*fam*) prestar extremada atención

Holocaust ['ho:lokaʊst] *m* <-(s), -s> holocausto *m*

holp(e)rig ['hɔlp(ə)rɪç] *adj* (*Weg*) lleno de baches; (*Stil*) tosco

Holz [hɔlts] *nt* <-es, Hölzer> ❶ (*Stock*) palo *m* ❷ *ohne pl* (*Material*) madera *f*; (*Brennholz*) leña *f*

hölzern ['hœltsɐn] *adj* (*aus Holz*) de madera; (*Bewegung*) torpe

holzig ['hɔltsɪç] *adj* (*Gemüse*) lleno de hebras

Holzkohle *f* carbón *m* vegetal; **Holzweg** *m*: **auf dem ~ sein** estar equivocado

Homepage ['hoʊmpeɪdʒ] *f* <-, -s> INFOR Home Page *f*

homogen [homo'ge:n] *adj* homogéneo

Homöopathie [homøopa'ti:] *f* homeopatía *f*

homosexuell *adj* homosexual

honduranisch *adj* hondureño

Honduras [hɔn'du:ras] *nt* <-> Honduras *m*

Honig ['ho:nɪç] *m* <-s, -e> miel *f*; **jdm ~ um den Bart schmieren** (*fam*) lisonjear a alguien; **Honigmelone** *f* melón *m*

Honorar [hono'ra:ɐ] *nt* <-s, -e> honorarios *mpl*

honorieren* [hono'ri:rən] *vt* (*anerkennen*) reconocer; (*bezahlen*) remunerar

Hopfen ['hɔpfən] *m* <-s, -> lúpulo *m*; **bei jdm ist ~ und Malz verloren** (*fam*) alguien es un caso perdido

hörbar ['hø:ɐba:ɐ] *adj* audible

horchen ['hɔrçən] *vi* escuchar (**an** en); (*angestrengt*) aguzar el oído

Horde ['hɔrdə] *f* <-n> horda *f*; (*Tiere*) banda *f*

hören ['hø:rən] **I.** *vi, vt* oír; (*zuhören, hinhören*) escuchar; (*erfahren*) (llegar a) saber; **Radio ~** escuchar la radio; **nichts von sich** *dat* **~ lassen** no dar señales de vida; **von etw nichts ~ wollen** no querer saber nada de algo **II.** *vi* (*gehorchen*) obedecer; (*auf Rat*) hacer caso (**auf** a); **Hörensagen** ['----] *nt*: **vom ~** de oídas

Hörer[1] *m* <-s, -> auricular *m*; **den ~ abnehmen/auflegen** contestar/colgar

Hörer(in)[2] *m(f)* <-s, -; -nen> oyente *mf*

Hörfunk *m* radio *f*; **Hörgerät** *nt* audífono *m*

Horizont [hori'tsɔnt] *m* <-(e)s, -e> horizonte *m*

horizontal [horitsɔn'ta:l] *adj* horizontal

Hormon [hɔr'mo:n] *nt* <-s, -e> hormona *f*

Horn [hɔrn] *nt* <-(e)s, Hörner> cuerno *m*; **Hornhaut** *f* (*Schwiele*) callosidad *f*; (*am Auge*) córnea *f*

Hornisse [hɔr'nɪsə] *f* <-n> avispón *m*

Horoskop [horo'sko:p] *nt* <-s, -e> horóscopo *m*

Horror ['hɔroːɐ] *m* <-s, *ohne pl*> horror *m* (**vor** a); **Horrorfilm** *m* película *f* de terror

Hörsaal *m* aula *f* (universitaria); **Hörspiel** *nt* pieza *f* radiofónica

Hort [hɔrt] *m* <-(e)s, -e> (*Kinderhort*) guardería *f*

horten ['hɔrtən] *vt* acopiar

Hose ['hoːzə] *f* <-n> pantalón *m*; **etw geht in die ~** (*fam*) algo sale mal; **das ist Jacke wie ~** (*fam*) da lo mismo; **Hosenbein** *nt* pernera *f* (del pantalón); **Hosenschlitz** *m* bragueta *f*; **Hosenträger** *m pl* tirantes *mpl*

Hospital [hɔspi'taːl] *nt* <-s, -e *o* -täler> hospital *m*

Hostess [hɔs'tɛs] *f* <-en> azafata *f* de congreso

Hotel [ho'tɛl] *nt* <-s, -s> hotel *m*; **Hotelzimmer** *nt* habitación *f* de hotel

Hotline ['hɔtlaɪn] *f* <-s> línea *f* caliente

Hr. *Abk. von* **Herr** Sr.

hübsch [hʏpʃ] *adj* bonito; (*niedlich*) mono; **sich ~ machen** ponerse guapo

Hubschrauber *m* <-s, -> helicóptero *m*

huckepack ['hʊkəpak] *adv* (*fam*): **jdn ~ nehmen** llevar a alguien a caballito

Huf [huːf] *m* <-(e)s, -e> (*der Pferde*) casco *m*; (*der Spalthufer*) pezuña *f*; **Hufeisen** *nt* herradura *f*

Hüfte ['hʏftə] *f* <-n> cadera *f*

Hügel ['hyːgəl] *m* <-s, -> colina *f*

hüg(e)lig *adj* con colinas

Huhn [huːn] *nt* <-(e)s, Hühner> *a.* GASTR pollo *m*; (*Henne*) gallina; **da lachen ja die Hühner** (*fam*) esto es ridículo

Hühnchen ['hyːnçən] *nt* <-s, -> GASTR pollo *m*; **mit jdm ein ~ rupfen** (*fam*) cantar las cuarenta a alguien

Hühnerauge *nt* callo *m*

Huldigung *f* <-en> homenaje *m*

Hülle ['hʏlə] *f* <-n> funda *f*; **in ~ und Fülle** (*fam*) a patadas

hüllen ['hʏlən] *vt* (*geh*) envolver (**in** en); **sich in Schweigen ~** guardar silencio

Hülse ['hʏlzə] *f* <-n> (*Etui*) estuche *m*; (*Geschosshülse*) cartucho *m*; BOT vaina *f*; **Hülsenfrucht** *f* legumbre *f*

human [hu'maːn] *adj* humano

humanitär [humani'tɛːɐ] *adj* humanitario

Humbug ['hʊmbuːk] *m* <-s, *ohne pl*> (*fam abw*) tontería *f*

Hummel ['hʊməl] *f* <-n> abejorro *m*

Hummer ['hʊmɐ] *m* <-s, -> langosta *f*

Humor [hu'moːɐ] *m* <-s, *ohne pl*> humor *m*; **er hat (keinen) Sinn für ~** (no) tiene sentido del humor; **humorlos** *adj* sin humor; **humorvoll** *adj* lleno de humor

humpeln ['hʊmpəln] *vi sein* cojear

Hund [hʊnt] *m* <-(e)s, -e> perro *m*; **bekannt sein wie ein bunter ~** (*fam*) estar más visto que el tebeo; **das ist ja ein dicker ~!** (*fam*) esto sí que es fuerte; **hundemüde** ['--'--] *adj* (*fam*) muerto de cansancio

hundert ['hʊndɐt] *adj inv* cien(to); **einer unter ~** uno entre cien; *s.a.* **achthundert**

Hunderte *nt pl* (*große Anzahl*) cientos *mpl*; **sie kamen zu ~n** llegaron a centenares

hundertjährig *adj* (*hundert Jahre alt*) centenario; (*hundert Jahre dauernd*) de cien años de duración

hundertprozentig ['---(')--] **I.** *adj* del cien por cien; (*Alkohol*) puro **II.** *adv* al cien por cien

Hundertstel *nt* <-s, -> centésima *f*

Hüne ['hyːnə] *m* <-n, -n> gigante *m*

Hunger ['hʊŋɐ] *m* <-s, *ohne pl*> hambre *f*; **ich habe ~ auf Schokolade** me apetece comer chocolate; **ich bekomme ~** me está entrando hambre; **Hungerlohn** *m* (*abw*) (sueldo *m* de) miseria *f*

hungern ['hʊŋɐn] *vi* pasar hambre; (*fasten*) ayunar

Hungersnot *f* hambre *f*

Hungerstreik *m* huelga *f* de hambre

hungrig ['hʊŋrɪç] *adj* hambriento

Hupe ['huːpə] *f* <-n> bocina *f*

hupen ['huːpən] *vi* tocar la bocina

hüpfen ['hʏpfən] *vi sein* saltar
Hürde ['hʏrdə] *f* <-n> (*a. fig*) valla *f*; **eine ~ nehmen** (*fig*) superar una dificultad
Hure ['hu:rə] *f* <-n> (*vulg*) puta *f*
husten ['hu:stən] *vi* toser
Husten ['hu:stən] *m* <-s, -> tos *f*; **Hustenbonbon** *nt* caramelo *m* contra la tos; **Hustensaft** *m* jarabe *m* contra la tos
Hut[1] [hu:t] *m* <-(e)s, Hüte> sombrero *m*; **alles unter einen ~ bringen** (*fam*) compaginar todo; **das ist ein alter ~** (*fam*) es lo de siempre
Hut[2] *f* (*geh*): **vor jdm/etw auf der ~ sein** tener cuidado con alguien/algo
hüten ['hy:tən] **I.** *vt* (*Vieh, Kinder*) cuidar; (*Geheimnis*) guardar; **das Bett ~** guardar cama **II.** *vr:* **sich ~** (*sich vorsehen*) tener cuidado (**vor** con); **ich werde mich ~!** (*fam*) ¡me cuidaré mucho!
Hütte ['hʏtə] *f* <-n> cabaña *f*; (*Skihütte*) refugio *m*
hydraulisch *adj* hidráulico
Hygiene [hy'gje:nə] *f* higiene *f*
hygienisch *adj* higiénico
Hymne ['hʏmnə] *f* <-n> himno *m*
hypnotisieren* [hʏpnoti'zi:rən] *vt* hipnotizar
Hypothese [hypo'te:zə] *f* <-n> hipótesis *f inv*; **eine ~ aufstellen/widerlegen** formular/rebatir una hipótesis
Hysterie [hʏste'ri:] *f* <-n> histeria *f*
hysterisch [hʏs'te:rɪʃ] *adj* histérico

I

I, i [i:] *nt* <-, -> I, i *f*

i. A. *Abk. von* **im Auftrag** p.o.

iberisch [i'be:rɪʃ] *adj* ibérico

IC [i:'tse:] *m* <-(s), -s> *Abk. von* **Intercity(zug)** Intercity *m*

ICE [i:tse:'ʔe:] *m* <-(s), -s> *Abk. von* **Intercityexpress** ≈AVE *m*

ich [ɪç] *pron pers 1. sg* yo; ~ **Idiot!** ¡idiota de mí!

ideal [ide'a:l] *adj* ideal

Ideal *nt* <-s, -e> ideal *m*

Idealismus [idea'lɪsmʊs] *m* <-, *ohne pl*> idealismo *m*

idealistisch *adj* idealista

Idee [i'de:] *f* <-n> idea *f*; **wie kommst du auf die ~?** ¿cómo se te ocurre esto?; **jdn auf die ~ bringen etw zu tun** dar a alguien la idea de hacer algo; **eine fixe ~** una obsesión

Identifikation [idɛntifika'tsjo:n] *f* <-en> PSYCH identificación *f*

identifizieren* [idɛntifi'tsi:rən] *vt, vr:* **sich ~** identificar(se) (**mit** con)

Identifizierung *f* <-en> identificación *f*

identisch [i'dɛntɪʃ] *adj* idéntico (**mit** a)

Identität [idɛnti'tɛ:t] *f* <-en> identidad *f*

Ideologie [ideolo'gi:] *f* <-n> ideología *f*

ideologisch *adj* ideológico

Idiot(in) [i'djo:t] *m(f)* <-en, -en; -nen> (*fam abw*) idiota *mf*

idiotisch *adj* (*fam abw*) idiota

Idol [i'do:l] *nt* <-s, -e> ídolo *m*

Idylle [i'dʏlə] *f* <-n> idilio *m*

idyllisch *adj* idílico

Igel ['i:gəl] *m* <-s, -> erizo *m*

igitt(igitt) [i'gɪt(igɪt)] *interj* REG qué asco

Iglu ['i:glu] *m o nt* <-s, -s> iglú *m*

Ignoranz *f* (*abw*) ignorancia *f*

ignorieren* *vt* ignorar

ihm [i:m] *pron pers dat von* **er, es** le; (*betont*) a él... (le); (*mit Präposition*) él; **sie hat ~ nichts gesagt** no le ha dicho nada; **hinter/vor ~** detrás/delante de él

ihn [i:n] *pron pers 3. sg m akk von* **er** lo; (*betont*) a él... (lo, le); (*mit Präposition*) él; **ich treffe ~ heute Abend** le [*o* lo] veo esta noche; **das ist für ~** esto es para él

ihnen ['i:nən] *pron pers mfpl dat von* **sie** les; (*betont*) a ellos/ellas... (les); (*mit Präposition*) ellos/ellas; **niemand half ~** no les ayudó nadie; **~ wäre das zu teuer** a ellos/ellas les resultaría demasiado caro; **hinter/vor ~** detrás/delante de ellos/ellas; **ein Freund von ~** un amigo suyo

Ihnen *pron pers dat von* **Sie** le *sg*, les *pl*; (*betont*) a usted... (le)/a ustedes... (les); (*mit Präposition*) usted/ustedes; **wir wollten ~ eine Freude machen** queríamos darle/darles una alegría; **~ hätte es bestimmt auch gefallen** a usted/ustedes seguro que también le/les habría gustado; **hinter/vor ~** detrás/delante de usted/ustedes

ihr [i:ɐ] **I.** *pron pers* ❶ *2. pl mf* vosotros *mpl*, vosotras *fpl*, ustedes ; **~ beiden/drei** vosotros/vosotras dos/tres ❷ *dat von sg* **sie** le; (*betont*) a ella... (le); (*mit Präposition*) ella; **ich habe ~ noch nichts gegeben** todavía no le he dado nada; **~ solltest du was Besseres anbieten** a ella deberías ofrecerle algo mejor; **hinter/vor ~** detrás/delante de ella **II.** *pron poss s.* **ihr, ihre, ihr**

ihr, ihre, ihr *pron poss* (*adjektivisch*) su *sg*, sus *pl*; (*einer Frau*) de ella; (*mehrerer Menschen*) de ellos/ellas

Ihr, Ihre, Ihr *pron poss* (*adjektivisch*) su *sg*, sus *pl*; (*einer Person*) de usted; (*mehrerer Personen*) de ustedes

ihre(r, s) ['i:rə, -rɐ, -rəs] *pron poss* (*substantivisch*) (el) suyo *m*, (la) suya *f*, (los) suyos *mpl*, (las) suyas *fpl*; (*einer Frau*) de ella; (*mehrerer Menschen*) de ellos/ellas; *s.a.* **ihr, ihre, ihr**

Ihre(r, s) *pron poss* (*substantivisch*) (el) suyo *m*, (la) suya *f*, (los) suyos *mpl*, (las) suyas *fpl*; (*einer Person*) de usted; (*mehrerer Menschen*) de ustedes; *s.a.* **Ihr, Ihre, Ihr**

ihrer ['i:rɐ] *pron pers gen von* **sie** de ella *sg*, de ellos/ellas *pl*

Ihrer *pron pers gen von* **Sie** de usted *sg*, de ustedes *pl*

ihrerseits ['i:rɐzaɪts] *adv* ❶ *sg* por parte de ella, por su parte; **sie hat sich ~ anders entschlossen** ella por su parte ha tomado otra decisión ❷ *pl* por parte de ellos/de ellas, por su parte; **wenn sie ~ nichts dagegen einzuwenden haben** si ellos/ellas por su parte no tienen nada que objetar

Ihrerseits *adv* ❶ *sg* por parte de usted, por su parte ❷ *pl* por parte de ustedes, por su parte

ihretwegen ['i:rət've:gən] *adv* por ella *sg*, por ellos/ellas *pl*; (*negativ*) por su culpa

Ihretwegen *adv* por usted *sg*, por ustedes *pl*; (*negativ*) por su culpa

illegal ['ɪlega:l] *adj* ilegal

Illusion [ɪlu'zjo:n] *f* <-en> ilusión *f*

illusorisch [ɪlu'zo:rɪʃ] *adj* ilusorio

Illustration [ɪlʊstra'tsjo:n] *f* <-en> ilustración *f*

illustrieren* [ɪlʊs'tri:rən] *vt* ilustrar

Illustrierte [ɪlʊs'tri:ɐtə] *f* <-n> revista *f*

im [ɪm] = **in dem** en el/en la; *s.a.* **in**

Image ['ɪmɪtʃ] *nt* <-(s), -s> imagen *f* (pública)

Imbiss[RR] ['ɪmbɪs] *m* <-es, -e> piscolabis *m inv*; (*Verkaufsstelle*) snack-bar *m*; **Imbissstand**[RR] *m* chiringuito *m*

imitieren* [imi'ti:rən] *vt* imitar

Imker(in) ['ɪmkɐ] *m(f)* <-s, -; -nen> apicultor(a) *m(f)*

immatrikulieren* [ɪmatriku'li:rən] *vt, vr:* **sich ~** matricular(se) (**für** en)

immens [ɪ'mɛns] *adj* inmenso

immer ['ɪmɐ] *adv* siempre; **~ geradeaus** todo seguido; **er ist ~ noch nicht da** aún no ha llegado; **wer auch ~ ...** quienquiera que... *+subj*; **was auch ~** sea lo que sea; **wo/wie auch ~ ...** dondequiera/comoquiera que... *+subj*;

immerhin ['--'-] *adv* al fin y al cabo;

immerzu ['--'-] *adv* (*fam*) continuamente

Immigrant(in) [ɪmi'grant] *m(f)* <-en, -en; -nen> inmigrante *mf*

immigrieren* *vi sein* inmigrar

Immobilien [ɪmo'bi:liən] *f pl* (bienes *mpl*) inmuebles *mpl*

immun [ɪ'mu:n] *adj* inmune (**gegen** a/contra); **Immunsystem** *nt* sistema *m* inmunológico

Imperativ ['ɪmperati:f] *m* <-s, -e> imperativo *m*

Imperfekt ['ɪmpɛrfɛkt] *nt* <-s, -e> imperfecto *m*

Imperium [ɪm'pe:riʊm] *nt* <-s, Imperien> (*geh*) imperio *m*

impfen ['ɪmpfən] *vt* vacunar

Impfstoff *m* vacuna *f*

Impfung *f* <-en> vacunación *f*

implizit [ɪmpli'tsi:t] *adj* implícito

imponieren* [ɪmpo'ni:rən] *vi* impresionar

importieren* [ɪmpɔr'ti:rən] *vt* importar

impotent ['ɪmpotɛnt] *adj* impotente

Impotenz ['ɪmpotɛnts] *f* impotencia *f*

improvisieren* [ɪmprovi'zi:rən] *vt* improvisar

Impuls [ɪm'pʊls] *m* <-es, -e> impulso *m*

impulsiv [ɪmpʊl'zi:f] *adj* impulsivo

imstande [ɪm'ʃtandə] *adv* capaz (**zu** de)

in [ɪn] **I.** *präp +dat* ❶ (*wo*) en; (*darin*) dentro de; **~ Magdeburg** en Magdeburgo; **~ der Schule** en el colegio; **gibt es das Kleid auch ~ Grün?** ¿tienen el vestido también en verde? ❷ (*zeitlich: während*) en, durante; (*binnen*) dentro de, en; **~ den Ferien** en las vacaciones; **~ drei Tagen kommt ihr Mann wieder** su marido vuelve dentro de tres días; **~ drei Jahren lernt man sich gut kennen** en tres años uno se llega a conocer bien; **~ vierzehn Tagen** dentro de quince días; **im Jahr(e) 1977** en (el año)

1977; ~ **der Nacht** por la noche; **im Januar** en enero **II.** *präp +akk;* (*Richtung*) a; ~ **die Schweiz/~s Ausland fahren** ir a Suiza/al extranjero; **ich gehe jetzt ~s Bett** me voy a la cama; ~ (**den**) **Urlaub fahren** ir(se) de vacaciones; ~ **Gefahr geraten** correr peligro; **~s Rutschen geraten** resbalar **III.** *adj* (*fam*): ~ **sein** estar de moda

inakzeptabel *adj* inaceptable

inbegriffen ['----] *adj* incluido

indem [ɪn'de:m] *konj*: **sie sparte Geld, ~ sie ihre Kleidung selbst machte** ahorraba dinero haciéndose ella misma la ropa

indessen [ɪn'dɛsən] *adv* (*inzwischen*) entretanto

Index ['ɪndɛks] *m* <-(es), -e *o* Indizes> índice *m*

Indianer(**in**) [ɪndi'anɐ] *m(f)* <-s, -; -nen> indio, -a *m, f* (americano, -a)

Indien ['ɪndiən] *nt* <-s> (la) India *f*

Indikativ ['ɪndikati:f] *m* <-s, -e> indicativo *m*

indirekt ['ɪndirɛkt] *adj* indirecto

indiskret ['ɪndɪskre:t] *adj* indiscreto

individuell [ɪndividu'el] *adj* individual

Individuum [ɪndi'vi:duʊm] *nt* <-s, Individuen> individuo *m*

Indiz [ɪn'di:ts] *nt* <-es, -ien> indicio *m* (**für** de)

Indizes *pl von* **Index**

Indonesien [ɪndo'ne:ziən] *nt* <-s> Indonesia *f*

Industrialisierung *f* <-en> industrialización *f*

Industrie [ɪndʊs'tri:] *f* <-n> industria *f*; **Industriegebiet** *nt* zona *f* industrial; **Industriekauffrau** *f*, **Industriekaufmann** *m* perito *mf* industrial; **Industrieland** *nt* país *m* industrial

industriell [ɪndʊstri'ɛl] *adj* industrial

ineinander [ɪn(?)aɪ'nandɐ] *adv* uno en otro; **sich ~ verlieben** enamorarse uno del otro

Infarkt [ɪn'farkt] *m* <-(e)s, -e> infarto *m*

Infektion [ɪnfɛk'tsjo:n] *f* <-en> infección *f*; **Infektionskrankheit** *f* enfermedad *f* infecciosa

Infinitiv ['ɪnfiniti:f] *m* <-s, -e> infinitivo *m*

infizieren* [ɪnfi'tsi:rən] **I.** *vt* MED infectar; INFOR contaminar (*con un virus informático*) **II.** *vr:* **sich ~** contagiarse; **sie hat sich mit Aids infiziert** ha cogido el sida

Inflation [ɪnfla'tsjo:n] *f* <-en> inflación *f*

infolge [ɪn'fɔlgə] *präp +gen* a consecuencia de; **infolgedessen** [---'--] *adv* en consecuencia

Informatik [ɪnfɔr'ma:tɪk] *f* informática *f*

Informatiker(**in**) [ɪnfɔr'ma:tikɐ] *m(f)* <-s, -; -nen> informático, -a *m, f*

Information [ɪnfɔrma'tsjo:n] *f* <-en> información *f* (**über** sobre)

informativ [---'-] *adj* informativo

informell ['ɪnfɔrmɛl, --'-] *adj* informal

informieren* [ɪnfɔr'mi:rən] *vt, vr:* **sich ~** informar(se) (**über** sobre/de)

infrage[RR]: ~ **kommen** entrar en consideración; **etw ~ stellen** poner algo en duda

Infrastruktur ['----] *f* infraestructura *f*

Ingenieur(**in**) [ɪnʒe'njø:ɐ] *m(f)* <-s, -e; -nen> ingeniero, -a *m, f*

Inhaber(**in**) ['ɪnha:bɐ] *m(f)* <-s, -; -nen> (*Eigentümer*) propietario, -a *m, f*; (*eines Kontos, Amtes*) titular *mf*

inhaftieren* [ɪnhaf'ti:rən] *vt* encarcelar

inhalieren* [ɪnha'li:rən] *vt* inhalar

Inhalt ['ɪnhalt] *m* <-(e)s, -e> contenido *m*

inhaltlich **I.** *adj* del contenido **II.** *adv* en cuanto al contenido

Inhaltsangabe *f* resumen *m*; **Inhaltsstoff** *m* contenido *m*; **Inhaltsverzeichnis** *nt* índice *m*

Initiative [initsja'ti:və] *f* <-n> iniciativa *f*; **die ~ ergreifen** tomar la iniciativa

Injektion [ɪnjɛk'tsjo:n] *f* <-en> inyección *f*

inkl. *Abk. von* **inklusive** inclusive, incluido

inklusive [ɪnklu'zi:və] *präp +gen adv* inclusive, incluido; **bis 28. November** ~ hasta el 28 de noviembre inclusive; **alles** ~ todo incluido

inkompetent ['ɪnkɔmpetɛnt] *adj* incompetente

Inkompetenz ['ɪnkɔmpetɛnts] *f* <-en> incompetencia *f*

inkonsequent *adj* inconsecuente

Inland ['ɪnlant] *nt*: **im In- und Ausland** dentro y fuera del país

inmitten [ɪn'mɪtən] *präp +gen* (*geh*) en medio de

inne|haben ['ɪnə-] *irr vt* ocupar; **inne|halten** *irr vi* interrumpir; (*Bewegung*) detenerse

innen ['ɪnən] *adv* (por) dentro; ~ **drin** dentro; ~ **und außen** por dentro y por fuera; **Innenhof** *m* patio *m*; **Innenminister(in)** *m(f)* ministro, -a *m, f* del Interior; **Innenministerium** *nt* Ministerio *m* del Interior; **Innenpolitik** *f* política *f* interior; **innenpolitisch** *adj* de la política interior; **Innenstadt** *f* centro *m* de la ciudad

innere(r, s) ['ɪnərə, -rɐ, -rəs] *adj* interior

Innere(s) ['ɪnərəs] *nt* <-n, *ohne pl*> interior *m*; **in ihrem tiefsten ~n** en su más hondo

Innereien [ɪnə'raɪən] *pl* vísceras *fpl*

innerhalb ['ɪnɐhalp] *präp +gen adv* dentro (de); ~ **von** dentro de

innerlich *adj* (*innen*) por dentro; MED interno; (*geistig*) interior; ~ **anzuwenden** para uso interno

innig ['ɪnɪç] *adj* (*tief*) profundo; (*herzlich*) cordial; (*inbrünstig*) ardiente

innovativ [ɪnova'ti:f] *adj* (*Denken*) innovador

inoffiziell ['ɪnʔɔfitsjɛl] *adj* extraoficial

ins [ɪns] = **in das** al/a la; *s.a.* **in**

Insasse, Insassin ['ɪnzasə] *m, f* <-n, -n; -nen> (*eines Fahrzeugs*) ocupante *mf*; (*eines Heims*) residente *mf*; (*eines Gefängnisses*) preso, -a *m, f*

insbesondere [ɪnsbə'zɔndərə] *adv* en particular

Inschrift ['--] *f* inscripción *f*

Insekt [ɪn'zɛkt] *nt* <-(e)s, -en> insecto *m*

Insel ['ɪnzəl] *f* <-n> isla *f*

Inserat [ɪnze'ra:t] *nt* <-(e)s, -e> anuncio *m*

inserieren* [ɪnze'ri:rən] *vi* poner un anuncio (**in** en)

insgeheim ['--'-] *adv* en secreto

insgesamt ['--'-] *adv* en total

Insider(in) ['ɪnsaɪdɐ] *m(f)* <-s, -; -nen> persona *f* enterada

insistieren* [ɪnzɪs'ti:rən] *vi* (*geh*) insistir (**auf** en)

insofern [--'-, -'--], **insoweit** [--'-, -'--] I. *adv* en este sentido; **er hat ~ Recht, als ...** tiene razón en el sentido de que... II. *konj* ❶ (*für den Fall*) siempre que *+subj* ❷ (*in dem Maß*) en la medida que *+subj*

Inspektion [ɪnspɛk'tsjo:n] *f* <-en> inspección *f*, chequeo *m* ; AUTO revisión *f*

inspirieren* [ɪnspi'ri:rən] *vt* inspirar (**zu** a)

inspizieren* [ɪnspi'tsi:rən] *vt* inspeccionar

instabil ['---, --'-] *adj* inestable

Installateur(in) [ɪnstala'tø:ɐ] *m(f)* <-s, -; -nen> instalador(a) *m(f)*

Installation [ɪnstala'tsjo:n] *f* <-en> instalación *f*

installieren* [ɪnsta'li:rən] *vt* instalar

instand [ɪn'ʃtant] *adv*: **etw ~ setzen/halten** arreglar/conservar algo; **gut ~ sein** estar en buen estado

inständig ['ɪnʃtɛndɪç] I. *adj* (*dringlich*) urgente; (*nachdrücklich*) fervoroso II. *adv* encarecidamente

Instanz [ɪn'stants] *f* <-en> (*Behörde*) autoridad *f* competente; JUR instancia *f*

Instinkt [ɪn'stɪŋkt] *m* <-(e)s, -e> instinto *m*

instinktiv [ɪnstɪŋk'ti:f] *adj* instintivo

Institut [ɪnsti'tu:t] *nt* <-(e)s, -e> instituto *m*

Institution [ɪnstitu'tsjo:n] *f* <-en> institución *f*

Instrument [ɪnstru'mɛnt] *nt* <-(e)s, -e> instrumento *m*

Insulin [ɪnzu'li:n] *nt* <-s, *ohne pl*> insulina *f*
inszenieren* [ɪnstse'ni:rən] *vt* THEAT poner en escena
Inszenierung *f* <-en> THEAT puesta *f* en escena
intakt [ɪn'takt] *adj* intacto
Integration [ɪntegra'tsjo:n] *f* <-en> *a.* MATH integración *f*; **Integrationspolitik** *f kein pl* POL política *f* de integración
integrieren* [ɪnte'gri:rən] *vt a.* MATH integrar
Intellekt [ɪntɛ'lɛkt] *m* <-[e]s, *ohne pl*> intelecto *m*
intellektuell [ɪntɛlɛktu'ɛl] *adj* intelectual
Intellektuelle(r) *mf* <-n, -n; -n> intelectual *mf*
intelligent [ɪntɛli'gɛnt] *adj* inteligente
Intelligenz [ɪntɛli'gɛnts] *f* inteligencia *f*
intensiv [ɪntɛn'zi:f] *adj* intensivo; **Intensivkurs** *m* curso *m* intensivo; **Intensivstation** *f* MED unidad *f* de cuidados intensivos
interaktiv [ɪntɐʔak'ti:f] *adj* interactivo
Intercity [ɪntɐ'sɪti] *m* <-s, -s> tren *m* rápido interurbano; **Intercityexpress**[RR] *m* <-es, -e> ≈AVE *m*
interessant [ɪnt(ə)rɛ'sant] *adj* interesante; **sich ~ machen** hacerse el interesante
Interesse [ɪntə'rɛsə, ɪn'trɛsə] *nt* <-s, -n> interés *m* (**an/für** en/por)
Interessent(in) [ɪnt(ə)rɛ'sɛnt] *m(f)* <-en, -en; -nen> interesado, -a *m, f* (**an/für** en/por)
interessieren* [ɪnt(ə)rɛ'si:rən] *vi, vr:* **sich ~** interesar(se) (**für** por); **jdn für etw ~** despertar el interés de alguien por algo
interessiert [ɪnt(ə)rɛ'si:ɐt] **I.** *adj* interesado (**an** en); **ich bin nicht daran ~, dass ...** no me interesa que... +*subj* **II.** *adv* con interés
intern [ɪn'tɛrn] *adj* interno
Internat [ɪntɐ'na:t] *nt* <-(e)s, -e> internado *m*
international [ɪntɐnatsjo'na:l] *adj* internacional
Internet ['ɪntɐnɛt] *nt* <-s, -s> Internet *m*
Interpretation [ɪntɐpreta'tsjo:n] *f* <-en> interpretación *f*
interpretieren* [ɪntɐpre'ti:rən] *vt* interpretar
Interpunktion [ɪntɐpʊŋk'tsjo:n] *f* LING puntuación *f*
Interregio [ɪntɐ're:gio] *m* <-s, -s> tren *m* rápido interregional
Interview [ɪntɐ'vju:, 'ɪntɐvju] *nt* <-s, -s> entrevista *f*; **ein ~ geben** conceder una entrevista
interviewen* [ɪntɐ'vju:ən] *vt* entrevistar
intim [ɪn'ti:m] *adj* íntimo; **mit jdm ~ werden** tener relaciones sexuales con alguien; **Intimbereich** *m* zona *f* íntima; **Intimsphäre** *f* esfera *f* íntima
intolerant ['----] *adj* intolerante
Intoleranz ['----] *f* intolerancia *f*
Intrige [ɪn'tri:gə] *f* <-n> intriga *f*; **~n spinnen** urdir intrigas
intrigieren* [ɪntri'gi:rən] *vi* intrigar
Intuition [ɪntui'tsjo:n] *f* <-en> intuición *f*
intuitiv [ɪntui'ti:f] *adj* intuitivo
Invalide *mf* <-n, -n> inválido, -a *m, f*, minusválido, -a *m, f*
Invasion [ɪnva'zjo:n] *f* <-en> invasión *f*
Inventar [ɪnvɛn'ta:ɐ] *nt* <-s, -e> (*Gegenstände*) mobiliario *m*
investieren* [ɪnvɛs'ti:rən] *vt* invertir (**in** en)
Investition [ɪnvɛsti'tsjo:n] *f* <-en> inversión *f*
inwiefern [--'-], **inwieweit** [--'-] *adv* hasta qué punto
inzwischen [-'--] *adv* entretanto
IQ [i:'ku:] *m* <-(s), -(s)> *Abk. von* **Intelligenzquotient** CI *m*
Irak [i'ra:k] *m* <-s> Iraq *m*, Irak *m*
Iran [i'ra:n] *m* <-s> Irán *m*
Ire, **Irin** ['i:rə] *m, f* <-n, -n; -nen> irlandés, -esa *m, f*
irgend ['ɪrgənt] *adv*: **... oder ~ so etwas** ... o cualquier cosa por el estilo; **wenn**

~ **möglich** a ser posible; **irgendeine(r)** ['--'--] *pron indef* ❶ (*einer*) alguno *m*, algún *m*, alguna *f*; **haben Sie noch ~n Wunsch?** ¿tiene algún otro deseo? ❷ (*ein beliebiges*) cualquier(a); **ich gehe nicht mit ~m aus** yo no salgo con cualquiera; **irgendetwas**[RR] ['--'--] *pron indef* algo; **ohne ~** sin nada; **irgendjemand**[RR] ['--'--] *pron indef* alguien; **irgendwann** ['--'-] *adv* algún día; **~ einmal** alguna vez; **irgendwas** ['--'-] *pron indef* (*fam*) ❶ (*etwas*) algo; **fällt dir noch ~ ein?** ¿se te ocurre alguna cosa más? ❷ (*Beliebiges*) cualquier cosa; **irgendwelche** ['--'--] *pron indef* ❶ (*manche*) algunos *mpl*, algunas *fpl*; **~ Leute meinten ...** algunos opinaron... ❷ (*beliebige*) cualquier(a); **solltest du ~ Probleme haben ...** si tienes cualquier problema...; **irgendwer** ['--'-] *pron indef* (*jemand*) alguien; (*eine beliebige Person*) cualquier persona; **er ist schließlich nicht ~** no es un cualquiera; **irgendwie** ['--'-] *adv* de alguna manera; **irgendwo** ['--'-] *adv* en alguna parte; **irgendwoher** ['---'-] *adv* de cualquier parte; **irgendwohin** ['---'-] *adv* a cualquier parte

irisch ['i:rɪʃ] *adj* irlandés

Irland ['ɪrlant] *nt* <-s> Irlanda *f*

Ironie [iro'ni:] *f* <-n> ironía *f*

ironisch [i'ro:nɪʃ] *adj* irónico

irre ['ɪrə] *adj* ❶ (*verwirrt*) confuso; **du machst mich ganz ~** (*fam*) me vuelves loco ❷ (*geistesgestört*) loco; **jdn für ~ halten** tomar a alguien por loco ❸ (*fam: toll*) loco, de putamadre *sl*; **~ gut/hübsch** súper bien/guapo

Irre[1] ['ɪrə] *f*: **jdn in die ~ führen** (*betrügen*) engañar a alguien

Irre(r)[2] ['ɪrɐ] *f(m) dekl wie adj* (*Geistesgestörte*) loco, -a *m, f*

irre|führen ['ɪrə-] *vt* engañar; **irreführend** *adj* que conduce a error; (*missverständlich*) equívoco

irren ['ɪrən] **I.** *vi sein* errar (**durch** por) **II.** *vr haben*: **sich ~** equivocarse; **ich habe mich im Tag geirrt** me he equivocado de día; **Sie ~ sich** está Ud. equivocado; **sie haben sich in ihm geirrt** se han equivocado con él

Irrenanstalt *f*, **Irrenhaus** *nt* manicomio *m*

Irrfahrt ['ɪr-] *f* odisea *f*; **Irrgarten** *m* laberinto *m*

irritieren* [ɪri'ti:rən] *vt* desconcertar; (*stören*) molestar

Irrsinn *m* <-s, *ohne pl*> locura *f*; **irrsinnig** *adj* (*verrückt*) loco; (*fam: groß*) tremendo; (*toll*) de putamadre *sl*

Irrtum *m* <-s, -tümer> error *m*

irrtümlich ['ɪrty:mlɪç] **I.** *adj* erróneo **II.** *adv* por error

ISDN-Anschluss[RR] *m* TEL conexión *f* RDSI

Islam [ɪs'la:m] *m* <-(s), *ohne pl*> islam *m*

Island ['i:slant] *nt* <-s> Islandia *f*

isländisch *adj* islandés

Isolation [izola'tsjo:n] *f* <-en> aislamiento *m*

isolieren* [izo'li:rən] *vt* aislar

Israel ['i:srae:l, 'ɪsrae:l] *nt* <-s> Israel *m*

isst[RR] [ɪst] *3. präs von* **essen**

ist [ɪst] *3. präs von* **sein**

Italien [i'ta:liən] *nt* <-s> Italia *f*

Italiener(in) [ita'lje:nɐ] *m(f)* <-s, -; -nen> italiano, -a *m, f*

italienisch *adj* italiano

IT-Branche [aɪ:'ti:ʔbrã:ʃə] *f* sector *m* de las tecnologías de la información

I

J

J, j [jɔt] *nt* <-, -> J, j *f*

ja [ja:] *adv* sí; **wenn ~, dann ...** en caso afirmativo...; **zu allem ~ und amen sagen** decir que sí a todo; **du bist also einverstanden, ~?** o sea que estás de acuerdo, ¿sí?; **es ist ~ bekannt, dass ...** pues ya se sabe que...; **das sage ich ~** eso es precisamente lo que yo digo; **da kommt er ~** ahí viene; **das ist ~ fürchterlich** pero eso es realmente terrible

Jacht [jaxt] *f* <-en> yate *m*

Jacke ['jakə] *f* <-n> chaqueta *f*

Jackett [ʒa'kɛt] *nt* <-s, -s> americana *f*

Jagd [ja:kt] *f* <-en> (*a. fig*) caza *f*; **auf der ~ sein** estar de caza

jagen ['ja:gən] *vt* (*Tier*) cazar; (*Mensch*) perseguir; **sich** *dat* **eine Kugel durch den Kopf ~** (*fam*) pegarse un tiro (en la cabeza); **jdn aus dem Haus ~** echar a alguien de casa

Jäger(in) ['jɛ:gɐ] *m(f)* <-s, -; -nen> cazador(a) *m(f)*

jäh [jɛ:] *adj* (*geh*) repentino

Jahr [ja:ɐ] *nt* <-(e)s, -e> año *m*; **die neunziger ~e** los años noventa; **einmal im ~** una vez al año; **auf ~e hinaus** para (muchos) años; **das ganze ~ (über)** (durante) todo el año; **vor einem ~** hace un año; **in jungen ~en** de joven; **sie ist 18 ~e alt** tiene 18 años; **mit 30 ~en** a los 30 años; **in die ~e kommen** entrar en años

jahraus [ja:ɐ'ʔaʊs] *adv*: **~, jahrein** año tras año

Jahrbuch *nt* anuario *m*

jahrelang ['ja:rəlaŋ] **I.** *adj* de muchos años **II.** *adv* durante (muchos) años

jähren ['jɛ:rən] *vr:* **sich ~** celebrarse el aniversario (de); **es jährt sich heute zum 10. Mal, dass ...** hoy hace 10 años que...

Jahresanfang *m* principios *mpl* del año; **Jahresbeitrag** *m* cuota *f* anual; **Jahreseinkommen** *nt* renta *f* anual; **Jahresende** *nt* <-s, *ohne pl*> fin *m* de año; **Jahrestag** *m* aniversario *m*; **Jahreszeit** *f* estación *f* (del año)

Jahrgang *m* (*Geburtsjahr*) año *m* natal; (*von Wein*) cosecha *f*; **er ist ~ 1970** nació en el año 1970; **Jahrhundert** [-'--] *nt* <-s, -e> siglo *m*

jährlich ['jɛ:ɐlɪç] *adj* anual

Jahrmarkt *m* feria *f*; **Jahrtausend** [-'--] *nt* <-s, -e> milenio *m*; **Jahrzehnt** [ja:ɐ'tse:nt] *nt* <-s, -e> década *f*

Jähzorn ['jɛ:tsɔrn] *m* iracundia *f*; (*Anfall*) arrebato *m* de cólera; **jähzornig** *adj* iracundo

Jalousie [ʒalu'zi:] *f* <-n> persiana *f*

Jammer ['jamɐ] *m* <-s, *ohne pl*> (*Wehklagen*) lamento *m*; (*Elend*) miseria *f*; **es ist ein ~, dass ...** (*fam*) es una lástima que... *+subj*

jämmerlich ['jɛmɐlɪç] *adj* (*Zustand*) lamentable; (*herzzerreißend*) desgarrador

jammern ['jamɐn] *vi* lamentarse (**über** de); (*klagen*) quejarse (**über** de)

Januar ['janua:ɐ] *m* <-(s), -e> enero *m*; *s.a.* **März**

Japan ['ja:pan, 'ja:pa:n] *nt* <-s> Japón *m*

Jargon [ʒar'gõ:] *m* <-s, -s> jerga *f*

jauchzen ['jaʊxtsən] *vi* lanzar gritos de júbilo

jaulen ['jaʊlən] *vi* (*Hund*) aullar

jawohl [ja'vo:l] *part* claro, cierto

Jazz [dʒɛ:s] *m* <-, *ohne pl*> jazz *m*

je [je:] **I.** *adv* ❶ (*jemals*) alguna vez; **wer hätte das ~ gedacht!** ¡quién lo hubiera imaginado!; **es ist schlimmer denn ~** es peor que nunca ❷ (*jeweils*) cada; **ich gebe euch ~ zwei Stück** os doy dos trozos a cada uno; **es können ~ zwei Personen eintreten** pueden entrar de dos en dos **II.** *präp +akk;* (*pro*) por; **~ Erwachsenen** por (cada) adulto **III.** *konj* cuanto; **er wird vernünftiger, ~ älter er wird** cuanto mayor se hace, más sensato se vuelve; ~ **nachdem**(, **ob/wie ...**) según (si/cómo...); ~ **nach Größe** según el tamaño; ~ **eher, desto besser** cuanto antes mejor

Jeans [dʒiːns] *f inv* vaqueros *mpl*, jeans *mpl* ; **Jeanshose** *f* pantalón *m* vaquero

jede(**r, s**) [ˈjeːdə, -dɐ, -dəs] *pron indef* ① (*substantivisch*) cada uno/una; **~r von uns** cada uno de nosotros; **ein ~r** cualquiera; **~m das seine** a cada cual lo suyo; ~ **Zweite** una de cada dos; **~r gegen ~n** todos contra todos ② (*adjektivisch*) cada; (*all*) todo; (*ein beliebiges*) cualquier(a); **auf ~n Fall** en todo caso; **ohne ~n Grund** sin ninguna razón; **um ~n Preis** a toda costa; **es kann ~n Augenblick passieren** puede suceder en cualquier momento; **~s Mal, wenn ...** cada vez que...

jedenfalls [ˈjeːdənfals] *adv* en todo caso

jedermann [ˈ---] *pron indef* cada uno; **das ist nicht ~s Sache** esto no es para todos los gustos

jederzeit [ˈ--ˈ-] *adv* a cualquier hora

jedesmal[ALT] [ˈ--ˈ-] *adv s.* **jede**(**r, s**)

jedoch [jeˈdɔx] *konj* sin embargo

jegliche(**r, s**) [ˈjeːklɪçə, -çɐ, -çəs] *pron indef* cualquier tipo de

jemals [ˈjeːmaːls] *adv* alguna vez, jamás

jemand [ˈjeːmant] *pron indef* alguien; **ist hier ~?** ¿hay alguien aquí?; ~ **anderes** otra persona

jene(**r, s**) [ˈjeːnə, -nɐ, -nəs] *pron dem* (*geh*) ① (*adjektivisch: da*) ese, esa; (*dort*) aquel, aquella; **in ~n Tagen** en aquellos días ② (*substantivisch: da*) ése, ésa, eso; (*dort*) aquél, aquélla, aquello

jenseits [ˈjeːnzaɪts] *präp +gen adv* al otro lado (de); ~ **von Gut und Böse** más allá del bien y del mal

Jenseits *nt* <-, *ohne pl*> más allá *m*

Jesus [ˈjeːzʊs] *m* <Jesu> REL Jesús *m*; ~ **Christus** Jesucristo *m*

Jet [dʒɛt] *m* <-(s), -s> jet *m*

jetzige(**r, s**) *adj* actual

jetzt [jɛtst] *adv* ahora; (*augenblicklich*) en este momento; ~ **gleich** ahora mismo

jeweilige(**r, s**) *adj* correspondiente

jeweils [ˈjeːvaɪls] *adv* (*jedesmal*) cada vez

Jh. *Abk. von* **Jahrhundert** siglo *m*

Job [dʒɔp] *m* <-s, -s> (*fam: Arbeit*) trabajo *m*

jobben [ˈdʒɔbən] *vi* (*fam*) currar (**als** de)

Jobbörse *f* bolsa *f* de trabajo; **Jobvermittler**(**in**) *m(f)* agente *mf* de colocación laboral

Jod [joːt] *nt* <-(e)s, *ohne pl*> yodo *m*

joggen [ˈdʒɔgən] *vi sein* hacer footing

Jogging [ˈdʒɔgɪŋ] *nt* <-s, *ohne pl*> footing *m*; **Jogginganzug** *m* chándal *m*

Joghurt [ˈjoːgʊrt] *m o nt* <-(s), -(s)>, **Jogurt**[RR] *m o nt* <-(s), -(s)> yogur *m*

Johannisbeere [joˈhanɪsbeːrə] *f* grosella *f*; **schwarze** ~ casis *f inv*

Joint [dʒɔɪnt] *m* <-s, -s> (*fam*) porro *m*

jonglieren* *vi, vt* hacer juegos malabares (con)

Jordanien [jɔrˈdaːniən] *nt* <-s> Jordania *f*

Journal [ʒʊrˈnaːl] *nt* <-s, -e> ① PUBL (*geh*) revista *f* ② NAUT diario *m* de a bordo ③ WIRTSCH diario *m*

Journalismus [ʒʊrnaˈlɪsmʊs] *m* <-, *ohne pl*> periodismo *m*

Journalist(**in**) *m(f)* <-en, -en; -nen> periodista *mf*

journalistisch *adj* periodístico

Jubel [ˈjuːbəl] *m* <-s, *ohne pl*> júbilo *m*; **~, Trubel, Heiterkeit** alborozo y alegría

jubeln [ˈjuːbəln] *vi* dar gritos de júbilo

Jubiläum [jubiˈlɛːʊm] *nt* <-s, Jubiläen> aniversario *m*; **zehnjähriges** ~ décimo aniversario

juchzen [ˈjʊxtsən] *vi* (*fam*) soltar un grito de alegría

jucken [ˈjʊkən] **I.** *vi, vt* (*Juckreiz verursachen*) picar; (*fam: reizen*) tener ganas

J

II. *vr:* **sich ~** (*fam*) rascarse

Juckreiz *m* picor *m*

Jude, Jüdin ['ju:də, 'jy:dɪn] *m, f* <-n, -n; -nen> judío, -a *m, f*

Judo ['ju:do] *nt* <-(s), *ohne pl*> SPORT yudo *m*

Jugend ['ju:gənt] *f* juventud *f*; **von ~ an** desde joven; **Jugendamt** *nt* oficina *f* de protección de menores; **jugendfrei** *adj* apto para menores; **Jugendherberge** *f* albergue *m* juvenil

jugendlich *adj* joven; (*jung wirkend*) juvenil

Jugendliche(r) *f(m) dekl wie adj* joven *mf*; **~ unter 16 Jahren** menores de 16 años

Jugendzentrum *nt* centro *m* juvenil

Jugoslawien [jugo'sla:viən] *nt* <-s> HIST Yugoslavia *f*

jugoslawisch *adj* HIST yugoslavo

Juli ['ju:li] *m* <-(s), -s> julio *m*; *s.a.* **März**

jung [jʊŋ] *adj* <jünger, am jüngsten> joven; **sie ist 18 Jahre ~** sólo tiene 18 años

Junge[1] ['jʊŋə] *m* <-n, -n> niño *m*; (*junger Mann*) muchacho *m*

Junge(s)[2] *nt* <-n, -n> cría *f*; (*von Hunden, Raubtier*) cachorro *m*; (*von Vögeln*) pollo *m*

jünger ['jʏŋɐ] *adj kompar von* **jung** más joven; (*Geschwister*) menor; **~ sein als** ser más joven que; **sich ~ machen** quitarse años

Jünger(in) ['jʏŋɐ] *m(f)* <-s, -; -nen> discípulo, -a *m, f*

Jungfrau *f* ❶ virgen *f* ❷ *kein pl* ASTR Virgo *m inv*; **Junggeselle, Junggesellin** *m, f* soltero, -a *m, f*

jüngste(r, s) *adj superl von* **jung** menor; **die ~ Entwicklung hat gezeigt, dass ...** los últimos acontecimientos han demostrado que...

Juni ['ju:ni] *m* <-(s), -s> junio *m*; *s.a.* **März**

junior ['ju:nio:ɐ, 'ju:njo:ɐ] *adj* (*geh*) júnior, hijo; **Peter Müller ~** Peter Müller, hijo

Jura[1] ['ju:ra] *m* <-s> (*Kanton*) Jura *m*

Jura[2] JUR Derecho *m*; **~ studieren** estudiar Derecho

Jurist(in) [ju'rɪst] *m(f)* <-en, -en; -nen> jurista *mf*

juristisch [ju'rɪstɪʃ] *adj* jurídico

Jury [ʒy'ri:, 'ʒy:ri] *f* <-s> jurado *m*

Justiz [jʊs'ti:ts] *f* justicia *f*

Juwel [ju've:l] *m o nt* <-s, -en> joya *f*

Juwelier[1] *m* <-s, -e> (*Geschäft*) joyería *f*

Juwelier(in)[2] [juve'li:ɐ] *m(f)* <-s, -e; -nen> joyero, -a *m, f*

Jux [jʊks] *m* <-es, -e> (*fam*) juerga *f*; **aus ~ und Tollerei** de cachondeo *sl*; **sich** *dat* **einen ~ aus etw machen** cachondearse de algo *sl*

K

K, k [ka:] *nt* <-, -> K, k *f*

Kabarett [kaba'rɛt, kaba're:] *nt* <-s, -s> café-teatro *m*

Kabel ['ka:bəl] *nt* <-s, -> cable *m*; **Kabelfernsehen** *nt* televisión *f* por cable

Kabeljau ['ka:bəljaʊ] *m* <-s, -s *o* -e> bacalao *m*

Kabine [ka'bi:nə] *f* <-n> cabina *f*; (*Schiffskabine*) camarote *m*

Kabinett [kabi'nɛt] *nt* <-s, -e> gabinete *m*

Kachel ['kaxəl] *f* <-n> azulejo *m*

Kacke ['kakə] *f* (*vulg*) caca *f*

Kadaver [ka'da:vɐ] *m* <-s, -> cadáver *m* (de un animal)

Käfer ['kɛ:fɐ] *m* <-s, -> *a.* AUTO escarabajo *m*

Kaff [kaf] *nt* <-s, -s *o* -e *o* Käffer> (*fam abw*) pueblucho *m*

Kaffee ['kafe, ka'fe:] *m* <-s, -s> café *m*; **~ kochen** hacer café; **schwarzer ~** café solo; **das ist kalter ~** (*fam*) eso lo sabe todo el mundo; **Kaffeekanne** *f* cafetera *f*; **Kaffeelöffel** *m* cucharilla *f* de café; **Kaffeemaschine** *f* cafetera *f* eléctrica; **Kaffeetasse** *f* taza *f* de café

Käfig ['kɛ:fɪç] *m* <-s, -e> jaula *f*

kahl [ka:l] *adj* (*ohne Haar*) calvo; (*ohne Blätter*) deshojado; **~ geschoren** pelado al rape; **kahlgeschoren** ['ka:lgəʃo:rən] *adj s.* **kahl**

Kahn [ka:n] *m* <-(e)s, Kähne> (*Lastschiff*) gabarra *f*

Kai [kaɪ] *m* <-s, -s> muelle *m*

Kaiser(in) ['kaɪzɐ] *m(f)* <-s, -; -nen> emperador, emperatriz *m, f*; **Kaiserschnitt** *m* cesárea *f*

Kajüte [ka'jy:tə] *f* <-n> camarote *m*

Kakao [ka'kaʊ] *m* <-s, -s> cacao *m*; (*Getränk*) chocolate *m*

Kakerlak ['ka:kɐlak] *m* <-s *o* -en, -en> cucaracha *f*

Kaktus ['kaktʊs] *m* <-ses, Kakteen> cactus *m inv*

Kalb [kalp] *nt* <-(e)s, Kälber> ternero, -a *m, f*; **Kalbfleisch** *nt* (carne *f* de) ternera *f*

Kalender [ka'lɛndɐ] *m* <-s, -> calendario *m*

Kalk [kalk] *m* <-(e)s, -e> cal *f*

Kalkulation [kalkula'tsjo:n] *f* <-en> cálculo *m*

kalkulieren* [kalku'li:rən] *vt* calcular

Kalorie [kalo'ri:] *f* <-n> caloría *f*; **kalorienarm** *adj* bajo en calorías

kalt [kalt] *adj* <kälter, am kältesten> (*a. fig*) frío; **mir ist ~** tengo frío; **es ist ~** hace frío

kaltblütig [-bly:tɪç] **I.** *adj* (*skrupellos*) sin escrúpulos **II.** *adv* a sangre fría

Kälte ['kɛltə] *f* frío *m*; (*Gefühlsarmut*) frialdad *f*; **drei Grad ~** tres grados bajo cero; **Kälteeinbruch** *m* METEO llegada *f* del frío

Kaltfront *f* frente *m* frío; **Kaltluft** *f ohne pl* METEO aire *m* frío; **Kaltmiete** *f* alquiler *m* sin los gastos de calefacción

kaltschnäuzig ['kaltʃnɔɪtsɪç] *adj* (*fam*) frío; (*gleichgültig*) indiferente; (*frech*) impertinente

kalt|stellen *vt* (*fam: Person*) eliminar

Kalzium ['kaltsiʊm] *nt* <-s, *ohne pl*> calcio *m*

kam [ka:m] *3. imp von* **kommen**

Kamel [ka'me:l] *nt* <-(e)s, -e> camello *m*

Kamera ['kaməra] *f* <-s> FILM, TV cámara *f*; FOTO máquina *f* fotográfica

Kamerad(in) [kamə'ra:t] *m(f)* <-en, -en; -nen> camarada *mf*

Kameradschaft *f* camaradería *f*

kameradschaftlich *adj* de camaradería

Kameramann *m* <-(e)s, -männer *o* -leute> camarógrafo *m*

Kamille [ka'mɪlə] *f* <-n> manzanilla *f*; **Kamillentee** *m* (infusión *f* de) manzanilla *f*

Kamin [ka'mi:n] *m* <-s, -e> chimenea *f*

Kamm [kam] *m* <-(e)s, Kämme> (*zum Kämmen*) peine *m*; **alles über einen**

~ **scheren** medirlo todo por el mismo rasero

kämmen ['kɛmən] *vt* peinar

Kammer ['kamɐ] *f* <-n> (*für Vorräte*) despensa *f*; (*für Besen*) escobero *m*

Kampagne [kam'panjə] *f* <-n> campaña *f*

Kampf [kampf] *m* <-(e)s, Kämpfe> lucha *f*; **ein ~ auf Leben und Tod** una lucha a muerte; **jdm/etw den ~ ansagen** declarar la guerra a alguien/algo; **Kampfanzug** *m* <-(e)s, -anzüge> MIL uniforme *m* de batalla

kämpfen ['kɛmpfən] *vi* luchar (**um/für** por); **mit etw zu ~ haben** tener problemas con algo

kämpferisch *adj* luchador; (*kampflustig*) combativo; POL militante

Kampfflugzeug *nt* avión *m* de combate; **Kampfhund** *m* perro *m* de pelea; **kampflos** *adj* sin resistencia; **Kampfsport** *m* <-(e)s, -e> deporte *m* de combate

kampieren* [kam'pi:rən] *vi* acampar

Kanada ['kanada] *nt* <-s> (el) Canadá *m*

Kanal [ka'na:l] *m* <-s, -näle> *a.* RADIO, TV canal *m*

Kanalisation [kanaliza'tsjo:n] *f* <-en> canalización *f*; (*für Abwässer*) alcantarillado *m*

kanalisieren* *vt* canalizar

Kanaren [ka'na:rən] *pl*: **die ~** (las) Canarias *fpl*

Kanarienvogel [ka'na:riənfo:gəl] *m* canario *m*

kanarisch [ka'na:rɪʃ] *adj* canario

Kandidat(in) [kandi'da:t] *m(f)* <-en, -en; -nen> candidato, -a *m, f*

Kandidatur [kandida'tu:ɐ] *f* <-en> candidatura *f*

kandidieren* [kandi'di:rən] *vi* presentarse como candidato

Kandiszucker ['kandɪs-] *m* azúcar *m* cande

Känguru[RR] ['kɛŋguru] *nt* <-s, -s>, **Känguruh**[ALT] *nt* <-s, -s> canguro *m*

Kaninchen [ka'ni:nçən] *nt* <-s, -> conejo *m*

Kanister [ka'nɪstɐ] *m* <-s, -> bidón *m*

kann [kan] *3. präs von* **können**

Kanne ['kanə] *f* <-n> jarra *f*; **volle ~** (*fam*) a toda mecha

Kannibale, Kannibalin [kani'ba:lə] *m, f* <-n, -n; -nen> caníbal *mf*

kannte ['kantə] *3. imp von* **kennen**

Kanon ['ka:nɔn] *m* <-s, -s> canon *m*

Kanone [ka'no:nə] *f* <-n> cañón *m*; **unter aller ~ sein** (*fam*) no poder ser peor

Kantabrien [kan'ta:briən] *nt* <-s> Cantabria *f*

kantabrisch *adj* (*aus Kantabrien*) cántabro; (*vom nördlichen Küstengebiet*) cantábrico; **Kantabrisches Meer** Mar Cantábrico

Kante ['kantə] *f* <-n> (*Rand*) borde *m*; (*Ecke*) canto *m*; **Geld auf die hohe ~ legen** (*fam*) hacer economías

Kantine [kan'ti:nə] *f* <-n> cantina *f*

Kanton [kan'to:n] *m* <-s, -e> cantón *m*

Kanu ['ka:nu, ka'nu:] *nt* <-s, -s> piragua *f*

Kanzel ['kantsəl] *f* <-n> (*in Kirche*) púlpito *m*

Kanzlei [kants'laɪ] *f* <-en> despacho *m*; (*von Rechtsanwalt*) bufete *m*; (*von Notar*) notaría *f*

Kanzler(in) ['kantslɐ] *m(f)* <-s, -; -nen> canciller *mf*; **Kanzleramt** *nt* <-(e)s, *ohne pl*> cancillería *f*; **Kanzlerkandidat(in)** *m(f)* candidato, -a *m, f* a la cancillería

Kap [kap] *nt* <-s, -s> cabo *m*

Kapazität [kapatsi'tɛ:t] *f* <-en> capacidad *f*; (*Experte*) experto, -a *m, f*

Kapelle [ka'pɛlə] *f* <-n> (*Bau*) capilla *f*; MUS orquesta *f*

kapieren* [ka'pi:rən] *vt* (*fam*) captar

Kapital [kapi'ta:l] *nt* <-s, -e *o* -ien> capital *m*; **~ aus etw schlagen** sacar provecho de algo; **Kapitalanlage** *f* inversión *f* de capital

Kapitalismus [kapita'lɪsmʊs] *m* <-, *ohne*

pl> capitalismo *m*

Kapitalist(in) [kapita'lɪst] *m(f)* <-en, -en; -nen> capitalista *mf*

kapitalistisch *adj* capitalista

Kapitän(in) [kapi'tɛ:n] *m(f)* <-s, -e; -nen> NAUT, SPORT capitán, -ana *m, f*; AERO comandante *mf*

Kapitel [ka'pɪtəl] *nt* <-s, -> capítulo *m*

Kapitulation [kapitula'tsjo:n] *f* <-en> *a.* MIL capitulación *f* (**vor** ante)

kapitulieren* [kapitu'li:rən] *vi* capitular (**vor** ante)

Kappe ['kapə] *f* <-n> (*Mütze*) gorra *f*; (*Verschluss*) tapa *f*; (*von Stift*) capuchón *m*; **etw auf seine ~ nehmen** (*fam*) asumir la responsabilidad de algo

Kapsel ['kapsəl] *f* <-n> cápsula *f*

kaputt [ka'pʊt] *adj* (*fam*) roto; (*nicht mehr funktionsfähig*) estropeado; **kaputt|gehen** *irr vi sein* (*fam*) romperse; (*nicht mehr funktionieren*) estropearse; **kaputt|lachen** *vr:* **sich ~** troncharse de risa (**über** por); **kaputt|machen I.** *vt* (*fam*) romper; **der Stress macht ihn kaputt** el estrés lo mata **II.** *vr:* **sich ~** (*fam*) matarse

Kapuze [ka'pu:tsə] *f* <-n> capucha *f*

Karaffe [ka'rafə] *f* <-n> garrafa *f*

Karambolage [karambo'la:ʒə] *f* <-n> colisión *f* en cadena

Karamel[ALT], **Karamell**[RR] [kara'mɛl] *m o Schweiz: nt* <-s, *ohne pl*> caramelo *m*

Karate [ka'ra:tə] *nt* <-(s), *ohne pl*> kárate *m*

Kardinal [kardi'na:l] *m* <-s, -näle> cardenal *m*

Karfreitag [ka:ɐ'fraɪta:k] *m* Viernes *m* Santo

karg [kark] *adj* escaso; (*unfruchtbar*) árido

Karibik [ka'ri:bɪk] *f* (el) Caribe *m*

karibisch *adj* caribeño

kariert [ka'ri:ɐt] *adj* (*Stoff*) a cuadros; (*Papier*) cuadriculado

Karies ['ka:riɛs] *f* caries *f inv*

Karikatur [karika'tu:ɐ] *f* <-en> caricatura *f*

Karneval ['karnəval] *m* <-s, -e *o* -s> carnaval *m*

Kärnten ['kɛrntən] *nt* <-s> Carintia *f*

Karo ['ka:ro] *nt* <-s, -s> (*Raute*) rombo *m*; (*auf Kleidung*) cuadro *m*

Karosserie [karɔsə'ri:] *f* <-n> carrocería *f*

Karotte [ka'rɔtə] *f* <-n> zanahoria *f*

Karpfen ['karpfən] *m* <-s, -> carpa *f*

Karren ['karən] *m* <-s, -> carro *m*

Karriere [ka'rje:rə] *f* <-n> carrera *f* (profesional); **Karrierefrau** *f* arribista *f*

Karte ['kartə] *f* <-n> (*Visitenkarte*) tarjeta *f*; (*Ansichtskarte*) (tarjeta *f*) postal *f*; (*Speisekarte*) carta *f* (del menú); (*Landkarte*) mapa *m*; (*Fahrkarte*) billete *m*; (*Eintrittskarte*) entrada *f*; (*Spielkarte*) naipe *m*; **~n spielen** jugar a las cartas

Kartei [kar'taɪ] *f* <-en> fichero *m*; **Karteikarte** *f* ficha *f*

Kartenspiel *nt* (*Spiel*) juego *m* de naipes; (*Spielkarten*) baraja *f*; **Kartentelefon** *nt* teléfono *m* de tarjetas; **Kartenvorverkauf** *m* venta *f* anticipada de localidades

Kartoffel [kar'tɔfəl] *f* <-n> patata *f*, papa *f*; **Kartoffelbrei** *m* <-s, *ohne pl*>, **Kartoffelpüree** *nt* <-s, *ohne pl*> puré *m* de patatas

Karton [kar'tɔŋ] *m* <-s, -s> (*Material*) cartón *m*; (*Behälter*) caja *f*

Karussell [karʊ'sɛl] *nt* <-s, -s *o* -e> tiovivo *m*

Kasachstan ['kazaxsta:n] *nt* <-s> Kazajstán *m*

kaschieren* [ka'ʃi:rən] *vt* ocultar

Käse ['kɛ:zə] *m* <-s, -> queso *m*

Kaserne [ka'zɛrnə] *f* <-n> cuartel *m*

Kasino [ka'zi:no] *nt* <-s, -s> (*Spielkasino*) casino *m*

Kasper(le) ['kaspɐ(lə)] *m* <-s, -> títere *m*; **Kasper(le)theater** *nt* guiñol *m*

Kasse ['kasə] *f* <-n> caja *f*; (*für Eintrittskarten*) taquilla *f*; **knapp bei ~ sein**

(*fam*) andar mal de dinero; **Kassenarzt, -ärztin** *m, f* médico, -a *m, f* de la Seguridad Social; **Kassenbon** *m* tíquet *m* de compra; **Kassenpatient(in)** *m(f)* paciente *mf* de la Seguridad Social; **Kassenschlager** *m* (*fam*) supervental *m* *inv*; (*Film*) película *f* taquillera; **Kassenzettel** *m* ① (*Quittung*) factura *f* ② *s.* **Kassenbon**

Kassette [ka'sɛtə] *f* <-n> (*für Geld*) cajita *f*; (*für Schmuck*) joyero *m*; (*Musikkassette, Videokassette*) casete *m*; **Kassettenrekorder** *m* casete *m*

kassieren* [ka'si:rən] *vi, vt* cobrar

Kassierer(in) *m(f)* <-s, -; -nen> cajero, -a *m, f*

Kastagnette [kasta'njɛtə] *f* <-n> castañuela *f*

Kastanie [kas'ta:niə] *f* <-n> (*Baum*) castaño *m*; (*Frucht*) castaña *f*

Kästchen ['kɛstçən] *nt* <-s, -> (*Behälter*) cajita *f*

Kasten ['kastən] *m* <-s, Kästen> caja *f*; (*größerer*) cajón *m*; **etwas auf dem ~ haben** (*fam*) ser listo

Kastilien [kas'ti:liən] *nt* <-s> Castilla *f*

kastilisch *adj* castellano

kastrieren* [kas'tri:rən] *vt* castrar

Kasus ['ka:zʊs] *m* <-, -> caso *m*

Kat [kat] *m* <-s, -s> *Abk. von* **Katalysator** catalizador *m*

katalanisch *adj* catalán

Katalog [kata'lo:k] *m* <-(e)s, -e> catálogo *m*

Katalonien [kata'lo:niən] *nt* <-s> Cataluña *f*

Katalysator [kataly'za:to:ɐ] *m* <-s, -en> catalizador *m*

katastrophal [katastro'fa:l] *adj* catastrófico

Katastrophe [katas'tro:fə] *f* <-n> catástrofe *f*; (*fig*) desastre *m*; **Katastrophenalarm** *m* alerta *f* roja; **Katastrophenhelfer(in)** *m(f)* miembro *m* de la ayuda humanitaria

Kategorie [katego'ri:] *f* <-n> categoría *f*

kategorisch [kate'go:rɪʃ] *adj* categórico

Kater ['ka:tɐ] *m* <-s, -> gato *m*; (*fam: Unwohlsein*) resaca *f*

kath. *Abk. von* **katholisch** católico

Kathedrale [kate'dra:lə] *f* <-n> catedral *f*

Katheter [ka'te:tɐ] *m* <-s, -> catéter *m*

Katholik(in) [kato'li:k] *m(f)* <-en, -en; -nen> católico, -a *m, f*

katholisch [ka'to:lɪʃ] *adj* católico

Katze ['katsə] *f* <-n> gato *m*; (*weiblich*) gata *f*; **die ~ im Sack kaufen** (*fam*) comprar a ciegas; **meine Arbeit war für die Katz** (*fam*) todo mi trabajo ha sido para nada; **Katzensprung** *m*: **es ist nur ein ~ (von hier)** (*fam*) está a dos pasos (de aquí)

Kauderwelsch ['kaʊdɐvɛlʃ] *nt* <-(s), *ohne pl*> galimatías *m inv*

kauen ['kaʊən] *vi, vt* masticar; **an den Nägeln ~** comerse las uñas

kauern ['kaʊɐn] **I.** *vi* estar en cuclillas **II.** *vr:* **sich ~** acuclillarse

Kauf [kaʊf] *m* <-(e)s, Käufe> compra *f*; **etw in ~ nehmen** asumir algo

kaufen ['kaʊfən] *vt* comprar

Käufer(in) ['kɔɪfɐ] *m(f)* <-s, -; -nen> comprador(a) *m(f)*

Kauffrau *f* perita *f* comercial; (*Händlerin*) comerciante *f*; **Kaufhaus** *nt* grandes almacenes *mpl*

käuflich ['kɔɪflɪç] *adj* comprable; (*bestechlich*) sobornable

Kaufmann *m* <-(e)s, -leute> perito *m* comercial; (*Händler*) comerciante *m*

kaufmännisch [-mɛnɪʃ] *adj* comercial

Kaufpreis *m* precio *m* de compra; **Kaufvertrag** *m* contrato *m* de compraventa

Kaugummi *m o nt* <-s, -s> chicle *m*

kaum [kaʊm] *adv* (*wahrscheinlich nicht*) probablemente no; (*noch nicht einmal*) apenas; **~ jemand** casi nadie; **es dauerte ~ drei Stunden** apenas duró tres horas

kausal [kaʊ'za:l] *adj* causal

Kaution [kaʊ'tsjo:n] *f* <-en> fianza *f*

Kautschuk ['kaʊtʃʊk] *m* <-s, -e> caucho *m*

Kavalier [kava'li:ɐ] *m* <-s, -e> caballero *m*

Kaviar ['ka:via:ɐ] *m* <-s, -e> caviar *m*

KB [ka:'be:] *Abk. von* **Kilobyte** Kb

keck [kɛk] *adj* fresco

Kegel ['ke:gəl] *m* <-s, -> cono *m*; (*Spielfigur*) bolo *m*; **Kegelbahn** *f* bolera *f*

kegeln ['ke:gəln] *vi* jugar a los bolos

Kehle ['ke:lə] *f* <-n> garganta *f*

kehren ['ke:rən] **I.** *vt* (*drehen*) volver; (*fegen*) barrer; **die Innenseite nach außen ~** volver del revés; **er ist in sich gekehrt** está encerrado en sí mismo **II.** *vr:* **sich ~** (*sich kümmern*) preocuparse (**an** de) **III.** *vi* (*fegen*) barrer

Kehrschaufel *f* recogedor *m*; **Kehrseite** *f* reverso *m*; **die ~ der Medaille** (*fig*) la otra cara de la moneda

kehrt|machen ['ke:ɐt-] *vi* (*fam*) volver

keifen ['kaɪfən] *vi* (*abw*) berrear

Keil [kaɪl] *m* <-(e)s, -e> cuña *f*

keilen ['kaɪlən] *vr:* **sich ~** (*fam*) pelearse

Keilriemen *m* correa *f* trapezoidal

Keim [kaɪm] *m* <-(e)s, -e> germen *m*; **etw im ~ ersticken** sofocar algo en su origen

keimen *vi* brotar; (*Verdacht*) surgir; (*Hoffnung*) nacer

kein, keine, kein [kaɪn, 'kaɪnə, kaɪn] *pron indef* ningún *m*, ninguna *f*; **ich habe ~e Zeit** no tengo tiempo; **~ einziges Mal** ni una sola vez; **~ Mensch** nadie; **~e Ahnung!** ¡ni idea!; **das ist ~e 200 Meter von hier** no está ni a 200 metros de aquí

keine(r, s) ['kaɪnə, -nɐ, -nəs] *pron indef* nadie; **es war ~r da** no había nadie; **~r von uns** ninguno de nosotros

keinerlei ['--'-] *adj inv* ningún, de ningún tipo; **ich mache mir ~ Gedanken darüber** esto no me preocupa lo más mínimo

keinesfalls ['--'-] *adv* de ningún modo

keineswegs ['--'-] *adv* en absoluto

keinmal *adv* ninguna vez

keins [kaɪns] *pron indef s.* **keine(r, s)**

Keks [ke:ks] *m o nt* <-(es), -(e)> galleta *f*

Kelch [kɛlç] *m* <-(e)s, -e> copa *f*; REL, BOT cáliz *m*

Kelle ['kɛlə] *f* <-n> (*Schöpflöffel*) cucharón *m*

Keller ['kɛlɐ] *m* <-s, -> sótano *m*

Kellerei *f* <-en> bodega *f*

Kellner(in) ['kɛlnɐ] *m(f)* <-s, -; -nen> camarero, -a *m, f*

kennen ['kɛnən] <kennt, kannte, gekannt> *vt* conocer; **~ Sie ihren Namen?** ¿sabe cómo se llama?; **kennst du mich noch?** ¿te acuerdas de mí?; **jdn ~ lernen** conocer a alguien; **kennen|lernen** *vt s.* **kennen**

Kenner(in) *m(f)* <-s, -; -nen> (*Sachverständiger*) experto, -a *m, f*; (*Autorität*) conocedor(a) *m(f)*

kenntlich ['kɛntlɪç] *adj*: **etw ~ machen** marcar algo

Kenntnis ['kɛntnɪs] *f* <-se> conocimiento *m*; **etw zur ~ nehmen** tomar nota de algo

Kenntnisse *f pl* (*Wissen*) conocimientos *m pl*

Kennwort *nt* <-(e)s, -wörter> (*Losung*) contraseña *f*; (*Kode*) código *m*

Kennzeichen *nt* (*Merkmal*) característica *f*; (*Markierung*) señal *f*; AUTO matrícula *f*; **besondere ~** rasgos distintivos; **kennzeichnen** *vt* (*markieren*) señalar; (*charakterisieren*) caracterizar (**als** de); **kennzeichnend** *adj* característico

kentern ['kɛntɐn] *vi sein* zozobrar

Keramik [ke'ra:mɪk] *f* <-en> cerámica *f*

Kerbe ['kɛrbə] *f* <-n> muesca *f*

Kerbholz *nt* (*fam*): **etwas auf dem ~ haben** no tener la conciencia limpia

Kerl [kɛrl] *m* <-s, -e> (*fam*) tío *m*; **er ist ein ganzer ~** es todo un hombre; **sie ist ein feiner ~** es una buena chica

Kern [kɛrn] *m* <-(e)s, -e> ❶ (*von Apfel, Birne*) pepita *f*; (*von Pfirsich, Pflaume*) hueso *m*; (*von Sonnenblume, Melone*) pipa *f* ❷ (*Mittelpunkt*) centro *m*;

Kernenergie *f* energía *f* nuclear; **kerngesund** ['--'-] *adj* rebosante de salud

Kernkraft *f ohne pl* energía *f* nuclear; **Kernkraftwerk** *nt* central *f* nuclear

Kernphysik *f* física *f* nuclear; **Kernseife** *f* jabón *m* duro

Kerze ['kɛrtsə] *f* <-n> vela *f*; **kerzengerade** ['---'--] *adj* derecho como una vela; **Kerzenlicht** *nt* <-(e)s, *ohne pl*> luz *f* de vela; **bei ~** a la luz de la vela; **Kerzenständer** *m* candelero *m*

kess[RR] [kɛs] *adj* fresco

Kessel ['kɛsəl] *m* <-s, -> (*Dampfkessel*) caldera *f*; (*Wasserkessel*) hervidor *m*

Ketchup *m o nt* <-(s), -s>, **Ketschup**[RR] ['kɛtʃap] *m o nt* <-(s), -s> catchup *m*

Kette ['kɛtə] *f* <-n> cadena *f*; (*Halskette*) collar *m*; **Kettenraucher(in)** *m(f)* fumador(a) *m(f)* empedernido, -a; **Kettenreaktion** *f* reacción *f* en cadena

keuchen ['kɔɪçən] *vi* jadear

Keuchhusten *m* <-s, *ohne pl*> tos *f* ferina

Keule ['kɔɪlə] *f* <-n> (*Tierkeule*) pierna *f*; (*Geflügel*) muslo *m*

keusch [kɔɪʃ] *adj* casto

Keuschheit *f* castidad *f*

Keyboard ['ki:bɔ:t] *nt* <-s, -s> teclado *m*

Kfz *nt* <-(s), -(s)> *Abk. von* **Kraftfahrzeug** automóvil *m*

kg *Abk. von* **Kilogramm** kg

Kichererbse ['kɪçɐ-] *f* garbanzo *m*

kichern ['kɪçɐn] *vi* reírse para dentro

kicken ['kɪkən] I. *vi* (*fam*) jugar al fútbol II. *vt* (*fam: Ball*) chutar

kidnappen ['kɪtnɛpən] *vt* secuestrar

Kidnapper(in) ['kɪtnɛpɐ] *m(f)* <-s, -; -nen> secuestrador(a) *m(f)*

Kiefer[1] ['ki:fɐ] *f* <-n> BOT pino *m*

Kiefer[2] *m* <-s, -> ANAT mandíbula *f*

Kieme ['ki:mə] *f* <-n> branquia *f*

Kies [ki:s] *m* <-es, -e> ❶ (*Steine*) grava *f* ❷ *ohne pl* (*fam: Geld*) pasta *f*

Kieselstein *m* guijarro *m*

kiffen ['kɪfən] *vi* (*sl*) fumar porros

killen ['kɪlən] *vt* (*fam*) asesinar

Killer(in) ['kɪlɐ] *m(f)* <-s, -; -nen> (*fam*) asesino, -a *m, f*

Kilo ['ki:lo] *nt* <-s, -(s)> (*fam*) kilo *m*; **Kilobyte** ['ki:lobaɪt] *nt* kilobyte *m*; **Kilogramm** *nt* kilogramo *m*; **Kilojoule** *nt* kilojulio *m*; **Kilokalorie** *f* kilocaloría *f*

Kilometer [--'--, '----] *m* kilómetro *m*; **Kilometerstand** *m* kilometraje *m*; **Kilometerzähler** *m* cuentakilómetros *m inv*

Kind [kɪnt] *nt* <-(e)s, -er> niño, -a *m, f*; (*Nachwuchs*) hijo, -a *m, f*; **sich bei jdm lieb ~ machen** (*fam*) congraciarse con alguien; **ein ~ erwarten** esperar un hijo; **mit ~ und Kegel** (*fam*) con toda la familia; **Kinderarbeit** ['kɪndɐ-] *f ohne pl* trabajo *m* infantil; **Kinderarzt, -ärztin** *m, f* pediatra *mf*; **Kinderbuch** *nt* libro *m* infantil

Kinderei *f* <-en> chiquillada *f*

Kindererziehung *f* educación *f* de los niños; **Kindergarten** *m* guardería *f*, kindergarten *m*; **Kindergärtner(in)** *m(f)* maestro, -a *m, f* de un jardín de infancia; **Kindergeld** *nt* subsidio *m* familiar por hijos; **Kinderheim** *nt* casa *f* cuna; **Kinderhort** *m* guardería *f* para niños en edad escolar; **Kinderkrankheit** *f* MED enfermedad *f* infantil; **Kinderlähmung** *f* polio(mielitis) *f* (*inv*); **kinderleicht** ['--'-] *adj* (*fam*) facilísimo; **das ist doch ~** esto está chupado; **kinderlieb** *adj* niñero; **kinderlos** *adj* sin hijos; **Kindermädchen** *nt* niñera *f*, nurse *f*; **Kindersicherung** *f* seguro *m* a prueba de niños; **Kindersitz** *m* sillín *m* de niño; **Kindertagesstätte** *f* <-n> guardería *f* infantil; **Kinderwagen** *m* cochecito *m* para niños; **Kinderzimmer** *nt* cuarto *m* de los niños

Kindheit *f* infancia *f*

kindisch *adj* infantil; **sich ~ benehmen** comportarse como un niño

kindlich *adj* (*kindgemäß*) de niño; (*unbefangen*) ingenuo

Kinn [kɪn] *nt* <-(e)s, -e> barbilla *f*; **Kinnhaken** *m* gancho *m* (a la mandíbula)

Kino ['ki:no] *nt* <-s, -s> cine *m*; **Kinofilm** *m* película *f* de cine

Kiosk ['ki:ɔsk] *m* <-(e)s, -e> quiosco *m*

Kippe ['kɪpə] *f* <-n> (*fam: Zigarettenstummel*) colilla *f*; (*Zigarette*) pitillo *m*; **es steht noch auf der ~** (*fam*) aún no está decidido

kippen ['kɪpən] **I.** *vi sein* (*Fahrzeug*) volcar **II.** *vt haben* (*umkippen*) volcar; (*schräg stellen*) inclinar; (*ausschütten*) verter

Kirche ['kɪrçə] *f* <-n> iglesia *f*; **in die ~ gehen** ir a misa; **Kirchengemeinde** *f* parroquia *f*; **Kirchensteuer** *f* impuesto *m* eclesiástico

kirchlich *adj* eclesiástico; **sich ~ trauen lassen** casarse por la iglesia

Kirchplatz *m* plaza *f* delante de la iglesia; **Kirchturm** *m* torre *f* de iglesia

Kirmes ['kɪrməs, 'kɪrmɛs] *f* <-sen> REG feria *f*

Kirsche ['kɪrʃə] *f* <-n> (*Frucht*) cereza *f*; (*Baum*) cerezo *m*

Kissen ['kɪsən] *nt* <-s, -> (*Kopfkissen*) almohada *f*; (*Sofakissen*) cojín *m*

Kiste ['kɪstə] *f* <-n> caja *f*; (*größer*) cajón *m*

Kitsch [kɪtʃ] *m* <-(e)s, *ohne pl*> cursilería *f*

kitschig *adj* cursi; (*geschmacklos*) hortera; (*rührselig*) sentimental

Kittchen ['kɪtçən] *nt* <-s, -> (*fam*) chirona *f*

Kittel ['kɪtəl] *m* <-s, -> (*Arbeitskittel*) bata *f*

kitz(e)lig *adj* cosquilloso

kitzeln ['kɪtsəln] *vi, vt* hacer cosquillas

Kiwi ['ki:vi] *f* <-s> kiwi *m*

klaffen ['klafən] *vi* abrirse

kläffen ['klɛfən] *vi* (*abw*) ladrar

Klage ['kla:gə] *f* <-n> (*Beschwerde*) queja *f*; JUR demanda *f*

klagen ['kla:gən] **I.** *vi* (*jammern*) lamentarse (**über** de); (*sich beschweren*) quejarse (**über** de); JUR demandar **II.** *vt:* **jdm sein Leid ~** contarle a alguien sus penas

Kläger(in) ['klɛ:gɐ] *m(f)* <-s, -; -nen> demandante *mf*

kläglich ['klɛ:klɪç] *adj* (*Mitleid erregend*) lamentable; (*jämmerlich*) miserable; **er hat ~ versagt** falló totalmente

klamm [klam] *adj* (*feuchtkalt*) húmedo (y frío)

Klammer ['klamɐ] *f* <-n> (*Wäscheklammer*) pinza *f*; (*Büroklammer*) clip *m*; (*Heftklammer*) grapa *f*; (*im Text*) paréntesis *m inv*

klammern ['klamɐn] **I.** *vt* sujetar (con pinzas, etc.) **II.** *vr:* **sich ~** agarrarse (**an** a); (*an Hoffnung*) aferrarse (**an** a)

Klamotten [kla'mɔtən] *f pl* (*fam: Kleidung*) trapos *m pl*

Klan [kla:n] *m* <-s, -e> clan *m*

klang [klaŋ] *3. imp von* **klingen**

Klang [klaŋ] *m* <-(e)s, Klänge> (*Ton*) sonido *m*; (*der Stimme*) tono *m*; (*eines Instruments*) son *m*

klangvoll *adj* sonoro

Klappe ['klapə] *f* <-n> (*Deckel*) tapa *f*; (*fam: Mund*) pico *m*; **halt die ~!** ¡cierra el pico!; **eine große ~ haben** ser un bocazas

klappen ['klapən] **I.** *vi* (*fam*) funcionar; **es klappt alles wie am Schnürchen** todo sale que ni bordado **II.** *vt* (*hochklappen*) levantar; (*herunterklappen*) bajar

klapp(e)rig ['klap(ə)rɪç] *adj* (*Auto, Möbel*) desvencijado; (*fam: Person*) muy débil

klappern ['klapɐn] *vi* (*Kisten*) traquetear; (*Fensterladen*) golpetear

Klapperschlange *f* serpiente *f* de cascabel

Klappstuhl *m* silla *f* plegable

Klaps [klaps] *m* <-es, -e> (*fam: Schlag*) cachete *m*

klar [kla:ɐ] *adj* claro; **~e Sicht haben** tener buena visibilidad; **sich** *dat* **über etw ~** darse cuenta de algo; **keinen ~en Gedanken fassen können** no poder pensar con claridad; **einen**

~en Kopf behalten no perder la cabeza

Kläranlage ['klɛ:ɐ-] *f* depuradora *f* (de aguas residuales)

klären ['klɛ:rən] **I.** *vt* (*Abwässer*) depurar; (*Frage*) aclarar **II.** *vr:* **sich** ~ (*Angelegenheit*) aclararse

Klarheit *f* claridad *f*; **sich** *dat* ~ **über etw verschaffen** sacar algo en claro

Klarinette [klari'nɛtə] *f* <-n> clarinete *m*

klar|kommen *irr vi sein* (*fam: mit Person*) entenderse (**mit** con); (*mit Dingen*) entender (**mit**); **klar|machen** *vt* ❶ NAUT preparar ❷ (*fam: erklären*) explicar; **sich** *dat* **etw** ~ aclararse en algo

Klarsichtfolie *f* celofán® *m*

klar|stellen *vt* aclarar

Klartext *m*: **mit jdm ~ reden** (*fam*) hablar con alguien sin rodeos

Klärung *f* <-en> (*von Problem*) aclaración *f*; (*von Abwasser*) depuración *f*

klar|werden *irr vr:* **sich ~** *sein s.* **klar**

klasse ['klasə] *adj inv* (*fam*) estupendo

Klasse ['klasə] *f* <-n> clase *f*; **Klassenarbeit** *f* examen *m* (**in** +*dat* de); **Klassenkamerad(in)** *m(f)* compañero, -a *m, f* de clase; **Klassenkampf** *m* lucha *f* de clases; **Klassenlehrer(in)** *m(f)* tutor(a) *m(f)* de curso; **Klassenzimmer** *nt* aula *f*

Klassik ['klasɪk] *f* ❶ (*klassisches Altertum*) época *f* clásica ❷ KUNST (neo)clasicismo *m* ❸ MUS música *f* clásica

Klassiker(in) ['klasikɐ] *m(f)* <-s, -; -nen> clásico, -a *m, f*

klassisch *adj* clásico

Klatsch [klatʃ] *m* <-(e)s, *ohne pl*> (*fam*) cotilleo *m*; **Klatschbase** *f* (*fam abw*) chismosa *f*

klatschen ['klatʃən] *vi* ❶ *sein* (*aufschlagen*) caerse (produciendo un chasquido); (*Regen*) golpear (**gegen** contra) ❷ *haben* (*applaudieren*) aplaudir; **in die Hände ~** tocar palmas ❸ *haben* (*fam abw: tratschen*) cotillear

klatschnass[RR] ['-'-] *adj* (*fam*) hecho una sopa

Klaue ['klaʊə] *f* <-n> (*von Tieren*) garra *f*; (*fam abw: Handschrift*) mala letra *f*

klauen ['klaʊən] *vi, vt* (*fam*) mangar

Klausel ['klaʊzəl] *f* <-n> cláusula *f*

Klausur [klaʊ'zu:ɐ] *f* <-en> UNIV examen *m*; (*im Kloster*) clausura *f*

Klavier [kla'vi:ɐ] *nt* <-s, -e> piano *m* (vertical)

Klebeband *nt* cinta *f* adhesiva

kleben ['kle:bən] **I.** *vi* (*haften*) estar pegado; (*klebrig sein*) pringar; (*klebefähig sein*) pegar **II.** *vt* pegar (**an** a); **jdm eine ~** (*fam*) largar una bofetada a alguien

Kleber *m* <-s, -> (*fam*) *s.* **Klebstoff**

klebrig ['kle:brɪç] *adj* pegajoso

Klebstoff *m* pegamento *m*

kleckern ['klɛkɐn] *vi* (*fam*) manchar

Klecks [klɛks] *m* <-es, -e> mancha *f*; (*Tintenklecks*) borrón *m*

Klee [kle:] *m* <-s, *ohne pl*> trébol *m*; **Kleeblatt** *nt* hoja *f* de trébol; **vierblättriges ~** trébol de cuatro hojas

Kleid [klaɪt] *nt* <-(e)s, -er> ❶ (*Damenkleid*) vestido *m* ❷ *pl* (*Kleidung*) ropa *f*

kleiden ['klaɪdən] *vt, vr:* **sich ~** vestir(se)

Kleiderbügel *m* percha *f*; **Kleiderhaken** *m* colgadero *m*; **Kleiderschrank** *m* armario *m* ropero

Kleidung *f* <-en> ropa *f*; **warme ~** ropa de abrigo; **Kleidungsstück** *nt* prenda *f* (de vestir)

klein [klaɪn] *adj* pequeño; (*Körpergröße*) bajo; **von ~ auf** desde niño; **ein ~ bisschen** un poquito; (**ganz**) **~ anfangen** empezar sin nada; **~ beigeben** ceder; **~er werden** disminuir; **beim ~sten Geräusch** al más mínimo ruido; **einen ~en Augenblick bitte** un momentito, por favor; **Kleinanzeige** *f* anuncio *m* breve; **kleingedruckt** *adj s.* **drucken**; **Kleingedruckte(s)** *nt* <-n, *ohne pl*> letra *f* pequeña; **Kleingeld** *nt* calderilla *f*

Kleinigkeit ['klaɪnɪçkaɪt] *f* <-en> pequeñez *f*; **eine ~ essen** (*fam*) comer una cosita; **das kostet aber eine ~** (*fam iron*) esto vale un dineral

kleinkariert *adj* (*fam abw: Ansichten*) de miras estrechas; **Kleinkind** *nt* niño, -a *m, f* pequeño, -a; **Kleinkram** *m* (*fam: Dinge*) cosillas *fpl*; (*Angelegenheit*) nimiedad *f*; **klein|kriegen** *vt* (*fam*) ❶ (*zerkleinern*) lograr partir ❷ (*kaputtmachen*) hacer pedazos ❸ (*gefügig machen*) doblar la voluntad (de); (*müde machen*) agotar; **kleinlaut** *adj* apocado

kleinlich *adj* (*pedantisch*) minucioso; (*geizig*) mezquino

klein|schreiben[RR] *irr vt* escribir con minúscula; **Kleinstadt** *f* ciudad *f* pequeña; **Kleinwagen** *m* (coche *m*) utilitario *m*

kleinwüchsig [-vy:ksɪç] *adj* de baja estatura

Klemme ['klɛmə] *f* <-n> (*zum Festklemmen*) pinza *f*; (*fam: Notlage*) aprieto *m*; **in der ~ sitzen** encontrarse en un apuro

klemmen I. *vi* (*Tür, Schloss*) estar atrancado II. *vt* sujetar; **sich** *dat* **etw unter den Arm ~** ponerse algo debajo del brazo III. *vr* (*fam*): **sich hinter etw ~** aferrarse a algo

Klempner(in) ['klɛmpnɐ] *m(f)* <-s, -; -nen> fontanero, -a *m, f*

Klette ['klɛtə] *f* <-n> lampazo *m*; (*fam: Person*) lapa *f*

Kletteranlage *f* SPORT rocódromo *m*

klettern ['klɛtɐn] *vi sein* trepar (**auf** a)

Kletterpflanze *f* planta *f* trepadora

Klettverschluss[RR] *m* cierre *m* adhesivo, velcro® *m*

klicken ['klɪkən] *vi* INFOR activar (**auf**)

Klient(in) [kli'ɛnt] *m(f)* <-en, -en; -nen> cliente, -a *m, f*

Klima ['kli:ma] *nt* <-s, -s *o* -ta> clima *m*; **Klimaanlage** *f* (instalación *f* de) aire *m* acondicionado; **Klimaerwärmung** *f kein pl* ÖKOL calentamiento *m* global; **Klimakatastrophe** *f* catástrofe *f* climática; **Klimapolitik** *f* POL política *f* climática

Klimaschutzdebatte *f* <-n> ÖKOL debate *m* sobre la protección del medio ambiente; **Klimaschutzkonferenz** *f* <-en> ÖKOL conferencia *f* sobre el medio ambiente

klimatisch [kli'ma:tɪʃ] *adj* climático

klimatisiert [klimati'zi:ɐt] *adj* climatizado

Klimawandel *m* <-s, *kein pl*> cambio *m* climático; **Klimawechsel** *m* cambio *m* de aires

Klinge ['klɪŋə] *f* <-n> cuchilla *f*

Klingel ['klɪŋəl] *f* <-n> timbre *m*

klingeln *vi* tocar el timbre; (*Klingel, Telefon*) sonar; **es hat geklingelt** han llamado

Klingelton *m* (*eines Handys*) tono *m*, melodía *f*

klingen ['klɪŋən] <klingt, klang, geklungen> *vi* sonar

Klinik ['kli:nɪk] *f* <-en> clínica *f*

klinisch *adj* MED clínico; **~ tot** clínicamente muerto

Klinke ['klɪŋkə] *f* <-n> picaporte *m*

klipp [klɪp] *adv* (*fam*): **~ und klar** sin rodeos

Klippe ['klɪpə] *f* <-n> (*Fels*) arrecife *m*; (*fig: Hindernis*) obstáculo *m*

klirren ['klɪrən] *vi* (*Gläser*) tintinear; (*Fensterscheibe*) vibrar

Klischee [kli'ʃe:] *nt* <-s, -s> clisé *m*; **in ~s denken** pensar de una manera estereotipada

Klo [klo:] *nt* <-s, -s> (*fam*) wáter *m*

Kloake [klo'a:kə] *f* <-n> cloaca *f*

klobig ['klo:bɪç] *adj* macizo

Klobürste *f* (*fam*) escobilla *f* del retrete

klonen [klo:nən] *vt* clonar

Klopapier *nt* (*fam*) papel *m* del wáter

klopfen ['klɔpfən] I. *vi* (*schlagen*) golpear; (*Herz*) palpitar; (*anklopfen*) llamar II. *vt* (*Teppich*) sacudir; **den Takt ~** marcar el compás

Klosett [klo'zɛt] *nt* <-s, -s *o* -e> servicio(s) *m(pl)*

Kloß [klo:s] *m* <-es, Klöße> (*Fleischkloß*) albóndiga *f*; **einen ~ im Hals**

haben (*fam*) tener un nudo en la garganta

Kloster ['klo:stɐ] *nt* <-s, Klöster> convento *m*

Klotz [klɔts] *m* <-es, Klötze> bloque *m*; (*Spielzeugklotz*) cubo *m* de madera

Klub [klʊp] *m* <-s, -s> club *m*

Kluft[1] [klʊft] *f* <Klüfte> abismo *m*

Kluft[2] *f* <-en> (*fam*) ropa *f*; (*einheitlich*) uniforme *m*

klug [klu:k] *adj* <klüger, am klügsten> inteligente; (*schlau*) listo; **aus etw nicht ~ werden** no acabar de entender algo; **der Klügere gibt nach** (*prov*) ceder es cosa de sabios

Klugheit *f* (*Intelligenz*) inteligencia *f*; (*Scharfsinn*) perspicacia *f*; (*Vernunft*) sensatez *f*

klumpen ['klʊmpən] *vi* formar grumos

Klumpen ['klʊmpən] *m* <-s, -> trozo *m*; (*in Soße*) grumo *m*; (*Erdklumpen*) terrón *m*

km *Abk. von* **Kilometer** km

km/h *Abk. von* **Kilometer pro Stunde** km/h

knabbern ['knabɐn] *vi, vt* (*nagen*) roer; (*essen*) picar

Knabe ['kna:bə] *m* <-n, -n> (*geh*) muchacho *m*

knacken ['knakən] **I.** *vi* (*Holz*) crujir; (*knistern*) chasquear **II.** *vt* (*Nüsse*) partir; (*fam: Aufgabe*) resolver; (*fam: Tresor*) forzar

knackig *adj* (*Salat*) fresco; (*knusprig*) crujiente; (*a. fig*) apetitoso; **ein ~er Typ** un tío bueno

Knacks [knaks] *m* <-es, -e> (*fam: Riss*) grieta *f*; **einen ~ bekommen** (*fig*) trastornarse

Knall [knal] *m* <-(e)s, -e> estallido *m*; **er hat einen ~** (*fam*) está chiflado

knallen **I.** *vi* ❶ *haben* estallar; (*Tür*) cerrarse de golpe; (*Korken*) saltar ❷ *sein* (*stoßen*) chocar (**auf/gegen** contra) **II.** *vt haben* (*Tür*) dar un portazo (a); **den Hörer auf die Gabel ~** colgar con un fuerte golpe; **jdm eine ~** (*fam*) soltar una bofetada a alguien

knallhart ['-'-] *adj* (*fam: Arbeit*) duro; (*Film, Typ*) brutal; **Knallkörper** *m* petardo *m*; **knallrot** ['-'-] *adj* (*fam*) rojo vivo

knapp [knap] **I.** *adj* escaso; (*Kleidung*) justo; **~ bei Kasse sein** andar justo de dinero; **~ 200 Euro** poco menos de 200 euros; **eine ~e Stunde** una hora escasa **II.** *adv* (*kaum*) apenas; (*gerade so*) (muy) justo; **~ sein** escasear

knarren ['knarən] *vi* crujir

Knast [knast] *m* <-(e)s, -e *o* Knäste> (*fam*) chirona *f*

Knäuel ['knɔɪəl] *m o nt* <-s, -> ovillo *m*

Knauf [knaʊf] *m* <-(e)s, Knäufe> (*am Stock*) puño *m*; (*an der Tür*) pomo *m*

knaus(e)rig ['knaʊz(ə)rɪç] *adj* (*fam abw*) rácano

knausern ['knaʊzɐn] *vi* (*fam abw*) cicatear

knautschen ['knaʊtʃən] *vi, vt* (*fam*) arrugar(se)

Knebel ['kne:bəl] *m* <-s, -> mordaza *f*

knebeln *vt* amordazar

Knecht [knɛçt] *m* <-(e)s, -e> mozo *m* de labranza

kneifen ['knaɪfən] <kneift, kniff, gekniffen> **I.** *vt* (*in die Haut*) pellizcar (**in** en) **II.** *vi* (*Kleidung*) apretar; (*fam abw: sich drücken*) rajarse

Kneifzange *f* tenazas *fpl*

Kneipe ['knaɪpə] *f* <-n> (*fam*) bar *m*

Knete ['kne:tə] *f* (*fam*) ❶ (*Knetmasse*) plastilina® *f* ❷ (*Geld*) pasta *f*

kneten ['kne:tən] *vt* (*Teig*) amasar

Knick [knɪk] *m* <-(e)s, -e> (*Falte*) pliegue *m*; (*Biegung*) recodo *m*

knicken *vt* (*Papier*) doblar

Knie [kni:] *nt* <-s, -> rodilla *f*; **auf ~n** de rodillas; **weiche ~ bekommen** (*fam*) amedrentarse; **jdn übers ~ legen** (*fam*) pegar un palizón a alguien; **Kniekehle** *f* corva *f*

knien ['kni:ən, kni:n] **I.** *vi haben o sein* estar de rodillas **II.** *vr haben*: **sich ~** arrodillarse; **sich in die Arbeit ~**

(*fam*) meterse de lleno en el trabajo

Kniescheibe *f* rótula *f*; **Kniestrumpf** *m* media *f* calcetín

kniff [knɪf] *3. imp von* **kneifen**

kniff(e)lig *adj* complicado; (*heikel*) delicado

knipsen ['knɪpsən] *vt* (*fam: fotografieren*) sacar una foto (de)

Knirps [knɪrps] *m* <-es, -e> (*fam: Junge*) renacuajo *m*

knirschen ['knɪrʃən] *vi* crujir; **mit den Zähnen ~** rechinar los dientes

knistern ['knɪstən] *vi* (*Feuer*) crepitar; (*vor Spannung*) chisporrotear

knittern ['knɪtən] *vi, vt* arrugar(se)

Knoblauch ['kno:blaʊx] *m* <-(e)s, *ohne pl*> ajo *m*; **Knoblauchzehe** *f* diente *m* de ajo

Knöchel ['knœçəl] *m* <-s, -> (*am Fuß*) tobillo *m*; (*am Finger*) nudillo *m*

Knochen ['knɔxən] *m* <-s, -> hueso *m*; **bis auf die ~ nass werden** (*fam*) calarse hasta los huesos; **Knochenbruch** *m* fractura *f* de hueso; **Knochengerüst** *nt* esqueleto *m*

knochig ['knɔxɪç] *adj* huesudo; (*Gesicht*) descarnado

Knolle ['knɔlə] *f* <-n> tubérculo *m*

Knopf [knɔpf] *m* <-(e)s, Knöpfe> botón *m*; **einen ~ annähen** coser un botón; **auf den ~ drücken** pulsar el botón

knöpfen ['knœpfən] *vt* abotonar

Knopfloch *nt* ojal *m*

Knorpel ['knɔrpəl] *m* <-s, -> cartílago *m*

knorp(e)lig ['knɔrp(ə)lɪç] *adj* cartilaginoso

Knospe ['knɔspə] *f* <-n> (*Blütenknospe*) capullo *m*; (*von Blatt*) yema *f*

knoten *vt* hacer un nudo (en); (*Krawatte*) anudar

Knoten ['kno:tən] *m* <-s, -> nudo *m*; (*Frisur*) moño *m*

Know-how [nɔʊ'haʊ] *nt* <-(s), *ohne pl*> know-how *m*

Knüller ['knʏlɐ] *m* <-s, -> (*fam*) sensación *f*

knüpfen ['knʏpfən] *vt* (*Freundschaft*) trabar; **große Erwartungen an etw ~** poner grandes esperanzas en algo

Knüppel ['knʏpəl] *m* <-s, -> (*Stock*) garrote *m*; (*von Polizei*) porra *f*

knurren ['knʊrən] *vi* (*Hund, Mensch*) gruñir; **mir knurrt der Magen** me suenan las tripas

knusp(e)rig ['knʊsp(ə)rɪç] *adj* crujiente

knutschen ['knu:tʃən] *vi* (*fam*) besuquearse

k.o. [ka:'ʔo:] *adj Abk. von* **knock-out** k.o.; **~ gehen** quedar k.o.

Koalition [koali'tsjo:n] *f* <-en> coalición *f*; **Koalitionspartner** *m* socio *m* de coalición

Koblenz ['ko:blɛnts] *nt* <-> Coblenza *f*

Kobold ['ko:bɔlt] *m* <-(e)s, -e> duende *m*

Koch, Köchin [kɔx, 'kœçɪn] *m, f* <-(e)s, Köche; -nen> cocinero, -a *m, f*; **Kochbuch** *nt* libro *m* de cocina

kochen ['kɔxən] I. *vi* (*Wasser*) hervir; (*Speisen zubereiten*) cocinar; **er kocht vor Wut** está muy furioso II. *vt* (*garen*) cocer; (*zubereiten*) preparar; **weich/hart gekocht** (*Ei*) pasado por agua/duro

Kochlöffel *m* cuchara *f* de palo; **Kochplatte** *f* fogón *m*; **Kochrezept** *nt* receta *f* de cocina; **Kochsalz** *nt* <-es, *ohne pl*> sal *f* común; **Kochtopf** *m* olla *f*

Köder ['kø:dɐ] *m* <-s, -> cebo *m*

ködern *vt* (*Tiere*) echar el cebo (a); (*Personen*) engatusar

Koffein [kɔfe'i:n] *nt* <-s, *ohne pl*> cafeína *f*; **koffeinfrei** *adj* descafeinado

Koffer ['kɔfɐ] *m* <-s, -> maleta *f*, valija *f*; **Kofferradio** *nt* radio *f* portátil; **Kofferraum** *m* maletero *m*, baúl *m*

Kognak ['kɔnjak] *m* <-s, -s> coñac *m*

Kohl [ko:l] *m* <-(e)s, *ohne pl*> col *f*; **das macht den ~ auch nicht fett** (*fam*) ya no importa; **Kohldampf** *m*: **~ haben** (*fam*) tener un hambre de mil demonios

Kohle ['ko:lə] *f* <-n> ❶ (*Brennstoff*) carbón *m*; (**wie**) **auf glühenden ~n sit-**

zen (*fam*) estar sobre ascuas ❷ *ohne pl* (*fam: Geld*) pasta *f*; **Kohlendioxid** [--'---] *nt* <-(e)s, *ohne pl*> anhídrido *m* carbónico; **Kohle(n)hydrat** *nt* <-(e)s, -e> hidrato *m* de carbono; **Kohlensäure** *f* ácido *m* carbónico; **Mineralwasser mit ~** agua mineral con gas; **Kohlenstoff** *m* <-(e)s, *ohne pl*> carbono *m*

Kohlkopf *m* repollo *m*

Kohlrabi [ko:l'ra:bi] *m* <-(s), -(s)> colinabo *m*

Koitus ['ko:itʊs] *m* <-, -(se)> coito *m*

Koje ['ko:jə] *f* <-n> litera *f*

Kokain [koka'i:n] *nt* <-s, *ohne pl*> cocaína *f*

kokett [ko'kɛt] *adj* coqueto

kokettieren* [kokɛ'ti:rən] *vi* coquetear

Kokosnuss[RR] *f* coco *m*

Koks [ko:ks] *m* <-es, *ohne pl*> (*sl: Kokain*) coca *f*

Kolik ['ko:lɪk, ko'li:k] *f* <-en> cólico *m*

Kollaps ['kɔlaps, -'-] *m* <-es, -e> colapso *m*

Kollege, **Kollegin** [kɔ'le:gə] *m, f* <-n, -n; -nen> colega *mf*

kollegial [kɔle'gja:l] *adj* solidario

Kollegium [kɔ'le:giʊm] *nt* <-s, Kollegien> (*Lehrerkollegium*) cuerpo *m* docente

Kollektion [kɔlek'tsjo:n] *f* <-en> colección *f*

kollidieren* [kɔli'di:rən] *vi sein* colisionar (**mit** contra)

Kollision [kɔli'zjo:n] *f* <-en> colisión *f*

Köln [kœln] *nt* <-s> Colonia *f*

Kolonie [kolo'ni:] *f* <-n> colonia *f*

kolonisieren* [koloni'zi:rən] *vt* colonizar

Kolonne [ko'lɔnə] *f* <-n> (*Fahrzeugkolonne*) caravana *f*

kolossal [kolɔ'sa:l] *adj* colosal

Kolumbianer(in) [kolʊm'bja:nɐ] *m(f)* <-s, -; -nen> colombiano, -a *m, f*

kolumbianisch [kolʊm'bja:nɪʃ] *adj* colombiano

Kolumbien [ko'lʊmbiən] *nt* <-s> Colombia *f*

Koma ['ko:ma] *nt* <-s, -s *o* -ta> coma *m*; **im ~ liegen** estar en (estado de) coma

Kombination [kɔmbina'tsjo:n] *f* <-en> (*Verbindung*) combinación *f*

kombinieren* [kɔmbi'ni:rən] **I.** *vi* (*folgern*) deducir **II.** *vt* combinar

Kombiwagen *m* coche *m* furgoneta

Komet [ko'me:t] *m* <-en, -en> cometa *m*

Komfort [kɔm'fo:ɐ] *m* <-s, *ohne pl*> confort *m*

komfortabel [kɔmfɔr'ta:bəl] *adj* confortable

Komik ['ko:mɪk] *f* comicidad *f*

Komiker(in) ['ko:mikɐ] *m(f)* <-s, -; -nen> cómico, -a *m, f*

komisch *adj* cómico; (*seltsam*) raro

komischerweise ['ko:mɪʃɐ'vaɪzə] *adv* curiosamente

Komitee [komi'te:, kɔmi'te:] *nt* <-s, -s> comité *m*

Komma ['kɔma] *nt* <-s, -s *o* -ta> coma *f*

Kommando [kɔ'mando] *nt* <-s, -s> ❶ (*Befehl*) orden *f* ❷ (*Gruppe*) comando *m* ❸ *ohne pl* (*Befehlsgewalt*) mando *m*

kommen ['kɔmən] <kommt, kam, gekommen> *vi sein* (*herkommen*) venir; (*hinkommen*) ir; (*ankommen*) llegar; (*zurückkehren*) volver; **ich komme aus Dortmund** soy de Dortmund; **zu spät ~** llegar tarde; **komme, was da wolle** pase lo que pase; **man kommt hier zu nichts** aquí no se tiene tiempo para nada; **wieder zu sich** *dat* **~** volver en sí; **wie kommst du darauf?** ¿cómo se te ocurre?; **hinter etw ~** descubrir algo; **ich habe es ~ sehen** ya me lo veía venir; **das musste ja so ~** tenía que pasar; **das kommt davon, dass ...** eso se debe a...; **das kommt davon!** ¡esa es la consecuencia!

kommend *adj* venidero; **die ~en Jahre** los años venideros; **~e Woche** la semana que viene

Kommentar [kɔmɛn'ta:ɐ] *m* <-(e)s, -e> comentario *m*; **kommentarlos** *adj* sin comentario

kommentieren* [kɔmɛn'ti:rən] *vt* comentar

kommerzialisieren* [kɔmɛrtsjali'zi:rən] *vt* comercializar

kommerziell [kɔmɛr'tsjɛl] *adj* comercial

Kommilitone, **Kommilitonin** [kɔmili'to:nə] *m, f* <-n, -n; -nen> compañero, -a *m, f* de estudios

Kommissar(in) [kɔmɪ'sa:ɐ] *m(f)* <-s, -e; -nen> (*Polizeibeamter*) comisario, -a *m, f* de policía

Kommission [kɔmɪ'sjo:n] *f* <-en> comisión *f*

Kommode [kɔ'mo:də] *f* <-n> cómoda *f*

Kommunalpolitik *f* <-en> política *f* municipal

Kommunikation [kɔmunika'tsjo:n] *f* comunicación *f*; **Kommunikationsmittel** *nt* medio *m* de comunicación

Kommunion [kɔmu'njo:n] *f* <-en> (*Erstkommunion*) primera comunión *f*

Kommunismus [kɔmu'nɪsmʊs] *m* <-, *ohne pl*> comunismo *m*

Kommunist(in) [kɔmu'nɪst] *m(f)* <-en, -en; -nen> comunista *mf*

kommunizieren* [kɔmuni'tsi:rən] *vi* (*reden*) comunicarse

Komödie [ko'mø:djə] *f* <-n> comedia *f*

kompakt [kɔm'pakt] *adj* compacto; (*fam: Statur*) macizo

Kompanie [kɔmpa'ni:] *f* <-n> compañía *f*

Komparativ ['kɔmparati:f] *m* <-s, -e> comparativo *m*

Kompass[RR] ['kɔmpas] *m* <-es, -e> brújula *f*

kompatibel [kɔmpa'ti:bəl] *adj* compatible

kompensieren* [kɔmpɛn'zi:rən] *vt* compensar

kompetent [kɔmpe'tɛnt] *adj* competente

Kompetenz [kɔmpe'tɛnts] *f* <-en> competencia *f*; **seine ~en überschreiten** sobrepasar sus competencias

komplett [kɔm'plɛt] **I.** *adj* completo **II.** *adv* por completo

komplex [kɔm'plɛks] *adj* complejo

Komplex [kɔm'plɛks] *m* <-es, -e> complejo *m*

Komplikation [kɔmplika'tsjo:n] *f* <-en> complicación *f*

Kompliment [kɔmpli'mɛnt] *nt* <-(e)s, -e> cumplido *m*; **jdm ~e machen** decirle piropos a alguien

Komplize, **Komplizin** [kɔm'pli:tsə] *m, f* <-n, -n; -nen> cómplice *mf*

komplizieren* [kɔmpli'tsi:rən] *vt, vr:* **sich ~** complicar(se)

kompliziert [kɔmpli'tsi:ɐt] *adj* complicado

Komplott [kɔm'plɔt] *nt* <-(e)s, -e> complot *m*; **ein ~ schmieden** tramar un complot

Komponente [kɔmpo'nɛntə] *f* <-n> componente *m*

komponieren* [kɔmpo'ni:rən] *vi, vt* componer

Komponist(in) [kɔmpo'nɪst] *m(f)* <-en, -en; -nen> compositor(a) *m(f)*

Kompositum [kɔm'po:zitʊm] *nt* <-s, Komposita> palabra *f* compuesta

Kompost [kɔm'pɔst] *m* <-(e)s, -e> compost *m*

kompostieren* [kɔmpɔs'ti:rən] *vt* ❶ (*zu Kompost verarbeiten*) convertir en compost ❷ (*düngen*) abonar con compost

Kompott [kɔm'pɔt] *nt* <-(e)s, -e> compota *f*

Kompromiss[RR] [kɔmpro'mɪs] *m* <-es, -e> compromiso *m*; **mit jdm einen ~ schließen** llegar a un acuerdo con alguien; **kompromissbereit**[RR] *adj* dispuesto a ceder; **Kompromissbereitschaft**[RR] *f ohne pl* disposición *f* a transigir

kompromittieren* [kɔmpromɪ'ti:rən] *vt* comprometer

Kondensmilch [kɔn'dɛns-] *f* leche *f* condensada

Kondition [kɔndi'tsjo:n] *f* <-en> condición *f*; **eine gute ~ haben** estar en buena forma

Konditor(in) [kɔn'di:to:ɐ] *m(f)* <-s, -en; -nen> pastelero, -a *m, f*

Konditorei [kɔndito'raɪ] *f* <-en> pastelería *f*

Kondom [kɔn'do:m] *nt* <-s, -e> condón *m*

Konfekt [kɔn'fɛkt] *nt* <-(e)s, -e> dulces *mpl*

Konferenz [kɔnfe'rɛnts] *f* <-en> conferencia *f*

Konfession [kɔnfɛ'sjo:n] *f* <-en> confesión *f*; **konfessionslos** *adj* aconfesional

Konfetti [kɔn'fɛti] *nt* <-(s), *ohne pl*> confeti *m*

Konfiguration [kɔnfigura'tsjo:n] *f* <-en> configuración *f*

Konfirmation [kɔnfɪrma'tsjo:n] *f* <-en> confirmación *f*

konfiszieren* [kɔnfɪs'tsi:rən] *vt* confiscar

Konfitüre [kɔnfi'ty:rə] *f* <-n> confitura *f*

Konflikt [kɔn'flɪkt] *m* <-(e)s, -e> conflicto *m*

Konfrontation [kɔnfrɔnta'tsjo:n] *f* <-en> confrontación *f*

konfrontieren* [kɔnfrɔn'ti:rən] *vt* confrontar (**mit** con)

konfus [kɔn'fu:s] *adj* confuso; **jdn ~ machen** desconcertar a alguien

Kongress[RR] [kɔŋ'grɛs, kɔn'grɛs] *m* <-es, -e> congreso *m*

König(in) ['kø:nɪç] *m(f)* <-s, -e; -nen> rey *m*, reina *f*

königlich [kø:nɪklɪç] *adj* real

Königreich *nt* reino *m*

konjugieren* [kɔnju'gi:rən] *vt* conjugar

Konjunktiv ['kɔnjʊŋkti:f] *m* <-s, -e> ≈subjuntivo *m*

Konjunktur [kɔnjʊŋk'tu:ɐ] *f* <-en> coyuntura *f*

konkret [kɔŋ'kre:t] **I.** *adj* concreto **II.** *adv* en concreto

konkretisieren* [kɔŋkreti'zi:rən] *vt* concretar

Konkurrent(in) [kɔŋkʊ'rɛnt] *m(f)* <-en, -en; -nen> competidor(a) *m(f)*

Konkurrenz [kɔŋkʊ'rɛnts] *f* competencia *f*; **jdm ~ machen** hacer la competencia a alguien; **konkurrenzfähig** *adj* competitivo; **Konkurrenzkampf** *m* competición *f*

konkurrieren* [kɔŋkʊ'ri:rən] *vi* competir (**um** por); **miteinander ~** hacerse la competencia

Konkurs [kɔŋ'kʊrs] *m* <-es, -e> quiebra *f*; **~ anmelden** declararse en quiebra

können[1] ['kœnən] <kann, konnte, können> *vt Modalverb* poder +*inf*; **kann ich etwas für Sie tun?** ¿puedo ayudarle en algo?; **kann sein** es posible; **das kann nicht sein** no puede ser; **es kann sein, dass ...** puede que... +*subj*

können[2] <kann, konnte, gekonnt> **I.** *vt* saber; **was ~ Sie?** ¿qué sabe Ud. hacer?; **sie kann gut Spanisch** habla bien español **II.** *vi* poder (hacer); **ich kann nichts dafür** (*fam*) no es culpa mía; **ich kann nicht mehr** (*fam*) ya no puedo más; **so schnell sie konnte** lo más rápido que pudo

Können *nt* <-s, *ohne pl*> (*Wissen*) saber *m*; (*Fähigkeit*) capacidad *f*

konnte ['kɔntə] *3. imp von* **können**

Konsens [kɔn'zɛns] *m* <-es, -e> consenso *m*

konsequent [kɔnze'kvɛnt] **I.** *adj* consecuente **II.** *adv* de forma consecuente; **~ durchgreifen** proceder enérgicamente; **etw ~ verfolgen** perseguir algo con perseverancia

Konsequenz [kɔnze'kvɛnts] *f* <-en> ❶ (*Folge*) consecuencia *f*; **die ~en tragen** asumir las consecuencias ❷ *ohne pl* (*Unbeirrbarkeit*) perseverancia *f*

konservativ ['kɔnzɛrvati:f, ---'-] *adj* conservador

Konserve [kɔn'zɛrvə] *f* <-n> conserva *f*; **Konservenbüchse** *f*, **Konservendose** *f* lata *f* de conservas; **Konservendose** *f* lata *f* de conservas

konservieren* [kɔnzɛr'vi:rən] *vt* conservar

Konservierungsmittel *nt* conservante *m*

Konsonant [kɔnzo'nant] *m* <-en, -en> consonante *f*

konstant [kɔn'stant] *adj* constante

konstatieren* [kɔnsta'ti:rən] *vt* constatar

Konstellation [kɔnstɛla'tsjo:n] *f* <-en> constelación *f*

Konstitution [kɔnstitu'tsjo:n] *f* <-en> constitución *f*

konstruieren* [kɔnstru'i:rən] *vt a.* MATH, LING construir

Konstruktion [kɔnstrʊk'tsjo:n] *f* <-en> construcción *f*

konstruktiv [kɔnstrʊk'ti:f] *adj* constructivo

Konsul(in) ['kɔnzʊl] *m(f)* <-s, -n; -nen> cónsul *mf*

Konsulat [kɔnzu'la:t] *nt* <-(e)s, -e> consulado *m*

konsultieren* [kɔnzʊl'ti:rən] *vt* consultar

Konsum [kɔn'zu:m] *m* <-s, *ohne pl*> consumo *m*

Konsument(in) [kɔnzu'mɛnt] *m(f)* <-en, -en; -nen> consumidor(a) *m(f)*

Konsumgesellschaft *f* sociedad *f* de consumo; **Konsumgüter** *nt pl* bienes *mpl* de consumo

konsumieren* [kɔnzu'mi:rən] *vt* consumir

konsumorientiert *adj* consumista

Kontakt [kɔn'takt] *m* <-(e)s, -e> contacto *m*; **mit jdm in ~ kommen** entrar en contacto con alguien; **Kontaktanzeige** *f* anuncio *m* de contacto; **kontaktfreudig** *adj* sociable; **Kontaktlinse** *f* lentilla *f*

Konten *pl von* **Konto**

Kontext ['kɔntɛkst] *m* <-(e)s, -e> contexto *m*

Kontinent ['kɔntinɛnt, --'-] *m* <-(e)s, -e> continente *m*

Kontingent [kɔntɪŋ'gɛnt] *nt* <-(e)s, -e> contingente *m*

kontinuierlich [kɔntinu'i:ɐlɪç] *adj* continuo

Konto ['kɔnto] *nt* <-s, Konten> cuenta *f*; **ein ~ eröffnen/auflösen** abrir/cerrar una cuenta; **Kontoauszug** *m* extracto *m* de cuenta; **Kontoinhaber(in)** *m(f)* titular *mf* de una cuenta; **Kontonummer** *f* número *m* de (la) cuenta; **Kontostand** *m* estado *m* de (la) cuenta

kontra ['kɔntra] **I.** *präp +akk* JUR (*a. fig*) contra **II.** *adv* (*dagegen*) en contra

Kontrabass[RR] ['kɔntra-] *m* contrabajo *m*

Kontrahent(in) [kɔntra'hɛnt] *m(f)* <-en, -en; -nen> (*Gegner*) adversario, -a *m, f*; (*Vertragspartner*) parte *f* contratante

Kontrast [kɔn'trast] *m* <-(e)s, -e> contraste *m*

Kontrolle [kɔn'trɔlə] *f* <-n> control *m*; **jdn/etw unter ~ haben** controlar a alguien/algo

Kontrolleur(in) [kɔntrɔ'lø:ɐ] *m(f)* <-s, -e; -nen> controlador(a) *m(f)*

kontrollieren* [kɔntrɔ'li:rən] *vt* controlar

Kontrolllampe[RR] *f* piloto *m*

kontrovers [kɔntro'vɛrs] *adj* (*umstritten*) controvertido

Kontroverse [kɔntro'vɛrzə] *f* <-n> controversia *f*

Kontur [kɔn'tu:ɐ] *f* <-en> contorno *m*

Konvention [kɔnvɛn'tsjo:n] *f* <-en> convención *f*

konventionell [kɔnvɛntsjo'nɛl] *adj* convencional

Konversation [kɔnvɛrza'tsjo:n] *f* <-en> conversación *f*

konvertieren* [kɔnvɛr'ti:rən] *vt* INFOR convertir

Konvoi [kɔn'vɔɪ, '--] *m* <-s, -s> convoy *m*

Konzentrat [kɔntsɛn'tra:t] *nt* <-(e)s, -e> concentrado *m*

Konzentration [kɔntsɛntra'tsjo:n] *f* <-en> concentración *f*; **Konzentrationslager** *nt* campo *m* de concentración

konzentrieren* [kɔntsɛn'tri:rən] *vt, vr:* **sich ~** concentrar(se) (**auf** en)

konzentriert [kɔntsɛn'tri:ɐt] *adj* concentrado

Konzept [kɔn'tsɛpt] *nt* <-(e)s, -e> (*Rohfassung*) borrador *m*; (*Programm*) plan *m*; **aus dem ~ kommen** perder el hilo; **jdn aus dem ~ bringen** desconcertar a alguien; **das passt mir nicht ins ~** eso no cuadra con mis planes

Konzeption [kɔntsɛp'tsjo:n] *f* <-en> concepción *f*

Konzern [kɔn'tsɛrn] *m* <-s, -e> consorcio *m*

Konzert [kɔn'tsɛrt] *nt* <-(e)s, -e> concierto *m*

Konzession [kɔntsɛ'sjo:n] *f* <-en> ❶ (*Zugeständnis*) concesión *f*; **er ist (nicht) zu ~en bereit** (no) está dispuesto a hacer concesiones ❷ (*Genehmigung*) licencia *f*; **jdm die ~ entziehen** retirar la licencia a alguien

konzipieren* [kɔntsi'pi:rən] *vt* planear

Kooperation [koʔopera'tsjo:n] *f* <-en> cooperación *f*

kooperativ [koʔopera'ti:f] *adj* cooperativo

kooperieren* [koʔope'ri:rən] *vi* cooperar

koordinieren* [koʔɔrdi'ni:rən] *vt* coordinar

Kopf [kɔpf] *m* <-(e)s, Köpfe> cabeza *f*; **~ oder Zahl?** ¿cara o cruz?; **~ hoch!** ¡ánimo!; **etw auf den ~ stellen** poner algo patas arriba; **~ und Kragen riskieren** jugarse la vida; **sie hat ihren eigenen ~** ella sabe lo que quiere; **er ist nicht auf den ~ gefallen** no tiene un pelo de tonto; **mit dem ~ durch die Wand wollen** querer lo imposible; **einen kühlen ~ bewahren** mantener la calma; **ich war wie vor den ~ gestoßen** me quedé parado; **jdm den ~ verdrehen** (*fam*) robarle el sentido a alguien; **das Ganze wächst ihm über den ~** es superior a sus fuerzas

köpfen ['kœpfən] *vt* (*enthaupten*) decapitar

Kopfende *nt* cabecera *f*; **Kopfhaut** *f* cuero *m* cabelludo; **Kopfhörer** *m* auricular(es) *m(pl)*; **Kopfkissen** *nt* almohada *f*; **Kopfnicken** *nt* <-s, *ohne pl*> señal *f* afirmativa (con la cabeza); **Kopfschmerz** *m* dolor *m* de cabeza; **Kopfschütteln** *nt* <-s, *ohne pl*> cabeceo *m*

Kopfsteinpflaster *nt* adoquinado *m*

Kopftuch *nt* pañuelo *m* de cabeza; **kopfüber** [-'--] *adv* de cabeza; **Kopfweh** *nt* <-(e)s, -e> dolor *m* de cabeza; **Kopfzerbrechen** *nt*: **sich** *dat* **~ über etw machen** romperse la cabeza por algo

Kopie [ko'pi:] *f* <-n> copia *f*

kopieren* [ko'pi:rən] *vt* copiar

Kopierer *m* <-s, -> (*fam*), **Kopiergerät** [ko'pi:ɐ-] *nt* fotocopiadora *f*; **Kopierschutz** *m*, **Kopiersperre** *f* INFOR protección *f* contra copias

Kopilot(in) ['ko:pilo:t] *m(f)* copiloto *mf*

koppeln ['kɔpəln] *vt* acoplar

Kopp(e)lung *f* <-en> acoplamiento *m*

Koralle [ko'ralə] *f* <-n> coral *m*; **Korallenriff** *nt* arrecife *m* coralino

Koran [ko'ra:n] *m* <-s> Corán *m*

Korb [kɔrp] *m* <-(e)s, Körbe> (*Behälter*) cesta *f*; (*größer*) cesto *m*; **jdm einen ~ geben** (*fig*) dar calabazas a alguien

Kordel ['kɔrdəl] *f* <-n> cordel *m*

Kork [kɔrk] *m* <-(e)s, -e> corcho *m*

Korken ['kɔrkən] *m* <-s, -> corcho *m*; **Korkenzieher** *m* <-s, -> sacacorchos *m inv*

Korn[1] [kɔrn] *nt* <-(e)s, Körner> (*Teilchen, Samenkorn*) grano *m*

Korn[2] *nt* <-(e)s, -e> (*Getreide*) cereales *mpl*; **jdn aufs ~ nehmen** tomarla con alguien

Körper ['kœrpɐ] *m* <-s, -> cuerpo *m*; **Körperbau** *m* <-(e)s, *ohne pl*> constitución *f* física; **körperbehindert** *adj* minusválido

Körpergewicht *nt* <-(e)s, *ohne pl*> peso *m* corporal; **Körpergröße** *f* talla *f*; **Körperhaltung** *f* postura *f*; (*fig*) porte *m*

körperlich *adj* corporal

Körperpflege *f* aseo *m* personal; **Körpersprache** *f ohne pl* lenguaje *m* gestual; **Körperteil** *m* parte *f* del cuerpo; **Körperverletzung** *f* lesión *f* física

korpulent [kɔrpu'lɛnt] *adj* corpulento

korrekt [kɔ'rɛkt] *adj* correcto

Korrektur [kɔrɛk'tu:ɐ] *f* <-en> corrección *f*

Korrespondent(in) [kɔrɛspɔn'dɛnt] *m(f)* <-en, -en; -nen> corresponsal *mf*

Korrespondenz [kɔrɛspɔn'dɛnts] *f* <-en> correspondencia *f*

Korridor ['kɔrido:ɐ] *m* <-s, -e> corredor *m*

korrigieren* [kɔri'gi:rən] *vt* corregir

korrupt [kɔ'rʊpt] *adj* corrupto

Korruption [kɔrʊp'tsjo:n] *f* <-en> corrupción *f*

Korsett [kɔr'zɛt] *nt* <-s, -s *o* -e> corsé *m*

Korsika ['kɔrzika] *nt* <-s> Córcega *f*

korsisch *adj* corso

Kosename *m* apodo *m* cariñoso

Kosmetik [kɔs'me:tɪk] *f* cosmética *f*

Kosmetiker(in) [kɔs'me:tikɐ] *m(f)* <-s, -; -nen> esteticista *mf*

kosmetisch *adj* cosmético

kosmisch ['kɔsmɪʃ] *adj* cósmico

Kosmonaut(in) [kɔsmo'naʊt] *m(f)* <-en, -en; -nen> cosmonauta *mf*

Kosmopolit(in) [kɔsmopo'li:t] *m(f)* <-en, -en; -nen> cosmopolita *mf*

Kosmos ['kɔsmɔs] *m* <-, *ohne pl*> cosmos *m inv*

Kost [kɔst] *f* alimentos *mpl*; **~ und Logis** comida y alojamiento

kostbar *adj* valioso

kosten ['kɔstən] *vt* (*probieren*) probar; (*Preis haben, erfordern*) costar; **wie viel kostet das?** ¿cuánto vale?; **das kostet Zeit** eso requiere tiempo; **das kostet mich einige Überwindung** el hacerlo me cuesta cierto esfuerzo

Kosten ['kɔstən] *pl* gastos *mpl*; **keine ~ scheuen** no reparar en gastos; **auf ~ der Gesundheit** a costa de la salud; **auf seine ~ kommen** quedarse satisfecho

kostengünstig *adj* rentable; **kostenlos** I. *adj* gratuito II. *adv* gratis

köstlich ['kœstlɪç] *adj* delicioso; **ich habe mich ~ amüsiert** me lo he pasado bomba

Kostprobe *f* bocadito *m*; (*Beispiel*) muestra *f*

kostspielig *adj* costoso

Kostüm [kɔs'ty:m] *nt* <-s, -e> (*Damenkostüm*) traje *m* chaqueta; THEAT traje *m*; (*Verkleidung*) disfraz *m*

Kot [ko:t] *m* <-(e)s, -e *o* -s> (*geh*) excrementos *mpl*

Kotelett ['kɔtlɛt, kɔt'lɛt] *nt* <-s, -s> chuleta *f*

Koteletten [kɔt'lɛtən] *pl* patillas *fpl*

Köter ['kø:tɐ] *m* <-s, -> (*abw*) chucho *m*

Kotflügel *m* guardabarros *m inv*

kotzen *vi* (*vulg*) echar la pota; **das ist zum Kotzen** es un coñazo

Krabbe ['krabə] *f* <-n> cangrejo *m* de mar

krabbeln ['krabəln] *vi sein* (*Kind*) andar a gatas; (*Käfer*) correr

Krach [krax] *m* <-(e)s, Kräche> ❶ (*fam: Streit*) bronca *f*; **mit jdm ~ haben** tener una bronca con alguien ❷ *ohne pl* (*Lärm*) ruido *m*

krachen *vi* (*platzen*) estallar; (*Schuss*) estallar; (*Donner*) retumbar

krächzen ['krɛçtsən] *vi* (*Vogel*) graznar; (*Mensch*) hablar con voz ronca

Kraft [kraft] *f* <Kräfte> fuerza *f*; **aus eigener ~** por propio esfuerzo; **mit vereinten Kräften** en un esfuerzo común; **das geht über meine Kräfte** eso es demasiado para mí; **in ~ treten** entrar en vigor; **Kraftausdruck** *m* <-(e)s, -drücke> palabrota *f*; **Kraftfahrer(in)** *m(f)* conductor(a) *m(f)*; **Kraftfahrzeug** *nt* automóvil *m*

kräftig ['krɛftɪç] I. *adj* fuerte; (*Essen*) sustancioso II. *adv* (*sehr*) mucho

kräftigen ['krɛftɪgən] *vt* fortalecer

kraftlos *adj* sin fuerza; **Kraftprobe** *f* prueba *f* de fuerza; **Kraftstoff** *m* carburante *m*; **kraftvoll** I. *adj* fuerte II. *adv* con fuerza; **Kraftwerk** *nt* central *f* energética

Kragen ['kra:gən] *m* <-s, -> cuello *m*; **mir platzt gleich der ~** (*fam*) estoy a punto de reventar

Krähe ['krɛ:ə] *f* <-n> corneja *f*

krähen *vi* (*Hahn*) cantar; (*Kind*) berrear

krakelig ['kra:kəlɪç] *adj* garabatoso

Kralle ['kralə] *f* <-n> garra *f*

Kram [kra:m] *m* <-(e)s, *ohne pl*> (*fam: Gerümpel*) trastos *mpl*; (*Angelegenheit*) chisme *m*; **jdm passt etw nicht in den ~** (*fam*) algo no le viene bien a alguien

kramen I. *vi* (*fam: stöbern*) revolver (**in** por entre) **II.** *vt* (*fam: hervorholen*) sacar (**aus** de)

Krampf [krampf] *m* <-(e)s, Krämpfe> calambre *m*; **krampfhaft** *adj* (*verbissen*) obstinado; **~ an etw festhalten** agarrarse a algo obstinadamente

Kran [kra:n] *m* <-(e)s, -e *o* Kräne> grúa *f*

Kranich ['kra:nɪç] *m* <-s, -e> grulla *f*

krank [kraŋk] *adj* enfermo; **~ werden** caer enfermo

kränkeln ['krɛŋkəln] *vi* (*Person*) estar achacoso; (*Wirtschaft,*) ir cuesta abajo

kränken ['krɛŋkən] *vt* ofender

Krankengymnastik *f* fisioterapia *f*; **Krankenhaus** *nt* hospital *m*; **Krankenkasse** *f* caja *f* del seguro; **Krankenpfleger(in)** *m(f)* enfermero, -a *m, f*; **Krankenschein** *m* volante *m* de asistencia médica; **Krankenschwester** *f* enfermera *f*; **Krankenversicherung** *f* seguro *m* de enfermedad; **Krankenwagen** *m* ambulancia *f*

krank|feiern *vi* (*fam*) *faltar al trabajo fingiendo estar enfermo*

krankhaft I. *adj* enfermizo **II.** *adv* desmesuradamente

Krankheit *f* <-en> enfermedad *f*; **Krankheitserreger** *m* germen *m* patógeno

kränklich ['krɛŋklɪç] *adj* enfermizo

krank|meldenRR *vr:* **sich ~** darse de baja por enfermedad; **krank|schreiben**RR *irr* *vt* dar de baja por enfermedad

Kränkung ['krɛŋkʊŋ] *f* <-en> ofensa *f*; (*Demütigung*) humillación *f*

Kranz [krants] *m* <-es, Kränze> corona *f*

krassRR [kras] *adj* (*auffallend*) llamativo; (*Unterschied*) grande

Krater ['kra:tɐ] *m* <-s, -> cráter *m*

kratzen ['kratsən] **I.** *vt* ① (*Person*) rascar; (*Katze*) arañar ② (*leicht verletzen*) rasguñar ③ (*abkratzen*) raspar (**von** de) **II.** *vi* picar **III.** *vr:* **sich ~** rascarse

Kratzer *m* <-s, -> (*Schramme*) arañazo *m*

kraulen ['kraʊlən] *vt* (*streicheln*) acariciar

kraus [kraʊs] *adj* (*Haar*) rizado

Kraut [kraʊt] *nt* <-(e)s, Kräuter> ① (*Pflanze*) hierba *f*; **dagegen ist kein ~ gewachsen** (*fam*) eso no tiene remedio ② *ohne pl* (*Weißkraut*) repollo *m*

Kräutertee *m* tisana *f*

Krawall [kra'val] *m* <-s, -e> ① (*Tumult*) disturbio *m* ② *ohne pl* (*fam: Lärm*) escándalo *m*

Krawatte [kra'vatə] *f* <-n> corbata *f*

kreativ [krea'ti:f] *adj* creativo

Kreativität [kreativi'tɛ:t] *f* creatividad *f*

Kreatur [krea'tu:ɐ] *f* <-en> criatura *f*

Krebs [kre:ps] *m* <-es, -e> ① ZOOL cangrejo *m* ② MED cáncer *m*; **~ erregend** cancerígeno ③ *kein pl* ASTR Cáncer *m inv*; **krebserregend** *adj* cancerígeno

Kredit [kre'di:t] *m* <-(e)s, -e> crédito *m*; **einen ~ aufnehmen** pedir un préstamo; **Kreditinstitut** *nt* instituto *m* de crédito; **Kreditkarte** *f* tarjeta *f* de crédito

Kreide ['kraɪdə] *f* <-n> ① (*zum Schreiben*) tiza *f* ② *ohne pl* (*Kalkstein*) creta *f*; **kreidebleich** ['--'-] *adj* blanco como la pared

Kreis [kraɪs] *m* <-es, -e> círculo *m*; ADMIN distrito *m*; **im ~e seiner Familie** en el seno de la familia; **eine Feier im kleinen ~e** una fiesta en familia

kreischen ['kraɪʃən] *vi* (*schreien*) chillar

kreisen ['kraɪzən] *vi haben o sein* (*sich drehen*) girar (**um** alrededor de); (*Vögel a.* AERO) dar vueltas (**über** sobre)

Kreislauf *m* (*Zyklus*) ciclo *m*; (*Blutkreislauf*) circulación *f*

Kreißsaal ['kraɪs-] *m* sala *f* de partos

Kreisstadt *f* capital *f* de distrito; **Kreisverkehr** *m* rotonda *f*

Krematorium [krema'to:riʊm] *nt* <-s, Krematorien> crematorio *m*

Kreml ['kre:m(ə)l] *m* <-s>: **der ~** el Kremlin

Krempe ['krɛmpə] *f* <-n> ala *f* del sombrero

Krempel ['krɛmpəl] *m* <-s, *ohne pl*> (*fam abw*) cachivaches *mpl*

krepieren* [kre'pi:rən] *vi sein* (*fam: sterben*) palmarla

Krepp [krɛp] *m* <-s, -s *o* -e> crespón *m*

Kreta ['kre:ta] *nt* <-s> Creta *f*

kreuz [krɔɪts] *adv*: **~ und quer** a diestro y siniestro

Kreuz [krɔɪts] *nt* <-es, -e> *a.* REL cruz *f*; (*Rückenbereich*) región *f* lumbar; (*fam*) espalda *f*; **das Rote ~** la Cruz Roja; **jdn aufs ~ legen** (*fam: hereinlegen*) timar a alguien

kreuzen I. *vi haben o sein* (NAUT: *ziellos fahren*) cruzar **II.** *vt haben a.* BIOL cruzar; **eine Straße ~** cruzar una calle **III.** *vr haben*: **sich ~** (*sich überschneiden*) cruzarse

Kreuzfahrt *f* crucero *m*; **Kreuzfeuer** *nt*: **ins ~ der Kritik geraten** exponerse a violentas críticas

kreuzigen ['krɔɪtsɪgən] *vt* crucificar

Kreuzung *f* <-en> *a.* BIOL cruce *m*

Kreuzworträtsel *nt* crucigrama *m*

kribbeln ['krɪbəln] *vi* (*jucken*) picar

kriechen [kri:çən] <kriecht, kroch, gekrochen> *vi sein* ❶ (*Mensch*) arrastrarse; (*Tier*) reptar; (*Schlange*) deslizarse ❷ (*abw: unterwürfig sein*) humillarse (**vor** ante)

Krieg [kri:k] *m* <-(e)s, -e> guerra *f*

kriegen ['kri:gən] *vt* (*fam*) obtener; **wenn ich dich kriege!** ¡si te pillo!

kriegerisch *adj* guerrero; **~e Auseinandersetzungen** acciones bélicas

Kriegsdienstverweigerer *m* <-s, -> objetor *m* de conciencia; **Kriegsfuß** *m* (*fam*): **mit jdm/etw auf ~ stehen** estar en pie de guerra con alguien/algo; **Kriegsgefangene(r)** *f(m)* prisionero, -a *m, f* de guerra; **Kriegsschauplatz** *m* escenario *m* bélico; **Kriegsverbrechen** *nt* crimen *m* de guerra

Krimi ['krɪmi] *m* <-s, -s> (*fam: Film*) película *f* policíaca; (*Roman*) novela *f* policíaca

Kriminalbeamte(r) *m*, **-beamtin** *f* agente *mf* de la policía judicial; **Kriminalfilm** *m* película *f* policíaca; (*Gattung*) cine *m* negro

Kriminalität [kriminali'tɛ:t] *f* criminalidad *f*

Kriminalpolizei *f* Brigada *f* de Investigación Criminal; **Kriminalroman** *m* novela *f* policíaca

kriminell [krimi'nɛl] *adj* (*a. fig*) criminal

Kriminelle(r) *mf* <-n, -n; -n> criminal *mf*

Krimskrams ['krɪmskrams] *m* <-, *ohne pl*> (*fam*) cachivaches *mpl*

kringeln *vr*: **sich ~** enroscarse

Kripo ['kri:po] *f* <-s> *s.* **Kriminalpolizei**

Krippe ['krɪpə] *f* <-n> (*Futterkrippe*) pesebre *m*; (*Weihnachtskrippe*) belén *m*; (*Kinderhort*) guardería *f*

Krise ['kri:zə] *f* <-n> crisis *f inv*; **Krisengebiet** *nt* región *f* en crisis; **Krisenherd** *m* zona *f* conflictiva

Kristall [krɪs'tal] *m* <-s, -e> cristal *m*

Kriterium [kri'te:riʊm] *nt* <-s, Kriterien> criterio *m*

Kritik [kri'ti:k, kri'tɪk] *f* <-en> crítica *f*; (*Rezension*) reseña *f*

Kritiker(in) ['kri:tikɐ] *m(f)* <-s, -; -nen> crítico, -a *m, f*

kritiklos I. *adj* sin espíritu crítico **II.** *adv* sin crítica (alguna)

kritisch ['kri:tɪʃ, 'krɪtɪʃ] *adj* crítico; **es**

wird ~ la situación se pone crítica

kritisieren* [kriti'zi:rən] *vt* criticar; (*Buch*) reseñar

kritzeln ['krɪtsəln] *vi, vt* garabatear

Kroate, **Kroatin** [kro'a:tə] *m, f* <-n, -n; -nen> croata *mf*

Kroatien [kro'a:tsiən] *nt* <-s> Croacia *f*

kroatisch *adj* croata

kroch [krɔx] *3. imp von* **kriechen**

Krokodil [kroko'di:l] *nt* <-s, -e> cocodrilo *m*

Krone ['kro:nə] *f* <-n> (*a. Währung*) corona *f*; **einen in der ~ haben** (*fam*) estar bebido; **das setzt dem Ganzen die ~ auf!** ¡esto es el colmo!

krönen ['krø:nən] *vt* coronar; **jdn zum König ~** coronar rey a alguien; **ein ~der Abschluss** un glorioso final

Kronprinz, **-prinzessin** *m, f* príncipe *m* heredero, princesa *f* real

Krönung ['krø:nʊŋ] *f* <-en> coronación *f*; **das ist ja die ~!** (*fam*) ¡esto es el colmo!

Kröte ['krø:tə] *f* <-n> sapo *m*

Krücke ['krʏkə] *f* <-n> muleta *f*

Krug [kru:k] *m* <-(e)s, Krüge> jarro *m*; (*Bierkrug*) jarra *f*

Krümel ['kry:məl] *m* <-s, -> miga *f*

krümeln *vi* (*Brot*) desmigajarse; (*Person*) llenar (un sitio) de migas

krumm [krʊm] *adj* (*verbogen*) torcido; (*gebogen*) curvado; (*Rücken*) encorvado; **sich ~ und schief lachen** (*fam*) partirse de risa

krümmen ['krʏmən] *vr:* **sich ~** (*sich winden*) retorcerse; **er krümmte sich vor Lachen** (*fam*) se tronchó de risa

Krümmung ['krʏmʊŋ] *f* <-en> curvatura *f*; (*des Körpers*) encorvadura *f*

Krüppel ['krʏpəl] *m* <-s, -> lisiado, -a *m, f*; (*durch Unfall*) mutilado, -a *m, f*

Kruste ['krʊstə] *f* <-n> costra *f*; (*vom Brot*) corteza *f*; **Krustentier** *nt* crustáceo *m*

Kruzifix ['kru:tsifɪks, krutsi'fɪks] *nt* <-es, -e> crucifijo *m*

Kuba ['ku:ba] *nt* <-s> Cuba *f*

Kubaner(in) [ku'ba:nɐ] *m(f)* <-s, -; -nen> cubano, -a *m, f*

kubanisch *adj* cubano

Kübel ['ky:bəl] *m* <-s, -> cuba *f*

Kubikzentimeter *m o nt* centímetro *m* cúbico

Küche ['kʏçə] *f* <-n> cocina *f*

Kuchen ['ku:xən] *m* <-s, -> pastel *m*; **Kuchenform** *f* molde *m* para pasteles

Küchenmaschine *f* robot *m* de cocina; **Küchenschabe** *f* cucaracha *f*

Kuckuck ['kʊkʊk] *m* <-s, -e> cuco *m*; **Kuckucksuhr** *f* reloj *m* de cuco

Kugel ['ku:gəl] *f* <-n> bola *f*; (*fam: Gewehrkugel*) bala *f*; **kugelrund** ['--'-] *adj* redondo (como una bola); **Kugelschreiber** *m* <-s, -> bolígrafo *m*

Kuh [ku:] *f* <Kühe> vaca *f*; **Kuhfladen** *m* boñigo *m*

kühl [ky:l] *adj* fresco; (*abweisend*) frío

kühlen ['ky:lən] **I.** *vi* refrescar **II.** *vt* refrigerar; (*Getränke*) (poner a) enfriar

Kühler *m* <-s, -> radiador *m*; **Kühlerhaube** *f* capó *m*

Kühlhaus *nt* almacén *m* frigorífico; **Kühlschrank** *m* frigorífico *m*; **Kühltasche** *f* nevera *f* portátil; **Kühltruhe** *f* congelador *m*

kühn [ky:n] *adj* audaz

Kuhstall *m* establo *m* para las vacas

Küken ['ky:kən] *nt* <-s, -> polluelo *m*

kulant [ku'lant] *adj* (*Person*) complaciente; (*Preis*) aceptable

Kuli ['ku:li] *m* <-s, -s> (*Person*) culí *m*; (*fam: Kugelschreiber*) boli *m*

kulinarisch [kuli'na:rɪʃ] *adj* culinario

Kulisse [ku'lɪsə] *f* <-n> bastidores *mpl*

Kult [kʊlt] *m* <-(e)s, -e> culto *m*

kultivieren* [kʊlti'vi:rən] *vt* cultivar

kultiviert [kʊlti'vi:ɐt] *adj* ❶ (*Mensch*) educado; (*gebildet*) culto ❷ (*gepflegt*) refinado

Kultur [kʊl'tu:ɐ] *f* <-en> cultura *f*; AGR, BIOL cultivo *m*; **Kulturbeutel** *m* neceser *m*; **Kulturdenkmal** *nt* testimonio *m* cultural

kulturell [kʊltu'rɛl] *adj* cultural

Kulturerbe *nt* <-s, *kein pl*> patrimonio *m* cultural; **Kulturhauptstadt** *f* capital *f* cultural; **Kulturkreis** *m* etnia *f*, grupo *m* étnico; **Kulturschock** *m* choque *m* cultural

Kultusminister(in) ['kʊltʊs-] *m(f)* ministro, -a *m, f* de Educación y Ciencia

Kümmel ['kʏməl] *m* <-s, -> comino *m*

Kummer ['kʊmɐ] *m* <-s, *ohne pl*> pena *f*; (*Sorge*) preocupación *f*; **hast du ~?** ¿te preocupa algo?

kümmerlich ['kʏmɐlɪç] *adj* (*elend*) miserable; (*schwächlich*) débil

kümmern ['kʏmɐn] **I.** *vr:* **sich ~** preocuparse (**um** de); **er kümmert sich nicht darum, was die Leute denken** no le importa lo que piense la gente; **kümmer dich ein bisschen um sie!** ¡ocúpate un poco de ella! **II.** *vt* importar; **was kümmert Sie das?** ¿a Ud. qué le importa?

Kumpan(in) [kʊm'pa:n] *m(f)* <-s, -e; -nen> (*fam: Kamerad*) camarada *mf*

Kumpel ['kʊmpəl] *m* <-s, -> (*Bergarbeiter*) minero, -a *m, f*; (*fam: Kamerad*) compañero, -a *m, f*

Kunde, Kundin ['kʊndə] *m, f* <-n, -n; -nen> cliente, -a *m, f*; **Kundendienst** *m* ❶ (*Reparaturdienst*) servicio *m* técnico ❷ *ohne pl* (*Service*) atención *f* al cliente; **Kundenhotline** *f* <-s> servicio *m* telefónico de atención al cliente; **Kundennummer** *f* número *m* del cliente; **kundenorientiert** *adj* (*Unternehmen, Produkt*) orientado al cliente

Kundgebung *f* <-en> manifestación *f*

kündigen ['kʏndɪgən] **I.** *vt* (*Vertrag*) rescindir; (*Arbeitsstelle*) presentar su dimisión; **jdm die Freundschaft ~** romper con alguien **II.** *vi* (*einem Arbeitnehmer*) despedir; (*als Arbeitnehmer*) presentar su dimisión; (*einem Mieter*) desahuciar

Kündigungsfrist *f* plazo *m* de despido

Kundschaft *f* clientela *f*

künftig ['kʏnftɪç] **I.** *adj* futuro **II.** *adv* de ahora en adelante

Kunst [kʊnst] *f* <Künste> arte *m o f*; **die schönen Künste** las Bellas Artes; **die bildende ~** las Artes Plásticas; **das ist keine ~!** (*fam*) ¡eso lo hace cualquiera!; **nach allen Regeln der ~** como Dios manda; **Kunstfaser** *f* fibra *f* sintética; **Kunstgegenstand** *m* objeto *m* de arte; **Kunstgeschichte** *f* historia *f* del Arte; **Kunsthandwerk** *nt* <-(e)s, *ohne pl*> artesanía *f*

Künstler(in) ['kʏnstlɐ] *m(f)* <-s, -; -nen> artista *mf*

künstlerisch ['kʏnstlərɪʃ] *adj* artístico; **~ begabt sein** tener talento artístico

künstlich *adj* artificial; **jdn ~ ernähren** alimentar a alguien con sonda

Kunststoff *m* materia *f* plástica; **aus ~** de plástico; **Kunststück** *nt* truco *m*; (*akrobatisch*) acrobacia *f*; **Kunstwerk** *nt* obra *f* de arte

kunterbunt ['kʊntɐ'bʊnt] *adj* (*farbig*) abigarrado; (*durcheinander*) revuelto

Kupfer ['kʊpfɐ] *nt* <-s, *ohne pl*> cobre *m*

Kupon [ku'põ:] *m* <-s, -s> cupón *m*

Kuppe ['kʊpə] *f* <-n> (*Bergkuppe*) cima *f*

Kuppel ['kʊpəl] *f* <-n> cúpula *f*

kuppeln ['kʊpəln] *vi* AUTO embragar; (*als Kuppler*) alcahuetear

Kupplung *f* <-en> AUTO embrague *m*

Kur [ku:ɐ] *f* <-en> (*Heilverfahren*) cura *f*; (*Behandlung*) tratamiento *m*; **zur ~ fahren** ir a tomar las aguas

Kür [ky:ɐ] *f* <-en> ejercicio *m* libre

Kurbel ['kʊrbəl] *f* <-n> manivela *f*; **Kurbelwelle** *f* cigüeñal *m*

Kürbis ['kʏrbɪs] *m* <-ses, -se> calabaza *f*

Kurier [ku'ri:ɐ] *m* <-s, -e> correo *m*

kurieren* [ku'ri:rən] *vt* curar

kurios [kuri'o:s] *adj* curioso

Kuriosität [kuriozi'tɛ:t] *f* <-en> ❶ (*Gegenstand*) curiosidad *f* ❷ *ohne pl* (*Eigenart*) singularidad *f*

Kurort *m* balneario *m*

Kurs [kʊrs] *m* <-es, -e> (*Richtung*)

rumbo *m*; SCH, UNIV curso *m*; (*von Devisen*) cambio *m*; **bei jdm hoch im ~ stehen** gozar de prestigio ante alguien
kursieren* [kʊrˈziːrən] *vi haben o sein* (*Geld*) circular; (*Gerücht*) correr
kursiv [kʊrˈziːf] *adj* TYPO en cursiva
Kurve [ˈkʊrvə] *f* <-n> curva *f*; **die ~ kratzen** (*fam*) desaparecer rápido; **nicht die ~ kriegen** (*fam*) fracasar
kurz [kʊrts] *adj* <kürzer, am kürzesten> corto; **~ vor Köln** poco antes de Colonia; **ich will es ~ machen** seré breve; **über ~ oder lang** tarde o temprano; **sich ~ fassen** ser conciso; **~ und bündig** conciso; **~ und gut** resumiendo; **seit ~em** desde hace poco (tiempo); **vor ~em** hace poco; **~ darauf** poco después; **den Kürzeren ziehen** (*fam*) salir perdiendo; **zu ~ kommen** quedarse con las ganas de hacer algo; **Kurzarbeit** *f* (trabajo *m* a) jornada *f* reducida; **kurzärm(e)lig** [ˈ-ʔɛrm(ə)lɪç] *adj* de manga corta

Kürze [ˈkʏrtsə] *f* brevedad *f*; (*im Ausdruck*) concisión *f*; **in ~** dentro de poco
kürzen [ˈkʏrtsən] *vt* acortar
kurzerhand [ˈkʊrtsɐˈhant] *adv* sin vacilar
Kurzfassung *f* versión *f* reducida; **Kurzform** *f* forma *f* abreviada; **kurzfristig** I. *adj* a corto plazo II. *adv* (*ohne Vorbereitung*) en el último momento; **Kurzgeschichte** *f* cuento *m*
kurzhaarig *adj* de pelo corto
kurzlebig *adj* (*Tier, Pflanze*) de corta vida; (*Mode etc.*) efímero
kürzlich [ˈkʏrtslɪç] *adv* hace poco, recién
kurz|schließen *irr* I. *vt* poner en cortocircuito II. *vr:* **sich ~** (*fam*) ponerse en contacto
Kurzschluss[RR] *m* cortocircuito *m*; **Kurzschlusshandlung**[RR] *f* acto *m* irreflexivo
kurzsichtig *adj* miope
Kurzsichtigkeit *f* MED miopía *f*; (*im Denken*) estrechez *f* de miras
Kürzung [ˈkʏrtsʊŋ] *f* <-en> ❶ (*finanziell*) reducción *f* ❷ (*von Text*) abreviación *f*
Kurzwelle *f* onda *f* corta
kurzzeitig *adj* por poco tiempo
kuscheln [ˈkʊʃəln] I. *vr:* **sich ~** (*fam*) acurrucarse (**in** en); **sich an jdn ~** acurrucarse contra alguien II. *vi* hacerse mimos
Kusine [kuˈziːnə] *f* <-n> prima *f*
Kuss[RR] [kʊs] *m* <-es, Küsse> beso *m*
küssen [ˈkʏsən] *vt, vr:* **sich ~** besar(se)
Küste [ˈkʏstə] *f* <-n> costa *f*
Kutsche [ˈkʊtʃə] *f* <-n> carruaje *m*
Kutte [ˈkʊtə] *f* <-n> (*eines Pfarrers*) sotana *f*; (*eines Mönches*) hábito *m*
Kuvert [kuˈveːɐ] *nt* <-s, -s> (REG: *Briefumschlag*) sobre *m*; (*geh: Gedeck*) cubierto *m*
kV ELEK *Abk. von* **Kilovolt** kv
kW *Abk. von* **Kilowatt** kW
KZ [kaːˈtsɛt] *nt* <-(s), -(s)> *Abk. von* **Konzentrationslager** campo *m* de concentración

L

L, l [ɛl] *nt* <-, -> L, l *f*

labern ['la:bɐn] *vi* (*fam abw*) soltar el rollo (**über** sobre); **Blödsinn ~** decir tonterías

labil [la'bi:l] *adj* lábil; (*Gesundheit*) frágil

Labor [la'bo:ɐ] *nt* <-s, -s *o* -e> laboratorio *m*

Labyrinth [laby'rɪnt] *nt* <-(e)s, -e> laberinto *m*

Lache ['la:xə] *f* <-n> charco *m*

lächeln ['lɛçəln] *vi* sonreír

Lächeln *nt* <-s, *ohne pl*> sonrisa *f*

lachen ['laxən] *vi* reír(se) (**über** de); **da gibt es nichts zu ~** esto no tiene ninguna gracia

Lachen *nt* <-s, *ohne pl*> risa *f*; **sich biegen vor ~** (*fam*) troncharse de risa

lächerlich ['lɛçɐlɪç] *adj* ridículo; **jdn/etw ~ machen** poner a alguien/algo en ridículo; **sich ~ machen** hacer el ridículo

lachhaft *adj* (*abw*) ridículo

Lachs [laks] *m* <-es, -e> salmón *m*

Lack [lak] *m* <-(e)s, -e> laca *f*

lackieren* [la'ki:rən] *vt* barnizar; (*Fingernägel*) pintar

laden ['la:dən] <lädt, lud, geladen> *vt* cargar; **alle Schuld auf sich ~** cargar con todas las culpas

Laden ['la:dən] *m* <-s, Läden> (*Kaufladen*) tienda *f*; (*Fensterladen*) postigo *m*; (*Rollladen*) persiana *f*; **der ~ läuft** (*fam*) los negocios van bien; **Ladendiebstahl** *m* robo *m* en tiendas; **Ladenschluss**[RR] *m* <-es, *ohne pl*> (hora *f* de) cierre *m* de los comercios

lädt [lɛ:t] *3. präs von* **laden**

Ladung *f* <-en> (*Fracht*) carga *f*

lag [la:k] *3. imp von* **liegen**

Lage ['la:gə] *f* <-n> (*Stelle*) sitio *m*; GEO zona *f*; (*Situation*) situación *f*; (*Schicht*) capa *f*; **dazu bin ich nicht in der ~** no estoy en condiciones de hacerlo; **sich in jds ~ versetzen** ponerse en el lugar de alguien

Lager ['la:gɐ] *nt* <-s, -> ❶ (*Ferienlager*) campamento *m*; (*Flüchtlingslager*) campo *m*; **ein ~ aufschlagen** acampar; **das ~ abbrechen** levantar el campamento ❷ (*Vorratslager*) almacén *m*; **etw auf ~ haben** tener algo en depósito ❸ (*Partei*) campo *m*; **ins gegnerische ~ überlaufen** pasarse al campo contrario ❹ TECH cojinete *m*; **Lagerfeuer** *nt* hoguera *f*

lagern ['la:gɐn] **I.** *vi* (*kampieren*) acampar; (*Waren*) estar almacenado **II.** *vt* almacenar

Lagune [la'gu:nə] *f* <-n> laguna *f*

lahm [la:m] *adj* (*hinkend*) cojo; (*wie gelähmt*) entumecido; (*fam abw: langsam*) lento; **auf einem Bein ~ sein** cojear de una pierna

lähmen ['lɛ:mən] *vt* paralizar

lahm|legen *vt* paralizar

Lähmung ['lɛ:mʊŋ] *f* <-en> MED parálisis *f inv*

Laib [laɪp] *m* <-(e)s, -e>: **ein ~ Brot** un pan

Laie, Laiin ['laɪə] *m, f* <-n, -n; -nen> profano, -a *m, f*

Laken ['la:kən] *nt* <-s, -> sábana *f*

lallen ['lalən] *vi, vt* balbucear

Lama ['la:ma] *nt* <-s, -s> llama *f*

Lamm [lam] *nt* <-(e)s, Lämmer> cordero *m*

Lampe ['lampə] *f* <-n> lámpara *f*; **Lampenfieber** *nt* <-s, *ohne pl*> (*fam*) mieditis *f inv*; **Lampenschirm** *m* pantalla *f*

Lampion ['lampjɔŋ, -'-] *m* <-s, -s> farolillo *m*

Land [lant] *nt* <-(e)s, Länder> ❶ (*Staat*) país *m*; **~ und Leute kennen lernen** conocer gente y costumbres; **aus aller Herren Länder** de todas las partes del mundo; **hier zu ~e** en este país ❷ (*Bundesland*) land *m*; **das ~ Hessen** el estado federado de Hesse ❸ *ohne pl* (*Festland*) tierra *f*; **an ~ gehen** desembarcar ❹ *ohne pl* (*dörf-*

L

liche Gegend) campo *m*; **auf dem ~ wohnen** vivir en el campo 5 *ohne pl* (*Ackerboden*) terreno *m*; **das ~ bestellen** cultivar la tierra; **Landbevölkerung** *f* población *f* rural

Landebahn *f* pista *f* de aterrizaje

landeinwärts [-'--] *adv* tierra adentro

landen ['landən] *vi sein* (*Flugzeug*) aterrizar; **im Gefängnis ~** (*fam*) acabar en la cárcel

Landeplatz *m* AERO pista *f* de aterrizaje; NAUT embarcadero *m*

Landesinnere(**s**) *nt* interior *m* del país; **Landesregierung** *f* gobierno *m* de un land; **Landessprache** *f* idioma *m* nacional; **Landeswährung** *f* moneda *f* nacional

Landhaus *nt* casa *f* de campo; **Landkarte** *f* mapa *m*; **Landkreis** *m* distrito *m* administrativo

landläufig *adj* (*allgemein*) general; (*allgemein verbreitet*) común; (*gängig*) corriente

ländlich ['lɛntlɪç] *adj* rural

Landluft *f ohne pl* aire *m* del campo

Landschaft *f* <-en> paisaje *m*

Landsmann, -männin *m, f* <-(e)s, -leute; -nen> compatriota *mf*

Landstraße *f* carretera *f* nacional; **Landstreicher**(**in**) *m(f)* <-s, -; -nen> vagabundo, -a *m, f*; **Landtag** *m* parlamento *m* de un land

Landung ['landʊŋ] *f* <-en> (*Flugzeug*) aterrizaje *m*

Landwirt(**in**) *m(f)* agricultor(a) *m(f)*; **Landwirtschaft** *f* agricultura *f*; **landwirtschaftlich** *adj* agrícola

lang [laŋ] <länger, am längsten> **I.** *adj* largo; **2 Meter ~** 2 metros de largo; **gleich ~** igual de largo; **seit ~em** desde hace mucho (tiempo); **~ und breit** detalladamente; **ohne ~es Nachdenken** sin pensarlo mucho **II.** *adv*: **einen Augenblick ~** durante un momento

langärm(**e**)**lig** ['-ʔɛrm(ə)lɪç] *adj* de manga larga

lange ['laŋə] <länger, am längsten> *adv* mucho tiempo; **wie ~ bist du schon hier?** ¿cuánto tiempo hace ya que estás aquí?; **das ist schon ~ her** ya hace mucho tiempo; **~ brauchen** (**um zu**) tardar mucho (en); **so ~ bis ...** hasta que... *+subj*

Länge ['lɛŋə] *f* <-n> (*räumlich*) longitud *f*; (*von Kleidung*) largo *m*; (*zeitlich*) duración *f*; **sich in die ~ ziehen** tardar mucho tiempo

langen ['laŋən] *vi* (*fam: ausreichen*) bastar; (*hineinlangen*) meter la mano (**in** en); **jetzt langt's aber!** ¡basta ya!; **jdm eine ~** pegar una bofetada a alguien

Längengrad *m* grado *m* de longitud; **Längenmaß** *nt* medida *f* de longitud

Langeweile ['laŋəvaɪlə] *f* aburrimiento *m*

langfristig *adj* a largo plazo

langgestreckt *adj s.* **strecken**

langjährig *adj* de muchos años

langlebig *adj* (*Material*) duradero

länglich ['lɛŋlɪç] *adj* alargado

längs [lɛŋs] *präp +gen adv* a lo largo (de)

langsam ['laŋza:m] **I.** *adj* lento; (*allmählich*) paulatino **II.** *adv* despacio; (*allmählich*) poco a poco; **es wird ~ Zeit** ya va siendo hora; **~ reicht es mir** (*fam*) me estoy hartando

Langschläfer(**in**) *m(f)* <-s, -; -nen> dormilón, -ona *m, f*

Langspielplatte *f* elepé *m*

längst [lɛŋst] *adv* (*zeitlich*) hace tiempo; **und das ist noch ~ nicht alles** y esto no es todo, ni mucho menos

langweilen ['laŋvaɪlən] *vt, vr:* **sich ~** aburrir(se)

langweilig *adj* aburrido

langwierig ['laŋvi:rɪç] *adj* largo; (*mühselig*) arduo

Langzeitarbeitslose(**r**) *mf* parado, -a *m, f* (durante largo tiempo)

Lappalie [la'pa:liə] *f* <-n> bagatela *f*

Lappen ['lapən] *m* <-s, -> trapo *m*; **etw**

geht jdm durch die ~ (*fam*) algo se le escapa a alguien de las manos

läppisch ['lɛpɪʃ] *adj* (*abw: gering*) insignificante

Lappland ['laplant] *nt* <-s> Laponia *f*

Laptop ['lɛptɔp] *m* <-s, -s> ordenador *m* portátil

Lärche ['lɛrçə] *f* <-n> alerce *m*

Lärm [lɛrm] *m* <-(e)s, *ohne pl*> ruido *m*

lärmen ['lɛrmən] *vi* hacer ruido

Larve ['larfə] *f* <-n> larva *f*

las [la:s] *3. imp von* **lesen**

lasch [laʃ] *adj* (*schlaff*) flojo; (*fade*) soso

Lasche ['laʃə] *f* <-n> (*am Schuh*) lengüeta *f*; (*an Taschen*) presilla *f*; (*an Dosen*) anillo *m*

Laser ['le:zɐ, 'lɛɪzɐ] *m* <-s, -> láser *m*; **Laserdrucker** *m* impresora *f* láser

lassen[1] ['lasən] <lässt, ließ, gelassen> *vt* dejar; **lass mich (in Ruhe)!** ¡déjame (en paz)!; **lass mich mal vorbei** déjame pasar; **er kann es einfach nicht** ~ siempre está con lo mismo; **jdm Zeit** ~ dar tiempo a alguien; **jdm seinen Willen** ~ respetar la voluntad de alguien; **offen** ~ (*Tür, Fenster*) dejar abierto; **wir sollten nichts unversucht** ~ tenemos que agotar todas las posibilidades

lassen[2] <lässt, ließ, lassen> *vt mit einem Infinitiv* dejar; **lass dir das gesagt sein!** ¡date por advertido!; ~ **Sie mich bitte ausreden** déjeme acabar de hablar; **jdn laufen** ~ (*fam*) soltar a alguien; **sich** *dat* **einen Bart stehen** ~ dejarse crecer la barba; **sich** *dat* **die Haare schneiden** ~ (ir a) cortarse el pelo; **etw sein** ~ dejar algo; **etw liegen** ~ (*nicht wegnehmen*) dejar algo; (*vergessen*) olvidar algo; (*unerledigt lassen*) interrumpir algo; **stecken** ~ no sacar; (*Schlüssel*) dejar puesto; **stehen** ~ (*nicht wegnehmen, vergessen*) dejar; (*nicht zerstören*) conservar; (*Essen*) dejar en el plato; (*sich abwenden*) dejar plantado; **das Frühstück stehen** ~ no tocar el desayuno; **lass uns gehen!** ¡vámonos!; **lass es dir gut gehen** que te vaya bien; **das lässt sich nicht vermeiden** esto no se puede evitar; **ich will sehen, was sich tun lässt** voy a ver qué es lo que podemos hacer

lässig ['lɛsɪç] *adj* desenfadado; (*fam: leicht*) fácil

lässt[RR] [lɛst] *3. präs von* **lassen**

Last [last] *f* <-en> carga *f*; (*Gewicht*) peso *m*; **jdm zur** ~ **fallen** ser una carga para alguien

lasten ['lastən] *vi* pesar (**auf** sobre)

Laster[1] *m* <-s, -> (*fam*) camión *m*

Laster[2] *nt* <-s, -> vicio *m*

lästern ['lɛstɐn] *vi* (*abw*): **über jdn** ~ poner verde a alguien

lästig ['lɛstɪç] *adj* molesto; **jdm** ~ **sein** molestar a alguien

Lasttier *nt* bestia *f* de carga; **Lastwagen** *m* camión *m*

Latein [la'taɪn] *nt* <-s, *ohne pl*> latín *m*; **mit seinem** ~ **am Ende sein** no saber cómo continuar; **Lateinamerika** [---'---] *nt* Latinoamérica *f*; **Lateinamerikaner(in)** [-----'--] *m(f)* latinoamericano, -a *m, f*; **lateinamerikanisch** [-----'--] *adj* latinoamericano

lateinisch [la'taɪnɪʃ] *adj* latino

Laterne [la'tɛrnə] *f* <-n> linterna *f*; (*Straßenlaterne*) farola *f*

latschen ['la:tʃən] *vi sein* (*fam*) ❶ (*gehen*) andar; (*zu Fuß gehen*) ir a pie ❷ (*schlurfen*) arrastrar los pies ❸ (*rücksichtslos trampeln*) pisotear (**über**)

Latte ['latə] *f* <-n> (*Brett*) tabla *f*; **Lattenzaun** *m* empalizada *f*

Latz [lats] *m* <-es, Lätze> (*Lätzchen*) babero *m*; (*an Kleidung*) peto *m*; **Latzhose** *f* pantalón *m* de peto

lau [laʊ] *adj* tibio

Laub [laʊp] *nt* <-(e)s, *ohne pl*> follaje *m*; **Laubbaum** *m* árbol *m* de hoja caduca

Laube ['laʊbə] *f* <-n> cenador *m*

Laubwald *m* bosque *m* caducifolio

Lauch [laʊx] *m* <-(e)s, -e> puerro *m*

Lauer ['laʊɐ] *f*: **auf der ~ liegen** (*fam*) estar al acecho

lauern ['laʊɐn] *vi* (*fam*) acechar (**auf** a)

Lauf [laʊf] *m* <-(e)s, Läufe> ❶ SPORT carrera *f* ❷ *ohne pl* (*Verlauf*) (trans)curso *m*; **im ~e eines Gesprächs** en el transcurso de una conversación; **seiner Fantasie freien ~ lassen** dar rienda suelta a su fantasía; **Laufbahn** *f* (*beruflich*) carrera *f* (profesional)

laufen ['laʊfən] <läuft, lief, gelaufen> **I.** *vi sein* ❶ (*rennen, fließen*) correr; **der Wasserhahn läuft** el grifo está abierto ❷ (*fam: gehen*) andar; **jdm über den Weg ~** cruzarse con alguien ❸ (*in Betrieb sein*) funcionar; (*Motor*) estar en marcha; **das Radio lief** la radio estaba puesta ❹ FILM estar en cartelera ❺ (*verlaufen*) correr; (*Fluss, Weg*) ir; **es läuft mir eiskalt über den Rücken** me dan escalofríos **II.** *vt sein*: **einen Umweg ~** dar un rodeo

laufend I. *adj* corriente; **am ~en Band** sin interrupción **II.** *adv* (*ständig*) continuamente; **auf dem Laufenden sein** estar al día

laufen|lassen* *irr vt s.* **lassen**[2]

Läufer[1] *m* <-s, -> (*Teppich*) alfombra *f*

Läufer(in)[2] ['lɔɪfɐ] *m(f)* <-s, -; -nen> SPORT corredor(a) *m(f)*

läuft [lɔɪft] *3. präs von* **laufen**

Laufwerk *nt* unidad *f*

Lauge ['laʊgə] *f* <-n> lejía *f*

Laune ['laʊnə] *f* <-n> (*Einfall*) capricho *m*; (*Stimmung*) humor *m*; **aus einer ~ heraus** por puro capricho; **schlechte ~ haben** estar de mal humor; **jdn bei ~ halten** seguirle el humor a alguien; **seine ~n an jdm auslassen** descargar su mal humor en alguien

launisch *adj* (*abw*) caprichoso

Laus [laʊs] *f* <Läuse> piojo *m*; **ihm ist eine ~ über die Leber gelaufen** (*fam*) le ha picado una mosca

lauschen ['laʊʃən] *vi* escuchar atentamente; (*heimlich*) estar a la escucha

lauschig *adj* acogedor

lausig *adj* (*fam*) miserable; **~ spielen** jugar miserablemente; **eine ~e Kälte** un frío tremendo

laut [laʊt] **I.** *adj* alto; (*lautstark*) fuerte; (*lärmerfüllt*) ruidoso; **das Radio ~er stellen** poner la radio más alta; **~ lesen** leer en voz alta; **es wurden Beschwerden ~** hubo quejas **II.** *präp +gen/dat* según

Laut [laʊt] *m* <-(e)s, -e> sonido *m*; **keinen ~ von sich** *dat* **geben** no decir ni pío

lauten ['laʊtən] *vi* decir; **gleich ~d** (*im Klang*) homófono; (*im Wortlaut*) idéntico; **der Pass lautet auf den Namen ...** el pasaporte está expedido a nombre de...

läuten ['lɔɪtən] **I.** *vi* (*an der Tür*) tocar (el timbre); (*Telefon, Glocke*) sonar; **es hat geläutet** llaman (a la puerta) **II.** *vt* (*Glocken*) tocar

lauter ['laʊtɐ] *adj* ❶ (*geh: Mensch*) sincero ❷ *inv* (*nur*) sólo; (*viel(e)*) mucho(s); **vor ~ Kummer** de tanta pena

lauthals ['--] *adv* a grito pelado

lautlos I. *adj* silencioso **II.** *adv* sin ruido

Lautschrift *f* transcripción *f* fonética; **Lautsprecher** *m* altavoz *m*, altoparlante *m* ; **lautstark** ['--] *adj* fuerte; (*heftig*) enérgico; **Lautstärke** *f* volumen *m*; **bei voller ~** a todo volumen

lauwarm ['-'-] *adj* tibio

Lava ['la:va] *f* <Laven> lava *f*

Lavendel [la'vɛndəl] *m* <-s, -> lavanda *f*

Lawine [la'vi:nə] *f* <-n> avalancha *f*

Layout [lɛɪ'ʔaʊt] *nt* <-s, -s>, **Lay-out**[RR] *nt* <-s, -s> composición *f*

Lazarett [latsa'rɛt] *nt* <-(e)s, -e> hospital *m* militar

leasen ['li:zən] *vt* alquilar con opción de compra; **ein geleastes Auto** un coche adquirido por leasing

Leasing ['li:zɪŋ] *nt* <-s, -s> leasing *m*

leben ['le:bən] *vi, vt* vivir; **bei jdm ~** vivir en casa de alguien; **er hat nicht mehr lange zu ~** no le queda mucho tiempo de vida; **genug zum Leben**

haben tener suficiente para vivir; **leb wohl!** ¡que te vaya bien!; **es lebe ...!** ¡viva...!; **damit kann ich ~** me las puedo apañar con eso; **damit muss ich ~** tengo que aceptarlo

Leben *nt* <-s, -> vida *f*; (*Existenz*) existencia *f*; (*Bewegtheit*) movimiento *m*; **etw ins ~ rufen** dar vida a algo; **am ~ sein** estar con vida; **es geht um ~ und Tod** es un asunto de vida o muerte; **ums ~ kommen** morir; **mit dem ~ davonkommen** escapar con vida; **sich** *dat* **das ~ nehmen** quitarse la vida; **~ in etw bringen** animar algo

lebendig [le'bɛndɪç] *adj* vivo; (*lebhaft*) lleno de vida

Lebensaufgabe *f* tarea *f* de toda una vida; **sich** *dat* **etw zur ~ machen** dedicar su vida a algo; **Lebensbedingungen** *f pl* condiciones *fpl* de vida; **lebensbedrohend** *adj* muy peligroso; **Lebensdauer** *f* (*Mensch*) vida *f*; (*Material*) durabilidad *f*; **Lebensende** *nt* <-s, *ohne pl*> término *m* de la vida; **bis an mein ~** hasta el fin de mis días; **Lebenserwartung** *f ohne pl* vida *f* media; **lebensfähig** *adj* viable; **Lebensfreude** *f* <-n> alegría *f* de vivir; **Lebensgefahr** *f ohne pl* peligro *m* de muerte; **in ~ schweben** estar entre la vida y la muerte; **außer ~ sein** estar fuera de peligro; **lebensgefährlich** *adj* muy peligroso; (*Verletzung*) mortal; **~ verletzt sein** estar seriamente herido; **Lebensgefährte, Lebensgefährtin** *m, f* compañero, -a *m, f* de vida

Lebenshaltungskosten *pl* coste *m* de la vida

Lebensjahr *nt* año *m* (de vida); **im zwanzigsten ~** a los veinte años de edad; **mit vollendetem 18. ~** con dieciocho años cumplidos; **Lebenslage** *f* situación *f* de la vida; **in jeder ~** en todas las situaciones de la vida; **lebenslänglich** *adj* perpetuo; **Lebenslauf** *m* currículum *m* vitae; **lebenslustig** *adj* vivo; **Lebensmittel** *nt pl* alimentos *mpl*; **lebensmüde** *adj* cansado de la vida; **du bist wohl ~!** (*fam*) ¿pero es que quieres matarte?; **Lebensraum** *m* espacio *m* vital; **Lebensstandard** *m* nivel *m* de vida; **Lebensunterhalt** *m* sustento *m*; **seinen ~ verdienen** ganarse la vida; **Lebensversicherung** *f* seguro *m* de vida; **Lebenswandel** *m* (modo *m* de) vida *f*; **einen zweifelhaften ~ führen** llevar una vida sospechosa; **Lebensweg** *m* vida *f*; **jdm alles Gute für den weiteren ~ wünschen** desear a alguien lo mejor para el futuro; **lebenswichtig** *adj* vital; **Lebenszeichen** *nt* señal *f* de vida; **(k)ein ~ (von sich** *dat*) **geben** (no) dar señales de vida

Leber ['le:bɐ] *f* <-n> hígado *m*; **Leberfleck** *m* lunar *m*; **Leberwurst** *f* paté *m* de hígado; **die beleidigte ~ spielen** (*fam*) dárselas de ofendido

Lebewesen *nt* ser *m* vivo

lebhaft *adj* (*Augen*) vivaz; (*Unterhaltung*) animado; (*Interesse*) vivo; (*Verkehr*) intenso; **leblos** *adj* sin vida; **Lebzeiten** *pl*: **zu jds ~** en vida de alguien

lechzen ['lɛçtsən] *vi* (*geh*) ansiar (**nach**)

Leck [lɛk] *nt* <-(e)s, -e> vía *f* de agua

lecken ['lɛkən] **I.** *vi* (*Gefäß*) perder agua; (*Schiff*) hacer agua **II.** *vt* lamer; **sich** *dat* **die Finger nach etw ~** (*fam*) chuparse los dedos por algo

lecker ['lɛkɐ] *adj* rico; **Leckerbissen** *m* exquisitez *f*

Leder ['le:dɐ] *nt* <-s, -> cuero *m*

ledig ['le:dɪç] *adj* (*unverheiratet*) soltero

lediglich ['le:dɪklɪç] *adv* sólo

leer [le:ɐ] *adj* vacío; (*unbeschrieben*) en blanco; (*nichts sagend*) vano; **den Teller ~ essen** vaciar el plato; **mit ~em Magen** en ayunas

Leere ['le:rə] *f* vacío *m*; **es herrschte gähnende ~** no había ni un alma

leeren ['le:rən] **I.** *vt* vaciar; (*Glas*) apurar; (*Briefkasten*) recoger las cartas **II.** *vr*: **sich ~** vaciarse

Leergut *nt* <-(e)s, *ohne pl*> envase *m* retornable; **Leertaste** *f* espaciador *m*

Leerung *f* <-en> vaciado *m*; (*von Briefkästen*) recogida *f*

legal [le'ga:l] *adj* legal

legalisieren* [legali'zi:rən] *vt* legalizar

Legalität [legali'tɛ:t] *f* legalidad *f*; **außerhalb der ~ liegen** estar al margen de la legalidad

legen ['le:gən] **I.** *vt* poner; (*hinlegen*) colocar; (*Leitungen*) instalar; (*Eier*) poner; **er legte ihm den Arm um die Schultern** le echó el brazo por encima del hombro **II.** *vr:* **sich ~** ❶ (*sich hinlegen*) tenderse; **sich ins Bett ~** acostarse; **sich auf den Bauch/den Rücken ~** ponerse boca abajo/boca arriba ❷ (*Lärm, Kälte*) disminuir; (*Zorn, Begeisterung*) amainar; (*Sturm*) calmarse

legendär [legɛn'dɛ:ɐ] *adj* legendario

Legende [le'gɛndə] *f* <-n> leyenda *f*

leger [le'ʒe:ɐ] *adj* desenvuelto

Legislative [legɪsla'ti:və] *f* <-n> (*gesetzgebende Gewalt*) poder *m* legislativo; (*Versammlung*) asamblea *f* legislativa

Legislaturperiode [legɪsla'tu:ɐ-] *f* legislatura *f*

legitim [legi'ti:m] *adj* legítimo

legitimieren* [legiti'mi:rən] **I.** *vt* (*legitim erklären*) legitimar **II.** *vr:* **sich ~** identificarse

Lehm [le:m] *m* <-(e)s, -e> barro *m*

Lehne ['le:nə] *f* <-n> apoyo *m*; (*Armlehne*) brazo *m*; (*Rückenlehne*) respaldo *m*

lehnen ['le:nən] **I.** *vi* estar apoyado (**an** en) **II.** *vt, vr:* **sich ~** apoyar(se) (**an/gegen** en); **sich aus dem Fenster ~** asomarse por la ventana

Lehramt ['le:ɐ-] *nt* docencia *f*; **auf ~ studieren** estudiar para ser profesor de enseñanza media; **Lehrbuch** *nt* libro *m* de texto

Lehre ['le:rə] *f* <-n> (*Ideologie*) doctrina *f*; (*Theorie*) teoría *f*; (*Ausbildung*) aprendizaje *m*; **in der ~ sein** estar de aprendiz; **eine ~ aus etw ziehen** sacar una conclusión de algo

lehren ['le:rən] *vt* enseñar; **jdn etw ~** instruir a alguien en algo

Lehrer(in) *m(f)* <-s, -; -nen> profesor(a) *m(f)*

Lehrfach *nt* asignatura *f*; **Lehrgang** *m* curso *m*; **er ist auf einem ~** está haciendo un cursillo

Lehrling *m* <-s, -e> aprendiz(a) *m(f)*

Lehrplan *m* plan *m* de estudios; **lehrreich** *adj* instructivo; **Lehrstelle** *f* puesto *m* de aprendiz; **Lehrstuhl** *m* cátedra *f* (**für** *+akk* de)

Leib [laɪp] *m* <-(e)s, -er> (*geh: Körper*) cuerpo *m*; (*Bauch*) vientre *m*; **etw am eigenen ~e erfahren** vivir algo en su propia piel; **mit ~ und Seele** con apasionamiento; **sich** *dat* **jdn vom ~e halten** (*fam*) mantener a alguien a distancia

leibhaftig [-'--] *adj* en persona

leiblich *adj* (*körperlich*) corporal; (*blutsverwandt*) carnal; **das ~e Wohl** el bienestar físico

Leibwächter(in) *m(f)* guardaespaldas *mf inv*

Leiche ['laɪçə] *f* <-n> cadáver *m*; **er geht über ~n** (*abw*) no tiene escrúpulos; **Leichenhalle** *f* depósito *m* de cadáveres; **Leichenwagen** *m* coche *m* fúnebre

Leichnam ['laɪçna:m] *m* <-s, -e> (*geh*) cadáver *m*

leicht [laɪçt] **I.** *adj* (*an Gewicht*) ligero; (*unkompliziert*) fácil; (*schwach*) leve; **~e Kost** comida ligera; **etw ~en Herzens tun** hacer algo a la ligera; **ein ~er Regen** una lluvia fina **II.** *adv* (*schnell*) con facilidad; **~ zerbrechlich** muy frágil; **~ zu bedienen** de fácil manejo; **sich** *dat* **etw zu ~ machen** tomarse algo a la ligera; **das ist ~er gesagt als getan** eso se dice pronto; **~ erkältet** levemente acatarrado; **Leichtathletik** *f* atletismo *m*; **leicht|fallen** *irr vi sein*: **das fällt ihm leicht** esto le resulta fácil; **leichtfertig** *adj* (*gedankenlos*) temerario; (*unüberlegt*) irreflexivo; **etw ~ aufs Spiel setzen** poner algo en juego sin pensar; **leichtgläubig** *adj* crédulo; **leicht|nehmen** *irr vt* tomar algo a la ligera; **Leichtsinn** *m* <-(e)s, *ohne pl*> (*Unvorsichtigkeit*) imprudencia *f*; (*Unbesonnenheit*) irreflexión *f*; **leichtsinnig** I. *adj* (*unverantwortlich*) irresponsable; (*sorglos*) despreocupado; (*unklug*) insensato II. *adv* sin cuidado

leid [laɪt] *adv*: **ich bin es ~** (*fam*) estoy harto

Leid [laɪt] *nt* <-(e)s, *ohne pl*> (*Kummer*) pena *f*; (*Unglück*) desgracia *f*; **jdm sein ~ klagen** confiar a alguien sus penas; **jdm ein ~ zufügen** causar daño a alguien

leiden ['laɪdən] <leidet, litt, gelitten> *vi, vt* sufrir (**an** de, **unter** con); **Hunger/Not ~** pasar hambre/vivir en la miseria; **ich kann sie nicht ~** no me cae bien; **er kann es nicht ~, wenn ...** no le gusta que... +*subj*

Leidenschaft *f* <-en> pasión *f* (**für** por)

leidenschaftlich I. *adj* apasionado II. *adv* con pasión; **~ gern Fahrrad fahren** ser un ciclista apasionado

leider ['laɪdɐ] *adv* por desgracia; **ich kann ~ nicht kommen** desgraciadamente no puedo ir

Leidtragende(r) *mf* <-n, -n; -n> perjudicado, -a *m, f*; (*Opfer*) víctima *f*

leid|tun *vt:* **es tut mir leid, dass ...** siento que... +*subj*; **er tut mir leid** me da pena

Leier ['laɪɐ] *f* <-n> MUS lira *f*; (*abw: Klage*) cantinela *f*; **es ist immer die alte ~** (*fam*) es siempre la misma canción

leihen ['laɪən] <leiht, lieh, geliehen> *vt* (*ausleihen*) prestar; (*entleihen*) tomar prestado

Leihgebühr *f* alquiler *m*, flete *m* ; **Leihwagen** *m* coche *m* de alquiler; **leihweise** *adv* como préstamo

Leim [laɪm] *m* <-(e)s, -e> cola *f*

leimen *vt* (*kleben*) encolar; (*fam: hereinlegen*) engañar

Leine ['laɪnə] *f* <-n> cuerda *f*; (*Wäscheleine*) cuerda *f* de tender; (*Hundeleine*) correa *f*; **zieh ~!** (*fam*) ¡lárgate!

Leinen *nt* <-s, -> (*Gewebe*) lino *m*

Leinsamen *m* linaza *f*; **Leinwand** *f* (*zum Malen*) lienzo *m*; FILM pantalla *f*

leise ['laɪzə] I. *adj* (*still*) silencioso; (*Stimme*) bajo; (*Geräusch*) ligero; (*in Andeutungen*) vago; **nicht die ~ste Ahnung haben** no tener ni la más remota idea II. *adv* (*still*) sin (hacer) ruido; **das Radio ~r stellen** bajar la radio

Leiste ['laɪstə] *f* <-n> (*Randleiste*) filete *m*; (*Fußleiste*) zócalo *m*; (*Zierleiste*) listel *m*; ANAT ingle *f*

leisten ['laɪstən] *vt* (*schaffen*) hacer; (*Hilfe*) prestar; (*fam: sich gönnen*) comprar(se); **gute Arbeit ~** hacer un buen trabajo; **jdm Gesellschaft ~** hacer compañía a alguien; **sich** *dat* **etw ~ können** poder permitirse algo

Leistung *f* <-en> (*Geleistetes*) rendimiento *m*; (*Arbeit*) trabajo *m*; (*von Maschine*) prestación *f*; (*von Motor*) potencia *f*; (*Betrag*) contribución *f*; **eine große ~ vollbringen** conseguir un resultado excelente; **leistungsfähig** *adj* productivo; (*tüchtig*) eficiente; (*Motor*) potente; **Leistungssport** *m* deporte *m* de competición; **leistungsstark** *adj* potente

leiten ['laɪtən] *vt* (*verantwortlich leiten*) dirigir; (*Diskussion*) moderar; (*führen*) llevar; TECH, PHYS conducir; **etw in die Wege ~** iniciar los trámites de algo

leitend *adj* ❶ (*führend*) dirigente; **~er Angestellter** miembro de la directiva; **der ~e Gedanke** la idea central ❷ PHYS conductor

Leiter[1] *f* <-n> escalera *f*

Leiter(in)[2] ['laɪtɐ] *m(f)* <-s, -; -nen> director(a) *m(f)*

Leitfaden *m* manual *m*; **Leitplanke** *f* valla *f* protectora

Leitung *f* <-en> (*Rohrleitung*) tuberías *fpl*; (*Wasserleitung*) cañerías *fpl*; ELEK, TEL línea *f*; (*Kabel*) cable *m*; **eine lange ~ haben** (*fam*) tener malas entendederas; **unter der ~ von ...** bajo la dirección de...; **Leitungsrohr** *nt* tubo *m*; **Leitungswasser** *nt* <-s, *ohne pl*> agua *f* del grifo

Lektion [lɛk'tsjo:n] *f* <-en> lección *f*; **jdm eine ~ erteilen** dar una lección a alguien

Lektüre [lɛk'ty:rə] *f* lectura *f*

Lende ['lɛndə] *f* <-n> ANAT región *f* lumbar; (*beim Schlachtvieh*) lomo *m*

lenken ['lɛŋkən] *vt* (*Fahrzeug*) conducir, manejar ; (*führen*) dirigir; **ein Gespräch auf ein anderes Thema ~** llevar una conversación por otros derroteros; **die Aufmerksamkeit auf sich ~** dirigir la atención sobre sí mismo; **jds Blicke auf sich ~** atraer las miradas de alguien (sobre sí)

Lenkrad *nt* volante *m*

Lenkung *f* <-en> AUTO dirección *f*

Leopard [leo'part] *m* <-en, -en> leopardo *m*

Lerche ['lɛrçə] *f* <-n> alondra *f*

lernen ['lɛrnən] **I.** *vi* aprender (**aus** de); (*Wissen aneignen*) estudiar **II.** *vt* aprender; **schwimmen ~** aprender a nadar; **etw auswendig ~** aprender algo de memoria

lernfähig *adj* capaz de aprender; **Lernprogramm** *nt* INFOR programa *m* tutor; **Lernprozess**[RR] *m* proceso *m* de aprendizaje

lesbar *adj* legible

Lesbe ['lɛsbə] *f* <-n> lesbiana *f*

lesbisch *adj* lesbio

Lesebuch *nt* libro *m* de lectura

lesen ['le:zən] <liest, las, gelesen> *vi, vt* leer; **Zeitung ~** leer el periódico

Leser(in) *m(f)* <-s, -; -nen> lector(a) *m(f)*; **Leserbrief** *m* carta *f* al director

leserlich *adj* legible

Lesung *f* <-en> *a.* POL lectura *f*

lettisch *adj* letón

Lettland *nt* <-s> Letonia *f*

Letzt [lɛtst] *f*: **zu guter ~** por último

letzte(r, s) *adj* último; **als Letzter fertig werden** terminar el último; **in ~r Zeit** últimamente

letztendlich ['-'--] *adv* a fin de cuentas

letztens ['lɛtstəns] *adv* hace poco

letztlich *adv* por último

Leuchte ['lɔɪçtə] *f* <-n> ❶ (*Lampe*) lámpara *f* ❷ (*fam: kluger Mensch*) lumbrera *f*

leuchten ['lɔɪçtən] *vi* (*Licht geben*) dar luz; (*Lampe*) estar encendido; (*glänzen*) resplandecer; (*strahlen*) brillar

leuchtend *adj* luminoso; (*glänzend*) brillante; (*strahlend*) radiante; **ein ~es Beispiel** un ejemplo magnífico

Leuchtturm *m* faro *m*

leugnen ['lɔɪgnən] *vi, vt* negar

Leute ['lɔɪtə] *pl* gente *f*; **es waren ungefähr 30 ~ da** había unas 30 personas; **etw unter die ~ bringen** (*fam*) divulgar algo; **unter die ~ gehen** tratar con gente; **die kleinen ~** la gente de la calle

Level ['lɛvəl] *m* <-s, -s> (*geh*) rango *m*, nivel *m*

Lexikon ['lɛksikɔn] *nt* <-s, Lexika *o* Lexiken> enciclopedia *f*

Libelle [li'bɛlə] *f* <-n> libélula *f*

liberal [libe'ra:l] *adj* liberal

liberalisieren* [liberali'zi:rən] *vt* liberalizar

Licht [lɪçt] *nt* <-(e)s, -er> luz *f*; **etw ans ~ bringen** sacar algo a la luz; **für etw grünes ~ geben** dar luz verde a algo; **jdn hinters ~ führen** engañar a alguien; **Lichtbild** *nt* foto(grafía) *f*; **Lichtblick** *m* rayo *m* de esperanza

lichten ['lɪçtən] **I.** *vt*: **die Anker ~** levar anclas **II.** *vr*: **sich ~** (*Nebel*) disiparse; (*Bestände*) disminuir; (*Haare*) ralear; **die Reihen ~ sich** las filas se ven diezmadas

lichterloh ['lɪçtɐ'lo:] *adv*: **~ brennen** arder en llamas

Lichtgeschwindigkeit *f* velocidad *f* de la luz; **Lichtjahr** *nt* año *m* luz; **Lichtschalter** *m* interruptor *m* de la luz; **Lichtschutzfaktor** *m* factor *m* de protección solar

Lichtung *f* <-en> calvero *m*

Lid [li:t] *nt* <-(e)s, -er> párpado *m*

lieb [li:p] *adj* (*geliebt*) querido; (*liebenswürdig*) amable; (*artig*) bueno; **jdn ~ haben** tenerle cariño a alguien; **es wäre mir ~, wenn ...** me gustaría que... +*subj*; **am ~sten würde ich ...** lo que más me gustaría...; **den ~en langen Tag** (*fam*) todo el santo día

Liebe ['li:bə] *f* amor *m*; **~ auf den ersten Blick** amor a primera vista

lieben ['li:bən] *vt* amar, querer; **liebenswert** *adj* simpático; (*bezaubernd*) encantador; **liebenswürdig** *adj* amable; (**das ist**) **sehr ~** (**von Ihnen**) (es) muy amable (de su parte)

Liebenswürdigkeit *f* <-en> amabilidad *f*

lieber ['li:bɐ] *adv kompar von* **gern**(**e**): **ich schweige ~** prefiero callarme; **nichts ~ als das!** ¡con muchísimo gusto!

Liebesbrief *m* carta *f* de amor; **Liebesgeschichte** *f* historia *f* de amor; **Liebeskummer** *m* mal *m* de amores; **Liebespaar** *nt* (pareja *f* de) enamorados *mpl*

liebevoll **I.** *adj* cariñoso **II.** *adv* con amor

lieb|haben *irr vt s.* **lieb**

Liebhaber(**in**) *m(f)* <-s, -; -nen> amante *mf*

liebkosen* [li:p'ko:zən] *vt* (*geh*) acariciar

lieblich ['li:plɪç] *adj* (*Duft*) suave; (*Wein*) dulce

Liebling ['li:plɪŋ] *m* <-s, -e> (*Kosewort*) cariño, -a *m, f*; (*bevorzugter Mensch*) favorito, -a *m, f*

lieblos *adj* (*ohne Liebe, Sorgfalt*) poco cariñoso; (*gefühllos*) insensible

liebsten *superl von* **gern**(**e**): **am ~ würde ich hierbleiben** lo que más me gustaría sería quedarme aquí

Liechtenstein ['lɪçtənʃtaɪn] *nt* <-s> Liechtenstein *m*

liechtensteinisch *adj* de Liechtenstein

Lied [li:t] *nt* <-(e)s, -er> canción *f*; **davon kann ich ein ~ singen** (*fam*) lo sé de sobra; **Liederbuch** *nt* cancionero *m*

liederlich ['li:dɐlɪç] *adj* (*unordentlich*) desordenado; (*nachlässig*) descuidado; (*abw: unmoralisch*) licencioso

Liedermacher(**in**) *m(f)* <-s, -; -nen> cantautor(a) *m(f)*

lief [li:f] *3. imp von* **laufen**

Lieferant(**in**) [lifə'rant] *m(f)* <-en, -en; -nen> proveedor(a) *m(f)*

lieferbar *adj* disponible

liefern ['li:fɐn] *vt* entregar; (*beliefern*) suministrar; **für etw Beweise ~** aportar pruebas de algo

Lieferung *f* <-en> entrega *f*; (*das Beliefern*) suministro *m*

Lieferwagen *m* camioneta *f*

Liege ['li:gə] *f* <-n> (*Gartenliege*) tumbona *f*; (*im Liegewagen*) litera *f*

liegen ['li:gən] <liegt, lag, gelegen> *vi haben o sein* ❶ (*Person*) estar acostado; **auf dem Rücken/auf dem Bauch ~** estar boca arriba/boca abajo ❷ (*sich befinden*) estar; **wo liegt Durango?** ¿dónde se encuentra Durango?; **an der Elbe ~** estar a orillas del Elba; **das Zimmer liegt nach Süden** la habitación da al sur; **das liegt auf dem Weg** está de camino; **es lag kein Schnee** no había nieve; **die Preise ~ zwischen 50 und 70 Euro** los precios andan entre 50 y 70 euros ❸ (*zusagen*) gustar; **Englisch liegt mir nicht** el inglés no me va; **es liegt mir viel daran** me importa mucho ❹ (*abhängen*) depender (**an/bei** de); **die Entscheidung liegt bei euch** la decisión es vuestra ❺ (*begründet sein*) ser debido (**an** a); **woran liegt es?** ¿a qué se debe?; **an mir soll's nicht ~** por mí que no quede; **so wie die Dinge ~ ...** en estas circunstancias...;

liegen|bleiben *irr vi sein s.* **bleiben**; **liegen|lassen** *irr vt s.* **lassen**[2]

Liegestuhl *m* tumbona *f*

Liegestütz ['--ʃtʏts] *m* <-es, -e> flexión *f*

lieh [li:] *3. imp von* **leihen**

ließ [li:s] *3. imp von* **lassen**

liest [li:st] *3. präs von* **lesen**

Lift [lɪft] *m* <-(e)s, -e *o* -s> (*Fahrstuhl*) ascensor *m*; (*Skilift*) telesquí *m*; (*Sessellift*) telesilla *m*

Liga ['li:ga] *f* <Ligen> (*pol*) liga *f*; (*sport*) división *f*

Likör [li'kø:ɐ] *m* <-s, -e> licor *m*

lila ['li:la] *adj* lila; (*dunkel*) morado

Lilie ['li:liə] *f* <-n> lirio *m*; (*weiße*) azucena *f*

Liliputaner(in) [lilipu'ta:nɐ] *m(f)* <-s, -; -nen> liliputiense *mf*

Limit ['lɪmɪt] *nt* <-s, -s *o* -e> límite *m*

Limonade [limo'na:də] *f* <-n> limonada *f*

Linde ['lɪndə] *f* <-n> tilo *m*

lindern ['lɪndɐn] *vt* aliviar

Lineal [line'a:l] *nt* <-s, -e> regla *f*

linear [line'a:ɐ] *adj* lineal

Linguistik [lɪŋgu'ɪstɪk] *f* lingüística *f*

Linie ['li:niə] *f* <-n> línea *f*; **in erster ~** en primer lugar; **auf die schlanke ~ achten** guardar la línea; **Linienbus** *m* autobús *m* de línea; **Linienflug** *m* vuelo *m* regular

link [lɪŋk] *adj* (*fam*) engañoso

linke(r, s) *adj* izquierdo; POL de izquierda(s); **auf der ~n Seite** a la izquierda; **~r Hand** a mano izquierda; **zwei ~ Hände haben** (*fam*) ser un manazas

Linke *f* <-n> *a.* POL izquierda *f*; **zu seiner ~n** a su izquierda

linken *vt* (*fam*) engañar

linkisch *adj* (*abw*) torpe

links [lɪŋks] *adv o präp +gen* a la izquierda (de); **nach ~** hacia la izquierda; **von ~ kommen** venir por la izquierda; **sich ~ einordnen** situarse en el carril izquierdo; **etw mit ~ machen** (*fig fam*) hacer algo con los ojos cerrados; **jdn ~ liegen lassen** hacer caso omiso de alguien; **linksextremistisch** *adj* de la extrema izquierda

Linkshänder(in) ['-hɛndɐ] *m(f)* <-s, -; -nen> zurdo, -a *m, f*

linksradikal *adj* extremista de izquierdas

Linse ['lɪnzə] *f* <-n> GASTR lenteja *f*; (*Optik*) lente *m o f*

Lippe ['lɪpə] *f* <-n> labio *m*; **Lippenstift** *m* barra *f* de labios

lispeln ['lɪspəln] *vi* cecear

List [lɪst] *f* <-en> ❶ (*Trick*) artimaña *f* ❷ *ohne pl* (*Wesensart*) astucia *f*; **mit ~ und Tücke** (*fam*) con todas las mañas posibles

Liste ['lɪstə] *f* <-n> lista *f*; **auf einer ~ stehen** figurar en una lista

listig *adj* astuto

Litauen ['lɪtaʊən] *nt* <-s> Lituania *f*

litauisch *adj* lituano

Liter ['li:tɐ, 'lɪtɐ] *m o nt* <-s, -> litro *m*; **zwei ~ Milch** dos litros de leche

literarisch [lɪtə'ra:rɪʃ] *adj* literario

Literatur [lɪtəra'tu:ɐ] *f* <-en> literatura *f*

litt [lɪt] *3. imp von* **leiden**

live [laɪf] *adj inv* (*Sendung*) en directo; (*direkt anwesend*) en vivo; **Liveschaltung** ['laifʃaltʊŋ] *f* TV conexión *f* en directo; **Livesendung**[RR] *f* RADIO, TV (re)transmisión *f* en directo; **Liveübertragung**[RR] *f* <-en> retransmisión *f* en directo

Lizenz [li'tsɛnts] *f* <-en> licencia *f*

Lkw, LKW ['ɛlka:ve:] *m* <-(s), -(s)> *Abk. von* **Lastkraftwagen** camión *m*

Lob [lo:p] *nt* <-(e)s, -e> elogio *m*; **jdm ein ~ aussprechen** elogiar a alguien

loben ['lo:bən] *vt* elogiar; **lobenswert** *adj*, **löblich** ['lø:plɪç] *adj* loable

Loch [lɔx] *nt* <-(e)s, Löcher> agujero *m*; (*Öffnung*) abertura *f*; (*Vertiefung*) hoyo *m*; (*Hohlraum*) hueco *m*; (*fam abw: Wohnung*) cuchitril *m*; **jdm ein ~ in den Bauch fragen** (*fam*) atosigar a alguien a preguntas; **wie ein ~ saufen** (*fam*) beber como un cosaco

lochen *vt* (*Papier*) perforar; (*entwerten*) picar

Locher *m* <-s, -> perforadora *f*

löch(e)rig ['lœç(ə)rɪç] *adj* agujereado

Locke ['lɔkə] *f* <-n> rizo *m*

locken ['lɔkən] **I.** *vt* (*Tier*) llamar; (*anziehen*) atraer; **jdn in eine Falle ~** tender a alguien una trampa **II.** *vr:* **sich ~** (*Haare*) rizarse

locker ['lɔkɐ] *adj* ❶ (*Schraube, Knoten*) flojo; (*wackelnd*) suelto; **~ sitzen** estar flojo ❷ (*Haltung*) relajado; (*Lebenswandel*) libertino; **das mach' ich doch ~** (*fam*) eso lo hago con facilidad; **ein ~es Mundwerk haben** (*fam*) tener mala lengua; **locker\|lassen** *irr vi* (*fam*): **nicht ~** no ceder

lockern ['lɔkɐn] *vt, vr:* **sich ~** (*Schraube, Seil*) aflojar(se); (*Muskeln*) relajar(se)

lockig *adj* rizado

lodern ['lo:dɐn] *vi* arder

Löffel ['lœfəl] *m* <-s, -> (*Esslöffel*) cuchara *f*; (*Löffel voll*) cucharada *f*; **den ~ abgeben** (*fam*) diñarla

log [lo:k] *3. imp von* **lügen**

Loge ['lo:ʒə] *f* <-n> THEAT palco *m*; (*Pförtnerloge*) portería *f*

Logik ['lɔgɪk] *f* lógica *f*

logisch ['lo:gɪʃ] *adj* lógico

logischerweise *adv* como es lógico, lógicamente

Logo ['lo:go] *m o nt* <-s, -s> emblema *m*

Lohn [lo:n] *m* <-(e)s, Löhne> (*Arbeitslohn*) salario *m*; (*Belohnung*) recompensa *f*; **als ~ für ...** en recompensa por...

lohnen ['lo:nən] *vt, vr:* **sich ~** valer la pena

lohnend *adj* que vale la pena; (*einträglich*) rentable

Lohnsteuer *f* impuesto *m* sobre el salario

Lok [lɔk] *f* <-s> locomotora *f*

lokal [lo'ka:l] *adj* local

Lokal [lo'ka:l] *nt* <-(e)s, -e> local *m*; (*Kneipe*) pub *m*; (*Restaurant*) restaurante *m*

Lokomotive [lokomo'ti:və] *f* <-n> locomotora *f*

Lokomotivführer(in) *m(f)* maquinista *mf*

Lolli ['lɔli] *m* <-s, -s> chupa-chups® *m inv*

London ['lɔndɔn] *nt* <-s> Londres *m*

Lorbeer ['lo:ɐbe:ɐ] *m* <-s, -en> laurel *m*; **sich auf seinen ~en ausruhen** (*fam*) dormirse en los laureles

los [lo:s] *adj* (*nicht befestigt*) suelto; (*locker*) flojo; **jdn/etw ~ sein** haberse librado de alguien/algo; **ich bin mein ganzes Geld ~** me he quedado sin blanca; **~ sein** pasar; **was ist ~ mit ihm?** ¿qué le pasa?; **in Granada ist abends viel ~** en Granada hay mucha marcha por la noche

Los [lo:s] *nt* <-es, -e> ❶ (*für Entscheidung*) sorteo *m*; **etw durch das ~ entscheiden** echar algo a suerte(s) ❷ (*Lotterielos*) billete *m* de lotería; **das große ~ ziehen** (*a. fig*) tocar(le) a alguien el gordo ❸ (*geh: Schicksal*) destino *m*; **ein schweres ~** un destino oneroso

los\|binden *irr vt* desatar

löschen ['lœʃən] *vt* (*Licht, Feuer, Durst*) apagar; (*Tonband a.* INFOR) borrar; (*Eintragung*) cancelar

Löschfahrzeug *nt* coche *m* de bomberos

lose ['lo:zə] *adj* (*Knoten*) flojo; (*unverpackt*) a granel; (*stückweise*) por unidad; **~ Blätter** hojas sueltas; **ein ~s Mundwerk haben** (*fam*) tener la lengua larga

Lösegeld *nt* <-(e)s, -er> rescate *m*

losen ['lo:zən] *vi* echar a suerte(s)

lösen ['lø:zən] **I.** *vt* ❶ (*abtrennen*) despegar (**von/aus** de) ❷ (*losmachen*) soltar; (*lockern*) aflojar; (*Schraube*) destornillar; (*Knoten*) deshacer; (*Verspannung*) eliminar; **die Handbremse ~** soltar el freno de mano ❸ (*Aufgabe*) resolver ❹ (*Ehe*) anular; (*Vertrag*) rescindir ❺ (*Fahrkarte*) sacar ❻ (*zergehen lassen*) disolver (**in** en) **II.** *vr:* **sich ~** ❶ (*abgehen*) desprenderse ❷ (*Schraube*) aflojarse; (*Husten*) calmarse ❸ (*sich klären*) resolverse ❹ (*sich frei machen*) liberarse (**aus/von** de); (*sich trennen*) separarse (**von** de); **sie löste sich aus seiner Umarmung** se desprendió de su abrazo ❺ (*zergehen*) disolverse (**in** en)

los|fahren ['lo:s-] *irr vi sein* salir; (*Fahrzeug*) ponerse en marcha; **los|gehen** *irr vi sein* ❶ (*weggehen*) irse; **lass uns endlich ~!** ¡vámonos ya! ❷ (*fam: anfangen*) empezar; **gleich geht's los** enseguida empieza ❸ (*angreifen*) abalanzarse (**auf** sobre); **los|kommen** *irr vi sein* (*fam: wegkommen*) poder irse; (*sich befreien*) librarse (**von** de); (*von Drogen*) desengancharse (**von** de); **los|lassen** *irr vt* soltar; **die Frage lässt mich nicht mehr los** la pregunta no se me quita de la cabeza; **los|legen** *vi* (*fam*) ponerse a hacer algo con ímpetu; **ihr könnt sofort ~!** ¡podéis empezar enseguida!

löslich ['lø:slɪç] *adj* soluble (**in** en)

los|lösen *vt, vr:* **sich ~** desprender(se); **los|machen** I. *vt* (*fam*) soltar II. *vr:* **sich ~** (*fam: von Kette*) soltarse (**von** de); (*von Verpflichtungen*) sustraerse (**von** a); **los|reißen** *irr* I. *vt* arrancar II. *vr:* **sich ~** soltarse; **er konnte sich nicht von dem Anblick ~** no podía apartar la vista; **los|rennen** *irr vi sein* echar a correr (**auf** hacia); **los|sagen** *vr:* **sich ~** renegar (**von** de)

Lösung ['lø:zʊŋ] *f* <-en> (*Ergebnis*) solución *f*; **Lösungsmittel** *nt* disolvente *m*

los|werden *irr vt sein* (*Person*) deshacerse (de); (*Erkältung*) quitarse de encima; **ich werde den Gedanken nicht los, dass ...** no me puedo quitar de la cabeza que... +*subj*

Lot [lo:t] *nt*: **etw wieder ins (rechte) ~ bringen** arreglar algo

löten ['lø:tən] *vt* soldar

Lothringen ['lo:trɪŋən] *nt* <-s> Lorena *f*

Lotion [lo'tsjo:n] *f* <-en> loción *f*

Lotse, Lotsin ['lo:tsə] *m, f* <-n, -n; -nen> controlador(a) *m(f)* aéreo, -a

Lotterie [lɔtə'ri:] *f* <-n> lotería *f*

Lotto ['lɔto] *nt* <-s, -s> lotería *f* primitiva; **ich habe im ~ gewonnen!** ¡me ha tocado la primitiva!; **Lottoschein** *m* billete *m* de la (lotería) primitiva

Löwe *m* <-n, -n> ❶ león *m* ❷ *kein pl* ASTR Leo *m inv*

loyal [lɔɪ'a:l] *adj* leal; **sich ~ verhalten** ser leal

LP [ɛl'pi:] *f* <-(s)> *Abk. von* **Langspielplatte** elepé *m*

Luchs [lʊks] *m* <-es, -e> lince *m*

Lücke ['lʏkə] *f* <-n> (*Loch*) agujero *m*; (*Zwischenraum*) vacío *m*; (*Hohlraum*) hueco *m*; (*Gedächtnislücke*) laguna *f*; **lückenhaft** *adj* (*unvollständig*) incompleto; **lückenlos** *adj* íntegro

lud [lu:t] *3. imp von* **laden**

Luder ['lu:dɐ] *nt* <-s, -> (*fam*) mal bicho *m*

Luft [lʊft] *f* <Lüfte> aire *m*; (**tief**) **~ holen** respirar (hondo); **die ~ anhalten** contener la respiración; **nach ~ schnappen** jadear; **etw in die ~ sprengen** hacer saltar algo por los aires; **vor Freude in die ~ springen** dar saltos de alegría; **das ist völlig aus der ~ gegriffen** es pura invención; **an die (frische) ~ gehen** tomar el aire (fresco); **die ~ aus etw herauslassen** desinflar algo; **es herrscht dicke ~** (*fam*) el ambiente está cargado; **sich in ~ auflösen** (*fam*) desvanecerse en el aire; **jdn wie ~ behandeln** (*fam*) tratar a alguien como si no existiera; **jdn an die (frische) ~ setzen** (*fam*) mandar a alguien a tomar viento; **Luftballon** *m* globo *m*; **luftdicht** *adj* hermético; **Luftdruck** *m* <-(e)s, *ohne pl*> presión *f* atmosférica

lüften ['lʏftən] *vt* (*Kleider*) airear; (*Zimmer*) ventilar; (*Geheimnis*) revelar

Luftfahrt *f ohne pl* aeronáutica *f*; **Luftfeuchtigkeit** *f* humedad *f* del aire

luftig *adj* (*Kleidung*) ligero

Luftmatratze *f* colchoneta *f*; **Luftpost** *f*

correo *m* aéreo; **per ~** por avión; **Luftpumpe** *f* bomba *f* de aire; **Luftröhre** *f* tráquea *f*; **Luftsprung** *m*: **vor Freude einen ~ machen** dar un salto de alegría

Lüftung ['lʏftʊŋ] *f* <-en> ventilación *f*

Luftverschmutzung *f* contaminación *f* del aire; **Luftwaffe** *f* fuerza *f* aérea; **Luftzug** *m* corriente *f* de aire

Lüge ['ly:gə] *f* <-n> mentira *f*

lügen ['ly:gən] <lügt, log, gelogen> *vi* mentir; **er lügt wie gedruckt** (*fam*) miente más que habla

Lügner(in) ['ly:gnɐ] *m(f)* <-s, -; -nen> mentiroso, -a *m, f*

Luke ['lu:kə] *f* <-n> (*Dachluke*) tragaluz *m*

lukrativ [lukra'ti:f] *adj* lucrativo

Lümmel ['lʏməl] *m* <-s, -> (*abw*) sinvergüenza *m*

Lump [lʊmp] *m* <-en, -en> (*abw*) canalla *mf*

lumpen *vi* (*fam*): **sich nicht ~ lassen** no ser cutre

Lumpen ['lʊmpən] *m* <-s, -> harapo *m*

lumpig *adj* miserable; **~e zehn Euro** diez euros de nada

Lunge ['lʊŋə] *f* <-n> pulmón *m*; **Lungenentzündung** *f* pulmonía *f*

Lupe ['lu:pə] *f* <-n> lupa *f*

Lust [lʊst] *f* <Lüste> (*geh*) ① (*sexuelles Verlangen*) deseo *m* ② *ohne pl* (*Verlangen*) gana(s) *f(pl)*; **zu etw ~ haben** tener ganas de algo; **ich habe keine ~** no me apetece ③ *ohne pl* (*Vergnügen*) placer *m*

lüstern ['lʏstɐn] *adj* (*geh*) lascivo

lustig ['lʊstɪç] *adj* (*vergnügt*) alegre; (*belustigend*) divertido; **sich über jdn/etw ~ machen** burlarse de alguien/algo

lustlos *adj* desanimado

lutschen ['lʊtʃən] *vi, vt* chupar

Lutscher *m* <-s, -> piruleta *f*, chupete *m*

Luxemburg ['lʊksəmbʊrk] *nt* <-s> Luxemburgo *m*

Luxemburger, Luxemburgerin ['lʊksəmbʊrgɐ] *m, f* <-s, -; -nen> luxemburgués, -esa *m, f*

luxemburgisch *adj* luxemburgués

luxuriös [lʊksuri'ø:s] *adj* lujoso

Luxus ['lʊksʊs] *m* <-, *ohne pl*> lujo *m*

Luzern [lu'tsɛrn] *nt* <-s> Lucerna *f*

Lymphknoten *m* ganglio *m* linfático

Lyrik ['ly:rɪk] *f* (poesía *f*) lírica *f*

M

M, m [ɛm] *nt* <-, -> M, m *f*

Machart *f* hechura *f*; **machbar** *adj* factible

machen ['maxən] I. *vt* hacer; **ein Foto ~** sacar una foto; **Eindruck ~** causar impresión; **das macht mir Sorge** esto me preocupa; **das lässt sich ~** esto se puede arreglar; **da ist nichts zu ~** no hay remedio; **was ~ Sie beruflich?** ¿cuál es su profesión?; **was macht dein Bruder?** ¿cómo le va a tu hermano?; **jdm das Leben scher ~ machen** complicarle la vida a alguien; **mach's gut!** (*fam*) ¡qué te vaya bien!; **nun mach schon!** (*fam*) ¡date prisa!; **macht nichts!** (*fam*) ¡no importa!; **sich** *dat* **nichts aus etw ~** (*fam*) no interesarle algo a alguien II. *vr:* **sich hübsch ~** ponerse guapo; **sich lächerlich ~** hacer el ridículo; **sich beliebt ~** ganarse las simpatías (**bei** de); **sich verständlich ~** comunicarse; **sich an die Arbeit/auf den Weg ~** ponerse a trabajar/en camino

Macho ['matʃo] *m* <-s, -s> (*fam*) machista *m*

Macht [maxt] *f* <Mächte> ❶ (*Staat*) potencia *f* ❷ *ohne pl* (*Einfluss*) poder *m*; **mit aller ~** con todas las fuerzas; **wir tun alles, was in unserer ~ steht** hacemos todo lo que está a nuestro alcance

Machthaber(in) *m(f)* <-s, -; -nen> gobernante *mf*

mächtig ['mɛçtɪç] *adj* poderoso; (*sehr groß*) enorme

Machtkampf *m* lucha *f* por el poder; **machtlos** *adj* impotente; **~ gegen etw sein** no poder hacer nada contra algo

Macke ['makə] *f* <-n> ❶ (*Fehler*) defecto *m*; (*Beule*) abolladura *f* ❷ (*fam: Tick*) manía *f*; **du hast doch eine ~!** ¡estás chiflado!

Mädchen ['mɛ:tçən] *nt* <-s, -> niña *f*; (*Jugendliche*) chica *f*; **Mädchenname** *m* (*Vorname*) nombre *m* de chica; (*vor der Heirat*) apellido *m* de soltera

Made ['ma:də] *f* <-n> cresa *f*

madig|machen *vt:* **jdm etw ~** (*fam*) quitar(le) a alguien las ganas de algo

Madrid [ma'drɪt] *nt* <-s> Madrid *m*

Madrider(in) [ma'drɪtɐ] *m(f)* <-s, -; -nen> madrileño, -a *m, f*

Mafia ['mafja] *f* <-s> mafia *f*

mag [ma:k] *3. präs von* **mögen**

Magazin [maga'tsi:n] *nt* <-s, -e> (*Lager*) almacén *m*; (*Zeitschrift*) revista *f*

Magdeburg ['makdəbʊrk] *nt* <-s> Magdeburgo *m*

Magen ['ma:gən] *m* <-s, Mägen> estómago *m*; **auf nüchternen ~** en ayunas; **mir knurrt der ~** me crujen las tripas; **Magengeschwür** *nt* úlcera *f* gástrica; **Magenschmerzen** *m pl* dolores *m pl* de estómago; **Magenverstimmung** *f* indigestión *f*

mager ['ma:gɐ] *adj* (*Fleisch*) magro; (*Mensch*) flaco; (*dürftig*) insuficiente; **Magersucht** *f ohne pl* anorexia *f* nerviosa

Magie [ma'gi:] *f* magia *f*

magisch ['ma:gɪʃ] *adj* mágico

Magnet [ma'gne:t] *m* <-en *o* -(e)s, -e(n)> imán *m*

magnetisch *adj* magnético; **eine ~e Anziehungskraft auf jdn ausüben** ejercer un poder irresistible sobre alguien

mähen ['mɛ:ən] *vt* (*Getreide*) segar; (*Rasen*) cortar

Mahl [ma:l] *nt* <-(e)s, Mähler *o* -e> (*geh*) comida *f*

mahlen ['ma:lən] <mahlt, mahlte, gemahlen> *vt* moler

Mahlzeit *f* comida *f*; **~!** ¡que aproveche!

Mähne ['mɛ:nə] *f* <-n> melena *f*; (*fam: bei Menschen*) pelambrera *f*

Mahngebühr *f* gasto *m* de requerimiento; **Mahnmal** *nt* monumento *m* conmemorativo

Mahnung *f* <-en> (*Ermahnung*) requerimiento *m*; (*Mahnschreiben*) recordatorio *m*

Mai [maɪ] *m* <-(e)s, -e> mayo *m*; *s.a.* **März**

Mailbox ['mɛɪlbɔks] *f* buzón *m* (electrónico)

Main [maɪn] *m* <-s> Meno *m*

Mainz [maɪnts] *nt* <-> Maguncia *f*

Mais [maɪs] *m* <-es, -e> maíz *m*; **Maiskolben** *m* <-s, -> mazorca *f*

majestätisch *adj* majestuoso

makaber [ma'ka:bɐ] *adj* macabro

Makel ['ma:kəl] *m* <-s, -> (*geh*) defecto *m*; **makellos** *adj* sin tacha

mäkeln ['mɛ:kəln] *vi* (*abw*) criticar (**an**)

Make-up [mɛɪk'ʔap] *nt* <-s, -s> maquillaje *m*

Makler(in) ['ma:klɐ] *m(f)* <-s, -; -nen> agente *mf* inmobiliario, -a

mal [ma:l] *adv* MATH por; (*fam: ein Mal*) una vez; **noch ~** otra vez; **erst ~** por ahora; **warst du schon ~ hier?** ¿ya has estado aquí antes?; **zwei ~ zwei ist vier** dos por dos son cuatro

Mal[1] [ma:l] *nt* <-(e)s, -e> vez *f*; **nächstes ~** la próxima vez; **das erste ~** la primera vez; **Millionen ~** un millón de veces; **zum letzten ~** por última vez; **ein anderes ~** otra vez; **das eine oder andere ~** una que otra vez; **von ~ zu ~** cada vez; **ein für alle ~** de una vez para siempre

Mal[2] *nt* <-(e)s, -e *o* Mäler> (*Wundmal*) estigma *m*; (*Muttermal*) lunar *m*

Malaria [ma'la:ria] *f* malaria *f*

Malbuch *nt* libro *m* para colorear

malen ['ma:lən] *vt* pintar; **ein Bild ~** hacer un dibujo; **weiß ~** pintar de blanco

Maler(in) *m(f)* <-s, -; -nen> *a.* KUNST pintor(a) *m(f)*

Malerei *f* <-en> (*Kunstgattung*) pintura *f*; (*Gemälde*) cuadro *m*

malerisch *adj* pintoresco

mal|nehmen *irr vt* multiplicar (**mit** por)

Malz [malts] *nt* <-es, *ohne pl*> malta *f*

Mama ['mama] *f* <-s> (*fam*) mamá *f*

Mami ['mami] *f* <-s> (*fam*) mami(ta) *f*

man [man] *pron indef* (*allgemein*) se; (*ich, wir*) uno *m*, una *f*; **das tut ~ nicht** eso no se hace; **~ hat mir gesagt, dass ...** me han dicho que...

Management *nt* <-s, -s> ❶ (*Führungskräfte*) junta *f* directiva ❷ *ohne pl* (*das Leiten*) gestión *f* empresarial

managen ['mɛnɪtʃən] *vt* ❶ (*Personen*) ser el manager (de) ❷ (*fam: bewältigen*) apañar; **das hat er gut gemanagt** lo ha apañado a las mil maravillas

Manager(in) ['mɛnɪtʃɐ, 'mɛnətʃɐ] *m(f)* <-s, -; -nen> manager *mf*

manch *pron indef*: **~ einer** alguno que otro; *s.a.* **manche(r, s)**

manche(r, s) ['mançə, -çɐ, -çəs] **I.** *pron indef* alguno que otro; **so ~s Mal** alguna que otra vez; **in ~m hat er Recht** en algunos puntos tiene razón **II.** *adj* algunos; **~ von uns** algunos de nosotros

mancherlei ['mançɐ'laɪ] *adj inv* diversos

manchmal ['mançma:l] *adv* a veces

Mandarine [manda'ri:nə] *f* <-n> mandarina *f*

Mandel ['mandəl] *f* <-n> MED amígdala *f*; BOT almendra *f*; **gebrannte ~n** almendras garapiñadas; **Mandelentzündung** *f* amigdalitis *f inv*

Manege [ma'ne:ʒə] *f* <-n> pista *f* del circo

Mangel ['maŋəl] *m* <-s, Mängel> ❶ (*Fehler*) defecto *m* ❷ *ohne pl* (*Fehlen*) falta *f* (**an** de); (*Knappheit*) escasez *f* (**an** de); **~ haben an etw** carecer de algo; **Mangelerscheinung** *f* síntoma *m* de deficiencia; **mangelhaft** *adj* deficiente

mangeln ['maŋəln] *vunpers:* **es mangelt ihm an Selbstvertrauen** le falta la confianza en sí mismo

mangels ['maŋəls] *präp +gen/dat* por falta de

Mangelware *f* artículo *m* escaso; **~ sein** escasear

Mangold ['maŋgɔlt] *m* <-(e)s, -e> acelga *f*
Manie [ma'ni:] *f* <-n> manía *f*
Manier [ma'ni:ɐ] *f* <-en> ❶ (*Art*) manera *f* ❷ *pl* (*Benehmen*) modales *mpl*
manierlich [ma'ni:ɐlɪç] *adj* con buenos modales; **sich ~ benehmen** comportarse bien
Manifest [mani'fɛst] *nt* <-(e)s, -e> manifiesto *m*
Maniküre [mani'ky:rə] *f* <-n> manicura *f*
Manipulation [manipula'tsjo:n] *f* <-en> manipulación *f*
manipulieren* [manipu'li:rən] *vt* manipular
Mann [man] *m* <-(e)s, Männer> hombre *m*; (*Ehemann*) marido *m*; **mein geschiedener ~** mi ex-marido; **ein junger ~** un joven; **seinen ~ stehen** cumplir con sus obligaciones; **wenn Not am ~ ist** en caso de necesidad

Männchen ['mɛnçən] *nt* <-s, -> ZOOL macho *m*
Mannequin [manə'kɛ̃:, 'manəkɛ̃] *nt* <-s, -s> maniquí *mf*
mannigfach ['manɪçfax] *adj*, **mannigfaltig** *adj* (*geh*) ❶ (*abwechslungsreich*) diverso ❷ (*vielfach*) múltiple
männlich ['mɛnlɪç] *adj* masculino; ZOOL macho
Männlichkeit *f* virilidad *f*
Mannschaft *f* <-en> SPORT equipo *m*; NAUT, AERO tripulación *f*
Manöver [ma'nø:vɐ] *nt* <-s, -> maniobra *f*
Mantel ['mantəl] *m* <-s, Mäntel> abrigo *m*; TECH revestimiento *m*; (*vom Reifen*) cubierta *f*
manuell [manu'ɛl] **I.** *adj* manual **II.** *adv* con la mano
Mappe ['mapə] *f* <-n> (*Tasche*) portafolios *m inv*; (*Ordner*) carpeta *f*
Märchen ['mɛ:ɐçən] *nt* <-s, -> cuento *m* (de hadas); **märchenhaft** *adj* fabuloso; **Märchenprinz** *m* príncipe *m* azul
Marder ['mardɐ] *m* <-s, -> marta *f*
Margarine [marga'ri:nə] *f* <-n> margarina *f*
Margerite [margə'ri:tə] *f* <-n> margarita *f*
Marienkäfer [ma'ri:ən-] *m* mariquita *f*
Marihuana [marihu'a:na] *nt* <-s, *ohne pl*> marihuana *f*
Marinade [mari'na:də] *f* <-n> escabeche *m*
Marine [ma'ri:nə] *f* <-n> marina *f*
Marionette [marjo'nɛtə] *f* <-n> títere *m*
Mark[1] [mark] *nt* <-(e)s, *ohne pl*> (*Knochenmark*) médula *f*
Mark[2] *f ohne pl* (*Währung* HIST) marco *m*
markant [mar'kant] *adj* (*ausgeprägt*) marcado
Marke ['markə] *f* <-n> marca *f*; (*Briefmarke*) sello *m*; **Markenartikel** *m* artículo *m* de marca
Marketing ['markətɪŋ] *nt* <-s, *ohne pl*> marketing *m*
markieren* [mar'ki:rən] *vt* marcar; **den starken Mann ~** hacerse el fuerte
Markierung *f* <-en> ❶ (*Vorgang*) señalización *f* ❷ (*Zeichen*) marca *f*
Markt [markt] *m* <-(e)s, Märkte> mercado *m*; **auf den ~ gehen** ir al mercado; **Marktfrau** *f* vendedora *f* de mercado; **Marktwirtschaft** *f* economía *f* de mercado
Marmelade [marmə'la:də] *f* <-n> mermelada *f*
Marmor ['marmo:ɐ] *m* <-s, -e> mármol *m*
Marone [ma'ro:nə] *f* <-n> (*Esskastanie*) castaña *f*; (*Pilz*) boleto *m*
Marotte [ma'rɔtə] *f* <-n> manía *f*
Mars [mars] *m* <-> Marte *m*
Marsch [marʃ] *m* <-(e)s, Märsche> marcha *f*
marschieren* [mar'ʃi:rən] *vi sein* marchar
Marsmensch *m* marciano, -a *m, f*
Märtyrer(in) ['mɛrtyrɐ] *m(f)* <-s, -; -nen> mártir *mf*

März [mɛrts] *m* <-(es), -e> marzo *m*; **im (Monat) ~** en (el mes de) marzo; **heute ist der erste ~** (hoy) estamos a primero de marzo; **Berlin, den 10. ~ 1988** Berlín, a diez de marzo de 1988; **am 20. ~** el 20 de marzo; **Anfang/ Ende/Mitte ~** a principios/finales/ mediados de marzo

Marzipan [martsi'pa:n, '---] *nt* <-s, -e> mazapán *m*

Masche ['maʃə] *f* <-n> (*bei Handarbeit*) punto *m*; (*fam: Trick*) truco *m*

Maschine [ma'ʃi:nə] *f* <-n> máquina *f*; (*Flugzeug*) avión *m*; **etw mit der ~ schreiben** escribir algo a máquina

maschinell [maʃi'nɛl] I. *adj* mecánico II. *adv* a máquina

Maschinenbau *m* <-(e)s, *ohne pl*> (*Lehrfach*) ingeniería *f* mecánica; **Maschinenpistole** *f* metralleta *f*

Masern ['ma:zɐn] *pl* sarampión *m*

Maske ['maskə] *f* <-n> máscara *f*; INFOR pantalla *f*

maskieren* [mas'ki:rən] *vt, vr:* **sich ~** enmascarar(se)

Maskottchen [mas'kɔtçən] *nt* <-s, -> mascota *f*

maskulin [masku'li:n] *adj* masculino

masochistisch *adj* masoquista

maß [ma:s] *3. imp von* **messen**

Maß [ma:s] *nt* <-es, -e> medida *f*; (*Ausmaß*) dimensión *f*; **in besonderem ~(e)** especialmente; **in hohem ~e** en alto grado; **über alle ~en** sobremanera; **bei etw ~ halten** ser moderado con algo; **ein gewisses ~ an Vertrauen** cierto grado de confianza; **mit zweierlei ~ messen** medir por distintos raseros

Massage [ma'sa:ʒə] *f* <-n> masaje *m*

Massaker [ma'sa:kɐ] *nt* <-s, -> masacre *f*

Maßband *nt* cinta *f* métrica

Masse ['masə] *f* <-n> masa *f*; (*Menge*) cantidad *f*; (*Menschenmasse*) muchedumbre *f*; **in ~n** a montones

Maßeinheit *f* unidad *f* de medida

Massenarbeitslosigkeit *f* paro *m* masivo; **Massenartikel** *m* artículo *m* de gran consumo; **Massengrab** *nt* fosa *f* común; **massenhaft** *adj* (*fam*) en masa; **Massenkarambolage** *f* colisión *f* múltiple; **Massenmedium** *nt* medio *m* de masas; **Massenmord** *m* asesinato *m* en masa; **Massenproduktion** *f* producción *f* en gran escala; **massenweise** *adv* a montones, en masa

Masseur(in) [ma'sø:ɐ] *m(f)* <-s, -e; -nen> masajista *mf*

maßgebend, **maßgeblich** I. *adj* (*ausschlaggebend*) decisivo II. *adv* de manera decisiva; **maß|halten** *irr vi s.* **Maß**

massieren* [ma'si:rən] *vt* dar un masaje (a)

massig ['masɪç] I. *adj* (*wuchtig*) voluminoso II. *adv* (*fam: viel*) a montones

mäßig ['mɛ:sɪç] *adj* (*gemäßigt*) moderado; (*mittelmäßig*) mediocre

mäßigen ['mɛ:sɪgən] *vt, vr:* **sich ~** moderar(se)

massiv [ma'si:f] *adj* macizo; (*Kritik, Drohung*) masivo

maßlos I. *adj* desmesurado II. *adv* enormemente

Maßnahme *f* <-n> medida *f*; **~n ergreifen** tomar medidas

maßregeln ['---] *vt* (*rügen*) reprender; (*strafen*) castigar; **Maßstab** *m* norma *f*; (*bei Karten*) escala *f*; **maßvoll** *adj* moderado

Mast[1] [mast] *m* <-(e)s, -e(n)> NAUT mástil *m*; (*Telefonmast*) poste *m*; (*Fahnenmast*) asta *f*

Mast[2] *f* <-en> (*von Tieren*) cebadura *f*

mästen ['mɛstən] *vt* cebar

masturbieren* [mastʊr'bi:rən] *vi* masturbarse

Match [mɛtʃ] *nt* <-(e)s, -s *o* -e> partido *m*

Material [materi'a:l] *nt* <-s, -ien> material *m*

materialistisch *adj* materialista

Materie [ma'te:riə] *f* <-n> materia *f*

materiell [materi'ɛl] *adj* (*finanziell*) financiero

Mathematik [matema'ti:k] *f* matemáticas *fpl*

mathematisch [mate'ma:tɪʃ] *adj* matemático

Matratze [ma'tratsə] *f* <-n> colchón *m*

Matrose [ma'tro:zə] *m* <-n, -n> marinero *m*

Matsch [matʃ] *m* <-(e)s, *ohne pl*> (*fam: Schlamm*) lodo *m*

matschig *adj* (*fam: Obst*) pasado; (*Schnee*) medio derretido; (*schlammig*) fangoso

matt [mat] *adj* (*erschöpft*) cansado; (*schwach*) débil; (*glanzlos*) mate; (*Blick*) apagado

Matte ['matə] *f* <-n> (*Strohmatte*) estera *f*

Matura [ma'tu:ra] *f* ÖSTERR, SCHWEIZ ≈bachillerato

Mauer ['maʊɐ] *f* <-n> muro *m*

mauern ['maʊɐn] *vi, vt* construir

Maul [maʊl] *nt* <-(e)s, Mäuler> boca *f*; (*Hund*) hocico *m*; (*Wiederkäuer*, (*a. fam*) morro *m*; **ein großes ~ haben** ser un bocazas; **halt's ~ !** ¡cierra el pico!

maulen ['maʊlen] *vi* (*fam*) estar de morros

Maulkorb *m* bozal *m*; **Maultier** *nt* mulo *m*; **Maulwurf** *m* topo *m*

Maurer(in) ['maʊrɐ] *m(f)* <-s, -; -nen> albañil *mf*

Maus [maʊs] *f* <Mäuse> *a.* INFOR ratón *m*; **Mausefalle** *f* ratonera *f*

Mausklick ['maʊsklɪk] *m* <-s, -s> INFOR click *m* del ratón

Mausoleum [maʊzo'le:ʊm] *nt* <-s, Mausoleen> mausoleo *m*

Maut [maʊt] *f* <-en> peaje *m*; **Mautsystem** *nt* sistema *m* de peaje

Maxima *pl von* **Maximum**

maximal [maksi'ma:l] **I.** *adj* máximo **II.** *adv* como máximo

Maximum ['maksimʊm] *nt* <-s, Maxima> máximo *m* (**an** de)

Mayonnaise [majɔ'nɛ:zə] *f* <-n> mayonesa *f*

Mazedonien [matse'do:niən] *nt* <-s> Macedonia *f*

mazedonisch *adj* macedonio

MB [ɛm'be:] INFOR *Abk. von* **Megabyte** MB

m. E. *Abk. von* **meines Erachtens** en mi opinión

Mechanik [me'ça:nɪk] *f* mecánica *f*

Mechaniker(in) [me'ça:nikɐ] *m(f)* <-s, -; -nen> mecánico, -a *m, f*

mechanisch [me'ça:nɪʃ] *adj* mecánico

Mechanismus [meça'nɪsmʊs] *m* <-, Mechanismen> mecanismo *m*

meckern ['mɛkɐn] *vi* (*Ziege*) balar; (*fam: nörgeln*) criticar (**über**)

Mecklenburg ['mɛklənbʊrk] *nt* <-s> Mecklemburgo *m*; **Mecklenburg-Vorpommern** ['---'fo:ɐpɔmɐn] *nt* <-s> Mecklemburgo-Pomerania *m* occidental

Medaille [me'daljə] *f* <-n> medalla *f*

Medaillon [medal'jõ:] *nt* <-s, -s> *a.* GASTR medallón *m*

Medien ['me:diən] *pl von* **Medium**: **die ~** los medios de comunicación

Medikament [medika'mɛnt] *nt* <-(e)s, -e> medicamento *m*

Meditation [medita'tsjo:n] *f* <-en> meditación *f*

meditieren* [medi'ti:rən] *vi* meditar (**über** sobre)

Medium ['me:diʊm] *nt* <-s, Medien> medio *m*; (*Parapsychologie*) médium *m o f*

Medizin *f* <-en> medicina *f*; (*Medikament*) medicamento *m*

Mediziner(in) [medi'tsi:nɐ] *m(f)* <-s, -; -nen> médico, -a *m, f*; (*Student*) estudiante *mf* de medicina

medizinisch *adj* (*ärztlich*) médico; (*arzneilich*) medicinal

Meer [me:ɐ] *nt* <-(e)s, -e> mar *m*; **am ~** en el mar; **ans ~ fahren** ir al mar; **Meerenge** *f* <-n> estrecho *m*

Meeresfrüchte *f pl* mariscos *mpl*;

Meeresspiegel *m* nivel *m* del mar
Meerrettich *m* rábano *m*
Meeting ['mi:tɪŋ] *nt* <-s, -s> mitin *m*
Megabyte ['me:gabaɪt] *nt* megabyte *m*
Mehl [me:l] *nt* <-(e)s, -e> harina *f*
mehr [me:ɐ] I. *adv o pron indef kompar von* **viel** más (**als** que); (*vor Zahlen*) más (**als** de); (*vor Verben*) más (**als** de lo que); **immer ~** cada vez más; **etwas ~** un poco más; **noch ~** todavía más; **um so ~** tanto más; **viel ~** mucho más II. *adv*: **nicht ~** ya no; **ich habe kein Geld ~** ya no tengo (más) dinero; **nichts ~** nada más; **es war niemand ~ da** ya no había nadie más; **mehrdeutig** ['me:ɐdɔɪtɪç] *adj* ambiguo; (*missverständlich*) equívoco
mehrere ['me:rərə] *pron indef* varios; (*verschiedene*) diferentes; **zu ~n** entre varios; **sie waren zu ~n da** eran varios
mehrfach ['me:ɐfax] I. *adj* múltiple II. *adv* repetidas veces
Mehrfamilienhaus *nt* casa *f* plurifamiliar
Mehrheit *f* <-en> mayoría *f*
mehrheitlich *adj* por mayoría; **der Antrag wurde ~ angenommen** la solicitud fue aceptada con la mayoría de votos
mehrmalig ['me:ɐma:lɪç] *adj* repetido
mehrmals ['me:ɐma:ls] *adv* repetidas veces
mehrsilbig *adj* polisílabo
mehrsprachig *adj* multilingüe
Mehrwegflasche *f* botella *f* retornable; **Mehrwegverpackung** *f* envase *m* retornable
Mehrwertsteuer *f* impuesto *m* sobre el valor añadido
Mehrzahl *f ohne pl* LING plural *m*; (*Mehrheit*) mayoría *f*
meiden ['maɪdən] <meidet, mied, gemieden> *vt* (*geh*) rehuir
Meile ['maɪlə] *f* <-n> legua *f*; NAUT milla *f*; **meilenweit** *adj* a varias leguas de distancia
mein, meine, mein [maɪn, 'maɪnə, maɪn] *pron poss* (*adjektivisch*) mi *sg*, mis *pl*; **~e Damen und Herren!** ¡señoras y señores!
meine(r, s) *pron poss* (*substantivisch*) (el) mío *m*, (la) mía *f*, (los) míos *mpl*, (las) mías *fpl s.a.* **mein, meine, mein**
Meineid *m* <-(e)s, -e> perjurio *m*; **einen ~ schwören** perjurar
meinen ['maɪnən] *vt* (*denken*) pensar; (*sich beziehen auf*) referirse (a); (*sagen*) decir; (*sagen wollen*) querer decir; **was meinst du damit?** ¿qué quieres decir con eso?; **was meinst du dazu?** ¿qué opinas al respecto?; **~ Sie nicht?** ¿no le parece?; **du warst nicht gemeint** no se refería a ti; **gut gemeint** bien intencionado
meiner *pron pers gen von* **ich** de mí
meinerseits *adv* por mi parte; **ganz ~!** ¡el gusto es mío!
meinetwegen ['--'--] *adv* por mí; (*negativ*) por mi culpa
Meinung ['maɪnʊŋ] *f* <-en> opinión *f*; **ich bin anderer ~** no estoy de acuerdo; **jdm (gehörig) die ~ sagen** (*fam*) cantar las cuarenta a alguien; **Meinungsaustausch** *m* intercambio *m* de opiniones; **Meinungsfreiheit** *f ohne pl* libertad *f* de expresión; **Meinungsumfrage** *f* encuesta *f*; **Meinungsverschiedenheit** *f* <-en> (*Streit*) pelea *f*

Meise ['maɪzə] *f* <-n> ZOOL paro *m*; **du hast doch 'ne ~!** (*fam*) ¡estás chiflado!
meist [maɪst] *adv s.* **meistens**
meiste(r, s) ['maɪstə, -tɐ, -təs] *pron indef superl von* **viel**: **die ~n Leute glauben, dass ...** la mayoría de la gente cree que...; **das ~** lo más; **die ~ Zeit** la mayor parte del tiempo; **sie hat das ~ Geld** ella es la que más dinero tiene
meisten *superl von* **viel**: **am ~** (+ *Verb*) lo (que) más; **Hans arbeitet am ~** Hans es el que más trabaja
meistens ['maɪstəns] *adv* la mayoría de las veces
Meister(in) ['maɪstɐ] *m(f)* <-s, -; -nen> maestro, -a *m, f*

meisterhaft **I.** *adj* magistral **II.** *adv* con maestría

meistern ['maɪstɐn] *vt* (*Schwierigkeit*) superar; (*Situation*) controlar

Meisterschaft *f* <-en> SPORT campeonato *m*

Meisterwerk *nt* obra *f* maestra

Melancholie [melaŋko'li:] *f* melancolía *f*

melancholisch [melaŋ'ko:lɪʃ] *adj* melancólico

melden ['mɛldən] **I.** *vt* informar (de); **jdm etw ~** comunicar algo a alguien; **etw bei der Polizei ~** dar parte de algo a la policía; **er ist als vermisst gemeldet** fue dado por desaparecido **II.** *vr:* **sich ~** (*sich zur Verfügung stellen*) presentarse; (*auf eine Anzeige*) responder (**auf** a); (*von sich hören lassen*) dar señales de vida; (*am Telefon*) responder (al teléfono); **sich zu Wort ~** pedir la palabra; **er hat sich nie wieder (bei uns) gemeldet** nunca más supimos nada de él

Meldepflicht *f ohne pl* (*für Dinge*) declaración *f* obligatoria; (*für Personen*) registro *m* obligatorio

Meldung *f* <-en> (*Bericht*) información *f*; (*bei der Polizei*) denuncia *f*; (*Radiomeldung, Fernsehmeldung*) noticia *f*

melken ['mɛlkən] <melkt, melkte, gemelkt *o* gemolken> *vi, vt* ordeñar

Melodie [melo'di:] *f* <-n> melodía *f*

Melone [me'lo:nə] *f* <-n> (*Honigmelone*) melón *m*; (*Wassermelone*) sandía *f*; (*fam: Hut*) (sombrero *m*) hongo *m*

Memoiren [memo'a:rən] *pl* memorias *fpl*

Menge ['mɛŋə] *f* <-n> cantidad *f* (**an** de); (*Menschenmenge*) multitud *f*; **eine ~ lernen** aprender un montón; **Bücher in ~n** montones de libros; **es gab eine ~ zu sehen** había mucho que ver

mengen ['mɛŋən] *vt* mezclar

Mengenrabatt *m* rebaja *f* por cantidad

Meniskus [me'nɪskʊs] *m* <-, Menisken> menisco *m*

Mensa ['mɛnza] *f* <Mensen *o* -s> comedor *m* universitario

Mensch [mɛnʃ] *m* <-en, -en> hombre *m*, ser *m* humano; **kein ~** nadie; **Menschenkenntnis** *f* conocimiento *m* de la naturaleza humana; **menschenleer** ['--'-] *adj* (*Gebiet*) despoblado; (*Straße*) desierto; (*Raum*) vacío; **Menschenmenge** *f* gentío *m*; **menschenmöglich** ['--'--] *adj*: **alles Menschenmögliche tun** hacer todo lo humanamente posible; **Menschenrechte** *nt pl* derechos *m pl* humanos

Menschheit *f* humanidad *f*

menschlich *adj* humano

Mensen *pl von* **Mensa**

Menstruation [mɛnstrua'tsjo:n] *f* <-en> menstruación *f*

mental [mɛn'ta:l] *adj* mental

Mentalität [mɛntali'tɛ:t] *f* <-en> mentalidad *f*

Menü [me'ny:] *nt* <-s, -s> *a.* INFOR menú *m*

Merkblatt *nt* hoja *f* informativa

merken ['mɛrkən] *vt* (*wahrnehmen*) darse cuenta (de); (*spüren*) sentir; **woran hast du das gemerkt?** ¿cómo te has dado cuenta?; **sich** *dat* **etw ~** recordar algo

merklich *adj* (*fühlbar*) perceptible; (*deutlich*) evidente

Merkmal *nt* <-s, -e> característica *f*

merkwürdig *adj* raro; **merkwürdigerweise** ['----'--] *adv* curiosamente

messbar[RR] ['mɛsba:ɐ] *adj* (con)mensurable

Messe ['mɛsə] *f* <-n> REL misa *f*; (*Ausstellung*) feria *f*

messen ['mɛsən] <misst, maß, gemessen> *vt, vr:* **sich ~** medir(se) (**an** en relación con); **mit dem kannst du dich nicht ~** no puedes competir con él

Messer ['mɛsɐ] *nt* <-s, -> cuchillo *m*

Messing ['mɛsɪŋ] *nt* <-s, *ohne pl*> latón *m*

Messung *f* <-en> medición *f*

MESZ [ɛmʔe:ʔɛs'tsɛt] *Abk. von* **mittel-**

europäische Sommerzeit horario *m* de verano para Europa Central
Metall [me'tal] *nt* <-s, -e> metal *m*
Metapher [me'tafɐ] *f* <-n> metáfora *f*
Meteorologie [meteorolo'gi:] *f* meteorología *f*
meteorologisch [meteoro'lo:gɪʃ] *adj* meteorológico
Meter ['me:tɐ] *m o nt* <-s, -> metro *m*; **drei ~ hoch** tres metros de alto; **Metermaß** *nt* (*Stab*) metro *m* plegable; (*Band*) cinta *f* métrica
Methode [me'to:də] *f* <-n> método *m*
methodisch *adj* metódico
Metropole [metro'po:lə] *f* <-n> metrópoli *f*
Metzgerei [mɛtsgə'raɪ] *f* <-en> carnicería *f*
meutern ['mɔɪtɐn] *vi* amotinarse
Mexikaner(in) [mɛksi'ka:nɐ] *m(f)* <-s, -; -nen> mejicano, -a *m, f*, mexicano, -a *m, f*
mexikanisch *adj* mejicano
Mexiko ['mɛksiko] *nt* <-s> Méjico *m*, México *m*
MEZ [ɛmʔe:'tsɛt] *Abk. von* **mitteleuropäische Zeit** hora *f* de Greenwich
mg *Abk. von* **Milligramm** mg
miauen* [mi'aʊən] *vi* maullar
mich [mɪç] **I.** *pron pers akk von* **ich** me; (*betont*) a mí (me); (*mit Präposition*) mí; **rufst du ~ an?** ¿me llamas?; **~ interessiert es nicht** a mí no me interesa **II.** *pron refl akk von* **ich** me; **ich halte ~ da raus** yo no me meto
mick(e)rig ['mɪk(ə)rɪç] *adj* (*fam abw: Sache*) pobre; (*Person*) enclenque
mied [mi:t] *3. imp von* **meiden**
miefen *vi* (*fam abw*) apestar
Miene ['mi:nə] *f* <-n> cara *f*; **gute ~ zum bösen Spiel machen** poner a mal tiempo buena cara
mies [mi:s] *adj* (*fam*) miserable; **mies|machen** *vt:* **etw/jdn ~** hablar mal de algo/alguien; **Miesmuschel** *f* mejillón *m*
Miete ['mi:tə] *f* <-n> alquiler *m*
mieten ['mi:tən] *vt* alquilar
Mieter(in) *m(f)* <-s, -; -nen> inquilino, -a *m, f*
Mietshaus *nt* casa *f* de alquiler
Mietvertrag *m* contrato *m* de alquiler; **Mietwagen** *m* coche *m* de alquiler; **Mietwohnung** *f* piso *m* de alquiler
Migräne [mi'grɛ:nə] *f* jaqueca *f*
Mikro ['mikro] *nt* <-s, -s> micro *m*
Mikrofon [mikro'fo:n] *nt* <-s, -e>, **Mikrophon** [mikro'fo:n] *nt* <-s, -e> micrófono *m*
Mikroprozessor ['-----] *m* microprocesador *m*
Mikroskop [mikro'sko:p] *nt* <-s, -e> microscopio *m*
Mikrowelle ['----] *f* (*Mikrowellenherd*) (horno *m*) microondas *m inv*
Milch [mɪlç] *f* leche *f*; **Milchflasche** *f* (*Babyflasche*) biberón *m*
milchig ['mɪlçɪç] *adj* lechoso
Milchkaffee *m* café *m* con leche; **Milchprodukt** *nt* producto *m* lácteo; **Milchstraße** *f* vía *f* láctea; **Milchzahn** *m* diente *m* de leche

mild(e) [mɪlt, 'mɪldə] *adj* (*Luft, Tabak, Speisen*) suave; (*Klima*) templado; (*nachsichtig*) indulgente; (*gütig*) benigno; (*Strafe*) leve; **eine ~e Gabe** una limosna
mildern ['mɪldɐn] **I.** *vt* (*Zorn*) calmar; (*Schmerz, Wirkung*) atenuar; (*Aufprall*) suavizar; **~de Umstände** circunstancias atenuantes **II.** *vr:* **sich ~** disminuir
Milieu [mi'ljø:] *nt* <-s, -s> (medio *m*) ambiente *m*
militant [mili'tant] *adj* militante
Militär *nt* <-s, *ohne pl*> ejército *m*; **Militärdienst** *m* <-(e)s, *ohne pl*> servicio *m* militar; **Militäreinsatz** *m* <-es, -einsätze> misión *f* militar
militärisch [mili'tɛ:rɪʃ] *adj* militar
Millennium [mɪ'lɛniʊm] *nt* <-s, Millennien> (*geh*) milenio *m*
Milliardär(in) [mɪljar'dɛ:ɐ] *m(f)* <-s, -e; -nen> multimillonario, -a *m, f*

Milliarde [mɪ'ljardə] *f* <-n> mil millones *m pl*

Milligramm ['mɪligram] *nt* miligramo *m*; **Millimeter** [mɪli'me:tɐ, '----] *m o nt* milímetro *m*

Million [mɪ'ljo:n] *f* <-en> millón *m*

Millionär(in) [mɪljo'nɛ:ɐ] *m(f)* <-s, -e; -nen> millonario, -a *m, f*

Milz [mɪlts] *f* <-en> bazo *m*

Mimik ['mi:mɪk] *f* mímica *f*

Mimose [mi'mo:zə] *f* <-n> BOT sensitiva *f*; (*Mensch*) hipersensible *mf*

mindere(r, s) ['mɪndərə, -rɐ, -rəs] *adj* menor; (*minderwertig*) inferior

Minderheit *f* <-en> minoría *f*; **in der ~ sein** estar en minoría

minderjährig *adj* menor de edad

Minderjährige(r) *mf* <-n, -n; -n> menor *mf* de edad

mindern ['mɪndɐn] *vt* (*geh*) disminuir

minderwertig *adj* (de calidad) inferior

Mindestanforderung *f* requisito *m* mínimo

mindeste(r, s) ['mɪndəstə, -tɐ, -təs] *adj* mínimo; **das bezweifle ich nicht im Mindesten** de eso no tengo la menor duda

Mindesteinkommen *nt* ingreso *m* mínimo

mindestens ['mɪndəstəns] *adv* por lo menos

Mindestmaß *nt* mínimo *m* (**an** de); **Mindestverzehr** *m* consumo *m* mínimo

Mine ['mi:nə] *f* <-n> mina *f*

Mineral [mine'ra:l] *nt* <-s, -e *o* -ien> mineral *m*; **Mineralstoffe** *m pl* elementos *m pl* minerales; **Mineralwasser** *nt* <-s, -wässer> agua *f* mineral

Minima *pl von* **Minimum**

minimal [mini'ma:l] *adj* (*wenig*) mínimo; (*unbedeutend*) insignificante

minimieren* [mini'mi:rən] *vt* minimalizar

Minimum ['mi:nimʊm] *nt* <-s, Minima> mínimo *m* (**an** de)

Minirock *m* minifalda *f*

Minister(in) [mi'nɪstɐ] *m(f)* <-s, -; -nen> ministro, -a *m, f*

Ministerium [minɪs'te:riʊm] *nt* <-s, Ministerien> ministerio *m*

Ministerpräsident(in) *m(f)* ❶ (*eines Staates*) presidente, -a *m, f* del Gobierno ❷ (*eines Bundeslandes*) presidente, -a *m, f* del land

minus *adv* MATH menos; (*Temperatur*) bajo cero

Minus ['mi:nʊs] *nt* <-, *ohne pl*> (*Fehlbetrag*) déficit *m inv*; (*Nachteil*) desventaja *f*; **~ machen** sacar pérdidas; **Minuszeichen** *nt* signo *m* de substracción

Minute [mi'nu:tə] *f* <-n> minuto *m*; **fünf ~n vor/nach drei** las tres menos/y cinco

mir [mi:ɐ] **I.** *pron pers dat von* **ich** me; (*betont*) a mí (me); (*mit Präposition*) mí; **vor ~** delante de mí; **mit ~** conmigo; **von ~ aus** por mí; **~ nichts, dir nichts** sin más ni más **II.** *pron refl dat von* **ich** me; **ich will ~ die Haare waschen** quiero lavarme el pelo

mischen ['mɪʃən] **I.** *vt* mezclar; (*Karten*) barajar; (*Cocktail*) preparar **II.** *vr:* **sich ~** (*sich einmischen*) meterse (**in** en); (*unter Menschen*) mezclarse (**unter** entre)

Mischling *m* <-s, -e> (*Mensch*) mestizo, -a *m, f*; (*Tier*) mezcla *f*

Mischung *f* <-en> mezcla *f*

miserabel [mize'ra:bəl] *adj* miserable

Misere [mi'ze:rə] *f* <-n> miseria *f*

missachten*RR [mɪs'ʔaxtən] *vt* despreciar; (*ignorieren*) ignorar; **MissachtungRR** [-'--, '---] *f* desprecio *m*; (*Nichtbefolgung*) desacato *m*

MissbildungRR ['---] *f* <-en> deformación *f*

missbilligen*RR [mɪs'bɪlɪgən] *vt* desaprobar; **MissbilligungRR** [-'---, '----] *f* desaprobación *f*

MissbrauchRR ['--] *m* abuso *m*; **missbrauchen*RR** [-'--] *vt* abusar (de)

MisserfolgRR ['---] *m* fracaso *m*

missfallen*RR [mɪs'falən] *irr vi* (*geh*)

desagradar; **Missfallen**[RR] ['mɪsfalən] *nt* <-s, *ohne pl*> desagrado *m*

missgebildet[RR] *adj* malformado; **Missgeschick**[RR] ['---] *nt* percance *m*; **mir ist ein ~ passiert** tuve un percance; **missglücken***[RR] [mɪs'glʏkən] *vi sein* salir mal; **missgünstig**[RR] *adj* envidioso

misshandeln*[RR] [mɪs'handəln] *vt* maltratar; **Misshandlung**[RR] [-'--] *f* mal(os) trato(s) *m(pl)*

Mission [mɪ'sjo:n] *f* <-en> misión *f*

Missionar(in) [mɪsjo'na:ɐ] *m(f)* <-s, -e; -nen> misionero, -a *m, f*

Misskredit[RR] ['---] *m*: **in ~ geraten** caer en descrédito; **jdn/etw in ~ bringen** desacreditar a alguien/algo

misslang[RR] [mɪs'laŋ] *3. imp von* **misslingen**

misslingen[RR] [mɪs'lɪŋən] <misslingt, misslang, misslungen> *vi sein* fracasar; **der Kuchen ist misslungen** el pastel salió mal

misslungen[RR] [mɪs'lʊŋən] *pp von* **misslingen**

missmutig[RR] *adj* malhumorado; **missraten***[RR] [mɪs'ra:tən] *irr vi sein* malograrse; **ein ~es Kind** un niño maleducado; **Missstand**[RR] ['--] *m* situación *f* penosa; **soziale Missstände** injusticias sociales

misst[RR] [mɪst] *3. präs von* **messen**

misstrauen*[RR] [mɪs'traʊən] *vi* desconfiar (de); **Misstrauen**[RR] ['mɪstraʊən] *nt* <-s, *ohne pl*> desconfianza *f*

misstrauisch[RR] ['mɪstraʊɪʃ] *adj* desconfiado

Missverhältnis[RR] ['----] *nt* desproporción *f*; (*Ungleichgewicht*) desequilibrio *m*

missverständlich[RR] ['----] *adj* equívoco, ambiguo; **sich ~ ausdrücken** expresarse ambiguamente; **Missverständnis**[RR] ['----] *nt* <-ses, -se> malentendido *m*; **missverstehen***[RR] ['----] *irr vt* malinterpretar

Mist [mɪst] *m* <-(e)s, *ohne pl*> (*Dünger*) estiércol *m*; (*fam abw: Schund*) porquería *f*; **~ bauen** meter la pata; **so ein ~!** ¡qué mierda!; **Miststück** *nt* (*fam abw*) canalla *mf*

mit [mɪt] **I.** *präp +dat* con; **~ mir/dir/ihm** conmigo/contigo/con él; **~ dem Flugzeug kommen** llegar en avión; **~ Gewalt** a la fuerza; **~ der Post** por correo; **~ dreißig (Jahren)** a los treinta (años) **II.** *adv*: **etw ~ berücksichtigen** considerar algo; **ich habe kein Geld ~** (*fam*) no llevo dinero

Mitarbeit *f ohne pl* colaboración *f* (**an/bei** *+dat* en); **unter ~ von ...** en colaboración con...; **mit|arbeiten** *vi* colaborar (**an/bei** en); **Mitarbeiter(in)** *m(f)* ❶ (*Betriebsangehöriger*) trabajador(a) *m(f)*; (*Angestellter*) empleado, -a *m, f*; **ehrenamtlicher ~** voluntario *m* ❷ (*einer Zeitung*) colaborador(a) *m(f)*; **freie ~in** colaboradora *f*

mit|bekommen* *irr vt* (*hören, erfahren*) enterarse (de)

mit|bestimmen* *vi* participar (**bei** en); (**in einem Unternehmen**) ~ participar en la cogestión; **Mitbestimmung** *f* cogestión *f*; **~ am Arbeitsplatz** participación de los trabajadores

Mitbewohner(in) *m(f)* (*in einer Wohnung*) compañero, -a *m, f* de piso; (*in einem Haus*) vecino, -a *m, f*; **mit|bringen** *irr vt* traer; (*Voraussetzung*) reunir

Mitbringsel ['mɪtbrɪŋzəl] *nt* <-s, -> (*fam*) regalito *m*; (*von einer Reise*) recuerdo *m*

Mitbürger(in) *m(f)* conciudadano, -a *m, f*; **mit|denken** *irr vi* (*folgen*) seguir la argumentación; (*aufmerksam sein*) estar atento; **miteinander** [mɪtʔaɪ'nandɐ] *adv* el uno con el otro; **~ reden** hablar; **gut ~ auskommen** llevarse bien; **alle ~** todos juntos; **mit|erleben*** *vt* presenciar; **mit|fahren** *irr vi sein* ir (**bei/mit** con); **möchtest du (bei mir) ~?** (*im Auto*) ¿quieres que te lleve?; **möchtest du (mit mir) ~?** (*auf eine Reise*) ¿quieres venir conmigo?; **Mitgefühl** *nt* <-s, *ohne pl*> compasión *f* (**für** *+akk* por);

mit|gehen *irr vi sein* (*begleiten*) acompañar; **etw ~ lassen** (*fam*) mangar algo; **mitgenommen** *adj* ❶ (*Dinge*) gastado ❷ (*Person*) rendido; **sie sieht ~ aus** parece algo desmejorada

Mitglied *nt* miembro *m*; (*eines Vereins*) socio, -a *m, f*; **Mitgliedsausweis** *m* carné *m* de socio

Mitgliedschaft *f* <-en> pertenencia *f*; **die ~ beantragen** solicitar la admisión

Mitgliedsland *nt* país *m* miembro

mit|halten *irr vi* seguir (**bei**); **ich konnte nicht bei ihnen ~** no pude seguirles el ritmo; **mit|helfen** *irr vi* ayudar (**bei** en)

mithilfe[RR] *präp +gen* con ayuda de

Mithilfe *f ohne pl* asistencia *f* (**bei** en); **mit|kommen** *irr vi sein* (*mitgehen*) venir(se) (**mit** con); (*begleiten*) acompañar (**mit** a); (*fam: Schritt halten*) (poder) seguir (**bei**); **da komme ich nicht mehr mit!** (*fam*) ¡eso ya no lo entiendo!; **mit|kriegen** *vt* (*fam*) *s.* **mitbekommen**; **Mitleid** *nt* compasión *f* (**mit** de/por); **Mitleidenschaft** *f*: **etw/jdn in ~ ziehen** afectar a algo/alguien; **mit|machen** I. *vi* participar (**bei** en) II. *vt* (*teilnehmen*) participar (en); (*fam: ertragen*) soportar; **sie hat viel mitgemacht** ha sufrido mucho; **Mitmensch** *m* prójimo, -a *m, f*; **mit|nehmen** *irr vt* llevar (consigo); (*herbringen*) traer (consigo); (*psychisch*) afectar; (*erschöpfen*) agotar; **mit|reden** *vi* ❶ (*im Gespräch*) tomar parte (en la conversación) ❷ (*mitbestimmen*) tener voz; **mit|reißen** *irr vt* (*Fluss, Lawine*) arrastrar; (*begeistern*) apasionar; **mitschuldig** *adj* implicado (**an** en); **Mitschüler(in)** *m(f)* compañero, -a *m, f* de clase; **mit|spielen** *vi* participar (**bei** en); (*Gründe*) influir (**bei** en); **jdm übel ~** jugar(le) una mala pasada a alguien

Mitspracherecht *nt* <-(e)s, *ohne pl*> derecho *m* de intervención (**bei** en)

mittag[ALT] *adv s.* **Mittag**

Mittag ['mɪta:k] *m* mediodía *m*; **morgen ~** mañana al mediodía; **gegen ~** hacia el mediodía; **zu ~ essen** almorzar; **Mittagessen** *nt* almuerzo *m*

mittags ['mɪta:ks] *adv* al mediodía; **~ um eins** a la una de la tarde; **Mittagspause** *f* hora *f* de almorzar; **Mittagsschlaf** *m* siesta *f*

Mitte ['mɪtə] *f* <-n> medio *m*; (*einer Strecke*) mitad *f*; (*Mittelpunkt*) centro *m*; **etw in der ~ durchtrennen** cortar algo por la mitad; **~ des Jahres** a mediados del año; **sie ist ~ dreißig** anda por los treinta pasados

mit|teilen *vt* comunicar (de)

mitteilsam *adj* comunicativo

Mitteilung *f* <-en> aviso *m*

Mittel ['mɪtəl] *nt* <-s, -> ❶ (*Hilfsmittel*) medio *m*; (*Maßnahme*) medida *f*; **~ und Wege finden** hallar medios; **als letztes ~** como última medida; **ihr ist jedes ~ recht** no tiene escrúpulos ❷ (*Medikament*) remedio *m* ❸ *pl* (*Gelder*) fondos *mpl*; **ohne ~ dastehen** estar sin recursos; **Mittelalter** *nt* Edad *f* Media

mittelalterlich *adj* medieval

Mittelamerika ['---'---] *nt* América *f* Central; **Mitteleuropa** ['---'--] *nt* Europa *f* Central; **Mittelfinger** *m* dedo *m* corazón; **mittelfristig** *adj* a medio plazo; **Mittelgebirge** *nt* montaña *f* de media altura; **mittellos** *adj* sin recursos; **mittelmäßig** *adj* mediano; (*abw*) mediocre; **Mittelmeer** *nt* <-(e)s> (Mar *m*) Mediterráneo *m*; **Mittelpunkt** *m* centro *m*

mittels ['mɪtəls] *präp +gen* (*geh*) por medio de

Mittelstand *m* <-(e)s, *ohne pl*> clase *f* media; **mittelständisch** *adj* de la clase media; **~es Unternehmen** mediana empresa

Mittelstufe *f* SCH grados *mpl* intermedios (del colegio); **Mittelwelle** *f* onda *f* media

mitten ['mɪtən] *adv*: **~ in/auf/bei/an** en medio de; **~ im Winter** en pleno invierno; **etw ~ durchbrechen** romper algo por la mitad; **mittendrin** ['--'-] *adv* en el medio

Mitternacht ['mɪtɐnaxt] *f* medianoche *f*

mittlere(r, s) ['mɪtlərə, -rɐ, -rəs] *adj* (*räumlich*) (del) medio; (*durchschnittlich*) mediano; **ein Mann ~n Alters** un hombre de mediana edad; **von ~r Qualität** de calidad regular

mittlerweile ['--'--] *adv* entretanto

Mittwoch ['mɪtvɔx] *m* <-(e)s, -e> miércoles *m*; *s.a.* **Montag**

mittwochs ['mɪtvɔxs] *adv* los miércoles; *s.a.* **montags**

mitunter [mɪt'ʔʊntɐ] *adv* de vez en cuando

mitverantwortlich *adj* corresponsable;

mit|wirken *vi* participar (**in** en); THEAT actuar (**in** en)

mixen ['mɪksən] *vt a.* FILM, RADIO mezclar

Mixer *m* <-s, -> batidora *f*

Mixtur [mɪks'tuːɐ] *f* <-en> mixtura *f*

ml *Abk. von* **Milliliter** ml

mm *Abk. von* **Millimeter** mm

MMS[1] [ɛmʔɛmʔ'ɛs] *f* <-> *Abk. von* **Multimedia Messaging Service** MMS *m*; **eine ~ schicken** enviar un MMS [*o* mensaje multimedia]

MMS[2] [ɛmʔɛmʔ'ɛs] *m* <-(s), *ohne pl*> *Abk. von* **Multimedia Messaging Service** MMS *m*, mensajería *f* multimedia

mobben ['mɔbn̩] *vt* (*fam*): **jdn ~** ejercer el mobbing sobre alguien, putear a alguien (en el trabajo) *fam*

Mobbing *nt* <-s, *ohne pl*> mobbing *m*

Möbel ['møːbəl] *nt* <-s, -> mueble *m*

mobil [mo'biːl] *adj* móvil; **gegen etw ~ machen** movilizar contra algo; **Mobilfunk** *m* servicios *mpl* de radio portátiles

Mobiliar [mobi'ljaːɐ] *nt* <-s, *ohne pl*> mobiliario *m*

mobilisieren* [mobili'ziːrən] *vt* movilizar

Mobiltelefon *nt* (teléfono *m*) móvil *m*

möblieren* [mø'bliːrən] *vt* amueblar

mochte ['mɔxtə] *3. imp von* **mögen**

Mode ['moːdə] *f* <-n> moda *f*; **in/aus der ~ kommen** ponerse/pasar de moda; **groß in ~ sein** estar muy de moda; **mit der ~ gehen** ir a la moda

Model ['mɔdəl] *nt* <-s, -s> (*Fotomodell*) modelo *mf*

Modell [mo'dɛl] *nt* <-s, -e> modelo *m*; (*Fotomodell*) modelo *mf*

Modem ['moːdɛm] *nt* <-s, -s> módem *m*

Modenschau *f* desfile *m* de modas

Moderator(in) [modə'raːtoːɐ] *m(f)* <-s, -en; -nen> presentador(a) *m(f)*

moderieren* [mode'riːrən] *vt* presentar

modern [mo'dɛrn] *adj* moderno; **~ sein** estar de moda

modernisieren* [modɛrni'ziːrən] *vt* modernizar

Modeschmuck *m* bisutería *f*

Modi ['mɔdi, 'moːdi] *pl von* **Modus**

modifizieren* [modifi'tsiːrən] *vt* modificar

modisch ['moːdɪʃ] **I.** *adj* moderno **II.** *adv* a la moda

Modus ['mɔdʊs, 'moːdʊs] *m* <-, Modi> modo *m*

Mofa ['moːfa] *nt* <-s, -s> moto(cicleta) *f*

mogeln ['moːgəln] *vi* hacer trampa

mögen[1] ['møːgən] <mag, mochte, gemocht> **I.** *vt* (*Gefallen finden*) gustar; (*wollen*) querer; **ich mag ihn nicht** me cae mal; **lieber ~** preferir; **was möchten Sie?** ¿qué desea? **II.** *vi:* **ich möchte gern nach Hause** quisiera irme a casa

mögen[2] <mag, mochte, mögen> *vt Modalverb* ❶ (*wollen*) querer; **ich möchte lieber hierbleiben** preferiría quedarme (aquí) ❷ (*sollen*): **was mag das wohl heißen?** ¿qué querrá decir eso? ❸ (*können*) poder; **es mag wohl sein, dass ...** puede ser que... +*subj* ❹ (*möglich sein*) ser posible; **mag sein** es posible; **wie dem auch sein mag** sea como fuere

möglich ['mø:klɪç] *adj* posible; **so bald wie ~** cuanto antes; **schon ~** (*fam*) puede ser; **er tat sein Möglichstes** hizo todo lo posible; **so kurz wie ~** lo más corto posible
möglicherweise ['---'--] *adv* posiblemente
Möglichkeit *f* <-en> posibilidad *f* (**zu** de); **nach ~** a ser posible
möglichst ['mø:klɪçst] *adv* si es posible; **~ wenig/gut** lo menos/mejor posible
Mohn [mo:n] *m* <-(e)s, -e> (*Mohnblume*) amapola *f*; (*Mohnsamen*) semilla *f* de adormidera
Möhre ['mø:rə] *f* <-n>, **Mohrrübe** *f* NORDD zanahoria *f*
Moldawien [mɔl'da:viən] *nt* <-s> Moldavia *f*
moldawisch *adj* moldavo
Molkerei *f* <-en> lechería *f*
mollig ['mɔlɪç] *adj* (*warm*) calentito; (*Person*) gordito

Moment [mo'mɛnt] *m* <-(e)s, -e> momento *m*; **im ~** de momento
momentan [momɛn'ta:n] **I.** *adj* momentáneo **II.** *adv* por el momento
Monaco [mo'nako] *nt* <-s> Mónaco *m*
Monarch(in) [mo'narç] *m(f)* <-en, -en; -nen> monarca *mf*
Monarchie [monar'çi:] *f* <-n> monarquía *f*
Monat ['mo:nat] *m* <-(e)s, -e> mes *m*; **Anfang/Ende des ~s** a principios/finales de mes; **im sechsten ~ (schwanger) sein** estar (embarazada) de seis meses; **monatelang** *adj* durante meses; **das kann ~ dauern** puede durar meses enteros
monatlich I. *adj* mensual **II.** *adv* todos los meses
Monatseinkommen *nt* ingreso *m* mensual; **Monatskarte** *f* abono *m* mensual
Mönch [mœnç] *m* <-(e)s, -e> monje *m*
Mond [mo:nt] *m* <-(e)s, -e> luna *f*; **hinter dem ~ leben** (*fam*) vivir en otra galaxia; **Mondfinsternis** *f* eclipse *m* de luna
monegassisch [mone'gasɪʃ] *adj* monegasco
Monitor ['mo:nito:ɐ, 'mɔnito:ɐ] *m* <-s, -e(n)> pantalla *f*
Monolog [mono'lo:k] *m* <-(e)s, -e> monólogo *m*
Monopol [mono'po:l] *nt* <-s, -e> monopolio *m*
monoton [mono'to:n] *adj* monótono
Monster ['mɔnstɐ] *nt* <-s, -> monstruo *m*
Montag ['mo:nta:k] *m* <-s, -e> lunes *m*; **am ~** el lunes; **jeden zweiten ~ im Monat** el segundo lunes de cada mes; **letzten ~** el lunes pasado; **nächsten/kommenden ~** el lunes que viene/próximo; **heute ist ~, der zehnte November** hoy es lunes (el) diez de noviembre; **montagabends**[RR] *adv* los lunes por la noche
Montage [mɔn'ta:ʒə] *f* <-n> montaje *m*
montags ['mo:nta:ks] *adv* los lunes; **~ abends/mittags** los lunes por la noche/al mediodía
Monteur(in) [mɔn'tø:ɐ] *m(f)* <-s, -e; -nen> montador(a) *m(f)*
montieren* [mon'ti:rən] *vt* *a.* FILM montar (**an** a/en)
Monument [monu'mɛnt] *nt* <-(e)s, -e> monumento *m*
Moor [mo:ɐ] *nt* <-(e)s, -e> pantano *m*
Moos [mo:s] *nt* <-es, -e> musgo *m*
Mop[ALT] *m s.* **Mopp**
Moped ['mo:pɛt] *nt* <-s, -s> ciclomotor *m*
Mopp[RR] [mɔp] *m* <-s, -s> fregona *f*
Moral [mo'ra:l] *f* moral *f*; (*einer Fabel*) moraleja *f*; **die ~ sinkt/steigt** los ánimos bajan/suben
moralisch *adj* moral
Mord [mɔrt] *m* <-(e)s, -e> asesinato *m*
Mörder(in) ['mœrdɐ] *m(f)* <-s, -; -nen> asesino, -a *m, f*
mörderisch *adj* (*fam: abscheulich, groß*) terrible; (*Hitze*) sofocante; (*Geschwindigkeit*) loco

mordsmäßig *adj* (*fam*) terrible, tremendo

Mordwaffe *f* arma *f* homicida

morgen ['mɔrgən] *adv* mañana; ~ **früh** mañana por la mañana; ~ **Mittag/Abend** mañana al mediodía/por la tarde

Morgen *m* <-s, -> mañana *f*; **guten ~!** ¡buenos días!; **am nächsten ~** la mañana siguiente; **am frühen ~** temprano por la mañana; **bis in den frühen ~ hinein** hasta el amanecer

morgendlich ['mɔrgəntlɪç] *adj* matutino

Morgenmantel *m* bata *f*

morgens ['mɔrgəns] *adv* por la mañana; **um sieben Uhr ~** a las siete de la mañana

morsch [mɔrʃ] *adj* (*Holz*) podrido

Mosaik [moza'i:k] *nt* <-s, -e(n)> mosaico *m*

Moschee [mɔ'ʃe:] *f* <-n> mezquita *f*

Mosel ['mo:zəl] *f*: **die ~** el Mosela

Moskau ['mɔskaʊ] *nt* <-s> Moscú *m*

Moskito [mɔs'ki:to] *m* <-s, -s> mosquito *m*

Moslem, **Moslime** ['mɔslɛm, mɔs'li:mə] *m, f* <-s, -s; -n> musulmán, -ana *m, f*

Motiv [mo'ti:f] *nt* <-s, -e> motivo *m*

Motivation [motiva'tsjo:n] *f* <-en> motivación *f*

motivieren* [moti'vi:rən] *vt* (*anregen*) animar (**zu** para que +*subj*)

Motor ['mo:to:ɐ, mo'to:ɐ] *m* <-s, -en> motor *m*; **Motorboot** *nt* lancha *f* a motor; **Motorhaube** *f* capó *m*; **Motorrad** *nt* moto(cicleta) *f*; **Motorroller** *m* escúter *m*; **Motorsport** *m* motorismo *m*

Motte ['mɔtə] *f* <-n> polilla *f*

Motto ['mɔto] *nt* <-s, -s> lema *m*

motzen ['mɔtsən] *vi* (*fam*) refunfuñar

Mountainbike ['maʊntənbaɪk] *nt* <-s, -s> bicicleta *f* de montaña

Mousepad ['maʊspɛt] *nt* <-s, -s> sendero *m* del ratón

Möwe ['mø:və] *f* <-n> gaviota *f*

MP3-Player [ɛmpe:'draɪple:ɐ] *m* <-s, -> reproductor *m* (de) MP3

Mücke ['mʏkə] *f* <-n> mosquito *m*; **Mückenstich** *m* picadura *f* de mosquito

Mucks [mʊks] *m* (*fam*): **keinen ~ sagen** no decir ni pío; **ohne einen ~** muy quieto

müde ['my:də] *adj* cansado; ~ **werden** cansarse

Müdigkeit *f* cansancio *m*

muffig *adj* (*Geruch*) que huele a enmohecido; (*fam: Person*) gruñón; ~ **riechen** oler a moho

Mühe ['my:ə] *f* <-n> esfuerzo *m*; **nur mit ~** a duras penas; **die ~ hat sich gelohnt** ha valido la pena; **sich** *dat* **die ~ machen etw zu tun** tomarse la molestia de hacer algo; **wenn es Ihnen keine ~ macht!** ¡si no es molestia para Ud.!; **mit ~ und Not** (*mit großen Schwierigkeiten*) a duras penas; (*gerade noch*) por los pelos; **mühelos I.** *adj* fácil **II.** *adv* con facilidad; **mühevoll** *adj* penoso; (*schwierig*) difícil

Mühle ['my:lə] *f* <-n> (*Gebäude*) molino *m*; (*Haushaltsgerät*) molinillo *m*

mühsam, **mühselig I.** *adj* penoso **II.** *adv* a duras penas

Mulde ['mʊldə] *f* <-n> (*im Gelände*) hondonada *f*; (*Loch*) hoyo *m*

Mull [mʊl] *m* <-(e)s, -e> (*Gewebe*) gasa *f*

Müll [mʏl] *m* <-(e)s, *ohne pl*> basura *f*; **etw in den ~ werfen** tirar algo a la basura; **radioaktiver ~** residuos radi(o)activos; **Müllabfuhr** *f* recogida *f* de basuras; **Müllberg** *m* montón *m* de basuras

Mullbinde *f* venda *f* de gasa

Müllcontainer *m* contenedor *m* de basuras; **Mülldeponie** *f* vertedero *m* de basuras; **Mülleimer** *m* cubo *m* de la basura; **Mülltonne** *f* cubo *m* de la basura; **Müllwagen** *m* camión *m* de la basura

mulmig ['mʊlmɪç] *adj* (*fam*) desagradable; **ein ~es Gefühl haben** tener un mal presentimiento; **ihm war ~ zumute** tenía miedo

multikulturell [mʊlti-] *adj* multicultural

multimediafähig *adj* multimediático; **Multimedia-PC** *m* ordenador *m* multimedia

Multiplikation [mʊltiplika'tsjo:n] *f* <-en> multiplicación *f* (**mit** +*dat* por)

multiplizieren* [mʊltipli'tsi:rən] *vt* multiplicar (**mit** por)

Mumps [mʊmps] *m o f* <-, *ohne pl*> paperas *fpl*

München ['mʏnçən] *nt* <-s> Munich *m*

Mund [mʊnt] *m* <-(e)s, Münder> boca *f*; **nicht auf den ~ gefallen sein** (*fam*) tener labia; **jdm den ~ wässrig machen** (*fam*) hacerle la boca agua a alguien; **halt den ~!** (*fam*) ¡calla la boca!; **Mundart** *f* dialecto *m*

münden ['mʏndən] *vi haben o sein* (*Fluss, Straße*) desembocar (**in/auf** en)

Mundgeruch *m* halitosis *f inv*

mündig ['mʏndɪç] *adj* mayor de edad

mündlich ['mʏntlɪç] *adj* oral

Mündung ['mʏndʊŋ] *f* <-en> (*eines Flusses*) desembocadura *f*

Munition [muni'tsjo:n] *f* <-en> munición *f*

munkeln ['mʊŋkəln] *vi, vt* (*fam*) rumorear

munter ['mʊntɐ] *adj* (*lebhaft*) vivaz; (*fröhlich*) alegre; (*wach*) despierto

Münzautomat *m* distribuidor *m* automático

Münze ['mʏntsə] *f* <-n> moneda *f*; **etw für bare ~ nehmen** tomar algo al pie de la letra

mürbe|machen *adj*: **jdn ~** ablandar a alguien; **Mürbeteig** *m* pastaflora *f*

murmeln ['mʊrməln] *vi, vt* murmurar

Murmeltier *nt* marmota *f*; **schlafen wie ein ~** dormir como un tronco

murren ['mʊrən] *vi* refunfuñar

mürrisch ['mʏrɪʃ] **I.** *adj* malhumorado **II.** *adv* de mala gana

Mus [mu:s] *nt* <-es, -e> puré *m*

Muschel ['mʊʃəl] *f* <-n> (*Muschelschale*) concha *f*; (*Miesmuschel*) mejillón *m*

Museum [mu'ze:ʊm] *nt* <-s, Museen> museo *m*

Musical ['mju:zikəl] *nt* <-s, -s> (espectáculo *m*) musical *m*

Musik [mu'zi:k] *f* <-en> música *f*

musikalisch [muzi'ka:lɪʃ] *adj* musical

Musiker(in) ['mu:zikɐ] *m(f)* <-s, -; -nen> músico, -a *m, f*

Musikhochschule *f* conservatorio *m* superior de música; **Musikinstrument** *nt* instrumento *m* de música

musizieren* [muzi'tsi:rən] *vi* tocar (piezas musicales)

Muskat [mʊs'ka:t] *m* <-(e)s, -e> nuez *f* moscada

Muskel ['mʊskəl] *m* <-s, -n> músculo *m*; **Muskelkater** *m* agujetas *fpl*

Muskulatur [mʊskula'tu:ɐ] *f* <-en> musculatura *f*

muskulös [mʊsku'lø:s] *adj* musculoso

Müsli ['my:sli] *nt* <-s, -s> musli *m*

muss[RR] [mʊs] *3. präs von* **müssen**

Muße ['mu:sə] *f* (*geh*) ocio *m*; (*Ruhe*) tranquilidad *f*

müssen[1] ['mʏsən] <muss, musste, müssen> *vt Modalverb* tener que +*inf* (*unpersönlich*) hay que +*inf*; **das muss man gesehen haben** hay que haberlo visto; **das muss sein** tiene que ser; **muss das sein?** ¿es necesario?; **das müsstest du eigentlich wissen** en realidad deberías saberlo

müssen[2] <muss, musste, gemusst> *vi* tener que +*inf*; **ich muss zur Post** tengo que ir a Correos; **ich muss mal** (*fam*) tengo que ir al baño

müßig ['my:sɪç] *adj* (*geh: untätig*) ocioso; (*überflüssig*) inútil; **es ist ~, darüber nachzudenken** no vale la pena pensar en ello

musste[RR] ['mʊstə] *3. imp von* **müssen**

Muster ['mʊstɐ] *nt* <-s, -> modelo *m*; (*Probestück*) muestra *f*; **mustergültig** *adj*, **musterhaft** *adj* ejemplar

mustern ['mʊstɐn] *vt* (*betrachten*) examinar; **sie musterte ihn von oben bis unten** lo miraba de arriba abajo

Musterung ['mʊstərʊŋ] *f* <-en> ❶ (*Betrachtung*) examen *m* ❷ MIL reconocimiento *m*

Mut [mu:t] *m* <-(e)s, *ohne pl*> valor *m*; **den ~ verlieren** desanimarse; **jdm ~ machen** animar a alguien; **~ fassen** cobrar valor

Mutation [muta'tsjo:n] *f* <-en> mutación *f*

mutig ['mu:tɪç] *adj* valiente

mutlos *adj* desanimado

mutmaßen ['mu:tma:sən] *vt* suponer

mutmaßlich *adj* presunto

Mutprobe *f* prueba *f* de valor

Mutter[1] ['mʊtɐ] *f* <Mütter> madre *f*; **werdende ~** futura madre

Mutter[2] *f* <-n> TECH tuerca *f*

mütterlich ['mʏtɐlɪç] **I.** *adj* materno **II.** *adv* como una madre

mütterlicherseits *adv* por parte de la madre

Muttermal *nt* <-(e)s, -e> lunar *m*; **Muttermilch** *f* leche *f* materna; **etw mit der ~ einsaugen** aprender algo desde la cuna

Mutterschaft *f* maternidad *f*

Mutterschutz *m* protección *f* a la (futura) madre; **Muttersprache** *f* lengua *f* materna; **Muttersprachler(in)** ['--ʃpra:xlɐ] *m(f)* <-s, -; -nen> hablante *mf* nativo; **Muttertag** *m* día *m* de la madre

Mutti ['mʊti] *f* <-s> (*fam*) mamá *f*, mamaíta *f*

mutwillig ['mu:tvɪlɪç] **I.** *adj* (*böswillig*) malicioso; (*absichtlich*) intencionado **II.** *adv* (*absichtlich*) con intención

Mütze ['mʏtsə] *f* <-n> gorro *m*

MwSt, **Mw.-St.** *Abk. von* **Mehrwertsteuer** IVA *m*

mysteriös [mʏsteri'ø:s] *adj* misterioso

Mythen *pl von* **Mythos**

mythisch ['my:tɪʃ] *adj* mítico

Mythologie [mytolo'gi:] *f* <-n> mitología *f*

Mythos ['my:tɔs] *m* <-, Mythen> mito *m*

N

N, n [ɛn] *nt* <-, -> N, n *f*

N *Abk. von* **Norden** N

na [na(:)] *interj* (*fam*): ~ **und?** ¿y qué?; ~ **ja** bueno; ~ **gut** está bien

Nabel ['na:bəl] *m* <-s, -> ombligo *m*

nach [na:x] **I.** *präp +dat* ❶ (*Richtung*) hacia; (*Länder-, Ortsnamen*) a; (*Zug, Flugzeug*) con destino a; ~ **Norden** al norte; ~ **oben/rechts** hacia arriba/la derecha ❷ (*Reihenfolge*) después de; ~ **der Arbeit** después del trabajo; **sie kam ~ zehn Minuten** vino a los diez minutos ❸ (*Uhrzeit*) y; **es ist fünf** (**Minuten**) ~ **sechs** son las seis y cinco ❹ (*zufolge, gemäß*) conforme a; **je ~ Größe** según el tamaño; ~ **allem, was ich weiß** con todo lo que yo sé; **allem Anschein ~** por lo que parece; **meiner Meinung ~** en mi opinión **II.** *adv*: ~ **und ~** poco a poco; ~ **wie vor** (al) igual que antes

N

nach|ahmen ['na:xʔa:mən] *vt* imitar

Nachbar(in) ['naxba:ɐ] *m(f)* <-n *o* -s, -n; -nen> vecino, -a *m, f*; **Nachbarland** *nt* país *m* vecino

Nachbarschaft *f* vecindario *m*

nach|bessern *vt* retocar; **nach|bestellen*** *vt* renovar un pedido; **nach|bilden** *vt* copiar

nachdem [na:x'de:m] *konj* (*zeitlich*) después de *+inf*, después de que *+subj*; **je ~** según; **je ~, ob/wie ...** depende de si/de cómo...

nach|denken *irr vi* reflexionar (**über** sobre); **scharf ~** pensar con todas las fuerzas

nachdenklich *adj* pensativo; **das macht mich ~** me da que pensar

Nachdruck *m* <-(e)s, *ohne pl*> (*Eindringlichkeit*) énfasis *m inv*

nachdrücklich ['na:xdrʏklɪç] **I.** *adj* insistente **II.** *adv* con insistencia

nacheinander [na:xʔaɪ'nandɐ] *adv* (*räumlich*) sucesivamente; (*zeitlich*) seguido; **fünf Tage ~** cinco días seguidos

nach|empfinden* *irr vt*: **das kann ich dir gut ~** te comprendo totalmente

nach|erzählen* *vt* repetir; (*erzählen*) contar; **Nacherzählung** *f* narración *f*

Nachfahr(e), **Nachfahrin** *m, f* <-(e)n, -(e)n; -nen> (*geh*) descendiente *mf*; **die ~en** (*Blutsverwandtschaft*) la descendencia; (*nächste Generationen*) la posteridad

Nachfolger(in) *m(f)* <-s, -; -nen> sucesor(a) *m(f)*

Nachforschung *f* investigación *f*; (*amtliche Nachforschung*) pesquisa *f*

Nachfrage *f* demanda *f* (**nach** de); **nach|fragen** *vi* (*sich erkundigen*) preguntar (**wegen** por)

nachfüllbar *adj* rellenable

nach|füllen *vt* rellenar; (*Feuerzeug*) recargar; **nach|geben** *irr vi* ceder; **nach|gehen** *irr vi sein* (*folgen*) seguir; (*ergründen*) investigar; (*Uhr*) ir atrasado; **einem Hinweis ~** seguir una pista

Nachgeschmack *m* <-(e)s, *ohne pl*> regusto *m*; (*schlechter Nachgeschmack*) resabio *m*

nachgiebig ['na:xgi:bɪç] *adj* (*Mensch*) transigente

nach|grübeln *vi* cavilar (**über** sobre); **nach|hallen** *vi* reverberar

nachhaltig ['na:xhaltɪç] *adj* persistente; **~e Wirkung haben** ser muy eficaz

nach|helfen *irr vi* echar una mano; **dem Glück ~** ayudar a la suerte

nachher [na:x'he:ɐ, '--] *adv* (*danach*) después; (*später*) luego; **bis ~!** ¡hasta luego!

Nachhilfe(stunde) *f* clase *f* particular

Nachhinein[RR] ['---]: **im ~** posteriormente

nach|holen *vt* recuperar

Nachkomme ['na:xkɔmə] *m* <-n, -n> descendiente *mf*

nach|kommen *irr vi sein* (*später kommen*) venir más tarde; (*Schritt halten*) poder seguir; **ich komme gleich nach** ahora voy; **er kommt mit der Arbeit nicht nach** no consigue sacar el trabajo adelante; **etw** *dat* ~ (*geh: einer Verpflichtung*) cumplir (con) (*einem Wunsch*) acceder (a)

Nachkriegszeit *f* (época *f* de la) posguerra *f*

NachlassRR ['na:xlas] *m* <-es, -lässe *o* -e> ❶ (*Erbschaft*) legado *m* ❷ (*Rabatt*) rebaja *f*

nach|lassen *irr* I. *vi* disminuir; (*Schmerz*) calmarse; (*Interesse*) decaer; (*Fieber*) bajar; (*Regen*) cesar II. *vt* (*vom Preis*) rebajar; **nachlässig** ['na:xlɛsɪç] I. *adj* negligente II. *adv* con negligencia; ~ **gekleidet sein** estar mal vestido; **Nachlässigkeit** *f* <-en> negligencia *f*

nach|laufen *vi irr sein*: **jdm/etw** ~ ir detrás de alguien/de algo; **nach|machen** *vt* (*fam*) imitar

nachmittagALT *adv s.* **Nachmittag**

Nachmittag *m* tarde *f*; **am** ~ por la tarde; **gestern** ~ ayer por la tarde; **nachmittags** *adv* por la tarde; **um vier Uhr** ~ a las cuatro de la tarde

Nachname *m* apellido *m*

nach|prüfen *vt* comprobar; **nach|rechnen** *vi, vt* repasar la cuenta (de)

Nachricht ['na:xrɪçt] *f* <-en> noticia *f*; **eine** ~ **hinterlassen** dejar un recado; **Nachrichtensendung** *f* noticias *fpl*, noticiario *m*

Nachruf *m* necrológica *f* (**auf** +*akk* de); **nach|sagen** *vt* repetir; **ihm wurde nachgesagt, dass ...** se dijo acerca de él que...; **Nachsaison** *f* temporada *f* baja; **nach|schicken** *vt* reexpedir; **nach|schlagen** *irr* I. *vt* buscar II. *vi*: **in einem Lexikon** ~ consultar una enciclopedia

Nachschlagewerk *nt* obra *f* de consulta

Nachschub *m* (*Verpflegung*) avituallamiento *m*; (*Verstärkung*) reforzamiento *m*

nach|sehen *irr* I. *vi* (*zur Information*) ir a ver; (*nachschlagen*) consultar (**in**); **sieh mal nach, ob ...** vete a ver si...; **jdm/etw** *dat* ~ seguir a alguien/algo con la mirada II. *vt* (*kontrollieren*) revisar; (*nachschlagen*) buscar; **jdm etw** ~ perdonar algo a alguien; **Nachsicht** *f* indulgencia *f*; ~ **walten lassen** ser indulgente; **Nachspeise** *f* postre *m*

nächstbeste(r, s) *adj*: **der/die/das** ~ (*allgemein*) el primero/la primera/lo primero que se presente; (*bei Qualität*) el segundo/la segunda/lo segundo mejor; **bei der ~n Gelegenheit** en la primera oportunidad que se presente

nächste(r, s) *adj superl von* **nah(e)** próximo; **aus ~r Nähe** muy de cerca; **die ~n Angehörigen** los más allegados; **das ~ Mal** la próxima vez; **in den ~n Tagen** en los próximos días

Nächste(r) *mf* <-n, -n; -n> ❶ (*geh: Mitmensch*) próximo, -a *m, f*; REL prójimo, -a *m, f* ❷ (*der/die Folgende*) siguiente *mf*; **der ~ bitte!** ¡el siguiente, por favor!

nächsten ['nɛ:çstən] *superl von* **nah(e)**: **am** ~ lo más cercano

Nächstenliebe *f* amor *m* al prójimo

nächstens ['nɛ:çstəns] *adv* dentro de poco

nachtALT ['naxt] *adv s.* **Nacht**

Nacht ['naxt] *f* <Nächte> noche *f*; **Heilige** ~ Nochebuena *f*; **bei** ~ de noche; **in der** ~ por la noche; **in der ~ auf Mittwoch** la noche del martes al miércoles; **gestern** ~ ayer por la noche; **über** ~ **bleiben** pasar la noche (**bei** en casa de, **in** en); **bei** ~ **und Nebel** clandestinamente; **gute ~!** ¡buenas noches!; **über** ~ (*ganz plötzlich*) de la noche a la mañana

Nachteil *m* desventaja *f*; **~e durch etw haben** tener inconvenientes por algo; **jdm ~e bringen** perjudicar a alguien; **sich zu seinem ~ verändern** cambiar para peor; **im ~ sein** estar en desventaja; **von ~ sein** ser desfavorable

nachteilig *adj* (*ungünstig*) desventajoso

Nachthemd *nt* camisón *f*
Nachtisch *m* <-(e)s, *ohne pl*> postre *m*
Nachtleben *nt* <-s, *ohne pl*> vida *f* nocturna
nächtlich ['nɛçtlɪç] *adj* nocturno
Nachtrag ['na:xtra:k] *m* <-(e)s, -träge> adición *f* (**zu** a)
nach|tragen *irr vt* (*hinzufügen*) añadir; **jdm etw ~** (*verübeln*) guardar rencor a alguien por algo; **nachtragend** *adj* rencoroso
nachträglich ['na:xtrɛ:klɪç] *adj* posterior
nachts [naxts] *adv* por la noche; **spät ~** muy entrada la noche; **um 2 Uhr ~** a las dos de la madrugada
Nachtwächter(in) *m(f)* guardia *mf* nocturno, -a
nachvollziehbar *adj* comprensible; **es ist für mich** (**nicht**) **~, warum ...** (no) comprendo por qué...
nach|vollziehen* *irr vt* comprender;
nach|wachsen *irr vi sein* volver a crecer; **~de Rohstoffe** materias primas renovables; **nach|weinen** *vi, vt:* **jdm ~** llorar a alguien; **jdm/etw keine Träne ~** no derramar ni una lágrima por alguien/por algo
Nachweis ['na:xvaɪs] *m* <-es, -e> (*Beweis*) prueba *f*; (*Bescheinigung*) certificado *m*
nachweisbar *adj* comprobable; (*Giftstoffe*) detectable; **etw ist ~** algo se puede comprobar
nach|weisen *irr vt* (*beweisen*) comprobar; **jdm etw ~** demostrar que alguien hizo algo
Nachwelt *f ohne pl* posteridad *f*; **Nachwirkung** *f* consecuencia *f*; **unter den ~en leiden** sufrir las consecuencias; **Nachwort** *nt* <-(e)s, -e> epílogo *m*; **Nachwuchs** *m* <-es, *ohne pl*> ❶ (*fam: Nachkomme*) descendencia *f*; **~ bekommen** tener un hijo ❷ (*am Arbeitsmarkt*) aprendices *m pl*
nach|zählen *vt* (volver a) contar
Nachzügler(in) ['na:xtsy:glɐ] *m(f)* <-s, -; -nen> rezagado, -a *m, f*
Nacken ['nakən] *m* <-s, -> nuca *f*; **einen steifen ~ haben** tener tortícolis
nackt [nakt] *adj* desnudo
Nadel ['na:dəl] *f* <-n> (*Nähnadel*) aguja *f*; (*Stecknadel*) alfiler *m*; **an der ~ hängen** (*sl*) estar enganchado (a la heroína); **Nadelbaum** *m* conífera *f*; **Nadelwald** *m* bosque *m* de coníferas, pinar *m*
Nagel ['na:gəl] *m* <-s, Nägel> ❶ (*Metallstift*) clavo *m*; **den ~ auf den Kopf treffen** (*fam a. fig*) dar en el clavo; **den Beruf an den ~ hängen** (*fam*) colgar los hábitos; **Nägel mit Köpfen machen** (*fam*) tomar una decisión ❷ (*Fingernagel*) uña *f*; **an den Nägeln kauen** comerse las uñas; **sich** *dat* **etw unter den ~ reißen** (*fam*) mangar algo; **Nagelfeile** *f* lima *f* para las uñas; **Nagellack** *m* esmalte *m* de uñas
nageln *vt* clavar (**an/auf** en)
nagelneu ['--'-] *adj* (*fam*) flamante; **Nagelschere** *f* tijeras *fpl* de manicura
nagen ['na:gən] *vi* roer (**an**); **das schlechte Gewissen nagte an ihr** le remordía la mala conciencia
Nager *m* <-s, ->, **Nagetier** *nt* roedor *m*
nah(e) [na:, 'na:ə] <näher, am nächsten> **I.** *adj* ❶ (*räumlich*) cercano; **~ sein** estar cerca; **von ~em** de cerca; **~e Verwandte** familiares cercanos ❷ (*zeitlich*) próximo; **der ~e Aufbruch** la salida inmediata; **~ daran sein etw zu tun** estar a punto de hacer algo **II.** *adv* cerca; **~ bei** cerca de; **~ beieinander** muy juntos; **jdm zu ~e treten** ofender a alguien
Nähe ['nɛ:ə] *f* ❶ (*räumlich*) cercanía *f*; **etw aus der ~ betrachten** mirar algo de cerca; **in der ~ der Stadt** cerca de la ciudad; **aus nächster ~** muy de cerca; **gern in jds ~ sein** estar a gusto al lado de alguien ❷ (*zeitlich*) proximidad *f*
nahe|bringen *irr vt:* **jdm etw ~** despertar el interés de alguien por algo;

sein tener envidia de alguien/algo

neidlos *adj* sin envidia; **etw ~ anerkennen** aceptar algo sin envidia alguna

neigen ['naɪgən] **I.** *vt, vr:* **sich ~** inclinar(se) (**nach** hacia) **II.** *vi:* **zu etw ~** tender a algo

Neigung *f* <-en> (*Schräglage*) inclinación *f*; (*Vorliebe*) afición *f* (**für** por)

nein [naɪn] no

Nektar ['nɛkta:ɐ] *m* <-s, -e> néctar *m*

Nektarine [nɛkta'ri:nə] *f* <-n> nectarina *f*

Nelke ['nɛlkə] *f* <-n> (*Blume*) clavel *m*; (*Gewürz*) clavo *m*

nennen ['nɛnən] <nennt, nannte, genannt> *vt* llamar; **Beispiele für etw ~** decir algunos ejemplos para algo; **so genannt** así llamado; (*angeblich*) supuesto; **nennenswert** *adj* digno de mención; **nichts Nennenswertes** nada de importancia

Neofaschismus [neo-] *m* neofascismo *m*; **Neologismus** [neolo'gɪsmʊs] *m* <-, Neologismen> neologismo *m*; **Neonazi** ['ne:ona:tsi] *m* neonazi *mf*

Neonröhre *f* tubo *m* de neón

Nerv [nɛrf] *m* <-s, -en> nervio *m*; **die ~en behalten** conservar la calma; **du gehst mir auf die ~en** (*fam*) me estás dando la lata

nerven ['nɛrfən] *vt* sacar de quicio; **du nervst!** (*fam*) ¡me sacas de quicio!; **ich bin total genervt!** (*fam*) ¡estoy hasta la coronilla!

Nervensystem *nt* sistema *m* nervioso; **Nervenzusammenbruch** *m* crisis *f inv* nerviosa; **einen ~ haben** sufrir un ataque de nervios

nervlich ['nɛrflɪç] *adj* nervioso; **~ am Ende sein** (*fam*) estar hecho polvo

nervös [nɛr'vø:s] *adj* nervioso; **~ werden** ponerse nervioso

Nervosität [nɛrvozi'tɛ:t] *f* nerviosismo *m*

Nessel ['nɛsəl] *f* <-n> ortiga *f*; **sich in die ~n setzen** (*fam*) meterse en un berenjenal

Nest [nɛst] *nt* <-(e)s, -er> nido *m*; (*fam abw: Dorf*) poblacho *m*

nett [nɛt] *adj* (*freundlich*) amable; (*angenehm*) agradable

netto ['nɛto] *adv* neto

Netz [nɛts] *nt* <-es, -e> red *f*; (*Spinnennetz*) telaraña *f*; **Netzbetreiber** *m* <-s, -> TEL operador *m* de red; **Netzhaut** *f* retina *f*; **Netzstecker** *m* ELEK enchufe *m*; **Netzwerk** *f* red *f*; **lokales Netzwerk** red local

neu [nɔɪ] **I.** *adj* nuevo; **seit ~estem** desde hace poco; **die ~este Mode** la última moda; **von ~em** de nuevo **II.** *adv* (*kürzlich*) recién; (*noch einmal*) de nuevo; **neuartig** *adj* nuevo; **Neubau** *m* <-(e)s, -ten> ❶ (*Gebäude*) edificio *m* nuevo ❷ *ohne pl* (*das Bauen*) (re)construcción *f*

Neuenburg ['nɔɪənbʊrk] *nt* <-s> Neuchatel *m*, Neuenburg *m*

neuerdings ['nɔɪɐ'dɪŋs] *adv* últimamente

Neuerung *f* <-en> innovación *f*

neugeboren ['--'--] *adj* recién nacido

Neugeborene(s) *nt* <-n, -n> recién nacido, -a *m, f*

Neugier(de) ['nɔɪgi:ɐ(də)] *f* curiosidad *f* (**auf** por); **aus ~** por curiosidad

neugierig *adj* curioso (**auf** por); **jdn ~ machen** despertar la curiosidad de alguien

Neuheit *f* <-en> novedad *f*

Neuigkeit *f* <-en> novedad *f*

Neujahr *nt* Año *m* Nuevo; **Prost ~!** ¡Feliz Año Nuevo!

neulich *adv* el otro día

Neuling *m* <-s, -e> principiante *mf*

neun [nɔɪn] *adj inv* nueve; *s.a.* **acht**[1]; **neunhundert** ['-'--] *adj inv* novecientos; *s.a.* **achthundert**

neunmalklug ['---] *adj* sabelotodo

neunte(r, s) *adj* noveno; *s.a.* **achte(r, s)**

neunzehn ['--] *adj inv* diecinueve; *s.a.* **acht**[1]

neunzig *adj inv* noventa; *s.a.* **achtzig**

neureich *adj* (*abw*) nuevo rico

Neurologe, Neurologin [nɔɪro'lo:gə] *m,*

f <-n, -n; -nen> neurólogo, -a *m, f*

neurotisch [nɔɪ'ro:tɪʃ] *adj* neurótico

Neustart *m a.* INFOR reanudación *f*

Neutra *pl von* **Neutrum**

neutral [nɔɪ'tra:l] *adj* neutral; (*Farbe a.* LING) neutro

neutralisieren* [nɔɪtrali'zi:rən] *vt* neutralizar

Neutrum ['nɔɪtrʊm] *nt* <-s, Neutra *o* Neutren> género *m* neutro

Neuzeit *f* Edad *f* Moderna

Nicaragua [nika'ra:gua] *nt* <-s> Nicaragua *f*

nicaraguanisch *adj* nicaragüense

nicht [nɪçt] *adv* no; **~ mehr** ya no; **auch ~** tampoco; **~ einmal** ni siquiera; **bestimmt ~** seguro que no; **ob du willst oder ~** quieras o no; **~ einer hat's geschafft** no lo logró ni uno

Nichte ['nɪçtə] *f* <-n> sobrina *f*

nichtig ['nɪçtɪç] *adj* JUR nulo; (*geh: unbedeutend*) insignificante

Nichtraucher(in) *m(f)* no fumador(a) *m(f)*

nichts [nɪçts] *pron indef* nada; **er hat ~ gesagt** no ha dicho nada; **sonst ~?** ¿nada más?; **überhaupt ~** nada de nada; **~ als Ärger** sólo disgustos; **ich kann ~ dafür** no es mi culpa; **~ zu danken!** ¡no hay de qué!; **macht ~** no importa; **für ~ und wieder ~** (*fam*) en balde; **nach ~ aussehen** no lucir nada; **das tut ~ zur Sache!** ¡esto no viene al caso!; **mir ~, dir ~** sin más ni más; **nichtsahnend** *adj s.* **ahnen**; **nichtssagend** *adj s.* **sagen**

Nichtzutreffende(s) *nt*: **~s bitte streichen** táchese lo que no corresponda

nicken ['nɪkən] *vi* asentir con la cabeza; (*zum Gruß*) saludar con la cabeza

nie [ni:] *adv* nunca; **noch ~** nunca

Niedergang *m* <-(e)s, *ohne pl*> (*geh: Untergang*) decadencia *f*

niedergeschlagen *adj* (*bedrückt*) deprimido

Niederkunft ['ni:dɐkʊnft] *f* <-künfte> parto *m*

Niederlage *f* derrota *f*

Niederlande ['ni:dɐlandə] *pl* Países *mpl* Bajos

Niederländer(in) ['ni:dɐlɛndɐ] *m(f)* <-s, -; -nen> neerlandés, -esa *m, f*

niederländisch *adj* neerlandés

nieder|lassen *irr vr:* **sich ~** (*Wohnsitz nehmen*) establecerse; (*als Arzt*) abrir consulta; (*als Rechtsanwalt*) abrir bufete

Niederlassung *f* <-en> WIRTSCH sede *f*; (*Zweigstelle*) sucursal *f*

nieder|legen *irr vt* posar; **das Amt ~** dimitir del cargo; **die Arbeit ~** declararse en huelga

Niederösterreich *nt* Baja Austria *f*; **Niedersachsen** *nt* Baja Sajonia *f*

Niederschlag *m* METEO precipitaciones *fpl*

niederträchtig *adj* infame

niedlich ['ni:tlɪç] *adj* mono

niedrig ['ni:drɪç] *adj* bajo; (*Gesinnung*) vil

niemals ['ni:ma:ls] *adv* jamás

niemand ['ni:mant] *pron indef* nadie; **es war ~ zu Hause** no había nadie en casa; **sonst ~** nadie más; **es war ~ anders als ...** no era otro que...

Niere ['ni:rə] *f* <-n> riñón *m*; **das geht mir an die ~n** (*fam*) eso me aflige mucho

nieseln ['ni:zəln] *vunpers* lloviznar

niesen ['ni:zən] *vi* estornudar

Niete ['ni:tə] *f* <-n> (*in einer Lotterie*) billete *m* de lotería no premiado; (*fam: Mensch*) inútil *mf*; TECH remache *m*

Nikolaus ['nɪkolaʊs] *m* <-, -e, *fam:* -läuse> ❶ (*Gestalt*) San Nicolás *m* ❷ (*Nikolaustag*) día *m* de San Nicolás (*seis de diciembre*)

Nikotin [niko'ti:n] *nt* <-s, *ohne pl*> nicotina *f*

Nilpferd *nt* hipopótamo *m*

nimmt [nɪmt] *3. präs von* **nehmen**

nippen ['nɪpən] *vi* beber a sorbos (**an**)

Nippes ['nɪpəs] *pl* chucherías *fpl*

nirgends ['nɪrgənts] *adv*, **nirgendwo** ['nɪrgəntvo:] *adv* en ninguna parte

Nische ['ni:ʃə] *f* <-n> nicho *m*; **eine ökologische ~** un enclave ecológico

nisten ['nɪsten] *vi* anidar

Niveau [ni'vo:] *nt* <-s, -s> nivel *m*; **kein ~ haben** ser de poca categoría; **niveaulos** *adj* sin nivel; (*mittelmäßig*) mediocre

Nixe [nɪksə] *f* <-n> ondina *f*

nobel ['no:bəl] *adj* noble; **Nobelpreis** [no'bɛlpraɪs] *m* premio *m* Nobel

noch [nɔx] I. *adv* ❶ (*zeitlich*) todavía; **sie schläft ~** aún duerme; **immer ~** todavía; **~ nicht** todavía no; **kaum ~** apenas; **nur ~** sólo; **~ nie** nunca; **~ heute** hoy mismo; **ich sage dir ~ Bescheid** ya te avisaré; **seien sie auch ~ so klein** por muy pequeños que sean ❷ (*zusätzlich*) más; **wer war ~ da?** ¿quién más estuvo?; **~ ein paar Tage** un par de días más; **~ einmal** otra vez; **auch das ~!** ¡lo que faltaba! II. *konj*: **weder ... ~ ...** ni... ni...

nochmals ['nɔxma:ls] *adv* otra vez

Nomade, Nomadin [no'ma:də] *m, f* <-n, -n; -nen> nómada *mf*

Nomen ['no:mən] *nt* <-s, -> nombre *m*

Nominativ ['no:minati:f, nomina'ti:f] *m* <-s, -e> nominativo *m*

nominieren* [nomi'ni:rən] *vt* nombrar

Nonne ['nɔnə] *f* <-n> monja *f*

nonstop ['nɔn'stɔp] *adv* sin parar; (*fliegen*) directo

Nordamerika ['--'---] *nt* América *f* del Norte; **Norddeutschland** ['-'--] *nt* Alemania *f* del Norte

Norden ['nɔrdən] *m* <-s, *ohne pl*> norte *m*; **im ~ von** en el norte de; (*nördlich von*) al norte de; **nach/in den ~** hacia el norte; **von ~** del norte

Nordeuropa ['--'--] *nt* Europa *f* del Norte; **Nordhalbkugel** ['----] *f ohne pl* hemisferio *m* norte; **Nordirland** ['-'--] *nt* <-s> Irlanda *f* del Norte

nordisch ['nɔrdɪʃ] *adj* nórdico

Nordkastilien *nt* <-s> Castilla *f* y León

nördlich ['nœrtlɪç] I. *adj* septentrional; **in ~er Richtung** en dirección norte; **~ von Köln** al norte de Colonia; **die ~e Halbkugel** el hemisferio norte II. *präp +gen* al norte de

Nordosten ['-'--] *m* nor(d)este *m*; **Nordpol** *m* <-s, *ohne pl*> polo *m* norte

Nordrhein-Westfalen [---'--] *nt* Renania *f* del Norte-Westfalia

Nordsee *f* Mar *m* del Norte; **Nordwesten** [-'--] *m* noroeste *m*

Nörgler(in) *m(f)* <-s, -; -nen> (*abw*) criticón, -ona *m, f*

Norm [nɔrm] *f* <-en> norma *f*

normal [nɔr'ma:l] *adj* normal; (*gewöhnlich*) corriente

normalerweise [-'--'--] *adv* normalmente

normalisieren* [nɔrmali'zi:rən] *vt, vr*: **sich ~** normalizar(se)

normen ['nɔrmən] *vt*, **normieren*** [nɔr'mi:rən] *vt* normalizar

Norwegen ['nɔrve:gən] *nt* <-s> Noruega *f*

Norweger(in) *m(f)* <-s, -; -nen> noruego, -a *m, f*

norwegisch *adj* noruego

Nostalgie [nɔstal'gi:] *f* nostalgia *f*

not[ALT] [no:t] *adj s.* **Not**

Not *f* <Nöte> ❶ (*Notlage*) apuro *m*; **in ~ geraten** verse en apuros ❷ (*Sorge, Mühe*) pena *f*; **mit knapper ~** por los pelos ❸ *ohne pl* (*Mangel*) falta *f* (**an** de); (*Elend*) miseria *f*; **~ leiden** (*geh*) estar en la miseria; **~ leidend** necesitado; **wenn ~ am Mann ist** cuando (la cosa) aprieta

Notar(in) [no'ta:ɐ] *m(f)* <-s, -e; -nen> notario, -a *m, f*

Notarzt, -ärztin *m, f* médico, -a *m, f* de urgencia; **Notaufnahme** *f* admisión *f* de urgencia; **Notausgang** *m* salida *f* de emergencia; **Notbremse** *f* freno *m* de emergencia; **Notdienst** *m* servicio *m* de emergencia; **notdürftig** [-dʏrftɪç] *adj* (*kaum ausreichend*) escaso; (*behelfsmäßig*) provisional

Note ['no:tə] *f* <-n> ❶ (*Schulnote a.*

MUS) nota *f*; (*Banknote*) billete *m* ❷ *ohne pl* (*Eigenart*) toque *m*; **etw** *dat* **seine persönliche ~ geben** aportar a algo su toque personal

Notfall *m* (caso *m* de) emergencia *f*; **notfalls** *adv* en caso necesario; **notgedrungen** ['no:tgə'drʊŋən] *adv* por la fuerza

notieren* [no'ti:rən] *vt* anotar

nötig ['nø:tɪç] *adj* necesario; **unbedingt ~** imprescindible; **wenn ~** si es preciso

nötigen ['nø:tɪgən] *vt* (*drängen*) apremiar; (*zwingen*) obligar; JUR coaccionar

Notiz [no'ti:ts] *f* <-en> nota *f*; **sich** *dat* **~en machen** tomar apuntes; **von etw ~ nehmen** fijarse en algo; **Notizblock** *m* <-s, -blöcke> bloc *m* de notas; **Notizbuch** *nt* agenda *f*

Notlage *f* apuro *m*; (*Krise*) crisis *f inv*; **notlanden** *vi sein* realizar un aterrizaje forzoso; **Notlandung** *f* aterrizaje *m* forzoso; **notleidend** *adj s.* **Not 3.**; **Notlösung** *f* solución *f* de emergencia; **Notruf** *m* llamada *f* de socorro; (*Notrufnummer*) (número *m* de) teléfono *m* de emergencia

Notstand *m* estado *m* de emergencia; **Notstandsgebiet** *nt* zona *f* catastrófica

Notwehr *f* legítima defensa *f*

notwendig ['no:tvɛndɪç] *adj* (*nötig*) necesario; **unbedingt ~** indispensable; **Notwendigkeit** ['----, -'---] *f* <-en> necesidad *f*

Novelle [no'vɛlə] *f* <-n> novela *f* corta

November [no'vɛmbɐ] *m* <-(s), -> noviembre *m*; *s.a.* **März**

Nr. *Abk. von* **Nummer** nº

Nu [nu:] *m* (*fam*): **im ~** en un abrir y cerrar de ojos

Nuance [ny'ã:sə] *f* <-n> matiz *m*

nüchtern ['nʏçtɐn] *adj* (*nicht betrunken*) sobrio; (*sachlich*) objetivo; (*schmucklos*) sin adornos; (*ohne Essen*) en ayunas; **auf ~en Magen** en ayunas

Nudel ['nu:dəl] *f* <-n> pasta *f*

null [nʊl] *adj inv* cero

Null *f* <-en> cero *m*; (*fam abw: Versager*) cero *m* a la izquierda

nullachtfünfzehn [--'--] *adj inv* (*fam*) común y corriente

Nullpunkt *m* <-(e)s, *ohne pl*> punto *m* cero; **den ~ erreicht haben** llegar a su punto más bajo; **Nulltarif** *m*: **zum ~** gratis

numerieren*[ALT] *vt s.* **nummerieren**

numerisch [nu'me:rɪʃ] *adj* numérico

Nummer ['nʊmɐ] *f* <-n> número *m*; (*Telefonnummer*) (número *m* de) teléfono *m*; **Gesprächsthema ~ eins** tema principal; **auf ~ Sicher gehen** (*fam*) ir sobre seguro

nummerieren*[RR] [nume'ri:rən] *vt* numerar

Nummernschild *nt* matrícula *f*

nun [nu:n] **I.** *adv* ❶ (*jetzt*) ahora; **von ~ an** desde ahora; **was ~?** ¿y ahora qué? ❷ (*inzwischen*) entretanto **II.** *part* (*einleitend*) pues; (*weiterführend*) pues bien

nur [nu:ɐ] *adv* sólo; **~ noch** tan sólo

Nürnberg ['nʏrnbɛrk] *nt* <-s> Nuremberg *m*

nuscheln ['nʊʃəln] *vi* (*fam*) mascullar

Nuss[RR] [nʊs] *f* <Nüsse> nuez *f*; **Nussbaum**[RR] *m* nogal *m*

Nutte ['nʊtə] *f* <-n> (*fam abw*) puta *f*

nutzen ['nʊtsən] **I.** *vi* servir; **jdm zu etw ~** ser provechoso para alguien **II.** *vt* aprovechar

Nutzen ['nʊtsən] *m* <-s, *ohne pl*> utilidad *f*; **zum ~ der Öffentlichkeit** en beneficio del público; **jdm von ~ sein** ser(le) útil a alguien; **~ aus etw ziehen** sacar provecho de algo

nützen *vi, vt s.* **nutzen**

nützlich ['nʏtslɪç] *adj* útil

nutzlos *adj* inútil

Nutzung *f* utilización *f*

O, o [oː] *nt* <-, -> O, o *f*

O *Abk. von* **Osten** E

Oase [o'aːzə] *f* <-n> oasis *m inv*

ob [ɔp] *konj* si; ~ **er wohl kommen wird?** ¿vendrá o no (vendrá)?; **als** ~ como si *+subj*; ~ **arm,** ~ **reich** lo mismo pobres que ricos; **und** ~**!** ¡claro que sí!

obdachlos *adj* sin hogar

Obdachlose(r) *f(m) dekl wie adj* desamparado, -a *m, f*

Obduktion [ɔpdʊk'tsjoːn] *f* <-en> autopsia *f*

O-Beine ['oːbaɪnə] *nt pl* (*fam*) piernas *fpl* arqueadas

oben ['oːbən] *adv* arriba; (*an der Oberfläche*) en la superficie; **nach** ~ hacia arriba; **ganz** ~ arriba del todo

obendrein ['--'-] *adv* además

Ober ['oːbɐ] *m* <-s, -> camarero *m*

Oberarm ['oːbɐ-] *m* brazo *m*; **Oberbegriff** *m* término *m* genérico; **Oberbekleidung** *f* ropa *f* exterior

obere(r, s) ['oːbərə, -rɐ, -rəs] *adj* de arriba; (*in einer Hierarchie*) superior

Oberfläche *f* superficie *f*

oberflächlich *adj* superficial

oberhalb *präp +gen* por encima de

Oberhand *f*: **die** ~ **gewinnen** imponerse; **Oberhaupt** *nt* (*geh*) jefe, -a *m, f*; **Oberkiefer** *m* maxilar *m* superior; **Oberkörper** *m* busto *m*; **Oberlippe** *f* labio *m* superior; **Oberösterreich** *nt* Alta Austria *f*; **Oberschenkel** *m* muslo *m*; **Oberschicht** *f* clase *f* alta; **Oberseite** *f* lado *m* superior

oberste(r, s) *adj superl von* **obere(r, s)** ① (*höher gelegen*) superior, más alto; (*Stockwerk*) último; (*zuoberst*) de arriba del todo ② (*in einer Hierarchie*) supremo; **der Oberste Gerichtshof** el Tribunal Supremo ③ (*wichtigste*) más importante

Oberstufe *f los últimos tres años de enseñanza media*

Objekt [ɔp'jɛkt] *nt* <-(e)s, -e> objeto *m*

objektiv [ɔpjɛk'tiːf] *adj* objetivo; (*unparteiisch*) imparcial

Objektiv [ɔpjɛk'tiːf] *nt* <-s, -e> objetivo *m*

obligatorisch [obliga'toːrɪʃ] *adj* obligatorio

Obrigkeit ['oːbrɪçkaɪt] *f* <-en> autoridad *f*

Obst [oːpst] *nt* <-(e)s, *ohne pl*> fruta *f*

obszön [ɔps'tsøːn] *adj* obsceno

obwohl [-'-] *konj* aunque

Ochse ['ɔksə] *m* <-n, -n> buey *m*

öde ['øːdə] *adj* (*verlassen*) desierto; (*langweilig*) aburrido

oder ['oːdɐ] *konj* o; (*vor o, ho*) u; (*zwischen Zahlen*) ó; (*andernfalls*) si no; ~ **aber ...** o por el contrario...; ~ **auch ...** o (bien)...; ~ **etwa nicht?** ¿o no?; **entweder ...** ~ **...** o... o...

Ofen ['oːfən] *m* <-s, Öfen> (*Backofen*) horno *m*; (*Heizofen*) estufa *f*

offen ['ɔfən] *adj* abierto; (*ohne Deckel*) destapado; (*Stelle*) vacante; (*aufrichtig*) franco; ~**er Wein** vino a granel; **auf** ~**er Straße** en plena calle; **das ist noch völlig** ~ eso todavía no se sabe; **die Post hat jetzt** ~ Correos está ahora abierto; ~ **seine Meinung sagen** decir su opinión abiertamente; ~ **gestanden ...** (dicho) francamente...; ~ **mit jdm reden** hablar francamente con alguien

offenbar ['ɔfən(')baːɐ] **I.** *adj* evidente **II.** *adv* aparentemente

offenbaren* [ɔfən'baːrən] **I.** *vt* (*geh*) revelar **II.** *vr:* **sich** ~ (*geh: sich erweisen*) mostrarse; (*sich anvertrauen*) confiarse

offen|bleiben *irr vi sein* (*Frage*) quedar pendiente; **offen|halten** *irr vt:* **etw** ~ dejar algo abierto

Offenheit *f* (*Aufgeschlossenheit*) espíritu *m* abierto; (*Ehrlichkeit*) franqueza *f*;

in aller ~ sinceramente

offenherzig *adj* franco; **offenkundig** ['--(')--] *adj* manifiesto; (*offensichtlich*) evidente; **offen|lassen** *irr vt* (*Entscheidung*) dejar pendiente

offensichtlich ['--(')--] *adj* evidente

offensiv [ɔfɛn'zi:f] *adj* ofensivo

Offensive [ɔfɛn'zi:və] *f* <-n> ofensiva *f*; **in die ~ gehen** tomar la ofensiva; **offen|stehen** *irr vi s.* **stehen 2.**

öffentlich ['œfəntlɪç] **I.** *adj* público **II.** *adv* en público; **~ bekannt geben** publicar

Öffentlichkeit *f* público *m*; **etw an die ~ bringen** hacer algo público; **Öffentlichkeitsarbeit** *f ohne pl* relaciones *fpl* públicas

öffentlich-rechtlich *adj* (de derecho) público

offiziell [ɔfi'tsjɛl] *adj* oficial

Offizier(in) [ɔfi'tsi:ɐ] *m(f)* <-s, -e; -nen> oficial(a) *m(f)*

offline ['ɔflaɪn] *adj* fuera de línea

öffnen ['œfnən] *vi, vt, vr:* **sich ~** abrir(se)

Öffner *m* <-s, -> abridor *m*

Öffnung *f* <-en> apertura *f*; **Öffnungszeit** *f* horas *fpl* de apertura

oft [ɔft] <öfter, am öftesten> *adv* a menudo; **wie ~?** ¿cuántas veces?; **nicht ~** pocas veces; **~ genug** bastante (a menudo)

öfter *adv kompar von* **oft** con frecuencia; **~ mal was Neues** hay que cambiar de vez en cuando; **des Öfteren** con (mucha) frecuencia

öfters *adv* con (mucha) frecuencia

oftmals ['ɔftma:ls] *adv* a menudo

ohne ['o:nə] **I.** *präp +akk* sin; **~ Zweifel** sin duda; **~ weiteres** sin más **II.** *konj*: **~ dass ...** sin que... *+subj*; **~ zu** sin

ohnehin [--'-] *adv* de todos modos

Ohnmacht ['o:n-] *f* <-en> (*Bewusstlosigkeit*) desvanecimiento *m*; (*Machtlosigkeit*) impotencia *f*; **in ~ fallen** desmayarse; **ohnmächtig** *adj* (*bewusstlos*) desmayado; (*machtlos*) impotente; **~ werden** desmayarse

Ohr [o:ɐ] *nt* <-(e)s, -en> oreja *f*; **jdn übers ~ hauen** engañar a alguien; **schreib dir das hinter die ~en!** (*fam*) ¡tenlo bien presente!; **viel um die ~en haben** (*fam*) estar muy ocupado; **bis über beide ~en verliebt sein** (*fam*) estar enamorado hasta la médula; **sich aufs ~ legen** (*fam*) planchar la oreja; **es faustdick hinter den ~en haben** (*fam*) tener muchas conchas; **Ohrfeige** *f* bofetada *f*

ohrfeigen *vt* pegar una bofetada (a); **ich könnte mich ~, dass ...** (*fam*) me daría de tortas por...

Ohrring *m* pendiente *m*, aro *m*

o.k., okay [o'ke:, o'kɛɪ] **I.** (*fam: Partikel*) vale, de acuerdo, okey **II.** *adj* (*fam*): **~ sein** (*gut*) estar bien; (*in Ordnung*) estar en orden

ökologisch *adj* ecológico

ökonomisch [øko'no:mɪʃ] *adj* económico

Ökosystem *nt* ecosistema *m*

Oktober [ɔk'to:bɐ] *m* <-(s), -> octubre *m*; *s.a.* **März**

Öl [ø:l] *nt* <-(e)s, -e> aceite *m*; (*Erdöl*) petróleo *m*

ölen ['ø:lən] *vt* engrasar

Ölgemälde *nt* pintura *f* al óleo; **Ölheizung** *f* calefacción *f* al fuel-oil

ölig *adj* aceitoso

Olive [o'li:və] *f* <-n> aceituna *f*; **Olivenbaum** *m* olivo *m*; **Olivenöl** *nt* aceite *m* de oliva

Ölkrise *f* crisis *f inv* petrolera; **Öltanker** *m* petrolero *m*; **Ölteppich** *m* marea *f* negra

Olympiade [olʏm'pja:də] *f* <-n> olimpiada *f*

olympisch [o'lʏmpɪʃ] *adj* olímpico

Oma ['o:ma] *f* <-s> (*fam*) abuela *f*

Omen ['o:mən] *nt* <-s, - *o* Omina> agüero *m*; **das ist ein schlechtes ~** es un mal presagio

Omnibus ['ɔmnibʊs] *m* autobús *m*

Onkel ['ɔŋkəl] *m* <-s, -> tío *m*

online ['ɔnlaɪn] *adj* en línea; **Onlineshop** ['ɔnlainʃɔp] *m* <-s, -s> tienda *f* en línea

Opa ['o:pa] *m* <-s, -s> (*fam*) abuelo *m*

Oper ['o:pɐ] *f* <-n> ópera *f*

Operation [opəra'tsjo:n] *f* <-en> operación *f*

operieren* [opə'ri:rən] *vi, vt* operar (**an** de); **sich ~ lassen** operarse (**an** de)

Opfer ['ɔpfɐ] *nt* <-s, -> (*Opfergabe*) ofrenda *f*; (*Verzicht*) sacrificio *m* (**für** por); (*Person*) víctima *f*; **etw fordert viele ~** algo causa muchas víctimas

opfern ['ɔpfɐn] *vt, vr:* **sich ~** sacrificar(se) (**für** por); **jdm viel Zeit ~** dedicar mucho tiempo a alguien

Opium ['o:piʊm] *nt* <-s, *ohne pl*> opio *m*

Opportunismus [ɔpɔrtu'nɪsmʊs] *m* <-, *ohne pl*> oportunismo *m*

Opposition [ɔpozi'tsjo:n] *f* <-en> oposición *f*

Optik ['ɔptɪk] *f* óptica *f*

Optiker(in) ['ɔptikɐ] *m(f)* <-s, -; -nen> óptico, -a *m, f*

optimal [ɔpti'ma:l] *adj* óptimo

optimieren* [ɔpti'mi:rən] *vt* optimar

Optimismus [ɔpti'mɪsmʊs] *m* <-, *ohne pl*> optimismo *m*

Optimist(in) [ɔpti'mɪst] *m(f)* <-en, -en; -nen> optimista *mf*

optimistisch *adj* optimista

Option [ɔp'tsjo:n] *f* <-en> opción *f*

optisch ['ɔptɪʃ] *adj* óptico

orange [o'rã:ʃ, o'raŋʃ] *adj* (de color) naranja

Orange [o'rã:ʒə, o'raŋʒə] *f* <-n> naranja *f*

Orchester [ɔr'kɛstɐ] *nt* <-s, -> orquesta *f*

Orchidee [ɔrçi'de:ə] *f* <-n> orquídea *f*

Orden ['ɔrdən] *m* <-s, -> REL orden *f* (religiosa); (*Auszeichnung*) condecoración *f*

ordentlich ['ɔrdəntlɪç] **I.** *adj* (*Mensch, Zimmer*) ordenado; (*anständig*) respetable; (*fam: tüchtig*) bueno **II.** *adv* ordenadamente; (*Benehmen*) como es debido; (*fam: ziemlich*) bastante; (*viel*) mucho; **sie verdient ganz ~** gana bastante

ordinär [ɔrdi'nɛ:ɐ] *adj* (*unfein*) vulgar; (*gewöhnlich*) ordinario

ordnen ['ɔrdnən] *vt* ordenar

Ordner *m* <-s, -> archivador *m*

Ordnung *f* orden *m*; **~ halten** mantener el orden; **für ~ sorgen** poner orden; **etw in ~ bringen** (*fam*) arreglar algo; **ich finde es (ganz) in ~, dass ...** (*fam*) me parece (muy) bien que... +*subj*; (**das geht**) **in ~** (*fam*) está bien; **der ist in ~** (*fam*) es un buen tipo;

ordnungsgemäß I. *adj* reglamentario **II.** *adv* como es debido; **ordnungswidrig** *adj* JUR ilegal; **sich ~ verhalten** infringir los reglamentos

Organ [ɔr'ga:n] *nt* <-s, -e> órgano *m*; (*fam: Stimme*) voz *f*

Organisation [ɔrganiza'tsjo:n] *f* <-en> organización *f*

organisatorisch [ɔrganiza'to:rɪʃ] *adj* organizador

organisch [ɔr'ga:nɪʃ] *adj* orgánico

organisieren* [ɔrgani'zi:rən] *vt, vr:* **sich ~** organizar(se)

Organismus [ɔrga'nɪsmʊs] *m* <-, Organismen> organismo *m*

Orgasmus [ɔr'gasmʊs] *m* <-, Orgasmen> orgasmo *m*

Orgel ['ɔrgəl] *f* <-n> órgano *m*

Orient ['o:riɛnt, ori'ɛnt] *m* <-s> Oriente *m*; **der Vordere ~** el Cercano Oriente

orientalisch [oriɛn'ta:lɪʃ] *adj* natural de Oriente Próximo

orientieren* [oriɛn'ti:rən] *vr:* **sich ~** orientarse (**an/nach** por); **ich orientierte mich an ihr** la tomé como ejemplo; **über etw orientiert sein** estar al corriente sobre algo

Orientierung *f* orientación *f*

original [origi'na:l] *adj* original; (*echt*) auténtico

Original [origi'na:l] *nt* <-s, -e> (*erstes Exemplar*) original *m*; (*fam: Mensch*)

persona *f* original

originell [origi'nɛl] *adj* original; (*eigenartig*) singular; (*außergewöhnlich*) insólito

Orkan [ɔr'ka:n] *m* <-s, -e> huracán *m*

Ort [ɔrt] *m* <-(e)s, -e> (*Platz*) lugar *m*; (*Ortschaft*) población *f*; (*Dorf*) pueblo *m*; (*Stadt*) ciudad *f*; **vor ~** in situ; **vor ~ sein** estar en el lugar de los hechos

Orthografie[RR] *f* <-n>, **Orthographie** [ɔrtogra'fi:] *f* <-n> ortografía *f*

Orthopäde, Orthopädin [ɔrto'pɛ:də] *m, f* <-n, -n; -nen> ortopeda *mf*

örtlich ['œrtlɪç] *adj* local

Ortschaft *f* <-en> población *f*

Ortsgespräch *nt* TEL llamada *f* urbana; **Ortsschild** *nt* señal *f* indicadora de población; **Ortsteil** *m* barrio *m*; **Ortszeit** *f* hora *f* local

Öse ['ø:zə] *f* <-n> (*am Schuh*) ojete *m*; (*für Haken*) corchete *m*

Ossi ['ɔsi] *mf* <-s, -s; -s> (*fam*) *habitante de los nuevos estados federales del este de Alemania*

Ostdeutschland *nt* este *m* de Alemania

Osten ['ɔstən] *m* <-s, *ohne pl*> este *m*; **im ~ von** en el este de; (*östlich von*) al este de; **nach/in den ~** hacia el este; **von ~** del este; **der Nahe/Ferne ~** el Cercano/Extremo Oriente; **der Mittlere ~** el Oriente Medio

Osteotherapie *f ohne pl* osteoterapia *f*

Ostern ['o:stɐn] *nt* <-, -> Pascua *f*; **Frohe ~!** ¡Felices Pascuas!

Österreich ['ø:stəraɪç] *nt* <-s> Austria *f*

Österreicher(in) *m(f)* <-s, -; -nen> austriaco, -a *m, f*

österreichisch *adj* austriaco

Osterwoche *f* Semana *f* Santa

Osteuropa ['--'--] *nt* Europa *f* Oriental; **Ostfriesland** [(')-'--] *nt* Frisia *f* Oriental

östlich ['œstlɪç] **I.** *adj* oriental; **in ~er Richtung** en dirección este; **~ von Basel** al este de Basilea **II.** *präp +gen* al este de

Ostsee *f* Mar *m* Báltico

Otter[1] ['ɔtɐ] *m* <-s, -> (*Fischotter*) nutria *f*

Otter[2] *f* <-n> (*Schlange*) víbora *f*

out|sourcen ['autsɔ:sn̩] *vt* WIRTSCH externalizar; **Outsourcing** ['aʊtsɔ:sɪŋ] *nt* <-, *ohne pl*> ❶ (*an Externe*) subcontratación *f* ❷ (*ins Ausland*) outsourcing *m*, deslocalización *f*

oval [o'va:l] *adj* ovalado

Overall ['ɔʊvərəl] *m* <-s, -s> mono *m*

Ozean ['o:tsea:n] *m* <-s, -e> océano *m*; **der Indische ~** el Océano Índico

Ozon [o'tso:n] *m o nt* <-s, *ohne pl*> ozono *m*; **Ozonloch** *nt* agujero *m* (de la capa) de ozono

P

P, p [pe:] *nt* <-, -> P, p *f*
paar [pa:ɐ] *pron indef inv*: **ein ~** (*einige*) algunos; (*wenige*) unos pocos; **ein ~ Mal** un par de veces; **alle ~ Minuten** a cada rato; **vor ein ~ Tagen** hace unos días
Paar [pa:ɐ] *nt* <-(e)s, -e> (*Lebewesen*) pareja *f*; (*Dinge*) par *m*; **ein ~ Socken** un par de calcetines
paaren ['pa:rən] *vt, vr*: **sich ~** (*Tiere*) aparear(se)
paarmal *adv* un par de veces
Paarung *f* <-en> (*Tiere*) apareamiento *m*
paarweise *adv* de dos en dos
Pacht [paxt] *f* <-en> ❶ (*Pachtzins*) arrendamiento *m* ❷ (*das Pachten*) arriendo *m*
pachten *vt* arrendar
Pächter(in) ['pɛçtɐ] *m(f)* <-s, -; -nen> arrendatario, -a *m, f*
Pack [pak] *nt* <-(e)s, *ohne pl*> (*fam abw*) gentuza *f*
Päckchen ['pɛkçən] *nt* <-s, -> paquete *m*; (*für Zigaretten*) cajetilla *f*; (*Postsendung*) pequeño paquete *m*
packen ['pakən] **I.** *vt* (*ergreifen*) agarrar (**an/bei** por); (*einpacken*) meter (**in** en); (*fam: schaffen*) conseguir; **den Koffer/seine Sachen ~** hacer la maleta; **hast du die Prüfung gepackt?** ¿has aprobado el examen? **II.** *vi* (*Koffer*) hacer las maletas
packend *adj* cautivador
Packpapier *nt* papel *m* de embalar
Packung *f* <-en> (*Paket*) paquete *m*
Pädagogik [--'--] *f* pedagogía *f*
pädagogisch *adj* pedagógico
paddeln ['padəln] *vi haben o sein* ir en canoa
Page ['pa:ʒə] *m* <-n, -n> (*Hotelpage*) botones *m inv*
Paket [pa'ke:t] *nt* <-(e)s, -e> paquete *m*
Pakt [pakt] *m* <-(e)s, -e> pacto *m*
paktieren* [pak'ti:rən] *vi* pactar
Palast [pa'last] *m* <-(e)s, -läste> palacio *m*
Palästina [palɛs'ti:na] *nt* <-s> Palestina *f*
palästinensisch *adj* palestino
Palette [pa'lɛtə] *f* <-n> (*Vielfalt*) gama *f*
Palme ['palmə] *f* <-n> palmera *f*; **jdn auf die ~ bringen** (*fam*) poner a alguien a cien por hora
Pampelmuse ['pampəlmu:zə] *f* <-n> pomelo *m*
pampig ['pampɪç] *adj* (*fam abw: frech*) descarado
Panama ['panama] *nt* <-s> Panamá *m*
panamaisch [pana'ma:ɪʃ] *adj* panameño
panieren* [pa'ni:rən] *vt* empanar
Panik ['pa:nɪk] *f* <-en> pánico *m*
panisch *adj* de pánico; **~e Angst vor etw haben** tener(le) pánico a algo
Panne ['panə] *f* <-n> avería *f*; **Pannendienst** *m* servicio *m* de auxilio en carretera
Panorama [pano'ra:ma] *nt* <-s, Panoramen> panorama *m*
Panter[RR] *m* <-s, ->, **Panther** ['pantɐ] *m* <-s, -> pantera *f*
Pantoffel [pan'tɔfəl] *m* <-s, -n> zapatilla *f*
Pantomime *f* <-n> pantomima *f*
Panzer ['pantsɐ] *m* <-s, -> (*Fahrzeug*) tanque *m*; (*von Tieren*) caparazón *m*
Papa ['papa] *m* <-s, -s> (*fam*) papá *m*
Papagei [papa'gaɪ] *m* <-en *o* -s, -e(n)> loro *m*
Papi ['papi] *m* <-s, -s> (*fam*) papi *m*
Papier [pa'pi:ɐ] *nt* <-s, -e> ❶ (*Material*) papel *m*; **ein Blatt ~** una hoja de papel ❷ (*Schriftstück*) documento *m* ❸ *pl* (*Ausweis*) papeles *m pl*; **Papierkorb** *m* papelera *f*; **Papierkram** *m* (*fam abw*) papeleo *m*; **Papiertaschentuch** *nt* pañuelo *m* de papel
Pappe ['papə] *f* <-n> cartón *m*
Pappel ['papəl] *f* <-n> chopo *m*
Pappkarton *m* (*Schachtel*) caja *f* de car-

tón

Paprika *f* <-(s)> pimiento *m*

Papst [pa:pst] *m* <-(e)s, Päpste> Papa *m*

päpstlich ['pɛ:pstlɪç] *adj* papal

Parabel [pa'ra:bəl] *f* <-n> parábola *f*

Parade [pa'ra:də] *f* <-n> MIL desfile *m*; **Paradebeispiel** *nt* ejemplo *m* clásico

Paradeiser *m* <-s, -> ÖSTERR tomate *m*

Paradies [para'di:s] *nt* <-es, -e> paraíso *m*

paradiesisch [para'di:zɪʃ] *adj* paradisíaco

paradox [para'dɔks] *adj* paradójico

Paragliding ['pa:raglaɪdɪŋ] *nt* <-s, *ohne pl*> parapente *m*

Paragraf[RR] *m* <-en, -en>, **Paragraph** [para'gra:f] *m* <-en, -en> JUR artículo *m*; (*Paragrafenzeichen*) párrafo *m*

Paraguay [para'gu̯aɪ, 'paragu̯aɪ] *nt* <-s> Paraguay *m*

paraguayisch [para'gu̯a:jɪʃ, 'paragu̯aɪɪʃ] *adj* paraguayo

parallel [para'le:l] *adj* paralelo (**zu** a)

Parallele [para'le:lə] *f* <-n> paralela *f*; **~n zwischen etw aufzeigen** establecer un paralelo entre algo

Parasit [para'zi:t] *m* <-en, -en> parásito *m*

parat [pa'ra:t] *adj* a punto

Pärchen ['pɛ:ɐçən] *nt* <-s, -> parejita *f*

Parfum [par'fœ̃:] *nt*, **Parfüm** [par'fy:m] *nt* <-s, -e *o* -s> perfume *m*

parfümieren* [parfy'mi:rən] *vt, vr:* **sich ~** perfumar(se)

parieren* [pa'ri:rən] *vi* obedecer

Pariser(in) [pa'ri:zɐ] *m(f)* <-s, -; -nen> parisino, -a *m, f*, parisiense *mf*

Park [park] *m* <-s, -s> parque *m*; **Parkbank** *f* <-bänke> banco *m* del parque

parken ['parkən] *vi, vt* aparcar; **ein ~des Auto** un coche estacionado

Parkett [par'kɛt] *nt* <-(e)s, -e *o* -s> (*Fußboden*) parqué *m*; (*im Theater, Kino*) platea *f*

Parkgebühr *f* tarifa *f* de aparcamiento; **Parkhaus** *nt* parking *m*; **Parklücke** *f* hueco *m* para aparcar; **Parkplatz** *m* aparcamiento *m*; **Parkscheibe** *f* disco *m* de estacionamiento; **Parkuhr** *f* parquímetro *m*; **Parkverbot** *nt* prohibición *f* de estacionamiento; **hier ist ~** aquí no se puede aparcar

Parlament [parla'mɛnt] *nt* <-(e)s, -e> parlamento *m*

parlamentarisch *adj* parlamentario

Parlamentswahlen *f pl* elecciones *fpl* generales (al parlamento)

Parodie [paro'di:] *f* <-n> parodia *f* (**auf** de)

Parole [pa'ro:lə] *f* <-n> lema *m*

Partei [par'taɪ] *f* <-en> POL partido *m*; **für jdn ~ ergreifen** tomar partido por alguien

parteiisch *adj* parcial

Parteitag *m* congreso *m* del partido

Partie [par'ti:] *f* <-n> (*Spieldurchgang*) partida *f*; (*im Sport*) partido *m*; **bei etw mit von der ~ sein** (*fam*) tomar parte en algo

Partisan(in) [parti'za:n] *m(f)* <-s *o* -en, -en; -nen> guerrillero, -a *m, f*

Partizip [parti'tsi:p] *nt* <-s, -ien> participio *m*; **~ Perfekt** participio pasado

Partner(in) ['partnɐ] *m(f)* <-s, -; -nen> (*Lebenspartner, Tanzpartner*) pareja *f*; (*Teilhaber*) socio, -a *m, f*

Partnerschaft *f* <-en> (*Zusammenarbeit*) cooperación *f*; (*Zusammenleben*) convivencia *f*

Partnerstadt *f* ciudad *f* hermanada

Party ['pa:ɐti] *f* <-s> fiesta *f*; **Partyservice** *m* <-, *ohne pl*> servicio *m* a domicilio

Pass[RR] [pas] *m* <-es, Pässe> pasaporte *m*; (*Gebirgspass*) puerto *m* (de montaña)

Passage [pa'sa:ʒə] *f* <-n> pasaje *m*

Passagier(in) [pasa'ʒi:ɐ] *m(f)* <-s, -e; -nen> pasajero, -a *m, f*; **ein blinder ~** un polizón

Passant(in) [pa'sant] *m(f)* <-en, -en; -nen> transeúnte *mf*

Passbild[RR] *nt* foto *f* de carné

passen ['pasən] *vi* ① (*in Größe, Form*)

sentar bien; (*in der Menge*) caber (**in** en); **das passt wie angegossen** queda perfecto ❷ (*harmonieren*) pegar (**zu** con); **sie ~ zueinander** hacen buena pareja; **die Beschreibung passt auf ihn** la descripción encaja con él ❸ (*genehm sein*) venir bien; **das passt mir gar nicht** no me viene nada bien

passend *adj* ❶ (*in Größe, Form*) que queda bien; **welches ist der ~e Schlüssel?** ¿cuál es la llave correcta?; **dazu ~** (*in der Farbe*) a juego ❷ (*treffend*) apropiado; (*genau*) justo; **haben Sie es nicht ~?** (*fam*) ¿no lo tiene justo? ❸ (*angemessen*) adecuado

Passfoto[RR] *nt* foto *f* de carné

passieren* [pa'si:rən] I. *vi sein* ocurrir; **was ist denn passiert?** ¿qué ha pasado? II. *vt haben* (*Grenze*) pasar

passiv ['pasi:f, -'-] *adj* pasivo

Passiv ['pasi:f, -'-] *nt* <-s, -e> voz *f* pasiva

Passkontrolle[RR] *f* control *m* de pasaportes; **Passwort**[RR] ['pasvɔrt] *nt* <-(e)s, -wörter> santo *m* y seña

Pastete [pas'te:tə] *f* <-n> volován *m*

pasteurisieren* [pastøri'zi:rən] *vt* paste(u)rizar

Pate, Patin ['pa:tə] *m, f* <-n, -n; -nen> padrino, madrina *m, f*; **Patenkind** *nt* ahijado, -a *m, f*; **Patenonkel** *m* padrino *m*

Patenschaft *f* <-en> padrinazgo *m*; **die ~ für ein Kind übernehmen** apadrinar a un niño

Patent [pa'tɛnt] *nt* <-(e)s, -e> patente *f*; **etw zum ~ anmelden** solicitar la patente de algo

Patentante *f* madrina *f*

Patentrezept *nt* solución *f* ideal

Pater ['pa:tɐ] *m* <-s, -> REL padre *m*

pathetisch [pa'te:tɪʃ] *adj* patético

Patient(in) [pa'tsjɛnt] *m(f)* <-en, -en; -nen> paciente *mf*

Patriot(in) [patri'o:t] *m(f)* <-en, -en; -nen> patriota *mf*

patriotisch *adj* patriótico

Patrone [pa'tro:nə] *f* <-n> cartucho *m*

Patrouille [pa'trʊljə] *f* <-n> patrulla *f*

Patsche ['patʃə] *f* (*fam*): **in der ~ sitzen** encontrarse en apuros

patzig ['patsɪç] *adj* (*fam abw: Person*) descarado; (*Antwort*) insolente

Pauke ['paʊkə] *f* <-n> timbal *m*; **auf die ~ hauen** (*fam*) celebrar por todo lo alto

pauken *vi, vt* (*fam: lernen*) empollar

pausbäckig ['paʊsbɛkɪç] *adj* mofletudo

pauschal [paʊ'ʃa:l] *adv* (*zusammen*) en bloque; (*allgemein*) en general; **~ 100 Euro berechnen** cobrar 100 euros, todo incluido; **das kann man so ~ nicht sagen** esto no se puede generalizar así

Pauschale [paʊ'ʃa:lə] *f* <-n> importe *m* global

pauschalisieren* [paʊʃali'zi:rən] *vt* generalizar

Pauschalpreis *m* precio *m* global; **Pauschalreise** *f* viaje *m* organizado; **Pauschaltourismus** *m* turismo *m* organizado

Pause ['paʊzə] *f* <-n> pausa *f*; (*im Theater*) intermedio *m*; **pausenlos** I. *adj* ininterrumpido II. *adv* sin pausa

Pavillon ['pavɪljõ] *m* <-s, -s> pabellón *m*

Pazifik [pa'tsi:fɪk] *m* <-s> (Océano *m*) Pacífico *m*

pazifisch [pa'tsi:fɪʃ] *adj*: **der Pazifische Ozean** el Océano Pacífico

pazifistisch *adj* pacifista

PC [pe:'tse:] *m* <-(s), -(s)> *Abk. von* **Personal Computer** ordenador *m* personal

Pech [pɛç] *nt* <-(e)s, -e> ❶ (*Teer*) pez *f* ❷ *ohne pl* (*Missgeschick*) mala suerte *f*; **Pechsträhne** *f* racha *f* de mala suerte; **Pechvogel** *m* (*fam*) desgraciado, -a *m, f*

Pedal [pe'da:l] *nt* <-s, -e> pedal *m*

pedantisch *adj* pedante

Pegel ['pe:gəl] *m* <-s, -> (*Höhe*) nivel *m* del agua

peilen ['paɪlən] *vt:* **über den Daumen**

P

gepeilt a ojo de buen cubero

peinigen ['paɪnɪgən] *vt* (*geh*) atormentar

peinlich *adj* (*unangenehm*) desagradable; (*Situation*) embarazoso; (*genau*) meticuloso

Peitsche ['paɪtʃə] *f* <-n> látigo *m*

peitschen I. *vi* (*Regen*) golpear (**an/gegen** en) **II.** *vt* azotar

Pelikan ['pe:lika:n] *m* <-s, -e> pelícano *m*

Pelle ['pɛlə] *f* <-n> NORDD piel *f*; **jdm auf die ~ rücken** pegarse a alguien

pellen *vt, vr:* **sich ~** NORDD pelar(se)

Pelz [pɛlts] *m* <-es, -e> piel *f*

Pendel ['pɛndəl] *nt* <-s, -> péndulo *m*

pendeln ['pɛndəln] *vi* ① *haben* (*schwingen*) oscilar ② *sein* (*hin- und herfahren*) viajar (diariamente)

Penes ['pe:ne:s] *pl von* **Penis**

penetrant [pene'trant] *adj* penetrante; (*abw: aufdringlich*) molesto; (*Person*) pesado

penibel [pe'ni:bəl] *adj* meticuloso (**in** con)

Penicillin [penitsɪ'li:n] *nt* <-s, -e> *s.* **Penizillin**

Penis ['pe:nɪs] *m* <-, -se *o* Penes> pene *m*

Penizillin [penitsɪ'li:n] *nt* <-s, -e> penicilina *f*

pennen ['pɛnən] *vi* (*fam*) ① (*schlafen*) dormir ② (*nicht aufpassen*) estar distraído

Penner(in) ['pɛnɐ] *m(f)* <-s, -; -nen> (*fam abw: Stadtstreicher*) vagabundo, -a *m, f*

Pensa, Pensen ['pɛnzən] *pl von* **Pensum**

Pension [pã'zjo:n, pɛn'zjo:n] *f* <-en> (*Rente, Herberge*) pensión *f*; **in ~ gehen** jubilarse

Pensionär(in) [pãzjo'nɛ:ɐ, pɛnzjo'nɛ:ɐ] *m(f)* <-s, -e; -nen> jubilado, -a *m, f*

pensionieren* [pãzjo'ni:rən, pɛnzjo'ni:rən] *vt* jubilar

Pensum ['pɛnzʊm] *nt* <-s, Pensen *o* Pensa> tarea *f*

per [pɛr] *präp +akk* por; **er fährt ~ Anhalter** viaja a dedo; **sie ist ~ du mit ihm** se tutean

perfekt [pɛr'fɛkt] *adj* perfecto; **die Sache ist ~** (*fam*) el asunto está arreglado

Perfekt ['pɛrfɛkt] *nt* <-s, -e> (pretérito *m*) perfecto *m*

Perfektion [pɛrfɛk'tsjo:n] *f* perfección *f*

perfektionieren* [pɛrfɛktsjo'ni:rən] *vt* perfeccionar

Perfektionismus [pɛrfɛktsjo'nɪsmʊs] *m* <-, *ohne pl*> perfeccionismo *m*

Periode [peri'o:də] *f* <-n> período *m*

periodisch [peri'o:dɪʃ] *adj* periódico

Peripherie [perife'ri:] *f* <-n> periferia *f*; INFOR periférico *m*

Perle ['pɛrlə] *f* <-n> (*der Perlmuschel*) perla *f*; (*aus Glas, Holz*) cuenta *f*; (*Schweißperle*) gota *f* (de sudor)

permanent [pɛrma'nɛnt] *adj* permanente

perplex [pɛr'plɛks] *adj* (*fam*) perplejo

Person [pɛr'zo:n] *f* <-en> persona *f*; **Angaben zur ~ machen** dar los datos personales; **er ist die Geduld in ~** es la paciencia en persona

Personal [pɛrzo'na:l] *nt* <-s, *ohne pl*> personal *m*; **Personalausweis** *m* ≈carné *m* de identidad

Personalien [pɛrzo'na:liən] *pl* datos *m pl* personales

Personalpronomen *nt* pronombre *m* personal

Personenkraftwagen *m* (*formal*) automóvil *m*; **Personenverkehr** *m* transporte *m* de viajeros; **öffentlicher/privater ~** transporte público/privado de viajeros

persönlich [pɛr'zø:nlɪç] *adj* personal; (*selbst*) en persona; **etw ~ nehmen** tomarse algo a pecho; **jdn ~ kennen** conocer a alguien personalmente

Persönlichkeit *f* <-en> personalidad *f*

Perspektive [pɛrspɛk'ti:və] *f* <-n> perspectiva *f*; **aus meiner ~** desde mi punto de vista

Peru [pe'ru:] *nt* <-s> Perú *m*

Peruaner(in) [peru'a:nɐ] *m(f)* <-s, -; -nen> peruano, -a *m, f*

peruanisch *adj* peruano

Perücke [pe'rʏkə] *f* <-n> peluca *f*

pervers [pɛr'vɛrs] *adj* perverso

Perversion [pɛrvɛr'zjo:n] *f* <-en> perversión *f*

Pesete [pe'ze:tə] *f* <-n> (*Währung* HIST) peseta *f*

Pessimismus [pɛsi'mɪsmʊs] *m* <-, *ohne pl*> pesimismo *m*

pessimistisch *adj* pesimista

Pest [pɛst] *f* peste *f*; **jdn wie die ~ hassen** odiar a alguien a muerte; **es stinkt wie die ~** (*fam*) huele que apesta

Pestizid [pɛsti'tsi:t] *nt* <-s, -e> pesticida *m*

Petersilie [petɐ'zi:ljə] *f* perejil *m*

Petroleum [pe'tro:leʊm] *nt* <-s, *ohne pl*> petróleo *m*

petzen ['pɛtsən] *vt* (*fam*) chivar(se) (**bei** +*dat* a)

Pfad [pfa:t] *m* <-(e)s, -e> senda *f*; INFOR camino *m*; **Pfadfinder(in)** *m(f)* <-s, -; -nen> scout *mf*

Pfahl [pfa:l] *m* <-(e)s, Pfähle> palo *m*

Pfalz [pfalts] *f* Palatinado *m*

pfälzisch ['pfɛltsɪʃ] *adj* palatino

Pfand [pfant] *m* <-(e)s, Pfänder> prenda *f*; (*Pfandgeld*) garantía *f*; (*für Flaschen*) dinero *m* por el envase

pfänden ['pfɛndən] *vt* embargar

Pfandflasche *f* botella *f* retornable

Pfanne ['pfanə] *f* <-n> sartén *f*; **Pfannkuchen** *m* crepe *f*, panqueque *m*

Pfarramt ['pfarʔamt] *nt* parroquia *f*

Pfarrer[1] ['pfarɐ] *m* <-s, -> (*katholisch*) párroco *m*

Pfarrer(in)[2] *m(f)* <-s, -; -nen> pastor(a) *m(f)*

Pfau [pfaʊ] *m* <-(e)s, -en> pavo *m* real

Pfeffer ['pfɛfɐ] *m* <-s, -> pimienta *f*; **Pfefferminze** [pfɛfɐ'mɪntsə] *f* menta *f*

pfeffern ['pfɛfɐn] *vt* ❶ GASTR sazonar con pimienta ❷ (*fam: werfen*) tirar con violencia

Pfefferstreuer *m* <-s, -> pimentero *m*

Pfeife ['pfaɪfə] *f* <-n> (*Signalpfeife*) pito *m*; (*Tabakpfeife*) pipa *f*

pfeifen ['pfaɪfən] <pfeift, pfiff, gepfiffen> *vi, vt* silbar

Pfeil [pfaɪl] *m* <-(e)s, -e> flecha *f*

Pfeiler ['pfaɪlɐ] *m* <-s, -> (*a. fig*) pilar *m*; (*Brückenpfeiler*) pila *f*

Pfennig ['pfɛnɪç] *m* <-s, -e> HIST pfennig *m*, ≈céntimo *m*; **ich habe keinen ~ dabei** estoy sin un duro

pferchen *vt* apretujar

Pferd ['pfe:ɐt] *nt* <-(e)s, -e> caballo *m*; **mit ihr kann man ~e stehlen** (*fam*) se puede contar con ella para todo; **Pferderennbahn** *f* hipódromo *m*; **Pferdestärke** *f* TECH caballo *m* de vapor

pfiff [pfɪf] *3. imp von* **pfeifen**

Pfiff [pfɪf] *m* <-(e)s, -e> silbido *m*

Pfifferling ['pfɪfɐlɪŋ] *m* <-s, -e> rebozuelo *m*; **keinen ~ wert sein** (*fam*) no valer un pimiento

pfiffig ['pfɪfɪç] *adj* pillo; (*witzig*) con gracia

Pfingsten ['pfɪŋstən] *nt* <-, -> Pentecostés *m*

Pfirsich ['pfɪrzɪç] *m* <-(e)s, -e> melocotón *m*, durazno *m*

Pflanze ['pflantsə] *f* <-n> planta *f*

pflanzen *vt* plantar

Pflanzenöl *nt* aceite *m* vegetal

pflanzlich *adj* vegetal

Pflanzung *f* <-en> plantío *m*; (*Plantage*) plantación *f*

Pflaster ['pflastɐ] *nt* <-s, -> (*aus Asphalt*) pavimento *m*; (*Kopfsteinpflaster*) adoquinado *m*; (*Verband*) esparadrapo *m*; (*Heftpflaster*) tirita *f*

Pflaume ['pflaʊmə] *f* <-n> ciruela *f*

Pflege ['pfle:gə] *f* cuidado *m*; (*Körperpflege*) aseo *m*; **pflegebedürftig** *adj* que necesita cuidados; **Pflegeeltern** *pl* padres *mpl* tutelares; **Pflegefall** *m* enfermo, -a *m, f* bajo continua vigilancia médica; **Pflegeheim** *nt* asilo *m*; **Pflegekind** *nt* niño, -a *m, f* en tutela; **pflegeleicht** *adj* (*Mensch*) fácil de tratar;

Pflegemutter *f* <-mütter> madre *f* tutelar

pflegen ['pfle:gən] I. *vt* cuidar; (*Freundschaft*) cultivar; (*Beziehungen*) mantener II. *vi* soler +*inf*

Pfleger(**in**) *m(f)* <-s, -; -nen> (*Krankenpfleger*) enfermero, -a *m, f*

Pflegevater *m* padre *m* tutelar

Pflicht [pflɪçt] *f* <-en> deber *m*; (*Verpflichtung*) obligación *f*; **seine ~en erfüllen** cumplir con sus deberes; **pflichtbewusst**[RR] *adj* cumplidor; **Pflichtbewusstsein**[RR] *nt* sentido *m* del deber; **Pflichtfach** *nt* UNIV, SCH asignatura *f* obligatoria; (*im Grundstudium*) asignatura *f* común; **Pflichtverteidiger**(**in**) *m(f)* JUR defensor(a) *m(f)* de oficio

Pflock [pflɔk] *m* <-(e)s, Pflöcke> estaca *f*

pflücken ['pflʏkən] *vt* coger

Pflug [plu:k] *m* <-(e)s, Pflüge> arado *m*

pflügen ['pfly:gən] *vi, vt* arar

Pforte ['pfɔrtə] *f* <-n> puerta *f*

Pförtner(**in**) ['pfœrtnɐ] *m(f)* <-s, -; -nen> portero, -a *m, f*

Pfosten ['pfɔstən] *m* <-s, -> poste *m*; (*Türpfosten*) jamba *f*

Pfote ['pfo:tə] *f* <-n> pata *f*

Pfropfen ['pfrɔpfən] *m* <-s, -> tapón *m*

pfui [pfʊɪ] *interj* puaj; ~ **Teufel!** ¡qué asco!

Pfund [pfʊnt] *nt* <-(e)s, -e> libra *f*; **einige ~e abnehmen** adelgazar unos kilos; ~ **Sterling** libra esterlina

pfuschen ['pfʊʃən] *vi* (*fam abw: schludern*) chapucear; (REG: *schummeln*) hacer trampas

Pfuscherei *f* <-en> (*fam abw*) chapucería *f*

Pfütze ['pfʏtsə] *f* <-n> charco *m*

Phänomen [fɛno'me:n] *nt* <-s, -e> fenómeno *m*

phänomenal [fɛnome'na:l] *adj* fenomenal

Phantasie [fanta'zi:] *f* <-n> *s.* **Fantasie**; **phantasielos** *adj s.* **fantasielos**

phantasieren* [fanta'zi:rən] *vi s.* **fantasieren**

phantasievoll *adj s.* **fantasievoll**

phantastisch *adj s.* **fantastisch**

Phantom [fan'to:m] *nt* <-s, -e> fantasma *m*; **Phantombild** *nt* retrato *m* robot

Pharmaindustrie *f* industria *f* farmacéutica

Pharmakologie [farmakolo'gi:] *f* farmacología *f*

pharmakologisch *adj* farmacológico

pharmazeutisch *adj* farmacéutico

Pharmazie [farma'tsi:] *f* farmacia *f*

Phase ['fa:zə] *f* <-n> fase *f*

Philologie [filolo'gi:] *f* <-n> filología *f*

philologisch *adj* filológico

Philosophie [filozo'fi:] *f* <-n> filosofía *f*

philosophieren* [filozo'fi:rən] *vi* filosofar (**über** sobre)

philosophisch [filo'zo:fɪʃ] *adj* filosófico

phlegmatisch *adj* flemático

Phonetik [fo'ne:tɪk] *f* fonética *f*

Phosphat [fɔs'fa:t] *nt* <-(e)s, -e> fosfato *m*

Photo ['fo:to] *nt s.* **Foto**

Phrase ['fra:zə] *f* <-n> frase *f*; **~n dreschen** (*fam*) hablar con clichés

pH-Wert [pe:'ha:ve:ɐt] *m* (valor *m*) PH *m*

Physik [fy'zi:k] *f* física *f*

physikalisch [fyzi'ka:lɪʃ] *adj* físico

physiologisch [fyzio'lo:gɪʃ] *adj* fisiológico

Physiotherapie [fyzio-] *f ohne pl* fisioterapia *f*

physisch ['fy:zɪʃ] *adj* físico

Pianist(**in**) [pja'nɪst] *m(f)* <-en, -en; -nen> pianista *mf*

Piano ['pja:no] *nt* <-s, -s> piano *m* vertical

Pickel ['pɪkəl] *m* <-s, -> (*auf der Haut*) grano *m*

picken ['pɪkən] *vi, vt* (*Vogel*) picotear (**nach**)

Picknick ['pɪknɪk] *nt* <-s, -s *o* -e> picnic *m*

piepen ['pi:pən] *vi* (*Vogel*) piar; (*Maus*) chillar; **bei der piept's wohl!** (*fam*) ¡está tocada (del ala)!; **das ist ja zum Piepen!** (*fam*) ¡es para morirse de risa!
Piercing ['pi:ɐsɪŋ] *nt* <-s, -s> piercing *m*
Pik [pi:k] *nt* <-s, *ohne pl*> (*französische Karten*) pica *f*; (*spanische Karten*) espadas *fpl*
pikant [pi'kant] *adj* picante
pikiert [pi'ki:ɐt] *adj* mosqueado
Pilger(in) ['pɪlgɐ] *m(f)* <-s, -; -nen> peregrino, -a *m, f*
pilgern ['pɪlgɐn] *vi sein* peregrinar (**nach** a)
Pille ['pɪlə] *f* <-n> pastilla *f*; (*Antibabypille*) píldora *f* (anticonceptiva); **eine bittere ~** (*fam*) un trago amargo
Pilot(in) [pi'lo:t] *m(f)* <-en, -en; -nen> piloto *mf*
Pilz [pɪlts] *m* <-es, -e> BOT, MED hongo *m*; (*mit Hut*) seta *f*
pingelig ['pɪŋəlɪç] *adj* (*fam*) tiquismiquis
Pinguin ['pɪŋgui:n] *m* <-s, -e> pingüino *m*
Pinie ['pi:niə] *f* <-n> pino *m* piñonero
pink [pɪŋk] *adj* (rosa) fucsia
pinkeln ['pɪŋkəln] *vi* (*fam*) mear
Pinnwand ['pɪn-] *f* tablón *m* de notas
Pinsel ['pɪnzəl] *m* <-s, -> pincel *m*; (*dick*) brocha *f*
Pinzette [pɪn'tsɛtə] *f* <-n> pinza(s) *f(pl)*
Pionier(in) [pio'ni:ɐ] *m(f)* <-s, -e; -nen> pionero, -a *m, f*
Pipeline ['paɪplaɪn] *f* <-s> (*für Gas*) gasoducto *m*; (*für Öl*) oleoducto *m*
Pipi ['pɪpi, pi'pi:] *nt* <-s, *ohne pl*> (*fam*) pis *m inv*
Pirat(in) [pi'ra:t] *m(f)* <-en, -en; -nen> pirata *mf*
pissen ['pɪsən] *vi* ❶ (*vulg: urinieren*) mear ❷ (*fam: regnen*) llover
Piste ['pɪstə] *f* <-n> pista *f*
Pistole [pɪs'to:lə] *f* <-n> pistola *f*
Pizza ['pɪtsa] *f* <-s *o* Pizzen> pizza *f*; **Pizzaservice** ['pɪtsasœrvɪs] *m* <-, -> servicio *m* de reparto de pizzas a domicilio
Pkw *m*, **PKW** ['pe:kave:] *m* <-(s), -(s)> *Abk. von* **Personenkraftwagen** automóvil *m*
plädieren* [plɛ'di:rən] *vi* abogar (**auf/für** por)
Plage ['pla:gə] *f* <-n> plaga *f*
plagen ['pla:gən] **I.** *vt* fastidiar; (*Schmerzen, Zweifel*) atormentar **II.** *vr:* **sich ~** matarse trabajando
Plakat [pla'ka:t] *nt* <-(e)s, -e> cartel *m*
Plakette [pla'kɛtə] *f* <-n> placa *f*
Plan [pla:n] *m* <-(e)s, Pläne> (*Vorhaben*) plan *m*; (*Entwurf, Karte*) plano *m*
Plane ['pla:nə] *f* <-n> lona *f*
planen ['pla:nən] *vt* (*vorhaben*) planear; (*entwerfen*) proyectar; **es lief alles wie geplant** todo transcurrió como estaba previsto
Planet [pla'ne:t] *m* <-en, -en> planeta *m*
Planetarium [plane'ta:riʊm] *nt* <-s, Planetarien> planetario *m*
Planke ['plaŋkə] *f* <-n> tablón *m*
Plankton ['plaŋktɔn] *nt* <-s, *ohne pl*> plancton *m*
planlos *adj* sin método; **planmäßig** **I.** *adj* previsto **II.** *adv* como estaba previsto
Plantage [plan'ta:ʒə] *f* <-n> plantación *f*
Planung *f* <-en> planificación *f*
plappern ['plapɐn] *vi* (*fam*) cotorrear
Plastik[1] ['plastɪk] *nt* <-s, *ohne pl*> (*Kunststoff*) plástico *m*
Plastik[2] *f* <-en> KUNST escultura *f*
Plastiktüte *f* bolsa *f* de plástico
plastisch ['plastɪʃ] *adj* plástico
Platin ['pla:ti:n] *nt* <-s, *ohne pl*> platino *m*
platonisch [pla'to:nɪʃ] *adj* platónico
platt [plat] *adj* (*flach*) plano; (*abw: geistlos*) trivial; **etw ~ drücken** aplastar algo; **~ sein** (*fam: überrascht*) estar sorprendido; **Plattdeutsch** *nt* bajo alemán *m*

Platte ['platə] *f* <-n> ❶ (*Steinplatte*) losa *f*; (*Holzplatte*) tabla *f*; (*Metallplatte*) plancha *f* ❷ (*Schallplatte*) disco *m* ❸ (*Herdplatte*) fogón *m* ❹ (*Teller*) bandeja *f*; **kalte ~** fiambres *m pl*

Platten: **einen ~ haben** (*fam*) tener un pinchazo

Plattenspieler *m* <-s, -> tocadiscos *m inv*

Plattform *f* plataforma *f*; **Plattfuß** *m* pie *m* plano

Platz [plats] *m* <-es, Plätze> ❶ (*Ort, Stelle*) lugar *m*; **auf die Plätze, fertig, los!** ¡preparados, listos, ya! ❷ (*öffentlicher Platz*) plaza *f* ❸ (*Sitzplatz*) sitio *m*; **bitte, nehmen Sie ~!** ¡tome asiento, por favor! ❹ (*Teilnahmeplatz*) plaza *f*; **es sind noch Plätze frei** todavía quedan plazas libres ❺ (*Rang*) puesto *m*; **sie belegte den dritten ~** ocupó el tercer lugar; **seinen ~ behaupten** reafirmar su posición ❻ *ohne pl* (*Raum*) sitio *m*; **~ sparend** que no ocupa mucho espacio; **jdm ~ machen** hacer(le) sitio a alguien; **Platzangst** *f* claustrofobia *f*

Plätzchen ['plɛtsçən] *nt* <-s, -> (*Keks*) galleta *f*

platzen ['platsən] *vi sein* (*Rohr, Luftballon*) reventar; (*Naht*) romperse

platzieren*RR [pla'tsi:rən] I. *vt* colocar II. *vr:* **sich ~** SPORT clasificarse

Platzmangel *m* <-s, *ohne pl*> falta *f* de sitio; **Platzpatrone** *f* cartucho *m* de salvas; **Platzregen** *m* chaparrón *m*; **platzsparend** *adj s.* **Platz 6.**

plaudern ['plaʊdɐn] *vi* charlar (**über** sobre/de)

plausibel [plaʊ'zi:bəl] *adj* plausible; **jdm etw ~ machen** hacer(le) algo inteligible a alguien

Playboy ['plɛɪbɔɪ] *m* <-s, -s> playboy *m*

plazieren*ALT *vt, vr:* **sich ~** *s.* **platzieren**

pleite ['plaɪtə] *adj* (*fam*): **~ sein** no tener un duro

Pleite ['plaɪtə] *f* <-n> (*fam: Bankrott*) quiebra *f*; (*Misserfolg*) fracaso *m*; **mit jdm/etw eine ~ erleben** llevarse un chasco con alguien/algo

pleite|gehen ['plaɪtəge:ən] *vi* quebrar

Plombe ['plɔmbə] *f* <-n> (*Verschluss*) precinto *m*; (*Zahnfüllung*) empaste *m*

plötzlich ['plœtslɪç] I. *adj* repentino II. *adv* de repente

plump [plʊmp] *adj* (*unförmig*) tosco; (*ungelenk*) torpe

plumpsen ['plʊmpsən] *vi sein* (*fam*) caer (pesadamente)

Plunder ['plʊndɐ] *m* <-s, *ohne pl*> (*fam*) trastos *m pl*

plündern ['plʏndɐn] *vt* saquear

Plünderung *f* <-en> saqueo *m*

Plural ['plu:ra:l] *m* <-s, -e> plural *m*

plus [plʊs] *adv* MATH más; (*Temperatur*) sobre cero

Plus [plʊs] *nt* <-, *ohne pl*> (*Überschuss*) excedente *m*; (*Vorzug*) ventaja *f*

Plüsch [plʏʃ] *m* <-(e)s, -e> peluche *m*

Plusquamperfekt ['plʊskvampɛrfɛkt] *nt* pluscuamperfecto *m*

Pluszeichen *nt* signo *m* de adición

PLZ *Abk. von* **Postleitzahl** C.P. *m*

Po [po:] *m* <-s, -s> (*fam*) culete *m*

Pöbel ['pø:bəl] *m* <-s, *ohne pl*> (*abw*) plebe *f*, pacotilla *f*

pochen ['pɔxən] *vi* (*klopfen*) golpear (**an/gegen** en); **auf etw ~** (*geh*) insistir en algo

Pocken ['pɔkən] *f pl* viruela *f*

Podest [po'dɛst] *nt* <-(e)s, -e> (*Podium*) podio *m*

Podium ['po:diʊm] *nt* <-s, Podien> estrado *m*

Poesie [poe'zi:] *f* poesía *f*

poetisch [po'e:tɪʃ] *adj* poético

Pokal [po'ka:l] *m* <-s, -e> copa *f*; **Pokalspiel** *nt* partido *m* de copa

Pol [po:l] *m* <-s, -e> polo *m*; **der ruhende ~** el remanso de tranquilidad

Polarkreis *m* círculo *m* polar; **nördlicher/südlicher ~** círculo polar

P

ártico/antártico

Pole, Polin ['po:lə] *m, f* <-n, -n; -nen> polaco, -a *m, f*

Polemik [po'le:mɪk] *f* <-en> polémica *f*

Polen ['po:lən] *nt* <-s> Polonia *f*

Police [po'li:s(ə)] *f* <-n> póliza *f* (del seguro)

polieren* [po'li:rən] *vt* pulir; (*Schuhe, Möbel*) sacar brillo (a)

Politik [poli'ti:k, poli'tɪk] *f* política *f*

Politiker(in) [po'li:tikɐ] *m(f)* <-s, -; -nen> político, -a *m, f*

politisch [po'li:tɪʃ, po'lɪtɪʃ] *adj* político

Politur [poli'tu:ɐ] *f* <-en> (*Mittel*) abrillantador *m*

Polizei [poli'tsaɪ] *f* <-en> policía *f*; **er ist bei der ~** es policía; **Polizeibeamte(r)** *m*, **-beamtin** *f* funcionario, -a *m, f* de policía; **Polizeidienststelle** *f* comisaría *f* de policía

polizeilich **I.** *adj* policial **II.** *adv* por la policía

Polizeipräsidium *nt* Jefatura *f* Superior de Policía; **Polizeirevier** *nt* comisaría *f* (de policía); **Polizeiwache** *f* comisaría *f* (de policía)

Polizist(in) [poli'tsɪst] *m(f)* <-en, -en; -nen> policía *mf*

Pollen ['pɔlən] *m* <-s, -> polen *m*

polnisch ['pɔlnɪʃ] *adj* polaco

Polster ['pɔlstɐ] *nt* <-s, -> colchón *m*; **ein finanzielles ~** ahorros *mpl*; **Polstergarnitur** *f* tresillo *m*

polstern ['pɔlstɐn] *vt* (*ausstopfen*) acolchar

poltern ['pɔltɐn] *vi* ① *haben* (*lärmen*) hacer ruido ② *sein* (*sich bewegen*) moverse con ruido; (*fallen*) caerse con estrépito

Polyester [poly'ɛstɐ] *m* <-s, -> poliéster *m*

Pomade [po'ma:də] *f* <-n> pomada *f* para el pelo

Pommern ['pɔmɐn] *nt* <-s> Pomerania *f*

Pommes frites [pɔm'frɪt] *pl* patatas *fpl* fritas

pompös [pɔm'pø:s] *adj* pomposo

Pony[1] ['pɔni] *nt* <-s, -s> (*Pferd*) póney *m*

Pony[2] *m* <-s, -s> (*Frisur*) flequillo *m*

Pool [pu:l] *m* <-s, -s> (*Schwimmbad*) piscina *f*

Popcorn ['pɔpkɔrn] *nt* <-s, *ohne pl*> palomitas *fpl* (de maíz)

pop(e)lig *adj* (*fam*) ① (*armselig*) mísero, pobre ② (*gewöhnlich*) normal y corriente

Popmusik ['pɔpmuzi:k] *f* música *f* pop

Popo [po'po:, '--] *m* <-s, -s> (*fam*) trasero *m*

populär [popu'lɛ:ɐ] *adj* popular

Popularität [populari'tɛ:t] *f* popularidad *f*

Pore ['po:rə] *f* <-n> poro *m*

Pornografie[RR] *f*, **Pornographie** [pɔrnogra'fi:] *f* pornografía *f*

porös [po'rø:s] *adj* poroso

Porree ['pɔre] *m* <-s, -s> puerro *m*

Portemonnaie [pɔrtmɔ'ne:] *nt* <-s, -s> *s.* **Portmonee**

Porti ['pɔrti] *pl von* **Porto**

Portier [pɔr'tje:] *m* <-s, -s> portero *m*

Portion [pɔr'tsjo:n] *f* <-en> ración *f*, porción *f*; **eine halbe ~** (*fam*) poquita cosa

Portmonee[RR] [pɔrtmɔ'ne:] *nt* <-s, -s> monedero *m*

Porto ['pɔrto] *nt* <-s, -s *o* Porti> franqueo *m*; (*Versandkosten*) gastos *mpl* de envío

Porträt [pɔr'trɛ:] *nt* <-s, -s> retrato *m*

Portugal ['pɔrtugal] *nt* <-s> Portugal *m*

Portugiese, Portugiesin [pɔrtu'gi:zə] *m, f* <-n, -n; -nen> portugués, -esa *m, f*

portugiesisch *adj* portugués

Portwein ['pɔrtvaɪn] *m* (vino *m* de) Oporto *m*

Porzellan [pɔrtsɛ'la:n] *nt* <-s, -e> porcelana *f*

Posaune [po'zaʊnə] *f* <-n> trombón *m*

posieren* [po'zi:rən] *vi* posar

Position [pozi'tsjo:n] *f* <-en> posición *f*; (*im Beruf*) puesto *m*

positiv ['po:ziti:f] *adj* positivo

Post [pɔst] *f* (*Institution*) Correos *mpl*; (*Postamt*) (oficina *f* de) Correos *mpl*; (*Sendung*) correo *m*; **einen Brief auf die ~ bringen** echar una carta en Correos; **etw mit der ~ verschicken** mandar algo por correo; **Postamt** *nt* (oficina *f* de) Correos *mpl*; **Postbote, Postbotin** *m, f* cartero, -a *m, f*

Posten ['pɔstən] *m* <-s, -> (*Stellung*) puesto *m*; **nicht auf dem ~ sein** (*fam*) no estar bien de salud; **auf verlorenem ~ stehen** luchar por una causa perdida

Poster ['po:stɐ] *nt* <-s, -(s)> póster *m*

Postfach *nt* apartado *m* de Correos, casilla *f* (de correo) ; **Postkarte** *f* (tarjeta *f*) postal *f*; **Postleitzahl** *f* código *m* postal; **Postsparkasse** *f* Caja *f* Postal de Ahorros; **Poststempel** *m* matasellos *m inv*; **postwendend** *adv* a vuelta de correo; **Postwertzeichen** *nt* sello *m* (de Correos), estampilla *f* ; **Postwurfsendung** *f* envío *m* colectivo

potent [po'tɛnt] *adj* potente

potentiell *adj*, **potenziell**[RR] [potɛn'tsjɛl] *adj* potencial

Power ['paʊɐ] *f* (*fam*) potencia *f*, fuerza *f*

PR-Abteilung [pe:'ʔɛr-] *f* departamento *m* de relaciones públicas

Pracht [praxt] *f* (*Prunk*) pompa *f*

prächtig ['prɛçtɪç] *adj* (*prunkvoll*) ostentoso; (*großartig*) maravilloso

Prädikat [prɛdi'ka:t] *nt* <-(e)s, -e> (*Bewertung*) calificación *f*; LING predicado *m*

Präfix ['prɛ:fɪks, prɛ'fɪks] *nt* <-es, -e> prefijo *m*

prägen ['prɛ:gən] *vt* (*Münzen, Begriff*) acuñar; (*beeinflussen*) caracterizar; **etw prägt sich jdm ins Gedächtnis** algo se le graba a alguien en la memoria

pragmatisch *adj* pragmático

prägnant [prɛ'gnant] *adj* (*knapp*) conciso; (*genau*) preciso

prahlen ['pra:lən] *vi* jactarse (**mit** de)

Prahlerei *f* <-en> (*abw*) jactancia *f*

Praktika *pl von* **Praktikum**

Praktikant(in) [prakti'kant] *m(f)* <-en, -en; -nen> persona *f* en período de prácticas

Praktikum ['praktikʊm] *nt* <-s, Praktika> (período *m* de) prácticas *fpl*

praktisch ['praktɪʃ] *adj* práctico

praktizieren* [prakti'tsi:rən] **I.** *vi* trabajar (**als** como); **~der Arzt** médico en ejercicio **II.** *vt* (*durchführen*) poner en práctica

Praline [pra'li:nə] *f* <-n>, **Pralinee** [prali'ne:] *nt* <-s, -s> ÖSTERR, SCHWEIZ bombón *m*

prall [pral] *adj* (*voll*) repleto; (*Körperteil*) fuerte; **in der ~en Sonne** a pleno sol

prallen ['pralən] *vi sein* (*anstoßen*) chocar (**gegen/an/auf** contra); (*Sonne*) pegar

prallvoll ['-'-] *adj* (*fam*) rebosante

Prämie ['prɛ:mjə] *f* <-n> (*Vergütung*) premio *m*; (*Belohnung*) recompensa *f*; (*bei Banken*) prima *f*; (*Versicherungsbeitrag*) cuota *f*

präm(i)ieren* [prɛ'mi:rən, prɛmi'i:rən] *vt* premiar

Präparat [prɛpa'ra:t] *nt* <-(e)s, -e> (*Substanz, Arznei*) preparado *m*

Präposition [prɛpozi'tsjo:n] *f* <-en> preposición *f*

Prärie [prɛ'ri:] *f* <-n> pradera *f*

Präsens ['prɛ:zɛns] *nt* <-, Präsentia> presente *m*

präsentieren* [prɛzɛn'ti:rən] *vt* presentar

Präsenz [prɛ'zɛnts] *f* presencia *f*

Präser ['prɛ:zɐ] *m* <-s, -> (*fam*), **Präservativ** [prɛzɛrva'ti:f] *nt* <-s, -e> preservativo *m*

Präsident(in) [prɛzi'dɛnt] *m(f)* <-en, -en; -nen> presidente, -a *m, f*

Präsidentschaft *f* <-en> presidencia *f*

Präteritum [prɛ'te:ritʊm, prɛ'tɛritʊm] *nt* <-s, Präterita> pretérito *m*

Prävention [prɛvɛn'tsjo:n] *f* <-en> prevención *f*

präventiv [prɛvɛn'ti:f] *adj* preventivo

Praxis ['praksɪs] *f* <Praxen> ① (*Arzt*) consultorio *m*; (*Rechtsanwalt*) bufete *m* ② *ohne pl* (*Anwendung, Erfahrung*) práctica *f*; **etw in die ~ umsetzen** poner algo en práctica

Präzedenzfall [prɛtse'dɛnts-] *m* precedente *m*

präzis(e) [prɛ'tsi:s, prɛ'tsi:zə] *adj* preciso

präzisieren* [prɛtsi'zi:rən] *vt* precisar

Präzision [prɛtsi'zjo:n] *f* precisión *f*

predigen ['pre:dɪgən] *vi, vt* predicar; **jdm etw ~** (*fam*) echar un sermón a alguien

Predigt ['pre:dɪçt] *f* <-en> sermón *m*

Preis [praɪs] *m* <-es, -e> (*Kaufpreis*) precio *m*; (*Auszeichnung*) premio *m*; **um jeden ~** cueste lo que cueste; **Preisausschreiben** *nt* <-s, -> concurso *m*

Preiselbeere ['praɪzəlbe:rə] *f* arándano *m* rojo

preisen ['praɪzən] <preist, pries, gepriesen> *vt* (*geh*) alabar

preis|geben *irr vt* (*geh*) ① (*ausliefern*) exponer ② (*verraten*) revelar; **preisgekrönt** *adj* premiado; **preisgünstig** **I.** *adj* de buen precio **II.** *adv* a buen precio; **Preisschild** *nt* etiqueta *f* del precio; **Preisträger(in)** *m(f)* premiado, -a *m, f*; **preiswert** **I.** *adj* barato **II.** *adv* a buen precio

prellen ['prɛlən] *vt:* **sich** *dat* **etw ~** contusionarse algo

Prellung *f* <-en> contusión *f*

Premiere [prə'mje:rə] *f* <-n> estreno *m*

Premierminister(in) *m(f)* primer ministro *m*, primera ministra *f*

Presse ['prɛsə] *f* <-n> *a.* TECH prensa *f*; **Pressefreiheit** *f ohne pl* libertad *f* de prensa; **Pressekonferenz** *f* conferencia *f* de prensa

pressen ['prɛsən] *vt* (*in einer Presse*) prensar; (*auspressen*) exprimir; (*drücken*) apretar (**gegen/an** contra); **etw durch ein Sieb ~** pasar algo por un colador

Pressesprecher(in) *m(f)* portavoz *mf* de prensa

Prestige [prɛs'ti:ʒ] *nt* <-s, *ohne pl*> prestigio *m*

Preußen ['prɔɪsən] *nt* <-s> Prusia *f*

preußisch *adj* prusiano

prickeln ['prɪkəln] *vi* (*kitzeln*) picar (**auf** en); (*Getränk*) burbujear

prickelnd *adj* (*erregend*) excitante

pries [pri:s] *3. imp von* **preisen**

Priester(in) ['pri:stɐ] *m(f)* <-s, -; -nen> sacerdote, -isa *m, f*

prima ['pri:ma] **I.** *adj inv* (*fam*) estupendo **II.** *adv* (*fam*) muy bien

primär [pri'mɛ:ɐ] **I.** *adj* ① (*ursprünglich*) primario ② (*grundlegend*) elemental **II.** *adv* en primer lugar

Primel ['pri:məl] *f* <-n> prímula *f*

primitiv [primi'ti:f] *adj* primitivo

Primzahl ['pri:m-] *f* número *m* primo

Prinz [prɪnts] *m*, **Prinzessin** *f* <-en, -en; -nen> príncipe, princesa *m, f*

Prinzip [prɪn'tsi:p] *nt* <-s, -ien *o* -e> principio *m*; **im ~** en principio; **aus ~** por principio

prinzipiell [prɪntsi'pjɛl] **I.** *adj* de principio **II.** *adv* por principio

Priorität [priori'tɛ:t] *f* <-en> prioridad *f*; **~en setzen** establecer prioridades

Prise ['pri:zə] *f* <-n> pizca *f*

Pritsche ['prɪtʃə] *f* <-n> (*Liege*) catre *m*; (*beim Lastwagen*) plataforma *f*

privat [pri'va:t] **I.** *adj* privado **II.** *adv* en privado; **Privatangelegenheit** *f* asunto *m* personal; **Privatdetektiv(in)** *m(f)* detective *mf* privado, -a

Privatisierung *f* <-en> privatización *f*

Privatleben *nt* <-s, *ohne pl*> vida *f* privada; **Privatsache** *f* asunto *m* personal; **Privatsphäre** *f* esfera *f* privada

Privileg [privi'le:k] *nt* <-(e)s, -ien> privilegio *m*

pro [pro:] **I.** *präp +akk* por; **~ Kopf** por cabeza; **80 km ~ Stunde** 80 km por hora **II.** *adv*: **bist du ~ oder kontra (eingestellt)?** ¿estás a favor o en contra?

P

Pro [pro:] *nt* <-, *ohne pl*> pro *m*

Probe ['pro:bə] *f* <-n> prueba *f*; THEAT ensayo *m*; (*Probestück*) muestra *f*; **auf ~** a prueba; **etw auf die ~ stellen** poner algo a prueba

proben ['pro:bən] *vi, vt* ensayar

probeweise *adv* a modo de prueba; **Probezeit** *f* período *m* de prueba

probieren* [pro'bi:rən] *vt* probar

Problem [pro'ble:m] *nt* <-s, -e> problema *m*

Problematik [proble'ma:tɪk] *f* problemática *f*

problematisch *adj* problemático

problemlos *adj* sin problemas

Produkt [pro'dʊkt] *nt* <-(e)s, -e> producto *m*

Produktion [prodʊk'tsjo:n] *f* <-en> producción *f*

produktiv [prodʊk'ti:f] *adj* productivo

Produzent(in) [produ'tsɛnt] *m(f)* <-en, -en; -nen> productor(a) *m(f)*

produzieren* [produ'tsi:rən] **I.** *vt* producir **II.** *vr:* **sich ~** (*fam*) darse tono

professionell [profɛsjo'nɛl] *adj* profesional; **sie arbeiten sehr ~** trabajan con gran profesionalidad

Professor(in) [pro'fɛso:ɐ] *m(f)* <-s, -en; -nen> (*Universitätsprofessor*) ≈profesor(a) *m(f)* numerario, -a

Profi ['pro:fi] *m* <-s, -s> profesional *mf*

Profil [pro'fi:l] *nt* <-s, -e> perfil *m*; (*Reifenprofil*) ranuras *fpl*

Profit [pro'fi:t] *m* <-(e)s, -e> provecho *m*

profitieren* [profi'ti:rən] *vi* sacar provecho (**von/bei** de)

Prognose [pro'gno:zə] *f* <-n> pronóstico *m*

Programm [pro'gram] *nt* <-s, -e> *a.* INFOR programa *m*; RADIO, TV cadena *f*

programmieren* [progra'mi:rən] *vi, vt* *a.* INFOR programar

Programmierer(in) *m(f)* <-s, -; -nen> programador(a) *m(f)*

Programmiersprache *f* lenguaje *m* de programación

progressiv [progrɛ'si:f] *adj* (*fortschrittlich*) progresista

Projekt [pro'jɛkt] *nt* <-(e)s, -e> proyecto *m*; **Projektmanagement** *nt* *ohne pl* gestión *f* de proyecto; **Projektmanager(in)** *m(f)* gestor(a) *m(f)* de proyecto

Projektor [pro'jɛkto:ɐ] *m* <-s, -en> proyector *m*

projizieren* [proji'tsi:rən] *vt* (*geh*) proyectar

proklamieren* [prokla'mi:rən] *vt* proclamar

Pro-Kopf-Einkommen [pro:'kɔpf-] *nt* <-s, *ohne pl*> renta *f* per cápita

Proletariat [proletari'a:t] *nt* <-(e)s, -e> proletariado *m*

proletarisch [prole'ta:rɪʃ] *adj* proletario

Prolog [pro'lo:k] *m* <-(e)s, -e> prólogo *m*

Promenade [promə'na:də] *f* <-n> paseo *m*

Promi ['prɔmi] *m* <-s, -s> (*fam*) famoso, -a *m, f*

Promille [pro'mɪlə] *nt* <-(s), -> ❶ (*Tausendstel*) tanto *m* por mil ❷ *pl* (*fam: Alkoholgehalt im Blut*) grado *m* de alcoholemia

prominent [promi'nɛnt] *adj* prominente; (*berühmt*) famoso

Prominenz [promi'nɛnts] *f* personalidades *fpl*

Promotion [promo'tsjo:n] *f* <-en> doctorado *m*

promovieren* [promo'vi:rən] *vi* (*Doktorwürde erlangen*) doctorarse (**in** +*dat* en)

prompt [prɔmpt] **I.** *adj* inmediato **II.** *adv* en el acto

Pronomen [pro'no:mən] *nt* <-s, - *o* Pronomina> pronombre *m*

Propaganda [propa'ganda] *f* propaganda *f*

propagieren* [propa'gi:rən] *vt* propagar

Propeller [pro'pɛlɐ] *m* <-s, -> hélice *f*

Prophet(in) [pro'fe:t] *m(f)* <-en, -en; -nen> profeta, -isa *m, f*

prophezeien* [profe'tsaɪən] *vt* pronosticar; REL profetizar
prophylaktisch [profy'laktɪʃ] *adj* preventivo; MED profiláctico
Proportion [propɔr'tsjo:n] *f* <-en> proporción *f*
Prosa ['pro:za] *f* prosa *f*
Prospekt [pro'spɛkt] *m* <-(e)s, -e> folleto *m*
prost [pro:st] *interj* (*fam*) salud, chinchín
prostituieren* [prostitu'i:rən] *vr:* **sich ~** prostituirse
Prostituierte(r) [prostitu'i:ɐtə, -tɐ] *f(m) dekl wie adj* prostituto, -a *m, f*
Prostitution [prostitu'tsjo:n] *f* prostitución *f*
Protein [prote'i:n] *nt* <-s, -e> proteína *f*
Protest [pro'tɛst] *m* <-(e)s, -e> protesta *f*
Protestant(in) [protɛs'tant] *m(f)* <-en, -en; -nen> protestante *mf*
protestantisch *adj* protestante
protestieren* [protɛs'ti:rən] *vi* protestar
Prothese [pro'te:zə] *f* <-n> prótesis *f inv*
Protokoll [proto'kɔl] *nt* <-s, -e> protocolo *m*
Prototyp ['pro:toty:p] *m* prototipo *m*
protzen *vi* (*fam*) chulear (**mit** de)
protzig *adj* (*fam: luxuriös*) ostentoso
Proviant [provi'ant] *m* <-s, -e> víveres *mpl*
Provinz [pro'vɪnts] *f* <-en> provincia *f*
provinziell [provɪn'tsjɛl] *adj* provinciano
Provision [provi'zjo:n] *f* <-en> comisión *f*
provisorisch [provi'zo:rɪʃ] *adj* provisional
provokant [provo'kant] *adj* provocador
Provokation [provoka'tsjo:n] *f* <-en> provocación *f*
provozieren* [provo'tsi:rən] *vt* provocar
Prozedur [protse'du:ɐ] *f* <-en> procedimiento *m*
Prozent [pro'tsɛnt] *nt* <-(e)s, -e> ❶ (*Hundertstel*) tanto *m* por ciento; **50 ~ der Bevölkerung** el 50 por ciento de la población ❷ *pl* (*fam: Rabatt*) rebaja *f*; **Prozentsatz** *m* porcentaje *m*
prozentual [protsɛntu'a:l] *adj* porcentual
Prozess[RR] [pro'tsɛs] *m* <-es, -e> proceso *m*
Prozession [protsɛ'sjo:n] *f* <-en> procesión *f*
Prozessor [pro'tsɛso:ɐ] *m* <-s, -en> procesador *m*
prüde ['pry:də] *adj* pudibundo
prüfen ['pry:fən] *vt* examinar; (*überprüfen, nachprüfen*) comprobar
Prüfer(in) *m(f)* <-s, -; -nen> (*Beruf*) inspector(a) *m(f)*; (*Schule*) examinador(a) *m(f)*
Prüfling *m* <-s, -e> examinando, -a *m, f*
Prüfung *f* <-en> examen *m*; (*Überprüfung*) inspección *f*
Prügel ['pry:gəl] *m pl* (*Schläge*) tunda *f*; **~ beziehen** recibir una paliza
Prügelei *f* <-en> pelea *f*
prügeln ['pry:gəln] **I.** *vt* golpear **II.** *vr:* **sich ~** pegarse; **sich um etw ~** pelearse por algo
Prunk [prʊŋk] *m* <-(e)s, *ohne pl*> suntuosidad *f*; **prunkvoll** *adj* suntuoso
PS [pe:'ʔɛs] ❶ *Abk. von* **Pferdestärke** CV ❷ *Abk. von* **Postskript(um)** P. D.

Psalm [psalm] *m* <-s, -en> salmo *m*
Pseudonym [psɔɪdo'ny:m] *nt* <-s, -e> (p)seudónimo *m*
Psyche ['psy:çə] *f* <-n> (p)sique *f*
Psychiater(in) [psy'ç(j)a:tɐ] *m(f)* <-s, -; -nen> (p)siquiatra *mf*
Psychiatrie [psyç(j)a'tri:] *f* (p)siquiatría *f*
psychisch ['psy:çɪʃ] *adj* (p)síquico; **~ krank** enfermo mental
Psychoanalyse [----'--] *f* (p)sicoanálisis *m inv*
Psychologie [psyçolo'gi:] *f* (p)sicología *f*
psychologisch *adj* (p)sicológico
Psychopath(in) [psyço'pa:t] *m(f)* <-en, -en; -nen> (p)sicópata *mf*
Psychose [psy'ço:zə] *f* <-n> (p)sicosis *f inv*
Psychotherapeut(in) [psyçotera'pɔɪt, 'psy:ço-] *m(f)* (p)sicoterapeuta *mf*;

Psychotherapie [----'-, '-----] *f* (p)sicoterapia *f*
Pubertät [pubɛr'tɛ:t] *f* pubertad *f*
publik [pu'bli:k] *adj*: ~ **werden** salir a la luz; **etw** ~ **machen** dar a conocer algo
Publikation [publika'tsjo:n] *f* <-en> publicación *f*
Publikum ['pu:blikʊm] *nt* <-s, *ohne pl*> público *m*
Pudding ['pʊdɪŋ] *m* <-s, -e *o* -s> budín *m*
Pudel ['pu:dəl] *m* <-s, -> caniche *m*
Puder ['pu:dɐ] *m o nt* <-s, -> polvos *mpl* (de tocador)
pudern ['pu:dɐn] *vt* empolvar
Puderzucker *m* azúcar *m* en polvo
puerto-ricanisch *adj* puertorriqueño
Puerto Rico ['pu̯ɛrto 'ri:ko] *nt* <- -s> Puerto Rico *m*
Puff *m o nt* <-s, -s> (*fam: Bordell*) casa *f* de putas
Pufferspeicher *m* INFOR memoria *f* intermedia; **Pufferzone** *f* zona *f* neutral
Pulli ['pʊli] *m* <-s, -s> (*fam*), **Pullover** [pʊ'lo:vɐ] *m* <-s, -> jersey *m*, pulóver *m*
Pullunder [pʊ'lʊndɐ] *m* <-s, -> chaleco *m* de punto
Puls [pʊls] *m* <-es, -e> pulso *m*; **den ~ fühlen** tomar el pulso; **Pulsader** *f* arteria *f*; **Pulsschlag** *m* pulsación *f*
Pult [pʊlt] *nt* <-(e)s, -e> (*Schreibpult*) pupitre *m*
Pulver ['pʊlvɐ] *nt* <-s, -> polvo *m*
pulv(e)rig *adj* pulverulento
Pulverkaffee *m* café *m* en polvo
pummelig ['pʊməlɪç] *adj* (*fam*) gordito
Pumpe ['pʊmpə] *f* <-n> bomba *f*
pumpen *vt* bombear; **Luft in die Reifen ~** inflar los neumáticos
Punk *m* <-(s), -s>, **Punker(in)** ['paŋkɐ] *m(f)* <-s, -; -nen> punk *mf*
Punkt [pʊŋkt] *m* <-(e)s, -e> punto *m*; **um ~ sechs Uhr** a las seis en punto; **wunder ~** punto flaco; **ohne ~ und Komma reden** (*fam*) hablar sin parar
pünktlich ['pʏŋktlɪç] *adj* puntual
Pünktlichkeit *f* puntualidad *f*
Punktzahl *f* puntuación *f*
Pupille [pu'pɪlə] *f* <-n> pupila *f*
Puppe ['pʊpə] *f* <-n> muñeca *f*
pur [pu:ɐ] *adj* puro; **den Whisky ~ trinken** beber el whisky a secas; **~er Wahnsinn/Zufall** pura locura/mera coincidencia
Püree [py're:] *nt* <-s, -s> puré *m*
Purzelbaum ['pʊrtsəl-] *m* (*fam*) voltereta *f*; **einen ~ schlagen** dar una voltereta
Puschen ['pu:ʃn̩] *m* <-s, -> NORDD zapatilla *f* de estar por casa; **nicht in die ~ kommen** (*fig fam*) no recuperarse
Puste ['pu:stə] *f* (*fam*) aliento *m*; **Pusteblume** *f* diente *m* de león
Pustel ['pʊstəl] *f* <-n> pústula *f*
pusten ['pu:stən] *vi* (*fam*) soplar
Pute ['pu:tə] *f* <-n> (*a. fig*) pava *f*
Puter ['pu:tɐ] *m* <-s, -> pavo *m*
Putsch [pʊtʃ] *m* <-(e)s, -e> golpe *m* de estado
Putz [pʊts] *m* <-es, *ohne pl*> revoque *m*
putzen ['pʊtsən] *vt* limpiar; **sich** *dat* **die Nase/die Zähne ~** limpiarse la nariz/lavarse los dientes
Putzfrau *f* mujer *f* de la limpieza
putzig ['pʊtsɪç] *adj* (*fam: niedlich*) mono
Putzlappen *m* trapo *m*; (*Scheuerlappen*) bayeta *f*; **Putzmittel** *nt* producto *m* de limpieza, detergente *m*; **putzmunter** ['-'--] *adj* (*fam*) muy despabilado
Puzzle ['pazəl] *nt* <-s, -s> rompecabezas *m inv*
PVC [pe:faʊ'tse:] *nt* <-(s), -s> *Abk. von* **Polyvinylchlorid** PVC *m*
Pyjama [py'(d)ʒa:ma] *m* <-s, -s> pijama *m*
Pyramide [pyra'mi:də] *f* <-n> pirámide *f*
Pyrenäen [pyre'nɛ:ən] *pl* Pirineos *mpl*

Q

Q, q [ku:] *nt* <-, -> Q, q *f*

Quacksalber(in) ['kvakzalbɐ] *m(f)* <-s, -; -nen> (*abw*) curandero, -a *m, f*

Quadrat [kva'dra:t] *nt* <-(e)s, -e> cuadrado *m*

quadratisch *adj* cuadrado

Quadratmeter *m o nt* metro *m* cuadrado

quaken ['kva:kən] *vi* (*Frosch*) croar; (*Ente*) graznar

Qual [kva:l] *f* <-en> tortura *f*; **unter großen ~en** con grandes penas

quälen ['kvɛ:lən] **I.** *vt* maltratar; (*seelisch*) atormentar; **~der Durst** sed espantosa **II.** *vr:* **sich ~** (*mit Arbeit*) ajetrearse

Quälerei *f* <-en> tortura *f*

Qualifikation [kvalifika'tsjo:n] *f* <-en> (*Befähigung*) capacidad *f*

qualifizieren* [kvalifi'tsi:rən] *vr:* **sich ~** calificarse

Qualität [kvali'tɛ:t] *f* <-en> (*Warenqualität*) calidad *f*

qualitativ [kvalita'ti:f, '----] **I.** *adj* cualitativo **II.** *adv* en cuanto a la calidad; **~ besser** de mejor calidad

Qualitätsarbeit *f* trabajo *m* de (alta) calidad; **Qualitätssiegel** *nt* sello *m* de calidad

Qualle ['kvalə] *f* <-n> medusa *f*

Qualm [kvalm] *m* <-(e)s, *ohne pl*> humareda *f*

qualmen *vi* (*Schornstein*) humear; (*fam: Mensch*) fumar

qualvoll ['kva:lfɔl] *adj* (*mit Qualen*) lastimoso; (*schmerzlich*) doloroso; (*bedrückend*) atormentador

Quäntchen^RR^ ['kvɛntçən] *nt* <-s, -> poquito *m*; **das letzte ~ Hoffnung** la última pizca de esperanza

Quantität [kvanti'tɛ:t] *f* cantidad *f*

quantitativ [kvantita'ti:f, '----] **I.** *adj* cuantitativo **II.** *adv* en cuanto a la cantidad

Quarantäne [karan'tɛ:nə] *f* <-n> cuarentena *f*

Quark [kvark] *m* <-s, *ohne pl*> ≈requesón *m*, quesillo *m*

Quartal [kvar'ta:l] *nt* <-s, -e> trimestre *m*

Quartett [kvar'tɛt] *nt* <-(e)s, -e> (*Kartenspiel*) ≈juego *m* de las familias; MUS cuarteto *m*

Quartier [kvar'ti:ɐ] *nt* <-s, -e> alojamiento *m*; (SCHWEIZ: *Stadtviertel*) barrio *m*

Quarz [kva:ɐts] *m* <-es, -e> cuarzo *m*

quasi ['kva:zi] *adv* por así decirlo

Quatsch [kvatʃ] *m* <-(e)s, *ohne pl*> (*fam abw*) tonterías *fpl*

quatschen *vi* (*fam: sich unterhalten*) charlar

Quecksilber ['kvɛk-] *nt* mercurio *m*

Quelle ['kvɛlə] *f* <-n> fuente *f*; **heiße ~n** fuentes termales; **an der ~ sitzen** (*fam*) tener buenos contactos (*para conseguir algo*)

quellen ['kvɛlən] <quillt, quoll, gequollen> *vi sein* (*herausquellen*) brotar (**aus** de)

Quellwasser *nt* <-s, *ohne pl*> agua *f* de manantial

quengeln ['kvɛŋəln] *vi* (*fam*) dar la lata; (*weinerlich*) lloriquear

Quentchen^ALT^ *nt s.* **Quäntchen**

quer [kve:ɐ] *adv* en sentido transversal; **~ gestreift** de rayas horizontales; **das Auto stand ~ auf der Straße** el coche estaba atravesado en la calle; **~ durch ...** a través de...

Quere ['kve:rə] *f* (*fam*): **jdm in die ~ kommen** (*stören*) contrariar los proyectos de alguien

querfeldein [kve:ɐfɛlt'ʔaɪn] *adv* a campo traviesa

Querflöte *f* flauta *f* travesera

quergestreift *adj s.* **quer**

Querschnitt *m* (*Schnitt*) sección *f* transversal; (*Überblick*) muestra *f* representativa; **Querschnitt(s)lähmung**

f paraplejia *f*

quer|stellen *vr:* **sich ~** (*fam*) oponerse

Querstraße *f* calle *f* transversal

quetschen ['kvɛtʃən] **I.** *vt* (*drücken*) apretar (**gegen/an** contra); (*in einen Koffer*) apretujar; **sich** *dat* **etw ~** pillarse algo **II.** *vr:* **sich ~** (*sich zwängen*) apretujarse

Quetschung *f* <-en> contusión *f*

quietschen ['kvi:tʃən] *vi* (*Tür, Reifen*) chirriar; (*fam: Mensch*) chillar

quillt [kvɪlt] *3. präs von* **quellen**

Quintessenz ['kvɪntɛsɛnts] *f* quintaesencia *f*

Quintett [kvɪn'tɛt] *nt* <-(e)s, -e> quinteto *m*

quitt [kvɪt] *adj inv* (*fam*): **mit jdm ~ sein** estar en paz con alguien

Quitte ['kvɪtə] *f* <-n> membrillo *m*

quittieren* [kvɪ'ti:rən] *vt* (*Empfang*) acusar recibo (de); (*Betrag*) extender un recibo (por); **den Dienst ~** presentar su dimisión

Quittung *f* <-en> recibo *m*

Quiz [kvɪs] *nt* <-, -> concurso *m* de preguntas y respuestas

quoll [kvɔl] *3. imp von* **quellen**

Quote ['kvo:tə] *f* <-n> cuota *f*

Quotient [kvo'tsjɛnt] *m* <-en, -en> cociente *m*

R

R, r [ɛr] *nt* <-, -> R, r *f*

Rabatt [ra'bat] *m* <-(e)s, -e> rebaja *f*

Rabbi ['rabi] *m* <-(s), -s *o* Rabbinen> rabí *m*

Rabe ['ra:bə] *m* <-n, -n> cuervo *m*

rabiat [rabi'a:t] *adj* violento; (*Methode*) riguroso

Rache ['raxə] *f* venganza *f* (**für** por); **Racheakt** *m* (*geh*) acto *m* de venganza

Rachen ['raxən] *m* <-s, -> (*des Menschen*) faringe *f*; (*bei Tieren*) fauces *fpl*

rächen ['rɛçən] *vt, vr:* **sich ~** vengar(se) (**an** de, **für** por)

rachsüchtig *adj* (*geh*) vengativo

Rad [ra:t] *nt* <-(e)s, Räder> rueda *f*; **~ fahren** (*fam*) ir en bici

Radar [ra'da:ɐ] *m o nt* <-s, -e> radar *m*; **Radargerät** *nt* equipo *m* de radar

Radau [ra'daʊ] *m* <-s, *ohne pl*> (*fam*) jaleo *m*; **~ machen** armar jaleo

radeln ['ra:dəln] *vi sein* (*fam*) ir en bici (**nach/zu** a)

rad|fahren[ALT] *irr vi sein s.* **Rad**; **Radfahrer(in)** *m(f)* ciclista *mf*; **Radfahrweg** *m* carril *m* para bicicletas, carril bici *m fam*

Radien *pl von* **Radius**

radieren* [ra'di:rən] *vi, vt* (*ausradieren*) borrar

Radiergummi *m* <-s, -s> goma *f* de borrar

Radieschen [ra'di:sçən] *nt* <-s, -> rabanito *m*

radikal [radi'ka:l] *adj* radical

Radio ['ra:dio] *nt* <-s, -s> radio *f*; **das ~ einschalten** poner la radio; **~ hören** escuchar la radio

radioaktiv [----'-] *adj* radi(o)activo; **Radioaktivität** [radioʔaktivi'tɛ:t] *f ohne pl* radi(o)actividad *f*

Radiorekorder ['ra:diorekɔrdɐ] *m* radiocasete *m*

Radius ['ra:diʊs] *m* <-, Radien> radio *m*

Radrennen *nt* carrera *f* ciclista; **Radsport** *m* <-(e)s, -e> ciclismo *m*; **Radtour** *f* excursión *f* en bicicleta; **Radweg** *m s.* **Radfahrweg**

raffen ['rafən] *vt* (*fam: verstehen*) coger; **hast du's nun endlich gerafft?** ¿te has enterado de una vez?

raffgierig *adj* avaricioso

Raffinerie [rafinə'ri:] *f* <-n> refinería *f*

raffiniert [rafi'ni:ɐt] *adj* (*schlau*) astuto; (*ausgeklügelt*) sofisticado

Rage ['ra:ʒə] *f* (*fam*) rabia *f*; **in ~ kommen** ponerse furioso

ragen ['ra:gən] *vi* sobresalir (**aus** de)

Rahm [ra:m] *m* <-(e)s, *ohne pl*> SCHWEIZ, ÖSTERR, SÜDD nata *f*

rahmen ['ra:mən] *vt* enmarcar

Rahmen ['ra:mən] *m* <-s, -> marco *m*; (*Fahrradrahmen*) cuadro *m*; AUTO armazón *m o f*; **im ~ des Möglichen** dentro de lo posible; **aus dem ~ fallen** salirse de lo común; **den ~ sprengen** rebasar los límites; **sich im ~ halten** (*fam*) no pasarse de rosca

räkeln ['rɛ:kəln] *vr:* **sich ~** *s.* **rekeln**

Rakete [ra'ke:tə] *f* <-n> MIL misil *m*; (*Raumfahrt, Feuerwerksrakete*) cohete *m*

Rallye ['rɛli] *f* <-s> rally *m*

rammen ['ramən] *vt* (*in den Boden*) clavar (**in** en); (*stoßen*) chocar (contra)

Rampe ['rampə] *f* <-n> rampa *f*; (*Laderampe*) muelle *m* de carga; **Rampenlicht** *nt*: **im ~ stehen** estar en primera plana

Ramsch [ramʃ] *m* <-(e)s, -e> (*fam abw: Ausschussware*) baratillo *m*; (*Kram*) cachivaches *mpl*

Rand [rant] *m* <-(e)s, Ränder> borde *m*; (*Tischrand*) canto *m*; **am ~(e) des Ruins** al borde de la ruina; **dunkle Ränder um die Augen haben** tener ojeras; **etw am ~e bemerken** decir algo de paso; **außer ~ und Band sein** (*fam*) estar fuera de quicio; **mit jdm/etw nicht zu ~e kommen**

(*fam*) no poder con alguien/con algo

randalieren* [randa'li:rən] *vi* alborotar

Randbemerkung *f* (*schriftlich*) nota *f* marginal; (*mündlich*) comentario *m* dicho de paso; **Randgruppe** *f* grupo *m* marginal

rang [raŋ] *3. imp von* **ringen**

Rang [raŋ] *m* <-(e)s, Ränge> (*Grad*) rango *m*; (*Stellung*) posición *f*; **Rangfolge** *f* jerarquía *f*

rangieren* [rã'ʒi:rən, raŋ'ʒi:rən] **I.** *vi* (*Rang einnehmen*) figurar (**an** en) **II.** *vt* (*Waggons*) cambiar de vía

Rangordnung *f* <-en> jerarquía *f*

ran|halten *irr vr:* **sich ~** (*fam*) ① (*sich beeilen*) darse prisa ② (*rasch zugreifen*) reaccionar rápidamente

ranken ['raŋkən] *vr:* **sich ~** trepar

ran|kommen *irr vi sein* (*fam*) ① (*sich nähern*) acercarse (**an** a) ② (*heranreichen*) alcanzar (**an**) ③ (*Zugang haben*) tener acceso (**an** a); **ran|machen** *vr:* **sich ~** (*fam*) (*an Person*) rondar (**an** a)

rann [ran] *3. imp von* **rinnen**

rannte ['rantə] *3. imp von* **rennen**

Ranzen ['rantsən] *m* <-s, -> cartera *f* del colegio (*para llevar a la espalda*)

ranzig ['rantsɪç] *adj* rancio

Raps [raps] *m* <-es, -e> colza *f*

rar [ra:ɐ] *adj* escaso

Rarität [rari'tɛ:t] *f* <-en> rareza *f*

rar|machen *vr:* **sich ~** (*fam*) no dejarse ver el pelo

rasant [ra'zant] **I.** *adj* (*fam: Fahrt, Entwicklung*) rapidísimo; (*Tempo*) tremendo **II.** *adv* (*fam: schnell*) como un rayo

rasch [raʃ] **I.** *adj* rápido **II.** *adv* de prisa

rascheln ['raʃəln] *vi* (*Seide, Laub, Stroh*) crujir; (*Maus, Papier*) hacer ruido

rasen ['ra:zən] *vi* ① *sein* (*fam: Person, Fahrzeug*) ir a toda mecha; **mein Puls rast** tengo el pulso a cien; **die Zeit rast** el tiempo pasa volando ② *haben* (*toben*) enfurecerse (**vor** de); **du machst mich ~d** me vuelves loco

Rasen ['ra:zən] *m* <-s, -> césped *m*

rasend **I.** *adj* (*Geschwindigkeit*) vertiginoso **II.** *adv* (*fam: sehr*) muy

Rasenmäher *m* <-s, -> cortacésped *m o f*

Raserei *f* <-en> ① (*das Wüten*) furia *f*; **jdn zur ~ bringen** poner furioso a alguien ② (*fam: schnelles Fahren*) velocidad *f* vertiginosa

Rasierapparat *m* maquinilla *f* de afeitar; (*elektrisch*) máquina *f* de afeitar

rasieren* [ra'zi:rən] *vt, vr:* **sich ~** afeitar (se); **sich nass/trocken ~** afeitarse a navaja/con la maquinilla

Rasierer *m* <-s, -> (*fam*) *s.* **Rasierapparat**

Rasierklinge *f* hoja *f* de afeitar

Rasierpinsel *m* brocha *f* de afeitar; **Rasierwasser** *nt* loción *f* para después del afeitado

Rasse ['rasə] *f* <-n> raza *f*; **Rassendiskriminierung** *f* discriminación *f* racial

Rassismus [ra'sɪsmʊs] *m* <-, *ohne pl*> racismo *m*

Rassist(in) [ra'sɪst] *m(f)* <-en, -en; -nen> racista *mf*

rassistisch *adj* racista

Rast [rast] *f* <-en> descanso *m*; **~ machen** descansar

rasten ['rastən] *vi* descansar

Raster[1] ['rastɐ] *m* <-s, -> (*Liniennetz*) retícula *f*

Raster[2] *nt* <-s, -> (*System*) sistema *m*; **etw in ein ~ einordnen** clasificar algo

rastlos *adj* (*ununterbrochen*) incesante; (*unermüdlich*) incansable; (*unstet*) inconstante; **Raststätte** *f* <-n> restaurante *m* de autopista

Rasur [ra'zu:ɐ] *f* <-en> afeitado *m*

Rat *m* <-(e)s, Räte> ① (*Gremium*) consejo *m* ② *ohne pl* (*Empfehlung*) consejo *m*; **etw/jdn zu ~e ziehen** consultar algo/a alguien

rät [rɛ:t] *3. präs von* **raten**

Rate ['ra:tə] *f* <-n> (*bei Kauf*) plazo *m*; (*Verhältniszahl*) tasa *f*; **etw auf ~n kaufen** comprar algo a plazos; **in ~n**

zahlen pagar a plazos

raten ['ra:tən] <rät, riet, geraten> *vi, vt* (*empfehlen*) aconsejar; (*erraten*) adivinar; **richtig ~** acertar

Ratenzahlung *f* pago *m* a plazos

Ratgeber *m* <-s, -> (*Buch*) guía *f*; **Rathaus** *nt* ayuntamiento *m*, municipalidad *f*

Ration [ra'tsjo:n] *f* <-en> ración *f*

rationalisieren* [ratsjonali'zi:rən] *vi, vt* racionalizar

rationell [ratsjo'nɛl] *adj* racional; (*sparsam*) económico

rationieren* [ratsjo'ni:rən] *vt* racionar

ratlos *adj* desorientado; (*verwirrt*) desconcertado; **~ sein** no saber qué hacer

ratsam ['ra:tza:m] *adj* aconsejable

Ratschlag *m* consejo *m*

Rätsel ['rɛ:tsəl] *nt* <-s, -> (*Denkaufgabe*) adivinanza *f*; (*Kreuzworträtsel*) crucigrama *m*; (*Geheimnis*) enigma *m*; **das ist des ~s Lösung** ahí está el quid de la cuestión; **rätselhaft** *adj* misterioso; **das ist mir ~** no me lo explico

rätseln *vi* especular (**über** sobre)

Ratte ['ratə] *f* <-n> rata *f*

rattern ['ratɐn] *vi haben* (*Zug*) traquetear

rau^{RR} [raʊ] *adj* (*Papier, Haut*) áspero; (*Stimme*) ronco; (*Hals*) inflamado; (*Klima*) duro; (*Luft*) frío; (*Gegend*) salvaje; (*Mensch*) rudo; **in ~en Mengen** (*fam*) en masas

Raub [raʊp] *m* <-(e)s, -e> robo *m*; (*Entführung*) secuestro *m*

rauben ['raʊbən] *vi, vt* robar; (*entführen*) secuestrar; **das raubt mir den Schlaf** (*geh*) esto me quita el sueño

Räuber(in) ['rɔɪbɐ] *m(f)* <-s, -; -nen> ladrón, -ona *m, f*

Raubkopierer(in) *m(f)* <-s, -; -nen> persona *f* que hace copias pirata; **Raubtier** *nt* (animal *m*) carnívoro *m*; **Raubüberfall** *m* asalto *m*; **Raubvogel** *m* ave *f* de rapiña

Rauch [raʊx] *m* <-(e)s, *ohne pl*> humo *m*

rauchen I. *vi* (*Person*) fumar; (*Feuer*) echar humo II. *vt* fumar

Raucher(in) *m(f)* <-s, -; -nen> fumador(a) *m(f)*

räuchern ['rɔɪçɐn] *vt* ahumar

rauchig *adj* lleno de humo; (*Stimme*) ronco; (*Geschmack*) ahumado

Rauchmelder *m* <-s, -> detector *m* de humos; **Rauchverbot** *nt* prohibición *f* de fumar; **hier herrscht ~** aquí no se puede fumar

raufen ['raʊfən] *vi, vr*: **sich ~** pelearse (**um** por)

rauh^{ALT} *adj s.* **rau**; **Rauhreif**^{ALT} *m s.* **Raureif**

Raum [raʊm] *m* <-(e)s, Räume> ❶ (*Zimmer*) habitación *f*, pieza *f*; **eine Frage steht im ~** una cuestión está pendiente ❷ (*Gebiet*) zona *f*; **im ~ Frankfurt** en la zona de Francfort ❸ *ohne pl* (*Weltraum, Freiraum*) espacio *m*; **luftleerer ~** vacío *m* ❹ *ohne pl* (*Platz*) sitio *m*; **zu viel ~ einnehmen** ocupar demasiado sitio

räumen ['rɔɪmən] *vt* (*wegräumen*) retirar (**von** de); (*einräumen*) poner (**in** en); (*ausräumen*) sacar (**aus** de); (*Gebäude, Straße*) desocupar

Raumfahrt *f ohne pl* astronáutica *f*; **Raumflug** *m* vuelo *m* espacial

räumlich ['rɔɪmlɪç] *adj* (*den Raum betreffend*) espacial; (*dreidimensional*) tridimensional

Raumschiff *nt* nave *f* espacial

Räumung ['rɔɪmʊŋ] *f* <-en> (*einer Wohnung*) desalojo *m*; (*durch Polizei*) despejo *m*; (*eines Lagers*) liquidación *f* de existencias; **Räumungsarbeiten** *f pl* labores *m pl* de desescombro; **Räumungsverkauf** *m* liquidación *f*

Raupe ['raʊpə] *f* <-n> oruga *f*

Raureif^{RR} *m* escarcha *f*

raus [raʊs] *adv* (*fam*) (hacia) fuera; *s.a.* **heraus, hinaus**; **raus|bekommen*** *irr vt* (*fam*) ❶ (*Wechselgeld*) recibir de vuelta ❷ (*Aufgabe*) resolver; (*Geheimnis*) descubrir ❸ (*erfahren*) llegar a saber

Rausch [raʊʃ] *m* <-(e)s, Räusche> (*Trunkenheit*) embriaguez *f*; (*Ekstase*) éxtasis *m inv*

rauschen ['raʊʃən] *vi* (*Baum, Wind, Bach*) murmurar; (*Meer*) bramar; (*Telefon*) haber interferencias; **ein ~des Fest** una fiesta a lo grande

Rauschgift *nt* estupefaciente *m*; **Rauschgiftsüchtige(r)** *f(m) dekl wie adj* toxicómano, -a *m, f*

raus|ekeln *vt* (*fam*): **jdn ~** hacer la vida imposible a alguien (hasta que se va); **raus|fliegen** *irr vi sein* (*fam: Person*) ser echado (**aus** de); **raus|geben** *irr vt* (*fam*) ❶ (*herausreichen*) entregar, dar ❷ (*Wechselgeld*) dar de vuelta; **sie haben mir falsch rausgegeben** me han dado mal la vuelta

räuspern ['rɔɪspɐn] *vr:* **sich ~** carraspear

Razzia ['ratsja] *f* <Razzien> redada *f*

reagieren* [rea'gi:rən] *vi* reaccionar (**auf** a/ante)

Reaktion [reak'tsjo:n] *f* <-en> reacción *f*

reaktionär [reaktsjo'nɛ:ɐ] *adj* (*abw*) reaccionario

Reaktor [re'akto:ɐ] *m* <-s, -en> reactor *m*

real [re'a:l] *adj* real

realisieren* [reali'zi:rən] *vt* realizar

Realismus [rea'lɪsmʊs] *m* <-, *ohne pl*> realismo *m*

realistisch *adj* realista; **~ betrachtet** visto con realismo

Realität [reali'tɛ:t] *f* <-en> realidad *f*; **virtuelle ~** realidad virtual; **Realitätsverlust** *m* <-(e)s, *kein pl*>: **an ~ leiden** perder el sentido de la realidad, no tocar con los pies en el suelo *fam*

Realschule *f* ≈instituto *m* de enseñanza media (*escuela secundaria – de los 10 a los 16 años – de grado inferior al Gymnasium*)

Rebe ['re:bə] *f* <-n> vid *f*

Rebell(in) [re'bɛl] *m(f)* <-en, -en; -nen> rebelde *mf*

rebellieren* [rebɛ'li:rən] *vi* rebelarse

Rebellion [rebɛ'ljo:n] *f* <-en> rebelión *f*

rebellisch [re'bɛlɪʃ] *adj* rebelde

Rechen ['rɛçən] *m* <-s, -> SCHWEIZ, ÖSTERR, REG rastrillo *m*

Rechenaufgabe *f* problema *m* de aritmética; **Rechenfehler** *m* error *m* de cálculo

Rechenschaft *f* cuentas *fpl*; **jdn für etw zur ~ ziehen** hacer a alguien responsable de algo

Recherche [re'ʃɛrʃə, rə'ʃɛrʃə] *f* <-n> pesquisa *f*

recherchieren* [reʃɛr'ʃi:rən, rəʃɛr'ʃi:rən] *vi, vt* investigar

rechnen ['rɛçnən] **I.** *vi* calcular; (*sich verlassen*) contar (**mit/auf** con); **im Kopf ~** calcular mentalmente; **damit ~, dass ...** contar con que... +*subj* **II.** *vt* (*Aufgabe*) calcular; (*zählen*) contar (**zu** entre); **jdn zu etw ~** incluir a alguien entre algo **III.** *vr:* **sich ~** ser rentable

Rechner *m* <-s, -> calculadora *f*; (*Computer*) ordenador *m*, computadora *f*;

rechnergesteuert *adj* dirigido por ordenador

rechnerisch *adj* aritmético; **rein ~** ateniéndose a las cifras

Rechnung *f* <-en> (*das Rechnen*) cálculo *m*; (*Abrechnung*) cuenta *f*; (*Warenrechnung*) factura *f*; **eine ~ über 1000 Euro** una cuenta de 1000 euros; **jdm etw in ~ stellen** cargar algo en la cuenta de alguien; **das geht auf meine ~** esto va de mi cuenta; **etw** *dat* **~ tragen** considerar algo

recht [rɛçt] **I.** *adj* (*geeignet*) adecuado; (*richtig*) correcto; **der ~e Augenblick** el momento oportuno; **nach dem Rechten sehen** controlar si todo está en orden; **alles, was ~ ist, aber ...** todo lo que quiera(s), pero... **II.** *adv* (*sehr*) muy; (*ziemlich*) bastante; (*richtig, genehm*) bien; **~ herzlichen Dank** muchísimas gracias; **~ viel** bastante; **jetzt erst ~!** ¡sobre todo ahora!; **jetzt erst ~ nicht!** ¡ahora menos que nunca!; **wenn ich es ~ überlege ...** si lo pienso bien...; **ist es dir ~ wenn ...?** ¿te parece bien si...?; **das geschieht ihm ~** (*fam*) le está bien (empleado); **man kann ihm nichts ~ machen** no se conforma con nada

Recht [rɛçt] *nt* <-(e)s, -e> ❶ (*Anspruch*) derecho *m* (**auf** a); **zu ~** con razón; **~ haben** tener razón; **jdm ~ geben** dar(le) a alguien la razón ❷ *ohne pl* (*Rechtsordnung*) derecho *m*; (*Gesetze*) legislación *f*, leyes *fpl*; **gegen das ~ verstoßen** infringir las leyes

rechte(r, s) *adj* derecho; POL de derecha (s); **~r Hand** a mano derecha; **auf der ~n Seite** a la derecha; **ein ~r Winkel** un ángulo recto

Rechte ['rɛçtə] *f* <-n> *a.* POL derecha *f*; **zu ihrer ~n** a su derecha

Rechteck *nt* <-(e)s, -e> rectángulo *m*; **rechteckig** *adj* rectangular

rechtfertigen ['----] *vt, vr:* **sich ~** justificar(se) (**für** por, **vor** ante); **Rechtfertigung** *f* <-en> justificación *f*

rechthaberisch *adj* (*abw*): **~ sein** querer tener siempre la razón

rechtlich *adj* legal; (*gesetzlich*) jurídico

rechtmäßig *adj* legítimo; **etw für ~ erklären** declarar algo legal

rechts [rɛçts] *adv o präp +gen* a la derecha (de); **nach ~** hacia la derecha; **von ~ kommen** venir por la derecha; **sich ~ einordnen** situarse en el carril derecho; **~ vor links** la derecha tiene preferencia

Rechtsanwalt, -wältin *m, f* abogado, -a *m, f*; **Rechtsberatung** *f* asesoramiento *m* jurídico

rechtschaffen ['rɛçtʃafən] *adj* honrado

Rechtschreibung *f* ortografía *f*

Rechtsextremist(in) *m(f)* POL ultraderechista *mf*; **rechtsextremistisch** *adj* de extrema derecha; **Rechtshänder(in)** ['-hɛndɐ] *m(f)* <-s, -; -nen> diestro, -a *m, f*

rechtskräftig *adj* (jurídicamente) válido; **~ werden** entrar en vigor

Rechtsprechung *f* <-en> jurisprudencia *f*

rechtsradikal *adj* ultraderechista

rechtswidrig *adj* ilegal

rechtwink(e)lig *adj* rectangular

rechtzeitig I. *adj* puntual II. *adv* a tiempo

recken ['rɛkən] I. *vt:* **den Kopf ~** alargar el cuello II. *vr:* **sich ~** estirarse

Recorder *m* <-s, -> *s.* **Rekorder**

recyceln* [ri'saɪkəln] *vt* reciclar

Recycling [ri'saɪklɪŋ] *nt* <-s, *ohne pl*> reciclaje *m*; **Recyclingpapier** *nt* <-s, *ohne pl*> papel *m* reciclado

Redakteur(in) [redak'tøːɐ] *m(f)* <-s, -e; -nen> redactor(a) *m(f)*

Redaktion [redak'tsjoːn] *f* <-en> redacción *f*

Rede ['reːdə] *f* <-n> discurso *m*; **eine ~ halten** pronunciar un discurso; **das ist nicht der ~ wert** no merece la pena comentarlo; **es ist die ~ von ...** se habla de...; **jdn zur ~ stellen** pedir cuentas a alguien; **jdm ~ und Antwort stehen** dar cuentas a alguien; **Redefreiheit** *f ohne pl* libertad *f* de expresión; **redegewandt** *adj* elocuente

reden ['reːdən] *vi, vt* hablar (**über** sobre); **Unsinn ~** decir tonterías; (**viel**) **von sich** *dat* **~ machen** dar mucho que hablar; **darüber lässt sich ~** se puede hablar de ello; **ein ernstes Wort mit jdm ~** hablar en serio con alguien

Redensart *f* locución *f*

Redewendung *f* giro *m*

redlich ['reːtlɪç] *adj* honrado

Redner(in) ['reːdnɐ] *m(f)* <-s, -; -nen> orador(a) *m(f)*

redselig *adj* locuaz

reduzieren* [redu'tsiːrən] *vt, vr:* **sich ~** reducir(se) (**auf** a)

Reederei *f* <-en> compañía *f* naviera

reell [re'ɛl] *adj* (*wirklich*) real; (*fam: Preis*) razonable

Referat [refe'raːt] *nt* <-(e)s, -e> (*Vortrag*) ponencia *f*

Referenzen [refe'rɛntsən] *f pl* referencias *fpl*

referieren* [refe'ri:rən] I. *vi* ❶ (*Referat halten*) exponer (una ponencia) (**über** sobre) ❷ (*berichten*) hablar (**über** sobre/de) II. *vt* (*berichten*) presentar

reflektieren* [reflɛk'ti:rən] *vi, vt* (*Licht*) reflejar

Reflex [re'flɛks] *m* <-es, -e> reflejo *m*

reflexiv [reflɛ'ksi:f] *adj* reflexivo; **Reflexivpronomen** *nt* pronombre *m* reflexivo

Reform [re'fɔrm] *f* reforma *f*

Reformation [refɔrma'tsjo:n] *f* Reforma *f*

reformieren* [refɔr'mi:rən] *vt* reformar

Refrain [rə'frɛ̃:] *m* <-s, -s> estribillo *m*

Regal [re'ga:l] *nt* <-s, -e> estantería *f*; (*Bücherregal*) librería *f*

Regatta [re'gata] *f* <Regatten> regata *f*

rege ['re:gə] *adj* intenso; (*Interesse*) grande; (*Unterhaltung*) animado; (*Fantasie*) vivo; ~ **Beteiligung** participación activa

Regel ['re:gəl] *f* <-n> *a.* MED regla *f*; **in der** ~ por regla general; **sich** *dat* **etw zur** ~ **machen** tomar algo por costumbre; **regelmäßig** I. *adj* regular II. *adv* con regularidad

regeln ['re:gəln] I. *vt* regular; (*in Ordnung bringen*) arreglar II. *vr:* **sich** ~ arreglarse

Regelung *f* <-en> ❶ (*das Festlegen*) reglamentación *f* ❷ (*der Temperatur*) regulación *f*

regelwidrig *adj* contrario a las reglas

regen ['re:gən] *vt, vr:* **sich** ~ mover(se); **kein Lüftchen regte sich** no corría ni una brisa

Regen ['re:gən] *m* <-s, -> lluvia *f*; **vom** ~ **in die Traufe kommen** (*fam*) salir de Guatemala y entrar en Guatepeor

Regenbogen *m* arco *m* iris; **Regenbogenpresse** *f* prensa *f* amarilla

regenerieren* [regene'ri:rən] *vr:* **sich** ~ regenerarse

Regenmantel *m* gabardina *f*; (*Cape*) impermeable *m*; **Regenschauer** *m* chubasco *m*; **Regenschirm** *m* paraguas *m inv*; **Regenwald** *m* selva *f* tropical; **Regenwetter** *nt* tiempo *m* lluvioso; **bei** ~ cuando llueve; **Regenwurm** *m* lombriz *f* de tierra; **Regenzeit** *f* época *f* de las lluvias

Regie [re'ʒi:] *f* dirección *f*

regieren* [re'gi:rən] *vi, vt* gobernar (**über**); (*herrschen*) reinar (**über** sobre)

Regierung *f* <-en> gobierno *m*; **an der** ~ **sein** estar en el poder; **Regierungsbezirk** *m* distrito *m* administrativo; **Regierungschef(in)** *m(f)* jefe, -a *m, f* de gobierno; **Regierungspartei** *f* partido *m* gubernamental; **Regierungssprecher(in)** *m(f)* portavoz *mf* del gobierno

Regime [re'ʒi:m] *nt* <-s, -(s)> régimen *m*

Region [re'gjo:n] *f* <-en> región *f*

regional [regjo'na:l] *adj* regional

Regisseur(in) [reʒɪ'sø:ɐ] *m(f)* <-s, -e; -nen> director(a) *m(f)*

Register [re'gɪstɐ] *nt* <-s, -> registro *m*

registrieren* [regɪs'tri:rən] *vt* registrar

Regler ['re:glɐ] *m* <-s, -> regulador *m*; (*Temperaturregler*) termostato *m*

regnen ['re:gnən] *vunpers* llover; **es regnet in Strömen** llueve a cántaros

regnerisch *adj* lluvioso

regulär [regu'lɛ:ɐ] *adj* regular

regulieren* [regu'li:rən] *vt* regular

Regung ['re:gʊŋ] *f* <-en> (*geh*) movimiento *m*; (*Gefühlsregung*) emoción *f*; **regungslos** *adj* inmóvil

Reh [re:] *nt* <-(e)s, -e> corzo *m*

rehabilitieren* [rehabili'ti:rən] *vt* rehabilitar; (*wieder eingliedern*) reintegrar

Reibe ['raɪbə] *f* <-n> rallador *m*

reiben ['raɪbən] <reibt, rieb, gerieben> *vt* (*aneinander reiben*) frotar; (*zerkleinern*) rallar

Reibereien *f pl* peleas *fpl*

Reibung *f* <-en> fricción *f*; **reibungslos** *adj* sin dificultades; **etw verläuft** ~ algo va de maravilla

reich [raɪç] *adj* rico (**an** en); ~ **werden**

enriquecerse

Reich [raɪç] *nt* <-(e)s, -e> imperio *m*; (*Königreich, a. fig*) reino *m*; **das Dritte ~** el Tercer Reich

reichen ['raɪçən] **I.** *vi* (*ausreichen*) bastar; (*sich erstrecken*) llegar (**bis** a); **mir reicht's!** (*fam*) ¡estoy harto!; **weit ~d** (*umfassend*) extenso; **so weit das Auge reicht** lo que alcanza la vista **II.** *vt:* **jdm etw ~** pasar algo a alguien; **sich** *dat* **die Hand ~** tenderse la mano

reichhaltig *adj* abundante

reichlich **I.** *adj* abundante; (*umfangreich*) amplio **II.** *adv* (*ausreichend*) en abundancia

Reichtum *m* <-s, -tümer> ❶ (*Besitz*) riqueza *f* (**an** en) ❷ *ohne pl* (*Vielfalt*) gran variedad *f* (**an** de)

Reichweite *f* alcance *m*; **außer ~ sein** estar fuera de alcance

reif [raɪf] *adj* maduro; **die Zeit ist ~** (**für etw**) ha llegado el momento (de algo); **eine ~e Leistung** (*fam*) un trabajo bien hecho

Reif [raɪf] *m* <-(e)s, *ohne pl*> (*Raureif*) escarcha *f*

Reife [raɪfə] *f* madurez *f*

reifen ['raɪfən] *vi sein* madurar

Reifen ['raɪfən] *m* <-s, -> (*Autoreifen, Fahrradreifen*) neumático *m*; **Reifenpanne** *f* pinchazo *m*

Reifeprüfung *f* ≈examen *m* de bachillerato

Reihe ['raɪə] *f* <-n> fila *f*; (*Baumreihe*) hilera *f*; (*Anzahl*) serie *f*; **sich in einer ~ aufstellen** ponerse en fila; **aus der ~ tanzen** (*fam*) hacer rancho aparte; **er kaufte eine ganze ~ Bücher** compró una serie de libros; **du bist an der ~** (*fam*) te toca (a ti); **der ~ nach** por turno

reihen ['raɪən] *vt* (*geh*): **etw an etw ~** poner algo en fila con algo

Reihenfolge *f* orden *m*; **in alphabetischer ~** por orden alfabético; **Reihenhaus** *nt* chalé *m* adosado; **reihenweise** *adv* ❶ (*fam: viele*) en serie ❷ (*in Reihen*) en filas

reihum [raɪ'ʔʊm] *adv* por turno; **~ gehen** pasar de mano en mano

Reim [raɪm] *m* <-(e)s, -e> rima *f*; **ich kann mir keinen ~ darauf machen** no me lo explico

reimen *vt, vr:* **sich ~** rimar(se) (**auf** con)

rein [raɪn] *adj* (*pur*) puro; (*Freude*) verdadero; (*sauber*) limpio; **sie ist das ~ste Genie** es un verdadero genio; **etw ~ halten** mantener algo limpio; **mit sich selbst ins Reine kommen** sincerarse consigo mismo; **aus ~ privaten Gründen** por razones estrictamente privadas; **~ gar nichts** nada de nada

Reinfall *m* (*fam*) chasco *m*; **rein|fallen** *irr vi sein* (*fam*) ❶ (*in Loch*) caer (**in** en) ❷ (*sich täuschen lassen*) dejarse engañar (**auf** por)

Reinhaltung *f ohne pl* limpieza *f*

Reinheit *f* (*Unverfälschtheit*) pureza *f*; (*Sauberkeit*) limpieza *f*

reinigen ['raɪnɪgən] *vt* limpiar; (*Abwässer*) depurar; (*Kleidung*) lavar en seco

Reinigung *f* <-en> (*Unternehmen*) tintorería *f*; **Reinigungsmittel** *nt* detergente *m*

reinlich *adj* limpio

reinrassig *adj* de pura raza

Reis [raɪs] *m* <-es, -e> arroz *m*

Reise ['raɪzə] *f* <-n> viaje *m* (**nach/in** a); **auf ~n sein** estar de viaje; **Reisebüro** *nt* agencia *f* de viajes; **Reiseführer** *m* guía *f* turística; **Reiseleiter(in)** *m(f)* guía *mf* turístico, -a

reisen ['raɪzən] *vi sein* viajar (**nach/in** a)

Reisepass[RR] *m* pasaporte *m*; **Reisetasche** *f* bolsa *f* de viaje; **Reiseveranstalter** *m* <-s, -> agente *m* de viajes; **Reiseversicherung** *f* seguro *m* de viaje; **Reiseziel** *nt* punto *m* de destino

reißen ['raɪsən] <reißt, riss, gerissen> **I.** *vi* ❶ *sein* (*zerreißen*) romperse ❷ *haben* (*zerren*) tirar (**an** de) **II.** *vt haben* (*zerreißen*) romper; (*in Fetzen*) desgarrar; (*wegreißen*) arrancar (**aus**

R

de); **etw in Stücke ~** romper algo en pedazos; **er wurde aus dem Schlaf gerissen** le sacaron del sueño; **etw an sich ~** hacerse con algo **III.** *vr haben*: **sich um etw ~** (*fam*) pegarse por algo

Reißverschluss^{RR} *m* cremallera *f*; **Reißzwecke** *f* <-n> chincheta *f*

reiten ['raɪtən] <reitet, ritt, geritten> *vi sein vt haben* cabalgar; **im Galopp ~** ir al galope

Reiter(in) *m(f)* <-s, -; -nen> jinete *m*, amazona *f*

Reitpferd *nt* caballo *m* de silla

Reiz [raɪts] *m* <-es, -e> (*physiologisch*) estímulo *m*; (*Verlockung*) atractivo *m*; (*Schönheit*) encanto *m*; **reizbar** *adj* irritable; **er ist leicht ~** se irrita fácilmente

reizen ['raɪtsən] *vt* (*provozieren*) provocar; MED irritar; (*anziehen*) atraer

reizend *adj* precioso; (*Mensch*) encantador

reizlos *adj* sin gracia; **reizvoll** *adj* (*schön*) encantador; (*verlockend*) tentador

rekeln ['re:kəln] *vr:* **sich ~** (*fam*) estirarse

Reklamation [reklama'tsjo:n] *f* <-en> reclamación *f*

Reklame [re'kla:mə] *f* <-n> publicidad *f*; **für jdn/etw ~ machen** hacer publicidad por alguien/para algo

reklamieren* [rekla'mi:rən] *vi, vt* reclamar

rekonstruieren* [rekɔnstru'i:rən] *vt* reconstruir

Rekord [re'kɔrt] *m* <-(e)s, -e> récord *m*

Rekorder [re'kɔrdɐ] *m* <-s, -> magnetofón *m*, grabadora *f*

Rektor(in) ['rɛkto:ɐ] *m(f)* <-s, -en; -nen> SCH director(a) *m(f)*; UNIV rector(a) *m(f)*

Relation [rela'tsjo:n] *f* <-en> relación *f*

relativ [rela'ti:f, 're:lati:f, 'rɛlati:f] *adj* relativo; **~ oft** bastante a menudo

relativieren* [relati'vi:rən] *vt* relativizar

Relativpronomen *nt* pronombre *m* relativo

relaxen* [ri'lɛksən] *vi* relajar

relevant [rele'vant] *adj* relevante

Relief [re'ljɛf] *nt* <-s, -s *o* -e> relieve *m*

Religion [reli'gjo:n] *f* <-en> religión *f*; **Religionsfreiheit** *f ohne pl* libertad *f* de culto

religiös [reli'gjø:s] *adj* religioso

Reling ['re:lɪŋ] *f* <-s *o* -e> borda *f*

Reliquie [re'li:kviə] *f* <-n> reliquia *f*

Renaissance [rənɛ'sã:s] *f* Renacimiento *m*

Rendezvous [rãde'vu:] *nt* <-, -> cita *f*

Rennbahn *f* pista *f* de carreras; (*Pferderennbahn*) hipódromo *m*

rennen ['rɛnən] <rennt, rannte, gerannt> *vi sein* correr; **um die Wette ~** echar una carrera; **gegen etw ~** estrellarse contra algo

Rennen *nt* <-s, -> carrera *f*; **das ~ machen** (*fam*) salir vencedor

Rennrad *nt* bicicleta *f* de carreras; **Rennwagen** *m* coche *m* de carreras

renommiert [renɔ'mi:ɐt] *adj* prestigioso

renovieren* [reno'vi:rən] *vt* renovar

rentabel [rɛn'ta:bəl] *adj* rentable

Rente ['rɛntə] *f* <-n> pensión *f*; **in ~ gehen** (*fam*) jubilarse; **Rentenversicherung** *f* seguro *m* de pensiones; **Rentenvorsoge** *f*: **private ~** pensión de vejez privada

rentieren* [rɛn'ti:rən] *vr:* **sich ~** valer la pena; (*finanziell*) ser rentable

Rentner(in) ['rɛntnɐ] *m(f)* <-s, -; -nen> pensionista *mf*

Reparatur [repara'tu:ɐ] *f* <-en> reparación *f*; **etw in ~ geben** mandar algo a arreglar; **Reparaturwerkstatt** *f* taller *m* de reparaciones

reparieren* [repa'ri:rən] *vt* reparar

Reportage [repɔr'ta:ʒə] *f* <-n> reportaje *m* (**über** sobre)

Reporter(in) [re'pɔrtɐ] *m(f)* <-s, -; -nen> reportero, -a *m, f*

Repräsentant(in) [reprɛzɛn'tant] *m(f)* <-en, -en; -nen> representante *mf*

repräsentativ [reprɛzɛnta'ti:f] *adj* representativo (**für** de)

repräsentieren* [reprɛzɛn'ti:rən] *vi, vt* representar

Repressalie [reprɛ'sa:liə] *f* <-n> represalia *f*

Reptil [rɛp'ti:l] *nt* <-s, -ien> reptil *m*

Republik [repu'bli:k] *f* <-en> república *f*

Republikaner(in) [republi'ka:nɐ] *m(f)* <-s, -; -nen> republicano, -a *m, f*; (*in Deutschland*) miembro *m* del partido ultraderechista alemán

Reservat [rezɛr'va:t] *nt* <-(e)s, -e> reserva *f*

Reserve [re'zɛrvə] *f* <-n> reserva *f*; **jdn aus der ~ locken** intentar sacar a alguien de su cascarón

reservieren* [rezɛr'vi:rən] *vt* reservar

Residenz [rezi'dɛnts] *f* <-en> residencia *f*

Resignation [rezɪgna'tsjo:n] *f* <-en> resignación *f*

resignieren* [rezɪ'gni:rən] *vi* resignarse

resolut [rezo'lu:t] *adj* resuelto

Resonanz [rezo'nants] *f* <-en> resonancia *f*; **~ finden** tener resonancia

Respekt [re'spɛkt, rɛs'pɛkt] *m* <-(e)s, *ohne pl*> respeto *m* (**vor** a); **sich** *dat* **~ verschaffen** hacerse respetar

respektabel [respɛk'ta:bəl, rɛspɛk'ta:bəl] *adj* respetable

respektieren* [respɛk'ti:rən, rɛspɛk'ti:rən] *vt* respetar

respektlos *adj* irrespetuoso (**gegenüber** (para) con); **respektvoll** *adj* respetuoso (**gegenüber** (para) con)

Ressourcen [rɛ'sʊrsən] *f pl* recursos *m pl*

Rest [rɛst] *m* <-(e)s, -e> resto *m*; **der letzte ~** lo último que queda; **das hat ihm den ~ gegeben** (*fam*) esto le acabó de desmoronar

Restaurant [rɛsto'rã:] *nt* <-s, -s> restaurante *m*

restaurieren* [restaʊ'ri:rən, rɛstaʊ'ri:rən] *vt* restaurar, refaccionar

restlich *adj* (*noch ausstehend*) restante; (*nach Verbrauch*) sobrante

restlos *adv* por completo

Resultat [rezʊl'ta:t] *nt* <-(e)s, -e> resultado *m*

resultieren* [rezʊl'ti:rən] *vi* resultar (**aus** de)

Resümee [rezy'me:] *nt* <-s, -s> resumen *m*

retour [re'tu:ɐ] *adv* REG, SCHWEIZ, ÖSTERR de vuelta; **jdm etw ~ geben** devolver algo a alguien

retten ['rɛtən] *vt, vr:* **sich ~** salvar(se) (**vor** de); (*bergen*) rescatar (**aus** de); **sich vor Arbeit nicht mehr ~ können** estar hasta el cuello de tanto trabajo

Retter(in) *m(f)* <-s, -; -nen> salvador(a) *m(f)*

Rettich ['rɛtɪç] *m* <-s, -e> rábano *m* largo

Rettung *f* <-en> salvación *f*; (*Bergung*) rescate *m*; **du bist meine letzte ~!** (*fam*) ¡eres mi última esperanza!; **Rettungsboot** *nt* bote *m* salvavidas; **Rettungsdienst** *m* servicio *m* de socorro; **Rettungsring** *m* salvavidas *m inv*; **Rettungsschwimmer(in)** *m(f)* socorrista *mf*; **Rettungswagen** *m* ambulancia *f*

Reue ['rɔɪə] *f* arrepentimiento *m*

Revanche [re'vã:ʃ(ə)] *f* <-n> revancha *f*; **jdm ~ geben** dar(le) revancha a alguien

revanchieren* [revã'ʃi:rən] *vr:* **sich ~** (*sich rächen*) vengarse (**für/bei** de); (*sich erkenntlich zeigen*) corresponder (**für** a)

revidieren* [revi'di:rən] *vt* revisar

Revier [re'vi:ɐ] *nt* <-s, -e> (*Polizeirevier*) comisaría *f*; ZOOL territorio *m*; (*Jagdrevier*) coto *m* de caza

Revolte [re'vɔltə] *f* <-n> sublevación *f*

Revolution [revolu'tsjo:n] *f* <-en> revolución *f*

revolutionär [revolutsjo'nɛ:ɐ] *adj* revolucionario

Revolver [re'vɔlvɐ] *m* <-s, -> revólver *m*

Revue [rə'vy:] *f* <-n> revista *f*; **etw ~ passieren lassen** pasar revista a algo

Rezept [re'tsɛpt] *nt* <-(e)s, -e> receta *f*; **rezeptfrei** *adj* sin receta médica

Rezeption [retsɛp'tsjo:n] *f* <-en> recepción *f*

rezeptpflichtig *adj* de prescripción (médica) obligatoria; (*auf Packung*) con receta médica

Rezession [retsɛ'sjo:n] *f* <-en> recesión *f*

Rhabarber [ra'barbɐ] *m* <-s, *ohne pl*> ruibarbo *m*

Rhein [raɪn] *m* <-s> Rin *m*

Rheinland *nt* <-(e)s> Renania *f*; **Rheinland-Pfalz** ['--'-] *nt* <-> Renania *f* Palatinado

Rhetorik [re'to:rɪk] *f* retórica *f*

Rheuma ['rɔɪma] *nt* <-s, *ohne pl*> (*fam*) reuma *m o f*

Rhythmen *pl von* **Rhythmus**

rhythmisch ['rʏtmɪʃ] *adj* rítmico

Rhythmus ['rʏtmʊs] *m* <-, Rhythmen> ritmo *m*

richten ['rɪçtən] **I.** *vt* dirigir (**an/auf** a); (*Waffe*) apuntar (**auf** a); (*Aufmerksamkeit*) concentrar (**auf** en); (*Blick*) fijar (**auf** en); **das Wort an jdn ~** dirigir la palabra a alguien **II.** *vr:* **sich nach etw/jdm ~** seguir algo/orientarse por alguien

Richter(in) *m(f)* <-s, -; -nen> juez(a) *m(f)*

richtig ['rɪçtɪç] **I.** *adj* (*zutreffend*) exacto; (*korrekt*) correcto; (*regelrecht*) verdadero; (*geeignet*) justo; **zur ~en Zeit** en el momento oportuno **II.** *adv* (*korrekt*) bien; (*richtiggehend*) verdaderamente; **richtig|stellen** *vt:* **etw ~** rectificar algo

Richtlinie *f* norma *f*

Richtung *f* <-en> dirección *f*; **in die entgegengesetzte ~ fahren** ir en sentido contrario; **der Zug ~ Vigo** el tren con destino a Vigo; **die Leute kommen aus allen ~en** la gente viene de todas partes

rieb [ri:p] *3. imp von* **reiben**

riechen ['ri:çən] <riecht, roch, gerochen> *vi, vt* oler (**nach** a); **übel ~d** maloliente; **an einem Gewürz ~** oler una especia; **es riecht angebrannt** huele a quemado; **aus dem Mund ~** tener mal aliento; **jdn nicht ~ können** (*fam*) no tragar a alguien

Riecher *m* <-s, -> (*Geruchssinn*) olfato *m*; **den richtigen ~ für etw haben** tener muy buen olfato para algo

rief [ri:f] *3. imp von* **rufen**

Riegel ['ri:gəl] *m* <-s, -> (*Türriegel*) cerrojo *m*; (*Schokoladenriegel*) barrita *f*

Riemen ['ri:mən] *m* <-s, -> correa *f*; **sich am ~ reißen** (*fam*) hacer un esfuerzo

Riese, Riesin ['ri:zə] *m, f* <-n, -n; -nen> gigante, -a *m, f*

rieseln ['ri:zəln] *vi sein* (*Schnee, Sand*) caer; (*Wasser*) correr

riesengroß ['--'-] *adj* (*fam*) gigantesco; **Riesenrad** *nt* noria *f*

riesig *adj* enorme

riet [ri:t] *3. imp von* **raten**

Riff [rɪf] *nt* <-(e)s, -e> arrecife *m*

rigoros [rigo'ro:s] *adj* riguroso

Rille ['rɪlə] *f* <-n> ranura *f*

Rind [rɪnt] *nt* <-(e)s, -er> ❶ (*Tier*) vacuno *m* ❷ *ohne pl* (*fam: Rindfleisch*) carne *f* de vaca

Rinde ['rɪndə] *f* <-n> corteza *f*

Rinderwahnsinn *m* enfermedad *f* de las vacas locas

Rindfleisch *nt* carne *f* de vaca; **Rindvieh** *nt* <-(e)s, -viecher> (*fam abw: Mensch*) animal *m*

Ring [rɪŋ] *m* <-(e)s, -e> anillo *m*; **~e unter den Augen haben** tener ojeras

Ringelnatter *f* serpiente *f* de collar

ringen ['rɪŋən] <ringt, rang, gerungen> *vi* luchar (**um/nach** por); **nach Luft ~** jadear; **mit dem Tod ~** agonizar

Ringer(in) *m(f)* <-s, -; -nen> luchador(a) *m(f)*

Ringfinger *m* (dedo *m*) anular *m*

ringsherum ['rɪŋshɛ'rʊm] *adv*, **ringsumher** ['rɪŋsʔʊm'he:ɐ] *adv* alrededor; (*überall*) por todas partes

Rinne ['rɪnə] *f* <-n> (*im Boden*) cauce *m*; (*Bewässerungsrinne*) acequia *f*; (*Dachrinne*) canalón *m*

rinnen ['rɪnən] <rinnt, rann, geronnen> *vi sein* manar

Rinnsal ['rɪnza:l] *nt* <-(e)s, -e> (*geh: Gewässer*) riachuelo *m*

Rinnstein *m* (*Gosse*) cuneta *f*; (*Bordstein*) bordillo *m*

Rippe ['rɪpə] *f* <-n> costilla *f*

Risiko ['ri:ziko] *nt* <-s, -s *o* Risiken> riesgo *m*; **kein/ein ~ eingehen** no correr riesgo/correr un riesgo

riskant [rɪs'kant] *adj* arriesgado

riskieren* [rɪs'ki:rən] *vt* arriesgar

riss[RR] [rɪs] *3. imp von* **reißen**

Riss[RR] [rɪs] *m* <-es, -e> desgarro *m*; (*in Stoff, Papier*) rasgadura *f*; (*in Wand, Haut*) grieta *f*

rissig ['rɪsɪç] *adj* (*Wand, Haut*) agrietado

ritt [rɪt] *3. imp von* **reiten**

Ritt [rɪt] *m* <-(e)s, -e> cabalgada *f*

Ritter ['rɪtɐ] *m* <-s, -> caballero *m*

ritterlich *adj* caballeresco

Ritual [ritu'a:l] *nt* <-s, -e *o* -ien> ritual *m*

Ritze ['rɪtsə] *f* <-n> ranura *f*

ritzen ['rɪtsən] *vt* grabar (**in** en)

Rivale, Rivalin [ri'va:lə] *m, f* <-n, -n; -nen> rival *mf*

rivalisieren* [rivali'zi:rən] *vi* rivalizar (**um** por)

Rivalität [rivali'tɛ:t] *f* <-en> rivalidad *f*

Robbe ['rɔbə] *f* <-n> foca *f*

Roboter ['rɔbɔtɐ] *m* <-s, -> robot *m*

robust [ro'bʊst] *adj* robusto

roch [rɔx] *3. imp von* **riechen**

röcheln ['rœçəln] *vi* resollar

Rock [rɔk] *m* <-(e)s, Röcke> falda *f*

Rocker(in) ['rɔkɐ] *m(f)* <-s, -; -nen> rockero, -a *m, f*

Rockgruppe *f* grupo *m* de rock

rodeln ['ro:dəln] *vi haben o sein* REG ir en trineo

roden ['ro:dən] *vt* (*Gebiet*) desmontar; (*Baum*) talar

Rodung *f* <-en> desmonte *m*

Roggen ['rɔgən] *m* <-s, -> centeno *m*

roh [ro:] *adj* (*ungekocht*) crudo; (*grob*) bruto; **Rohkost** *f* verdura *f* cruda; **Rohöl** *nt* (petróleo *m*) crudo *m*

Rohr [ro:ɐ] *nt* <-(e)s, -e> tubo *m*

Röhre ['rø:rə] *f* <-n> tubo *m*

Rohrleitung *f* tubería *f*; **Rohrzucker** *m* azúcar *m* de caña

Rohstoff *m* materia *f* prima

Rolladen[ALT] *m s.* **Rollladen**

Rolle ['rɔlə] *f* <-n> (*Gerolltes*) rollo *m*; (*an Möbeln*) rueda *f*; THEAT, FILM (*a. fig*) papel *m*; **es spielt keine ~, ob ...** no importa si...; **aus der ~ fallen** salirse de tono

rollen ['rɔlən] **I.** *vi sein* rodar **II.** *vt haben* (*bewegen*) hacer rodar; (*Teig*) extender **III.** *vr haben*: **sich ~** enrollarse

Roller *m* <-s, -> (*für Kinder*) patinete *m*; (*Motorroller*) vespa® *f*

Rollkragen *m* cuello *m* alto; **Rollkragenpullover** *m* jersey *m* de cuello alto

Rollladen[RR] *m* persiana *f*

Rollo ['rɔlo] *nt* <-s, -s> persiana *f*

Rollschuh *m* patín *m* sobre ruedas; **~ laufen** patinar (sobre ruedas); **Rollstuhl** *m* silla *f* de ruedas; **Rolltreppe** *f* escalera *f* mecánica

Roman [ro'ma:n] *m* <-s, -e> novela *f*

Romanistik [roma'nɪstɪk] *f* filología *f* románica

Romantik [ro'mantɪk] *f* LIT, KUNST Romanticismo *m*

romantisch *adj* romántico

Romanze [ro'mantsə] *f* <-n> romance *m*

Römer(in) ['rø:mɐ] *m(f)* <-s, -; -nen> romano, -a *m, f*

röntgen ['rœntgən] *vt* hacer una radiografía (de); **Röntgenaufnahme** *f* radiografía *f*; **Röntgenstrahlen** *m pl* rayos *m pl* X

rosa ['ro:za] *adj inv* rosado; **rosarot** ['--'-] *adj* (de color de) rosa

Rose ['ro:zə] *f* <-n> rosa *f*; **Rosenkohl** *m* col *f* de Bruselas; **Rosenkranz** *m* REL rosario *m*

rosig *adj* (*Haut*) sonrosado; (*erfreulich*) de color de rosa

Rosine [ro'zi:nə] *f* <-n> (uva *f*) pasa *f*

Rosmarin ['ro:smari:n] *m* <-s, *ohne pl*> romero *m*

Ross^RR [rɔs] *nt* <-es, Rösser> REG caballo *m*

Rost [rɔst] *m* <-(e)s, -e> ❶ (*für Grill*) parrilla *f*; (*Gitterrost*) rejilla *f*; (*Lattenrost*) somier *m* ❷ *ohne pl* (*auf Metall*) orín *m*; ~ **ansetzen** oxidarse

rosten ['rɔstən] *vi sein* oxidarse

rösten ['rœstən] *vt* tostar

rostfrei *adj* inoxidable

rostig *adj* oxidado

rot [ro:t] *adj* <röter *o* roter, am rötesten *o* rotesten> rojo; POL socialista; ~ **werden** enrojecer

Röteln ['rø:təln] *pl* rubeola *f*

rothaarig *adj* pelirrojo

rotieren* [ro'ti:rən] *vi* girar (**um** alrededor de); (*fam: hektisch sein*) estar a cien

Rotkäppchen ['ro:tkɛpçən] *nt* <-s> Caperucita *f* Roja; **Rotkohl** *m* lombarda *f*

rötlich ['rø:tlɪç] *adj* rojizo

Rotlichtviertel *nt* (*fam*) barrio *m* chino

rot|sehen *irr vi* (*fam*) perder el control; **Rotstift** *m* lápiz *m* rojo; **Rotwein** *m* vino *m* tinto

Rotz [rɔts] *m*: ~ **und Wasser heulen** (*fam*) llorar a moco tendido; **rotzfrech** ['-'-] *adj* (*fam*) descarado

Rouge [ru:ʒ] *nt* <-s, -s> colorete *m*

Roulette [ru'lɛt] *nt* <-s, -s> ruleta *f*

Route ['ru:tə] *f* <-n> ruta *f*; **Routenplaner** ['ru:tənpla:nɐ] *m* planificador *m* de rutas

Routine [ru'ti:nə] *f* rutina *f*

routiniert [ruti'ni:ɐt] *adj* experimentado, experto

Rowdy ['raʊdi] *m* <-s, -s> (*abw*) gamberro *m*

rubbeln ['rʊbəln] *vi, vt* frotar

Rübe ['ry:bə] *f* <-n> nabo *m*; **Gelbe ~n** REG zanahorias *fpl*; **Rote** ~ remolacha *f*

Rubrik [ru'bri:k] *f* <-en> (*Kategorie*) categoría *f*; (*in Tabelle, Zeitung*) columna *f*

Ruck [rʊk] *m* <-(e)s, -e> tirón *m*; **mit einem** ~ de un tirón; **sich** *dat* **einen** ~ **geben** (*fam*) hacer un esfuerzo; **ruckartig I.** *adj* brusco **II.** *adv* de golpe

rückblickend *adj* retrospectivo

rücken ['rʏkən] **I.** *vi sein* (*Platz machen*) correrse; (*näher rücken*) acercarse (**an** a); **in den Mittelpunkt des Interesses** ~ convertirse en el centro de interés **II.** *vt haben* correr (**nach** hacia); (*wegrücken*) apartar (**von** de); (*näher rücken*) acercar (**an** a)

Rücken ['rʏkən] *m* <-s, -> espalda *f*; (*Buchrücken, Tierrücken*) lomo *m*; **jdm in den** ~ **fallen** dejar a alguien en la estacada; **hinter jds** ~ a espaldas de alguien; **Rückenlehne** *f* respaldo *m*; **Rückenmark** *nt* médula *f* espinal; **Rückenschmerzen** *m pl* dolores *mpl* de espalda; **Rückenwind** *m* <-(e)s, *ohne pl*> viento *m* a favor; NAUT viento *m* de popa

rückerstatten* *vt* FIN devolver; **Rückerstattung** *f* FIN devolución *f*

Rückfahrkarte *f* billete *m* de ida y vuelta; **Rückfahrt** *f* (viaje *m* de) vuelta *f*; **auf der** ~ a la vuelta; **Rückfall** *m* MED recaída *f*; JUR reincidencia *f*; **Rückfrage** *f* pregunta *f*; **Rückgabe** *f* devolución *f*; **Rückgang** *m* descenso *m*; **rückgängig** [-gɛŋɪç] *adj*: ~ **machen** (*Vertrag*) anular; (*Verabredung*) cancelar

Rückgrat ['rʏkgra:t] *nt* <-(e)s, -e> espina *f* dorsal

Rückhalt *m* <-(e)s, -e> respaldo *m*; **jdm** ~ **geben** respaldar a alguien; **Rückkehr** *f* regreso *m*; **Rücklage** *f* ahorros *mpl*; **Rücklicht** *nt* luz *f* trasera; **rück|melden** *vr*: **sich** ~ UNIV matricularse para el próximo semestre

Rücknahme [-na:mə] *f* <-n> (*von Versprechen, Klage*) retirada *f*

Rückreise *f* (viaje *m* de) regreso *m*; **auf**

der ~ a la vuelta

Rucksack ['rʊk-] *m* mochila *f*

Rückschlag *m* contratiempo *m*; **Rückschluss**[RR] *m* conclusión *f*; **Rückschlüsse aus etw** *dat* **ziehen** sacar conclusiones de algo; **Rückschritt** *m* paso *m* atrás

rückschrittlich *adj* retrógrado

Rückseite *f* (*eines Gebäudes*) parte *f* posterior; (*eines Blattes*) dorso *m*; (*einer Münze*) reverso *m*; (*eines Stoffes*) revés *m*

Rücksicht *f* consideración *f*; **mit ~ auf ...** teniendo en cuenta...; **auf jdn/etw ~ nehmen** tener consideración con alguien/respetar algo

Rücksichtnahme *f ohne pl* respeto *m*

rücksichtslos I. *adj* desconsiderado II. *adv* sin consideración

Rücksichtslosigkeit *f* <-en> desconsideración *f*

rücksichtsvoll *adj* considerado

Rücksitz *m* asiento *m* trasero; **Rückspiegel** *m* (espejo *m*) retrovisor *m*; **Rückstand** *m* ① (*Rest*) residuo *m* ② *pl* (*bei Zahlung*) atrasos *mpl* ③ (*Verzug*) retraso *m*; **rückständig** *adj* (*rückschrittlich*) anticuado; (*unterentwickelt*) subdesarrollado

Rücktritt *m* dimisión *f*; **seinen ~ erklären** presentar su dimisión; **Rücktrittbremse** *f* freno *m* de pedal

rückwärts [-vɛrts] *adv* hacia atrás; **~ einparken** aparcar marcha atrás; **Rückwärtsgang** *m* marcha *f* atrás

Rückweg *m* (camino *m* de) vuelta *f*; **auf dem ~** a la vuelta; **rückwirkend** I. *adj* retroactivo II. *adv* con efecto retroactivo; **Rückzahlung** *f* reembolso *m*; **Rückzug** *m* retirada *f*; **den ~ antreten** emprender la retirada

rüde ['ry:də] *adj* rudo

Rüde ['ry:də] *m* <-n, -n> perro *m* macho

Rudel ['ru:dəl] *nt* <-s, -> manada *f*

Ruder ['ru:dɐ] *nt* <-s, -> (*von Ruderboot*) remo *m*; (*Steuerruder*) timón *m*; **Ruderboot** *nt* bote *m* de remos

Ruderer, Ruderin *m, f* <-s, -; -nen> remero, -a *m, f*

rudern ['ru:dɐn] *vi* remar; **mit den Armen ~** (*fam*) bracear

rudimentär [rudimɛn'tɛ:ɐ] *adj* rudimentario

Ruf [ru:f] *m* <-(e)s, -e> (*Ausruf*) grito *m*; (*Ansehen*) reputación *f*

rufen ['ru:fən] <ruft, rief, gerufen> *vi, vt* llamar; **nach jdm ~** llamar a alguien; **um Hilfe ~** dar voces de socorro; **etw ~** gritar algo; **jdn ~ lassen** hacer venir a alguien; **das kommt mir wie ge~** (*fam*) esto me viene de maravilla

Rufname *m* nombre *m* de pila; **Rufnummer** *f* número *m* de teléfono

Rugby ['rakbi] *nt* <-(s), *ohne pl*> rugby *m*

Rüge ['ry:gə] *f* <-n> reprimenda *f*; **jdm eine ~ erteilen** reprender a alguien

rügen ['ry:gən] *vt*: **jdn ~** reprender a alguien; **etw ~** criticar algo

Ruhe ['ru:ə] *f* (*Unbewegtheit*) calma *f*; (*Gelassenheit*) tranquilidad *f*; (*Schweigen*) silencio *m*; (*Entspannung*) descanso *m*; (*Bettruhe*) reposo *m*; **sich zur ~ setzen** jubilarse; **lass mich in ~!** (*fam*) ¡déjame en paz!; **das lässt ihm keine ~** eso le inquieta; **in aller ~** con toda calma; **sich durch nichts aus der ~ bringen lassen** no alterarse por nada; **~ bewahren** conservar la calma; **immer mit der ~!** ¡calma, calma!; **ruhelos** *adj* inquieto

ruhen ['ru:ən] *vi* (*ausruhen*) descansar; (*Arbeit*) estar suspendido; (*Verkehr*) estar paralizado; (*Angelegenheit*) quedar postergado

Ruhepause *f* descanso *m*; **Ruhestand** *m* <-(e)s, *ohne pl*> jubilación *f*; **Ruhestörung** *f* disturbio *m*; **Ruhetag** *m* día *m* de descanso

ruhig ['ru:ɪç] *adj* (*bewegungslos, leise*) quieto; (*geräuschlos, gelassen*) tranquilo; (*schweigsam*) callado; **sitz doch ~!** ¡estate quieto!; **eine ~e Hand**

R

haben tener un pulso seguro; **nur ~ Blut!** ¡tranquilo!; **ein ~es Gewissen haben** tener la conciencia tranquila; **~ verlaufen** transcurrir sin incidentes

Ruhm [ru:m] *m* <-(e)s, *ohne pl*> gloria *f*

rühmen ['ry:mən] **I.** *vt* elogiar **II.** *vr:* **sich etw** *gen* **~** vanagloriarse de algo

ruhmreich *adj* glorioso

Rührei ['ry:ɐʔaɪ] *nt* huevos *mpl* revueltos

rühren ['ry:rən] **I.** *vt* (*umrühren*) remover; (*bewegen*) mover; (*emotional*) conmover; **keinen Finger ~** no mover ni un dedo **II.** *vr:* **sich ~** moverse; **sich nicht vom Fleck ~** no moverse del sitio

rührend *adj* conmovedor

Ruhrgebiet *nt* <-(e)s> Cuenca *f* del Ruhr

Rührteig *m* masa *f* de bizcocho

Rührung *f* emoción *f*

Ruin [ru'i:n] *m* <-s, *ohne pl*> ruina *f*; **vor dem ~ stehen** estar al borde de la ruina

Ruine [ru'i:nə] *f* <-n> ruina *f*

ruinieren* [rui'ni:rən] *vt* (*vernichten*) arruinar; (*beschädigen*) estropear

rülpsen ['rʏlpsən] *vi* (*fam*) eructar

Rum [rʊm] *m* <-s, -s> ron *m*

Rumäne, Rumänin [ru'mɛ:nə] *m, f* <-n, -n; -nen> rumano, -a *m, f*

Rumänien [ru'mɛ:niən] *nt* <-s> Rumanía *f*

rumänisch *adj* rumano

rum|kriegen ['rʊm-] *vt* (*fam*) ❶ (*Zeit*) pasar ❷ (*überreden*) convencer

Rummel ['rʊməl] *m* <-s, *ohne pl*> (*fam: Betriebsamkeit*) ajetreo *m*; (*Jahrmarkt*) feria *f*; **großen ~ um etw/jdn machen** armar un escándalo por algo/alguien; **Rummelplatz** *m* (*fam*) feria *f*

Rumpelkammer ['rʊmpəl-] *f* (*fam*) (cuarto *m*) trastero *m*

Rumpf [rʊmpf] *m* <-(e)s, Rümpfe> (*des Menschen*) tronco *m*; (*einer Statue*) torso *m*

rümpfen ['rʏmpfən] *vi:* **die Nase über etw ~** mirar algo con desprecio

rum|treiben *irr vr:* **sich ~** (*fam abw*) vagabundear (**auf/in** por); (*auf der Straße*) callejear (**auf/in** por); **wo hast du dich wieder rumgetrieben?** ¿por dónde te has metido?

rund [rʊnt] *adj* redondo; **ein ~es Dutzend Leute** (*fam*) aproximadamente una docena de personas; **~ um die Uhr** las 24 horas del día

Rundbrief *m* circular *f*

Runde ['rʊndə] *f* <-n> (*Gesellschaft*) reunión *f*; (*Rundgang a.* SPORT) vuelta *f*; (*von Polizei, Getränkerunde*) ronda *f*; **in die ~ blicken** mirar alrededor; **über die ~n kommen** (*fam*) ir tirando

Rundfahrt *f* vuelta *f*

Rundfunk *m* radio *f*; **im ~** en la radio; **Rundfunksender** *m* emisora *f* de radio

Rundgang *m* vuelta *f*; **einen ~ machen** dar una vuelta; **rund|gehen** *irr vi sein* (*fam: turbulent werden*) haber jaleo; **jetzt geht's rund** ahora empieza lo bueno; **rundheraus** ['--'-] *adv* sin rodeos; **rundherum** ['--'-] *adv* (*räumlich*) alrededor (**um** de); (*völlig*) completamente

rundlich *adj* redondeado; (*dicklich*) rechoncho

Rundreise *f* gira *f*; **Rundschreiben** *nt* circular *f*

rundum ['-'-] *adv s.* **rundherum**

Rundung *f* <-en> curvatura *f*

rundweg ['rʊnt'vɛk] *adv* rotundamente

runter|ziehen *irr vt* (*fam*): **jdn ~** deprimir a alguien

Runzel ['rʊntsəl] *f* <-n> arruga *f*

runz(e)lig *adj* arrugado

runzeln ['rʊntsəln] *vt, vr:* **sich ~** arrugar(se)

Rüpel ['ry:pəl] *m* <-s, -> (*abw*) maleducado, -a *m, f*

rupfen ['rʊpfən] *vt* (*Geflügel, a. fig*) desplumar; (*Unkraut*) arrancar

Ruß [ru:s] *m* <-es, -e> hollín *m*

Russe, Russin ['rʊsə] *m, f* <-n, -n; -nen>

ruso, -a *m, f*

Rüssel ['rʏsəl] *m* <-s, -> (*von Insekt, Elefant*) trompa *f*; (*von Schwein*) hocico *m*

russisch *adj* ruso

Russland[RR] ['rʊslant] *nt* <-s> Rusia *f*; **Russlanddeutsche(r)**[RR] *mf* ruso, -a *m, f* de ascendencia alemana

rüsten ['rʏstən] **I.** *vi* MIL armar **II.** *vr:* **sich ~** (*geh*) prepararse (**zu** +*dat*, **für** +*akk* a/para)

rüstig ['rʏstɪç] *adj* ágil

rustikal [rʊsti'ka:l] *adj* rústico

Rüstung *f* <-en> (*Ritterrüstung*) armadura *f*; MIL armamento *m*

Rute ['ru:tə] *f* <-n> (*Stock*) vara *f*; (*Schwanz*) cola *f*

Rutsch [rʊtʃ] *m* (*fam*): **in einem ~** de un golpe; **guten ~ ins neue Jahr!** ¡Feliz Año Nuevo!; **Rutschbahn** *f* tobogán *m*

Rutsche ['rʊtʃə] *f* <-n> tobogán *m*

rutschen ['rʊtʃən] *vi sein* ① (*gleiten*) resbalar; (*Auto*) patinar ② (*fam: rücken*) correrse ③ (*herunterrutschen*) caerse; (*Erdmassen*) desprenderse

rutschfest *adj* antideslizante

rutschig *adj* resbaladizo

rütteln ['rʏtəln] **I.** *vi* dar sacudidas (**an** a); **daran gibt es nichts zu ~** (*fam*) es así, y punto **II.** *vt* sacudir

S

S, s [ɛs] *nt* <-, -> S, s *f*
s. *Abk. von* **siehe** v.
S *Abk. von* **Süden** S
S. *Abk. von* **Seite** pág.
Saal [za:l] *m* <-(e)s, Säle> sala *f*
Saarland *nt* <-(e)s> (territorio *m* del) Sarre *m*
Saat [za:t] *f* (*das Säen*) siembra *f*; (*Saatgut*) simientes *fpl*
Sabbat ['zabat] *m* <-s, -e> sab(b)ath *m*
Sabotage [zabo'ta:ʒə] *f* <-n> sabotaje *m*
sabotieren* [zabo'ti:rən] *vt* sabotear
Sachbearbeiter(in) *m(f)* oficial(a) *m(f)* encargado, -a; **Sachbeschädigung** *f* JUR daños *mpl* materiales; **Sachbuch** *nt* libro *m* de divulgación
Sache ['zaxə] *f* <-n> (*Ding*) cosa *f*; (*Angelegenheit*) asunto *m*; **das ist eine ~ für sich** es cosa aparte; **das ist deine ~!** ¡es tu problema!
Sachgebiet *nt* materia *f*; **sachgemäß** *adj* adecuado; **sachkundig** *adj* experto; **Sachlage** *f ohne pl* estado *m* de cosas
sachlich *adj* (*objektiv*) objetivo; (*nüchtern*) realista
sächlich ['zɛçlɪç] *adj* neutro
Sachschaden *m* daño *m* material

Sachsen ['zaksən] *nt* <-s> Sajonia *f*; **Sachsen-Anhalt** ['zaksən'ʔanhalt] *nt* <-s> Sajonia-Anhalt *f*
sächsisch ['zɛksɪʃ] *adj* sajón
sacht [zaxt] *adj* suave; (*unmerklich*) imperceptible
sachte ['zaxtə] **I.** *adj s.* **sacht II.** *adv* (*fam*) ❶ (*behutsam*) suavemente; (*vorsichtig*) con cuidado ❷ (*unmerklich*) imperceptiblemente
Sachverhalt ['zaxvɛɐhalt] *m* <-(e)s, -e> circunstancias *fpl*
Sachverständige(r) *mf* <-n, -n; -n> perito, -a *m, f*
Sack [zak] *m* <-(e)s, Säcke> saco *m*; **mit ~ und Pack** con todo lo que tiene; **Sackgasse** *f* callejón *m* sin salida
Sadismus [za'dɪsmʊs] *m* <-, *ohne pl*> sadismo *m*
sadistisch *adj* sádico
säen ['zɛ:ən] *vt* sembrar; **dünn gesät sein** ser escaso
Safe [sɛɪf] *m o nt* <-s, -s> caja *f* fuerte
Saft [zaft] *m* <-(e)s, Säfte> zumo *m*, jugo *m*
saftig *adj* jugoso
Sage ['za:gə] *f* <-n> leyenda *f*
Säge ['zɛ:gə] *f* <-n> sierra *f*
sagen ['za:gən] *vt* decir; **Gute Nacht ~** dar las buenas noches; **Ja ~** decir que sí; **sagt dir der Name etwas?** ¿te suena el nombre?; **nichts ~d** (*Argument*) insustancial; (*Worte*) vacío; **viel ~d** significativo; **offen gesagt** a decir verdad; **gesagt, getan** dicho y hecho; **unter uns gesagt** entre nosotros
sägen ['zɛ:gən] *vt* serrar
sagenhaft *adj* (*legendär*) legendario
sah [za:] *3. imp von* **sehen**
Sahne ['za:nə] *f* nata *f*; **süße ~** nata líquida; **~ steif schlagen** montar nata
Saison [zɛ'zõ:, zɛ'zɔŋ] *f* <-s, ÖSTERR -en> temporada *f*; **Saisonarbeiter(in)** *m(f)* temporero, -a *m, f*
Saite ['zaɪtə] *f* <-n> cuerda *f*; **Saiteninstrument** *nt* instrumento *m* de cuerda
Sakko ['zako] *m o nt* <-s, -s> americana *f*
Sakrament [zakra'mɛnt] *nt* <-(e)s, -e> sacramento *m*
Salami [za'la:mi] *f* <-(s)> salami *m*; (*luftgetrocknet*) ≈salchichón *m*
Salat [za'la:t] *m* <-(e)s, -e> lechuga *f*; (*Speise*) ensalada *f*; **Salatschüssel** *f* ensaladera *f*
Salbe ['zalbə] *f* <-n> pomada *f*
Salbei ['zalbaɪ, -'-] *m* <-s, *ohne pl*> salvia *f*
Saldo ['zaldo] *m* <-s, Salden *o* -s *o* Saldi>

saldo *m*

Säle ['zɛ:lə] *pl von* **Saal**

Salmonelle [zalmo'nɛlə] *f* <-n> salmonela *f*

Salon [za'lõ:, za'lɔŋ] *m* <-s, -s> salón *m*

salopp [za'lɔp] *adj* (*Sprache*) coloquial; (*Kleidung*) informal

Salto ['zalto] *m* <-s, -s *o* Salti> salto *m*; **einen ~ rückwärts machen** dar una voltereta hacia atrás

salvadorianisch [zalvadori'a:nɪʃ] *adj* salvadoreño

Salz [zalts] *nt* <-es, -e> sal *f*

Salzburg ['zaltsbʊrk] *nt* <-s> Salzburgo *m*

salzen ['zaltsən] *vt* salar

salzig *adj* salado

Salzkartoffeln *f pl* patatas *fpl* cocidas sin piel; **Salzsäure** *f* ácido *m* clorhídrico; **Salzstreuer** *m* <-s, -> salero *m*; **Salzwasser** *nt* <-s, *ohne pl*> agua *f* salada; (*Meerwasser*) agua *f* de mar

Samen ['za:mən] *m* <-s, -> ① (*Samenkorn*) semilla *f* ② *ohne pl* (*Saat*) simiente *f*; (*Sperma*) semen *m*

Sammelband *m* antología *f*; **Sammelbestellung** *f* pedido *m* colectivo

sammeln ['zaməln] **I.** *vt* recoger; (*Beeren*) recolectar; (*Geld*) recaudar; (*als Hobby*) seleccionar; **Erfahrungen ~** reunir experiencias **II.** *vr:* **sich ~** (*Menschen*) reunirse

Sammler(in) ['zamlɐ] *m(f)* <-s, -; -nen> coleccionista *mf*

Sammlung *f* <-en> (*von Geld*) recaudación *f*; (*Kunstsammlung*) colección *f*

Samstag ['zamsta:k] *m* sábado *m*; *s.a.* **Montag**

samstags ['zamsta:ks] *adv* los sábados; *s.a.* **montags**

samt [zamt] *präp +dat* (junto) con

Samt [zamt] *m* <-(e)s, -e> terciopelo *m*

sämtlich ['zɛmtlɪç] *pron indef* todo; **~e Unterlagen** todos los documentos

Sanatorium [zana'to:riʊm] *nt* <-s, Sanatorien> sanatorio *m*

Sand [zant] *m* <-(e)s, *ohne pl*> arena *f*; **wie ~ am Meer** (*fam*) a mares

Sandale [zan'da:lə] *f* <-n> sandalia *f*

Sandbank *f* <-bänke> banco *m* de arena

sandig *adj* arenoso

Sandkasten *m* cajón *m* de arena

sandte ['zantə] *3. imp von* **senden**

Sandwich ['sɛntvɪtʃ] *m o nt* <-(e)s, -(e)s *o* -e> sándwich *m*

sanft [zanft] *adj* suave

sanftmütig [-my:tɪç] *adj* apacible, pacífico

sang [zaŋ] *3. imp von* **singen**

Sänger(in) ['zɛŋɐ] *m(f)* <-s, -; -nen> cantante *mf*

sanieren* [za'ni:rən] *vt* ARCHIT rehabilitar; ÖKOL, WIRTSCH sanear

sanitär [zani'tɛ:ɐ] *adj* sanitario

Sanitäter(in) [zani'tɛ:tɐ] *m(f)* <-s, -; -nen> sanitario, -a *m, f*

sank [zaŋk] *3. imp von* **sinken**

Sankt [zaŋkt] *adj inv* San

Sankt Gallen [zaŋkt 'galən] *nt* <- -s> Sankt Gallen *m*

sanktionieren* [zaŋktsjo'ni:rən] *vt* sancionar

Sardelle [zar'dɛlə] *f* <-n> boquerón *m*

Sardine [zar'di:nə] *f* <-n> sardina *f*

Sardinien [zar'di:niən] *nt* <-s> Cerdeña *f*

Sarg [zark] *m* <-(e)s, Särge> ataúd *m*

Sarkasmus [zar'kasmʊs] *m* <-, Sarkasmen> sarcasmo *m*

sarkastisch [zar'kastɪʃ] *adj* sarcástico

saß [za:s] *3. imp von* **sitzen**

Satan ['za:tan] *m* <-s> Satanás *m*

Satellit [zatɛ'li:t] *m* <-en, -en> satélite *m*; **Satellitenfernsehen** *nt* televisión *f* vía satélite; **Satellitenschüssel** *f* (*fam*) antena *f* parabólica

Satin [za'tɛ̃:] *m* <-s, -s> raso *m*

Satire [za'ti:rə] *f* <-n> sátira *f*

satt [zat] *adj* satisfecho; (*Farbe*) intenso

Sattel ['zatəl] *m* <-s, Sättel> (*Reitsattel*) silla *f* de montar; (*Fahrradsattel*) sillín *m*

satteln *vt* ensillar

sättigen ['zɛtɪgən] *vi* saciar

Satz [zats] *m* <-es, Sätze> LING frase *f*; MUS parte *f*; (*zusammengehörige Dinge*) juego *m*; (*Tennis*) set *m*; (*Sprung*) salto *m*

Satzung *f* <-en> estatutos *mpl*

Satzzeichen *nt* signo *m* de puntuación

Sau [zaʊ] *f* <Säue> cerda *f*; (*fam abw: Mensch*) cochino, -a *m, f*

sauber ['zaʊbɐ] *adj* limpio; ~ **machen** limpiar

Sauberkeit *f* limpieza *f*

säuberlich ['zɔɪbɐlɪç] *adv* con esmero

sauber|machen *vi, vt s.* **sauber**

säubern ['zɔɪbɐn] *vt* limpiar; (*Wunde*) absterger

Sauce ['zo:sə] *f* <-n> salsa *f*

sauer ['zaʊɐ] *adj* ácido; ~ **werden** (*Milch*) agriarse; **ich bin ~ auf ihn** (*fam*) estoy enfadado con él

Sauerei [zaʊə'raɪ] *f* <-en> (*fam abw*) porquería *f*

Sauerkraut *nt* <-(e)s, *ohne pl*> chucrut *f*

säuerlich ['zɔɪɐlɪç] *adj* (*Miene*) avinagrado

Sauerstoff *m* <-(e)s, *ohne pl*> oxígeno *m*; **Sauerstoffmaske** *f* máscara *f* de oxígeno

saufen ['zaʊfən] <säuft, soff, gesoffen> **I.** *vi* (*alkoholsüchtig sein*) ser alcohólico **II.** *vt* (*Tier*) beber

Säufer(in) ['zɔɪfɐ] *m(f)* <-s, -; -nen> (*fam abw*) bebedor(a) *m(f)*

säuft [zɔɪft] *3. präs von* **saufen**

saugen[1] ['zaʊgən] <saugt, sog *o* saugte, gesogen *o* gesaugt> *vi* chupar (**an**)

saugen[2] *vi, vt* (*staubsaugen*) pasar la aspiradora (a)

säugen ['zɔɪgən] *vt* amamantar

Säugetier *nt* mamífero *m*

Säugling ['zɔɪklɪŋ] *m* <-s, -e> lactante *mf*

saukalt ['-'-] *adj* (*fam*) muy frío; **es ist ~** hace un frío que pela

Säule ['zɔɪlə] *f* <-n> columna *f*

Saum [zaʊm] *m* <-(e)s, Säume> (*Stoffrand*) dobladillo *m*

Sauna ['zaʊna] *f* <Saunen> sauna *f*

Säure ['zɔɪrə] *f* <-n> CHEM ácido *m*

sausen ['zaʊzən] *vi sein* (*Mensch*) ir pitando; (*Fahrzeug*) ir a toda mecha; **etw ~ lassen** (*fam*) abandonar algo

Saustall *m* (*a. fig abw*) pocilga *f*

Saxofon[RR] [zakso'fo:n, '---] *nt* <-s, -e>, **Saxophon** *nt* <-s, -e> saxofón *m*

SB [ɛs'be:] *Abk. von* **Selbstbedienung** autoservicio *m*

S-Bahn ['ɛsba:n] *f* ≈suburbano *m*

Scanner ['skɛnɐ] *m* <-s, -> escáner *m*

schäbig ['ʃɛ:bɪç] *adj* (*abw: unansehnlich*) deslucido; (*armselig, gemein*) miserable

Schablone [ʃa'blo:nə] *f* <-n> patrón *m*

Schach [ʃax] *nt* <-s, *ohne pl*> (*Spiel*) ajedrez *m*; ~ **spielen** jugar al ajedrez; **schachmatt** ['-'-] *adj* jaque mate; **jdn ~ setzen** dar jaque mate a alguien

Schacht [ʃaxt] *m* <-(e)s, Schächte> pozo *m*

Schachtel ['ʃaxtəl] *f* <-n> caja *f*

schade ['ʃa:də] *adj inv*: **es ist ~, dass ...** es una lástima que... +*subj*; **das ist aber ~!** ¡qué lástima!

Schädel ['ʃɛ:dəl] *m* <-s, -> cráneo *m*

schaden ['ʃa:dən] *vi:* **jdm/etw** ~ dañar a alguien/algo

Schaden ['ʃa:dən] *m* <-s, Schäden> daño *m* (**an** de); **zu ~ kommen** sufrir perjuicios; **Schadenersatz** *m* indemnización *f* por daños y perjuicios; **Schadenfreude** *f* alegría *f* del mal ajeno; **schadenfroh** *adj* malicioso

schadhaft *adj* defectuoso

schädigen ['ʃɛ:dɪgən] *vt* perjudicar

schädlich ['ʃɛ:tlɪç] *adj* perjudicial

Schädling ['ʃɛ:tlɪŋ] *m* <-s, -e> parásito *m*

Schadstoff *m* sustancia *f* nociva; **schadstoffarm** *adj* poco contaminante

Schaf [ʃa:f] *nt* <-(e)s, -e> oveja *f*

Schäfer(in) ['ʃɛ:fɐ] *m(f)* <-s, -; -nen>

pastor(a) *m(f)*; **Schäferhund** *m* perro *m* pastor, ovejero *m* ; (*Deutscher Schäferhund*) pastor *m* alemán

schaffen[1] ['ʃafən] <schafft, schuf, geschaffen> *vt* crear; (*Platz, Ordnung*) hacer

schaffen[2] I. *vt* (*erreichen*) lograr; **eine Prüfung ~** aprobar un examen II. *vi* (SÜDD, REG: *arbeiten*) trabajar; **damit habe ich nichts zu ~** no tengo nada que ver con eso

Schaffhausen [ʃafˈhaʊzən] *nt* <-s> Schaffhausen *m*

Schaffner(in) ['ʃafnɐ] *m(f)* <-s, -; -nen> (*Kontrolleur*) revisor(a) *m(f)*

Schal [ʃa:l] *m* <-s, -s *o* -e> bufanda *f*

Schale ['ʃa:lə] *f* <-n> (*Obstschale, Kartoffelschale*) piel *f*; (*Nussschale, Eierschale*) cáscara *f*; (*Gefäß*) fuente *f*; **sich in ~ werfen** (*fam*) ponerse de punta en blanco

schälen ['ʃɛ:lən] *vt* (*Obst, Kartoffel*) pelar; (*Ei*) quitar la cáscara (a)

Schalentier *nt* crustáceo *m*

Schall [ʃal] *m* <-(e)s, *ohne pl*> sonido *m*

schallen ['ʃalən] *vi* resonar; **~des Gelächter** risas atronadoras

Schallgeschwindigkeit *f* velocidad *f* del sonido; **Schallmauer** *f* barrera *f* del sonido; **Schallplatte** *f* disco *m*

schalt [ʃalt] *3. imp von* **schelten**

schalten ['ʃaltən] *vi* AUTO cambiar de marcha; **in den dritten Gang ~** cambiar a tercera

Schalter *m* <-s, -> TECH interruptor *m*; (*Postschalter*) ventanilla *f*; (*Fahrkartenschalter*) taquilla *f*

Schalthebel *m* palanca *f* de mando; **Schaltjahr** *nt* año *m* bisiesto

Schaltung *f* <-en> ELEK circuito *m*; AUTO caja *f* de cambios

Scham [ʃa:m] *f* vergüenza *f*

schämen ['ʃɛ:mən] *vr:* **sich ~** avergonzarse (**wegen/für** de, **vor** ante); **du solltest dich ~!** ¡deberías avergonzarte!

Schamgefühl *nt* <-(e)s, *ohne pl*> pudor *m*, vergüenza *f*; **Schamhaar** *nt* <-(e)s, *ohne pl*> vello *m* púbico; **schamhaft** *adj* pudoroso; **schamlos** *adj* (*unanständig*) impúdico; (*dreist*) desvergonzado

Schande ['ʃandə] *f* vergüenza *f*; **das ist doch keine ~** no es ninguna deshonra

schänden ['ʃɛndən] *vt* ❶ (*entehren*) deshonrar, embarrar ; (*sexuell*) abusar (de) ❷ (*entweihen*) profanar

schändlich ['ʃɛntlɪç] *adj* vergonzoso

Schandtat *f* vileza *f*, infamia *f*

Schar [ʃa:ɐ] *f* <-en> (*Menge*) multitud *f*; (*Vogelschar*) bandada *f*; **in ~en** en masas

scharen ['ʃa:rən] *vr* (*geh*): **sich um jdn/etw ~** arremolinarse en torno a alguien/a algo

scharf [ʃarf] *adj* <schärfer, am schärfsten> (*Messer*) afilado; (*Speise*) picante; (*Geruch*) acre; FOTO nítido; (*Verstand*) agudo; (*Kurve*) cerrado; (*Kritik*) mordaz; **~ nachdenken** hacer memoria; **~ abbiegen** hacer un giro brusco; **~ bremsen** dar un frenazo; **Scharfblick** *m* <-(e)s, *ohne pl*> perspicacia *f*

schärfen *vt* (*Messer*) afilar; (*Verstand, Gehör*) aguzar

Scharfsinn *m* <-(e)s, *ohne pl*> sagacidad *f*

Scharlach ['ʃarlax] *m* <-s, *ohne pl*> escarlatina *f*

Scharlatan ['ʃarlatan] *m* <-s, -e> (*abw*) charlatán, -ana *m, f*

Schaschlik ['ʃaʃlɪk] *m o nt* <-s, -s> pincho *m* de carne

Schatten ['ʃatən] *m* <-s, -> sombra *f*; **~ spenden** dar sombra

schattieren* [ʃa'ti:rən] *vt* sombrear

schattig *adj* sombrío

Schatulle [ʃa'tʊlə] *f* <-n> cofre *m*

Schatz [ʃats] *m* <-es, Schätze> (*a. fig*) tesoro *m*

schätzen ['ʃɛtsən] *vt* (*Wert*) estimar (**auf** en); (*würdigen*) apreciar; (*fam: annehmen*) suponer; **ich weiß das zu ~** sé apreciarlo

Schätzung *f* <-en> (*Prognose*) cálculo *m*; (*des Wertes*) valoración *f*; **schätzungsweise** *adv* aproximadamente

Schau [ʃaʊ] *f* <-en> exposición *f*; **etw zur ~ stellen** exponer algo

Schauder ['ʃaʊdɐ] *m* <-s, -> (*geh*) escalofrío *m*; **schauderhaft** *adj* horroroso

schaudern ['ʃaʊdɐn] *vi* estremecerse (**bei/vor** ante)

schauen ['ʃaʊən] *vi* (*blicken*) mirar; **auf die Uhr ~** mirar el reloj; **schau mal!** ¡mira!

Schauer ['ʃaʊɐ] *m* <-s, -> METEO chubasco *m*; (*geh: Schauder*) escalofrío *m*

schauerlich *adj* (*gruselig*) escalofriante; (*fam: grässlich*) horrible

Schaufel ['ʃaʊfəl] *f* <-n> pala *f*

schaufeln *vt* (*Schnee*) quitar con la pala; (*Loch*) cavar (con la pala)

Schaufenster *nt* escaparate *m*

Schaukel ['ʃaʊkəl] *f* <-n> columpio *m*

schaukeln I. *vi* balancearse; (*auf einer Schaukel*) columpiarse **II.** *vt* (*wiegen*) mecer

Schaukelstuhl *m* mecedora *f*

schaulustig *adj* curioso

Schaum [ʃaʊm] *m* <-(e)s, Schäume> espuma *f*; **Schaumbad** *nt* baño *m* de espuma

schäumen ['ʃɔɪmən] *vi* producir espuma

Schaumgummi *m* gomaespuma *f*

schaumig *adj* espumoso

Schaumstoff *m* gomaespuma *f*; **Schaumwein** *m* vino *m* espumoso

Schauplatz *m* escenario *m*

schaurig ['ʃaʊrɪç] *adj* (*gruselig*) escalofriante; (*fam: schlecht*) horrible

Schauspiel *nt* (*geh: Vorgang*) espectáculo *m*; **Schauspieler(in)** *m(f)* <-s, -; -nen> actor, actriz *m, f*

Schauspielhaus *nt* teatro *m*

Scheck [ʃɛk] *m* <-s, -s> cheque *m*; **einen ~ einlösen** cobrar un cheque; **einen ~ über 100 Euro ausstellen** extender un cheque por valor de 100 euros; **Scheckkarte** *f* tarjeta *f* bancaria

Scheibe ['ʃaɪbə] *f* <-n> disco *m*; (*Brotscheibe*) rebanada *f*; (*Wurstscheibe*) rodaja *f*; (*Käsescheibe*) loncha *f*; (*Glasscheibe*) cristal *m*; **Scheibenwischer** *m* <-s, -> limpiaparabrisas *m inv*

Scheich [ʃaɪç] *m* <-(e)s, -e *o* -s> jeque *m*

Scheide ['ʃaɪdə] *f* <-n> (*Vagina*) vagina *f*

scheiden ['ʃaɪdən] <scheidet, schied, geschieden> **I.** *vt haben* (*Ehe*) divorciar; **sich (von jdm) ~ lassen** divorciarse (de alguien) **II.** *vi sein*: **aus dem Amt ~** jubilarse

Scheidung *f* <-en> divorcio *m*

Schein [ʃaɪn] *m* <-(e)s, -e> ❶ (*Bescheinigung*) certificado *m*; (*Geldschein*) billete *m* ❷ *ohne pl* (*von Licht*) luz *f*; (*Anschein*) apariencia *f*; **der ~ trügt** las apariencias engañan

scheinbar I. *adj* aparente **II.** *adv* (*fam*) al parecer

scheinen ['ʃaɪnən] <scheint, schien, geschienen> *vi* (*glänzen*) brillar; (*den Anschein haben*) parecer; **die Sonne scheint** hace sol

scheinheilig *adj* (*fam abw*) hipócrita; **scheintot** *adj* MED aparentemente muerto; **Scheinwerfer** *m* <-s, -> AUTO faro *m*; THEAT foco *m*

Scheiße ['ʃaɪsə] *f* (*vulg*) mierda *f*

scheißen <scheißt, schiss, geschissen> *vi* (*vulg*) cagar

Scheißkerl *m* (*vulg*) hijo *m* de puta

Scheitel ['ʃaɪtəl] *m* <-s, -> raya *f*

scheitern ['ʃaɪtɐn] *vi sein* fracasar

schelten ['ʃɛltən] <schilt, schalt, gescholten> *vt* (*geh: schimpfen*) reprender

Schema ['ʃe:ma] *nt* <-s, Schemata *o* Schemen> (*Konzept*) esquema *m*

schematisch [ʃe'ma:tɪʃ] *adj* esquemático

Schemel ['ʃe:məl] *m* <-s, -> taburete *m*

Schemen *pl von* **Schema**

Schenkel ['ʃɛŋkəl] *m* <-s, -> ANAT muslo *m*

schenken ['ʃɛŋkən] *vt* regalar; **jdm Aufmerksamkeit ~** dedicar atención a alguien

Schenkung *f* <-en> donación *f*

Scherbe ['ʃɛrbə] *f* <-n> (*Glasscherbe*) pedazo *m* de vidrio; **in ~n gehen** hacerse añicos

Schere ['ʃe:rə] *f* <-n> tijera(s) *f(pl)*; (*von Krebsen*) pinza *f*

scheren[1] ['ʃe:rən] <schert, schor, geschoren> *vt* (*Schaf*) esquilar

scheren[2] *vr:* **sich nicht um etw ~** importar(le) algo a alguien un comino; **scher dich zum Teufel!** ¡vete al diablo!

Schererei [ʃe:rə'raɪ] *f* <-en> (*fam*) molestia *f*, fastidio *m*; **mit jdm ~en bekommen** (**wegen etw**) tener un disgusto con alguien (por algo)

Scherz [ʃɛrts] *m* <-es, -e> broma *f*

scherzen ['ʃɛrtsən] *vi* bromear, chancear ; **damit ist nicht zu ~** no es cosa de broma

scherzhaft *adj* chistoso

scheu [ʃɔɪ] *adj* tímido; (*Tier*) espantadizo

scheuchen ['ʃɔɪçən] *vt* espantar

scheuen ['ʃɔɪən] **I.** *vi* (*Pferd*) desbocarse (**vor** ante) **II.** *vt* (*Verantwortung*) huir (de); **keine Ausgaben ~** no reparar en gastos

scheuern ['ʃɔɪɐn] **I.** *vt* fregar; **jdm eine ~** (*fam*) darle una bofetada a alguien **II.** *vi* (*Kleidung*) rozar

Scheune ['ʃɔɪnə] *f* <-n> granero *m*

Scheusal ['ʃɔɪza:l] *nt* <-s, -e> (*abw*) monstruo *m*

scheußlich ['ʃɔɪslɪç] *adj* horrible

Schi [ʃi:] *m* <-s, -(er)> *s.* **Ski**

Schicht [ʃɪçt] *f* <-en> (*Luftschicht, Farbschicht*) capa *f*; (*Gesellschaftsschicht*) clase *f*; (*Arbeitsschicht*) turno *m*; **er arbeitet ~** trabaja por turnos; **Schichtarbeit** *f ohne pl* trabajo *m* por turnos

schichten ['ʃɪçtən] *vt* apilar (**auf** en)

Schichtwechsel *m* cambio *m* de turno

schick [ʃɪk] *adj* chic

schicken ['ʃɪkən] **I.** *vt* mandar **II.** *vr:* **das schickt sich nicht** esto no se hace

Schicksal ['ʃɪkza:l] *nt* <-s, -e> destino *m*; **Schicksalsschlag** *m* golpe *m* del destino

Schiebedach *nt* techo *m* corredizo

schieben ['ʃi:bən] <schiebt, schob, geschoben> *vt* (*bewegen*) empujar; (*stecken*) meter (**in** en); **die Schuld auf jdn ~** echarle la culpa a alguien; **etw vor sich** *dat* **her ~** (*fig*) aplazar algo continuamente

Schiebetür *f* (puerta *f*) corredera *f*

schied [ʃi:t] *3. imp von* **scheiden**

Schiedsrichter(in) *m(f)* árbitro *mf*

schief [ʃi:f] *adj* (*krumm*) torcido; (*nicht senkrecht*) inclinado; **jdn ~ ansehen** (*fam*) mirar a alguien de reojo

Schiefer ['ʃi:fɐ] *m* <-s, -> pizarra *f*

schief|gehen *irr vi* salir mal; **schief|lachen** *vr:* **sich ~** (*fam*) desternillarse de risa

schielen ['ʃi:lən] *vi* ser bizco *fam*

schien [ʃi:n] *3. imp von* **scheinen**

Schienbein *nt* tibia *f*

Schiene ['ʃi:nə] *f* <-n> EISENB carril *m*; MED tablilla *f*

schienen ['ʃi:nən] *vt* entablillar

Schienennetz *nt* red *f* ferroviaria

schier [ʃi:ɐ] **I.** *adj* REG puro **II.** *adv* casi

schießen ['ʃi:sən] <schießt, schoss, geschossen> **I.** *vi* (*Schütze*) disparar (**auf** a/contra) **II.** *vt* (*Geschoss*) disparar; (*Rakete, Ball*) lanzar; **ein Tor ~** meter un gol

Schießerei *f* <-en> tiroteo *m*

Schiff [ʃɪf] *nt* <-(e)s, -e> barco *m*; **Schiffahrt**[ALT] *f s.* **Schifffahrt**; **Schiffbruch** *m* naufragio *m*; **~ erleiden** naufragar; (*fig*) fracasar; **Schifffahrt**[RR] *f ohne pl* navegación *f*

Schikane [ʃi'ka:nə] *f* <-n> traba *f*; **mit allen ~n** (*fam*) por todo lo alto

schikanieren* [ʃika'ni:rən] *vt* fastidiar; (*quälen*) hacer la vida imposible (a)

Schild[1] [ʃɪlt] *m* <-(e)s, -e> (*Schutzschild*) escudo *m*; **etw im ~e führen** tramar algo

Schild[2] *nt* <-(e)s, -er> (*Verkehrsschild*) señal *f* (de tráfico); (*Hinweisschild*) le-

S

trero *m*; (*Preisschild*) etiqueta *f*
Schilddrüse *f* (glándula *f*) tiroides *m inv*
schildern ['ʃɪldɐn] *vt* (*erzählen*) narrar; (*beschreiben*) describir
Schilderung *f* <-en> (*Erzählung*) relato *m*; (*Beschreibung*) descripción *f*
Schildkröte *f* tortuga *f*
Schilf [ʃɪlf] *nt* <-(e)s, -e> (*Pflanze*) caña *f*; (*Röhricht*) cañaveral *m*
schillern ['ʃɪlɐn] *vi* irisar
Schilling ['ʃɪlɪŋ] *m* <-s, -e> chelín *m*
schilt [ʃɪlt] *3. präs von* **schelten**
Schimmel ['ʃɪməl] *m* <-s, -> ❶ (*Pferd*) caballo *m* blanco ❷ *ohne pl* (*Schimmelpilz*) moho *m*
schimm(e)lig *adj* enmohecido
schimmeln *vi haben o sein* enmohecer (se)
Schimmer ['ʃɪmɐ] *m* <-s, -> resplandor *m*; **keinen (blassen) ~ von etw haben** (*fam*) no tener ni (la más remota) idea de algo
schimmern ['ʃɪmɐn] *vi* (*Licht*) lucir (tenuemente); (*glänzen*) relucir
Schimpanse [ʃɪm'panzə] *m* <-n, -n> chimpancé *m*
schimpfen ['ʃɪmpfən] *vi* reñir (**mit** a); (*kritisieren*) criticar (**auf/über** a)
Schimpfwort *nt* <-(e)s, -wörter> palabrota *f*
schinden ['ʃɪndən] <schindet, schindete *o* schund, geschunden> **I.** *vt* maltratar; **Zeit ~** ganar tiempo; **Eindruck bei jdm ~** causar una buena impresión a alguien **II.** *vr:* **sich ~** (*fam*) afanarse

Schinderei *f* <-en> (*abw: Strapaze*) paliza *f*; (*Plackerei*) ajetreo *m*
Schinken ['ʃɪŋkən] *m* <-s, -> jamón *m*
Schirm [ʃɪrm] *m* <-(e)s, -e> (*Regenschirm*) paraguas *m inv*; (*Sonnenschirm*) sombrilla *f*; (*Lampenschirm*) pantalla *f*
schiss[RR] [ʃɪs] *3. imp von* **scheißen**
schizophren [ʃitso'fre:n] *adj* esquizofrénico
Schlacht [ʃlaxt] *f* <-en> (*a. fig*) batalla *f*
schlachten ['ʃlaxtən] *vt* matar
Schlachthof *m* matadero *m*
Schlaf [ʃla:f] *m* <-(e)s, *ohne pl*> sueño *m*; **Schlafanzug** *m* pijama *m*
Schläfe ['ʃlɛ:fə] *f* <-n> sien *f*
schlafen ['ʃlafən] <schläft, schlief, geschlafen> *vi* dormir; **bei jdm ~** dormir en casa de alguien; **mit jdm ~** acostarse con alguien
schlaff [ʃlaf] *adj* flojo; (*Haut*) flá(c)cido
schlaflos *adj* (*Person*) insomne; (*Nacht*) en vela
Schlaflosigkeit *f* insomnio *m*
Schlafmittel *nt* somnífero *m*; **Schlafmütze** *f* (*fam*) ❶ (*Langschläfer*) dormilón, -ona *m, f* ❷ (*abw: träger Mensch*) plasta *mf*
schläfrig ['ʃlɛ:frɪç] *adj* soñoliento
Schlafsack *m* saco *m* de dormir
schläft [ʃlɛ:ft] *3. präs von* **schlafen**
Schlaftablette *f* somnífero *m*; **schlaftrunken** ['ʃla:ftrʊŋkən] *adj* (*geh*) soñoliento; **Schlafwagen** *m* coche-cama *m*; **schlafwandeln** *vi haben o sein* padecer sonambulismo; **Schlafzimmer** *nt* dormitorio *m*
Schlag [ʃla:k] *m* <-(e)s, Schläge> (*a. Schicksalsschlag*) golpe *m*; (*Herzschlag*) latido *m*; (*Stromstoß*) calambre *m*; (*Menschenschlag*) tipo *m*; **mit einem ~** (*fam*) de golpe; **Schlagader** *f* arteria *f*; **Schlaganfall** *m* ataque *m* de apoplejía; **schlagartig I.** *adj* brusco **II.** *adv* de un golpe
schlagen ['ʃla:gən] <schlägt, schlug, geschlagen> **I.** *vt* (*hauen*) golpear; (*Gegner*) ganar (a); (*Rekord, Sahne*) batir; **er gab sich ge~** se dio por vencido; **einen Nagel in die Wand ~** clavar un clavo en la pared; **eine ge~e Stunde** una hora entera **II.** *vi* (*Herz*) latir; (*Uhr, Glocke*) tocar **III.** *vr:* **sich ~** (*sich prügeln*) pegarse (**um** por)
Schlager ['ʃla:gɐ] *m* <-s, -> (*Lied*) canción *f* de moda
Schläger ['ʃlɛ:gɐ] *m* <-s, -> (*Tennisschläger*) raqueta *f*
Schlägerei *f* <-en> pelea *f*

schlagfertig *adj* sagaz; **Schlagfertigkeit** *f ohne pl* capacidad *f* de réplica; **schlagkräftig** *adj* ❶ (*Person*) fuerte ❷ (*Argument*) contundente; **Schlagloch** *nt* bache *m*; **Schlagsahne** *f* (*flüssig*) nata *f* líquida; (*geschlagen*) nata *f* montada, crema *f*

schlägt [ʃlɛːkt] *3. präs von* **schlagen**

Schlagwort *nt* (*Parole*) (e)slogan *m*; (*Gemeinplatz*) tópico *m*; **Schlagzeile** *f* titular *m*; **Schlagzeug** *nt* <-(e)s, -e> percusión *f*; (*einer Rockband*) batería *f*

Schlamm [ʃlam] *m* <-(e)s, Schlämme *o* -e> lodo *m*

schlammig *adj* lodoso

Schlampe [ˈʃlampə] *f* <-n> (*fam abw*) dejada *f*

Schlamperei *f* <-en> ❶ (*fam abw: schlechte Arbeit*) chapuza *f* ❷ *ohne pl* (*fam: Unordnung*) desorden *m*

schlampig *adj* (*fam abw: unordentlich*) desordenado; (*Aussehen*) descuidado; (*Arbeit*) chapucero

schlang [ʃlaŋ] *3. imp von* **schlingen**

Schlange [ˈʃlaŋə] *f* <-n> (*Tier*) serpiente *f*; (*Menschenschlange*) cola *f*; (*Fahrzeugschlange*) caravana *f* (de coches); ~ **stehen** hacer cola

schlängeln [ˈʃlɛŋəln] *vr:* **sich** ~ (*Schlange, Weg*) serpentear; (*Mensch*) abrirse camino (**durch** por entre)

schlank [ʃlaŋk] *adj* delgado

schlapp [ʃlap] *adj* (*ohne Kraft*) flojo; (*erschöpft*) agotado

Schlappe [ˈʃlapə] *f* <-n> derrota *f*

schlapp|machen *vi* (*fam*) tirar la toalla

Schlaraffenland [ʃlaˈrafən-] *nt* <-(e)s, *ohne pl*> (país *m* de) Jauja *f*

schlau [ʃlaʊ] *adj* (*listig*) astuto; (*fam: klug*) listo; **aus jdm/etw nicht ~ werden** no entender a alguien/algo

Schlauch [ʃlaʊx] *m* <-(e)s, Schläuche> (*Wasserschlauch*) manguera *f*; (*Reifenschlauch*) cámara *f* de aire; **auf dem ~ stehen** (*fam fig*) estar desorientado; **Schlauchboot** *nt* bote *m* neumático

Schlaufe [ˈʃlaʊfə] *f* <-n> ❶ (*zum Tragen*) lazo *m* ❷ (*am Gürtel*) pasador *m*

schlecht [ʃlɛçt] **I.** *adj* mal(o); **mir ist ~** me siento mal **II.** *adv* mal; **mehr ~ als recht** con más pena que gloria; **schlecht|gehen** *irr vunpers sein s.* **gehen**; **schlechthin** [ˈ-ˈ-] *adv* (*an sich*) por antonomasia; (*geradezu*) simplemente

schleichen [ˈʃlaɪçən] <schleicht, schlich, geschlichen> **I.** *vi sein* (*leise*) avanzar a hurtadillas; (*langsam*) ir a paso lento **II.** *vr haben:* **sich ~** (*hineinschleichen*) entrar a hurtadillas (**in** en/a); (*hinausschleichen*) salir a hurtadillas (**aus** de)

schleichend *adj* (*Krankheit*) lento

Schleier [ˈʃlaɪɐ] *m* <-s, -> velo *m*; (*Dunst*) cortina *f*; **schleierhaft** *adj*: **es ist mir ~, wie ...** no me explico cómo...

Schleife [ˈʃlaɪfə] *f* <-n> lazo *m*; (*beim Schuhebinden*) nudo *m*

schleifen[1] [ˈʃlaɪfən] *vt* (*ziehen*) arrastrar; **etw ~ lassen** (*fam*) no ocuparse de algo

schleifen[2] <schleift, schliff, geschliffen> *vt* (*Messer*) afilar; (*Edelstein*) tallar

Schleim [ʃlaɪm] *m* <-(e)s, -e> (*Sekret*) moco *m*

schleimen *vi* (*fam abw: schmeicheln*) hacer la pelota

Schleimhaut *f* MED (membrana *f*) mucosa *f*

schleimig *adj* (*Absonderung*) mucoso; (*abw: kriecherisch*) zalamero

schlemmen [ˈʃlɛmən] *vi, vt* comer opíparamente

schlendern [ˈʃlɛndɐn] *vi sein* deambular

schleppen [ˈʃlɛpən] **I.** *vt* (*ziehen*) arrastrar; (*tragen*) cargar (con) **II.** *vr:* **sich ~** (*sich fortbewegen*) andar a trancas y barrancas (**in/**(**bis**) **zu** hasta); (*sich hinziehen*) durar (mucho tiempo)

schleppend *adj* lento; (*Unterhaltung*) pesado

Schlesien [ˈʃleːziən] *nt* <-s> Silesia *f*

schlesisch *adj* silesio

S

Schleswig-Holstein [ˈʃleːsvɪçˈhɔlʃtaɪn] *nt* <-s> Schleswig-Holstein *m*

Schleuder [ˈʃlɔɪdɐ] *f* <-n> (*für Geschosse*) honda *f*; (*Wäscheschleuder*) centrifugadora *f*

schleudern [ˈʃlɔɪdɐn] **I.** *vi sein* (*Auto*) patinar **II.** *vt haben* (*werfen*) lanzar; (*Wäsche*) centrifugar

Schleuderpreis *m* (*fam*) precio *m* tirado

schleunigst [ˈʃlɔɪnɪçst] *adv* ahora mismo

Schleuse [ˈʃlɔɪzə] *f* <-n> esclusa *f*

schlich [ʃlɪç] *3. imp von* **schleichen**

schlicht [ʃlɪçt] *adj* sencillo

schlichten [ˈʃlɪçtən] *vt* (*Streit*) mediar (en)

Schlichtung *f* <-en> conciliación *f*

schlief [ʃliːf] *3. imp von* **schlafen**

schließen [ˈʃliːsən] <schließt, schloss, geschlossen> **I.** *vt* (*zumachen*) cerrar; (*beenden*) concluir; (*Vertrag*) firmar; (*Ehe*) contraer; **jdn in die Arme ~** abrazar a alguien **II.** *vi* (*Geschäft*) cerrar; (*folgern*) deducir (**aus** de)

Schließfach *nt* (*bei der Post*) apartado *m* de correos; (*bei einer Bank*) caja *f* fuerte; (*für Gepäck*) consigna *f* automática

schließlich *adv* (*am Ende*) finalmente; (*im Grunde*) al fin y al cabo

schliff [ʃlɪf] *3. imp von* **schleifen**[2]

schlimm [ʃlɪm] *adj* (*schlecht*) mal(o); (*schrecklich*) terrible; (*schwerwiegend*) grave; **es gibt Schlimmeres** hay cosas peores; **~ enden** acabar mal

schlimmstenfalls [ˈʃlɪmstənfals] *adv* en el peor de los casos

Schlinge [ˈʃlɪŋə] *f* <-n> lazo *m*; (*Armschlinge*) cabestrillo *m*

schlingen [ˈʃlɪŋən] <schlingt, schlang, geschlungen> **I.** *vi* (*beim Essen*) zampar **II.** *vt* (*binden*) atar (**um** alrededor de) **III.** *vr:* **sich ~** (*Pflanze*) trepar (**um** por)

Schlips [ʃlɪps] *m* <-es, -e> (*fam*) corbata *f*

Schlitten [ˈʃlɪtən] *m* <-s, -> trineo *m*

schlittern [ˈʃlɪtɐn] *vi sein* patinar (**auf** sobre, **über** por)

Schlittschuh *m* patín *m* para hielo; **~ laufen** patinar (sobre hielo)

Schlitz [ʃlɪts] *m* <-es, -e> (*am Automaten, Briefkasten*) ranura *f*; (*an Kleidung*) raja *f*

schlitzen [ˈʃlɪtsən] *vt* rajar

Schlitzohr *nt* (*fam*) zorro, -a *m, f*

schloss[RR] [ʃlɔs] *3. imp von* **schließen**

Schloss[RR] [ʃlɔs] *nt* <-es, Schlösser> (*Burg*) castillo *m*; (*Palast*) palacio *m*; (*Türschloss*) cerradura *f*; (*Vorhängeschloss*) cerrojo *m*

Schlosser(in) [ˈʃlɔsɐ] *m(f)* <-s, -; -nen> cerrajero, -a *m, f*

Schlucht [ʃlʊxt] *f* <-en> barranco *m*

schluchzen [ˈʃlʊxtsən] *vi* sollozar

Schluck [ʃlʊk] *m* <-(e)s, -e> trago *m*; **einen ~ nehmen** dar un sorbo; **Schluckauf** [ʃlʊkˈʔaʊf] *m* <-s, *ohne pl*> hipo *m*

schlucken [ˈʃlʊkən] *vi, vt* tragar(se)

schludern [ˈʃluːdɐn] *vi* (*fam abw*) hacer una chapuza

schlug [ʃluːk] *3. imp von* **schlagen**

schlummern [ˈʃlʊmɐn] *vi* (*geh*) dormitar; (*Talent*) estar oculto

Schlund [ʃlʊnt] *m* <-(e)s, Schlünde> garganta *f*; (*eines Tieres*) fauces *fpl*

schlüpfen [ˈʃlʏpfən] *vi sein* (*hineinschlüpfen, hindurchschlüpfen*) pasar (**in** a, **durch** por); (*hinausschlüpfen*) salir (**aus** de); (**aus dem Ei**) **~** salir (del huevo)

Schlüpfer *m* <-s, -> braga *f*

schlüpfrig [ˈʃlʏpfrɪç] *adj* (*rutschig*) resbaladizo; (*abw: anstößig*) obsceno

Schlupfwinkel *m* escondrijo *m*

schlurfen [ˈʃlʊrfən] *vi sein* arrastrar los pies

schlürfen [ˈʃlʏrfən] *vi, vt* sorber con ruido

Schluss[RR] [ʃlʊs] *m* <-es, Schlüsse> (*Ende*) fin *m*; (*Folgerung*) conclusión *f*; **~ für heute!** ¡basta por hoy!; **zum ~** al final; **zu dem ~ kommen, dass ...** llegar a la conclusión de que...

Schlüssel [ˈʃlʏsəl] *m* <-s, -> llave *f*; **Schlüsselanhänger** *m* llavero *m*; **Schlüsselbund** *m o nt* <-(e)s, -e> manojo *m* de llaves; **Schlüsselloch** *nt* ojo *m* de la cerradura

schlussfolgern[RR] *vt* concluir (**aus** de)

schlüssig [ˈʃlʏsɪç] *adj* concluyente; **sich** *dat* (**über etw**) **~ werden** tomar una resolución (respecto a algo)

Schlusslicht[RR] *nt* AUTO luz *f* trasera; **Schlussverkauf**[RR] *m* rebajas *fpl* de fin de temporada

schmächtig [ˈʃmɛçtɪç] *adj* flaco

schmackhaft [ˈʃmakhaft] *adj* sabroso; **jdm etw ~ machen** (*fam*) hacer a alguien la boca agua con algo

schmal [ʃmaːl] *adj* estrecho; (*schlank*) delgado

schmälern [ˈʃmɛːlɐn] *vt* disminuir

Schmalz [ʃmalts] *nt* <-es, -e> manteca *f*

schmarotzen* [ʃmaˈrɔtsən] *vi* vivir como un parásito (**auf/in** +*dat* en)

Schmarotzer *m* <-s, -> parásito *m*

schmatzen [ˈʃmatsən] *vi* hacer ruido al comer

schmausen [ˈʃmaʊzən] *vi* comer con placer

schmecken [ˈʃmɛkən] *vi* saber (**nach** a); **schmeckt dir die Suppe?** ¿te gusta la sopa?; **es hat gut geschmeckt** estaba rico

Schmeichelei [ʃmaɪçəˈlaɪ] *f* <-en> lisonja *f*

schmeichelhaft *adj* lisonjero; **das ist wenig ~ für ihn** no le va a gustar nada

schmeicheln [ˈʃmaɪçəln] *vi* lisonjear

schmeißen [ˈʃmaɪsən] <schmeißt, schmiss, geschmissen> *vt* (*fam*) tirar; **jdn aus dem Haus ~** echar a alguien de la casa; **den Laden ~** encargarse de todo

schmelzen [ˈʃmɛltsən] <schmilzt, schmolz, geschmolzen> *vi sein* (*Butter, Eis*) derretirse; (*Käse, Metall*) fundirse

Schmelzkäse *m* queso *m* fundido

Schmerz [ʃmɛrts] *m* <-es, -en> dolor *m*; **schmerzempfindlich** *adj* sensible al dolor

schmerzen [ˈʃmɛrtsən] *vi, vt* doler (a)

Schmerzensgeld *nt* indemnización *f* por daño personal

schmerzhaft *adj* doloroso

schmerzlich *adj* penoso

schmerzlos *adj* sin dolores; **Schmerzmittel** *nt* analgésico *m*; **schmerzstillend** *adj* analgésico; **Schmerztablette** *f* analgésico *m*

Schmetterling [ˈʃmɛtelɪŋ] *m* <-s, -e> mariposa *f*

schmettern [ˈʃmɛtɐn] *vt* (*werfen*) arrojar

Schmied [ʃmiːt] *m* <-(e)s, -e> herrero *m*

schmieden [ˈʃmiːdən] *vt* (*Eisen*) forjar; (*Pläne*) urdir

schmiegen [ˈʃmiːgən] *vr*: **sich ~** (*Mensch*) arrimarse cariñosamente (**an** a)

schmieren [ˈʃmiːrən] **I.** *vt* (*fetten*) engrasar; (*Brötchen*) untar; (*fam abw: bestechen*) sobornar; **es läuft wie geschmiert** (*fam*) marcha como la seda **II.** *vi* (*fam: Stift*) manchar; (*abw: beim Schreiben*) hacer garabatos

Schmiergeld *nt* <-(e)s, -er> (*fam abw*) unto *m* de rana

schmierig *adj* (*feuchtklebrig*) resbaladizo; (*schmutzig*) mugriento; (*fettig*) pringoso; (*abw: schmeichlerisch*) zalamero

schmilzt [ʃmɪltst] *3. präs von* **schmelzen**

Schminke [ˈʃmɪŋkə] *f* <-n> maquillaje *m*

schminken [ˈʃmɪŋkən] *vt, vr*: **sich ~** maquillar(se)

schmiss[RR] [ʃmɪs] *3. imp von* **schmeißen**

schmollen [ˈʃmɔlən] *vi* estar de morros

schmolz [ʃmɔlts] *3. imp von* **schmelzen**

schmoren [ˈʃmoːrən] *vi, vt* (*Fleisch*) cocer(se) a fuego lento; **jdn ~ lassen** (*fam*) tener a alguien en ascuas

Schmuck [ʃmʊk] *m* <-(e)s, *ohne pl*> (*Juwelen*) joyas *fpl*; (*Modeschmuck*) bi-

S

sutería *f*; (*Verzierung*) adorno *m*

schmücken ['ʃmʏkən] *vt* adornar

schmucklos *adj* sin adorno; **Schmuckstück** *nt* alhaja *f*

schmudd(e)lig ['ʃmʊd(ə)lɪç] *adj* (*fam abw: Person*) desaliñado; (*Ding*) mugriento

Schmuggel ['ʃmʊgəl] *m* <-s, *ohne pl*> contrabando *m*

schmuggeln **I.** *vi* hacer contrabando **II.** *vt* pasar de contrabando

Schmuggler(in) *m(f)* <-s, -; -nen> contrabandista *mf*

schmunzeln ['ʃmʊntsəln] *vi* sonreírse (satisfecho) (**über** de)

schmusen ['ʃmu:zən] *vi* (*fam*) besuquearse

Schmutz [ʃmʊts] *m* <-es, *ohne pl*> suciedad *f*

schmutzig *adj* sucio

Schnabel ['ʃna:bəl] *m* <-s, Schnäbel> (*eines Vogels*) pico *m*

Schnake ['ʃna:kə] *f* <-n> REG mosquito *m*

Schnalle ['ʃnalə] *f* <-n> hebilla *f*

schnallen *vt* (*festschnallen*) atar (**auf** a); (*losschnallen*) soltar; **den Gürtel enger ~** (*fam fig*) apretarse el cinturón

schnalzen ['ʃnaltsən] *vi* (*mit der Zunge*) chasquear; (*mit den Fingern*) castañetear

Schnäppchen ['ʃnɛpçən] *nt* <-s, -> REG (*fam*) ganga *f*; **Schnäppchenjäger(in)** *m(f)* <-s, -; -nen> (*fam*) comprador (a) *m(f)* de saldos

schnappen ['ʃnapən] **I.** *vi* (intentar) pillar (**nach**); **nach Luft ~** (*fam*) jadear **II.** *vt* (*packen*) coger

Schnappschuss[RR] *m* instantánea *f*

Schnaps [ʃnaps] *m* <-es, Schnäpse> aguardiente *m*; **Schnapsidee** *f* (*fam*) idea *f* descabellada

schnarchen ['ʃnarçən] *vi* roncar

schnaufen ['ʃnaʊfən] *vi* resollar

Schnauzbart *m* bigote *m*

Schnauze ['ʃnaʊtsə] *f* <-n> hocico *m*; (*fam abw: Mund*) morro *m*; **eine große ~ haben** ser un bocazas; **die ~ voll haben** estar hasta el gorro; **mit etw auf die ~ fallen** llevarse un chasco con algo

schnäuzen[RR] ['ʃnɔɪtsən] *vr:* **sich ~** sonarse

Schnecke ['ʃnɛkə] *f* <-n> caracol *m*; **Schneckenhaus** *nt* concha *f* del caracol; **Schneckentempo** *nt* (*fam*): **im ~** a paso de tortuga

Schnee [ʃne:] *m* <-s, *ohne pl*> nieve *f*; **das ist ~ von gestern** (*fam*) eso ya pasó a la historia; **Schneebesen** *m* varillas *fpl*; **Schneefall** *m* nevada *f*; **Schneeflocke** *f* copo *m* de nieve; **Schneeketten** *f pl* cadenas *fpl* antideslizantes; **Schneemann** *m* muñeco *m* de nieve; **Schneepflug** *m* (máquina *f*) quitanieve(s) *m(pl)*; **Schneeregen** *m* aguanieve *f*; **Schneeschmelze** *f* deshielo *m*; **Schneesturm** *m* temporal *m* de nieve; **schneeweiß** ['-'-] *adj* blanco como la nieve

Schneewittchen [ʃne:'vɪtçən] *nt* <-s> Blancanieves *f*

schneiden ['ʃnaɪdən] <schneidet, schnitt, geschnitten> *vt, vr:* **sich ~** cortar(se)

schneidend *adj* (*Schmerz*) agudo

Schneider(in) *m(f)* <-s, -; -nen> sastre, -a *m, f*

schneidern ['ʃnaɪdɐn] *vt* confeccionar

Schneidezahn *m* (diente *m*) incisivo *m*

schneien ['ʃnaɪən] *vunpers* nevar; **es schneit** está nevando

Schneise ['ʃnaɪzə] *f* <-n> (*Feuerschneise*) cortafuego *m*; (*Flugschneise*) pasillo *m* aéreo

schnell [ʃnɛl] **I.** *adj* rápido; **auf die Schnelle** (*fam*) deprisa y corriendo **II.** *adv* de prisa; **mach ~!** (*fam*) ¡date prisa!

Schnellhefter *m* carpeta *f*

Schnelligkeit *f* rapidez *f*

Schnellkochtopf *m* olla *f* a presión

schnellstens ['ʃnɛlstəns] *adv* lo más rápido posible

S

Schnellstraße *f* autovía *f*; **Schnellzug** *m* (tren *m*) expreso *m*

schneuzen[ALT] *vr:* **sich ~** *s.* **schnäuzen**

schnippisch ['ʃnɪpɪʃ] *adj* (*abw*) respondón

Schnipsel ['ʃnɪpsəl] *m o nt* <-s, -> recorte *m*

schnitt [ʃnɪt] *3. imp von* **schneiden**

Schnitt [ʃnɪt] *m* <-(e)s, -e> corte *m*; **im ~** (*fam*) por término medio; **Schnittlauch** *m* <-(e)s, *ohne pl*> cebollino *m*; **Schnittpunkt** *m a.* MATH (punto *m* de) intersección *f*; **Schnittstelle** *f* INFOR interfaz *m*; **Schnittwunde** *f* corte *m*

Schnitzel ['ʃnɪtsəl] *nt* <-s, -> GASTR escalope *m*; **paniertes ~** escalope rebozado, milanesa *f*

schnitzen ['ʃnɪtsən] *vi, vt* tallar (en madera)

schnöde ['ʃnø:də] *adj* (*abw: verachtenswert*) desdeñable; (*erbärmlich*) mezquino; (*geringschätzig*) desdeñoso

Schnorchel ['ʃnɔrçəl] *m* <-s, -> tubo *m* de respiración

Schnörkel ['ʃnœrkəl] *m* <-s, -> (*an Möbeln*) voluta *f*; (*bei der Unterschrift*) rúbrica *f*

schnorren ['ʃnɔrən] *vi, vt* (*fam*) gorronear

schnüffeln ['ʃnʏfəln] *vi* (*schnuppern*) olisquear (**an**); (*fam abw: spionieren*) husmear (**in** en)

Schnuller ['ʃnʊlɐ] *m* <-s, -> chupete *m*

schnulzig *adj* (*fam abw*) sentimental (oide)

Schnupfen ['ʃnʊpfən] *m* <-s, -> constipado *m*; **~ haben** estar resfriado

schnuppe ['ʃnʊpə] *adj* (*fam*): **das ist mir ~** me importa un rábano

schnuppern ['ʃnʊpɐn] *vi* olfatear (**an**)

Schnur [ʃnu:ɐ] *f* <Schnüre> cuerda *f*; (*dünn*) cordel *m*

schnüren ['ʃny:rən] *vt* atar

schnurlos *adj* inalámbrico

Schnurrbart ['ʃnʊrba:ɐt] *m* bigote *m*

schnurren ['ʃnʊrən] *vi* (*Katze*) ronronear

Schnürsenkel ['ʃny:ɐzɛŋkəl] *m* <-s, -> NORDD, REG cordón *m* para zapatos

schnurstracks ['ʃnu:ɐ'ʃtraks] *adv* (*fam*) directamente; (*sofort*) en el acto

schob [ʃo:p] *3. imp von* **schieben**

Schock [ʃɔk] *m* <-(e)s, -s> shock *m*; **unter ~ stehen** estar bajo (los efectos de un) shock; **schockgefrieren*** *irr vt* GASTR congelar ultrarápidamente [*o* criogénicamente]

schockieren* [ʃɔ'ki:rən] *vt* chocar; (*moralisch*) escandalizar

Schokolade [ʃoko'la:də] *f* <-n> chocolate *m*

schon [ʃo:n] *adv* ya; **~ wieder** otra vez; **nun mach ~!** (*fam*) ¡apúrate ya!

schön [ʃø:n] **I.** *adj* bonito; **das Wetter ist ~** hace buen tiempo; **~es Wochenende!** ¡buen fin de semana!; **das wäre ja noch ~er!** (*fam*) ¡ni hablar!; **das sind ja ~e Aussichten!** (*fam*) ¡menudas perspectivas! **II.** *adv* bien; **danke ~** muchas gracias; **bitte ~** de nada

schonen ['ʃo:nən] **I.** *vt* tratar con cuidado; (*Kräfte*) ahorrar; **seine Gesundheit ~** cuidarse **II.** *vr:* **sich ~** cuidarse

Schönheit *f* <-en> belleza *f*

Schonung *f* <-en, *ohne pl*> (*Sorgfalt*) cuidado *m*; **schonungslos I.** *adj* despiadado **II.** *adv* sin piedad

Schonzeit *f* (tiempo *m* de) veda *f*

schöpfen ['ʃœpfən] *vt* (*Flüssigkeit*) sacar (**aus** de); (*Mut*) cobrar

Schöpfer(in) *m(f)* <-s, -; -nen> creador(a) *m(f)*

schöpferisch *adj* creativo

Schöpflöffel *m* cucharón *m*

Schöpfung *f* <-en> ① (*geh: Kunstwerk*) creación *f* ② *ohne pl* REL génesis *f inv*

schor [ʃo:ɐ] *3. imp von* **scheren**[1]

Schorf [ʃɔrf] *m* <-(e)s, -e> costra *f*

Schornstein ['ʃɔrnʃtaɪn] *m* chimenea *f*; **Schornsteinfeger(in)** *m(f)* <-s, -; -nen> deshollinador(a) *m(f)*

schoss[RR] [ʃɔs] *3. imp von* **schießen**

Schoß [ʃo:s] *m* <-es, Schöße> regazo *m*; **jdn auf den ~ nehmen** tomar a alguien en el regazo

Schote [ˈʃoːtə] *f* <-n> vaina *f*

Schotte, **Schottin** [ˈʃɔtə] *m, f* <-n, -n; -nen> escocés, -esa *m, f*

Schotter [ˈʃɔtɐ] *m* <-s, -> (*Straßenschotter*) grava *f*

schottisch *adj* escocés

Schottland *nt* <-s> Escocia *f*

schräg [ʃrɛːk] **I.** *adj* oblicuo; (*geneigt*) inclinado; (*diagonal*) diagonal **II.** *adv* al sesgo; **jdn ~ ansehen** (*fam*) mirar a alguien de reojo; **Schrägstrich** *m* barra *f*

Schramme [ˈʃramə] *f* <-n> rasguño *m*

Schrank [ʃraŋk] *m* <-(e)s, Schränke> armario *m*

Schranke [ˈʃraŋkə] *f* <-n>, **Schranken** *m* <-s, -> ÖSTERR barrera *f*

Schrankwand *f* pared *f* estantería

Schraube [ˈʃraʊbə] *f* <-n> tornillo *m*; **bei ihm ist eine ~ locker** (*fam*) le falta un tornillo

schrauben [ˈʃraʊbən] *vt* atornillar (**an** a/en)

Schraubenschlüssel *m* llave *f* de tuercas; **Schraubenzieher** *m* <-s, -> destornillador *m*

Schreck [ʃrɛk] *m* <-(e)s, -e> susto *m*; **einen ~ bekommen** llevarse un susto

Schrecken [ˈʃrɛkən] *m* <-s, -> ① (*Schreck*) susto *m*; **~ erregend** espantoso ② *pl* (*des Krieges*) horrores *mpl*; **schreckenerregend** *adj s.* **Schrecken 1.**

schreckhaft *adj* asustadizo

schrecklich *adj* horrible

Schrei [ʃraɪ] *m* <-(e)s, -e> grito *m*; **der letzte ~** (*fam*) el último grito

Schreibblock *m* <-(e)s, -blöcke> bloc *m* (de notas)

schreiben [ˈʃraɪbən] <schreibt, schrieb, geschrieben> *vi, vt, vr:* **sich ~** escribir (se) (**auf** en)

Schreiben [ˈʃraɪbən] *nt* <-s, -> escrito *m*; **Ihr ~ vom ...** su carta del...

Schreibfehler *m* falta *f* de ortografía; **Schreibmaschine** *f* máquina *f* de escribir; **Schreibtisch** *m* escritorio *m*; **Schreibwaren** *f pl* artículos *mpl* de papelería; **Schreibweise** *f* ① (*Orthographie*) grafía *f* ② (*Stil*) estilo *m*

schreien [ˈʃraɪən] <schreit, schrie, geschrie(e)n> *vi, vt* gritar; **nach etw/jdm ~** pedir algo/llamar a alguien a gritos

schreiend *adj* (*Unrecht*) manifiesto

Schreiner(in) [ˈʃraɪnɐ] *m(f)* <-s, -; -nen> carpintero, -a *m, f*

Schreinerei *f* <-en> carpintería *f*

schreiten [ˈʃraɪtən] <schreitet, schritt, geschritten> *vi sein* (*geh*) caminar (solemnemente); **zu etw ~** pasar a algo

schrie [ʃriː] *3. imp von* **schreien**

schrieb [ʃriːp] *3. imp von* **schreiben**

Schrift [ʃrɪft] *f* <-en> (*Handschrift*) letra *f*

schriftlich *adj* por escrito

Schriftsteller(in) *m(f)* <-s, -; -nen> escritor(a) *m(f)*

Schriftstück *nt* documento *m*; **Schriftwechsel** *m* correspondencia *f*

schrill [ʃrɪl] *adj* (*Ton*) estridente; (*fam Aufmachung*) estrafalario

schritt [ʃrɪt] *3. imp von* **schreiten**

Schritt [ʃrɪt] *m* <-(e)s, -e> paso *m*; **auf ~ und Tritt** a cada paso; **den ersten ~ tun** dar el primer paso; **schrittweise** *adv* paso a paso

schroff [ʃrɔf] *adj* (*Mensch*) rudo; **etw ~ ablehnen** rechazar algo categóricamente

Schrot [ʃroːt] *m o nt* <-(e)s, -e> (*Getreideschrot*) grano *m* partido; (*Munition*) perdigones *mpl*

Schrott [ʃrɔt] *m* <-(e)s, *ohne pl*> (*Altmetall*) chatarra *f*; (*fam: Unbrauchbares*) cachivaches *mpl*; **Schrottplatz** *m* depósito *m* de chatarra

schrubben [ˈʃrʊbən] *vt* (*Ding*) fregar (*Körperteil*) frotar

Schrubber *m* <-s, -> (*fam*) escobillón *m*

schrump(e)lig [ˈʃrʊmp(ə)lɪç] *adj* (*fam*) arrugado

schrumpfen ['ʃrʊmpfən] *vi sein* (*Gewebe*) encoger; (*Vorräte*) disminuir

Schub [ʃu:p] *m* <-(e)s, Schübe> empujón *m*; **Schubkarren** *m* carretilla *f*; **Schublade** *f* <-n> cajón *m*

Schubs [ʃʊps] *m* <-es, -e> (*fam*) empujón *m*

schubsen ['ʃʊpsən] *vt* (*fam*) empujar

schüchtern ['ʃʏçtɐn] *adj* tímido

Schüchternheit *f* timidez *f*

schuf [ʃu:f] *3. imp von* **schaffen**[1]

Schuft [ʃʊft] *m* <-(e)s, -e> (*abw*) canalla *mf*

schuften ['ʃʊftən] *vi* (*fam*) currar

Schuh [ʃu:] *m* <-(e)s, -e> zapato *m*; **jdm etw in die ~e schieben** (*fam*) echar a alguien la culpa de algo; **Schuhcreme** *f* betún *m*; **Schuhgeschäft** *nt* zapatería *f*; **Schuhgröße** *f* número *m* del calzado; **Schuhmacher(in)** *m(f)* <-s, -; -nen> zapatero, -a *m, f*

Schularbeiten *f pl* deberes *mpl*; **Schulbildung** *f* formación *f* escolar; **Schulbuch** *nt* libro *m* de texto

schuld [ʃʊlt] *adj*: **an etw ~ sein** tener la culpa de algo

Schuld [ʃʊlt] *f* <-en> ❶ (*Geldbetrag*) deuda *f*; **ich stehe in deiner ~** (*geh*) estoy en deuda contigo ❷ *ohne pl* (*Verantwortung*) culpa *f* (**an** de); **jdm ~ geben** echar la culpa a alguien; **die ~ auf sich nehmen** declararse culpable

schulden ['ʃʊldən] *vt* deber

Schuldfrage *f* cuestión *f* de culpabilidad; **Schuldgefühl** *nt* sentimiento *m* de culpabilidad

schuldig ['ʃʊldɪç] *adj* culpable (**an** de); **jdm etw ~ sein** deber algo a alguien

Schuldige(r) *mf* <-n, -n; -n> culpable *mf*

schuldlos *adj*: **~ sein** no tener la culpa (**an** de)

Schule ['ʃu:lə] *f* <-n> escuela *f*; **in die ~ kommen** ser escolarizado; **~ haben** tener clase

schulen *vt* (*Mitarbeiter*) formar; (*Gedächtnis*) entrenar; **mit geschultem Blick** con ojo experto

Schüler(in) ['ʃy:lɐ] *m(f)* <-s, -; -nen> alumno, -a *m, f*

Schulferien *pl* vacaciones *fpl* escolares; **Schulfreund(in)** *m(f)* compañero, -a *m, f* de clase; **Schulgeld** *nt* cuota *f* escolar; **Schuljahr** *nt* (*Zeitraum*) año *m* escolar; (*Klasse*) curso *m*; **Schulkind** *nt* escolar *mf*; **Schulmedizin** *f ohne pl* medicina *f* convencional; **Schulpflicht** *f ohne pl* enseñanza *f* obligatoria

schulpflichtig *adj* en edad escolar

Schultasche *f* cartera *f*

Schulter ['ʃʊltɐ] *f* <-n> hombro *m*; **mit den ~n zucken** encogerse de hombros; **etw auf die leichte ~ nehmen** tomar algo a la ligera

Schulung ['ʃu:lʊŋ] *f* <-en> ❶ (*von Personal*) formación *f* ❷ (*Lehrgang*) cursillo *m*

Schulweg *m* camino *m* a la escuela

schummeln *vr* (*fam*): **sich durch etw** *akk* **~** salir adelante por [*o* en] algo

schund *3. imp von* **schinden**

Schuppe ['ʃʊpə] *f* <-n> ❶ (*bei Tieren*) escama *f* ❷ *pl* (*beim Menschen*) caspa *f*

Schuppen ['ʃʊpən] *m* <-s, -> cobertizo *m*

schüren ['ʃy:rən] *vt* (*Feuer*) atizar; (*Hass*) alimentar

Schürfwunde *f* excoriación *f*

Schurke, Schurkin ['ʃʊrkə] *m, f* <-n, -n; -nen> (*abw*) bellaco, -a *m, f*

Schürze ['ʃʏrtsə] *f* <-n> delantal *m*

Schuss[RR] [ʃʊs] *m* <-es, Schüsse> ❶ (*aus einer Waffe*) disparo *m*; (*Fußball*) tiro *m*; **der ~ ging nach hinten los** (*fam*) salió el tiro por la culata; **etw in ~ bringen/halten** (*fam*) poner algo a punto/mantener algo en buen estado ❷ (*sl: Drogeninjektion*) chute *m*; **sich** *dat* **einen ~ setzen** chutarse

Schüssel ['ʃʏsəl] *f* <-n> (*Servierschüssel*) fuente *f*; (*Salatschüssel*) ensaladera *f*

schusslig[RR] ['ʃʊslɪç] *adj* (*fam abw*) despistado

Schuster(in) ['ʃu:stɐ] *m(f)* <-s, -; -nen>

zapatero, -a *m, f*

Schutt [ʃʊt] *m* <-(e)s, *ohne pl*> escombros *mpl*

Schüttelfrost *m* <-(e)s, *ohne pl*> escalofríos *mpl*

schütteln [ˈʃʏtəln] **I.** *vt* sacudir; (*Gefäß*) agitar; (*Kopf*) mover **II.** *vr:* **sich ~** sacudirse; **er schüttelte sich vor Lachen** se desternilló de risa

schütten [ˈʃʏtən] *vt* verter (**in** en)

schütter [ˈʃʏtɐ] *adj* ralo

Schutz [ʃʊts] *m* <-es, *ohne pl*> protección *f* (**vor/gegen** contra); **in einem Haus ~ suchen** refugiarse en una casa; **jdn in ~ nehmen** defender a alguien; **Schutzanzug** *m* traje *m* protector; **Schutzblech** *nt* (*am Fahrrad*) guardabarros *m inv*

Schütze[1] *m* <-n, *ohne pl*> ASTR Sagitario *m inv*

Schütze, Schützin[2] [ˈʃʏtsə] *m, f* <-n, -n; -nen> tirador(a) *m(f)*

schützen [ˈʃʏtsən] *vt, vr:* **sich ~** proteger(se) (**vor/gegen** de/contra)

Schutzengel *m* ángel *m* de la guarda; **Schutzhelm** *m* casco *m* protector; **Schutzimpfung** *f* vacuna(ción) *f* preventiva; **schutzlos** *adj* sin amparo; **jdm/etw ~ ausgeliefert sein** estar indefenso ante alguien/algo

schwabb(e)lig [ˈʃvab(ə)lɪç] *adj* (*fam*) fofo

Schwaben [ˈʃva:bən] *nt* <-s> Suabia *f*

schwäbisch [ˈʃvɛ:bɪʃ] *adj* suabo

schwach [ʃvax] *adj* <schwächer, am schwächsten> débil; (*Argument*) flojo; (*Gesundheit*) frágil; (*Hoffnung*) vago; (*Licht*) tenue

Schwäche [ˈʃvɛçə] *f* <-n> debilidad *f*; **eine ~ für etw haben** tener debilidad por algo

schwächen [ˈʃvɛçən] *vt* debilitar

Schwachkopf *m* (*abw*) imbécil *mf*; **Schwachsinn** *m* <-(e)s, *ohne pl*> MED demencia *f*; (*fam abw: Blödsinn*) imbecilidad *f*; **schwachsinnig** *adj* MED deficiente mental; (*fam abw: blödsinnig*) imbécil; **Schwachstelle** *f* punto *m* débil

Schwächung *f* <-en> debilitación *f*

Schwager, Schwägerin [ˈʃva:gɐ, ˈʃvɛ:gərɪn] *m, f* <-s, Schwäger; -nen> cuñado, -a *m, f*

Schwalbe [ˈʃvalbə] *f* <-n> golondrina *f*

Schwall [ʃval] *m* <-(e)s, -e> aluvión *m*

schwamm [ʃvam] *3. imp von* **schwimmen**

Schwamm [ʃvam] *m* <-(e)s, Schwämme> esponja *f*; **~ drüber!** (*fam*) ¡borrón y cuenta nueva!

schwammig *adj* (*abw: Gesicht, Körper*) fofo; (*Begriff*) vago

Schwan [ʃva:n] *m* <-(e)s, Schwäne> cisne *m*

schwand [ʃvant] *3. imp von* **schwinden**

schwang [ʃvaŋ] *3. imp von* **schwingen**

schwanger [ˈʃvaŋɐ] *adj* embarazada

schwängern [ˈʃvɛŋɐn] *vt* dejar embarazada

Schwangerschaft *f* <-en> embarazo *m*; **Schwangerschaftsabbruch** *m* interrupción *f* del embarazo

schwanken [ˈʃvaŋkən] *vi* ❶ *sein* (*torkeln*) ir haciendo eses ❷ *haben* (*Preise, Temperatur*) oscilar; (*zögern*) vacilar

Schwankung *f* <-en> oscilación *f*

Schwanz [ʃvants] *m* <-es, Schwänze> cola *f*

schwänzen [ˈʃvɛntsən] **I.** *vi* (*fam*) hacer novillos **II.** *vt* (*fam*): **Biologie ~** fumarse la clase de biología

Schwarm [ʃvarm] *m* <-(e)s, Schwärme> ❶ (*Bienenschwarm, Menschenschwarm*) enjambre *m*; (*Vogelschwarm, Sardinenschwarm*) bandada *f* ❷ (*Mensch*) persona *f* adorada

schwärmen [ˈʃvɛrmən] *vi* ❶ *sein* (*Insekten*) zumbar; (*Menschen*) ir en masa (**zu/in** a) ❷ *haben* (*begeistert sein*) entusiasmarse (**für** por)

schwärmerisch *adj* (*begeistert*) entusiasta; (*träumerisch*) soñador

Schwarte [ˈʃvartə] *f* <-n> (*Speckschwarte*) corteza *f* de cerdo

schwarz [ʃvarts] *adj* <schwärzer, am schwärzesten> negro; **das kann ich dir ~ auf weiß geben** (*fam*) te lo puedo dar por escrito; **er hat sich ~ geärgert** (*fam*) se ha puesto negro; **mit etw ins Schwarze treffen** (*fam*) dar en el clavo con algo; **Schwarzarbeit** *f* trabajo *m* clandestino; **Schwarzbrot** *nt* pan *m* negro; **schwarz|fahren** *irr vi sein* (*ohne Fahrkarte*) viajar sin billete; **Schwarzhandel** *m* mercado *m* negro, estraperlo *m*; **mit etw ~ treiben** negociar de estraperlo con algo; **Schwarzmarkt** *m* mercado *m* negro; **Schwarzwald** *m* <-(e)s> Selva *f* Negra; **schwarzweiß** *adj*, **schwarz-weiß**[RR] [-'-] *adj* (en) blanco y negro

schwatzen *vi, vt*, **schwätzen** ['ʃvɛtsən] *vi, vt* REG charlar (**über** de)

Schwätzer(in) *m(f)* <-s, -; -nen> (*abw*) charlatán, -ana *m, f*

schwatzhaft *adj* (*abw*) parlanchín

schweben ['ʃve:bən] *vi sein* flotar

Schwede, Schwedin *m, f* <-n, -n; -nen> sueco, -a *m, f*

Schweden ['ʃve:dən] *nt* <-s> Suecia *f*

schwedisch *adj* sueco

Schwefel ['ʃve:fəl] *m* <-s, *ohne pl*> azufre *m*

schweifen *vi:* **seine Gedanken ~ lassen** (*geh*) dar rienda suelta a sus pensamientos

schweigen ['ʃvaɪgən] <schweigt, schwieg, geschwiegen> *vi* callar(se) (**zu** ante); **ganz zu ~ von ...** sin mencionar...

Schweigen *nt* <-s, *ohne pl*> silencio *m*

Schweigepflicht *f ohne pl* secreto *m* profesional; **der ~ unterliegen** estar obligado al secreto profesional

schweigsam *adj* callado

Schwein [ʃvaɪn] *nt* <-(e)s, -e> cerdo *m*, chancho *m* ; **~ haben** (*fam*) tener suerte; **Schweinehund** *m* (*vulg*) hijo *m* de puta; **seinen inneren ~ überwinden** dominar los bajos instintos

Schweinerei *f* <-en> (*fam*) porquería *f*

Schweinestall *m* (*a. fig*) pocilga *f*

schweinisch *adj* (*fam*) guarro

Schweiß [ʃvaɪs] *m* <-es, *ohne pl*> sudor *m*; **im ~e meines Angesichts** con el sudor de mi frente

schweißen ['ʃvaɪsən] *vt* soldar

schweißgebadet ['--'--] *adj* bañado en sudor; **schweißnass**[RR] ['-'-] *adj* empapado en sudor

Schweiz [ʃvaɪts] *f* Suiza *f*; **in die ~ fahren** ir a Suiza

Schweizer(in) *m(f)* <-s, -; -nen> suizo, -a *m, f*; **Schweizerdeutsch** *nt* suizo-alemán *m*

schweizerisch ['ʃvaɪtsərɪʃ] *adj* suizo

schwelgen ['ʃvɛlgən] *vi* (*in Gedanken*) deleitarse (**in** en/con)

Schwelle ['ʃvɛlə] *f* <-n> (*Türschwelle*) umbral *m*

schwellen ['ʃvɛlən] <schwillt, schwoll, geschwollen> *vi sein* hincharse

Schwellung *f* <-en> hinchazón *f*

schwenken ['ʃvɛŋkən] **I.** *vi sein* girar **II.** *vt haben* (*drehen*) virar; (*Arme*) mover; (*Fahne*) (hacer) ondear

schwer [ʃve:ɐ] **I.** *adj* (*Gewicht*) pesado; (*schlimm*) grave; (*Enttäuschung*) grande; (*Tag, Arbeit*) duro; (*schwierig*) difícil; **das ist ~ zu sagen** es difícil decirlo **II.** *adv* (*sehr: + Adjektiv*) muy; (*+ Verb*) mucho; **~ verletzt sein** estar gravemente herido; **Schwerarbeit** *f* trabajo *m* pesado; **Schwerbehinderte(r)** *mf* minusválido, -a *m, f* grave

schwerelos *adj* ingrávido

schwer|fallen *irr vi sein*: **das fällt ihm schwer** esto le resulta difícil; **schwerfällig** [-fɛlɪç] *adj* (*Bewegung*) torpe; (*Stil*) pesado; **schwerhörig** *adj* (algo) sordo; **Schwerkraft** *f* gravitación *f*

schwerlich *adv* difícilmente

schwer|machen *vt s.* **machen I.**

schwermütig *adj* melancólico

schwer|nehmen *irr vt:* **nimm's nicht so schwer!** ¡no te lo tomes tan a pecho!; **Schwerpunkt** *m* PHYS centro

S

m de gravedad; **den ~ auf etw setzen** conceder prioridad a algo

Schwert [ʃveːɐt] *nt* <-(e)s, -er> espada *f*

Schwerverbrecher(in) *m(f)* criminal *mf* peligroso, -a; **schwerverletzt** *adj s.* **verletzen I.**; **Schwerverletzte(r)** *mf* herido, -a *m, f* grave; **schwerwiegend** *adj* grave

Schwester [ˈʃvɛstɐ] *f* <-n> hermana *f*; (*Krankenschwester*) enfermera *f*

schwesterlich *adj* fraternal

schwieg [ʃviːk] *3. imp von* **schweigen**

Schwiegereltern [ˈʃviːgɐ-] *pl* suegros *mpl*; **Schwiegermutter** *f* <-mütter> suegra *f*; **Schwiegersohn** *m* yerno *m*; **Schwiegertochter** *f* nuera *f*; **Schwiegervater** *m* suegro *m*

Schwiele [ˈʃviːlə] *f* <-n> callo *m*

schwierig [ˈʃviːrɪç] *adj* difícil

Schwierigkeit *f* <-en> dificultad *f*; **jdn in ~en bringen** meter a alguien en líos

schwillt [ʃvɪlt] *3. präs von* **schwellen**

Schwimmbad *nt* piscina *f*; **Schwimmbecken** *nt* piscina *f*

schwimmen [ˈʃvɪmən] <schwimmt, schwamm, geschwommen> *vi haben o sein* (*Person, Fisch*) nadar; (*Ding*) flotar (**auf** en)

Schwimmer(in) *m(f)* <-s, -; -nen> nadador(a) *m(f)*

Schwimmflosse *f* aleta *f*; **Schwimmsport** *m* natación *f*; **Schwimmweste** *f* chaleco *m* salvavidas

Schwindel [ˈʃvɪndəl] *m* <-s, *ohne pl*> (*Schwindelgefühl*) vértigo *m*; (*fam abw: Betrug*) timo *m*; (*Lüge*) embuste *m*; **~ erregend** vertiginoso; **schwindelerregend** *adj s.* **Schwindel**; **schwindelfrei** *adj*: **~ sein** no tener vértigo

schwind(e)lig *adj* mareado; **mir ist ~** estoy mareado

schwindeln [ˈʃvɪndəln] *vi* (*fam*) mentir

schwinden [ˈʃvɪndən] <schwindet, schwand, geschwunden> *vi sein* (*geh: abnehmen*) disminuir

Schwindler(in) [ˈʃvɪndlɐ] *m(f)* <-s, -; -nen> (*abw*) embustero, -a *m, f*

schwingen [ˈʃvɪŋən] <schwingt, schwang, geschwungen> **I.** *vi* ❶ *haben o sein* (*Schaukel, Person*) bambolearse; (*Pendel*) oscilar ❷ *haben* (*vibrieren*) vibrar **II.** *vt haben* mover; (*Fahne*) (hacer) ondear; (*Stock*) agitar; **große Reden ~** pronunciar discursos **III.** *vr haben*: **sich auf etw ~** montar (se) en algo; **sich über etw ~** saltar algo

Schwingung *f* <-en> *a.* PHYS oscilación *f*

Schwips [ʃvɪps] *m* <-es, -e> (*fam*) chispa *f*; **sich** *dat* **einen ~ antrinken** coger una mona

schwirren [ˈʃvɪrən] *vi sein* (*Mücken, Gedanken*) zumbar; (*Pfeil, Kugel*) silbar

schwitzen [ˈʃvɪtsən] *vi, vt* sudar

schwoll [ʃvɔl] *3. imp von* **schwellen**

schwor [ʃvoːɐ] *3. imp von* **schwören**

schwören [ˈʃvøːrən] <schwört, schwor, geschworen> *vi, vt* jurar; **auf etw/jdn ~** confiar ciegamente en algo/alguien

schwul [ʃvuːl] *adj* (*fam*) maricón *abw*

schwül [ʃvyːl] *adj* bochornoso

Schwule(r) *m* <-n, -n> (*fam*) marica *m*

Schwulenheirat *f ohne pl* matrimonio *m* entre homosexuales

schwulstig [ˈʃvʊlstɪç] *adj* ÖSTERR *abw*), **schwülstig** [ˈʃvʏlstɪç] *adj* (*abw*) pomposo

Schwund [ʃvʊnt] *m* <-(e)s, *ohne pl*> (*Abnahme*) merma *f*

Schwung [ʃvʊŋ] *m* <-(e)s, *ohne pl*> (*Antrieb*) impulso *m*; **~ holen** coger impulso; **in ~ kommen** (*fam*) animarse; **schwungvoll** *adj* dinámico

Schwur [ʃvuːɐ] *m* <-(e)s, Schwüre> juramento *m*

Sciencefiction[RR] [saɪnsˈfɪktʃən] *f* ciencia ficción *f*

sechs [zɛks] *adj inv* seis; *s.a.* **acht**[1]

Sechs *f* <-en> seis *m*; (*Schulnote*) insuficiente *m*

sechshundert [ˈ-ˈ--] *adj inv* seiscientos;

s.a. **achthundert**

sechste(r, s) *adj* sexto; *s.a.* **achte(r, s)**

sechzehn ['zɛçtse:n] *adj inv* dieciséis; *s.a.* **acht**[1]

sechzig ['zɛçtsɪç] *adj inv* sesenta; *s.a.* **achtzig**

Secondhandladen [sɛkənt'hɛnt-] *m* tienda *f* de artículos de segunda mano

See[1] [ze:] *m* <-s, -n> lago *m*; **der Genfer ~** el Lago Leman

See[2] *f ohne pl* (*Meer*) mar *m o f*; **auf hoher ~** en alta mar; **an die ~ fahren** ir a la costa

Seegang *m* <-(e)s, *ohne pl*> marejada *f*; **Seehund** *m* foca *f*; **seekrank** *adj* mareado; **Seelachs** *m* abadejo *m*

Seele ['ze:lə] *f* <-n> alma *f*; **mit ganzer ~** con toda el alma; **jdm aus der ~ sprechen** (*fam*) decir exactamente lo que el otro piensa; **Seelenruhe** ['----, '--'--] *f*: **in aller ~** con toda tranquilidad

Seeleute *pl* marineros *m pl*

seelisch *adj* mental

Seelsorger *m* <-s, -> REL padre *m* espiritual

Seeluft *f ohne pl* aire *m* de mar; **Seemann** *m* <-(e)s, -leute> marinero *m*; **Seemeile** *f* milla *f* marítima; **Seenot** *f* peligro *m* marítimo; **in ~ geraten** estar en peligro de zozobrar; **Seepferdchen** *nt* <-s, -> caballito *m* de mar; **Seeräuber(in)** *m(f)* pirata *mf*; **Seerose** *f* nenúfar *m*; **Seestern** *m* estrella *f* marina; **Seeweg** *m* vía *f* marítima; **auf dem ~ reisen** viajar por mar

Segel ['ze:gəl] *nt* <-s, -> vela *f*; **Segelboot** *nt* velero *m*; **Segelflugzeug** *nt* planeador *m*

segeln ['ze:gəln] *vi sein* navegar a vela; (*Vogel, Segelflugzeug*) planear

Segelschiff *nt* velero *m*

Segen ['ze:gən] *m* <-s, *ohne pl*> *a.* REL bendición *f*; **es ist ein ~, dass ...** es una bendición que... *+subj*

Segler(in) *m(f)* <-s, -; -nen> balandrista *mf*

segnen ['ze:gnən] *vt* bendecir

sehbehindert *adj* que ve mal; **leicht/stark ~ sein** tener una deficiencia óptica leve/grave

sehen ['ze:ən] <sieht, sah, gesehen> *vi, vt* ver; **nicht gern ge~ sein** no estar bien visto; **ich sehe es nicht gern, wenn ...** no me gusta que...; **sich gezwungen ~ zu ...** verse obligado a... *+subj*; **nach jdm ~** cuidar a alguien; **nach dem Rechten ~** ver si todo está en orden; **wir kennen uns vom Sehen** nos conocemos de vista; **sieh mal!** ¡mira!; **sehenswert** *adj* digno de verse; **Sehenswürdigkeit** *f* <-en> monumento *m*

Sehkraft *f ohne pl* vista *f*

Sehne ['ze:nə] *f* <-n> MED tendón *m*

sehnen ['ze:nən] *vr*: **sich nach etw/jdm ~** añorar algo/a alguien

Sehnsucht *f* <-süchte> ansiedad *f* (**nach** de); (*nach Vergangenem*) nostalgia *f* (**nach** de); **~ nach jdm/etw haben** tener añoranza de alguien/algo; **sehnsüchtig** *adj*, **sehnsuchtsvoll** *adj* (*geh*) ansioso; (*Wunsch*) ardiente

sehr [ze:ɐ] <mehr, am meisten> *adv* (*mit Adjektiv*) muy; (*mit Verb*) mucho; **~ viel** muchísimo; **~ erfreut!** ¡encantado!; **so ~ sie sich auch bemühte ...** por mucho que se esforzó...

seicht [zaɪçt] *adj* (*Gewässer*) vadeable; (*abw: banal*) trivial

seid [zaɪt] *2. pl präs von* **sein**

Seide ['zaɪdə] *f* <-n> seda *f*

seiden ['zaɪdən] *adj* (*aus Seide*) de seda; (*wie Seide*) sedoso

Seife ['zaɪfə] *f* <-n> jabón *m*; **ein Stück ~** una pastilla de jabón; **Seifenoper** *f* serial *m*

Seil [zaɪl] *nt* <-(e)s, -e> cuerda *f*; **Seilbahn** *f* funicular *m*; **seil|springen** *irr vi sein* saltar a la comba

sein [zaɪn] <ist, war, gewesen> *vi sein* ❶ (*Eigenschaften, Zeitangabe*) ser; **mir ist kalt** tengo frío; **bist du's?** ¿eres tú?; **wir sind Freunde** somos amigos;

sie ist Türkin es turca; **ich bin aus Dortmund** soy de Dortmund; **ich bin 25** tengo 25 años; **es ist 14.30 Uhr** son las dos y media; **heute ist Montag** hoy es lunes; **es ist schlechtes Wetter** hace mal tiempo; **nun sei doch nicht so!** ¡no te pongas así!; **das war's** se acabó; **lass es ~!** ¡déjalo!; **es sei denn, dass ...** a no ser que... +*subj*; **kann ~!** ¡puede ser!; **was ist?** ¿qué pasa? ❷ (*Zustand, örtlich*) estar; **sie ist verheiratet** está casada, es casada ; **wo warst du so lange?** ¿dónde estuviste durante tanto tiempo? ❸ (*vorhanden sein*) haber; **ist da jemand?** ¿hay alguien allí?; **es waren viele Leute da** había mucha gente ❹ (*Hilfsverb*) haber; **ich bin krank gewesen** he estado enfermo; **wenn er nicht gewesen wäre** si no hubiera sido por él

sein, seine, sein [zaɪn, 'zaɪnə, zaɪn] *pron poss* (*adjektivisch*) su *sg*, sus *pl*; **~ Sohn** su hijo; **~e Freundin/Kinder** su novia/sus hijos

seine(r, s) *pron poss* (*substantivisch*) (el) suyo *m*, (la) suya *f*, (los) suyos *m pl*, (las) suyas *fpl* *s.a.* **sein, seine, sein**

seiner *pron pers gen von* **er, es** de él

seinerseits *adv* por su parte

seinerzeit *adv* en aquel tiempo

seinesgleichen ['--'--] *pron indef inv* sus semejantes, de su condición; **er behandelte ihn wie ~** lo trataba como si fuera de su condición

seinetwegen ['zaɪnət've:gən] *adv* por él; (*negativ*) por su culpa

sein|lassen *irr vt s.* **lassen²**

seit [zaɪt] **I.** *präp* +*dat;* (*Zeitpunkt*) desde; (*Zeitraum*) desde hace; **~ wann ...?** ¿desde cuándo...?; **~ kurzem** desde hace poco **II.** *konj* desde que; **seitdem** [-'-] **I.** *adv* desde entonces **II.** *konj* desde que

Seite ['zaɪtə] *f* <-n> lado *m*; (*Stoffseite, Schallplattenseite*) cara *f*; (*Buchseite*) página *f*; **auf beiden ~n** a ambos lados; **von allen ~n** de todas partes; **zur ~ gehen** apartarse; **jdn auf seiner ~ haben** tener a alguien de su parte; **jdm zur ~ stehen** apoyar a alguien; **auf der einen ~ ..., auf der anderen ~ ...** por una parte..., por otra...; **sich von seiner besten ~ zeigen** mostrar su mejor cara; **die gelben ~n** las páginas amarillas; **seitenlang I.** *adj* de varias páginas **II.** *adv* en páginas enteras

seitens ['zaɪtəns] *präp* +*gen* por parte de

Seitensprung *m* (*fig*): **einen ~ machen** ser infiel; **Seitenstraße** *f* calle *f* lateral; **seitenverkehrt** *adj* invertido lateralmente

seither [-'-] *adv* desde entonces

seitlich I. *adj* lateral; **~ von ...** al lado de... **II.** *adv* de lado; **~ abfallen** descender lateralmente **III.** *präp* +*gen* a un lado de

seitwärts ['zaɪtvɛrts] *adv* hacia un lado

Sekretär¹ *m* <-s, -e> (*Möbelstück*) secreter *m*

Sekretär(in)² [zekre'tɛ:ɐ] *m(f)* <-s, -e; -nen> secretario, -a *m, f*

Sekretariat [zekretari'a:t] *nt* <-(e)s, -e> secretaría *f*

Sekt [zɛkt] *m* <-(e)s, -e> cava *m*

Sekte ['zɛktə] *f* <-n> secta *f*

Sektor ['zɛkto:ɐ] *m* <-s, -en> sector *m*

sekundär [zekʊn'dɛ:ɐ] *adj* secundario

Sekunde [ze'kʊndə] *f* <-n> segundo *m*; **auf die ~ genau** al segundo; **Sekundenschlaf** *m* AUTO microsueño *m*; **Sekundenzeiger** *m* segundero *m*

selbe(r, s) ['zɛlbə, -bɐ, -bəs] *adj* mismo; **im ~n Haus** en la misma casa

selber ['zɛlbɐ] *pron dem inv* (*fam*) *s.* **selbst**

selbst [zɛlpst] **I.** *pron dem inv* mismo; **ich/sie/wir ~** yo mismo/ella misma/nosotros mismos; **das versteht sich von ~** esto se entiende por sí solo; **er ist die Ruhe ~** es la calma en persona **II.** *adv* (*sogar*) hasta; **~ wenn** incluso si +*subj*; **Selbstachtung** *f* autoestima *f*

selbständig ['zɛlpʃtɛndɪç] *adj o adv s.* **selbstständig**; **Selbständigkeit** *f s.* **Selbstständigkeit**

Selbstbedienung *f ohne pl* autoservicio *m*; **Selbstbefriedigung** *f* masturbación *f*; **Selbstbeherrschung** *f* autocontrol *m*; **Selbstbereicherung** *f ohne pl* enriquecimiento *m* propio; **Selbstbestimmung** *f* autodeterminación *f*; **selbstbewusst**[RR] *adj* seguro de sí mismo; **selbstgefällig** I. *adj* (*abw*) autosuficiente II. *adv* (*abw*) con autosuficiencia; **Selbstgespräch** *nt* monólogo *m*; **~e führen** monologar; **Selbsthilfe** *f ohne pl* autoayuda *f*; **zur ~ greifen** tomarse la justicia por su mano; **selbstklebend** *adj* autoadhesivo

Selbstkostenbehalt ['zɛlbstkɔstənbəhalt] *m* <-(e)s, *ohne pl*> cuota *f* a pagar por el asegurado; **Selbstkostenpreis** *m* precio *m* de coste

selbstkritisch *adj* autocrítico; **selbstlos** *adj* altruista; **Selbstmitleid** *nt* (*abw*) autocompasión *f*; **Selbstmord** *m* suicidio *m*; **~ begehen** suicidarse; **Selbstmörder(in)** *m(f)* suicida *mf*; **selbstsicher** *adj* seguro de sí mismo; **selbstständig**[RR] I. *adj* independiente II. *adv* por sí solo; **Selbstständigkeit**[RR] *f* independencia *f*; **selbstsüchtig** *adj* egoísta; **selbstverständlich** ['--(')--] I. *adj* natural; **das ist doch ~!** ¡esto se sobreentiende!; **etw für ~ halten** dar algo por hecho II. *adv* desde luego; **~ (nicht)!** ¡por supuesto (que no)!; **Selbstverständlichkeit** ['--(')---] *f* <-en> (*Unbefangenheit*) naturalidad *f*; **das war doch eine ~** no faltaba más; **etw für eine ~ halten** considerar algo como lo más natural del mundo; **Selbstverteidigung** *f* autodefensa *f*; **Selbstvertrauen** *nt* confianza *f* en sí mismo

Selbstwertgefühl *nt* <-(e)s, *ohne pl*> autoestima *f*

Selbstzweck *m* <-(e)s, *ohne pl*> fin *m* absoluto

selig ['ze:lɪç] *adj* (*glücklich*) feliz

Sellerie ['zɛləri] *m* <-s, -(s)> *f* <-> apio *m*

selten ['zɛltən] I. *adj* raro II. *adv* raras veces

Seltenheit *f* <-en> ❶ (*Stück*) curiosidad *f* ❷ *ohne pl* (*Vorkommen*) rareza *f*

seltsam ['zɛltza:m] *adj* extraño

seltsamerweise ['zɛltza:mɐ'vaɪzə] *adv* curiosamente

Semester [ze'mɛstɐ] *nt* <-s, -> semestre *m*

Semikolon [zemi'ko:lɔn] *nt* <-s, -s *o* Semikola> punto *m* y coma

Seminar [zemi'na:ɐ] *nt* <-s, -e> (*Kurs*) seminario *m*; (*Institut*) departamento *m*

Semmel ['zɛməl] *f* <-n> ÖSTERR, SÜDD, REG panecillo *m*

Senat [ze'na:t] *m* <-(e)s, -e> senado *m*

senden ['zɛndən] *vt* (*ausstrahlen*) emitir

Sender *m* <-s, -> (estación *f*) emisora *f*

Sendung *f* <-en> (RADIO, TV: *das Senden*) emisión *f*; (*einzelne Sendung*) programa *m*

Senf [zɛnf] *m* <-(e)s, -e> mostaza *f*

senil [ze'ni:l] *adj* senil

senior ['ze:njo:ɐ] *adj*: **Karl Meyer ~** Karl Meyer padre

Senior(in) ['ze:njo:ɐ] *m(f)* <-s, -en; -nen> ❶ (*Rentner*) persona *f* de la tercera edad ❷ SPORT sénior *mf*; **Seniorenheim** *nt* residencia *f* para la tercera edad

Senke ['zɛŋkə] *f* <-n> depresión *f* en un terreno

senken ['zɛŋkən] *vt* bajar; (*Kopf*) inclinar; (*Kosten*) reducir; (*Preise*) rebajar

senkrecht *adj* vertical

Sensation [zɛnza'tsjo:n] *f* <-en> sensación *f*

sensationell [zɛnzatsjo'nɛl] *adj* sensacional

sensibel [zɛn'zi:bəl] *adj* sensible

Sensibilität [zɛnzibili'tɛ:t] *f* sensibilidad *f*

Sensor ['zɛnzo:ɐ] *m* <-s, -en> sensor *m*

sentimental [zɛntimɛn'ta:l] *adj* sentimental

Sentimentalität [zɛntimɛntali'tɛ:t] *f* sentimentalismo *m*

separat [zepa'ra:t] **I.** *adj* separado; (*Eingang*) independiente **II.** *adv* aparte

September [zɛp'tɛmbɐ] *m* <-(s), -> se(p)tiembre *m*; *s.a.* **März**

Sera *pl von* **Serum**

Serbien ['zɛrbiən] *nt* <-s> Serbia *f*

serbisch *adj* serbio

serbokroatisch [zɛrbokro'a:tɪʃ] *adj* serbocroata

Seren *pl von* **Serum**

Serie ['ze:riə] *f* <-n> serie *f*; **serienmäßig I.** *adj* en serie; (AUTO: *Ausstattung*) de serie **II.** *adv* en serie

seriös [zeri'ø:s] *adj* serio

Serum ['ze:rʊm] *nt* <-s, Seren *o* Sera> suero *m*

Service[1] [zɛr'vi:s] *nt* <-(s), -> (*Geschirr*) juego *m* de café

Service[2] ['sœ:vɪs] *m* <-, *ohne pl*> (*Bedienung*) servicio *m*; (*Kundendienst*) asistencia *f* técnica

servieren* [zɛr'vi:rən] *vi, vt* servir

Serviette [zɛr'vjɛtə] *f* <-n> servilleta *f*

Sessel ['zɛsəl] *m* <-s, -> sillón *m*; **Sessellift** *m* telesilla *f*

sesshaft[RR] ['zɛshaft] *adj* sedentario; **in einem Ort ~ werden** asentarse en un lugar

Set [sɛt] *m o nt* <-(s), -s> conjunto *m*

setzen ['zɛtsən] **I.** *vt* poner (**auf** en/sobre); (*Frist*) fijar; (*Geld*) apostar (**auf** por); **etw** *dat* **ein Ende ~** poner fin a algo; **sich** *dat* **ein Ziel ~** ponerse una meta; **ein Kind in die Welt ~** (*fam*) traer un hijo al mundo **II.** *vr:* **sich ~** (*Person*) sentarse; (*Flüssigkeit*) posarse

Seuche ['zɔɪçə] *f* <-n> epidemia *f*

seufzen ['zɔɪftsən] *vi* suspirar

Seufzer *m* <-s, -> suspiro *m*

Sex [sɛks] *m* <-(es), *ohne pl*> (*fam*) sexo *m*

sexistisch *adj* sexista

Sexualität [sɛksuali'tɛ:t, zɛksuali'tɛ:t] *f* sexualidad *f*

Sexualverbrechen *nt* delito *m* sexual

sexuell [sɛksu'ɛl, zɛksu'ɛl] *adj* sexual; **jdn ~ missbrauchen** abusar sexualmente de alguien

sexy ['sɛksi] *adj inv* (*fam*) sexy

Shampoo ['ʃampu] *nt* <-s, -s> champú *m*

Sherry ['ʃɛri] *m* <-s, -s> jerez *m*

Shoppen ['ʃɔpən] *nt* <-s, *ohne pl*> acción *f* de ir de compras

Shorts [ʃɔ:ts, ʃɔrts] *pl* pantalones *mpl* cortos

Show [ʃɔʊ] *f* <-s> espectáculo *m*; **Showgeschäft** *nt* <-(e)s, *ohne pl*> mundo *m* del espectáculo; **Showmaster(in)** [-ma:stɐ] *m(f)* <-s, -; -nen> presentador(a) *m(f)*

sich [zɪç] *pron refl akk/dat von* **er, sie, es, Sie** *akk/dat von pl* **sie, Sie** se; (*betont*) a sí... (se); (*mit Präposition*) sí; **er denkt nur an ~** sólo piensa en sí (mismo); **sie hat kein Geld bei ~** no lleva dinero consigo; **jeder für ~** cada cual por su cuenta

sicher ['zɪçɐ] **I.** *adj* seguro; **bist du dir ~?** ¿estás seguro? **II.** *adv* (*wahrscheinlich*) seguramente; (*gewiss*) con seguridad; **sicher|gehen** *irr vi sein* ir sobre seguro, estar seguro; **er will ganz ~, dass ...** quiere estar seguro de que... +*subj*

Sicherheit *f* <-en> ❶ WIRTSCH garantía *f* ❷ *ohne pl* (*ohne Gefahr*) seguridad *f*; (*im Auftreten*) aplomo *m*; (*Gewissheit*) certeza *f*; **jdn/etw in ~ bringen** salvar a alguien/algo; **sich in ~ befinden** estar a salvo; **Sicherheitsabstand** *m* distancia *f* de seguridad; **Sicherheitsgurt** *m* cinturón *m* de seguridad; **sicherheitshalber** [-halbɐ] *adv* para estar seguro; **Sicherheitslücke** *f* fallo *m* de seguridad; **Sicherheitsnadel** *f* imperdible *m*

sicherlich *adv* seguramente

sichern ['zɪçɐn] *vt* asegurar; (*schützen*) proteger (**gegen/vor** contra); (INFOR:

speichern) almacenar

sicher|stellen *vt* (*beschlagnahmen*) intervenir; (*gewährleisten*) asegurar

Sicherung *f* <-en> ELEK fusible *m*

Sicht [zɪçt] *f* (*Sichtverhältnisse*) visibilidad *f*; (*Ausblick*) vista *f*; (*Sichtweise*) (punto *m* de) vista *f*; **klare ~** buena visibilidad; **auf lange ~** a largo plazo; **aus heutiger ~** desde el punto de vista actual

sichtbar *adj* visible; **~ werden** (*fig*) manifestarse

sichten ['zɪçtən] *vt* (*erblicken*) avistar; (*durchsehen*) revisar

sichtlich *adj* evidente; **er hat sich ~ gefreut** se alegró visiblemente

Sichtverhältnisse *nt pl* (condiciones *fpl* de) visibilidad *f*; **Sichtweite** *f* visibilidad *f*; **außer ~ sein** estar fuera del alcance de la vista

sickern ['zɪkɐn] *vi sein* (*durchsickern*) colarse (**durch** por); (*hineinsickern*) infiltrarse (**in** en)

sie [zi:] *pron pers* ❶ *nom 3. sg f* ella ❷ *nom 3. pl m o f* ellos *mpl*, ellas *fpl* ❸ *akk von sg* **sie** la; (*betont*) a ella (la); (*mit Präposition*) ella; **ich treffe ~ heute Abend** la veo esta noche ❹ *akk von pl* **sie** (*auf Menschen bezogen*) los *mpl*; (*nur auf Frauen bezogen*) las *fpl*; (*auf Sachen bezogen*) los *mpl*, las *fpl*; (*betont: Menschen*) a ellos (los) *mpl*, a ellas (las) *fpl*; (*mit Präposition: Menschen*) ellos *mpl*, ellas *fpl*; **wir machen alles nur für ~** lo hacemos todo por ellos

Sie [zi:] *pron pers* (*Höflichkeitsform*) ❶ *nom* (*eine Person*) usted; (*mehrere Personen*) ustedes ❷ *akk von* **Sie** (*einen Mann*) lo; (*eine Frau*) la; (*mehrere Personen*) los *mpl*; (*mehrere Frauen*) las *fpl*; (*betont*) a usted (lo) *m*, a usted (la) *f*, a ustedes (los) *mpl*, a ustedes (las) *fpl*; (*mit Präposition: einer Person*) usted; (*mehrere Personen*) ustedes; **darf ich ~ mal stören?** ¿puedo molestarle(s)/molestarla(s) un momento?

Sieb [zi:p] *nt* <-(e)s, -e> (*Sandsieb*) criba *f*; (*feines Sieb*) tamiz *m*; (*für Flüssigkeiten*) colador *m*; (*für Nudeln*) escurridor *m*

sieben[1] ['zi:bən] *vt* (*Sand*) cribar; (*Mehl*) tamizar; (*auswählen*) seleccionar

sieben[2] *adj inv* siete; *s.a.* **acht**[1]

siebenhundert ['--'--] *adj inv* setecientos; *s.a.* **achthundert**

siebte(r, s) ['zi:ptə, -tɐ, -təs] *adj* séptimo; *s.a.* **achte(r, s)**

siebzehn ['zi:ptse:n] *adj inv* diecisiete; *s.a.* **acht**[1]

siebzig ['zi:ptsɪç] *adj inv* setenta; *s.a.* **achtzig**

sieden ['zi:dən] <siedet, sott *o* siedete, gesotten *o* gesiedet> *vi* hervir

Siedler(in) ['zi:dlɐ] *m(f)* <-s, -; -nen> colono, -a *m, f*

Siedlung ['zi:dlʊŋ] *f* <-en> urbanización *f*; HIST población *f*

Sieg [zi:k] *m* <-(e)s, -e> triunfo *m* (**über** sobre)

Siegel ['zi:gəl] *nt* <-s, -> sello *m*; **unter dem ~ der Verschwiegenheit** bajo la condición de guardar el secreto

siegen ['zi:gən] *vi* ganar (**über** a); **mit 1:3 ~** ganar por 1:3

Sieger(in) *m(f)* <-s, -; -nen> vencedor(a) *m(f)*

siegessicher *adj* seguro de triunfar; **Siegeszug** *m* cortejo *m* triunfal

siegreich *adj* victorioso; SPORT ganador

sieht [zi:t] *3. präs von* **sehen**

siezen ['zi:tsən] *vt* tratar de usted

Signal [zɪ'gna:l] *nt* <-s, -e> señal *f*

signalisieren* [zɪgnali'zi:rən] *vt* señalar

Silbe ['zɪlbə] *f* <-n> sílaba *f*

Silber ['zɪlbɐ] *nt* <-s, *ohne pl*> plata *f*; **Silberhochzeit** *f* bodas *fpl* de plata; **Silbermedaille** *f* medalla *f* de plata

silbern ['zɪlbɐn] *adj* (*aus Silber*) de plata; (*Farbe*) plateado

Silhouette [zilu'ɛtə] *f* <-n> silueta *f*

Silikon [zili'ko:n] *nt* <-s, -e> silicona *f*

Silo ['zi:lo] *m o nt* <-s, -s> silo *m*

Silvester [zɪl'vɛstɐ] *m o nt* <-s, -> Nochevieja *f*

simpel ['zɪmpəl] *adj* simple

Sims [zɪms] *m o nt* <-es, -e> (*Fenstersims*) moldura *f*

simulieren* [zimu'li:rən] *vi, vt* simular

simultan [zimʊl'ta:n] *adj* simultáneo

sind [zɪnt] *1. o 3. pl präs von* **sein**

Sinfonie [zɪnfo'ni:] *f* <-n> sinfonía *f*; **Sinfonieorchester** *nt* orquesta *f* sinfónica

singen ['zɪŋən] <singt, sang, gesungen> *vi, vt* cantar

Single[1] ['sɪŋ(g)əl] *f* <-(s)> (*Schallplatte*) (disco *m*) sencillo *m*

Single[2] *m* <-(s), -s> (*Person*) soltero, -a *m, f* (y sin pareja)

Singular ['zɪŋgula:ɐ] *m* <-s, -e> singular *m*

Singvogel *m* pájaro *m* cantor

sinken ['zɪŋkən] <sinkt, sank, gesunken> *vi sein* (*niedersinken*) descender; (*Schiff*) hundirse; (*abnehmen*) bajar; (*Einfluss, Hoffnung*) disminuir

Sinn [zɪn] *m* <-(e)s, -e> sentido *m*; **von ~en sein** no estar en su sano juicio; **~ für Humor haben** tener sentido del humor; **das hat keinen ~** eso no tiene sentido; **im wahrsten ~e des Wortes** en el más amplio sentido de la palabra; **in gewissem ~** en cierto sentido; **Sinnbild** *nt* símbolo *m* (**für** de)

Sinneseindruck *m* impresión *f*; **Sinnesorgan** *nt* órgano *m* sensorial; **Sinnestäuschung** *f* alucinación *f*; **Sinneswahrnehmung** *f* percepción *f* sensorial; **Sinneswandel** *m* cambio *m* de opinión

sinngemäß *adj* conforme al sentido

sinnlich *adj* (*Mensch, Genuss*) sensual

sinnlos *adj* sin sentido; (*zwecklos*) inútil; **sinnvoll** *adj* (*vernünftig*) sensato; (*nützlich*) útil

Sintflut ['zɪntflu:t] *f* diluvio *m*; **nach mir die ~** y luego que caiga quien caiga

Sippe ['zɪpə] *f* <-n> clan *m*; (*Verwandtschaft*) parentela *f*

Sirene [zi're:nə] *f* <-n> sirena *f*

Sirup ['zi:rʊp] *m* <-s, -e> jarabe *m*

Sitte ['zɪtə] *f* <-n> costumbre *f*; **sittenwidrig** *adj* JUR inmoral, contrario a la moral

sittlich *adj* moral

Situation [zitua'tsjo:n] *f* <-en> situación *f*; **eine ausweglose ~** un callejón sin salida

Sitz [zɪts] *m* <-es, -e> asiento *m*; (*im Kino*) butaca *f*; (*einer Firma*) sede *f*

sitzen ['zɪtsən] <sitzt, saß, gesessen> *vi haben o südd, Österr, Schweiz: sein* ❶ (*Person*) estar sentado (**auf** en); **am Tisch ~** estar sentado a la mesa; **~ bleiben** (*fam: in der Schule*) repetir curso; **auf einer Ware ~ bleiben** (*fam*) no poder vender una mercancía; **jdn ~ lassen** (*fam*) dejar plantado a alguien ❷ (*sich befinden*) hallarse; (*Firma*) tener su sede (**in** en) ❸ (*Kleidung*) quedar (bien); **der Hut sitzt schief** el sombrero está ladeado; **sitzen|bleiben** *irr vi sein s.* **sitzen 1.**; **sitzen|lassen** *irr vt s.* **sitzen 1.**

Sitzgelegenheit *f*, **Sitzplatz** *m* asiento *m*

Sitzung *f* <-en> sesión *f*

Skala ['ska:la] *f* <-s *o* Skalen> escala *f*

Skandal [skan'da:l] *m* <-s, -e> escándalo *m*

skandalös [skanda'lø:s] *adj* escandaloso

Skandinavien [skandi'na:viən] *nt* <-s> Escandinavia *f*

Skateboard ['skɛɪtbɔ:t] *nt* <-s, -s> monopatín *m*

Skelett [ske'lɛt] *nt* <-(e)s, -e> esqueleto *m*

Skepsis ['skɛpsɪs] *f* escepticismo *m*

skeptisch ['skɛptɪʃ] *adj* escéptico

Ski [ʃi:] *m* <-s, -(er)> esquí *m*; **~ laufen** esquiar; **Skifahrer(in)** *m(f)* esquiador(a) *m(f)*

Skinhead ['skɪnhɛt] *m* <-s, -s> cabeza *m* rapada

Skizze ['skɪtsə] *f* <-n> (*Zeichnung*) boceto *m*; (*Entwurf*) esbozo *m*

skizzieren* [skɪ'tsi:rən] *vt* esbozar
Sklave, Sklavin ['skla:və] *m, f* <-n, -n; -nen> esclavo, -a *m, f*
Sklaverei *f* esclavitud *f*
Skonto ['skɔnto] *m o nt* <-s, -s *o* Skonti> descuento *m*
Skorpion [skɔr'pjo:n] *m* <-s, -e> ❶ escorpión *m* ❷ *kein pl* ASTR Escorpio *m inv*
Skrupel ['skru:pəl] *m* <-s, -> escrúpulo *m*; **skrupellos** *adj* sin escrúpulos
Skulptur [skʊlp'tu:ɐ] *f* <-en> escultura *f*
Slalom ['sla:lɔm] *m* <-s, -s> eslalon *m*, slalom *m*
Slang [slɛŋ] *m* <-s, *ohne pl*> argot *m*
slawisch *adj* eslavo
Slip [slɪp] *m* <-s, -s> braga *f*
Slogan ['slɔʊgən] *m* <-s, -s> eslogan *m*
Slowake, Slowakin [slo'va:kə] *m, f* <-n, -n; -nen> eslovaco, -a *m, f*
Slowakei [slova'kaɪ] *f* Eslovaquia *f*
slowakisch *adj* eslovaco; **Slowakische Republik** República Eslovaca
Slowene, Slowenin [slo've:nə] *m, f* <-n, -n; -nen> esloveno, -a *m, f*
Slowenien [slo've:niən] *nt* <-s> Eslovenia *f*
slowenisch *adj* esloveno
Slum [slam] *m* <-s, -s> barrio *m* de chabolas
Smog [smɔk] *m* <-(s), -s> smog *m*
Smoking ['smo:kɪŋ] *m* <-s, -s> esmoquin *m*
SMS[1] [ɛsʔɛmʔ'ɛs] *f* <-> *Abk. von* **Short Message Service** SMS *m*, mensaje *m* corto; **eine ~ schicken** enviar un (mensaje) SMS
SMS[2] [ɛsʔɛm'ʔɛs] *m* <-(s), *ohne pl*> *Abk. von* **Short Message Service** SMS *m*, mensajería *f* corta
Snob [snɔp] *m* <-s, -s> (*abw*) (e)snob *mf*
so [zo:] **I.** *adv* ❶ (*auf diese Weise*) así; **~ ist es nun mal** así son las cosas; **~ gesehen, hast du Recht** visto de esta manera tienes razón; **gut ~!** ¡bien hecho!; **~ oder ~** (*unterschiedlich*) de una manera o de otra; (*auf jeden Fall*) de todas maneras ❷ (*Eigenschaft: bei Adjektiv + Adverb*) tan; (*bei Verb*) tanto; **sie tut mir ~ leid** me da tanta pena; **~ früh wie möglich** tan pronto como sea posible ❸ (*fam: solch*) semejante; **~ ein Zufall!** ¡qué coincidencia! ❹ (*fam: ungefähr*) más o menos; **er heißt Traugott oder ~** se llama Traugott o algo parecido; **ich komme ~ gegen acht** vengo a las ocho más o menos **II.** *konj*: **~ dass ...** de modo que...; **~ ..., dass ...** tan(to)... que...
s. o. *Abk. von* **siehe oben** véase arriba
sobald [zo'balt] *konj* en cuanto +*subj*
Socke ['zɔkə] *f* <-n> calcetín *m*
Sockel ['zɔkəl] *m* <-s, -> zócalo *m*
Sodbrennen ['zo:t-] *nt* <-s, *ohne pl*> acidez *f* de estómago
soeben [zo'ʔe:bən] *adv* en este momento
Sofa ['zo:fa] *nt* <-s, -s> sofá *m*
sofern [zo'fɛrn] *konj* siempre y cuando +*subj*; **~ nicht** a no ser que +*subj*
soff [zɔf] *3. imp von* **saufen**
sofort [zo'fɔrt] *adv* enseguida
sofortige(r, s) *adj* inmediato; **mit ~r Wirkung** con efecto inmediato
Software ['sɔftwɛ:ɐ] *f* <-s> software *m*
sog [zo:k] *3. imp von* **saugen**[1]
sog. *Abk. von* **so genannt** así llamado
sogar [zo'ga:ɐ] *adv* incluso
sogenannt ['zo:gənant] *adj s.* **nennen**

Sohle ['zo:lə] *f* <-n> (*Schuhsohle*) suela *f*
Sohn [zo:n] *m* <-(e)s, Söhne> hijo *m*; **der verlorene ~** REL el hijo pródigo
Soja ['zo:ja] *f* <Sojen> soja *f*
solang(e) [zo'laŋ(ə)] **I.** *adv* entretanto **II.** *konj* mientras (que) +*subj*; **~ bis ...** hasta que... +*subj*; **~ du willst** todo el tiempo que quieras
Solarenergie *f* energía *f* solar
Solarium [zo'la:riʊm] *nt* <-s, Solarien> solárium *m*; **solariumgebräunt** *adj* con moreno de solárium [*o* artificial]

Solarstrom *m* corriente *f* (eléctrica) fotovoltaica [*o* solar] electricidad *f* fotovoltaica [*o* solar]

solch [zɔlç] *adj inv* (*geh*) tal; *s.a.* **solche(r, s)**

solche(r, s) *adj* ❶ (*so beschaffen*) tal; **ein ~r Mensch** semejante persona ❷ (*Intensität: adjektivisch*) tanto; (*adverbial*) tan; **ich habe ~n Durst** tengo tanta sed; **das macht ~n Spaß!** ¡es tan divertido!

Soldat(in) [zɔl'da:t] *m(f)* <-en, -en; -nen> soldado *mf*

solid(e) [zo'li:t, zo'li:də] *adj* sólido; (*Person*) serio

solidarisch [zoli'da:rɪʃ] *adj* solidario

solidarisieren* [zolidari'zi:rən] *vr:* **sich ~** solidarizarse

Solidarität [zolidari'tɛ:t] *f* solidaridad *f*

Solist(in) [zo'lɪst] *m(f)* <-en, -en; -nen> solista *mf*

Soll [zɔl] *nt* <-(s), -(s)> FIN debe *m*; **~ und Haben** debe y haber

sollen ['zɔlən] <soll, sollte, sollen> *vi Modalverb* deber; **was soll ich tun?** ¿qué debo hacer?; **soll ich auf dich warten?** ¿quieres que te espere?; **es soll morgen schneien** parece que mañana va a nevar; **was soll das heißen?** ¿qué quiere decir eso?

Solo ['zo:lo] *nt* <-s, -s *o* Soli> solo *m*

Solothurn ['zo:lotʊrn] *nt* <-s> Solothurn *m*

somit ['zo:mɪt, zo'mɪt] *adv* por lo tanto

Sommer ['zɔmɐ] *m* <-s, -> verano *m*; **den ~ über** durante el verano; **Sommerferien** *pl* vacaciones *fpl* de verano

sommerlich *adj* veraniego

Sommerschlussverkauf[RR] *m* rebajas *fpl* de verano; **Sommersprosse** *f* peca *f*

Sonde ['zɔndə] *f* <-n> sonda *f*

Sonderangebot ['zɔndɐ-] *nt* oferta *f* especial; **im ~ sein** estar de oferta; **sonderbar** *adj* raro; **Sonderfall** *m* (*Ausnahme*) excepción *f*; **Sondermüll** *m* residuos *mpl* tóxicos

sondern ['zɔndɐn] *konj* sino; **nicht nur ..., ~ auch ...** no sólo... sino también...

Sonderregelung *f* reglamentación *f* especial; **Sonderschule** *f* escuela *f* de educación especial

sondieren* [zɔn'di:rən] *vt* (*Lage*) sondear; MED, TECH sondar

Sonnabend ['zɔnʔa:bənt] *m* NORDD, REG sábado *m*; *s.a.* **Montag**

Sonne ['zɔnə] *f* <-n> sol *m*; **die ~ geht auf/unter** el sol sale/se pone; **die ~ scheint** hace sol

sonnen *vr:* **sich ~** tomar el sol

Sonnenaufgang *m* salida *f* del sol; **Sonnenblume** *f* girasol *m*; **Sonnenbrand** *m* quemadura *f* del sol; **Sonnenbrille** *f* gafas *fpl* de sol; **Sonnenenergie** *f* energía *f* solar; **Sonnenlicht** *nt* <-(e)s, *ohne pl*> luz *f* del sol; **Sonnenschein** *m* <-(e)s, *ohne pl*> luz *f* del sol; **bei strahlendem ~** con sol; **Sonnenschirm** *m* sombrilla *f*; **Sonnenstich** *m* insolación *f*; **Sonnenuntergang** *m* puesta *f* del sol

sonnig *adj* soleado; (*Gemüt*) alegre

Sonntag ['zɔnta:k] *m* domingo *m*; *s.a.* **Montag**; **sonntäglich** *adj* dominical

sonntags ['zɔnta:ks] *adv* los domingos; **sonn- und feiertags** domingos y festivos; *s.a.* **montags**

sonst [zɔnst] *adv* ❶ (*außerdem*) más; (*im Übrigen*) por lo demás; **~ nichts** nada más; **~ noch Fragen?** ¿alguna pregunta más? ❷ (*für gewöhnlich*) normalmente; **genau wie ~** igual que siempre ❸ (*andernfalls*) si no; **wie denn ~?** (*fam*) ¿cómo si no?

sonstige(r, s) *adj* otro

sooft [zo'ʔɔft] *konj* cada vez que

Sorge ['zɔrgə] *f* <-n> preocupación *f* (**um** por); **keine ~!** ¡no te preocupes!

sorgen ['zɔrgən] I. *vi* preocuparse (**für** de); **für jdn ~** cuidar a alguien; **dafür ~, dass ...** ocuparse de que *+subj* II. *vr:* **sich ~** preocuparse (**um** por)

Sorgerecht *nt* <-(e)s, *ohne pl*> custodia *f*

Sorgfalt ['zɔrkfalt] *f* esmero *m*

sorgfältig [-fɛltɪç] *adj* esmerado

sorglos *adj* (*unachtsam*) despreocupado; (*sorgenfrei*) sin preocupaciones

sorgsam *adj* diligente

Sorte ['zɔrtə] *f* <-n> tipo *m*

sortieren* [zɔr'ti:rən] *vt* clasificar (**nach** por)

Sortiment [zɔrti'mɛnt] *nt* <-(e)s, -e> surtido *m*

SOS [ɛsʔo:'ʔɛs] *nt* <-, *ohne pl*> *Abk. von* **save our souls** S.O.S. *m*; ~ **funken** mandar un S.O.S.

sosehr [zo'ze:ɐ] *konj* por mucho que (*+subj*)

Soße ['zo:sə] *f* <-n> salsa *f*

sott [zɔt] *3. imp von* **sieden**

Soundkarte ['saʊnt-] *f* tarjeta *f* de sonido

Souvenir [zuvə'ni:ɐ] *nt* <-s, -s> recuerdo *m*

souverän [zuvə'rɛ:n] **I.** *adj* POL soberano; (*geh: überlegen*) superior **II.** *adv* con superioridad

Souveränität [zuvərɛni'tɛ:t] *f* (*von Staaten*) soberanía *f*; (*geh: Überlegenheit*) superioridad *f*

soviel [zo'fi:l] **I.** *adv s.* **viel II.** *konj* ❶ (*soweit*) por lo que; ~ **ich weiß ...** por lo que yo sé... ❷ (*sosehr*) por mucho que; **soweit** [zo'vaɪt] **I.** *adv s.* **weit I. II.** *konj* por lo que; ~ **ich sehen kann, ...** por lo que puedo observar...; **sowenig** [zo've:nɪç] **I.** *adv s.* **wenig II.** *konj* por poco que *+subj*

sowie [zo'vi:] *konj* (*sobald*) en cuanto *+subj* (*außerdem*) así como

sowieso [zovi'zo:, 'zo:vizo] *adv* de todas maneras

Sowjetunion [zɔ'vjɛt-, 'zɔvjɛt-] *f* Unión *f* Soviética

sowohl [zo'vo:l] *konj*: ~ **... als auch ...** tanto... como...

sozial [zo'tsja:l] *adj* social; **Sozialabgaben** *f pl* cuotas *fpl* sociales; **Sozialamt** *nt* departamento *m* de asistencia social; **sozialdemokratisch** *adj* socialdemócrata; **Sozialhilfe** *f* ayuda *f* social

Sozialismus [zotsja'lɪsmʊs] *m* <-, *ohne pl*> socialismo *m*

Sozialpolitik *f* política *f* social; **Sozialversicherung** *f* seguro *m* social; **Sozialwohnung** *f* vivienda *f* de protección oficial

Soziologie [zotsjolo'gi:] *f* sociología *f*

sozusagen [zo:tsu'za:gən, '----] *adv* por así decir

Spagetti[RR] *pl*, **Spaghetti** [ʃpa'gɛti] *pl* espaguetis *mpl*

Spalt [ʃpalt] *m* <-(e)s, -e> rendija *f*; (*Riss*) grieta *f*; **die Tür einen ~ öffnen** entreabrir la puerta

Spalte ['ʃpaltə] *f* <-n> (*Öffnung*) raja *f*; (*Riss*) grieta *f*; TYPO columna *f*

spalten ['ʃpaltən] <spaltet, spaltete, gespalten *o* gespaltet> *vt* partir; (*Partei, Gruppe*) escindir

Spam-Mail ['spæm-me:l] *f* <-s> INFOR correo *m* no solicitado

Span [ʃpa:n] *m* <-(e)s, Späne> astilla *f*

Spange ['ʃpaŋə] *f* <-n> (*Haarspange*) horquilla *f*; (*Zahnspange*) aparato *m* de ortodoncia

Spanien ['ʃpa:niən] *nt* <-s> España *f*

Spanier(in) ['ʃpa:niɐ] *m(f)* <-s, -; -nen> español(a) *m(f)*

spanisch *adj* español

Spanisch *nt* <-(s), *ohne pl*> español *m*; ~ **sprechen** hablar español

spanischsprachig *adj* hispanohablante; **~e Länder** países de habla hispana

spann [ʃpan] *3. imp von* **spinnen**

Spanne ['ʃpanə] *f* <-n> (*Zeitspanne*) intervalo *m*; (*Handelsspanne*) margen *m*

spannen ['ʃpanən] **I.** *vt* (*dehnen*) estirar; (*Seil, Muskeln*) tensar; (*Leine, Netz*) tender **II.** *vi* (*Kleidung*) quedar estrecho; (*Haut*) tirar

spannend *adj* (*fesselnd*) cautivador; (*Buch, Film*) de suspense

Spannung *f* <-en> ❶ (*Stromstärke*) voltaje *m* ❷ *ohne pl* (*Erwartung, innere Spannung*) tensión *f*; (*eines Films*) suspense *m*; **etw mit ~ erwarten** esperar algo con impaciencia

Sparbuch *nt* libreta *f* de ahorro; **Sparbüchse** *f* hucha *f*

sparen ['ʃpa:rən] *vi, vt* ahorrar

Spargel ['ʃpargəl] *m* <-s, -> espárrago *m*

Sparguthaben *nt* ahorros *mpl*; **Sparkasse** *f* caja *f* de ahorros; **Sparkonto** *nt* cuenta *f* de ahorro

spärlich ['ʃpɛ:ɐlɪç] *adj* escaso

sparsam *adj* económico; (*Person*) poco gastador; **~ mit etw umgehen** ser ahorrativo con algo

Sparsamkeit *f* economía *f*

Sparschwein *nt* hucha *f* (en forma de cerdo)

Sparte ['ʃpartə] *f* <-n> (*Gebiet*) rama *f*; (*Rubrik*) sección *f*

Spaß [ʃpa:s] *m* <-es, Späße> ❶ (*Scherz*) broma *f*; **(keinen) ~ verstehen** tener (poca) correa ❷ *ohne pl* (*Vergnügen*) diversión *f*; **jdm den ~ verderben** aguar(le) la fiesta a alguien; **viel ~!** ¡que te diviertas!

spaßen ['ʃpa:sən] *vi* bromear

Spaßgesellschaft *f* sociedad *f* de la diversión

spaßig *adj* divertido

Spaßverderber(in) *m(f)* <-s, -; -nen> aguafiestas *mf inv*; **Spaßvogel** *m* bromista *mf*

spät [ʃpɛ:t] **I.** *adj* tardío; **am ~en Vormittag** a última hora de la mañana; **von früh bis ~** desde la mañana hasta la noche **II.** *adv* tarde; **wie ~ ist es?** ¿qué hora es?; **Spätaussiedler(in)** *m(f) emigrante de origen alemán de los estados de Europa del Este*

später ['ʃpɛ:tɐ] **I.** *adj* posterior **II.** *adv* más tarde; **bis ~!** ¡hasta luego!; **einige Stunden ~** unas horas después

spätestens ['ʃpɛ:təstəns] *adv* lo más tarde; **~ in einer Stunde** a más tardar dentro de una hora

Spätfolge *f* efecto *m* tardío; **Spätschicht** *f* turno *m* de tarde

Spatz [ʃpats] *m* <-en *o* -es, -en> gorrión *m*

spazieren* [ʃpa'tsi:rən] *vi sein* pasear; **im Wald ~ gehen** pasear(se) por el bosque; **spazieren|gehen**[ALT] *irr vi sein s.* **spazieren**

Spaziergang *m* paseo *m*; **einen ~ machen** dar un paseo

Specht [ʃpɛçt] *m* <-(e)s, -e> pájaro *m* carpintero

Speck [ʃpɛk] *m* <-(e)s, -e> GASTR tocino *m*; (*geräuchert*) bacón *m*; (*fam: bei Menschen*) grasa *f*

Spediteur(in) [ʃpedi'tø:ɐ] *m(f)* <-(e)s, -e; -nen> transportista *mf*

Spedition [ʃpedi'tsjo:n] *f* <-en> empresa *f* de transportes

Speed [spi:t] *nt* <-s, -s> (*sl: Droge*) espid *m*

Speiche ['ʃpaɪçə] *f* <-n> *a.* MED radio *m*

Speichel ['ʃpaɪçəl] *m* <-s, *ohne pl*> saliva *f*

Speicher ['ʃpaɪçɐ] *m* <-s, -> (*Lager*) almacén *m*; (*Dachboden*) desván *m*; INFOR memoria *f*

speichern ['ʃpaɪçɐn] *vi, vt* almacenar; **Daten auf Diskette ~** almacenar datos en un disquete

Speise ['ʃpaɪzə] *f* <-n> comida *f*; (*Gericht*) plato *m*; **Speisekammer** *f* despensa *f*; **Speisekarte** *f* carta *f* (del menú); **Speiseröhre** *f* esófago *m*; **Speisewagen** *m* coche *m* restaurante

spektakulär [ʃpɛktaku'lɛ:ɐ] *adj* espectacular

Spektrum ['ʃpɛktrʊm] *nt* <-s, Spektren *o* Spektra> espectro *m*

Spekulation [ʃpekula'tsjo:n] *f* <-en> especulación *f*

spekulieren* [ʃpeku'li:rən] *vi* especular (**über** sobre); **auf etw ~** (*fam*) contar con algo

Spende ['ʃpɛndə] *f* <-n> (*Geldspende*) donativo *m*; (*Schenkung*) donación *f*

spenden *vt* (*Geld, Blut*) donar; (*geh Wärme, Schatten*) dar

Spender(in) *m(f)* <-s, -; -nen> (*Person*) donador(a) *m(f)*; **Spenderorgan** *nt* ór gano *m* donante

spendieren* [ʃpɛn'di:rən] *vt* (*fam*) pagar

Sperma ['ʃpɛrma] *nt* <-s, Spermen *o* -ta> esperma *m o f*

sperrangelweit ['-'--'-] *adv*: **~ offen** abierto de par en par

Sperre ['ʃpɛrə] *f* <-n> (*Schranke*) barrera *f*

sperren ['ʃpɛrən] *vt* (*für den Verkehr*) cerrar; (*Telefon, Strom*) cortar; (*Konto*) bloquear; **jdn in etw ~** encerrar a alguien en algo

sperrig *adj* voluminoso

Sperrmüll *m* basura *f* voluminosa

Spesen ['ʃpe:zən] *pl* dietas *fpl*

Spezialgebiet *nt* especialidad *f*

spezialisieren* [ʃpetsjali'zi:rən] *vr*: **sich ~** especializarse (**auf** en)

Spezialist(in) [ʃpetsja'lɪst] *m(f)* <-en, -en; -nen> especialista *mf* (**für** en)

Spezialität [ʃpetsjali'tɛ:t] *f* <-en> especialidad *f*

speziell [ʃpe'tsjɛl] *adj* especial

spezifisch [ʃpe'tsi:fɪʃ] *adj* específico

Sphäre ['sfɛ:rə] *f* <-n> esfera *f*

spicken ['ʃpɪkən] *vt* GASTR mechar; (*fam: reichlich versehen*) llenar (**mit** de)

Spiegel ['ʃpi:gəl] *m* <-s, -> espejo *m*; (*Wasserspiegel*) nivel *m*; **Spiegelbild** *nt* imagen *f* reflejada; (*fig*) reflejo *m*; **Spiegelei** *nt* huevo *m* frito

spiegeln *vi, vt, vr*: **sich ~** reflejar(se) (**in** en)

spiegelverkehrt *adj* invertido lateralmente

Spiel [ʃpi:l] *nt* <-(e)s, -e> juego *m*; SPORT partido *m*; **auf dem ~ stehen** estar en juego; **etw aufs ~ setzen** jugarse algo; **Spielautomat** *m* (máquina *f*) tragaperras *f inv*; **Spielbrett** *nt* tablero *m* (de juego)

spielen ['ʃpi:lən] I. *vt* jugar (a); (*Instrument*) tocar; (*Rolle*) interpretar II. *vi* jugar; (*herumspielen*) juguetear (**mit/an** con); (*sich zutragen*) tener lugar (**in** en)

spielend *adv* con facilidad

Spieler(in) *m(f)* <-s, -; -nen> jugador(a) *m(f)*

Spielfeld *nt* terreno *m* de juego; **Spielfilm** *m* largometraje *m*; **Spielhalle** *f* salón *m* recreativo; **Spielplan** *m* THEAT cartelera *f*; **auf dem ~ stehen** estar en cartel; **Spielplatz** *m* parque *m* infantil; **Spielraum** *m* <-(e)s, *ohne pl*> espacio *m*; (*fig*) margen *m*; **Spielregel** *f* regla *f* de juego; **Spielsachen** *f pl* juguetes *mpl*; **Spielwaren** *f pl* juguetes *mpl*; **Spielzeug** *nt* <-(e)s, -e> juguete *m*

Spieß [ʃpi:s] *m* <-es, -e> (*Bratspieß*) asador *m*; (*Speise*) pincho *m*

spießen ['ʃpi:sən] *vt* clavar (**auf** en); (*auf eine Gabel*) pinchar (**auf** con)

Spießer(in) *m(f)* <-s, -; -nen> (*fam abw*) burgués, -esa *m, f*

spießig *adj* (*fam abw*) burgués

Spinat [ʃpi'na:t] *m* <-(e)s, -e> espinaca *f*

Spinne ['ʃpɪnə] *f* <-n> araña *f*

spinnen ['ʃpɪnən] <spinnt, spann, gesponnen> I. *vi* (*fam abw: verrückt sein*) estar loco II. *vt* (*Garn*) hilar; (*Spinne*) tejer

Spinnennetz *nt* telaraña *f*

Spinner(in) *m(f)* <-s, -; -nen> (*fam abw: Verrückter*) loco, -a *m, f*, chiflado, -a *m, f*

Spion[1] *m* <-s, -e> (*Guckloch*) mirilla *f*

Spion(in)[2] [ʃpi'o:n] *m(f)* <-s, -e; -nen> (*Agent*) espía *mf*

Spionage [ʃpio'na:ʒə] *f* espionaje *m*

spionieren* [ʃpio'ni:rən] *vi* espiar

Spirale [ʃpi'ra:lə] *f* <-n> espiral *f*

Spirituose *f* <-n> bebida *f* alcohólica

Spiritus ['ʃpi:ritʊs] *m* <-, -se> alcohol *m* (de quemar)

Spital [ʃpi'ta:l] *nt* <-s, -täler> SCHWEIZ hospital *m*

spitz [ʃpɪts] *adj* (punti)agudo; (*Kinn*) afilado; (*spöttisch*) mordaz; **Spitzbube, -bübin** *m, f* <-n, -n; -nen> (*fam: Schelm*) pillo, -a *m, f*

Spitze ['ʃpɪtsə] *f* <-n> punta *f*; (*Bergspitze*) cima *f*; (*Führung*) cabeza *f*; (*Gewe-*

be) encaje *m*; **etw auf die ~ treiben** llevar algo al extremo; **an der ~ stehen/liegen** estar a la cabeza

Spitzel ['ʃpɪtsəl] *m* <-s, -> (*abw*) espía *mf*

spitzen ['ʃpɪtsən] *vt* sacar punta (a); **die Ohren ~** aguzar el oído; **spitzenmäßig** *adj* (*fam*) guay

Spitzer *m* <-s, -> (*fam*) sacapuntas *m inv*

spitzfindig *adj* (*abw*) sutil; **Spitzname** *m* apodo *m*

Spleen [ʃpli:n] *m* <-s, -e *o* -s> manía *f*

Splitter ['ʃplɪtɐ] *m* <-s, -> (*Holzsplitter*) astilla *f*; (*Glas-/Knochensplitter*) esquirla *f*

splittern ['ʃplɪtɐn] *vi sein* hacerse pedazos; (*Holz*) astillarse

splitternackt *adj* (*fam*) en pelota(s)

Spoiler ['ʃpɔɪlɐ] *m* <-s, -> alerón *m*

sponsern ['ʃpɔnzɐn] *vt* patrocinar

Sponsor(in) ['ʃpɔnzɐ, 'ʃpɔnzo:ɐ] *m(f)* <-s, -en; -nen> patrocinador(a) *m(f)*, propiciador(a) *m(f)*

spontan [ʃpɔn'ta:n] *adj* espontáneo

Sport [ʃpɔrt] *m* <-(e)s, -e> deporte *m*; **~ treiben** practicar deporte; **Sportart** *f* disciplina *f* (deportiva)

Sportler(in) ['ʃpɔrtlɐ] *m(f)* <-s, -; -nen> deportista *mf*

sportlich ['ʃpɔrtlɪç] *adj* deportivo

Sportplatz *m* campo *m* de deportes; **Sportverein** *m* club *m* deportivo; **Sportwagen** *m* ❶ (*Auto*) coche *m* deportivo ❷ (*Kinderwagen*) cochecito *m*, carrito *m*

Spot [spɔt] *m* <-s, -s> anuncio *m*

Spott [ʃpɔt] *m* <-(e)s, *ohne pl*> burla *f*; **spottbillig** ['-'--] **I.** *adj* (*fam*) tirado, regalado **II.** *adv* (*fam*) a precio tirado

spotten ['ʃpɔtən] *vi* burlarse (**über** de)

spöttisch *adj* burlón

sprach [ʃpra:x] *3. imp von* **sprechen**

Sprache ['ʃpra:xə] *f* <-n> lengua *f*; (*Ausdrucksweise*) lenguaje *m*; **etw zur ~ bringen** poner algo sobre la mesa; **Sprachfehler** *m* defecto *m* de articulación; **Sprachkurs** *m* curso *m* de idioma

sprachlich *adj* lingüístico

sprachlos *adj*: **~ sein** quedarse sin habla; **Sprachwissenschaft** *f* lingüística *f*

sprang [ʃpraŋ] *3. imp von* **springen**

Spray [ʃpre:, ʃprɛɪ, sprɛɪ] *m o nt* <-s, -s> (e)spray *m*; **Spraydose** *f* pulverizador *m*

sprechen ['ʃprɛçən] <spricht, sprach, gesprochen> *vi, vt* hablar (**über** sobre)

Sprecher(in) *m(f)* <-s, -; -nen> (*Redner*) orador(a) *m(f)*; TV, RADIO locutor(a) *m(f)*; (*Pressesprecher*) portavoz *mf*

Sprechstunde *f* horario *m* de atención; (*Arzt*) (hora *f* de) consulta *f*; **~ haben** pasar consulta; **Sprechzimmer** *nt* despacho *m*; (*Arzt*) consultorio *m*

spreizen ['ʃpraɪtsən] *vt* (*Beine, Finger*) abrir

sprengen ['ʃprɛŋən] *vt* (*Rasen*) regar; (*mit Sprengstoff*) volar

Sprengstoff *m* explosivo *m*

spricht [ʃprɪçt] *3. präs von* **sprechen**

Sprichwort ['ʃprɪç-] *nt* <-(e)s, -wörter> refrán *m*

Springbrunnen *m* fuente *f*

springen ['ʃprɪŋən] <springt, sprang, gesprungen> *vi sein* saltar; **über ein Hindernis ~** saltar un obstáculo; **ins Auge ~** saltar a la vista

Sprit [ʃprɪt] *m* <-s, *ohne pl*> (*fam: Benzin*) gasolina *f*

Spritze ['ʃprɪtsə] *f* <-n> jeringa *f*; **eine ~ geben** poner una inyección

spritzen ['ʃprɪtsə] *vt* (*Flüssigkeit*) salpicar; (*Schmerzmittel*) inyectar

spritzig *adj* (*lebhaft*) con chispa

spröde ['ʃprø:də] *adj* (*Material*) quebradizo; (*Haar*) seco; (*Person*) reservado

Spross[RR] [ʃprɔs] *m* <-es, -e> renuevo *m*; (*geh: Nachkomme*) retoño *m*

Sprosse ['ʃprɔsə] *f* <-n> (*Leitersprosse*) travesaño *m*

Sprössling[RR] ['ʃprœslɪŋ] *m* <-s, -e> (*fam*) retoño *m*

Spruch [ʃprʊx] *m* <-(e)s, Sprüche> (*Ausspruch*) dicho *m*; **Sprüche klopfen** (*fam abw*) fanfarronear

Sprudel ['ʃpru:dəl] *m* <-s, -> agua *f* mineral con gas

sprudeln *vi* ❶ *sein* (*hervorquellen*) salir a borbotones (**aus** de); (*Quelle*) brotar (**aus** de) ❷ *haben* (*Limonade*) burbujear

sprühen ['ʃpry:ən] *vi* (*überquellen*) rebosar (**vor** de)

Sprung [ʃprʊŋ] *m* <-(e)s, Sprünge> salto *m*; (*Riss*) raja *f*; **sprunghaft** *adj* (*unstet*) versátil

Spucke ['ʃpʊkə] *f* (*fam*) saliva *f*

spucken ['ʃpʊkən] *vi, vt* escupir

Spuk [ʃpu:k] *m* <-(e)s, *ohne pl*> aparición *f* (de fantasmas)

spuken ['ʃpu:kən] *vi* trasguear; **hier spukt es** aquí hay fantasmas

Spülbecken *nt* fregadero *m*

Spüle ['ʃpy:lə] *f* <-n> fregadero *m*

spülen ['ʃpy:lən] *vt* (*Geschirr*) fregar

Spülmaschine *f* lavavajillas *m inv*; **Spülmittel** *nt* (líquido *m*) lavavajillas *m inv*

Spülung *f* <-en> (*Toilettenspülung*) descarga *f* de agua

Spur [ʃpu:ɐ] *f* <-en> (*Abdruck*) huella *f*; (*Anzeichen*) rastro *m*; (*Fährte*) pista *f*; (*Fahrspur*) carril *m*

spürbar *adj* palpable; (*offensichtlich*) patente; ~ **werden** hacerse sentir

spüren ['ʃpy:rən] *vt* (*wahrnehmen*) sentir; (*merken*) notar

spurlos *adv* sin dejar huella; ~ **verschwinden** desaparecer sin dejar rastro

Spurt [ʃpʊrt] *m* <-s, -s> sprint *m*

Staat [ʃta:t] *m* <-(e)s, -en> POL Estado *m*; **staatenlos** *adj* apátrida

staatlich I. *adj* estatal **II.** *adv* por el Estado

Staatsangehörigkeit *f* <-en> nacionalidad *f*; **Staatsanwalt, -anwältin** *m, f* fiscal *mf*; **Staatsbürger(in)** *m(f)* ciudadano, -a *m, f*; **Staatsbürgerschaft** *f* <-en> ciudadanía *f*, nacionalidad *f*; **Staatschef(in)** *m(f)* jefe, -a *m, f* de Estado; **Staatsoberhaupt** *nt* jefe, -a *m, f* de Estado

Stab [ʃta:p] *m* <-(e)s, Stäbe> (*Stock*) palo *m*

stabil [ʃta'bi:l] *adj* sólido; (*Währung*) estable

stabilisieren* [ʃtabili'zi:rən] *vt, vr:* **sich** ~ estabilizar(se)

Stabilität [ʃtabili'tɛ:t] *f* estabilidad *f*

stach [ʃta:x] *3. imp von* **stechen**

Stachel ['ʃtaxəl] *m* <-s, -> (*einer Pflanze*) espina *f*; (*eines Igels*) púa *f*; (*von Insekten*) aguijón *m*; **Stachelbeere** *f* uva *f* espinosa; **Stacheldraht** *m* alambre *m* de espino

stach(e)lig *adj* espinoso

Stadien *pl von* **Stadion, Stadium**

Stadion ['ʃta:diɔn] *nt* <-s, Stadien> estadio *m*

Stadium ['ʃta:diʊm] *nt* <-s, Stadien> etapa *f*

Stadt [ʃtat] *f* <Städte> ciudad *f*; **stadtbekannt** ['--'-] *adj* conocido en toda la ciudad

städtisch ['ʃtɛ(:)tɪʃ] *adj* (*kommunal*) municipal; (*urban*) urbano

Stadtmitte *f* centro *m* (de la) ciudad; **Stadtplan** *m* plano *m* de la ciudad; **Stadtrand** *m* periferia *f*; **Stadtstaat** *m* ciudad-Estado *f*; **Stadtteil** *m* barrio *m*; **Stadtverwaltung** *f* administración *f* municipal; **Stadtwerke** *nt pl* compañía *f* (municipal) de electricidad, gas, agua y transportes públicos

Stagnation [ʃtagna'tsjo:n] *f* <-en> estancamiento *m*

stahl [ʃta:l] *3. imp von* **stehlen**

Stahl [ʃta:l] *m* <-(e)s, Stähle> acero *m*

Stall [ʃtal] *m* <-(e)s, Ställe> establo *m*; (*Hühnerstall*) gallinero *m*; (*Pferdestall*) cuadra *f*

Stamm [ʃtam] *m* <-(e)s, Stämme> (*Baumstamm*) tronco *m*; (*Volksstamm*) tribu *f*; **Stammbaum** *m* árbol *m* genealógico

stammeln ['ʃtaməln] *vi, vt* balbucear

stammen ['ʃtamən] *vi* provenir (**aus/von** de); (*örtlich*) ser (natural) (**aus/von** de)

Stammgast *m* cliente, -a *m, f* habitual

stämmig ['ʃtɛmɪç] *adj* fornido

Stammkneipe *f* (*fam*) bar *m* habitual; **Stammkunde**, **Stammkundin** *m, f* cliente, -a *m, f* fijo, -a

stampfen ['ʃtampfən] **I.** *vi* ❶ *haben* (*vor Wut*) patalear ❷ *sein* (*stapfen*) caminar pesadamente **II.** *vt haben* (*zerkleinern*) machacar; (*festtreten*) pisotear

stand [ʃtant] *3. imp von* **stehen**

Stand [ʃtant] *m* <-(e)s, Stände> (*Verkaufsstand*) puesto *m*; (*Messestand*) (e)stand *m*; (*Wasserstand, Entwicklungsstand*) nivel *m*; (*Zustand*) situación *f*; **im ~e sein etw zu tun** ser capaz de hacer algo; **etw auf den neuesten ~ bringen** actualizar algo

Standard ['ʃtandart] *m* <-s, -s> estándar *m*

Ständer ['ʃtɛndɐ] *m* <-s, -> (*Kleiderständer*) perchero *m*

Standesamt *nt* registro *m* civil; **standesamtlich I.** *adj*: **~e Trauung** matrimonio civil **II.** *adv*: **~ heiraten** casarse por lo civil

standhaft I. *adj* firme **II.** *adv* con firmeza; **stand|halten** *irr vi* resistir

ständig ['ʃtɛndɪç] *adj* continuo; (*Wohnsitz*) fijo

Standlicht *nt* <-(e)s, *ohne pl*> luz *f* de cruce; **Standort** *m* sitio *m*; **Standpunkt** *m* punto *m* de vista; **ich stehe auf dem ~, dass ...** yo opino que...

Stange ['ʃtaŋə] *f* <-n> vara *f*; (*Zigarettenstange*) cartón *m*

Stängel[RR] ['ʃtɛŋəl] *m* <-s, -> tallo *m*

stank [ʃtaŋk] *3. imp von* **stinken**

stanzen ['ʃtantsən] *vt* (*prägen*) estampar; (*Loch*) punzonar

Stapel ['ʃta:pəl] *m* <-s, -> montón *m*

stapeln ['ʃta:pəln] *vt, vr:* **sich ~** amontonar(se)

Star[1] [ʃta:ɐ] *m* <-(e)s, -e> ❶ ZOOL estornino *m* ❷ MED: **grüner ~** glaucoma *m*; **grauer ~** catarata *f*

Star[2] [sta:ɐ] *m* <-s, -s> (*Person*) estrella *f*

starb [ʃtarp] *3. imp von* **sterben**

stark [ʃtark] <stärker, am stärksten> **I.** *adj* fuerte **II.** *adv* (+ *Adjektiv*) muy; (+ *Verb*) mucho; **~ erkältet sein** tener un fuerte resfriado

Stärke ['ʃtɛrkə] *f* <-n> fuerza *f*; (*Intensität*) intensidad *f*; (*Substanz*) fécula *f*

stärken ['ʃtɛrkən] *vt, vr:* **sich ~** fortalecer(se)

Stärkung *f* <-en> ❶ (*Erfrischung*) refresco *m*; (*Imbiss*) tentempié *m* ❷ *ohne pl* (*das Kräftigen*) fortalecimiento *m*

starr [ʃtar] *adj* rígido; (*steif*) tieso; (*Blick*) fijo; (*unbeugsam*) inflexible; **~ vor Entsetzen** paralizado de terror

starren ['ʃtarən] *vi* (*blicken*) clavar los ojos (**auf** en)

starrsinnig *adj* (*abw*) terco

Start [ʃtart] *m* <-(e)s, -s> (*Flugzeugstart*) despegue *m*; (*Beginn*) comienzo *m*; **Startbahn** *f* pista *f* de despegue

starten ['ʃtartən] **I.** *vi sein* (*Flugzeug*) despegar **II.** *vt haben* (*beginnen*) comenzar; (*Auto, Motor*) arrancar; (*Rakete*) lanzar; (*Computer*) poner en marcha; (*Programm*) iniciar

Station [ʃta'tsjo:n] *f* <-en> (*Haltestelle*) parada *f*; (*Krankenhausstation*) unidad *f*

stationär [ʃtatsjo'nɛ:ɐ] *adj* MED: **~e Behandlung** tratamiento clínico

stationieren* [ʃtatsjo'ni:rən] *vt* estacionar

statisch ['ʃta:tɪʃ] *adj* estático

Statistik [ʃta'tɪstɪk] *f* <-en> estadística *f*

statistisch [ʃta'tɪstɪʃ] *adj* estadístico

statt [ʃtat] **I.** *präp +gen* en vez de **II.** *konj*: **~ zu ...** en lugar de...; **stattdessen**[RR] *adv* en lugar de eso; **statt|finden** *irr vi* tener lugar

stattlich ['ʃtatlɪç] *adj* (*beeindruckend*)

imponente; (*Betrag*) considerable

Statue ['ʃta:tuə] *f* <-n> estatua *f*

Statur [ʃta'tu:ɐ] *f* <-en> estatura *f*

Status ['ʃta:tʊs] *m* <-, -> estatus *m inv*

Stau [ʃtaʊ] *m* <-(e)s, -s *o* -e> (*Verkehrsstau*) atasco *m*; (*im Wasser*) estancamiento *m*

Staub [ʃtaʊp] *m* <-(e)s, -e *o* Stäube> polvo *m*; ~ **wischen** limpiar el polvo; **sich aus dem ~ machen** (*fam*) poner pies en polvorosa

staubig *adj* polvoriento

staubsaugen ['---] *vi, vt* pasar la aspiradora (a); **Staubsauger** *m* aspiradora *f*

Staudamm *m* presa *f*

stauen ['ʃtaʊən] *vr:* **sich ~** (*Wasser*) embalsarse; (*Verkehr*) atascarse; (*Ärger*) acumularse

staunen ['ʃtaʊnən] *vi* asombrarse (**über** de/por); (*verwundert sein*) estar asombrado (**über** de/por)

Stausee *m* embalse *m*

Steak [ste:k] *nt* <-s, -s> bistec *m*, bife *m*

stechen ['ʃtɛçən] <sticht, stach, gestochen> **I.** *vt* pinchar; (*Insekt*) picar **II.** *vi* picar; **ins Auge ~** saltar a la vista **III.** *vr:* **sich ~** pincharse (**an** con)

stechend *adj* (*Blick, Geruch*) penetrante; (*Schmerz*) punzante

Steckdose *f* enchufe *m*

stecken ['ʃtɛkən] **I.** *vt* (*hineinstecken*) meter (**in** en); (*feststecken*) fijar (**an** a/en) **II.** *vi* estar metido (**in** en); **wo steckt er?** (*fam: Person*) ¿dónde se ha metido?; **stecken|bleiben** *irr vi sein s.* **bleiben**; **stecken|lassen** *irr vt s.* **lassen**[2]

Stecker *m* <-s, -> enchufe *m*

Stecknadel *f* alfiler *m*

Steg [ʃte:k] *m* <-(e)s, -e> (*Brücke*) pasarela *f*; (*Bootssteg*) (des)embarcadero *m*

Stegreif ['ʃte:kraɪf] *m*: **aus dem ~** improvisando

stehen ['ʃte:ən] <steht, stand, gestanden> *haben o südd, Österr, Schweiz: sein vi* ① (*aufrecht: Mensch*) estar de pie; **im Stehen** de pie ② (*sein*) estar; **wir ~ kurz vor einem Krieg** estamos a punto de entrar en guerra; **auf welcher Seite stehst du?** ¿de qué lado estás?; **offen ~** estar abierto; **unter Drogen ~** estar bajo los efectos de las drogas; **zu seinen Fehlern ~** reconocer sus errores; **hinter jdm ~** apoyar a alguien ③ (*stillstehen*) estar parado; (*Verkehr*) estar paralizado; **zum Stehen bringen** parar ④ (*kleiden*) sentar; **der Bart steht dir gut** la barba te queda bien; **stehen|bleiben** *irr vi sein s.* **bleiben**

stehend *adj* ① (*aufrecht*) en pie, de pie ② (*nicht in Bewegung*) parado ③ (*Wend*): **ein leer ~es Haus** una casa deshabitada

stehen|lassen *irr vt s.* **lassen**[2]

Stehkragen *m* cuello *m* alzado; **Stehlampe** *f* lámpara *f* de pie

stehlen ['ʃte:lən] <stiehlt, stahl, gestohlen> *vi, vt* robar

Steiermark ['ʃtaɪɐmark] *f* Estiria *f*

steif [ʃtaɪf] *adj* (*starr*) tieso; (*förmlich*) formal; **~er Hals** tortícolis *m inv*

steigen ['ʃtaɪgən] <steigt, stieg, gestiegen> *vi sein* subir; **in den/aus dem Bus ~** subir al/bajar del autobús; **aufs Fahrrad/vom Fahrrad ~** montarse en/bajarse de la bicicleta; **aus dem Bett ~** levantarse de la cama; **zu Kopf ~** subir a la cabeza; **im Preis ~** subir de precio

steigend *adj* (*zunehmend*) creciente; (*Preise*) en aumento; **~e Tendenz** tendencia alcista

steigern ['ʃtaɪgɐn] *vt, vr:* **sich ~** aumentar (**um** en)

Steigerung *f* <-en> aumento *m* (**um** de); LING comparación *f*

Steigung *f* <-en> (*im Gelände*) elevación *f*; (*einer Straße*) cuesta *f*

steil [ʃtaɪl] *adj* (*Treppe*) empinado; (*Gelände*) escarpado; **Steilküste** *f* acantilado *m*

Stein [ʃtaɪn] *m* <-(e)s, -e> piedra *f*; **steinalt** ['-'-] *adj* más viejo que Matusalén; **Steinbock** *m* ❶ cabra *f* montés ❷ *kein pl* ASTR Capricornio *m inv*; **Steinbruch** *m* cantera *f*

steinern ['ʃtaɪnɐn] *adj* (*a. fig*) de piedra

steinhart ['-'-] *adj* duro como una piedra

steinig *adj* pedregoso

Steinkohle *f* hulla *f*; **steinreich** ['-'-] *adj* riquísimo; **Steinzeit** *f* Edad *f* de Piedra

Steißbein *nt* coxis *m inv*

Stelle ['ʃtɛlə] *f* <-n> (*Ort*) lugar *m*; (*Textstelle*) pasaje *m*; (*Arbeitsstelle*) puesto *m* (de trabajo); **an erster ~** en primer lugar; **an ~ von etw** en vez de algo; **auf der ~** (*sofort*) inmediatamente; **zur ~ sein** estar presente; **freie ~** vacante *f*; **sich an höherer ~ beschweren** quejarse a instancias superiores

stellen ['ʃtɛlən] **I.** *vt* (*hinstellen*) poner (**auf** en); (*bereitstellen*) poner a disposición; (*Verbrecher*) capturar; (*Frage*) hacer; **stell das Radio leiser/lauter** baja/sube la radio; **die Uhr ~** poner el reloj en hora; **etw in Frage ~** poner algo en duda **II.** *vr:* **sich ~** (*sich hinstellen*) ponerse (de pie) (**auf** en); (*vortäuschen*) fingir; (*der Polizei*) entregarse; **sich gut ~** llevarse bien; **sich taub ~** hacerse el sordo; **sich etw** *dat* **~** enfrentarse a algo

Stellenangebot *nt* oferta *f* de empleo; **Stellengesuch** *nt* demanda *f* de empleo; **Stellenvermittlung** *f* (*Einrichtung*) agencia *f* de empleo; **Stellenwert** *m* valor *m*; (*Bedeutung*) importancia *f*

Stellung *f* <-en> posición *f*; (*beruflich*) puesto *m*; (*Amt*) cargo *m*; **zu etw ~ nehmen** tomar cartas en un asunto

Stellungnahme *f* <-n> toma *f* de posición; **eine ~ zu etw abgeben** opinar respecto a algo

stellvertretend *adj* suplente; **~e Vorsitzende** vicepresidenta en funciones; **~ für jdn sprechen** hablar representando a alguien; **Stellvertreter(in)** *m(f)* suplente *mf*

stemmen ['ʃtɛmən] **I.** *vt* (*Gewichte*) levantar **II.** *vr:* **sich ~** apoyarse (pesadamente) (**gegen** contra)

Stempel ['ʃtɛmpəl] *m* <-s, -> sello *m*; (*Poststempel*) matasellos *m inv*

stempeln *vt* sellar; (*postalisch*) matasellar; **jdn zu etw ~** tachar a alguien de algo

StengelALT *m s.* **Stängel**

Steppe ['ʃtɛpə] *f* <-n> estepa *f*

Sterbehilfe *f ohne pl* (*Euthanasie*) eutanasia *f*

sterben ['ʃtɛrbən] <stirbt, starb, gestorben> *vi* morir (**an** de)

sterblich *adj* mortal

Stereoanlage *f* equipo *m* estereofónico

stereotyp [ʃtereo'ty:p] *adj* estereotipado

steril [ʃte'ri:l] *adj* estéril

sterilisieren* [ʃterili'zi:rən] *vt* esterilizar

Stern [ʃtɛrn] *m* <-(e)s, -e> estrella *f*; **Sternbild** *nt* constelación *f*; **Sternschnuppe** *f* <-n> estrella *f* fugaz

stetig *adj* continuo

stets [ʃte:ts] *adv* siempre

Steuer[1] ['ʃtɔɪɐ] *nt* <-s, -> (*Auto, Flugzeug*) volante *m*; (*Schiff*) timón *m*; **am ~ sitzen** ir al volante

Steuer[2] *f* <-n> (*Abgaben*) impuesto *m*

Steuerberater(in) *m(f)* asesor(a) *m(f)* fiscal; **Steuerbescheid** *m* liquidación *f* de impuestos

steuerbord(s) ['ʃtɔɪɐbɔrt(s)] *adv* a estribor

Steuererklärung *f* declaración *f* de la renta; **steuerfrei** *adj* libre de impuestos; **Steuergelder** *nt pl* fondos *m pl* recaudados; **Steuerhinterziehung** *f* <-en> fraude *m* fiscal

steuerlich *adj* fiscal

steuern ['ʃtɔɪɐn] *vt* ❶ (*Auto*) conducir; (*Schiff, Flugzeug*) pilotar ❷ TECH controlar

steuerpflichtig *adj* sujeto a impuesto

Steuerung *f* <-en> ❶ AUTO dirección *f*; ELEK mando *m* ❷ *ohne pl* TECH control *m*

Steuerzahler(in) *m(f)* <-s, -; -nen> contribuyente *mf*

Steward ['stju:ɐt] *m* <-s, -s> AERO auxiliar *m* de vuelo; NAUT camarero *m*

Stewardess[RR] ['stju:ɐdɛs] *f* <-en> AERO azafata *f*; NAUT camarera *f*

stibitzen* [ʃti'bɪtsən] *vt* (*fam*) birlar

Stich [ʃtɪç] *m* <-(e)s, -e> pinchazo *m*; (*Insektenstich*) picadura *f*; (*Messerstich*) cuchillada *f*; (*Schmerz*) punzada *f*; (*Nähstich*) punto *m*; KUNST grabado *m*; **jdn im ~ lassen** dejar a alguien en la estacada; **stichhaltig** *adj* (*überzeugend*) convincente; **Stichprobe** *f* prueba *f* al azar

sticht [ʃtɪçt] *3. präs von* **stechen**

Stichwort[1] *nt* <-(e)s, -wörter> (*im Wörterbuch*) entrada *f*; (*im Stichwortregister*) voz *f* guía

Stichwort[2] *nt* <-(e)s, -e> (*Schlüsselwort*) palabra *f* clave; (*Gedächtnisstütze*) apunte *m*

sticken ['ʃtɪkən] *vi, vt* bordar

stickig ['ʃtɪkɪç] *adj* sofocante

Stiefbruder ['ʃti:f-] *m* hermanastro *m*

Stiefel ['ʃti:fəl] *m* <-s, -> bota *f*

Stiefeltern *pl* padrastros *mpl*; **Stiefkind** *nt* hijastro, -a *m, f*; **Stiefmutter** *f* <-mütter> madrastra *f*; **Stiefschwester** *f* hermanastra *f*; **Stiefvater** *m* padrastro *m*

stieg [ʃti:k] *3. imp von* **steigen**

stiehlt [ʃti:lt] *3. präs von* **stehlen**

Stiel [ʃti:l] *m* <-(e)s, -e> mango *m*; (*Besenstiel*) palo *m*; (*Blumenstiel*) tallo *m*

Stier *m* <-(e)s, -e> ❶ toro *m* ❷ *kein pl* ASTR Tauro *m inv*; **Stierkampf** *m* (*Stierkampfkunst*) tauromaquia *f*; (*Veranstaltung*) corrida *f* (de toros); **Stierkämpfer(in)** *m(f)* torero, -a *m, f*

stieß [ʃti:s] *3. imp von* **stoßen**

Stift [ʃtɪft] *m* <-(e)s, -e> (*Schreibstift*) lápiz *m*

stiften ['ʃtɪftən] *vt* (*spenden*) donar; (*bewirken*) causar

Stiftung *f* <-en> (*Institution*) fundación *f*

Stil [ʃti:l] *m* <-(e)s, -e> estilo *m*

stilistisch [ʃti'lɪstɪʃ] *adj* estilístico

still [ʃtɪl] *adj* (*lautlos*) silencioso; (*ruhig*) tranquilo; **~ und heimlich** a la chita callando

Stille ['ʃtɪlə] *f* (*Schweigen*) silencio *m*; (*Ruhe*) tranquilidad *f*; **in aller ~** (*im engsten Kreis*) en la intimidad

Stilleben[ALT] *nt s.* **Stillleben**; **stillegen**[ALT] *vt s.* **stilllegen**

stillen ['ʃtɪlən] *vt* (*Säugling*) dar el pecho (a); (*Blutung*) cortar; (*Schmerz*) mitigar; (*Hunger, Durst*) saciar; (*Neugier*) satisfacer

still|halten *irr vi* (*sich nicht bewegen*) quedarse quieto; (*sich nicht wehren*) aguantar

stilliegen[ALT] *irr vi s.* **stillliegen**

Stillleben[RR] *nt* bodegón *m*; **still|legen**[RR] *irr vt* (*Betrieb, Strecke*) cerrar; (*Fahrzeug*) retirar del servicio; **still|liegen**[RR] *irr vi* (*Betrieb*) estar cerrado; **Stillschweigen** *nt* silencio *m*; **über etw ~ bewahren** guardar silencio respecto a algo; **stillschweigend** *adj* tácito; **etw ~ akzeptieren** aceptar algo tácitamente; **still|sitzen** *irr vi* estar(se) quieto; **Stillstand** *m* <-(e)s, *ohne pl*> (*Entwicklung*) estancamiento *m*; **zum ~ kommen** detenerse; **still|stehen** *irr vi* (*Mensch, Maschine*) estar parado; (*Entwicklung, Verkehr*) estar paralizado

stilvoll *adj* con gusto

Stimmband *nt* cuerda *f* vocal; **stimmberechtigt** *adj* con derecho a voto; **Stimmbruch** *m*: **im ~ sein** estar de muda

Stimme ['ʃtɪmə] *f* <-n> voz *f*; (*bei einer Wahl*) voto *m*; **sich der ~ enthalten** abstenerse del voto

stimmen ['ʃtɪmən] **I.** *vi* (*richtig sein*) ser correcto; **stimmt!** ¡exacto!; **irgendetwas stimmt nicht mit ihr** algo le pasa; **für/gegen jdn ~** votar por/contra alguien **II.** *vt* (*Instrument*) afinar; **jdn versöhnlich/traurig ~** conciliar/entristecer a alguien

stimmig *adj* armónico

Stimmung *f* <-en> (*Gemütsverfassung*) estado *m* de ánimo; (*einer Gesellschaft*) ambiente *m*; **in guter/schlechter ~** de buen/mal humor; **nicht in der ~ sein etw zu tun** no estar de vena para hacer algo; **in ~ kommen** (*fam*) animarse
stimulieren* [ʃtimu'li:rən] *vt* estimular
stinken ['ʃtɪŋkən] <stinkt, stank, gestunken> *vi* oler mal; **mir stinkt's!** (*fam*) ¡estoy harto!
stinkfaul ['-'-] *adj* (*fam*) muy vago; **stinklangweilig** ['-'---] *adj* (*fam*) aburridísimo; **Stinktier** *nt* mofeta *f*
Stipendium [ʃti'pɛndiʊm] *nt* <-s, Stipendien> beca *f*
stirbt [ʃtɪrpt] *3. präs von* **sterben**
Stirn [ʃtɪrn] *f* <-en> frente *f*; **die ~ runzeln** fruncir las cejas; **jdm die ~ bieten** hacer frente a alguien; **Stirnhöhle** *f* seno *m* frontal; **Stirnseite** *f* frente *m*
stöbern ['ʃtø:bɐn] *vi* (*fam*) revolver (**in** en)
stochern ['ʃtɔxɐn] *vi* hurgar (**in** en); **im Essen ~** comer sin apetito
Stock[1] [ʃtɔk] *m* <-(e)s, Stöcke> (*Stab*) palo *m*; (*Spazierstock*) bastón *m*
Stock[2] *m* <-(e)s, -> (*Stockwerk*) piso *m*
Stöckelschuh *m* zapato *m* de tacón alto
stocken ['ʃtɔkən] *vi* (*stillstehen*) pararse; (*Verkehr, beim Sprechen*) atascarse
stockend *adj* (*Sprechweise*) entrecortado; **~er Verkehr** atasco *m*
stockfinster ['-'--] *adj* (*fam*) oscuro como la boca de lobo; **~e Nacht** noche cerrada; **Stockfisch** *m* bacalao *m* (salado); **stockkonservativ** ['-'----] *adj* (*fam*) ultraconservador; **stocksteif** ['-'-] *adj* (*fam*) tieso como una tabla; **Stockwerk** *nt* piso *m*
Stoff [ʃtɔf] *m* <-(e)s, -e> (*Gewebe*) tela *f*; (*Substanz*) su(b)stancia *f*; (*Unterrichtsstoff*) materia *f*; **Stofftier** *nt* animal *m* de trapo; (*Plüschtier*) animal *m* de peluche; **Stoffwechsel** *m* metabolismo *m*
stöhnen ['ʃtø:nən] *vi* gemir (**vor** a causa de); (*klagen*) quejarse (**über** de)
Stola ['ʃto:la, 'sto:la] *f* <Stolen> estola *f*
Stollen ['ʃtɔlən] *m* <-s, -> BERGB galería *f*; GASTR *pastel navideño de pasas, almendras y especias*
stolpern ['ʃtɔlpɐn] *vi sein* tropezar (**über** con); **zufällig über etw ~** (*fam*) toparse por casualidad con algo
stolz [ʃtɔlts] *adj* orgulloso (**auf** de)
Stolz *m* <-es, *ohne pl*> orgullo *m*
stolzieren* [ʃtɔl'tsi:rən] *vi sein* pavonearse (**durch/über** por)
stop [ʃtɔp] *interj* alto
stopfen ['ʃtɔpfən] **I.** *vt* (*Kleidung*) zurcir; (*Loch*) tapar; (*hineinstopfen*) meter (a la fuerza) (**in** en) **II.** *vi* (*fam: schlingen*) zampar; (*fam: sättigen*) llenar; (*die Verdauung hemmen*) estreñir
stopp [ʃtɔp] *interj* alto
Stopp [ʃtɔp] *m* <-s, -s> (*Auto*) parada *f*; (*Flugzeug*) escala *f*
Stoppel ['ʃtɔpəl] *f* <-n> (*Getreidestoppel*) rastrojo *m*; (*fam: Bartstoppel*) cañón *m*; **Stoppelbart** *m* (*fam*) barba *f* de tres días
stoppen ['ʃtɔpən] *vi, vt* parar(se); (*Zeit*) cronometrar
Stoppschild *nt* señal *f* de stop
Stöpsel ['ʃtœpsəl] *m* <-s, -> tapón *m*
Storch [ʃtɔrç] *m* <-(e)s, Störche> cigüeña *f*
stören ['ʃtø:rən] **I.** *vi, vt* molestar; (*Frieden, Verkehr*) perturbar; (*Ordnung*) alterar; (*Gespräch*) interrumpir; **störe ich?** ¿molesto?; **etw als ~d empfinden** sentir algo como molesto **II.** *vr* **sich ~** (*fam*) escandalizarse (**an** por)
Störenfried [-fri:t] *m* <-(e)s, -e> buscapleitos *mf inv*
Störfall *m* incidente *m*
stornieren* [ʃtɔr'ni:rən, stɔr'ni:rən] *vt* (*Auftrag*) anular; FIN rescontrar
störrisch ['ʃtœrɪʃ] *adj* terco
Störung *f* <-en> molestia *f*; (*der Ordnung*) alteración *f*; (*eines Gesprächs*) interrupción *f*; (*Verkehrsstörung a.* RADIO) perturbación *f*

Stoß [ʃto:s] *m* <-es, Stöße> (*Schubs*) empujón *m*; (*Schlag*) golpe *m*; (*Stapel*) montón *m* (de); **Stoßdämpfer** *m* amortiguador *m*

stoßen ['ʃto:sən] <stößt, stieß, gestoßen> **I.** *vt haben* (*schubsen*) empujar; **jdn vor den Kopf ~** (*fam fig*) ofender a alguien **II.** *vi sein* (*prallen*) chocar (**an/gegen** contra/con/en); (*treffen*) dar (**auf** con); **zu jdm ~** unirse a alguien **III.** *vr haben*: **sich ~** (*anprallen*) darse (**an** contra) (*fig*) ofenderse (**an** por)

Stoßstange *f* parachoques *m inv*

stößt [ʃtø:st] *3. präs von* **stoßen**

Stoßzahn *m* colmillo *m*

stottern ['ʃtɔtɐn] *vi* tartamudear

Str. *Abk. von* **Straße** C/

Strafanzeige *f* denuncia *f*; **Strafarbeit** *f* castigo *m*; **strafbar** *adj* punible; **sich ~ machen** incurrir en un delito

Strafe ['ʃtra:fə] *f* <-n> castigo *m*; (*Freiheitsstrafe*) pena *f*; (*Geldstrafe*) multa *f*

strafen ['ʃtra:fən] *vt* castigar (**für** por)

straff [ʃtraf] *adj* (*gespannt*) tenso; (*Disziplin*) riguroso; **etw ~ ziehen** tensar algo

straffällig ['ʃtra:ffɛlɪç] *adj* criminal; **~ werden** incurrir en un delito

straffen ['ʃtrafən] *vt* tensar; (*Haut*) estirar

straffrei *adj* impune; **~ ausgehen** quedar impune; **Strafgefangene(r)** *f(m)* preso, -a *m, f*

sträflich ['ʃtrɛ:flɪç] *adj* censurable

Sträfling ['ʃtrɛ:flɪŋ] *m* <-s, -e> preso, a *m, f*

straflos *adj s.* **straffrei**; **Strafrecht** *nt* <-(e)s, *ohne pl*> derecho *m* penal; **Straftat** *f* delito *m*; **Straftäter(in)** *m(f)* delincuente *mf*; **Strafzettel** *m* (*fam*) multa *f*

Strahl [ʃtra:l] *m* <-(e)s, -en> (*Lichtstrahl*) rayo *m*; (*Wasserstrahl*) chorro *m*

strahlen ['ʃtra:lən] *vi* brillar; (*radioaktiv*) despedir rayos radiactivos

Strahler *m* <-s, -> (*Lichtstrahler*) reflector *m*

Strahlung *f* <-en> (ir)radiación *f*

Strähne ['ʃtrɛ:nə] *f* <-n> (*Haarsträhne*) mechón *m*

stramm [ʃtram] *adj* (*straff*) tenso; **~ ziehen** estirar

strampeln ['ʃtrampəln] *vi* (*Baby*) patalear

Strand [ʃtrant] *m* <-(e)s, Strände> playa *f*; **am ~ liegen** estar en la playa

stranden ['ʃtrandən] *vi sein* encallar; (*geh: scheitern*) fracasar

Strandkorb *m* sillón *m* de playa

Strang [ʃtraŋ] *m* <-(e)s, Stränge> (*Seil*) cuerda *f*; **über die Stränge schlagen** (*fam*) pasarse de rosca

strangulieren* [ʃtraŋgu'li:rən] *vt* estrangular

Strapaze [ʃtra'pa:tsə] *f* <-n> esfuerzo *m* (enorme)

strapazieren* [ʃtrapa'tsi:rən] *vt* (*Material*) gastar; (*Person*) agotar; (*Augen*) cansar (mucho); (*Geduld*) poner a prueba

strapazierfähig *adj* resistente

Straps [ʃtraps] *m* <-es, -e> liguero *m*

Straße ['ʃtra:sə] *f* <-n> calle *f*; (*Landstraße*) carretera *f*; **auf offener ~** en plena calle; **auf die ~ gehen** salir a la calle; **jdn auf die ~ setzen** (*fam*) poner a alguien de patitas en la calle; **Straßenbahn** *f* tranvía *m*; **Straßenfest** *nt* fiesta *f* en la calle

Straßengraben *m* cuneta *f*; **Straßenkarte** *f* mapa *m* de carreteras; **Straßenkreuzung** *f* cruce *m*; **Straßenlaterne** *f* farol *m*; **Straßenrand** *m* margen *m* de la calle; **Straßenschild** *nt* (*Hinweisschild*) letrero *m*; (*Verkehrsschild*) señal *f* indicadora; **Straßenverkehr** *m* tráfico *m* (rodado); **Straßenverkehrsordnung** ['---'---] *f* código *m* de circulación

Strategie [ʃtrate'gi:] *f* <-n> estrategia *f*

strategisch *adj* estratégico

sträuben ['ʃtrɔɪbən] *vr:* **sich ~** (*Haare, Fell*) ponerse de punta; (*sich wehren*) oponerse (**gegen** a)

Strauch [ʃtraʊx] *m* <-(e)s, Sträucher> arbusto *m*

Strauß[1] [ʃtraʊs] *m* <-es, -e> (*Vogel*) avestruz *m*

Strauß[2] *m* <-es, Sträuße> (*Blumenstrauß*) ramo *m* (de flores)

streben [ˈʃtre:bən] *vi:* **nach etw ~** aspirar a algo

Streber(in) *m(f)* <-s, -; -nen> (*in der Schule*) empollón, -ona *m, f*

strebsam *adj* aplicado; (*ehrgeizig*) ambicioso

Strecke [ˈʃtrɛkə] *f* <-n> (*Wegabschnitt*) trayecto *m*; (*Eisenbahnstrecke*) línea *f*; **auf der ~ bleiben** (*fam*) quedarse en la estacada

strecken [ˈʃtrɛkən] *vt, vr:* **sich ~** estirar (se); **lang gestreckt** alargado; **den Kopf aus dem Fenster ~** asomar la cabeza por la ventana

Streich [ʃtraɪç] *m* <-(e)s, -e> (*Schabernack*) jugarreta *f*; **jdm einen ~ spielen** hacer(le) una jugarreta a alguien

streicheln [ˈʃtraɪçəln] *vt* acariciar

streichen [ˈʃtraɪçən] <streicht, strich, gestrichen> **I.** *vt haben* (*anstreichen*) pintar; (*durchstreichen*) tachar; (*Auftrag*) anular; (*Butter*) untar; (*Brötchen*) preparar; **glatt ~** alisar **II.** *vi* ❶ *sein* (*umherstreifen*) vagar (**durch** por) ❷ *haben* (*darüber streichen*) pasar (la mano) (**durch/über** por); (*zärtlich*) acariciar (**durch/über**)

Streichholz *nt* cerilla *f*; **Streichinstrument** *nt* instrumento *m* de cuerda

Streife [ˈʃtraɪfə] *f* <-n> patrulla *f*

streifen [ˈʃtraɪfən] **I.** *vt haben* (*berühren*) rozar; (*Frage, Problem*) tocar de pasada; (*abstreifen*) sacar (**von** de) **II.** *vi sein*: **durch ein Gebiet ~** recorrer una región

Streifen [ˈʃtraɪfən] *m* <-s, -> (*Linie*) línea *f*; (*aus Stoff, Papier*) tira *f*; **Streifenwagen** *m* coche *m* patrulla

Streik [ʃtraɪk] *m* <-(e)s, -s> huelga *f*; **in (den) ~ treten** declararse en huelga

streiken [ˈʃtraɪkən] *vi* estar en huelga

Streit [ʃtraɪt] *m* <-(e)s, -e> disputa *f*

streiten [ˈʃtraɪtən] <streitet, stritt, gestritten> **I.** *vi* (*zanken*) pelear (**um** por); (*mit Worten*) discutir (**über** sobre); **darüber lässt sich ~** esto es discutible **II.** *vr:* **sich ~** pelearse (**um/wegen** por)

streitig *adj*: **jdm etw ~ machen** disputar algo a alguien

Streitigkeit *f* <-en> riña *f*, contienda *f*

Streitkräfte *f pl* fuerzas *fpl* armadas; **streitsüchtig** *adj* pendenciero

streng [ʃtrɛŋ] *adj* severo; (*hart*) duro; (*Geruch*) acre; (*schmucklos*) austero; **~ genommen** en rigor

Strenge [ˈʃtrɛŋə] *f* ❶ (*Striktheit*) severidad *f* ❷ (*Schmucklosigkeit*) austeridad *f* ❸ (*eines Geruchs, Geschmacks*) acritud *f* ❹ (*des Winters*) rigor *m*

strenggenommen *adv s.* **streng**

Stress[RR] [ʃtrɛs] *m* <-es, *ohne pl*> estrés *m*

stressen [ˈʃtrɛsən] *vi, vt* (*fam*) estresar

stressig *adj* (*fam*) estresante

streuen [ˈʃtrɔɪən] *vt* esparcir (**auf** por); **Gerüchte ~** levantar rumores

strich [ʃtrɪç] *3. imp von* **streichen**

Strich [ʃtrɪç] *m* <-(e)s, -e> (*Linie*) raya *f*; **jdm einen ~ durch die Rechnung machen** (*fam*) desbaratar los proyectos de alguien; **einen ~ unter etw ziehen** (*fig*) poner punto final a algo; **das geht mir gegen den ~** (*fam*) eso me viene a contrapelo; **auf den ~ gehen** (*fam*) hacer la carrera; **Strichcode** *m*, **Strichkode** *m* código *m* de barras

Strick [ʃtrɪk] *m* <-(e)s, -e> cuerda *f*; **wenn alle ~e reißen** (*fam*) en el peor de los casos; **jdm aus etw einen ~ drehen** utilizar algo en contra de alguien

stricken [ˈʃtrɪkən] *vi, vt* hacer punto; **einen Pullover ~** hacer un jersey de punto

Stricknadel *f* aguja *f* para hacer punto

strikt [ʃtrɪkt] *adj* estricto

stritt [ʃtrɪt] *3. imp von* **streiten**

strittig [ˈʃtrɪtɪç] *adj* disputable; (*umstritten*) discutido

Stroh [ʃtro:] *nt* <-(e)s, *ohne pl*> paja *f*; **Strohhalm** *m* (*Trinkstrohhalm*) pajita *f*

Strolch [ʃtrɔlç] *m* <-(e)s, -e> (*fam*) golfo, -a *m, f*

Strom [ʃtro:m] *m* <-(e)s, Ströme> ELEK corriente *f*; (*Fluss*) río *m*; **stromabwärts** [-ˈ--] *adv* río abajo; **stromaufwärts** [-ˈ--] *adv* río arriba; **Stromausfall** *m* apagón *m*

strömen [ˈʃtrø:mən] *vi sein* (*Fluss*) fluir; (*Blut, Wasser*) correr

Stromkabel *nt* línea *f* eléctrica

Strömung *f* <-en> corriente *f*

Stromversorgung *f* suministro *m* de corriente

Strophe [ˈʃtro:fə] *f* <-n> estrofa *f*

strotzen [ˈʃtrɔtsən] *vi* (*vor Freude, Gesundheit*) rebosar (**vor** de); (*voll sein*) estar lleno (**vor** de)

Strudel [ˈʃtru:dəl] *m* <-s, -> (*im Wasser*) remolino *m*

Struktur [ʃtrʊkˈtu:ɐ] *f* <-en> estructura *f*

strukturieren* [ʃtrʊktuˈri:rən] *vt* estructurar

Strumpf [ʃtrʊmpf] *m* <-(e)s, Strümpfe> media *f*; **Strumpfhose** *f* panty *m*

struppig [ˈʃtrʊpɪç] *adj* hirsuto

Stube [ˈʃtu:bə] *f* <-n> cuarto *m*; **die gute ~** el salón; **stubenrein** *adj* (*Tier*) aseado

Stuck [ʃtʊk] *m* <-(e)s, *ohne pl*> (*Material*) estuco *m*; (*Stuckarbeit*) estucado *m*

Stück [ʃtʏk] *nt* <-(e)s, -e> *a.* THEAT pieza *f*; (*Teil*) trozo *m*; **drei Euro das ~** tres euros cada uno; **aus freien ~en** voluntariamente; **große ~e auf jdn halten** (*fam*) estimar mucho a alguien; **stückweise** *adv* por piezas

Student(in) [ʃtuˈdɛnt] *m(f)* <-en, -en; -nen> estudiante *mf*; **Studentenausweis** *m* carné *m* de estudiante; **Studentenwohnheim** *nt* residencia *f* estudiantil

Studie [ˈʃtu:diə] *f* <-n> (*Untersuchung*) estudio *m*

Studien *pl von* **Studie, Studium**; **Studienfach** *nt* asignatura *f*; **Studiengang** *m* carrera *f*; **Studiengebühr** *f* (derechos *mpl* de) matrícula *f*; **Studienplatz** *m* plaza *f* (universitaria)

studieren* [ʃtuˈdi:rən] *vi, vt* estudiar

Studio [ˈʃtu:dio] *nt* <-s, -s> estudio *m*

Studium [ˈʃtu:diʊm] *nt* <-s, Studien> ❶ (*Erforschung*) estudio *m* ❷ *ohne pl* (*akademische Ausbildung*) carrera *f*

Stufe [ˈʃtu:fə] *f* <-n> (*Treppenstufe*) escalón *m*; (*Ebene*) nivel *m*; (*Abschnitt*) fase *f*; **stufenweise** *adj* gradual

Stuhl [ʃtu:l] *m* <-(e)s, Stühle> silla *f*; **Stuhlgang** *m* <-(e)s, *ohne pl*> defecación *f*; **~ haben** defecar

stumm [ʃtʊm] *adj* mudo; **jdn ~ ansehen** mirar a alguien sin decir palabra

Stummel [ˈʃtʊməl] *m* <-s, -> (*Bleistiftstummel*) pedazo *m*; (*Kerzenstummel*) cabo *m*; (*Zigarettenstummel*) colilla *f*

Stümper(in) [ˈʃtʏmpɐ] *m(f)* <-s, -; -nen> (*abw*) chapucero, -a *m, f*

stumpf [ʃtʊmpf] *adj* (*nicht scharf*) desafilado; (*nicht spitz*) romo; (*teilnahmslos*) apático

Stumpf [ʃtʊmpf] *m* <-(e)s, Stümpfe> (*Baumstumpf*) tocón *m*; (*Kerzenstumpf*) cabo *m*; (*von Gliedmaßen*) muñón *m*; **Stumpfsinn** *m* <-(e)s, *ohne pl*> (*Teilnahmslosigkeit*) apatía *f*; (*Monotonie*) monotonía *f*; **stumpfsinnig** *adj* (*teilnahmslos*) apático; (*monoton*) monótono

Stunde [ˈʃtʊndə] *f* <-n> hora *f*; (*Unterrichtsstunde*) clase *f*; **25 Euro pro ~** 25 euros la hora; **stundenlang** **I.** *adj* de varias horas **II.** *adv* horas y horas; **Stundenlohn** *m* salario *m* por hora; **Stundenplan** *m* horario *m*; **stundenweise** *adv* por horas

stündlich [ˈʃtʏntlɪç] **I.** *adj* horario **II.** *adv* cada hora; **dreimal ~** tres veces por hora

stupid(e) [ʃtu'piːt, ʃtu'piːdə] *adj* (*abw: Person*) estúpido; (*Tätigkeit*) monótono

stur [ʃtuːɐ] *adj* testarudo

Sturm [ʃtʊrm] *m* <-(e)s, Stürme> (*Unwetter*) tormenta *f*; (*Wind*) tempestad *f*

stürmen ['ʃtʏrmən] *vt* tomar por asalto; (*Bank, Geschäfte*) asaltar

Sturmflut *f* marea *f* muy alta

stürmisch *adj* (*Wetter*) tempestuoso; (*ungestüm*) impetuoso; (*Liebhaber*) apasionado; (*Entwicklung*) rápido; (*Beifall*) frenético

Sturz [ʃtʊrts] *m* <-es, Stürze> caída *f* (**aus** por); (*einer Regierung*) derrocamiento *m*

stürzen ['ʃtʏrtsən] I. *vi sein* (*fallen*) caer(se); (*rennen*) precipitarse (**zu/an** hacia, **in** a); **zu Boden** ~ caer al suelo II. *vt haben* derribar; (*umkippen*) volcar; (*Regierung*) derrocar III. *vr haben*: **sich** ~ arrojarse (**aus** por); **sich auf jdn** ~ abalanzarse sobre alguien; **sich auf/in etw** ~ lanzarse sobre/a algo

Sturzhelm *m* casco *m* (protector)

Stute *f* <-n> yegua *f*

Stütze ['ʃtʏtsə] *f* <-n> (*a. fig*) apoyo *m*; ARCHIT soporte *m*

stutzen ['ʃtʊtsən] I. *vi* (*innehalten*) interrumpirse II. *vt* cortar; (*Baum*) podar

stützen ['ʃtʏtsən] *vt, vr*: **sich** ~ apoyar(se) (**auf** en)

stutzig *adj*: ~ **werden** sorprenderse; ~ **machen** (*argwöhnisch machen*) hacer sospechar; (*verwirren*) desconcertar

stylen ['staɪlən] I. *vt* diseñar; **sich** *dat* **die Haare** ~ arreglarse el pelo II. *vr*: **sich** ~ (*fam*) ponerse (guapo)

Styropor® [ʃtyro'poːɐ, styro-] *nt* <-s, *ohne pl*> poliestireno *m*

Subjekt [zʊp'jɛkt] *nt* <-(e)s, -e> sujeto *m*

subjektiv [zʊpjɛk'tiːf] *adj* subjetivo

Substantiv ['zʊpstantiːf] *nt* <-s, -e> sustantivo *m*

Substanz [zʊp'stants] *f* <-en> sustancia *f*

subtil [zʊp'tiːl] *adj* sutil

subtrahieren* [zʊptra'hiːrən] *vt* restar (**von** a)

subtropisch *adj* subtropical

Subvention [zʊpvɛn'tsjoːn] *f* <-n> subvención *f*

subventionieren* [zʊpvɛntsjo'niːrən] *vt* subvencionar

Suchaktion *f* operación *f* de búsqueda

Suche ['zuːxə] *f* <-n> búsqueda *f*; **sich auf die ~ nach jdm/etw machen** salir en busca de alguien/algo

suchen ['zuːxən] *vi, vt* buscar

Sucht [zʊxt] *f* <-en *o* Süchte> adicción *f*

süchtig ['zʏçtɪç] *adj* (*alkoholsüchtig, tablettensüchtig*) adicto (**nach** a); (*drogensüchtig*) toxicómano; (*begierig*) ávido (**nach** de)

Suchtkranke(r) *mf* adicto, -a *m, f*; (*durch Drogen*) toxicómano, -a *m, f*

Südamerika ['--'---] *nt* América *f* del Sur; **südamerikanisch** ['----'--] *adj* sudamericano; **Süddeutschland** *nt* Alemania *f* del Sur

Süden ['zyːdən] *m* <-s, *ohne pl*> sur *m*; **im ~ von** en el sur de; (*südlich von*) al sur de; **nach/in den** ~ hacia el sur; **von** ~ del sur

Südeuropa ['--'--] *nt* Europa *f* del Sur; **Südfrucht** *f* fruta *f* tropical; **Südhalbkugel** *f ohne pl* hemisferio *m* sur; **Südkastilien** *nt* <-s> Castilla-La Mancha *f*

südlich ['zyːtlɪç] I. *adj* meridional; **in ~er Richtung** en dirección sur; ~ **von Granada** al sur de Granada; **die ~e Halbkugel** el hemisferio sur II. *präp +gen* al sur de

Südosten [-'--] *m* sudeste *m*; **Südpol** *m* <-s, *ohne pl*> polo *m* sur; **Südsee** *f* Pacífico *m* meridional; **Südwesten** [-'--] *m* sudoeste *m*

Summe ['zʊmə] *f* <-n> suma *f*

summen ['zʊmən] **I.** *vi* (*Insekt*) zumbar; (*Mensch*) tararear una melodía **II.** *vt* (*Melodie*) tararear

summieren* [zʊ'mi:rən] **I.** *vt* sumar **II.** *vr:* **sich** ~ acumularse

Sumpf [zʊmpf] *m* <-(e)s, Sümpfe> pantano *m*

sumpfig *adj* pantanoso

Sünde ['zʏndə] *f* <-n> pecado *m*; **Sündenbock** *m* (*fam*) cabeza *f* de turco

Sünder(in) *m(f)* <-s, -; -nen> pecador(a) *m(f)*

sündhaft *adj* pecaminoso; ~ **teuer** carísimo

sündigen ['zʏndɪgən] *vi* pecar

super ['zu:pɐ] **I.** *adj inv* (*fam*) fantástico **II.** *adv* de maravilla

Superlativ ['zu:pɐlati:f] *m* <-s, -e> superlativo *m*

Supermarkt *m* supermercado *m*

Suppe ['zʊpə] *f* <-n> sopa *f*; **die ~ auslöffeln müssen** (*fam*) pagar el pato

Surfbrett ['sœ:f-] *nt* tabla *f* de surf

surfen ['sœ:fən] *vi* practicar el surf; **im Internet** ~ navegar en internet

Surfer(in) ['sœ:fɐ] *m(f)* SPORT surfista *mf*

surren ['zʊrən] *vi* zumbar

suspekt [zʊs'pɛkt] *adj* sospechoso

suspendieren* [zʊspɛn'di:rən] *vt* suspender (**von** +*dat* de)

süß [zy:s] *adj* dulce; (*niedlich*) mono

Süßigkeit *f* <-en> dulce *m*

süßlich *adj* dulzón

süßsauer ['-'--] *adj* agridulce; **Süßstoff** *m* edulcorante *m*; **Süßwaren** *f pl* dulces *m pl*; **Süßwasser** *nt* agua *f* dulce

Sweatshirt ['swɛtʃœ:t] *nt* <-s, -s> sudadera *f*

Swimmingpool ['swɪmɪŋpu:l, 'svɪmɪŋ-] *m* piscina *f*, pileta *f*

Symbol [zʏm'bo:l] *nt* <-s, -e> símbolo *m* (**für** de)

symbolisch *adj* simbólico (**für** de)

symbolisieren* [zʏmboli'zi:rən] *vt* simbolizar

symmetrisch [zʏ'me:trɪʃ] *adj* simétrico

Sympathie [zʏmpa'ti:] *f* <-n> simpatía *f* (**für** por); **Sympathieträger(in)** *m(f)* <-s, -; -nen> persona *f* que cae en gracia

sympathisch [zʏm'pa:tɪʃ] *adj* simpático

sympathisieren* [zʏmpati'zi:rən] *vi* simpatizar

Symphonie [zʏmfo'ni:] *f* <-n> sinfonía *f*

Symptom [zʏmp'to:m] *nt* <-s, -e> síntoma *m* (**für** de)

Synagoge [zyna'go:gə] *f* <-n> sinagoga *f*

synchron [zʏn'kro:n] *adj* sincrónico

synchronisieren* [zʏnkroni'zi:rən] *vt* sincronizar; FILM doblar

Syndikat [zʏndi'ka:t] *nt* <-(e)s, -e> consorcio *m*

Syndrom [zʏn'dro:m] *nt* <-s, -e> síndrome *m*

synonym [zyno'ny:m] *adj* sinónimo (**zu** de)

Synonym [zyno'ny:m] *nt* <-s, -e> sinónimo *m*

Synthese [zʏn'te:zə] *f* <-n> síntesis *f inv*

Synthesizer ['sʏntəsaɪzɐ] *m* <-s, -> sintetizador *m*

Synthetik [zʏn'te:tɪk] *nt* <-s, *ohne pl*> tejido *m* sintético

Syphilis ['zy:filɪs] *f* sífilis *f*

System [zʏs'te:m] *nt* <-s, -e> sistema *m*

systematisch [zʏste'ma:tɪʃ] *adj* sistemático

Szene ['stse:nə] *f* <-n> escena *f*; **jdm eine ~ machen** montar(le) a alguien una escena

T

T, t [te:] *nt* <-, -> T, t *f*
Tabak ['tabak] *m* <-s, -e> tabaco *m*
Tabelle [ta'bɛlə] *f* <-n> cuadro *m*
Tablett [ta'blɛt] *nt* <-(e)s, -s *o* -e> bandeja *f*
Tablette [ta'blɛtə] *f* <-n> pastilla *f*
tabu [ta'bu:] *adj inv*: **~ sein** ser un tabú
Tabu [ta'bu:] *nt* <-s, -s> tabú *m*
Tacho ['taxo] *m* <-s, -s> (*fam*), **Tachometer** [taxo'me:tɐ] *m o nt* velocímetro *m*
Tadel ['ta:dəl] *m* <-s, -> reprimenda *f*
tadellos *adj* impecable
tadeln ['ta:dəln] *vt* reprender (**wegen** por)
Tadschikistan [ta'dʒi:kista(:)n] *nt* <-s> Tayikistán *m*
Tafel ['ta:fəl] *f* <-n> (*Brett, Anzeigetafel*) tabla *f*; (*in der Schule*) pizarra *f*; (*Gedenktafel*) placa *f* (conmemorativa); (*Schokoladentafel*) tableta *f*; **Tafelwein** *m* vino *m* de mesa
Tag [ta:k] *m* <-(e)s, -e> día *m*; **es wird ~** amanece; **jeden dritten ~** cada tres días; **zweimal am ~** dos veces al día; **den ganzen ~ lang** durante todo el día; **vor/in 5 ~en** hace 5 días/dentro de 5 días; **~ für ~** día tras día; **guten ~!** ¡buenos días!; **sie hat ihre ~e** tiene la regla; **tagaus** [-'-] *adv*: **~, tagein** todos los días
Tagebuch *nt* diario *m*; **tagelang I.** *adj* de varios días **II.** *adv* durante días enteros
tagen ['ta:gən] *vi* (*konferieren*) reunirse (en sesión)
Tagesanbruch *m* amanecer *m*; **Tagesgeschehen** *nt* acontecimientos *mpl* del día; **Tageslicht** *nt* <-(e)s, *ohne pl*> luz *f* del día; **bei ~** de día; **Tagesmutter** *f* <-mütter> niñera *f* (*que cuida a niños en su propia casa*); **Tagesordnung** *f* <-en> orden *m* del día; **an der ~ sein** ser el pan de cada día; **zur ~ übergehen** volver a la actividad diaria; **Tagesschau** *f* telediario *m*; **Tageszeit** *f* hora *f* del día; **zu jeder Tages- und Nachtzeit** día y noche; **Tageszeitung** *f* diario *m*
täglich ['tɛ:klɪç] **I.** *adj* diario **II.** *adv* todos los días; **dreimal ~** tres veces al día
tagsüber ['---] *adv* durante el día
tagtäglich ['-'--] **I.** *adj* diario, de todos los días **II.** *adv* todos los días, a diario
Tagung ['ta:gʊŋ] *f* <-en> congreso *m*
Taille ['taljə] *f* <-n> cintura *f*
Takt [takt] *m* <-(e)s, -e> ❶ MUS compás *m*; **den ~ schlagen** marcar el compás ❷ *ohne pl* (*Taktgefühl*) tacto *m*
Taktik ['taktɪk] *f* <-en> táctica *f*
taktisch *adj* táctico
taktlos *adj* indiscreto
Taktlosigkeit *f* <-en> falta *f* de tacto
taktvoll *adj* con (mucho) tacto
Tal [ta:l] *nt* <-(e)s, Täler> valle *m*
Talent [ta'lɛnt] *nt* <-(e)s, -e> talento *m*
talentiert [talɛn'ti:ɐt] *adj* dotado
Talisman ['ta:lɪsman] *m* <-s, -e> talismán *m*
Talkshow[RR] ['tɔ:kʃɔʊ] *f* talk show *m*
Talsperre *f* presa *f*
Tampon ['tampɔn] *m* <-s, -s> tampón *m*
Tandem ['tandɛm] *nt* <-s, -s> tándem *m*
Tang [taŋ] *m* <-(e)s, -e> algas *fpl* marinas
Tank [taŋk] *m* <-s, -s *o* -e> depósito *m*
tanken *vi, vt* echar gasolina; **frische Luft ~** (*fam*) respirar aire fresco
Tanker *m* <-s, -> buque *m* cisterna
Tanksäule *f* surtidor *m* de gasolina; **Tankstelle** *f* gasolinera *f*
Tanne ['tanə] *f* <-n> abeto *m*; **Tannenbaum** *m* ❶ (*Tanne*) abeto *m* ❷ (*fam: Weihnachtsbaum*) árbol *m* de Navidad; **Tannenzapfen** *m* piña *f* de abeto
Tante ['tantə] *f* <-n> tía *f*

Tanz [tants] *m* <-es, Tänze> baile *m*

tanzen *vi, vt* bailar

Tänzer(in) ['tɛntsɐ] *m(f)* <-s, -; -nen> bailador(a) *m(f)*; (*professionell*) bailarín, -ina *m, f*

Tanzschule *f* escuela *f* de baile

Tapete [ta'pe:tə] *f* <-n> papel *m* pintado

tapezieren* [tape'tsi:rən] *vi, vt* empapelar

tapfer ['tapfɐ] *adj* valiente; **sich ~ schlagen** defenderse con bravura

Tapferkeit *f* valentía *f*

Tarif [ta'ri:f] *m* <-s, -e> tarifa *f*; **Tariflohn** *m* salario *m* según el convenio colectivo; **Tarifvertrag** *m* convenio *m* colectivo

tarnen ['tarnən] *vt, vr:* **sich ~** camuflar(se)

Tarnung *f* <-en> camuflaje *m*

Tasche ['taʃə] *f* <-n> (*an Kleidung*) bolsillo *m*; (*Handtasche*) bolso *m*; (*Reisetasche*) bolsa *f* (de viaje); **jdm auf der ~ liegen** (*fam*) vivir a costa de alguien; **Taschenbuch** *nt* libro *m* de bolsillo; **Taschendieb(in)** *m(f)* carterista *mf*; **Taschengeld** *nt* <-(e)s, -er> dinero *m* para (pequeños) gastos personales; **Taschenlampe** *f* linterna *f*; **Taschenmesser** *nt* navaja *f*; **Taschenrechner** *m* calculadora *f* (de bolsillo); **Taschentuch** *nt* pañuelo *m*

Tasse ['tasə] *f* <-n> taza *f*; **eine ~ Kaffee** una taza de café; **er hat nicht alle ~n im Schrank** (*fam*) le falta un tornillo

Tastatur [tasta'tu:ɐ] *f* <-en> teclado *m*

Taste ['tastə] *f* <-n> tecla *f*

tasten ['tastən] **I.** *vi:* **nach etw ~** buscar algo a tientas **II.** *vt* (*ertasten*) palpar **III.** *vr:* **sich ~** andar a tientas (**über/durch** por)

tat [ta:t] *3. imp von* **tun**

Tat [ta:t] *f* <-en> (*das Handeln*) acción *f*; (*Handlung*) acto *m*; **etw in die ~ umsetzen** poner algo en práctica; **jdn auf frischer ~ ertappen** coger a alguien con las manos en la masa; **in der ~!** ¡en efecto!; **Tatendrang** *m* dinamismo *m*; **tatenlos I.** *adj* inactivo **II.** *adv* de brazos cruzados

Täter(in) ['tɛ:tɐ] *m(f)* <-s, -; -nen> autor(a) *m(f)* de un delito

tätig ['tɛ:tɪç] *adj* activo; **~ sein** (*Person*) trabajar

Tätigkeit *f* <-en> actividad *f*; (*Arbeit*) trabajo *m*; **Tätigkeitsbereich** *m* campo *m* de acción

Tatkraft *f ohne pl* energía *f*, dinamismo *m*; **tatkräftig** *adj* enérgico; **Tatmotiv** *nt* móvil *m* del crimen; **Tatort** *m* lugar *m* de los hechos

tätowieren* [tɛto'vi:rən] *vt* tatuar; **sich ~ lassen** hacerse un tatuaje

Tätowierung *f* <-en> tatuaje *m*

Tatsache *f* hecho *m*; **vor vollendeten ~n stehen** enfrentarse a hechos consumados; **tatsächlich** ['---, -'--] **I.** *adj* real **II.** *adv* de hecho

Tatze ['tatsə] *f* <-n> zarpa *f*

Tau[1] [taʊ] *m* <-(e)s, *ohne pl*> rocío *m*

Tau[2] *nt* <-(e)s, -e> NAUT cabo *m*

taub [taʊp] *adj* (*gehörlos*) sordo; (*Körperteil*) entumecido; **sich ~ stellen** hacerse el sordo

Taube ['taʊbə] *f* <-n> paloma *f*

taubstumm ['--] *adj* sordomudo

tauchen ['taʊxən] **I.** *vi haben o sein* (*Mensch*) bucear (**nach**); (*Ente, U-Boot*) sumergirse (**in** en) **II.** *vt haben* (*hineinhalten*) mojar (**in** en)

Taucher(in) *m(f)* <-s, -; -nen> buceador(a) *m(f)*; **Taucherbrille** *f* gafas *fpl* de bucear

Tauchsieder ['-zi:dɐ] *m* <-s, -> calentador *m* de líquidos (por inmersión)

tauen ['taʊən] **I.** *vi sein* (*Schnee, Eis*) derretirse; (*Fluss*) deshelarse **II.** *vunpers haben*: **es taut** se está derritiendo la nieve

Taufe *f* <-n> bautizo *m*

taufen ['taʊfən] *vt* bautizar

Taufpate, Taufpatin *m, f* padrino *m* de bautismo, madrina *f* de bautismo

taugen [taʊgən] *vi* servir; **etw taugt nichts** algo no sirve para nada

Taugenichts ['taʊgənɪçts] *m* <-(es), -e> (*abw*) inútil *mf*

tauglich *adj* apto

taumeln ['taʊməln] *vi haben o sein* tambalearse

Tausch [taʊʃ] *m* <-(e)s, -e> cambio *m*; **im ~ gegen etw** a cambio de algo

tauschen ['taʊʃən] *vi, vt* cambiar (**gegen** por)

täuschen ['tɔɪʃən] I. *vi, vt* engañar; **wenn mich nicht alles täuscht ...** si no me equivoco... II. *vr:* **sich ~** equivocarse; **sich in jdm ~** equivocarse con alguien

Täuschung *f* <-en> engaño *m*; (*Betrug*) fraude *m*; **optische ~** ilusión óptica

tausend ['taʊzənt] *adj inv* mil; **~ Dank** un millón de gracias

Tausendfüßler ['--fy:slɐ] *m* <-s, -> ciempiés *m inv*

tausendjährig *adj* milenario

Tausendstel *nt* <-s, -> milésimo *m*

Taxi ['taksi] *nt* <-s, -s> taxi *m*; **Taxifahrer(in)** *m(f)* taxista *mf*

Team [ti:m] *nt* <-s, -s> equipo *m*; **Teamarbeit** *f ohne pl* trabajo *m* en equipo

Technik ['tɛçnɪk] *f* <-en> ❶ (*Arbeitsweise*) técnica *f*; (*Methode*) método *m* ❷ *ohne pl* (*Technologie*) tecnología *f*

Techniker(in) ['tɛçnikɐ] *m(f)* <-s, -; -nen> técnico, -a *m, f*

technisch *adj* técnico

Techno ['tɛkno] *m o nt* <-(s), *ohne pl*> MUS bakalao *m*

Technologie *f* <-n> tecnología *f*

technologisch *adj* tecnológico

Teddybär ['tɛdibɛ:ɐ] *m* osito *m* de peluche

Tee [te:] *m* <-s, -s> té *m*; (*Kräutertee*) infusión *f*; **Teekanne** *f* tetera *f*; **Teelöffel** *m* cucharilla *f* de té

Teenager ['ti:nɛɪdʒɐ] *m* <-s, -> adolescente *mf*

Teeny ['ti:ni] *m* <-s, -s> (*fam*) joven *mf*

Teer [te:ɐ] *m* <-(e)s, -e> alquitrán *m*

Teich [taɪç] *m* <-(e)s, -e> estanque *m*

Teig [taɪk] *m* <-(e)s, -e> masa *f*; **Teigwaren** *f pl* pastas *fpl*

Teil[1] [taɪl] *m* <-(e)s, -e> parte *f*; (*Bestandteil*) componente *m*; **weite ~e des Landes** amplias partes del país; **zum ~** en parte

Teil[2] *nt* <-(e)s, -e> pieza *f*; (*Ersatzteil*) recambio *m*

Teil[3] *m o nt* <-(e)s, -e> (*Anteil*) parte *f*; **sich** *dat* **sein(en) ~ denken** pensarse lo suyo

Teilbetrag *m* suma *f* parcial, parte *f*

Teilchen ['taɪlçən] *nt* <-s, -> (REG: *Gebäck*) dulce *m*

teilen I. *vt* dividir (**in** en); **sich** *dat* **etw** (**mit jdm**) **~** compartir algo (con alguien); **die Meinungen waren geteilt** las opiniones estaban divididas II. *vr:* **sich ~** dividirse (**in** en); (*Straße, Fluss*) bifurcarse

teil|haben *irr vi* participar (**an** en)

Teilhaber(in) *m(f)* <-s, -; -nen> socio, -a *m, f*

Teilnahme ['-na:mə] *f* participación *f* (**an** en); (*Interesse*) interés *m*; (*geh: Mitgefühl*) simpatía *f*

teilnahmslos ['taɪlna:mslo:s] *adj* indiferente

teil|nehmen *irr vi* participar (**an** en); **Teilnehmer(in)** *m(f)* <-s, -; -nen> participante *mf*

teils [taɪls] *adv* en parte; **~ ..., ~ ...** por un lado..., por otro...

Teilung *f* <-en> división *f*

teilweise ['-vaɪzə] *adv* en parte

Teilzeitarbeit *f* trabajo *m* de jornada reducida; **teilzeitbeschäftigt** *adj* empleado a tiempo parcial

Teint [tɛ̃:] *m* <-s, -s> tez *f*

Telebanking *nt* <-, *ohne pl*> INFOR telebanca *f*

Telefax ['te:lefaks] *nt* telefax *m inv*

Telefon ['te:lefo:n, tele'fo:n] *nt* <-s, -e> teléfono *m*; **ans ~ gehen** coger el teléfono

Telefonat [telefo'na:t] *nt* <-(e)s, -e> llamada *f* telefónica

Telefonbuch *nt* guía *f* telefónica

telefonieren* [telefo'ni:rən] *vi* (*sprechen*) hablar por teléfono; (*anrufen*) llamar por teléfono; **kann ich bei Ihnen mal ~?** ¿puedo utilizar su teléfono?

telefonisch [tele'fo:nɪʃ] **I.** *adj* telefónico **II.** *adv* por teléfono

Telefonkarte *f* tarjeta *f* telefónica; **Telefonleitung** *f* línea *f* telefónica; **Telefonnummer** *f* (número *m* de) teléfono *m*; **Telefonzelle** *f* cabina *f* telefónica

telegrafieren* [telegra'fi:rən] *vi, vt* telegrafiar

Telegramm [tele'gram] *nt* <-s, -e> telegrama *m*; **ein ~ aufgeben** enviar un telegrama

Telekommunikation *f* telecomunicación *f*; **Teleobjektiv** *nt* teleobjetivo *m*

Telepathie [telepa'ti:] *f* telepatía *f*

Teleshopping *nt* telecompra *f*

Teleskop [tele'sko:p] *nt* <-s, -e> telescopio *m*

Teller ['tɛlɐ] *m* <-s, -> plato *m*

Tempel ['tɛmpəl] *m* <-s, -> templo *m*

Temperament [tɛmp(ə)ra'mɛnt] *nt* <-(e)s, -e> temperamento *m*; **temperamentvoll** *adj* (*lebhaft*) vivo; (*ungestüm*) temperamental

Temperatur [tɛmpəra'tu:ɐ] *f* <-en> temperatura *f*

Tempo ['tɛmpo] *nt* <-s, -s> velocidad *f*; **Tempolimit** *nt* límite *m* de velocidad

Tendenz [tɛn'dɛnts] *f* <-en> tendencia *f* (**zu** a)

tendieren* [tɛn'di:rən] *vi* tender (**zu/nach** a)

Teneriffa [tene'rɪfa] *nt* <-s> Tenerife *m*

Tennis ['tɛnɪs] *nt* <-, *ohne pl*> tenis *m*; **Tennisschläger** *m* raqueta *f* (de tenis)

Teppich ['tɛpɪç] *m* <-s, -e> alfombra *f*; **auf dem ~ bleiben** (*fig*) tener los pies en tierra; **etw unter den ~ kehren** (*fig*) disimular algo; **Teppichboden** *m* moqueta *f*

Termin [tɛr'mi:n] *m* <-(e)s, -e> (*Frist*) plazo *m*; (*Zeitpunkt*) fecha *f*; (*beim Arzt*) cita *f*; **einen ~ beim Zahnarzt haben** tener hora en el dentista

Terminal[1] ['tœ:minəl] *m o nt* <-s, -s> (*Flughafen*) terminal *f*

Terminal[2] *nt* <-s, -s> INFOR terminal *m*

Termindruck *m* <-(e)s, *ohne pl*> agobio *m* de tiempo; **Terminkalender** *m* agenda *f*

Terminologie [tɛrminolo'gi:] *f* <-n> terminología *f*

Terpentin [tɛrpɛn'ti:n, tɛrpən'ti:n] *nt* <-s, -e> trementina *f*

Terrasse [tɛ'rasə] *f* <-n> terraza *f*

Terrier ['tɛriɐ] *m* <-s, -> (perro *m*) terrier *m*

Territorium [tɛri'to:riʊm] *nt* <-s, Territorien> territorio *m*

Terror ['tɛro:ɐ] *m* <-s, *ohne pl*> terror *m*; **Terroranschlag** *m* atentado *m* terrorista

terrorisieren* [tɛrori'zi:rən] *vt* aterrorizar

Terrorismus [tɛro'rɪsmʊs] *m* <-, *ohne pl*> terrorismo *m*

Terrorist(in) [tɛro'rɪst] *m(f)* <-en, -en; -nen> terrorista *mf*

Terrorwarnung *f* aviso *m* de ataque terrorista

Tessin [tɛ'si:n] *nt* <-s> Tesino *m*

Test [tɛst] *m* <-(e)s, -s *o* -e> prueba *f*

Testament [tɛsta'mɛnt] *nt* <-(e)s, -e> testamento *m*

testen ['tɛstən] *vt* examinar

Testergebnis *nt* resultado *m* de una prueba

Tetanus ['tɛtanʊs, 'te:tanʊs] *m* <-, *ohne pl*> tétano(s) *m* (*inv*)

teuer ['tɔɪɐ] *adj* caro; **wie ~ ist das?** ¿cuánto vale?; **teurer werden** subir de precio

Teuerungsrate *f* inflación *f*

Teufel ['tɔɪfəl] *m* <-s, -> diablo *m*; **scher dich zum ~!** (*fam*) ¡vete al demonio!; **auf ~ komm raus** (*fam*) cueste lo que cueste; **wenn man vom ~ spricht(, kommt er)** (*fam*) hablando del ruin de Roma (por la puerta asoma);

Teufelskreis *m* círculo *m* vicioso
teuflisch *adj* diabólico
Text [tɛkst] *m* <-(e)s, -e> texto *m*
Textilien [tɛks'ti:liən] *pl* (productos *mpl*) textiles *mpl*
Textmarker ['-markɐ] *m* <-s, -> rotulador *m* fluorescente
Textverarbeitung *f* INFOR tratamiento *m* de textos; **Textverarbeitungsprogramm** *nt* INFOR (programa *m* de) tratamiento *m* de textos
Theater [te'a:tɐ] *nt* <-s, -> teatro *m*; **ins ~ gehen** ir al teatro; **Theaterstück** *nt* obra *f* de teatro
theatralisch [tea'tra:lɪʃ] *adj* teatral
Theke ['te:kə] *f* <-n> (*in einer Gaststätte*) barra *f*; (*Ladentisch*) mostrador *m*
Thema ['te:ma] *nt* <-s, Themen> tema *m*
Thematik [te'ma:tɪk] *f* <-en> temática *f*
Themen ['te:mən] *pl von* **Thema**
Theologie [teolo'gi:] *f* teología *f*
theoretisch *adj* teórico
Theorie [teo'ri:] *f* <-n> teoría *f*
Therapeut(in) [tera'pɔɪt] *m(f)* <-en, -en; -nen> terapeuta *mf*
therapeutisch *adj* terapéutico
Therapie [tera'pi:] *f* <-n> terapia *f*
Thermometer [tɛrmo'me:tɐ] *nt* termómetro *m*
Thermosflasche ['tɛrmɔs-] *f* termo *m*
Thermostat [tɛrmo'sta:t] *m* <-(e)s *o* -en, -e(n)> termostato *m*
These ['te:zə] *f* <-n> tesis *f inv*
Thriller ['θrɪlɐ] *m* <-s, -> (*Film*) película *f* de suspense; (*Buch*) novela *f* de suspense
Thrombose [trɔm'bo:zə] *f* <-n> trombosis *f inv*
Thron [tro:n] *m* <-(e)s, -e> trono *m*
Thunfisch ['tu:n-] *m* atún *m*
Thurgau ['tu:ɐgaʊ] *m* <-s> Thurgau *m*
Thüringen ['ty:rɪŋən] *nt* <-s> Turingia *f*
Thymian ['ty:mia:n] *m* <-s, -e> tomillo *m*
Tick [tɪk] *m* <-(e)s, -s> (*fam: Eigenart*) manía *f*; **einen ~ haben** estar tocado
ticken ['tɪkən] *vi* (*Uhr*) hacer tictac; **bei dir tickt's ja nicht richtig!** (*fam*) ¡no estás bien de la cabeza!
tief [ti:f] *adj* profundo; (*niedrig, Ton*) bajo; (*Stimme*) grave; **zwei Meter ~** dos metros de profundidad; **~er Schnee** nieve alta; **im ~sten Afrika** en lo más profundo de África; **~e Temperaturen** temperaturas bajas; **~ ausgeschnitten** (*Kleidung*) muy escotado; **bis ~ in die Nacht hinein** hasta bien entrada la noche
Tief [ti:f] *nt* <-s, -s> METEO depresión *f* atmosférica; PSYCH depresión *f*
Tiefe ['ti:fə] *f* <-n> profundidad *f*
Tiefebene *f* llanura *f*; **tiefgekühlt** *adj* congelado; **tiefgreifend** *adj s.* **greifen I.**
Tiefkühlkost *f* alimentos *mpl* congelados; **Tiefkühltruhe** *f* congelador *m*
Tiefpunkt *m* punto *m* más bajo; **Tiefschlaf** *m* sueño *m* profundo; **Tiefschlag** *m* SPORT golpe *m* bajo; **tiefsinnig** *adj* profundo
Tier [ti:ɐ] *nt* <-(e)s, -e> animal *m*; **Tierart** *f* especie *f* animal; **Tierarzt, -ärztin** *m, f* veterinario, -a *m, f*; **Tiergarten** *m* parque *m* zoológico
tierisch ['ti:rɪʃ] *adj* animal; (*fam: sehr*) bestial; **ich habe ~en Durst** tengo una sed bestial
Tierkreiszeichen *nt* signo *m* del zodíaco
Tierquälerei ['---'-] *f* maltrato *m* de animales; **Tierreich** *nt* <-(e)s, *ohne pl*> reino *m* animal; **Tierschützer(in)** *m(f)* <-s, -; -nen> protector(a) *m(f)* de animales
Tierschutzverein *m* asociación *f* protectora de animales
Tierversuch *m* experimento *m* en animales; **Tierwelt** *f ohne pl* fauna *f*
Tiger ['ti:gɐ] *m* <-s, -> tigre *m*
Tilde ['tɪldə] *f* <-n> ❶ (*über Buchstaben*) tilde *f*
tilgen ['tɪlgən] *vt* (*Schulden*) liquidar (*geh: beseitigen*) eliminar (**aus** de)

Timing ['taɪmɪŋ] *nt* <-s, -s> cálculo *m* del tiempo; **das war perfektes ~!** ¡la coordinación ha sido perfecta!

Tinte ['tɪntə] *f* <-n> tinta *f*; **in der ~ sitzen** (*fam*) verse en apuros; **Tintenfisch** *m* calamar *m*

Tintenstrahldrucker *m* impresora *f* de inyección de tinta

Tip[ALT] *m*, **Tipp**[RR] [tɪp] *m* <-s, -s> (*fam: Rat*) consejo *m*; SPORT pronóstico *m*

tippen ['tɪpən] *vi, vt* (*berühren*) tocar (ligeramente) (**auf/an**); (*fam: Maschine schreiben*) escribir a máquina; (*fam: wetten*) apostar (**auf** por)

Tippfehler *m* errata *f*; **tipptopp** ['tɪp'tɔp] *adj* (*fam*) impecable

Tirol [ti'ro:l] *nt* <-s> Tirol *m*

Tisch [tɪʃ] *m* <-(e)s, -e> mesa *f*; **den ~ decken** poner la mesa; **am ~ sitzen** estar sentados a la mesa; **etw unter den ~ fallen lassen** (*fam*) pasar algo por alto; **jdn über den ~ ziehen** (*fam*) dar a alguien gato por liebre; **Tischdecke** *f* mantel *m*

Tischler(in) *m(f)* <-s, -; -nen> carpintero, -a *m, f*

Tischtennis *nt* ping-pong *m*

Titel ['ti:təl] *m* <-s, -> título *m*; **Titelblatt** *nt* portada *f*; **Titelrolle** *f* FILM, THEAT papel *m* principal

Toast [to:st] *m* <-(e)s, -e *o* -s> (*Toastscheibe*) tostada *f*; (*Toastbrot*) pan *m* para tostar; (*Trinkspruch*) brindis *m inv*; **einen ~ auf jdn ausbringen** brindar por alguien

toasten ['to:stən] *vt* tostar

Toaster *m* <-s, -> tostadora *f*

toben ['to:bən] *vi* (*vor Wut*) rabiar; (*Kinder*) alborotar; (*Sturm*) bramar

tobsüchtig *adj* furioso

Tochter ['tɔxtɐ] *f* <Töchter> hija *f*

Tod [to:t] *m* <-(e)s, -e> muerte *f*; **jdn zum ~e verurteilen** condenar a alguien a muerte; **sich zu ~e langweilen** (*fam*) aburrirse como una ostra; **todernst** ['-'-] *adj* (*fam*) más serio que un poste

Todesangst *f* miedo *m* de muerte; **Todesanzeige** *f* esquela *f* (mortuoria); **Todesfall** *m* defunción *f*; **Todesopfer** *nt* víctima *f* (mortal); **Todesstrafe** *f* pena *f* de muerte; **Todestag** *m* día *m* de la muerte; (*Jahrestag*) aniversario *m* de la muerte; **Todesursache** *f* causa *f* de la muerte; **Todesurteil** *nt* sentencia *f* de muerte

Todfeind(in) *m(f)* enemigo, -a *m, f* mortal; **todkrank** ['-'-] *adj* enfermo de muerte; **todlangweilig** ['-'---] *adj* aburridísimo

tödlich ['tø:tlɪç] **I.** *adj* mortal; **Unfall mit ~em Ausgang** accidente con desenlace fatal **II.** *adv* a muerte; **~ verunglücken** morir en un accidente

todmüde ['-'--] *adj* (*fam*) muerto de sueño; **todsicher** ['-'--] **I.** *adj* (*fam*) segurísimo **II.** *adv* (*fam: auf jeden Fall*) sin falta; (*zweifellos*) indudablemente; **Todsünde** *f* pecado *m* mortal

Toilette [to̯a'lɛtə] *f* <-n> (*WC*) servicio *m*; **auf die ~ gehen** ir al baño; **Toilettenpapier** *nt* papel *m* higiénico

tolerant [tole'rant] *adj* tolerante

Toleranz [tole'rants] *f* <-en> tolerancia *f*

tolerieren* [tole'ri:rən] *vt* tolerar

toll [tɔl] *adj* (*fam*) genial; **tollkühn** *adj* audaz; **Tollpatsch**[RR] ['tɔlpatʃ] *m* <-(e)s, -e> torpe *mf*; **Tollwut** *f* rabia *f*

Tolpatsch[ALT] *m s.* **Tollpatsch**

Tomate [to'ma:tə] *f* <-n> tomate *m*; **treulose ~** (*fam*) amigo infiel; **Tomatenmark** *nt* concentrado *m* de tomate

Tombola ['tɔmbola] *f* <-s> tómbola *f*

Ton[1] [to:n] *m* <-(e)s, -e> (*zum Töpfern*) barro *m*

Ton[2] *m* <-(e)s, Töne> tono *m*; (*Klang*) sonido *m*; **der gute ~** las buenas formas

Tonart *f* MUS tonalidad *f*

Tonband *nt* cinta *f* magnetofónica; **Tonbandgerät** *nt* magnetófono *m*

tönen ['tø:nən] **I.** *vi* sonar **II.** *vt* color(e)ar

Tonfall *m* tono *m*; (*Sprachmelodie*)

acento *m*

Tonne ['tɔnə] *f* <-n> (*Behälter*) tonel *m*; (*Maßeinheit*) tonelada *f*; **tonnenweise** *adv* por toneladas

Tonstudio *nt* estudio *m* de grabación

Top [tɔp] *nt* <-s, -s> top *m*

Topf [tɔpf] *m* <-(e)s, Töpfe> (*Kochtopf*) olla *f*; (*Nachttopf*) orinal *m*; (*Blumentopf*) maceta *f*

Töpfer(in) ['tœpfɐ] *m(f)* <-s, -; -nen> alfarero, -a *m, f*

topfit ['tɔp'fɪt] *adj* (*fam*) a tope

Topflappen *m* agarrador *m*; **Topfpflanze** *f* planta *f* de maceta

Tor [to:ɐ] *nt* <-(e)s, -e> portal *m*; (SPORT: *Gehäuse*) portería *f*; **ein ~ schießen** marcar un gol

Torf [tɔrf] *m* <-(e)s, -e> turba *f*

töricht ['tø:rɪçt] *adj* (*abw: unvernünftig*) insensato; (*einfältig*) corto; (*unsinnig*) estúpido

torkeln ['tɔrkəln] *vi sein* tambalearse

Tornado [tɔr'na:do] *m* <-s, -s> tornado *m*

torpedieren* [tɔrpe'di:rən] *vt* torpedear

Torte ['tɔrtə] *f* <-n> tarta *f*

Tortur [tɔr'tu:ɐ] *f* <-en> tortura *f*

Torwart, -frau ['to:ɐvart] *m, f* <-(e)s, -e; -en> portero, -a *m, f*

tosen ['to:zən] *vi* (*Meer, Sturm*) rugir; **~der Beifall** aplauso frenético

tot [to:t] *adj* muerto; **er war auf der Stelle ~** falleció en el acto

total [to'ta:l] **I.** *adj* total; (*fam: völlig*) completo; **das ist ja ~er Wahnsinn** esto es una verdadera locura **II.** *adv* por completo

totalitär [totali'tɛ:ɐ] *adj* totalitario

Totalschaden *m* siniestro *m* total

tot|ärgern *vr:* **sich ~** (*fam*) reventar de rabia

Tote(r) ['to:tɐ] *f(m) dekl wie adj* muerto, -a *m, f*

töten ['tø:tən] *vt* matar

Totenkopf *m* calavera *f*; **totenstill** ['--'-] *adj*: **es war ~** (*fam*) reinaba un silencio sepulcral

tot|lachen *vr:* **sich ~** (*fam*) morirse de (la) risa

Toto ['to:to] *m o nt* <-s, -s> quiniela *f*

Totschlag *m* <-(e)s, *ohne pl*> homicidio *m*; **tot|schlagen** *irr vt* matar (a palos)

Toupet [tu'pe:] *nt* <-s, -s> bisoñé *m*

toupieren* [tu'pi:rən] *vt* cardar

Tour [tu:ɐ] *f* <-en> (*Ausflug*) excursión *f*; (*Rundfahrt*) vuelta *f*; (*Strecke*) recorrido *m*

Tourismus [tu'rɪsmʊs] *m* <-, *ohne pl*> turismo *m*

Tourist(in) [tu'rɪst] *m(f)* <-en, -en; -nen> turista *mf*; **Touristenzentrum** *nt* centro *m* turístico

Touristik [tu'rɪstɪk] *f* turismo *m*

touristisch *adj* turístico

Tournee [tʊr'ne:] *f* <-s *o* -n> gira *f*; **auf ~ gehen** salir de gira

Tower ['taʊɐ] *m* <-s, -> AERO torre *f* de control

toxisch ['tɔksɪʃ] *adj* tóxico

Trab [tra:p] *m* <-(e)s, *ohne pl*> trote *m*; **im ~** al trote; **jdn auf ~ bringen** meter prisa a alguien

traben ['tra:bən] *vi haben o sein* trotar

Tracht [traxt] *f* <-en> (*von Berufsgruppen*) uniforme *m*; (*bei Volksgruppen*) traje *m* regional; **eine ~ Prügel** (*fam*) una tunda

trächtig ['trɛçtɪç] *adj* preñado

Tradition [tradi'tsjo:n] *f* <-en> tradición *f*

traditionell [traditsjo'nɛl] *adj* tradicional

traf [tra:f] *3. imp von* **treffen**

Tragbahre *f* camilla *f*

tragbar *adj* (*Geräte*) portátil; (*erträglich*) soportable

träge ['trɛ:gə] *adj* (*langsam*) lento; (*faul*) perezoso

tragen ['tra:gən] <trägt, trug, getragen> **I.** *vt* llevar; (*stützen*) sostener; (*Verantwortung*) asumir; (*Kosten*) hacerse cargo (de); **auf dem Arm/auf dem Rücken ~** llevar en brazos/a cuestas **II.** *vi* (*Eis*) resistir

Träger[1] ['trɛgɐ] *m* <-s, -> ARCHIT viga *f*; (*an Kleidung*) tirante *m*

Träger(in)[2] *m(f)* <-s, -; -nen> (*Gepäckträger*) mozo, -a *m, f*; (*einer Krankheit*) portador(a) *m(f)*

Tragetasche *f* ❶ (*Einkaufstasche*) bolsa *f* de la compra ❷ (*Plastiktüte*) bolsa *f* de plástico

Tragfläche *f* plano *m* de sustentación

Trägheit ['trɛ:khaɪt] *f* (*Faulheit*) pereza *f*; (*Langsamkeit*) lentitud *f*

tragisch ['tra:gɪʃ] *adj* trágico; **nimm's nicht so ~** (*fam*) no te lo tomes tan a la tremenda

Tragödie [tra'gø:djə] *f* <-n> tragedia *f*

trägt *3. präs von* **tragen**

Tragweite *f* alcance *m*

Trainer(in) ['trɛ:nɐ] *m(f)* <-s, -; -nen> entrenador(a) *m(f)*

trainieren* [trɛ'ni:rən, tre'ni:rən] *vi, vt* entrenar(se)

Training ['trɛ:nɪŋ] *nt* <-s, -s> entrenamiento *m*; **Trainingsanzug** *m* chándal *m*

Traktor ['trakto:ɐ] *m* <-s, -en> tractor *m*

Trampel ['trampəl] *m o nt* <-s, -> (*fam abw*) patán, -ana *m, f*

trampeln ['trampəln] **I.** *vi* patear **II.** *vt*: **etw platt ~** pisotear algo

trampen ['trɛmpən] *vi sein* hacer auto(e)stop

Tramper(in) *m(f)* <-s, -; -nen> auto(e)stopista *mf*

Trampolin ['trampoli:n, --'-] *nt* <-s, -e> trampolín *m*

Tran [tra:n] *m*: **wie im ~** (*fam: benommen*) confuso

Träne ['trɛ:nə] *f* <-n> lágrima *f*

tränen *vi*: **mir ~ die Augen** me lloran los ojos

Tränengas *nt* <-es, *ohne pl*> gas *m* lacrimógeno

trank [traŋk] *3. imp von* **trinken**

Tränke ['trɛŋkə] *f* <-n> abrevadero *m*

tränken ['trɛŋkən] *vt* (*Tiere*) abrevar; (*durchnässen*) empapar (**in** en, **mit** de)

Transfusion [transfu'zjo:n] *f* <-en> tra(n)sfusión *f* (de sangre)

Transit [tran'zi:t, tran'zɪt] *m* <-s, -e> tránsito *m*; **Transitverkehr** *m* tráfico *m* de tránsito

transparent [transpa'rɛnt] *adj* tra(n)sparente

Transparent [transpa'rɛnt] *nt* <-(e)s, -e> (*Spruchband*) pancarta *f*

Transplantation [transplanta'tsjo:n] *f* <-en> tra(n)splante *m*

Transport [trans'pɔrt] *m* <-(e)s, -e> tra(n)sporte *m*

Transporter *m* <-s, -> vehículo *m* de tra(n)sporte

transportieren* [transpɔr'ti:rən] *vt* (*Waren*) tra(n)sportar; (*Personen*) trasladar

Transportmittel *nt* medio *m* de tra(n)sporte

Transvestit [transvɛs'ti:t] *m* <-en, -en> travesti *m*

trat [tra:t] *3. imp von* **treten**

Tratsch [tra:tʃ] *m* <-(e)s, *ohne pl*> (*fam abw*) cotilleo *m*

tratschen ['tra:tʃən] *vi* (*fam abw*) cotillear (**über** sobre)

Traube ['traʊbə] *f* <-n> (*Weintraube*) uva *f*; **blaue/grüne ~n** uvas negras/blancas; **Traubenzucker** *m* glucosa *f*

trauen ['traʊən] **I.** *vi*: **jdm/etw ~** confiar en alguien/algo; **ich traute meinen Ohren nicht** no podía dar crédito a mis oídos **II.** *vt* casar; **sich ~ lassen** casarse **III.** *vr*: **sich ~ etw zu tun** atreverse a hacer algo

Trauer ['traʊɐ] *f* tristeza *f*; (*um Tote*) luto *m*; **~ tragen** llevar luto; **Trauerfeier** *f* funeral *m*

trauern ['traʊɐn] *vi* llevar luto; **um jdn ~** llorar la muerte de alguien

Trauerspiel *nt* (*a. fig*) tragedia *f*

Traum [traʊm] *m* <-(e)s, Träume> sueño *m*

Trauma ['traʊma] *nt* <-s, Traumen *o* Traumata> trauma *m*

traumatisch [traʊ'ma:tɪʃ] *adj* traumático

Traumen ['traʊmən] *pl von* **Trauma**

träumen ['trɔɪmən] *vi* soñar (**von** con)

Träumer(in) *m(f)* <-s, -; -nen> soñador(a) *m(f)*

Träumerei *f* <-en> fantasías *fpl*

traumhaft *adj* (*fam: wunderbar*) maravilloso; **Traumpaar** *nt* pareja *f* ideal

traurig ['traʊrɪç] *adj* triste; **jdn ~ machen** entristecer a alguien; **~ werden** ponerse triste

Traurigkeit *f* tristeza *f*

Trauung ['traʊʊŋ] *f* <-en> boda *f*; **standesamtliche ~** matrimonio civil

Trauzeuge, Trauzeugin *m, f* testigo *mf* de matrimonio

treffen ['trɛfən] <trifft, traf, getroffen> **I.** *vt* (*begegnen*) encontrar; (*zufällig*) encontrarse (con); (*erreichen*) acertar; (*kränken*) ofender; (*betreffen*) afectar; **das Ziel ~** dar en el blanco; **mich trifft keine Schuld** yo no tengo la culpa; **eine Vereinbarung ~** llegar a un acuerdo **II.** *vr:* **sich ~** encontrarse; (*sich versammeln*) reunirse; **das trifft sich gut!** ¡eso me viene muy bien!

Treffen ['trɛfən] *nt* <-s, -> encuentro *m*

treffend I. *adj* (*richtig*) justo; (*angemessen*) adecuado **II.** *adv* con exactitud

Treffer *m* <-s, -> (*Schießen*) tiro *m* certero; (*Ballspiele*) gol *m*; (*Erfolg*) exitazo *m*

Treffpunkt *m* lugar *m* de encuentro

treiben ['traɪbən] <treibt, trieb, getrieben> **I.** *vt haben* (*hinbringen*) llevar; (*schieben*) empujar; (*mit Zwang*) hacer avanzar; (*hineinschlagen*) clavar (**in** en); (*Sport*) practicar; **sich (von der Strömung) ~ lassen** dejarse llevar (por la corriente); **die Preise in die Höhe ~** hacer subir los precios; **jdn zur Eile ~** meterle prisa a alguien; **jdn zum Wahnsinn ~** volver loco a alguien; **dummes Zeug ~** (*fam*) hacer tonterías; **es zu weit ~** ir demasiado lejos; **es mit jdm ~** (*fam*) tener relaciones sexuales con alguien **II.** *vi sein* (*fortbewegt werden*) ser llevado; (*von der Strömung*) ser arrastrado (por la corriente); (*auf Wasser*) flotar (**auf/in** en)

treibend *adj*: **die ~e Kraft** la fuerza motriz

Treibhaus *nt* invernadero *m*; **Treibhauseffekt** *m* <-(e)s, *ohne pl*> efecto *m* invernadero

Treibstoff *m* combustible *m*

Trend [trɛnt] *m* <-s, -s> tendencia *f*; **modischer ~** moda *f*

trennen ['trɛnən] *vt, vr:* **sich ~** separar(se)

Trennung *f* <-en> (*das Getrenntsein, das Getrenntwerden*) separación *f*; (*Teilung*) división *f*; (*Absonderung*) aislamiento *m*

Treppe ['trɛpə] *f* <-n> escalera *f*; **Treppenhaus** *nt* (caja *f* de la) escalera *f*

Tresen ['tre:zən] *m* <-s, -> NORDD (*in einer Gaststätte*) barra *f*

Tresor [tre'zo:ɐ] *m* <-s, -e> caja *f* fuerte

Tretboot *nt* patín *m* a pedales

treten ['tre:tən] <tritt, trat, getreten> **I.** *vi* ❶ *sein* (*hinaustreten*) salir (**auf** a); (*eintreten*) entrar (**in** a/en); (*mit dem Fuß*) pisar (**auf**); (*absichtlich*) pisotear (**auf**); **in Aktion ~** entrar en acción; **auf die Bremse ~** pisar el freno; **zur Seite ~** apartarse; **an jds Stelle ~** sustituir a alguien; **über die Ufer ~** (*Fluss*) desbordarse ❷ *haben* (*Tritt versetzen*) dar una patada (**nach** a); (*beim Radfahren*) pedalear **II.** *vt haben* (*Tritt geben*) dar una patada

treu [trɔɪ] *adj* fiel; **jdm ~ sein** ser fiel a alguien

Treue ['trɔɪə] *f* fidelidad *f*

treuherzig *adj* ingenuo; **treulos** *adj* infiel

Tribüne [tri'by:nə] *f* <-n> tribuna *f*

Trichter ['trɪçtɐ] *m* <-s, -> (*zum Einfüllen*) embudo *m*

Trick [trɪk] *m* <-s, -s> truco *m*; **Trickfilm** *m* dibujos *mpl* animados

trieb [tri:p] *3. imp von* **treiben**

Trieb [tri:p] *m* <-(e)s, -e> PSYCH, BIOL impulsión *f*; (*Instinkt*) instinto *m*; BOT

T

brote *m*; **Triebkraft** *f* fuerza *f* motriz; **Triebwerk** *nt a.* AERO motores *mpl*

triefen ['tri:fən] <trieft, triefte *o* troff, getrieft *o* getroffen> *vi* ❶ *sein* (*rinnen*) chorrear (**aus/von** por/de) ❷ *haben* (*nass sein*) estar empapado (**von/vor** de/por)

trifft [trɪft] *3. präs von* **treffen**

triftig ['trɪftɪç] *adj* (*überzeugend*) convincente; (*begründet*) bien fundado

Trikot [tri'ko:] *nt* <-s, -s> camiseta *f*

Trillerpfeife *f* pito *m*

trinken ['trɪŋkən] <trinkt, trank, getrunken> *vi, vt* beber (**aus** de/por); (*Kaffee, Tee*) tomar; **auf jds Wohl ~** beber a la salud de alguien

Trinker(in) *m(f)* <-s, -; -nen> bebedor(a) *m(f)*

Trinkgeld *nt* <-(e)s, -er> propina *f*; **Trinkwasser** *nt* <-s, -wässer> agua *f* potable

Trio ['tri:o] *nt* <-s, -s> trío *m*

Trip [trɪp] *m* <-s, -s> (*fam: Reise*) excursión *f*; **auf einem ~ sein** flipar

tritt [trɪt] *3. präs von* **treten**

Tritt [trɪt] *m* <-(e)s, -e> puntapié *m*; **jdm einen ~ versetzen** dar un puntapié a alguien

Triumph [tri'ʊmf] *m* <-(e)s, -e> triunfo *m*

triumphieren* [triʊm'fi:rən] *vi* triunfar (**über** sobre)

trivial [tri'vja:l] *adj* trivial

trocken ['trɔkən] *adj* (*a. Wein*) seco

Trockenheit *f* <-en> aridez *f*; (*Dürrezeit*) sequía *f*

trocken|legen *vt* (*Sumpf*) drenar; **Trockenzeit** *f* (temporada *f* de) sequía *f*

trocknen ['trɔknən] *vi sein vt haben* secar(se)

Trockner *m* <-s, -> secadora *f*

Trödel ['trø:dəl] *m* <-s, *ohne pl*> (*fam*) cachivaches *mpl*; **Trödelmarkt** *m* mercadillo *m*

trödeln ['trø:dəln] *vi* (*fam*) perder el tiempo

troff [trɔf] *3. imp von* **triefen**

trog [tro:k] *3. imp von* **trügen**

Trog [tro:k] *m* <-(e)s, Tröge> artesa *f*

Trommel ['trɔməl] *f* <-n> tambor *m*; **Trommelfell** *nt* tímpano *m*

trommeln *vi* tamborilear (**auf** sobre)

Trompete [trɔm'pe:tə] *f* <-n> trompeta *f*

trompeten* [trɔm'pe:tən] *vi* tocar la trompeta

Tropen ['tro:pən] *pl* trópicos *mpl*

Tropf [trɔpf] *m* <-(e)s, -e> gotero *m* intravenoso

tropfen ['trɔpfən] *vi* gotear

Tropfen *m* <-s, -> gota *f*; **das ist (nur) ein ~ auf den heißen Stein** (*fam*) (sólo) es una gota en medio del océano

Trophäe [tro'fɛ:ə] *f* <-n> trofeo *m*

tropisch ['tro:pɪʃ] *adj* tropical

Trost [tro:st] *m* <-(e)s, *ohne pl*> consuelo *m*; **nicht ganz bei ~ sein** (*fam*) no estar muy bien de la cabeza

trösten ['trø:stən] *vt, vr:* **sich ~** consolar (se)

tröstlich ['trø:stlɪç] *adj* consolador

trostlos *adj* (*Person*) desconsolado; (*Ding, Zustand*) desesperante

Trott [trɔt] *m* <-(e)s, -e> ❶ (*Gangart*) trote *m* ❷ (*Routine*) rutina *f*

Trottel ['trɔtəl] *m* <-s, -> (*fam abw*) imbécil *mf*

trotz *präp +gen/dat* a pesar de; **~ alle(de)m** a pesar de todo

Trotz *m* <-es, *ohne pl*> obstinación *f*; **aus ~** por despecho; **allen Warnungen zum ~** a pesar de todas las advertencias

trotzdem ['--, -'-] *konj* no obstante

trotzen ['trɔtsən] *vi* ❶ (*Kind*) emperrarse, estar de morros *fam* ❷ (*geh: widerstehen*) hacer frente (a)

trotzig *adj* obstinado

trüb(e) [try:p, 'try:bə] *adj* (*Flüssigkeit*) turbio; (*Licht*) opaco; (*Tag, Himmel*) nublado; (*Wetter*) nuboso; (*Stimmung*) melancólico

Trubel ['tru:bəl] *m* <-s, *ohne pl*> barullo *m*

T

trüben ['try:bən] *vt, vr:* **sich ~** (*Flüssigkeit, Stimmung*) enturbiar(se); (*Bewusstsein, Freude*) nublar(se)

trübselig *adj* melancólico; (*düster*) lóbrego; **trübsinnig** *adj* melancólico; (*bekümmert*) afligido

Trüffel ['trʏfəl] *f* <-n> trufa *f*

trug [tru:k] *3. imp von* **tragen**

trügen ['try:gən] <trügt, trog, getrogen> *vi, vt* engañar

trügerisch ['try:gərɪʃ] *adj* engañoso

Trugschluss[RR] *m* conclusión *f* errónea

Truhe ['tru:ə] *f* <-n> arca *f*

Trümmer ['trʏmɐ] *pl* ruinas *fpl*; (*Schutt*) escombros *mpl*

Trumpf [trʊmpf] *m* <-(e)s, Trümpfe> triunfo *m*; **einen ~ in der Hand haben** (*fig*) tener un as en la manga

Trunkenbold [-bɔlt] *m* <-(e)s, -e> (*abw*) borracho, -a *m, f*

Trunkenheit *f* embriaguez *f*

Trunksucht *f ohne pl* alcoholismo *m*

Truppe ['trʊpə] *f* <-n> MIL tropa *f*; (*Schauspieltruppe*) compañía *f*

Truthahn ['tru:t-] *m* pavo *m*

Tscheche, Tschechin ['tʃɛçə] *m, f* <-n, -n; -nen> checo, -a *m, f*

Tschechien ['tʃɛçiən] *nt* <-s> Chequia *f*

tschechisch *adj* checo; **Tschechische Republik** República Checa

Tschechoslowakei [-slova'kaɪ] *f* Checoslovaquia *f*

tschüs *interj*, **tschüss**[RR] [tʃʏs] *interj* hasta luego, chau

T-Shirt ['ti:ʃœ:t] *nt* <-s, -s> camiseta *f*

TU [te:'ʔu:] *f* <-s> *Abk. von* **Technische Universität** Universidad *f* Técnica

Tube ['tu:bə] *f* <-n> tubo *m*

Tuberkulose [tubɛrku'lo:zə] *f* <-n> tuberculosis *f inv*

Tübingen ['ty:bɪŋən] *nt* <-s> Tubinga *f*

Tuch [tu:x] *nt* <-(e)s, Tücher> (*Halstuch, Kopftuch*) pañuelo *m*; (*Wischtuch*) trapo *m*; (*für Stierkampf*) capote *m*

tüchtig ['tʏçtɪç] *adj* aplicado

Tücke ['tʏkə] *f* <-n> ❶ (*Mangel*) defecto *m* ❷ *ohne pl* (*Bosheit*) malicia *f*

tückisch ['tʏkɪʃ] *adj* (*boshaft*) malicioso; (*unberechenbar*) imprevisible; (*gefährlich*) peligroso

Tugend ['tu:gənt] *f* <-en> virtud *f*; **tugendhaft** *adj* virtuoso

Tüll [tʏl] *m* <-s, -e> tul *m*

Tulpe ['tʊlpə] *f* <-n> tulipán *m*

tummeln ['tʊməln] *vr:* **sich ~** corretear

Tumor [tu'mo:ɐ] *m* <-s, -en> tumor *m*

Tümpel ['tʏmpəl] *m* <-s, -> charca *f*

Tumult [tu'mʊlt] *m* <-(e)s, -e> tumulto *m*

tun [tu:n] <tut, tat, getan> *vi, vt* hacer; **wohl ~** sentar bien; **damit ist es nicht getan** con esto no basta; **damit habe ich nichts zu ~** no tengo nada que ver con ello; **so ~, als ob ...** hacer como si... *+subj*

Tuner ['tju:nɐ] *m* <-s, -> sintonizador *m*

Tunesien [tu'ne:ziən] *nt* <-s> Túnez *m*

Tunfisch[RR] *m s.* **Thunfisch**

Tunnel ['tʊnəl] *m* <-s, -(s)> túnel *m*

Tupfer *m* <-s, -> (*fam: Punkt*) punto *m*; (*auf Stoff*) lunar *m*

Tür [ty:ɐ] *f* <-en> puerta *f*; **kurz vor der ~ stehen** (*fig*) estar a la vuelta de la esquina; **jdn vor die ~ setzen** (*fam*) poner a alguien de patitas en la calle; **mit der ~ ins Haus fallen** (*fam*) ir directamente al grano; **zwischen ~ und Angel** (*fam*) a toda prisa

Turban ['tʊrba:n] *m* <-s, -e> turbante *m*

Turbine [tʊr'bi:nə] *f* <-n> turbina *f*

turbulent [tʊrbu'lɛnt] *adj* turbulento

Türke, Türkin ['tʏrkə] *m, f* <-n, -n; -nen> turco, -a *m, f*

Türkei [-'-] *f* Turquía *f*

türkis *adj inv* (de color) turquesa

türkisch *adj* turco

Türklinke *f* pestillo *m* de la puerta

Turm [tʊrm] *m* <-(e)s, Türme> torre *f*; (*Glockenturm*) campanario *m*

türmen ['tʏrmən] **I.** *vi sein* (*fam*) poner pies en polvorosa **II.** *vr haben*: **sich ~**

acumularse

turnen *vi* hacer gimnasia

Turnen ['tʊrnən] *nt* <-s, *ohne pl*> gimnasia *f*; (*Turnunterricht*) (clase *f* de) educación *f* física

Turner(in) *m(f)* <-s, -; -nen> gimnasta *mf*

Turnhalle *f* gimnasio *m*

Turnier [tʊr'niːɐ] *nt* <-s, -e> torneo *m*

Turnschuh *m* tenis *m inv*

tuscheln ['tʊʃəln] *vi, vt* cuchichear

Tussi ['tʊsi] *f* <-s> (*fam abw*) tía *f* exagerada

tut [tuːt] *3. präs von* **tun**

Tüte ['tyːtə] *f* <-n> bolsa *f*; **Suppe aus der ~** sopa de sobre

tuten ['tuːtən] *vi* tocar la bocina, pitar

TÜV [tʏf] *m* <-, *ohne pl*> *Abk. von* **Technischer Überwachungs-Verein** ≈ITV *f*

Typ [tyːp] *m* <-s, -en> tipo *m*; (*fam: Mann*) tío *m*; **er ist nicht mein ~** (*fam*) no es mi tipo

Type ['tyːpə] *f* <-n> (*fam: Mensch*) tipejo, -a *m, f*

Typhus ['tyːfʊs] *m* <-, *ohne pl*> tifus *m inv* (vulgar)

typisch ['tyːpɪʃ] *adj* típico (**für** de)

Tyrann(in) [ty'ran] *m(f)* <-en, -en; -nen> tirano, -a *m, f*

tyrannisieren* [tyrani'ziːrən] *vt* tiranizar

U

U, u [u:] *nt* <-, -> U, u *f*

u. a. ① *Abk. von* **und andere(s)** y más ② *Abk. von* **unter anderem/anderen** entre otros

U-Bahn ['u:ba:n] *f* metro *m*

übel ['y:bəl] **I.** *adj* (*schlecht*) mal(o); (*unangenehm*) desagradable; **mir wird ~** me dan náuseas; **nicht ~** (*fam*) bastante bien **II.** *adv* mal; **~ dran sein** estar en una situación difícil; **jdm ~ mitspielen** jugarle una mala pasada a alguien

Übel *nt* <-s, -> mal *m*; **zu allem ~ ...** para colmo de males...

übelgelaunt *adj s.* **gelaunt**

Übelkeit *f* náuseas *fpl*; **~ erregend** nauseabundo

übel|nehmen *irr vt s.* **nehmen**; **übelriechend** *adj s.* **riechen**

Übeltäter(in) *m(f)* malhechor(a) *m(f)*

üben ['y:bən] *vi, vt* practicar

über ['y:bɐ] **I.** *präp +dat* sobre; **~ jdm stehen** estar por encima de alguien **II.** *präp +akk* ① (*räumlich*) por; **nach Münster ~ Dortmund** a Münster vía Dortmund; **~ die Straße gehen** cruzar la calle; **~ die Grenze fahren** pasar la frontera; **~ eine Mauer springen** saltar un muro ② (*zeitlich*): **~ Nacht** durante la noche; **~ 3 Jahre** más de 3 años; **~ ... hinaus** más allá de... ③ (*von, betreffend*) acerca de; **was wissen Sie ~ ihn?** ¿qué sabe Ud. sobre él? ④ (*in Höhe von*) por; **ein Scheck ~ 4000 Euro** un cheque por valor de 4000 euros ⑤ (*von mehr als*) de más de; **Kinder ~ 12 Jahre** niños de más de 12 años ⑥ (*mittels*) por medio de; **~ ein Inserat** por medio de un anuncio **III.** *adv* (*mehr als*) (de) más de; **~ zwei Meter lang** de más de dos metros de largo; **die ganze Zeit ~** durante todo el tiempo

überall ['y:bɐ'ʔal] *adv* por todas partes

überanstrengen* **I.** *vt* cansar excesivamente **II.** *vr:* **sich ~** hacer un esfuerzo excesivo

überarbeiten* **I.** *vt* revisar **II.** *vr:* **sich ~** trabajar en exceso

überaus ['---, --'-] *adv* sumamente

Überbevölkerung *f ohne pl* superpoblación *f*

überbewerten* ['-----] *vt* sobrevalorar

überbieten* *irr* **I.** *vt* sobrepujar; (*Rekord*) batir; **nicht zu ~ sein** ser insuperable **II.** *vr:* **sich ~** superarse

Überbleibsel ['y:bɐblaɪpsəl] *nt* <-s, -> (*fam*) resto *m*

Überblick ['---] *m* (*über Zusammenhänge*) visión *f* de conjunto; **den ~ verlieren** perder la orientación; **sich** *dat* **einen ~ über etw verschaffen** hacerse una idea general de algo; **überblicken*** *vt* abarcar con la vista; (*Zusammenhänge*) comprender; (*Situation*) controlar

überboten *pp von* **überbieten**

überbracht *pp von* **überbringen**

überbringen* *irr vt* (*geh*) entregar; (*Nachricht*) transmitir

überbrücken* *vt* (*Frist*) franquear; (*Gegensätze*) superar; ELEK puentear

überdacht *pp von* **überdenken**

überdauern* *vt* perdurar

überdecken* *vt* ① (*bedecken*) cubrir (**mit** de) ② (*verdecken*) ocultar

überdenken* *irr vt* reflexionar (sobre)

überdies [--'-] *adv* aparte de eso

Überdosis *f* sobredosis *f inv*

Überdruss[RR] ['y:bɐdrʊs] *m* <-es, *ohne pl*> tedio *m*; **bis zum ~** hasta la saciedad

überdurchschnittlich *adj* superior al promedio

übereilen* *vt* precipitar

übereinander [---'--] *adv* (*räumlich*) uno encima del otro; (*von sich*) uno del otro; **übereinander|schlagen** *irr vt* (*Arme, Beine*) cruzar

überein|kommen [y:bɐ'ʔaɪn-] *irr vi sein*

(*geh*) convenir (**zu** +*dat* en)

Übereinkommen *nt* <-s, -> acuerdo *m*

überein|stimmen [y:bɐˈʔaɪn-] *vi* (*einer Meinung sein*) estar de acuerdo (**in** sobre); (*gleich sein*) coincidir (**in** en); **übereinstimmend** *adj* (*einhellig*) unánime; (*gleich*) idéntico; **sie erklärten ~, dass ...** declararon unánimemente que...; **Übereinstimmung** *f* <-en> coincidencia *f*; (*Einklang*) armonía *f*; (*von Meinungen*) consenso *m*; **in ~ mit ...** acorde con...

überempfindlich *adj* hipersensible

überfahren* *irr vt* atropellar; (*Ampel*) saltar(se)

Überfall [ˈ---] *m* asalto *m* (**auf** a); **überfallen*** *irr vt* atacar; (*Bank, Person*) asaltar; (*bewaffnet*) atracar; (*Müdigkeit*) acometer; **jdn mit Fragen ~** acosar a alguien con preguntas

überfällig *adj* ❶ (*Verkehrsmittel*) retrasado, con retraso ❷ (*Rate*) vencido

Überfluss[RR] *m* <-es, *ohne pl*> (super)abundancia *f* (**an** de); **im ~ leben** vivir en la abundancia; **zu allem ~** para colmo; **überflüssig** *adj* superfluo; **sich** *dat* **~ vorkommen** sentirse de más

überfordern* *vt* exigir demasiado (de)

überfüllt [--ˈ-] *adj* repleto

Übergabe [ˈ----] *f* <-n> entrega *f*

Übergang [ˈ---] *m* paso *m*

übergangen *pp von* **übergehen**[1]

übergeben* *irr* **I.** *vt* entregar; (*Angelegenheit*) poner en manos (de) **II.** *vr:* **sich ~** vomitar

übergehen*[1] *irr vt haben* pasar por alto; **sich übergangen fühlen** sentirse ignorado

über|gehen[2] *irr vi sein* (*Besitzer wechseln*) pasar (**auf** a); (*sich verwandeln*) convertirse (**in** en)

übergeordnet *adj* de mayor importancia

übergeschnappt [ˈy:bɐgəʃnapt] *adj* (*fam*) chiflado

Übergewicht *nt* <-(e)s, *ohne pl*> exceso *m* de peso

überglücklich *adj* loco de alegría; **über|handnehmen** *irr vi* aumentar excesivamente

überhäufen* *vt* colmar (**mit** de); **jdn mit Vorwürfen ~** abrumar a alguien con reproches

überhaupt [y:bɐˈhaʊpt, ˈ---] *adv* (*im Allgemeinen*) en general; (*eigentlich*) en realidad; **~ nicht** en absoluto; **~ keine Möglichkeit** ninguna posibilidad

überheblich [y:bɐˈhe:plɪç] *adj* presuntuoso

überholen* *vt* (*Fahrzeug*) adelantar; (*überprüfen*) revisar

überholt [--ˈ-] *adj* anticuado

überhören* *vt* (*nicht hören*) no oír; (*ignorieren*) pasar por alto

überirdisch *adj* sobrenatural

überlassen* *irr vt:* **jdm etw ~** (*abgeben*) dejar algo a alguien; **jdn sich** *dat* **selbst ~** abandonar a alguien

überlasten* *vt* sobrecargar; **sie ist überlastet** está agobiada de trabajo

überlaufen[1] *adj* muy frecuentado

überlaufen*[2] *irr vt* (*Gefühl*) sentir; **es überlief ihn (heiß und) kalt** le dieron escalofríos

über|laufen[3] *irr vi sein* ❶ (*Flüssigkeit*) desbordarse ❷: **zum Feind ~** pasarse a las filas enemigas

überleben* *vi, vt* sobrevivir (a); **Überlebende(r)** [--ˈ---] *mf* <-n, -n; -n> superviviente *mf*

überlegen[1] *adj*: **jdm (in/an etw) ~ sein** ser superior a alguien (en algo)

überlegen*[2] *vi, vt* reflexionar (sobre); **wohl überlegt handeln** obrar con mesura; **ich habe es mir anders überlegt** he cambiado de opinión; **ich werde es mir ~** me lo pensaré

Überlegenheit *f* superioridad *f*

Überlegung [--ˈ--] *f* <-en> reflexión *f*; (*Erwägung*) consideración *f*

Überlieferung *f* (*Tradition*) tradición *f*

überlisten* *vt* engañar

überm [ˈy:bɐm] (*fam*) = **über dem** *s.* **über**

übermächtig *adj* prepotente; (*Gegner*)

superior; (*Gefühl*) fuerte; (*Verlangen*) irresistible

Übermaß *nt* <-es, *ohne pl*> exceso *m* (**an** de); **übermäßig** I. *adj* excesivo II. *adv* (*zu viel*) demasiado

übermenschlich *adj* sobrehumano

übermitteln* *vt* transmitir

übermorgen ['----] *adv* pasado mañana

übermüdet [--'--] *adj* agotado, hecho polvo *fam*

Übermut *m* (*Fröhlichkeit*) alegría *f* desbordante; (*Mutwille*) travesura *f*

übermütig *adj* (*fröhlich*) loco de alegría; (*mutwillig*) travieso

übern ['y:bɐn] (*fam*) = **über den** *s.* **über**

übernächste(r, s) *adj* subsiguiente; **in der ~n Woche** dentro de dos semanas; **~n Sonntag** el domingo de la semana que viene

übernachten* *vi* pasar la noche (**in** en, **bei** en casa de) *fam*

Übernahme ['----] *f* toma *f*; (*eines Amts*) toma *f* de posesión; (*einer Idee*) adopción *f*; (*von Verantwortung*) asunción *f*

übernatürlich ['-----] *adj* sobrenatural

übernehmen* *irr* I. *vt* (*Aufgabe*) encargarse (de); (*Kosten*) correr (con); (*Methode*) adoptar; (*Verantwortung*) asumir II. *vr:* **sich ~** excederse

übernommen *pp von* **übernehmen**

überprüfen* *vt* revisar; (*amtlich*) controlar; INFOR chequear

überqueren* *vt* cruzar

überragen* *vt* (*an Größe*) descollar (por encima de); (*Person*) superar en altura (**um**)

überragend [--'--] *adj* extraordinario

überraschen* [y:bɐ'raʃən] *vt* sorprender

überraschend [--'--] I. *adj* sorprendente, sorpresivo ; (*unerwartet*) inesperado II. *adv* inesperadamente; **das kam für mich völlig ~** me cogió totalmente de sorpresa

Überraschung [y:bɐ'raʃʊŋ] *f* <-en> sorpresa *f*

überreden* *vt* persuadir; **sich ~ lassen** dejarse convencer

überreichen* *vt* entregar

Überreste *m pl* ❶ (*Zurückgebliebenes*) restos *mpl*; **die sterblichen ~** los restos mortales ❷ (*Ruinen*) ruinas *fpl*

überrumpeln* *vt* coger de sorpresa

übers ['y:bɐs] (*fam*) = **über das** *s.* **über**

überschätzen* *vt* sobrevalorar

überschaubar *adj* (*Kosten, Risiko*) apreciable

überschlafen* *irr vt* consultar con la almohada *fam*

überschlagen* *irr* I. *vt* (*schätzen*) calcular aproximadamente II. *vr:* **sich ~** (*Fahrzeug*) volcar; (*Ereignisse*) precipitarse

über|schnappen *vi sein* (*fam*) volverse loco

überschneiden* *irr vr:* **sich ~** (*Termine*) coincidir

überschnitten *pp von* **überschneiden**

überschreiben* *irr vt* ❶ (*übertragen*) transferir (**auf** a) ❷ (*betiteln*) titular ❸ (INFOR: *Datei*) sobreescribir

überschreiten* *irr vt* (*Anzahl*) pasar (de); (*Kräfte, Fähigkeiten*) superar; (*Befugnisse*) abusar (de); (*Geschwindigkeit*) rebasar; (*überqueren*) atravesar

Überschrift *f* título *m*

überschritten *pp von* **überschreiten**

Überschuss[RR] *m* excedente *m*

überschütten* *vt* ❶ (*bedecken*) cubrir (**mit** *+dat* con/de) ❷ (*überhäufen*) colmar (**mit** *+dat* de)

überschwänglich[RR] ['y:bɐʃvɛŋlɪç] *adj* exaltado

Überschwemmung [--'--] *f* <-en> inundación *f*

überschwenglich[ALT] *adj s.* **überschwänglich**

Übersee ['---] *f*: **aus ~** de ultramar

übersehen* *irr vt* (*nicht sehen*) no ver; (*absichtlich*) pasar por alto

übersetzen* *vt* traducir (**von/aus** de, **in** a); **Übersetzer(in)** [--'--] *m(f)* <-s, -; -nen> traductor(a) *m(f)*; **Übersetzung**

[--'--] *f* <-en> traducción *f*

Übersicht ['---] *f* <-en> ❶ (*Überblick*) visión *f* general (**über** +*akk* de); (*über Zusammenhänge*) visión *f* de conjunto (**über** +*akk* de) ❷ (*Resümee*) resumen *m* (**über** +*akk* de)

übersichtlich *adj* ❶ (*räumlich*) fácil de abarcar (con la vista) ❷ (*deutlich*) claro

überspielen* *vt* RADIO, TV grabar (**auf** en); (*verstecken*) disimular

überspitzt [--'-] *adj* exagerado

überspringen*[1] *irr vt* ❶ (*Hindernis*) saltar ❷ (*auslassen*) saltarse

über|springen[2] *irr vi sein* (*Begeisterung*) transmitirse (**auf** a)

übersprungen *pp von* **überspringen**[1]

überstanden *pp von* **überstehen**

überstehen* *irr vt* (*hinter sich bringen*) superar; **das Schlimmste ist jetzt überstanden** lo peor ya pasó

übersteigen* *irr vt* (*übertreffen*) exceder; **das überstieg alle unsere Erwartungen** superó todas nuestras expectativas

überstiegen *pp von* **übersteigen**

Überstunde *f* hora *f* extra

überstürzen* *vt, vr:* **sich ~** precipitar(se)

übertragen* *irr* **I.** *vt* transmitir; (*Verantwortung*) conferir; (*Aufgabe*) asignar **II.** *vr:* **sich ~** transmitirse (**auf** a)

übertreffen* *irr vt, vr:* **sich ~** superar(se)

übertreiben* *irr vi, vt* exagerar

Übertreibung [--'--] *f* <-en> exageración *f*

übertreten*[1] *irr vt haben* (*Grenze*) pasar; (*Gesetz*) transgredir

über|treten[2] *irr vi sein* (*zu einer Religion*) convertirse (**zu** a)

übertrieben [y:bɐ'tri:bən] *pp von* **übertreiben**

übertroffen *pp von* **übertreffen**

überwachen* *vt* (*beobachten*) vigilar; (*kontrollieren*) controlar; (*mit Monitor*) monitorizar

Überwachungskamera *f* cámara *f* de vigilancia

überwältigen* [y:bɐ'vɛltɪgən] *vt* (*bezwingen*) vencer; (*beeindrucken*) impresionar; (*Angst*) apoderarse (de)

überwältigend [--'---] *adj* impresionante; (*großartig*) grandioso; (*Mehrheit*) abrumador

überweisen* *irr vt* (*Geld*) transferir; (*Patient*) mandar (**zu** a); **Überweisung** [--'--] *f* <-en> (*von Geld*) transferencia *f*; (*vom Arzt*) volante *m* médico

überwiegen* *irr vi* predominar

überwiegend *adv* principalmente

überwiesen *pp von* **überweisen**

überwinden* *irr* **I.** *vt* (*Misstrauen, Hindernis*) superar; (*Gegner*) vencer **II.** *vr:* **sich ~ etw zu tun** hacer un esfuerzo para hacer algo; **Überwindung** [--'--] *f ohne pl* ❶ (*einer Schwierigkeit*) superación *f* ❷ (*Selbstüberwindung*) esfuerzo *m*

überwogen *pp von* **überwiegen**

überwunden *pp von* **überwinden**

Überzahl *f ohne pl* mayoría *f*

überzeugen* *vt, vr:* **sich ~** convencer(se); **von sich** *dat* **überzeugt sein** estar seguro de sí mismo

überzeugend *adj* convincente

Überzeugung [--'--] *f* <-en> (*fester Glaube*) convicción *f*

überziehen*[1] *irr vt* (*mit Stoff*) revestir (**mit** de); (*mit Schokolade*) bañar (**mit** con); (*Konto*) dejar al descubierto

über|ziehen[2] *irr vt* (*Kleidungsstück*) ponerse; **jdm eins ~** pegar una torta a alguien

überzogen *pp von* **überziehen**

Überzug *m* (*Schicht*) capa *f*; (*Glasur*) baño *m*; (*Bezug*) funda *f*

üblich ['y:plɪç] *adj* usual; **wie ~** como siempre; **das ist hier so ~** ésta es la costumbre aquí; **es ist bei uns ~, dass ...** acostumbramos a... +*inf*

U-Boot ['u:bo:t] *nt* submarino *m*

übrig ['y:brɪç] *adj* restante; **die Übrigen** los demás; **~ bleiben** sobrar; **~ lassen** dejar; **für jdn/etw nicht viel ~ haben** no simpatizar con alguien/algo;

übrig|bleiben *irr vi sein*: **ihm bleibt**

nichts anderes übrig, als ... no tiene más remedio que...

übrigens ['y:brɪgəns] *adv* por cierto; (*beiläufig*) dicho sea de paso

übrig|lassenALT *irr vt s.* **übrig**

Übung ['y:bʊŋ] *f* <-en> ❶ *a.* SPORT, MUS ejercicio *m* ❷ *ohne pl* (*Erfahrung*) práctica *f*; **aus der ~ kommen** perder la práctica

Ufer ['u:fɐ] *nt* <-s, -> orilla *f*; **am ~** en la orilla; **über die ~ treten** desbordarse

Ufo ['u:fo] *nt* <-s, -s> *Abk. von* **Unbekanntes Flugobjekt** ovni *m*

Uhr [u:ɐ] *f* <-en> reloj *m*; (*bei Zeitangabe*) hora *f*; **die ~ aufziehen** dar cuerda al reloj; **rund um die ~** (*fam*) las 24 horas del día; **wie viel ~ ist es?** ¿qué hora es?; **es ist genau acht ~** son las ocho en punto; **neun ~ drei** las nueve y tres minutos; **Uhrmacher(in)** *m(f)* <-s, -; -nen> relojero, -a *m, f*

Uhrzeiger *m* aguja *f* de(l) reloj; **Uhrzeigersinn** *m* <-(e)s, *ohne pl*>: **im ~** en el sentido de las agujas del reloj; **gegen den ~** en sentido contrario a las agujas del reloj

Uhrzeit *f* hora *f*

Uhu ['u:hu] *m* <-s, -s> búho *m*

Ukraine [ukra'i:nə, u'kraɪnə] *f* Ucrania *f*

ukrainisch [ukra'i:nɪʃ, u'kraɪnɪʃ] *adj* ucrani(an)o

UKW [u:ka:'ve:] *Abk. von* **Ultrakurzwelle** onda *f* ultracorta

Ultraschall *m* <-(e)s, *ohne pl*> ultrasonido *m*; **Ultraschalluntersuchung** *f* ecografía *f*

U

um [ʊm] I. *präp +akk* ❶ (*räumlich*): **~ ... (herum)** alrededor de; (*in der Nähe*) cerca de; **sie ging ~ den Tisch (herum)** dio una vuelta a la mesa; **er hat gern Freunde ~ sich** le gusta tener amigos a su alrededor; **~ die Ecke** a la vuelta de la esquina; **sie legte den Arm ~ ihn** le pasó el brazo por encima del hombro; **die Gegend ~ Freiburg** los alrededores de Friburgo; **sie schlug ~ sich** se puso a dar puñetazos a diestro y siniestro ❷ (*bei Uhrzeit*) a; **~ drei Uhr** a las tres ❸ (*ungefähr*) hacia; **sie kommt so ~ den Fünfzehnten** viene sobre el quince ❹ (*Wiederholung*) tras; **es verging Woche ~ Woche** pasó semana tras semana ❺ (*Differenz*) en; **sie ist ~ einiges überlegen** es bastante superior; **die Ausgaben ~ 10 % senken** reducir los gastos en un 10% ❻ (*bezüglich*) de; **es geht ~s Geld** se trata del dinero ❼ (*wegen*) por; **~ keinen Preis** por nada del mundo; **sich ~ jdn kümmern** cuidar de alguien **II.** *präp +gen*: **~ ... willen** por...; **~ Himmels willen!** ¡cielos! **III.** *konj* ❶ (*final*): **~ ... zu** para *+inf* ❷ (*konsekutiv*): **~ ... zu** como para *+inf*; **er ist klug genug, ~ seinen Fehler zuzugeben** es lo suficientemente inteligente como para admitir su error **IV.** *adv* (*ungefähr*) aproximadamente

umarmen* *vt, vr:* **sich ~** abrazar(se)

Umbau *m* <-(e)s, -ten> reformas *fpl*; **um|bauen** *vt* reformar

um|benennen* *irr vt* cambiar de nombre; **um|blättern** *vi* volver la hoja; **um|bringen** *irr* **I.** *vt* matar **II.** *vr:* **sich ~** (*Selbstmord begehen*) suicidarse

Umbruch *m* (*Wandel*) cambio *m* (radical); **etw ist im ~** algo está cambiando

um|denken *irr vi* cambiar su modo de pensar, reorientarse; **um|drehen I.** *vt* volver; (*Schlüssel*) dar vuelta (a); **jdm den Hals ~** retorcerle el cuello a alguien **II.** *vr:* **sich ~** volverse (**nach** hacia); **mir dreht sich der Magen um** se me revuelve el estómago

umfahren*1 *irr vt* ❶ (*umkreisen*) dar la vuelta (a) ❷ (*ausweichen*) esquivar, evitar

um|fahren2 *irr vt* (*Objekt*) derribar; (*Person*) atropellar

um|fallen *irr vi sein* caerse

Umfang *m* <-(e)s, -fänge> (*Ausdeh-*

nung) extensión *f*; (*Dicke*) volumen *m*; (*Größe*) tamaño *m*; (*Ausmaß*) dimensiones *fpl*; **in großem ~** a gran escala; **umfangreich** *adj* amplio
umfassen* *vt* (*bestehen aus*) abarcar
umfassend *adj* amplio
Umfeld *nt* entorno *m*
um|formen *vt* (*umändern*) transformar
Umfrage *f* encuesta *f*; **Umfrageergebnis** *nt* resultado *m* de una encuesta
Umgang *m* <-(e)s, *ohne pl*> (*mit Personen*) trato *m*; (*mit Dingen*) manejo *m*; **sie ist kein ~ für dich** (*fam*) es mala compañía para ti
umgangen *pp von* **umgehen**[1]
umgänglich ['ʊmgɛŋlɪç] *adj* afable
Umgangsformen *f pl* modales *mpl*; **Umgangssprache** *f* lenguaje *m* familiar
umgeben* *irr vt* rodear
Umgebung [-'--] *f* <-en> (*Gebiet*) alrededores *mpl*; (*Nachbarschaft*) vecindad *f*; (*Milieu*) entorno *m*
umgehen*[1] *irr vt haben* (*vermeiden*) evitar; (*nicht beachten*) eludir
um|gehen[2] *irr vi sein* (*Gerücht*) correr; (*Gespenst*) andar; (*mit Personen*) tratar (**mit** a); (*mit Dingen*) manejar (**mit**); **sparsam mit etw ~** economizar algo
umgehend ['---] **I.** *adj* inmediato **II.** *adv* de inmediato
umgekehrt *adj* (*umgedreht*) invertido; (*entgegengesetzt*) contrario; **in ~er Richtung** en sentido contrario; **die Sache ist genau ~** es justo lo contrario
Umhang *m* <-(e)s, -hänge> capa *f*
umher [ʊm'heːɐ] *adv* (*hier und da*) por aquí, por allá; (*überall*) por todas partes
um|hören *vr:* **sich ~** informarse; **um|kehren I.** *vi sein* volver **II.** *vt haben* (*umdrehen*) dar vuelta (a); (*ins Gegenteil verkehren*) invertir; **um|kippen I.** *vi sein* (*umfallen*) caerse; (*Wagen*) volcar; (*Boot*) zozobrar **II.** *vt haben* derribar
Umkleideraum ['----] *m* vestuario *m*
um|knicken I. *vi sein* ❶ (*Baum*) doblarse ❷ (*Fuß*) torcerse el pie **II.** *vt* doblar; **um|kommen** *irr vi sein* morir (**vor** de)
Umkreis *m* <-es, *ohne pl*> alrededores *mpl*; **im ~ von fünf Kilometern** en un radio de cinco kilómetros
um|krempeln ['ʊmkrɛmpəln] *vt* (*Ärmel*) (ar)remangarse; (*durchwühlen*) revolver
Umleitung *f* desvío *m*
umliegend *adj* vecino
um|rechnen *vt* (*Maße*) convertir (**in** en); (*Währung*) calcular en otra moneda
Umriss[RR] ['--] *m* contorno *m*
um|rühren *vt* remover
ums [ʊms] = **um das** *s.* **um**
Umsatz *m* volumen *m* de ventas
um|schalten *vi* RADIO, TV cambiar de canal
Umschlag *m* (*Buchumschlag*) cubierta *f*; (*Briefumschlag*) sobre *m*; MED compresa *f*; (*heiß*) cataplasma *m*
umschreiben* *irr vt* (*festlegen*) delimitar; (*mit anderen Worten*) parafrasear
umschrieben *pp von* **umschreiben**
um|schulen *vt* ❶ (*Kind*) cambiar de colegio ❷ (*beruflich*) readaptar (profesionalmente)
Umschweife *m pl* rodeos *mpl*
Umschwung *m* cambio *m* (brusco)
um|sehen *irr vr:* **sich ~** ❶ (*zurückblicken*) mirar hacia atrás; **sich nach jdm ~** seguir a alguien con la mirada ❷ (*herumsehen*) mirar alrededor; **ich sehe mich nur mal um** voy a echar solamente un vistazo ❸ (*suchen*) buscar (**nach**); **um|setzen I.** *vt* ❶ (*anders setzen*) poner en otro sitio ❷ (*verkaufen*) vender ❸ (*umwandeln*) transformar (**in** en) ❹ (*anwenden*) realizar; **etw in die Tat ~** llevar algo a la práctica **II.** *vr:* **sich ~** sentarse en otro sitio
umsichtig *adj* cauteloso
um|siedeln I. *vi sein* trasladarse (**nach** +*dat*, **in** +*akk* a) **II.** *vt haben* trasladar

umso[RR] ['ʊmzo] *konj* tanto más
umsonst [ʊm'zɔnst] *adv* (*unentgeltlich*) gratis; (*vergeblich*) en vano; (*grundlos*) sin motivo
Umstand *m* (*Tatsache*) hecho *m*; (*Verhältnisse*) circunstancias *fpl*; (*Mühe, Aufwand*) molestia *f*; **unter Umständen** tal vez; **unter keinen Umständen** de ningún modo; **unter diesen Umständen** dadas las circunstancias; **unter allen Umständen** cueste lo que cueste; **in anderen Umständen sein** estar encinta; **das macht gar keine Umstände** no es ninguna molestia
umständlich *adj* complicado
um|steigen *irr vi sein* (*Fahrzeug wechseln*) hacer tra(n)sbordo
umstellen*[1] *vt* rodear, cercar
um|stellen[2] **I.** *vt* (*Dinge*) poner en otro sitio; (*Reihenfolge*) invertir; **die Uhr ~** cambiar la hora **II.** *vr:* **sich ~** adaptarse (**auf** a)
Umstellung ['---] *f* <-en> (*Anpassung*) adaptación *f* (**auf** *+akk* a); (*eines Betriebs*) reorganización *f*
umstritten [-'--] *adj* controvertido
Umtausch *m* cambio *m*; **um|tauschen** *vt* cambiar (**gegen** por)
UMTS [u:ʔɛmʔte:'ɛs] *nt* <-, *ohne pl*> *Abk. von* **Universal Message Transmission System** UMTS *m*
um|wandeln *vt* transformar (**in** *+akk* en); **Sie sind wie umgewandelt** Ud. parece otro
Umweg *m* rodeo *m*; **auf ~en** por vía indirecta
Umwelt *f* entorno *m*; ÖKOL medio *m* ambiente; **umweltbelastend** *adj* contaminante; **Umweltbelastung** *f* contaminación *f* del medio ambiente; **umweltfreundlich** *adj* no contaminante; **umweltgerecht** *adj* acorde con el medio ambiente; **Umweltkatastrophe** *f* desastre *m* ecológico; **Umweltschäden** *m pl* daños *mpl* ecológicos; **Umweltschutz** *m* protección *f* del medio ambiente; **Umweltschützer(in)** *m(f)* <-s, -; -nen> defensor(a) *m(f)* del medio ambiente, ecologista *mf*; **Umweltverschmutzung** *f* contaminación *f* del medio ambiente; **umweltverträglich** *adj* compatible con el medio ambiente
umwerfend *adj* impresionante
um|ziehen *irr* **I.** *vi sein* mudarse (**nach** a) **II.** *vr haben:* **sich ~** cambiarse (de ropa); **Umzug** *m* (*Wohnungswechsel*) mudanza *f*; (*Festzug*) desfile *m*
UN [u:'ʔɛn] *f Abk. von* **United Nations** NU *fpl*
unabhängig *adj* independiente; (*Staat*) autónomo; **sich von jdm/etw ~ machen** independizarse de alguien/algo; **Unabhängigkeit** *f ohne pl* independencia *f*
unabsehbar ['--'--] *adj* (*Folgen*) incalculable; **auf ~e Zeit** por tiempo indefinido; **unachtsam** *adj* (*unaufmerksam*) desatento; (*nachlässig*) descuidado; **unangebracht** *adj* inoportuno; **unangemessen** *adj* inadecuado; **unangenehm** *adj* desagradable; (*lästig*) molesto; **~ auffallen** causar una mala impresión; **es ist mir sehr ~, dass ...** me da mucha vergüenza que... *+subj*
Unannehmlichkeit *f* (*Mühe*) molestia *f*; (*Ärger*) disgusto *m*; **jdm ~en bereiten** causar molestias a alguien
unanständig *adj* indecente; (*obszön*) obsceno
unantastbar ['--'--] *adj* intangible; JUR inviolable
unauffällig *adj* (*Kleidung, Verhalten*) discreto; (*unbemerkt*) disimulado; **unauffindbar** ['--'--] *adj* ilocalizable
unaufhaltsam ['--'--] *adj* incontenible
unaufhörlich ['--'--] **I.** *adj* incesante **II.** *adv* sin cesar
unaufmerksam *adj* ❶ (*nicht aufmerksam*) desatento ❷ (*nicht zuvorkommend*) descortés
unausstehlich ['--'--] *adj* insoportable
unbändig ['ʊnbɛndɪç] *adj* (*wild*) desen

frenado; (*heftig*) incontenible

unbarmherzig *adj* despiadado; **unbeabsichtigt** I. *adj* impremeditado II. *adv* sin querer; **unbedenklich** I. *adj* inofensivo II. *adv* sin reparo; **unbedeutend** *adj* (*unwichtig*) insignificante; (*geringfügig*) mínimo; **unbedingt** ['---, '--'-] I. *adj* absoluto; (*bedingungslos*) incondicional II. *adv* sin falta; **ist das ~ nötig?** ¿es realmente indispensable?; **nicht ~** no necesariamente; **unbefangen** *adj* (*ungehemmt*) despreocupado; (*unvoreingenommen*) imparcial; **unbefriedigend** *adj* no satisfactorio; **unbefristet** *adj* ilimitado

Unbefugte(r) *mf* <-n, -n; -n> persona *f* no autorizada; **~n ist das Betreten verboten** entrada prohibida a personas ajenas al servicio

unbegreiflich ['--'--] *adj* inconcebible; **es ist mir ~, wie das passieren konnte** no me explico cómo pudo ocurrir esto; **unbegrenzt** *adj* ilimitado; **unbegründet** *adj* injustificado

Unbehagen ['ʊnbəha:gən] *nt* <-s, *ohne pl*> malestar *m*; **unbehaglich** *adj* desagradable; **sich ~ fühlen** no estar a gusto

unbeholfen ['ʊnbəhɔlfən] *adj* torpe

unbekannt *adj* desconocido; **unbekümmert** *adj* despreocupado; **unbeliebt** *adj* que goza de pocas simpatías (**bei** entre); **sich ~ machen** hacerse impopular; **unbequem** *adj* incómodo; **unberechenbar** ['--'---] *adj* incalculable; **er ist ~** es imprevisible; **unbeschränkt** *adj* ilimitado; (*Macht*) absoluto

unbeschreiblich ['--'--] I. *adj* indescriptible II. *adv* extremamente

unbeschwert *adj* libre de toda preocupación; (*Kindheit*) despreocupado

unbeständig *adj* (*Person*) inconstante; (*Wetter*) variable; **unbestimmt** *adj* (*unklar*) vago; (*ungenau*) impreciso; (*nicht festgelegt*) indefinido; **auf ~e Zeit** por tiempo indefinido; **unbeteiligt** *adj* (*desinteressiert*) indiferente; **an etw ~ sein** no haber participado en algo; **unbetont** *adj* átono; **unbeweglich** *adj* (*bewegungslos*) inmóvil; (*nicht zu bewegen*) inmovible; (*geistig*) inflexible; **unbewusst**[RR] *adj* inconsciente; **unbezahlbar** ['--'--] *adj* ❶ (*teuer*) impagable ❷ (*wertvoll*) valioso; (*unersetzlich*) inapreciable; **unbrauchbar** ['---] *adj* inutilizable; (*ungeeignet*) no apropiado; (*Person*) inútil; **unbürokratisch** *adj* poco burocrático

und [ʊnt] *konj* y; (*vor i, hi*) e; MATH más; **~ so weiter** etcétera

undankbar *adj* (*Mensch*) desagradecido; (*Aufgabe*) ingrato; **undefinierbar** ['---'--] *adj* indefinible; **undenkbar** ['--'--] *adj* impensable; **undeutlich** *adj* impreciso; (*Umrisse*) indistinto; (*Schrift*) ilegible; **undicht** *adj* permeable; **~ sein** tener escape; **~e Stelle** fuga *f*; **uneben** *adj* (*Oberfläche, Straße*) desigual; (*Gelände*) accidentado; **unehelich** *adj* ilegítimo; **uneigennützig** *adj* desinteresado; **uneingeschränkt** *adj* ilimitado; **uneinig** *adj* desavenido; **mit jdm über etw ~ sein** no estar de acuerdo con alguien en algo; **uneinsichtig** *adj* obstinado; **unempfindlich** *adj* insensible (**gegen** a); **unendlich** [-'--] I. *adj* infinito II. *adv* tremendamente; **~ viel** un sinfín de; **unentbehrlich** ['--'--] *adj* imprescindible; **unentgeltlich** ['--'--] I. *adj* gratuito II. *adv* gratis; **unentschieden** *adj* SPORT empatado; **sie spielten 0:0 ~** empataron a cero; **unentschlossen** *adj* indeciso

unentwegt ['--'-] I. *adj* constante II. *adv* sin parar

unerbittlich ['--'--] *adj* inexorable

unerfahren *adj* inexperto (**in** en), novato (**in** en) *fam*; **unerfreulich** *adj* desagradable; **unerheblich** *adj* (*geringfügig*) insignificante; (*unwichtig*) irrelevante

unerhört ['--'-] I. *adj* (*gewaltig*) tremendo; (*abw: empörend*) escandaloso **II.** *adv* extremadamente; ~ **viel** muchísimo

unerklärlich ['--'--] *adj* inexplicable; **unerlässlich**RR ['--'--] *adj* imprescindible; **unerlaubt** *adj* ❶ (*nicht zulässig*) prohibido ❷ (*gesetzwidrig*) ilícito ❸ (*ohne Erlaubnis*) sin permiso

unermüdlich ['--'--] *adj* incansable

unerschöpflich ['--'--] *adj* inagotable

unerschrocken *adj* intrépido

unerschütterlich ['--'---] *adj* inquebrantable

unerschwinglich ['--'--] *adj* (*Preis*) desorbitado; (*Ware*) inasequible; **unerträglich** ['--'--] *adj* insoportable; **unerwartet I.** *adj* imprevisto **II.** *adv* de improviso; **unerwünscht** *adj* indeseado; **unfähig** *adj* incapaz (**zu** de); (*beruflich*) incompetente; **unfair** *adj* injusto

Unfall *m* accidente *m*

unfassbarRR ['-'--] *adj* inconcebible; **unfehlbar** ['-'--] *adj* infalible; **unfreiwillig** *adj* involuntario; **unfreundlich** *adj* poco amable; (*Wetter*) desapacible; **unfruchtbar** *adj* estéril

Unfug ['ʊnfu:k] *m* <-(e)s, *ohne pl*> (*Handlung*) bobada *f*; (*Äußerung*) disparate *m*; ~ **treiben** hacer bobadas

Ungar(in) ['ʊŋga:ɐ] *m(f)* <-n, -n; -nen> húngaro, -a *m, f*

ungarisch ['ʊŋgarɪʃ] *adj* húngaro

Ungarn ['ʊŋgarn] *nt* <-s> Hungría *f*

ungeachtet ['--'--] *präp +gen* (*geh*) a pesar de

ungeahnt ['--'-] *adj* inesperado; **ungebildet** *adj* inculto; **ungebräuchlich** *adj* poco corriente

Ungeduld *f* impaciencia *f*; **ungeduldig** *adj* impaciente

ungeeignet *adj* inadecuado; (*Moment*) inoportuno

ungefähr ['ʊngəfɛ:ɐ, '--'-] *adj* aproximado; ~ **30 Euro** unas 30 euros

ungefährlich *adj* no peligroso; (*harmlos*) inofensivo; **ungeheuer** ['----, '--'--] *adj* enorme

Ungeheuer *nt* <-s, -> monstruo *m*

ungeheuerlich ['--'---] *adj* (*abw*) escandaloso; (*schrecklich*) atroz; (*unerhört*) inaudito

ungehorsam *adj* desobediente; **ungelegen I.** *adj* inoportuno **II.** *adv* a deshora; **komme ich ~?** ¿llego en mal momento?; **ungelernt** *adj* que no ha cursado estudios; **ungemein** ['--'-] **I.** *adj* extraordinario **II.** *adv* sobremanera; **ungemütlich** *adj* (*Stuhl*) incómodo; (*Mensch, Atmosphäre*) desagradable; (*Wetter*) desapacible; **ungenau** *adj* impreciso; **ungeniert** ['ʊnʒe(')ni:ɐt] *adj* desenvuelto; **ganz ~ reden** hablar sin inhibiciones; **ungenießbar** ['--'--] *adj* (*Speise*) incomible; (*Getränk*) no bebible; (*fam: Person*) insoportable; **ungenügend** *adj* insuficiente; **ungenutzt** *adj* desaprovechado; **ungepflegt** *adj* descuidado; (*Person*) desaseado; **ungerade** *adj* MATH impar; **ungerecht** *adj* injusto; **ungerechtfertigt** *adj* injustificado

Ungerechtigkeit *f* <-en> injusticia *f*

ungern *adv* de mala gana; **ungeschickt** *adj* torpe; **ungestört I.** *adj* tranquilo **II.** *adv* en paz

ungestüm ['ʊngəʃty:m] **I.** *adj* (*geh*) impetuoso **II.** *adv* (*geh*) con ímpetu

ungesund *adj* (*Speise, Lebensweise*) poco sano; (*schädlich*) perjudicial (para la salud); **ungewiss**RR *adj* incierto; **jdn über etw im Ungewissen lassen** dejar a alguien en la incertidumbre respecto a algo; **ungewöhnlich** *adj* (*außergewöhnlich*) insólito; (*außerordentlich*) extraordinario; **ungewohnt** *adj* (*fremd*) extraño; (*unüblich*) poco habitual; **ungewollt** *adj* sin querer

Ungeziefer ['ʊngətsi:fɐ] *nt* <-s, *ohne pl*> bichos *m pl*

ungezogen *adj* maleducado

ungezwungen I. *adj* natural; (*ohne Hemmungen*) desenvuelto **II.** *adv* con naturalidad; **unglaublich** [-'--, '-'--] *adj* increíble; **unglaubwürdig** *adj* (*Per-*

son) de poco crédito; (*Aussage*) inverosímil; **ungleich** *adj* desigual; **ungleichmäßig** *adj* (*nicht gleich*) desigual; (*nicht regelmäßig*) irregular

Unglück *nt* <-(e)s, -e> (*Unheil*) desgracia *f*; (*Unfall*) accidente *m*; **jd/etw bringt jdm ~** alguien/algo trae mala suerte a alguien; **zu allem ~ ...** para colmo (de las desdichas)...; **unglücklich** *adj* infeliz; **unglücklicherweise** ['----'--] *adv* desgraciadamente

Unglücksfall *m* siniestro *m*, catástrofe *f*

ungültig *adj* no válido; (*Pass*) caducado; (*Stimmzettel*) nulo; **ungünstig** *adj* desfavorable; (*Aussichten*) poco propicio; (*Moment*) inoportuno; **unhandlich** *adj* poco práctico

Unheil *nt* <-s, *ohne pl*> (*geh*) desgracia *f*; **~ anrichten** causar una desgracia; **unheilbar** ['---, '-'--] *adj* incurable; **unheilvoll** *adj* funesto

unheimlich I. *adj* (*beängstigend*) inquietante; (*düster*) lúgubre II. *adv* (*sehr*) muy; **~ viel** un montón (de); **unhöflich** *adj* mal educado; **unhygienisch** *adj* antihigiénico

Uni ['ʊni] *f* <-s> (*fam*) uni *f*, universidad *f*

Uniform [uni'fɔrm, 'ʊnifɔrm] *f* uniforme *m*

uninteressant *adj* poco interesante

Universität [univɛrzi'tɛ:t] *f* <-en> universidad *f*

Universum [uni'vɛrzʊm] *nt* <-s, *ohne pl*> universo *m*

unklar *adj* (*unverständlich*) incomprensible; (*ungewiss*) incierto; (*fraglich*) dudoso; (*undeutlich*) poco claro; **unkompliziert** *adj* sencillo; **unkonzentriert** *adj* distraído (**bei** en)

Unkosten *pl* gastos *m pl*; **sich in ~ stürzen** gastar un dineral

Unkraut *nt* mala hierba *f*

unleserlich *adj* ilegible; **unlogisch** *adj* ilógico; **unlösbar** ['---, '-'--] *adj* (*Aufgabe*) insoluble; **unmäßig** *adj* desmesurado

Unmenge *f* gran cantidad *f* (**an/von** de)

Unmensch *m* <-en, -en> (*abw*) bestia *f*, monstruo *m*; **unmenschlich** *adj* inhumano

unmerklich ['---, '-'--] *adj* imperceptible; **unmissverständlich**[RR] I. *adj* inequívoco II. *adv* rotundamente; **unmittelbar** *adj* (*direkt*) directo; **~ danach** inmediatamente después; **~ bevorstehen** ser inminente; **unmöglich** ['-'--] I. *adj* imposible; **er benimmt sich ~** su comportamiento es inadmisible II. *adv* (*fam: auf keinen Fall*) de ninguna manera; **unmoralisch** *adj* inmoral

Unmut *m* (*geh: Missfallen*) descontento *m*; (*Ärger*) disgusto *m*

unnachahmlich ['--'--] *adj* inimitable

unnachgiebig *adj* (*Person*) intransigente

unnahbar ['-'--] *adj* (*Person*) inaccesible

unnatürlich *adj* poco natural; (*künstlich*) artificial; (*gekünstelt*) afectado; **unnötig** I. *adj* innecesario II. *adv* sin necesidad

unnütz *adj* inútil

UNO ['u:no] *f Abk. von* **United Nations Organization** ONU *f*

unordentlich *adj* desordenado; (*Kleidung*) descuidado; **Unordnung** *f* desorden *m*; (*Durcheinander*) confusión *f*

unparteiisch *adj* imparcial; **unpassend** *adj* (*Zeitpunkt*) inoportuno; (*Bemerkung*) inconveniente; **unpersönlich** *adj* impersonal; **unpraktisch** *adj* poco práctico; **unproblematisch** *adj* poco problemático; **unpünktlich** *adj* impuntual; **unrealistisch** *adj* no realista; **unrecht** *adj*: **jdm ~ tun** ser injusto con alguien

Unrecht *nt* <-(e)s, *ohne pl*> injusticia *f*; **zu ~** injustamente; **im ~ sein** no tener razón

unregelmäßig *adj* irregular; **unreif** *adj* inmaduro

Unruhe *f* inquietud *f*; **~ stiften** causar alboroto; **~n** (*Krawalle*) disturbios *m pl*; **unruhig** *adj* inquieto; (*Zeiten*) turbulento

uns [ʊns] **I.** *pron pers dat/akk von* **wir** nos; (*betont*) a nosotros/nosotras... (nos); (*mit Präposition*) nosotros/nosotras; **~ gehört das nicht** esto no es nuestro **II.** *pron refl dat/akk von* **wir** nos; **wir kümmern ~ schon darum** nos ocuparemos de ello

unsachlich *adj* subjetivo; **unsagbar** ['---, '-'--] *adj* indecible; (*Schmerzen*) atroz; **unsanft** *adj* rudo; **unschädlich** *adj* inofensivo; **unscharf** *adj* FOTO borroso; **unschätzbar** ['---, '-'--] *adj* incalculable; **unscheinbar** *adj* (*unauffällig*) poco llamativo; **unschlagbar** ['-'--] *adj* invencible; **unschlüssig** *adj* indeciso; **sich** *dat* **über etw ~ sein** no poder tomar una decisión respecto a algo

Unschuld *f ohne pl a.* JUR inocencia *f*; (*Jungfräulichkeit*) virginidad *f*; **unschuldig** *adj a.* JUR inocente (**an** de); (*jungfräulich*) virgen

unselbständig *adj*, **unselbstständig**[RR] *adj* dependiente; **er ist so ~** no puede hacer nada solo

unser ['ʊnzɐ] *pron pers gen von* **wir** de nosotros/nosotras

unser, unsere, unser *pron poss* (*adjektivisch*) nuestro *m*, nuestra *f*, nuestros *mpl*, nuestras *fpl*; **~ Leben** nuestra vida; **~e Verwandten** nuestros parientes

unsere(**r, s**) ['ʊnzərə, -rɐ, -rəs] *pron poss* (*substantivisch*) (el) nuestro *m*, (la) nuestra *f*, (los) nuestros *mpl*, (las) nuestras *fpl s.a.* **unser, unsere, unser**

uns(**e**)**rerseits** ['ʊnz(ə)rɐzaɪts] *adv* de nuestra parte

uns(**e**)**resgleichen** ['ʊnz(ə)rəs'glaɪçən] *pron indef* de nuestra condición

uns(**e**)**retwegen** ['ʊnz(ə)rət've:gən] *adv* por nosotros; (*negativ*) por nuestra culpa

unseriös *adj* (*Geschäfte*) dudoso; (*Person*) poco cabal

unsertwegen ['ʊnzɐt've:gən] *adv s.* **uns**(**e**)**retwegen**

unsicher *adj* (*ungewiss*) incierto; (*nicht selbstbewusst*) inseguro; **Unsicherheit** *f* inseguridad *f*; (*Ungewissheit*) incertidumbre *f*

unsichtbar *adj* invisible (**für** a)

Unsinn *m*: **mach keinen ~** no hagas tonterías; **unsinnig** *adj* absurdo

Unsitte *f* mala costumbre *f*; **unsittlich** *adj* inmoral; **jdn ~ berühren** manosear a alguien

unsre(**r, s**) ['ʊnzrə, -rɐ, -rəs] *pron poss s.* **unser, unsere**(**r, s**)

unsterblich [(')-'--] *adj* inmortal; **~ verliebt** locamente enamorado

Unstimmigkeit *f* <-en> (*Ungenauigkeit*) imprecisión *f*; (*Meinungsverschiedenheit*) divergencias *fpl*

Unsumme *f* dineral *m fam*

unsympathisch *adj* antipático; **untätig** *adj* inactivo; **~ zusehen** mirar pasivamente; **untauglich** *adj* (*Gerät*) no apto; (*Person*) inepto

unten ['ʊntən] *adv* abajo; **von oben bis ~** de arriba a abajo

unter ['ʊntɐ] **I.** *präp +dat* ① (*unterhalb*) debajo de, bajo ② (*inmitten*) entre; **~ anderem** entre otras cosas; **~ uns gesagt** dicho en confianza ③ (*weniger als*) menos de; **Kinder ~ 12 Jahren** niños menores de 12 años ④ (*Art und Weise*): **~ Tränen** llorando; **~ allen Umständen** en todo caso; **~ falschem Namen** con nombre falso ⑤ (*Zustand, Zuordnung*) bajo; **~ Strom** bajo corriente; **das Haus steht ~ Denkmalschutz** la casa es patrimonio nacional; **was verstehen Sie ~ ...?** ¿qué entiende Ud. por...? **II.** *präp +akk*,: **er nahm das Paket ~ den Arm** tomó el paquete bajo el brazo

Unterarm *m* antebrazo *m*

unterbewerten* ['-----] *vt* infravalorar

Unterbewusstsein[RR] *nt* subconsciente *m*

unterbinden* *irr vt* impedir

unterbrechen* *irr vt* interrumpir;

(*Stromzufuhr*) cortar

Unterbrechung [--'--] *f* <-en> interrupción *f*

unter|bringen *irr vt* (*verstauen*) meter; (*einquartieren*) alojar

unterbrochen *pp von* **unterbrechen**

unterbunden *pp von* **unterbinden**

unterdessen [--'--] *adv* mientras tanto

unterdrücken* *vt* (*Menschen*) oprimir; (*Gefühle*) reprimir; (*Tränen*) contener

untere(r, s) ['ʊntərə, -rɐ, -rəs] *adj* inferior

untereinander [---'--] *adv* (*räumlich*) uno debajo del otro; (*miteinander*) entre sí; (*gegenseitig*) mutuamente; **das können wir ~ ausmachen** esto lo podemos fijar entre nosotros

unterentwickelt *adj* subdesarrollado; (*geistig, körperlich*) atrasado; **unterernährt** *adj* desnutrido

Unterführung [--'--] *f* paso *m* subterráneo

Untergang *m* (*von Schiffen*) naufragio *m*; (*Verderb*) ruina *f*

Untergebene(r) [--'---] *mf* <-n, -n; -n> subalterno, -a *m, f*

unter|gehen *irr vi sein* (*Schiff*) naufragar; (*Sonne*) ponerse; (*zugrunde gehen*) desmoronarse; (*Kultur*) extinguirse; (*Reich*) caer

untergeordnet *adj* subordinado; (*zweitrangig*) secundario

Untergeschoss[RR] *nt* piso *m* bajo

Untergrund *m* <-(e)s, *ohne pl*> ❶ AGR subsuelo *m* ❷ POL clandestinidad *f*; **in den ~ gehen** pasar a la clandestinidad

unterhalb *präp +gen* por debajo de

Unterhalt *m* <-(e)s, *ohne pl*> ❶ (*Lebensunterhalt*) sustento *m*; **für jds ~ aufkommen** mantener a alguien ❷ (*Unterhaltszahlungen*) alimentos *mpl*; **unterhalten*** *irr* **I.** *vt* mantener; (*vergnügen*) entretener **II.** *vr:* **sich ~** (*sprechen*) hablar (**über** sobre/de)

unterhaltsam [--'--] *adj* entretenido

Unterhaltung *f* (*Gespräch*) conversación *f* (**über** sobre/de); (*Vergnügen*) entretenimiento *m*

Unterhemd *nt* camiseta *f*

Unterhose *f* (*für Herren*) calzoncillos *mpl*; (*für Damen*) bragas *fpl*

unterirdisch *adj* subterráneo

Unterkiefer *m* mandíbula *f* inferior

unter|kommen *irr vi sein* (*Unterkunft finden*) alojarse (**bei/in** en)

unter|kriegen *vt* (*fam*) doblegar

Unterkunft ['ʊntɐkʊnft] *f* <-künfte> alojamiento *m*; **~ und Verpflegung** casa y comida

Unterlage *f* <-n> ❶ (*Schreibunterlage*) carpeta *f* ❷ *pl* (*Dokumente*) documentos *mpl*

unterlassen* *irr vt* (*absichtlich nicht tun*) dejar; (*versäumen*) omitir; **~e Hilfeleistung** denegación de auxilio

unterlaufen* *irr vi sein*: **jdm unterläuft ein Fehler** alguien comete una falta

unterlegen [--'--] *adj*: **jdm ~ sein** ser inferior a alguien

Unterleib *m* <-(e)s, -e> bajo vientre *m*

unterliegen* *irr vi* ❶ *sein* (*verlieren*) perder (contra); (*Versuchung, Krankheit*) sucumbir (a) ❷ (*unterworfen sein*) estar sujeto (+*dat* a)

unterm ['ʊntɐm] (*fam*) = **unter dem** *s.* **unter**

Untermiete *f ohne pl* subarriendo *m*; **bei jdm zur ~ wohnen** ser subinquilino de alguien

untern ['ʊntɐn] (*fam*) = **unter den** *s.* **unter**

unternehmen* *irr vt* hacer; (*Reise*) emprender

Unternehmen [--'--] *nt* <-s, -> (*Vorhaben*) proyecto *m*; (*Firma*) empresa *f*

Unternehmer(in) [--'--] *m(f)* <-s, -; -nen> empresario, -a *m, f*

unternommen *pp von* **unternehmen**

unter|ordnen *vt, vr:* **sich ~** someter(se)

Unterredung [--'--] *f* <-en> entrevista *f*

Unterricht ['ʊntɐrɪçt] *m* <-(e)s, -e> (*Unterrichtsstunde*) clase *f*; **jdm ~ geben** dar clases a alguien

unterrichten* *vt* (*informieren*) informar (**über** sobre); SCH dar clase(s); **Deutsch ~** dar clases de alemán

unters ['ʊntɐs] (*fam*) = **unter das** *s.* **unter**

untersagen* *vt* prohibir

unterschätzen* *vt* subestimar

unterscheiden* *irr* I. *vt, vr:* **sich ~** distinguir(se); **woran kann man sie ~?** ¿cómo se les puede diferenciar? II. *vi* hacer una distinción

Unterschied ['ʊntɐʃi:t] *m* <-(e)s, -e> diferencia *f*

unterschieden *pp von* **unterscheiden**

unterschiedlich *adj* diferente; **~ groß sein** ser de distinto tamaño; **~ reagieren** reaccionar de diferente manera

unterschlagen* *irr vt* ❶ (*Geld*) malversar ❷ (*verschweigen*) ocultar

Unterschlupf ['ʊntɐʃlʊpf] *m* <-(e)s, -e> refugio *m*

unterschreiben* *irr vt* firmar

unterschrieben *pp von* **unterschreiben**

Unterschrift ['---] *f* firma *f*

unterschwellig ['ʊntɐʃvɛlɪç] *adj* subliminal

Unterseite *f* parte *f* inferior

untersetzt [--'-] *adj* robusto

unterste(r, s) ['ʊntɐstə, -tɐ, -təs] *adj superl von* **untere(r, s)**

unterstellen*[1] *vt* (*annehmen*) suponer; (*unterschieben*) atribuir (falsamente)

unter|stellen[2] I. *vt* (*abstellen*) dejar (**in** en) II. *vr:* **sich ~** refugiarse (**in** en)

Unterstellung *f* <-en> imputación *f*

unterstreichen* *irr vt* (*a. fig*) subrayar

unterstrichen *pp von* **unterstreichen**

unterstützen* *vt* (*Beistand leisten*) apoyar (**bei/in** en); (*fördern*) fomentar (**bei** en); (*mit Geld*) subvencionar; **Unterstützung** [--'--] *f* <-en> apoyo *m*; (*Hilfe*) ayuda *f*; (*finanziell*) subvención *f*

untersuchen* *vt* (*analysieren*) analizar; (*wissenschaftlich*) investigar; (*prüfen*) controlar; (*Kranke*) examinar

Untersuchung [--'--] *f* <-en> MED examen *m* (médico)

Untertasse *f* platillo *m*

Unterteil *nt* parte *f* inferior; **unterteilen*** *vt* subdividir (**in** en)

Untertitel *m* subtítulo *m*

untervermieten* ['-----] *vt* subarrendar

Unterwalden ['ʊntɐvaldən] *nt* <-s> Unterwalden *m*

Unterwäsche *f* ropa *f* interior

unterwegs [ʊntɐ've:ks] *adv* (*auf dem Weg*) en camino; (*auf Reisen*) de viaje; (*während der Reise*) en el camino; **für ~** para el camino; **bei ihr ist ein Kind ~** (*fam*) está embarazada

unterwerfen* *irr vt, vr:* **sich ~** someter(se); **etw** *dat* **unterworfen sein** estar sujeto a algo

unterworfen *pp von* **unterwerfen**

unterwürfig ['ʊntɐvʏrfɪç, --'--] *adj* (*abw*) sumiso

unterzeichnen* *vt* firmar

unterziehen* *irr vt, vr:* **sich ~** someter(se) (a)

unterzogen *pp von* **unterziehen**

untragbar ['-'--] *adj* (*unerträglich*) insostenible; **untreu** *adj* infiel; **sich** *dat* **selbst ~ werden** apartarse de sus principios; **untröstlich** ['---, -'--] *adj* desconsolado (**über** por); **unüberlegt** *adj* imprudente; **~ handeln** actuar sin pensar; **unübersehbar** ['---'--] *adj* ❶ (*groß*) inmenso; (*nicht zu übersehen*) que salta a la vista ❷ (*nicht abschätzbar*) incalculable; **unübersichtlich** *adj* poco claro

unüberwindlich ['---'--] *adj* (*Gegensätze, Probleme*) insuperable

unüblich *adj* poco común; (*stärker*) fuera de lo común; **unumgänglich** ['--'--] *adj* indispensable; **ununterbrochen** ['---'--] I. *adj* ininterrumpido II. *adv* sin parar; **unveränderlich** ['-----, '--'---] *adj* invariable; **unverantwortlich** ['-----, '--'---] *adj* irresponsable

unverbesserlich ['--'---] *adj* incorregible

unverbindlich *adj* sin compromiso; **unverbleit** *adj* sin plomo; **unverblümt** I. *adj* franco II. *adv* sin rodeos; **unvereinbar** ['--'--] *adj* incompatible; **unverfroren** *adj* descarado; **unvergänglich**

adj eterno; **unvergesslich**[RR] ['--'--] *adj* inolvidable
unvergleichlich ['--'--] *adj* incomparable
unverheiratet *adj* soltero
unverhofft ['--'-] *adj* inesperado
unverkennbar ['--'--] *adj* (*eindeutig*) evidente; (*nicht zu verwechseln*) inconfundible
unvermeidbar ['--'--] *adj*, **unvermeidlich** ['--'--] *adj* inevitable; **unvermittelt** I. *adj* súbito II. *adv* de repente; **unvermutet** *adj* imprevisto
Unvernunft *f* falta *f* de juicio; **unvernünftig** *adj* insensato
unverschämt ['ʊnfɐʃɛ:mt, '--'-] *adj* desvergonzado; (*fam: außerordentlich*) extraordinario; (*Preis*) exorbitante; **Unverschämtheit** ['----, '--'--] *f* <-en> desfachatez *f*
unversehens *adv* de repente
unversehrt *adj* (*Person*) ileso; (*Ding*) intacto; **unversöhnlich** ['--'--] *adj* irreconciliable; **unverständlich** ['----, '--'--] *adj* (*nicht hörbar*) inaudible; (*nicht begreifbar*) incomprensible
Unverständnis *nt* <-ses, *ohne pl*> falta *f* de comprensión
unverwechselbar ['--'---] *adj* inconfundible
unverwüstlich ['--'--] *adj* (*Dinge*) indestructible; (*Mensch*) inquebrantable
unverzeihlich ['--'--] *adj* imperdonable
unverzüglich ['--'--] I. *adj* inmediato II. *adv* de inmediato
unvollständig *adj* incompleto; **unvoreingenommen** *adj* objetivo; **unvorhergesehen** ['--'----] *adj* imprevisto; **unvorsichtig** *adj* imprudente; **unvorstellbar** ['--'--] *adj* inimaginable; **unwahrscheinlich** ['----, '--'--] *adj* improbable; (*unglaublich*) increíble
unweit *präp +gen* no lejos de
unwesentlich *adj* irrelevante
Unwetter *nt* <-s, -> temporal *m*
unwichtig *adj* sin importancia; **unwiderstehlich** ['---'--] *adj* irresistible; **unwillig** I. *adj* indignado II. *adv* (*widerwillig*) de mala gana; **unwillkürlich** *adj* involuntario; (*automatisch*) automático; **unwirksam** *adj* inefectivo; **unwirsch** ['ʊnvɪrʃ] *adj* malhumorado; (*unfreundlich*) descortés
unwohl *adj* ❶ (*gesundheitlich*) indispuesto ❷ (*unbehaglich*) mal; **sich ~ fühlen** no estar a gusto; **Unwohlsein** *nt* <-s, *ohne pl*> malestar *m*
unzählig *adj* innumerable; **~e Mal** infinitas veces
unzerbrechlich ['--'--] *adj* irrompible; **unzertrennlich** ['--'--] *adj* inseparable; **unzufrieden** *adj* descontento; **unzugänglich** *adj* inaccesible; **unzulänglich** *adj* (*geh*) insuficiente; **unzulässig** *adj* inadmisible; **unzusammenhängend** *adj* incoherente; **unzuverlässig** *adj* (*Person*) de poca confianza; (*Wetter*) inestable; **~ sein** no ser de fiar
Update ['apdɛɪt] *nt* <-s, -s> INFOR ❶ (*Updaten*) actualización *f* ❷ (*aktualisierte Version*) versión *f* actualizada
üppig ['ʏpɪç] *adj* (*Vegetation*) exuberante; (*Essen*) abundante; **eine ~e Figur haben** ser gordito
uralt ['u:ɐ'alt] *adj* vetusto; (*Person*) viejísimo; **Ureinwohner(in)** *m(f)* indígena *mf*; **Urenkel(in)** *m(f)* bisnieto, -a *m, f*; **Urgroßeltern** *pl* bisabuelos *mpl*; **Urgroßmutter** *f* bisabuela *f*; **Urgroßvater** *m* bisabuelo *m*
Uri ['u:ri] *nt* <-s> Uri *m*
Urin [u'ri:n] *m* <-s, -e> orina *f*
Urkunde ['u:ɐkʊndə] *f* <-n> documento *m*; (*Bescheinigung*) certificado *m*
Urlaub ['u:ɐlaʊp] *m* <-(e)s, -e> vacaciones *fpl*; **urlaubsreif** *adj* (*fam*): **~ sein** necesitar unas vacaciones

Urne ['ʊrnə] *f* <-n> urna *f*
Urologie [urolo'gi:] *f* urología *f*
urplötzlich ['-'--] I. *adj* repentino II. *adv* de repente
Ursache *f* causa *f*; **keine ~!** ¡no hay de qué!
Ursprung *m* origen *m*; (*Herkunft*) procedencia *f*; (*Anfang*) principio *m*

ursprünglich ['u:ɐʃprʏŋlɪç] **I.** *adj* (*anfänglich*) inicial **II.** *adv* al principio

Urteil ['ʊrtaɪl] *nt* opinión *f*; JUR sentencia *f*; **sich** *dat* **ein ~ über etw erlauben** permitirse opinar sobre algo; **sich** *dat* **ein ~ über jdn/etw bilden** formarse una idea de alguien/algo

urteilen ['ʊrtaɪlən] *vi* juzgar; (*meinen*) opinar; **nach seinem Aussehen zu ~ ...** a juzgar por su aspecto exterior...

Uruguay [uru'gu̯aɪ] *nt* <-s> Uruguay *m*

uruguayisch [uru'gu̯a:jɪʃ] *adj* uruguayo

Urwald ['u:ɐvalt] *m* selva *f*

Urzeit *f* <-en> tiempos *mpl* primitivos; **seit ~en** desde que el mundo existe

USA [u:ʔɛs'ʔa:] *f Abk. von* **United States of America** EE.UU. *mpl*

Usbekistan [ʊs'be:kista:n] *nt* <-s> Uzbekistán *m*

usw. *Abk. von* **und so weiter** etc.

Utopie [uto'pi:] *f* <-n> utopía *f*

utopisch [u'to:pɪʃ] *adj* utópico

u. U. *Abk. von* **unter Umständen** dado el caso

UV-Strahlen [u:'faʊ-] *m pl* radiaciones *fpl* ultravioletas

U

V

V, v [faʊ] *nt* <-, -> V, v *f*
Vagabund(in) [vaga'bʊnt] *m(f)* <-en, -en; -nen> vagabundo, -a *m, f*
vage [va:gə] *adj* vago
Vagina [va'gi:na] *f* <Vaginen> vagina *f*
Vakuum ['va:kuʊm] *nt* <-s, Vakua *o* Vakuen> vacío *m*
Vampir [vam'pi:ɐ] *m* <-s, -e> vampiro *m*
Vanille [va'nɪl(j)ə] *f* vainilla *f*
Variante [vari'antə] *f* <-n> variante *f*
Varieté *nt* <-s, -s>, **Varietee**[RR] [varie'te:] *nt* <-s, -s> (espectáculo *m* de) variedades *fpl*
variieren* [vari'i:rən] *vi, vt* variar
Vase ['va:zə] *f* <-n> (*Blumenvase*) florero *m*
Vater ['fa:tɐ] *m* <-s, Väter> padre *m*; **Vaterland** *nt* (*geh*) patria *f*
väterlich ['fɛ:tɐlɪç] *adj* (*vom Vater*) paterno; (*wie ein Vater*) paternal
Vaterschaft *f* <-en> paternidad *f*
Vatertag *m* día *m* del padre
Vaterunser ['--'--, --'--] *nt* <-s, -> padrenuestro *m*
Vati ['fa:ti] *m* <-s, -s> (*fam*) papi *m*, tata *m*
Vatikan [vati'ka:n] *m* <-s> Vaticano *m*
v. Chr. *Abk. von* **vor Christus** a.C., a. de C.
Vegetarier(in) [vege'ta:riɐ] *m(f)* <-s, -; -nen> vegetariano, -a *m, f*
vegetarisch *adj* vegetariano
Vegetation [vegeta'tsjo:n] *f* <-en> vegetación *f*
Velo ['ve:lo] *nt* <-s, -s> SCHWEIZ bicicleta *f*
Vene ['ve:nə] *f* <-n> vena *f*
venezolanisch *adj* venezolano
Venezuela [venetsu'e:la] *nt* <-s> Venezuela *f*
Ventil [vɛn'ti:l] *nt* <-s, -e> válvula *f*
Ventilator [vɛnti'la:to:ɐ] *m* <-s, -en> ventilador *m*
verabreden* [fɛɐ'ʔapre:dən] **I.** *vt* convenir; (*Zeit, Ort*) fijar; **mit jdm verabredet sein** tener una cita con alguien **II.** *vr:* **sich ~** citarse
Verabredung *f* <-en> (*Treffen*) cita *f*
verabscheuen* *vt* aborrecer
verabschieden* [fɛɐ'ʔapʃi:dən] *vt, vr:* **sich ~** despedir(se)
verachten* *vt* despreciar
verächtlich [fɛɐ'ʔɛçtlɪç] **I.** *adj* despectivo **II.** *adv* con desprecio
Verachtung *f* desprecio *m*
verallgemeinern* [---'--] *vt* generalizar
veraltet [fɛɐ'ʔaltət] *adj* anticuado
Veranda [ve'randa] *f* <Veranden> galería *f*
veränderlich [fɛɐ'ʔɛndɐlɪç] *adj* variable
verändern* *vt, vr:* **sich ~** cambiar; **sich zu seinem Nachteil ~** cambiar para peor
verängstigen* *vt* intimidar
veranlagt [fɛɐ'ʔanla:kt] *adj*: **künstlerisch ~ sein** tener talento artístico
Veranlagung *f* <-en> predisposición *f* (**zu** para/a)
veranlassen* *vt* (*anordnen*) disponer; (*bewirken*) motivar; **sich zu etw veranlasst sehen** verse obligado a hacer algo
Veranlassung *f* <-en> (*Grund*) motivo *m*; (*Anordnung*) orden *f*; (*Anregung*) iniciativa *f*
veranschaulichen* *vt* ilustrar
veranstalten* *vt* (*planen*) organizar; (*durchführen*) realizar
Veranstalter(in) *m(f)* <-s, -; -nen> organizador(a) *m(f)*
Veranstaltung *f* <-en> acto *m*
verantworten* **I.** *vt* responder (de) **II.** *vr:* **sich ~** justificarse (**für/wegen** por)
verantwortlich *adj* (*Person*) responsable (**für** de); **jdn für etw ~ machen** responsabilizar a alguien de algo
Verantwortung *f* <-en> responsabilidad *f* (**für** de); **jdn für etw zur ~ ziehen**

hacer a alguien responsable de algo; **die ~ für etw übernehmen** asumir la responsabilidad de algo; **verantwortungslos** *adj* irresponsable; **verantwortungsvoll** *adj* ① (*Aufgabe, Tat*) de gran responsabilidad ② (*Person*) muy responsable

verarbeiten* *vt* trabajar; (*geistig*) asimilar; (*umwandeln*) transformar (**zu** en)

Verarbeitung *f* <-en> (*Bearbeitung*) trabajo *m*; (*von Daten*) tratamiento *m*, procesamiento *m*; (*Umwandlung*) transformación *f*

verärgern* *vt* enfadar

verausgaben* [-'---] *vr:* **sich ~** agotar sus fuerzas

Verb [vɛrp] *nt* <-s, -en> verbo *m*

verbal [vɛr'ba:l] *adj* verbal

Verband *m* MED vendaje *m*; (*Vereinigung*) asociación *f*; **Verband(s)kasten** *m* botiquín *m*

verbannen* [fɛɐ'banən] *vt* desterrar (**aus** +*dat* de)

verbergen* *irr vt* esconder (**vor** ante); **ich habe nichts zu ~** no tengo nada que ocultar

verbessern* *vt, vr:* **sich ~** mejorar; **Verbesserung** *f* <-en> (*Änderung*) mejora *f*; (*Korrektur*) corrección *f*

verbiegen* *irr vt, vr:* **sich ~** torcer(se)

verbieten* *irr vt* prohibir

verbinden* *irr vt* (*zusammenfügen*) unir; (*assoziieren*) asociar (**mit** con); MED vendar; **Sie sind falsch verbunden** TEL se ha equivocado de número

verbindlich *adj* (*bindend*) vinculante; (*verpflichtend*) obligatorio

Verbindung *f* (*Beziehung*) relación *f*; (*Verkehrsweg a.* TEL) comunicación *f*; **sich mit jdm in ~ setzen** ponerse en contacto con alguien

verbissen [fɛɐ'bɪsən] **I.** *adj* ① (*hartnäckig*) obstinado ② (*Gesichtsausdruck*) avinagrado **II.** *adv* con obstinación

verbittern* *vt* amargar

verbleit [fɛɐ'blaɪt] *adj* con plomo

verblöden* [fɛɐ'blø:dən] **I.** *vi sein* (*fam*) atontarse **II.** *vt* (*fam*) atontar

verblüffen* [fɛɐ'blʏfən] *vt* dejar perplejo

verbogen *pp von* **verbiegen**

verborgen [fɛɐ'bɔrgən] *pp von* **verbergen**

Verbot [fɛɐ'bo:t] *nt* <-(e)s, -e> prohibición *f*

verboten [fɛɐ'bo:tən] *pp von* **verbieten**

Verbotsschild *nt* señal *f* de prohibición

verbracht *pp von* **verbringen**

verbrannt *pp von* **verbrennen**

Verbrauch *m* <-(e)s, *ohne pl*> consumo *m* (**an** de)

verbrauchen* *vt* consumir

Verbraucher(in) *m(f)* <-s, -; -nen> consumidor(a) *m(f)*; **Verbraucherrecht** *nt* <-s, -e> derechos *mpl* del consumidor

verbraucht *adj* gastado; (*Luft*) viciado

verbrechen* *irr vt* (*fam*): **was habe ich denn jetzt schon wieder verbrochen?** ¿qué mal he hecho esta vez?

Verbrechen *nt* <-s, -> delito *m*; **ein ~ begehen** cometer un delito

Verbrecher(in) *m(f)* <-s, -; -nen> delincuente *mf*

verbrecherisch [fɛɐ'brɛçərɪʃ] *adj* criminal

verbreiten* *vt, vr:* **sich ~** (*Nachricht*) difundir(se); (*Krankheit*) transmitir(se)

verbreitet *adj* extendido; (*Krankheit, Meinung*) común

Verbreitung *f* (*von Nachrichten*) difusión *f*; (*von Krankheiten*) propagación *f*

verbrennen* *irr* **I.** *vi sein* quemarse **II.** *vt, vr haben*: **sich ~** quemar(se) (**an** con)

Verbrennung *f* <-en> MED quemadura *f*

verbringen* *irr vt* pasar

verbrochen [fɛɐ'brɔxən] *pp von* **verbrechen**

verbunden [fɛɐ'bʊndən] **I.** *pp von* **verbinden** **II.** *adj*: **damit sind Probleme ~** esto supone problemas; **ich bin Ihnen sehr ~** le estoy muy agradecido

verbünden* [fɛɐ'bʏndən] *vr:* **sich ~** aliarse

Verbündete(r) *mf* <-n, -n; -n> aliado, -a

V

m, f

Verdacht [fɛɐ'daxt] *m* <-(e)s, -e> sospecha *f* (**auf** de)

verdächtig [fɛɐ'dɛçtɪç] *adj* sospechoso

verdächtigen* *vt* sospechar (de); **er wird des Diebstahls verdächtigt** es sospechoso del robo

verdammt I. *adj* (*fam abw*) maldito; **~ noch mal!** ¡maldita sea!, ¡concho! ; **~e Scheiße!** (*vulg*) ¡me cago en la mierda! II. *adv* (*fam abw*) terriblemente; **~ gut** de putamadre *vulg*

verdanken* *vt* ❶ (*dankbar sein*): **jdm etw ~** deber algo a alguien; **das ist ihm zu ~** eso hay que agradecérselo a él ❷ (SCHWEIZ: *Dank aussprechen*) agradecer

verdarb [fɛɐ'darp] *3. imp von* **verderben**

verdauen* [fɛɐ'daʊən] *vt* (*Nahrung*) digerir; (*fam: Nachricht*) asimilar, digerir

Verdauung *f* digestión *f*

verdecken* *vt* ❶ (*bedecken*) tapar ❷ (*verheimlichen*) ocultar

verdeckt *adj* ❶ (*nicht sichtbar*) tapado ❷ (*verborgen*) oculto

verderben [fɛɐ'dɛrbən] <verdirbt, verdarb, verdorben> I. *vi sein* echarse a perder II. *vt haben* estropear; (*moralisch*) corromper

Verderben *nt* <-s, *ohne pl*> ruina *f*

verderblich [fɛɐ'dɛrplɪç] *adj* (*Lebensmittel*) perecedero

verdeutlichen* *vt* aclarar

verdienen* *vt* (*Lohn*) ganar; (*Lob, Strafe*) merecer

Verdienst[1] *nt* <-(e)s, -e> mérito *m*

Verdienst[2] *m* <-(e)s, -e> (*Einkommen*) sueldo *m*

verdient *adj* ❶ (*Person*) de gran mérito ❷ (*Lohn, Strafe*) merecido

verdirbt [fɛɐ'dɪrpt] *3. präs von* **verderben**

verdoppeln* *vt, vr:* **sich ~** duplicar(se)

verdorben [fɛɐ'dɔrbən] *pp von* **verderben**

verdrängen* *vt* PSYCH reprimir

verdrossen [fɛɐ'drɔsən] I. *adj* malhumorado; (*unzufrieden*) descontento II. *adv* con disgusto

Verdruss[RR] [fɛɐ'drʊs] *m* <-es, -e> disgusto *m*

verdunkeln* *vt, vr:* **sich ~** oscurecer(se)

verdünnen* *vt* diluir

verdunsten* *vi sein* evaporarse

verdursten* *vi sein* morir(se) de sed

verdutzt [fɛɐ'dʊtst] *adj* perplejo

verehren* *vt a.* REL venerar

Verehrer(in) *m(f)* <-s, -; -nen> admirador(a) *m(f)*

Verein [fɛɐ'ʔaɪn] *m* <-(e)s, -e> asociación *f*

vereinbar *adj* compatible

vereinbaren* *vt* (*verabreden*) acordar; (*festlegen*) fijar; (*in Einklang bringen*) conciliar (**mit** con)

Vereinbarung *f* <-en> acuerdo *m*

vereinen* I. *vt* (*geh*) unir; (*zusammenführen*) reunir; (*in Einklang bringen*) conciliar; **mit vereinten Kräften** todos juntos II. *vr:* **sich ~** (*geh*) reunirse

vereinfachen* *vt* simplificar

vereinigen* *vt, vr:* **sich ~** (re)unir(se); **Vereinigung** *f* (re)unión *f*; (*Organisation*) asociación *f*

Vereinsamung *f* aislamiento *m*

vererben* I. *vt* (*hinterlassen*) dejar (en herencia) II. *vt, vr:* **sich ~** BIOL transmitir(se) por herencia (**auf** a)

verfahren* *irr* I. *vi sein* (*vorgehen*) proceder II. *vr haben*: **sich ~** perderse

Verfahren *nt* <-s, -> (*Methode*) método *m*; JUR causa *f*

Verfall *m* <-(e)s, *ohne pl*> ❶ (*von Gebäude*) desmoronamiento *m* ❷ (*geistig, gesundheitlich*) decaimiento *m*; **verfallen*** *irr vi sein* (*Gebäude*) desmoronarse; (*körperlich, geistig, kulturell*) decaer; (*ungültig werden*) caducar; **in alte Fehler ~** recaer en viejos errores

Verfallsdatum *nt* fecha *f* de caducidad

verfälschen* *vt* falsificar

verfänglich [fɛɐ'fɛŋlɪç] *adj* (*Frage*) capcioso; (*Situation*) embarazoso

verfärben* *vr:* **sich ~** cambiar de color
verfassen* *vt* redactar
Verfasser(in) *m(f)* <-s, -; -nen> autor(a) *m(f)*
Verfassung *f* POL constitución *f*; (*Zustand*) condición *f*; (*seelisch*) estado *m* de ánimo; **Verfassungsgericht** *nt* tribunal *m* constitucional
verfaulen* *vi sein* pudrirse
verfehlen* *vt* ❶ (*Person*) no encontrar ❷ (*Zweck*) no conseguir; (*Ziel beim Schießen*) fallar (el blanco); **seine Wirkung ~** no surtir efecto
verfehlt *adj* (*nicht angebracht*) inadecuado; (*falsch*) falso
verfeinern* [fɛɐ'faɪnɐn] *vt* (*Methode*) perfeccionar
verfilmen* *vt* llevar a la pantalla
verfliegen* *irr vi sein* (*Duft, Alkohol*) evaporarse; (*Ärger, Begeisterung*) desvanecerse
verflixt [fɛɐ'flɪkst] *adj* (*fam*) endemoniado; **~ und zugenäht!** ¡maldito sea!
verflogen *pp von* **verfliegen**
verfluchen* *vt* maldecir
verflucht *adj* (*fam*) maldito; **~ noch mal!** ¡joder!
verfolgen* *vt* perseguir; (*Handlung*) observar
Verfolgung *f* <-en> persecución *f*
verfrüht *adj* prematuro
verfügen* I. *vi* disponer (**über** de); (*ausgestattet sein*) estar provisto (**über** de) II. *vt* ordenar; **Verfügung** *f* <-en> (*Anordnung*) orden *f*; (*Disposition*) disposición *f*; **jdm etw zur ~ stellen** poner algo a disposición de alguien
verführen* *vt* seducir
vergangen [fɛɐ'gaŋən] *pp von* **vergehen**
Vergangenheit *f* pasado *m*; LING pretérito *m*
vergänglich [fɛɐ'gɛŋlɪç] *adj* pasajero
Vergaser *m* <-s, -> carburador *m*
vergaß [fɛɐ'ga:s] *3. imp von* **vergessen**
vergeben* *irr vt* (*zuweisen*) adjudicar; (*Stipendium, Preis*) conceder; (*geh: verzeihen*) perdonar
vergebens [fɛɐ'ge:bəns] *adv* en vano
vergeblich I. *adj* inútil II. *adv* en vano
Vergebung *f* <-en> (*geh*) perdón *m*; (*von Sünden*) remisión *f*; **jdn für etw um ~ bitten** pedir perdón a alguien por algo
vergehen* *irr* I. *vi sein* (*Zeit*) pasar; (*verschwinden*) desaparecer; **vergangene Woche** la semana pasada; **mir ist der Appetit vergangen** se me ha quitado el apetito II. *vr haben*: **sich an jdm ~** abusar de alguien
Vergehen *nt* <-s, -> delito *m*
Vergeltung *f* <-en> (*Rache*) desquite *m*
vergessen [fɛɐ'gɛsən] <vergisst, vergaß, vergessen> *vt* olvidar
Vergessenheit *f*: **in ~ geraten** caer en el olvido
vergesslich[RR] *adj* olvidadizo
Vergesslichkeit[RR] *f* falta *f* de memoria
vergeuden* [fɛɐ'gɔɪdən] *vt* desperdiciar; (*Geld*) despilfarrar
vergewaltigen* [fɛɐgə'valtɪgən] *vt* violar
Vergewaltigung *f* <-en> violación *f*
vergewissern* [fɛɐgə'vɪsɐn] *vr:* **sich ~** cerciorarse (de)
vergießen* *irr vt* derramar
vergiften* *vt, vr:* **sich ~** intoxicar(se); (*tödlich*) envenenar(se)
vergisst[RR] [fɛɐ'gɪst] *3. präs von* **vergessen**
Vergleich *m* <-(e)s, -e> comparación *f*
vergleichbar *adj* comparable (**mit** a)
vergleichen* *irr vt, vr:* **sich ~** comparar(se)
verglichen *pp von* **vergleichen**
vergnügen* [fɛɐ'gny:gən] *vt, vr:* **sich ~** divertir(se)
Vergnügen [fɛɐ'gny:gən] *nt* <-s, -> ❶ (*Zeitvertreib*) diversión *f*; **sich ins ~ stürzen** (*fam*) entregarse de lleno al placer ❷ *ohne pl* (*Freude*) placer *m*; **viel ~!** ¡que lo pase(s) bien!; **mit ~** con mucho gusto
vergnügt *adj* alegre (**über** por)
Vergnügungspark *m* parque *m* de atrac-

ciones

vergossen *pp von* **vergießen**

vergöttern* [fɛɐ'gœtɐn] *vt* adorar

vergraben* *irr vt* enterrar

vergriffen [fɛɐ'grɪfən] *adj* (*Ware*) agotado

vergrößern* [fɛɐ'grø:sɐn] **I.** *vt* (*räumlich*) agrandar; (*erweitern*) ampliar **II.** *vr:* **sich ~** (*zunehmen*) aumentar

Vergünstigung *f* <-en> (*Verbesserung*) ventaja *f*; (*bei Preis*) rebaja *f*

vergüten* [fɛɐ'gy:tən] *vt* (*Arbeit*) remunerar; (*erstatten*) reembolsar

Vergütung *f* <-en> (*für Arbeit*) remuneración *f*; (*Rückerstattung*) reembolso *m*

verhaften* [fɛɐ'haftən] *vt* detener

verhalten* *irr vr:* **sich ~** (*sich benehmen*) comportarse

Verhalten *nt* <-s, *ohne pl*> (*Benehmen*) comportamiento *m*; (*Haltung*) actitud *f*; **verhaltensgestört** *adj* trastornado

Verhältnis [fɛɐ'hɛltnɪs] *nt* <-ses, -se> ❶ (*Beziehung*) relación *f*; **im ~ zu** en relación a; **ein ~ mit jdm haben** (*fam*) tener un lío con alguien ❷ *pl* (*Umstände*) condiciones *fpl*; **sie lebt über ihre ~se** vive por encima de sus posibilidades; **in bescheidenen ~sen leben** vivir modestamente; **klare ~se schaffen** poner las cosas en claro; **verhältnismäßig** *adv* (*relativ*) relativamente

verhandeln* *vi* negociar (**über**); **Verhandlung** *f* negociación *f*

verhängen* *vt* (*Strafe*) imponer (**über** a); (*Embargo*) ordenar (**über** para)

Verhängnis *nt* <-ses, -se> perdición *f*; (*Katastrophe*) desastre *m*; **verhängnisvoll** *adj* fatal

verharmlosen* *vt* minimizar

verharren* *vi* (*geh*): **auf etw** *dat* **~** perseverar en algo

verhasst[RR] [fɛɐ'hast] *adj* odiado

verheerend *adj* desastroso; (*fam: scheußlich*) espantoso

verheilen* *vi sein* (*Wunde*) cerrarse; (*vernarben*) cicatrizar

verheimlichen* *vt* ocultar

verheiraten* *vt, vr:* **sich ~** casar(se); **jung verheiratet** recién casado

verhelfen* *irr vi:* **jdm zu etw ~** ayudar a alguien a conseguir algo

verherrlichen* *vt* glorificar

verhexen* *vt* embrujar

verhindern* *vt* impedir; **das lässt sich nicht ~** esto no se puede evitar

verholfen *pp von* **verhelfen**

Verhör [fɛɐ'hø:ɐ] *nt* <-(e)s, -e> interrogatorio *m*

verhören* **I.** *vt* interrogar **II.** *vr:* **sich ~** entender mal

verhüllen* *vt* ❶ (*bedecken*) cubrir ❷ (*verbergen*) ocultar

verhungern* *vi sein* morir de hambre

verhüten* *vt* (*Schaden, Krankheit*) prevenir; (*verhindern*) impedir; **die Empfängnis ~** usar métodos anticonceptivos

Verhütung *f* <-en> prevención *f*; (*Empfängnisverhütung*) contracepción *f*; **Verhütungsmittel** *nt* anticonceptivo *m*

verirren* *vr:* **sich ~** perderse

verjagen* *vt* ahuyentar

verkalkulieren* *vr:* **sich ~** equivocarse en el cálculo

verkannt [fɛɐ'kant] *pp von* **verkennen**

Verkauf *m* venta *f*; **zum ~ stehen** estar en venta; **verkaufen*** *vt, vr:* **sich ~** vender(se) (**an** a, **für** por); **Verkäufer(in)** *m(f)* vendedor(a) *m(f)*; (*in Geschäft*) dependiente, -a *m, f*; **verkäuflich** *adj* en venta

Verkehr [fɛɐ'ke:ɐ] *m* <-(e)s, *ohne pl*> (*Fahrzeugverkehr, Güterverkehr*) tráfico *m*; (*Straßenverkehr*) circulación *f*; (*Geschlechtsverkehr*) relaciones *fpl* sexuales

verkehren* *vi* ❶ *haben o sein* (*Verkehrsmittel*) circular ❷ *haben* (*sich aufhalten*) frecuentar (**in**); **mit jdm ~** tener trato con alguien

Verkehrsampel *f* semáforo *m*; **Verkehrsmittel** *nt* medio *m* de transporte; **Verkehrsregel** *f* norma *f* de tráfico; **Verkehrsrowdy** *m* conductor *m* temerario; **Verkehrsschild** *nt* señal *f* de tráfico; **Verkehrsunfall** *m* accidente *m* de tráfico; **Verkehrszeichen** *nt* señal *f* de tráfico

verkehrt [fɛɐ'ke:ɐt] I. *adj* erróneo II. *adv* (*umgekehrt*) al revés; (*falsch*) mal; ~ **herum** al revés

verkennen* *irr vt* (*falsch beurteilen*) juzgar mal; (*unterschätzen*) subestimar

verklagen* *vt:* **jdn** ~ entablar un pleito contra alguien

verkleiden* I. *vt* (*Wand*) revestir (**mit** de) II. *vt, vr:* **sich** ~ (*kostümieren*) disfrazar(se) (**als** de); **Verkleidung** *f* (*von Person*) disfraz *m*; (*von Wand*) revestimiento *m*

verkleinern* [fɛɐ'klaɪnɐn] *vt, vr:* **sich** ~ reducir(se); (*vermindern, abnehmen*) disminuir(se)

Verkleinerungsform *f* diminutivo *m*

verklemmt *adj* (*Tür*) atascado; (*Person*) cohibido

verknallen* *vr:* **sich** ~ (*fam*) enamorarse locamente (**in** de)

verknittern* *vt* arrugar

verknoten* *vt, vr:* **sich** ~ anudar(se)

verknüpfen* *vt* (*verknoten*) enlazar; (*in Beziehung setzen*) relacionar; (*verbinden*) combinar

verkommen[1] *adj* (*Gebäude*) desmoronado; (*Sachen*) en mal estado; (*Sitten*) decaído; (*Person*) venido a menos

verkommen*[2] *irr vi sein* ❶ (*verderben*) corromperse ❷ (*Gebäude*) desmoronarse; (*Sachen*) echarse a perder; (*Sitten*) decaer ❸ (*Person: moralisch*) pervertirse; (*äußerlich*) descuidar (su aspecto); (*soziale Stellung*) venir a menos

verkörpern* *vt* (*symbolisieren*) encarnar; THEAT, FILM representar

verkraften* *vt* (*Arbeit*) poder (con); (*Schock*) resistir; (*Belastung*) soportar

verkrampfen* *vr:* **sich** ~ (*Muskel*) contraerse; (*Mensch*) ponerse tenso

verkrüppelt *adj* (*Arm, Fuß*) tullido; (*Baum, Strauch*) achaparrado

verkümmern* *vi sein* (*Pflanze*) marchitarse; (*Talent*) venir a menos

verkünden* *vt* (*geh*) anunciar; (*Urteil*) pronunciar

verkürzen* *vt* acortar; (*Zeit, Weg, Text*) abreviar

verladen* *irr vt* cargar (**auf** en); (*auf Schiffe*) embarcar

Verlag [fɛɐ'la:k] *m* <-(e)s, -e> editorial *f*

verlagern* I. *vt* cambiar; (*Waren*) almacenar en otro lugar; (*örtlich*) trasladar (**auf** a) II. *vr:* **sich** ~ desplazarse

verlangen* [fɛɐ'laŋən] *vt* (*fordern*) exigir; (*erfordern*) requerir; **ist das nicht ein bisschen viel verlangt?** ¿no es pedir demasiado?

Verlangen *nt* <-s, -> (*geh*) ❶ (*Wunsch*) deseo *m*; (*Bedürfnis*) ansia *f* ❷ (*Forderung*) petición *f*

verlängern* [fɛɐ'lɛŋɐn] *vt* (*räumlich*) alargar; (*zeitlich*) prolongar; (*Vertrag, Pass*) renovar

Verlängerung *f* <-en> alargamiento *m*; (*zeitlich*) prolongación *f*

verlangsamen* *vt, vr:* **sich** ~ (*Geschwindigkeit*) reducir(se); (*Entwicklung*) retardar(se)

Verlass[RR] [fɛɐ'las] *m*: **auf jdn/etw ist (kein)** ~ (no) se puede contar con alguien/algo

verlassen[1] *adj* (*einsam*) solitario; (*öde*) desierto; (*zurückgelassen*) abandonado

verlassen*[2] *irr* I. *vt* abandonar; **sie hat ihren Mann** ~ ha dejado a su marido II. *vr:* **sich** ~ confiar (**auf** en); **darauf können Sie sich** ~ puede estar seguro de ello

verlässlich[RR] [fɛɐ'lɛslɪç] *adj* seguro; (*Person*) fiable

Verlauf *m* curso *m*; (*Entwicklung*) desarrollo *m*; (*von Straße, Grenze*) trazado *m*; **einen unerwarteten ~ nehmen** tomar un rumbo imprevisto; **verlaufen*** *irr* I. *vi sein* (*ablaufen*) desarrollarse; (*Zeitraum*) transcurrir; (*Grenze, Weg*) pasar (**durch** por) **II.** *vr haben*: **sich ~** (*sich verirren*) perderse

verlegen[1] *adj* avergonzado; **nie um eine Ausrede ~ sein** tener siempre una excusa

verlegen*[2] *vt* (*örtlich*) cambiar de lugar; (*Geschäft, Patient*) trasladar; (*Termin*) aplazar (**auf** para); (*Kabel*) tender

Verlegenheit *f* <-en> bochorno *m*; **jdn in ~ bringen** abochornar a alguien; **jdm aus einer ~ helfen** sacar a alguien de un apuro

Verleger(in) *m(f)* <-s, -; -nen> editor(a) *m(f)*

verleihen* *irr vt* (*ausleihen*) prestar (**an** a); (*Preis*) conceder (**an** a)

verleiten* *vt* inducir (**zu** a)

verlernen* *vt* perder la práctica (de); (*völlig*) olvidar

verletzen* [fɛɐ'lɛtsən] **I.** *vt* (*verwunden*) herir (**an** en); (*beleidigen*) ofender; (*Gesetz*) violar; **schwer verletzt** gravemente herido **II.** *vr:* **sich ~** herirse (**an** en)

verletzend *adj* ofensivo

verletzlich *adj* vulnerable

Verletzte(r) *mf* <-n, -n; -n> herido, -a *m, f*

Verletzung *f* <-en> (*Wunde*) herida *f*; **innere ~en** contusiones internas

verleugnen* *vt* negar; **er ließ sich ~** mandó decir que no estaba en casa

verleumden* [fɛɐ'lɔɪmdən] *vt* difamar

Verleumdung *f* <-en> difamación *f*

verlieben* *vr:* **sich ~** enamorarse (**in** de)

verliebt *adj* enamorado

verliehen *pp von* **verleihen**

verlieren [fɛɐ'li:rən] <verliert, verlor, verloren> **I.** *vi, vt* perder (**an**); **kein Wort darüber ~** no decir nada al respecto **II.** *vr:* **sich ~** perderse (**in** en)

Verlierer(in) *m(f)* <-s, -; -nen> perdedor(a) *m(f)*

verloben* *vr:* **sich ~** prometerse

Verlobte(r) *mf* <-n, -n; -n> prometido, -a *m, f*

Verlobung *f* <-en> compromiso *m* matrimonial

verlockend *adj* tentador

Verlockung *f* <-en> tentación *f*

verlogen [fɛɐ'lo:gən] *adj* (*abw: Person*) mentiroso; (*Aussage*) falaz

verlor [fɛɐ'lo:ɐ] *3. imp von* **verlieren**

verloren [fɛɐ'lo:rən] *pp von* **verlieren**

verlosen* [fɛɐ'lo:zən] *vt* sortear; **Verlosung** *f* <-en> sorteo *m*

Verlust [fɛɐ'lʊst] *m* <-(e)s, -e> pérdida *f*; **ohne Rücksicht auf ~e** sin miramientos

vermachen* *vt:* **jdm etw ~** legar algo a alguien

Vermächtnis [fɛɐ'mɛçtnɪs] *nt* <-ses, -se> legado *m*

vermarkten* *vt* comercializar

vermehren* **I.** *vt* acrecentar; (*zahlenmäßig*) multiplicar (**um** por) **II.** *vr:* **sich ~** (*zunehmen*) incrementar; (*sich fortpflanzen*) reproducirse; **Vermehrung** *f* <-en> ① (*Zunahme*) incremento *m*; (*Vervielfachung*) multiplicación *f* ② (*Fortpflanzung*) reproducción *f*

vermeiden* *irr vt* evitar; (*umgehen*) eludir

Vermerk *m* <-(e)s, -e> nota *f*

vermerken* *vt* (*notieren*) anotar

Vermessung *f* <-en> medición *f*

vermieden *pp von* **vermeiden**

vermieten* *vt* alquilar (**an** a); **Vermieter(in)** *m(f)* (*von Haus*) dueño, -a *m, f* de la casa; (*von Wohnung*) dueño, -a *m, f* del piso

vermindern* *vt, vr:* **sich ~** reducir(se); **Verminderung** *f* <-en> disminución *f*

vermischen* *vt, vr:* **sich ~** mezclar(se)

vermissen* [fɛɐ'mɪsən] *vt* echar de menos; **jdn als vermisst melden** dar a alguien por desaparecido; **er vermisst seine Schlüssel** no encuentra sus llaves

Vermisste(r)[RR] *mf* <-n, -n; -n> desaparecido, -a *m, f*

vermitteln* **I.** *vt* (*Treffen*) arreglar; (*Eindruck*) ofrecer; (*Wissen*) transmitir

II. *vi* mediar (**zwischen** entre); **Vermittler(in)** *m(f)* <-s, -; -nen> POL mediador(a) *m(f)*

Vermittlung *f* <-en> ❶ (*bei Streit*) mediación *f* (**zwischen** +*dat* entre) ❷ TEL centralita *f*

Vermögen [fɛɐ'mø:gən] *nt* <-s, -> ❶ (*Besitz*) bienes *mpl*; (*Reichtum*) fortuna *f* ❷ *ohne pl* (*geh: Fähigkeit*) capacidad *f*

vermögend *adj* adinerado

vermummt *adj* (*Demonstrant*) encapuchado; (*warm angezogen*) bien abrigado

vermuten* [fɛɐ'mu:tən] *vt* suponer; **das hatte ich nicht vermutet** no me lo había esperado

vermutlich I. *adj* presunto II. *adv* (*wahrscheinlich*) probablemente

Vermutung *f* <-en> suposición *f*

vernachlässigen* [fɛɐ'na:xlɛsɪgən] *vt* descuidar; **sie fühlt sich von ihm vernachlässigt** se siente abandonada por él

vernarben* *vi sein* cicatrizar

vernehmen* *irr vt* (JUR: *verhören*) interrogar (**zu** +*dat* sobre)

verneigen* *vr:* **sich ~** inclinarse (**vor** +*dat* ante)

verneinen* [fɛɐ'naɪnən] *vt* ❶ (*Frage*) contestar negativamente ❷ (*leugnen*) negar

vernichten* [fɛɐ'nɪçtən] *vt* aniquilar

vernichtend *adj* (*Kritik, Niederlage*) abrumador; (*Blick*) fulminante

vernommen *pp von* **vernehmen**

Vernunft [fɛɐ'nʊnft] *f* razón *f*; **jdn zur ~ bringen** hacer entrar a alguien en razón

vernünftig [fɛɐ'nʏnftɪç] *adj* razonable

veröffentlichen* *vt* publicar

Verordnung *f* <-en> (*Anordnung*) decreto *m*; (*von Arzt*) prescripción *f*; **nach ärztlicher ~** según prescripción médica

verpachten* *vt* arrendar

verpacken* *vt* embalar; (*in Pakete*) empaquetar; **Verpackung** *f* embalaje *m*

verpassen* *vt* (*Zug*) perder; (*Person*) no encontrar; (*Gelegenheit*) desaprovechar

verpflegen* *vt* alimentar

Verpflegung *f* <-en> ❶ (*Essen*) manutención *f* ❷ *ohne pl* (*das Verpflegen*) alimentación *f*

verpflichten* *vt, vr:* **sich ~** comprometer(se) (**zu** a)

Verpflichtung *f* <-en> obligación *f*

verplempern* [fɛɐ'plɛmpɐn] *vt* (*fam*) (*Geld*) malgastar; (*Zeit*) perder

verprügeln* *vt* zurrar

Verrat [fɛɐ'ra:t] *m* <-(e)s, *ohne pl*> traición *f*; **verraten*** *irr* I. *vt* (*preisgeben*) revelar; (*Treue brechen*) traicionar; (*zu erkennen geben*) delatar II. *vr:* **sich ~** (*durch Geste, Sprache*) delatarse; **Verräter(in)** [fɛɐ'rɛ:tɐ] *m(f)* <-s, -; -nen> traidor(a) *m(f)*

verrechnen* I. *vt* (*gutschreiben*) abonar en cuenta II. *vr:* **sich ~** equivocarse en el cálculo; **sich um fünf Euro ~** equivocarse en cinco euros

verrecken* [fɛɐ'rɛkən] *vi sein* (*fam*) (*Lebewesen*) estirar la pata

verregnet *adj* lluvioso

verreisen* *vi sein* irse de viaje

verrenken* [fɛɐ'rɛŋkən] I. *vt* torcer II. *vr:* **sich ~** retorcerse

verriegeln* *vt* cerrar con cerrojo

verringern* [fɛɐ'rɪŋɐn] I. *vt* reducir (**um** en) II. *vr:* **sich ~** disminuir

Verringerung *f* <-en> reducción *f*; (*Abnahme*) disminución *f*

verrosten* *vi sein* oxidarse

verrückt *adj* loco; **jdn ~ machen** volver loco a alguien

Verrückte(r) *f(m) dekl wie adj* loco, -a *m, f*

Verruf *m*: **in ~ geraten** caer en descrédito; **etw/jdn in ~ bringen** desacreditar algo/a alguien

Vers [fɛrs] *m* <-es, -e> verso *m*; (*Bibelvers*) versículo *m*

versagen* *vi* (*Maschine*) fallar; (*Mensch*) fracasar

Versagen *nt* <-s, *ohne pl*> (*von Maschine*) avería *f*; (*von Mensch*) fracaso *m*; (*von Organ*) deficiencia *f*; **menschliches ~** error humano

Versager(in) *m(f)* <-s, -; -nen> fracasado, -a *m, f*

versammeln* *vt, vr:* **sich ~** reunir(se); **Versammlung** *f* reunión *f*

Versand [fɛɐ'zant] *m* <-(e)s, *ohne pl*> (*das Versenden*) envío *m*; (*Versandabteilung*) departamento *m* de expedición; **Versandhaus** *nt* empresa *f* de venta por catálogo

versäumen* [fɛɐ'zɔɪmən] *vt* (*Gelegenheit*) perder; (*Pflicht, Unterricht*) faltar (a)

verschaffen* *vt* proporcionar; **sich** *dat* **etw ~** conseguir algo; **sich** *dat* **Respekt ~** hacerse respetar

verschämt [fɛɐ'ʃɛ:mt] *adj* avergonzado

verschärfen* *vt, vr:* **sich ~** ((*sich*) *verschlimmern*) agravar(se); (*Spannung*) aumentar

verschenken* *vt* regalar

verscheuchen* [fɛɐ'ʃɔɪçən] *vt* espantar

verschicken* *vt* enviar

verschieben* *irr* **I.** *vt* (*verrücken*) desplazar; (*verlegen*) aplazar (**auf** para) **II.** *vr:* **sich ~** (*verrutschen*) correrse; (*zeitlich*) aplazarse

verschieden [fɛɐ'ʃi:dən] *adj* ❶ (*unterschiedlich*) diferente; **auf ~e Weise** de distinta manera ❷ *pl* (*mehrere*) diversos; **~e Leute meldeten sich** llamaron varias personas; **verschiedenartig** *adj* distinto

verschimmeln* *vi sein* enmohecer(se)

verschlafen[1] *adj* (medio) dormido; (*Städtchen*) aburrido

verschlafen*[2] *irr* **I.** *vi* quedarse dormido **II.** *vt* (*fam: versäumen*) perder; (*Termin*) olvidar

verschlechtern* [fɛɐ'ʃlɛçtɐn] *vt, vr:* **sich ~** empeorar

verschleißen [fɛɐ'ʃlaɪsən] <verschleißt, verschliss, verschlissen> *vt haben vi sein* (des)gastar(se)

verschleppen* *vt* (*Personen*) deportar; (*Krankheit*) curar mal

verschließen* *irr vt* cerrar

verschlimmern* [fɛɐ'ʃlɪmɐn] *vt, vr:* **sich ~** agravar(se)

verschlingen* *irr vt* (*a. fig*) devorar

verschliss[RR] [fɛɐ'ʃlɪs] *3. imp von* **verschleißen**

verschlissen [fɛɐ'ʃlɪsən] *pp von* **verschleißen**

verschlossen [fɛɐ'ʃlɔsən] **I.** *pp von* **verschließen** **II.** *adj* (*Person*) reservado

verschlucken* **I.** *vt* tragar(se) **II.** *vr:* **sich ~** atragantarse (**an** con)

verschlungen [fɛɐ'ʃlʊŋən] *pp von* **verschlingen**

Verschluss[RR] [fɛɐ'ʃlʊs] *m* cierre *m*; (*Stöpsel*) tapón *m*

verschlüsseln* *vt* codificar

verschmutzen* *vt* ensuciar; (*Umwelt*) contaminar

Verschmutzung *f* <-en> ensuciamiento *m*; (*der Umwelt*) contaminación *f*

verschneit [fɛɐ'ʃnaɪt] *adj* cubierto de nieve

verschnupft [fɛɐ'ʃnʊpft] *adj* resfriado

verschoben *pp von* **verschieben**

verschollen [fɛɐ'ʃɔlən] *adj* desaparecido

verschonen* *vt* no afectar; **verschont werden** (**von etw**) librarse (de algo); **jdn mit etw ~** dejar a alguien en paz con algo

verschönern* [fɛɐ'ʃø:nɐn] *vt* embellecer

verschränken* [fɛɐ'ʃrɛŋkən] *vt* cruzar

verschreiben* *irr* **I.** *vt* (*Medikament*) recetar **II.** *vr:* **sich ~** equivocarse al escribir; **sich einer Tätigkeit ~** dedicarse plenamente a una actividad

verschrieben *pp von* **verschreiben**

verschrotten* *vt* desguazar

verschulden* **I.** *vt* causar **II.** *vr:* **sich ~** endeudarse

Verschulden *nt* <-s, *ohne pl*> culpa *f*; **durch eigenes ~** por propia culpa

verschult [fɛɐ'ʃu:lt] *adj* (*pej: Unterricht, Studienfach*) según los planes escolares

verschütten* *vt* (*Flüssigkeit*) derramar; (*unter sich begraben*) enterrar

verschweigen* *irr vt:* **jdm etw ~** callar algo a alguien

verschwenden* [fɛɐ'ʃvɛndən] *vt* (*Geld*) derrochar; (*Zeit*) perder; (*Energie*) despilfarrar

verschwenderisch *adj* derrochador; (*üppig*) opulento

Verschwendung *f* <-en> derroche *m*

verschwiegen [fɛɐ'ʃvi:gən] **I.** *pp von* **verschweigen II.** *adj* (*Person*) discreto

verschwinden* *irr vi sein* desaparecer; **verschwinde!** (*fam*) ¡lárgate!

verschwommen [fɛɐ'ʃvɔmən] *adj* vago; (*Bild*) borroso

Verschwörung *f* <-en> conspiración *f*

verschwunden *pp von* **verschwinden**

versehen* *irr vt* proveer (**mit** de)

Versehen *nt*: **etw aus ~ tun** hacer algo sin querer

versehentlich *adv* por descuido

versenken* *vt* sumergir (**in** en)

versessen [fɛɐ'zɛsən] *adj*: **auf etw ~ sein** estar obsesionado por algo

versetzen* **I.** *vt* (*umsetzen*) desplazar; (*beruflich*) trasladar; (*fam: warten lassen*) dar un plantón; **jdn in Zorn ~** enfurecer a alguien **II.** *vr:* **sich in jds Lage ~** ponerse en la situación de alguien

verseuchen* [fɛɐ'zɔɪçən] *vt* contaminar

versichern* *vt, vr:* **sich ~** asegurar(se) (de, **gegen** contra); **Versicherung** *f* (*Vertrag*) seguro *m*; (*Versicherungsgesellschaft*) compañía *f* de seguros; (*Versprechen*) promesa *f*

versiegeln* *vt* (*Brief, Boden*) sellar

versiegen* *vi sein* (*Quelle*) secarse

versiert [vɛr'zi:ɐt] *adj* versado; **in etw ~ sein** ser versado en algo

versifft [fɛɐ̯'zɪft] *adj* (*sl*) sucio

versinken* *irr vi sein* hundirse (**in** en); **in Gedanken versunken** absorto en sus pensamientos

Version [vɛr'zjo:n] *f* <-en> versión *f*

versöhnen* [fɛɐ'zø:nən] *vt, vr:* **sich ~** reconciliar(se)

Versöhnung *f* <-en> reconciliación *f*

versorgen* **I.** *vt* (*beliefern*) proveer (**mit** de); (*unterhalten*) mantener; (*betreuen*) cuidar (de) **II.** *vr:* **sich ~** abastecerse (**mit** de)

Versorgung *f* (*Belieferung*) aprovisionamiento *m* (**mit** de); (*Unterhalt*) manutención *f*; (*Betreuung*) cuidados *m pl*; **ärztliche ~** asistencia médica

verspäten* *vr:* **sich ~** retrasarse; **sich um eine Stunde ~** llegar con una hora de retraso

verspätet I. *adj* atrasado **II.** *adv* con retraso

Verspätung *f* <-en> retraso *m*; **zehn Minuten ~ haben** tener diez minutos de retraso

versperren* *vt* obstruir; **die Durchfahrt/die Sicht ~** cerrar el paso/quitar la vista

verspielen* *vt* (*Geld*) perder en el juego; (*Chance*) perder

verspielt *adj* (*Kind, Tier*) juguetón

verspotten* *vt* burlarse (de)

versprechen* *irr* **I.** *vt* prometer; **viel ~d** (muy) prometedor; **sich** *dat* **etw ~** esperar algo (**von** de) **II.** *vr:* **sich ~** equivocarse al hablar

Versprechen *nt* <-s, -> promesa *f*; **jdm ein ~ geben** prometer(le) algo a alguien; **ein ~ einhalten** cumplir una promesa

versprochen *pp von* **versprechen**

verspüren* *vt* sentir

verstand [fɛɐ'ʃtant] *3. imp von* **verstehen**

Verstand [fɛɐ'ʃtant] *m* <-(e)s, *ohne pl*> inteligencia *f*; **den ~ verlieren** perder la razón

verstanden [fɛɐ'ʃtandən] *pp von* **verstehen**

verständigen* [fɛɐ'ʃtɛndɪgən] **I.** *vt* informar **II.** *vr:* **sich ~** (*kommunizieren*) entenderse; (*sich einigen*) llegar a un acuerdo (**über** sobre)

Verständigung *f* <-en> (*Benachrichtigung*) información *f*; (*Kommunikation*) comunicación *f*; (*Einigung*) acuerdo *m*

verständlich [fɛɐ'ʃtɛntlɪç] *adj* comprensible; **sich ~ machen** explicarse; **sich ~ ausdrücken** expresarse claramente; **verständlicherweise** [-'---'--] *adv* con razón

Verständnis [fɛɐ'ʃtɛntnɪs] *nt* <-ses, *ohne pl*> comprensión *f*; **verständnislos** *adj* incomprensivo; **verständnisvoll** *adj* comprensivo

verstärken* I. *vt* reforzar II. *vr:* **sich ~** intensificarse; **Verstärkung** *f* <-en> (*der Stabilität*) refuerzo *m*; (*Vergrößerung*) aumento *m*; (*a.* MIL: *Personengruppe*) refuerzos *m pl*

verstauchen* [fɛɐ'ʃtaʊxən] *vt:* **sich** *dat* **etw ~** torcerse algo

verstauen* *vt* guardar (**in** en)

Versteck [fɛɐ'ʃtɛk] *nt* <-(e)s, -e> escondite *m*

verstecken* *vt, vr:* **sich ~** esconder(se) (**vor** de)

versteckt *adj* oculto; (*Anspielung*) indirecto

verstehen <versteht, verstand, verstanden> I. *vt* (*hören*) entender; (*begreifen*) comprender; **verstanden?** ¿entendido?; **was verstehst du unter diesem Begriff?** ¿qué entiendes por este término? II. *vr:* **sich ~** ❶ (*auskommen*) llevarse bien ❷ (*zu verstehen sein*): **das versteht sich doch von selbst** eso es evidente

versteigern* *vt* subastar; **Versteigerung** *f* subasta *f*

verstellbar *adj* graduable; **in der Höhe ~** de altura graduable

verstellen* I. *vt* (*örtlich*) cambiar (de sitio); (*einstellen*) ajustar; (*falsch einstellen*) desajustar; (*versperren*) bloquear; (*Stimme*) disimular II. *vr:* **sich ~** (*Person*) fingir

versteuern* *vt* pagar impuestos (por)

verstimmt *adj* (*Instrument*) desafinado; (*Person*) enfadado; **einen ~en Magen haben** tener una indigestión

verstockt [fɛɐ'ʃtɔkt] *adj* (*abw*) obstinado

verstohlen [fɛɐ'ʃto:lən] *adj* disimulado

verstopfen* I. *vi sein* obstruirse II. *vt haben* (*Loch*) obturar; (*Abfluss*) atascar

Verstopfung *f* <-en> MED estreñimiento *m*

verstorben [fɛɐ'ʃtɔrbən] *adj* fallecido

Verstorbene(r) *f(m) dekl wie adj* difunto, -a *m, f*

verstört [fɛɐ'ʃtø:ɐt] *adj* aturdido

Verstoß *m* infracción *f*; **verstoßen*** *irr* I. *vi* faltar (**gegen** a); (*gegen Gesetz*) infringir II. *vt* expulsar

verstreichen* *irr vi sein* (*geh: Zeit*) pasar; (*Frist*) vencer

verstrichen *pp von* **verstreichen**

verstummen* *vi sein* (*geh: Person*) callar(se); (*Geräusch*) cesar

Versuch [fɛɐ'zu:x] *m* <-(e)s, -e> intento *m*; (*Test*) prueba *f*

versuchen* I. *vt* intentar II. *vr:* **sich in etw ~** intentar algo

Versuchskaninchen *nt* (*fam abw*) conejillo *m* de Indias; **versuchsweise** [-vaɪzə] *adv* a modo de prueba

Versuchung *f* <-en> tentación *f*; **jdn in ~ führen** tentar a alguien; **in ~ kommen** caer en la tentación

versunken [fɛɐ'zʊŋkən] *pp von* **versinken**

versüßen* *vt* endulzar

vertagen* [fɛɐ'ta:gən] *vt* aplazar (**auf** *+akk* para)

vertan *pp von* **vertun**

vertauschen* *vt* (*verwechseln*) confundir

verteidigen* [fɛɐ'taɪdɪgən] *vt, vr:* **sich ~** defender(se)

Verteidiger(in) *m(f)* <-s, -; -nen> SPORT defensa *mf*; JUR abogado, -a *m, f* defensor(a)

Verteidigung *f* <-en> defensa *f*

verteilen* *vt* (*austeilen*) repartir (**un-**

ter/an entre)

Verteiler *m* <-s, -> distribuidor *m*

verteuern* I. *vt* encarecer (**um** *+akk*, **auf** *+akk* a) II. *vr:* **sich** ~ subir de precio (**um** *+akk*, **auf** *+akk* a)

vertiefen* I. *vt* profundizar II. *vr:* **sich in etw** ~ sumergirse en algo; **in etw vertieft sein** estar absorto en algo

Vertiefung *f* <-en> (*von Graben, Thema*) profundización *f*; (*im Gelände*) depresión *f*

vertikal [vɛrti'ka:l, '---] *adj* vertical

Vertrag [fɛɐ'tra:k] *m* <-(e)s, -träge> contrato *m*

vertragen* *irr* I. *vt* (*Klima, Aufregung*) soportar; (*Speisen, Medikamente*) tolerar; **ich vertrage keine Milch** la leche me sienta mal II. *vr:* **sich** ~ (*Personen*) llevarse bien; (*vereinbar sein*) ser compatible; **wir haben uns wieder** ~ hemos hecho las paces

vertraglich I. *adj* contractual II. *adv* por contrato

verträglich [fɛɐ'trɛ:klɪç] *adj* (*Speisen*) digerible; (*Personen*) sociable

vertrauen* *vi:* **jdm/etw** ~ confiar en alguien/de algo

Vertrauen *nt* <-s, *ohne pl*> confianza *f*; **jdn ins** ~ **ziehen** confiarse a alguien; ~ **zu jdm haben** tener confianza en alguien; **vertrauenerweckend** *adj s.* **erwecken**

Vertrauenssache *f ohne pl* (*Frage des Vertrauens*) cuestión *f* de confianza; **vertrauensvoll** *adv* con toda confianza; **vertrauenswürdig** *adj* fiable

vertraulich *adj* (*geheim*) confidencial; (*persönlich*) íntimo

Vertraulichkeit *f* <-en, *ohne pl*> (*Eigenschaft*) carácter *m* confidencial

verträumt [fɛɐ'trɔɪmt] *adj* (*Person*) soñador; (*Ort*) romántico

vertraut [fɛɐ'traʊt] *adj* (*eng verbunden*) familiarizado; (*bekannt*) familiar; ~ **miteinander sein** tenerse confianza; **sich mit etw** ~ **machen** familiarizarse con algo

Vertraute(r) *mf* <-n, -n; -n> confidente *mf*

vertreiben* *irr vt* (*Personen*) echar (**aus** de); (*Mücken*) ahuyentar; **sich** *dat* **die Zeit** ~ entretenerse

Vertreibung *f* <-en> expulsión *f* (**aus** de)

vertreten* *irr vt* (*ersetzen*) sustituir; (*als Beauftragter*) representar; (*als Anwalt*) defender (la causa de); (*Interessen*) velar (por); (*Ansicht, These*) sostener

Vertreter(in) *m(f)* <-s, -; -nen> ❶ (*Stellvertreter*) sustituto, -a *m, f* ❷ (*Beauftragter*) representante *mf* ❸ (*Anhänger einer Position*) defensor(a) *m(f)*

Vertretung *f* <-en> ❶ (*Stellvertretung*) su(b)stitución *f*; (*Person*) su(b)stituto, -a *m, f* ❷ (*Delegation*) representación *f*

vertrieben *pp von* **vertreiben**

Vertriebene(r) [fɛɐ'tri:bənɐ] *f(m) dekl wie adj* expulsado, -a *m, f*

vertrocknen* *vi sein* secarse

vertun* *irr* I. *vt* malgastar; **eine vertane Gelegenheit** una oportunidad desaprovechada II. *vr:* **sich** ~ (*fam*) equivocarse

vertuschen* [fɛɐ'tʊʃən] *vt* ocultar

verüben* *vt* cometer

verunglücken* *vi sein* (*Unfall haben*) tener un accidente

verunreinigen* [fɛɐ'ʔʊnraɪnɪgən] *vt* ensuciar; (*Umwelt*) contaminar

verunsichern* *vt* confundir

Veruntreuung *f* <-en> (*öffentlicher Mittel*) malversación *f*

verursachen* [fɛɐ'ʔu:ɐzaxən] *vt* causar

verurteilen* [fɛɐ'ʔʊrtaɪlən] *vt* condenar (**zu** a); **zum Scheitern verurteilt sein** estar condenado al fracaso

Verurteilung *f* <-en> *a.* JUR condena *f*

vervielfältigen* [fɛɐ'fi:lfɛltɪgən] *vt* (*fotokopieren*) fotocopiar

vervollkommnen* [fɛɐ'fɔlkɔmnən] *vt, vr:* **sich** ~ perfeccionar

vervollständigen* *vt* completar

verwahren* [fɛɐ'va:rən] I. *vt* guardar II. *vr:* **sich** ~ protestar (**gegen** contra)

verwahrlosen* [fɛɐ'va:ɐlo:zən] *vi sein* venir a menos
verwahrlost [fɛɐ'va:ɐlo:st] *adj* (*vernachlässigt*) abandonado; (*ungepflegt*) descuidado
verwaist [fɛɐ'vaɪst] *adj* (*Mensch*) huérfano; (*Ort*) desierto
verwalten* *vt* administrar; INFOR actualizar
Verwalter(in) *m(f)* <-s, -; -nen> administrador(a) *m(f)*
Verwaltung *f* <-en> administración *f*; INFOR actualización *f*
verwandeln* *vt, vr:* **sich ~** transformar(se) (**in** en); **er ist wie verwandelt** parece otro
verwandt [fɛɐ'vant] *adj* (*ähnlich*) similar (**mit** a); **mit jdm ~ sein** ser pariente de alguien; **sie sind (miteinander) ~** son parientes
Verwandte(r) *f(m)* *dekl wie adj* pariente *mf*
Verwandtschaft *f* <-en> ❶ (*das Verwandtsein*) parentesco *m*; (*Ähnlichkeit*) semejanza *f* ❷ *ohne pl* (*Angehörige*) parientes *mpl*
verwarnen* *vt* advertir
verwechseln* *vt* confundir; **sie sehen sich** *dat* **zum Verwechseln ähnlich** se parecen como dos gotas de agua
verwegen [fɛɐ've:gən] *adj* osado
verweigern* *vt* rehusar; **jdm etw ~** negar algo a alguien; **Verweigerung** *f* <-en> (*Ablehnung*) rechazo *m*; (*Absage*) negativa *f*
Verweis [fɛɐ'vaɪs] *m* <-es, -e> (*Rüge*) reprimenda *f*; (*Hinweis*) referencia *f* (**auf** a)
verweisen* *irr vt* (*hinweisen*) remitir (**auf/an** a); (*ausweisen*) expulsar (**aus** de)
verwelken* *vi sein* marchitarse
verwendbar *adj* utilizable (**zu/für** para); **mehrfach ~** de uso múltiple
verwenden* *vt* usar (**zu/für** para, **bei** en); (*Methode, Mittel*) emplear (**zu/für** para, **bei** en); **Verwendung** *f* <-en> empleo *m*, uso *m*
verwerfen* *irr vt* (*aufgeben*) desechar
verwerflich *adj* reprobable
verwerten* *vt* utilizar
verwesen* [fɛɐ've:zən] *vi sein* descomponerse
verwickeln* I. *vt:* **jdn in etw ~** envolver a alguien en algo II. *vr:* **sich ~** (*a. fig*) enredarse; **sich in Widersprüche ~** incurrir en contradicciones
verwiesen *pp von* **verweisen**
verwildern* [fɛɐ'vɪldɐn] *vi sein* (*Garten*) estar abandonado; (*Haustier*) volverse salvaje; (*Sitten*) degenerar
verwirklichen* *vt, vr:* **sich ~** realizar(se)
Verwirklichung *f* <-en> realización *f*
verwirren* [fɛɐ'vɪrən] I. *vt* (*verunsichern*) confundir II. *vt, vr:* **sich ~** (*Fäden*) enredar(se); (*Haare*) enmarañar(se)
verwirrend *adj* confuso
verwirrt *adj* ❶ (*Fäden, Angelegenheit*) enredado ❷ (*Person*) confuso
Verwirrung *f* <-en> (*Durcheinander*) confusión *f*; (*Verstörtheit*) turbación *f*
verwitwet [fɛɐ'vɪtvət] *adj* viudo
verwöhnen* [fɛɐ'vø:nən] *vt* mimar
verwöhnt [fɛɐ'vø:nt] *adj* ❶ (*Kind*) mimado, engreído ❷ (*anspruchsvoll*) exigente
verworfen [fɛɐ'vɔrfən] *pp von* **verwerfen**
verworren [fɛɐ'vɔrən] *adj* confuso
verwundbar *adj* vulnerable
verwunden* [fɛɐ'vʊndən] *vt* herir
verwunderlich [fɛɐ'vʊndɐlɪç] *adj* (*erstaunlich*) sorprendente; (*sonderbar*) raro
Verwunderung *f* asombro *m*
Verwundete(r) *f(m)* *dekl wie adj* herido, -a *m, f*

verwünschen* *vt* maldecir
verwüsten* [fɛɐ'vy:stən] *vt* devastar
verzaubern* *vt* encantar; **jdn in etw ~** transformar a alguien en algo
verzehren* *vt* consumir
verzeichnen* *vt* anotar; (*aufzeichnen*) registrar

Verzeichnis *nt* <-ses, -se> lista *f*; (*im Buch*) índice *m*

verzeihen [fɛɐ'tsaɪən] <verzeiht, verzieh, verziehen> *vt* perdonar; **~ Sie!** ¡perdone!

Verzeihung *f* perdón *m*; **jdn um ~ bitten** pedir(le) perdón a alguien

verzerren* *vt* (*Gesicht*) desfigurar; (*Ereignisse*) tergiversar; **etw verzerrt wiedergeben** contar algo trastocándolo

Verzicht [fɛɐ'tsɪçt] *m* <-(e)s, -e> renuncia *f* (**auf** +*akk* a)

verzichten* *vi* renunciar (**auf** a)

verzieh [fɛɐ'tsi:] *3. imp von* **verzeihen**

verziehen[1] *pp von* **verzeihen**

verziehen*[2] *irr* **I.** *vi sein* (*umziehen*) mudarse (**nach** a) **II.** *vt haben* (*Kind*) malcriar; (*Mund, Züge*) torcer **III.** *vr haben*: **sich ~** (*Holz, Tür*) alabearse; (*Nebel, Wolken*) disiparse; (*Gewitter*) pasar

verzieren* *vt* adornar

verzogen [fɛɐ'tso:gən] *pp von* **verziehen**[2]

verzögern* *vt, vr:* **sich ~** retrasar(se) (**um**)

Verzögerung *f* <-en> retraso *m* (**von** +*dat* de)

verzollen* [fɛɐ'tsɔlən] *vt* pagar aduana (por)

verzweifeln* *vi sein* desesperar; **es ist zum Verzweifeln** es para desesperarse

verzweifelt *adj* desesperado

Verzweiflung *f* <-en> desesperación *f*; **jdn zur ~ treiben** llevar a alguien a la desesperación

verzweigen* [fɛɐ'tsvaɪgən] *vr:* **sich ~** ramificarse; (*in zwei Richtungen*) bifurcarse

verzwickt [fɛɐ'tsvɪkt] *adj* (*fam*) lioso

Veteran [vete'ra:n] *m* <-en, -en> veterano *m*

Veto ['ve:to] *nt* <-s, -s> veto *m*; **sein ~ gegen etw einlegen** poner el veto a algo

Vetter ['fɛtɐ] *m* <-s, -n> primo *m*; **Vetternwirtschaft** *f* (*abw*) nepotismo *m*

vgl. *Abk. von* **vergleiche** cf.

VHS [faʊha:'ʔɛs] *f Abk. von* **Volkshochschule** universidad *f* popular

vibrieren* [vi'bri:rən] *vi* vibrar

Video ['vi:deo] *nt* <-s, -s> vídeo *m*; **Videokamera** *f* cámara *f* de vídeo; **Videokassette** *f* videocasete *f*; **Videokonferenz** *f* conferencia *f* por vídeo; **Videorecorder** *m* (aparato *m* de) vídeo *m*; **Videospiel** *nt* videojuego *m*

Videothek [video'te:k] *f* <-en> videoteca *f*

videoüberwacht *adj* (*Haus, Raum*) vigilado por vídeo

Vieh [fi:] *nt* <-(e)s, *ohne pl*> ganado *m*; (*einzelnes*) res *f*; **Viehzucht** *f* ganadería *f*

viel [fi:l] *adj o adv o pron indef* <mehr, am meisten> mucho; **~ Spaß!** ¡que lo pases bien!; **so ~** tanto; **noch mal so ~** otro tanto; **halb/doppelt so ~ Arbeit** la mitad/el doble de trabajo; **zu ~** demasiado; **eine zu ~** una de más; **wie ~?** ¿cuánto?; **wie ~ kostet das?** ¿cuánto vale eso?; **wie ~ Uhr ist es?** ¿qué hora es?; **wie ~e Leute waren da?** ¿cuántas personas había?; **~ teurer** mucho más caro; **~ zu ~** demasiado; **vieldeutig** ['fi:ldɔɪtɪç] *adj* ambiguo; LING polisémico

vielerlei ['fi:lɐ'laɪ] *adj inv* (*attributiv*) diverso; (*allein stehend*) mucho; **~ gesehen haben** haber visto mucho

vielfach ['fi:lfax] **I.** *adj* (*viele Male*) múltiple; (*wiederholt*) reiterado; **auf ~en Wunsch** a petición general **II.** *adv* con frecuencia

Vielfalt ['fi:lfalt] *f* variedad *f* (**von/an** de)

vielfältig ['fi:lfɛltɪç] *adj* variado; (*Mensch*) polifacético

vielleicht [fi'laɪçt] *adv* tal vez; **hast du ~ meinen Schlüssel gesehen?** ¿has visto por casualidad mi llave?; **es waren ~ 500 Leute dort** habría más o menos 500 personas allí

vielmals ['-ma:ls] *adv*: **danke ~!** ¡mil gracias!

vielmehr ['--] *adv* más bien; **vielsagend** *adj* significativo; **vielseitig** *adj* (*umfassend*) amplio; (*abwechslungsreich*) variado; (*Mensch*) polifacético; **~ anwendbar** de uso múltiple; **~ interessiert** con intereses variados; **vielversprechend** *adj* (muy) prometedor

Vielzahl *f ohne pl* sinnúmero *m* (**an/von** de)

vier [fi:ɐ] *adj inv* cuatro; **jdn unter ~ Augen sprechen** hablar con alguien a solas; **auf allen ~en** (*fam*) a gatas; *s.a.* **acht**[1]

Vier *f* <-en> cuatro *m*; (*Schulnote*) suficiente *m*

Vierbeiner *m* <-s, -> cuadrúpedo *m*

Viereck ['fi:ɐʔɛk] *nt* <-(e)s, -e> cuadrilátero *m*; (*Quadrat*) cuadrado *m*; **viereckig** *adj* cuadrangular

vierfach ['fi:ɐfax] I. *adj* cuádruple; **~ vorhanden sein** estar disponible cuatro veces II. *adv* cuatro veces; *s.a.* **achtfach**

vierhundert ['-'--] *adj inv* cuatrocientos; *s.a.* **achthundert**

vierspurig ['-ʃpu:rɪç] *adj* de cuatro carriles

vierte(r, s) ['fi:ɐtə, -tɐ, -təs] *adj* cuarto; *s.a.* **achte(r, s)**

viertel ['fɪrtəl] *adj inv* cuarto; *s.a.* **achtel**

Viertel ['fɪrtəl] *nt* <-s, -> ❶ (*Maß*) cuarto *m*; **ein ~ Wein** un cuartillo ❷ (*Teil*) cuarta parte *f*; **~ nach drei** las tres y cuarto ❸ (*Stadtviertel*) barrio *m*; **Vierteljahr** ['--'-] *nt* trimestre *m*; **Viertelstunde** ['--'--] *f* cuarto *m* de hora

vierzehn ['fɪrtse:n] *adj inv* catorce; **in ~ Tagen** en quince días; *s.a.* **acht**[1]

vierzig ['fɪrtsɪç] *adj inv* cuarenta; *s.a.* **achtzig**

Villa ['vɪla] *f* <Villen> villa *f*

Villenviertel *nt* barrio *m* residencial de lujo

violett [vio'lɛt] *adj* morado

Violine [vio'li:nə] *f* <-n> violín *m*

Viper ['vi:pɐ] *f* <-n> víbora *f*

VIP-Lounge ['vɪplaʊndʒ] *f* <-s> (*eines Hotels, eines Flughafens*) salón *m* de [*o* para] vips

Viren ['vi:rən] *pl von* **Virus**

virtuell [vɪrtu'ɛl] *adj* virtual; **~er Raum** espacio virtual

Virus ['vi:rʊs] *m o nt* <-, Viren> *a.* INFOR virus *m inv*; **Virusinfektion** *f* infección *f* vírica; **Virusscanner** *m* INFOR escáner *m* de virus

Visa ['vi:za], **Visen** ['vi:zən] *pl von* **Visum**

Visier [vi'zi:ɐ] *nt* <-s, -e> (*am Helm*) visera *f*; (*am Gewehr*) (punto *m* de) mira *f*; **jdn/etw ins ~ nehmen** fijar su atención en alguien/algo

Vision [vi'zjo:n] *f* <-en> visión *f*

Visite [vi'zi:tə] *f* <-n> visita *f*; **Visitenkarte** *f* tarjeta *f* de visita

Visum ['vi:zʊm] *nt* <-s, Visa *o* Visen> visado *m*, visa *f*

Vitamin [vita'mi:n] *nt* <-s, -e> vitamina *f*

Vitrine [vi'tri:nə] *f* <-n> vitrina *f*

Vizepräsident(in) *m(f)* vicepresidente, -a *m, f*

Vogel ['fo:gəl] *m* <-s, Vögel> pájaro *m*; **einen ~ haben** (*fam*) estar chiflado; **Vogelkäfig** *m* jaula *f*

vögeln ['fø:gəln] *vi, vt* (*vulg*) follar

Vogelscheuche *f* <-n> espantapájaros *m inv*

Vokabel [vo'ka:bəl] *f* <-n> vocablo *m*

Vokabular [vokabu'la:ɐ] *nt* <-s, -e> vocabulario *m*

Vokal [vo'ka:l] *m* <-s, -e> vocal *f*

Volk [fɔlk] *nt* <-(e)s, Völker> pueblo *m*; (*Nation*) nación *f*; **sich unters ~ mischen** mezclarse con la gente

Völkermord *m* genocidio *m*; **Völkerrecht** *nt* <-(e)s, *ohne pl*> derecho *m* internacional

Volkslied *nt* canción *f* popular; **Volksmund** *m* <-(e)s, *ohne pl*> lenguaje *m* popular; **Volksmusik** *f* música *f* folklórica; **Volksrepublik** *f* república *f* popular

volkstümlich ['fɔlksty:mlɪç] *adj* popular
Volkswirtschaft *f* economía *f* política
voll [fɔl] I. *adj* lleno (**von/mit** de); **halb** ~ medio lleno; ~(**er**) **Freude** rebosante de alegría; **das ~e Ausmaß der Katastrophe** el alcance total de la catástrofe II. *adv* completamente; ~ **bezahlen** pagar a precio regular; ~ **und ganz** completamente
vollauf ['-'-] *adv* absolutamente
Vollbart *m* barba *f* cerrada; **Vollbeschäftigung** *f* pleno empleo *m*
vollbracht *pp von* **vollbringen**
vollbringen* [-'--] *irr vt* (*geh*) realizar
vollenden* *vt* (*abschließen*) concluir; (*Lebensalter*) cumplir; (*vervollständigen*) completar; **jdn vor vollendete Tatsachen stellen** presentar(le) a alguien un hecho consumado
vollendet [fɔl'ʔɛndət] *adj* perfecto
vollends ['fɔlɛnts] *adv* completamente
Volleyball ['vɔlibal] *m* <-(e)s, *ohne pl*> voleibol *m*
vollführen* *vt* llevar a cabo; (*verwirklichen*) realizar
voll|gießen *irr vt* llenar (hasta el borde)
völlig ['fœlɪç] *adj* completo; **er hat ~ Recht** tiene toda la razón
volljährig ['-jɛ:rɪç] *adj* mayor de edad
Vollkaskoversicherung *f* seguro *m* a todo riesgo
vollkommen [-'--] *adj* (*unübertrefflich*) perfecto; (*vollständig*) completo; (*völlig*) absoluto; **ich bin ~ deiner Meinung** estoy absolutamente de acuerdo contigo
Vollkornbrot *nt* pan *m* integral
Vollmacht *f* <-en> autorización *f*; **Vollmilch** *f* leche *f* entera; **Vollmond** *m* luna *f* llena; **Vollpension** *f* pensión *f* completa
voll|pumpen *vt:* **etw mit Luft ~** llenar algo de aire
vollständig *adj* (*komplett*) completo; (*gänzlich*) total
Vollständigkeit *f* integridad *f*; **der ~ halber** para completar
voll|stopfen *vt:* **etw ~** atiborrar algo
vollstrecken* *vt* ejecutar; (*Urteil*) llevar a efecto
voll|tanken *vi, vt* llenar el depósito
Volltreffer *m* impacto *m* total; (*beim Schießen*) impacto *m* en la diana
Vollwertkost *f* alimentos *m pl* integrales
vollzählig ['fɔltsɛ:lɪç] *adj* completo
vollziehen* *irr* I. *vt* (*ausführen*) llevar a cabo; JUR ejecutar II. *vr:* **sich ~** efectuarse
vollzogen *pp von* **vollziehen**
Volt [vɔlt] *nt* <- *o* -(e)s, -> voltio *m*
Volumen [vo'lu:mən] *nt* <-s, -> volumen *m*
voluminös [volumi'nø:s] *adj* voluminoso
vom [fɔm] = **von dem** *s.* **von**
von [fɔn] *präp +dat* ① (*allgemein, räumlich*) de; ~ **oben nach unten** de arriba abajo; ~ **hier aus** desde aquí; **das Kind ist ~ ihm** el niño es suyo; ~ **allein** por sí solo; **Tausende ~ Menschen** miles de personas; **im Alter ~ 40 Jahren** a la edad de 40 años; ~ **Seiten** de parte de ② (*zeitlich*) desde; ~ **nun an** de ahora en adelante; ~ **vorn anfangen** empezar desde el principio; ~ **morgens bis abends** de la mañana a la noche; ~ **Zeit zu Zeit** de tiempo en tiempo ③ (*beim Passiv*) por; **der Kurs wird ~ Johannes geleitet** el curso es dirigido por Johannes
voneinander [--'--] *adv* el uno del otro
vonseiten[RR] [fɔn'zaɪtən] por parte de
vor [fo:ɐ] I. *präp +dat* ① (*räumlich*) delante de; **sie ging ~ ihm her** iba delante de él ② (*zeitlich*) antes de; (*Zeitraum*) hace; (*bei Uhrzeit*) menos; ~ **kurzem** hace poco ③ (*über*) sobre; ~ **allem** sobre todo ④ (*gegenüber*) ante; **Angst ~ jdm haben** tener(le) miedo a alguien; **Schutz ~ etw** *dat* **suchen** buscar protección contra algo ⑤ (*bedingt durch*): ~ **Kälte** de frío; ~ **lauter Arbeit** de tanto trabajo II. *präp +akk;* (*Richtung*): **etw ~ das Haus stellen** poner algo delante de la

casa **III.** *adv* adelante; ~ **und zurück** adelante y atrás; **Freiwillige ~!** ¿quién se ofrece voluntario?

vorab [fo:ɐ'ʔap] *adv* (*zuerst*) ante todo; (*im Voraus*) de antemano

Vorabend *m* ❶ (*Abend vorher*) víspera *f*; **am ~ der Uraufführung** en vísperas del estreno ❷ (*vorhergehende Zeitspanne*): **am ~ der Revolution** en vísperas de la Revolución; **Vorahnung** *f* presentimiento *m*

voran [fo'ran] *adv* (*vorwärts*) hacia delante; **voran|gehen** *irr vi sein* ❶ (*vorne gehen*) ir delante, ir en cabeza ❷ (*zeitlich*) preceder ❸ (*Fortschritte machen*) avanzar; **voran|kommen** *irr vi sein* avanzar (**mit** en)

Vorarlberg ['fo:ɐʔarlbɛrk] *nt* <-s> Vorarlberg *m*

voraus [fo'raʊs] *adv* (*vorne*) delante; (*an der Spitze*) a la cabeza; **er war uns schon weit ~** nos llevaba una gran ventaja; **im Voraus** de antemano; **voraus|gehen** *irr vi sein* (*vorne gehen*) ir delante; (*früher geschehen*) preceder; **vorausgesetzt** [fo'raʊsgəzɛtst] *adj*: **~, dass ...** siempre que... *+subj*; **voraus|haben** *irr vt:* **jdm etw ~** aventajar a alguien en algo

Voraussage *f* <-n> pronóstico *m*; **eine ~ machen** realizar un pronóstico; **voraus|sagen** *vt* pronosticar

voraus|schicken *vt* (*Bemerkung*) anticipar; **etwas ~** hacer una observación previa; **voraus|sehen** *irr vt* prever; **das war ja vorauszusehen** esto se veía venir; **voraus|setzen** *vt* (*annehmen*) presuponer; (*verlangen*) requerir; **das setze ich als bekannt voraus** esto lo doy por sabido; **vorausgesetzt, dass ...** siempre que... *+subj*

Voraussetzung *f* <-en> (*Annahme*) suposición *f*; (*Vorbedingung*) condición *f* previa; **unter der ~, dass ...** bajo la condición de que... *+subj*; **die ~en erfüllen** cumplir los requisitos

Voraussicht [-'--] *f ohne pl* previsión *f*; **aller ~ nach** según todos los indicios

voraussichtlich **I.** *adj* previsto **II.** *adv* probablemente

Vorbehalt ['-bəhalt] *m* <-(e)s, -e> reserva *f*; **unter dem ~, dass ...** con la salvedad de que... *+subj*; **ohne/unter ~** sin/con reservas

vor|behalten* *irr vt:* **sich** *dat* **etw ~** reservarse (el derecho de hacer) algo

vorbehaltlos *adv* incondicionalmente

vorbei [fo:ɐ'baɪ, fɔr'baɪ] *adv* pasado; **sie möchte hier ~** quiere pasar por aquí; **es ist drei Uhr ~** son las tres pasadas; **aus und ~** acabado y más que acabado; **vorbei|fahren** *irr vi sein* ❶ (*entlangfahren*) pasar (en coche) (**an** por (delante de)) ❷ (*nicht anhalten*) pasar de largo; **im Vorbeifahren** al pasar (en coche) ❸ (*fam: aufsuchen*) pasar (**bei** por casa de); **vorbei|gehen** *irr vi sein* (*entlanggehen*) pasar (**an** por (delante de)); **im Vorbeigehen** de pasada; **bei jdm ~** (*fam*) pasar por casa de alguien; **vorbei|kommen** *irr vi sein* ❶ (*entlangkommen*) pasar (**an** por) ❷ (*an Hindernis*) poder pasar (**an** por) ❸ (*fam: besuchen*) pasar (**bei** por casa de); **vorbei|lassen** *irr vt* (*fam*) dejar pasar; **vorbei|reden** *vi:* **an etw** *dat* **~** irse por las ramas

vorbelastet *adj* con antecedentes; **erblich ~ sein** llevar una tara hereditaria

Vorbemerkung *f* advertencia *f* preliminar

vor|bereiten* *vt, vr:* **sich ~** preparar(se) (**auf** para); **Vorbereitung** *f* <-en> (*Tätigkeit*) preparación *f*; (*Maßnahme*) preparativo *m*; **~en für etw treffen** hacer preparativos para algo

vor|bestellen* *vt* reservar

vorbestraft *adj* con antecedentes penales

vor|beugen **I.** *vi a.* MED prevenir **II.** *vt, vr:* **sich ~** inclinar(se) hacia delante; **vorbeugend** *adj* preventivo; **Vorbeugung** *f* prevención *f* (**gegen** de)

Vorbild *nt* modelo *m*; **sich** *dat* **jdn zum**

~ **nehmen** tomar a alguien como ejemplo; **als ~ dienen** servir de modelo; **vorbildlich** *adj* ejemplar

vor|bringen *irr vt* (*Wunsch, Einwand*) manifestar; (*Gründe*) aducir

vordere(r, s) ['fɔrdərə, -rɐ, -rəs] *adj* delantero

Vordergrund *m* primer plano *m*; **im ~ stehen** tener prioridad; **in den ~ treten** ganar importancia

vordergründig ['fɔrdɐgrʏndɪç] *adj* superficial

Vorderrad *nt* rueda *f* delantera; **Vorderseite** *f* parte *f* delantera

Vordiplom *nt* UNIV examen *m* intermedio (*de diplomatura, que permite el acceso al segundo ciclo*)

vor|drängeln *vr:* **sich ~** (*fam*) colarse

Vordruck *m* <-(e)s, -e> formulario *m*

voreilig *adj* precipitado; **voreingenommen** *adj* lleno de prejuicios

vor|enthalten* *irr vt* (*Information*) ocultar; (*Rechte*) privar (de)

vorerst ['fo:ɐʔe:ɐst, -'-] *adv* de momento

Vorfahr(in) ['fo:ɐfa:ɐ] *m(f)* <-en, -en; -nen> antepasado, -a *m, f*

vor|fahren *irr sein* **I.** *vi* ❶ (*ankommen*) llegar (**mit/in** en); **vor etw** *dat* **~** parar delante de algo; **mit dem Taxi ~** llegar en taxi ❷ (*vorausfahren*) adelantarse ❸ (*nach vorne fahren*) avanzar **II.** *vt* (*vorrücken*) avanzar; **Vorfahrt** *f ohne pl* prioridad *f* (de paso); **die ~ beachten** ceder el paso; **~ haben** tener preferencia

Vorfall *m* suceso *m*; **vor|fallen** *irr vi sein* (*geschehen*) suceder

vor|finden *irr vt* encontrarse (con)

Vorfreude *f* <-n> alegría *f* previa

vor|führen *vt* (*zeigen*) enseñar; (*Kunststück*) presentar; (*Gerät*) demostrar; (*Film*) proyectar; **Vorführung** *f* <-en> (*Vorstellung*) representación *f*; (*von Film*) proyección *f*; (*von Kunststück*) presentación *f*

Vorgang *m* (*Ereignis*) suceso *m*; (*Ablauf a.* TECH) proceso *m*; **Vorgänger(in)** ['-gɛŋɐ] *m(f)* <-s, -; -nen> predecesor(a) *m(f)*

vor|geben *irr vt* ❶ (*behaupten*) poner como pretexto; (*vortäuschen*) fingir; **sie gab vor, müde zu sein** puso como pretexto que estaba cansada ❷ (*festsetzen*) fijar

vor|gehen *irr vi sein* (*nach vorne gehen*) pasar adelante; (*Uhr*) adelantar; (*verfahren*) proceder; (*Vorrang haben*) tener prioridad; **gegen etw ~** adoptar medidas contra algo; **was geht hier vor?** ¿qué está ocurriendo aquí?

Vorgehensweise *f* manera *f* de proceder

Vorgesetzte(r) *f(m) dekl wie adj* superior *mf*

vorgestern *adv* anteayer

vor|haben *irr vt* tener la intención (**zu** de); **hast du heute Abend schon etwas vor?** ¿tienes algún plan para esta noche?

Vorhaben *nt* <-s, -> ❶ (*Absicht*) intención *f* ❷ (*Plan*) plan *m*, proyecto *m*

vor|halten *irr vt:* **jdm etw ~** (*vorwerfen*) reprochar algo a alguien

vorhanden [fo:ɐ'handən] *adj* (*existierend*) existente; (*verfügbar*) disponible

Vorhang *m* cortina *f*

Vorhaut *f* prepucio *m*

vorher [fo:ɐ'he:ɐ, '--] *adv* antes; (*im Voraus*) de antemano; **kurz ~** poco antes; **am Tag ~** el día anterior; **vorhergehend** *adj* anterior

vorherige(r, s) *adj* previo

Vorherrschaft *f* predominio *m*; **vor|herrschen** *vi* predominar

Vorhersage *f* pronóstico *m*; **vorher|sagen** [-'---] *vt* pronosticar

vorher|sehen [-'---] *irr vt* prever

vorhin [fo:ɐ'hɪn, '--] *adv* hace un momento

vorige(r, s) ['fo:rɪgə, -gɐ, -gəs] *adj* anterior; **~ Woche** la semana pasada; **das ~ Mal** la otra vez

Vorkehrung ['fo:ɐke:rʊŋ] *f* <-en> precaución *f*; **~en treffen** tomar precauciones

Vorkenntnis *f* conocimiento(s) *m(pl)* previo(s)

vor|kommen *irr vi sein* (*nach vorne kommen*) venir hacia delante; (*sich ereignen*) ocurrir; (*scheinen*) parecer; **das kommt schon mal vor** son cosas que pasan; **das wird nicht wieder ~** esto no volverá a repetirse; **sie kommt mir bekannt vor** me resulta conocida

Vorkommen *nt* <-s, -> ❶ (*von Rohstoffen*) yacimiento *m* ❷ *ohne pl* (*Vorhandensein*) existencia *f*

Vorlage *f* <-n> ❶ (*Gesetzesvorlage*) proyecto *m* (de ley) ❷ (*Muster*) modelo *m* ❸ *ohne pl* (*das Vorlegen*) presentación *f*

vorläufig I. *adj* provisional II. *adv* provisionalmente; (*fürs Erste*) por el momento

vorlaut *adj* impertinente

vor|legen *vt* (*zeigen*) enseñar; (*Ausweis*) presentar

vor|lesen *irr vt* leer en voz alta; **jdm etw ~** leer algo a alguien; **Vorlesung** *f* <-en> (*Universität*) clase *f*; (*Vortrag*) conferencia *f*; (*Vorlesungsreihe*) curso *m*

vorletzte(r, s) *adj* penúltimo; ~ **Woche** la semana anterior

Vorliebe *f* <-n> preferencia *f* (**für** por)

vorlieb|nehmen *irr vi:* **mit jdm/etw ~** contentarse con alguien/algo

vor|liegen *irr vi* haber; **hier muss ein Irrtum ~** debe de haber un error; **vor|machen** *vt* (*fam*) ❶ (*zeigen*) mostrar ❷ (*täuschen*) engañar; **er macht sich** *dat* **selbst was vor** se engaña a sí mismo; **vor|merken** *vt:* **sich** *dat* **etw ~** apuntarse algo; **sich für etw ~ lassen** apuntarse para algo

vormittag[ALT] *adv s.* **Vormittag**

Vormittag *m* mañana *f*; **am ~** por la mañana; **vormittags** *adv* por la mañana

vorn [fɔrn] *adv* (*an vorderer Stelle*) delante; (*auf der Vorderseite*) por delante; **von ~** de delante; (*erneut*) de nuevo; **nach ~** hacia delante; **von ~ bis hinten** de delante atrás; **weiter ~** más adelante; **~ liegen** estar a la cabeza

Vorname *m* nombre *m* (de pila); **Vor- und Zuname** nombre y apellido

vorne *adv s.* **vorn**

vornehm [ˈfoːɐneːm] *adj* (*fein*) distinguido; (*elegant*) elegante

vor|nehmen *irr vt:* **sich** *dat* **etw ~** proponerse algo; **sich** *dat* **jdn ~** (*fam*) echar una bronca a alguien

vornehmlich *adv* (*geh*) principalmente

vornherein [ˈ--ˈ-] *adv*: **von ~** desde el principio

Vorort *m* suburbio *m*

Vorrang [ˈfoːɐraŋ] *m* <-(e)s, *ohne pl*> prioridad *f* (**vor** sobre)

vorrangig *adj* prioritario; ~ **sein** tener prioridad

Vorrat [ˈfoːɐraːt] *m* provisión *f* (**an** de)

vorrätig [ˈfoːɐrɛːtɪç] *adj* disponible; **etw ~ haben** tener algo en almacén

Vorrecht *nt* privilegio *m*

Vorrichtung *f* dispositivo *m*

Vorruhestand *m* <-(e)s, *ohne pl*> jubilación *f* anticipada

vor|sagen *vt* ❶ (*vorsprechen*) decir; (*Gedicht*) recitar ❷ (*in Prüfung*) soplar

Vorsaison *f* temporada *f* baja

Vorsatz *m* intención *f*; **einen ~ fassen** tomar una decisión

vorsätzlich [ˈfoːɐzɛtslɪç] I. *adj* premeditado II. *adv* a propósito

Vorschau *f* avance *m* informativo (**auf** acerca de)

Vorschein *m*: **zum ~ kommen/bringen** salir/sacar a la luz

vor|schieben *irr vt* (*nach vorn schieben*) empujar hacia delante; (*Riegel*) correr; (*zur Entschuldigung*) poner como pretexto

Vorschlag *m* propuesta *f*; **auf ~ von ...** a propuesta de...; **vor|schlagen** *irr vt* proponer

vorschnell *adj* precipitado

vor|schreiben *irr vt* (*anordnen*) prescribir; **Vorschrift** *f* prescripción *f*

Vorschub *m*: **etw** *dat* **~ leisten** apoyar algo

vor|schützen *vt* poner como pretexto; **vor|schweben** *vi:* **jdm schwebt etw vor** alguien se imagina algo; **vor|sehen** *irr* **I.** *vt* (*planen*) prever (**für** para); (*bestimmen*) destinar (**für** a); **wie vorgesehen** según lo previsto; **die Gelder sind für die Forschung vorgesehen** el dinero está destinado a la investigación **II.** *vr:* **sich ~** precaverse (**vor** de)

Vorsicht *f* cuidado *m*

vorsichtig I. *adj* prudente; **sehr ~ sein** tener mucho cuidado **II.** *adv* con cuidado

vorsichtshalber [-halbɐ] *adv* por si acaso; **Vorsichtsmaßnahme** *f* medida *f* de precaución; **~n treffen** tomar medidas preventivas

Vorsilbe *f* prefijo *m*

Vorsitz *m* <-es, -e> presidencia *f*; **den ~ haben** presidir

Vorsitzende(r) *f(m) dekl wie adj* presidente, -a *m, f*

Vorsorge *f* previsión *f*; **~ treffen** tomar precauciones; **Vorsorgeuntersuchung** *f* chequeo *m* preventivo

vorsorglich I. *adj* preventivo **II.** *adv* por precaución

Vorspeise *f* entrada *f*

Vorspiel *nt* MUS preludio *m*; (*sexuell*) juegos *m pl* eróticos previos; **vor|spielen** *vt* ❶ (*Lied*) tocar; **jdm etw ~** tocar algo para alguien ❷ (*Sketch*) representar ❸ (*vortäuschen*) fingir; **jdm etw ~** hacer creer algo a alguien

Vorsprung *m* (*Felsvorsprung*) saliente *m*; (*Abstand*) ventaja *f* (**vor** sobre); **~ haben** llevar ventaja

Vorstadt *f* suburbio *m*

Vorstand *m* <-(e)s, -stände> (*Gremium*) (junta *f*) directiva *f*; (*Vorstandsmitglied*) miembro *mf* de la junta directiva; **vor|stehen** *irr vi* (*hervorragen*) resaltar

vor|stellen I. *vt* (*Uhr*) adelantar; (*bekannt machen*) presentar; **darf ich Ihnen Frau Müller ~?** permítame presentarle a la Sra. Müller; **sich** *dat* **etw ~** imaginarse algo; **darunter kann ich mir nichts ~** eso no me dice nada **II.** *vr:* **sich ~** (*sich bekannt machen*) presentarse

Vorstellung *f* ❶ (*Bekanntmachung*) presentación *f* ❷ (*Bild*) idea *f*; **sich** *dat* **eine falsche ~ von etw machen** formarse una idea equivocada de algo ❸ THEAT función *f*; FILM sesión *f* ❹ *ohne pl* (*Fantasie*) imaginación *f*;

Vorstellungsgespräch *nt* entrevista *f* (de trabajo)

Vorstrafe *f* antecedente *m* penal

vor|strecken *vt* (ex)tender hacia delante; (*Geld*) anticipar

Vorstufe *f* fase *f* previa

vor|täuschen *vt* simular

Vorteil ['fɔrtaɪl] *m* ventaja *f*; **gegenüber jdm im ~ sein** llevar ventaja sobre alguien; **sich zu seinem ~ verändern** cambiar para mejor; **vorteilhaft** *adj* ventajoso; (*Kleidung*) favorecedor

Vortrag ['fo:ɐtra:k] *m* <-(e)s, -träge> conferencia *f*

vor|tragen *irr vt* (*Gedicht*) recitar; (*Meinung*) exponer

vortrefflich [fo:ɐ'trɛflɪç] *adj* excelente

Vortritt *m* <-(e)s, *ohne pl*> precedencia *f*; **jdm den ~ lassen** ceder(le) a alguien el paso

vorüber [vo'ry:bɐ] *adv* pasado; **vorüber|gehen** *irr vi sein* (*aufhören*) cesar; (*örtlich*) pasar (**an** por (delante de)); **im Vorübergehen** de pasada; **vorübergehend** *adj* pasajero

Vorurteil *nt* prejuicio *m*; **Vorverkauf** *m* <-(e)s, *ohne pl*> venta *f* anticipada; **Vorwahl** *f* TEL prefijo *m*; **Vorwand** *m* pretexto *m*; **Vorwarnung** *f* advertencia *f*; **ohne ~** sin previo aviso

vorwärts ['fo:ɐvɛrts, 'fɔrvɛrts] *adv* hacia adelante; **vorwärts|kommen** *irr vi sein* avanzar

vorweg [fo:ɐ'vɛk] *adv* (*im Voraus*) por

adelantado; **vorweg|nehmen** *irr vt* anticipar

vor|weisen *irr vt* (*Kenntnisse*) mostrar; **etw ~ können** tener algo; **vor|werfen** *irr vt:* **jdm etw ~** reprochar algo a alguien

vorwiegend *adv* principalmente

vorwitzig *adj* (*neugierig*) curioso; (*vorlaut*) cargante

Vorwort *nt* <-(e)s, -e> prólogo *m*

Vorwurf *m* reproche *m*; **vorwurfsvoll** *adj* lleno de reproche

vor|zeigen *vt* enseñar; (*Pass etc.*) presentar

vorzeitig I. *adj* anticipado **II.** *adv* con anticipación

vor|ziehen *irr vt* (*Gardine*) correr; (*vorverlegen*) adelantar; (*bevorzugen*) preferir; **vorgezogene Wahlen** elecciones anticipadas; **Vorzug** *m* (*Vorteil*) ventaja *f*; **den ~ haben, dass ...** tener la ventaja de que...; **etw/jdm den ~ geben** preferir algo/a alguien

vorzüglich [fo:ɐ'tsy:klɪç] *adj* excelente; (*Speisen*) exquisito

vorzugsweise *adv* preferentemente

Votum ['vo:tʊm] *nt* <-s, Voten *o* Vota> voto *m*

Voyeur(**in**) [vo̯a'jø:ɐ] *m(f)* <-s, -e; -nen> mirón, -ona *m, f*

vulgär [vʊl'gɛ:ɐ] *adj* vulgar

Vulkan [vʊl'ka:n] *m* <-s, -e> volcán *m*; **Vulkanausbruch** *m* erupción *f* volcánica

vulkanisch *adj* volcánico

V

W, w [ve:] *nt* <-, -> W, w *f*

W *Abk. von* **Westen** O

Waadt [va(:)t] *f* Waadt *m*

Waage ['va:gə] *f* <-n> ❶ balanza *f* ❷ *kein pl* ASTR Libra *f inv*; **waagerecht** *adj* horizontal

Wabe ['va:bə] *f* <-n> panal *m*

wach [vax] *adj* despierto; **~ werden** despertarse

Wache ['vaxə] *f* <-n> guardia *mf*

wachen ['vaxən] *vi* velar (**über** por); **bei jdm ~** velar a alguien

Wachhund *m* perro *m* guardián

Wachs [vaks] *nt* <-es, -e> cera *f*

wachsam ['-za:m] *adj* atento

wachsen ['vaksən] <wächst, wuchs, gewachsen> *vi sein* crecer; (*zunehmen*) aumentar; **in die Breite/Höhe ~** crecer a lo ancho/en altura; **etw** *dat* **ge~ sein** ser capaz de cumplir con algo

wächst [vɛkst] *3. präs von* **wachsen**

Wachstum ['vakstu:m] *nt* <-s, *ohne pl*> crecimiento *m*; **Wachstumsrate** *f* WIRTSCH índice *m* de crecimiento

Wachtel ['vaxtəl] *f* <-n> codorniz *f*

Wächter(in) ['vɛçtɐ] *m(f)* <-s, -; -nen> guarda *mf*

Wach(t)turm *m* atalaya *f*

wack(e)lig ['vak(ə)lɪç] *adj* (*Person*) tambaleante; (*Tisch*) cojo; (*Zahn*) flojo

Wackelkontakt *m* contacto *m* flojo

wackeln ['vakəln] *vi* tambalearse; (*Möbel*) cojear; (*Zahn*) moverse

Wade ['va:də] *f* <-n> pantorrilla *f*

Waffe ['vafə] *f* <-n> arma *f*

Waffel ['vafəl] *f* <-n> (*Eistüte*) barquillo *m*; (*Gebäck*) gofre *m*

Waffenruhe *f* tregua *f*; **Waffenstillstand** *m* armisticio *m*

wagemutig *adj* osado

wagen ['va:gən] *vt* (*riskieren*) arriesgar; (*sich getrauen*) atreverse (**zu** a + *inf*)

Wagen ['va:gən] *m* <-s, -> coche *m*; (*Eisenbahnwagen*) vagón *m*

Waggon [va'gɔŋ, va'gõ:] *m* <-s, -s> vagón *m*

waghalsig ['va:khalzɪç] *adj* (*Mensch*) temerario; (*Unternehmen*) arriesgado

Wagnis ['va:knɪs] *nt* <-ses, -se> (*Vorhaben*) empresa *f* arriesgada; (*Risiko*) riesgo *m*

Wagon[RR] *m* <-s, -s> *s.* **Waggon**

Wahl [va:l] *f* <-en> *a.* POL elección *f*; (*zwischen zwei Möglichkeiten*) opción *f*; **ich habe keine andere ~** no tengo otra alternativa; **wahlberechtigt** *adj* con derecho a voto

wählen ['vɛ:lən] *vi, vt* (*auswählen*) elegir; TEL marcar; POL votar; **sie wurde zur Präsidentin gewählt** fue elegida presidenta

Wähler(in) *m(f)* <-s, -; -nen> elector(a) *m(f)*

Wahlergebnis *nt* resultado *m* electoral

wählerisch *adj* exigente

Wählerschaft *f* <-en> electorado *m*

Wahlfach *nt* asignatura *f* optativa; **Wahlgang** *m* votación *f*; **im ersten ~** en la primera vuelta electoral; **Wahlkampf** *m* campaña *f* electoral; **wahllos** *adv* sin orden ni concierto; **Wahlrecht** *nt* <-(e)s, *ohne pl*> derecho *m* de voto; **allgemeines ~** sufragio universal; **wahlweise** *adv* alternativamente

Wahn [va:n] *m* <-(e)s, *ohne pl*> (*geh: Einbildung*) ilusión *f*; MED manía *f*; **Wahnsinn** ['va:nzɪn] *m* <-(e)s, *ohne pl*> demencia *f*; (*fam: Unvernunft*) locura *f*; **wahnsinnig** I. *adj* demente; (*fam: groß*) tremendo; **das macht mich ~** (*fam*) esto me vuelve loco II. *adv* (*fam: sehr*) tremendamente

wahr [va:ɐ] *adj* verdadero; **nicht ~?** ¿verdad?; **etw ~ machen** realizar algo; **ein ~er Freund** un amigo de verdad

wahren ['va:rən] *vt* (*geh*) guardar; (*Rechte*) defender; **den Schein ~** guardar las apariencias

während ['vɛ:rənt] I. *präp +gen* durante II. *konj* (*zeitlich*) mientras; (*wohingegen*) mientras que; **währenddessen** [vɛ:rənt'dɛsən] *adv* mientras tanto

wahrhaben ['---] *vt:* **etw nicht ~ wollen** no querer admitir algo

wahrhaftig [-'--] I. *adj* (*geh*) verdadero II. *adv* (*geh: tatsächlich*) realmente

Wahrheit *f* <-en> verdad *f*; **die halbe ~** la verdad a medias; **um die ~ zu sagen ...** a decir verdad...; **wahrheitsgetreu** I. *adj* verídico II. *adv* conforme a la verdad

wahrlich *adv* (*geh*) realmente

wahr|nehmen *irr vt* notar; (*Sinneseindrücke*) percibir; (*Gelegenheit*) aprovechar; (*Interessen*) defender

Wahrnehmung *f* <-en> (*Sinneswahrnehmung*) percepción *f*

wahr|sagen I. *vi* decir la buenaventura II. *vt:* **jdm etw ~** profetizar algo a alguien; **Wahrsager(in)** *m(f)* <-s, -; -nen> adivino, -a *m, f*

wahrscheinlich [va:ɐ'ʃaɪnlɪç] *adj* probable

Wahrscheinlichkeit *f* <-en> probabilidad *f*

Währung ['vɛ:rʊŋ] *f* <-en> moneda *f*; **Währungseinheit** *f* unidad *f* monetaria; **Währungsunion** *f* unión *f* monetaria; **Europäische ~** Unión Monetaria Europea

Waise ['vaɪzə] *f* <-n> huérfano, -a *m, f*; **Waisenhaus** *nt* orfanato *m*

Wal [va:l] *m* <-(e)s, -e> ballena *f*

Wald [valt] *m* <-(e)s, Wälder> bosque *m*; **Waldsterben** *nt* <-s, *ohne pl*> muerte *f* de los bosques (a causa de la polución del medio ambiente); **Waldweg** *m* camino *m* forestal

Wales [wɛɪls] *nt* <-> (país *m* de) Gales *m*

walisisch *adj* galés

Walkman® ['wɔ:kmɛ(:)n] *m* <-s, -men> walkman® *m*

Wall [val] *m* <-(e)s, Wälle> (*Erdwall*) terraplén *m*; (*Schutzwall*) muralla *f*

Wallfahrtsort *m* lugar *m* de peregrinación

Wallis ['valɪs] *nt* <-> Valais *m*

WalnussRR ['va:l-] *f* (*Frucht*) nuez *f*; (*Baum*) nogal *m*

walten ['valtən] *vi* (*geh*) reinar; **seines Amtes ~** ejercer su cargo

wälzen ['vɛltsən] I. *vt* hacer rodar; (*fam: Bücher*) consultar; (*Probleme*) dar vueltas (a); **die Schuld auf jdn ~** echar la culpa a alguien II. *vr:* **sich ~** (*Tier, Person*) revolcarse (**in** en)

Walzer ['valtsɐ] *m* <-s, -> vals *m*

wand [vant] *3. imp von* **winden**

Wand [vant] *f* <Wände> pared *f*; **mit dem Kopf durch die ~ wollen** querer lo imposible

Wandel ['vandəl] *m* <-s, *ohne pl*> cambio *m*

wandeln ['vandəln] *vt, vr:* **sich ~** cambiar

Wanderer, Wanderin *m, f* <-s, -; -nen> excursionista *mf*

wandern ['vandɐn] *vi sein* hacer una excursión (a pie); (*Völker*) migrar; (*Düne*) ser movedizo; (*herumgehen*) caminar (**in/durch** por); (*Blick*) vagar (**in** por)

Wanderschaft *f*: **auf ~ gehen** ir a correr mundo; **auf ~ sein** correr mundo

Wanderung *f* <-en> (*Ausflug*) caminata *f*; **eine ~ machen** salir de excursión

Wandlung ['vandlʊŋ] *f* <-en> (*Veränderung*) cambio *m*; (*Verwandlung*) transformación *f*

Wandschrank *m* armario *m* empotrado

wandte ['vantə] *3. imp von* **wenden**2

Wange ['vaŋə] *f* <-n> (*geh*) mejilla *f*

wankelmütig *adj* (*geh abw*) versátil

wanken ['vaŋkən] *vi* ❶ *haben* (*schwanken*) vacilar; **ins Wanken geraten** empezar a tambalearse ❷ *sein* (*schwankend gehen*) tambalearse

wann [van] *adv* cuándo; **~ (auch) immer** cuando sea; **dann und ~** de vez en cuando

Wanne ['vanə] *f* <-n> tina *f*; (*Badewan-*

ne) bañera *f*

Wanze ['vantsə] *f* <-n> ZOOL chinche *f*; (*sl: Abhörwanze*) micrófono *m* oculto

Wappen ['vapən] *nt* <-s, -> escudo *m* (de armas)

war [va:ɐ] *3. imp von* **sein**

warb [varp] *3. imp von* **werben**

Ware ['va:rə] *f* <-n> mercancía *f*; **heiße ~** (*sl*) artículo ilegal; **Warenhaus** *nt* grandes almacenes *m pl*

warf [varf] *3. imp von* **werfen**

warm [varm] *adj* <wärmer, am wärmsten> caliente; (*Klima*) cálido; (*Wetter*) caluroso; **etw ~ machen** calentar algo; **mir ist ~** tengo calor; **sich ~ anziehen** abrigarse

Wärme ['vɛrmə] *f* calor *m*; **Wärmekraftwerk** *nt* central *f* térmica

wärmen ['vɛrmən] **I.** *vi* (*Ofen*) calentar; (*Kleidung*) abrigar **II.** *vr:* **sich ~** calentarse

Wärmflasche *f* bolsa *f* de agua

warm|halten *irr vt:* **sich** *dat* **jdn ~** conservar las simpatías de alguien; **warmherzig** *adj* cariñoso; **Warmluft** *f ohne pl* aire *m* caliente

Warnblinkanlage *f* dispositivo *m* de luces de aviso intermitentes

Warndreieck *nt* triángulo *m* de emergencia

warnen ['varnən] *vt* advertir (**vor** de)

Warnschild *nt* señal *f* de aviso; (*Verkehrsschild*) señal *m* de peligro; **Warnsignal** *nt* señal *f* de aviso

Warnung *f* <-en> advertencia *f* (**vor** de); **ohne vorherige ~** sin previo aviso

Warschau ['varʃaʊ] *nt* <-s> Varsovia *f*

warten ['vartən] **I.** *vi* esperar (**auf** a) **II.** *vt* TECH inspeccionar

Wärter(in) ['vɛrtɐ] *m(f)* <-s, -; -nen> guardián, -ana *m, f*

Wartesaal *m* sala *f* de espera; **Wartezeit** *f* tiempo *m* de espera; **Wartezimmer** *nt* sala *f* de espera

Wartung *f* <-en> inspección *f*

warum [va'rʊm] *adv* por qué

Warze ['vartsə] *f* <-n> verruga *f*

was [vas] **I.** *pron inter* qué; **~ heißt „Haus" auf Spanisch?** ¿cómo se dice "Haus" en castellano?; **~ für eine Hitze!** ¡qué calor!; **ach ~!** (*fam*) ¡qué va! **II.** *pron rel* (lo) que; **alles, ~ du willst** todo lo que quieras **III.** *pron indef* (*fam: etwas*) algo; **das ist ~ anderes** eso es otra cosa

Waschanlage *f* tren *m* de lavado de coches; **waschbar** *adj* lavable; **Waschbecken** *nt* lavabo *m*

Wäsche ['vɛʃə] *f* <-n> ❶ (*das Waschen*) lavado *m*; **etw in die ~ geben** dar algo a lavar ❷ *ohne pl* (*Unterwäsche, Bettwäsche*) ropa *f*; (*zu waschende Textilien*) ropa *f* sucia; **~ waschen** lavar la ropa

waschecht *adj* (*fam: typisch*) de pura cepa

Wäscheklammer *f* pinza *f* para la ropa; **Wäscheleine** *f* cuerda *f* de la ropa

waschen ['vaʃən] <wäscht, wusch, gewaschen> *vt, vr:* **sich ~** lavar(se)

Wäscherei [vɛʃə'raɪ] *f* <-en> lavandería *f*

Wäscheständer *m* tendedero *m*; **Wäschetrockner** *m* (*elektrisch*) secadora *f* para ropa

Waschküche *f* lavadero *m*; **Waschlappen** *m* manopla *f* para baño; (*fam abw: Mensch*) cobarde *mf*; **Waschmaschine** *f* lavadora *f*; **Waschmittel** *nt* detergente *m*; **Waschpulver** *nt* detergente *m* en polvo; **Waschsalon** *m* lavandería *f*

wäscht [vɛʃt] *3. präs von* **waschen**

Wasser ['vasɐ] *nt* <-s, -> agua *f*; **stilles ~** agua sin gas; **~ lassen** orinar; **sich über ~ halten** (*fam*) mantenerse a flote; **etw unter ~ setzen** inundar algo; **ins ~ fallen** (*fam*) no tener lugar; **das ~ läuft mir im Mund zusammen** (*fam*) se me hace la boca agua; **wasserdicht** *adj* (*Uhr*) resistente al agua; (*Kleidung*) impermeable; **Wasserfall** *m* cascada *f*; (*größer*) catarata *f*

wasserfest *adj* resistente al agua; **Wasserhahn** *m* grifo *m*
wässerig ['vɛsərɪç] *adj* (*fade*) insípido
Wasserkraftwerk *nt* central *f* hidroeléctrica; **Wasserleitung** *f* cañería *f* de agua; **wasserlöslich** *adj* soluble; **Wassermann** *m ohne pl* ASTR Acuario *m inv*; **Wassermelone** *f* sandía *f*; **Wasserski** *nt* <-s, *ohne pl*> esquí *m* acuático; **Wassersport** *m* deporte *m* acuático; **Wasserspülung** *f* cisterna *f*; **Wasserstand** *m* nivel *m* del agua; **Wasserstrahl** *m* chorro *m* de agua; **Wasserverschmutzung** *f* contaminación *f* del agua; **Wasserwerk** *nt* central *f* de abastecimiento de aguas
wässrig[RR] ['vɛsrɪç] *adj s.* **wässerig**
Watt *nt* <-s, -> PHYS vatio *m*
Watte ['vatə] *f* <-n> algodón *m*; **Wattestäbchen** [-ʃtɛ:pçən] *nt* <-s, -> bastoncillo *m* de algodón
Webadresse *f* <-n> INFOR dirección *f* web [*o* de Internet *f*]
weben ['ve:bən] <webt, wob, gewoben> *vi, vt* (*a. fig*) tejer
WebSeite ['wɛp-] *f* INFOR página *f* web
Wechsel ['vɛksəl] *m* <-s, -> (*das Wechseln*) cambio *m*; **im ~ mit ...** alternando con...; **Wechselbeziehung** *f* correlación *f*; **Wechselgeld** *nt* vuelta *f*; (*Kleingeld*) cambio *m*; **wechselhaft** *adj* variable; (*Person*) inconstante; **Wechselkurs** *m* tipo *m* de cambio
wechseln ['vɛksəln] *vi, vt* cambiar; **200 Euro in Dollar ~** cambiar 200 euros en dólares
wechselnd *adj* ❶ (*im Wechsel*) cambiante; (*abwechselnd*) alterno; (*Stimmung*) variable ❷ (*unterschiedlich*) diferente
wechselseitig *adj* recíproco
Wechselstrom *m* corriente *f* alterna; **Wechselstube** *f* oficina *f* de cambio; **Wechselwirkung** *f* interacción *f*
wecken ['vɛkən] *vt* despertar
Wecker *m* <-s, -> despertador *m*; **jdm auf den ~ gehen** (*fam*) dar(le) la lata a alguien
wedeln ['ve:dəln] *vi:* **mit etw ~** mover algo; **mit dem Schwanz ~** menear la cola
weder ['ve:dɐ] *konj:* **~ ... noch ...** ni... ni...
weg [vɛk] *adv* (*abwesend*) ausente; (*verloren*) perdido; (*verschwunden*) desaparecido; **ich müsste schon längst ~ sein** me tendría que haber ido hace tiempo; **weit ~ von hier** muy lejos de aquí; **drüber ~ sein** (*fam*) haberlo superado; **hin und ~ sein** (*fam*) estar completamente entusiasmado; **~ da!** ¡fuera de allí!; **Finger ~!** ¡fuera los dedos!
Weg [ve:k] *m* <-(e)s, -e> camino *m*; (*Strecke*) trayecto *m*; (*Reiseweg*) ruta *f*; (*Durchgang*) paso *m*; (*Mittel*) vía *f*; **auf dem ~ liegen** estar de camino; **sich auf den ~ machen** ponerse en camino; **auf legalem ~** por vía legal; **etw zu ~e bringen** conseguir algo; **jdm über den ~ laufen** tropezar con alguien; **etw aus dem ~ räumen** (*fam*) quitar algo de en medio; **jdm aus dem ~ gehen** evitar a alguien; **jdm im ~ stehen** estorbar a alguien; **daran führt kein ~ vorbei** no hay más remedio que afrontarlo
weg|bleiben *irr vi sein* (*fam*) no venir (más); **lange ~** tardar en venir;
weg|denken *irr vt:* **sich** *dat* **etw ~** imaginarse algo sin algo
wegen ['ve:gən] *präp +gen/dat;* (*aufgrund von*) a causa de; (*bezüglich*) respecto a; **~ des schlechten Wetters** debido al mal tiempo; **von ~!** (*fam*) ¡ni hablar!
weg|fahren *irr* I. *vi sein* partir; **der Bus fuhr ihr vor der Nase weg** perdió el autobús por un pelo II. *vt haben* llevar; **weg|fallen** *irr vi sein* (*ausgelassen werden*) omitirse; (*abgeschafft werden*) suprimirse; **weg|geben** *irr vt* dar; **weg|gehen** *irr vi sein* irse; (*Fleck*) salir; (*sich verkaufen*) venderse;

geh weg! ¡lárgate!; **über etw ~** ignorar algo; **weg|hören** *vi* hacerse el sordo; **weg|jagen** *vt* ahuyentar, espantar; **weg|kommen** *irr vi sein* (*fam*) ❶ (*abhandenkommen*) perderse ❷ (*sich entfernen*) irse (**von** de); **mach, dass du wegkommst!** (*fam*) ¡lárgate!; **über etw ~** superar algo ❸ (*loskommen*) abandonar; **gut/schlecht bei etw** *dat* **~** salir bien/mal librado de algo; **weg|lassen** *irr vt* (*gehen lassen*) dejar ir(se); (*fam: auslassen*) omitir; (*Zutaten*) no poner; **weg|laufen** *irr vi sein* echar a correr; (*fam: ausreißen*) escaparse; **vor etw/jdm ~** huir de algo/alguien; **weg|legen** *vt* poner aparte; **weg|müssen** *irr vi* (*fam*) tener que irse; **die Kiste muss hier weg** hay que quitar la caja de en medio; **weg|nehmen** *irr vt* quitar; (*Platz*) ocupar; **weg|räumen** *vt* recoger; (*Hindernisse*) quitar; **weg|rennen** *irr vi sein s.* **weglaufen**; **weg|schicken** *vt* (*Person*) mandar fuera; (*Brief*) enviar; **weg|schmeißen** *irr vt* (*fam*) tirar; **weg|schütten** *vt* tirar, botar ; **weg|sehen** *irr vi* apartar la vista; **über etw ~** (*fam*) hacer la vista gorda a algo; **weg|tun** *irr vt* ❶ (*wegräumen*) recoger; (*wegnehmen*) quitar ❷ (*wegschmeißen*) tirar, botar

Wegweiser ['ve:k-] *m* <-s, -> indicador *m* de camino

weg|werfen *irr vt* tirar; **weg|ziehen** *irr* **I.** *vi sein* cambiar de domicilio **II.** *vt haben* apartar tirando

wehen ['ve:ən] *vi* (*Wind*) soplar; (*Fahne*) ondear

wehleidig *adj* (*abw: Person*) quejica; (*Stimme*) quejicoso

wehmütig *adj* melancólico

Wehrdienst *m* <-(e)s, *ohne pl*> servicio *m* militar (en la ex-RFA); **Wehrdienstverweigerung** *f* objeción *f* de conciencia

wehren ['ve:rən] *vr:* **sich ~** (*sich verteidigen*) defenderse (**gegen** contra); (*sich sträuben*) oponer resistencia (**gegen** a)

wehrlos *adj* indefenso; **Wehrpflicht** *f ohne pl* servicio *m* militar obligatorio

weh|tun[RR] *vi* doler; **sich** *dat* **~** hacerse daño

Weib [vaɪp] *nt* <-(e)s, -er> (*a. abw*) mujer *f*

Weibchen ['vaɪpçən] *nt* <-s, -> ZOOL hembra *f*

weiblich *adj* femenino

weich [vaɪç] *adj* blando; (*zart*) suave; (*formbar*) flexible; (*nicht zäh*) tierno; **er wird ~** empieza a ceder

Weiche ['vaɪçə] *f* <-n> (*an Schienen*) aguja *f*; **die ~n für etw stellen** encauzar algo

Weichei *nt* (*pej: Weichling*) blandengue *mf*

weichen ['vaɪçən] <weicht, wich, gewichen> *vi sein* (*sich entfernen*) alejarse; (*zurückweichen*) retroceder (**vor** frente a); (*Platz machen*) hacer sitio; (*nachlassen*) cesar

weichgekocht *adj s.* **kochen II.**

Weide ['vaɪdə] *f* <-n> (*Viehweide*) pasto *m*; (*Baum*) sauce *m*

weiden ['vaɪdən] **I.** *vi, vt* pastar **II.** *vr.* **sich an etw ~** recrearse con algo; (*schadenfroh*) regodearse con algo

weigern ['vaɪgɐn] *vr:* **sich ~** negarse (**zu** a)

Weiher ['vaɪɐ] *m* <-s, -> REG estanque *m*

Weihnachten ['vaɪnaxtən] *nt* <-, -> Navidad(es) *f(pl)*; **fröhliche ~** feliz Navidad

weihnachtlich *adj* navideño

Weihnachtsabend *m* Nochebuena *f*; **Weihnachtsbaum** *m* árbol *m* de Navidad; **Weihnachtsgeld** *nt* <-(e)s, -er> paga *f* extra de Navidad; **Weihnachtslied** *nt* villancico *m*; **Weihnachtsmann** *m* Papá *m* Noel

Weihrauch *m* incienso *m*

weil [vaɪl] *konj* porque

Weile ['vaɪlə] *f* rato *m*

Wein [vaɪn] *m* <-(e)s, -e> vino *m*; **Weinbau** *m* <-(e)s, *ohne pl*> viticultura *f*; **Weinberg** *m* viña *f*; **Weinbrand** *m* brandy *m*

weinen ['vaɪnən] *vi, vt* llorar (**vor/aus** de)

weinerlich *adj* (*Person*) llorón; (*Stimme*) lloroso

Weinkeller *m* bodega *f*; **Weinlese** *f* vendimia *f*; **Weinprobe** *f* cata *f* de vinos; **Weinrebe** *f* vid *f*; **weinrot** ['-'-] *adj* burdeos; **Weintraube** *f* uva *f*

weise ['vaɪzə] *adj* sabio

Weise *f* <-n> (*Art*) manera *f*; **in gewisser ~** en cierto modo; **auf diese ~** de esta manera

weisen ['vaɪzən] <weist, wies, gewiesen> **I.** *vi:* **auf etw ~** señalar algo **II.** *vt:* **jdm etw ~** indicar(le) algo a alguien; **etw von sich** *dat* **~** rechazar algo; **jdn aus dem Saal ~** expulsar a alguien de la sala

Weisheit *f* sabiduría *f*; **Weisheitszahn** *m* muela *f* del juicio

weis|machen *vt* (*fam*): **jdm etw ~** hacer creer algo a alguien

weiß[1] [vaɪs] *3. präs von* **wissen**

weiß[2] *adj* blanco; **ihr Gesicht wurde ~** se volvió pálida

weissagen ['---] *vt* (*voraussagen*) predecir; (*prophezeien*) profetizar

Weißbrot *nt* pan *m* blanco

Weiße(r) *mf* <-n, -n; -n> (*Rasse*) blanco, -a *m, f*

Weißglut *f*: **jdn zur ~ bringen** (*fam*) poner a alguien al rojo vivo; **Weißkohl** *m* repollo *m*; **weißrussisch** *adj* bielorruso; **Weißrussland**[RR] *nt* Bielorrusia *f*; **Weißwein** *m* vino *m* blanco

weit [vaɪt] **I.** *adj* (*räumlich ausgedehnt*) extenso; (*breit*) amplio; (*Kleidung*) ancho; (*entfernt*) lejano; (*Reise, Weg*) largo; **das Weite suchen** (*geh*) esfumarse; **ist es noch ~?** ¿falta mucho todavía?; **von ~em** de lejos; **~ entfernt** remoto; **das ist ~ weg** (*fam*) eso queda muy lejos; **so ~** (*im Allgemeinen*) en general; (*bis jetzt*) por ahora; **es ist so ~** ya está; **bist du so ~?** (*fam*) ¿estás listo?; **das geht zu ~!** ¡esto ya pasa de la raya! **II.** *adv* (*erheblich*) mucho

weitaus ['-'-] *adv* mucho

Weitblick *m* <-(e)s, *ohne pl*> (*Scharfsinn*) perspicacia *f*

Weite ['vaɪtə] *f* <-n> ① (*Ausdehnung*) extensión *f* ② (*Entfernung*) distancia *f* ③ (*Größe*) tamaño *m*; (*bei Kleidung*) ancho *m*

weiter ['vaɪtɐ] **I.** *adj* (*zusätzlich*) más; (*zeitlich*) posterior; **~e fünf Jahre** otros cinco años; **die ~e Entwicklung** el desarrollo posterior; **alles Weitere** todo lo demás **II.** *adv* (*im Anschluss*) a continuación; (*danach*) después; (*außerdem*) además; (*sonst*) más

weiter|bilden **I.** *vt* perfeccionar **II.** *vr:* **sich ~** ampliar sus conocimientos; (*in einem Kurs*) hacer un curso de perfeccionamiento; **Weiterbildung** *f* ampliación *f* de estudios; (*als Kurs*) cursos *mpl* de perfeccionamiento

weiter|bringen *irr vt* llevar adelante; **das bringt uns auch nicht weiter** con eso no ganamos nada; **weiter|empfehlen*** *irr vt* recomendar (a otros); **weiter|entwickeln*** **I.** *vt* perfeccionar **II.** *vr:* **sich ~** hacer progresos, desarrollarse; **weiter|erzählen*** *vt* contar (a otros); **weiter|geben** *irr vt* dar; (*Erfahrungen*) transmitir; **weiter|gehen** *irr vi sein* (*seinen Weg*) seguir (andando); (*andauern*) continuar; **weiter|helfen** *irr vi:* **jdm ~** ayudar a alguien (**in/bei** en/a)

weiterhin *adv* (*künftig*) en adelante; (*außerdem*) además; (*immer noch*) todavía

weiter|kommen *irr vi sein* avanzar; **so kommen wir nicht weiter** así no llegamos a ninguna parte; **weiter|machen** *vi* (*fam*) continuar; **weiter|sagen** *vt* decir a otros; (*verbreiten*) divulgar;

weiter|verarbeiten* *vt* tratar, elaborar

weitgehend *adv* en gran parte; **weitreichend** *adj* (*für große Entfernung*) de gran alcance; (*umfassend*) amplio

weitschweifig *adj* prolijo

Weitsicht *f s.* **Weitblick**

weitsichtig *adj* MED hipermétrope; (*umsichtig*) previsor

weitverbreitet ['--'--] *adj* muy frecuente; (*Meinung*) muy divulgado

Weizen ['vaɪtsən] *m* <-s, -> trigo *m*

welch *pron inter:* ~ **eine(r, s)** qué; ~ **eine Freude!** ¡qué alegría!; *s.a.* **welche(r, s)**

welche(r, s) ['vɛlçə, -çɐ, -çəs] **I.** *pron inter* (*adjektivisch*) qué; (*substantivisch*) cuál; (*in Ausrufen*) vaya; ~ **Tasche?** ¿qué bolso?; **~r von den beiden?** ¿cuál de los dos?; ~ **Freude!** ¡qué alegría! **II.** *pron rel* que; (*in weiterführenden Relativsätzen*) el/la/lo cual, los/las cuales *pl* **III.** *pron indef* algunos; **es gibt ~, die glauben, dass ...** hay algunos que piensan que...; **ich habe kein Papier dabei, hast du ~s?** no tengo papel, ¿tienes tú alguno?

welk [vɛlk] *adj* (*a. fig*) lacio; (*verwelkt*) marchito

welken ['vɛlkən] *vi sein* (*a. fig*) marchitarse

Welle ['vɛlə] *f* <-n> (*im Wasser, a. fig*) ola *f*; (*im Haar*) ondulación *f*; PHYS, RADIO onda *f*; TECH eje *m*; **hohe ~n schlagen** causar sensación

wellen *vt, vr:* **sich ~** ondular(se)

Wellenbrecher *m* rompeolas *m inv*; **Wellenlänge** *f*: **sie haben die gleiche ~** (*fam*) están en la misma onda

wellig *adj* ondulado

Wellness ['vɛlnɛs] *f ohne pl* wellness *m*, bienestar *m* (*combinación de hidroterapia con ocio acuático*); **Wellnesswochenende** *nt* fin *m* de semana wellness

Welpe ['vɛlpə] *m* <-n, -n> cachorro *m*

Welt [vɛlt] *f* <-en> mundo *m*; (*Erde*) tierra *f*; **auf die ~ kommen** venir al mundo; **aus aller ~** de todo el mundo; **die Dritte ~** el Tercer Mundo; **Weltall** *nt* universo *m*; **Weltanschauung** *f* ideología *f*; **weltberühmt** ['--'-] *adj* famoso en el mundo entero

Weltenbummler(in) [-bʊmlɐ] *m(f)* <-s, -; -nen> trotamundos *mf inv*

weltfremd *adj* ajeno al mundo; (*naiv*) ingenuo; **Weltkarte** *f* mapamundi *m*; **Weltkrieg** *m* guerra *f* mundial

weltlich *adj* (*irdisch*) mundano; (*nicht kirchlich*) laico

Weltmacht *f* potencia *f* mundial; **Weltmarkt** *m* <-(e)s, *ohne pl*> WIRTSCH mercado *m* mundial; **Weltmeister(in)** *m(f)* campeón, -ona *m, f* del mundo; **Weltmeisterschaft** *f* campeonato *m* mundial; (*Titel*) copa *f* del mundo; **Weltraum** *m* <-(e)s, *ohne pl*> espacio *m* sideral; **Weltraumstation** *f* estación *f* espacial

Weltreise *f* viaje *m* alrededor del mundo; **Weltrekord** *m* récord *m* mundial; **Weltsprache** *f* idioma *m* universal; **Weltstadt** *f* metrópoli *f*; **weltweit** ['-'-, '--] **I.** *adj* mundial **II.** *adv* a escala mundial; **Weltwirtschaft** *f* economía *f* mundial; **Weltwirtschaftskrise** *f* crisis *f inv* económica mundial; **Weltwunder** *nt* maravilla *f* del mundo

wem [ve:m] **I.** *pron inter dat von* **wer** a quién, a quiénes *pl*; **mit/von ~?** ¿con/de quién? **II.** *pron rel dat von* **wer** a quien, a quienes *pl*

wen [ve:n] **I.** *pron inter akk von* **wer** a quién, a quiénes *pl*; **an/für ~?** ¿a/para quién? **II.** *pron rel akk von* **wer** a quien, a quienes *pl*

Wende ['vɛndə] *f* <-n> (*Veränderung*) cambio *m*; **Wendekreis** *m* ❶ GEO trópico *m*; **der ~ des Krebses** el trópico de Cáncer ❷ TECH radio *m* de giro

wenden[1] ['vɛndən] **I.** *vi* (*Auto*) girar; NAUT virar **II.** *vt* dar la vuelta (a)

wenden[2] <wendet, wendete *o* wandte, gewendet *o* gewandt> **I.** *vt* (*Kopf*) volver; (*Blick*) dirigir; **den Blick nicht von etw ~** no apartar la vista de algo **II.** *vr:* **sich ~** (*Richtung einschlagen*) dirigirse (**zu** a); (*von jdm weg*) apartarse (**von** de); **sich an jdn ~** dirigirse a alguien

Wendepunkt *m* (*Zeitpunkt*) momento *m* decisivo

Wendung *f* <-en> (*Veränderung*) cambio *m*; (*Redewendung*) modismo *m*

wenig ['ve:nɪç] *adj o adv o pron indef* poco; **ein klein ~** un poquito; **sehr ~** poquísimo; **mit ~en Ausnahmen** salvo pocas excepciones; **so ~** tan poco; **so ~ wie möglich** lo menos posible; **zu ~** muy poco; **11 Euro zu ~** faltan 11 euros

weniger ['ve:nɪgɐ] **I.** *adj o adv o pron indef kompar von* **wenig** menos; **~ als** menos que; (*bei Zahlen*) menos de; (*vor Verben*) menos de lo que; **immer ~** cada vez menos; **~ werden** disminuir; **um so ~** tanto menos **II.** *konj* menos; **zehn ~ drei ist sieben** diez menos tres son siete

wenigste ['ve:nɪçstə, 've:nɪkstə] *pron indef superl von* **wenig** ❶ (*kleinste Anzahl*): **die ~n** los menos, la menor parte; (*die Minderheit*) la minoría ❷ (*kleinste Menge*): **das ~** lo menos

wenigstens ['ve:nɪçstəns, 've:nɪkstəns] *adv* (*zumindest*) por lo menos; (*mindestens*) como mínimo

wenn [vɛn] *konj* ❶ (*zeitlich*) cuando; **jedes Mal, ~ ...** cada vez que... ❷ (*konditional*) si; (*falls*) en caso de que *+subj* ❸ (*konzessiv*): **~ auch** si bien ❹ (*Wunsch*): **~ ... nur** ojalá *+subj*

wenngleich [-'-] *konj* aunque, si bien

wer [ve:ɐ] **I.** *pron inter* quién, quiénes *pl* **II.** *pron rel* quien, quienes *pl*; **~ auch immer** quienquiera que sea

Werbefernsehen *nt* publicidad *f* televisada

werbefrei *adj inv* (*Sendung, Homepage*) sin publicidad

werben ['vɛrbən] <wirbt, warb, geworben> **I.** *vi* hacer publicidad **II.** *vt* (*Arbeitskräfte*) contratar; (*Mitglieder*) afiliar; (*Kunden*) atraer

Werbespot ['vɛrbespɔt] *m* anuncio *m* publicitario

Werbung *f* (*Reklame*) publicidad *f*

Werdegang *m* desarrollo *m*; **der berufliche ~** la carrera profesional

werden[1] ['ve:ɐdən] <wird, wurde, geworden> *vi sein* ❶ (*Zustandsveränderung*) volverse; **alt ~** hacerse viejo; **krank ~** ponerse enfermo; **kalt ~** enfriar(se); **es wird Frühling** llega la primavera ❷ (*Entwicklung*) llegar a ser; **~de Mutter** futura madre; **es wird ein Junge** será un niño; **besser/schlechter ~** mejorar/empeorar; **was willst du einmal ~?** ¿qué quieres ser de mayor? ❸ (*Resultat*) salir; **die Fotos sind gut geworden** las fotos salieron bien; **er ist 40 geworden** cumplió 40 años

werden[2] <wird, wurde, ohne pp> *ohne pp aux* ❶ (*zur Bildung des Futurs*): **ich werde es tun** lo haré; **es wird gleich regnen** va a empezar a llover ❷ (*zur Bildung des Konjunktivs II*): **würden Sie bitte mal kommen?** ¿podría venir un momento, por favor? ❸ (*Vermutung*): **es wird schon stimmen** será correcto; **er wird wohl ausgegangen sein** habrá salido

werden[3] <wird, wurde, worden> *aux* (*zur Bildung des Passivs*) ser; **sie ist entführt worden** ha sido secuestrada; **hier wird nicht geraucht!** ¡aquí no se fuma!; **mir wurde gesagt, dass ...** me han dicho que...

werfen ['vɛrfən] <wirft, warf, geworfen> **I.** *vt* tirar; (*schleudern*) lanzar; (*Tierjunge*) parir; **eine Münze ~** echar a suertes **II.** *vr:* **sich ~** (*sich stürzen*) lanzarse (**auf** sobre); (*sich fallen lassen*) echarse (**auf** sobre) **III.** *vi* lanzar; (*Tier*) parir

Werft [vɛrft] *f* <-en> NAUT astillero *m*

Werk [vɛrk] *nt* <-(e)s, -e> (*Buch etc.*) obra *f*; (*Arbeit*) trabajo *m*; (*Fabrik*) fábrica *f*

Werkstatt ['-ʃtat] *f* <-stätten> taller *m*

Werktag *m* día *m* laborable; **werktags** *adv* los días laborales; **werktätig** *adj* trabajador; **die ~e Bevölkerung** la población activa; **Werkzeug** *nt* <-(e)s, -e> herramienta *f*

wert [veːɐt] *adj*: **etwas ~ sein** valer algo; **einer Sache ~ sein** merecer algo

Wert [veːɐt] *m* <-(e)s, -e> valor *m*; **großen ~ auf etw legen** dar mucha importancia a algo

werten ['veːɐtən] *vt* (*einschätzen*) calificar (**als** de/como)

wertlos *adj* sin valor; **Wertpapier** *nt* FIN valor *m*, efecto *m*; **Wertsache** *f* objeto *m* de valor; **Wertstoff** *m* desecho *m* reciclable

Wertung *f* <-en> valoración *f*; SPORT puntuación *f*

wertvoll *adj* valioso; **Wertvorstellung** *f* concepto *m* de valores

Wesen *nt* <-s, -> ❶ (*Lebewesen*) ser *m*; (*Mensch*) persona *f*; **ein menschliches ~** un ser humano ❷ *ohne pl* (*Grundeigenschaft*) esencia *f*; (*Charakter*) naturaleza *f*; **sein wahres ~ zeigen** quitarse la máscara

wesentlich ['veːzəntlɪç] **I.** *adj* esencial; (*grundlegend*) fundamental; **nichts Wesentliches** nada de importancia **II.** *adv* (*sehr, viel*) mucho

weshalb [vɛs'halp, '--] *adv* (*fragend*) por qué; (*relativisch*) por lo que; **der Grund ~ ...** la razón por la cual...

Wespe ['vɛspə] *f* <-n> avispa *f*

wessen ['vɛsən] **I.** *pron inter* ❶ *gen von* **wer** de quién ❷ *gen von* **was** de qué; **~ wird sie beschuldigt?** ¿de qué se la acusa? **II.** *pron rel* de quien, de quienes *pl*

Wessi ['vɛsi] *mf* <-s, -s; -s> (*fam*) *habitante de los estados federados del oeste de Alemania*

Westdeutschland *nt* Oeste *m* de Alemania

Weste ['vɛstə] *f* <-n> chaleco *m*; **eine reine ~ haben** (*fam*) tener las manos limpias

Westen ['vɛstən] *m* <-s, *ohne pl*> oeste *m*; **im ~ von** en el oeste de; (*westlich von*) al oeste de; **nach/in den ~** hacia el oeste; **von ~** del oeste

Westeuropa ['--'--] *nt* Europa *f* Occidental

Westfalen [vɛst'faːlən] *nt* <-s> Westfalia *f*

westfälisch *adj* westfaliano

westlich **I.** *adj* occidental; **in ~er Richtung** en dirección oeste; **~ von Berlin** al oeste de Berlín **II.** *präp +gen* al oeste de

weswegen [vɛs'veːgən] *adv s.* **weshalb**

Wettbewerb ['vɛtbəvɛrp] *m* <-(e)s, -e> ❶ (*Veranstaltung*) concurso *m*; SPORT competición *f* ❷ *ohne pl* WIRTSCH competencia *f*; **wettbewerbswidrig** *adj* (*Verhalten, Preisabsprachen*) que atenta contra la libre competencia

Wette ['vɛtə] *f* <-n> apuesta *f*; **eine ~ mit jdm abschließen** hacer una apuesta con alguien; **um die ~** (*fam*) a porfía

wetteifern ['---] *vi*: **mit jdm um etw ~** competir con alguien por algo

wetten ['vɛtən] *vi, vt* apostar (**auf** por, **um**); **ich wette mit dir um fünf Euro, dass ...** te apuesto cinco euros a que...; **worum ~ wir?** ¿qué apuestas?

Wetter ['vɛtɐ] *nt* <-s, *ohne pl*> tiempo *m*; **es ist schönes ~** hace buen tiempo; **Wetterbericht** *m* parte *m* meteorológico; **Wetterkarte** *f* mapa *m* meteorológico; **Wetterlage** *f* situación *f* meteorológica; **Wettervorhersage** *f* pronóstico *m* del tiempo

Wettkampf *m* competición *f*; **Wettlauf** *m* carrera *f* de velocidad; **wett|machen** ['vɛt-] *vt* (*fam*) compensar; (*Fehler*) corregir; **Wettrennen** *nt* carrera *f* de velocidad

WG [veː'geː] *f* <-s> *Abk. von* **Wohn-**

gemeinschaft comuna *f*
Whisky ['vɪski] *m* <-s, -s> whisky *m*
wich [vɪç] *3. imp von* **weichen**
wichtig ['vɪçtɪç] *adj* importante; **etw ~ nehmen** dar importancia a algo
Wichtigkeit *f* importancia *f*; **eine Sache von höchster ~** un asunto de suma importancia
wickeln ['vɪkəln] *vt* (*aufwickeln*) arrollar; (*einwickeln*) envolver (**in** en); (*Säugling*) cambiar los pañales (a)
Widder ['vɪdɐ] *m* <-s, -> ❶ carnero *m* ❷ *kein pl* ASTR Aries *m inv*
wider ['vi:dɐ] *präp +akk* (*geh*) contra; **~ Erwarten** contra lo que era de esperar
widerfahren* [--'--] *irr vi sein* (*geh*) ocurrir; **widerlegen*** *vt* rebatir
widerlich ['vi:dɐlɪç] *adj* (*abstoßend*) repugnante
Widerrede *f* protesta *f*; **sie duldet keine ~** no admite protesta; **widerrufen*** *irr vt* (*Urteil*) revocar; (*Aussage*) retractarse (de); (*Nachricht*) desmentir; (*Auftrag*) anular
Widersacher(in) *m(f)* <-s, -; -nen> adversario, -a *m, f*
widersetzen* *vr:* **sich ~** oponerse (a)
widerspenstig ['vi:dɐʃpɛnstɪç] *adj* rebelde; (*trotzig*) terco
wider|spiegeln *vt, vr:* **sich ~** reflejar(se); **widersprechen*** *irr vi:* **jdm ~** contradecir a alguien; **etw** *dat* **~** ir en contra de algo
widersprochen *pp von* **widersprechen**
Widerspruch *m* ❶ (*Gegensätzlichkeit*) contradicción *f* (**zu** con); **sich in Widersprüche verwickeln** incurrir en contradicciones ❷ *ohne pl* (*Widerrede*) réplica *f*; **ohne ~** sin protestar; **seine Äußerungen stießen auf ~** hubo protestas a causa de sus declaraciones
widersprüchlich [-ʃprʏçlɪç] *adj* contradictorio
widerspruchslos *adj* sin objeción alguna
Widerstand *m* resistencia *f* (**gegen** a); **~ leisten** oponer resistencia; **auf ~ stoßen** encontrar resistencia
widerstanden *pp von* **widerstehen**
widerstandsfähig *adj* resistente (**gegen** a)
widerstehen* *irr vi* resistir (a); **widerstreben*** *vi:* **es widerstrebt mir, das zu tun** me repugna hacerlo
widerwärtig ['vi:dɐvɛrtɪç] *adj* asqueroso
Widerwille *m* <-ns, *ohne pl*> aversión *f* (**gegen** a); **widerwillig** *adv* de mala gana
widmen ['vɪtmən] **I.** *vt* dedicar **II.** *vr:* **sich jdm ~** atender a alguien; **sich etw** *dat* **~** dedicarse a algo
Widmung *f* <-en> dedicatoria *f*
widrig ['vi:drɪç] *adj* desfavorable
wie [vi:] **I.** *adv* ❶ (*interrogativ: auf welche Art*) cómo; (*mit welchen Merkmalen, in welchem Grad*) qué; (*in welcher Weise*) de qué manera; **~ bitte?** ¿cómo (dice)?; **~ geht's?** ¿qué tal?; **~ oft?** ¿cuántas veces?; **~ viel?** ¿cuánto?; **~ alt bist du?** ¿cuántos años tienes?; **~ spät ist es?** ¿qué hora es?; **~ auch immer** sea como sea; **~ dem auch sei** sea como fuere ❷ (*relativisch: auf welche Art*) como; (*in welchem Grad*) que; **die Art, ~ sie spricht** la manera como habla ❸ (*Ausruf*) ¡cómo!; **~ schade!** ¡qué lástima! **II.** *konj* (*Vergleich*) como; **weiß ~ Schnee** blanco como la nieve; **~ immer** como siempre; **ich sah, ~ er das Fenster öffnete** vi cómo abría la ventana
wieder ['vi:dɐ] *adv* otra vez; **immer ~** una y otra vez; **nie ~** nunca más; **gib ihm das ~ zurück** devuélveselo; **da bin ich ~** aquí estoy de nuevo; **Wiederaufbau** [--'--] *m* <-(e)s, *ohne pl*> reconstrucción *f*; **wieder|auf|bereiten*** *vt* reciclar

Wiederaufnahme [--'---] *f* (*einer Tätigkeit*) reanudación *f*; (*in eine Gruppe*) readmisión *f*; **wieder|auf|nehmen** *irr vt s.* **aufnehmen**

wieder|bekommen* *irr vt* recuperar

wieder|beleben* *vt* (*Person*) reanimar; **Wiederbelebung** *f* (*Person*) reanimación *f*; (*Wirtschaft*) reactivación *f*

wieder|bringen *irr vt* devolver; **wieder|erkennen*** *irr vt* reconocer; **er war nicht wiederzuerkennen** había cambiado totalmente; **Wiedereröffnung** *f* reapertura *f*; **wieder|finden** *irr vt* (*Dinge*) encontrar; (*Person*) reencontrar; (*Sprache*) recobrar

Wiedergabe *f* <-n> ❶ (*einer Rede*) relato *m*; (*einer Äußerung*) repetición *f*; (*Schilderung*) descripción *f* ❷ (*Aufführung*) representación *f*; (*eines Musikstücks*) ejecución *f* ❸ (*in Bild, Ton a.* TYPO) reproducción *f*; **wieder|geben** *irr vt* (*zurückgeben*) devolver; (*schildern*) describir; (*erzählen*) relatar; (*ausdrücken*) expresar

wieder|gut|machen *vt s.* **gutmachen**; **wieder|her|stellen** [--'---] *vt* (*Ordnung*) restablecer; (*reparieren*) restaurar; **wiederholen***[1] **I.** *vt* repetir; (*Lernstoff*) repasar **II.** *vr:* **sich ~** repetirse

wieder|holen[2] *vt* (*zurückholen*) ir a buscar otra vez

wiederholt [--'-] **I.** *adj* repetido; **zum ~en Male** por milésima vez **II.** *adv* en reiteradas ocasiones

Wiederholung [--'--] *f* <-en> repetición *f*; (*von Lernstoff*) repaso *m*

wieder|kehren *vi sein* (*geh*) regresar (**von/aus** *+dat* de); **wieder|kommen** *irr vi sein* (*zurückkommen*) volver; **wieder|sehen** *irr vt* volver a ver; **Wiedersehen** *nt* <-s, -> reencuentro *m*; **auf ~!** ¡hasta luego!

wiederum ['vi:dərʊm] *adv* (*nochmals*) de nuevo; (*andererseits*) por el contrario

wieder|vereinigen* *vt, vr:* **sich ~** reunificar(se); **Wiedervereinigung** *f* reunificación *f*

wiederverwendbar *adj* reutilizable

Wiederverwertung *f* <-en> reciclaje *m*

Wiege ['vi:gə] *f* <-n> cuna *f*

wiegen[1] ['vi:gən] *vt* (*bewegen*) mover; (*Kind*) mecer

wiegen[2] <wiegt, wog, gewogen> *vi, vt* pesar

Wien [vi:n] *nt* <-s> Viena *f*

wies [vi:s] *3. imp von* **weisen**

Wiese ['vi:zə] *f* <-n> prado *m*

wieso [vi'zo:] *adv* por qué

wieviel[ALT] [vi'fi:l, '--] *adv s.* **viel**

wievielte(r, s) ['vi:vi:ltə, -tɐ, -təs] *adj:* **zum ~n Mal bist du schon in Spanien?** ¿cuántas veces has estado ya en España?; **den Wievielten haben wir heute?** ¿a qué día estamos hoy?

wild [vɪlt] *adj* (*Tier, Landschaft*) salvaje; (*Pflanze*) silvestre; (*Kinder*) travieso; (*wütend*) furioso; **ein ~es Durcheinander** un caos terrible; **~ entschlossen** (*fam*) totalmente decidido; **~ auf etw sein** (*fam*) estar loco por algo; **das ist halb so ~** (*fam*) no es para tanto

Wild *nt* <-(e)s, *ohne pl*> caza *f*

wildfremd ['-'-] *adj* totalmente desconocido

Wildnis *f* lugar *m* salvaje; (*Urwald*) selva *f*

Wildschwein *nt* jabalí *m*

will [vɪl] *3. präs von* **wollen**

Wille ['vɪlə] *m* <-ns, -n> voluntad *f*; (*Absicht*) intención *f*; **der letzte ~** (*Testament*) la última voluntad; **wider ~n** de mala gana

willen ['vɪlən] *präp +gen*;: **um jds/etw gen ~** por alguien/algo; **willenlos** *adj* sin voluntad (propia)

Willenskraft *f* fuerza *f* de voluntad

willig **I.** *adj* servicial; (*gehorsam*) obediente **II.** *adv* de buena voluntad

willkommen [-'--] *adj* (*Person*) bienvenido; (*Sache*) oportuno; **jdn ~ heißen** dar la bienvenida a alguien

Willkür ['vɪlky:ɐ] *f ohne pl* arbitrariedad *f*; **sie sind seiner ~ ausgeliefert** están a su merced

willkürlich *adj* (*Maßnahme*) arbitrario (*zufällig*) casual

wimmeln ['vɪməln] *vi* pulular (**von**), bullir; **das Buch wimmelt von Fehlern** (*fam*) el libro está lleno de errores

wimmern ['vɪmɐn] *vi* gemir

Wimper ['vɪmpɐ] *f* <-n> pestaña *f*; **ohne mit der ~ zu zucken** a sangre fría

Wind [vɪnt] *m* <-(e)s, -e> viento *m*; **~ von etw bekommen** (*fam*) enterarse de algo; **viel ~ (um etw) machen** (*fam*) armar mucho escándalo (a propósito de algo)

Windel ['vɪndəl] *f* <-n> pañal *m*

winden ['vɪndən] <windet, wand, gewunden> **I.** *vt:* **etw um etw ~** poner algo alrededor de algo; **jdm etw aus der Hand ~** arrancarle a alguien algo de las manos **II.** *vr:* **sich ~** (*Pflanze*) enredarse (**um** por); (*sich krümmen*) retorcerse; (*sich schlängeln*) serpentear (**durch** entre); (*Ausflüchte suchen*) buscar pretextos

Windenergie *f ohne pl* energía *f* eólica; **windgeschützt** *adj* protegido del viento

windig *adj* (*Wetter*) ventoso; (*Ort*) expuesto al viento; **es ist ~** hace viento

Windjacke *f* cazadora *f*

Windkraftanlage *f* central *f* eólica; **Windkraftwerk** *nt* central *f* eólica

Windmühle *f* molino *m* de viento; **Windpocken** *f pl* varicela *f*; **Windschutzscheibe** *f* parabrisas *m inv*; **Windstärke** *f* fuerza *f* del viento; **windstill** *adj*: **es ist ~** no hace viento; **Windsurfer(in)** *m(f)* surfista *mf*

Wink [vɪŋk] *m* <-(e)s, -e> (*Zeichen*) seña *f*; (*Äußerung*) indicación *f*; (*Rat*) consejo *m*; (*Warnung*) advertencia *f*; **jdm einen ~ geben** hacer(le) una indicación a alguien; **ein ~ mit dem Zaunpfahl** una indirecta

Winkel ['vɪŋkəl] *m* <-s, -> MATH ángulo *m*; (*Ecke*) rincón *m*

winken ['vɪŋkən] <winkt, winkte, gewinkt, REG gewunken> **I.** *vi* hacer señas **II.** *vt:* **jdn zu sich** *dat* **~** llamar a alguien

winseln ['vɪnzəln] *vi* gemir

Winter ['vɪntɐ] *m* <-s, -> invierno *m*; **Wintergarten** *m* invernadero *m*

winterlich *adj* invernal

Winterreifen *m* neumático *m* de invierno; **Winterschlaf** *m* hibernación *f*; **~ halten** hibernar; **Winterschlussverkauf**[RR] *m* rebajas *fpl* de enero; **Wintersport** *m* deporte *m* de invierno

Winzer(in) ['vɪntsɐ] *m(f)* <-s, -; -nen> viticultor(a) *m(f)*

winzig ['vɪntsɪç] *adj* minúsculo

Wipfel ['vɪpfəl] *m* <-s, -> cima *f*

Wippe ['vɪpə] *f* <-n> balancín *m*

wir [viːɐ] *pron pers 1. pl* nosotros *mpl*, nosotras *fpl*; **~ beiden** nosotros/nosotras dos

Wirbel ['vɪrbəl] *m* <-s, -> (*Wasserwirbel, Haarwirbel*) remolino *m*; (*Trubel*) torbellino *m*; (*Knochen*) vértebra *f*; **~ um etw machen** armar un escándalo a propósito de algo

wirbeln ['vɪrbəln] *vi sein*: **durch die Luft ~** revolotear por el aire

Wirbelsäule *f* columna *f* vertebral; **Wirbelsturm** *m* ciclón *m*; **Wirbelwind** *m* (*a. fig*) torbellino *m*

wirbt [vɪrpt] *3. präs von* **werben**

wird [vɪrt] *3. präs von* **werden**

wirft [vɪrft] *3. präs von* **werfen**

wirken ['vɪrkən] *vi* (*Wirkung haben*) surtir efecto (**bei** con, **auf** en); (*Eindruck machen*) parecer; (*zur Geltung kommen*) resaltar; **beruhigend ~** tener un efecto calmante; **lächerlich ~** ser ridículo; **etw auf sich ~ lassen** degustar algo

wirklich ['vɪrklɪç] **I.** *adj* verdadero; **im ~en Leben** en la vida real **II.** *adv* de verdad; **das ist ~ nett von Ihnen** es realmente muy amable de su parte

Wirklichkeit *f* <-en> realidad *f*

wirksam *adj* eficaz

Wirksamkeit *f* eficacia *f*

Wirkstoff *m* su(b)stancia *f* activa

Wirkung *f* <-en> efecto *m*; **eine durchschlagende ~ haben** tener un efecto radical; **wirkungslos** *adj* ineficaz; ~ **bleiben** no surtir efecto; **wirkungsvoll** *adj* eficaz; ~ **sein** surtir efecto

wirr [vɪr] *adj* confuso; (*durcheinander*) revuelto; **~es Zeug reden** decir disparates

Wirt(in) [vɪrt] *m(f)* <-(e)s, -e; -nen> (*Gastwirt*) dueño, -a *m, f* de un restaurante

Wirtschaft ['vɪrtʃaft] *f* <-en> (*Volkswirtschaft*) economía *f*; (*Gastwirtschaft*) restaurante *m*

wirtschaftlich *adj* económico

Wirtschaftlichkeit *f* rentabilidad *f*

Wirtschaftskrise *f* crisis *f inv* económica; **Wirtschaftslage** *f ohne pl* situación *f* económica; **Wirtschaftswissenschaft** *f* ciencias *fpl* económicas

wischen ['vɪʃən] *vt* (*reinigen*) limpiar; (*Boden*) fregar; (*wegwischen*) quitar

wispern ['vɪspɐn] *vi, vt* susurrar

wissbegierig[RR] *adj* ávido de saber

wissen ['vɪsən] <weiß, wusste, gewusst> *vt* saber; **mit jdm umzugehen** ~ saber cómo tratar a alguien; **woher weißt du das?** ¿cómo lo sabes?; **soviel ich weiß, ist er noch da** por lo que yo sé, sigue estando allí; **... und was weiß ich noch alles** (*fam*) ... y no sé cuántas cosas más; **weißt du noch, wie schön es war?** ¿te acuerdas de lo bonito que era?; **weißt du einen guten Arzt?** ¿sabes de un buen médico?; **nicht, dass ich wüsste** no que yo sepa

Wissen *nt* <-s, *ohne pl*> saber *m*; (*Kenntnisse*) conocimientos *mpl*

Wissenschaft *f* <-en> ciencia *f*

Wissenschaftler(in) *m(f)* <-s, -; -nen> científico, -a *m, f*

wissenschaftlich *adj* científico

wissenswert *adj* interesante

Witterung *f* <-en> (*Wetter*) tiempo *m*

Witwe ['vɪtvə] *f* <-n> viuda *f*

Witwer ['vɪtvɐ] *m* <-s, -> viudo *m*

Witz [vɪts] *m* <-es, -e> ① (*mit Pointe*) chiste *m*; (*Scherz*) broma *f*; **~e machen** bromear ② *ohne pl* (*Geist*) gracia *f*

Witzbold ['vɪtsbɔlt] *m* <-(e)s, -e> (*fam*) gracioso, -a *m, f*

witzig *adj* gracioso

witzlos *adj* ① (*ohne Witz*) soso, sin gracia ② (*fam: sinnlos*) sin sentido, inútil

WM [ve:'ʔɛm] *f* <-s> *Abk. von* **Weltmeisterschaft** campeonato *m* mundial

wo [vo:] *adv* (*interrogativ*) dónde; (*relativisch*) donde; (*zeitlich*) cuando; **jetzt, ~ ich Zeit habe** ahora que tengo tiempo

woanders [-'--] *adv* en otra parte

wob [vo:p] *3. imp von* **weben**

wobei [vo'baɪ] *adv* (*interrogativ*) cómo; (*relativisch*) a lo cual; ~ **mir gerade einfällt ...** lo que me hace recordar...

Woche ['vɔxə] *f* <-n> semana *f*; **unter der ~** durante la semana; **Wochenende** *nt* fin *m* de semana; **wochenlang** I. *adj* que dura semanas II. *adv* semanas enteras; **Wochentag** *m* día *m* de la semana; **wochentags** *adv* los días laborables

wöchentlich ['vœçəntlɪç] I. *adj* semanal II. *adv* cada semana; **zweimal** ~ dos veces la semana

Wochenzeitung *f* semanario *m*

Wodka ['vɔtka] *m* <-s, -s> vodka *m*

wodurch [vo'dʊrç] *adv* (*interrogativ*) cómo; (*relativisch*) por lo cual

wofür [vo'fy:ɐ] *adv* (*interrogativ*) para qué; (*relativisch*) por lo cual; ~ **hältst du mich?** ¿por quién me tomas?

wog [vo:k] *3. imp von* **wiegen**[2]

Woge ['vo:gə] *f* <-n> (*geh*) ola *f*; **wenn sich die ~n geglättet haben** en cuanto los ánimos se hayan calmado

wogegen [vo'ge:gən] I. *adv* (*interrogativ*) contra qué; (*relativisch*) contra lo cual II. *konj* mientras que

woher [vo'he:ɐ] *adv* (*interrogativ*) de dónde; (*auf welche Weise*) cómo; ~ **kommt es eigentlich, dass ...?** ¿cómo es que...?

wohin [vo'hɪn] *adv* (*interrogativ*) adónde; (*relativisch*) adonde; **~ man auch sieht** se mire por donde se mire

wohingegen [vohɪn'ge:gən] *konj* mientras que

wohl [vo:l] *adv* ❶ (*gut*) bien; (*angenehm*) a gusto; **sich ~ fühlen** encontrarse a gusto; (*gesundheitlich*) sentirse bien; **~ oder übel** por las buenas o por las malas; **leb ~!** ¡que te vaya bien! ❷ (*durchaus*) perfectamente; **das weiß ich sehr ~** lo sé perfectamente; **~ kaum** difícilmente; **willst du ~ aufhören!** ¡quieres parar de una vez! ❸ (*etwa*) cerca de ❹ (*wahrscheinlich*) probablemente

Wohl *nt* <-(e)s, *ohne pl*> bien *m*; (*Wohlergehen*) bienestar *m*; **auf jds ~ trinken** brindar por la salud de alguien; **auf dein ~!** ¡a tu salud!; **zum ~!** ¡salud!

wohlauf [vo:l'ʔaʊf, vo'laʊf] *adv* (*geh*): **~ sein** estar bien; **Wohlbefinden** *nt* bienestar *m*; (*Gesundheit*) salud *f*; **wohlbehalten** ['--'--] *adj* (*unverletzt*) sano y salvo; (*unbeschädigt*) intacto; **Wohlfahrt** *f ohne pl* servicio *m* de beneficencia pública; **wohlhabend** *adj* acomodado

wohlig *adj* agradable

Wohlstand *m* <-(e)s, *ohne pl*> bienestar *m*; **Wohlstandsgesellschaft** *f* (*abw*) sociedad *f* del bienestar

Wohltat *f* (*Genuss*) placer *m*; (*Erleichterung*) alivio *m*; **Wohltäter(in)** *m(f)* bienhechor(a) *m(f)*; **wohltätig** *adj* benéfico; **für ~e Zwecke** para fines caritativos; **Wohltätigkeit** *f ohne pl* beneficencia *f*

wohltuend *adj* agradable

wohl|tun *irr vi s.* **tun**

wohlüberlegt ['---'-] *adj s.* **überlegen²**

Wohlwollen *nt* <-s, *ohne pl*> (*Gutmütigkeit*) benevolencia *f*; (*Sympathie*) simpatía *f*; **bei allem ~** con la mejor voluntad

wohlwollend *adj* benévolo; **jdm ~ genüberstehen** ver a alguien con buenos ojos

Wohnbezirk *m* área *f* residencial

wohnen ['vo:nən] *vi* vivir (**in** en, **bei** en casa de); (*vorübergehend*) estar alojado (**in** en, **bei** en casa de)

Wohnfläche *f* superficie *f* habitable; **Wohngegend** *f* zona *f* residencial; **Wohngemeinschaft** *f* comuna *f*; **in einer ~ leben** compartir un piso; **wohnhaft** *adj* (*formal*) residente (**in** +*dat* en); **Wohnheim** *nt* residencia *f*; **Wohnmobil** *nt* <-s, -e> coche *m* caravana; **Wohnort** *m* domicilio *m*; **Wohnraum** *m* ❶ (*Raum*) habitación *f* ❷ *ohne pl* (*Wohnungen*) viviendas *fpl*; **Wohnsitz** *m* domicilio *m*; **ohne festen ~** sin domicilio fijo

Wohnung *f* <-en> piso *m*, departamento *m* ; **Wohnungsbau** *m* <-(e)s, *ohne pl*> construcción *f* de viviendas; **sozialer ~** construcción de viviendas sociales; **Wohnungssuche** *f* búsqueda *f* de piso; **auf ~ sein** buscar piso

Wohnviertel *nt* barrio *m* residencial; **Wohnwagen** *m* caravana *f*; **Wohnzimmer** *nt* cuarto *m* de estar

wölben ['vœlbən] *vt, vr:* **sich ~** arquear (se)

Wolf [vɔlf] *m* <-(e)s, Wölfe> lobo *m*

Wolke ['vɔlkə] *f* <-n> nube *f*; **aus allen ~n fallen** (*fam*) quedarse de una pieza; **Wolkenbruch** *m* chaparrón *m*; **Wolkenkratzer** *m* rascacielos *m inv*; **wolkenlos** *adj* despejado

wolkig *adj* nuboso

Wolle ['vɔlə] *f* <-n> lana *f*

wollen¹ ['vɔlən] <will, wollte, wollen> *vi, vt Modalverb* querer; **etw machen ~** querer hacer algo; **komme, was wolle** pase lo que pase; **ich wollte gerade gehen** estaba a punto de irme; **das will ich meinen** eso digo; **das will ich nicht gehört haben** lo doy por no oído; **was will man da machen?** ¿qué se le va a hacer?

wollen² <will, wollte, gewollt> *vi, vt*

querer; **lieber ~** preferir; **ob du willst oder nicht** quieras o no (quieras); **wir ~ keine Kinder** no queremos tener hijos; **das habe ich nicht gewollt** no era mi intención

Wollust ['vɔlʊst] *f ohne pl* (*geh*) voluptuosidad *f*

womit [vo'mɪt] *adv* (*interrogativ*) con qué; (*relativisch*) con lo cual; **~ kann ich dienen?** ¿en qué puedo servirle?

womöglich [vo'mø:klɪç] *adv* quizás *+subj*

wonach [vo'na:x] *adv* (*interrogativ*) qué; (*relativisch*) por lo que; (*gemäß*) según lo cual; **~ riecht das?** ¿a qué huele esto?

Wonne ['vɔnə] *f* <-n> delicia *f*

woran [vo'ran] *adv* ❶ (*interrogativ*) en qué; **~ denkst du?** ¿en qué piensas?; **~ liegt es?** ¿a qué se debe?; **~ sind sie gestorben?** ¿de qué murieron? ❷ (*relativisch*) en el cual; **wenn ich nur wüsste, ~ das liegt** si supiera a que se debe

worauf [vo'raʊf] *adv* ❶ (*interrogativ*) a qué; (*räumlich*) sobre qué ❷ (*relativisch*) sobre el cual; (*zeitlich*) después de lo cual; **~ du dich verlassen kannst** de eso puedes estar seguro

woraufhin [voraʊf'hɪn] *adv* ❶ (*interrogativ*) ¿por qué razón? ❷ (*relativisch*) con lo cual

woraus [vo'raʊs] *adv* (*interrogativ*) de qué; (*relativisch*) del cual

worden ['vɔrdən] *pp von* **werden**[3]

worin [vo'rɪn] *adv* (*interrogativ*) en qué; (*relativisch*) en el cual; **~ besteht der Nachteil?** ¿dónde está la desventaja?

Workshop ['wɔ:kʃɔp] *m* <-s, -s> taller *m*

Wort [vɔrt] *nt* <-(e)s, -e *o* Wörter> palabra *f*; **im wahrsten Sinne des ~es** literalmente; **jdn (nicht) zu ~ kommen lassen** (no) dejar hablar a alguien; **für jdn ein gutes ~ einlegen** interceder por alguien; **jdm ins ~ fallen** interrumpir a alguien; **das glaube ich dir aufs ~** te lo creo a pies juntillas

Wörterbuch *nt* diccionario *m*; **Wörterverzeichnis** *nt* glosario *m*

wortkarg *adj* (*Person*) de pocas palabras; **Wortlaut** *m* <-(e)s, *ohne pl*> texto *m*

wörtlich ['vœrtlɪç] **I.** *adj* literal **II.** *adv* (*dem Text entsprechend*) literalmente; (*in der eigentlichen Bedeutung*) al pie de la letra; **~ zitieren** citar textualmente

wortlos I. *adj* silencioso **II.** *adv* sin decir nada; **Wortschatz** *m* vocabulario *m*; **wortwörtlich** ['-'--] *adj o adv s.* **wörtlich**

worüber [vo'ry:bɐ] *adv* (*interrogativ*) de qué; (*relativisch*) sobre el cual

worum [vo'rʊm] *adv* (*interrogativ*) de qué; (*relativisch*) de que; **~ handelt es sich?** ¿de qué se trata?

worunter [vo'rʊntɐ] *adv* (*interrogativ*) debajo de qué; (*relativisch*) debajo del cual; (*dazwischen*) entre los que

wovon [vo'fɔn] *adv* (*interrogativ*) de qué; (*relativisch*) de lo cual

wovor [vo'fo:ɐ] *adv* (*interrogativ*) de qué; (*räumlich*) delante de qué; (*relativisch*) ante el cual; **das einzige, ~ ich mich fürchte, ...** lo único de lo que tengo miedo...

wozu [vo'tsu:] *adv* (*interrogativ*) para qué; (*relativisch*) a lo cual, al que (*Zweck*) para lo cual; **das, ~ ich am meisten Lust hätte, ...** aquello de lo que más ganas tengo...

Wrack [vrak] *nt* <-(e)s, -s *o* -e> (*Schiff*) barco *m* naufragado; (*Auto*) coche *m* de desguace; **ein menschliches ~** una piltrafa (humana)

wrang [vraŋ] *3. imp von* **wringen**

wringen ['vrɪŋən] <wringt, wrang, gewrungen> *vt* escurrir

Wucher ['vu:xɐ] *m* <-s, *ohne pl*> (*abw*) usura *f*

wuchern ['vu:xɐn] *vi haben o sein* (*Pflanzen*) crecer excesivamente

wuchs [vu:ks] *3. imp von* **wachsen**

Wucht [vʊxt] *f* fuerza *f*; **mit voller ~** con toda fuerza; **das ist eine ~** (*fam*) es fenomenal
wuchtig *adj* (*kräftig*) fuerte; (*groß*) grande
wühlen ['vy:lən] **I.** *vi* hurgar (**in** en) **II.** *vr:* **sich durch etw ~** abrirse camino a través de algo
wund [vʊnt] *adj* escocido; **sich ~ liegen** llagarse
Wunde ['vʊndə] *f* <-n> (*a. fig*) herida *f*
Wunder ['vʊndɐ] *nt* <-s, -> maravilla *f*; (*übernatürlich*) milagro *m*; **etw wirkt ~** (*fam*) algo obra milagros; **wie durch ein ~** como por arte de magia; **wunderbar** *adj* maravilloso; **Wunderkind** *nt* niño, -a *m, f* prodigio
wunderlich *adj* raro
wundern ['vʊndɐn] *vt, vr:* **sich ~** sorprender(se) (**über** de); **es wundert mich, dass ...** me sorprende que... +*subj*
wunderschön ['--(')-] *adj* hermosísimo; **wundervoll** *adj* maravilloso
wund|liegen *irr vr:* **sich ~** *s.* **wund**
Wunsch [vʊnʃ] *m* <-(e)s, Wünsche> deseo *m* (**nach** de); **jdm einen ~ erfüllen** satisfacer a alguien un deseo; **mit den besten Wünschen** con los mejores deseos
wünschen [vʏnʃən] *vt* desear; (**ganz**) **wie Sie ~** como Ud. quiera; **sich** *dat* **etw von jdm ~** pedir algo a alguien; **sein Benehmen lässt viel zu ~ übrig** su comportamiento deja mucho que desear; **wünschenswert** *adj* deseable
wunschlos *adj*: **~ glücklich sein** ser totalmente feliz
wurde ['vʊrdə] *3. imp von* **werden**
Würde ['vʏrdə] *f* dignidad *f*; **unter aller ~** malísimo; **das ist unter meiner ~** lo considero indigno para mí; **würdelos** *adj* indigno; **würdevoll I.** *adj* digno **II.** *adv* con dignidad
würdig *adj* (*ehrbar*) respetable; **sich jds/etw** *gen* **~ erweisen** ser digno de alguien/algo
würdigen ['vʏrdɪgən] *vt* (*anerkennen*) apreciar; (*Verdienste*) reconocer; (*für wert halten*) considerar digno (de)
Wurf [vʊrf] *m* <-(e)s, Würfe> (*das Werfen*) tiro *m*; (*beim Würfeln*) jugada *f*; ZOOL camada *f*
Würfel ['vʏrfəl] *m* <-s, -> cubo *m*; (*Spielwürfel*) dado *m*
würfeln I. *vi* jugar a los dados **II.** *vt* ❶ (*in Würfel schneiden*) cortar en cuadraditos ❷ (*eine Zahl*) tirar
Würfelzucker *m* azúcar *m* en terrones
würgen ['vʏrgən] **I.** *vt* estrangular **II.** *vi* (*Brechreiz haben*) tener náuseas; **an etw ~** intentar tragar algo
Wurm [vʊrm] *m* <-(e)s, Würmer> gusano *m*; **Würmer haben** tener lombrices
Wurst [vʊrst] *f* <Würste> embutido *m*; (*Würstchen*) salchicha *f*
Würstchen ['vʏrstçən] *nt* <-s, -> salchicha *f*; **heiße ~** perritos calientes
Würzburg ['vʏrtsbʊrk] *nt* <-s> Wurtzburgo *m*
Würze ['vʏrtsə] *f* <-n> (*Substanz*) condimento *m*; (*Aroma*) aroma *m*
Wurzel ['vʊrtsəl] *f* <-n> (*a. fig*) raíz *f*; **~n schlagen** echar raíces
würzen ['vʏrtsən] *vt* condimentar
würzig *adj* bien condimentado
wusch [vu:ʃ] *3. imp von* **waschen**
wusste[RR] ['vʊstə] *3. imp von* **wissen**
wüst [vy:st] *adj* (*öde*) desierto; (*unordentlich*) desordenado; (*schlimm*) terrible; **hier sieht es ja ~ aus!** ¡qué desorden!
Wüste ['vy:stə] *f* <-n> desierto *m*
Wut [vu:t] *f* rabia *f*; **seine ~ an jdm auslassen** desahogar su rabia en alguien; **in ~ geraten** enfurecerse; **Wutanfall** *m* ataque *m* de rabia
wüten ['vy:tən] *vi* (*Krieg, Sturm*) hacer estragos
wütend *adj* furioso (**über** por, **auf** con/contra); **auf jdn ~ sein** tener rabia a alguien; **~ werden** enfurecerse (**auf** contra)
WWW *nt Abk. von* **World Wide Web** WWW *f*

X, x [ɪks] *nt* <-, -> X, x *f*

X-Beine *nt pl* piernas *fpl* zambas

x-beliebig *adj* (*fam*) cualquiera

x-mal ['ɪksma:l] *adv* (*fam*) mil veces

x-te(**r, s**) ['ɪkstə, -tɐ, -təs] *adj* (*fam*) enésimo

Y, y ['ʏpsilɔn] *nt* <-, -> Y, y *f*

Yacht [jaxt] *f* <-en> yate *m*

Yoga ['jo:ga] *m o nt* <-(s), *ohne pl*> yoga *m*

Ypsilon ['ʏpsilɔn] *nt* <-(s), -s> i *f* griega

Yuppie ['jʊpi] *m* <-s, -s> yuppie *mf*

Z

Z, z [tsɛt] *nt* <-, -> Z, z *f*

Zacke ['tsakə] *f* <-n> diente *m*; (*Gabel*) púa *f*

zackig ['tsakɪç] *adj* dentado; (*Bewegung*) brioso; (*Person*) resoluto

zaghaft *adj* vacilante

zäh [tsɛ:] *adj* (*Fleisch*) correoso; (*schleppend*) lento; (*widerstandsfähig*) resistente; **zähflüssig** *adj* viscoso; (*Verkehr*) denso

Zahl [tsa:l] *f* <-en> número *m*

zahlen ['tsa:lən] *vi, vt* pagar; **Herr Ober, bitte ~!** camarero, ¡la cuenta, por favor!

zählen ['tsɛ:lən] *vi, vt* contar; **das zählt nicht** eso no cuenta; **auf jdn/etw ~** contar con alguien/algo; **zu etw ~** figurar entre algo

zahlenmäßig *adj* numérico; **~ überlegen** superior en número

Zähler *m* <-s, -> (*Zählwerk*) contador *m*

zahllos *adj* innumerable; **zahlreich I.** *adj* numeroso **II.** *adv* en gran número

Zahlung *f* <-en> pago *m*; **zahlungsfähig** *adj* solvente; **Zahlungsmittel** *nt* medio *m* de pago; **zahlungsunfähig** *adj* insolvente

Zahlwort *nt* <-(e)s, -wörter> numeral *m*

zahm [tsa:m] *adj* manso; (*gezähmt*) domesticado

zähmen ['tsɛ:mən] *vt* amansar; (*zum Haustier*) domesticar; (*geh: Ungeduld*) refrenar

Zahn [tsa:n] *m* <-(e)s, Zähne> diente *m*; **die dritten Zähne** la dentadura postiza; **sich** *dat* **die Zähne putzen** cepillarse los dientes; **sich** *dat* **die Zähne an etw ausbeißen** (*fam*) dejarse la piel en algo; **Zahnarzt, -ärztin** *m, f* dentista *mf*; **Zahnbürste** *f* cepillo *m* de dientes; **Zahnersatz** *m* dentadura *f* postiza; **Zahnfleisch** *nt* encía(s) *f(pl)*; **Zahnpasta** ['tsa:npasta] *f* <-pasten> pasta *f* dentífrica; **Zahnrad** *nt* rueda *f* dentada; **Zahnschmerz** *m* dolor *m* de muelas; **Zahnseide** *f* seda *f* dental; **Zahnspange** *f* aparato *m* ortodóncico; **Zahnstocher** [-ʃtɔxɐ] *m* <-s, -> palillo *m*

Zange ['tsaŋə] *f* <-n> tenaza(s) *f(pl)*; (*fam: von Tieren*) pinzas *fpl*

zanken ['tsaŋkən] *vi, vr:* **sich ~** pelearse

Zäpfchen ['tsɛpfçən] *nt* <-s, -> ANAT úvula *f*; (*Medikament*) supositorio *m*

Zapfsäule *f* surtidor *m* de gasolina

zapp(**e**)**lig** ['tsap(ə)lɪç] *adj* (*fam*) inquieto

zappeln ['tsapəln] *vi* (*mit den Beinen*) patalear (**mit**); (*unruhig sein*) no parar quieto; **jdn ~ lassen** (*fam*) tener a alguien en vilo

zappen ['tsapən] *vi* (*sl*) hacer zapping

zart [tsa:ɐt] *adj* (*Fleisch*) tierno; (*fein*) fino; (*empfindlich*) sensible; (*Farbe, Berührung*) suave

zärtlich ['tsɛ:ɐtlɪç] **I.** *adj* cariñoso **II.** *adv* con cariño
Zärtlichkeit *f* <-en> ❶ (*Liebkosung*) caricia *f*; **~en austauschen** acariciarse ❷ *ohne pl* (*Zuneigung*) ternura *f*
Zauber ['tsaʊbɐ] *m* <-s, *ohne pl*> (*Zauberbann*) hechizo *m*; (*Zauberkraft*) magia *f*; (*Reiz*) encanto *m*; **fauler ~** (*fam abw*) embuste *m*
Zauberei [tsaʊbə'raɪ] *f* <-en> ❶ (*Kunststück*) hechicería *f* ❷ *ohne pl* (*Magie*) magia *f*; **an ~ grenzen** parecer cosa de brujería
Zauberer, Zauberin ['tsaʊbərɐ] *m,f* <-s, -; -nen> mago, -a *m, f*
zauberhaft *adj* encantador; **Zauberkünstler(in)** *m(f)* mago, -a *m, f*; (*Illusionist*) ilusionista *mf*; **Zauberkunststück** *nt* juego *m* de manos
zaubern ['tsaʊbɐn] *vi* (*Magie betreiben*) practicar la magia; (*als Zauberkünstler*) hacer juegos de prestidigitación; **ich kann doch nicht ~** (*fam*) no puedo hacer milagros
Zauberstab *m* varita *f* mágica; **Zauberwort** *nt* <-(e)s, -e> palabra *f* mágica
zaudern ['tsaʊdɐn] *vi* vacilar
Zaun [tsaʊn] *m* <-(e)s, Zäune> cerca *f*; **einen Streit vom ~ brechen** buscar camorra; **Zaunpfahl** *m* estaca *f*
z. B. *Abk. von* **zum Beispiel** p.ej.
Zebra ['tse:bra] *nt* <-s, -s> cebra *f*; **Zebrastreifen** *m* paso *m* (de) cebra
Zeche ['tsɛçə] *f* <-n> (*Bergwerk*) mina *f*; (*Rechnung*) cuenta *f*; **die ~ prellen** (*fam*) irse sin pagar
Zecke ['tsɛkə] *f* <-n> garrapata *f*
Zeh [tse:] *m* <-s, -en> dedo *m* del pie; **der große ~** el dedo gordo del pie
Zehe ['tse:ə] *f* <-n> ❶ *s.* **Zeh** ❷ (*Knoblauchzehe*) diente *m*; **Zehenspitze** *f* punta *f* del pie; **sich auf die ~n stellen** ponerse de puntillas
zehn [tse:n] *adj inv* diez; *s.a.* **acht**[1]
zehnfach **I.** *adj* diez veces más **II.** *adv* diez veces; *s.a.* **achtfach**
zehntausend *adj inv* diez mil; **die oberen ~** la flor y nata de la sociedad
zehnte(r, s) ['tse:ntə, -tɐ, -təs] *adj* décimo; *s.a.* **achte(r, s)**
zehntel ['tse:ntəl] *adj inv* décimo; *s.a.* **achtel**
Zeichen ['tsaɪçən] *nt* <-s, -> signo *m*; (*Signal*) señal *f*; (*mit der Hand*) seña *f*; (*Anzeichen*) indicio *m*; **Zeichenerklärung** *f* leyenda *f*; **Zeichensetzung** *f* puntuación *f*; **Zeichensprache** *f* lenguaje *m* por señas; **Zeichentrickfilm** *m* (película *f* de) dibujos *mpl* animados
zeichnen ['tsaɪçnən] *vi, vt* dibujar (**an**)
Zeichner(in) *m(f)* <-s, -; -nen> dibujante *mf*
Zeichnung *f* <-en> dibujo *m*
Zeigefinger *m* (dedo *m*) índice *m*
zeigen ['tsaɪgən] **I.** *vt* mostrar; (*Film*) poner; **das Thermometer zeigt zwei Grad** el termómetro marca dos grados **II.** *vi* señalar (**nach** hacia); **auf etw/jdn ~** señalar algo/a alguien; **zeig mal!** ¡déjame ver! **III.** *vr:* **sich ~** mostrarse; **sich jdm erkenntlich ~** mostrarle su agradecimiento a alguien; **das wird sich ~** eso ya se verá
Zeiger *m* <-s, -> indicador *m*; **der große/kleine ~** (*Uhr*) la aguja de las horas/los minutos
Zeile ['tsaɪlə] *f* <-n> renglón *m*; **jdm ein paar ~n schreiben** poner(le) a alguien unas letras; **zwischen den ~n lesen** leer entre líneas
Zeit [tsaɪt] *f* <-en> tiempo *m*; (*Zeitpunkt*) momento *m*; (*Zeitraum*) período *m*; (*Zeitalter*) época *f*; (*Uhrzeit*) hora *f*; **zu jeder ~** a cualquier hora; **zu keiner ~** en ningún momento; **eine ~ lang** durante algún tiempo; (*eine Weile*) un rato; (**keine**) **~ haben** (no) tener tiempo; **das hat ~** eso no corre prisa; **es wird** (**allmählich**) **~** (ya) va siendo hora; **zur rechten ~** en el momento oportuno; **von ~ zu ~** de vez en cuando; **in letzter ~** últimamente; **für alle ~en** para siempre; **zu meiner ~** en mis tiempos; **Zeitalter** *nt* <-s, ->

Z

era *f*; **Zeitangabe** *f* (*Uhrzeit*) hora *f*; (*Datum*) fecha *f*; **Zeitarbeit** *f* trabajo *m* temporal; **Zeitaufwand** *m* inversión *f* de tiempo; **zeitaufwändig**[RR] *adj* que requiere mucho tiempo; **Zeitbombe** *f* bomba *f* con detonador de tiempo; **Zeitdruck** *m* <-(e)s, *ohne pl*> premura *f* de tiempo; **unter ~ stehen** estar corto de tiempo; **zeitgemäß** *adj* conforme a la época; **Zeitgenosse**, **Zeitgenossin** *m, f* contemporáneo, -a *m, f*

zeitgenössisch *adj* contemporáneo

Zeitgeschehen *nt* actualidad *f*

zeitig I. *adj* temprano **II.** *adv* a tiempo

Zeitlang *f s.* **Zeit**

zeitlich *adj* temporal; **~ zusammenfallen** coincidir; **etw ist ~ begrenzt** hay un plazo limitado para algo

zeitlos *adj* intemporal; **Zeitlupe** *f* cámara *f* lenta; **in ~** a cámara lenta; **Zeitmangel** *m* <-s, *ohne pl*> falta *f* de tiempo; **Zeitnot** *f*: **in ~ sein** estar corto de tiempo; **Zeitplan** *m* horario *m*; **Zeitpunkt** *m* momento *m*; **Zeitraum** *m* período *m*; **Zeitrechnung** *f*: **vor unserer ~** antes de nuestra era; **Zeitschrift** *f* revista *f*

Zeitung ['tsaɪtʊŋ] *f* <-en> periódico *m*; (*Tageszeitung*) diario *m*; **Zeitungsartikel** *m* artículo *m* de periódico

Zeitverschwendung *f* pérdida *f* de tiempo; **reine ~** sólo tiempo perdido; **Zeitvertreib** *m* <-(e)s, -e> pasatiempo *m*

zeitweilig ['tsaɪtvaɪlɪç] **I.** *adj* momentáneo, temporal **II.** *adv* ❶ (*vorübergehend*) durante algún tiempo ❷ (*manchmal*) a veces

zeitweise ['tsaɪtvaɪzə] *adv* (*manchmal*) a veces; (*vorübergehend*) por momentos

Zelle ['tsɛlə] *f* <-n> célula *f*; (*Gefängniszelle*) celda *f*; **Zellstoff** *m* celulosa *f*

Zelt [tsɛlt] *nt* <-(e)s, -e> tienda *f* de campaña; (*Zirkuszelt*) carpa *f*

zelten ['tsɛltən] *vi* acampar

Zeltplatz *m* lugar *m* de acampada; (*Campingplatz*) camping *m*

Zement [tse'mɛnt] *m* <-(e)s, -e> cemento *m*

zensieren* [tsɛn'zi:rən] *vt* (*der Zensur unterwerfen*) censurar; (*benoten*) calificar

Zensur [tsɛn'zu:ɐ] *f* <-en> ❶ (*Note*) nota *f* ❷ *ohne pl* (*Kontrolle*) censura *f*

Zentimeter [tsɛnti-, 'tsɛnti-] *m o nt* centímetro *m*

Zentner ['tsɛntnɐ] *m* <-s, -> (*50 kg*) quintal *m*; (ÖSTERR, SCHWEIZ: *100 kg*) quintal *m* métrico

zentral [tsɛn'tra:l] *adj* central; **~ gelegen** céntrico; **Zentralamerika** [-'--'---] *nt* América *f* Central

Zentrale [tsɛn'tra:lə] *f* <-n> central *f*; (*Telefonzentrale*) centralita *f*

Zentralheizung *f* calefacción *f* central

zentralisieren* [tsɛntrali'zi:rən] *vt* centralizar

Zentren ['tsɛntrən] *pl von* **Zentrum**

zentrieren* [tsɛn'tri:rən] *vt* centrar

Zentrum ['tsɛntrʊm] *nt* <-s, Zentren> centro *m*

Zeppelin ['tsɛpəli:n] *m* <-s, -e> zepelín *m*

zerbrechen* *irr vt haben vi sein* (*entzweibrechen*) romper(se)

zerbrechlich *adj* frágil

zerbrochen *pp von* **zerbrechen**

zerdrücken* *vt* aplastar

Zeremonie [tseremo'ni:] *f* <-n> ceremonia *f*

zerfallen* *irr vi sein* (*Gebäude*) desmoronarse; (*Kultur*) hundirse; **zu Staub ~** convertirse en polvo

zerfetzen* *vt* (des)garrar

zerfleischen* *vt* despedazar

zergangen *pp von* **zergehen**

zergehen* *irr vi sein* deshacerse

zerkleinern* *vt* desmenuzar; (*in Stücke*) trocear; (*Holz*) partir

zerknirscht *adj* compungido; (*reuig*) arrepentido

zerkratzen* *vt* (*Dinge*) rascar

zerlegen* *vt* (*Maschine*) desmontar

zermürben* *vt* (*körperlich*) cansar; (*seelisch*) desmoralizar

zerquetschen* *vt* aplastar
zerreden* *vt* tratar demasiado
zerreißen* *irr* I. *vi sein* romperse II. *vt haben* romper; (*in Stücke*) hacer pedazos
zerren ['tsɛrən] I. *vi* tirar violentamente (**an** de); **das zerrt an meinen Nerven** esto me destroza los nervios II. *vt* (*schleppen*) arrastrar; **sich** *dat* **etw ~** distenderse algo
zerrissen [tsɛɐ'rɪsən] *pp von* **zerreißen**
Zerrung ['tsɛrʊŋ] *f* <-en> distensión *f*
zerrütten* [tsɛɐ'rʏtən] *vt* (*Gesundheit*) quebrantar; (*Nerven*) destrozar
zerschlagen* *irr* I. *vt* (*zerstören*) destrozar; (*Organisation*) desintegrar II. *vr:* **sich ~** quedar en nada
zerschneiden* *irr vt* cortar
zerschnitten *pp von* **zerschneiden**
zersetzen* I. *vt* (*auflösen*) descomponer; (*untergraben*) minar II. *vr:* **sich ~** descomponerse
zerstören* *vt* destruir; **Zerstörung** *f* destrucción *f*
zerstreuen* I. *vt* dispersar; (*Bedenken*) disipar II. *vr:* **sich ~** (*Menschenmenge*) dispersarse; (*Bedenken*) disiparse; (*sich unterhalten*) distraerse
zerstreut [tsɛɐ'ʃtrɔɪt] *adj* distraído
Zerstreuung *f* (*Ablenkung*) distracción *f*
zerteilen* *vt* dividir (**in** en); (*in Stücke*) trocear
Zertifikat [tsɛrtifi'ka:t] *nt* <-(e)s, -e> certificado *m*
zertrümmern* *vt* destrozar
zerzausen* [tsɛɐ'tsaʊzən] *vt* desgreñar
Zettel ['tsɛtəl] *m* <-s, -> papel *m*; (*Notiz*) nota *f*; (*Kassenzettel*) tique *m*
Zeug [tsɔɪk] *nt* <-(e)s, *ohne pl*> (*fam*) cosas *fpl*; (*wertloses Zeug*) trastos *mpl*; **red kein dummes ~!** (*fam*) ¡no digas tonterías!
Zeuge, Zeugin ['tsɔɪgə] *m, f* <-n, -n; -nen> testigo *mf*
zeugen ['tsɔɪgən] I. *vi:* **von etw ~** demostrar algo II. *vt* (*Kind*) engendrar
Zeugenaussage *f* declaración *f* del testigo
Zeugnis ['tsɔɪknɪs] *nt* <-ses, -se> (*Schulzeugnis*) notas *fpl*; (*Arbeitszeugnis*) certificado *m*; **ein amtliches/ärztliches ~** un dictamen oficial/un certificado médico
Zeugung *f* <-en> engendramiento *m*
z. H(d). *Abk. von* **zu Händen von** a la atención de
Ziege ['tsi:gə] *f* <-n> cabra *f*
Ziegel ['tsi:gəl] *m* <-s, -> ladrillo *m*; (*Dachziegel*) teja *f*; **Ziegelstein** *m* ladrillo
ziehen ['tsi:ən] <zieht, zog, gezogen> I. *vt haben* tirar (**an** de); (*zerren*) arrastrar; (*dehnen*) estirar; (*herausziehen*) sacar (**aus** de); (*Linie*) trazar; (*Grenze*) establecer; (*Zahn*) extraer; **die Aufmerksamkeit auf sich ~** atraer sobre sí la atención; **aus dem Verkehr ~** (*Auto*) retirar del servicio; (*Geld*) retirar de la circulación; **einen Vorteil aus etw ~** sacar una ventaja de algo; **mich zieht überhaupt nichts nach Schweden** en Suecia no hay nada que me atraiga II. *vi* ❶ *haben a.* AUTO tirar; **der Kamin zieht gut** (*fam*) la chimenea tira bien ❷ *sein* (*umziehen*) mudarse (**nach/in/auf** a); (*zu jdm*) irse a vivir (**zu** con); **sie ~ aufs Land** se van a vivir al campo III. *vunpers haben*: **es zieht!** ¡hay corriente!
Ziel [tsi:l] *nt* <-(e)s, -e> (*Reiseziel*) destino *m*; SPORT meta *f*; (*Zweck*) fin *m*; **ein klares ~ vor Augen haben** perseguir una meta fija; **sich** *dat* **ein ~ setzen** proponerse una meta
zielen *vi* (*Mensch*) apuntar (**auf** a); (*Bemerkung*) referirse (**auf** a); (*zum Ziel haben*) tener como objetivo (**auf**)
ziellos *adj* sin rumbo fijo
Zielscheibe *f* blanco *m*
zielstrebig I. *adj* perseverante II. *adv* con determinación
Zielvereinbarung *f* acuerdo *m* de objetivos
ziemlich ['tsi:mlɪç] *adj o adv* bastante;

mit ~er Sicherheit con bastante seguridad; **~ lange** bastante tiempo; **~ viel** bastante (cantidad); **so ~ alles** casi todo

zieren ['tsi:rən] *vr:* **sich ~** (*abw*) hacerse de rogar

zierlich *adj* grácil; (*fein*) fino

Zierpflanze *f* planta *f* ornamental

Ziffer ['tsɪfɐ] *f* <-n> cifra *f*

Zigarette [tsiga'rɛtə] *f* <-n> cigarrillo *m*; **Zigarettenschachtel** *f* cajetilla *f*

Zigarre [tsi'garə] *f* <-n> puro *m*

Zigeuner(in) [tsi'gɔɪnɐ] *m(f)* <-s, -; -nen> gitano, -a *m, f*

zigmal ['tsɪçma:l] *adv* (*fam*) mil veces

Zimmer ['tsɪmɐ] *nt* <-s, -> habitación *f*, pieza *f* ; **Zimmerpflanze** *f* planta *f* de interior; **Zimmertemperatur** *f* temperatura *f* ambiente

zimperlich ['tsɪmpɐlɪç] *adj* (*abw*) remilgado; (*Kind*) ñoño

Zimt [tsɪmt] *m* <-(e)s, -e> canela *f*

Zinke ['tsɪŋkə] *f* <-n> púa *f*

Zins [tsɪns] *m* <-es, -en> interés *m*; **zinslos** *adj* libre de interés; **Zinssatz** *m* tipo *m* de interés

Zipfel ['tsɪpfəl] *m* <-s, -> punta *f*

zirka ['tsɪrka] *adv* cerca de; **in ~ zwei Wochen** en dos semanas aproximadamente

Zirkel ['tsɪrkəl] *m* <-s, -> (*Gerät*) compás *m*; (*Gruppe*) círculo *m*

Zirkus ['tsɪrkʊs] *m* <-, -se> circo *m*

zischen ['tsɪʃən] *vi* (*Schlange*) silbar

Zitat [tsi'ta:t] *nt* <-(e)s, -e> cita *f*

zitieren* [tsi'ti:rən] *vt* citar; **jdn zu sich** *dat* **~** llamar a alguien

Zitrone [tsi'tro:nə] *f* <-n> limón *m*

Zitrusfrucht ['tsi:trʊs-] *f* cítrico *m*

zittern ['tsɪtɐn] *vi* temblar (**vor** de)

Zitze ['tsɪtsə] *f* <-n> teta *f*

Zivi ['tsi:vi] *m* <-(s), -s> (*fam*) *Abk. von* **Zivildienstleistende(r)** objetor *m* de conciencia (*prestando su servicio social*)

zivil [tsi'vi:l] *adj* civil; **Zivilbevölkerung** *f* población *f* civil; **Zivildienst** *m* <-(e)s, *ohne pl*> prestación *f* social sustitutoria

Zivildienstleistende(r) *m* <-n, -n> objetor *m* de conciencia (*prestando su servicio social*)

Zivilisation [tsiviliza'tsjo:n] *f* <-en> civilización *f*

zivilisieren* [tsivili'zi:rən] *vt* civilizar

Zivilist(in) [tsivi'lɪst] *m(f)* <-en, -en; -nen> paisano, -a *m, f*

Zivilrecht *nt* <-(e)s, *ohne pl*> derecho *m* civil

zog [tso:k] *3. imp von* **ziehen**

zögerlich ['tsø:gɐlɪç] *adj* dudoso, vacilante

zögern ['tsø:gɐn] *vi* vacilar

Zoll [tsɔl] *m* <-(e)s, Zölle> ❶ (*Abgabe*) derechos *mpl* de aduana ❷ *ohne pl* (*Behörde*) aduana *f*; **Zollbeamte(r)** *m*, **-beamtin** *f* funcionario, -a *m, f* de aduanas; **zollfrei** *adj* libre de derechos de aduana; **Zollkontrolle** *f* control *m* aduanero; **zollpflichtig** *adj* sujeto a derechos de aduana

Zone ['tso:nə] *f* <-n> zona *f*

Zoo [tso:] *m* <-s, -s> zoo *m*

Zoologie [tsoolo'gi:] *f* zoología *f*

zoologisch *adj* zoológico

Zoom [zu:m] *nt* <-s, -s> FILM, FOTO zoom *m*

Zopf [tsɔpf] *m* <-(e)s, Zöpfe> trenza *f*

Zorn [tsɔrn] *m* <-(e)s, *ohne pl*> ira *f*

zornig I. *adj* colérico **II.** *adv* con ira

zottig ['tsɔtɪç] *adj* hirsuto; (*abw: Haare*) desgreñado

z. T. *Abk. von* **zum Teil** en parte

zu [tsu:] **I.** *präp +dat* ❶ (*Richtung, Lage, Verhältnis*) a; **~ Hause** en casa; **sie kommt ~ mir** viene a mi casa; **er geht ~m Bahnhof** va a la estación; **es fiel ~ Boden** cayó al suelo; **~ jdm hinsehen** mirar a alguien; **das Zimmer liegt ~r Straße hin** la habitación da a la calle ❷ (*hinzu, dazu*) con; **er setzte sich ~ den anderen** se sentó con los demás; **nehmen Sie Wein ~m Essen?** ¿toma Ud. vino con la comida? ❸ (*zeitlich*): **~ jener Zeit** en aquel tiempo; **~ An-**

fang al principio; **~ Ostern/Weihnachten** en Semana Santa/por Navidades; **~m ersten Mal** por primera vez; **~ Mittag/Abend essen** almorzar/cenar ❹ (*Menge, Häufigkeit*): **~m Teil** en parte; **in Kisten ~ (je) hundert Stück** en cajas de a cien; **~m halben Preis** a mitad de precio; **Briefmarken ~ 55 Cent** sellos de 55 céntimos; **das Kilo ~ zwei Euro** a dos euros el kilo ❺ (*Art und Weise*): **~ Recht** con razón; **~ Fuß** a pie ❻ (*Zweck*) para; **~m Glück** por suerte; **~ allem Unglück** para colmo de desgracias; **etw ~m Schreiben** algo para escribir; **kommst du ~m Frühstück?** ¿vienes a desayunar? ❼ (*Verhältnis*) contra; **die Chancen stehen eins ~ zehn** hay una posibilidad contra diez; **eins ~ null für Real Madrid** uno a cero para el Real Madrid ❽ (*Verwandlung*) en; **das Wasser wurde ~ Eis** el agua se convirtió en hielo **II.** *adv* ❶ (*allzu*) demasiado; **~ sehr/viel** demasiado; **~ schnell** demasiado rápido ❷ (*fam: geschlossen*) cerrado; **~ sein** estar cerrado ❸ (*zeitlich*): **ab und ~** de vez en cuando; **von Zeit ~ Zeit** de tiempo en tiempo **III.** *konj* ❶ (*mit Infinitiv*): **es ist leicht ~ finden** es fácil de encontrar ❷ (*mit Partizip Präsens*): **die ~ erledigende Post** el correo por despachar

zuallererst [-'--'-] *adv* ante todo, en primer lugar

zuallerletzt [-'--'-] *adv* por último, en último lugar

zu|arbeiten *vi:* **jdm ~** hacer (trabajos) preparativos para alguien

Zubehör ['tsu:bəhø:ɐ] *nt* <-(e)s, -e> accesorios *mpl*

zu|beißen *irr vi* morder; **zu|bereiten*** *vt* preparar; **zu|billigen** *vt:* **jdm etw ~** conceder algo a alguien; **zu|binden** *irr vt* (*Schuhe*) atar; (*Augen*) vendar; **zu|bringen** *irr vt* (*verbringen*) pasar

Zubringer *m* <-s, -> (*Straße*) vía *f* de acceso; (*Verkehrsmittel*) enlace *m*

Zucht [tsʊxt] *f* <-en> (*von Tieren*) cría *f*; (*von Pflanzen*) cultivo *m*; (*Disziplin*) disciplina *f*

züchten ['tsʏçtən] *vt* (*Tiere*) criar; (*Pflanzen*) cultivar

Zuchthaus *nt* penitenciaría *f*

zucken ['tsʊkən] *vi* trepidar; (*Muskel*) contraerse; (*Blitz*) centellear

Zucker ['tsʊkɐ] *m* <-s, -> azúcar *m*; **ein Stück ~** un terrón de azúcar; **Zuckerdose** *f* azucarero *m*; **zuckerkrank** *adj* diabético; **Zuckerkrankheit** *f ohne pl* diabetes *f inv*; **Zuckerrohr** *nt* <-(e)s, *ohne pl*> caña *f* de azúcar; **Zuckerrübe** *f* remolacha *f* azucarera; **Zuckerwatte** *f* nube(s) *f(pl)* de azúcar

zu|decken *vt* tapar

zudem [tsu'de:m] *adv* (*geh*) además

zu|drehen *vt* (*Wasserhahn*) cerrar; (*Schraube*) apretar; (*zuwenden*) volver; **sie drehte ihm den Rücken zu** le volvió la espalda

zudringlich ['tsu:drɪŋlɪç] *adj* impertinente

zu|drücken *vt* cerrar (empujando); **ein Auge ~** hacer la vista gorda

zueinander [tsuʔaɪ'nandɐ] *adv* el uno con el otro; **sie passen gut ~** hacen buena pareja

zuerst [-'-] *adv* (*als Erstes, Erster*) primero; (*vorrangig*) en primer lugar; (*anfangs*) al principio

Zufahrt *f* vía *f* de acceso (**zu** a)

Zufall *m* casualidad *f*; **etw dem ~ überlassen** dejar algo al azar

zu|fallen *irr vi sein* (*Tür*) cerrarse (de golpe); (*Aufgabe*) corresponder

zufällig I. *adj* casual **II.** *adv* por casualidad

zufälligerweise ['----'--] *adv* por casualidad

Zuflucht *f* refugio *m* (**vor** de)

Zufluss[RR] *m* afluente *m*

zu|flüstern *vt* decir al oído

zufolge [tsu'fɔlgə] *präp* +*gen;* (*nachgestellt:* +*dat*) según

Z

zufrieden [tsu'fri:dən] *adj* satisfecho; **jdn ~ stellen** contentar a alguien; **~ stellend sein** ser satisfactorio; **zufrieden|geben** *irr vr:* **sich (mit wenig) ~** contentarse (con poco)
Zufriedenheit *f* satisfacción *f*
zufrieden|lassen *irr vt:* **jdn ~** dejar a alguien en paz; **zufrieden|stellen** *vt s.* **zufrieden**; **zufriedenstellend** *adj s.* **zufrieden**
zu|frieren *irr vi sein* helarse (por completo); **zu|fügen** *vt* añadir; **jdm Leid ~** hacer sufrir a alguien
Zufuhr ['tsu:fu:ɐ] *f* (*Versorgung*) suministro *m*
Zug[1] [tsu:k] *m* <-(e)s, Züge> ❶ (*Eisenbahn*) tren *m*; **mit dem ~ fahren** ir en tren ❷ (*Atemzug*) respiración *f*; (*beim Rauchen*) calada *f*; (*Pfeife*) chupada *f*; **in einem ~** de un tirón; **das Glas in einem ~ austrinken** vaciar la copa de un trago; **etw in vollen Zügen genießen** disfrutar plenamente de algo ❸ (*bei Brettspielen*) jugada *f*; **du bist am ~** te toca (a ti) ❹ (*Charakterzug, Gesichtszug*) rasgo *m* ❺ *ohne pl* (*Luftzug*) corriente *f* (de aire)
Zug[2] *m* <-s> GEO Zug *m*
Zugang *m* (*Zutritt*) acceso *m* (**zu** a)
zugänglich ['tsu:gɛŋlɪç] *adj* (*aufgeschlossen*) accesible; (*verfügbar*) disponible; **jdm etw ~ machen** poner algo al alcance de alguien
zu|geben *irr vt* (*hinzufügen*) añadir; (*einräumen*) admitir; **zu|gehen** *irr* I. *vi sein* (*hingehen*) dirigirse (**auf** a); (*fam: sich schließen lassen*) cerrar(se); **auf jdn ~** acercarse a alguien II. *vunpers sein*: **bei der Diskussion ging es lebhaft zu** fue una discusión muy viva
zugehörig *adj* correspondiente
Zugehörigkeit *f* pertenencia *f* (**zu** a)
Zügel ['tsy:gəl] *m* <-s, -> rienda *f*; **zügellos** I. *adj* desenfrenado II. *adv* a rienda suelta
zügeln I. *vt* (*Pferd*) refrenar; (*Zorn*) contener II. *vr:* **sich ~** contenerse
Zugeständnis *nt* concesión *f*; **jdm ein ~ machen** conceder algo a alguien; **zu|gestehen*** *irr vt* (*zugeben*) admitir; (*bewilligen*) conceder
zügig I. *adj* rápido II. *adv* a buen paso
zugleich [-'-] *adv* al mismo tiempo
Zugluft *f ohne pl* corriente *f* de aire
zu|greifen *irr vi* coger; **greifen Sie zu!** ¡sírvase!; **Zugriff** *m* INFOR acceso *m*
zugrunde [tsu'grʊndə] *adv*: **~ legen** tomar por base; **~ liegen** basarse en; **~ gehen** irse a pique; **jdn/etw ~ richten** arruinar a alguien/estropear algo
zugunsten [-'--] *präp +gen* a favor de
zugute|halten *vt* (*geh*) tener en consideración; **zugute|kommen** *vt* (*geh*): **jdm/etw** *dat* **~** favorecer a alguien/algo
Zugverbindung *f* ❶ (*zwischen zwei Orten*) enlace *m* ferroviario ❷ (*Anschluss*) comunicación *f* ferroviaria
zu|haben *irr* I. *vi* (*fam*) estar cerrado II. *vt* (*fam*) tener cerrado; **zu|halten** *vt* mantener cerrado; (*Augen, Ohren*) tapar
Zuhälter ['tsu:hɛltɐ] *m* <-s, -> chulo *m fam*
Zuhause [tsu'haʊzə] *nt* <-s, *ohne pl*> casa *f*
zu|hören *vi* escuchar; **Zuhörer(in)** *m(f)* oyente *mf*
zu|jubeln *vi:* **jdm ~** aclamar a alguien; **zu|klappen** I. *vi sein* cerrarse (de golpe) II. *vt* cerrar (de golpe); **zu|kleben** *vt* (*Loch*) tapar; (*Umschlag*) cerrar; **zu|knöpfen** *vt* abrochar; **zu|kommen** *irr vi sein* (*sich nähern*) acercarse (**auf** a); (*Problem*) avecinarse; (*gebühren*) corresponder; **dem kommt eine große Bedeutung zu** esto tiene mucha importancia; **jdm etw ~ lassen** hacer llegar algo a alguien
Zukunft ['tsu:kʊnft] *f a.* LING futuro *m*
zukünftig I. *adj* futuro II. *adv* en el futuro

Zukunftsaussichten *f pl* perspectivas *fpl* para el futuro; **Zukunftsperspektive** *f* perspectiva *f* para el futuro

zu|lassen *irr vt* (*gestatten*) permitir; (*dulden*) consentir; (*Zugang gewähren*) admitir; (*fam: geschlossen lassen*) dejar cerrado; **ein Auto auf jdn ~** matricular un coche a nombre de alguien

zulässig ['tsu:lɛsɪç] *adj* admisible; **~e Höchstgeschwindigkeit** velocidad máxima autorizada

Zulassung *f* <-en> (*fam*), **Zulassungspapiere** *nt pl* documentación *f* del coche

zu|laufen *irr vi sein* correr (**auf** hacia); **jdm ~** (*Tiere*) venir a casa de alguien; **zu|legen** *vt* (*fam: anschaffen*): **sich** *dat* **etw ~** comprar(se) algo

zuletzt [-'-] *adv* (*als Letztes*) por último; (*als Letzter*) el último; **wir blieben bis ~** nos quedamos hasta el final; **nicht ~ wegen ...** sobre todo (también) por...

zuliebe [-'--] *präp +dat;*: **jdm/etw** *dat* **~** por (amor a) alguien/algo

zum [tsʊm] = **zu dem** *s.* **zu**

zu|machen *vi, vt* (*fam*) cerrar; **ein Loch ~** tapar un agujero

zumal [-'-] *konj* sobro todo porque

zumeist [-'-] *adv* la mayoría de las veces

zumindest [-'--] *adv* por lo menos; (*wenigstens*) como mínimo

zu|müllen *vt* (*pej fam*): **etw ~** llenar algo de basura; **jdn ~** llenarle a alguien la cabeza

zumutbar *adj* exigible, justo (**für** para)

zumute [-'--] *adv*: **mir ist nicht zum Lachen ~** no estoy para bromas

zu|muten ['tsu:mu:tən] *vt:* **jdm etw ~** exigir algo a alguien; **jdm zu viel ~** pedir demasiado a alguien

Zumutung *f* <-en> exigencia *f* exagerada; (*Unverschämtheit*) frescura *f*

zunächst [-'-] *adv* (*anfangs*) al principio; (*vorläufig*) de momento

Zunahme ['tsu:na:mə] *f* <-n> aumento *m* (**an** de)

zünden ['tsʏndən] *vt* (*Sprengkörper*) activar; (*Rakete*) lanzar

zündend *adj* brillante

Zündholz *nt* SÜDD, ÖSTERR cerilla *f*; **Zündschlüssel** *m* llave *f* de contacto

Zündung *f* <-en> AUTO encendido *m*

zu|nehmen *irr vi* aumentar (**an** de); (*dicker werden*) engordar

zunehmend I. *adj* creciente; **in ~em Maße** cada vez más; **mit ~em Alter** con los años **II.** *adv* (*sichtbar*) visiblemente; (*fortschreitend*) progresivamente

Zuneigung *f* afecto *m* (**für** por)

Zunge ['tsʊŋə] *f* <-n> (*Organ, Landzunge*) lengua *f*; **es liegt mir auf der ~** lo tengo en la punta de la lengua; **Zungenbrecher** *m* <-s, -> (*fam*) trabalenguas *m inv*

zunichte|machen *vt* estropear; (*Hoffnungen*) frustrar

zu|nicken *vi:* **jdm ~** hacer a alguien una seña con la cabeza; (*zum Gruß*) saludar a alguien con la cabeza

zunutze [-'--] *adv*: **sich** *dat* **etw ~ machen** aprovechar algo

zu|ordnen *vt* clasificar, encasillar

zupfen ['tsʊpfən] *vt* (*ziehen*) tirar (**an** de)

zur [tsu:ɐ] = **zu der** *s.* **zu**

zurande[RR] *adv*: **mit jdm/etw** (**nicht**) **~ kommen** (*fam*) (no) poder con alguien/algo

zurate[RR] *adv*: **etw/jdn ~ ziehen** consultar algo/a alguien

zurechnungsfähig *adj* en plena posesión de sus facultades mentales

zurecht|biegen [tsu'rɛçt-] *irr vt* ❶ (*Draht*) enderezar ❷ (*fam: Angelegenheit*) arreglar; **zurecht|finden** *irr vr:* **sich ~** (*in einer Stadt*) orientarse (**in** en); (*vertraut werden*) familiarizarse; **zurecht|kommen** *irr vi sein* (*mit einem Gerät*) apañarse *fam*; (*mit einer Person*) entenderse; (*finanziell*) arreglárselas; **zurecht|legen** *vt* preparar; **zurecht|ma-**

chen I. *vt* (*fam: Essen*) preparar; (*Zimmer*) arreglar II. *vr:* **sich ~** (*fam*) arreglarse; **zurecht|weisen** *irr vt* reprender

zu|reden *vi* instar; **jdm gut ~** animar a alguien

Zürich ['tsy:rɪç] *nt* <-s> Zurich *m*

zurück [tsu'rʏk] *adv* (*zum Ausgangspunkt*) de vuelta; (*nach hinten*) (hacia) atrás; **hin und ~** ida y vuelta; **es gibt kein Zurück mehr** ya no se puede dar marcha atrás; **zurück|bekommen*** *irr vt* recobrar; (*Wechselgeld*) recibir de vuelta; **zurück|bleiben** *vi sein* (*hinten bleiben*) quedarse atrás; (*übrig bleiben*) quedar; **zurück|blicken** *vi* ❶ (*sich umsehen*) mirar (hacia) atrás ❷ (*auf Vergangenes*) pasar revista (**auf** a); **zurück|bringen** *irr vt* (*zurückgeben*) devolver; (*zurückbegleiten*) llevar (a casa); **zurück|denken** *irr vi* recordar el pasado; **zurück|fahren** *irr* I. *vi sein* (*zurückkehren*) volver; (*rückwärtsfahren*) dar marcha atrás; (*zurückschrecken*) retroceder (asustado) II. *vt haben* (*Person*) llevar a casa; **zurück|fallen** *irr vi sein* (*in eine Gewohnheit*) recaer (**in** +*akk* en); SPORT quedar(se) atrás; **zurück|finden** *irr vi* encontrar el camino de vuelta (**zu** a); **zurück|fordern** *vt* reclamar; (*Recht*) reivindicar; **zurück|führen** I. *vi* volver (**zu** a) II. *vt* (*die Folge sein*) deberse (**auf** a); **das ist darauf zurückzuführen, dass ...** esto se debe a que...; **zurück|geben** *irr vt* devolver; (*Wechselgeld*) dar (la vuelta)

zurückgeblieben *adj* retrasado; **geistig ~** retrasado mental

zurück|gehen *irr vi sein* (*zurückkehren*) volver; (*nachlassen*) disminuir; **etw ~ lassen** devolver algo; **zwei Schritte ~** dar dos pasos atrás; **auf etw ~** tener su origen en algo

zurückgezogen *adj* retirado; **~ leben** llevar una vida retirada

zurück|greifen *irr vi:* **auf etw ~** recurrir a algo

zurück|halten *irr* I. *vt* retener; (*Tränen*) contener; **etw für jdn ~** reservar algo para alguien; **jdn von etw ~** hacer desistir a alguien de algo II. *vr:* **sich ~** contenerse; **zurückhaltend** *adj* (*reserviert*) reservado; (*unaufdringlich*) discreto; (*gemäßigt*) moderado; **Zurückhaltung** *f ohne pl* ❶ (*Reserviertheit*) reserva *f* ❷ (*Unaufdringlichkeit*) discreción *f*; (*Bescheidenheit*) moderación *f*

zurück|holen *vt* ir a buscar; **zurück|kehren** *vi sein* (*geh*) regresar; **zurück|kommen** *irr vi sein* volver; **auf etw ~** volver sobre algo; **zurück|lassen** *irr vt* dejar; **zurück|legen** *vt* (*an seinen Platz*) volver a poner en su sitio; (*Waren*) reservar; (*Strecke*) recorrer; **zurück|lehnen** *vr:* **sich ~** recostarse; **zurück|liegen** *irr vi* haber sucedido tiempo atrás; **das liegt schon Jahre zurück** esto sucedió hace ya años; **zurück|nehmen** *irr vt* (*Ware*) aceptar la devolución (de); (*Behauptung*) retirar; (*Bestellung*) anular; **zurück|reichen** I. *vi* (*Erinnerung*) remontarse (**bis** a) II. *vt* devolver; **zurück|rufen** *irr* I. *vi, vt* TEL volver a llamar II. *vt* hacer volver; **sich** *dat* **etw ins Gedächtnis ~** recordar algo; **zurück|schauen** *vi s.* **zurückblicken**; **zurück|schicken** *vt* mandar de vuelta; **zurück|schrecken** *irr vi sein* retroceder (espantado); **vor etw ~** arredrarse ante algo; **zurück|stellen** *vt* (*an einen Platz*) volver a poner en su sitio; (*Uhr*) retrasar; (*aufschieben*) aplazar; **zurück|treten** *irr vi sein* (*nach hinten*) retroceder; (*weniger wichtig werden*) perder importancia; (*von einem Amt*) dimitir (**von** de); (*von einem Vertrag*) desistir (**von** de); **zurück|verfolgen*** *vt* buscar los orígenes (de); **zurück|weisen** *irr vt* (*Person*) rechazar; (*Einladung*) rehusar; (*mit Argumenten*) refutar; **zurück|wollen** *irr* I. *vi* querer volver (**nach** a) II. *vt* (*fam*) querer de vuelta; **ich will mein Geld zurück** quiero que me devuelvan mi dinero; **zurück|zahlen** *vt* devolver; (*Ausgaben*) reembolsar; **das werd' ich ihm ~!** (*fam*) ¡me lo pagará!; **zurück|ziehen** *irr* **I.** *vt* retirar; (*Vorhang*) correr **II.** *vr:* **sich ~** retirarse

zu|rufen *irr vt:* **jdm etw ~** gritar algo a alguien

zurzeit[RR] [tsu:ɐ'tsaɪt] *adv* actualmente

Zusage ['---] *f* <-n> (*positive Antwort*) contestación *f* afirmativa; (*Bestätigung*) confirmación *f*; (*Versprechen*) promesa *f*; **eine ~ geben** contestar afirmativamente; **zu|sagen I.** *vi* (*Einverständnis erklären*) contestar afirmativamente; (*Einladung*) aceptar una invitación; (*gefallen*) gustar **II.** *vt* prometer

zusammen [tsu'zamən] *adv* (*miteinander*) juntos; (*gleichzeitig*) al mismo tiempo; **~ mit** (junto) con; **~ sein** estar juntos; **alle ~** todos juntos; **das macht ~ 14 Euro** son 14 euros en total; **Zusammenarbeit** *f* cooperación *f*; **zusammen|arbeiten** *vi* cooperar

zusammen|bauen *vt* montar; **zusammen|bleiben** *irr vi sein* quedar juntos; (*weiterhin*) seguir juntos; **zusammen|brechen** *irr vi sein* derrumbarse; (*Mensch*) sufrir un colapso; (*Wirtschaft*) quebrarse; (*Verkehr*) colapsarse; **zusammen|bringen** *irr vt* (*Geld, Personen*) juntar

Zusammenbruch *m* (*gesundheitlich*) colapso *m*

zusammen|fallen *irr vi sein* ❶ (*einstürzen*) hundirse ❷ (*Termine*) coincidir

zusammen|fassen *vt* (*Bericht*) resumir; **Zusammenfassung** *f* (*Resümee*) resumen *m*

zusammen|gehören* *vi* (*fam: Gegenstände*) hacer juego; (*paarweise*) hacer pareja

zusammengesetzt *adj* compuesto; **~ sein aus ...** componerse de...

Zusammenhalt *m* <-(e)s, *ohne pl*> ❶ (*Bindung*) solidaridad *f*, unión *f*;

zusammen|halten *irr* **I.** *vi* ser solidario; (*in der Not*) ayudarse mutuamente **II.** *vt* (*Gruppe*) mantener juntos; (*verbinden*) unir

Zusammenhang *m* relación *f*

zusammen|hängen *irr vi* (*in Beziehung stehen*) estar relacionado

zusammenhang(s)los *adj* incoherente

Zusammenkunft [tsu'zamənkʊnft] *f* <-künfte> encuentro *m*; (*Versammlung*) reunión *f*

zusammen|leben *vi* convivir; **wir leben zusammen** vivimos juntos; **Zusammenleben** *nt* <-s, *ohne pl*> convivencia *f*

zusammen|legen *vt* (*falten*) doblar; (*vereinigen*) juntar; (*Termine*) fijar a una misma hora; **zusammen|nehmen** *irr* **I.** *vt* reunir; **alles zusammengenommen** en total **II.** *vr:* **sich ~** controlarse; **zusammen|passen** *vi* (*Personen*) congeniar; (*Paar*) hacer (una) buena pareja; (*Gegenstände*) hacer juego; **zusammen|reißen** *irr vr:* **sich ~** (*fam*) controlarse; **zusammen|schlagen** *irr vt* (*fam: zerstören*) destrozar; (*verprügeln*) moler a palos; **sie schlug die Hände über dem Kopf zusammen** se llevó las manos a la cabeza; **zusammen|schließen** *irr vr:* **sich ~** agruparse; (*Firmen*) fusionarse; **zusammen|sein**[ALT] *irr vi sein s.* **zusammen**

zusammen|setzen I. *vt* (*montieren*) montar **II.** *vr:* **sich ~** (*bestehen*) componerse (**aus** de)

Zusammensetzung *f* <-en> LING palabra *f* compuesta; **eine ~ aus ...** una combinación de...

zusammen|stellen *vt* (*in Gruppen*) agrupar; (*Menü*) combinar; (*Liste*) hacer; **Zusammenstellung** *f* <-en> (*Zusammensetzung*) composición *f*; (*Übersicht*) cuadro *m* sinóptico

Zusammenstoß *m* ❶ (*von Fahrzeugen*) choque *m*, quiñazo *m* ❷ (*fam: Streit*) disputa *f*; (*Auseinandersetzung*)

Z

enfrentamiento *m*; **zusammen|stoßen** *irr vi sein* (*kollidieren*) chocar
zusammen|stürzen *vi sein* (*Gebäude*) derrumbarse; **zusammen|treffen** *irr vi sein* (*Menschen*) encontrarse; (*Ereignisse*) coincidir; **zusammen|tun** *irr* **I.** *vt* (*fam*) meter junto **II.** *vr:* **sich ~** (*fam*) unirse; (*sich verbünden*) aliarse; **zusammen|zählen** *vt* sumar; **zusammen|ziehen** *irr* **I.** *vt haben* (*enger machen*) estrechar; (*addieren*) sumar **II.** *vr haben*: **sich ~** (*kleiner werden*) contraerse; (*Gewitter*) cernirse **III.** *vi sein*: **mit jdm ~** ir a vivir con alguien
Zusatz *m* (*Lebensmittelzusatz*) aditivo *m*
zusätzlich ['tsu:zɛtslɪç] **I.** *adj* adicional **II.** *adv* más
zu|schauen *vi s.* **zusehen**; **Zuschauer(in)** *m(f)* <-s, -; -nen> espectador(a) *m(f)*; (*Fernsehzuschauer*) telespectador(a) *m(f)*; **die ~ waren begeistert** el público estaba entusiasmado
zu|schicken *vt* enviar
Zuschlag *m* (*auf einen Preis*) suplemento *m*; **zu|schlagen** *irr* **I.** *vi* ❶ *sein* (*Tür*) cerrarse de golpe ❷ *haben* (*fam: zugreifen*) aprovechar la oportunidad; (*beim Essen*) atiborrarse **II.** *vt haben* (*Tür, Buch*) cerrar (de golpe)
zu|schließen *irr vt* cerrar (con llave); **zu|schnüren** *vt* atar; **zu|schrauben** *vt* (*mit Schrauben*) atornillar; (*durch Drehen*) cerrar; **zu|schreiben** *irr vt* atribuir; **das hast du dir selbst zuzuschreiben** es culpa tuya; **zuschulden** [-'--] *adv*: **sich** *dat* **etwas ~ kommen lassen** cometer un error
Zuschuss[RR] *m* subsidio *m*; (*staatlich*) subvención *f*
zu|schütten *vt* ❶ (*mit Erde*) rellenar ❷ (*fam: dazugeben*) añadir; **zu|sehen** *irr vi* mirar; **~, dass ...** procurar que... +*subj*; **zu|sein**[ALT] *irr vi sein s.* **zu II.2.**; **zu|senden** *irr vt* enviar; **zu|sichern** *vt* asegurar; (*Versprechen*) prometer;
zu|spitzen *vr:* **sich ~** (*Situation*) agudizarse
Zuspruch *m* <-(e)s, *ohne pl*> (*geh: Trost*) consuelo *m*; (*Zulauf*) concurrencia *f*; **etw erfreut sich großen ~s** algo está muy concurrido
Zustand ['--] *m* estado *m*; (*Lage*) situación *f*; **Zustände kriegen** (*fam*) volverse loco; **das ist doch kein ~!** (*fam*) ¡eso no puede quedar así!
zustande [-'--] *adv*: **etw ~ bringen** lograr algo; **~ kommen** llevarse a cabo
zuständig *adj* competente (**für** para); (*verantwortlich*) responsable (**für** de)
Zuständigkeit *f* <-en> atribuciones *fpl*; (*Kompetenz*) competencia *f*
zu|stehen *irr vi* corresponder
zu|stellen *vt* (*versperren*) bloquear; (*Post*) repartir; **Zustellung** *f* <-en> (*formal*) entrega *f*
zu|stimmen *vi* estar de acuerdo (con); **etw** *dat* **~** aprobar algo; **Zustimmung** *f* aprobación *f*; **~ finden** tener una buena acogida
zu|stoßen *irr vi sein* (*passieren*) ocurrir; **für den Fall, dass mir etwas zustößt** por si me ocurre algo
Zustrom *m* <-(e)s, *ohne pl*> (*von Menschen*) afluencia *f*
zutage [-'--] *adv*: **etw ~ fördern** sacar algo a la luz; **~ kommen** aparecer
Zutat *f* ingrediente *m*
zu|teilen *vt* repartir; (*Aufgabe*) asignar
zutiefst [-'-] *adv* profundamente; **etw ~ bereuen** sentir algo de todo corazón
zu|trauen *vt:* **jdm etw ~** creer a alguien capaz de algo; **ihm ist alles zuzutrauen** de él se puede esperar cualquier cosa; **traust du dir das zu?** ¿crees que eres capaz?; **Zutrauen** *nt* <-s, *ohne pl*> confianza *f* (**zu** en)
zutraulich *adj* confiado; (*Tier*) manso
zu|treffen *irr vi* (*richtig sein*) ser correcto; (*wahr sein*) ser verdad; (*gelten*) valer (**für/auf** para); **zutreffend** *adj* acertado
Zutritt *m* <-(e)s, *ohne pl*> (*Zugang*) ac-

ceso *m* (**zu** a); (*Eingang*) entrada *f* (**zu** a); **kein ~!** ¡prohibida la entrada!

zuverlässig ['tsu:fɛɐlɛsɪç] *adj* (*Person*) de confianza; (*Mittel*) eficaz

Zuverlässigkeit *f* (*einer Person*) fiabilidad *f*; (*eines Mittels*) eficacia *f*

Zuversicht ['tsu:fɛɐzɪçt] *f* (absoluta) confianza *f*; **voller ~** lleno de optimismo

zuversichtlich *adj* confiado; (*optimistisch*) optimista

zuvielALT [-'-] *adv s.* **viel**

zuvor [-'-] *adv* antes; **kurz ~** poco antes; **am Tag ~** el día anterior; **zuvor|kommen** *irr vi sein* adelantarse (a); **zuvorkommend** *adj* cortés

Zuwachs ['tsu:vaks] *m* <-es, -wächse> incremento *m*; **~ bekommen** (*fam*) estar esperando familia; **zu|wachsen** *irr vi sein* (*mit Pflanzen*) cubrirse de vegetación

Zuwanderungsgesetz *nt* <-es, -e> POL ley *f* de inmigración

zuwege [-'--] *adv*: **etw ~ bringen** conseguir algo

zuweilen [-'--] *adv* (*geh*) en ocasiones; **zu|weisen** *irr vt* asignar

zu|wenden *irr* **I.** *vt* volver; **sie wandte ihm ihr Gesicht zu** volvió el rostro hacia él; **jdm seine Aufmerksamkeit ~** prestar atención a alguien **II.** *vr:* **sich jdm/etw ~** dedicarse a alguien/algo; **Zuwendung** *f* ❶ (*Geld*) subsidio *m*; (*Schenkung*) donación *f* ❷ *ohne pl* (*Liebe*) cariño *m*; (*Aufmerksamkeit*) atención *f*

zuwenigALT [-'--] *adv s.* **wenig**

zuwider [-'--] *adv*: **~ sein** repugnar

zu|ziehen *irr* **I.** *vt haben* (*Tür*) cerrar; (*Vorhang*) correr; (*Knoten*) apretar; (*um Rat fragen*) consultar; **sich** *dat* **etw ~** contraer algo; **sich** *dat* **jds Zorn ~** atraerse las iras de alguien **II.** *vi sein* venirse a vivir (aquí) **III.** *vr haben*: **sich ~** (*Himmel*) cubrirse

zuzüglich ['tsu:tsy:klɪç] *präp +gen* más

zwang [tsvaŋ] *3. imp von* **zwingen**

Zwang [tsvaŋ] *m* <-(e)s, Zwänge> (*Druck*) presión *f*; (*Notwendigkeit*) necesidad *f*; **~ auf jdn ausüben** presionar a alguien; **gesellschaftliche Zwänge** presiones sociales; **zwanghaft** *adj* (*gezwungen*) forzoso; (*erzwungen*) artificial; **zwanglos I.** *adj* desenvuelto **II.** *adv* sin ceremonias

Zwangslage *f* apuro *m*; **zwangsläufig I.** *adj* obligatorio; (*unvermeidbar*) inevitable **II.** *adv* automáticamente; **Zwangsmaßnahme** *f* medida *f* coercitiva; **zwangsweise** *adv* (*erzwungen*) a la fuerza; (*zwangsläufig*) inevitablemente

zwanzig ['tsvantsɪç] *adj inv* veinte; *s.a.* **achtzig**

zwanzigste(r, s) *adj* vigésimo; *s.a.* **achte(r, s)**

zwar [tsva:ɐ] *adv* ❶ (*einräumend*): **das ist ~ wahr, aber ...** esto es cierto pero... ❷ (*erklärend*): **und ~** a saber; **ich habe noch etwas mitzuteilen, und ~ ...** tengo algo más que decir, y es que...

Zweck ['tsvɛk] *m* <-(e)s, -e> fin *m*; (*Sinn*) sentido *m*; **einem guten ~ dienen** servir a un buen fin; **das erfüllt seinen ~** cumple su finalidad; **zwecklos** *adj* inútil; **es ist ~** no tiene sentido; **zweckmäßig** *adj* apropiado

zwecks [tsvɛks] *präp +gen* con el fin de

zwei [tsvaɪ] *adj inv* dos; *s.a.* **acht**[1]

Zwei *f* <-en> dos *m*; (*Schulnote*) notable

zweibändig ['-bɛndɪç] *adj* de dos tomos; **zweideutig** ['tsvaɪdɔɪtɪç] *adj* ambiguo; (*anstößig*) picante; **zweidimensional** ['tsvaɪdimɛnzjona:l] *adj* bidimensional

zweierlei ['tsvaɪɐ'laɪ] *adj inv* de dos clases diferentes, dos clases (diferentes) de

zweifach I. *adj* doble; **in ~er Ausfertigung** por duplicado **II.** *adv* dos veces; *s.a.* **achtfach**

Zweifel ['tsvaɪfəl] *m* <-s, -> duda *f*; **etw in ~ ziehen** poner algo en duda; **daran besteht kein ~** no cabe la menor duda; **zweifelhaft** *adj* dudoso; (*verdächtig*) sospechoso; **zweifellos** *adv* sin duda

zweifeln ['tsvaɪfəln] *vi* dudar (**an** de)

Zweifelsfall *m* caso *m* de duda; **zweifelsfrei** I. *adj* incuestionable, indiscutible II. *adv* indudablemente; **zweifelsohne** ['--'--] *adv* sin duda alguna

Zweig [tsvaɪk] *m* <-(e)s, -e> (*Ast*) rama *f*; (*Sparte*) sector *m*; (*Fachrichtung*) ramo *m*; **auf keinen grünen ~ kommen** (*fam*) no tener éxito (en la vida); **Zweigstelle** *f* sucursal *f*

zweihundert ['-'--] *adj inv* doscientos; *s.a.* **achthundert**

zweijährig ['tsvaɪjɛːrɪç] *adj* (*zwei Jahre alt*) de dos años; (*zwei Jahre dauernd*) bienal

Zweikampf *m* duelo *m*

zweimal *adv* dos veces; **sich** *dat* **etw nicht ~ sagen lassen** no hacerse de rogar

zweisprachig *adj* bilingüe; **~ aufwachsen** educarse bilingüe

zweispurig *adj* (*Bahn*) de dos vías; (*Straße*) de dos carriles

zweistellig *adj* de dos cifras

zweit [tsvaɪt]: **zu ~** (a) dos; **zweitbeste(r, s)** *adj* segundo mejor

zweite(r, s) *adj* segundo; **wie kein Zweiter** como ningún otro; *s.a.* **achte(r, s)**

zweitens ['tsvaɪtəns] *adv* en segundo lugar; (*bei einer Aufzählung*) segundo; *s.a.* **achtens**

zweitklassig *adj* (*abw*) de segunda categoría

zweitletzte(r, s) *adj* penúltimo

zweitrangig *adj* secundario

Zwerg(in) [tsvɛrk] *m(f)* <-(e)s, -e; -nen> enano, -a *m, f*

Zwetsch(g)e *f* <-n> ciruela *f*

zwicken ['tsvɪkən] I. *vi* (*Kleidung*) apretar II. *vt* pellizcar

Zwieback ['tsviːbak] *m* <-(e)s, -bäcke *o* -e> pan *m* a la brasa

Zwiebel ['tsviːbəl] *f* <-n> (*Gemüse*) cebolla *f*; (*Knolle*) bulbo *m*

zwielichtig *adj* sospechoso

Zwiespalt *m* <-(e)s, -e *o* -spälte> dilema *m*; **in einem ~ sein** estar ante un dilema

Zwilling ['tsvɪlɪŋ] *m* <-s, -e> ❶ (*Mensch*) gemelo, -a *m, f*; **eineiige/zweieiige ~e** gemelos homocigóticos/heterocigóticos ❷ *pl* ASTR Géminis *m inv*

zwingen ['tsvɪŋən] <zwingt, zwang, gezwungen> *vt, vr:* **sich ~** obligar(se) (**zu** a)

zwingend *adj* (*unerlässlich*) ineludible; (*dringend*) apremiante

zwinkern ['tsvɪŋkɐn] *vi* guiñar; **mit den Augen ~** guiñar el ojo

Zwirn [tsvɪrn] *m* <-(e)s, -e> hilo *m*

zwischen ['tsvɪʃən] *präp +dat präp +akk* entre; **Zwischenbericht** *m* informe *m* parcial; **zwischendrin** ['--'-] *adv* en medio; **zwischendurch** ['--'-] *adv* (*immer wieder*) entremedias; (*gleichzeitig*) a la vez; (*in der Zwischenzeit*) entretanto; (*räumlich*) en medio; **Zwischenfall** *m* incidente *m*; **Zwischenlandung** *f* escala *f*; **zwischenmenschlich** *adj* interpersonal; **Zwischenprüfung** *f* examen *m* intermedio; **Zwischenraum** *m* (*zeitlich*) intervalo *m*; (*räumlich*) espacio *m* intermedio; **einen ~ lassen** dejar un espacio (libre); **Zwischenzeit** *f*: **in der ~** entretanto; **zwischenzeitlich** *adj* entretanto

zwitschern ['tsvɪtʃɐn] *vi* gorjear

zwölf [tsvœlf] *adj inv* doce; *s.a.* **acht[1]**

zwölfte(r, s) *adj* duodécimo; *s.a.* **achte(r, s)**

Zyklus ['tsyːklʊs] *m* <-, Zyklen> ciclo *m*

Zylinder [tsi'lɪndɐ, tsy'lɪndɐ] *m* <-s, -> cilindro *m*; (*Hut*) sombrero *m* de copa

zynisch ['tsyːnɪʃ] *adj* cínico

Zynismus [tsy'nɪsmʊs] *m* <-, *ohne pl*> cinismo *m*

Zypern ['tsyːpɐn] *nt* <-s> Chipre *m*

Zypresse [tsy'prɛsə] *f* <-n> ciprés *m*

Zyste ['tsʏstə] *f* <-n> quiste *m*

z. Z(t). *Abk. von* **zur Zeit** en la época

Anhang
Apéndice

Regelmäßige und unregelmäßige spanische Verben
Los verbos regulares e irregulares del español

Folgende Abkürzungen werden in der Verbtabelle verwendet:

pret. ind. pretérito indefinido
subj. pres. subjuntivo presente

Die regelmäßigen Verben auf *-ar, -er* und *-ir*

hablar

presente	imperfecto	pret. ind.	futuro	subj. pres.
hablo	hablaba	hablé	hablaré	hable
hablas	hablabas	hablaste	hablarás	hables
habla	hablaba	habló	hablará	hable
hablamos	hablábamos	hablamos	hablaremos	hablemos
habláis	hablabais	hablasteis	hablaréis	habléis
hablan	hablaban	hablaron	hablarán	hablen
gerundio	hablando	**participio**	hablado	

comprender

presente	imperfecto	pret. ind.	futuro	subj. pres.
comprendo	comprendía	comprendí	comprenderé	comprenda
comprendes	comprendías	comprendiste	comprenderás	comprendas
comprende	comprendía	comprendió	comprenderá	comprenda
comprende-mos	comprendía-mos	comprendi-mos	comprendere-mos	comprenda-mos
comprendéis	comprendíais	comprendis-teis	comprende-réis	comprendáis
comprenden	comprendían	comprendie-ron	comprenderán	comprendan
gerundio	compren-diendo	**participio**	comprendido	

recibir

presente	imperfecto	pret. ind.	futuro	subj. pres.
recibo	recibía	recibí	recibiré	reciba
recibes	recibías	recibiste	recibirás	recibas
recibe	recibía	recibió	recibirá	reciba
recibimos	recibíamos	recibimos	recibiremos	recibamos
recibís	recibíais	recibisteis	recibiréis	recibáis
reciben	recibían	recibieron	recibirán	reciban
gerundio	recibiendo	**participio**	recibido	

Verben mit Vokalveränderung

<e → ie> **pensar**

presente	imperfecto	pret. ind.	futuro	subj. pres.
pienso	pensaba	pensé	pensaré	piense
piensas	pensabas	pensaste	pensarás	pienses
piensa	pensaba	pensó	pensará	piense
pensamos	pensábamos	pensamos	pensaremos	pensemos
pensáis	pensabais	pensasteis	pensaréis	penséis
piensan	pensaban	pensaron	pensarán	piensen
gerundio	pensando	**participio**	pensado	

<o → ue> **contar**

presente	imperfecto	pret. ind.	futuro	subj. pres.
cuento	contaba	conté	contaré	cuente
cuentas	contabas	contaste	contarás	cuentes
cuenta	contaba	contó	contará	cuente
contamos	contábamos	contamos	contaremos	contemos
contáis	contabais	contasteis	contaréis	contéis
cuentan	contaban	contaron	contaron	cuenten
gerundio	contando	**participio**	contado	

<e → i> **pedir**

presente	imperfecto	pret. ind.	futuro	subj. pres.
pido	pedía	pedí	pediré	pida
pides	pedías	pediste	pedirás	pidas
pide	pedía	pidió	pedirá	pida
pedimos	pedíamos	pedimos	pediremos	pidamos
pedís	pedíais	pedisteis	pediréis	pidáis
piden	pedían	pidieron	pedirán	pidan
gerundio	pidiendo	**participio**	pedido	

Verben mit orthographischen Abweichungen

<c → qu> **atacar**

presente	imperfecto	pret. ind.	futuro	subj. pres.
ataco	atacaba	ataqué	atacaré	ataque
atacas	atacabas	atacaste	atacarás	ataques
ataca	atacaba	atacó	atacará	ataque
atacamos	atacábamos	atacamos	atacaremos	ataquemos
atacáis	atacabais	atacasteis	atacaréis	ataquéis
atacan	atacaban	atacaron	atacarán	ataquen
gerundio	atacando	**participio**	atacado	

<g → gu> **pagar**

presente	imperfecto	pret. ind.	futuro	subj. pres.
pago	pagaba	pagué	pagaré	pague
pagas	pagabas	pagaste	pagarás	pagues
paga	pagaba	pagó	pagará	pague
pagamos	pagábamos	pagamos	pagaremos	paguemos
pagáis	pagabais	pagasteis	pagaréis	paguéis
pagan	pagaban	pagaron	pagarán	paguen
gerundio	pagando	**participio**	pagado	

<z → c> **cazar**

presente	imperfecto	pret. ind.	futuro	subj. pres.
cazo	cazaba	cacé	cazaré	cace
cazas	cazabas	cazaste	cazarás	caces
caza	cazaba	cazó	cazará	cace
cazamos	cazábamos	cazamos	cazaremos	cacemos
cazáis	cazabais	cazasteis	cazaréis	cacéis
cazan	cazaban	cazaron	cazarán	cacen
gerundio	cazando	**participio**	cazado	

<gu → gü> **averiguar**

presente	imperfecto	pret. ind.	futuro	subj. pres.
averiguo	averiguaba	averigüé	averiguaré	averigüe
averiguas	averiguabas	averiguaste	averiguarás	averigües
averigua	averiguaba	averiguó	averiguará	averigüe
averiguamos	averiguába-mos	averiguamos	averiguaremos	averigüemos
averiguáis	averiguabais	averiguasteis	averiguaréis	averigüéis
averiguan	averiguaban	averiguaron	averiguarán	averigüen
gerundio	averiguando	**participio**	averiguado	

<c → z> **vencer**

presente	imperfecto	pret. ind.	futuro	subj. pres.
venzo	vencía	vencí	venceré	venza
vences	vencías	venciste	vencerás	venzas
vence	vencía	venció	vencerá	venza
vencemos	vencíamos	vencimos	venceremos	venzamos
vencéis	vencíais	vencisteis	venceréis	venzáis
vencen	vencían	vencieron	vencerán	venzan
gerundio	venciendo	**participio**	vencido	

<g → j> **coger**

presente	imperfecto	pret. ind.	futuro	subj. pres.
cojo	cogía	cogí	cogeré	coja
coges	cogías	cogiste	cogerás	cojas
coge	cogía	cogió	cogerá	coja
cogemos	cogíamos	cogimos	cogeremos	cojamos
cogéis	cogíais	cogisteis	cogeréis	cojáis
cogen	cogían	cogieron	cogerán	cojan
gerundio	cogiendo	**participio**	cogido	

<gu → g> **distinguir**

presente	imperfecto	pret. ind.	futuro	subj. pres.
distingo	distinguía	distinguí	distinguiré	distinga
distingues	distinguías	distinguiste	distinguirás	distingas
distingue	distinguía	distinguió	distinguirá	distinga
distinguimos	distinguíamos	distinguimos	distinguiremos	distingamos
distinguís	distinguíais	distinguisteis	distinguiréis	distingáis
distinguen	distinguían	distinguieron	distinguirán	distingan
gerundio	distinguiendo	**participio**	distinguido	

<qu → c> **delinquir**

presente	imperfecto	pret. ind.	futuro	subj. pres.
delinco	delinquía	delinquí	delinquiré	delinca
delinques	delinquías	delinquiste	delinquirás	delincas
delinque	delinquía	delinquió	delinquirá	delinca
delinquimos	delinquíamos	delinquimos	delinquiremos	delincamos
delinquís	delinquíais	delinquisteis	delinquiréis	delincáis
delinquen	delinquían	delinquieron	delinquirán	delincan
gerundio	delinquiendo	**participio**	delinquido	

Verben mit Betonungsverschiebung

<1. pres: envío> enviar

presente	imperfecto	pret. ind.	futuro	subj. pres.
envío	enviaba	envié	enviaré	envíe
envías	enviabas	enviaste	enviarás	envíes
envía	enviaba	envió	enviará	envíe
enviamos	enviábamos	enviamos	enviaremos	enviemos
enviáis	enviabais	enviasteis	enviaréis	enviéis
envían	enviaban	enviaron	enviarán	envíen
gerundio	enviando	**participio**	enviado	

<1. pres: continúo> continuar

presente	imperfecto	pret. ind.	futuro	subj. pres.
continúo	continuaba	continué	continuaré	continúe
continúas	continuabas	continuaste	continuarás	continúes
continúa	continuaba	continuó	continuará	continúe
continuamos	continuábamos	continuamos	continuaremos	continuemos
continuáis	continuabais	continuasteis	continuaréis	continuéis
continúan	continuaban	continuaron	continuarán	continúen
gerundio	continuando	**participio**	continuado	

Verben, bei denen das unbetonte i wegfällt

<3. pret: gruñó> gruñir

presente	imperfecto	pret. ind.	futuro	subj. pres.
gruño	gruñía	gruñí	gruñiré	gruña
gruñes	gruñías	gruñiste	gruñirás	gruñas
gruñe	gruñía	gruñó	gruñirá	gruña
gruñimos	gruñíamos	gruñimos	gruñiremos	gruñamos
gruñís	gruñíais	gruñisteis	gruñiréis	gruñáis
gruñen	gruñían	gruñeron	gruñirán	gruñan
gerundio	gruñendo	**participio**	gruñido	

Die unregelmäßigen Verben

abolir

presente	subj. pres.			
—	—	**gerundio**		
—	—	aboliendo		
—	—			
abolimos	—	**participio**		
abolís	—	abolido		
—	—			

abrir

participio	abierto			

adquirir

presente				
adquiero	**gerundio**			
adquieres	adquiriendo			
adquiere				
adquirimos	**participio**			
adquirís	adquirido			
adquieren				

airar

presente				
aíro	**gerundio**			
aíras	airando			
aíra				
airamos	**participio**			
airáis	airado			
aíran				

andar

presente	pret.ind.			
ando	anduve	**gerundio**		
andas	anduviste	andando		
anda	anduvo			
andamos	anduvimos	**participio**		
andáis	anduvisteis	andado		
andan	anduvieron			

asir

presente				
asgo	**gerundio**			
ases	asiendo			
ase				
asimos	**participio**			
asís	asido			
asen				

aullar

presente				
aúllo	**gerundio**			
aúllas	aullando			
aúlla				
aullamos	**participio**			
aulláis	aullado			
aúllan				

avergonzar

presente	pret.ind.			
avergüenzo	avergoncé	**gerundio**		
avergüenzas	avergonzaste	avergonzando		
avergüenza	avergonzó			
avergonzamos	avergonzamos	**participio**		
avergonzáis	avergonzasteis	avergonzado		
avergüenzan	avergonzaron			

caber

presente	pret.ind.	futuro		
quepo	cupe	cabré	**gerundio**	
cabes	cupiste	cabrás	cabiendo	
cabe	cupo	cabrá		
cabemos	cupimos	cabremos	**participio**	
cabéis	cupisteis	cabréis	cabido	
caben	cupieron	cabrán		

caer

presente	pret.ind.			
caigo	caí	**gerundio**		
caes	caíste	cayendo		
cae	cayó			
caemos	caímos	**participio**		
caéis	caísteis	caído		
caen	cayeron			

ceñir

presente	pret.ind.			
ciño	ceñí	**gerundio**		
ciñes	ceñiste	ciñendo		
ciñe	ciñó			
ceñimos	ceñimos	**participio**		
ceñís	ceñisteis	ceñido		
ciñen	ciñeron			

cernir

presente				
cierno	**gerundio**			
ciernes	cerniendo			
cierne				
cernimos	**participio**			
cernís	cernido			
ciernen				

cocer

presente				
cuezo	**gerundio**			
cueces	cociendo			
cuece				
cocemos	**participio**			
cocéis	cocido			
cuecen				

colgar

presente	pret.ind.			
cuelgo	colgué	**gerundio**		
cuelgas	colgaste	colgando		
cuelga	colgó			
colgamos	colgamos	**participio**		
colgáis	colgasteis	colgado		
cuelgan	colgaron			

crecer

presente				
crezco	**gerundio**			
creces	creciendo			
crece				
crecemos	**participio**			
crecéis	crecido			
crecen				

dar

presente	pret.ind.	subj.pres.		
doy	di	dé	**gerundio**	
das	diste	des	dando	
da	dio	dé		
damos	dimos	demos	**participio**	
dais	disteis	deis	dado	
dan	dieron	den		

decir

presente	imperfecto	pret.ind	futuro	subj.pres.
digo	decía	dije	diré	diga
dices	decías	dijiste	dirás	digas
dice	decía	dijo	dirá	diga
decimos	decíamos	dijimos	diremos	digamos
decís	decíais	dijisteis	diréis	digáis
dicen	decían	dijeron	dirán	digan
gerundio	diciendo	**participio**	dicho	

dormir

presente	pret.ind.			
duermo	dormí	**gerundio**		
duermes	dormiste	durmiendo		
duerme	durmió			
dormimos	dormimos	**participio**		
dormís	dormisteis	dormido		
duermen	durmieron			

elegir

presente	pret.ind.			
elijo	elegí	**gerundio**		
eliges	elegiste	eligiendo		
elige	eligió			
elegimos	elegimos	**participio**		
elegís	elegisteis	elegido		
eligen	eligieron			

empezar

presente	pret.ind.			
empiezo	empecé	**gerundio**		
empiezas	empezaste	empezando		
empieza	empezó			
empezamos	empezamos	**participio**		
empezáis	empezasteis	empezado		
empiezan	empezaron			

erguir

presente	pret.ind.	subj. pres.		
yergo	erguí	yerga	**gerundio**	
yergues	erguiste	yergas	irguiendo	
yergue	irguió	yerga		
erguimos	erguimos	yergamos	**participio**	
erguís	erguisteis	yergáis	erguido	
yerguen	irguieron	yergan		

errar

presente				
yerro	**gerundio**			
yerras	errando			
yerra				
erramos	**participio**			
erráis	errado			
yerran				

escribir

participio	escrito			

estar

presente	imperfecto	pret.ind.	futuro	subj.pres.
estoy	estaba	estuve	estaré	esté
estás	estabas	estuviste	estarás	estés
está	estaba	estuvo	estará	esté
estamos	estábamos	estuvimos	estaremos	estemos
estáis	estabais	estuvisteis	estaréis	estéis
están	estaban	estuvieron	estarán	estén
gerundio	estando	**participio**	estado	

forzar

presente	pret.ind.			
fuerzo	forcé	**gerundio**		
fuerzas	forzaste	forzando		
fuerza	forzó			
forzamos	forzamos	**participio**		
forzáis	forzasteis	forzado		
fuerzan	forzaron			

fregar

presente	pret.ind.			
friego	fregué	**gerundio**		
friegas	fregaste	fregando		
friega	fregó			
fregamos	fregamos	**participio**		
fregáis	fregasteis	fregado		
friegan	fregamos			

freír

presente	pret.ind.			
frío	freí	**gerundio**		
fríes	freíste	friendo		
fríe	frió			
freímos	freímos	**participio**		
freís	freísteis	frito		
fríen	frieron			

haber

presente	imperfecto	pret.ind.	futuro	subj.pres.
he	había	hube	habré	haya
has	habías	hubiste	habrás	hayas
ha	había	hubo	habrá	haya
hemos	habíamos	hubimos	habremos	hayamos
habéis	habíais	hubisteis	habréis	hayáis
han	habían	hubieron	habrán	hayan
gerundio	habiendo	**participio**	habido	

hacer

presente	imperfecto	pret.ind.	futuro	subj.pres.
hago	hacía	hice	haré	haga
haces	hacías	hiciste	harás	hagas
hace	hacía	hizo	hará	haga
hacemos	hacíamos	hicimos	haremos	hagamos
hacéis	hacíais	hicisteis	haréis	hagáis
hacen	hacían	hicieron	harán	hagan
gerundio	haciendo	**participio**	hecho	

hartar

participio	hartado – *gesättigt*
	harto *(nur attributiv):* estoy harto – *ich bin satt*

huir

presente				
huyo	**gerundio**			
huyes	huyendo			
huye				
huimos	**participio**			
huís	huido			
huyen				

imprimir

participio	impreso

ir

presente	imperfecto	pret.ind.	subj.pres.	
voy	iba	fui	vaya	**gerundio**
vas	ibas	fuiste	vayas	yendo
va	iba	fue	vaya	
vamos	íbamos	fuimos	vayamos	**participio**
vais	ibais	fuisteis	vayáis	ido
van	iban	fueron	vayan	

jugar

presente	pret.ind.	subj.pres.		
juego	jugué	juegue	**gerundio**	
juegas	jugaste	juegues	jugando	
juega	jugó	juegue		
jugamos	jugamos	juguemos	**participio**	
jugáis	jugasteis	juguéis	jugado	
juegan	jugaron	jueguen		

leer

presente	pret.ind.			
leo	leí	**gerundio**		
lees	leíste	leyendo		
lee	leyó			
leemos	leímos	**participio**		
leéis	leísteis	leído		
leen	leyeron			

lucir

presente				
luzco	**gerundio**			
luces	luciendo			
luce				
lucimos	**participio**			
lucís	lucido			
lucen				

maldecir

presente	pret.ind.			
maldigo	maldije	**gerundio**		
maldices	maldijiste	maldiciendo		
maldice	maldijo			
maldecimos	maldijimos	**participio**		
maldecís	maldijisteis	maldecido:	*verflucht*	
maldicen	maldijeron	maldito:	*Substantiv, Adjektiv*	

morir

presente	pret.ind.			
muero	morí	**gerundio**		
mueres	moriste	muriendo		
muere	murió			
morimos	morimos	**participio**		
morís	moristeis	muerto		
mueren	murieron			

oir, oír

presente	pret.ind.			
oigo	oí	**gerundio**		
oyes	oíste	oyendo		
oye	oyó			
oímos	oímos	**participio**		
oís	oísteis	oído		
oyen	oyeron			

oler

presente				
huelo	**gerundio**			
hueles	oliendo			
huele				
olemos	**participio**			
oléis	olido			
huelen				

pedir

presente	pret.ind.			
pido	pedí	**gerundio**		
pides	pediste	pidiendo		
pide	pidió			
pedimos	pedimos	**participio**		
pedís	pedisteis	pedido		
piden	pidieron			

poder

presente	pret.ind.	futuro		
puedo	pude	podré	**gerundio**	
puedes	pudiste	podrás	pudiendo	
puede	pudo	podrá		
podemos	pudimos	podremos	**participio**	
podéis	pudisteis	podréis	podido	
pueden	pudieron	podrán		

podrir, pudrir

presente	imperfecto	pret.ind.	futuro	
pudro	pudría	pudrí	pudriré	**gerundio**
pudres	pudrías	pudriste	pudrirás	pudriendo
pudre	pudría	pudrió	pudrirá	
pudrimos	pudríamos	pudrimos	pudriremos	**participio**
pudrís	pudríais	pudristeis	pudriréis	podrido
pudren	pudrían	pudrieron	pudrirán	

poner

presente	pret.ind.	futuro		
pongo	puse	pondré	**gerundio**	
pones	pusiste	pondrás	poniendo	
pone	puso	pondrá		
ponemos	pusimos	pondremos	**participio**	
ponéis	pusisteis	pondréis	puesto	
ponen	pusieron	pondrán		

prohibir

presente				
prohíbo	**gerundio**			
prohíbes	prohibiendo			
prohíbe				
prohibimos	**participio**			
prohibís	prohibido			
prohíben				

proveer

presente	pret.ind.			
proveo	proveí	**gerundio**		
provees	proveíste	proveyendo		
provee	proveyó			
proveemos	proveímos	**participio**		
proveéis	proveísteis	provisto		
proveen	proveyeron			

pudrir *siehe* **podrir**

querer

presente	pret.ind.	futuro		
quiero	quise	querré	**gerundio**	
quieres	quisiste	querrás	queriendo	
quiere	quiso	querrá		
queremos	quisimos	querremos	**participio**	
queréis	quisisteis	querréis	querido	
quieren	quisieron	querrán		

reír

presente	pret.ind.			
río	reí	**gerundio**		
ríes	reíste	riendo		
ríe	rió			
reímos	reímos	**participio**		
reís	reísteis	reído		
ríen	rieron			

reunir

presente				
reúno	**gerundio**			
reúnes	reuniendo			
reúne				
reunimos	**participio**			
reunís	reunido			
reúnen				

roer

presente	pret.ind.	subj.pres.	
roo/roigo/ royo	roí	roa/roiga/roya	**gerundio**
roes	roíste	roas/roigas/royas	royendo
roe	royó	roa/roiga/roya	
roemos	roímos	roamos/roigamos/royamos	**participio** roído
roéis	roísteis	roáis/roigáis/royáis	
roen	royeron	roan/roigan/royan	

saber

presente	pret.ind.	futuro	subj.pres.	
sé	supe	sabré	sepa	**gerundio**
sabes	supiste	sabrás	sepas	sabiendo
sabe	supo	sabrá	sepa	
sabemos	supimos	sabremos	sepamos	**participio**
sabéis	supisteis	sabréis	sepáis	sabido
saben	supieron	sabrán	sepan	

salir

presente	futuro			
salgo	saldré	**gerundio**		
sales	saldrás	saliendo		
sale	saldrá			
salimos	saldremos	**participio**		
salís	saldréis	salido		
salen	saldrán			

seguir

presente	pret.ind.	subj.pres.		
sigo	scguí	siga	**gerundio**	
sigues	seguiste	sigas	siguiendo	
sigue	siguió	siga		
seguimos	seguimos	sigamos	**participio**	
seguís	seguisteis	sigáis	seguido	
siguen	siguieron	sigan		

sentir

presente	pret.ind.	subj.pres.		
siento	sentí	sienta	**gerundio**	
sientes	sentiste	sientas	sintiendo	
siente	sintió	sienta		
sentimos	sentimos	sintamos	**participio**	
sentís	sentisteis	sintáis	sentido	
sienten	sintieron	sientan		

ser

presente	imperfecto	pret.ind.	futuro	subj.pres.
soy	era	fui	seré	sea
eres	eras	fuiste	serás	seas
es	era	fue	será	sea
somos	éramos	fuimos	seremos	seamos
sois	erais	fuisteis	seréis	seáis
son	eran	fueron	serán	sean
gerundio	siendo	**participio**	sido	

soltar

presente				
suelto	**gerundio**			
sueltas	soltando			
suelta				
soltamos	**participio**			
soltáis	soltado			
sueltan				

tener

presente	pret.ind.	futuro		
tengo	tuve	tendré	**gerundio**	
tienes	tuviste	tendrás	teniendo	
tiene	tuvo	tendrá		
tenemos	tuvimos	tendremos	**participio**	
tenéis	tuvisteis	tendréis	tenido	
tienen	tuvieron	tendrán		

traducir

presente	pret.ind.			
traduzco	traduje	**gerundio**		
traduces	tradujiste	traduciendo		
traduce	tradujo			
traducimos	tradujimos	**participio**		
traducís	tradujisteis	traducido		
traducen	tradujeron			

traer

presente	pret.ind.			
traigo	traje	**gerundio**		
traes	trajiste	trayendo		
trae	trajo			
traemos	trajimos	**participio**		
traéis	trajisteis	traído		
traen	trajeron			

valer

presente	futuro			
valgo	valdré	**gerundio**		
vales	valdrás	valiendo		
vale	valdrá			
valemos	valdremos	**participio**		
valéis	valdréis	valido		
valen	valdrán			

venir

presente	pret.ind.	futuro		
vengo	vine	vendré	**gerundio**	
vienes	viniste	vendrás	viniendo	
viene	vino	vendrá		
venimos	vinimos	vendremos	**participio**	
venís	vinisteis	vendréis	venido	
vienen	vinieron	vendrán		

ver

presente	imperfecto	pret.ind.		
veo	veía	vi	**gerundio**	
ves	veías	viste	viendo	
ve	veía	vio		
vemos	veíamos	vimos	**participio**	
veis	veíais	visteis	visto	
ven	veían	vieron		

volcar

presente	pred.ind.			
vuelco	volqué	**gerundio**		
vuelcas	volcaste	volcando		
vuelca	volcó			
volcamos	volcamos	**participio**		
volcáis	volcasteis	volcado		
vuelcan	volcaron			

volver

presente				
vuelvo	**gerundio**			
vuelves	volviendo			
vuelve				
volvemos	**participio**			
volvéis	vuelto			
vuelven				

Unregelmäßige deutsche Verben
Los verbos irregulares del alemán

Las formas de los verbos derivados con los prefijos *auf-*, *ab-*, *be-*, *er-*, *zer-* etc. corresponden a las de sus respectivos verbos en forma no derivada. Se añade a la forma de infinitivo la 2ª persona del singular si hay „Umlaut" o cambio vocálico. Igualmente se indica en la forma del participio pasado («Partizip II») el verbo auxiliar con que se forma.

1. infinitivo	2. pretérito	3. participio pasado («Partizip II»)	4. imperativo – sg/pl
backen bäckst, backst	backte	hat gebacken	back(e)/backt
befehlen befiehlst	befahl	hat befohlen	befiehl/befehlt
beginnen	begann	hat begonnen	beginn(e)/beginnt
beißen	biss	hat gebissen	beiß(e)/beißt
bergen birgst	barg	hat geborgen	birg/bergt
bersten birst	barst	ist geborsten	birst/berstet
bewegen	bewog	hat bewogen	beweg(e)/bewegt
biegen	bog	hat/ist gebogen	bieg(e)/biegt
bieten	bot	hat geboten	biet(e)/bietet
binden	band	hat gebunden	bind(e)/bindet
bitten	bat	hat gebeten	bitt(e)/bittet
blasen bläst	blies	hat geblasen	blas(e)/blast
bleiben	blieb	ist geblieben	bleib(e)/bleibt
braten brätst	briet	hat gebraten	brat(e)/bratet
brechen brichst	brach	hat/ist gebrochen	brich/brecht
brennen	brannte	hat gebrannt	brenn(e)/brennt
bringen	brachte	hat gebracht	bring/bringt
denken	dachte	hat gedacht	denk(e)/denkt
dreschen drischst	drosch	hat gedroschen	drisch/drescht

1. infinitivo	2. pretérito	3. participio pasado («Partizip II»)	4. imperativo – sg/pl
dringen	drang	hat/ist gedrungen	dring(e)/dringt
dürfen darfst	durfte	hat gedurft	
empfangen empfängst	empfing	hat empfangen	empfang(e)/emp-fangt
empfehlen empfiehlst	empfahl	hat empfohlen	empfiehl/emp-fehlt
empfinden	empfand	hat empfunden	empfind(e)/emp-findet
erschrecken erschrickst	erschrak	ist erschrocken	erschrick/ erschreckt
essen isst	aß	hat gegessen	iss/esst
fahren fährst	fuhr	hat/ist gefahren	fahr(e)/fahrt
fallen fällst	fiel	ist gefallen	fall(e)/fallt
fangen fängst	fing	hat gefangen	fang(e)/fangt
fechten fichtst	focht	hat gefochten	ficht/fechtet
finden	fand	hat gefunden	find(e)/findet
flechten flichtst	flocht	hat geflochten	flicht/flechtet
fliegen	flog	hat/istgeflogen	flieg(e)/fliegt
fliehen	floh	ist geflohen	flieh(e)/flieht
fließen	floss	ist geflossen	fließ(e)/fließt
fressen frisst	fraß	hat gefressen	friss/fresst
frieren	fror	hat/ist gefroren	frier(e)/friert
gebären gebierst	gebar	hat/ist geboren	gebier(e)/gebärt
geben gibst	gab	hat gegeben	gib/gebt
gedeihen	gedieh	ist gediehen	gedeih(e)/gedeiht
gehen	ging	ist gegangen	geh(e)/geht
gelingen	gelang	ist gelungen	geling(e)/gelingt
gelten giltst	galt	hat gegolten	gilt/geltet

1. infinitivo	2. pretérito	3. participio pasado («Partizip II»)	4. imperativo – sg/pl
genießen	genoss	hat genossen	genieß(e)/genießt
geschehen geschieht	geschah	ist geschehen	geschieh/ gescheht
gewinnen	gewann	hat gewonnen	gewinn(e)/ gewinnt
gießen	goss	hat gegossen	gieß(e)/gießt
gleichen	glich	hat geglichen	gleich(e)/gleicht
gleiten	glitt	ist geglitten	gleit(e)/gleitet
glimmen	glomm	hat geglommen	glimm(e)/glimmt
graben gräbst	grub	hat gegraben	grab(e)/grabt
greifen	griff	hat gegriffen	greif(e)/greift
haben hast	hatte	hat gehabt	hab(e)/habt
halten hältst	hielt	hat gehalten	halt(e)/haltet
hängen	hing	hat gehangen	häng(e)/hängt
hauen	haute/hieb	hat gehauen/ gehaut	hau(e)/haut
heben	hob	hat gehoben	heb(e)/hebt
heißen	hieß	hat geheißen	heiß(e)/heißt
helfen hilfst	half	hat geholfen	hilf/helft
kennen	kannte	hat gekannt	kenn(e)/kennt
klingen	klang	hat geklungen	kling(e)/klingt
kneifen	kniff	hat gekniffen	kneif(e)/kneift
kommen	kam	ist gekommen	komm(e)/kommt
können kannst	konnte	hat gekonnt	
kriechen	kroch	ist gekrochen	kriech(e)/kriecht
laden lädst	lud	hat geladen	lad(e)/ladet
lassen lässt	ließ	hat gelassen	lass/lasst
laufen läufst	lief	ist gelaufen	lauf(e)/lauft
leiden	litt	hat gelitten	leid(e)/leidet

1. infinitivo	2. pretérito	3. participio pasado («Partizip II»)	4. imperativo – sg/pl
leihen	lieh	hat geliehen	leih(e)/leiht
lesen liest	las	hat gelesen	lies/lest
liegen	lag	hat gelegen	lieg(e)/liegt
lügen	log	hat gelogen	lüg(e)/lügt
mahlen	mahlte	hat gemahlen	mahl(e)/mahlt
meiden	mied	hat gemieden	meid(e)/meidet
melken	molk/melkte	hat gemolken/ gemelkt	melk(e), milk/ melkt
messen misst	maß	hat gemessen	miss/messt
misslingen	misslang	ist misslungen	
mögen magst	mochte	hat gemocht	
müssen musst	musste	hat gemusst	
nehmen nimmst	nahm	hat genommen	nimm/nehmt
nennen	nannte	hat genannt	nenn(e)/nennt
pfeifen	pfiff	hat gepfiffen	pfeif(e)/pfeift
preisen	pries	hat gepriesen	preis(e)/preist
quellen quillst	quoll	ist gequollen	quill/quellt
raten rätst	riet	hat geraten	rat(e)/ratet
reiben	rieb	hat gerieben	reib(e)/reibt
reißen	riss	hat/ist gerissen	reiß/reißt
reiten	ritt	hat/ist geritten	reit(e)/reitet
rennen	rannte	ist gerannt	renn(e)/rennt
riechen	roch	hat gerochen	riech(e)/riecht
ringen	rang	hat gerungen	ring(e)/ringt
rinnen	rann	ist geronnen	rinn(e)/rinnt
rufen	rief	hat gerufen	ruf(e)/ruft
saufen säufst	soff	hat gesoffen	sauf(e)/sauft
schaffen	schuf	hat geschaffen	schaff(e)/schafft
scheiden	schied	hat/ist geschieden	scheid(e)/scheidet

1. infinitivo	2. pretérito	3. participio pasado («Partizip II»)	4. imperativo – sg/pl
scheinen	schien	hat geschienen	schein(e)/scheinet
scheißen	schiss	hat geschissen	scheiß(e)/scheißt
scheren	schor/scherte	hat geschoren/hat geschert	scher(e)/schert
schieben	schob	hat geschoben	schieb(e)/schiebt
schießen	schoss	hat geschossen	schieß(e)/schießt
schinden	schindete	hat geschunden	schind(e)/schindet
schlafen schläfst	schlief	hat geschlafen	schlaf(e)/schlaft
schlagen schlägst	schlug	hat geschlagen	schlag(e)/schlagt
schleichen	schlich	ist geschlichen	schleich(e)/schleicht
schleifen	schliff	hat geschliffen	schleif(e)/schleift
schließen	schloss	hat geschlossen	schließ(e)/schließt
schlingen	schlang	hat geschlungen	schling(e)/schlingt
schmeißen	schmiss	hat geschmissen	schmeiß(e)/schmeißt
schmelzen schmilzt	schmolz	ist geschmolzen	schmilz/schmelzt
schneiden	schnitt	hat geschnitten	schneid(e)/schneidet
schrecken schrickst, schreckst	schreckte/schrak	hat geschreckt	schrick/schreckt
schreiben	schrieb	hat geschrieben	schreib(e)/schreibt
schreien	schrie	hat geschrie(e)n	schrei(e)/schreit
schreiten	schritt	ist geschritten	schreit(e)/schreitet
schweigen	schwieg	hat geschwiegen	schweig(e)/schweigt
schwellen schwillst	schwoll	ist geschwollen	schwill/schwellt
schwimmen	schwamm	hat/ist geschwommen	schwimm(e)/schwimmt

1. infinitivo	2. pretérito	3. participio pasado («Partizip II»)	4. imperativo – sg/pl
schwinden	schwand	ist geschwunden	schwind(e)/ schwindet
schwingen	schwang	hat geschwungen	schwing(e)/ schwingt
schwören	schwor	hat geschworen	schwör(e)/ schwört
sehen siehst	sah	hat gesehen	sieh/seht
sein bist	war	ist gewesen	sei/seid
senden	sandte/sendete	hat gesandt/ hat gesendet	send(e)/sendet
singen	sang	hat gesungen	sing(e)/singt
sinken	sank	ist gesunken	sink(e)/sinkt
sinnen	sann	hat gesonnen	sinn(e)/sinnt
sitzen	saß	hat gesessen	sitz(e)/sitzt
sollen	sollte	hat gesollt	
spalten	spaltete	hat gespalten/ hat gespaltet	spalt(e)/spaltet
speien	spie	hat gespie(e)n	spei(e)/speit
spinnen	spann	hat gesponnen	spinn(e)/spinnt
sprechen sprichst	sprach	hat gesprochen	sprich/sprecht
springen	sprang	ist gesprungen	spring(e)/springt
stechen stichst	stach	hat gestochen	stich/stecht
stecken	steckte/stak	hat gesteckt	steck(e)/steckt
stehen	stand	hat gestanden	steh(e)/steht
stehlen stiehlst	stahl	hat gestohlen	stiehl/stehlt
steigen	stieg	ist gestiegen	steig(e)/steigt
sterben stirbst	starb	ist gestorben	stirb/sterbt
stinken	stank	hat gestunken	stink(e)/stinkt
stoßen stößt	stieß	hat gestoßen	stoß(e)/stoßt
streichen	strich	hat gestrichen	streich(e)/streicht

1. infinitivo	2. pretérito	3. participio pasado («Partizip II»)	4. imperativo – sg/pl
streiten	stritt	hat gestritten	streit(e)/streitet
tragen trägst	trug	hat getragen	trag(e)/tragt
treffen triffst	traf	hat getroffen	triff/trefft
treiben	trieb	hat getrieben	treib(e)/treibt
treten trittst	trat	hat getreten	tritt/tretet
triefen	triefte/troff	hat getrieft	trief(e)/trieft
trinken	trank	hat getrunken	trink(e)/trinkt
trügen	trog	hat getrogen	trüg(e)/trügt
tun	tat	hat getan	tu(e)/tut
verderben verdirbst	verdarb	hat/ist verdorben	verdirb/verderbt
verdrießen	verdross	hat verdrossen	verdrieß(e)/ verdrießt
vergessen vergisst	vergaß	hat vergessen	vergiss/vergesst
verlieren	verlor	hat verloren	verlier(e)/verliert
verzeihen	verzieh	hat verziehen	verzeih(e)/ verzeiht
wachsen wächst	wuchs	ist gewachsen	wachs(e)/wachst
waschen wäschst	wusch	hat gewaschen	wasch(e)/wascht
weben	wob	hat gewoben/ gewebt	web(e)/webt
weichen	wich	ist gewichen	weich(e)/weicht
weisen	wies	hat gewiesen	weis(e)/weist
wenden	wendete/wandte	hat gewendet/ hat gewandt	wend(e)/wendet
werben wirbst	warb	hat geworben	wirb/werbt
werden wirst	wurde	ist geworden	werd(e)/werdet
werfen wirfst	warf	hat geworfen	wirf/werft
wiegen	wog	hat gewogen	wieg(e)/wiegt

1. infinitivo	2. pretérito	3. participio pasado («Partizip II»)	4. imperativo – sg/pl
winden	wand	hat gewunden	wind(e)/windet
winken	winkte	hat gewinkt/ hat gewunken	wink(e)/winkt
wissen weißt	wusste	hat gewusst	wiss(e)/wisset
wollen willst	wollte	hat gewollt	woll(e)/wollt
ziehen	zog	hat/ist gezogen	zieh(e)/zieht
zwingen	zwang	hat gezwungen	zwing(e)/zwingt

Notizen

Notizen

Notizen

Notizen

Notizen

Todas las *entradas* están ordenadas alfabéticamente y se destacan en color.

Los términos escritos con *grafía antigua* se señala con el signo ALT, los de *grafía reformada* con RR.

La transcripción fonética indica la *pronunciación* de las palabras.

En los *verbos separables* la parte separable se señala mediante |.

Las cifras arábigas voladas diferencian palabras diferentes escritas de igual manera (*homógrafos*

La *tilde* sustituye en los ejemplos ilustrativos y modismos a la entrada anterior.

Las indicaciones de los *plurales irregurlares*, de la *formas irregulares de los verbos* y de las *formas* *gradación irregulares* se encuentran inmediatamente después de la entrada.

Las *cifras romanas* indican las distintas partes de la oración.

Las *cifras arábigas* señalan las distintas acepcion

Indicaciones de significado, así como *sujetos y complementos típicos* llevan a la traducción correcta.

Se indica el *verbo auxiliar* con el cual se construy los tiempos compuestos.

Indicaciones de estilo y de *registro* indican el nive lingüístico y la actitud del hablante.

Indicaciones de uso regional muestran la región el país donde la palabra es usada a menudo o d manera exclusiva.